# 平成 29 年度

# 地域保健・健康増進事業報告

# （地域保健編）

厚生労働省政策統括官（統計・情報政策、政策評価担当）編

一般財団法人　厚生労働統計協会

# ま　え　が　き

この報告書は、全国の保健所及び市区町村における地域保健事業・健康増進事業について、地域保健・健康増進事業報告として報告を求めているものを、平成29年度分について取りまとめたものです。

地域保健・健康増進事業報告は、地域住民の健康の保持及び増進を目的とした地域の特性に応じた保健施策の展開等を実施主体である保健所及び市区町村ごとに把握するものであり、国及び地方公共団体の地域保健施策の効率的・効果的な推進のための基礎的な資料となっています。

この報告書は、２分冊で構成されており、第１分冊を「地域保健編」、第２分冊を「健康増進編」としています。

この報告書が、国及び地方公共団体の行政運営に活用されるだけでなく、広く関係各方面においても活用され、我が国の保健事業のより一層の充実発展に役立てれば幸いです。

刊行にあたり、本統計作成に御尽力いただいた関係各位に深く感謝するとともに、今後一層の御協力をお願いする次第です。

令和元年12月

厚生労働省政策統括官（統計・情報政策、政策評価担当）

鈴　木　英二郎

担当係

政 策 統 括 官 付 参 事 官 付

行政報告統計室 衛生統計第二係

電話 (03)5253-1111　　内線 7512

https://www.mhlw.go.jp/

# 平 成 29 年 度

## 地域保健・健康増進事業報告
## （地 域 保 健 編）

## 目　　　次

9

「地域保健編」の統計表は、政府統計の総合窓口（e-Stat）（https://www.e-stat.go.jp/）に掲載している。

**【閲覧可能な統計表一覧】**

次の統計表は、本報告書には掲載していないが、政府統計の総合窓口（ｅ－Ｓｔａｔ）（https://www.e-stat.go.jp）に掲載している。

**地域保健編**

**【保健所表】**

第 1 表　保健所が実施した健康診断受診延人員・事業所からの受託による受診延人員，保健所、健康診断の種類別

第 2 表　政令市及び特別区の設置する保健所が実施した妊産婦及び乳幼児の健康診査受診実人員－延人員・医療機関等へ委託した受診実人員－延人員，保健所、健康診査の種類・対象区分別

第3-1表　政令市及び特別区の設置する保健所が実施した乳児の健康診査受診結果別人員・医療機関等へ委託した受診結果別人員，保健所、対象区分別（乳児１～２か月・乳児３～５か月）

第3-2表　政令市及び特別区の設置する保健所が実施した乳児の健康診査受診結果別人員・医療機関等へ委託した受診結果別人員，保健所、対象区分別（乳児６～８か月・乳児９～12か月）

第3-3表　政令市及び特別区の設置する保健所が実施した幼児の健康診査受診結果別人員・医療機関等へ委託した受診結果別人員，保健所、対象区分別（幼児１歳６か月・幼児３歳）

第3-4表　政令市及び特別区の設置する保健所が実施した幼児の健康診査受診結果別人員・医療機関等へ委託した受診結果別人員，保健所、対象区分別（幼児４～６歳・幼児その他）

第 4 表　保健所が実施した妊産婦及び乳幼児等保健指導の被指導実人員－延人員・健診の事後指導実人員・電話相談延人員，保健所、対象区分別

第 5 表　保健所が実施した妊産婦及び乳幼児等訪問指導の被指導実人員－延人員・医療機関等へ委託した被指導実人員－延人員・乳児家庭全戸訪問事業を併せて実施した被指導実人員，保健所、対象区分別

第 6 表　保健所が実施した長期療養児相談等の被指導実人員－延人員，保健所、相談等の種類別

第 7 表　保健所が実施した長期療養児相談等の新規被指導実人員・小児慢性特定疾患医療受給者証所持者数，保健所、新規者の受付経路別

第 8 表　保健所が実施した長期療養児相談の被指導実人員－延人員，保健所、相談内容別

第 9 表　保健所が実施した歯科健診及び保健指導の受診延人員・医療機関等へ委託した受診延人員，保健所、個別－集団、対象区分別

第 10 表　保健所が実施した訪問による歯科健診及び保健指導の受診実人員－延人員・医療機関等へ委託した受診実人員－延人員，保健所、対象区分別

第 11 表　保健所が実施した歯科予防処置及び治療の受診延人員・医療機関等へ委託した受診延人員，保健所、対象区分別

第 12 表　保健所が実施した訪問による歯科予防処置及び治療の受診実人員－延人員・医療機関等へ委託した受診実人員－延人員，保健所、対象区分別

第 13 表　政令市及び特別区の設置する保健所が実施した幼児の歯科健診の受診実人員－受診結果別人員・医療機関等へ委託した受診実人員－受診結果別人員，政令市及び特別区の設置する保健所別

第 14 表　保健所が実施した栄養指導の被指導延人員・医療機関等へ委託した被指導延人員，保健所、個別－集団・対象区分別

第 15 表　保健所が実施した病態別栄養指導の被指導延人員・医療機関等へ委託した被指導延人員，保健所、個別－集団・対象区分別

15

# Ⅰ　報　告　の　概　要

## 1　報告の目的及び沿革

地域保健・健康増進事業報告は、地域住民の健康の保持及び増進を目的とした地域の特性に応じた保健施策の展開等を実施主体である保健所及び市区町村ごとに把握し、国及び地方公共団体の地域保健施策の効率的・効果的な推進のための基礎資料を得ることを目的とする。

なお、平成20年度より老人保健法が高齢者の医療の確保に関する法律に改正されたことにより、これまで市区町村が担ってきた老人保健事業のうち医療保険者に義務付けられない事業は、市区町村が健康増進法等に基づき実施する健康増進事業となり報告対象となったため、報告名を「地域保健・老人保健事業報告」から「地域保健・健康増進事業報告」と改めた。

## 2　報告の対象

全国の保健所及び市区町村

## 3　報告の種類

年度報

## 4　主な報告事項

(1)　地域保健事業（地域保健法、母子保健法、予防接種法　等）
　　母子保健、健康増進、歯科保健、精神保健福祉、衛生教育、職員の設置状況　等

(2)　健康増進事業（健康増進法第17条第１項及び第19条の２）
　　健康教育、健康診査、訪問指導、がん検診　等

## 5　報告の方法及び系統

(1)　都道府県知事、指定都市及び中核市の長は、所定の報告事項について定められた期限までに、厚生労働省政策統括官（統計・情報政策、政策評価担当）に報告する。

(2)　報告の系統は次のとおりである。

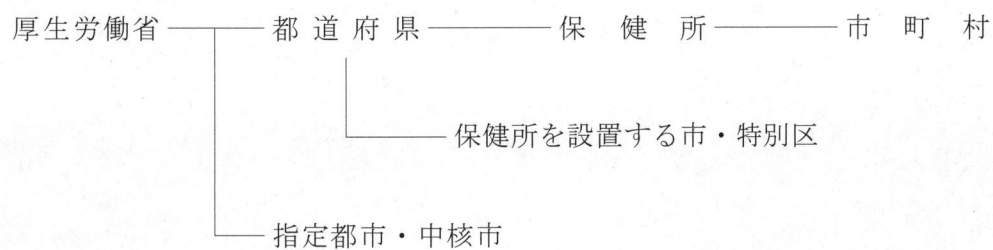

## 6　報告時期

国への提出期限　翌年６月末日

## 7　集　　計

厚生労働省政策統括官（統計・情報政策、政策評価担当）において行った。

# Ⅱ 結 果 の 概 要

## 利用上の注意

（1）事業の実施主体は、「保健所」「市区町村」である。

（2）「政令市」とは保健所を設置する市、「特別区」とは東京都区部である。

（3）「人口10 万対」の値の算出に用いた人口は、総務省「住民基本台帳に基づく人口、人口動態及び世帯数（平成30年１月１日現在）」である。

（4）表章記号の規約

| | |
|---|---|
| 計数のない場合 | － |
| 計数不明又は計数を表章することが不適当な場合 | … |
| 統計項目がありえない場合 | ・ |

（5）掲載している割合の数値は四捨五入しているため、内訳の合計が「総数」に合わない場合がある。

# 地域保健編

## 1　母子保健

### （1）妊娠届出の状況

平成 29 年度に市区町村に妊娠の届出をした者は 986, 003 人で、妊娠週（月）数別にみると、「満 11 週以内（第３月以内）」に届出をした者が 916, 723 人（構成割合 93. 0 %）と最も多くなっている（表１）。

表１　妊娠週（月）数別妊娠届出者数の年次推移

（単位：人）

| | | 平成25年度 (2013) | 構成割合 (%) | 26年度 ('14) | 構成割合 (%) | 27年度 ('15) | 構成割合 (%) | 28年度 ('16) | 構成割合 (%) | 29年度 ('17) | 構成割合 (%) |
|---|---|---|---|---|---|---|---|---|---|---|---|
| 総　数 | | 1 073 964 | 100.0 | 1 076 109 | 100.0 | 1 053 444 | 100.0 | 1 008 985 | 100.0 | 986 003 | 100.0 |
| 妊娠週（月）数 | 満11週以内 (第3月以内) | 981 934 | 91.4 | 989 201 | 91.9 | 971 189 | 92.2 | 934 094 | 92.6 | 916 723 | 93.0 |
| | 満12～19週 (第4～5月) | 70 853 | 6.6 | 67 022 | 6.2 | 62 790 | 6.0 | 57 535 | 5.7 | 52 823 | 5.4 |
| | 満20～27週 (第6～7月) | 8 794 | 0.8 | 8 263 | 0.8 | 8 124 | 0.8 | 7 449 | 0.7 | 7 138 | 0.7 |
| | 満28週～分娩まで (第8月～分娩まで) | 4 420 | 0.4 | 4 413 | 0.4 | 4 169 | 0.4 | 3 958 | 0.4 | 3 852 | 0.4 |
| | 分娩後 | 2 189 | 0.2 | 2 477 | 0.2 | 2 614 | 0.2 | 2 840 | 0.3 | 2 115 | 0.2 |
| | 不　詳 | 5 774 | 0.5 | 4 733 | 0.4 | 4 558 | 0.4 | 3 109 | 0.3 | 3 352 | 0.3 |

### （2）妊産婦の健康診査の実施状況

平成 29 年度に市区町村が実施した妊産婦の一般健康診査の受診実人員は、「妊婦」1, 202, 301 人、「産婦」168, 023 人となっている（表２）。

表２　妊産婦の健康診査の年次推移

（単位：人）

| | | 平成25年度 (2013) | 26年度 ('14) | 27年度 ('15) | 28年度 ('16) | 29年度 ('17) |
|---|---|---|---|---|---|---|
| 妊　婦 | 一般健康診査受診実人員 | 1 231 211 | 1 279 468 | 1 297 668 | 1 232 652 | 1 202 301 |
| | 精密健康診査受診実人員 | 10 598 | 11 765 | 11 994 | 11 741 | 11 322 |
| 産　婦 | 一般健康診査受診実人員 | 66 986 | 62 220 | 84 084 | 90 764 | 168 023 |
| | 精密健康診査受診実人員 | 3 | 12 | 18 | 31 | 35 |

### （３）乳幼児の健康診査の実施状況

市区町村が実施した乳児の一般健康診査の受診実人員は、「３～５か月児」が 949,973 人と最も多く、受診率は 95.５ %となっている（表３）。

市区町村が実施した平成 29 年度の幼児の一般健康診査の受診実人員は、「１歳６か月児」978,831 人、「３歳児」984,233 人となっている。受診率は、「１歳６か月児」96.２%、「３歳児」95.２%となっている。（表４）

**表３　乳児の健康診査の実施状況**

平成 29(2017)年度

(単位:人)

| | | 1～2か月児 | 3～5か月児 | 6～8か月児 | 9～12か月児 |
|---|---|---|---|---|---|
| 乳　児 | 一般健康診査受診実人員 | 244 765 | 949 973 | 351 519 | 704 262 |
| | 受　診　率 (%) [1] | 86.4 | 95.5 | 84.0 | 84.2 |

注：1)受診率＝(一般健康診査受診実人員／健康診査対象人員)×100（計数が不詳の市区町村を除いた値である。）

**表４　幼児の健康診査の年次推移**

(単位:人)

| | | | 平成25年度 (2013) | 26年度 ('14) | 27年度 ('15) | 28年度 ('16) | 29年度 ('17) |
|---|---|---|---|---|---|---|---|
| 幼児 | 1歳6か月児 | 一般健康診査受診実人員 | 1 001 397 | 1 004 202 | 1 008 449 | 1 008 405 | 978 831 |
| | | 受　診　率 (%) [2] | 94.9 | 95.5 | 95.7 | 96.4 | 96.2 |
| | | 精密健康診査受診実人員 | 13 537 | 14 395 | 15 058 | 14 916 | 15 445 |
| | 3歳児 | 一般健康診査受診実人員 | 1 009 368 | 1 009 176 | 1 017 584 | 1 000 319 | 984 233 |
| | | 受　診　率 (%) [2] | 92.9 | 94.1 | 94.3 | 95.1 | 95.2 |
| | | 精密健康診査受診実人員 | 54 069 | 53 988 | 57 191 | 59 734 | 63 144 |
| | 4～6歳児 [1] | 一般健康診査受診実人員 | 43 510 | 46 423 | 50 483 | 42 420 | 42 710 |
| | | 受　診　率 (%) [2] | 77.9 | 79.7 | 81.3 | 80.2 | 81.3 |
| | | 精密健康診査受診実人員 | 2 414 | 2 748 | 3 034 | 2 179 | 2 219 |
| | その他 [1] | 一般健康診査受診実人員 | 79 401 | 61 475 | 60 701 | 54 268 | 57 819 |
| | | 精密健康診査受診実人員 | 850 | 1 009 | 846 | 953 | 1 016 |

注：1)「4～6 歳児」及び「その他」については法定外の健康診査である。
　　2)受診率＝(一般健康診査受診実人員／健康診査対象人員)×100（計数が不詳の市区町村を除いた値である。）

### （４）妊産婦・乳幼児の保健指導・訪問指導の実施状況

平成 29 年度に保健所及び市区町村が実施した妊産婦・乳幼児の保健指導の被指導実人員は、「妊婦」846,905 人、「産婦」261,389 人、「乳児」713,283 人、「幼児」854,627 人となっている（表５）。

**表５　妊産婦・乳幼児保健指導の年次推移**

(単位:人)

| | 被指導実人員 | | | | |
|---|---|---|---|---|---|
| | 平成25年度 (2013) | 26年度 ('14) | 27年度 ('15) | 28年度 ('16) | 29年度 ('17) |
| 妊　婦 | 703 418 | 719 011 | 736 388 | 800 878 | 846 905 |
| 産　婦 | 248 788 | 253 519 | 259 315 | 258 276 | 261 389 |
| 乳　児 | 757 205 | 738 011 | 749 141 | 736 461 | 713 283 |
| 幼　児 | 884 771 | 871 288 | 899 795 | 873 432 | 854 627 |

平成 29 年度に保健所及び市区町村が実施した妊産婦・乳幼児の訪問指導の被指導実人員は、「産婦」732,888 人が最も多く、次いで「乳児」582,301 人となっている（表6）。

**表6　妊産婦・乳幼児訪問指導の年次推移**

（単位：人）

| | 被 指 導 実 人 員 | | | | |
|---|---|---|---|---|---|
| | 平成25年度<br>（2013） | 26年度<br>（'14） | 27年度<br>（'15） | 28年度<br>（'16） | 29年度<br>（'17） |
| 妊　　婦 | 24 812 | 25 139 | 27 242 | 33 038 | 34 350 |
| 産　　婦 | 715 720 | 706 359 | 738 063 | 736 087 | 732 888 |
| 新 生 児 1) | 253 690 | 243 954 | 257 914 | 244 852 | 240 517 |
| 未 熟 児 | 56 679 | 54 277 | 53 279 | 51 110 | 49 362 |
| 乳　　児 2) | 565 624 | 562 942 | 586 257 | 598 770 | 582 301 |
| 幼　　児 | 166 729 | 166 541 | 163 719 | 157 198 | 155 148 |

注：1)「新生児」は未熟児を除く。
　　2)「乳児」は新生児・未熟児を除く。

## 2　健康増進

　平成 29 年度に保健所及び市区町村が実施した健康増進関係事業の被指導延人員は 7,492,515 人で、そのうち「栄養指導」が 4,874,750 人と最も多く、次いで「運動指導」が 1,659,883 人となっている（表7）。

　指導対象区分別にみると、「栄養指導」では「乳幼児」が 2,972,079 人と多く、「運動指導」では「20歳以上」が 1,589,703 人と多くなっている（表8）。

**表7　健康増進関係事業の指導内容の年次推移**

（単位：人）

| | 被 指 導 延 人 員 | | | | |
|---|---|---|---|---|---|
| | 平成25年度<br>（2013） | 26年度<br>（'14） | 27年度<br>（'15） | 28年度<br>（'16） | 29年度<br>（'17） |
| 総　　数 | 7 540 424 | 7 712 516 | 7 753 554 | 7 648 511 | 7 492 515 |
| 栄養指導 | 5 064 254 | 5 109 901 | 5 198 522 | 5 047 029 | 4 874 750 |
| 運動指導 | 1 500 751 | 1 607 467 | 1 553 442 | 1 616 759 | 1 659 883 |
| 休養指導 | 103 234 | 111 969 | 111 976 | 116 738 | 109 682 |
| 禁煙指導 | 348 558 | 350 955 | 360 784 | 350 786 | 341 901 |
| その他 | 523 627 | 532 224 | 528 830 | 517 199 | 506 299 |

**表8　健康増進関係事業の指導対象区分別の指導内容**

（単位：人）　　　　　　　　　　　　　　　　　　　　　　　　　　　　　　平成 29(2017)年度

| | 被 指 導 延 人 員 | | | | |
|---|---|---|---|---|---|
| | 総　数 | 妊産婦 | 乳幼児 | 20歳未満 1) | 20歳以上 2) |
| 総　　数 | 7 492 515 | 581 415 | 3 041 618 | 377 262 | 3 492 220 |
| 栄養指導 | 4 874 750 | 292 351 | 2 972 079 | 235 434 | 1 374 886 |
| 運動指導 | 1 659 883 | 39 608 | ・ | 30 572 | 1 589 703 |
| 休養指導 | 109 682 | 53 968 | ・ | 6 181 | 49 533 |
| 禁煙指導 | 341 901 | 126 570 | ・ | 80 131 | 135 200 |
| その他 | 506 299 | 68 918 | 69 539 | 24 944 | 342 898 |

注：1)「20歳未満」は妊産婦・乳幼児を除く。
　　2)「20歳以上」は妊産婦を除く。

## 3　歯科保健

平成 29 年度に保健所及び市区町村が実施した歯科健診・保健指導等の被指導等延人員は、「歯科健診・保健指導」4,969,047 人、「予防処置」2,077,986 人、「治療」13,285 人となっている（表９）。

**表９　　歯科健診・保健指導等の年次推移**

（単位：人）

| | 被指導等延人員 | | | | |
|---|---|---|---|---|---|
| | 平成25年度<br>(2013) | 26年度<br>('14) | 27年度<br>('15) | 28年度<br>('16) | 29年度<br>('17) |
| 歯科健診・保健指導 | 4 709 156 | 4 856 845 | 4 881 818 | 4 869 985 | 4 969 047 |
| 予防処置 | 2 324 918 | 2 485 340 | 2 599 841 | 2 076 583 | 2 077 986 |
| 治療 | 16 623 | 16 779 | 14 219 | 14 159 | 13 285 |

注：訪問によるものを除く。

## 4　精神保健福祉

平成 29 年度の保健所及び市区町村における精神保健福祉の相談等延人員は、「相談」892,688 人、「デイ・ケア」82,712 人、「訪問指導」348,615 人、「電話相談」1,518,028 人、「メール相談」18,372 人となっている（表 10）。

「相談」を内容別にみると、「その他」を除き、「社会復帰」が 248,823 人と最も多くなっている（表 11）。

**表 10　精神保健福祉の相談等の年次推移**

（単位：人）

| | 相談等延人員 | | | | |
|---|---|---|---|---|---|
| | 平成25年度<br>(2013) | 26年度<br>('14) | 27年度<br>('15) | 28年度<br>('16) | 29年度<br>('17) |
| 相談[1] | 863 198 | 924 406 | 874 035 | 895 272 | 892 688 |
| デイ・ケア | 125 873 | 115 278 | 102 094 | 94 180 | 82 712 |
| 訪問指導 | 361 616 | 357 757 | 356 144 | 355 544 | 348 615 |
| 電話相談 | 1 377 264 | 1 437 652 | 1 487 976 | 1 499 772 | 1 518 028 |
| メール相談 | 17 654 | 14 772 | 16 210 | 18 427 | 18 372 |

注：1）「相談」とは、保健所及び市区町村の窓口で相談を受けた者である。

**表 11　精神保健福祉の相談内容の年次推移**

（単位：人）

| | | 延人員 | | | | |
|---|---|---|---|---|---|---|
| | | 平成25年度<br>(2013) | 26年度<br>('14) | 27年度<br>('15) | 28年度<br>('16) | 29年度<br>('17) |
| 相談[1] | | 863 198 | 924 406 | 874 035 | 895 272 | 892 688 |
| 内容 | 老人精神保健 | 41 162 | 41 169 | 40 096 | 43 342 | 43 302 |
| | 社会復帰 | 257 898 | 254 714 | 240 219 | 247 402 | 248 823 |
| | アルコール | 32 008 | 33 841 | 32 321 | 35 094 | 33 646 |
| | 薬物 | 6 534 | 7 357 | 5 728 | 6 534 | 6 003 |
| | ギャンブル | 1 420 | 2 095 | 2 497 | 2 443 | 2 817 |
| | 思春期 | 17 804 | 21 552 | 19 013 | 22 220 | 20 666 |
| | 心の健康づくり | 134 185 | 159 440 | 130 951 | 129 635 | 137 260 |
| | 摂食障害 | … | 3 860 | 2 964 | 3 077 | 2 816 |
| | てんかん | … | … | 3 546 | 4 029 | 4 165 |
| | その他 | 372 187 | 400 378 | 396 700 | 401 496 | 393 190 |
| （再掲）[2] | ひきこもり | 29 378 | 33 472 | 35 321 | 35 279 | 35 710 |
| | 自殺関連 | 15 129 | 17 842 | 18 069 | 19 406 | 20 697 |
| | 遺族 | 1 284 | 1 420 | 1 461 | 1 480 | 1 710 |
| | 犯罪被害 | 674 | 762 | 631 | 567 | 585 |
| | 災害 | 1 086 | 1 844 | 2 534 | 1 809 | 1 561 |

注：1）「相談」とは、保健所及び市区町村の窓口で相談を受けた者である。
　　2）「ひきこもり」～「災害」は「老人精神保健」～「その他」の再掲である。

## 5 衛生教育

　保健所及び市区町村が実施した衛生教育の開催回数は 399,740 回、参加延人員は 10,964,615 人となっている。

　内容別にみると、開催回数、参加延人員ともに、「母子」「成人・老人」「栄養・健康増進」が多くなっている。（図1）

### 図1　衛生教育の実施状況

平成 29(2017)年度

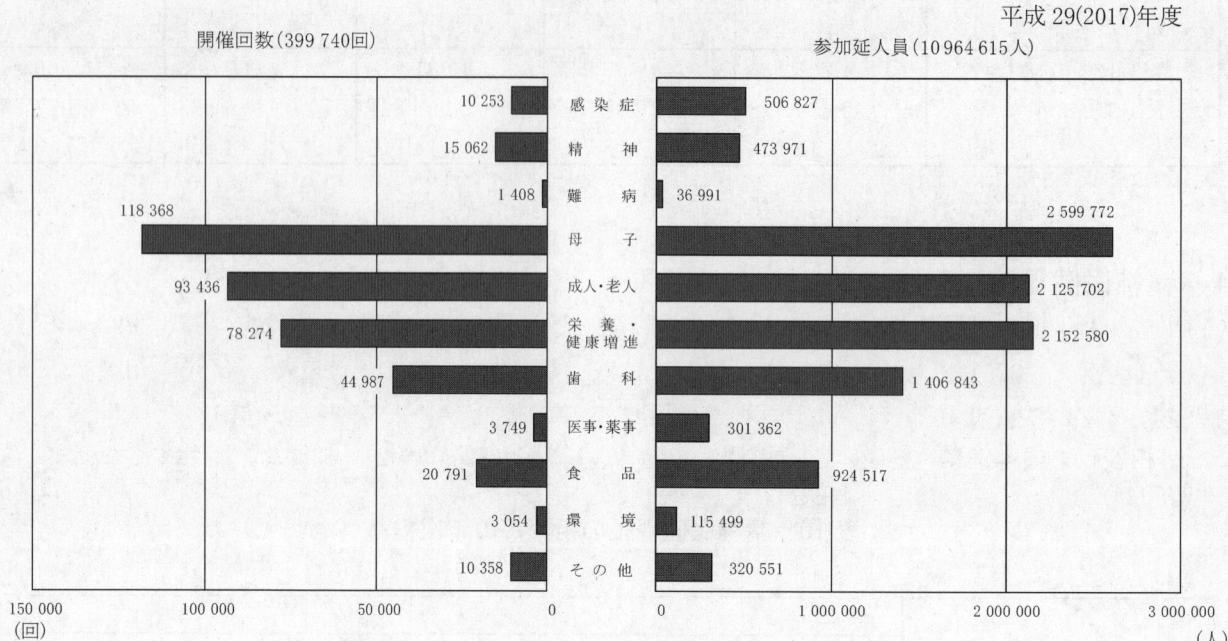

開催回数（399 740回）

| | |
|---|---|
| 感染症 | 10 253 |
| 精神 | 15 062 |
| 難病 | 1 408 |
| 母子 | 118 368 |
| 成人・老人 | 93 436 |
| 栄養・健康増進 | 78 274 |
| 歯科 | 44 987 |
| 医事・薬事 | 3 749 |
| 食品 | 20 791 |
| 環境 | 3 054 |
| その他 | 10 358 |

参加延人員（10 964 615人）

| | |
|---|---|
| 感染症 | 506 827 |
| 精神 | 473 971 |
| 難病 | 36 991 |
| 母子 | 2 599 772 |
| 成人・老人 | 2 125 702 |
| 栄養・健康増進 | 2 152 580 |
| 歯科 | 1 406 843 |
| 医事・薬事 | 301 362 |
| 食品 | 924 517 |
| 環境 | 115 499 |
| その他 | 320 551 |

## 6 エイズ

　平成 29 年度の保健所が受けたエイズに関する相談件数は、「電話相談」37,340 件、「来所相談」65,158 件となっている。

　保健所が実施したＨＩＶ抗体スクリーニング検査のための採血件数は 94,533 件、スクリーニング検査後の確認検査においてＨＩＶ抗体反応が陽性であったものは 250 件となっている。（表 12）

### 表 12　エイズに関する相談・検査及び衛生教育の年次推移

(単位:件)

| | | 平成25年度<br>(2013) | 26年度<br>('14) | 27年度<br>('15) | 28年度<br>('16) | 29年度<br>('17) |
|---|---|---|---|---|---|---|
| 相談件数 | 電話相談 | 47 429 | 44 003 | 41 888 | 37 410 | 37 340 |
| | 来所相談 | 77 896 | 73 377 | 64 014 | 62 305 | 65 158 |
| HIV抗体検査の<br>ための採血件数 | スクリーニング検査 | 112 755 | 111 774 | 99 696 | 92 223 | 94 533 |
| | 確認検査[1] | 895 | 553 | 538 | 513 | 573 |
| | 　陽性件数 | 291 | 298 | 302 | 275 | 250 |
| | 　陽性であった<br>　割合 (%)[2] | 0.26 | 0.27 | 0.30 | 0.30 | 0.26 |
| 衛生教育開催回数(回) | | 2 078 | 1 923 | 1 757 | 1 711 | 1 684 |

注：1)「確認検査」とは、スクリーニング検査でＨＩＶ抗体反応が陽性・疑陽性であった者に対して行う検査である。
　　2)陽性であった割合＝（確認検査の陽性件数／スクリーニング検査件数）×100

## 7　予防接種

平成29年度に市区町村が実施した定期の予防接種の接種者数は、「インフルエンザ」が16,978,015人となっている（表13）。

### 表13　定期の予防接種の接種者数の年次推移

（単位：人）

| | | | | 平成25年度 (2013) | 26年度 ('14) | 27年度 ('15) | 28年度 ('16) | 29年度 ('17) |
|---|---|---|---|---|---|---|---|---|
| 沈降精製百日せきジフテリア破傷風混合ワクチン（DPT） | 第1期 | 初回接種 | 第1回 | 37 632 | 4 274 | 517 | 33 | 226 |
| | | | 第2回 | 61 426 | 7 466 | 704 | 45 | 222 |
| | | | 第3回 | 98 296 | 13 440 | 1 256 | 94 | 237 |
| | | 追加接種 | | 949 855 | 223 219 | 8 795 | 480 | 259 |
| 沈降ジフテリア破傷風混合トキソイド（DT） | 第1期 | 初回接種 | 第1回 | 47 | 25 | 31 | 22 | 14 |
| | | | 第2回 | 64 | 40 | 28 | 30 | 10 |
| | | 追加接種 | | 81 | 180 | 140 | 97 | 28 |
| | 第2期 | | | 801 335 | 835 189 | 794 328 | 819 481 | 816 945 |
| 不活化ポリオワクチン（IPV）[1] | 初回接種 | 第1回 | | 120 736 | 23 830 | 6 546 | 3 398 | 1 511 |
| | | 第2回 | | 253 806 | 58 598 | 19 826 | 10 068 | 4 922 |
| | | 第3回 | | 346 019 | 77 086 | 29 627 | 16 427 | 8 877 |
| | 追加接種 | | | 719 147 | 474 501 | 103 418 | 52 618 | 32 340 |
| 沈降精製百日せきジフテリア破傷風不活化ポリオ混合ワクチン（DPT－IPV）[2] | 第1期 | 初回接種 | 第1回 | 1 039 952 | 1 016 862 | 1 011 542 | 990 279 | 948 790 |
| | | | 第2回 | 1 028 810 | 1 016 018 | 1 014 067 | 995 642 | 953 153 |
| | | | 第3回 | 1 001 889 | 1 016 195 | 1 019 899 | 1 000 372 | 956 067 |
| | | 追加接種 | | 122 582 | 887 490 | 989 131 | 1 030 515 | 992 716 |
| 日本脳炎ワクチン | 第1期 | 初回接種 | 第1回 | 1 218 153 | 1 176 000 | 1 058 934 | 1 281 160 | 1 189 376 |
| | | | 第2回 | 1 197 305 | 1 136 779 | 1 041 164 | 1 231 550 | 1 165 250 |
| | | 追加接種 | | 1 368 587 | 1 204 320 | 1 026 416 | 1 023 443 | 1 127 679 |
| | 第2期 | | | 508 364 | 593 463 | 642 397 | 901 490 | 1 001 971 |
| ヒブワクチン | 第1回 | | | 1 185 464 | 1 044 911 | 1 017 920 | 987 725 | 952 806 |
| | 第2回 | | | 1 068 326 | 1 007 976 | 1 008 902 | 982 730 | 944 599 |
| | 第3回 | | | 1 096 108 | 1 048 523 | 1 021 053 | 997 243 | 940 973 |
| | 第4回 | | | 1 117 300 | 1 005 727 | 973 293 | 986 327 | 965 721 |
| 小児用肺炎球菌ワクチン | 第1回 | | | 1 204 325 | 1 052 880 | 1 020 898 | 989 680 | 953 458 |
| | 第2回 | | | 1 090 029 | 1 018 263 | 1 012 724 | 986 225 | 947 072 |
| | 第3回 | | | 1 077 653 | 1 045 979 | 1 023 026 | 999 937 | 943 657 |
| | 第4回 | | | 944 341 | 973 348 | 979 333 | 995 444 | 963 141 |
| 子宮頸がん予防ワクチン | 第1回 | | | 98 656 | 3 895 | 2 711 | 1 834 | 3 347 |
| | 第2回 | | | 66 568 | 4 172 | 2 669 | 1 805 | 2 666 |
| | 第3回 | | | 87 233 | 6 238 | 2 805 | 1 782 | 1 847 |
| 水痘ワクチン[3] | 第1回 | | | ・ | 1 553 027 | 1 040 930 | 1 010 521 | 973 691 |
| | 第2回 | | | ・ | 481 990 | 1 060 742 | 881 478 | 879 423 |
| B型肝炎ワクチン[4] | 第1回 | | | ・ | ・ | ・ | 727 485 | 944 443 |
| | 第2回 | | | ・ | ・ | ・ | 638 610 | 938 761 |
| | 第3回 | | | ・ | ・ | ・ | 201 749 | 960 881 |
| 麻しん・風しんワクチン[5] | 第1期 | | | 998 388 | 1 007 529 | 981 521 | 994 259 | 961 342 |
| | 第2期 | | | 1 022 334 | 1 017 508 | 997 545 | 1 001 129 | 989 751 |
| BCGワクチン[6][8] | 総　数 | | | 877 419 | 996 844 | 1 003 475 | 988 723 | 946 852 |
| | 5月未満 | | | 134 151 | 92 053 | 78 276 | 60 817 | 69 591 |
| | 5月以上1歳未満 | | | 687 903 | 873 640 | 903 422 | 907 867 | 877 261 |
| インフルエンザワクチン[8] | 総　数 | | | 16 205 813 | 16 730 347 | 17 239 503 | 17 386 306 | 16 978 015 |
| | 60歳以上65歳未満 | | | 48 281 | 34 243 | 31 341 | 29 354 | 27 908 |
| | 65歳以上 | | | 15 754 405 | 16 696 104 | 17 096 694 | 17 223 025 | 16 950 107 |
| 成人用肺炎球菌ワクチン[7][8] | 総　数 | | | ・ | 2 871 593 | 2 446 852 | 2 784 050 | 2 827 741 |
| | 60歳以上65歳未満 | | | ・ | 11 260 | 3 634 | 2 860 | 8 660 |
| | 65歳相当 | | | ・ | 903 804 | 749 073 | 736 802 | 702 223 |
| | 70歳相当 | | | ・ | 624 406 | 441 240 | 670 773 | 866 233 |
| | 75歳相当 | | | ・ | 492 306 | 492 203 | 574 497 | 548 987 |
| | 80歳相当 | | | ・ | 357 483 | 330 513 | 343 779 | 354 924 |
| | 85歳相当 | | | ・ | 216 844 | 192 150 | 201 398 | 210 155 |
| | 90歳相当 | | | ・ | 105 300 | 94 627 | 98 610 | 98 546 |
| | 95歳相当 | | | ・ | 31 949 | 29 487 | 31 049 | 32 283 |
| | 100歳相当 | | | ・ | 6 157 | 5 178 | 5 700 | 5 730 |
| | 101歳以上 | | | ・ | 8 298 | ・ | ・ | ・ |

注：1)「不活化ポリオワクチン（ＩＰＶ）」は、平成24年9月1日より定期接種に使用するワクチンが生ワクチン（ＯＰＶ）から不活化ワクチン（ＩＰＶ）に変わり、接種回数が変更された。
2) ジフテリア、百日せき、急性灰白髄炎及び破傷風について同時に行う第１期の予防接種は、「沈降精製百日せきジフテリア破傷風不活化ポリオ混合ワクチン」を使用する。当ワクチンは、平成24年11月1日より定期接種での使用が開始された。
3)「水痘ワクチン」は、生後12月から生後36月に至るまでの間にある者を対象として平成26年10月1日より定期接種が開始された。
平成26年10月1日から平成27年3月31日までに限り、特例措置として生後36月に至った日の翌日から生後60月に至るまでの間にある者も定期接種の対象となった。水痘ワクチンの特例措置の対象者の接種回数は１回である。
4)「Ｂ型肝炎ワクチン」は、平成28年10月1日より定期接種が開始された。
5)「麻しん・風しんワクチン」は、「麻しん風しん混合ワクチン」、「麻しんワクチン」、「風しんワクチン」を合わせたものである。
6)「ＢＣＧワクチン」は、平成24年度までは生後６月に至るまでの間に行われ、特別の事情等によりやむを得ない場合は１歳に至るまでの間に行われていたが、平成25年度より定期接種の対象者が「原則６月未満」から「生後１歳に至るまでの間にある者」に拡大した。
7)「成人用肺炎球菌ワクチン」は、平成26年10月1日より定期接種が開始された。60歳以上65歳未満の対象者は、心臓、腎臓、呼吸器の機能に自己の身辺の日常生活活動が極度に制限される程度の障害やヒト免疫不全ウイルスによる免疫の機能に日常生活がほとんど不可能な程度の障害がある者である。「101歳以上」の者への定期接種は、平成26年度限りの特例措置である。
8) 年齢階級別の計数が不詳の市区町村があるため、総数と年齢階級別の計が一致しない場合がある。

## 8　職員の配置状況

### （1）常勤職員の配置状況

平成29年度末現在の保健所及び市区町村の地域保健事業に関わる常勤職員の配置状況をみると、「保健師」25,993人が最も多く、次いで「管理栄養士」3,440人、「薬剤師」3,077人、「獣医師」2,488人となっている。

それぞれの分野の相談員、監視員等（<再掲>）をみると、「医療監視員」8,930人が最も多く、次いで「食品衛生監視員」5,730人、「環境衛生監視員」4,930人となっている。（表14）

**表14　職種別にみた常勤職員数の年次推移**

（単位：人）　　各年度末現在

| | 平成27年度 (2015) | 28年度 ('16) | 29年度 ('17) | 都道府県が設置する保健所 | 政令市・特別区 1) | 政令市・特別区以外の市町村 |
|---|---|---|---|---|---|---|
| 合　　計 | 54 504 | 54 874 | 54 967 | 13 634 | 19 926 | 21 407 |
| 医　師 | 894 | 883 | 891 | 414 | 405 | 72 |
| 歯科医師 | 154 | 131 | 125 | 43 | 53 | 29 |
| 獣医師 | 2 508 | 2 521 | 2 488 | 1 310 | 1 175 | 3 |
| 薬剤師 | 3 016 | 3 071 | 3 077 | 1 708 | 1 353 | 16 |
| 理学療法士 | 161 | 149 | 145 | 23 | 48 | 74 |
| 作業療法士 | 105 | 98 | 103 | 24 | 43 | 36 |
| 歯科衛生士 | 722 | 706 | 704 | 105 | 306 | 293 |
| 診療放射線技師 | 514 | 501 | 484 | 257 | 212 | 15 |
| 診療エックス線技師 | 19 | 11 | 3 | 1 | 1 | 1 |
| 臨床検査技師 | 748 | 710 | 693 | 490 | 197 | 6 |
| 衛生検査技師 | 70 | 56 | 50 | 12 | 38 | – |
| 管理栄養士 | 3 183 | 3 306 | 3 440 | 667 | 786 | 1 987 |
| 栄養士 | 542 | 480 | 403 | 25 | 52 | 326 |
| 保健師 | 25 377 | 25 624 | 25 993 | 3 659 | 7 107 | 15 227 |
| 助産師 | 133 | 143 | 151 | 11 | 44 | 96 |
| 看護師 | 848 | 743 | 757 | 50 | 170 | 537 |
| 准看護師 | 122 | 116 | 94 | 2 | 6 | 86 |
| その他 | 15 388 | 15 625 | 15 366 | 4 833 | 7 930 | 2 603 |
| <　再　　掲　> 2) | | | | | | |
| 精神保健福祉士 | 1 006 | 968 | 893 | 375 | 342 | 176 |
| 精神保健福祉相談員 | 1 322 | 1 308 | 1 286 | 740 | 533 | 13 |
| 栄養指導員 | 1 122 | 1 108 | 1 124 | 641 | 482 | 1 |
| 食品衛生監視員 | 5 567 | 5 673 | 5 730 | 2 934 | 2 795 | 1 |
| 環境衛生監視員 | 4 850 | 4 870 | 4 930 | 2 820 | 2 110 | – |
| 医療監視員 | 8 741 | 8 860 | 8 930 | 6 389 | 2 541 | – |

注：1)「政令市・特別区」には、設置する保健所を含む。
　　2)「精神保健福祉士」～「医療監視員」は、「医師」～「その他」の再掲である。

## （2）常勤保健師の配置状況

平成29年度末現在の保健所及び市区町村における常勤保健師の配置状況を人口10万人あたりでみると、全国では20.4人 で、都道府県別にみると、島根県が42.4人と最も多く、次いで高知県39.3人、和歌山県34.3人となっている（表15、図2）。

### 表15　都道府県別にみた常勤保健師数

平成29(2017)年度末現在

（単位：人）

| | 常勤保健師数 | 常勤保健師数[1] (人口10万対) | | |
|---|---|---|---|---|
| | | 総数 | 政令市・[2]特別区 | 政令市・特別区以外 |
| 全　　　　国 | 25 993 | 20.4 | 12.4 | 26.9 |
| 北　海　道 | 1 514 | 28.4 | 11.1 | 45.7 |
| 青　　　森 | 408 | 31.2 | 14.2 | 42.3 |
| 岩　　　手 | 398 | 31.5 | 12.7 | 37.1 |
| 宮　　　城 | 599 | 25.9 | 13.6 | 36.4 |
| 秋　　　田 | 317 | 31.2 | 12.5 | 39.6 |
| 山　　　形 | 335 | 30.3 | ・ | 30.3 |
| 福　　　島 | 590 | 30.7 | 14.1 | 39.3 |
| 茨　　　城 | 577 | 19.6 | ・ | 19.6 |
| 栃　　　木 | 436 | 22.0 | 11.1 | 25.8 |
| 群　　　馬 | 456 | 22.9 | 18.2 | 25.5 |
| 埼　　　玉 | 1 049 | 14.2 | 11.8 | 15.1 |
| 千　　　葉 | 1 038 | 16.5 | 12.1 | 18.6 |
| 東　　　京 | 1 612 | 11.8 | 11.0 | 14.4 |
| 神　奈　川 | 1 048 | 11.4 | 9.7 | 17.2 |
| 新　　　潟 | 665 | 29.2 | 17.7 | 35.3 |
| 富　　　山 | 294 | 27.5 | 23.4 | 30.1 |
| 石　　　川 | 269 | 23.4 | 11.7 | 31.0 |
| 福　　　井 | 194 | 24.5 | ・ | 24.5 |
| 山　　　梨 | 284 | 33.9 | ・ | 33.9 |
| 長　　　野 | 715 | 33.8 | 16.8 | 37.6 |
| 岐　　　阜 | 516 | 25.1 | 18.2 | 26.8 |
| 静　　　岡 | 733 | 19.6 | 15.2 | 22.6 |
| 愛　　　知 | 1 148 | 15.2 | 11.3 | 18.5 |
| 三　　　重 | 390 | 21.3 | 10.3 | 23.5 |
| 滋　　　賀 | 360 | 25.4 | 15.8 | 28.4 |
| 京　　　都 | 642 | 25.0 | 19.5 | 31.9 |
| 大　　　阪 | 1 272 | 14.4 | 11.7 | 18.2 |
| 兵　　　庫 | 920 | 16.5 | 11.5 | 22.3 |
| 奈　　　良 | 350 | 25.5 | 11.7 | 30.4 |
| 和　歌　山 | 334 | 34.3 | 13.5 | 47.0 |
| 鳥　　　取 | 178 | 31.2 | ・ | 31.2 |
| 島　　　根 | 293 | 42.4 | ・ | 42.4 |
| 岡　　　山 | 547 | 28.5 | 17.8 | 46.0 |
| 広　　　島 | 562 | 19.7 | 14.3 | 30.6 |
| 山　　　口 | 352 | 25.2 | 21.4 | 26.1 |
| 徳　　　島 | 232 | 30.6 | ・ | 30.6 |
| 香　　　川 | 239 | 24.1 | 14.7 | 31.2 |
| 愛　　　媛 | 370 | 26.5 | 9.5 | 36.5 |
| 高　　　知 | 285 | 39.3 | 12.0 | 62.3 |
| 福　　　岡 | 906 | 17.7 | 12.8 | 24.1 |
| 佐　　　賀 | 252 | 30.2 | ・ | 30.2 |
| 長　　　崎 | 315 | 22.8 | 9.4 | 36.0 |
| 熊　　　本 | 500 | 27.9 | 13.8 | 37.8 |
| 大　　　分 | 363 | 31.0 | 15.8 | 41.6 |
| 宮　　　崎 | 311 | 28.0 | 12.9 | 36.6 |
| 鹿　児　島 | 459 | 27.7 | 11.9 | 36.8 |
| 沖　　　縄 | 366 | 24.9 | 12.7 | 28.3 |

注：1)「常勤保健師数（人口10万対）」は、総務省「住民基本台帳に基づく人口、人口動態及び世帯数（平成30年1月1日現在）」により算出した。
　　2)「政令市・特別区」には、設置する保健所を含む。

### 図2　都道府県別にみた常勤保健師数
（人口10万対）

平成29(2017)年度末現在

全国　20.4人

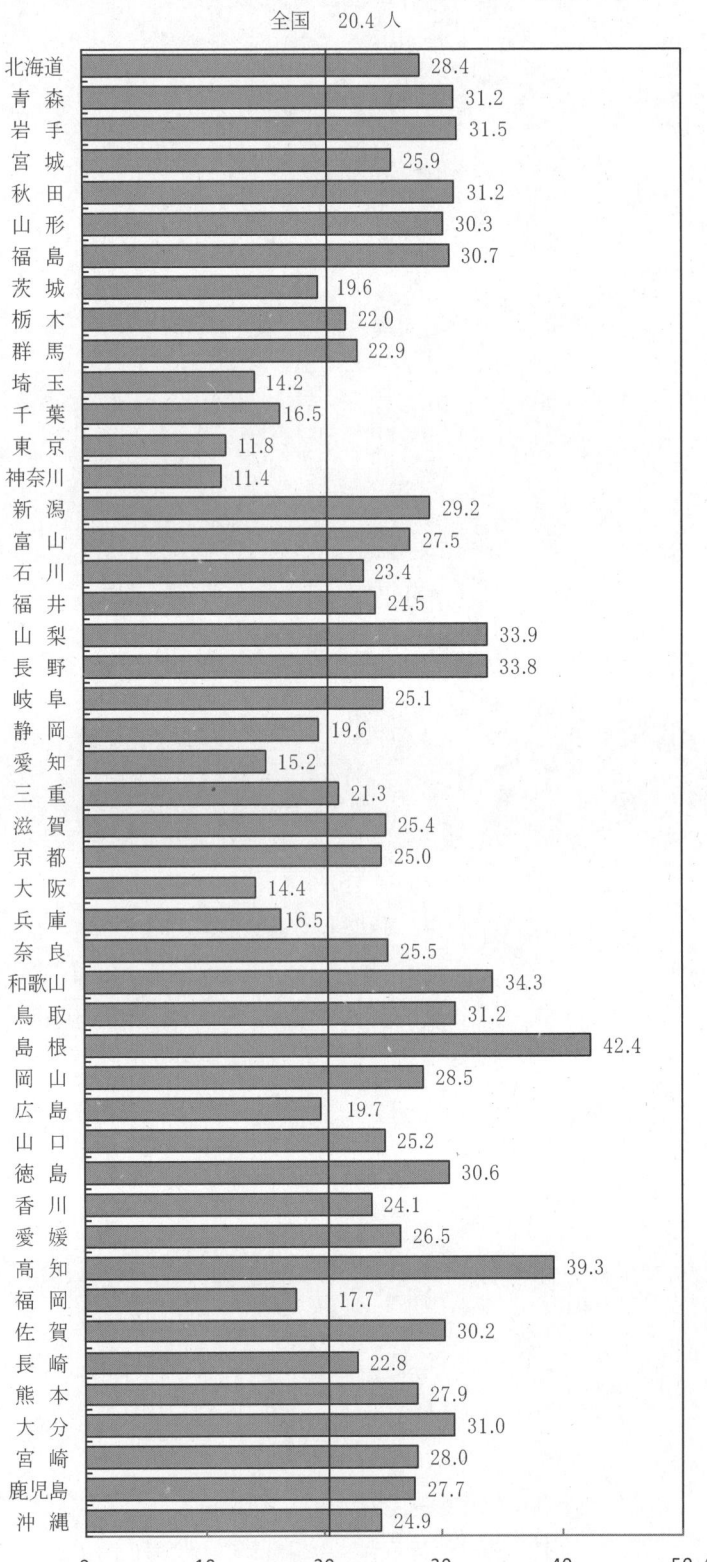

注：「常勤保健師数（人口10万対）」は、総務省「住民基本台帳に基づく人口、人口動態及び世帯数（平成30年1月1日現在）」により算出した。

# Ⅲ　統　　　計　　　表

## 第１章　総括編

### 利用上の注意

（1）事業の実施主体は、「保健所」「市区町村」である。

（2）「政令市」とは保健所を設置する市、「特別区」とは東京都区部である。

（3）「第１章　総括編」の統計表は、「保健所の報告表」及び「市区町村の報告表」の両方に共通（表番号が同じ）の表を掲載した。（ただし、政令市及び特別区の報告表には保健所活動分も含まれているので、重複部分を除いて掲載した。）

（4）表章記号の規約

| | |
|---|---|
| 計数のない場合 | － |
| 計数不明又は計数を表章することが不適当な場合 | … |
| 統計項目がありえない場合 | ・ |

# 第１表　保健所及び市区町村が実施した健康診断

| | 結核 | 生活習慣病 | | | |
|---|---|---|---|---|---|
| | | 総数 | 悪性新生物 | 循環器疾患 | その他 |
| **全国** | **7 367 184** | **4 109 899** | **2 873 269** | **426 029** | **810 601** |
| 北海道 | 176 506 | 67 116 | 41 182 | 13 541 | 12 393 |
| 青森 | 81 267 | 55 999 | 45 338 | 5 488 | 5 173 |
| 岩手 | 92 478 | 70 799 | 53 116 | 4 439 | 13 244 |
| 宮城 | 380 170 | 83 636 | 61 246 | 10 342 | 12 048 |
| 秋田 | 79 348 | 52 125 | 41 595 | 2 664 | 7 866 |
| 山形 | 294 049 | 41 256 | 26 171 | 2 502 | 12 583 |
| 福島 | 236 555 | 131 330 | 65 216 | 23 843 | 42 271 |
| 茨城 | 189 729 | 150 854 | 104 269 | 26 233 | 20 352 |
| 栃木 | 36 748 | 110 955 | 80 565 | 13 277 | 17 113 |
| 群馬 | 209 420 | 115 375 | 80 776 | 6 314 | 28 285 |
| 埼玉 | 232 642 | 177 259 | 130 422 | 2 378 | 44 459 |
| 千葉 | 384 194 | 134 994 | 111 851 | 2 437 | 20 706 |
| 東京 | 1 213 179 | 251 156 | 129 655 | 30 401 | 91 100 |
| 神奈川 | 118 072 | 93 148 | 85 580 | 747 | 6 821 |
| 新潟 | 233 682 | 57 296 | 40 824 | 11 592 | 4 880 |
| 富山 | 99 324 | 13 473 | 10 258 | 1 236 | 1 979 |
| 石川 | 80 131 | 30 001 | 17 425 | 3 112 | 9 464 |
| 福井 | 24 570 | 29 433 | 23 304 | 3 619 | 2 510 |
| 山梨 | 83 689 | 248 374 | 156 011 | 48 146 | 44 217 |
| 長野 | 73 522 | 124 748 | 85 386 | 27 313 | 12 049 |
| 岐阜 | 91 035 | 54 456 | 29 824 | 9 607 | 15 025 |
| 静岡 | 380 387 | 150 536 | 124 374 | 480 | 25 682 |
| 愛知 | 450 493 | 326 626 | 239 945 | 25 111 | 61 570 |
| 三重 | 65 897 | 81 053 | 73 186 | 1 802 | 6 065 |
| 滋賀 | 63 435 | 5 408 | 2 001 | 1 326 | 2 081 |
| 京都 | 69 986 | 42 574 | 32 525 | 3 565 | 6 484 |
| 大阪 | 192 056 | 127 998 | 74 867 | 9 659 | 43 472 |
| 兵庫 | 205 254 | 424 968 | 308 816 | 48 365 | 67 787 |
| 奈良 | 61 709 | 12 791 | 10 926 | 344 | 1 521 |
| 和歌山 | 28 743 | 15 891 | 11 807 | 1 475 | 2 609 |
| 鳥取 | 81 250 | 12 572 | 9 201 | 1 403 | 1 968 |
| 島根 | 37 384 | 20 236 | 15 846 | 3 584 | 806 |
| 岡山 | 87 849 | 41 162 | 35 254 | 1 457 | 4 451 |
| 広島 | 143 919 | 38 733 | 25 348 | 5 305 | 8 080 |
| 山口 | 50 729 | 17 007 | 14 557 | 565 | 1 885 |
| 徳島 | 18 832 | 21 673 | 15 670 | 1 390 | 4 613 |
| 香川 | 116 932 | 40 385 | 38 453 | 455 | 1 477 |
| 愛媛 | 56 718 | 66 533 | 48 036 | 12 222 | 6 275 |
| 高知 | 34 684 | 4 992 | 4 411 | 156 | 425 |
| 福岡 | 161 665 | 92 684 | 62 198 | 8 181 | 22 305 |
| 佐賀 | 34 353 | 30 240 | 23 733 | 2 974 | 3 533 |
| 長崎 | 76 574 | 33 577 | 20 421 | 3 877 | 9 279 |
| 熊本 | 99 449 | 178 399 | 126 619 | 22 570 | 29 210 |
| 大分 | 222 745 | 31 428 | 17 288 | 2 288 | 11 852 |
| 宮崎 | 56 883 | 56 075 | 45 024 | 7 497 | 3 554 |
| 鹿児島 | 96 996 | 120 071 | 62 476 | 5 586 | 52 009 |
| 沖縄 | 61 952 | 22 504 | 10 273 | 5 161 | 7 070 |
| 指定都市・特別区(再掲) | | | | | |
| 東京都区部 | 803 360 | 111 098 | 85 030 | 14 762 | 11 306 |
| 札幌市 | 13 792 | - | - | - | - |
| 仙台市 | 165 132 | 3 813 | 1 471 | - | 2 342 |
| さいたま市 | 2 058 | 48 848 | 20 534 | - | 28 314 |
| 千葉市 | 143 298 | 15 401 | 15 401 | - | - |
| 横浜市 | 10 609 | - | - | - | - |
| 川崎市 | 1 932 | - | - | - | - |
| 相模原市 | 2 116 | - | - | - | - |
| 新潟市 | 92 933 | 5 556 | 5 556 | - | - |
| 静岡市 | 50 866 | 38 217 | 18 913 | - | 19 304 |
| 浜松市 | 129 470 | 28 644 | 25 292 | - | 3 352 |
| 名古屋市 | 2 405 | 77 215 | 56 467 | - | 20 748 |
| 京都市 | 28 924 | - | - | - | - |
| 大阪市 | 21 157 | - | - | - | - |
| 堺市 | 6 508 | - | - | - | - |
| 神戸市 | 75 286 | 212 298 | 195 026 | - | 17 272 |
| 岡山市 | 41 673 | - | - | - | - |
| 広島市 | 99 342 | - | - | - | - |
| 北九州市 | 11 834 | 18 102 | 11 980 | 1 318 | 4 804 |
| 福岡市 | 15 306 | 6 471 | - | - | 6 471 |
| 熊本市 | 16 933 | - | - | - | - |

# 受診延人員，都道府県－指定都市・特別区－中核市－その他政令市、健康診断の種類別

平成29年度

| | 結核 | 生活習慣病 | | | |
|---|---|---|---|---|---|
| | | 総数 | 悪性新生物 | 循環器疾患 | その他 |
| 中核市(再掲) | | | | | |
| 旭川市 | 32 325 | - | - | - | - |
| 函館市 | 6 597 | - | - | - | - |
| 青森市 | 9 498 | 483 | 94 | 389 | - |
| 八戸市 | 13 299 | 14 182 | 13 936 | 172 | 74 |
| 盛岡市 | 2 490 | - | - | - | - |
| 秋田市 | 34 006 | 4 782 | 4 782 | - | - |
| 郡山市 | 514 | 3 978 | 3 978 | - | - |
| いわき市 | 41 419 | 6 436 | 4 903 | - | 1 533 |
| 宇都宮市 | 368 | 15 575 | 15 575 | - | - |
| 前橋市 | 35 715 | 20 910 | 19 638 | 1 272 | - |
| 高崎市 | 45 491 | 9 037 | 9 037 | - | - |
| 川越市 | 259 | 11 981 | 9 609 | - | 2 372 |
| 越谷市 | 42 916 | 8 079 | 6 729 | - | 1 350 |
| 船橋市 | 1 102 | - | - | - | - |
| 柏市 | 17 898 | 5 045 | - | - | 5 045 |
| 八王子市 | 172 445 | 1 032 | - | - | 1 032 |
| 横須賀市 | 19 701 | - | - | - | - |
| 富山市 | 40 500 | 697 | 318 | … | 379 |
| 金沢市 | 44 131 | 14 565 | 6 100 | 1 683 | 6 782 |
| 長野市 | 271 | - | - | - | - |
| 岐阜市 | 9 156 | - | - | - | - |
| 豊橋市 | 45 460 | 1 135 | 1 135 | - | - |
| 豊田市 | 50 767 | 12 383 | 12 038 | 210 | 135 |
| 岡崎市 | 49 080 | 21 074 | 7 640 | 1 011 | 12 423 |
| 大津市 | 382 | - | - | - | - |
| 高槻市 | 254 | 15 496 | 12 016 | - | 3 480 |
| 東大阪市 | 47 417 | - | - | - | - |
| 豊中市 | 586 | 10 726 | 9 360 | - | 1 366 |
| 枚方市 | 738 | 13 103 | 8 698 | 487 | 3 918 |
| 姫路市 | 5 692 | 5 291 | 503 | - | 4 788 |
| 西宮市 | 547 | 3 806 | 2 058 | - | 1 748 |
| 尼崎市 | 416 | - | - | - | - |
| 奈良市 | 805 | - | - | - | - |
| 和歌山市 | 7 654 | - | - | - | - |
| 倉敷市 | 405 | 8 159 | 8 159 | - | - |
| 福山市 | 881 | - | - | - | - |
| 呉市 | 5 093 | 2 619 | 2 325 | 294 | - |
| 下関市 | - | 2 799 | 2 290 | 356 | 153 |
| 高松市 | 14 123 | 15 929 | 15 929 | - | - |
| 松山市 | 11 342 | 4 300 | 4 300 | - | - |
| 高知市 | 4 433 | 260 | - | - | 260 |
| 久留米市 | 21 849 | 9 480 | 6 431 | 1 250 | 1 799 |
| 長崎市 | 36 140 | - | - | - | - |
| 佐世保市 | 660 | 7 492 | 7 386 | - | 106 |
| 大分市 | 180 631 | - | - | - | - |
| 宮崎市 | 371 | 16 397 | 15 201 | - | 1 196 |
| 鹿児島市 | 16 742 | - | - | - | - |
| 那覇市 | 11 975 | - | - | - | - |
| その他政令市(再掲) | | | | | |
| 小樽市 | 2 439 | - | - | - | - |
| 町田市 | 51 752 | 5 527 | 3 061 | - | 2 466 |
| 藤沢市 | 69 560 | 14 742 | 14 742 | - | - |
| 茅ヶ崎市 | 167 | 807 | - | - | 807 |
| 四日市市 | 105 | 2 096 | 2 096 | - | - |
| 大牟田市 | 13 928 | 93 | 93 | - | - |

## 第2表（2−1） 保健所及び市区町村が実施した妊産婦及び乳幼児等保健指導の被指導実人員

| | 総数 | | | | | | | |
|---|---|---|---|---|---|---|---|---|
| | 妊婦 | | 産婦 | | 乳児 | | 幼児 | |
| | 実人員 | 延人員 | 実人員 | 延人員 | 実人員 | 延人員 | 実人員 | 延人員 |
| 全　国 | 846 905 | 894 879 | 261 389 | 351 536 | 713 283 | 1 032 892 | 854 627 | 1 216 039 |
| 北海道 | 32 966 | 36 835 | 4 821 | 7 456 | 28 433 | 42 008 | 31 969 | 43 905 |
| 青森 | 8 501 | 9 335 | 2 498 | 2 765 | 4 546 | 5 718 | 6 125 | 9 517 |
| 岩手 | 8 152 | 8 396 | 3 671 | 4 020 | 6 296 | 8 207 | 11 225 | 13 827 |
| 宮城 | 18 220 | 18 696 | 7 730 | 8 632 | 14 379 | 17 204 | 22 532 | 29 688 |
| 秋田 | 4 441 | 4 583 | 969 | 1 077 | 4 021 | 5 035 | 6 816 | 7 475 |
| 山形 | 8 602 | 9 755 | 1 499 | 2 006 | 9 674 | 11 503 | 16 149 | 19 451 |
| 福島 | 13 756 | 14 284 | 3 727 | 5 206 | 6 884 | 9 667 | 12 325 | 18 796 |
| 茨城 | 13 519 | 14 250 | 6 943 | 10 689 | 15 575 | 23 811 | 16 830 | 22 925 |
| 栃木 | 11 320 | 11 661 | 3 604 | 4 219 | 10 351 | 14 489 | 17 941 | 22 539 |
| 群馬 | 14 907 | 15 677 | 4 232 | 6 348 | 15 456 | 21 058 | 11 685 | 17 882 |
| 埼玉 | 22 380 | 23 745 | 11 198 | 13 679 | 30 395 | 44 662 | 25 274 | 43 593 |
| 千葉 | 43 124 | 44 702 | 11 018 | 14 961 | 49 345 | 60 792 | 30 520 | 42 822 |
| 東京 | 88 747 | 93 845 | 24 642 | 29 450 | 70 419 | 91 335 | 102 013 | 120 580 |
| 神奈川 | 63 261 | 66 493 | 14 156 | 15 862 | 38 975 | 53 022 | 49 570 | 65 826 |
| 新潟 | 12 264 | 12 896 | 9 473 | 11 435 | 9 961 | 18 483 | 10 670 | 13 463 |
| 富山 | 6 074 | 6 946 | 1 449 | 1 711 | 5 485 | 11 408 | 5 390 | 8 395 |
| 石川 | 7 443 | 8 129 | 802 | 1 453 | 6 606 | 8 658 | 2 658 | 4 189 |
| 福井 | 3 172 | 3 375 | 961 | 1 303 | 6 274 | 7 484 | 4 604 | 5 362 |
| 山梨 | 6 397 | 7 913 | 2 470 | 3 803 | 4 554 | 7 324 | 7 522 | 9 730 |
| 長野 | 13 256 | 14 580 | 4 661 | 6 735 | 22 137 | 35 934 | 20 758 | 35 960 |
| 岐阜 | 12 381 | 13 468 | 2 509 | 3 711 | 15 437 | 25 135 | 17 172 | 31 487 |
| 静岡 | 28 868 | 30 314 | 7 289 | 9 602 | 31 978 | 52 693 | 32 463 | 51 463 |
| 愛知 | 44 519 | 47 688 | 19 685 | 28 178 | 41 816 | 62 873 | 56 955 | 92 584 |
| 三重 | 10 234 | 11 140 | 2 148 | 4 495 | 10 715 | 19 086 | 11 332 | 22 001 |
| 滋賀 | 9 880 | 10 114 | 482 | 606 | 2 875 | 11 792 | 6 491 | 13 539 |
| 京都 | 14 650 | 15 183 | 1 445 | 2 260 | 6 235 | 9 329 | 7 414 | 12 607 |
| 大阪 | 75 953 | 78 568 | 23 655 | 27 548 | 58 928 | 69 189 | 84 698 | 102 927 |
| 兵庫 | 42 745 | 44 465 | 5 466 | 8 347 | 25 461 | 35 171 | 31 031 | 45 748 |
| 奈良 | 7 040 | 7 371 | 2 985 | 4 230 | 6 617 | 9 978 | 7 418 | 12 781 |
| 和歌山 | 5 146 | 5 326 | 1 079 | 1 808 | 6 474 | 7 957 | 11 884 | 16 412 |
| 鳥取 | 4 388 | 4 757 | 911 | 1 059 | 2 808 | 4 590 | 2 754 | 4 361 |
| 島根 | 5 428 | 5 742 | 2 562 | 4 093 | 9 965 | 13 576 | 4 554 | 7 430 |
| 岡山 | 14 850 | 15 698 | 3 370 | 4 911 | 8 335 | 16 021 | 8 859 | 12 672 |
| 広島 | 24 653 | 25 698 | 9 612 | 13 757 | 19 170 | 28 258 | 21 415 | 33 115 |
| 山口 | 9 480 | 10 007 | 3 352 | 4 719 | 6 751 | 14 369 | 8 235 | 14 107 |
| 徳島 | 3 240 | 3 617 | 1 417 | 3 314 | 2 753 | 6 449 | 5 952 | 8 614 |
| 香川 | 7 619 | 8 043 | 2 452 | 2 816 | 7 185 | 11 107 | 4 578 | 7 304 |
| 愛媛 | 5 635 | 5 909 | 3 442 | 6 490 | 8 382 | 17 270 | 10 057 | 14 616 |
| 高知 | 3 161 | 3 904 | 1 724 | 3 170 | 2 013 | 5 080 | 2 520 | 3 901 |
| 福岡 | 44 708 | 46 959 | 24 818 | 32 714 | 35 639 | 48 041 | 36 959 | 55 280 |
| 佐賀 | 7 474 | 7 588 | 3 362 | 5 246 | 5 586 | 9 207 | 9 982 | 12 836 |
| 長崎 | 7 520 | 7 849 | 2 697 | 4 419 | 6 125 | 9 801 | 4 544 | 5 849 |
| 熊本 | 15 271 | 16 209 | 3 829 | 4 748 | 10 570 | 15 022 | 15 595 | 23 313 |
| 大分 | 9 423 | 9 991 | 1 610 | 2 324 | 4 131 | 5 205 | 8 818 | 11 319 |
| 宮崎 | 7 446 | 7 533 | 2 838 | 4 065 | 4 578 | 6 665 | 6 544 | 9 199 |
| 鹿児島 | 14 749 | 15 095 | 4 795 | 8 425 | 8 559 | 14 914 | 16 267 | 25 078 |
| 沖縄 | 9 942 | 10 547 | 1 331 | 1 671 | 4 431 | 6 312 | 7 560 | 9 571 |
| 指定都市・特別区（再掲） | | | | | | | | |
| 東京都区部 | 66 227 | 70 451 | 19 068 | 22 827 | 55 870 | 72 438 | 80 139 | 93 345 |
| 札幌市 | 14 114 | 14 114 | 617 | 617 | 14 763 | 19 806 | 15 061 | 16 547 |
| 仙台市 | 9 378 | 9 569 | 6 429 | 7 157 | 8 800 | 9 580 | 13 165 | 15 908 |
| さいたま市 | 8 874 | 8 874 | 640 | 640 | 8 193 | 12 758 | 6 489 | 10 222 |
| 千葉市 | 6 552 | 6 658 | 1 258 | 1 348 | 4 218 | 4 417 | 2 707 | 2 906 |
| 横浜市 | 30 472 | 30 489 | 2 403 | 2 498 | 926 | 1 173 | 372 | 428 |
| 川崎市 | 17 640 | 19 839 | 1 450 | 1 553 | 5 551 | 8 993 | 15 123 | 18 153 |
| 相模原市 | 744 | 1 301 | 711 | 1 415 | 1 781 | 3 910 | 3 141 | 7 458 |
| 新潟市 | 5 784 | 6 002 | 5 274 | 5 710 | 2 651 | 7 506 | 4 542 | 4 816 |
| 静岡市 | 4 877 | 4 954 | 258 | 258 | 7 222 | 9 655 | 3 308 | 4 220 |
| 浜松市 | 6 614 | 6 658 | 744 | 1 599 | 3 669 | 10 463 | 5 113 | 11 783 |
| 名古屋市 | 9 993 | 11 342 | 13 354 | 17 756 | 20 864 | 27 865 | 21 215 | 32 162 |
| 京都市 | 10 566 | 10 813 | 642 | 1 032 | 843 | 1 363 | 790 | 1 200 |
| 大阪市 | 28 938 | 28 938 | 5 237 | 5 237 | 27 524 | 27 524 | 34 729 | 34 729 |
| 堺市 | 6 473 | 6 564 | 194 | 284 | 801 | 1 173 | 1 822 | 2 874 |
| 神戸市 | 15 932 | 16 105 | 1 336 | 1 806 | 4 263 | 5 213 | 8 348 | 10 763 |
| 岡山市 | 6 069 | 6 100 | 283 | 316 | 2 660 | 7 479 | 627 | 662 |
| 広島市 | 11 943 | 12 150 | 4 266 | 5 162 | 7 724 | 11 787 | 9 301 | 14 091 |
| 北九州市 | 8 238 | 8 433 | 6 251 | 10 903 | 6 007 | 10 557 | 6 081 | 12 341 |
| 福岡市 | 18 317 | 19 127 | 11 596 | 11 926 | 15 813 | 16 454 | 12 925 | 13 717 |
| 熊本市 | 7 380 | 8 161 | 392 | 555 | 3 397 | 5 992 | 5 923 | 10 418 |

## －延人員・健診の事後指導実人員・電話相談延人員，都道府県－指定都市・特別区－中核市－その他政令市、対象区分別

平成29年度

| その他 | | （再掲） 健診の事後指導 | | | | | 電話相談延人員 |
|---|---|---|---|---|---|---|---|
| | | 妊婦 | 産婦 | 乳児 | 幼児 | その他 | |
| 実人員 | 延人員 | 実人員 | 実人員 | 実人員 | 実人員 | 実人員 | |
| 140 417 | 195 537 | 7 236 | 22 520 | 123 755 | 275 604 | 5 587 | 1 935 590 |
| 3 902 | 6 070 | 87 | 648 | 14 202 | 15 975 | 286 | 56 945 |
| 994 | 1 964 | 787 | 461 | 806 | 1 812 | 105 | 11 045 |
| 4 521 | 4 881 | 102 | 27 | 394 | 1 404 | 166 | 11 233 |
| 7 769 | 10 370 | 7 | 20 | 910 | 2 725 | 348 | 49 441 |
| 730 | 1 071 | 5 | - | 1 285 | 2 531 | 15 | 6 910 |
| 2 664 | 2 755 | 19 | 50 | 795 | 1 228 | 7 | 13 553 |
| 7 258 | 9 285 | 23 | 38 | 1 104 | 2 740 | 103 | 23 154 |
| 2 081 | 3 113 | 61 | 50 | 680 | 2 080 | 42 | 35 569 |
| 1 817 | 2 508 | 11 | 490 | 4 369 | 6 589 | 541 | 29 803 |
| 5 235 | 7 365 | 1 | 108 | 908 | 1 946 | 355 | 51 897 |
| 6 242 | 9 150 | 78 | 787 | 4 128 | 7 359 | 318 | 120 062 |
| 4 773 | 6 287 | 194 | 5 | 952 | 4 910 | 211 | 100 047 |
| 974 | 1 345 | 1 225 | 11 680 | 37 361 | 69 315 | 8 | 228 613 |
| 11 290 | 13 084 | 472 | 107 | 4 025 | 8 038 | 29 | 94 014 |
| 1 654 | 2 442 | - | - | 810 | 2 649 | 4 | 13 643 |
| 357 | 482 | 204 | 255 | 498 | 1 481 | 23 | 7 106 |
| 756 | 1 060 | 413 | 26 | 587 | 1 551 | - | 15 155 |
| 161 | 201 | 92 | 42 | 413 | 2 521 | 1 | 8 396 |
| 1 827 | 2 702 | 3 | 112 | 864 | 2 184 | 3 | 12 130 |
| 7 222 | 8 894 | 67 | 453 | 3 488 | 4 688 | 312 | 43 433 |
| 1 605 | 2 134 | 47 | 818 | 2 730 | 4 149 | 374 | 20 259 |
| 2 130 | 3 918 | 309 | 115 | 1 273 | 7 153 | 84 | 46 980 |
| 8 829 | 14 106 | 50 | 191 | 2 681 | 9 561 | 135 | 118 204 |
| 838 | 1 057 | 259 | 256 | 866 | 3 535 | 56 | 28 056 |
| 766 | 863 | 92 | 1 | 1 463 | 4 508 | 7 | 15 843 |
| 1 143 | 1 612 | 2 | 17 | 1 218 | 2 139 | 163 | 23 342 |
| 5 447 | 6 632 | 1 032 | 1 932 | 11 711 | 32 998 | 322 | 206 833 |
| 3 244 | 4 804 | - | 377 | 5 438 | 13 510 | 223 | 114 106 |
| 463 | 529 | 22 | 194 | 743 | 1 827 | - | 20 280 |
| 1 800 | 2 066 | 6 | 6 | 1 693 | 2 591 | 6 | 13 549 |
| 564 | 675 | 43 | 28 | 140 | 444 | 8 | 4 299 |
| 1 701 | 2 800 | 11 | 30 | 661 | 1 184 | 14 | 4 450 |
| 1 531 | 2 237 | 47 | 317 | 840 | 3 102 | 89 | 25 140 |
| 9 062 | 12 217 | 17 | 78 | 969 | 5 414 | 316 | 46 154 |
| 1 024 | 1 393 | 10 | 2 | 75 | 930 | … | 18 025 |
| 1 052 | 1 521 | 99 | 31 | 334 | 1 601 | 43 | 9 674 |
| 1 059 | 1 317 | 178 | 27 | 214 | 1 187 | 37 | 19 623 |
| 1 341 | 1 904 | 163 | 5 | 600 | 4 523 | 94 | 7 860 |
| 378 | 551 | 41 | 1 | 64 | 674 | 8 | 9 812 |
| 13 099 | 21 269 | 371 | 1 006 | 5 563 | 11 296 | 56 | 72 602 |
| 1 954 | 2 878 | 27 | 223 | 577 | 2 472 | 26 | 11 583 |
| 1 043 | 1 759 | 40 | - | 204 | 1 195 | 163 | 15 198 |
| 3 102 | 4 361 | 101 | 582 | 1 662 | 2 461 | 48 | 52 716 |
| 835 | 1 287 | 15 | 238 | 878 | 3 390 | 2 | 18 536 |
| 1 511 | 1 959 | 2 | 100 | 352 | 1 322 | 213 | 11 692 |
| 1 715 | 3 033 | 103 | 566 | 1 160 | 5 857 | 170 | 45 425 |
| 954 | 1 626 | 298 | 20 | 1 067 | 2 855 | 53 | 23 200 |
| 621 | 862 | 598 | 10 039 | 32 067 | 59 450 | - | 176 512 |
| - | - | - | 617 | 12 224 | 11 143 | - | 20 042 |
| 6 507 | 8 348 | 1 | 17 | 20 | 504 | 343 | 29 963 |
| 1 399 | 1 399 | - | 388 | 898 | 1 542 | - | 20 295 |
| 1 000 | 1 243 | 4 | 1 | 26 | 70 | - | 28 378 |
| 294 | 302 | - | - | 926 | 372 | - | 1 926 |
| 38 | 39 | 362 | 19 | 367 | 2 364 | - | 20 115 |
| 321 | 1 084 | - | - | - | - | - | 10 368 |
| 1 372 | 1 372 | - | - | - | 1 162 | - | 7 849 |
| 201 | 335 | 279 | 4 | - | 2 523 | - | 9 295 |
| 379 | 727 | 18 | 11 | 102 | 431 | 36 | 17 016 |
| 7 578 | 11 893 | - | - | - | - | - | 58 968 |
| 469 | 635 | - | - | 8 | 27 | - | 13 364 |
| 360 | 360 | - | - | 6 149 | 16 760 | - | 48 855 |
| 175 | 175 | - | - | - | - | - | 20 587 |
| 523 | 724 | - | - | 2 594 | 5 224 | - | 20 575 |
| 283 | 313 | 7 | 1 | 22 | 204 | - | 10 366 |
| 2 041 | 2 272 | 12 | 13 | 639 | 3 753 | - | 16 766 |
| 5 155 | 10 404 | 89 | 7 | 42 | 92 | - | 30 445 |
| 5 046 | 5 231 | 83 | - | 1 870 | 4 305 | - | 10 423 |
| 1 417 | 2 482 | - | - | 7 | 90 | - | 38 701 |

## 第2表（2－2）保健所及び市区町村が実施した妊産婦及び乳幼児等保健指導の被指導実人員

| | 総　　　　　　　　　　　　　　　　　　　　　　　　　数 | | | | | | | |
| | 妊　　婦 | | 産　　婦 | | 乳　　児 | | 幼　　児 | |
| | 実 人 員 | 延 人 員 | 実 人 員 | 延 人 員 | 実 人 員 | 延 人 員 | 実 人 員 | 延 人 員 |
|---|---|---|---|---|---|---|---|---|
| 中 核 市(再掲) | | | | | | | | |
| 旭 川 市 | 1 518 | 1 518 | 31 | 31 | 358 | 642 | 709 | 1 022 |
| 函 館 市 | 1 011 | 1 037 | 20 | 31 | 144 | 205 | 315 | 486 |
| 青 森 市 | 1 782 | 2 024 | 96 | 96 | 738 | 781 | 1 066 | 1 066 |
| 八 戸 市 | 2 040 | 2 041 | 6 | 7 | 1 083 | 1 314 | 865 | 2 221 |
| 盛 岡 市 | 2 392 | 2 393 | 79 | 82 | 524 | 1 093 | 287 | 535 |
| 秋 田 市 | 1 519 | 1 522 | 165 | 180 | 847 | 862 | 735 | 810 |
| 郡 山 市 | 3 451 | 3 644 | 429 | 674 | 648 | 861 | 1 043 | 2 648 |
| い わ き 市 | 3 405 | 3 469 | 1 214 | 2 118 | 1 145 | 2 123 | 1 050 | 2 040 |
| 宇 都 宮 市 | 4 355 | 4 438 | 31 | 52 | 1 052 | 3 026 | 2 379 | 3 342 |
| 前 橋 市 | 2 462 | 2 462 | 1 775 | 2 901 | 1 795 | 2 922 | 1 361 | 2 630 |
| 高 崎 市 | 3 490 | 3 492 | 76 | 78 | 4 077 | 4 120 | 1 353 | 2 905 |
| 川 越 市 | 337 | 340 | 167 | 178 | 489 | 983 | 682 | 1 148 |
| 越 谷 市 | 459 | 941 | 362 | 551 | 520 | 970 | 437 | 752 |
| 船 橋 市 | 5 419 | 5 459 | 120 | 186 | 9 323 | 9 919 | 3 679 | 4 243 |
| 柏 市 | 3 002 | 3 032 | 1 797 | 4 752 | 4 822 | 7 908 | 1 935 | 2 942 |
| 八 王 子 市 | 2 811 | 2 811 | 541 | 541 | 931 | 1 041 | 1 973 | 2 047 |
| 横 須 賀 市 | 2 244 | 2 301 | 140 | 168 | 836 | 1 007 | 376 | 413 |
| 富 山 市 | 1 822 | 1 822 | - | - | 1 158 | 2 960 | 484 | 1 073 |
| 金 沢 市 | 3 783 | 3 787 | 132 | 158 | 858 | 987 | 589 | 671 |
| 長 野 市 | 2 447 | 2 447 | 63 | 63 | 1 152 | 3 840 | 964 | 3 215 |
| 岐 阜 市 | 1 663 | 1 663 | 60 | 60 | 4 696 | 4 773 | 3 516 | 3 595 |
| 豊 橋 市 | 2 593 | 2 830 | 15 | 18 | 438 | 528 | 838 | 1 396 |
| 豊 田 市 | 92 | 92 | 1 | 1 | 888 | 1 983 | 896 | 2 815 |
| 岡 崎 市 | 3 858 | 3 886 | 78 | 94 | 1 180 | 1 206 | 335 | 412 |
| 大 津 市 | 2 689 | 2 689 | … | 30 | … | 5 841 | … | 3 662 |
| 高 槻 市 | 3 276 | 3 432 | 2 918 | 3 022 | 712 | 910 | 1 591 | 1 984 |
| 東 大 阪 市 | 2 461 | 2 585 | 105 | 146 | 1 024 | 2 144 | 711 | 1 934 |
| 豊 中 市 | 4 608 | 4 620 | 177 | 217 | 3 431 | 3 627 | 4 153 | 4 422 |
| 枚 方 市 | 3 110 | 3 119 | 880 | 951 | 2 200 | 4 242 | 5 843 | 7 933 |
| 姫 路 市 | 4 747 | 4 771 | 146 | 166 | 4 768 | 4 980 | 1 295 | 2 008 |
| 西 宮 市 | 2 986 | 2 986 | 70 | 110 | 1 698 | 4 110 | 842 | 1 769 |
| 尼 崎 市 | 4 769 | 4 908 | 306 | 331 | 1 441 | 1 741 | 2 894 | 3 864 |
| 奈 良 市 | 1 808 | 1 809 | 504 | 772 | 1 072 | 2 313 | 1 086 | 2 319 |
| 和 歌 山 市 | 2 883 | 2 938 | 419 | 988 | 2 216 | 2 764 | 4 643 | 5 744 |
| 倉 敷 市 | 4 295 | 4 354 | 258 | 339 | 994 | 1 220 | 1 124 | 1 758 |
| 福 山 市 | 3 473 | 3 473 | 96 | 96 | 1 978 | 1 996 | 669 | 1 373 |
| 呉 市 | 1 538 | 1 632 | 240 | 308 | 1 592 | 2 401 | 2 398 | 4 015 |
| 下 関 市 | 1 451 | 1 453 | 969 | 987 | 987 | 2 044 | 1 804 | 2 739 |
| 高 松 市 | 4 218 | 4 370 | 776 | 812 | 4 176 | 5 089 | 1 261 | 1 619 |
| 松 山 市 | 15 | 15 | 5 | 5 | 1 983 | 5 623 | 951 | 1 674 |
| 高 知 市 | 1 060 | 1 081 | 514 | 677 | 447 | 618 | 1 166 | 1 208 |
| 久 留 米 市 | 3 353 | 3 353 | 906 | 1 605 | 949 | 1 620 | 2 287 | 2 806 |
| 長 崎 市 | 1 490 | 1 541 | 96 | 104 | 306 | 540 | 250 | 341 |
| 佐 世 保 市 | 2 019 | 2 117 | 52 | 60 | 996 | 1 048 | 612 | 690 |
| 大 分 市 | 4 705 | 4 740 | 124 | 134 | 1 061 | 1 117 | 2 404 | 2 808 |
| 宮 崎 市 | 3 750 | 3 791 | 607 | 1 128 | 906 | 1 044 | 1 140 | 1 690 |
| 鹿 児 島 市 | 5 721 | 5 787 | 1 040 | 2 479 | 963 | 2 332 | 3 176 | 4 869 |
| 那 覇 市 | 100 | 147 | 139 | 241 | 141 | 208 | 897 | 1 301 |
| その他政令市(再掲) | | | | | | | | |
| 小 樽 市 | 150 | 150 | - | - | 253 | 275 | 755 | 895 |
| 町 田 市 | 2 560 | 2 560 | 61 | 74 | 405 | 447 | 598 | 637 |
| 藤 沢 市 | 148 | 148 | 65 | 65 | 6 510 | 10 430 | 6 424 | 8 363 |
| 茅 ヶ 崎 市 | 1 187 | 1 187 | 225 | 239 | 2 749 | 2 763 | 2 877 | 2 968 |
| 四 日 市 市 | 1 760 | 1 760 | 6 | 20 | 3 593 | 3 593 | 1 608 | 2 007 |
| 大 牟 田 市 | 810 | 885 | 240 | 450 | 1 022 | 1 297 | 984 | 1 377 |

## －延人員・健診の事後指導実人員・電話相談延人員，都道府県－指定都市・特別区－中核市－その他政令市、対象区分別

平成29年度

| その他 | | （再掲） 健診の事後指導 | | | | | 電話相談延人員 |
|---|---|---|---|---|---|---|---|
| | | 妊婦 | 産婦 | 乳児 | 幼児 | その他 | |
| 実人員 | 延人員 | 実人員 | 実人員 | 実人員 | 実人員 | 実人員 | |
| 6 | 6 | - | - | - | - | - | 667 |
| 39 | 49 | - | - | 7 | 88 | - | 694 |
| 38 | 38 | - | - | 78 | 600 | - | 453 |
| 285 | 285 | 220 | - | 26 | 204 | - | 1 442 |
| 4 | 6 | - | - | 1 | 12 | - | 1 918 |
| 5 | 5 | - | - | - | 150 | - | 479 |
| 2 417 | 2 417 | - | - | - | - | - | 2 350 |
| 1 103 | 2 119 | - | - | 385 | 324 | - | 2 561 |
| 192 | 217 | 11 | - | 6 | 417 | - | 9 349 |
| 473 | 953 | - | - | - | - | - | 19 652 |
| 1 237 | 2 266 | - | - | 2 | 6 | - | 7 306 |
| 168 | 176 | - | - | 319 | 436 | - | 3 669 |
| 243 | 334 | 1 | - | 8 | 198 | - | 1 341 |
| 134 | 166 | - | - | - | - | - | 15 118 |
| 1 653 | 2 430 | - | - | - | 6 | - | 3 271 |
| 27 | 27 | - | 293 | 343 | 601 | - | 9 917 |
| 3 464 | 3 806 | - | - | 80 | 204 | - | 24 543 |
| - | - | - | - | - | - | - | 3 449 |
| 40 | 40 | - | - | 180 | 156 | - | 6 529 |
| 17 | 17 | - | - | 103 | 18 | - | 749 |
| 404 | 597 | - | - | 1 177 | 897 | - | 4 758 |
| 15 | 23 | - | - | 371 | 818 | - | 3 519 |
| 1 | 1 | - | - | 98 | 235 | - | 341 |
| 253 | 288 | - | - | - | 127 | - | 3 723 |
| … | 46 | - | - | - | - | - | 1 322 |
| 212 | 232 | 15 | - | 12 | - | - | 11 867 |
| - | - | - | - | 144 | 21 | - | 5 211 |
| 84 | 87 | - | - | 213 | 161 | - | 11 616 |
| 35 | 40 | - | 594 | 992 | 1 017 | - | 11 123 |
| 9 | 9 | - | - | - | - | - | 6 460 |
| - | - | - | - | 288 | 416 | - | 19 085 |
| 45 | 59 | - | - | 452 | 1 249 | - | 14 406 |
| - | - | - | - | 96 | 95 | - | 3 522 |
| 368 | 406 | - | - | 954 | 931 | - | 5 688 |
| 429 | 610 | - | - | - | 433 | - | 6 570 |
| 91 | 91 | 4 | 4 | 6 | 14 | 1 | 3 414 |
| 167 | 204 | - | - | 64 | 174 | - | 10 299 |
| 18 | 23 | - | - | 52 | 336 | - | 4 198 |
| 568 | 714 | 170 | 2 | 1 | 222 | 36 | 9 604 |
| 6 | 8 | - | - | - | 743 | - | 503 |
| 26 | 35 | - | - | - | 206 | - | 5 521 |
| 1 466 | 3 198 | - | 426 | 426 | 1 278 | - | 1 383 |
| 37 | 51 | - | - | 2 | 6 | - | 5 682 |
| - | - | - | - | - | 189 | - | 726 |
| 118 | 130 | - | - | 2 | 463 | - | 8 611 |
| 111 | 149 | 1 | - | 8 | 131 | - | 6 716 |
| - | - | - | - | 45 | 3 176 | - | 31 325 |
| 68 | 98 | - | - | 29 | 622 | 12 | 9 144 |
| 15 | 15 | - | - | 95 | 338 | - | 1 417 |
| 6 | 7 | - | 1 | 303 | 534 | - | 3 680 |
| 776 | 1 028 | - | - | 397 | 1 102 | 2 | 9 874 |
| 1 094 | 1 094 | - | - | - | - | - | 788 |
| - | - | - | - | - | 466 | - | 12 314 |
| 119 | 223 | - | - | 73 | 108 | - | 1 606 |

## 第3表（4－1）保健所及び市区町村が実施した妊産婦及び乳幼児等訪問指導の被指導実人員－延人員

| | 総 | | | | | |
|---|---|---|---|---|---|---|
| | 妊　　　婦 | | 産　　　婦 | | 新生児（未熟児を除く。） | |
| | 実　人　員 | 延　人　員 | 実　人　員 | 延　人　員 | 実　人　員 | 延　人　員 |
| 全　　　　国 | 34 350 | 46 184 | 732 888 | 821 610 | 240 517 | 265 440 |
| 北　海　道 | 3 782 | 4 106 | 31 735 | 36 232 | 10 720 | 11 650 |
| 青　　森 | 761 | 891 | 7 708 | 9 219 | 4 176 | 4 650 |
| 岩　　手 | 541 | 659 | 6 267 | 6 928 | 1 033 | 1 141 |
| 宮　　城 | 233 | 412 | 13 548 | 16 037 | 10 654 | 11 384 |
| 秋　　田 | 66 | 74 | 3 259 | 3 444 | 523 | 538 |
| 山　　形 | 194 | 354 | 6 682 | 7 502 | 1 657 | 1 797 |
| 福　　島 | 508 | 670 | 9 381 | 10 907 | 849 | 1 017 |
| 茨　　城 | 514 | 732 | 19 563 | 21 406 | 2 462 | 2 721 |
| 栃　　木 | 1 087 | 1 373 | 11 817 | 13 350 | 1 241 | 1 424 |
| 群　　馬 | 740 | 850 | 10 398 | 11 587 | 2 598 | 2 772 |
| 埼　　玉 | 883 | 1 382 | 43 399 | 49 474 | 8 783 | 9 240 |
| 千　　葉 | 1 500 | 2 181 | 36 472 | 39 844 | 16 764 | 17 462 |
| 東　　京 | 2 622 | 3 810 | 88 942 | 95 626 | 57 053 | 66 808 |
| 神　奈　川 | 1 316 | 1 998 | 51 543 | 55 509 | 29 772 | 30 571 |
| 新　　潟 | 757 | 976 | 14 665 | 18 906 | 11 552 | 13 382 |
| 富　　山 | 154 | 193 | 6 586 | 7 822 | 3 855 | 4 380 |
| 石　　川 | 137 | 202 | 8 666 | 9 477 | 483 | 653 |
| 福　　井 | 132 | 172 | 4 685 | 5 105 | 514 | 533 |
| 山　　梨 | 298 | 456 | 5 567 | 6 114 | 1 250 | 1 479 |
| 長　　野 | 514 | 609 | 13 176 | 14 358 | 4 140 | 4 453 |
| 岐　　阜 | 456 | 586 | 8 331 | 9 056 | 1 041 | 1 275 |
| 静　　岡 | 971 | 1 599 | 26 618 | 29 949 | 5 750 | 6 104 |
| 愛　　知 | 2 557 | 3 335 | 45 205 | 50 382 | 9 342 | 10 159 |
| 三　　重 | 333 | 466 | 9 563 | 10 686 | 938 | 1 088 |
| 滋　　賀 | 250 | 365 | 5 885 | 6 280 | 2 443 | 2 526 |
| 京　　都 | 2 693 | 2 947 | 11 738 | 13 176 | 2 103 | 2 226 |
| 大　　阪 | 2 238 | 3 493 | 48 726 | 55 532 | 10 294 | 11 799 |
| 兵　　庫 | 1 142 | 1 598 | 31 086 | 34 471 | 7 281 | 7 783 |
| 奈　　良 | 334 | 459 | 6 129 | 6 774 | 1 109 | 1 193 |
| 和　歌　山 | 343 | 401 | 3 529 | 3 933 | 775 | 837 |
| 鳥　　取 | 146 | 185 | 4 441 | 4 673 | 453 | 491 |
| 島　　根 | 189 | 301 | 5 244 | 6 095 | 1 070 | 1 240 |
| 岡　　山 | 508 | 753 | 5 614 | 6 724 | 2 081 | 2 271 |
| 広　　島 | 476 | 682 | 10 494 | 12 112 | 1 867 | 2 049 |
| 山　　口 | 425 | 659 | 6 638 | 7 646 | 1 307 | 1 496 |
| 徳　　島 | 259 | 275 | 3 258 | 3 758 | 1 314 | 1 406 |
| 香　　川 | 230 | 308 | 7 286 | 7 982 | 3 503 | 3 551 |
| 愛　　媛 | 293 | 373 | 6 174 | 6 698 | 1 441 | 1 530 |
| 高　　知 | 568 | 802 | 4 783 | 6 010 | 1 634 | 2 013 |
| 福　　岡 | 873 | 1 174 | 33 746 | 37 382 | 1 835 | 2 129 |
| 佐　　賀 | 293 | 389 | 7 091 | 10 428 | 314 | 437 |
| 長　　崎 | 163 | 260 | 5 424 | 6 227 | 822 | 943 |
| 熊　　本 | 562 | 763 | 10 902 | 11 918 | 830 | 922 |
| 大　　分 | 156 | 261 | 8 422 | 9 216 | 575 | 679 |
| 宮　　崎 | 203 | 269 | 4 365 | 5 373 | 899 | 997 |
| 鹿　児　島 | 579 | 708 | 9 481 | 10 631 | 6 375 | 6 966 |
| 沖　　縄 | 371 | 673 | 8 656 | 9 651 | 3 042 | 3 275 |
| 指定都市・特別区（再掲） | | | | | | |
| 東京都区部 | 1 812 | 2 659 | 63 328 | 67 715 | 43 395 | 52 160 |
| 札　幌　市 | 2 605 | 2 654 | 13 680 | 15 695 | 3 476 | 3 878 |
| 仙　台　市 | 118 | 174 | 5 760 | 7 397 | 7 345 | 7 845 |
| さいたま市 | 217 | 348 | 7 640 | 8 838 | 959 | 1 012 |
| 千　葉　市 | 115 | 226 | 4 577 | 5 047 | 4 703 | 4 847 |
| 横　浜　市 | 460 | 583 | 15 863 | 16 713 | 14 053 | 14 193 |
| 川　崎　市 | 199 | 390 | 12 217 | 12 569 | 10 242 | 10 465 |
| 相模原市 | 52 | 115 | 4 492 | 4 882 | 1 019 | 1 106 |
| 新　潟　市 | 82 | 181 | 5 542 | 7 705 | 3 322 | 3 877 |
| 静　岡　市 | 302 | 525 | 4 663 | 5 860 | 1 146 | 1 217 |
| 浜　松　市 | 202 | 315 | 6 360 | 7 374 | 2 301 | 2 426 |
| 名古屋市 | 498 | 734 | 18 986 | 20 619 | 4 733 | 4 960 |
| 京　都　市 | 2 294 | 2 424 | 5 134 | 5 818 | 819 | 887 |
| 大　阪　市 | 513 | 728 | 20 016 | 21 219 | 3 560 | 3 823 |
| 堺　　市 | 215 | 420 | 3 693 | 4 213 | 515 | 637 |
| 神　戸　市 | 92 | 155 | 10 477 | 10 802 | 514 | 567 |
| 岡　山　市 | 197 | 302 | 1 189 | 1 661 | 883 | 951 |
| 広　島　市 | 73 | 79 | 1 158 | 1 256 | 566 | 591 |
| 北九州市 | 162 | 228 | 6 611 | 7 505 | 188 | 211 |
| 福　岡　市 | 307 | 422 | 11 736 | 13 398 | 303 | 366 |
| 熊　本　市 | 123 | 184 | 3 822 | 4 381 | 258 | 301 |

## ・医療機関等へ委託した被指導実人員－延人員，都道府県－指定都市・特別区－中核市－その他政令市、対象区分別

平成29年度

| 数 | | | | | | | |
|---|---|---|---|---|---|---|---|
| 未熟児 | | 乳児（新生児・未熟児を除く。） | | 幼児 | | その他 | |
| 実人員 | 延人員 | 実人員 | 延人員 | 実人員 | 延人員 | 実人員 | 延人員 |
| 49 362 | 60 051 | 582 301 | 665 530 | 155 148 | 234 173 | 46 984 | 80 745 |
| 2 322 | 2 733 | 20 338 | 23 783 | 6 374 | 9 484 | 2 760 | 4 885 |
| 664 | 911 | 3 170 | 3 994 | 1 514 | 1 911 | 962 | 1 370 |
| 204 | 253 | 5 795 | 6 413 | 1 112 | 1 671 | 361 | 543 |
| 876 | 1 038 | 5 455 | 6 686 | 3 493 | 6 265 | 1 467 | 3 170 |
| 387 | 412 | 4 380 | 4 580 | 498 | 698 | 113 | 149 |
| 438 | 521 | 4 915 | 5 638 | 1 650 | 2 339 | 345 | 621 |
| 813 | 926 | 8 848 | 10 075 | 3 252 | 4 594 | 1 739 | 2 622 |
| 1 583 | 1 814 | 16 409 | 18 009 | 2 910 | 4 210 | 424 | 677 |
| 958 | 1 123 | 12 784 | 14 616 | 2 061 | 3 481 | 592 | 1 126 |
| 408 | 502 | 8 881 | 9 938 | 3 540 | 4 764 | 1 256 | 1 816 |
| 1 694 | 2 360 | 37 195 | 42 729 | 7 969 | 12 629 | 4 284 | 7 034 |
| 1 639 | 1 922 | 33 498 | 37 655 | 7 137 | 11 765 | 829 | 1 483 |
| 2 878 | 3 351 | 41 067 | 46 758 | 7 532 | 11 706 | 939 | 1 840 |
| 4 518 | 5 089 | 22 933 | 27 381 | 8 172 | 12 747 | 6 268 | 9 603 |
| 1 102 | 1 872 | 8 331 | 9 817 | 2 697 | 3 969 | 1 372 | 2 732 |
| 970 | 1 228 | 2 351 | 2 911 | 1 664 | 2 340 | 189 | 287 |
| 764 | 914 | 7 557 | 8 026 | 1 239 | 1 810 | 339 | 502 |
| 250 | 276 | 4 287 | 4 627 | 981 | 1 274 | 118 | 200 |
| 228 | 270 | 4 781 | 5 240 | 774 | 1 193 | 417 | 795 |
| 1 122 | 1 368 | 8 672 | 9 433 | 1 572 | 2 539 | 360 | 631 |
| 901 | 1 058 | 10 233 | 11 402 | 2 611 | 3 864 | 253 | 498 |
| 873 | 987 | 22 455 | 25 753 | 8 769 | 13 918 | 948 | 1 588 |
| 3 062 | 3 708 | 42 696 | 48 701 | 12 807 | 19 972 | 4 294 | 8 753 |
| 987 | 1 195 | 11 660 | 13 116 | 2 178 | 3 679 | 134 | 319 |
| 804 | 856 | 7 867 | 8 551 | 1 322 | 2 866 | 161 | 569 |
| 926 | 1 071 | 12 358 | 13 759 | 3 125 | 4 700 | 635 | 922 |
| 4 829 | 6 001 | 44 319 | 50 218 | 12 526 | 18 000 | 2 046 | 3 574 |
| 2 416 | 2 757 | 25 090 | 28 220 | 6 456 | 9 763 | 1 674 | 2 600 |
| 453 | 533 | 5 694 | 6 252 | 1 155 | 1 908 | 152 | 255 |
| 355 | 394 | 4 958 | 5 403 | 1 028 | 1 404 | 304 | 431 |
| 243 | 278 | 4 140 | 4 386 | 737 | 936 | 142 | 244 |
| 332 | 407 | 4 060 | 5 955 | 748 | 1 312 | 432 | 956 |
| 710 | 766 | 5 866 | 7 219 | 2 980 | 4 330 | 1 066 | 2 663 |
| 948 | 1 267 | 10 524 | 12 353 | 3 803 | 5 125 | 1 251 | 1 878 |
| 393 | 540 | 6 040 | 7 350 | 3 036 | 4 336 | 476 | 999 |
| 399 | 512 | 3 769 | 4 200 | 660 | 912 | 127 | 177 |
| 184 | 229 | 4 015 | 4 728 | 680 | 1 016 | 626 | 944 |
| 639 | 682 | 7 884 | 8 670 | 2 231 | 2 925 | 509 | 873 |
| 286 | 360 | 3 598 | 4 598 | 2 326 | 3 398 | 519 | 917 |
| 2 179 | 2 929 | 34 134 | 37 701 | 3 634 | 5 768 | 1 856 | 2 885 |
| 433 | 629 | 6 956 | 11 564 | 3 463 | 4 301 | 1 087 | 1 517 |
| 393 | 454 | 4 980 | 5 920 | 2 303 | 2 940 | 921 | 1 521 |
| 603 | 855 | 10 672 | 11 691 | 4 226 | 6 348 | 776 | 1 246 |
| 591 | 719 | 7 674 | 8 512 | 1 348 | 2 103 | 273 | 451 |
| 265 | 333 | 3 528 | 4 348 | 1 742 | 2 520 | 237 | 491 |
| 873 | 1 012 | 4 905 | 5 491 | 1 769 | 2 313 | 671 | 863 |
| 467 | 636 | 10 579 | 11 160 | 1 344 | 2 127 | 280 | 525 |
| 1 867 | 2 149 | 25 597 | 28 773 | 5 109 | 7 752 | 712 | 1 377 |
| 1 017 | 1 184 | 9 152 | 10 504 | 1 186 | 1 947 | 960 | 1 426 |
| 566 | 658 | 673 | 1 123 | 1 051 | 2 078 | 1 016 | 2 095 |
| 403 | 525 | 6 418 | 7 575 | 1 525 | 2 791 | 1 398 | 2 385 |
| 61 | 88 | 7 676 | 9 044 | 1 298 | 2 870 | 192 | 359 |
| 1 710 | 1 766 | 1 362 | 2 212 | 3 319 | 4 306 | 3 191 | 4 532 |
| 819 | 831 | 2 129 | 2 459 | 1 153 | 2 092 | 43 | 77 |
| 234 | 250 | 3 724 | 4 113 | 531 | 1 016 | 82 | 205 |
| 628 | 1 144 | 4 237 | 5 006 | 429 | 704 | 260 | 496 |
| 45 | 59 | 3 876 | 4 934 | 1 744 | 3 063 | 251 | 470 |
| 105 | 142 | 4 976 | 5 884 | 3 379 | 5 774 | 102 | 166 |
| 427 | 560 | 15 150 | 17 241 | 5 994 | 9 145 | 2 855 | 4 544 |
| 417 | 480 | 6 340 | 6 982 | 804 | 1 177 | 374 | 557 |
| 1 238 | 1 386 | 16 199 | 17 464 | 2 811 | 3 668 | 101 | 148 |
| 525 | 620 | 3 247 | 3 987 | 1 635 | 2 926 | 68 | 140 |
| 961 | 997 | 10 351 | 10 792 | 1 133 | 2 016 | 167 | 358 |
| 192 | 216 | 2 083 | 2 716 | 1 101 | 1 592 | 469 | 1 263 |
| 412 | 555 | 2 401 | 2 518 | 526 | 634 | 92 | 95 |
| 162 | 254 | 6 368 | 7 161 | 653 | 1 151 | 257 | 325 |
| 1 138 | 1 688 | 11 024 | 12 501 | 904 | 1 607 | 1 097 | 1 705 |
| 321 | 418 | 3 686 | 4 305 | 1 174 | 1 929 | 492 | 899 |

## 第3表(4-2) 保健所及び市区町村が実施した妊産婦及び乳幼児等訪問指導の被指導実人員－延人員

| | 総 | | | | | |
| | 妊 | 婦 | 産 | 婦 | 新生児（未熟児を除く。） | |
| | 実 人 員 | 延 人 員 | 実 人 員 | 延 人 員 | 実 人 員 | 延 人 員 |
|---|---|---|---|---|---|---|
| 中 核 市(再掲) | | | | | | |
| 旭 川 市 | 17 | 18 | 2 049 | 2 056 | 313 | 313 |
| 函 館 市 | 55 | 63 | 524 | 598 | 184 | 191 |
| 青 森 市 | 22 | 23 | 1 622 | 1 760 | 1 463 | 1 583 |
| 八 戸 市 | 52 | 124 | 1 667 | 2 079 | 745 | 808 |
| 盛 岡 市 | 110 | 141 | 2 216 | 2 309 | 62 | 66 |
| 秋 田 市 | 19 | 23 | 273 | 273 | 168 | 168 |
| 郡 山 市 | 18 | 20 | 335 | 378 | 51 | 53 |
| い わ き 市 | 23 | 37 | 2 200 | 2 308 | 203 | 213 |
| 宇 都 宮 市 | 40 | 66 | 4 018 | 4 195 | 372 | 378 |
| 前 橋 市 | 49 | 68 | 1 614 | 1 880 | 209 | 226 |
| 高 崎 市 | 29 | 53 | 2 201 | 2 287 | 295 | 307 |
| 川 越 市 | 29 | 35 | 2 541 | 3 111 | 1 207 | 1 211 |
| 越 谷 市 | 5 | 15 | 2 577 | 2 682 | 275 | 281 |
| 船 橋 市 | 204 | 342 | 2 208 | 2 522 | 2 131 | 2 275 |
| 柏 市 | 69 | 105 | 2 729 | 3 121 | 807 | 840 |
| 八 王 子 市 | 78 | 115 | 3 453 | 3 857 | 3 323 | 3 565 |
| 横 須 賀 市 | 72 | 123 | 2 335 | 2 583 | 807 | 892 |
| 富 山 市 | 39 | 68 | 2 092 | 2 705 | 1 629 | 1 861 |
| 金 沢 市 | 48 | 54 | 3 678 | 4 003 | 163 | 226 |
| 長 野 市 | 43 | 63 | 2 580 | 2 993 | 587 | 707 |
| 岐 阜 市 | 62 | 106 | 133 | 182 | 436 | 577 |
| 豊 橋 市 | 123 | 196 | 3 044 | 3 552 | 235 | 261 |
| 豊 田 市 | 23 | 50 | 625 | 869 | 72 | 77 |
| 岡 崎 市 | 202 | 268 | 896 | 1 060 | 225 | 246 |
| 大 津 市 | 32 | 44 | 24 | 36 | 652 | 652 |
| 高 槻 市 | 46 | 87 | 962 | 1 286 | 224 | 262 |
| 東 大 阪 市 | 201 | 373 | 1 879 | 2 339 | 1 247 | 1 363 |
| 豊 中 市 | 72 | 111 | 1 773 | 2 085 | 414 | 460 |
| 枚 方 市 | 94 | 155 | 2 053 | 2 455 | 368 | 403 |
| 姫 路 市 | 106 | 224 | 4 293 | 4 616 | 1 496 | 1 549 |
| 西 宮 市 | 55 | 97 | 1 190 | 1 453 | 162 | 194 |
| 尼 崎 市 | 68 | 96 | 753 | 1 059 | 115 | 170 |
| 奈 良 市 | 36 | 48 | 702 | 831 | 66 | 75 |
| 和 歌 山 市 | 41 | 59 | 350 | 523 | 546 | 570 |
| 倉 敷 市 | 92 | 139 | 411 | 502 | 245 | 274 |
| 福 山 市 | 56 | 114 | 1 994 | 2 317 | 168 | 183 |
| 呉 市 | 116 | 173 | 1 254 | 1 409 | 306 | 338 |
| 下 関 市 | 19 | 23 | 1 613 | 1 626 | 124 | 135 |
| 高 松 市 | 83 | 110 | 3 488 | 3 927 | 2 483 | 2 496 |
| 松 山 市 | 53 | 56 | 1 114 | 1 238 | 165 | 168 |
| 高 知 市 | 80 | 148 | 2 694 | 2 944 | 116 | 126 |
| 久 留 米 市 | 60 | 70 | 1 552 | 1 662 | 139 | 150 |
| 長 崎 市 | 19 | 26 | 624 | 874 | 282 | 301 |
| 佐 世 保 市 | 60 | 116 | 465 | 661 | 41 | 50 |
| 大 分 市 | 48 | 86 | 3 948 | 4 278 | 294 | 359 |
| 宮 崎 市 | 36 | 57 | 1 600 | 2 156 | 287 | 339 |
| 鹿 児 島 市 | 80 | 93 | 4 749 | 5 124 | 3 844 | 4 098 |
| 那 覇 市 | 77 | 104 | 1 213 | 1 434 | 192 | 213 |
| その他政令市(再掲) | | | | | | |
| 小 樽 市 | 42 | 52 | 528 | 683 | 343 | 356 |
| 町 田 市 | 47 | 85 | 2 268 | 2 298 | 2 187 | 2 207 |
| 藤 沢 市 | 27 | 41 | 3 310 | 3 685 | 393 | 393 |
| 茅 ヶ 崎 市 | 16 | 35 | 1 781 | 1 853 | 315 | 337 |
| 四 日 市 市 | 68 | 111 | 734 | 1 068 | 148 | 202 |
| 大 牟 田 市 | 5 | 17 | 483 | 688 | 443 | 572 |

## ・医療機関等へ委託した被指導実人員－延人員，都道府県－指定都市・特別区－中核市－その他政令市、対象区分別

平成29年度

| 数 | | | | | | | |
|---|---|---|---|---|---|---|---|
| 未熟児 | | 乳児（新生児・未熟児を除く。） | | 幼児 | | その他 | |
| 実人員 | 延人員 | 実人員 | 延人員 | 実人員 | 延人員 | 実人員 | 延人員 |
| 190 | 191 | 1 621 | 1 628 | 32 | 32 | 39 | 40 |
| 93 | 108 | 326 | 437 | 339 | 591 | 4 | 19 |
| 178 | 196 | 15 | 35 | 87 | 127 | 46 | 55 |
| 154 | 215 | 787 | 1 066 | 829 | 996 | 586 | 876 |
| 20 | 22 | 2 206 | 2 274 | 411 | 620 | 20 | 43 |
| 113 | 113 | 1 672 | 1 717 | 20 | 29 | － | － |
| 94 | 102 | 241 | 292 | 199 | 285 | 160 | 221 |
| 152 | 157 | 2 033 | 2 125 | 210 | 275 | － | － |
| 325 | 331 | 3 551 | 3 723 | 465 | 865 | 69 | 164 |
| 121 | 155 | 1 408 | 1 673 | 619 | 834 | 771 | 1 043 |
| 66 | 76 | 2 027 | 2 206 | 323 | 528 | 7 | 13 |
| 59 | 63 | 1 296 | 1 847 | 254 | 289 | 191 | 225 |
| 90 | 152 | 2 226 | 2 294 | 101 | 163 | 142 | 227 |
| 101 | 174 | 3 235 | 3 959 | 1 016 | 1 548 | 80 | 193 |
| 186 | 228 | 1 833 | 1 974 | 122 | 235 | 34 | 62 |
| 88 | 88 | 114 | 281 | 536 | 843 | 67 | 123 |
| 177 | 207 | 1 575 | 1 828 | 791 | 1 236 | 1 569 | 2 267 |
| 323 | 436 | 231 | 499 | 231 | 483 | 18 | 34 |
| 349 | 415 | 3 212 | 3 408 | 266 | 309 | 231 | 287 |
| 588 | 770 | 1 405 | 1 516 | 172 | 172 | 96 | 96 |
| 125 | 143 | 2 259 | 2 550 | 453 | 791 | 8 | 11 |
| 316 | 413 | 2 580 | 3 015 | 336 | 573 | 575 | 1 947 |
| 277 | 380 | 432 | 609 | 357 | 507 | － | － |
| 260 | 284 | 587 | 722 | 351 | 512 | 66 | 99 |
| 230 | 230 | 1 650 | 1 737 | … | 1 028 | … | 180 |
| 161 | 247 | 578 | 796 | 194 | 359 | 67 | 86 |
| 270 | 355 | 666 | 1 307 | 774 | 1 274 | － | － |
| 258 | 326 | 1 204 | 1 376 | 450 | 611 | 61 | 72 |
| 268 | 371 | 1 491 | 1 781 | 345 | 472 | 46 | 91 |
| 216 | 239 | 2 857 | 3 328 | 1 082 | 1 820 | 7 | 23 |
| 118 | 163 | 1 016 | 1 260 | 275 | 579 | 46 | 112 |
| 180 | 230 | 726 | 995 | 500 | 665 | 109 | 190 |
| 135 | 135 | 554 | 647 | 336 | 468 | － | － |
| 140 | 154 | 1 996 | 2 188 | 221 | 352 | 160 | 245 |
| 304 | 304 | 478 | 656 | 695 | 1 018 | 176 | 214 |
| 154 | 188 | 1 711 | 1 988 | 677 | 877 | 54 | 146 |
| 155 | 231 | 1 041 | 1 334 | 1 183 | 1 820 | 576 | 1 025 |
| 93 | 95 | 1 639 | 1 816 | 692 | 923 | 8 | 12 |
| 59 | 85 | 1 171 | 1 581 | 349 | 547 | 387 | 572 |
| 324 | 334 | 3 885 | 4 248 | 614 | 770 | 20 | 24 |
| 220 | 250 | 2 502 | 2 844 | 977 | 1 211 | 16 | 23 |
| 69 | 76 | 1 393 | 1 461 | 139 | 150 | 225 | 249 |
| 90 | 104 | 413 | 766 | 114 | 148 | 24 | 35 |
| 52 | 60 | 589 | 844 | 716 | 739 | 619 | 973 |
| 376 | 450 | 3 465 | 3 870 | 828 | 1 232 | 130 | 204 |
| 100 | 133 | 1 248 | 1 678 | 287 | 406 | 112 | 226 |
| 408 | 457 | 1 590 | 1 666 | 563 | 650 | 448 | 498 |
| 38 | 59 | 3 727 | 3 806 | 203 | 275 | 59 | 104 |
| 41 | 63 | 219 | 305 | 58 | 135 | 9 | 19 |
| 82 | 92 | 322 | 602 | 238 | 493 | 7 | 11 |
| 223 | 297 | 2 768 | 3 713 | 214 | 297 | － | － |
| 171 | 193 | 1 351 | 1 420 | 78 | 105 | 38 | 47 |
| 183 | 245 | 2 455 | 2 938 | 220 | 425 | 31 | 32 |
| 12 | 14 | 59 | 125 | 179 | 358 | 32 | 171 |

# 第3表(4－3) 保健所及び市区町村が実施した妊産婦及び乳幼児等訪問指導の被指導実人員－延人員

| | （再掲） | | | | | |
|---|---|---|---|---|---|---|
| | 妊婦 | | 産婦 | | 新生児（未熟児を除く。） | |
| | 実人員 | 延人員 | 実人員 | 延人員 | 実人員 | 延人員 |
| **全国** | **3 590** | **3 618** | **125 092** | **129 679** | **49 516** | **51 525** |
| 北海道 | 2 485 | 2 500 | 12 680 | 14 091 | 3 558 | 3 856 |
| 青森 | – | – | 1 260 | 1 341 | 1 241 | 1 318 |
| 岩手 | 76 | 76 | 818 | 819 | 25 | 25 |
| 宮城 | – | – | 937 | 999 | 235 | 237 |
| 秋田 | – | – | – | – | – | – |
| 山形 | – | – | – | – | – | – |
| 福島 | 26 | 26 | 1 863 | 1 866 | 149 | 152 |
| 茨城 | – | – | 927 | 988 | 135 | 147 |
| 栃木 | – | – | 17 | 17 | 1 | 1 |
| 群馬 | 61 | 62 | 4 289 | 4 365 | 825 | 842 |
| 埼玉 | 1 | 2 | 14 979 | 15 058 | 2 609 | 2 622 |
| 千葉 | 7 | 7 | 2 270 | 2 397 | 997 | 1 008 |
| 東京 | 411 | 411 | 26 576 | 27 231 | 20 423 | 20 754 |
| 神奈川 | – | – | – | – | – | – |
| 新潟 | – | – | 158 | 167 | 158 | 166 |
| 富山 | 5 | 5 | 728 | 797 | 527 | 576 |
| 石川 | 1 | 1 | 241 | 251 | 95 | 97 |
| 福井 | – | – | 112 | 112 | 9 | 9 |
| 山梨 | – | – | 1 | 1 | 2 | 2 |
| 長野 | – | – | 115 | 115 | 115 | 115 |
| 岐阜 | – | – | 11 | 11 | 7 | 7 |
| 静岡 | 7 | 7 | 8 215 | 8 390 | 2 568 | 2 648 |
| 愛知 | 1 | 1 | 3 939 | 4 028 | 2 483 | 2 869 |
| 三重 | – | – | 207 | 221 | 100 | 100 |
| 滋賀 | – | – | 3 | 5 | – | – |
| 京都 | 83 | 84 | 575 | 666 | 94 | 96 |
| 大阪 | 12 | 12 | 21 363 | 22 153 | 3 696 | 3 994 |
| 兵庫 | 68 | 68 | 2 225 | 2 343 | 454 | 461 |
| 奈良 | 9 | 9 | 976 | 983 | 151 | 151 |
| 和歌山 | 129 | 129 | 661 | 668 | 14 | 14 |
| 鳥取 | – | – | 827 | 834 | 74 | 74 |
| 島根 | 1 | 1 | 198 | 199 | 8 | 9 |
| 岡山 | – | – | – | – | – | – |
| 広島 | – | – | – | – | – | – |
| 山口 | – | – | 18 | 41 | 2 | 2 |
| 徳島 | – | – | 544 | 565 | 302 | 307 |
| 香川 | 38 | 38 | 3 609 | 3 613 | 2 727 | 2 728 |
| 愛媛 | – | – | 15 | 15 | 4 | 4 |
| 高知 | 5 | 11 | 75 | 101 | 59 | 66 |
| 福岡 | – | – | 1 222 | 1 355 | 440 | 565 |
| 佐賀 | 10 | 12 | 1 647 | 1 734 | 73 | 75 |
| 長崎 | – | – | – | – | – | – |
| 熊本 | 100 | 100 | 2 354 | 2 354 | 53 | 53 |
| 大分 | – | – | 1 203 | 1 203 | 128 | 128 |
| 宮崎 | – | – | 31 | 39 | 6 | 8 |
| 鹿児島 | 46 | 47 | 4 345 | 4 644 | 4 010 | 4 273 |
| 沖縄 | 8 | 9 | 2 858 | 2 899 | 959 | 966 |
| 指定都市・特別区(再掲) | | | | | | |
| 東京都区部 | 362 | 362 | 20 846 | 21 297 | 16 938 | 17 150 |
| 札幌市 | 2 454 | 2 469 | 11 987 | 13 079 | 3 151 | 3 443 |
| 仙台市 | – | – | – | – | – | – |
| さいたま市 | – | – | 5 798 | 5 798 | 708 | 708 |
| 千葉市 | – | – | – | – | – | – |
| 横浜市 | – | – | – | – | – | – |
| 川崎市 | – | – | – | – | – | – |
| 相模原市 | – | – | – | – | – | – |
| 新潟市 | – | – | – | – | – | – |
| 静岡市 | – | – | 3 246 | 3 347 | 738 | 761 |
| 浜松市 | – | – | 4 769 | 4 843 | 1 730 | 1 787 |
| 名古屋市 | – | – | – | – | – | – |
| 京都市 | – | – | – | – | – | – |
| 大阪市 | – | – | 15 590 | 15 590 | 1 769 | 1 769 |
| 堺市 | – | – | – | – | – | – |
| 神戸市 | – | – | – | – | – | – |
| 岡山市 | – | – | – | – | – | – |
| 広島市 | – | – | – | – | – | – |
| 北九州市 | – | – | – | – | – | – |
| 福岡市 | – | – | – | – | – | – |
| 熊本市 | – | – | 2 008 | 2 008 | 53 | 53 |

## ・医療機関等へ委託した被指導実人員－延人員，都道府県－指定都市・特別区－中核市－その他政令市、対象区分別

平成29年度

| 医療機関等へ委託 | | | | | | | |
|---|---|---|---|---|---|---|---|
| 未熟児 | | 乳児（新生児・未熟児を除く。） | | 幼児 | | その他 | |
| 実人員 | 延人員 | 実人員 | 延人員 | 実人員 | 延人員 | 実人員 | 延人員 |
| **3 202** | **3 509** | **82 318** | **84 695** | **415** | **421** | **18** | **19** |
| 897 | 1 005 | 8 138 | 8 734 | 8 | 9 | − | − |
| 6 | 7 | 15 | 19 | − | − | − | − |
| 1 | 1 | 790 | 790 | − | − | − | − |
| 20 | 20 | 943 | 949 | − | − | − | − |
| − | − | − | − | 6 | 7 | − | − |
| − | − | − | − | − | − | − | − |
| 103 | 103 | 1 619 | 1 619 | 31 | 32 | − | − |
| 66 | 66 | 710 | 730 | − | − | − | − |
| − | − | 16 | 16 | − | − | − | − |
| 120 | 137 | 3 408 | 3 453 | − | − | 1 | 2 |
| 100 | 105 | 13 264 | 13 373 | 13 | 13 | 15 | 15 |
| 71 | 97 | 1 192 | 1 253 | − | − | − | − |
| 272 | 280 | 10 698 | 10 965 | 45 | 46 | 1 | 1 |
| − | − | − | − | − | − | − | − |
| − | − | − | − | − | − | − | − |
| 59 | 73 | 389 | 392 | − | − | − | − |
| 17 | 17 | 130 | 139 | − | − | − | − |
| − | − | 103 | 103 | − | − | − | − |
| − | − | − | − | 1 | 3 | − | − |
| − | − | − | − | − | − | − | − |
| 1 | 1 | 3 | 3 | − | − | − | − |
| − | − | 5 575 | 5 754 | − | − | − | − |
| 622 | 641 | 3 841 | 4 124 | − | − | − | − |
| − | − | 176 | 176 | 4 | 4 | − | − |
| − | − | 4 | 6 | 19 | 19 | − | − |
| 25 | 31 | 496 | 542 | − | − | − | − |
| 247 | 316 | 17 515 | 17 936 | … | … | … | … |
| 82 | 82 | 1 695 | 1 801 | 253 | 253 | − | − |
| 53 | 53 | 884 | 891 | − | − | − | − |
| 40 | 40 | 586 | 590 | 1 | 1 | − | − |
| − | − | 761 | 769 | − | − | − | − |
| 7 | 7 | 185 | 186 | 1 | 1 | 1 | 1 |
| − | − | − | − | − | − | − | − |
| − | − | − | − | − | − | − | − |
| 6 | 22 | 13 | 28 | − | − | − | − |
| 37 | 38 | 213 | 229 | − | − | − | − |
| 3 | 3 | 860 | 863 | − | − | − | − |
| − | − | 11 | 11 | − | − | − | − |
| 3 | 3 | 19 | 24 | − | − | − | − |
| 12 | 14 | 782 | 794 | − | − | − | − |
| 135 | 145 | 1 449 | 1 530 | − | − | − | − |
| − | − | − | − | − | − | − | − |
| 20 | 20 | 2 275 | 2 275 | 33 | 33 | − | − |
| 73 | 73 | 1 001 | 1 001 | − | − | − | − |
| 1 | 1 | 28 | 34 | − | − | − | − |
| 72 | 76 | 264 | 313 | − | − | − | − |
| 31 | 32 | 2 267 | 2 280 | − | − | − | − |
| 131 | 134 | 6 435 | 6 674 | − | − | − | − |
| 872 | 979 | 7 966 | 8 557 | − | − | − | − |
| − | − | − | − | − | − | − | − |
| 62 | 62 | 5 069 | 5 069 | − | − | − | − |
| − | − | − | − | − | − | − | − |
| − | − | − | − | − | − | − | − |
| − | − | − | − | − | − | − | − |
| − | − | − | − | − | − | − | − |
| − | − | − | − | − | − | − | − |
| − | − | 2 508 | 2 586 | − | − | − | − |
| − | − | 2 969 | 3 070 | − | − | − | − |
| − | − | − | − | − | − | − | − |
| − | − | − | − | − | − | − | − |
| − | − | 13 828 | 13 828 | − | − | − | − |
| − | − | − | − | − | − | − | − |
| − | − | − | − | − | − | − | − |
| − | − | − | − | − | − | − | − |
| − | − | − | − | − | − | − | − |
| − | − | − | − | − | − | − | − |
| − | − | − | − | − | − | − | − |
| − | − | 1 928 | 1 928 | − | − | − | − |

## 第3表(4-4)　保健所及び市区町村が実施した妊産婦及び乳幼児等訪問指導の被指導実人員－延人員

| | 妊　婦 | | 産　婦 | | （再掲）新生児（未熟児を除く。） | |
|---|---|---|---|---|---|---|
| | 実　人　員 | 延　人　員 | 実　人　員 | 延　人　員 | 実　人　員 | 延　人　員 |
| 中　核　市(再掲) | | | | | | |
| 旭　川　市 | － | － | － | － | － | － |
| 函　館　市 | － | － | － | － | － | － |
| 青　森　市 | | | 1 226 | 1 299 | 1 228 | 1 302 |
| 八　戸　市 | | | － | － | － | － |
| 盛　岡　市 | | | 798 | 798 | 10 | 10 |
| 秋　田　市 | － | － | － | － | － | － |
| 郡　山　市 | － | － | － | － | － | － |
| い　わ　き　市 | － | － | 1 751 | 1 751 | 130 | 130 |
| 宇　都　宮　市 | | | － | － | － | － |
| 前　橋　市 | | | 927 | 946 | 117 | 118 |
| 高　崎　市 | － | － | 2 129 | 2 160 | 254 | 256 |
| 川　越　市 | | | － | － | － | － |
| 越　谷　市 | | | 2 368 | 2 368 | 259 | 259 |
| 船　橋　市 | | | － | － | － | － |
| 柏　市 | | | － | － | － | － |
| 八　王　子　市 | | | | | 1 319 | 1 330 |
| 横　須　賀　市 | | | － | － | － | － |
| 富　山　市 | | | － | － | － | － |
| 金　沢　市 | | | － | － | － | － |
| 長　野　市 | | | － | － | － | － |
| 岐　阜　市 | | | － | － | － | － |
| 豊　橋　市 | | | 342 | 342 | 106 | 106 |
| 豊　田　市 | | | － | － | － | － |
| 岡　崎　市 | | | － | － | － | － |
| 大　津　市 | | | － | － | － | － |
| 高　槻　市 | － | － | － | － | － | － |
| 東　大　阪　市 | 1 | 1 | 1 027 | 1 087 | 1 028 | 1 088 |
| 豊　中　市 | | | － | － | － | － |
| 枚　方　市 | 2 | 2 | 1 448 | 1 637 | 205 | 209 |
| 姫　路　市 | | | － | － | － | － |
| 西　宮　市 | | | 501 | 501 | 62 | 62 |
| 尼　崎　市 | | | － | － | － | － |
| 奈　良　市 | － | － | 201 | 203 | 11 | 11 |
| 和　歌　山　市 | | | － | － | － | － |
| 倉　敷　市 | | | － | － | － | － |
| 福　山　市 | － | － | － | － | － | － |
| 呉　市 | | | － | － | － | － |
| 下　関　市 | | | － | － | － | － |
| 高　松　市 | 37 | 37 | 2 366 | 2 367 | 2 368 | 2 368 |
| 松　山　市 | | | － | － | － | － |
| 高　知　市 | － | － | － | － | － | － |
| 久　留　米　市 | － | － | － | － | － | － |
| 長　崎　市 | | | － | － | － | － |
| 佐　世　保　市 | | | － | － | － | － |
| 大　分　市 | － | － | 1 184 | 1 184 | 109 | 109 |
| 宮　崎　市 | | | － | － | － | － |
| 鹿　児　島　市 | 4 | 5 | 3 431 | 3 661 | 3 434 | 3 664 |
| 那　覇　市 | | | － | － | － | － |
| その他政令市(再掲) | | | | | | |
| 小　樽　市 | 26 | 26 | 481 | 481 | 300 | 303 |
| 町　田　市 | － | － | － | － | － | － |
| 藤　沢　市 | － | － | － | － | － | － |
| 茅　ヶ　崎　市 | － | － | － | － | － | － |
| 四　日　市　市 | － | － | 6 | 20 | － | － |
| 大　牟　田　市 | | | 442 | 563 | 440 | 565 |

## ・医療機関等へ委託した被指導実人員－延人員，都道府県－指定都市・特別区－中核市－その他政令市、対象区分別

平成29年度

| 医療機関等へ委託 未熟児 実人員 | 医療機関等へ委託 未熟児 延人員 | 医療機関等へ委託 乳児（新生児・未熟児を除く。） 実人員 | 医療機関等へ委託 乳児（新生児・未熟児を除く。） 延人員 | 医療機関等へ委託 幼児 実人員 | 医療機関等へ委託 幼児 延人員 | 医療機関等へ委託 その他 実人員 | 医療機関等へ委託 その他 延人員 |
|---:|---:|---:|---:|---:|---:|---:|---:|
| - | - | - | - | - | - | - | - |
| - | - | - | - | - | - | - | - |
| - | - | - | - | - | - | - | - |
| - | - | - | - | - | - | - | - |
| - | - | 788 | 788 | - | - | - | - |
| - | - | - | - | - | - | - | - |
| - | - | - | - | - | - | - | - |
| 97 | 97 | 1 532 | 1 532 | - | - | - | - |
| - | - | - | - | - | - | - | - |
| 28 | 34 | 798 | 811 | - | - | - | - |
| 53 | 59 | 1 853 | 1 878 | - | - | - | - |
| - | - | - | - | - | - | - | - |
| 24 | 24 | 2 105 | 2 105 | - | - | - | - |
| - | - | - | - | - | - | - | - |
| - | - | - | - | - | - | - | - |
| - | - | - | - | - | - | - | - |
| - | - | - | - | - | - | - | - |
| - | - | - | - | - | - | - | - |
| - | - | - | - | - | - | - | - |
| - | - | - | - | - | - | - | - |
| - | - | - | - | - | - | - | - |
| 133 | 133 | 121 | 121 | - | - | - | - |
| - | - | - | - | - | - | - | - |
| - | - | - | - | - | - | - | - |
| - | - | - | - | - | - | - | - |
| - | - | - | - | - | - | - | - |
| - | - | - | - | - | - | - | - |
| - | - | - | - | - | - | - | - |
| 51 | 67 | 1 214 | 1 373 | - | - | - | - |
| - | - | - | - | - | - | - | - |
| 11 | 11 | 429 | 429 | - | - | - | - |
| - | - | - | - | - | - | - | - |
| 49 | 49 | 149 | 150 | - | - | - | - |
| - | - | - | - | - | - | - | - |
| - | - | - | - | - | - | - | - |
| - | - | - | - | - | - | - | - |
| - | - | - | - | - | - | - | - |
| - | - | - | - | - | - | - | - |
| - | - | - | - | - | - | - | - |
| - | - | - | - | - | - | - | - |
| - | - | - | - | - | - | - | - |
| - | - | - | - | - | - | - | - |
| - | - | - | - | - | - | - | - |
| - | - | - | - | - | - | - | - |
| 73 | 73 | 1 001 | 1 001 | - | - | - | - |
| - | - | - | - | - | - | - | - |
| - | - | - | - | - | - | - | - |
| - | - | - | - | - | - | - | - |
| 20 | 20 | 164 | 169 | - | - | - | - |
| - | - | - | - | - | - | - | - |
| - | - | - | - | - | - | - | - |
| - | - | - | - | - | - | - | - |
| - | - | - | - | - | - | - | - |
| 11 | 13 | - | - | - | - | - | - |

# 第4表(4－1)保健所及び市区町村が実施した歯科健診及び保健指導の受診延人員・

| | 総 | | | | | |
|---|---|---|---|---|---|---|
| | 総数 | | | | 個 | |
| | 総数 | 妊産婦 | 乳幼児 | その他 | 総数 | 妊産婦 |
| **全国** | **4 969 047** | **307 466** | **3 740 559** | **921 022** | **1 358 714** | **233 243** |
| 北海道 | 143 738 | 3 549 | 128 690 | 11 499 | 34 834 | 1 564 |
| 青森 | 38 362 | 3 499 | 31 470 | 3 393 | 10 934 | 3 319 |
| 岩手 | 60 483 | 3 457 | 43 838 | 13 188 | 24 129 | 3 058 |
| 宮城 | 168 347 | 8 098 | 130 473 | 29 776 | 26 282 | 6 312 |
| 秋田 | 40 510 | 3 666 | 25 017 | 11 827 | 10 045 | 3 666 |
| 山形 | 34 404 | 1 232 | 28 836 | 4 336 | 5 930 | 654 |
| 福島 | 64 874 | 3 785 | 50 199 | 10 890 | 14 836 | 1 730 |
| 茨城 | 87 821 | 3 235 | 74 283 | 10 303 | 23 000 | 2 128 |
| 栃木 | 78 768 | 2 896 | 58 682 | 17 190 | 13 420 | 2 379 |
| 群馬 | 86 202 | 6 592 | 66 379 | 13 231 | 30 433 | 5 379 |
| 埼玉 | 196 375 | 5 432 | 163 738 | 27 205 | 57 957 | 2 396 |
| 千葉 | 328 250 | 13 293 | 206 670 | 108 287 | 72 723 | 9 097 |
| 東京 | 614 917 | 42 886 | 410 719 | 161 312 | 217 430 | 30 867 |
| 神奈川 | 308 896 | 21 791 | 254 250 | 32 855 | 77 718 | 15 398 |
| 新潟 | 102 007 | 5 788 | 77 984 | 18 235 | 23 517 | 2 536 |
| 富山 | 48 134 | 2 961 | 35 429 | 9 744 | 13 093 | 2 903 |
| 石川 | 29 162 | 3 052 | 22 569 | 3 541 | 6 909 | 2 789 |
| 福井 | 21 793 | 57 | 16 936 | 4 800 | 3 477 | 29 |
| 山梨 | 30 185 | 996 | 21 070 | 8 119 | 7 985 | 631 |
| 長野 | 137 231 | 6 353 | 101 347 | 29 531 | 40 814 | 3 338 |
| 岐阜 | 130 547 | 6 682 | 91 559 | 32 306 | 39 393 | 5 274 |
| 静岡 | 140 810 | 9 363 | 96 923 | 34 524 | 38 956 | 7 738 |
| 愛知 | 361 553 | 37 314 | 258 354 | 65 885 | 94 943 | 31 306 |
| 三重 | 64 559 | 2 263 | 43 938 | 18 358 | 12 157 | 1 315 |
| 滋賀 | 56 265 | 1 937 | 49 113 | 5 215 | 11 751 | 1 741 |
| 京都 | 68 660 | 3 401 | 60 327 | 4 932 | 10 479 | 2 428 |
| 大阪 | 294 100 | 13 732 | 216 745 | 63 623 | 115 088 | 11 544 |
| 兵庫 | 240 108 | 13 240 | 186 775 | 40 093 | 68 794 | 11 996 |
| 奈良 | 40 236 | 2 596 | 33 443 | 4 197 | 9 821 | 1 721 |
| 和歌山 | 28 134 | 960 | 25 218 | 1 956 | 5 146 | 704 |
| 鳥取 | 25 476 | 1 335 | 20 646 | 3 495 | 8 439 | 994 |
| 島根 | 29 789 | 2 884 | 18 527 | 8 378 | 6 647 | 2 405 |
| 岡山 | 55 281 | 4 765 | 44 250 | 6 266 | 10 944 | 4 419 |
| 広島 | 75 511 | 9 850 | 55 752 | 9 909 | 21 395 | 9 550 |
| 山口 | 37 787 | 2 316 | 30 666 | 4 805 | 11 242 | 1 855 |
| 徳島 | 23 814 | 1 475 | 17 520 | 4 819 | 6 603 | 774 |
| 香川 | 28 815 | 3 546 | 20 197 | 5 072 | 9 835 | 3 300 |
| 愛媛 | 43 923 | 4 318 | 28 200 | 11 405 | 14 174 | 4 096 |
| 高知 | 30 568 | 730 | 18 847 | 10 991 | 7 462 | 410 |
| 福岡 | 186 635 | 11 817 | 165 663 | 9 155 | 35 971 | 9 921 |
| 佐賀 | 35 811 | 2 197 | 27 048 | 6 566 | 6 898 | 1 438 |
| 長崎 | 47 766 | 4 024 | 37 209 | 6 533 | 16 454 | 3 309 |
| 熊本 | 89 145 | 9 372 | 61 607 | 18 166 | 23 753 | 6 826 |
| 大分 | 31 765 | 1 109 | 30 178 | 478 | 9 210 | 1 051 |
| 宮崎 | 33 663 | 1 400 | 28 644 | 3 619 | 8 707 | 1 397 |
| 鹿児島 | 101 135 | 12 134 | 78 986 | 10 015 | 36 723 | 5 548 |
| 沖縄 | 46 732 | 88 | 45 645 | 999 | 2 263 | 10 |
| 指定都市・特別区(再掲) | | | | | | |
| 東京都区部 | 434 450 | 33 512 | 281 501 | 119 437 | 162 129 | 24 907 |
| 札幌市 | 29 105 | 744 | 28 361 | - | - | - |
| 仙台市 | 103 315 | 3 985 | 84 073 | 15 257 | 7 701 | 3 070 |
| さいたま市 | 51 127 | 945 | 40 874 | 9 308 | 32 392 | 26 |
| 千葉市 | 40 966 | 4 775 | 28 147 | 8 044 | 10 259 | 4 052 |
| 横浜市 | 146 032 | 14 040 | 118 952 | 13 040 | 39 791 | 10 492 |
| 川崎市 | 36 820 | 1 967 | 33 657 | 1 196 | 2 354 | 1 758 |
| 相模原市 | 19 600 | 997 | 15 253 | 3 350 | 3 458 | - |
| 新潟市 | 24 697 | 1 808 | 22 889 | - | 3 214 | - |
| 静岡市 | 17 067 | 2 257 | 14 773 | 37 | 4 594 | 2 257 |
| 浜松市 | 23 775 | 2 734 | 15 438 | 5 603 | 5 661 | 2 734 |
| 名古屋市 | 116 979 | 14 783 | 91 897 | 10 299 | 34 138 | 14 783 |
| 京都市 | 36 145 | 1 284 | 32 924 | 1 937 | 1 626 | 748 |
| 大阪市 | 50 781 | 2 845 | 47 936 | - | 10 821 | 2 845 |
| 堺市 | 37 762 | 850 | 30 206 | 6 706 | 20 148 | 395 |
| 神戸市 | 110 727 | 4 119 | 88 595 | 18 013 | 31 635 | 4 119 |
| 岡山市 | 17 322 | 1 791 | 13 046 | 2 485 | 2 636 | 1 791 |
| 広島市 | 27 804 | 4 574 | 20 370 | 2 860 | 7 434 | 4 574 |
| 北九州市 | 32 070 | 2 398 | 28 664 | 1 008 | 14 097 | 2 088 |
| 福岡市 | 83 222 | 4 699 | 78 116 | 407 | 5 094 | 4 699 |
| 熊本市 | 40 504 | 4 492 | 24 504 | 11 508 | 12 643 | 4 475 |

# 医療機関等へ委託した受診延人員, 都道府県−指定都市・特別区−中核市−その他政令市、個別−集団・対象区分別

平成29年度

| 別 | | 集　　数 | | 団 | |
| 乳　幼　児 | そ　の　他 | 総　　数 | 妊　産　婦 | 乳　幼　児 | そ　の　他 |
|---:|---:|---:|---:|---:|---:|
| 668 484 | 456 987 | 3 610 333 | 74 223 | 3 072 075 | 464 035 |
| 28 663 | 4 607 | 108 904 | 1 985 | 100 027 | 6 892 |
| 6 122 | 1 493 | 27 428 | 180 | 25 348 | 1 900 |
| 13 083 | 7 988 | 36 354 | 399 | 30 755 | 5 200 |
| 12 604 | 7 366 | 142 065 | 1 786 | 117 869 | 22 410 |
| 4 715 | 1 664 | 30 465 | − | 20 302 | 10 163 |
| 4 061 | 1 215 | 28 474 | 578 | 24 775 | 3 121 |
| 10 355 | 2 751 | 50 038 | 2 055 | 39 844 | 8 139 |
| 16 801 | 4 071 | 64 821 | 1 107 | 57 482 | 6 232 |
| 6 730 | 4 311 | 65 348 | 517 | 51 952 | 12 879 |
| 21 246 | 3 808 | 55 769 | 1 213 | 45 133 | 9 423 |
| 35 284 | 20 277 | 138 418 | 3 036 | 128 454 | 6 928 |
| 40 105 | 23 521 | 255 527 | 4 196 | 166 565 | 84 766 |
| 48 490 | 138 073 | 397 487 | 12 019 | 362 229 | 23 239 |
| 47 800 | 14 520 | 231 178 | 6 393 | 206 450 | 18 335 |
| 13 223 | 7 758 | 78 490 | 3 252 | 64 761 | 10 477 |
| 8 152 | 2 038 | 35 041 | 58 | 27 277 | 7 706 |
| 2 929 | 1 191 | 22 253 | 263 | 19 640 | 2 350 |
| 2 221 | 1 227 | 18 316 | 28 | 14 715 | 3 573 |
| 2 677 | 4 677 | 22 200 | 365 | 18 393 | 3 442 |
| 27 313 | 10 163 | 96 417 | 3 015 | 74 034 | 19 368 |
| 21 053 | 13 066 | 91 154 | 1 408 | 70 506 | 19 240 |
| 16 499 | 14 719 | 101 854 | 1 625 | 80 424 | 19 805 |
| 22 079 | 41 558 | 266 610 | 6 008 | 236 275 | 24 327 |
| 3 489 | 7 353 | 52 402 | 948 | 40 449 | 11 005 |
| 7 407 | 2 603 | 44 514 | 196 | 41 706 | 2 612 |
| 7 034 | 1 017 | 58 181 | 973 | 53 293 | 3 915 |
| 50 905 | 52 639 | 179 012 | 2 188 | 165 840 | 10 984 |
| 46 132 | 10 666 | 171 314 | 1 244 | 140 643 | 29 427 |
| 7 286 | 814 | 30 415 | 875 | 26 157 | 3 383 |
| 3 597 | 845 | 22 988 | 256 | 21 621 | 1 111 |
| 5 886 | 1 559 | 17 037 | 341 | 14 760 | 1 936 |
| 2 683 | 1 559 | 23 142 | 479 | 15 844 | 6 819 |
| 4 951 | 1 574 | 44 337 | 346 | 39 299 | 4 692 |
| 6 148 | 5 697 | 54 116 | 300 | 49 604 | 4 212 |
| 8 013 | 1 374 | 26 545 | 461 | 22 653 | 3 431 |
| 3 993 | 1 836 | 17 211 | 701 | 13 527 | 2 983 |
| 2 657 | 3 878 | 18 980 | 246 | 17 540 | 1 194 |
| 2 739 | 7 339 | 29 749 | 222 | 25 461 | 4 066 |
| 4 372 | 2 680 | 23 106 | 320 | 14 475 | 8 311 |
| 20 990 | 5 060 | 150 664 | 1 896 | 144 673 | 4 095 |
| 4 738 | 722 | 28 913 | 759 | 22 310 | 5 844 |
| 11 005 | 2 140 | 31 312 | 715 | 26 204 | 4 393 |
| 11 364 | 5 563 | 65 392 | 2 546 | 50 243 | 12 603 |
| 7 806 | 353 | 22 555 | 58 | 22 372 | 125 |
| 5 296 | 2 014 | 24 956 | 3 | 23 348 | 1 605 |
| 25 835 | 5 340 | 64 412 | 6 586 | 53 151 | 4 675 |
| 1 953 | 300 | 44 469 | 78 | 43 692 | 699 |
| 32 846 | 104 376 | 272 321 | 8 605 | 248 655 | 15 061 |
| − | − | 29 105 | 744 | 28 361 | − |
| 3 586 | 1 045 | 95 614 | 915 | 80 487 | 14 212 |
| 23 149 | 9 217 | 18 735 | 919 | 17 725 | 91 |
| 3 651 | 2 556 | 30 707 | 723 | 24 496 | 5 488 |
| 29 299 | − | 106 241 | 3 548 | 89 653 | 13 040 |
| 484 | 112 | 34 466 | 209 | 33 173 | 1 084 |
| 108 | 3 350 | 16 142 | 997 | 15 145 | − |
| 3 214 | − | 21 483 | 1 808 | 19 675 | − |
| 2 300 | 37 | 12 473 | − | 12 473 | − |
| 218 | 2 709 | 18 114 | − | 15 220 | 2 894 |
| 11 780 | 7 575 | 82 841 | − | 80 117 | 2 724 |
| 599 | 279 | 34 519 | 536 | 32 325 | 1 658 |
| 7 976 | − | 39 960 | − | 39 960 | − |
| 15 742 | 4 011 | 17 614 | 455 | 14 464 | 2 695 |
| 25 477 | 2 039 | 79 092 | − | 63 118 | 15 974 |
| − | 845 | 14 686 | − | 13 046 | 1 640 |
| − | 2 860 | 20 370 | − | 20 370 | − |
| 11 174 | 835 | 17 973 | 310 | 17 490 | 173 |
| 19 | 376 | 78 128 | − | 78 097 | 31 |
| 4 041 | 4 127 | 27 861 | 17 | 20 463 | 7 381 |

# 第4表(4－2) 保健所及び市区町村が実施した歯科健診及び保健指導の受診延人員・

| | 総 | | | | | | |
|---|---|---|---|---|---|---|---|
| | 総数 | | | | 個 | | |
| | 総数 | 妊産婦 | 乳幼児 | その他 | 総数 | 妊産婦 |
| 中核市(再掲) | | | | | | |
| 旭川市 | 5 407 | 395 | 4 975 | 37 | 862 | 395 |
| 函館市 | 8 110 | 411 | 7 296 | 403 | 3 350 | 137 |
| 青森市 | 6 090 | 44 | 6 002 | 44 | 89 | － |
| 八戸市 | 4 441 | 614 | 3 827 | － | 805 | 614 |
| 盛岡市 | 15 171 | 680 | 11 269 | 3 222 | 10 550 | 680 |
| 秋田市 | 10 580 | 1 024 | 9 257 | 299 | 4 426 | 1 024 |
| 郡山市 | 7 250 | 158 | 7 015 | 77 | － | － |
| いわき市 | 8 506 | 205 | 7 594 | 707 | 836 | － |
| 宇都宮市 | 27 768 | 1 507 | 22 464 | 3 797 | 2 135 | 1 507 |
| 前橋市 | 17 526 | 1 770 | 11 834 | 3 922 | 5 352 | 1 565 |
| 高崎市 | 14 482 | 2 033 | 12 448 | 1 | 14 176 | 1 728 |
| 川越市 | 6 270 | 117 | 5 990 | 163 | 101 | － |
| 越谷市 | 8 430 | 805 | 6 599 | 1 026 | 1 274 | 561 |
| 船橋市 | 54 125 | 2 200 | 22 456 | 29 469 | 4 065 | 1 621 |
| 柏市 | 25 468 | 119 | 18 124 | 7 225 | 3 750 | 8 |
| 八王子市 | 11 535 | 257 | 10 306 | 972 | 384 | － |
| 横須賀市 | 10 295 | 60 | 7 816 | 2 419 | 3 605 | － |
| 富山市 | 17 874 | 922 | 13 860 | 3 092 | 4 404 | 922 |
| 金沢市 | 7 819 | 1 741 | 6 078 | － | 1 741 | 1 741 |
| 長野市 | 15 711 | 1 112 | 10 912 | 3 687 | 1 923 | 950 |
| 岐阜市 | 13 560 | 1 153 | 9 173 | 3 234 | 4 355 | 1 153 |
| 豊橋市 | 11 360 | 1 421 | 8 045 | 1 894 | 5 135 | 1 407 |
| 豊田市 | 13 332 | 2 176 | 9 801 | 1 355 | 5 873 | 2 176 |
| 岡崎市 | 14 116 | 1 797 | 10 679 | 1 640 | 3 371 | 1 797 |
| 大津市 | 12 501 | 455 | 11 366 | 680 | 1 350 | 455 |
| 高槻市 | 13 742 | 530 | 11 726 | 1 486 | 7 494 | 265 |
| 東大阪市 | 8 172 | 765 | 7 263 | 144 | 765 | 765 |
| 豊中市 | 13 651 | 25 | 8 484 | 5 142 | 5 167 | 25 |
| 枚方市 | 15 879 | 783 | 10 176 | 4 920 | 3 599 | 783 |
| 姫路市 | 13 869 | 287 | 13 582 | － | 287 | 287 |
| 西宮市 | 11 418 | 1 639 | 8 727 | 1 052 | 4 008 | 1 639 |
| 尼崎市 | 19 359 | 850 | 15 052 | 3 457 | 6 931 | 425 |
| 奈良市 | 6 429 | 225 | 6 204 | － | － | － |
| 和歌山市 | 11 492 | 449 | 10 994 | 49 | 729 | 340 |
| 倉敷市 | 13 281 | 1 684 | 11 597 | － | 1 684 | 1 684 |
| 福山市 | 11 205 | 1 565 | 9 640 | － | 3 325 | 1 565 |
| 呉市 | 4 517 | 596 | 3 921 | － | 659 | 536 |
| 下関市 | 7 777 | 112 | 6 256 | 1 409 | 1 554 | － |
| 高松市 | 10 518 | 1 704 | 8 814 | － | 3 673 | 1 704 |
| 松山市 | 16 193 | 1 910 | 9 766 | 4 517 | 6 314 | 1 910 |
| 高知市 | 8 961 | 55 | 6 823 | 2 083 | 1 871 | － |
| 久留米市 | 7 640 | 988 | 6 652 | － | 4 751 | 988 |
| 長崎市 | 9 919 | 1 764 | 8 104 | 51 | 2 381 | 1 217 |
| 佐世保市 | 11 869 | 1 209 | 8 739 | 1 921 | 7 433 | 1 060 |
| 大分市 | 10 825 | 154 | 10 607 | 64 | 1 231 | 154 |
| 宮崎市 | 11 155 | － | 9 805 | 1 350 | 4 106 | － |
| 鹿児島市 | 22 284 | 5 053 | 17 043 | 188 | 4 417 | － |
| 那覇市 | 5 756 | － | 5 756 | － | － | － |
| その他政令市(再掲) | | | | | | |
| 小樽市 | 3 896 | － | 3 896 | － | 873 | － |
| 町田市 | 21 385 | 660 | 17 574 | 3 151 | 2 781 | 482 |
| 藤沢市 | 15 159 | 231 | 14 928 | － | 3 244 | 1 |
| 茅ヶ崎市 | 8 875 | 118 | 7 256 | 1 501 | 3 356 | 23 |
| 四日市市 | 7 287 | 90 | 5 574 | 1 623 | － | － |
| 大牟田市 | 4 134 | 618 | 2 022 | 1 494 | 176 | 109 |

# 医療機関等へ委託した受診延人員，都道府県－指定都市・特別区－中核市－その他政令市、個別－集団・対象区分別

平成29年度

| 数 | | | | | |
|---|---|---|---|---|---|
| 別 | | 集 | | 団 | |
| 乳幼児 | その他 | 総数 | 妊産婦 | 乳幼児 | その他 |
| 430 | 37 | 4 545 | － | 4 545 | － |
| 3 050 | 163 | 4 760 | 274 | 4 246 | 240 |
| 89 | － | 6 001 | 44 | 5 913 | 44 |
| 191 | － | 3 636 | － | 3 636 | － |
| 6 648 | 3 222 | 4 621 | － | 4 621 | － |
| 3 103 | 299 | 6 154 | － | 6 154 | － |
| － | － | 7 250 | 158 | 7 015 | 77 |
| 509 | 327 | 7 670 | 205 | 7 085 | 380 |
| － | 628 | 25 633 | － | 22 464 | 3 169 |
| 1 622 | 2 165 | 12 174 | 205 | 10 212 | 1 757 |
| 12 448 | － | 306 | 305 | － | 1 |
| 101 | | 6 169 | 117 | 5 889 | 163 |
| － | 713 | 7 156 | 244 | 6 599 | 313 |
| 1 316 | 1 128 | 50 060 | 579 | 21 140 | 28 341 |
| 3 394 | 348 | 21 718 | 111 | 14 730 | 6 877 |
| 50 | 334 | 11 151 | 257 | 10 256 | 638 |
| 2 209 | 1 396 | 6 690 | 60 | 5 607 | 1 023 |
| 2 035 | 1 447 | 13 470 | － | 11 825 | 1 645 |
| － | － | 6 078 | － | 6 078 | － |
| 973 | － | 13 788 | 162 | 9 939 | 3 687 |
| 39 | 3 163 | 9 205 | － | 9 134 | 71 |
| 1 834 | 1 894 | 6 225 | 14 | 6 211 | － |
| 2 342 | 1 355 | 7 459 | － | 7 459 | － |
| － | 1 574 | 10 745 | － | 10 679 | 66 |
| 215 | 680 | 11 151 | － | 11 151 | － |
| 5 863 | 1 366 | 6 248 | 265 | 5 863 | 120 |
| － | － | 7 407 | － | 7 263 | 144 |
| － | 5 142 | 8 484 | － | 8 484 | － |
| 473 | 2 343 | 12 280 | － | 9 703 | 2 577 |
| － | － | 13 582 | － | 13 582 | － |
| 1 655 | 714 | 7 410 | － | 7 072 | 338 |
| 5 656 | 850 | 12 428 | 425 | 9 396 | 2 607 |
| － | － | 6 429 | 225 | 6 204 | － |
| 377 | 12 | 10 763 | 109 | 10 617 | 37 |
| － | － | 11 597 | － | 11 597 | － |
| 1 760 | － | 7 880 | － | 7 880 | － |
| 123 | － | 3 858 | 60 | 3 798 | － |
| 1 547 | 7 | 6 223 | 112 | 4 709 | 1 402 |
| 1 969 | － | 6 845 | － | 6 845 | － |
| 147 | 4 257 | 9 879 | － | 9 619 | 260 |
| 1 424 | 447 | 7 090 | 55 | 5 399 | 1 636 |
| 3 763 | － | 2 889 | － | 2 889 | － |
| 1 113 | 51 | 7 538 | 547 | 6 991 | － |
| 4 889 | 1 484 | 4 436 | 149 | 3 850 | 437 |
| 1 013 | 64 | 9 594 | － | 9 594 | － |
| 2 756 | 1 350 | 7 049 | － | 7 049 | － |
| 4 417 | － | 17 867 | 5 053 | 12 626 | 188 |
| － | － | 5 756 | － | 5 756 | － |
| 873 | － | 3 023 | － | 3 023 | － |
| － | 2 299 | 18 604 | 178 | 17 574 | 852 |
| 3 243 | － | 11 915 | 230 | 11 685 | － |
| 2 328 | 1 005 | 5 519 | 95 | 4 928 | 496 |
| － | － | 7 287 | 90 | 5 574 | 1 623 |
| 61 | 6 | 3 958 | 509 | 1 961 | 1 488 |

# 第4表(4－3)　保健所及び市区町村が実施した歯科健診及び保健指導の受診延人員・

| | 総数 | | | | （再掲）個 | |
|---|---|---|---|---|---|---|
| | 総数 | 妊産婦 | 乳幼児 | その他 | 総数 | 妊産婦 |
| **全国** | **832 061** | **195 920** | **299 179** | **336 962** | **660 393** | **193 679** |
| 北海道 | 22 198 | 895 | 17 999 | 3 304 | 15 096 | 871 |
| 青森 | 3 423 | 1 442 | 1 182 | 799 | 3 423 | 1 442 |
| 岩手 | 23 193 | 3 054 | 12 363 | 7 776 | 21 486 | 3 054 |
| 宮城 | 7 789 | 4 129 | 726 | 2 934 | 7 670 | 4 129 |
| 秋田 | 6 891 | 2 637 | 3 014 | 1 240 | 5 966 | 2 637 |
| 山形 | 1 659 | 192 | 310 | 1 157 | 1 109 | 192 |
| 福島 | 3 403 | 515 | 1 597 | 1 291 | 2 785 | 515 |
| 茨城 | 5 224 | 1 353 | 1 471 | 2 400 | 4 974 | 1 353 |
| 栃木 | 18 911 | 2 022 | 9 771 | 7 118 | 5 950 | 2 022 |
| 群馬 | 9 830 | 3 993 | 2 497 | 3 340 | 9 603 | 3 993 |
| 埼玉 | 52 560 | 2 514 | 30 099 | 19 947 | 45 182 | 2 270 |
| 千葉 | 23 800 | 8 695 | 2 343 | 12 762 | 23 798 | 8 695 |
| 東京 | 221 629 | 30 299 | 52 495 | 138 835 | 190 664 | 30 125 |
| 神奈川 | 23 933 | 14 505 | 2 221 | 7 207 | 23 633 | 14 302 |
| 新潟 | 15 668 | 2 536 | 5 825 | 7 307 | 15 367 | 2 536 |
| 富山 | 3 529 | 2 562 | - | 967 | 3 507 | 2 562 |
| 石川 | 3 379 | 2 789 | - | 590 | 3 379 | 2 789 |
| 福井 | 897 | 29 | - | 868 | 897 | 29 |
| 山梨 | 2 601 | 528 | 1 | 2 072 | 2 601 | 528 |
| 長野 | 7 229 | 3 487 | 356 | 3 386 | 6 711 | 3 042 |
| 岐阜 | 12 849 | 4 685 | 1 667 | 6 497 | 12 282 | 4 685 |
| 静岡 | 17 534 | 7 022 | 4 341 | 6 171 | 12 994 | 6 914 |
| 愛知 | 68 727 | 30 716 | 8 632 | 29 379 | 62 721 | 30 716 |
| 三重 | 10 580 | 1 189 | 2 625 | 6 766 | 10 082 | 1 189 |
| 滋賀 | 2 430 | 969 | - | 1 461 | 2 412 | 969 |
| 京都 | 2 822 | 1 542 | 893 | 387 | 2 822 | 1 542 |
| 大阪 | 37 052 | 7 232 | 7 212 | 22 608 | 34 561 | 7 232 |
| 兵庫 | 17 850 | 10 554 | 2 540 | 4 756 | 17 473 | 10 554 |
| 奈良 | 1 244 | 966 | 21 | 257 | 1 244 | 966 |
| 和歌山 | 1 295 | 588 | 177 | 530 | 1 295 | 588 |
| 鳥取 | 1 905 | 888 | 351 | 666 | 1 554 | 888 |
| 島根 | 1 719 | 241 | 359 | 1 119 | 1 108 | 241 |
| 岡山 | 5 408 | 4 001 | 135 | 1 272 | 5 355 | 4 001 |
| 広島 | 14 248 | 9 550 | 355 | 4 343 | 14 139 | 9 550 |
| 山口 | 3 942 | 1 855 | 1 320 | 767 | 3 937 | 1 855 |
| 徳島 | 914 | 276 | 172 | 466 | 914 | 276 |
| 香川 | 10 302 | 3 300 | 3 186 | 3 816 | 9 603 | 3 300 |
| 愛媛 | 12 391 | 4 095 | 2 166 | 6 130 | 10 226 | 4 095 |
| 高知 | 2 548 | 337 | 1 408 | 803 | 662 | 282 |
| 福岡 | 107 017 | 9 790 | 92 468 | 4 759 | 32 065 | 9 361 |
| 佐賀 | 1 052 | 691 | - | 361 | 1 052 | 691 |
| 長崎 | 6 229 | 2 469 | 2 545 | 1 215 | 5 574 | 1 922 |
| 熊本 | 5 018 | 2 064 | 1 086 | 1 868 | 3 519 | 2 061 |
| 大分 | 718 | 113 | 420 | 185 | 718 | 113 |
| 宮崎 | 6 522 | 341 | 4 293 | 1 888 | 5 683 | 338 |
| 鹿児島 | 10 703 | 2 254 | 5 572 | 2 877 | 10 598 | 2 254 |
| 沖縄 | 11 296 | 16 | 10 965 | 315 | 1 999 | 10 |
| 指定都市・特別区(再掲) | | | | | | |
| 東京都区部 | 173 529 | 24 332 | 43 993 | 105 204 | 150 312 | 24 332 |
| 札幌市 | - | - | - | - | - | - |
| 仙台市 | 3 060 | 3 060 | - | - | 3 060 | 3 060 |
| さいたま市 | 27 918 | - | 18 783 | 9 135 | 27 918 | - |
| 千葉市 | 4 052 | 4 052 | - | - | 4 052 | 4 052 |
| 横浜市 | 10 492 | 10 492 | - | - | 10 492 | 10 492 |
| 川崎市 | 1 752 | 1 752 | - | - | 1 752 | 1 752 |
| 相模原市 | 3 295 | - | - | 3 295 | 3 295 | - |
| 新潟市 | 3 214 | - | 3 214 | - | 3 214 | - |
| 静岡市 | 4 253 | 2 257 | 1 996 | - | 2 257 | 2 257 |
| 浜松市 | 2 734 | 2 734 | - | - | 2 734 | 2 734 |
| 名古屋市 | 16 283 | 14 783 | - | 1 500 | 16 283 | 14 783 |
| 京都市 | - | - | - | - | - | - |
| 大阪市 | - | - | - | - | - | - |
| 堺市 | 598 | - | - | 598 | 598 | - |
| 神戸市 | 5 389 | 4 119 | - | 1 270 | 5 389 | 4 119 |
| 岡山市 | 2 636 | 1 791 | - | 845 | 2 636 | 1 791 |
| 広島市 | 7 434 | 4 574 | - | 2 860 | 7 434 | 4 574 |
| 北九州市 | 32 070 | 2 398 | 28 664 | 1 008 | 14 097 | 2 088 |
| 福岡市 | 55 057 | 4 699 | 49 951 | 407 | 5 094 | 4 699 |
| 熊本市 | 1 290 | 1 290 | - | - | 1 290 | 1 290 |

## 医療機関等へ委託した受診延人員，都道府県－指定都市・特別区－中核市－その他政令市、個別－集団・対象区分別

平成29年度

| 医療機関等へ委託 | | | | | |
|---|---|---|---|---|---|
| 個別 | | 集団 | | | |
| 乳幼児 | その他 | 総数 | 妊産婦 | 乳幼児 | その他 |
| 145 274 | 321 440 | 171 668 | 2 241 | 153 905 | 15 522 |
| 11 443 | 2 782 | 7 102 | 24 | 6 556 | 522 |
| 1 182 | 799 | - | - | - | - |
| 11 533 | 6 899 | 1 707 | - | 830 | 877 |
| 612 | 2 929 | 119 | - | 114 | 5 |
| 2 089 | 1 240 | 925 | - | 925 | - |
| 310 | 607 | 550 | - | - | 550 |
| 1 436 | 834 | 618 | - | 161 | 457 |
| 1 371 | 2 250 | 250 | - | 100 | 150 |
| 247 | 3 681 | 12 961 | - | 9 524 | 3 437 |
| 2 497 | 3 113 | 227 | - | - | 227 |
| 23 278 | 19 634 | 7 378 | 244 | 6 821 | 313 |
| 2 341 | 12 762 | 2 | - | 2 | - |
| 24 811 | 135 728 | 30 965 | 174 | 27 684 | 3 107 |
| 2 124 | 7 207 | 300 | 203 | 97 | - |
| 5 825 | 7 006 | 301 | - | - | 301 |
| - | 945 | 22 | - | - | 22 |
| - | 590 | - | - | - | - |
| - | 868 | - | - | - | - |
| 1 | 2 072 | - | - | - | - |
| 283 | 3 386 | 518 | 445 | 73 | - |
| 1 196 | 6 401 | 567 | - | 471 | 96 |
| 32 | 6 048 | 4 540 | 108 | 4 309 | 123 |
| 4 297 | 27 708 | 6 006 | - | 4 335 | 1 671 |
| 2 178 | 6 715 | 498 | - | 447 | 51 |
| - | 1 443 | 18 | - | - | 18 |
| 893 | 387 | - | - | - | - |
| 5 191 | 22 138 | 2 491 | - | 2 021 | 470 |
| 2 333 | 4 586 | 377 | - | 207 | 170 |
| 21 | 257 | - | - | - | - |
| 177 | 530 | - | - | - | - |
| - | 666 | 351 | - | 351 | - |
| 265 | 602 | 611 | - | 94 | 517 |
| 108 | 1 246 | 53 | - | 27 | 26 |
| 257 | 4 332 | 109 | - | 98 | 11 |
| 1 320 | 762 | 5 | - | - | 5 |
| 172 | 466 | - | - | - | - |
| 2 600 | 3 703 | 699 | - | 586 | 113 |
| 1 | 6 130 | 2 165 | - | 2 165 | - |
| 63 | 317 | 1 886 | 55 | 1 345 | 486 |
| 18 202 | 4 502 | 74 952 | 429 | 74 266 | 257 |
| - | 361 | - | - | - | - |
| 2 545 | 1 107 | 655 | 547 | - | 108 |
| 562 | 896 | 1 499 | 3 | 524 | 972 |
| 420 | 185 | - | - | - | - |
| 3 727 | 1 618 | 839 | 3 | 566 | 270 |
| 5 560 | 2 784 | 105 | - | 12 | 93 |
| 1 771 | 218 | 9 297 | 6 | 9 194 | 97 |
| 22 619 | 103 361 | 23 217 | - | 21 374 | 1 843 |
| - | - | - | - | - | - |
| - | - | - | - | - | - |
| 18 783 | 9 135 | - | - | - | - |
| - | - | - | - | - | - |
| - | - | - | - | - | - |
| - | - | - | - | - | - |
| - | 3 295 | - | - | - | - |
| 3 214 | - | - | - | - | - |
| - | - | 1 996 | - | 1 996 | - |
| - | - | - | - | - | - |
| - | 1 500 | - | - | - | - |
| - | - | - | - | - | - |
| - | - | - | - | - | - |
| - | 598 | - | - | - | - |
| - | 1 270 | - | - | - | - |
| - | 845 | - | - | - | - |
| - | 2 860 | - | - | - | - |
| 11 174 | 835 | 17 973 | 310 | 17 490 | 173 |
| 19 | 376 | 49 963 | - | 49 932 | 31 |
| - | - | - | - | - | - |

## 第4表（4-4）保健所及び市区町村が実施した歯科健診及び保健指導の受診延人員・

| | 総　　　　数 | | | | （再　掲）個 | |
| --- | --- | --- | --- | --- | --- | --- |
| | 総　　数 | 妊　産　婦 | 乳　幼　児 | そ　の　他 | 総　　数 | 妊　産　婦 |
| 中　核　市(再掲) | | | | | | |
| 旭　川　市 | 400 | 395 | - | 5 | 400 | 395 |
| 函　館　市 | 7 836 | 137 | 7 296 | 403 | 3 350 | 137 |
| 青　森　市 | - | - | - | - | - | - |
| 八　戸　市 | 614 | 614 | - | - | 614 | 614 |
| 盛　岡　市 | 10 550 | 680 | 6 648 | 3 222 | 10 550 | 680 |
| 秋　田　市 | 2 856 | 1 024 | 1 533 | 299 | 2 856 | 1 024 |
| 郡　山　市 | - | - | - | - | - | - |
| い　わ　き　市 | - | - | - | - | - | - |
| 宇　都　宮　市 | 14 828 | 1 507 | 9 524 | 3 797 | 2 135 | 1 507 |
| 前　橋　市 | 3 234 | 1 069 | - | 2 165 | 3 234 | 1 069 |
| 高　崎　市 | 4 018 | 1 714 | 2 304 | - | 4 018 | 1 714 |
| 川　越　市 | - | - | - | - | - | - |
| 越　谷　市 | 8 430 | 805 | 6 599 | 1 026 | 1 274 | 561 |
| 船　橋　市 | 1 621 | 1 621 | - | - | 1 621 | 1 621 |
| 柏　　市 | 223 | - | - | 223 | 223 | - |
| 八　王　子　市 | 283 | - | - | 283 | 283 | - |
| 横　須　賀　市 | 2 292 | - | 1 896 | 396 | 2 292 | - |
| 富　山　市 | 1 310 | 922 | - | 388 | 1 310 | 922 |
| 金　沢　市 | 1 741 | 1 741 | - | - | 1 741 | 1 741 |
| 長　野　市 | 950 | 950 | - | - | 950 | 950 |
| 岐　阜　市 | 3 499 | 1 153 | - | 2 346 | 3 499 | 1 153 |
| 豊　橋　市 | 5 129 | 1 407 | 1 828 | 1 894 | 5 129 | 1 407 |
| 豊　田　市 | 5 593 | 2 176 | 2 062 | 1 355 | 5 593 | 2 176 |
| 岡　崎　市 | 6 681 | 1 797 | 3 244 | 1 640 | 3 371 | 1 797 |
| 大　津　市 | 1 135 | 455 | - | 680 | 1 135 | 455 |
| 高　槻　市 | 1 366 | - | - | 1 366 | 1 366 | - |
| 東　大　阪　市 | 765 | 765 | - | - | 765 | 765 |
| 豊　中　市 | 4 945 | - | - | 4 945 | 4 945 | - |
| 枚　方　市 | 2 580 | 783 | - | 1 797 | 2 580 | 783 |
| 姫　路　市 | 287 | 287 | - | - | 287 | 287 |
| 西　宮　市 | 1 639 | 1 639 | - | - | 1 639 | 1 639 |
| 尼　崎　市 | - | - | - | - | - | - |
| 奈　良　市 | - | - | - | - | - | - |
| 和　歌　山　市 | 340 | 340 | - | - | 340 | 340 |
| 倉　敷　市 | 1 684 | 1 684 | - | - | 1 684 | 1 684 |
| 福　山　市 | 1 565 | 1 565 | - | - | 1 565 | 1 565 |
| 呉　　市 | 536 | 536 | - | - | 536 | 536 |
| 下　関　市 | - | - | - | - | - | - |
| 高　松　市 | 3 673 | 1 704 | 1 969 | - | 3 673 | 1 704 |
| 松　山　市 | 6 167 | 1 910 | - | 4 257 | 6 167 | 1 910 |
| 高　知　市 | 361 | 55 | - | 306 | - | - |
| 久　留　米　市 | 7 640 | 988 | 6 652 | - | 4 751 | 988 |
| 長　崎　市 | 2 928 | 1 764 | 1 113 | 51 | 2 381 | 1 217 |
| 佐　世　保　市 | 898 | 225 | - | 673 | 898 | 225 |
| 大　分　市 | - | - | - | - | - | - |
| 宮　崎　市 | 3 756 | - | 2 572 | 1 184 | 3 756 | - |
| 鹿　児　島　市 | 3 918 | - | 3 918 | - | 3 918 | - |
| 那　覇　市 | 139 | - | 139 | - | - | - |
| その他政令市(再掲) | | | | | | |
| 小　樽　市 | - | - | - | - | - | - |
| 町　田　市 | 2 781 | 482 | - | 2 299 | 2 781 | 482 |
| 藤　沢　市 | - | - | - | - | - | - |
| 茅　ヶ　崎　市 | 928 | - | - | 928 | 928 | - |
| 四　日　市　市 | - | - | - | - | - | - |
| 大　牟　田　市 | - | - | - | - | - | - |

## 医療機関等へ委託した受診延人員，都道府県－指定都市・特別区－中核市－その他政令市、個別－集団・対象区分別

平成29年度

| 医療機関等へ委託 | | | | | |
|---|---|---|---|---|---|
| 別 | | 集団 | | | |
| 乳幼児 | その他 | 総数 | 妊産婦 | 乳幼児 | その他 |
| - | 5 | - | - | - | - |
| 3 050 | 163 | 4 486 | - | 4 246 | 240 |
| - | - | - | - | - | - |
| - | - | - | - | - | - |
| 6 648 | 3 222 | - | - | - | - |
| | | | | | |
| 1 533 | 299 | - | - | - | - |
| - | - | - | - | - | - |
| - | - | - | - | - | - |
| - | 628 | 12 693 | - | 9 524 | 3 169 |
| - | 2 165 | - | - | - | - |
| | | | | | |
| 2 304 | - | - | - | - | - |
| - | - | - | - | - | - |
| - | 713 | 7 156 | 244 | 6 599 | 313 |
| - | - | - | - | - | - |
| - | 223 | - | - | - | - |
| | | | | | |
| - | 283 | - | - | - | - |
| 1 896 | 396 | - | - | - | - |
| - | 388 | - | - | - | - |
| - | - | - | - | - | - |
| - | - | - | - | - | - |
| | | | | | |
| - | 2 346 | - | - | - | - |
| 1 828 | 1 894 | - | - | - | - |
| 2 062 | 1 355 | - | - | - | - |
| - | 1 574 | 3 310 | - | 3 244 | 66 |
| - | 680 | - | - | - | - |
| | | | | | |
| - | 1 366 | - | - | - | - |
| - | - | - | - | - | - |
| - | 4 945 | - | - | - | - |
| - | 1 797 | - | - | - | - |
| - | - | - | - | - | - |
| | | | | | |
| - | - | - | - | - | - |
| - | - | - | - | - | - |
| - | - | - | - | - | - |
| - | - | - | - | - | - |
| - | - | - | - | - | - |
| | | | | | |
| - | - | - | - | - | - |
| - | - | - | - | - | - |
| - | - | - | - | - | - |
| 1 969 | - | - | - | - | - |
| - | 4 257 | - | - | - | - |
| | | | | | |
| - | - | 361 | 55 | - | 306 |
| 3 763 | - | 2 889 | - | 2 889 | - |
| 1 113 | 51 | 547 | 547 | - | - |
| - | 673 | - | - | - | - |
| - | - | - | - | - | - |
| | | | | | |
| 2 572 | 1 184 | - | - | - | - |
| 3 918 | - | - | - | - | - |
| - | - | 139 | - | 139 | - |
| | | | | | |
| - | - | - | - | - | - |
| - | 2 299 | - | - | - | - |
| - | - | - | - | - | - |
| - | 928 | - | - | - | - |
| - | - | - | - | - | - |
| | | | | | |
| - | - | - | - | - | - |

# 第5表 保健所及び市区町村が実施した訪問による歯科健診及び保健指導の受診実人員－延人員

| | 総数 | | (再掲) 身体障害者（児）・知的障害者（児）・精神障害者 | | (再掲) 医療機関等へ委託 | | 医療機関等へ委託 (再掲) 身体障害者（児）・知的障害者（児）・精神障害者 | |
|---|---|---|---|---|---|---|---|---|
| | 実人員 | 延人員 | 実人員 | 延人員 | 実人員 | 延人員 | 実人員 | 延人員 |
| **全国** | **18 751** | **25 921** | **9 462** | **11 061** | **4 048** | **6 064** | **1 736** | **1 766** |
| 北海道 | 436 | 767 | 279 | 407 | 1 | 1 | 1 | 1 |
| 青森 | 39 | 106 | 21 | 96 | 13 | 35 | 3 | 25 |
| 岩手 | 292 | 366 | 146 | 149 | 29 | 29 | 11 | 11 |
| 宮城 | 617 | 775 | 520 | 651 | - | - | - | - |
| 秋田 | - | - | - | - | - | - | - | - |
| 山形 | 75 | 184 | 3 | 6 | - | - | - | - |
| 福島 | 552 | 704 | 140 | 176 | - | - | - | - |
| 茨城 | 166 | 348 | 141 | 323 | - | - | - | - |
| 栃木 | 12 | 22 | - | - | 12 | 22 | - | - |
| 群馬 | 68 | 69 | - | - | - | - | - | - |
| 埼玉 | 4 752 | 4 845 | 893 | 973 | 330 | 339 | 4 | 4 |
| 千葉 | 988 | 1 601 | 563 | 711 | 12 | 207 | 3 | 3 |
| 東京 | 2 145 | 4 704 | 657 | 778 | 1 405 | 2 912 | 177 | 179 |
| 神奈川 | 177 | 240 | 132 | 176 | 11 | 11 | - | - |
| 新潟 | 335 | 336 | 174 | 175 | 311 | 311 | 160 | 160 |
| 富山 | - | - | - | - | - | - | - | - |
| 石川 | 155 | 155 | - | - | - | - | - | - |
| 福井 | 49 | 49 | 49 | 49 | - | - | - | - |
| 山梨 | 1 | 1 | 1 | 1 | - | - | - | - |
| 長野 | 572 | 1 494 | 200 | 341 | 103 | 103 | 23 | 23 |
| 岐阜 | 245 | 258 | 243 | 256 | - | - | - | - |
| 静岡 | 2 997 | 3 171 | 2 979 | 3 153 | 942 | 948 | 937 | 943 |
| 愛知 | 693 | 745 | 601 | 621 | 3 | 3 | - | - |
| 三重 | 36 | 38 | 2 | 3 | - | - | - | - |
| 滋賀 | 543 | 549 | 543 | 549 | - | - | - | - |
| 京都 | - | - | - | - | - | - | - | - |
| 大阪 | 698 | 786 | 407 | 493 | 300 | 300 | 266 | 266 |
| 兵庫 | 309 | 578 | 95 | 95 | - | - | - | - |
| 奈良 | 11 | 18 | 3 | 8 | 5 | 5 | - | - |
| 和歌山 | 4 | 4 | - | - | - | - | - | - |
| 鳥取 | - | - | - | - | - | - | - | - |
| 島根 | 1 | 1 | - | - | - | - | - | - |
| 岡山 | 153 | 153 | 150 | 150 | 150 | 150 | 150 | 150 |
| 広島 | 589 | 1 365 | 31 | 170 | 399 | 572 | - | - |
| 山口 | 6 | 13 | - | - | - | - | - | - |
| 徳島 | 172 | 202 | 11 | 18 | - | - | - | - |
| 香川 | - | - | - | - | - | - | - | - |
| 愛媛 | 39 | 39 | 35 | 35 | - | - | - | - |
| 高知 | 80 | 234 | 16 | 32 | 10 | 10 | - | - |
| 福岡 | 57 | 57 | 57 | 57 | - | - | - | - |
| 佐賀 | 271 | 271 | 250 | 250 | - | - | - | - |
| 長崎 | 25 | 47 | 25 | 47 | 1 | 1 | 1 | 1 |
| 熊本 | 194 | 200 | 4 | 10 | - | - | - | - |
| 大分 | 5 | 7 | 3 | 3 | - | - | - | - |
| 宮崎 | 26 | 220 | - | - | 11 | 105 | - | - |
| 鹿児島 | 122 | 155 | 44 | 55 | - | - | - | - |
| 沖縄 | 44 | 44 | 44 | 44 | - | - | - | - |
| 指定都市・特別区(再掲) | | | | | | | | |
| 東京都区部 | 1 558 | 3 251 | 267 | 316 | 1 399 | 2 906 | 175 | 177 |
| 札幌市 | - | - | - | - | - | - | - | - |
| 仙台市 | 494 | 586 | 446 | 526 | - | - | - | - |
| さいたま市 | 10 | 10 | - | - | 1 | 1 | - | - |
| 千葉市 | 29 | 31 | 9 | 11 | - | - | - | - |
| 横浜市 | - | - | - | - | - | - | - | - |
| 川崎市 | 8 | 8 | 4 | 4 | - | - | - | - |
| 相模原市 | 2 | 2 | - | - | - | - | - | - |
| 新潟市 | - | - | - | - | - | - | - | - |
| 静岡市 | 1 003 | 1 003 | 997 | 997 | 674 | 674 | 669 | 669 |
| 浜松市 | 1 797 | 1 964 | 1 797 | 1 964 | 89 | 89 | 89 | 89 |
| 名古屋市 | 572 | 572 | 568 | 568 | - | - | - | - |
| 京都市 | - | - | - | - | - | - | - | - |
| 大阪市 | - | - | - | - | - | - | - | - |
| 堺市 | - | - | - | - | - | - | - | - |
| 神戸市 | 28 | 184 | - | - | - | - | - | - |
| 岡山市 | - | - | - | - | - | - | - | - |
| 広島市 | 365 | 365 | - | - | 365 | 365 | - | - |
| 北九州市 | - | - | - | - | - | - | - | - |
| 福岡市 | - | - | - | - | - | - | - | - |
| 熊本市 | 3 | 3 | 3 | 3 | - | - | - | - |

・医療機関等へ委託した受診実人員－延人員，都道府県－指定都市・特別区－中核市－その他政令市、対象区分別

平成29年度

| | 総数 | | （再掲） | | | | | |
|---|---|---|---|---|---|---|---|---|
| | | | 身体障害者（児）・知的障害者（児）・精神障害者 | | 医療機関等へ委託 | | （再掲）身体障害者（児）・知的障害者（児）・精神障害者 | |
| | 実人員 | 延人員 | 実人員 | 延人員 | 実人員 | 延人員 | 実人員 | 延人員 |
| 中核市(再掲) | | | | | | | | |
| 旭川市 | - | - | - | - | - | - | - | - |
| 函館市 | - | - | - | - | - | - | - | - |
| 青森市 | - | - | - | - | - | - | - | - |
| 八戸市 | - | - | - | - | - | - | - | - |
| 盛岡市 | - | - | - | - | - | - | - | - |
| 秋田市 | - | - | - | - | - | - | - | - |
| 郡山市 | - | - | - | - | - | - | - | - |
| いわき市 | 66 | 68 | - | - | - | - | - | - |
| 宇都宮市 | - | - | - | - | - | - | - | - |
| 前橋市 | - | - | - | - | - | - | - | - |
| 高崎市 | - | - | - | - | - | - | - | - |
| 川越市 | 650 | 660 | 650 | 660 | - | - | - | - |
| 越谷市 | 4 | 4 | 4 | 4 | 4 | 4 | 4 | 4 |
| 船橋市 | 231 | 287 | 218 | 270 | - | - | - | - |
| 柏市 | 290 | 543 | - | - | - | - | - | - |
| 八王子市 | - | - | - | - | - | - | - | - |
| 横須賀市 | 3 | 3 | 3 | 3 | - | - | - | - |
| 富山市 | - | - | - | - | - | - | - | - |
| 金沢市 | - | - | - | - | - | - | - | - |
| 長野市 | - | - | - | - | - | - | - | - |
| 岐阜市 | 13 | 26 | 13 | 26 | - | - | - | - |
| 豊橋市 | - | - | - | - | - | - | - | - |
| 豊田市 | - | - | - | - | - | - | - | - |
| 岡崎市 | - | - | - | - | - | - | - | - |
| 大津市 | 8 | 9 | 8 | 9 | - | - | - | - |
| 高槻市 | 4 | 4 | 4 | 4 | - | - | - | - |
| 東大阪市 | - | - | - | - | - | - | - | - |
| 豊中市 | 5 | 91 | 5 | 91 | 1 | 1 | 1 | 1 |
| 枚方市 | 266 | 266 | 266 | 266 | 262 | 262 | 262 | 262 |
| 姫路市 | - | - | - | - | - | - | - | - |
| 西宮市 | 77 | 77 | 77 | 77 | - | - | - | - |
| 尼崎市 | - | - | - | - | - | - | - | - |
| 奈良市 | - | - | - | - | - | - | - | - |
| 和歌山市 | 1 | 1 | - | - | - | - | - | - |
| 倉敷市 | 150 | 150 | 150 | 150 | 150 | 150 | 150 | 150 |
| 福山市 | - | - | - | - | - | - | - | - |
| 呉市 | - | - | - | - | - | - | - | - |
| 下関市 | - | - | - | - | - | - | - | - |
| 高松市 | - | - | - | - | - | - | - | - |
| 松山市 | - | - | - | - | - | - | - | - |
| 高知市 | 9 | 13 | 9 | 13 | - | - | - | - |
| 久留米市 | - | - | - | - | - | - | - | - |
| 長崎市 | 1 | 1 | 1 | 1 | 1 | 1 | 1 | 1 |
| 佐世保市 | - | - | - | - | - | - | - | - |
| 大分市 | - | - | - | - | - | - | - | - |
| 宮崎市 | 15 | 115 | - | - | - | - | - | - |
| 鹿児島市 | 1 | 1 | 1 | 1 | - | - | - | - |
| 那覇市 | - | - | - | - | - | - | - | - |
| その他政令市(再掲) | | | | | | | | |
| 小樽市 | 49 | 123 | 49 | 123 | - | - | - | - |
| 町田市 | 213 | 213 | 213 | 213 | - | - | - | - |
| 藤沢市 | 8 | 10 | 5 | 7 | - | - | - | - |
| 茅ヶ崎市 | 1 | 1 | - | - | - | - | - | - |
| 四日市市 | - | - | - | - | - | - | - | - |
| 大牟田市 | - | - | - | - | - | - | - | - |

# 第6表 保健所及び市区町村が実施した歯科予防処置及び治療の受診延人員・

| | 総数 | | | | | （再掲）医療機関等へ委託 | | | | |
|---|---|---|---|---|---|---|---|---|---|---|
| | 予防処置 | | | | 治療 | 予防処置 | | | | 治療 |
| | 総数 | 妊産婦 | 乳幼児 | その他 | | 総数 | 妊産婦 | 乳幼児 | その他 | |
| **全国** | 2 077 986 | 1 606 | 1 479 115 | 597 265 | 13 285 | 211 214 | 1 339 | 191 110 | 18 765 | 5 681 |
| 北海道 | 74 050 | 25 | 68 056 | 5 969 | 2 446 | 19 444 | 18 | 19 097 | 329 | 2 416 |
| 青森 | 13 844 | - | 9 795 | 4 049 | 9 | 5 860 | - | 5 857 | 3 | 9 |
| 岩手 | 30 666 | 112 | 17 849 | 12 705 | - | 6 453 | 112 | 5 508 | 833 | - |
| 宮城 | 13 919 | - | 13 838 | 81 | - | 714 | - | 714 | - | - |
| 秋田 | 17 487 | - | 7 197 | 10 290 | 2 | 6 667 | - | 6 202 | 465 | 2 |
| 山形 | 18 837 | 2 | 16 417 | 2 418 | - | 672 | - | 671 | 1 | - |
| 福島 | 34 689 | 36 | 31 464 | 3 189 | 47 | 4 289 | 36 | 3 209 | 1 044 | 47 |
| 茨城 | 20 196 | 19 | 20 113 | 64 | - | - | - | - | - | - |
| 栃木 | 32 588 | - | 15 635 | 16 953 | - | 12 707 | - | 9 762 | 2 945 | - |
| 群馬 | 43 321 | - | 42 658 | 663 | - | 2 544 | - | 2 391 | 153 | - |
| 埼玉 | 47 656 | - | 47 047 | 609 | - | 22 967 | - | 22 967 | - | - |
| 千葉 | 241 203 | - | 127 059 | 114 144 | 72 | 3 398 | - | 3 398 | - | - |
| 東京 | 60 471 | 11 | 56 840 | 3 620 | 1 973 | 26 045 | 3 | 23 203 | 2 839 | 1 973 |
| 神奈川 | 16 437 | - | 16 382 | 55 | - | 84 | - | 83 | 1 | - |
| 新潟 | 56 225 | 18 | 55 877 | 330 | 30 | 10 829 | 17 | 10 812 | - | 29 |
| 富山 | 45 145 | - | 23 216 | 21 929 | - | - | - | - | - | - |
| 石川 | 3 475 | - | 2 607 | 868 | - | 173 | - | 173 | - | - |
| 福井 | 2 851 | - | 2 851 | - | - | - | - | - | - | - |
| 山梨 | 17 606 | - | 4 482 | 13 124 | - | 537 | - | 537 | - | - |
| 長野 | 188 091 | - | 94 111 | 93 980 | - | 21 | - | 21 | - | - |
| 岐阜 | 30 702 | 18 | 28 472 | 2 212 | - | 3 398 | 18 | 3 294 | 86 | - |
| 静岡 | 204 703 | - | 175 764 | 28 939 | 4 599 | 300 | - | 300 | - | - |
| 愛知 | 133 555 | 144 | 128 228 | 5 183 | 785 | 6 817 | 144 | 6 262 | 411 | 785 |
| 三重 | 9 320 | - | 9 076 | 244 | - | 2 622 | - | 2 389 | 233 | - |
| 滋賀 | 35 360 | 66 | 28 562 | 6 732 | 162 | 66 | 66 | - | - | 162 |
| 京都 | 6 273 | 66 | 5 724 | 483 | 51 | 949 | 66 | 883 | - | 51 |
| 大阪 | 81 329 | 660 | 79 025 | 1 644 | - | 2 791 | 660 | 2 131 | - | - |
| 兵庫 | 26 278 | - | 25 067 | 1 211 | 2 715 | 368 | - | 368 | - | - |
| 奈良 | 5 389 | 211 | 4 825 | 353 | 1 | - | - | - | - | 1 |
| 和歌山 | 18 985 | 2 | 4 955 | 14 028 | - | 2 | 2 | - | - | - |
| 鳥取 | 11 615 | - | 11 615 | - | - | 280 | - | 280 | - | - |
| 島根 | 52 227 | - | 34 585 | 17 642 | - | 521 | - | 521 | - | - |
| 岡山 | 10 141 | - | 10 100 | 41 | - | - | - | - | - | - |
| 広島 | 17 982 | 28 | 17 287 | 667 | 41 | 867 | 28 | 729 | 110 | 41 |
| 山口 | 926 | - | 915 | 11 | - | 229 | - | 229 | - | - |
| 徳島 | 4 734 | - | 4 607 | 127 | - | 663 | - | 663 | - | - |
| 香川 | 1 757 | 48 | 1 663 | 46 | - | 419 | 48 | 371 | - | - |
| 愛媛 | 2 970 | 64 | 2 803 | 103 | 73 | 404 | 64 | 281 | 59 | 70 |
| 高知 | 23 903 | - | 13 166 | 10 737 | - | 2 | - | 2 | - | - |
| 福岡 | 27 774 | 1 | 26 404 | 1 369 | - | 11 061 | - | 11 050 | 11 | - |
| 佐賀 | 26 785 | - | 25 344 | 1 441 | 184 | 645 | - | 645 | - | - |
| 長崎 | 20 809 | - | 20 809 | - | - | 2 122 | - | 2 122 | - | - |
| 熊本 | 110 527 | 10 | 38 891 | 71 626 | 15 | 2 869 | 10 | 2 705 | 154 | 15 |
| 大分 | 14 756 | - | 13 888 | 868 | - | 4 958 | - | 4 101 | 857 | - |
| 宮崎 | 44 747 | 18 | 32 392 | 12 337 | 10 | 23 858 | - | 15 987 | 7 871 | 10 |
| 鹿児島 | 155 512 | 37 | 41 674 | 113 801 | 70 | 13 133 | 37 | 13 046 | 50 | 70 |
| 沖縄 | 20 170 | 10 | 19 780 | 380 | - | 8 466 | 10 | 8 146 | 310 | - |
| 指定都市・特別区(再掲) | | | | | | | | | | |
| 東京都区部 | 41 447 | - | 38 595 | 2 852 | 689 | 23 784 | - | 21 550 | 2 234 | 689 |
| 札幌市 | - | - | - | - | - | - | - | - | - | - |
| 仙台市 | - | - | - | - | - | - | - | - | - | - |
| さいたま市 | 13 607 | - | 13 607 | - | - | 13 607 | - | 13 607 | - | - |
| 千葉市 | - | - | - | - | - | - | - | - | - | - |
| 横浜市 | 1 175 | - | 1 175 | - | - | - | - | - | - | - |
| 川崎市 | 1 976 | - | 1 976 | - | - | - | - | - | - | - |
| 相模原市 | 2 823 | - | 2 823 | - | - | - | - | - | - | - |
| 新潟市 | 18 123 | - | 18 123 | - | - | 3 214 | - | 3 214 | - | - |
| 静岡市 | 5 875 | - | 5 875 | - | 3 064 | - | - | - | - | - |
| 浜松市 | 5 744 | - | 5 744 | - | 1 535 | - | - | - | - | - |
| 名古屋市 | 22 206 | - | 22 182 | 24 | - | - | - | - | - | - |
| 京都市 | - | - | - | - | - | - | - | - | - | - |
| 大阪市 | 37 513 | - | 37 513 | - | - | - | - | - | - | - |
| 堺市 | 9 274 | - | 9 274 | - | - | - | - | - | - | - |
| 神戸市 | 16 685 | - | 16 685 | - | - | - | - | - | - | - |
| 岡山市 | 691 | - | 691 | - | - | - | - | - | - | - |
| 広島市 | 9 859 | - | 9 859 | - | - | - | - | - | - | - |
| 北九州市 | 7 346 | - | 7 346 | - | - | 7 346 | - | 7 346 | - | - |
| 福岡市 | - | - | - | - | - | - | - | - | - | - |
| 熊本市 | 62 255 | - | 6 838 | 55 417 | - | - | - | - | - | - |

# 医療機関等へ委託した受診延人員, 都道府県-指定都市・特別区-中核市-その他政令市、対象区分別

平成29年度

| | 総　　　　数 | | | | | （再掲）医療機関等へ委託 | | | | |
| | 予　防　処　置 | | | | 治　療 | 予　防　処　置 | | | | 治　療 |
| | 総　数 | 妊産婦 | 乳幼児 | その他 | | 総　　数 | 妊産婦 | 乳幼児 | その他 | |
|---|---|---|---|---|---|---|---|---|---|---|
| 中　核　市（再掲） | | | | | | | | | | |
| 旭　川　市 | 772 | - | 772 | - | 2 416 | - | - | - | - | 2 416 |
| 函　館　市 | 3 050 | - | 3 050 | - | - | 3 050 | - | 3 050 | - | - |
| 青　森　市 | 4 143 | - | 4 143 | | - | 4 115 | - | 4 115 | - | - |
| 八　戸　市 | - | - | - | | - | - | - | - | - | - |
| 盛　岡　市 | 937 | - | 937 | - | - | 937 | - | 937 | - | - |
| 秋　田　市 | 4 685 | - | 4 685 | | - | 4 685 | - | 4 685 | - | - |
| 郡　山　市 | 4 050 | - | 4 050 | | - | - | - | - | - | - |
| い　わ　き　市 | 4 390 | - | 4 390 | | - | - | - | - | - | - |
| 宇　都　宮　市 | 12 213 | - | 9 525 | 2 688 | - | 12 213 | - | 9 525 | 2 688 | - |
| 前　橋　市 | - | - | - | | - | - | - | - | - | - |
| 高　崎　市 | 2 198 | - | 2 198 | - | - | 2 198 | - | 2 198 | - | - |
| 川　越　市 | 1 641 | - | 1 641 | - | - | 1 641 | - | 1 641 | - | - |
| 越　谷　市 | 355 | - | 355 | - | - | 355 | - | 355 | - | - |
| 船　橋　市 | 4 140 | - | 3 926 | 214 | - | - | - | - | - | - |
| 柏　　　市 | 1 721 | - | 1 721 | - | - | 1 721 | - | 1 721 | - | - |
| 八　王　子　市 | - | - | - | - | - | - | - | - | - | - |
| 横　須　賀　市 | - | - | - | - | - | - | - | - | - | - |
| 富　山　市 | 7 341 | - | 1 752 | 5 589 | - | - | - | - | - | - |
| 金　沢　市 | - | - | - | - | - | - | - | - | - | - |
| 長　野　市 | 161 852 | - | 89 729 | 72 123 | - | - | - | - | - | - |
| 岐　阜　市 | 7 652 | - | 7 652 | - | - | - | - | - | - | - |
| 豊　橋　市 | 6 917 | - | 6 917 | - | - | 1 629 | - | 1 629 | - | - |
| 豊　田　市 | 3 364 | - | 3 364 | - | - | - | - | - | - | - |
| 岡　崎　市 | 3 065 | - | 3 065 | - | - | 3 065 | - | 3 065 | - | - |
| 大　津　市 | 8 563 | - | 8 563 | - | - | - | - | - | - | - |
| 高　槻　市 | - | - | - | - | - | - | - | - | - | - |
| 東　大　阪　市 | - | - | - | - | - | - | - | - | - | - |
| 豊　中　市 | 609 | - | 609 | - | - | - | - | - | - | - |
| 枚　方　市 | 8 128 | - | 8 128 | - | - | - | - | - | - | - |
| 姫　路　市 | 459 | - | 459 | - | - | - | - | - | - | - |
| 西　宮　市 | 57 | - | 57 | - | - | - | - | - | - | - |
| 尼　崎　市 | 2 037 | - | 2 037 | - | - | - | - | - | - | - |
| 奈　良　市 | 1 112 | 210 | 902 | - | - | - | - | - | - | - |
| 和　歌　山　市 | - | - | - | - | - | - | - | - | - | - |
| 倉　敷　市 | 2 719 | - | 2 719 | - | - | - | - | - | - | - |
| 福　山　市 | - | - | - | - | - | - | - | - | - | - |
| 呉　　　市 | 1 423 | - | 1 423 | - | - | - | - | - | - | - |
| 下　関　市 | - | - | - | - | - | - | - | - | - | - |
| 高　松　市 | - | - | - | - | - | - | - | - | - | - |
| 松　山　市 | 1 165 | - | 1 165 | - | - | - | - | - | - | - |
| 高　知　市 | 2 556 | - | 2 556 | - | - | - | - | - | - | - |
| 久　留　米　市 | 6 244 | - | 6 244 | - | - | 3 449 | - | 3 449 | - | - |
| 長　崎　市 | 4 743 | - | 4 743 | - | - | 1 114 | - | 1 114 | - | - |
| 佐　世　保　市 | 9 | - | 9 | - | - | - | - | - | - | - |
| 大　分　市 | 5 194 | - | 5 194 | - | - | - | - | - | - | - |
| 宮　崎　市 | 11 511 | - | 11 420 | 91 | - | 4 880 | - | 4 880 | - | - |
| 鹿　児　島　市 | 11 431 | - | 11 431 | - | - | 11 431 | - | 11 431 | - | - |
| 那　覇　市 | - | - | - | - | - | - | - | - | - | - |
| その他政令市（再掲） | | | | | | | | | | |
| 小　樽　市 | 2 149 | - | 2 149 | - | - | - | - | - | - | - |
| 町　田　市 | 4 759 | - | 4 759 | - | - | - | - | - | - | - |
| 藤　沢　市 | 306 | - | 306 | - | - | - | - | - | - | - |
| 茅　ヶ　崎　市 | 296 | - | 289 | 7 | - | - | - | - | - | - |
| 四　日　市　市 | 660 | - | 660 | - | - | - | - | - | - | - |
| 大　牟　田　市 | 1 708 | - | 1 297 | 411 | - | - | - | - | - | - |

# 第7表　保健所及び市区町村が実施した訪問による歯科予防処置及び治療の受診実人員－延人員

| | 総数 | | （再掲）身体障害者（児）・知的障害者（児）・精神障害者 | | （再掲）医療機関等へ委託 | | 医療機関等へ委託（再掲）身体障害者（児）・知的障害者（児）・精神障害者 | |
|---|---|---|---|---|---|---|---|---|
| | 実人員 | 延人員 | 実人員 | 延人員 | 実人員 | 延人員 | 実人員 | 延人員 |
| **全国** | **2 630** | **8 661** | **1 343** | **2 778** | **1 265** | **3 345** | **753** | **1 592** |
| 北海道 | 144 | 281 | 92 | 182 | － | － | － | － |
| 青森 | － | － | － | － | － | － | － | － |
| 岩手 | 422 | 994 | 44 | 84 | 224 | 615 | 15 | 26 |
| 宮城 | 47 | 165 | 21 | 77 | 47 | 165 | 21 | 77 |
| 秋田 | － | － | － | － | － | － | － | － |
| 山形 | 54 | 98 | 3 | 6 | 27 | 39 | － | － |
| 福島 | － | － | － | － | － | － | － | － |
| 茨城 | 59 | 257 | 59 | 257 | － | － | － | － |
| 栃木 | 15 | 34 | － | － | 15 | 34 | － | － |
| 群馬 | － | － | － | － | － | － | － | － |
| 埼玉 | 45 | 183 | 6 | 57 | 36 | 121 | 1 | 8 |
| 千葉 | 183 | 334 | 154 | 228 | 18 | 95 | － | － |
| 東京 | 219 | 507 | 148 | 150 | 219 | 507 | 148 | 150 |
| 神奈川 | 44 | 74 | 14 | 35 | 11 | 11 | － | － |
| 新潟 | 21 | 21 | 21 | 21 | 21 | 21 | 21 | 21 |
| 富山 | － | － | － | － | － | － | － | － |
| 石川 | － | － | － | － | － | － | － | － |
| 福井 | － | － | － | － | － | － | － | － |
| 山梨 | － | － | － | － | － | － | － | － |
| 長野 | 69 | 236 | 24 | 125 | 37 | 114 | 5 | 19 |
| 岐阜 | 13 | 26 | 13 | 26 | － | － | － | － |
| 静岡 | 338 | 1 133 | 326 | 1 111 | 321 | 1 069 | 316 | 1 064 |
| 愛知 | 142 | 497 | － | － | － | － | － | － |
| 三重 | 102 | 102 | － | － | － | － | － | － |
| 滋賀 | 172 | 172 | 172 | 172 | 2 | 2 | 2 | 2 |
| 京都 | － | － | － | － | － | － | － | － |
| 大阪 | 222 | 222 | 222 | 222 | 222 | 222 | 222 | 222 |
| 兵庫 | 139 | 614 | － | － | 6 | 22 | － | － |
| 奈良 | 40 | 2 322 | － | － | 2 | 2 | － | － |
| 和歌山 | － | － | － | － | － | － | － | － |
| 鳥取 | － | － | － | － | － | － | － | － |
| 島根 | － | － | － | － | － | － | － | － |
| 岡山 | － | － | － | － | － | － | － | － |
| 広島 | 30 | 198 | － | － | 30 | 198 | － | － |
| 山口 | － | － | － | － | － | － | － | － |
| 徳島 | － | － | － | － | － | － | － | － |
| 香川 | － | － | － | － | － | － | － | － |
| 愛媛 | － | － | － | － | － | － | － | － |
| 高知 | 1 | 1 | 1 | 1 | － | － | － | － |
| 福岡 | 1 | 1 | 1 | 1 | 1 | 1 | 1 | 1 |
| 佐賀 | 21 | 21 | 21 | 21 | － | － | － | － |
| 長崎 | 26 | 107 | 1 | 2 | 26 | 107 | 1 | 2 |
| 熊本 | － | － | － | － | － | － | － | － |
| 大分 | － | － | － | － | － | － | － | － |
| 宮崎 | 61 | 61 | － | － | － | － | － | － |
| 鹿児島 | － | － | － | － | － | － | － | － |
| 沖縄 | － | － | － | － | － | － | － | － |
| 指定都市・特別区(再掲) | | | | | | | | |
| 東京都区部 | 148 | 150 | 148 | 150 | 148 | 150 | 148 | 150 |
| 札幌市 | － | － | － | － | － | － | － | － |
| 仙台市 | － | － | － | － | － | － | － | － |
| さいたま市 | － | － | － | － | － | － | － | － |
| 千葉市 | － | － | － | － | － | － | － | － |
| 横浜市 | － | － | － | － | － | － | － | － |
| 川崎市 | － | － | － | － | － | － | － | － |
| 相模原市 | － | － | － | － | － | － | － | － |
| 新潟市 | － | － | － | － | － | － | － | － |
| 静岡市 | － | － | － | － | － | － | － | － |
| 浜松市 | － | － | － | － | － | － | － | － |
| 名古屋市 | － | － | － | － | － | － | － | － |
| 京都市 | － | － | － | － | － | － | － | － |
| 大阪市 | － | － | － | － | － | － | － | － |
| 堺市 | － | － | － | － | － | － | － | － |
| 神戸市 | 125 | 581 | － | － | － | － | － | － |
| 岡山市 | － | － | － | － | － | － | － | － |
| 広島市 | － | － | － | － | － | － | － | － |
| 北九州市 | － | － | － | － | － | － | － | － |
| 福岡市 | － | － | － | － | － | － | － | － |
| 熊本市 | － | － | － | － | － | － | － | － |

# ・医療機関等へ委託した受診実人員－延人員，都道府県－指定都市・特別区－中核市－その他政令市、対象区分別

平成29年度

| | 総　　数 | | (再掲) 身体障害者（児）・知的障害者（児）・精神障害者 | | 医療機関等へ委託 | | (再掲) 身体障害者（児）・知的障害者（児）・精神障害者 | |
|---|---|---|---|---|---|---|---|---|
| | 実　人　員 | 延　人　員 | 実　人　員 | 延　人　員 | 実　人　員 | 延　人　員 | 実　人　員 | 延　人　員 |
| 中　核　市(再掲) | | | | | | | | |
| 旭　川　市 | － | － | － | － | － | － | － | － |
| 函　館　市 | － | － | － | － | － | － | － | － |
| 青　森　市 | － | － | － | － | － | － | － | － |
| 八　戸　市 | － | － | － | － | － | － | － | － |
| 盛　岡　市 | － | － | － | － | － | － | － | － |
| 秋　田　市 | － | － | － | － | － | － | － | － |
| 郡　山　市 | － | － | － | － | － | － | － | － |
| い　わ　き　市 | － | － | － | － | － | － | － | － |
| 宇　都　宮　市 | － | － | － | － | － | － | － | － |
| 前　橋　市 | － | － | － | － | － | － | － | － |
| 高　崎　市 | － | － | － | － | － | － | － | － |
| 川　越　市 | － | － | － | － | － | － | － | － |
| 越　谷　市 | － | － | － | － | － | － | － | － |
| 船　橋　市 | 120 | 170 | 120 | 170 | － | － | － | － |
| 柏　市 | － | － | － | － | － | － | － | － |
| 八　王　子　市 | － | － | － | － | － | － | － | － |
| 横　須　賀　市 | － | － | － | － | － | － | － | － |
| 富　山　市 | － | － | － | － | － | － | － | － |
| 金　沢　市 | － | － | － | － | － | － | － | － |
| 長　野　市 | － | － | － | － | － | － | － | － |
| 岐　阜　市 | 13 | 26 | 13 | 26 | － | － | － | － |
| 豊　橋　市 | － | － | － | － | － | － | － | － |
| 豊　田　市 | － | － | － | － | － | － | － | － |
| 岡　崎　市 | － | － | － | － | － | － | － | － |
| 大　津　市 | 2 | 2 | 2 | 2 | 2 | 2 | 2 | 2 |
| 高　槻　市 | － | － | － | － | － | － | － | － |
| 東　大　阪　市 | － | － | － | － | － | － | － | － |
| 豊　中　市 | － | － | － | － | － | － | － | － |
| 枚　方　市 | 222 | 222 | 222 | 222 | 222 | 222 | 222 | 222 |
| 姫　路　市 | － | － | － | － | － | － | － | － |
| 西　宮　市 | － | － | － | － | － | － | － | － |
| 尼　崎　市 | － | － | － | － | － | － | － | － |
| 奈　良　市 | － | － | － | － | － | － | － | － |
| 和　歌　山　市 | － | － | － | － | － | － | － | － |
| 倉　敷　市 | － | － | － | － | － | － | － | － |
| 福　山　市 | － | － | － | － | － | － | － | － |
| 呉　市 | － | － | － | － | － | － | － | － |
| 下　関　市 | － | － | － | － | － | － | － | － |
| 高　松　市 | － | － | － | － | － | － | － | － |
| 松　山　市 | － | － | － | － | － | － | － | － |
| 高　知　市 | 1 | 1 | 1 | 1 | － | － | － | － |
| 久　留　米　市 | － | － | － | － | － | － | － | － |
| 長　崎　市 | － | － | － | － | － | － | － | － |
| 佐　世　保　市 | － | － | － | － | － | － | － | － |
| 大　分　市 | － | － | － | － | － | － | － | － |
| 宮　崎　市 | 61 | 61 | － | － | － | － | － | － |
| 鹿　児　島　市 | － | － | － | － | － | － | － | － |
| 那　覇　市 | － | － | － | － | － | － | － | － |
| その他政令市(再掲) | | | | | | | | |
| 小　樽　市 | 45 | 119 | 45 | 119 | － | － | － | － |
| 町　田　市 | － | － | － | － | － | － | － | － |
| 藤　沢　市 | 2 | 3 | 2 | 2 | － | － | － | － |
| 茅　ヶ　崎　市 | 1 | 1 | － | － | － | － | － | － |
| 四　日　市　市 | － | － | － | － | － | － | － | － |
| 大　牟　田　市 | － | － | － | － | － | － | － | － |

## 第8表(4−1)　保健所及び市区町村が実施した栄養指導の被指導延人員・医療機関

| | 総 | | | | | | |
|---|---|---|---|---|---|---|---|
| | 総　　数 | | | | | 個 | |
| | 総　　数 | 妊　産　婦 | 乳　幼　児 | 20 歳 未 満（妊産婦・乳幼児を除く。） | 20 歳 以 上（妊産婦を除く。） | 総　　数 | 妊　産　婦 |
| 全　　国 | 4 874 750 | 292 351 | 2 972 079 | 235 434 | 1 374 886 | 1 644 459 | 157 246 |
| 北　海　道 | 210 126 | 21 691 | 119 152 | 12 728 | 56 555 | 113 745 | 16 044 |
| 青　森 | 65 058 | 4 790 | 34 897 | 5 565 | 19 806 | 17 330 | 3 897 |
| 岩　手 | 60 292 | 4 025 | 26 468 | 6 439 | 23 360 | 18 966 | 2 264 |
| 宮　城 | 127 667 | 8 273 | 71 698 | 7 895 | 39 801 | 48 262 | 3 686 |
| 秋　田 | 38 900 | 1 850 | 23 680 | 2 331 | 11 039 | 14 770 | 1 448 |
| 山　形 | 53 391 | 2 900 | 22 833 | 1 201 | 26 457 | 10 332 | 1 344 |
| 福　島 | 82 919 | 12 246 | 43 502 | 5 494 | 21 677 | 36 851 | 11 357 |
| 茨　城 | 110 253 | 5 406 | 56 895 | 3 878 | 44 074 | 39 910 | 3 003 |
| 栃　木 | 68 642 | 5 200 | 45 807 | 1 630 | 16 005 | 26 043 | 4 452 |
| 群　馬 | 97 866 | 4 932 | 59 838 | 6 240 | 26 856 | 34 252 | 3 176 |
| 埼　玉 | 144 198 | 7 099 | 96 869 | 4 341 | 35 889 | 32 923 | 850 |
| 千　葉 | 246 506 | 16 200 | 137 443 | 10 153 | 82 710 | 56 968 | 2 690 |
| 東　京 | 506 035 | 32 484 | 378 386 | 7 789 | 87 376 | 155 899 | 15 562 |
| 神　奈　川 | 302 420 | 14 283 | 215 819 | 10 103 | 62 215 | 59 617 | 5 145 |
| 新　潟 | 138 588 | 3 514 | 57 844 | 17 165 | 60 065 | 41 790 | 1 520 |
| 富　山 | 33 078 | 1 466 | 18 366 | 321 | 12 925 | 11 484 | 1 035 |
| 石　川 | 56 148 | 5 324 | 37 848 | 1 271 | 11 705 | 31 268 | 3 919 |
| 福　井 | 33 735 | 945 | 17 802 | 1 591 | 13 397 | 8 879 | 685 |
| 山　梨 | 42 924 | 2 886 | 22 623 | 1 819 | 15 596 | 20 072 | 1 797 |
| 長　野 | 153 445 | 11 809 | 83 809 | 5 876 | 51 951 | 53 652 | 2 541 |
| 岐　阜 | 126 208 | 3 920 | 85 733 | 3 285 | 33 270 | 40 792 | 1 353 |
| 静　岡 | 149 809 | 6 141 | 98 128 | 10 126 | 35 414 | 52 013 | 3 415 |
| 愛　知 | 202 591 | 9 641 | 155 713 | 4 044 | 33 193 | 77 626 | 2 555 |
| 三　重 | 32 932 | 2 804 | 18 359 | 415 | 11 354 | 13 536 | 2 058 |
| 滋　賀 | 63 862 | 1 976 | 45 041 | 2 415 | 14 430 | 22 176 | 1 146 |
| 京　都 | 88 812 | 2 608 | 65 380 | 2 580 | 18 244 | 20 988 | 669 |
| 大　阪 | 304 631 | 10 515 | 187 666 | 14 460 | 91 990 | 65 979 | 4 290 |
| 兵　庫 | 215 262 | 6 152 | 136 407 | 13 821 | 58 882 | 68 462 | 2 878 |
| 奈　良 | 33 456 | 3 063 | 23 029 | 1 776 | 5 588 | 13 356 | 1 356 |
| 和　歌　山 | 33 756 | 1 558 | 24 807 | 2 038 | 5 353 | 8 891 | 988 |
| 鳥　取 | 30 677 | 789 | 21 148 | 1 424 | 7 316 | 11 147 | 448 |
| 島　根 | 23 263 | 3 205 | 11 316 | 2 667 | 6 075 | 9 719 | 2 029 |
| 岡　山 | 94 810 | 4 548 | 37 024 | 8 157 | 45 081 | 33 252 | 3 297 |
| 広　島 | 134 658 | 3 578 | 68 965 | 2 462 | 59 653 | 31 526 | 2 186 |
| 山　口 | 21 849 | 1 758 | 13 897 | 2 556 | 3 638 | 10 597 | 1 183 |
| 徳　島 | 26 916 | 2 047 | 16 162 | 2 060 | 6 647 | 10 054 | 1 660 |
| 香　川 | 42 547 | 6 532 | 23 305 | 1 884 | 10 826 | 22 453 | 5 743 |
| 愛　媛 | 49 437 | 3 955 | 23 280 | 3 883 | 18 319 | 23 402 | 3 540 |
| 高　知 | 22 048 | 1 520 | 10 480 | 3 141 | 6 907 | 9 759 | 910 |
| 福　岡 | 198 068 | 14 111 | 100 442 | 22 429 | 61 086 | 66 390 | 8 333 |
| 佐　賀 | 30 954 | 2 229 | 16 346 | 1 756 | 10 623 | 12 705 | 1 473 |
| 長　崎 | 52 670 | 2 251 | 36 887 | 1 349 | 12 183 | 29 099 | 1 670 |
| 熊　本 | 89 151 | 10 596 | 56 045 | 3 467 | 19 043 | 38 421 | 7 913 |
| 大　分 | 32 796 | 1 440 | 15 089 | 1 531 | 14 736 | 11 881 | 1 154 |
| 宮　崎 | 41 835 | 1 623 | 18 773 | 4 583 | 16 856 | 18 490 | 610 |
| 鹿　児　島 | 97 433 | 11 857 | 49 881 | 1 432 | 34 263 | 41 520 | 4 493 |
| 沖　縄 | 62 128 | 4 611 | 41 197 | 1 863 | 14 457 | 47 212 | 3 481 |
| 指定都市・特別区(再掲) | | | | | | | |
| 東 京 都 区 部 | 373 176 | 25 213 | 273 555 | 6 134 | 68 274 | 120 445 | 13 050 |
| 札　幌　市 | 49 119 | 11 989 | 29 266 | 599 | 7 265 | 32 321 | 9 389 |
| 仙　台　市 | 18 367 | 2 581 | 11 923 | 1 050 | 2 813 | 9 811 | 169 |
| さいたま市 | 13 519 | 967 | 8 855 | 763 | 2 934 | 3 267 | 51 |
| 千　葉　市 | 71 286 | 1 467 | 26 329 | 4 257 | 39 233 | 7 962 | 89 |
| 横　浜　市 | 137 578 | 3 050 | 96 127 | 4 790 | 33 611 | 13 615 | 31 |
| 川　崎　市 | 55 644 | 3 237 | 40 312 | 790 | 11 305 | 11 987 | 206 |
| 相 模 原 市 | 11 249 | 569 | 10 680 | — | | 2 194 | 2 |
| 新　潟　市 | 8 154 | 5 | 3 782 | 283 | 4 084 | 183 | 5 |
| 静　岡　市 | 10 770 | 367 | 10 401 | 2 | — | 8 218 | — |
| 浜　松　市 | 19 750 | 51 | 17 554 | 386 | 1 759 | 6 152 | 51 |
| 名 古 屋 市 | 85 443 | 4 306 | 76 865 | 1 120 | 3 152 | 57 314 | 1 799 |
| 京　都　市 | 38 933 | 653 | 30 798 | 687 | 6 795 | 7 552 | 11 |
| 大　阪　市 | 129 616 | 2 503 | 64 019 | 8 680 | 54 414 | 19 659 | 345 |
| 堺　　市 | 20 797 | 483 | 15 831 | 1 909 | 2 574 | 2 393 | 17 |
| 神　戸　市 | 32 455 | 352 | 28 430 | 2 249 | 1 424 | 8 950 | 3 |
| 岡　山　市 | 10 873 | 5 | 2 873 | 929 | 7 066 | 508 | 5 |
| 広　島　市 | 29 240 | 9 | 26 652 | 82 | 2 497 | 4 311 | 9 |
| 北 九 州 市 | 46 198 | 572 | 11 239 | 17 452 | 16 935 | 6 144 | 78 |
| 福　岡　市 | 38 273 | 800 | 27 604 | 580 | 9 289 | 6 877 | 204 |
| 熊　本　市 | 27 253 | 3 694 | 18 702 | 295 | 4 562 | 13 795 | 3 694 |

# 等へ委託した被指導延人員，都道府県－指定都市・特別区－中核市－その他政令市、個別－集団・対象区分別

平成29年度

| 数 | | | | | | | |
|---|---|---|---|---|---|---|---|
| 別 | | | 集 | | 団 | | |
| 乳幼児 | 20歳未満（妊産婦・乳幼児を除く。） | 20歳以上（妊産婦を除く。） | 総数 | 妊産婦 | 乳幼児 | 20歳未満（妊産婦・乳幼児を除く。） | 20歳以上（妊産婦を除く。） |
| **1 104 986** | **14 313** | **367 914** | **3 230 291** | **135 105** | **1 867 093** | **221 121** | **1 006 972** |
| 76 406 | 579 | 20 716 | 96 381 | 5 647 | 42 746 | 12 149 | 35 839 |
| 8 680 | 372 | 4 381 | 47 728 | 893 | 26 217 | 5 193 | 15 425 |
| 12 957 | 44 | 3 701 | 41 326 | 1 761 | 13 511 | 6 395 | 19 659 |
| 35 139 | 51 | 9 386 | 79 405 | 4 587 | 36 559 | 7 844 | 30 415 |
| 10 610 | 5 | 2 707 | 24 130 | 402 | 13 070 | 2 326 | 8 332 |
| 6 697 | 293 | 1 998 | 43 059 | 1 556 | 16 136 | 908 | 24 459 |
| 21 780 | 327 | 3 387 | 46 068 | 889 | 21 722 | 5 167 | 18 290 |
| 24 740 | 19 | 12 148 | 70 343 | 2 403 | 32 155 | 3 859 | 31 926 |
| 16 040 | 206 | 5 345 | 42 599 | 748 | 29 767 | 1 424 | 10 660 |
| 24 919 | 939 | 5 218 | 63 614 | 1 756 | 34 919 | 5 301 | 21 638 |
| 26 948 | 42 | 5 083 | 111 275 | 6 249 | 69 921 | 4 299 | 30 806 |
| 44 111 | 646 | 9 521 | 189 538 | 13 510 | 93 332 | 9 507 | 73 189 |
| 106 579 | 154 | 33 604 | 350 136 | 16 922 | 271 807 | 7 635 | 53 772 |
| 44 335 | 663 | 9 474 | 242 803 | 9 138 | 171 484 | 9 440 | 52 741 |
| 14 797 | 1 183 | 24 290 | 96 798 | 1 994 | 43 047 | 15 982 | 35 775 |
| 7 969 | 6 | 2 474 | 21 594 | 431 | 10 397 | 315 | 10 451 |
| 23 720 | 16 | 3 613 | 24 880 | 1 405 | 14 128 | 1 255 | 8 092 |
| 6 409 | 6 | 1 779 | 24 856 | 260 | 11 393 | 1 585 | 11 618 |
| 10 058 | 7 | 8 210 | 22 852 | 1 089 | 12 565 | 1 812 | 7 386 |
| 32 848 | 288 | 17 975 | 99 793 | 9 268 | 50 961 | 5 588 | 33 976 |
| 29 099 | 296 | 10 044 | 85 416 | 2 567 | 56 634 | 2 989 | 23 226 |
| 40 291 | 709 | 7 598 | 97 796 | 2 726 | 57 837 | 9 417 | 27 816 |
| 68 615 | 118 | 6 338 | 124 965 | 7 086 | 87 098 | 3 926 | 26 855 |
| 9 810 | 2 | 1 666 | 19 396 | 746 | 8 549 | 413 | 9 688 |
| 15 224 | 50 | 5 756 | 41 686 | 830 | 29 817 | 2 365 | 8 674 |
| 16 560 | 247 | 3 512 | 67 824 | 1 939 | 48 820 | 2 333 | 14 732 |
| 37 751 | 710 | 23 228 | 238 652 | 6 225 | 149 915 | 13 750 | 68 762 |
| 48 480 | 704 | 16 400 | 146 800 | 3 274 | 87 927 | 13 117 | 42 482 |
| 10 449 | 213 | 1 338 | 20 100 | 1 707 | 12 580 | 1 563 | 4 250 |
| 6 639 | 247 | 1 017 | 24 865 | 570 | 18 168 | 1 791 | 4 336 |
| 8 996 | 2 | 1 701 | 19 530 | 341 | 12 152 | 1 422 | 5 615 |
| 4 973 | 888 | 1 829 | 13 544 | 1 176 | 6 343 | 1 779 | 4 246 |
| 19 819 | 919 | 9 217 | 61 558 | 1 251 | 17 205 | 7 238 | 35 864 |
| 23 290 | 62 | 5 988 | 103 132 | 1 392 | 45 675 | 2 400 | 53 665 |
| 8 261 | 174 | 979 | 11 252 | 575 | 5 636 | 2 382 | 2 659 |
| 6 839 | 151 | 1 404 | 16 862 | 387 | 9 323 | 1 909 | 5 243 |
| 12 803 | 568 | 3 339 | 20 094 | 789 | 10 502 | 1 316 | 7 487 |
| 14 746 | 119 | 4 997 | 26 035 | 415 | 8 534 | 3 764 | 13 322 |
| 6 120 | 264 | 2 465 | 12 289 | 610 | 4 360 | 2 877 | 4 442 |
| 40 002 | 627 | 17 428 | 131 678 | 5 778 | 60 440 | 21 802 | 43 658 |
| 8 628 | 4 | 2 600 | 18 249 | 756 | 7 718 | 1 752 | 8 023 |
| 23 033 | 376 | 4 020 | 23 571 | 581 | 13 854 | 973 | 8 163 |
| 18 748 | 406 | 11 354 | 50 730 | 2 683 | 37 297 | 3 061 | 7 689 |
| 5 826 | 106 | 4 795 | 20 915 | 286 | 9 263 | 1 425 | 9 941 |
| 8 820 | 338 | 8 722 | 23 345 | 1 013 | 9 953 | 4 245 | 8 134 |
| 21 678 | 51 | 15 298 | 55 913 | 7 364 | 28 203 | 1 381 | 18 965 |
| 33 744 | 116 | 9 871 | 14 916 | 1 130 | 7 453 | 1 747 | 4 586 |
| 81 628 | 139 | 25 628 | 252 731 | 12 163 | 191 927 | 5 995 | 42 646 |
| 20 948 | 7 | 1 977 | 16 798 | 2 600 | 8 318 | 592 | 5 288 |
| 8 258 | 20 | 1 364 | 8 556 | 2 412 | 3 665 | 1 030 | 1 449 |
| 3 171 | 18 | 27 | 10 252 | 916 | 5 684 | 745 | 2 907 |
| 6 624 | 36 | 1 213 | 63 324 | 1 378 | 19 705 | 4 221 | 38 020 |
| 11 577 | 20 | 1 987 | 123 963 | 3 019 | 84 550 | 4 770 | 31 624 |
| 10 027 | 40 | 1 714 | 43 657 | 3 031 | 30 285 | 750 | 9 591 |
| 2 192 | - | - | 9 055 | 567 | 8 488 | - | - |
| 98 | 1 | 79 | 7 971 | - | 3 684 | 282 | 4 005 |
| 8 216 | 2 | - | 2 552 | 367 | 2 185 | - | - |
| 6 059 | 10 | 32 | 13 598 | - | 11 495 | 376 | 1 727 |
| 52 535 | 53 | 2 927 | 28 129 | 2 507 | 24 330 | 1 067 | 225 |
| 6 481 | 61 | 999 | 31 381 | 642 | 24 317 | 626 | 5 796 |
| 9 384 | 197 | 9 733 | 109 957 | 2 158 | 54 635 | 8 483 | 44 681 |
| 1 881 | 6 | 489 | 18 404 | 466 | 13 950 | 1 903 | 2 085 |
| 8 331 | 65 | 551 | 23 505 | 349 | 20 099 | 2 184 | 873 |
| 86 | 3 | 414 | 10 365 | - | 2 787 | 926 | 6 652 |
| 4 005 | - | 297 | 24 929 | - | 22 647 | 82 | 2 200 |
| 2 207 | 583 | 3 276 | 40 054 | 494 | 9 032 | 16 869 | 13 659 |
| 6 318 | 34 | 321 | 31 396 | 596 | 21 286 | 546 | 8 968 |
| 5 317 | 279 | 4 505 | 13 458 | - | 13 385 | 16 | 57 |

# 第8表(4－2) 保健所及び市区町村が実施した栄養指導の被指導延人員・医療機関

| | 総 | | | | | | |
|---|---|---|---|---|---|---|---|
| | 総数 | | | | | 個 | |
| | 総数 | 妊産婦 | 乳幼児 | 20歳未満（妊産婦・乳幼児を除く。） | 20歳以上（妊産婦を除く。） | 総数 | 妊産婦 |
| 中核市(再掲) | | | | | | | |
| 旭川市 | 12 580 | 4 | 9 079 | 205 | 3 292 | 1 981 | 4 |
| 函館市 | 5 957 | － | 5 774 | － | 183 | 5 957 | － |
| 青森市 | 5 802 | 44 | 5 758 | － | － | 90 | － |
| 八戸市 | 6 995 | － | 6 613 | 15 | 367 | 830 | － |
| 盛岡市 | 1 646 | 436 | 1 188 | － | 22 | 799 | － |
| 秋田市 | 6 831 | 124 | 6 707 | － | － | 788 | 11 |
| 郡山市 | 3 886 | － | 2 255 | 24 | 1 607 | 945 | － |
| いわき市 | 5 638 | 67 | 5 056 | 51 | 464 | 5 075 | 50 |
| 宇都宮市 | 6 762 | 1 844 | 3 705 | 42 | 1 171 | 5 852 | 1 813 |
| 前橋市 | 9 787 | 1 434 | 2 213 | 1 540 | 4 600 | 3 694 | 906 |
| 高崎市 | 17 412 | 390 | 14 047 | － | 2 975 | 9 558 | － |
| 川越市 | 7 697 | 141 | 4 421 | － | 3 135 | 852 | 1 |
| 越谷市 | 4 896 | 257 | 1 955 | － | 2 684 | 2 178 | 1 |
| 船橋市 | 25 292 | 4 739 | 3 937 | 450 | 16 166 | 3 805 | 15 |
| 柏市 | 9 161 | 4 659 | － | 4 | 4 498 | 2 806 | 1 030 |
| 八王子市 | 5 497 | 102 | 5 064 | 135 | 196 | 1 253 | 11 |
| 横須賀市 | 8 875 | 142 | 7 075 | 424 | 1 234 | 922 | 15 |
| 富山市 | 13 712 | 22 | 4 394 | 124 | 9 172 | 3 414 | 22 |
| 金沢市 | 26 614 | 3 246 | 19 744 | 5 | 3 619 | 19 460 | 2 775 |
| 長野市 | 12 751 | 6 160 | 3 271 | 1 | 3 319 | 4 326 | 580 |
| 岐阜市 | 14 569 | 239 | 13 428 | 95 | 807 | 959 | 6 |
| 豊橋市 | 4 496 | 132 | 4 234 | 2 | 128 | 431 | 10 |
| 豊田市 | 8 251 | 312 | 6 544 | 387 | 1 008 | 169 | － |
| 岡崎市 | 6 104 | 512 | 4 921 | － | 671 | 1 045 | － |
| 大津市 | 4 340 | 36 | 2 316 | － | 1 988 | 779 | － |
| 高槻市 | 5 861 | 530 | 3 813 | 158 | 1 360 | 2 867 | 265 |
| 東大阪市 | 14 380 | 48 | 5 940 | 211 | 8 181 | 2 738 | － |
| 豊中市 | 9 961 | 2 500 | 7 101 | 360 | － | 5 799 | 2 280 |
| 枚方市 | 9 600 | 317 | 8 127 | 102 | 1 054 | 2 577 | 6 |
| 姫路市 | 16 669 | 1 | 13 192 | 2 217 | 1 259 | 5 844 | 1 |
| 西宮市 | 13 298 | 425 | 8 957 | 543 | 3 373 | 6 027 | 7 |
| 尼崎市 | 22 573 | 466 | 18 702 | 723 | 2 682 | 2 829 | 141 |
| 奈良市 | 5 316 | 217 | 3 980 | 41 | 1 078 | 1 013 | 7 |
| 和歌山市 | 11 243 | 408 | 9 903 | 132 | 800 | 1 669 | 275 |
| 倉敷市 | 8 931 | 1 | 4 412 | 86 | 4 432 | 4 042 | 1 |
| 福山市 | 42 859 | 112 | 11 487 | － | 31 260 | 2 672 | － |
| 呉市 | 6 743 | 70 | 6 112 | 2 | 559 | 2 992 | 28 |
| 下関市 | 2 226 | 103 | 1 249 | 416 | 458 | 1 033 | 2 |
| 高松市 | 14 961 | 3 954 | 9 073 | － | 1 934 | 9 248 | 3 954 |
| 松山市 | 554 | 2 | 175 | 6 | 371 | 554 | 2 |
| 高知市 | 1 524 | 60 | 1 304 | 7 | 153 | 802 | 2 |
| 久留米市 | 6 960 | － | 4 006 | 1 155 | 1 799 | 1 679 | － |
| 長崎市 | 4 861 | 259 | 4 598 | 1 | 3 | 3 625 | 18 |
| 佐世保市 | 5 643 | 857 | 2 826 | 440 | 1 520 | 4 818 | 711 |
| 大分市 | 6 740 | 2 | 3 855 | 164 | 2 719 | 1 452 | 2 |
| 宮崎市 | 2 958 | － | 2 105 | － | 853 | 2 135 | － |
| 鹿児島市 | 36 051 | 5 649 | 21 217 | 3 | 9 182 | 14 682 | 505 |
| 那覇市 | 12 202 | 20 | 9 865 | 241 | 2 076 | 9 227 | 17 |
| その他政令市(再掲) | | | | | | | |
| 小樽市 | 5 562 | 615 | 2 003 | 53 | 2 891 | 4 159 | 586 |
| 町田市 | 12 230 | 315 | 11 605 | 16 | 294 | 2 373 | 2 |
| 藤沢市 | 6 325 | 234 | 4 885 | 247 | 959 | 3 022 | 1 |
| 茅ヶ崎市 | 5 100 | 161 | 4 254 | 12 | 673 | 1 315 | － |
| 四日市市 | 1 116 | 3 | 1 000 | 1 | 112 | 161 | 3 |
| 大牟田市 | 3 444 | 591 | 2 007 | 70 | 776 | 476 | 14 |

## 等へ委託した被指導延人員，都道府県－指定都市・特別区－中核市－その他政令市、個別－集団・対象区分別

平成29年度

| 数 | | | | | | | |
|---|---|---|---|---|---|---|---|
| 別 | | | 集 団 | | | | |
| 乳 幼 児 | 20 歳 未 満（妊産婦・乳幼児を除く。） | 20 歳 以 上（妊 産 婦を除く。） | 総 数 | 妊 産 婦 | 乳 幼 児 | 20 歳 未 満（妊産婦・乳幼児を除く。） | 20 歳 以 上（妊 産 婦を除く。） |
| 1 388 | 4 | 585 | 10 599 | – | 7 691 | 201 | 2 707 |
| 5 774 | – | 183 | – | – | – | – | – |
| 90 | – | – | 5 712 | 44 | 5 668 | – | – |
| 829 | – | 1 | 6 165 | – | 5 784 | 15 | 366 |
| 799 | – | – | 847 | 436 | 389 | – | 22 |
| 777 | – | – | 6 043 | 113 | 5 930 | – | – |
| 506 | 24 | 415 | 2 941 | – | 1 749 | – | 1 192 |
| 4 695 | – | 330 | 563 | 17 | 361 | 51 | 134 |
| 3 642 | 22 | 375 | 910 | 31 | 63 | 20 | 796 |
| 1 143 | 49 | 1 596 | 6 093 | 528 | 1 070 | 1 491 | 3 004 |
| 9 558 | – | – | 7 854 | 390 | 4 489 | – | 2 975 |
| 851 | – | – | 6 845 | 140 | 3 570 | – | 3 135 |
| 947 | – | 1 230 | 2 718 | 256 | 1 008 | – | 1 454 |
| 2 924 | – | 866 | 21 487 | 4 724 | 1 013 | 450 | 15 300 |
| – | – | 1 776 | 6 355 | 3 629 | – | 4 | 2 722 |
| 1 165 | 2 | 75 | 4 244 | 91 | 3 899 | 133 | 121 |
| 821 | 18 | 68 | 7 953 | 127 | 6 254 | 406 | 1 166 |
| 2 412 | 2 | 978 | 10 298 | – | 1 982 | 122 | 8 194 |
| 15 166 | 3 | 1 516 | 7 154 | 471 | 4 578 | 2 | 2 103 |
| 809 | 1 | 2 936 | 8 425 | 5 580 | 2 462 | – | 383 |
| 928 | 1 | 24 | 13 610 | 233 | 12 500 | 94 | 783 |
| 394 | 2 | 25 | 4 065 | 122 | 3 840 | – | 103 |
| 169 | – | – | 8 082 | 312 | 6 375 | 387 | 1 008 |
| 968 | – | 77 | 5 059 | 512 | 3 953 | – | 594 |
| 778 | – | 1 | 3 561 | 36 | 1 538 | – | 1 987 |
| 1 084 | 158 | 1 360 | 2 994 | 265 | 2 729 | – | – |
| 1 442 | – | 1 296 | 11 642 | 48 | 4 498 | 211 | 6 885 |
| 3 519 | – | – | 4 162 | 220 | 3 582 | 360 | – |
| 1 765 | 2 | 804 | 7 023 | 311 | 6 362 | 100 | 250 |
| 5 481 | 6 | 356 | 10 825 | – | 7 711 | 2 211 | 903 |
| 4 407 | 10 | 1 603 | 7 271 | 418 | 4 550 | 533 | 1 770 |
| 2 352 | 1 | 335 | 19 744 | 325 | 16 350 | 722 | 2 347 |
| 793 | – | 213 | 4 303 | 210 | 3 187 | 41 | 865 |
| 1 312 | 3 | 79 | 9 574 | 133 | 8 591 | 129 | 721 |
| 3 256 | 9 | 776 | 4 889 | – | 1 156 | 77 | 3 656 |
| 2 621 | – | 51 | 40 187 | 112 | 8 866 | – | 31 209 |
| 2 746 | 2 | 216 | 3 751 | 42 | 3 366 | – | 343 |
| 688 | 168 | 175 | 1 193 | 101 | 561 | 248 | 283 |
| 5 294 | – | – | 5 713 | – | 3 779 | – | 1 934 |
| 175 | 6 | 371 | – | – | – | – | – |
| 760 | 7 | 33 | 722 | 58 | 544 | – | 120 |
| 1 001 | 2 | 676 | 5 281 | – | 3 005 | 1 153 | 1 123 |
| 3 603 | 1 | 3 | 1 236 | 241 | 995 | – | – |
| 2 726 | 350 | 1 031 | 825 | 146 | 100 | 90 | 489 |
| 1 182 | 3 | 265 | 5 288 | – | 2 673 | 161 | 2 454 |
| 1 458 | – | 677 | 823 | – | 647 | – | 176 |
| 10 359 | 3 | 3 815 | 21 369 | 5 144 | 10 858 | – | 5 367 |
| 8 949 | 1 | 260 | 2 975 | 3 | 916 | 240 | 1 816 |
| 1 920 | 23 | 1 630 | 1 403 | 29 | 83 | 30 | 1 261 |
| 2 191 | 2 | 178 | 9 857 | 313 | 9 414 | 14 | 116 |
| 2 436 | 178 | 407 | 3 303 | 233 | 2 449 | 69 | 552 |
| 1 315 | – | – | 3 785 | 161 | 2 939 | 12 | 673 |
| 157 | 1 | – | 955 | – | 843 | – | 112 |
| 405 | 1 | 56 | 2 968 | 577 | 1 602 | 69 | 720 |

# 第8表（4－3）保健所及び市区町村が実施した栄養指導の被指導延人員・医療機関

| | （再掲）総数 総数 | 総数 妊産婦 | 総数 乳幼児 | 総数 20歳未満（妊産婦・乳幼児を除く。） | 総数 20歳以上（妊産婦を除く。） | 個 総数 | 個 妊産婦 |
|---|---|---|---|---|---|---|---|
| 全国 | 46 371 | 15 311 | 24 358 | 623 | 6 079 | 34 580 | 14 850 |
| 北海道 | 47 | 1 | 14 | － | 32 | 19 | 1 |
| 青森 | 2 015 | － | 1 985 | － | 30 | 86 | － |
| 岩手 | 19 | 19 | － | － | － | 19 | 19 |
| 宮城 | 612 | － | 578 | － | 34 | 578 | － |
| 秋田 | 57 | － | 57 | － | － | 57 | － |
| 山形 | 538 | － | 538 | － | － | 538 | － |
| 福島 | 8 374 | 5 894 | 2 407 | － | 73 | 8 253 | 5 894 |
| 茨城 | － | － | － | － | － | － | － |
| 栃木 | 33 | － | － | － | 33 | 33 | － |
| 群馬 | 4 705 | － | 4 705 | － | － | 4 705 | － |
| 埼玉 | 1 048 | － | － | － | 1 048 | 34 | － |
| 千葉 | 46 | － | － | 46 | － | 46 | － |
| 東京 | 4 226 | 1 281 | 2 826 | 26 | 93 | 3 184 | 936 |
| 神奈川 | 2 171 | 1 947 | － | － | 224 | 1 947 | 1 947 |
| 新潟 | － | － | － | － | － | － | － |
| 富山 | 10 | － | － | － | 10 | － | － |
| 石川 | 689 | － | － | 80 | 609 | － | － |
| 福井 | 75 | － | － | － | 75 | － | － |
| 山梨 | 471 | － | － | 471 | － | － | － |
| 長野 | 68 | － | 22 | － | 46 | 46 | － |
| 岐阜 | 256 | － | － | － | 256 | 256 | － |
| 静岡 | 50 | － | － | － | 50 | － | － |
| 愛知 | 3 244 | － | 3 244 | － | － | － | － |
| 三重 | 667 | 564 | 103 | － | － | 667 | 564 |
| 滋賀 | 985 | － | 544 | － | 441 | 441 | － |
| 京都 | － | － | － | － | － | － | － |
| 大阪 | … | … | … | … | … | … | … |
| 兵庫 | 278 | － | － | － | 278 | 278 | － |
| 奈良 | 128 | 128 | － | － | － | 128 | 128 |
| 和歌山 | － | － | － | － | － | － | － |
| 鳥取 | － | － | － | － | － | － | － |
| 島根 | 1 045 | 1 040 | － | － | 5 | 1 045 | 1 040 |
| 岡山 | 1 316 | － | － | － | 1 316 | 475 | － |
| 広島 | － | － | － | － | － | － | － |
| 山口 | － | － | － | － | － | － | － |
| 徳島 | 67 | 67 | － | － | － | 67 | 67 |
| 香川 | 5 024 | 2 439 | 2 585 | － | － | 5 024 | 2 439 |
| 愛媛 | 2 173 | 1 348 | 825 | － | － | 2 173 | 1 348 |
| 高知 | 108 | 55 | － | － | 53 | － | － |
| 福岡 | 625 | 137 | 140 | － | 348 | 305 | 137 |
| 佐賀 | － | － | － | － | － | － | － |
| 長崎 | － | － | － | － | － | － | － |
| 熊本 | 580 | 85 | 234 | － | 261 | 371 | 85 |
| 大分 | 30 | 15 | 15 | － | － | 30 | 15 |
| 宮崎 | － | － | － | － | － | － | － |
| 鹿児島 | 1 172 | 208 | 200 | － | 764 | 417 | 208 |
| 沖縄 | 3 419 | 83 | 3 336 | － | － | 3 358 | 22 |
| 指定都市・特別区（再掲） | | | | | | | |
| 東京都区部 | 2 092 | 345 | 1 747 | － | － | 1 131 | － |
| 札幌市 | － | － | － | － | － | － | － |
| 仙台市 | － | － | － | － | － | － | － |
| さいたま市 | － | － | － | － | － | － | － |
| 千葉市 | － | － | － | － | － | － | － |
| 横浜市 | － | － | － | － | － | － | － |
| 川崎市 | 224 | － | － | － | 224 | － | － |
| 相模原市 | － | － | － | － | － | － | － |
| 新潟市 | － | － | － | － | － | － | － |
| 静岡市 | － | － | － | － | － | － | － |
| 浜松市 | － | － | － | － | － | － | － |
| 名古屋市 | － | － | － | － | － | － | － |
| 京都市 | － | － | － | － | － | － | － |
| 大阪市 | － | － | － | － | － | － | － |
| 堺市 | － | － | － | － | － | － | － |
| 神戸市 | － | － | － | － | － | － | － |
| 岡山市 | － | － | － | － | － | － | － |
| 広島市 | － | － | － | － | － | － | － |
| 北九州市 | － | － | － | － | － | － | － |
| 福岡市 | 348 | － | － | － | 348 | 28 | － |
| 熊本市 | － | － | － | － | － | － | － |

# 等へ委託した被指導延人員，都道府県－指定都市・特別区－中核市－その他政令市、個別－集団・対象区分別

平成29年度

| 医療機関等へ委託 | | | | | | | |
|---|---|---|---|---|---|---|---|
| 別 | | | 集団 | | | | |
| 乳幼児 | 20歳未満（妊産婦・乳幼児を除く。） | 20歳以上（妊産婦を除く。） | 総数 | 妊産婦 | 乳幼児 | 20歳未満（妊産婦・乳幼児を除く。） | 20歳以上（妊産婦を除く。） |
| **17 954** | **46** | **1 730** | **11 791** | **461** | **6 404** | **577** | **4 349** |
| － | － | 18 | 28 | － | 14 | － | 14 |
| 86 | － | － | 1 929 | － | 1 899 | － | 30 |
| － | － | － | － | － | － | － | － |
| 578 | － | － | 34 | － | － | － | 34 |
| 57 | － | － | － | － | － | － | － |
| 538 | － | － | － | － | － | － | － |
| 2 357 | － | 2 | 121 | － | 50 | － | 71 |
| － | － | － | － | － | － | － | － |
| － | － | 33 | － | － | － | － | － |
| 4 705 | － | － | － | － | － | － | － |
| － | － | 34 | 1 014 | － | － | － | 1 014 |
| － | 46 | － | － | － | － | － | － |
| 2 195 | － | 53 | 1 042 | 345 | 631 | 26 | 40 |
| － | － | － | 224 | － | － | － | 224 |
| － | － | － | － | － | － | － | － |
| － | － | － | 10 | － | － | － | 10 |
| － | － | － | 689 | － | － | 80 | 609 |
| － | － | － | 75 | － | － | － | 75 |
| － | － | － | 471 | － | － | 471 | － |
| － | － | 46 | 22 | － | 22 | － | － |
| － | － | 256 | － | － | － | － | － |
| － | － | － | 50 | － | － | － | 50 |
| － | － | － | 3 244 | － | 3 244 | － | － |
| 103 | － | － | － | － | － | － | － |
| － | － | 441 | 544 | － | 544 | － | － |
| － | － | － | － | － | － | － | － |
| … | … | … | … | … | … | … | … |
| － | － | 278 | － | － | － | － | － |
| － | － | － | － | － | － | － | － |
| － | － | － | － | － | － | － | － |
| － | － | － | － | － | － | － | － |
| － | － | 5 | － | － | － | － | － |
| － | － | 475 | 841 | － | － | － | 841 |
| － | － | － | － | － | － | － | － |
| － | － | － | － | － | － | － | － |
| － | － | － | － | － | － | － | － |
| 2 585 | － | － | － | － | － | － | － |
| 825 | － | － | － | － | － | － | － |
| － | － | － | 108 | 55 | － | － | 53 |
| 140 | － | 28 | 320 | － | － | － | 320 |
| － | － | － | － | － | － | － | － |
| － | － | － | － | － | － | － | － |
| 234 | － | 52 | 209 | － | － | － | 209 |
| 15 | － | － | － | － | － | － | － |
| － | － | － | － | － | － | － | － |
| 200 | － | 9 | 755 | － | － | － | 755 |
| 3 336 | － | － | 61 | 61 | － | － | － |
| 1 131 | － | － | 961 | 345 | 616 | － | － |
| － | － | － | － | － | － | － | － |
| － | － | － | － | － | － | － | － |
| － | － | － | － | － | － | － | － |
| － | － | － | － | － | － | － | － |
| － | － | － | － | － | － | － | － |
| － | － | － | 224 | － | － | － | 224 |
| － | － | － | － | － | － | － | － |
| － | － | － | － | － | － | － | － |
| － | － | － | － | － | － | － | － |
| － | － | － | － | － | － | － | － |
| － | － | － | － | － | － | － | － |
| － | － | － | － | － | － | － | － |
| － | － | － | － | － | － | － | － |
| － | － | － | － | － | － | － | － |
| － | － | － | － | － | － | － | － |
| － | － | － | － | － | － | － | － |
| － | － | － | － | － | － | － | － |
| － | － | － | － | － | － | － | － |
| － | － | 28 | 320 | － | － | － | 320 |
| － | － | － | － | － | － | － | － |

# 第8表（4－4）保健所及び市区町村が実施した栄養指導の被指導延人員・医療機関

| | 総数 | | | | | （再掲）個 | |
|---|---|---|---|---|---|---|---|
| | 総数 | 妊産婦 | 乳幼児 | 20歳未満（妊産婦・乳幼児を除く。） | 20歳以上（妊産婦を除く。） | 総数 | 妊産婦 |
| 中核市(再掲) | | | | | | | |
| 旭川市 | - | - | - | - | - | - | - |
| 函館市 | - | - | - | - | - | - | - |
| 青森市 | - | - | - | - | - | - | - |
| 八戸市 | 1 868 | - | 1 868 | - | - | 86 | - |
| 盛岡市 | - | - | - | - | - | - | - |
| 秋田市 | - | - | - | - | - | - | - |
| 郡山市 | - | - | - | - | - | - | - |
| いわき市 | - | - | - | - | - | - | - |
| 宇都宮市 | - | - | - | - | - | - | - |
| 前橋市 | - | - | - | - | - | - | - |
| 高崎市 | 4 705 | - | 4 705 | - | - | 4 705 | - |
| 川越市 | - | - | - | - | - | - | - |
| 越谷市 | - | - | - | - | - | - | - |
| 船橋市 | - | - | - | - | - | - | - |
| 柏市 | - | - | - | - | - | - | - |
| 八王子市 | - | - | - | - | - | - | - |
| 横須賀市 | - | - | - | - | - | - | - |
| 富山市 | - | - | - | - | - | - | - |
| 金沢市 | - | - | - | - | - | - | - |
| 長野市 | - | - | - | - | - | - | - |
| 岐阜市 | - | - | - | - | - | - | - |
| 豊橋市 | - | - | - | - | - | - | - |
| 豊田市 | - | - | - | - | - | - | - |
| 岡崎市 | 3 244 | - | 3 244 | - | - | - | - |
| 大津市 | - | - | - | - | - | - | - |
| 高槻市 | - | - | - | - | - | - | - |
| 東大阪市 | - | - | - | - | - | - | - |
| 豊中市 | - | - | - | - | - | - | - |
| 枚方市 | - | - | - | - | - | - | - |
| 姫路市 | - | - | - | - | - | - | - |
| 西宮市 | - | - | - | - | - | - | - |
| 尼崎市 | - | - | - | - | - | - | - |
| 奈良市 | - | - | - | - | - | - | - |
| 和歌山市 | - | - | - | - | - | - | - |
| 倉敷市 | 1 316 | - | - | - | 1 316 | 475 | - |
| 福山市 | - | - | - | - | - | - | - |
| 呉市 | - | - | - | - | - | - | - |
| 下関市 | - | - | - | - | - | - | - |
| 高松市 | 4 772 | 2 404 | 2 368 | - | - | 4 772 | 2 404 |
| 松山市 | - | - | - | - | - | - | - |
| 高知市 | 108 | 55 | - | - | 53 | - | - |
| 久留米市 | - | - | - | - | - | - | - |
| 長崎市 | - | - | - | - | - | - | - |
| 佐世保市 | - | - | - | - | - | - | - |
| 大分市 | - | - | - | - | - | - | - |
| 宮崎市 | - | - | - | - | - | - | - |
| 鹿児島市 | - | - | - | - | - | - | - |
| 那覇市 | - | - | - | - | - | - | - |
| その他政令市(再掲) | | | | | | | |
| 小樽市 | - | - | - | - | - | - | - |
| 町田市 | - | - | - | - | - | - | - |
| 藤沢市 | - | - | - | - | - | - | - |
| 茅ヶ崎市 | - | - | - | - | - | - | - |
| 四日市市 | - | - | - | - | - | - | - |
| 大牟田市 | - | - | - | - | - | - | - |

## 等へ委託した被指導延人員，都道府県－指定都市・特別区－中核市－その他政令市、個別－集団・対象区分別

平成29年度

| 医療機関等へ委託 | | | | | | | |
|---|---|---|---|---|---|---|---|
| 別 | | | 集団 | | | | |
| 乳幼児 | 20歳未満（妊産婦・乳幼児を除く。） | 20歳以上（妊産婦を除く。） | 総数 | 妊産婦 | 乳幼児 | 20歳未満（妊産婦・乳幼児を除く。） | 20歳以上（妊産婦を除く。） |
| − | − | − | − | − | − | − | − |
| − | − | − | − | − | − | − | − |
| − | − | − | − | − | − | − | − |
| 86 | − | − | 1 782 | − | 1 782 | − | − |
| − | − | − | − | − | − | − | − |
| | | | | | | | |
| − | − | − | − | − | − | − | − |
| − | − | − | − | − | − | − | − |
| − | − | − | − | − | − | − | − |
| − | − | − | − | − | − | − | − |
| − | − | − | − | − | − | − | − |
| | | | | | | | |
| 4 705 | − | − | − | − | − | − | − |
| − | − | − | − | − | − | − | − |
| − | − | − | − | − | − | − | − |
| − | − | − | − | − | − | − | − |
| − | − | − | − | − | − | − | − |
| | | | | | | | |
| − | − | − | − | − | − | − | − |
| − | − | − | − | − | − | − | − |
| − | − | − | − | − | − | − | − |
| − | − | − | − | − | − | − | − |
| − | − | − | − | − | − | − | − |
| | | | | | | | |
| − | − | − | − | − | − | − | − |
| − | − | − | − | − | − | − | − |
| − | − | − | − | − | − | − | − |
| − | − | − | 3 244 | − | 3 244 | − | − |
| − | − | − | − | − | − | − | − |
| | | | | | | | |
| − | − | − | − | − | − | − | − |
| − | − | − | − | − | − | − | − |
| − | − | − | − | − | − | − | − |
| − | − | − | − | − | − | − | − |
| − | − | − | − | − | − | − | − |
| | | | | | | | |
| − | − | − | − | − | − | − | − |
| − | − | − | − | − | − | − | − |
| − | − | − | − | − | − | − | − |
| − | − | − | − | − | − | − | − |
| − | − | 475 | 841 | − | − | − | 841 |
| | | | | | | | |
| − | − | − | − | − | − | − | − |
| − | − | − | − | − | − | − | − |
| − | − | − | − | − | − | − | − |
| 2 368 | − | − | − | − | − | − | − |
| − | − | − | − | − | − | − | − |
| | | | | | | | |
| − | − | − | 108 | 55 | − | − | 53 |
| − | − | − | − | − | − | − | − |
| − | − | − | − | − | − | − | − |
| − | − | − | − | − | − | − | − |
| − | − | − | − | − | − | − | − |
| | | | | | | | |
| − | − | − | − | − | − | − | − |
| − | − | − | − | − | − | − | − |
| − | − | − | − | − | − | − | − |
| | | | | | | | |
| − | − | − | − | − | − | − | − |
| − | − | − | − | − | − | − | − |
| − | − | − | − | − | − | − | − |
| − | − | − | − | − | − | − | − |
| − | − | − | − | − | − | − | − |
| | | | | | | | |
| − | − | − | − | − | − | − | − |

# 第９表（４－１）保健所及び市区町村が実施した病態別栄養指導の被指導延人員・医療

| | 総 | | | | | | |
|---|---|---|---|---|---|---|---|
| | 総数 | | | | | 個 | |
| | 総数 | 妊産婦 | 乳幼児 | 20歳未満（妊産婦・乳幼児を除く。） | 20歳以上（妊産婦を除く。） | 総数 | 妊産婦 |
| **全国** | **384 201** | **13 497** | **69 772** | **9 612** | **291 320** | **163 961** | **6 613** |
| 北海道 | 15 578 | 459 | 2 451 | 130 | 12 538 | 9 889 | 278 |
| 青森 | 6 358 | 233 | 1 691 | 757 | 3 677 | 2 108 | 160 |
| 岩手 | 7 739 | 213 | 334 | 170 | 7 022 | 701 | 47 |
| 宮城 | 17 257 | 233 | 79 | 15 | 16 930 | 4 527 | 52 |
| 秋田 | 5 423 | 26 | 19 | 412 | 4 966 | 1 868 | － |
| 山形 | 2 257 | 1 | 25 | 4 | 2 227 | 371 | 1 |
| 福島 | 9 930 | 1 131 | 585 | 1 808 | 6 406 | 2 079 | 1 131 |
| 茨城 | 18 124 | 147 | 1 425 | 424 | 16 128 | 5 506 | 86 |
| 栃木 | 3 393 | － | 37 | 3 | 3 353 | 1 380 | － |
| 群馬 | 3 932 | 120 | 35 | 64 | 3 713 | 1 970 | 47 |
| 埼玉 | 5 242 | 58 | 202 | 10 | 4 972 | 2 794 | 20 |
| 千葉 | 6 829 | 146 | 1 376 | 585 | 4 722 | 3 327 | 73 |
| 東京 | 57 552 | 1 474 | 11 735 | 368 | 43 975 | 22 639 | 687 |
| 神奈川 | 27 623 | 1 872 | 15 527 | 789 | 9 435 | 5 358 | 59 |
| 新潟 | 16 690 | 3 | 519 | 175 | 15 993 | 10 126 | 3 |
| 富山 | 14 596 | 22 | 4 409 | 124 | 10 041 | 3 993 | 22 |
| 石川 | 4 299 | 1 049 | 1 435 | － | 1 815 | 2 953 | 531 |
| 福井 | 1 000 | 14 | 122 | 1 | 863 | 470 | 14 |
| 山梨 | 2 987 | 52 | － | 2 | 2 933 | 1 063 | 16 |
| 長野 | 7 714 | 148 | 115 | 104 | 7 347 | 5 511 | 107 |
| 岐阜 | 7 781 | 45 | 294 | 22 | 7 420 | 3 134 | 40 |
| 静岡 | 5 883 | 177 | 68 | 147 | 5 491 | 3 182 | 171 |
| 愛知 | 23 627 | 2 343 | 17 343 | 746 | 3 195 | 7 807 | 265 |
| 三重 | 2 079 | 23 | 198 | － | 1 858 | 598 | － |
| 滋賀 | 4 159 | 2 | 291 | 129 | 3 737 | 3 315 | 2 |
| 京都 | 5 603 | 48 | 587 | 120 | 4 848 | 1 736 | － |
| 大阪 | 10 173 | 132 | 799 | 15 | 9 227 | 4 962 | 17 |
| 兵庫 | 11 412 | 383 | 1 714 | 181 | 9 134 | 7 905 | 249 |
| 奈良 | 1 976 | 7 | 151 | － | 1 818 | 1 097 | 7 |
| 和歌山 | 1 443 | － | 15 | 4 | 1 424 | 600 | － |
| 鳥取 | 2 091 | － | － | 23 | 2 068 | 516 | － |
| 島根 | 1 471 | － | 2 | 319 | 1 150 | 274 | － |
| 岡山 | 6 818 | 2 | 558 | 23 | 6 235 | 2 476 | 2 |
| 広島 | 7 479 | 23 | 301 | － | 7 155 | 2 103 | 23 |
| 山口 | 798 | 3 | 3 | 260 | 532 | 426 | 3 |
| 徳島 | 1 683 | － | 170 | 448 | 1 065 | 707 | － |
| 香川 | 2 469 | 7 | 75 | 76 | 2 311 | 764 | － |
| 愛媛 | 1 989 | 47 | 145 | 97 | 1 700 | 1 578 | 47 |
| 高知 | 472 | － | 2 | 167 | 303 | 76 | － |
| 福岡 | 16 350 | 560 | 1 595 | 645 | 13 550 | 8 976 | 506 |
| 佐賀 | 2 924 | 18 | 1 | 1 | 2 904 | 847 | 18 |
| 長崎 | 2 809 | 12 | 303 | － | 2 494 | 2 107 | 12 |
| 熊本 | 5 906 | 1 374 | 1 422 | 96 | 3 014 | 5 288 | 1 226 |
| 大分 | 1 966 | 1 | 3 | － | 1 962 | 1 209 | 1 |
| 宮崎 | 5 946 | 260 | 479 | 51 | 5 156 | 4 091 | 91 |
| 鹿児島 | 8 322 | 202 | 224 | 35 | 7 861 | 4 034 | 197 |
| 沖縄 | 6 049 | 427 | 908 | 62 | 4 652 | 5 520 | 402 |
| 指定都市・特別区(再掲) | | | | | | | |
| 東京都区部 | 46 820 | 1 408 | 11 313 | 363 | 33 736 | 16 653 | 621 |
| 札幌市 | 619 | － | － | － | 619 | 233 | － |
| 仙台市 | 108 | 6 | 12 | － | 90 | 108 | 6 |
| さいたま市 | 70 | － | 64 | 2 | 4 | 70 | － |
| 千葉市 | 1 013 | 5 | 716 | 9 | 283 | 767 | 5 |
| 横浜市 | 1 905 | － | － | － | 1 905 | 687 | － |
| 川崎市 | 18 836 | 1 844 | 15 203 | 40 | 1 749 | 2 489 | 31 |
| 相模原市 | 21 | － | 21 | － | － | 21 | － |
| 新潟市 | 702 | － | － | － | 702 | 67 | － |
| 静岡市 | － | － | － | － | － | － | － |
| 浜松市 | 3 | 1 | － | － | 2 | 3 | 1 |
| 名古屋市 | 20 025 | 2 265 | 16 950 | 724 | 86 | 6 578 | 264 |
| 京都市 | 1 822 | 48 | 464 | 120 | 1 190 | 662 | － |
| 大阪市 | 3 408 | 13 | 404 | 14 | 2 977 | 1 539 | 13 |
| 堺市 | 1 978 | 1 | 84 | 1 | 1 892 | 406 | 1 |
| 神戸市 | 663 | － | 253 | 1 | 409 | 663 | － |
| 岡山市 | 2 145 | 1 | － | － | 2 144 | 58 | 1 |
| 広島市 | 258 | 7 | 59 | － | 192 | 258 | 7 |
| 北九州市 | 5 060 | 34 | 37 | 70 | 4 919 | 1 293 | 34 |
| 福岡市 | 464 | － | 2 | 16 | 446 | 144 | － |
| 熊本市 | 2 790 | 1 017 | 1 245 | 7 | 521 | 2 759 | 1 017 |

## 機関等へ委託した被指導延人員，都道府県－指定都市・特別区－中核市－その他政令市、個別－集団・対象区分別

平成29年度

| 数 | | | | | | | |
|---|---|---|---|---|---|---|---|
| 別 | | | 集団 | | | | |
| 乳幼児 | 20歳未満（妊産婦・乳幼児を除く。） | 20歳以上（妊産婦を除く。） | 総数 | 妊産婦 | 乳幼児 | 20歳未満（妊産婦・乳幼児を除く。） | 20歳以上（妊産婦を除く。） |
| 31 734 | 1 470 | 124 144 | 220 240 | 6 884 | 38 038 | 8 142 | 167 176 |
| 1 642 | 114 | 7 855 | 5 689 | 181 | 809 | 16 | 4 683 |
| 719 | 1 | 1 228 | 4 250 | 73 | 972 | 756 | 2 449 |
| 213 | 2 | 439 | 7 038 | 166 | 121 | 168 | 6 583 |
| 79 | 15 | 4 381 | 12 730 | 181 | - | - | 12 549 |
| 19 | 2 | 1 847 | 3 555 | 26 | - | 410 | 3 119 |
| - | 4 | 366 | 1 886 | - | 25 | - | 1 861 |
| 171 | 39 | 738 | 7 851 | - | 414 | 1 769 | 5 668 |
| 1 163 | - | 4 257 | 12 618 | 61 | 262 | 424 | 11 871 |
| 37 | 3 | 1 340 | 2 013 | - | - | - | 2 013 |
| 35 | 64 | 1 824 | 1 962 | 73 | - | - | 1 889 |
| 202 | 2 | 2 570 | 2 448 | 38 | - | 8 | 2 402 |
| 1 213 | 263 | 1 778 | 3 502 | 73 | 163 | 322 | 2 944 |
| 4 080 | 26 | 17 846 | 34 913 | 787 | 7 655 | 342 | 26 129 |
| 2 459 | 180 | 2 660 | 22 265 | 1 813 | 13 068 | 609 | 6 775 |
| 519 | 76 | 9 528 | 6 564 | - | - | 99 | 6 465 |
| 2 427 | 2 | 1 542 | 10 603 | - | 1 982 | 122 | 8 499 |
| 1 291 | - | 1 131 | 1 346 | 518 | 144 | - | 684 |
| 122 | 1 | 333 | 530 | - | - | - | 530 |
| - | 2 | 1 045 | 1 924 | 36 | - | - | 1 888 |
| 65 | 79 | 5 260 | 2 203 | 41 | 50 | 25 | 2 087 |
| 294 | 13 | 2 787 | 4 647 | 5 | - | 9 | 4 633 |
| 62 | 59 | 2 890 | 2 701 | 6 | 6 | 88 | 2 601 |
| 6 654 | 24 | 864 | 15 820 | 2 078 | 10 689 | 722 | 2 331 |
| 86 | - | 512 | 1 481 | 23 | 112 | - | 1 346 |
| 284 | 2 | 3 027 | 844 | - | 7 | 127 | 710 |
| 186 | 1 | 1 549 | 3 867 | 48 | 401 | 119 | 3 299 |
| 754 | 15 | 4 176 | 5 211 | 115 | 45 | … | 5 051 |
| 1 415 | 2 | 6 239 | 3 507 | 134 | 299 | 179 | 2 895 |
| 115 | - | 975 | 879 | - | 36 | - | 843 |
| 9 | 4 | 587 | 843 | - | 6 | - | 837 |
| - | 1 | 515 | 1 575 | - | - | 22 | 1 553 |
| 2 | - | 272 | 1 197 | - | - | 319 | 878 |
| 492 | 15 | 1 967 | 4 342 | - | 66 | 8 | 4 268 |
| 292 | - | 1 788 | 5 376 | - | 9 | - | 5 367 |
| 3 | 168 | 252 | 372 | - | - | 92 | 280 |
| 47 | 3 | 657 | 976 | - | 123 | 445 | 408 |
| 75 | 60 | 629 | 1 705 | 7 | - | 16 | 1 682 |
| 145 | 62 | 1 324 | 411 | - | - | 35 | 376 |
| 2 | - | 74 | 396 | - | - | 167 | 229 |
| 1 372 | 35 | 7 063 | 7 374 | 54 | 223 | 610 | 6 487 |
| 1 | 1 | 827 | 2 077 | - | - | - | 2 077 |
| 224 | - | 1 871 | 702 | - | 79 | - | 623 |
| 1 419 | 36 | 2 607 | 618 | 148 | 3 | 60 | 407 |
| 3 | - | 1 205 | 757 | - | - | - | 757 |
| 292 | 29 | 3 679 | 1 855 | 169 | 187 | 22 | 1 477 |
| 187 | 3 | 3 647 | 4 288 | 5 | 37 | 32 | 4 214 |
| 863 | 62 | 4 193 | 529 | 25 | 45 | - | 459 |
| 3 733 | 24 | 12 275 | 30 167 | 787 | 7 580 | 339 | 21 461 |
| - | - | 233 | 386 | - | - | - | 386 |
| 12 | - | 90 | - | - | - | - | - |
| 64 | 2 | 4 | - | - | - | - | - |
| 716 | 9 | 37 | 246 | - | - | - | 246 |
| - | - | 687 | 1 218 | - | - | - | 1 218 |
| 2 143 | 4 | 311 | 16 347 | 1 813 | 13 060 | 36 | 1 438 |
| 21 | - | - | - | - | - | - | - |
| - | - | 67 | 635 | - | - | - | 635 |
| - | - | - | - | - | - | - | - |
| - | - | 2 | - | - | - | - | - |
| 6 261 | 9 | 44 | 13 447 | 2 001 | 10 689 | 715 | 42 |
| 184 | 1 | 477 | 1 160 | 48 | 280 | 119 | 713 |
| 360 | 14 | 1 152 | 1 869 | - | 44 | - | 1 825 |
| 83 | 1 | 321 | 1 572 | - | 1 | - | 1 571 |
| 253 | 1 | 409 | - | - | - | - | - |
| - | - | 57 | 2 087 | - | - | - | 2 087 |
| 59 | - | 192 | - | - | - | - | - |
| 37 | 18 | 1 204 | 3 767 | - | - | 52 | 3 715 |
| 2 | 16 | 126 | 320 | - | - | - | 320 |
| 1 242 | 7 | 493 | 31 | - | 3 | - | 28 |

# 第９表（４－２）保健所及び市区町村が実施した病態別栄養指導の被指導延人員・医療

| | 総 | | | | | | |
|---|---|---|---|---|---|---|---|
| | 総数 | | | | | 個 | |
| | 総数 | 妊産婦 | 乳幼児 | 20歳未満（妊産婦・乳幼児を除く。） | 20歳以上（妊産婦を除く。） | 総数 | 妊産婦 |
| 中核市(再掲) | | | | | | | |
| 旭川市 | - | - | - | - | - | - | - |
| 函館市 | 139 | - | - | - | 139 | 139 | - |
| 青森市 | - | - | - | - | - | - | - |
| 八戸市 | - | - | - | - | - | - | - |
| 盛岡市 | 17 | - | 17 | - | - | 17 | - |
| 秋田市 | - | - | - | - | - | - | - |
| 郡山市 | 289 | - | - | 24 | 265 | 48 | - |
| いわき市 | 199 | - | 176 | - | 23 | 23 | - |
| 宇都宮市 | 228 | - | - | - | 228 | 176 | - |
| 前橋市 | 348 | - | - | - | 348 | - | - |
| 高崎市 | - | - | - | - | - | - | - |
| 川越市 | - | - | - | - | - | - | - |
| 越谷市 | 1 841 | - | - | - | 1 841 | 1 230 | - |
| 船橋市 | 179 | - | - | - | 179 | 46 | - |
| 柏市 | 18 | - | - | - | 18 | 18 | - |
| 八王子市 | 96 | 1 | 31 | 3 | 61 | 90 | 1 |
| 横須賀市 | 128 | - | - | - | 128 | 4 | - |
| 富山市 | 13 712 | 22 | 4 394 | 124 | 9 172 | 3 414 | 22 |
| 金沢市 | 2 468 | 952 | 1 389 | - | 127 | 1 878 | 481 |
| 長野市 | 248 | - | - | - | 248 | 52 | - |
| 岐阜市 | 195 | - | - | - | 195 | 17 | - |
| 豊橋市 | - | - | - | - | - | - | - |
| 豊田市 | - | - | - | - | - | - | - |
| 岡崎市 | 10 | - | - | - | 10 | 10 | - |
| 大津市 | 301 | - | 94 | - | 207 | 87 | - |
| 高槻市 | - | - | - | - | - | - | - |
| 東大阪市 | 2 085 | - | 8 | - | 2 077 | 1 113 | - |
| 豊中市 | - | - | - | - | - | - | - |
| 枚方市 | 2 | - | - | - | 2 | 2 | - |
| 姫路市 | 83 | - | 18 | 1 | 64 | 83 | - |
| 西宮市 | 1 819 | - | 368 | 124 | 1 327 | 1 609 | - |
| 尼崎市 | 883 | 13 | 656 | - | 214 | 807 | 13 |
| 奈良市 | 463 | 1 | - | - | 462 | 176 | 1 |
| 和歌山市 | 226 | - | - | 1 | 225 | 14 | - |
| 倉敷市 | 388 | - | 350 | - | 38 | 372 | - |
| 福山市 | 202 | - | 171 | - | 31 | 162 | - |
| 呉市 | 193 | 2 | - | - | 191 | 157 | 2 |
| 下関市 | 410 | - | - | 260 | 150 | 318 | - |
| 高松市 | 288 | - | 75 | - | 213 | 75 | - |
| 松山市 | 195 | - | - | - | 195 | 195 | - |
| 高知市 | - | - | - | - | - | - | - |
| 久留米市 | 86 | - | 2 | - | 84 | 23 | - |
| 長崎市 | 143 | - | 140 | - | 3 | 88 | - |
| 佐世保市 | 112 | 6 | - | - | 106 | 6 | 6 |
| 大分市 | 340 | - | - | - | 340 | 86 | - |
| 宮崎市 | 618 | - | - | - | 618 | 584 | - |
| 鹿児島市 | 3 948 | 196 | 186 | 3 | 3 563 | 1 405 | 196 |
| 那覇市 | - | - | - | - | - | - | - |
| その他政令市(再掲) | | | | | | | |
| 小樽市 | 375 | - | - | - | 375 | 143 | - |
| 町田市 | 245 | - | 73 | 1 | 171 | 192 | - |
| 藤沢市 | 28 | - | - | - | 28 | 28 | - |
| 茅ヶ崎市 | 154 | - | - | - | 154 | - | - |
| 四日市市 | - | - | - | - | - | - | - |
| 大牟田市 | 51 | - | 25 | 11 | 15 | 16 | - |

## 機関等へ委託した被指導延人員，都道府県－指定都市・特別区－中核市－その他政令市、個別－集団・対象区分別

平成29年度

| 数 | | | | | | | |
|---|---|---|---|---|---|---|---|
| 別 | | | 集団 | | | | |
| 乳幼児 | 20歳未満（妊産婦・乳幼児を除く。） | 20歳以上（妊産婦を除く。） | 総数 | 妊産婦 | 乳幼児 | 20歳未満（妊産婦・乳幼児を除く。） | 20歳以上（妊産婦を除く。） |
| - | - | - | - | - | - | - | - |
| - | - | 139 | - | - | - | - | - |
| - | - | - | - | - | - | - | - |
| - | - | - | - | - | - | - | - |
| 17 | - | - | - | - | - | - | - |
| - | - | - | - | - | - | - | - |
| - | 24 | 24 | 241 | - | - | - | 241 |
| - | - | 23 | 176 | - | 176 | - | - |
| - | - | 176 | 52 | - | - | - | 52 |
| - | - | - | 348 | - | - | - | 348 |
| - | - | - | - | - | - | - | - |
| - | - | - | - | - | - | - | - |
| - | - | 1 230 | 611 | - | - | - | 611 |
| - | - | 46 | 133 | - | - | - | 133 |
| - | - | 18 | - | - | - | - | - |
| 31 | - | 58 | 6 | - | - | 3 | 3 |
| - | - | 4 | 124 | - | - | - | 124 |
| 2 412 | 2 | 978 | 10 298 | - | 1 982 | 122 | 8 194 |
| 1 270 | - | 127 | 590 | 471 | 119 | - | - |
| - | - | 52 | 196 | - | - | - | 196 |
| - | - | 17 | 178 | - | - | - | 178 |
| - | - | - | - | - | - | - | - |
| - | - | - | - | - | - | - | - |
| - | - | 10 | - | - | - | - | - |
| 87 | - | - | 214 | - | 7 | - | 207 |
| - | - | - | - | - | - | - | - |
| 8 | - | 1 105 | 972 | - | - | - | 972 |
| - | - | - | - | - | - | - | - |
| - | - | 2 | - | - | - | - | - |
| 18 | 1 | 64 | - | - | - | - | - |
| 350 | - | 1 259 | 210 | - | 18 | 124 | 68 |
| 580 | - | 214 | 76 | - | 76 | - | - |
| - | - | 175 | 287 | - | - | - | 287 |
| - | 1 | 13 | 212 | - | - | - | 212 |
| 342 | - | 30 | 16 | - | 8 | - | 8 |
| 162 | - | - | 40 | - | 9 | - | 31 |
| - | - | 155 | 36 | - | - | - | 36 |
| - | 168 | 150 | 92 | - | - | 92 | - |
| 75 | - | - | 213 | - | - | - | 213 |
| - | - | 195 | - | - | - | - | - |
| - | - | - | - | - | - | - | - |
| - | - | 23 | 63 | - | 2 | - | 61 |
| 85 | - | 3 | 55 | - | 55 | - | - |
| - | - | - | 106 | - | - | - | 106 |
| - | - | 86 | 254 | - | - | - | 254 |
| - | - | 584 | 34 | - | - | - | 34 |
| 186 | 3 | 1 020 | 2 543 | - | - | - | 2 543 |
| - | - | - | - | - | - | - | - |
| - | - | 143 | 232 | - | - | - | 232 |
| 64 | 1 | 127 | 53 | - | 9 | - | 44 |
| - | - | 28 | - | - | - | - | - |
| - | - | - | 154 | - | - | - | 154 |
| - | - | - | - | - | - | - | - |
| - | 1 | 15 | 35 | - | 25 | 10 | - |

# 第９表（４－３）保健所及び市区町村が実施した病態別栄養指導の被指導延人員・医療

| | （再掲） | | | | | | |
|---|---|---|---|---|---|---|---|
| | 総数 | | | | | 個 | |
| | 総数 | 妊産婦 | 乳幼児 | 20歳未満（妊産婦・乳幼児を除く。） | 20歳以上（妊産婦を除く。） | 総数 | 妊産婦 |
| **全国** | 2 766 | 1 045 | 164 | 24 | 1 533 | 1 418 | 1 045 |
| 北海道 | 1 | 1 | – | – | – | 1 | 1 |
| 青森 | 147 | – | 117 | – | 30 | – | – |
| 岩手 | 19 | 19 | – | – | – | 19 | 19 |
| 宮城 | 34 | – | – | – | 34 | – | – |
| 秋田 | – | – | – | – | – | – | – |
| 山形 | – | – | – | – | – | – | – |
| 福島 | 1 024 | 1 024 | – | – | – | 1 024 | 1 024 |
| 茨城 | – | – | – | – | – | – | – |
| 栃木 | 33 | – | – | – | 33 | 33 | – |
| 群馬 | – | – | – | – | – | – | – |
| 埼玉 | – | – | – | – | – | – | – |
| 千葉 | 24 | – | – | 24 | – | 24 | – |
| 東京 | 47 | – | 47 | – | – | 47 | – |
| 神奈川 | – | – | – | – | – | – | – |
| 新潟 | – | – | – | – | – | – | – |
| 富山 | 10 | – | – | – | 10 | – | – |
| 石川 | – | – | – | – | – | – | – |
| 福井 | 75 | – | – | – | 75 | – | – |
| 山梨 | – | – | – | – | – | – | – |
| 長野 | – | – | – | – | – | – | – |
| 岐阜 | 256 | – | – | – | 256 | 256 | – |
| 静岡 | – | – | – | – | – | – | – |
| 愛知 | – | – | – | – | – | – | – |
| 三重 | – | – | – | – | – | – | – |
| 滋賀 | 12 | – | – | – | 12 | 12 | – |
| 京都 | – | – | – | – | – | – | – |
| 大阪 | … | … | … | … | … | … | … |
| 兵庫 | – | – | – | – | – | – | – |
| 奈良 | – | – | – | – | – | – | – |
| 和歌山 | – | – | – | – | – | – | – |
| 鳥取 | – | – | – | – | – | – | – |
| 島根 | – | – | – | – | – | – | – |
| 岡山 | – | – | – | – | – | – | – |
| 広島 | – | – | – | – | – | – | – |
| 山口 | – | – | – | – | – | – | – |
| 徳島 | – | – | – | – | – | – | – |
| 香川 | – | – | – | – | – | – | – |
| 愛媛 | – | – | – | – | – | – | – |
| 高知 | – | – | – | – | – | – | – |
| 福岡 | 320 | – | – | – | 320 | – | – |
| 佐賀 | – | – | – | – | – | – | – |
| 長崎 | – | – | – | – | – | – | – |
| 熊本 | 8 | 1 | – | – | 7 | 1 | 1 |
| 大分 | – | – | – | – | – | – | – |
| 宮崎 | – | – | – | – | – | – | – |
| 鹿児島 | 756 | – | – | – | 756 | 1 | – |
| 沖縄 | – | – | – | – | – | – | – |
| 指定都市・特別区(再掲) | | | | | | | |
| 東京都区部 | – | – | – | – | – | – | – |
| 札幌市 | – | – | – | – | – | – | – |
| 仙台市 | – | – | – | – | – | – | – |
| さいたま市 | – | – | – | – | – | – | – |
| 千葉市 | – | – | – | – | – | – | – |
| 横浜市 | – | – | – | – | – | – | – |
| 川崎市 | – | – | – | – | – | – | – |
| 相模原市 | – | – | – | – | – | – | – |
| 新潟市 | – | – | – | – | – | – | – |
| 静岡市 | – | – | – | – | – | – | – |
| 浜松市 | – | – | – | – | – | – | – |
| 名古屋市 | – | – | – | – | – | – | – |
| 京都市 | – | – | – | – | – | – | – |
| 大阪市 | – | – | – | – | – | – | – |
| 堺市 | – | – | – | – | – | – | – |
| 神戸市 | – | – | – | – | – | – | – |
| 岡山市 | – | – | – | – | – | – | – |
| 広島市 | – | – | – | – | – | – | – |
| 北九州市 | – | – | – | – | – | – | – |
| 福岡市 | 320 | – | – | – | 320 | – | – |
| 熊本市 | – | – | – | – | – | – | – |

## 機関等へ委託した被指導延人員，都道府県－指定都市・特別区－中核市－その他政令市、個別－集団・対象区分別

平成29年度

| 医療機関等へ委託 | | | | | | | |
|---|---|---|---|---|---|---|---|
| 別 | | | 集団 | | | | |
| 乳幼児 | 20歳未満（妊産婦・乳幼児を除く。） | 20歳以上（妊産婦を除く。） | 総数 | 妊産婦 | 乳幼児 | 20歳未満（妊産婦・乳幼児を除く。） | 20歳以上（妊産婦を除く。） |
| **47** | **24** | **302** | **1 348** | **…** | **117** | **…** | **1 231** |
| - | - | - | - | - | - | - | - |
| - | - | - | 147 | - | 117 | - | 30 |
| - | - | - | - | - | - | - | - |
| - | - | - | 34 | - | - | - | 34 |
| - | - | - | - | - | - | - | - |
| - | - | - | - | - | - | - | - |
| - | - | - | - | - | - | - | - |
| - | - | - | - | - | - | - | - |
| - | - | 33 | - | - | - | - | - |
| - | - | - | - | - | - | - | - |
| - | - | - | - | - | - | - | - |
| - | 24 | - | - | - | - | - | - |
| 47 | - | - | - | - | - | - | - |
| - | - | - | - | - | - | - | - |
| - | - | - | - | - | - | - | - |
| - | - | - | 10 | - | - | - | 10 |
| - | - | - | - | - | - | - | - |
| - | - | - | 75 | - | - | - | 75 |
| - | - | - | - | - | - | - | - |
| - | - | - | - | - | - | - | - |
| - | - | 256 | - | - | - | - | - |
| - | - | - | - | - | - | - | - |
| - | - | - | - | - | - | - | - |
| - | - | - | - | - | - | - | - |
| - | - | 12 | - | - | - | - | - |
| - | - | - | - | - | - | - | - |
| … | … | … | … | … | … | … | … |
| - | - | - | - | - | - | - | - |
| - | - | - | - | - | - | - | - |
| - | - | - | - | - | - | - | - |
| - | - | - | - | - | - | - | - |
| - | - | - | - | - | - | - | - |
| - | - | - | - | - | - | - | - |
| - | - | - | - | - | - | - | - |
| - | - | - | - | - | - | - | - |
| - | - | - | - | - | - | - | - |
| - | - | - | - | - | - | - | - |
| - | - | - | - | - | - | - | - |
| - | - | - | - | - | - | - | - |
| - | - | - | 320 | - | - | - | 320 |
| - | - | - | - | - | - | - | - |
| - | - | - | - | - | - | - | - |
| - | - | - | 7 | - | - | - | 7 |
| - | - | - | - | - | - | - | - |
| - | - | - | - | - | - | - | - |
| - | - | 1 | 755 | - | - | - | 755 |
| - | - | - | - | - | - | - | - |
| - | - | - | - | - | - | - | - |
| - | - | - | - | - | - | - | - |
| - | - | - | - | - | - | - | - |
| - | - | - | - | - | - | - | - |
| - | - | - | - | - | - | - | - |
| - | - | - | - | - | - | - | - |
| - | - | - | - | - | - | - | - |
| - | - | - | - | - | - | - | - |
| - | - | - | - | - | - | - | - |
| - | - | - | - | - | - | - | - |
| - | - | - | - | - | - | - | - |
| - | - | - | - | - | - | - | - |
| - | - | - | - | - | - | - | - |
| - | - | - | - | - | - | - | - |
| - | - | - | - | - | - | - | - |
| - | - | - | - | - | - | - | - |
| - | - | - | - | - | - | - | - |
| - | - | - | - | - | - | - | - |
| - | - | - | - | - | - | - | - |
| - | - | - | 320 | - | - | - | 320 |
| - | - | - | - | - | - | - | - |

## 第9表（4－4）保健所及び市区町村が実施した病態別栄養指導の被指導延人員・医療

| | 総　　　　　　数 | | | | | （再　掲）個 | |
| | 総　　数 | 妊　産　婦 | 乳　幼　児 | 20 歳 未 満（妊産婦・乳幼児を 除 く 。） | 20 歳 以 上（妊 産 婦を 除 く 。） | 総　　数 | 妊　産　婦 |
|---|---|---|---|---|---|---|---|
| 中　核　市(再掲) | | | | | | | |
| 旭　　川　　市 | - | - | - | - | - | - | - |
| 函　　館　　市 | - | - | - | - | - | - | - |
| 青　　森　　市 | - | - | - | - | - | - | - |
| 八　　戸　　市 | - | - | - | - | - | - | - |
| 盛　　岡　　市 | - | - | - | - | - | - | - |
| 秋　　田　　市 | - | - | - | - | - | - | - |
| 郡　　山　　市 | - | - | - | - | - | - | - |
| い　わ　き　市 | - | - | - | - | - | - | - |
| 宇　都　宮　市 | - | - | - | - | - | - | - |
| 前　　橋　　市 | - | - | - | - | - | - | - |
| 高　　崎　　市 | - | - | - | - | - | - | - |
| 川　　越　　市 | - | - | - | - | - | - | - |
| 越　　谷　　市 | - | - | - | - | - | - | - |
| 船　　橋　　市 | - | - | - | - | - | - | - |
| 柏　　　　　市 | - | - | - | - | - | - | - |
| 八　王　子　市 | - | - | - | - | - | - | - |
| 横　須　賀　市 | - | - | - | - | - | - | - |
| 富　　山　　市 | - | - | - | - | - | - | - |
| 金　　沢　　市 | - | - | - | - | - | - | - |
| 長　　野　　市 | - | - | - | - | - | - | - |
| 岐　　阜　　市 | - | - | - | - | - | - | - |
| 豊　　橋　　市 | - | - | - | - | - | - | - |
| 豊　　田　　市 | - | - | - | - | - | - | - |
| 岡　　崎　　市 | - | - | - | - | - | - | - |
| 大　　津　　市 | - | - | - | - | - | - | - |
| 高　　槻　　市 | - | - | - | - | - | - | - |
| 東　大　阪　市 | - | - | - | - | - | - | - |
| 豊　　中　　市 | - | - | - | - | - | - | - |
| 枚　　方　　市 | - | - | - | - | - | - | - |
| 姫　　路　　市 | - | - | - | - | - | - | - |
| 西　　宮　　市 | - | - | - | - | - | - | - |
| 尼　　崎　　市 | - | - | - | - | - | - | - |
| 奈　　良　　市 | - | - | - | - | - | - | - |
| 和　歌　山　市 | - | - | - | - | - | - | - |
| 倉　　敷　　市 | - | - | - | - | - | - | - |
| 福　　山　　市 | - | - | - | - | - | - | - |
| 呉　　　　　市 | - | - | - | - | - | - | - |
| 下　　関　　市 | - | - | - | - | - | - | - |
| 高　　松　　市 | - | - | - | - | - | - | - |
| 松　　山　　市 | - | - | - | - | - | - | - |
| 高　　知　　市 | - | - | - | - | - | - | - |
| 久　留　米　市 | - | - | - | - | - | - | - |
| 長　　崎　　市 | - | - | - | - | - | - | - |
| 佐　世　保　市 | - | - | - | - | - | - | - |
| 大　　分　　市 | - | - | - | - | - | - | - |
| 宮　　崎　　市 | - | - | - | - | - | - | - |
| 鹿　児　島　市 | - | - | - | - | - | - | - |
| 那　　覇　　市 | - | - | - | - | - | - | - |
| その他政令市(再掲) | | | | | | | |
| 小　　樽　　市 | - | - | - | - | - | - | - |
| 町　　田　　市 | - | - | - | - | - | - | - |
| 藤　　沢　　市 | - | - | - | - | - | - | - |
| 茅　ヶ　崎　市 | - | - | - | - | - | - | - |
| 四　日　市　市 | - | - | - | - | - | - | - |
| 大　牟　田　市 | - | - | - | - | - | - | - |

## 機関等へ委託した被指導延人員，都道府県－指定都市・特別区－中核市－その他政令市、個別－集団・対象区分別

平成29年度

| 医療機関等へ委託 | | | | | | | | |
|---|---|---|---|---|---|---|---|---|
| 別 | | | 集団 | | | | | |
| 乳幼児 | 20歳未満（妊産婦・乳幼児を除く。） | 20歳以上（妊産婦を除く。） | 総数 | 妊産婦 | 乳幼児 | 20歳未満（妊産婦・乳幼児を除く。） | 20歳以上（妊産婦を除く。） | |
| - | - | - | - | - | - | - | - | |
| - | - | - | - | - | - | - | - | |
| - | - | - | - | - | - | - | - | |
| - | - | - | - | - | - | - | - | |
| - | - | - | - | - | - | - | - | |
| - | - | - | - | - | - | - | - | |
| - | - | - | - | - | - | - | - | |
| - | - | - | - | - | - | - | - | |
| - | - | - | - | - | - | - | - | |
| - | - | - | - | - | - | - | - | |
| - | - | - | - | - | - | - | - | |
| - | - | - | - | - | - | - | - | |
| - | - | - | - | - | - | - | - | |
| - | - | - | - | - | - | - | - | |
| - | - | - | - | - | - | - | - | |
| - | - | - | - | - | - | - | - | |
| - | - | - | - | - | - | - | - | |
| - | - | - | - | - | - | - | - | |
| - | - | - | - | - | - | - | - | |
| - | - | - | - | - | - | - | - | |
| - | - | - | - | - | - | - | - | |
| - | - | - | - | - | - | - | - | |
| - | - | - | - | - | - | - | - | |
| - | - | - | - | - | - | - | - | |
| - | - | - | - | - | - | - | - | |
| - | - | - | - | - | - | - | - | |
| - | - | - | - | - | - | - | - | |
| - | - | - | - | - | - | - | - | |
| - | - | - | - | - | - | - | - | |
| - | - | - | - | - | - | - | - | |
| - | - | - | - | - | - | - | - | |
| - | - | - | - | - | - | - | - | |
| - | - | - | - | - | - | - | - | |
| - | - | - | - | - | - | - | - | |
| - | - | - | - | - | - | - | - | |
| - | - | - | - | - | - | - | - | |
| - | - | - | - | - | - | - | - | |
| - | - | - | - | - | - | - | - | |
| - | - | - | - | - | - | - | - | |
| - | - | - | - | - | - | - | - | |
| - | - | - | - | - | - | - | - | |
| - | - | - | - | - | - | - | - | |
| - | - | - | - | - | - | - | - | |
| - | - | - | - | - | - | - | - | |
| - | - | - | - | - | - | - | - | |
| - | - | - | - | - | - | - | - | |
| - | - | - | - | - | - | - | - | |
| - | - | - | - | - | - | - | - | |
| - | - | - | - | - | - | - | - | |
| - | - | - | - | - | - | - | - | |
| - | - | - | - | - | - | - | - | |
| - | - | - | - | - | - | - | - | |
| - | - | - | - | - | - | - | - | |
| - | - | - | - | - | - | - | - | |
| - | - | - | - | - | - | - | - | |
| - | - | - | - | - | - | - | - | |
| - | - | - | - | - | - | - | - | |
| - | - | - | - | - | - | - | - | |
| - | - | - | - | - | - | - | - | |

# 第10表　保健所及び市区町村が実施した訪問による栄養指導の被指導延人員・医療

| | 総　　　数 | | | | | （再掲）医療機関等へ委託 | | | | |
|---|---|---|---|---|---|---|---|---|---|---|
| | 総　数 | 妊産婦 | 乳幼児 | 20歳未満（妊産婦・乳幼児を除く。） | 20歳以上（妊産婦を除く。） | 総　数 | 妊産婦 | 乳幼児 | 20歳未満（妊産婦・乳幼児を除く。） | 20歳以上（妊産婦を除く。） |
| 全　　国 | 78 789 | 18 047 | 27 996 | 167 | 32 579 | 5 251 | 2 583 | 2 651 | … | 17 |
| 北海道 | 4 219 | 461 | 692 | 27 | 3 039 | - | - | - | - | - |
| 青森 | 668 | 368 | 212 | - | 88 | - | - | - | - | - |
| 岩手 | 711 | 247 | 413 | 2 | 49 | - | - | - | - | - |
| 宮城 | 3 527 | 28 | 1 201 | 10 | 2 288 | - | - | - | - | - |
| 秋田 | 486 | 210 | 220 | - | 56 | - | - | - | - | - |
| 山形 | 304 | 59 | 60 | - | 185 | - | - | - | - | - |
| 福島 | 6 024 | 2 233 | 2 955 | 1 | 835 | 2 | - | - | - | 2 |
| 茨城 | 1 436 | 291 | 180 | - | 965 | - | - | - | - | - |
| 栃木 | 2 119 | 359 | 1 583 | 6 | 171 | - | - | - | - | - |
| 群馬 | 342 | 68 | 116 | - | 158 | - | - | - | - | - |
| 埼玉 | 475 | 89 | 349 | - | 37 | - | - | - | - | - |
| 千葉 | 887 | 194 | 341 | 7 | 345 | - | - | - | - | - |
| 東京 | 713 | 359 | 235 | 2 | 117 | 128 | - | 128 | - | - |
| 神奈川 | 2 740 | 294 | 737 | 17 | 1 692 | - | - | - | - | - |
| 新潟 | 5 292 | 857 | 661 | 1 | 3 773 | - | - | - | - | - |
| 富山 | 582 | 170 | 109 | - | 303 | - | - | - | - | - |
| 石川 | 4 289 | 101 | 4 009 | - | 179 | - | - | - | - | - |
| 福井 | 435 | 164 | 4 | - | 267 | - | - | - | - | - |
| 山梨 | 359 | 172 | 57 | 1 | 129 | - | - | - | - | - |
| 長野 | 3 165 | 105 | 573 | 2 | 2 485 | - | - | - | - | - |
| 岐阜 | 1 650 | 43 | 80 | - | 1 527 | - | - | - | - | - |
| 静岡 | 962 | 17 | 319 | 6 | 620 | - | - | - | - | - |
| 愛知 | 331 | 6 | 109 | 3 | 213 | - | - | - | - | - |
| 三重 | 82 | 2 | 65 | 1 | 14 | - | - | - | - | - |
| 滋賀 | 1 232 | 371 | 754 | 4 | 103 | - | - | - | - | - |
| 京都 | 210 | 2 | 57 | - | 151 | - | - | - | - | - |
| 大阪 | 4 283 | 2 094 | 1 502 | … | 687 | … | … | … | … | … |
| 兵庫 | 1 022 | 260 | 415 | - | 347 | - | - | - | - | - |
| 奈良 | 629 | 260 | 369 | - | - | - | - | - | - | - |
| 和歌山 | 1 026 | 460 | 518 | 2 | 46 | - | - | - | - | - |
| 鳥取 | 101 | 10 | 49 | 1 | 41 | - | - | - | - | - |
| 島根 | 456 | 100 | 73 | - | 283 | - | - | - | - | - |
| 岡山 | 3 852 | 1 539 | 1 494 | 5 | 814 | - | - | - | - | - |
| 広島 | 676 | 169 | 236 | - | 271 | - | - | - | - | - |
| 山口 | 2 176 | 728 | 1 400 | - | 48 | - | - | - | - | - |
| 徳島 | 447 | - | 56 | - | 391 | - | - | - | - | - |
| 香川 | 6 911 | 3 201 | 3 650 | 25 | 35 | 4 798 | 2 430 | 2 368 | - | - |
| 愛媛 | 613 | 159 | 371 | - | 83 | - | - | - | - | - |
| 高知 | 184 | 50 | 70 | - | 64 | - | - | - | - | - |
| 福岡 | 1 940 | 654 | 251 | - | 1 035 | 277 | 137 | 140 | - | - |
| 佐賀 | 705 | 57 | 101 | 1 | 546 | - | - | - | - | - |
| 長崎 | 717 | 21 | 43 | - | 653 | - | - | - | - | - |
| 熊本 | 1 932 | 290 | 393 | 6 | 1 243 | 16 | 1 | - | - | 15 |
| 大分 | 1 012 | 366 | 460 | 1 | 185 | 30 | 15 | 15 | - | - |
| 宮崎 | 2 569 | 98 | 197 | 17 | 2 257 | - | - | - | - | - |
| 鹿児島 | 2 521 | 77 | 19 | 16 | 2 409 | - | - | - | - | - |
| 沖縄 | 1 777 | 184 | 238 | 3 | 1 352 | - | - | - | - | - |
| 指定都市・特別区（再掲） | | | | | | | | | | |
| 東京都区部 | 259 | 2 | 182 | 2 | 73 | 128 | - | 128 | - | - |
| 札幌市 | 3 | - | - | - | 3 | - | - | - | - | - |
| 仙台市 | 1 111 | 7 | 1 087 | - | 17 | - | - | - | - | - |
| さいたま市 | 26 | 5 | 21 | - | - | - | - | - | - | - |
| 千葉市 | 37 | 1 | 35 | - | 1 | - | - | - | - | - |
| 横浜市 | 44 | - | 5 | - | 39 | - | - | - | - | - |
| 川崎市 | 52 | 2 | 40 | - | 10 | - | - | - | - | - |
| 相模原市 | 35 | 1 | 34 | - | - | - | - | - | - | - |
| 新潟市 | - | - | - | - | - | - | - | - | - | - |
| 静岡市 | 3 | - | 3 | - | - | - | - | - | - | - |
| 浜松市 | 99 | 2 | 91 | 6 | - | - | - | - | - | - |
| 名古屋市 | 70 | 2 | 41 | - | 27 | - | - | - | - | - |
| 京都市 | 20 | - | 1 | - | 19 | - | - | - | - | - |
| 大阪市 | 453 | - | 5 | - | 448 | - | - | - | - | - |
| 堺市 | 6 | - | 6 | - | - | - | - | - | - | - |
| 神戸市 | | | | | | | | | | |
| 岡山市 | 11 | 1 | 9 | - | 1 | - | - | - | - | - |
| 広島市 | - | - | 1 | - | - | - | - | - | - | - |
| 北九州市 | 1 | - | 1 | - | - | - | - | - | - | - |
| 福岡市 | | | | | | | | | | |
| 熊本市 | 31 | - | 13 | - | 18 | - | - | - | - | - |

# 機関等へ委託した被指導延人員, 都道府県−指定都市・特別区−中核市−その他政令市、対象区分別

平成29年度

| | 総数 | | | | | （再掲）医療機関等へ委託 | | | | |
|---|---|---|---|---|---|---|---|---|---|---|
| | 総数 | 妊産婦 | 乳幼児 | 20歳未満（妊産婦・乳幼児を除く。） | 20歳以上（妊産婦を除く。） | 総数 | 妊産婦 | 乳幼児 | 20歳未満（妊産婦・乳幼児を除く。） | 20歳以上（妊産婦を除く。） |
| 中核市(再掲) | | | | | | | | | | |
| 旭川市 | 10 | - | 4 | 3 | 3 | - | - | - | - | - |
| 函館市 | - | - | - | - | - | - | - | - | - | - |
| 青森市 | - | - | - | - | - | - | - | - | - | - |
| 八戸市 | 5 | - | 5 | - | - | - | - | - | - | - |
| 盛岡市 | - | - | - | - | - | - | - | - | - | - |
| 秋田市 | 6 | - | 6 | - | - | - | - | - | - | - |
| 郡山市 | 4 | - | 4 | - | - | - | - | - | - | - |
| いわき市 | 102 | - | 2 | - | 100 | - | - | - | - | - |
| 宇都宮市 | 1 364 | 51 | 1 269 | 3 | 41 | - | - | - | - | - |
| 前橋市 | 60 | 22 | 23 | - | 15 | - | - | - | - | - |
| 高崎市 | - | - | - | - | - | - | - | - | - | - |
| 川越市 | - | - | - | - | - | - | - | - | - | - |
| 越谷市 | 2 | - | 2 | - | - | - | - | - | - | - |
| 船橋市 | 43 | 1 | 38 | - | 4 | - | - | - | - | - |
| 柏市 | - | - | - | - | - | - | - | - | - | - |
| 八王子市 | 2 | - | 2 | - | - | - | - | - | - | - |
| 横須賀市 | 32 | - | 16 | 16 | - | - | - | - | - | - |
| 富山市 | 57 | 4 | 44 | - | 9 | - | - | - | - | - |
| 金沢市 | 3 953 | 40 | 3 913 | - | - | - | - | - | - | - |
| 長野市 | 229 | - | - | 1 | 228 | - | - | - | - | - |
| 岐阜市 | - | - | - | - | - | - | - | - | - | - |
| 豊橋市 | 22 | - | 22 | - | - | - | - | - | - | - |
| 豊田市 | - | - | - | - | - | - | - | - | - | - |
| 岡崎市 | 9 | - | 9 | - | - | - | - | - | - | - |
| 大津市 | 1 | - | 1 | - | - | - | - | - | - | - |
| 高槻市 | 17 | - | 17 | - | - | - | - | - | - | - |
| 東大阪市 | - | - | - | - | - | - | - | - | - | - |
| 豊中市 | 3 473 | 2 085 | 1 388 | - | - | - | - | - | - | - |
| 枚方市 | 3 | - | 3 | - | - | - | - | - | - | - |
| 姫路市 | 4 | - | 3 | - | 1 | - | - | - | - | - |
| 西宮市 | 17 | 1 | 15 | - | 1 | - | - | - | - | - |
| 尼崎市 | 1 | - | 1 | - | - | - | - | - | - | - |
| 奈良市 | 25 | - | 25 | - | - | - | - | - | - | - |
| 和歌山市 | - | - | - | - | - | - | - | - | - | - |
| 倉敷市 | 6 | - | 3 | - | 3 | - | - | - | - | - |
| 福山市 | 8 | - | 7 | - | 1 | - | - | - | - | - |
| 呉市 | 14 | - | 14 | - | - | - | - | - | - | - |
| 下関市 | - | - | - | - | - | - | - | - | - | - |
| 高松市 | 5 228 | 2 430 | 2 798 | - | - | 4 772 | 2 404 | 2 368 | - | - |
| 松山市 | - | - | - | - | - | - | - | - | - | - |
| 高知市 | 2 | - | 2 | - | - | - | - | - | - | - |
| 久留米市 | - | - | - | - | - | - | - | - | - | - |
| 長崎市 | 3 | - | 3 | - | - | - | - | - | - | - |
| 佐世保市 | - | - | - | - | - | - | - | - | - | - |
| 大分市 | 70 | 2 | 30 | - | 38 | - | - | - | - | - |
| 宮崎市 | 279 | - | 19 | - | 260 | - | - | - | - | - |
| 鹿児島市 | 1 777 | - | - | - | 1 777 | - | - | - | - | - |
| 那覇市 | 9 | - | 8 | - | 1 | - | - | - | - | - |
| その他政令市(再掲) | | | | | | | | | | |
| 小樽市 | - | - | - | - | - | - | - | - | - | - |
| 町田市 | - | - | - | - | - | - | - | - | - | - |
| 藤沢市 | 19 | - | 19 | - | - | - | - | - | - | - |
| 茅ヶ崎市 | - | - | - | - | - | - | - | - | - | - |
| 四日市市 | 26 | - | 25 | 1 | - | - | - | - | - | - |
| 大牟田市 | - | - | - | - | - | - | - | - | - | - |

# 第11表（4－1）保健所及び市区町村が実施した運動指導の被指導延人員・医療機関

| | 総 | | | | | |
|---|---|---|---|---|---|---|
| | 総数 | | | | 個 | |
| | 総数 | 妊産婦 | 20歳未満（妊産婦・乳幼児を除く。） | 20歳以上（妊産婦を除く。） | 総数 | 妊産婦 |
| **全国** | **1 659 883** | **39 608** | **30 572** | **1 589 703** | **323 763** | **14 742** |
| 北海道 | 132 506 | 1 421 | 1 844 | 129 241 | 21 996 | 946 |
| 青森 | 12 584 | 475 | 751 | 11 358 | 2 236 | 402 |
| 岩手 | 21 821 | 355 | 161 | 21 305 | 1 007 | 193 |
| 宮城 | 23 100 | 677 | 376 | 22 047 | 4 679 | 105 |
| 秋田 | 38 261 | 457 | 3 390 | 34 414 | 464 | 270 |
| 山形 | 17 238 | 548 | 67 | 16 623 | 2 205 | 194 |
| 福島 | 81 115 | 1 709 | 4 758 | 74 648 | 12 940 | 1 517 |
| 茨城 | 33 653 | 1 423 | 1 | 32 229 | 4 404 | 491 |
| 栃木 | 78 327 | 280 | 296 | 77 751 | 51 725 | 151 |
| 群馬 | 62 011 | 600 | 113 | 61 298 | 1 713 | 10 |
| 埼玉 | 50 524 | 1 293 | 628 | 48 603 | 2 298 | 38 |
| 千葉 | 46 760 | 1 998 | 463 | 44 299 | 29 763 | 335 |
| 東京 | 156 581 | 5 479 | 571 | 150 531 | 14 880 | 985 |
| 神奈川 | 49 314 | 6 382 | 1 705 | 41 227 | 8 919 | 3 894 |
| 新潟 | 71 233 | 148 | 701 | 70 384 | 18 430 | – |
| 富山 | 6 661 | 316 | 214 | 6 131 | 620 | 157 |
| 石川 | 2 840 | 198 | – | 2 642 | 378 | 9 |
| 福井 | 7 929 | 142 | 195 | 7 592 | 424 | 69 |
| 山梨 | 15 392 | 1 331 | 8 | 14 053 | 3 798 | 504 |
| 長野 | 64 935 | 388 | 5 259 | 59 288 | 11 431 | 127 |
| 岐阜 | 8 084 | 648 | – | 7 436 | 1 041 | – |
| 静岡 | 35 456 | 1 195 | 1 053 | 33 208 | 1 018 | 10 |
| 愛知 | 29 068 | 1 140 | 2 507 | 25 421 | 11 512 | – |
| 三重 | 19 393 | 263 | 1 | 19 129 | 1 300 | 165 |
| 滋賀 | 2 426 | 229 | 17 | 2 180 | 45 | – |
| 京都 | 4 642 | 446 | 306 | 3 890 | 263 | 86 |
| 大阪 | 26 217 | 514 | 38 | 25 665 | 631 | 19 |
| 兵庫 | 60 089 | 549 | 2 281 | 57 259 | 14 417 | 276 |
| 奈良 | 6 329 | 731 | 190 | 5 408 | 254 | 182 |
| 和歌山 | 16 592 | 145 | 429 | 16 018 | 10 674 | – |
| 鳥取 | 5 668 | 57 | 4 | 5 607 | 295 | 18 |
| 島根 | 14 094 | 34 | 18 | 14 042 | 9 721 | 27 |
| 岡山 | 42 707 | 235 | 382 | 42 090 | 3 200 | 206 |
| 広島 | 53 075 | 238 | 19 | 52 818 | 519 | 10 |
| 山口 | 17 920 | 188 | 235 | 17 497 | 10 303 | 174 |
| 徳島 | 1 654 | 59 | – | 1 595 | 50 | – |
| 香川 | 51 468 | 223 | 193 | 51 052 | 837 | 99 |
| 愛媛 | 35 378 | 534 | 500 | 34 344 | 3 630 | 62 |
| 高知 | 3 221 | 133 | 167 | 2 921 | 1 555 | 90 |
| 福岡 | 82 796 | 1 453 | 268 | 81 075 | 44 564 | 182 |
| 佐賀 | 59 443 | 1 011 | 151 | 58 281 | 1 720 | 465 |
| 長崎 | 4 120 | 6 | 38 | 4 076 | 163 | – |
| 熊本 | 59 987 | 1 909 | 114 | 57 964 | 3 034 | 1 294 |
| 大分 | 6 558 | 380 | 15 | 6 163 | 605 | 319 |
| 宮崎 | 789 | 263 | – | 526 | 123 | 96 |
| 鹿児島 | 31 549 | 1 018 | 44 | 30 487 | 7 330 | 560 |
| 沖縄 | 8 375 | 387 | 101 | 7 887 | 649 | 5 |
| 指定都市・特別区（再掲） | | | | | | |
| 東京都区部 | 53 657 | 4 678 | 571 | 48 408 | 5 232 | 985 |
| 札幌市 | 83 264 | – | – | 83 264 | 6 171 | – |
| 仙台市 | 296 | – | – | 296 | – | – |
| さいたま市 | 982 | – | 214 | 768 | 2 | – |
| 千葉市 | 4 322 | 723 | 29 | 3 570 | – | – |
| 横浜市 | 15 678 | 722 | 128 | 14 828 | 2 485 | – |
| 川崎市 | 3 185 | – | 241 | 2 944 | 189 | – |
| 相模原市 | – | – | – | – | – | – |
| 新潟市 | 296 | – | – | 296 | – | – |
| 静岡市 | – | – | – | – | – | – |
| 浜松市 | 11 | – | 1 | 10 | 11 | – |
| 名古屋市 | – | – | – | – | – | – |
| 京都市 | 987 | – | – | 987 | – | – |
| 大阪市 | 2 198 | 10 | 1 | 2 187 | 16 | 6 |
| 堺市 | 167 | – | – | 167 | – | – |
| 神戸市 | – | – | – | – | – | – |
| 岡山市 | 483 | – | 47 | 436 | – | – |
| 広島市 | 1 508 | – | – | 1 508 | 23 | – |
| 北九州市 | 760 | 650 | – | 110 | 71 | 71 |
| 福岡市 | 2 816 | 19 | – | 2 797 | 178 | – |
| 熊本市 | 45 | – | – | 45 | 30 | – |

## 等へ委託した被指導延人員，都道府県－指定都市・特別区－中核市－その他政令市、個別－集団・対象区分別

平成29年度

| 数 | | | | | |
|---|---|---|---|---|---|
| 別 | | 集団 | | | |
| 20歳未満（妊産婦・乳幼児を除く。） | 20歳以上（妊産婦を除く。） | 総数 | 妊産婦 | 20歳未満（妊産婦・乳幼児を除く。） | 20歳以上（妊産婦を除く。） |
| **4 577** | **304 444** | **1 336 120** | **24 866** | **25 995** | **1 285 259** |
| 527 | 20 523 | 110 510 | 475 | 1 317 | 108 718 |
| 6 | 1 828 | 10 348 | 73 | 745 | 9 530 |
| 34 | 780 | 20 814 | 162 | 127 | 20 525 |
| − | 4 574 | 18 421 | 572 | 376 | 17 473 |
| 3 | 191 | 37 797 | 187 | 3 387 | 34 223 |
| − | 2 011 | 15 033 | 354 | 67 | 14 612 |
| 128 | 11 295 | 68 175 | 192 | 4 630 | 63 353 |
| 1 | 3 912 | 29 249 | 932 | − | 28 317 |
| 12 | 51 562 | 26 602 | 129 | 284 | 26 189 |
| 13 | 1 690 | 60 298 | 590 | 100 | 59 608 |
| − | 2 260 | 48 226 | 1 255 | 628 | 46 343 |
| 177 | 29 251 | 16 997 | 1 663 | 286 | 15 048 |
| 3 | 13 892 | 141 701 | 4 494 | 568 | 136 639 |
| 175 | 4 850 | 40 395 | 2 488 | 1 530 | 36 377 |
| − | 18 430 | 52 803 | 148 | 701 | 51 954 |
| − | 463 | 6 041 | 159 | 214 | 5 668 |
| − | 369 | 2 462 | 189 | − | 2 273 |
| − | 355 | 7 505 | 73 | 195 | 7 237 |
| − | 3 294 | 11 594 | 827 | 8 | 10 759 |
| 97 | 11 207 | 53 504 | 261 | 5 162 | 48 081 |
| − | 1 041 | 7 043 | 648 | − | 6 395 |
| 1 | 1 007 | 34 438 | 1 185 | 1 052 | 32 201 |
| 2 079 | 9 433 | 17 556 | 1 140 | 428 | 15 988 |
| − | 1 135 | 18 093 | 98 | 1 | 17 994 |
| − | 45 | 2 381 | 229 | 17 | 2 135 |
| 5 | 172 | 4 379 | 360 | 301 | 3 718 |
| 1 | 611 | 25 586 | 495 | 37 | 25 054 |
| 252 | 13 889 | 45 672 | 273 | 2 029 | 43 370 |
| − | 72 | 6 075 | 549 | 190 | 5 336 |
| 311 | 10 363 | 5 918 | 145 | 118 | 5 655 |
| − | 277 | 5 373 | 39 | 4 | 5 330 |
| − | 9 694 | 4 373 | 7 | 18 | 4 348 |
| 45 | 2 949 | 39 507 | 29 | 337 | 39 141 |
| 18 | 491 | 52 556 | 228 | 1 | 52 327 |
| 231 | 9 898 | 7 617 | 14 | 4 | 7 599 |
| − | 50 | 1 604 | 59 | − | 1 545 |
| 46 | 692 | 50 631 | 124 | 147 | 50 360 |
| 93 | 3 475 | 31 748 | 472 | 407 | 30 869 |
| 146 | 1 319 | 1 666 | 43 | 21 | 1 602 |
| 47 | 44 335 | 38 232 | 1 271 | 221 | 36 740 |
| 10 | 1 245 | 57 723 | 546 | 141 | 57 036 |
| − | 163 | 3 957 | 6 | 38 | 3 913 |
| 15 | 1 725 | 56 953 | 615 | 99 | 56 239 |
| − | 286 | 5 953 | 61 | 15 | 5 877 |
| − | 27 | 666 | 167 | − | 499 |
| − | 6 770 | 24 219 | 458 | 44 | 23 717 |
| 101 | 543 | 7 726 | 382 | − | 7 344 |
| 3 | 4 244 | 48 425 | 3 693 | 568 | 44 164 |
| − | 6 171 | 77 093 | − | − | 77 093 |
| − | − | 296 | − | − | 296 |
| − | 2 | 980 | − | 214 | 766 |
| − | − | 4 322 | 723 | 29 | 3 570 |
| 10 | 2 475 | 13 193 | 722 | 118 | 12 353 |
| − | 189 | 2 996 | − | 241 | 2 755 |
| − | − | − | − | − | − |
| − | − | 296 | − | − | 296 |
| − | − | − | − | − | − |
| 1 | 10 | − | − | − | − |
| − | − | − | − | − | − |
| − | − | 987 | − | − | 987 |
| − | 10 | 2 182 | 4 | 1 | 2 177 |
| − | − | 167 | − | − | 167 |
| − | − | − | − | − | − |
| − | − | 483 | − | 47 | 436 |
| − | 23 | 1 485 | − | − | 1 485 |
| − | − | 689 | 579 | − | 110 |
| − | 178 | 2 638 | 19 | − | 2 619 |
| − | 30 | 15 | − | − | 15 |

## 第11表（4－2）保健所及び市区町村が実施した運動指導の被指導延人員・医療機関

| | 総 | | | | | |
|---|---|---|---|---|---|---|
| | 総　数 | | | | 個 | |
| | 総　数 | 妊　産　婦 | 20 歳 未 満（妊産婦・乳幼児を除く。） | 20 歳 以 上（妊産婦を除く。） | 総　数 | 妊　産　婦 |
| 中　核　市(再掲) | | | | | | |
| 旭　川　市 | - | - | - | - | - | - |
| 函　館　市 | - | - | - | - | - | - |
| 青　森　市 | - | - | - | - | - | - |
| 八　戸　市 | - | - | - | - | - | - |
| 盛　岡　市 | - | - | - | - | - | - |
| 秋　田　市 | - | - | - | - | - | - |
| 郡　山　市 | 14 | - | - | 14 | - | - |
| い　わ　き　市 | 90 | - | 38 | 52 | - | - |
| 宇　都　宮　市 | 3 230 | 16 | 1 | 3 213 | 48 | 16 |
| 前　橋　市 | 7 477 | - | 113 | 7 364 | 1 249 | - |
| 高　崎　市 | 446 | 400 | - | 46 | - | - |
| 川　越　市 | 3 | - | - | 3 | - | - |
| 越　谷　市 | 3 910 | 244 | - | 3 666 | 143 | - |
| 船　橋　市 | - | - | - | - | - | - |
| 柏　市 | - | - | - | - | - | - |
| 八　王　子　市 | 43 | - | - | 43 | 21 | - |
| 横　須　賀　市 | 3 757 | - | 721 | 3 036 | 69 | - |
| 富　山　市 | - | - | - | - | - | - |
| 金　沢　市 | 128 | 1 | - | 127 | 128 | 1 |
| 長　野　市 | 1 915 | - | - | 1 915 | 22 | - |
| 岐　阜　市 | - | - | - | - | - | - |
| 豊　橋　市 | - | - | - | - | - | - |
| 豊　田　市 | 707 | 370 | - | 337 | - | - |
| 岡　崎　市 | - | - | - | - | - | - |
| 大　津　市 | 252 | - | - | 252 | - | - |
| 高　槻　市 | - | - | - | - | - | - |
| 東　大　阪　市 | 6 368 | 46 | - | 6 322 | - | - |
| 豊　中　市 | - | - | - | - | - | - |
| 枚　方　市 | 60 | - | - | 60 | - | - |
| 姫　路　市 | 68 | - | 3 | 65 | 3 | - |
| 西　宮　市 | 159 | - | - | 159 | - | - |
| 尼　崎　市 | 562 | - | - | 562 | - | - |
| 奈　良　市 | 1 713 | - | 46 | 1 667 | - | - |
| 和　歌　山　市 | 75 | - | - | 75 | - | - |
| 倉　敷　市 | 14 784 | - | - | 14 784 | 2 377 | - |
| 福　山　市 | 28 113 | - | - | 28 113 | - | - |
| 呉　市 | 2 097 | 10 | - | 2 087 | 10 | 10 |
| 下　関　市 | 12 447 | - | 231 | 12 216 | 9 792 | - |
| 高　松　市 | 1 007 | 6 | - | 1 001 | 7 | 6 |
| 松　山　市 | - | - | - | - | - | - |
| 高　知　市 | - | - | - | - | - | - |
| 久　留　米　市 | - | - | - | - | - | - |
| 長　崎　市 | - | - | - | - | - | - |
| 佐　世　保　市 | - | - | - | - | - | - |
| 大　分　市 | 28 | - | - | 28 | - | - |
| 宮　崎　市 | - | - | - | - | - | - |
| 鹿　児　島　市 | 15 869 | - | - | 15 869 | 3 484 | - |
| 那　覇　市 | - | - | - | - | - | - |
| その他政令市(再掲) | | | | | | |
| 小　樽　市 | - | - | - | - | - | - |
| 町　田　市 | 56 | - | - | 56 | - | - |
| 藤　沢　市 | 7 157 | - | 195 | 6 962 | 1 641 | - |
| 茅　ヶ　崎　市 | 24 | - | - | 24 | - | - |
| 四　日　市　市 | 1 548 | - | - | 1 548 | - | - |
| 大　牟　田　市 | - | - | - | - | - | - |

# 等へ委託した被指導延人員，都道府県－指定都市・特別区－中核市－その他政令市、個別－集団・対象区分別

平成29年度

| 数 | | | | | |
|---|---|---|---|---|---|
| 別 | | 集団 | | | |
| 20歳未満（妊産婦・乳幼児を除く。） | 20歳以上（妊産婦を除く。） | 総数 | 妊産婦 | 20歳未満（妊産婦・乳幼児を除く。） | 20歳以上（妊産婦を除く。） |
| - | - | - | - | - | - |
| - | - | - | - | - | - |
| - | - | - | - | - | - |
| - | - | - | - | - | - |
| - | - | - | - | - | - |
| | | | | | |
| - | - | - | - | - | - |
| - | - | 14 | - | - | 14 |
| - | - | 90 | - | 38 | 52 |
| 1 | 31 | 3 182 | - | - | 3 182 |
| 13 | 1 236 | 6 228 | - | 100 | 6 128 |
| | | | | | |
| - | - | 446 | 400 | - | 46 |
| - | - | 3 | - | - | 3 |
| - | 143 | 3 767 | 244 | - | 3 523 |
| - | - | - | - | - | - |
| - | - | - | - | - | - |
| | | | | | |
| - | 21 | 22 | - | - | 22 |
| - | 69 | 3 688 | - | 721 | 2 967 |
| - | - | - | - | - | - |
| - | 127 | - | - | - | - |
| - | 22 | 1 893 | - | - | 1 893 |
| | | | | | |
| - | - | - | - | - | - |
| - | - | - | - | - | - |
| - | - | 707 | 370 | - | 337 |
| - | - | - | - | - | - |
| - | - | 252 | - | - | 252 |
| | | | | | |
| - | - | - | - | - | - |
| - | - | 6 368 | 46 | - | 6 322 |
| - | - | - | - | - | - |
| - | - | 60 | - | - | 60 |
| 3 | - | 65 | - | - | 65 |
| | | | | | |
| - | - | 159 | - | - | 159 |
| - | - | 562 | - | - | 562 |
| - | - | 1 713 | - | 46 | 1 667 |
| - | - | 75 | - | - | 75 |
| - | 2 377 | 12 407 | - | - | 12 407 |
| | | | | | |
| - | - | 28 113 | - | - | 28 113 |
| - | - | 2 087 | - | - | 2 087 |
| 231 | 9 561 | 2 655 | - | - | 2 655 |
| - | 1 | 1 000 | - | - | 1 000 |
| - | - | - | - | - | - |
| | | | | | |
| - | - | - | - | - | - |
| - | - | - | - | - | - |
| - | - | - | - | - | - |
| - | - | - | - | - | - |
| - | - | 28 | - | - | 28 |
| | | | | | |
| - | - | - | - | - | - |
| - | 3 484 | 12 385 | - | - | 12 385 |
| - | - | - | - | - | - |
| | | | | | |
| - | - | - | - | - | - |
| - | - | 56 | - | - | 56 |
| 83 | 1 558 | 5 516 | - | 112 | 5 404 |
| - | - | 24 | - | - | 24 |
| - | - | 1 548 | - | - | 1 548 |
| | | | | | |
| - | - | - | - | - | - |

# 第11表（4－3）保健所及び市区町村が実施した運動指導の被指導延人員・医療機関

| | 総数 | | | | （再掲） | |
|---|---|---|---|---|---|---|
| | 総数 | | | | 個 | |
| | 総数 | 妊産婦 | 20歳未満（妊産婦・乳幼児を除く。） | 20歳以上（妊産婦を除く。） | 総数 | 妊産婦 |
| **全国** | **147 241** | **2 509** | **4 440** | **140 292** | **62 081** | **2 159** |
| 北海道 | 121 | - | - | 121 | 4 | - |
| 青森 | 99 | - | - | 99 | 69 | - |
| 岩手 | - | - | - | - | - | - |
| 宮城 | 56 | 56 | - | - | - | - |
| 秋田 | - | - | - | - | - | - |
| 山形 | 2 057 | - | - | 2 057 | 1 411 | - |
| 福島 | 5 798 | - | 4 251 | 1 547 | 151 | - |
| 茨城 | 15 | - | - | 15 | - | - |
| 栃木 | 47 021 | - | - | 47 021 | 46 759 | - |
| 群馬 | - | - | - | - | - | - |
| 埼玉 | 2 011 | - | - | 2 011 | - | - |
| 千葉 | - | - | - | - | - | - |
| 東京 | 7 340 | - | - | 7 340 | - | - |
| 神奈川 | 1 947 | 1 947 | - | - | 1 947 | 1 947 |
| 新潟 | 450 | - | - | 450 | - | - |
| 富山 | 4 774 | - | - | 4 774 | - | - |
| 石川 | - | - | - | - | - | - |
| 福井 | 60 | - | - | 60 | 14 | - |
| 山梨 | 178 | - | - | 178 | - | - |
| 長野 | 38 | - | - | 38 | 38 | - |
| 岐阜 | - | - | - | - | - | - |
| 静岡 | 1 908 | - | - | 1 908 | - | - |
| 愛知 | 344 | - | - | 344 | 137 | - |
| 三重 | - | - | - | - | - | - |
| 滋賀 | - | - | - | - | - | - |
| 京都 | - | - | - | - | - | - |
| 大阪 | 119 | … | … | 119 | … | … |
| 兵庫 | 12 715 | - | 189 | 12 526 | 9 314 | - |
| 奈良 | 128 | 128 | - | - | 128 | 128 |
| 和歌山 | - | - | - | - | - | - |
| 鳥取 | - | - | - | - | - | - |
| 島根 | - | - | - | - | - | - |
| 岡山 | 4 331 | - | - | 4 331 | 136 | - |
| 広島 | 14 693 | - | - | 14 693 | - | - |
| 山口 | - | - | - | - | - | - |
| 徳島 | - | - | - | - | - | - |
| 香川 | - | - | - | - | - | - |
| 愛媛 | 7 017 | - | - | 7 017 | 133 | - |
| 高知 | - | - | - | - | - | - |
| 福岡 | 2 004 | - | - | 2 004 | 194 | - |
| 佐賀 | 29 631 | - | - | 29 631 | 887 | - |
| 長崎 | - | - | - | - | - | - |
| 熊本 | 1 542 | 84 | - | 1 458 | 759 | 84 |
| 大分 | 550 | - | - | 550 | - | - |
| 宮崎 | - | - | - | - | - | - |
| 鹿児島 | 18 | 18 | - | - | - | - |
| 沖縄 | 276 | 276 | - | - | - | - |
| 指定都市・特別区(再掲) | | | | | | |
| 東京都区部 | - | - | - | - | - | - |
| 札幌市 | - | - | - | - | - | - |
| 仙台市 | - | - | - | - | - | - |
| さいたま市 | - | - | - | - | - | - |
| 千葉市 | - | - | - | - | - | - |
| 横浜市 | - | - | - | - | - | - |
| 川崎市 | - | - | - | - | - | - |
| 相模原市 | - | - | - | - | - | - |
| 新潟市 | - | - | - | - | - | - |
| 静岡市 | - | - | - | - | - | - |
| 浜松市 | - | - | - | - | - | - |
| 名古屋市 | - | - | - | - | - | - |
| 京都市 | - | - | - | - | - | - |
| 大阪市 | - | - | - | - | - | - |
| 堺市 | - | - | - | - | - | - |
| 神戸市 | - | - | - | - | - | - |
| 岡山市 | - | - | - | - | - | - |
| 広島市 | - | - | - | - | - | - |
| 北九州市 | - | - | - | - | - | - |
| 福岡市 | 127 | - | - | 127 | 3 | - |
| 熊本市 | - | - | - | - | - | - |

# 等へ委託した被指導延人員，都道府県－指定都市・特別区－中核市－その他政令市、個別－集団・対象区分別

平成29年度

| 医療機関等へ委託 | | | | | |
|---|---|---|---|---|---|
| 別 | | 集団 | | | |
| 20歳未満（妊産婦・乳幼児を除く。） | 20歳以上（妊産婦を除く。） | 総数 | 妊産婦 | 20歳未満（妊産婦・乳幼児を除く。） | 20歳以上（妊産婦を除く。） |
| **189** | **59 733** | **85 160** | **350** | **4 251** | **80 559** |
| − | 4 | 117 | − | − | 117 |
| − | 69 | 30 | − | − | 30 |
| − | − | − | − | − | − |
| − | − | 56 | 56 | − | − |
| − | − | − | − | − | − |
| − | 1 411 | 646 | − | − | 646 |
| − | 151 | 5 647 | − | 4 251 | 1 396 |
| − | − | 15 | − | − | 15 |
| − | 46 759 | 262 | − | − | 262 |
| − | − | − | − | − | − |
| − | − | 2 011 | − | − | 2 011 |
| − | − | − | − | − | − |
| − | − | 7 340 | − | − | 7 340 |
| − | − | − | − | − | − |
| − | − | 450 | − | − | 450 |
| − | − | 4 774 | − | − | 4 774 |
| − | − | − | − | − | − |
| − | 14 | 46 | − | − | 46 |
| − | − | 178 | − | − | 178 |
| − | 38 | − | − | − | − |
| − | − | − | − | − | − |
| − | − | 1 908 | − | − | 1 908 |
| − | 137 | 207 | − | − | 207 |
| − | − | − | − | − | − |
| − | − | − | − | − | − |
| − | − | − | − | − | − |
| … | … | 119 | … | … | 119 |
| 189 | 9 125 | 3 401 | − | − | 3 401 |
| − | − | − | − | − | − |
| − | − | − | − | − | − |
| − | − | − | − | − | − |
| − | − | − | − | − | − |
| − | 136 | 4 195 | − | − | 4 195 |
| − | − | 14 693 | − | − | 14 693 |
| − | − | − | − | − | − |
| − | − | − | − | − | − |
| − | − | − | − | − | − |
| − | 133 | 6 884 | − | − | 6 884 |
| − | − | − | − | − | − |
| − | 194 | 1 810 | − | − | 1 810 |
| − | 887 | 28 744 | − | − | 28 744 |
| − | − | − | − | − | − |
| − | 675 | 783 | − | − | 783 |
| − | − | 550 | − | − | 550 |
| − | − | − | − | − | − |
| − | − | 18 | 18 | − | − |
| − | − | 276 | 276 | − | − |
| − | − | − | − | − | − |
| − | − | − | − | − | − |
| − | − | − | − | − | − |
| − | − | − | − | − | − |
| − | − | − | − | − | − |
| − | − | − | − | − | − |
| − | − | − | − | − | − |
| − | − | − | − | − | − |
| − | − | − | − | − | − |
| − | − | − | − | − | − |
| − | − | − | − | − | − |
| − | − | − | − | − | − |
| − | − | − | − | − | − |
| − | − | − | − | − | − |
| − | − | − | − | − | − |
| − | − | − | − | − | − |
| − | − | − | − | − | − |
| − | − | − | − | − | − |
| − | − | − | − | − | − |
| − | 3 | 124 | − | − | 124 |
| − | − | − | − | − | − |

## 第11表（4－4）保健所及び市区町村が実施した運動指導の被指導延人員・医療機関

| | 総 | | 数 | | （再　掲） | | |
| --- | --- | --- | --- | --- | --- | --- | --- |
| | | | | | 個 | | |
| | 総　　数 | 妊　産　婦 | 20 歳 未 満<br>（妊産婦・乳幼児<br>を　除　く　。） | 20 歳 以 上<br>（妊　産　婦<br>を　除　く　。） | 総　　数 | | 妊　産　婦 |
| 中 核 市(再掲) | | | | | | | |
| 旭　　川　　市 | － | － | － | － | － | | － |
| 函　館　　市 | － | － | － | － | － | | － |
| 青　森　　市 | － | － | － | － | － | | － |
| 八　戸　　市 | － | － | － | － | － | | － |
| 盛　岡　　市 | － | － | － | － | － | | － |
| 秋　田　　市 | － | － | － | － | － | | － |
| 郡　山　　市 | － | － | － | － | － | | － |
| い　わ　き　市 | － | － | － | － | － | | － |
| 宇　都　宮　市 | － | － | － | － | － | | － |
| 前　橋　　市 | － | － | － | － | － | | － |
| 高　崎　　市 | － | － | － | － | － | | － |
| 川　越　　市 | － | － | － | － | － | | － |
| 越　谷　　市 | － | － | － | － | － | | － |
| 船　橋　　市 | － | － | － | － | － | | － |
| 柏　　　　市 | － | － | － | － | － | | － |
| 八　王　子　市 | － | － | － | － | － | | － |
| 横　須　賀　市 | － | － | － | － | － | | － |
| 富　山　　市 | － | － | － | － | － | | － |
| 金　沢　　市 | － | － | － | － | － | | － |
| 長　野　　市 | － | － | － | － | － | | － |
| 岐　阜　　市 | － | － | － | － | － | | － |
| 豊　橋　　市 | － | － | － | － | － | | － |
| 豊　田　　市 | － | － | － | － | － | | － |
| 岡　崎　　市 | － | － | － | － | － | | － |
| 大　津　　市 | － | － | － | － | － | | － |
| 高　槻　　市 | － | － | － | － | － | | － |
| 東　大　阪　市 | － | － | － | － | － | | － |
| 豊　中　　市 | － | － | － | － | － | | － |
| 枚　方　　市 | － | － | － | － | － | | － |
| 姫　路　　市 | － | － | － | － | － | | － |
| 西　宮　　市 | － | － | － | － | － | | － |
| 尼　崎　　市 | － | － | － | － | － | | － |
| 奈　良　　市 | － | － | － | － | － | | － |
| 和　歌　山　市 | － | － | － | － | － | | － |
| 倉　敷　　市 | 4 097 | － | | 4 097 | 136 | | － |
| 福　山　　市 | － | － | － | － | － | | － |
| 呉　　　　市 | － | － | － | － | － | | － |
| 下　関　　市 | － | － | － | － | － | | － |
| 高　松　　市 | － | － | － | － | － | | － |
| 松　山　　市 | － | － | － | － | － | | － |
| 高　知　　市 | － | － | － | － | － | | － |
| 久　留　米　市 | － | － | － | － | － | | － |
| 長　崎　　市 | － | － | － | － | － | | － |
| 佐　世　保　市 | － | － | － | － | － | | － |
| 大　分　　市 | － | － | － | － | － | | － |
| 宮　崎　　市 | － | － | － | － | － | | － |
| 鹿　児　島　市 | － | － | － | － | － | | － |
| 那　覇　　市 | － | － | － | － | － | | － |
| その他政令市(再掲) | | | | | | | |
| 小　樽　　市 | － | － | － | － | － | | － |
| 町　田　　市 | － | － | － | － | － | | － |
| 藤　沢　　市 | － | － | － | － | － | | － |
| 茅　ヶ　崎　市 | － | － | － | － | － | | － |
| 四　日　市　市 | － | － | － | － | － | | － |
| 大　牟　田　市 | － | － | － | － | － | | － |

## 等へ委託した被指導延人員，都道府県－指定都市・特別区－中核市－その他政令市、個別－集団・対象区分別

平成29年度

| 医療機関等へ委託 | | | | | |
|---|---|---|---|---|---|
| 別 | | 集団 | | | |
| 20歳未満（妊産婦・乳幼児を除く。） | 20歳以上（妊産婦を除く。） | 総数 | 妊産婦 | 20歳未満（妊産婦・乳幼児を除く。） | 20歳以上（妊産婦を除く。） |
| - | - | - | - | - | - |
| - | - | - | - | - | - |
| - | - | - | - | - | - |
| - | - | - | - | - | - |
| - | - | - | - | - | - |
| - | - | - | - | - | - |
| - | - | - | - | - | - |
| - | - | - | - | - | - |
| - | - | - | - | - | - |
| - | - | - | - | - | - |
| - | - | - | - | - | - |
| - | - | - | - | - | - |
| - | - | - | - | - | - |
| - | - | - | - | - | - |
| - | - | - | - | - | - |
| - | - | - | - | - | - |
| - | - | - | - | - | - |
| - | - | - | - | - | - |
| - | - | - | - | - | - |
| - | - | - | - | - | - |
| - | - | - | - | - | - |
| - | - | - | - | - | - |
| - | - | - | - | - | - |
| - | - | - | - | - | - |
| - | - | - | - | - | - |
| - | - | - | - | - | - |
| - | - | - | - | - | - |
| - | - | - | - | - | - |
| - | - | - | - | - | - |
| - | - | - | - | - | - |
| - | - | - | - | - | - |
| - | - | - | - | - | - |
| - | - | - | - | - | - |
| - | - | - | - | - | - |
| - | 136 | 3 961 | - | - | 3 961 |
| - | - | - | - | - | - |
| - | - | - | - | - | - |
| - | - | - | - | - | - |
| - | - | - | - | - | - |
| - | - | - | - | - | - |
| - | - | - | - | - | - |
| - | - | - | - | - | - |
| - | - | - | - | - | - |
| - | - | - | - | - | - |
| - | - | - | - | - | - |
| - | - | - | - | - | - |
| - | - | - | - | - | - |
| - | - | - | - | - | - |
| - | - | - | - | - | - |
| - | - | - | - | - | - |
| - | - | - | - | - | - |
| - | - | - | - | - | - |
| - | - | - | - | - | - |
| - | - | - | - | - | - |

# 第12表（２－１）保健所及び市区町村が実施した病態別運動指導の被指導延人員・医療

| | 総数 | | | | | | | | | | | |
|---|---|---|---|---|---|---|---|---|---|---|---|---|
| | 総数 | | | | 個別 | | | | 集団 | | | |
| | 総数 | 妊産婦 | 20歳未満（妊産婦・乳幼児を除く。） | 20歳以上（妊産婦を除く。） | 総数 | 妊産婦 | 20歳未満（妊産婦・乳幼児を除く。） | 20歳以上（妊産婦を除く。） | 総数 | 妊産婦 | 20歳未満（妊産婦・乳幼児を除く。） | 20歳以上（妊産婦を除く。） |
| **全国** | **62 035** | **867** | **344** | **60 824** | **25 387** | **411** | **57** | **24 919** | **36 648** | **456** | **287** | **35 905** |
| 北海道 | 2 572 | 69 | 6 | 2 497 | 1 525 | 14 | 6 | 1 505 | 1 047 | 55 | － | 992 |
| 青森 | 1 456 | 3 | － | 1 453 | 1 318 | 3 | － | 1 315 | 138 | － | － | 138 |
| 岩手 | 712 | － | － | 712 | 245 | － | － | 245 | 467 | － | － | 467 |
| 宮城 | 2 343 | － | － | 2 343 | 1 923 | － | － | 1 923 | 420 | － | － | 420 |
| 秋田 | 1 605 | － | － | 1 605 | 35 | － | － | 35 | 1 570 | － | － | 1 570 |
| 山形 | 1 621 | － | － | 1 621 | 369 | － | － | 369 | 1 252 | － | － | 1 252 |
| 福島 | 2 331 | － | － | 2 331 | 179 | － | － | 179 | 2 152 | － | － | 2 152 |
| 茨城 | 3 164 | 43 | － | 3 121 | 1 291 | － | － | 1 291 | 1 873 | 43 | － | 1 830 |
| 栃木 | 547 | － | － | 547 | 47 | － | － | 47 | 500 | － | － | 500 |
| 群馬 | 1 480 | 9 | － | 1 471 | 30 | － | － | 30 | 1 450 | 9 | － | 1 441 |
| 埼玉 | 1 990 | － | － | 1 990 | 336 | － | － | 336 | 1 654 | － | － | 1 654 |
| 千葉 | 393 | － | 35 | 358 | 125 | － | 35 | 90 | 268 | － | － | 268 |
| 東京 | 5 677 | 83 | 15 | 5 579 | 3 234 | 16 | 2 | 3 216 | 2 443 | 67 | 13 | 2 363 |
| 神奈川 | 2 683 | － | － | 2 683 | 938 | － | － | 938 | 1 745 | － | － | 1 745 |
| 新潟 | 671 | － | － | 671 | 43 | － | － | 43 | 628 | － | － | 628 |
| 富山 | 71 | － | － | 71 | 63 | － | － | 63 | 8 | － | － | 8 |
| 石川 | 303 | 8 | － | 295 | 17 | 8 | － | 9 | 286 | － | － | 286 |
| 福井 | 46 | － | － | 46 | － | － | － | － | 46 | － | － | 46 |
| 山梨 | 1 410 | 36 | － | 1 374 | 334 | － | － | 334 | 1 076 | 36 | － | 1 040 |
| 長野 | 4 890 | 44 | － | 4 846 | 3 494 | 44 | － | 3 450 | 1 396 | － | － | 1 396 |
| 岐阜 | 1 363 | 9 | － | 1 354 | 440 | － | － | 440 | 923 | 9 | － | 914 |
| 静岡 | 507 | － | 37 | 470 | 77 | － | － | 77 | 430 | － | 37 | 393 |
| 愛知 | 1 341 | － | － | 1 341 | 248 | － | － | 248 | 1 093 | － | － | 1 093 |
| 三重 | 330 | － | － | 330 | 33 | － | － | 33 | 297 | － | － | 297 |
| 滋賀 | 251 | － | － | 251 | － | － | － | － | 251 | － | － | 251 |
| 京都 | 488 | － | － | 488 | 65 | － | － | 65 | 423 | － | － | 423 |
| 大阪 | 884 | … | … | 884 | 94 | … | … | 94 | 790 | … | … | 790 |
| 兵庫 | 4 170 | － | － | 4 170 | 906 | － | － | 906 | 3 264 | － | － | 3 264 |
| 奈良 | 1 285 | － | － | 1 285 | － | － | － | － | 1 285 | － | － | 1 285 |
| 和歌山 | 151 | － | － | 151 | 29 | － | － | 29 | 122 | － | － | 122 |
| 鳥取 | 168 | － | － | 168 | 22 | － | － | 22 | 146 | － | － | 146 |
| 島根 | 34 | － | － | 34 | － | － | － | － | 34 | － | － | 34 |
| 岡山 | 857 | 1 | － | 856 | 144 | 1 | － | 143 | 713 | － | － | 713 |
| 広島 | 936 | － | － | 936 | 101 | － | － | 101 | 835 | － | － | 835 |
| 山口 | 112 | － | － | 112 | 7 | － | － | 7 | 105 | － | － | 105 |
| 徳島 | 429 | － | － | 429 | 30 | － | － | 30 | 399 | － | － | 399 |
| 香川 | 993 | － | 26 | 967 | 130 | － | 10 | 120 | 863 | － | 16 | 847 |
| 愛媛 | 1 180 | － | － | 1 180 | 919 | － | － | 919 | 261 | － | － | 261 |
| 高知 | 23 | － | － | 23 | － | － | － | － | 23 | － | － | 23 |
| 福岡 | 3 994 | － | 225 | 3 769 | 2 736 | － | 4 | 2 732 | 1 258 | － | 221 | 1 037 |
| 佐賀 | 1 685 | 231 | － | 1 454 | 1 281 | 231 | － | 1 050 | 404 | － | － | 404 |
| 長崎 | 77 | － | － | 77 | － | － | － | － | 77 | － | － | 77 |
| 熊本 | 647 | 1 | － | 646 | 450 | 1 | － | 449 | 197 | － | － | 197 |
| 大分 | 912 | － | － | 912 | 55 | － | － | 55 | 857 | － | － | 857 |
| 宮崎 | 372 | 260 | － | 112 | 94 | 93 | － | 1 | 278 | 167 | － | 111 |
| 鹿児島 | 2 649 | 70 | － | 2 579 | 1 894 | － | － | 1 894 | 755 | 70 | － | 685 |
| 沖縄 | 232 | － | － | 232 | 86 | － | － | 86 | 146 | － | － | 146 |
| 指定都市・特別区（再掲） | | | | | | | | | | | | |
| 東京都区部 | 1 734 | 83 | 15 | 1 636 | 382 | 16 | 2 | 364 | 1 352 | 67 | 13 | 1 272 |
| 札幌市 | － | － | － | － | － | － | － | － | － | － | － | － |
| 仙台市 | － | － | － | － | － | － | － | － | － | － | － | － |
| さいたま市 | － | － | － | － | － | － | － | － | － | － | － | － |
| 千葉市 | 12 | － | － | 12 | － | － | － | － | 12 | － | － | 12 |
| 横浜市 | 1 623 | － | － | 1 623 | 115 | － | － | 115 | 1 508 | － | － | 1 508 |
| 川崎市 | － | － | － | － | － | － | － | － | － | － | － | － |
| 相模原市 | － | － | － | － | － | － | － | － | － | － | － | － |
| 新潟市 | － | － | － | － | － | － | － | － | － | － | － | － |
| 静岡市 | － | － | － | － | － | － | － | － | － | － | － | － |
| 浜松市 | 2 | － | － | 2 | 2 | － | － | 2 | － | － | － | － |
| 名古屋市 | － | － | － | － | － | － | － | － | － | － | － | － |
| 京都市 | 136 | － | － | 136 | － | － | － | － | 136 | － | － | 136 |
| 大阪市 | － | － | － | － | － | － | － | － | － | － | － | － |
| 堺市 | － | － | － | － | － | － | － | － | － | － | － | － |
| 神戸市 | － | － | － | － | － | － | － | － | － | － | － | － |
| 岡山市 | 14 | － | － | 14 | － | － | － | － | 14 | － | － | 14 |
| 広島市 | － | － | － | － | － | － | － | － | － | － | － | － |
| 北九州市 | － | － | － | － | － | － | － | － | － | － | － | － |
| 福岡市 | 124 | － | － | 124 | － | － | － | － | 124 | － | － | 124 |
| 熊本市 | 45 | － | － | 45 | 30 | － | － | 30 | 15 | － | － | 15 |

## 機関等へ委託した被指導延人員，都道府県－指定都市・特別区－中核市－その他政令市、個別－集団・対象区分別

平成29年度

| （再掲）医療機関等へ委託 | | | | | | | | | | | |
|---|---|---|---|---|---|---|---|---|---|---|---|
| 総数 | | | | 個別 | | | | 集団 | | | |
| 総数 | 妊産婦 | 20歳未満（妊産婦・乳幼児を除く。） | 20歳以上（妊産婦を除く。） | 総数 | 妊産婦 | 20歳未満（妊産婦・乳幼児を除く。） | 20歳以上（妊産婦を除く。） | 総数 | 妊産婦 | 20歳未満（妊産婦・乳幼児を除く。） | 20歳以上（妊産婦を除く。） |
| 1 747 | … | … | 1 747 | 1 020 | … | … | 1 020 | 727 | … | … | 727 |
| － | － | － | － | － | － | － | － | － | － | － | － |
| 30 | － | － | 30 | － | － | － | － | 30 | － | － | 30 |
| － | － | － | － | － | － | － | － | － | － | － | － |
| － | － | － | － | － | － | － | － | － | － | － | － |
| － | － | － | － | － | － | － | － | － | － | － | － |
| － | － | － | － | － | － | － | － | － | － | － | － |
| － | － | － | － | － | － | － | － | － | － | － | － |
| － | － | － | － | － | － | － | － | － | － | － | － |
| 33 | － | － | 33 | 33 | － | － | 33 | － | － | － | － |
| － | － | － | － | － | － | － | － | － | － | － | － |
| － | － | － | － | － | － | － | － | － | － | － | － |
| － | － | － | － | － | － | － | － | － | － | － | － |
| － | － | － | － | － | － | － | － | － | － | － | － |
| － | － | － | － | － | － | － | － | － | － | － | － |
| － | － | － | － | － | － | － | － | － | － | － | － |
| 8 | － | － | 8 | － | － | － | － | 8 | － | － | 8 |
| － | － | － | － | － | － | － | － | － | － | － | － |
| 46 | － | － | 46 | － | － | － | － | 46 | － | － | 46 |
| － | － | － | － | － | － | － | － | － | － | － | － |
| － | － | － | － | － | － | － | － | － | － | － | － |
| － | － | － | － | － | － | － | － | － | － | － | － |
| － | － | － | － | － | － | － | － | － | － | － | － |
| － | － | － | － | － | － | － | － | － | － | － | － |
| － | － | － | － | － | － | － | － | － | － | － | － |
| － | － | － | － | － | － | － | － | － | － | － | － |
| － | － | － | － | － | － | － | － | － | － | － | － |
| … | … | … | … | … | … | … | … | … | … | … | … |
| 275 | － | － | 275 | 100 | － | － | 100 | 175 | － | － | 175 |
| － | － | － | － | － | － | － | － | － | － | － | － |
| － | － | － | － | － | － | － | － | － | － | － | － |
| － | － | － | － | － | － | － | － | － | － | － | － |
| － | － | － | － | － | － | － | － | － | － | － | － |
| － | － | － | － | － | － | － | － | － | － | － | － |
| － | － | － | － | － | － | － | － | － | － | － | － |
| － | － | － | － | － | － | － | － | － | － | － | － |
| － | － | － | － | － | － | － | － | － | － | － | － |
| － | － | － | － | － | － | － | － | － | － | － | － |
| － | － | － | － | － | － | － | － | － | － | － | － |
| － | － | － | － | － | － | － | － | － | － | － | － |
| 468 | － | － | 468 | － | － | － | － | 468 | － | － | 468 |
| 887 | － | － | 887 | 887 | － | － | 887 | － | － | － | － |
| － | － | － | － | － | － | － | － | － | － | － | － |
| － | － | － | － | － | － | － | － | － | － | － | － |
| － | － | － | － | － | － | － | － | － | － | － | － |
| － | － | － | － | － | － | － | － | － | － | － | － |
| － | － | － | － | － | － | － | － | － | － | － | － |
| － | － | － | － | － | － | － | － | － | － | － | － |
| － | － | － | － | － | － | － | － | － | － | － | － |
| － | － | － | － | － | － | － | － | － | － | － | － |
| － | － | － | － | － | － | － | － | － | － | － | － |
| － | － | － | － | － | － | － | － | － | － | － | － |
| － | － | － | － | － | － | － | － | － | － | － | － |
| － | － | － | － | － | － | － | － | － | － | － | － |
| － | － | － | － | － | － | － | － | － | － | － | － |
| － | － | － | － | － | － | － | － | － | － | － | － |
| － | － | － | － | － | － | － | － | － | － | － | － |
| － | － | － | － | － | － | － | － | － | － | － | － |
| － | － | － | － | － | － | － | － | － | － | － | － |
| － | － | － | － | － | － | － | － | － | － | － | － |
| － | － | － | － | － | － | － | － | － | － | － | － |
| － | － | － | － | － | － | － | － | － | － | － | － |
| － | － | － | － | － | － | － | － | － | － | － | － |
| － | － | － | － | － | － | － | － | － | － | － | － |
| － | － | － | － | － | － | － | － | － | － | － | － |
| － | － | － | － | － | － | － | － | － | － | － | － |
| 124 | － | － | 124 | － | － | － | － | 124 | － | － | 124 |
| － | － | － | － | － | － | － | － | － | － | － | － |

## 第12表（2-2）保健所及び市区町村が実施した病態別運動指導の被指導延人員・医療

| | 総　　数 | | | | | | | | | | | |
| | 総　　数 | | | | 個　　　別 | | | | 集　　　団 | | | |
| | 総　数 | 妊産婦 | 20歳未満（妊産婦・乳幼児を除く。） | 20歳以上（妊産婦を除く。） | 総　数 | 妊産婦 | 20歳未満（妊産婦・乳幼児を除く。） | 20歳以上（妊産婦を除く。） | 総　数 | 妊産婦 | 20歳未満（妊産婦・乳幼児を除く。） | 20歳以上（妊産婦を除く。） |
|---|---|---|---|---|---|---|---|---|---|---|---|---|
| 中　核　市（再掲） | | | | | | | | | | | | |
| 旭　川　市 | - | - | - | - | - | - | - | - | - | - | - | - |
| 函　館　市 | - | - | - | - | - | - | - | - | - | - | - | - |
| 青　森　市 | - | - | - | - | - | - | - | - | - | - | - | - |
| 八　戸　市 | - | - | - | - | - | - | - | - | - | - | - | - |
| 盛　岡　市 | - | - | - | - | - | - | - | - | - | - | - | - |
| 秋　田　市 | - | - | - | - | - | - | - | - | - | - | - | - |
| 郡　山　市 | - | - | - | - | - | - | - | - | - | - | - | - |
| い　わ　き　市 | - | - | - | - | - | - | - | - | - | - | - | - |
| 宇　都　宮　市 | 147 | - | - | 147 | 2 | - | - | 2 | 145 | - | - | 145 |
| 前　橋　市 | 1 076 | - | - | 1 076 | - | - | - | - | 1 076 | - | - | 1 076 |
| 高　崎　市 | - | - | - | - | - | - | - | - | - | - | - | - |
| 川　越　市 | - | - | - | - | - | - | - | - | - | - | - | - |
| 越　谷　市 | 696 | - | - | 696 | 143 | - | - | 143 | 553 | - | - | 553 |
| 船　橋　市 | - | - | - | - | - | - | - | - | - | - | - | - |
| 柏　市 | - | - | - | - | - | - | - | - | - | - | - | - |
| 八　王　子　市 | 21 | - | - | 21 | 21 | - | - | 21 | - | - | - | - |
| 横　須　賀　市 | 30 | - | - | 30 | - | - | - | - | 30 | - | - | 30 |
| 富　山　市 | - | - | - | - | - | - | - | - | - | - | - | - |
| 金　沢　市 | 8 | - | - | 8 | 8 | - | - | 8 | - | - | - | - |
| 長　野　市 | 187 | - | - | 187 | - | - | - | - | 187 | - | - | 187 |
| 岐　阜　市 | - | - | - | - | - | - | - | - | - | - | - | - |
| 豊　橋　市 | - | - | - | - | - | - | - | - | - | - | - | - |
| 豊　田　市 | - | - | - | - | - | - | - | - | - | - | - | - |
| 岡　崎　市 | - | - | - | - | - | - | - | - | - | - | - | - |
| 大　津　市 | - | - | - | - | - | - | - | - | - | - | - | - |
| 高　槻　市 | - | - | - | - | - | - | - | - | - | - | - | - |
| 東　大　阪　市 | 78 | - | - | 78 | - | - | - | - | 78 | - | - | 78 |
| 豊　中　市 | - | - | - | - | - | - | - | - | - | - | - | - |
| 枚　方　市 | - | - | - | - | - | - | - | - | - | - | - | - |
| 姫　路　市 | - | - | - | - | - | - | - | - | - | - | - | - |
| 西　宮　市 | - | - | - | - | - | - | - | - | - | - | - | - |
| 尼　崎　市 | - | - | - | - | - | - | - | - | - | - | - | - |
| 奈　良　市 | 273 | - | - | 273 | - | - | - | - | 273 | - | - | 273 |
| 和　歌　山　市 | - | - | - | - | - | - | - | - | - | - | - | - |
| 倉　敷　市 | 338 | - | - | 338 | - | - | - | - | 338 | - | - | 338 |
| 福　山　市 | - | - | - | - | - | - | - | - | - | - | - | - |
| 呉　市 | 61 | - | - | 61 | - | - | - | - | 61 | - | - | 61 |
| 下　関　市 | 2 | - | - | 2 | 2 | - | - | 2 | - | - | - | - |
| 高　松　市 | - | - | - | - | - | - | - | - | - | - | - | - |
| 松　山　市 | - | - | - | - | - | - | - | - | - | - | - | - |
| 高　知　市 | - | - | - | - | - | - | - | - | - | - | - | - |
| 久　留　米　市 | - | - | - | - | - | - | - | - | - | - | - | - |
| 長　崎　市 | - | - | - | - | - | - | - | - | - | - | - | - |
| 佐　世　保　市 | - | - | - | - | - | - | - | - | - | - | - | - |
| 大　分　市 | - | - | - | - | - | - | - | - | - | - | - | - |
| 宮　崎　市 | - | - | - | - | - | - | - | - | - | - | - | - |
| 鹿　児　島　市 | - | - | - | - | - | - | - | - | - | - | - | - |
| 那　覇　市 | - | - | - | - | - | - | - | - | - | - | - | - |
| その他政令市（再掲） | | | | | | | | | | | | |
| 小　樽　市 | - | - | - | - | - | - | - | - | - | - | - | - |
| 町　田　市 | 28 | - | - | 28 | - | - | - | - | 28 | - | - | 28 |
| 藤　沢　市 | 812 | - | - | 812 | 812 | - | - | 812 | - | - | - | - |
| 茅　ヶ　崎　市 | - | - | - | - | - | - | - | - | - | - | - | - |
| 四　日　市　市 | - | - | - | - | - | - | - | - | - | - | - | - |
| 大　牟　田　市 | - | - | - | - | - | - | - | - | - | - | - | - |

## 機関等へ委託した被指導延人員，都道府県－指定都市・特別区－中核市－その他政令市、個別－集団・対象区分別

平成29年度

| （再掲）医療機関等へ委託 | | | | | | | | | | | |
|---|---|---|---|---|---|---|---|---|---|---|---|
| 総数 | | | | 個別 | | | | 集団 | | | |
| 総数 | 妊産婦 | 20歳未満（妊産婦・乳幼児を除く。） | 20歳以上（妊産婦を除く。） | 総数 | 妊産婦 | 20歳未満（妊産婦・乳幼児を除く。） | 20歳以上（妊産婦を除く。） | 総数 | 妊産婦 | 20歳未満（妊産婦・乳幼児を除く。） | 20歳以上（妊産婦を除く。） |
| – | – | – | – | – | – | – | – | – | – | – | – |
| – | – | – | – | – | – | – | – | – | – | – | – |
| – | – | – | – | – | – | – | – | – | – | – | – |
| – | – | – | – | – | – | – | – | – | – | – | – |
| – | – | – | – | – | – | – | – | – | – | – | – |
| – | – | – | – | – | – | – | – | – | – | – | – |
| – | – | – | – | – | – | – | – | – | – | – | – |
| – | – | – | – | – | – | – | – | – | – | – | – |
| – | – | – | – | – | – | – | – | – | – | – | – |
| – | – | – | – | – | – | – | – | – | – | – | – |
| – | – | – | – | – | – | – | – | – | – | – | – |
| – | – | – | – | – | – | – | – | – | – | – | – |
| – | – | – | – | – | – | – | – | – | – | – | – |
| – | – | – | – | – | – | – | – | – | – | – | – |
| – | – | – | – | – | – | – | – | – | – | – | – |
| – | – | – | – | – | – | – | – | – | – | – | – |
| – | – | – | – | – | – | – | – | – | – | – | – |
| – | – | – | – | – | – | – | – | – | – | – | – |
| – | – | – | – | – | – | – | – | – | – | – | – |
| – | – | – | – | – | – | – | – | – | – | – | – |
| – | – | – | – | – | – | – | – | – | – | – | – |
| – | – | – | – | – | – | – | – | – | – | – | – |
| – | – | – | – | – | – | – | – | – | – | – | – |
| – | – | – | – | – | – | – | – | – | – | – | – |
| – | – | – | – | – | – | – | – | – | – | – | – |
| – | – | – | – | – | – | – | – | – | – | – | – |
| – | – | – | – | – | – | – | – | – | – | – | – |
| – | – | – | – | – | – | – | – | – | – | – | – |
| – | – | – | – | – | – | – | – | – | – | – | – |
| – | – | – | – | – | – | – | – | – | – | – | – |
| – | – | – | – | – | – | – | – | – | – | – | – |
| – | – | – | – | – | – | – | – | – | – | – | – |
| – | – | – | – | – | – | – | – | – | – | – | – |
| – | – | – | – | – | – | – | – | – | – | – | – |
| – | – | – | – | – | – | – | – | – | – | – | – |
| – | – | – | – | – | – | – | – | – | – | – | – |
| – | – | – | – | – | – | – | – | – | – | – | – |
| – | – | – | – | – | – | – | – | – | – | – | – |
| – | – | – | – | – | – | – | – | – | – | – | – |
| – | – | – | – | – | – | – | – | – | – | – | – |
| – | – | – | – | – | – | – | – | – | – | – | – |
| – | – | – | – | – | – | – | – | – | – | – | – |
| – | – | – | – | – | – | – | – | – | – | – | – |
| – | – | – | – | – | – | – | – | – | – | – | – |
| – | – | – | – | – | – | – | – | – | – | – | – |
| – | – | – | – | – | – | – | – | – | – | – | – |
| – | – | – | – | – | – | – | – | – | – | – | – |
| – | – | – | – | – | – | – | – | – | – | – | – |
| – | – | – | – | – | – | – | – | – | – | – | – |
| – | – | – | – | – | – | – | – | – | – | – | – |
| – | – | – | – | – | – | – | – | – | – | – | – |
| – | – | – | – | – | – | – | – | – | – | – | – |
| – | – | – | – | – | – | – | – | – | – | – | – |
| – | – | – | – | – | – | – | – | – | – | – | – |

# 第13表（2－1）保健所及び市区町村が実施した休養指導の被指導延人員・医療機関

| | 総数 | | | | | | | | | | | |
|---|---|---|---|---|---|---|---|---|---|---|---|---|
| | 総数 | | | | 個別 | | | | 集団 | | | |
| | 総数 | 妊産婦 | 20歳未満（妊産婦・乳幼児を除く。） | 20歳以上（妊産婦を除く。） | 総数 | 妊産婦 | 20歳未満（妊産婦・乳幼児を除く。） | 20歳以上（妊産婦を除く。） | 総数 | 妊産婦 | 20歳未満（妊産婦・乳幼児を除く。） | 20歳以上（妊産婦を除く。） |
| 全国 | 109 682 | 53 968 | 6 181 | 49 533 | 55 321 | 38 821 | 322 | 16 178 | 54 361 | 15 147 | 5 859 | 33 355 |
| 北海道 | 4 935 | 2 326 | 13 | 2 596 | 3 494 | 2 145 | - | 1 349 | 1 441 | 181 | 13 | 1 247 |
| 青森 | 1 861 | 1 570 | - | 291 | 1 640 | 1 475 | - | 165 | 221 | 95 | - | 126 |
| 岩手 | 1 349 | 638 | - | 711 | 578 | 573 | - | 5 | 771 | 65 | - | 706 |
| 宮城 | 2 179 | 999 | 64 | 1 116 | 1 218 | 333 | - | 885 | 961 | 666 | 64 | 231 |
| 秋田 | 849 | 484 | 158 | 207 | 327 | 310 | - | 17 | 522 | 174 | 158 | 190 |
| 山形 | 944 | 651 | - | 293 | 648 | 484 | - | 164 | 296 | 167 | - | 129 |
| 福島 | 2 401 | 1 839 | 74 | 488 | 1 842 | 1 761 | 47 | 34 | 559 | 78 | 27 | 454 |
| 茨城 | 2 293 | 1 443 | 1 | 849 | 1 539 | 1 005 | 1 | 533 | 754 | 438 | - | 316 |
| 栃木 | 4 619 | 4 043 | 6 | 570 | 3 988 | 3 882 | 6 | 100 | 631 | 161 | - | 470 |
| 群馬 | 1 865 | 1 156 | 13 | 696 | 1 341 | 1 094 | - | 247 | 524 | 62 | 13 | 449 |
| 埼玉 | 2 074 | 1 428 | - | 646 | 578 | 577 | - | 1 | 1 496 | 851 | - | 645 |
| 千葉 | 460 | 342 | 1 | 117 | 338 | 335 | 1 | 2 | 122 | 7 | - | 115 |
| 東京 | 16 469 | 6 492 | 1 350 | 8 627 | 7 443 | 3 737 | 2 | 3 704 | 9 026 | 2 755 | 1 348 | 4 923 |
| 神奈川 | 10 101 | 5 189 | 26 | 4 886 | 4 503 | 3 921 | 25 | 557 | 5 598 | 1 268 | 1 | 4 329 |
| 新潟 | 839 | 739 | - | 100 | 616 | 616 | - | - | 223 | 123 | - | 100 |
| 富山 | 1 067 | 828 | - | 239 | 723 | 723 | - | - | 344 | 105 | - | 239 |
| 石川 | 5 222 | 5 165 | - | 57 | 5 099 | 5 047 | - | 52 | 123 | 118 | - | 5 |
| 福井 | 165 | 113 | - | 52 | 114 | 113 | - | 1 | 51 | - | - | 51 |
| 山梨 | 1 812 | 1 176 | 178 | 458 | 956 | 621 | - | 335 | 856 | 555 | 178 | 123 |
| 長野 | 1 231 | 790 | 20 | 421 | 990 | 640 | 20 | 330 | 241 | 150 | - | 91 |
| 岐阜 | 1 343 | 1 205 | - | 138 | 576 | 576 | - | - | 767 | 629 | - | 138 |
| 静岡 | 1 366 | 621 | 364 | 381 | 83 | 21 | - | 62 | 1 283 | 600 | 364 | 319 |
| 愛知 | 3 657 | 493 | 2 556 | 608 | - | - | - | - | 3 657 | 493 | 2 556 | 608 |
| 三重 | 1 100 | 607 | 98 | 395 | 270 | 109 | - | 161 | 830 | 498 | 98 | 234 |
| 滋賀 | 604 | 566 | - | 38 | 374 | 374 | - | - | 230 | 192 | - | 38 |
| 京都 | 234 | 162 | - | 72 | 128 | 86 | - | 42 | 106 | 76 | - | 30 |
| 大阪 | 2 582 | 1 432 | … | 1 150 | 531 | 290 | … | 241 | 2 051 | 1 142 | … | 909 |
| 兵庫 | 4 797 | 840 | 646 | 3 311 | 1 286 | 454 | - | 832 | 3 511 | 386 | 646 | 2 479 |
| 奈良 | 1 256 | 1 030 | 144 | 82 | 533 | 451 | - | 82 | 723 | 579 | 144 | - |
| 和歌山 | 120 | 57 | - | 63 | 1 | - | - | 1 | 119 | 57 | - | 62 |
| 鳥取 | 421 | 324 | - | 97 | 399 | 315 | - | 84 | 22 | 9 | - | 13 |
| 島根 | 86 | 34 | 1 | 51 | 48 | 27 | - | 21 | 38 | 7 | 1 | 30 |
| 岡山 | 9 970 | 116 | - | 9 854 | 570 | 116 | - | 454 | 9 400 | - | - | 9 400 |
| 広島 | 11 | 6 | - | 5 | 11 | 6 | - | 5 | - | - | - | - |
| 山口 | 487 | 72 | 231 | 184 | 72 | 70 | - | 2 | 415 | 2 | 231 | 182 |
| 徳島 | 299 | 264 | - | 35 | 234 | 224 | - | 10 | 65 | 40 | - | 25 |
| 香川 | 607 | 430 | 14 | 163 | 324 | 319 | - | 5 | 283 | 111 | 14 | 158 |
| 愛媛 | 1 817 | 35 | 54 | 1 728 | 951 | 32 | 54 | 865 | 866 | 3 | - | 863 |
| 高知 | 1 218 | 148 | 146 | 924 | 1 183 | 113 | 146 | 924 | 35 | 35 | - | - |
| 福岡 | 2 191 | 1 418 | - | 773 | 1 043 | 701 | - | 342 | 1 148 | 717 | - | 431 |
| 佐賀 | 410 | 408 | - | 2 | 319 | 319 | - | - | 91 | 89 | - | 2 |
| 長崎 | 94 | - | - | 94 | - | - | - | - | 94 | - | - | 94 |
| 熊本 | 2 979 | 2 063 | 15 | 901 | 1 650 | 1 443 | 15 | 192 | 1 329 | 620 | - | 709 |
| 大分 | 1 204 | 616 | 5 | 583 | 616 | 515 | 5 | 96 | 588 | 101 | - | 487 |
| 宮崎 | 278 | 278 | - | - | 111 | 111 | - | - | 167 | 167 | - | - |
| 鹿児島 | 7 608 | 3 256 | 3 | 4 349 | 5 956 | 2 681 | - | 3 275 | 1 652 | 575 | 3 | 1 074 |
| 沖縄 | 208 | 76 | - | 132 | 77 | 76 | - | 1 | 131 | - | - | 131 |
| 指定都市・特別区(再掲) | | | | | | | | | | | | |
| 東京都区部 | 14 702 | 5 476 | 1 349 | 7 877 | 6 333 | 3 120 | 1 | 3 212 | 8 369 | 2 356 | 1 348 | 4 665 |
| 札幌市 | - | - | - | - | - | - | - | - | - | - | - | - |
| 仙台市 | - | - | - | - | - | - | - | - | - | - | - | - |
| さいたま市 | 1 | - | - | 1 | 1 | - | - | 1 | - | - | - | - |
| 千葉市 | - | - | - | - | - | - | - | - | - | - | - | - |
| 横浜市 | 3 713 | 174 | 10 | 3 529 | 429 | - | 10 | 419 | 3 284 | 174 | - | 3 110 |
| 川崎市 | 421 | - | 3 | 418 | 43 | - | 3 | 40 | 378 | - | - | 378 |
| 相模原市 | - | - | - | - | - | - | - | - | - | - | - | - |
| 新潟市 | - | - | - | - | - | - | - | - | - | - | - | - |
| 静岡市 | - | - | - | - | - | - | - | - | - | - | - | - |
| 浜松市 | 8 | - | - | 8 | 8 | - | - | 8 | - | - | - | - |
| 名古屋市 | - | - | - | - | - | - | - | - | - | - | - | - |
| 京都市 | 10 | - | - | 10 | 10 | - | - | 10 | - | - | - | - |
| 大阪市 | 430 | 420 | - | 10 | 300 | 290 | - | 10 | 130 | 130 | - | - |
| 堺市 | - | - | - | - | - | - | - | - | - | - | - | - |
| 神戸市 | - | - | - | - | - | - | - | - | - | - | - | - |
| 岡山市 | - | - | - | - | - | - | - | - | - | - | - | - |
| 広島市 | 4 | - | - | 4 | 4 | - | - | 4 | - | - | - | - |
| 北九州市 | 597 | 597 | - | - | 57 | 57 | - | - | 540 | 540 | - | - |
| 福岡市 | 11 | 11 | - | - | 11 | 11 | - | - | - | - | - | - |
| 熊本市 | 15 | - | - | 15 | - | - | - | - | 15 | - | - | 15 |

# 等へ委託した被指導延人員，都道府県－指定都市・特別区－中核市－その他政令市、個別－集団・対象区分別

平成29年度

| | （再掲）医療機関等へ委託 | | | | | | | | | | | |
|---|---|---|---|---|---|---|---|---|---|---|---|---|
| | 総数 | | | | 個別 | | | | 集団 | | | |
| | 総数 | 妊産婦 | 20歳未満（妊産婦・乳幼児を除く。） | 20歳以上（妊産婦を除く。） | 総数 | 妊産婦 | 20歳未満（妊産婦・乳幼児を除く。） | 20歳以上（妊産婦を除く。） | 総数 | 妊産婦 | 20歳未満（妊産婦・乳幼児を除く。） | 20歳以上（妊産婦を除く。） |
| | **3 447** | **2 159** | **…** | **1 288** | **2 647** | **2 159** | **…** | **488** | **800** | **…** | **…** | **800** |
| | 4 | － | － | 4 | 4 | － | － | 4 | － | － | － | － |
| | － | － | － | － | － | － | － | － | － | － | － | － |
| | － | － | － | － | － | － | － | － | － | － | － | － |
| | － | － | － | － | － | － | － | － | － | － | － | － |
| | － | － | － | － | － | － | － | － | － | － | － | － |
| | 133 | － | － | 133 | 133 | － | － | 133 | － | － | － | － |
| | － | － | － | － | － | － | － | － | － | － | － | － |
| | － | － | － | － | － | － | － | － | － | － | － | － |
| | － | － | － | － | － | － | － | － | － | － | － | － |
| | － | － | － | － | － | － | － | － | － | － | － | － |
| | － | － | － | － | － | － | － | － | － | － | － | － |
| | － | － | － | － | － | － | － | － | － | － | － | － |
| | － | － | － | － | － | － | － | － | － | － | － | － |
| | 1 947 | 1 947 | － | － | 1 947 | 1 947 | － | － | － | － | － | － |
| | － | － | － | － | － | － | － | － | － | － | － | － |
| | － | － | － | － | － | － | － | － | － | － | － | － |
| | － | － | － | － | － | － | － | － | － | － | － | － |
| | － | － | － | － | － | － | － | － | － | － | － | － |
| | － | － | － | － | － | － | － | － | － | － | － | － |
| | － | － | － | － | － | － | － | － | － | － | － | － |
| | － | － | － | － | － | － | － | － | － | － | － | － |
| | － | － | － | － | － | － | － | － | － | － | － | － |
| | － | － | － | － | － | － | － | － | － | － | － | － |
| | － | － | － | － | － | － | － | － | － | － | － | － |
| | － | － | － | － | － | － | － | － | － | － | － | － |
| | － | － | － | － | － | － | － | － | － | － | － | － |
| | … | … | … | … | … | … | … | … | … | … | … | … |
| | 83 | － | － | 83 | － | － | － | － | 83 | － | － | 83 |
| | 128 | 128 | － | － | 128 | 128 | － | － | － | － | － | － |
| | － | － | － | － | － | － | － | － | － | － | － | － |
| | － | － | － | － | － | － | － | － | － | － | － | － |
| | － | － | － | － | － | － | － | － | － | － | － | － |
| | 1 068 | － | － | 1 068 | 351 | － | － | 351 | 717 | － | － | 717 |
| | － | － | － | － | － | － | － | － | － | － | － | － |
| | － | － | － | － | － | － | － | － | － | － | － | － |
| | － | － | － | － | － | － | － | － | － | － | － | － |
| | － | － | － | － | － | － | － | － | － | － | － | － |
| | － | － | － | － | － | － | － | － | － | － | － | － |
| | － | － | － | － | － | － | － | － | － | － | － | － |
| | － | － | － | － | － | － | － | － | － | － | － | － |
| | － | － | － | － | － | － | － | － | － | － | － | － |
| | － | － | － | － | － | － | － | － | － | － | － | － |
| | 84 | 84 | － | － | 84 | 84 | － | － | － | － | － | － |
| | － | － | － | － | － | － | － | － | － | － | － | － |
| | － | － | － | － | － | － | － | － | － | － | － | － |
| | － | － | － | － | － | － | － | － | － | － | － | － |
| | － | － | － | － | － | － | － | － | － | － | － | － |
| | | | | | | | | | | | | |
| | | | | | | | | | | | | |
| | － | － | － | － | － | － | － | － | － | － | － | － |
| | － | － | － | － | － | － | － | － | － | － | － | － |
| | － | － | － | － | － | － | － | － | － | － | － | － |
| | － | － | － | － | － | － | － | － | － | － | － | － |
| | － | － | － | － | － | － | － | － | － | － | － | － |
| | － | － | － | － | － | － | － | － | － | － | － | － |
| | － | － | － | － | － | － | － | － | － | － | － | － |
| | － | － | － | － | － | － | － | － | － | － | － | － |
| | － | － | － | － | － | － | － | － | － | － | － | － |
| | － | － | － | － | － | － | － | － | － | － | － | － |
| | － | － | － | － | － | － | － | － | － | － | － | － |
| | － | － | － | － | － | － | － | － | － | － | － | － |
| | － | － | － | － | － | － | － | － | － | － | － | － |
| | － | － | － | － | － | － | － | － | － | － | － | － |
| | － | － | － | － | － | － | － | － | － | － | － | － |
| | － | － | － | － | － | － | － | － | － | － | － | － |
| | － | － | － | － | － | － | － | － | － | － | － | － |
| | － | － | － | － | － | － | － | － | － | － | － | － |
| | － | － | － | － | － | － | － | － | － | － | － | － |
| | － | － | － | － | － | － | － | － | － | － | － | － |
| | － | － | － | － | － | － | － | － | － | － | － | － |

## 第13表（2－2） 保健所及び市区町村が実施した休養指導の被指導延人員・医療機関

| | 総数 | | | | | | | | | | | |
| | 総　数 | | | | 個　別 | | | | 集　団 | | | |
| | 総　数 | 妊産婦 | 20歳未満（妊産婦・乳幼児を除く。） | 20歳以上（妊産婦を除く。） | 総　数 | 妊産婦 | 20歳未満（妊産婦・乳幼児を除く。） | 20歳以上（妊産婦を除く。） | 総　数 | 妊産婦 | 20歳未満（妊産婦・乳幼児を除く。） | 20歳以上（妊産婦を除く。） |
|---|---|---|---|---|---|---|---|---|---|---|---|---|
| 中　核　市(再掲) | | | | | | | | | | | | |
| 旭　川　市 | - | - | - | - | - | - | - | - | - | - | - | - |
| 函　館　市 | - | - | - | - | - | - | - | - | - | - | - | - |
| 青　森　市 | - | - | - | - | - | - | - | - | - | - | - | - |
| 八　戸　市 | - | - | - | - | - | - | - | - | - | - | - | - |
| 盛　岡　市 | - | - | - | - | - | - | - | - | - | - | - | - |
| 秋　田　市 | - | - | - | - | - | - | - | - | - | - | - | - |
| 郡　山　市 | - | - | - | - | - | - | - | - | - | - | - | - |
| い　わ　き　市 | 354 | - | 27 | 327 | - | - | - | - | 354 | - | 27 | 327 |
| 宇　都　宮　市 | 1 624 | 1 510 | 4 | 110 | 1 532 | 1 510 | 4 | 18 | 92 | - | - | 92 |
| 前　橋　市 | 318 | - | 13 | 305 | - | - | - | - | 318 | - | 13 | 305 |
| 高　崎　市 | - | - | - | - | - | - | - | - | - | - | - | - |
| 川　越　市 | - | - | - | - | - | - | - | - | - | - | - | - |
| 越　谷　市 | - | - | - | - | - | - | - | - | - | - | - | - |
| 船　橋　市 | - | - | - | - | - | - | - | - | - | - | - | - |
| 柏　市 | - | - | - | - | - | - | - | - | - | - | - | - |
| 八　王　子　市 | - | - | - | - | - | - | - | - | - | - | - | - |
| 横　須　賀　市 | 6 | - | 1 | 5 | 1 | - | - | 1 | 5 | - | 1 | 4 |
| 富　山　市 | - | - | - | - | - | - | - | - | - | - | - | - |
| 金　沢　市 | 5 029 | 4 977 | - | 52 | 5 029 | 4 977 | - | 52 | - | - | - | - |
| 長　野　市 | - | - | - | - | - | - | - | - | - | - | - | - |
| 岐　阜　市 | - | - | - | - | - | - | - | - | - | - | - | - |
| 豊　橋　市 | - | - | - | - | - | - | - | - | - | - | - | - |
| 豊　田　市 | 707 | 370 | - | 337 | - | - | - | - | 707 | 370 | - | 337 |
| 岡　崎　市 | - | - | - | - | - | - | - | - | - | - | - | - |
| 大　津　市 | - | - | - | - | - | - | - | - | - | - | - | - |
| 高　槻　市 | - | - | - | - | - | - | - | - | - | - | - | - |
| 東　大　阪　市 | 1 093 | 1 012 | - | 81 | - | - | - | - | 1 093 | 1 012 | - | 81 |
| 豊　中　市 | - | - | - | - | - | - | - | - | - | - | - | - |
| 枚　方　市 | - | - | - | - | - | - | - | - | - | - | - | - |
| 姫　路　市 | - | - | - | - | - | - | - | - | - | - | - | - |
| 西　宮　市 | - | - | - | - | - | - | - | - | - | - | - | - |
| 尼　崎　市 | - | - | - | - | - | - | - | - | - | - | - | - |
| 奈　良　市 | - | - | - | - | - | - | - | - | - | - | - | - |
| 和　歌　山　市 | - | - | - | - | - | - | - | - | - | - | - | - |
| 倉　敷　市 | 9 468 | - | - | 9 468 | 351 | - | - | 351 | 9 117 | - | - | 9 117 |
| 福　山　市 | - | - | - | - | - | - | - | - | - | - | - | - |
| 呉　市 | 7 | 6 | - | 1 | 7 | 6 | - | 1 | - | - | - | - |
| 下　関　市 | 365 | - | 183 | 182 | - | - | - | - | 365 | - | 183 | 182 |
| 高　松　市 | 320 | 217 | - | 103 | 222 | 217 | - | 5 | 98 | - | - | 98 |
| 松　山　市 | - | - | - | - | - | - | - | - | - | - | - | - |
| 高　知　市 | - | - | - | - | - | - | - | - | - | - | - | - |
| 久　留　米　市 | - | - | - | - | - | - | - | - | - | - | - | - |
| 長　崎　市 | - | - | - | - | - | - | - | - | - | - | - | - |
| 佐　世　保　市 | - | - | - | - | - | - | - | - | - | - | - | - |
| 大　分　市 | - | - | - | - | - | - | - | - | - | - | - | - |
| 宮　崎　市 | - | - | - | - | - | - | - | - | - | - | - | - |
| 鹿　児　島　市 | 2 531 | - | - | 2 531 | 2 329 | - | - | 2 329 | 202 | - | - | 202 |
| 那　覇　市 | - | - | - | - | - | - | - | - | - | - | - | - |
| その他政令市(再掲) | | | | | | | | | | | | |
| 小　樽　市 | - | - | - | - | - | - | - | - | - | - | - | - |
| 町　田　市 | - | - | - | - | - | - | - | - | - | - | - | - |
| 藤　沢　市 | 105 | - | - | 105 | 52 | - | - | 52 | 53 | - | - | 53 |
| 茅　ヶ　崎　市 | - | - | - | - | - | - | - | - | - | - | - | - |
| 四　日　市　市 | 382 | 362 | - | 20 | 45 | 25 | - | 20 | 337 | 337 | - | - |
| 大　牟　田　市 | - | - | - | - | - | - | - | - | - | - | - | - |

# 等へ委託した被指導延人員，都道府県−指定都市・特別区−中核市−その他政令市、個別−集団・対象区分別

平成29年度

| (再掲) 医 療 機 関 等 へ 委 託 | | | | | | | | | | | |
| 総 | | 数 | | 個 | | | 別 | 集 | | | 団 |
| 総　数 | 妊 産 婦 | 20歳未満（妊産婦・乳幼児を除く。） | 20歳以上（妊産婦を除く。） | 総　数 | 妊 産 婦 | 20歳未満（妊産婦・乳幼児を除く。） | 20歳以上（妊産婦を除く。） | 総　数 | 妊 産 婦 | 20歳未満（妊産婦・乳幼児を除く。） | 20歳以上（妊産婦を除く。） |
|---|---|---|---|---|---|---|---|---|---|---|---|
| – | – | – | – | – | – | – | – | – | – | – | – |
| – | – | – | – | – | – | – | – | – | – | – | – |
| – | – | – | – | – | – | – | – | – | – | – | – |
| – | – | – | – | – | – | – | – | – | – | – | – |
| – | – | – | – | – | – | – | – | – | – | – | – |
| – | – | – | – | – | – | – | – | – | – | – | – |
| – | – | – | – | – | – | – | – | – | – | – | – |
| – | – | – | – | – | – | – | – | – | – | – | – |
| – | – | – | – | – | – | – | – | – | – | – | – |
| – | – | – | – | – | – | – | – | – | – | – | – |
| – | – | – | – | – | – | – | – | – | – | – | – |
| – | – | – | – | – | – | – | – | – | – | – | – |
| – | – | – | – | – | – | – | – | – | – | – | – |
| – | – | – | – | – | – | – | – | – | – | – | – |
| – | – | – | – | – | – | – | – | – | – | – | – |
| – | – | – | – | – | – | – | – | – | – | – | – |
| – | – | – | – | – | – | – | – | – | – | – | – |
| – | – | – | – | – | – | – | – | – | – | – | – |
| – | – | – | – | – | – | – | – | – | – | – | – |
| 1 068 | – | – | 1 068 | 351 | – | – | 351 | 717 | – | – | 717 |
| – | – | – | – | – | – | – | – | – | – | – | – |
| – | – | – | – | – | – | – | – | – | – | – | – |
| – | – | – | – | – | – | – | – | – | – | – | – |
| – | – | – | – | – | – | – | – | – | – | – | – |
| – | – | – | – | – | – | – | – | – | – | – | – |
| – | – | – | – | – | – | – | – | – | – | – | – |
| – | – | – | – | – | – | – | – | – | – | – | – |
| – | – | – | – | – | – | – | – | – | – | – | – |
| – | – | – | – | – | – | – | – | – | – | – | – |
| – | – | – | – | – | – | – | – | – | – | – | – |
| – | – | – | – | – | – | – | – | – | – | – | – |
| – | – | – | – | – | – | – | – | – | – | – | – |
| – | – | – | – | – | – | – | – | – | – | – | – |

# 第14表（2－1） 保健所及び市区町村が実施した禁煙指導の被指導延人員・医療機関

| | 総数 | | | | | | | | | | | |
|---|---|---|---|---|---|---|---|---|---|---|---|---|
| | 総数 | | | | 個別 | | | | 集団 | | | |
| | 総数 | 妊産婦 | 20歳未満（妊産婦・乳幼児を除く。） | 20歳以上（妊産婦を除く。） | 総数 | 妊産婦 | 20歳未満（妊産婦・乳幼児を除く。） | 20歳以上（妊産婦を除く。） | 総数 | 妊産婦 | 20歳未満（妊産婦・乳幼児を除く。） | 20歳以上（妊産婦を除く。） |
| **全国** | **341 901** | **126 570** | **80 131** | **135 200** | **128 449** | **81 429** | **1 034** | **45 986** | **213 452** | **45 141** | **79 097** | **89 214** |
| 北海道 | 8 270 | 3 079 | 2 289 | 2 902 | 3 994 | 2 074 | – | 1 920 | 4 276 | 1 005 | 2 289 | 982 |
| 青森 | 9 115 | 1 796 | 4 291 | 3 028 | 2 179 | 1 689 | – | 490 | 6 936 | 107 | 4 291 | 2 538 |
| 岩手 | 4 081 | 2 801 | 316 | 964 | 2 649 | 2 467 | – | 182 | 1 432 | 334 | 316 | 782 |
| 宮城 | 8 647 | 3 611 | 2 442 | 2 594 | 2 766 | 1 835 | – | 931 | 5 881 | 1 776 | 2 442 | 1 663 |
| 秋田 | 971 | 643 | 143 | 185 | 649 | 474 | – | 175 | 322 | 169 | 143 | 10 |
| 山形 | 10 385 | 3 661 | 1 044 | 5 680 | 4 022 | 3 173 | – | 849 | 6 363 | 488 | 1 044 | 4 831 |
| 福島 | 4 697 | 2 183 | 1 552 | 962 | 2 592 | 2 105 | 47 | 440 | 2 105 | 78 | 1 505 | 522 |
| 茨城 | 19 687 | 2 509 | 2 841 | 14 337 | 3 305 | 1 872 | – | 1 433 | 16 382 | 637 | 2 841 | 12 904 |
| 栃木 | 7 827 | 3 026 | 3 112 | 1 689 | 3 276 | 2 782 | 13 | 481 | 4 551 | 244 | 3 099 | 1 208 |
| 群馬 | 11 558 | 5 084 | 4 889 | 1 585 | 5 173 | 4 639 | 81 | 453 | 6 385 | 445 | 4 808 | 1 132 |
| 埼玉 | 9 447 | 2 952 | 3 170 | 3 325 | 1 008 | 712 | – | 296 | 8 439 | 2 240 | 3 170 | 3 029 |
| 千葉 | 7 201 | 2 335 | 341 | 4 525 | 1 150 | 696 | 54 | 400 | 6 051 | 1 639 | 287 | 4 125 |
| 東京 | 40 109 | 14 229 | 2 875 | 23 005 | 18 904 | 5 827 | 3 | 13 074 | 21 205 | 8 402 | 2 872 | 9 931 |
| 神奈川 | 31 541 | 7 600 | 7 482 | 16 459 | 7 952 | 4 446 | 209 | 3 297 | 23 589 | 3 154 | 7 273 | 13 162 |
| 新潟 | 4 206 | 1 459 | 2 227 | 520 | 1 087 | 722 | – | 365 | 3 119 | 737 | 2 227 | 155 |
| 富山 | 3 449 | 957 | 1 601 | 891 | 262 | 260 | – | 2 | 3 187 | 697 | 1 601 | 889 |
| 石川 | 1 908 | 870 | 101 | 937 | 1 259 | 546 | – | 713 | 649 | 324 | 101 | 224 |
| 福井 | 3 708 | 3 261 | 328 | 119 | 3 372 | 3 261 | – | 111 | 336 | – | 328 | 8 |
| 山梨 | 2 769 | 1 665 | 827 | 277 | 1 455 | 1 269 | – | 186 | 1 314 | 396 | 827 | 91 |
| 長野 | 4 117 | 335 | 655 | 3 127 | 1 351 | 165 | – | 1 186 | 2 766 | 170 | 655 | 1 941 |
| 岐阜 | 5 132 | 2 853 | 1 012 | 1 267 | 1 857 | 1 192 | – | 665 | 3 275 | 1 661 | 1 012 | 602 |
| 静岡 | 25 531 | 9 285 | 9 381 | 6 865 | 10 910 | 7 435 | 22 | 3 453 | 14 621 | 1 850 | 9 359 | 3 412 |
| 愛知 | 11 276 | 7 901 | 2 479 | 896 | 3 921 | 3 749 | – | 172 | 7 355 | 4 152 | 2 479 | 724 |
| 三重 | 5 044 | 3 377 | 583 | 1 084 | 2 754 | 2 558 | – | 196 | 2 290 | 819 | 583 | 888 |
| 滋賀 | 3 257 | 1 302 | 1 281 | 674 | 1 609 | 1 073 | 60 | 476 | 1 648 | 229 | 1 221 | 198 |
| 京都 | 4 213 | 841 | 3 194 | 178 | 926 | 791 | – | 135 | 3 287 | 50 | 3 194 | 43 |
| 大阪 | 20 259 | 5 429 | 1 474 | 13 356 | 10 696 | 3 913 | … | 6 783 | 9 563 | 1 516 | 1 474 | 6 573 |
| 兵庫 | 11 896 | 3 834 | 3 756 | 4 306 | 3 479 | 2 293 | – | 1 186 | 8 417 | 1 541 | 3 756 | 3 120 |
| 奈良 | 3 167 | 1 802 | 324 | 1 041 | 1 893 | 1 214 | 18 | 661 | 1 274 | 588 | 306 | 380 |
| 和歌山 | 7 814 | 170 | 3 263 | 4 381 | 419 | 5 | 50 | 364 | 7 395 | 165 | 3 213 | 4 017 |
| 鳥取 | 1 297 | 936 | 140 | 221 | 1 071 | 898 | – | 173 | 226 | 38 | 140 | 48 |
| 島根 | 691 | 244 | 66 | 381 | 417 | 237 | 32 | 148 | 274 | 7 | 34 | 233 |
| 岡山 | 6 011 | 694 | 936 | 4 381 | 1 001 | 659 | 50 | 292 | 5 010 | 35 | 886 | 4 089 |
| 広島 | 10 141 | 3 517 | 5 533 | 1 091 | 3 566 | 2 781 | 14 | 771 | 6 575 | 736 | 5 519 | 320 |
| 山口 | 2 440 | 1 828 | 231 | 381 | 1 909 | 1 606 | 159 | 144 | 531 | 222 | 72 | 237 |
| 徳島 | 1 598 | 1 245 | 318 | 35 | 1 114 | 1 104 | – | 10 | 484 | 141 | 318 | 25 |
| 香川 | 1 078 | 345 | 344 | 389 | 315 | 146 | – | 169 | 763 | 199 | 344 | 220 |
| 愛媛 | 3 937 | 2 414 | 115 | 1 408 | 3 546 | 2 280 | 54 | 1 212 | 391 | 134 | 61 | 196 |
| 高知 | 952 | 108 | 238 | 606 | 515 | 108 | 147 | 260 | 437 | – | 91 | 346 |
| 福岡 | 3 440 | 2 031 | 397 | 1 012 | 805 | 483 | 4 | 318 | 2 635 | 1 548 | 393 | 694 |
| 佐賀 | 1 861 | 871 | – | 990 | 1 199 | 782 | – | 417 | 662 | 89 | – | 573 |
| 長崎 | 321 | 27 | 17 | 277 | 51 | 27 | 1 | 23 | 270 | – | 16 | 254 |
| 熊本 | 3 217 | 2 261 | 38 | 918 | 1 584 | 1 408 | – | 176 | 1 633 | 853 | 38 | 742 |
| 大分 | 2 840 | 570 | 1 916 | 354 | 570 | 501 | 2 | 67 | 2 270 | 69 | 1 914 | 287 |
| 宮崎 | 608 | 500 | 18 | 90 | 334 | 333 | – | 1 | 274 | 167 | 18 | 89 |
| 鹿児島 | 9 395 | 7 967 | 522 | 906 | 2 872 | 2 677 | – | 195 | 6 523 | 5 290 | 522 | 711 |
| 沖縄 | 792 | 162 | 29 | 601 | 711 | 162 | 14 | 535 | 81 | – | 15 | 66 |
| 指定都市・特別区（再掲） | | | | | | | | | | | | |
| 東京都区部 | 27 093 | 9 617 | 976 | 16 500 | 14 642 | 3 500 | 3 | 11 139 | 12 451 | 6 117 | 973 | 5 361 |
| 札幌市 | – | – | – | – | – | – | – | – | – | – | – | – |
| 仙台市 | 2 101 | 644 | 1 404 | 53 | 13 | – | – | 13 | 2 088 | 644 | 1 404 | 40 |
| さいたま市 | 11 | – | – | 11 | 11 | – | – | 11 | – | – | – | – |
| 千葉市 | 896 | 723 | – | 173 | – | – | – | – | 896 | 723 | – | 173 |
| 横浜市 | 14 136 | 1 485 | 1 049 | 11 602 | 638 | – | – | 638 | 13 498 | 1 485 | 1 049 | 10 964 |
| 川崎市 | 2 624 | 9 | 2 600 | 15 | 24 | 9 | – | 15 | 2 600 | – | 2 600 | – |
| 相模原市 | – | – | – | – | – | – | – | – | – | – | – | – |
| 新潟市 | 450 | – | 450 | – | – | – | – | – | 450 | – | 450 | – |
| 静岡市 | 9 020 | 109 | 8 228 | 683 | 121 | 109 | 5 | 7 | 8 899 | – | 8 223 | 676 |
| 浜松市 | 3 998 | 1 009 | 17 | 2 972 | 2 234 | 126 | 17 | 2 091 | 1 764 | 883 | – | 881 |
| 名古屋市 | – | – | – | – | – | – | – | – | – | – | – | – |
| 京都市 | 12 | – | – | 12 | 11 | – | – | 11 | 1 | – | – | 1 |
| 大阪市 | 1 931 | 770 | 382 | 779 | 1 530 | 757 | – | 773 | 401 | 13 | 382 | 6 |
| 堺市 | – | – | – | – | – | – | – | – | – | – | – | – |
| 神戸市 | – | – | – | – | – | – | – | – | – | – | – | – |
| 岡山市 | 8 | – | – | 8 | – | – | – | – | 8 | – | – | 8 |
| 広島市 | 3 639 | – | 3 441 | 198 | 77 | – | – | 77 | 3 562 | – | 3 441 | 121 |
| 北九州市 | 342 | 342 | – | – | 49 | 49 | – | – | 293 | 293 | – | – |
| 福岡市 | 62 | 30 | – | 32 | 40 | 30 | – | 10 | 22 | – | – | 22 |
| 熊本市 | 21 | – | – | 21 | 2 | – | – | 2 | 19 | – | – | 19 |

## 等へ委託した被指導延人員，都道府県－指定都市・特別区－中核市－その他政令市、個別－集団・対象区分別

平成29年度

| （再掲）医療機関等へ委託 | | | | | | | | | | | |
|---|---|---|---|---|---|---|---|---|---|---|---|
| 総数 | | | | 個別 | | | | 集団 | | | |
| 総数 | 妊産婦 | 20歳未満（妊産婦・乳幼児を除く。） | 20歳以上（妊産婦を除く。） | 総数 | 妊産婦 | 20歳未満（妊産婦・乳幼児を除く。） | 20歳以上（妊産婦を除く。） | 総数 | 妊産婦 | 20歳未満（妊産婦・乳幼児を除く。） | 20歳以上（妊産婦を除く。） |
| **3 648** | **2 842** | **252** | **554** | **3 092** | **2 830** | **1** | **261** | **556** | **12** | **251** | **293** |
| 8 | − | − | 8 | 8 | − | − | 8 | − | − | − | − |
| − | − | − | − | − | − | − | − | − | − | − | − |
| − | − | − | − | − | − | − | − | − | − | − | − |
| − | − | − | − | − | − | − | − | − | − | − | − |
| − | − | − | − | − | − | − | − | − | − | − | − |
| 297 | − | − | 297 | 167 | − | − | 167 | 130 | − | − | 130 |
| − | − | − | − | − | − | − | − | − | − | − | − |
| − | − | − | − | − | − | − | − | − | − | − | − |
| − | − | − | − | − | − | − | − | − | − | − | − |
| − | − | − | − | − | − | − | − | − | − | − | − |
| − | − | − | − | − | − | − | − | − | − | − | − |
| − | − | − | − | − | − | − | − | − | − | − | − |
| − | − | − | − | − | − | − | − | − | − | − | − |
| 1 947 | 1 947 | − | − | 1 947 | 1 947 | − | − | − | − | − | − |
| − | − | − | − | − | − | − | − | − | − | − | − |
| 251 | − | 251 | − | − | − | − | − | 251 | − | 251 | − |
| − | − | − | − | − | − | − | − | − | − | − | − |
| − | − | − | − | − | − | − | − | − | − | − | − |
| − | − | − | − | − | − | − | − | − | − | − | − |
| − | − | − | − | − | − | − | − | − | − | − | − |
| − | − | − | − | − | − | − | − | − | − | − | − |
| 46 | − | − | 46 | − | − | − | − | 46 | − | − | 46 |
| − | − | − | − | − | − | − | − | − | − | − | − |
| − | − | − | − | − | − | − | − | − | − | − | − |
| − | − | − | − | − | − | − | − | − | − | − | − |
| − | − | − | − | − | − | − | − | − | − | − | − |
| … | … | … | … | … | … | … | … | … | … | … | … |
| 95 | − | − | 95 | − | − | − | − | 95 | − | − | 95 |
| 1 | − | 1 | − | 1 | − | 1 | − | − | − | − | − |
| − | − | − | − | − | − | − | − | − | − | − | − |
| − | − | − | − | − | − | − | − | − | − | − | − |
| − | − | − | − | − | − | − | − | − | − | − | − |
| − | − | − | − | − | − | − | − | − | − | − | − |
| 12 | 12 | − | − | − | − | − | − | 12 | 12 | − | − |
| − | − | − | − | − | − | − | − | − | − | − | − |
| − | − | − | − | − | − | − | − | − | − | − | − |
| − | − | − | − | − | − | − | − | − | − | − | − |
| 883 | 883 | − | − | 883 | 883 | − | − | − | − | − | − |
| − | − | − | − | − | − | − | − | − | − | − | − |
| 108 | − | − | 108 | 86 | − | − | 86 | 22 | − | − | 22 |
| − | − | − | − | − | − | − | − | − | − | − | − |
| − | − | − | − | − | − | − | − | − | − | − | − |
| − | − | − | − | − | − | − | − | − | − | − | − |
| − | − | − | − | − | − | − | − | − | − | − | − |
| − | − | − | − | − | − | − | − | − | − | − | − |
| − | − | − | − | − | − | − | − | − | − | − | − |
| − | − | − | − | − | − | − | − | − | − | − | − |
| − | − | − | − | − | − | − | − | − | − | − | − |
| − | − | − | − | − | − | − | − | − | − | − | − |
| − | − | − | − | − | − | − | − | − | − | − | − |
| − | − | − | − | − | − | − | − | − | − | − | − |
| − | − | − | − | − | − | − | − | − | − | − | − |
| − | − | − | − | − | − | − | − | − | − | − | − |
| − | − | − | − | − | − | − | − | − | − | − | − |
| − | − | − | − | − | − | − | − | − | − | − | − |
| − | − | − | − | − | − | − | − | − | − | − | − |
| − | − | − | − | − | − | − | − | − | − | − | − |
| − | − | − | − | − | − | − | − | − | − | − | − |
| − | − | − | − | − | − | − | − | − | − | − | − |
| − | − | − | − | − | − | − | − | − | − | − | − |
| − | − | − | − | − | − | − | − | − | − | − | − |
| − | − | − | − | − | − | − | − | − | − | − | − |
| − | − | − | − | − | − | − | − | − | − | − | − |
| − | − | − | − | − | − | − | − | − | − | − | − |
| − | − | − | − | − | − | − | − | − | − | − | − |
| − | − | − | − | − | − | − | − | − | − | − | − |
| 32 | − | − | 32 | 10 | − | − | 10 | 22 | − | − | 22 |
| − | − | − | − | − | − | − | − | − | − | − | − |

## 第14表（2－2）保健所及び市区町村が実施した禁煙指導の被指導延人員・医療機関

| | 総 | | | | | | | | 数 | | | |
| | 総　　数 | | | | 個　　別 | | | | 集　　団 | | | |
| | 総　　数 | 妊産婦 | 20歳未満（妊産婦・乳幼児を除く。） | 20歳以上（妊産婦を除く。） | 総　　数 | 妊産婦 | 20歳未満（妊産婦・乳幼児を除く。） | 20歳以上（妊産婦を除く。） | 総　　数 | 妊産婦 | 20歳未満（妊産婦・乳幼児を除く。） | 20歳以上（妊産婦を除く。） |
|---|---|---|---|---|---|---|---|---|---|---|---|---|
| 中核市(再掲) | | | | | | | | | | | | |
| 旭川市 | - | - | - | - | - | - | - | - | - | - | - | - |
| 函館市 | 247 | - | - | 247 | 180 | - | - | 180 | 67 | - | - | 67 |
| 青森市 | 5 061 | 44 | 2 394 | 2 623 | 406 | - | - | 406 | 4 655 | 44 | 2 394 | 2 217 |
| 八戸市 | - | - | - | - | - | - | - | - | - | - | - | - |
| 盛岡市 | - | - | - | - | - | - | - | - | - | - | - | - |
| 秋田市 | - | - | - | - | - | - | - | - | - | - | - | - |
| 郡山市 | - | - | - | - | - | - | - | - | - | - | - | - |
| いわき市 | 424 | - | 411 | 13 | 6 | - | - | 6 | 418 | - | 411 | 7 |
| 宇都宮市 | 173 | 173 | - | - | 173 | 173 | - | - | - | - | - | - |
| 前橋市 | 694 | - | 391 | 303 | 66 | - | - | 66 | 628 | - | 391 | 237 |
| 高崎市 | 69 | 69 | - | - | 69 | 69 | - | - | - | - | - | - |
| 川越市 | 246 | 124 | - | 122 | - | - | - | - | 246 | 124 | - | 122 |
| 越谷市 | 439 | 415 | - | 24 | 18 | - | - | 18 | 421 | 415 | - | 6 |
| 船橋市 | - | - | - | - | - | - | - | - | - | - | - | - |
| 柏市 | - | - | - | - | - | - | - | - | - | - | - | - |
| 八王子市 | 416 | - | - | 416 | - | - | - | - | 416 | - | - | 416 |
| 横須賀市 | 371 | - | 322 | 49 | 14 | - | - | 14 | 357 | - | 322 | 35 |
| 富山市 | 1 193 | 603 | - | 590 | - | - | - | - | 1 193 | 603 | - | 590 |
| 金沢市 | 440 | 99 | - | 341 | 440 | 99 | - | 341 | - | - | - | - |
| 長野市 | - | - | - | - | - | - | - | - | - | - | - | - |
| 岐阜市 | - | - | - | - | - | - | - | - | - | - | - | - |
| 豊橋市 | 28 | - | - | 28 | 28 | - | - | 28 | - | - | - | - |
| 豊田市 | 707 | 370 | - | 337 | - | - | - | - | 707 | 370 | - | 337 |
| 岡崎市 | - | - | - | - | - | - | - | - | - | - | - | - |
| 大津市 | 185 | - | 185 | - | - | - | - | - | 185 | - | 185 | - |
| 高槻市 | 900 | 660 | - | 240 | 73 | - | - | 73 | 827 | 660 | - | 167 |
| 東大阪市 | 1 292 | - | 129 | 1 163 | - | - | - | - | 1 292 | - | 129 | 1 163 |
| 豊中市 | - | - | - | - | - | - | - | - | - | - | - | - |
| 枚方市 | 886 | - | - | 886 | 828 | - | - | 828 | 58 | - | - | 58 |
| 姫路市 | - | - | - | - | - | - | - | - | - | - | - | - |
| 西宮市 | 1 375 | 1 157 | 180 | 38 | 80 | 42 | - | 38 | 1 295 | 1 115 | 180 | - |
| 尼崎市 | 199 | 199 | - | - | 199 | 199 | - | - | - | - | - | - |
| 奈良市 | 182 | 62 | - | 120 | 62 | 62 | - | - | 120 | - | - | 120 |
| 和歌山市 | 2 233 | 158 | - | 2 075 | - | - | - | - | 2 233 | 158 | - | 2 075 |
| 倉敷市 | 4 009 | 72 | - | 3 937 | 72 | 72 | - | - | 3 937 | - | - | 3 937 |
| 福山市 | 4 087 | 1 762 | 2 078 | 247 | 1 859 | 1 612 | - | 247 | 2 228 | 150 | 2 078 | - |
| 呉市 | 405 | 405 | - | - | 405 | 405 | - | - | - | - | - | - |
| 下関市 | 250 | - | 159 | 91 | 159 | - | 159 | - | 91 | - | - | 91 |
| 高松市 | 109 | 7 | - | 102 | 7 | 7 | - | - | 102 | - | - | 102 |
| 松山市 | - | - | - | - | - | - | - | - | - | - | - | - |
| 高知市 | 1 | - | - | 1 | 1 | - | - | 1 | - | - | - | - |
| 久留米市 | 926 | 811 | 76 | 39 | 24 | - | 4 | 20 | 902 | 811 | 72 | 19 |
| 長崎市 | - | - | - | - | - | - | - | - | - | - | - | - |
| 佐世保市 | - | - | - | - | - | - | - | - | - | - | - | - |
| 大分市 | 643 | 93 | 550 | - | 93 | 93 | - | - | 550 | - | 550 | - |
| 宮崎市 | - | - | - | - | - | - | - | - | - | - | - | - |
| 鹿児島市 | 5 921 | 5 316 | 11 | 594 | 151 | 140 | - | 11 | 5 770 | 5 176 | 11 | 583 |
| 那覇市 | - | - | - | - | - | - | - | - | - | - | - | - |
| その他政令市(再掲) | | | | | | | | | | | | |
| 小樽市 | - | - | - | - | - | - | - | - | - | - | - | - |
| 町田市 | - | - | - | - | - | - | - | - | - | - | - | - |
| 藤沢市 | 4 621 | 443 | 2 155 | 2 023 | 240 | - | 1 | 239 | 4 381 | 443 | 2 154 | 1 784 |
| 茅ヶ崎市 | 173 | - | - | 173 | 173 | - | - | 173 | - | - | - | - |
| 四日市市 | 695 | 362 | - | 333 | 45 | 25 | - | 20 | 650 | 337 | - | 313 |
| 大牟田市 | - | - | - | - | - | - | - | - | - | - | - | - |

## 等へ委託した被指導延人員，都道府県－指定都市・特別区－中核市－その他政令市、個別－集団・対象区分別

平成29年度

| （再掲）医療機関等へ委託 | | | | | | | | | | | |
|---|---|---|---|---|---|---|---|---|---|---|---|
| 総数 | | | | 個別 | | | | 集団 | | | |
| 総数 | 妊産婦 | 20歳未満（妊産婦・乳幼児を除く。） | 20歳以上（妊産婦を除く。） | 総数 | 妊産婦 | 20歳未満（妊産婦・乳幼児を除く。） | 20歳以上（妊産婦を除く。） | 総数 | 妊産婦 | 20歳未満（妊産婦・乳幼児を除く。） | 20歳以上（妊産婦を除く。） |
| – | – | – | – | – | – | – | – | – | – | – | – |
| – | – | – | – | – | – | – | – | – | – | – | – |
| – | – | – | – | – | – | – | – | – | – | – | – |
| – | – | – | – | – | – | – | – | – | – | – | – |
| – | – | – | – | – | – | – | – | – | – | – | – |
| – | – | – | – | – | – | – | – | – | – | – | – |
| – | – | – | – | – | – | – | – | – | – | – | – |
| – | – | – | – | – | – | – | – | – | – | – | – |
| – | – | – | – | – | – | – | – | – | – | – | – |
| – | – | – | – | – | – | – | – | – | – | – | – |
| – | – | – | – | – | – | – | – | – | – | – | – |
| – | – | – | – | – | – | – | – | – | – | – | – |
| – | – | – | – | – | – | – | – | – | – | – | – |
| – | – | – | – | – | – | – | – | – | – | – | – |
| – | – | – | – | – | – | – | – | – | – | – | – |
| – | – | – | – | – | – | – | – | – | – | – | – |
| – | – | – | – | – | – | – | – | – | – | – | – |
| – | – | – | – | – | – | – | – | – | – | – | – |
| – | – | – | – | – | – | – | – | – | – | – | – |
| – | – | – | – | – | – | – | – | – | – | – | – |
| – | – | – | – | – | – | – | – | – | – | – | – |
| – | – | – | – | – | – | – | – | – | – | – | – |
| – | – | – | – | – | – | – | – | – | – | – | – |
| – | – | – | – | – | – | – | – | – | – | – | – |
| – | – | – | – | – | – | – | – | – | – | – | – |
| – | – | – | – | – | – | – | – | – | – | – | – |
| – | – | – | – | – | – | – | – | – | – | – | – |
| – | – | – | – | – | – | – | – | – | – | – | – |
| – | – | – | – | – | – | – | – | – | – | – | – |
| – | – | – | – | – | – | – | – | – | – | – | – |
| – | – | – | – | – | – | – | – | – | – | – | – |
| – | – | – | – | – | – | – | – | – | – | – | – |
| – | – | – | – | – | – | – | – | – | – | – | – |
| – | – | – | – | – | – | – | – | – | – | – | – |
| – | – | – | – | – | – | – | – | – | – | – | – |
| 12 | 12 | – | – | – | – | – | – | 12 | 12 | – | – |
| – | – | – | – | – | – | – | – | – | – | – | – |
| – | – | – | – | – | – | – | – | – | – | – | – |
| – | – | – | – | – | – | – | – | – | – | – | – |
| – | – | – | – | – | – | – | – | – | – | – | – |
| – | – | – | – | – | – | – | – | – | – | – | – |
| – | – | – | – | – | – | – | – | – | – | – | – |
| – | – | – | – | – | – | – | – | – | – | – | – |
| – | – | – | – | – | – | – | – | – | – | – | – |
| – | – | – | – | – | – | – | – | – | – | – | – |
| – | – | – | – | – | – | – | – | – | – | – | – |
| – | – | – | – | – | – | – | – | – | – | – | – |
| – | – | – | – | – | – | – | – | – | – | – | – |
| – | – | – | – | – | – | – | – | – | – | – | – |
| – | – | – | – | – | – | – | – | – | – | – | – |
| – | – | – | – | – | – | – | – | – | – | – | – |
| – | – | – | – | – | – | – | – | – | – | – | – |
| – | – | – | – | – | – | – | – | – | – | – | – |

# 第15表（4－1）保健所及び市区町村が実施したその他の栄養・運動等指導の被指導延人員・

| | 総 | | | | | | |
|---|---|---|---|---|---|---|---|
| | 総 数 | | | | | 個 | |
| | 総　数 | 妊　産　婦 | 乳　幼　児 | 20 歳 未 満（妊産婦・乳幼児を 除 く。） | 20 歳 以 上（妊 産 婦を 除 く 。） | 総　数 | 妊　産　婦 |
| 全　　　　　国 | 506 299 | 68 918 | 69 539 | 24 944 | 342 898 | 287 974 | 54 006 |
| 北　海　道 | 19 074 | 1 148 | 2 465 | 1 001 | 14 460 | 9 609 | 857 |
| 青　　　森 | 21 057 | 921 | 582 | 621 | 18 933 | 13 324 | 816 |
| 岩　　　手 | 10 477 | 325 | 534 | 228 | 9 390 | 2 108 | 283 |
| 宮　　　城 | 6 666 | 2 022 | 458 | 159 | 4 027 | 2 834 | 1 839 |
| 秋　　　田 | 4 447 | 527 | 609 | 446 | 2 865 | 923 | 318 |
| 山　　　形 | 6 095 | 258 | 1 237 | 230 | 4 370 | 3 014 | 258 |
| 福　　　島 | 48 441 | 28 312 | 16 335 | 1 303 | 2 491 | 37 552 | 28 223 |
| 茨　　　城 | 8 859 | 1 299 | 1 514 | 1 083 | 4 963 | 2 003 | 326 |
| 栃　　　木 | 29 517 | 5 764 | 10 991 | 843 | 11 919 | 25 455 | 5 764 |
| 群　　　馬 | 25 104 | 5 931 | 5 405 | 2 180 | 11 588 | 15 608 | 5 185 |
| 埼　　　玉 | 17 072 | 283 | 533 | 155 | 16 101 | 5 716 | 147 |
| 千　　　葉 | 11 552 | 1 079 | 258 | 516 | 9 699 | 4 564 | 1 028 |
| 東　　　京 | 7 203 | 1 100 | 2 475 | 527 | 3 101 | 3 531 | 26 |
| 神　奈　川 | 19 478 | 4 222 | 189 | 225 | 14 842 | 10 720 | - |
| 新　　　潟 | 9 943 | 34 | 1 410 | 773 | 7 726 | 6 953 | 3 |
| 富　　　山 | 5 156 | 383 | 1 243 | 1 273 | 2 257 | 1 488 | 144 |
| 石　　　川 | 5 096 | 190 | 746 | 4 | 4 156 | 4 605 | 177 |
| 福　　　井 | 5 896 | - | 31 | - | 5 865 | 1 722 | - |
| 山　　　梨 | 6 956 | 687 | 226 | 590 | 5 453 | 3 513 | 104 |
| 長　　　野 | 7 358 | 245 | 203 | 1 931 | 4 979 | 3 008 | 57 |
| 岐　　　阜 | 5 407 | 529 | 28 | 70 | 4 780 | 4 248 | 161 |
| 静　　　岡 | 6 552 | 7 | 48 | 110 | 6 387 | 3 178 | 7 |
| 愛　　　知 | 14 161 | 1 757 | 2 979 | 1 550 | 7 875 | 3 639 | 155 |
| 三　　　重 | 13 080 | 808 | 137 | 462 | 11 673 | 5 713 | 471 |
| 滋　　　賀 | 4 996 | 971 | 1 119 | 200 | 2 706 | 4 471 | 971 |
| 京　　　都 | 6 003 | 23 | 104 | 262 | 5 614 | 5 500 | 23 |
| 大　　　阪 | 25 169 | 158 | 5 238 | 4 | 19 769 | 11 080 | 158 |
| 兵　　　庫 | 15 544 | 1 063 | 1 974 | 927 | 11 580 | 7 844 | 977 |
| 奈　　　良 | 3 909 | 170 | 561 | 819 | 2 359 | 1 971 | 89 |
| 和　歌　山 | 9 901 | 34 | 1 068 | 1 358 | 7 441 | 8 195 | - |
| 鳥　　　取 | 8 194 | 1 324 | - | - | 6 870 | 5 369 | 1 311 |
| 島　　　根 | 5 583 | 128 | 733 | 1 447 | 3 275 | 1 257 | - |
| 岡　　　山 | 35 | 35 | - | - | - | - | - |
| 広　　　島 | 2 883 | 3 | 40 | 159 | 2 681 | 2 666 | 3 |
| 山　　　口 | 8 347 | 126 | 863 | 2 259 | 5 099 | 4 098 | 87 |
| 徳　　　島 | 1 753 | 1 | - | 116 | 1 636 | 1 130 | 1 |
| 香　　　川 | 8 943 | 1 187 | 1 258 | 373 | 6 125 | 4 981 | 1 034 |
| 愛　　　媛 | 5 570 | - | 258 | 18 | 5 294 | 3 363 | - |
| 高　　　知 | 4 665 | 29 | 27 | 29 | 4 580 | 663 | 18 |
| 福　　　岡 | 14 028 | 1 747 | 286 | 103 | 11 892 | 6 352 | 234 |
| 佐　　　賀 | 15 878 | 92 | 279 | 21 | 15 486 | 12 958 | 92 |
| 長　　　崎 | 9 623 | 38 | 1 | 221 | 9 363 | 8 893 | 38 |
| 熊　　　本 | 11 971 | 640 | 3 096 | 74 | 8 161 | 6 093 | 59 |
| 大　　　分 | 11 618 | 547 | 497 | 66 | 10 508 | 3 103 | 440 |
| 宮　　　崎 | 4 156 | 895 | - | 176 | 3 085 | 3 408 | 895 |
| 鹿　児　島 | 8 024 | 1 734 | 1 451 | 21 | 4 818 | 6 059 | 1 197 |
| 沖　　　縄 | 4 859 | 142 | 50 | 11 | 4 656 | 3 492 | 30 |
| 指定都市・特別区(再掲) | | | | | | | |
| 東 京 都 区 部 | 2 545 | 799 | - | - | 1 746 | 690 | - |
| 札　幌　市 | 1 823 | - | - | - | 1 823 | 124 | - |
| 仙　台　市 | 2 502 | - | - | - | 2 502 | 104 | - |
| さいたま市 | 655 | - | - | 140 | 515 | 270 | - |
| 千　葉　市 | - | - | - | - | - | - | - |
| 横　浜　市 | 10 636 | 3 283 | - | - | 7 353 | 5 547 | - |
| 川　崎　市 | 176 | - | - | 176 | - | - | - |
| 相 模 原 市 | - | - | - | - | - | - | - |
| 新　潟　市 | 392 | - | - | - | 392 | - | - |
| 静　岡　市 | - | - | - | - | - | - | - |
| 浜　松　市 | 356 | 7 | 21 | 9 | 319 | 356 | 7 |
| 名 古 屋 市 | - | - | - | - | - | - | - |
| 京　都　市 | 23 | - | - | - | 23 | 23 | - |
| 大　阪　市 | - | - | - | - | - | - | - |
| 堺　　　市 | - | - | - | - | - | - | - |
| 神　戸　市 | - | - | - | - | - | - | - |
| 岡　山　市 | - | - | - | - | - | - | - |
| 広　島　市 | - | - | - | - | - | - | - |
| 北 九 州 市 | 1 505 | 1 505 | - | - | - | 170 | 170 |
| 福　岡　市 | 151 | - | - | - | 151 | 109 | - |
| 熊　本　市 | 30 | - | - | - | 30 | 30 | - |

## 医療機関等へ委託した被指導延人員，都道府県－指定都市・特別区－中核市－その他政令市、個別－集団・対象区分別

平成29年度

| 数 | | | | | | | | |
|---|---|---|---|---|---|---|---|---|
| 別 | | | 集団 | | | | | |
| 乳幼児 | 20歳未満（妊産婦・乳幼児を除く。） | 20歳以上（妊産婦を除く。） | 総数 | 妊産婦 | 乳幼児 | 20歳未満（妊産婦・乳幼児を除く。） | 20歳以上（妊産婦を除く。） |
| **44 110** | **2 958** | **186 900** | **218 325** | **14 912** | **25 429** | **21 986** | **155 998** |
| 1 797 | 69 | 6 886 | 9 465 | 291 | 668 | 932 | 7 574 |
| 173 | 131 | 12 204 | 7 733 | 105 | 409 | 490 | 6 729 |
| 382 | 16 | 1 427 | 8 369 | 42 | 152 | 212 | 7 963 |
| 278 | 1 | 716 | 3 832 | 183 | 180 | 158 | 3 311 |
| 231 | - | 374 | 3 524 | 209 | 378 | 446 | 2 491 |
| 1 224 | 110 | 1 422 | 3 081 | - | 13 | 120 | 2 948 |
| 7 381 | 371 | 1 577 | 10 889 | 89 | 8 954 | 932 | 914 |
| 596 | 3 | 1 078 | 6 856 | 973 | 918 | 1 080 | 3 885 |
| 10 991 | 753 | 7 947 | 4 062 | - | - | 90 | 3 972 |
| 5 118 | 193 | 5 112 | 9 496 | 746 | 287 | 1 987 | 6 476 |
| 496 | 85 | 4 988 | 11 356 | 136 | 37 | 70 | 11 113 |
| 4 | 255 | 3 277 | 6 988 | 51 | 254 | 261 | 6 422 |
| 2 367 | 3 | 1 135 | 3 672 | 1 074 | 108 | 524 | 1 966 |
| 189 | 49 | 10 482 | 8 758 | 4 222 | - | 176 | 4 360 |
| 1 100 | 146 | 5 704 | 2 990 | 31 | 310 | 627 | 2 022 |
| 509 | - | 835 | 3 668 | 239 | 734 | 1 273 | 1 422 |
| 693 | 4 | 3 731 | 491 | 13 | 53 | - | 425 |
| - | - | 1 722 | 4 174 | - | 31 | - | 4 143 |
| 53 | - | 3 356 | 3 443 | 583 | 173 | 590 | 2 097 |
| 61 | 36 | 2 854 | 4 350 | 188 | 142 | 1 895 | 2 125 |
| - | - | 4 087 | 1 159 | 368 | 28 | 70 | 693 |
| 21 | 9 | 3 141 | 3 374 | - | 27 | 101 | 3 246 |
| 1 | 27 | 3 456 | 10 522 | 1 602 | 2 978 | 1 523 | 4 419 |
| 137 | 186 | 4 919 | 7 367 | 337 | - | 276 | 6 754 |
| 929 | 62 | 2 509 | 525 | - | 190 | 138 | 197 |
| 104 | 21 | 5 352 | 503 | - | - | 241 | 262 |
| 2 116 | 1 | 8 805 | 14 089 | … | 3 122 | 3 | 10 964 |
| 535 | 1 | 6 331 | 7 700 | 86 | 1 439 | 926 | 5 249 |
| 179 | 62 | 1 641 | 1 938 | 81 | 382 | 757 | 718 |
| 1 068 | 35 | 7 092 | 1 706 | 34 | - | 1 323 | 349 |
| - | - | 4 058 | 2 825 | 13 | - | - | 2 812 |
| - | 5 | 1 252 | 4 326 | 128 | 733 | 1 442 | 2 023 |
| - | - | - | 35 | 35 | - | - | - |
| 7 | 4 | 2 652 | 217 | - | 33 | 155 | 29 |
| 620 | 1 | 3 390 | 4 249 | 39 | 243 | 2 258 | 1 709 |
| - | 31 | 1 098 | 623 | - | - | 85 | 538 |
| 1 008 | 68 | 2 871 | 3 962 | 153 | 250 | 305 | 3 254 |
| - | - | 3 363 | 2 207 | - | 258 | 18 | 1 931 |
| 24 | 3 | 618 | 4 002 | 11 | 3 | 26 | 3 962 |
| 17 | 3 | 6 098 | 7 676 | 1 513 | 269 | 100 | 5 794 |
| 279 | 21 | 12 566 | 2 920 | - | - | - | 2 920 |
| 1 | 181 | 8 673 | 730 | - | - | 40 | 690 |
| 2 035 | - | 3 999 | 5 878 | 581 | 1 061 | 74 | 4 162 |
| 318 | 1 | 2 344 | 8 515 | 107 | 179 | 65 | 8 164 |
| - | - | 2 513 | 748 | - | - | 176 | 572 |
| 1 054 | - | 3 808 | 1 965 | 537 | 397 | 21 | 1 010 |
| 14 | 11 | 3 437 | 1 367 | 112 | 36 | - | 1 219 |
| - | - | 690 | 1 855 | 799 | - | - | 1 056 |
| - | - | 124 | 1 699 | - | - | - | 1 699 |
| - | - | 104 | 2 398 | - | - | - | 2 398 |
| - | 70 | 200 | 385 | - | - | 70 | 315 |
| - | - | - | - | - | - | - | - |
| - | - | 5 547 | 5 089 | 3 283 | - | - | 1 806 |
| - | - | - | 176 | - | - | 176 | - |
| - | - | - | - | - | - | - | - |
| - | - | - | 392 | - | - | - | 392 |
| - | - | - | - | - | - | - | - |
| 21 | 9 | 319 | - | - | - | - | - |
| - | - | - | - | - | - | - | - |
| - | - | 23 | - | - | - | - | - |
| - | - | - | - | - | - | - | - |
| - | - | - | - | - | - | - | - |
| - | - | - | - | - | - | - | - |
| - | - | - | - | - | - | - | - |
| - | - | - | - | - | - | - | - |
| - | - | - | 1 335 | 1 335 | - | - | - |
| - | - | 109 | 42 | - | - | - | 42 |
| - | - | 30 | - | - | - | - | - |

# 第15表（4－2）保健所及び市区町村が実施したその他の栄養・運動等指導の被指導延人員・

| | 総 | | | | | | |
|---|---|---|---|---|---|---|---|
| | 総数 | | | | | 個 | |
| | 総数 | 妊産婦 | 乳幼児 | 20歳未満（妊産婦・乳幼児を除く。） | 20歳以上（妊産婦を除く。） | 総数 | 妊産婦 |
| 中核市(再掲) | | | | | | | |
| 旭川市 | - | - | - | - | - | - | - |
| 函館市 | 341 | - | - | - | 341 | 341 | - |
| 青森市 | - | - | - | - | - | - | - |
| 八戸市 | - | - | - | - | - | - | - |
| 盛岡市 | - | - | - | - | - | - | - |
| 秋田市 | - | - | - | - | - | - | - |
| 郡山市 | - | - | - | - | - | - | - |
| いわき市 | 858 | - | 19 | 222 | 617 | 858 | - |
| 宇都宮市 | 18 860 | 5 709 | 10 343 | 741 | 2 067 | 17 626 | 5 709 |
| 前橋市 | 8 485 | 2 | 11 | 2 166 | 6 306 | 1 534 | 2 |
| 高崎市 | - | - | - | - | - | - | - |
| 川越市 | - | - | - | - | - | - | - |
| 越谷市 | 2 000 | - | 37 | - | 1 963 | 518 | - |
| 船橋市 | - | - | - | - | - | - | - |
| 柏市 | - | - | - | - | - | - | - |
| 八王子市 | 117 | - | - | - | 117 | - | - |
| 横須賀市 | 84 | - | - | - | 84 | 20 | - |
| 富山市 | - | - | - | - | - | - | - |
| 金沢市 | 3 351 | 104 | 455 | - | 2 792 | 3 351 | 104 |
| 長野市 | - | - | - | - | - | - | - |
| 岐阜市 | 11 | - | - | - | 11 | 11 | - |
| 豊橋市 | 63 | - | - | - | 63 | 63 | - |
| 豊田市 | 745 | 371 | 372 | - | 2 | - | - |
| 岡崎市 | - | - | - | - | - | - | - |
| 大津市 | - | - | - | - | - | - | - |
| 高槻市 | - | - | - | - | - | - | - |
| 東大阪市 | 33 | - | 17 | - | 16 | - | - |
| 豊中市 | - | - | - | - | - | - | - |
| 枚方市 | 789 | - | - | - | 789 | 789 | - |
| 姫路市 | - | - | - | - | - | - | - |
| 西宮市 | - | - | - | - | - | - | - |
| 尼崎市 | - | - | - | - | - | - | - |
| 奈良市 | 1 824 | - | - | 613 | 1 211 | 940 | - |
| 和歌山市 | 1 393 | - | - | - | 1 393 | 1 393 | - |
| 倉敷市 | - | - | - | - | - | - | - |
| 福山市 | 92 | - | - | - | 92 | 92 | - |
| 呉市 | 45 | 3 | 40 | - | 2 | 12 | 3 |
| 下関市 | 304 | - | - | 1 | 303 | 304 | - |
| 高松市 | 1 750 | 862 | 841 | 3 | 44 | 1 730 | 862 |
| 松山市 | - | - | - | - | - | - | - |
| 高知市 | - | - | - | - | - | - | - |
| 久留米市 | 276 | - | - | - | 276 | 276 | - |
| 長崎市 | - | - | - | - | - | - | - |
| 佐世保市 | - | - | - | - | - | - | - |
| 大分市 | - | - | - | - | - | - | - |
| 宮崎市 | 149 | - | - | 149 | - | - | - |
| 鹿児島市 | 3 004 | 1 179 | 1 054 | 11 | 760 | 2 233 | 1 179 |
| 那覇市 | - | - | - | - | - | - | - |
| その他政令市(再掲) | | | | | | | |
| 小樽市 | - | - | - | - | - | - | - |
| 町田市 | 3 | - | - | - | 3 | 3 | - |
| 藤沢市 | 2 332 | - | - | 43 | 2 289 | 2 301 | - |
| 茅ヶ崎市 | 158 | - | - | - | 158 | - | - |
| 四日市市 | 357 | 357 | - | - | - | 20 | 20 |
| 大牟田市 | - | - | - | - | - | - | - |

# 医療機関等へ委託した被指導延人員，都道府県－指定都市・特別区－中核市－その他政令市、個別－集団・対象区分別

平成29年度

| 数 | | | | | | | |
|---|---|---|---|---|---|---|---|
| 別 | | | 集 | | 団 | | |
| 乳幼児 | 20歳未満（妊産婦・乳幼児を除く。） | 20歳以上（妊産婦を除く。） | 総数 | 妊産婦 | 乳幼児 | 20歳未満（妊産婦・乳幼児を除く。） | 20歳以上（妊産婦を除く。） |
| － | － | － | － | － | － | － | － |
| － | － | 341 | － | － | － | － | － |
| － | － | － | － | － | － | － | － |
| － | － | － | － | － | － | － | － |
| － | － | － | － | － | － | － | － |
| － | － | － | － | － | － | － | － |
| － | － | － | － | － | － | － | － |
| 19 | 222 | 617 | － | － | － | － | － |
| 10 343 | 741 | 833 | 1 234 | － | － | － | 1 234 |
| 11 | 191 | 1 330 | 6 951 | － | － | 1 975 | 4 976 |
| － | － | － | － | － | － | － | － |
| － | － | － | － | － | － | － | － |
| － | － | 518 | 1 482 | － | 37 | － | 1 445 |
| － | － | － | － | － | － | － | － |
| － | － | － | － | － | － | － | － |
| － | － | － | 117 | － | － | － | 117 |
| － | － | 20 | 64 | － | － | － | 64 |
| － | － | － | － | － | － | － | － |
| 455 | － | 2 792 | － | － | － | － | － |
| － | － | － | － | － | － | － | － |
| － | － | 11 | － | － | － | － | － |
| － | － | 63 | － | － | － | － | － |
| － | － | － | 745 | 371 | 372 | － | 2 |
| － | － | － | － | － | － | － | － |
| － | － | － | － | － | － | － | － |
| － | － | － | － | － | － | － | － |
| － | － | － | 33 | － | 17 | － | 16 |
| － | － | － | － | － | － | － | － |
| － | － | 789 | － | － | － | － | － |
| － | － | － | － | － | － | － | － |
| － | － | － | － | － | － | － | － |
| － | － | － | － | － | － | － | － |
| － | － | 940 | 884 | － | － | 613 | 271 |
| － | － | 1 393 | － | － | － | － | － |
| － | － | － | － | － | － | － | － |
| － | － | 92 | － | － | － | － | － |
| 7 | － | 2 | 33 | － | 33 | － | － |
| － | 1 | 303 | － | － | － | － | － |
| 821 | 3 | 44 | 20 | － | 20 | － | － |
| － | － | － | － | － | － | － | － |
| － | － | － | － | － | － | － | － |
| － | － | 276 | － | － | － | － | － |
| － | － | － | － | － | － | － | － |
| － | － | － | － | － | － | － | － |
| － | － | － | － | － | － | － | － |
| － | － | － | 149 | － | － | 149 | － |
| 1 054 | － | － | 771 | － | － | 11 | 760 |
| － | － | － | － | － | － | － | － |
| － | － | － | － | － | － | － | － |
| － | － | 3 | － | － | － | － | － |
| － | 43 | 2 258 | 31 | － | － | － | 31 |
| － | － | － | 158 | － | － | － | 158 |
| － | － | － | 337 | 337 | － | － | － |
| － | － | － | － | － | － | － | － |

# 第15表（4－3）保健所及び市区町村が実施したその他の栄養・運動等指導の被指導延人員・

| | 総数 | | | | | （再掲）個 | |
|---|---|---|---|---|---|---|---|
| | 総数 | 妊産婦 | 乳幼児 | 20歳未満（妊産婦・乳幼児を除く。） | 20歳以上（妊産婦を除く。） | 総数 | 妊産婦 |
| 全国 | 32 792 | 28 791 | 2 482 | … | 1 519 | 32 347 | 28 791 |
| 北海道 | – | – | – | – | – | – | – |
| 青森 | – | – | – | – | – | – | – |
| 岩手 | – | – | – | – | – | – | – |
| 宮城 | 1 879 | 1 640 | 239 | – | – | 1 879 | 1 640 |
| 秋田 | – | – | – | – | – | – | – |
| 山形 | 1 110 | – | – | – | 1 110 | 838 | – |
| 福島 | 29 374 | 27 131 | 2 243 | – | – | 29 374 | 27 131 |
| 茨城 | – | – | – | – | – | – | – |
| 栃木 | – | – | – | – | – | – | – |
| 群馬 | – | – | – | – | – | – | – |
| 埼玉 | – | – | – | – | – | – | – |
| 千葉 | – | – | – | – | – | – | – |
| 東京 | – | – | – | – | – | – | – |
| 神奈川 | – | – | – | – | – | – | – |
| 新潟 | – | – | – | – | – | – | – |
| 富山 | 46 | – | – | – | 46 | – | – |
| 石川 | – | – | – | – | – | – | – |
| 福井 | – | – | – | – | – | – | – |
| 山梨 | – | – | – | – | – | – | – |
| 長野 | – | – | – | – | – | – | – |
| 岐阜 | – | – | – | – | – | – | – |
| 静岡 | – | – | – | – | – | – | – |
| 愛知 | 70 | – | – | – | 70 | 70 | – |
| 三重 | 20 | 20 | – | – | – | 20 | 20 |
| 滋賀 | – | – | – | – | – | – | – |
| 京都 | – | – | – | – | – | – | – |
| 大阪 | … | … | … | … | … | … | … |
| 兵庫 | – | – | – | – | – | – | – |
| 奈良 | – | – | – | – | – | – | – |
| 和歌山 | – | – | – | – | – | – | – |
| 鳥取 | – | – | – | – | – | – | – |
| 島根 | – | – | – | – | – | – | – |
| 岡山 | – | – | – | – | – | – | – |
| 広島 | – | – | – | – | – | – | – |
| 山口 | – | – | – | – | – | – | – |
| 徳島 | – | – | – | – | – | – | – |
| 香川 | – | – | – | – | – | – | – |
| 愛媛 | 57 | – | – | – | 57 | 57 | – |
| 高知 | – | – | – | – | – | – | – |
| 福岡 | 236 | – | – | – | 236 | 109 | – |
| 佐賀 | – | – | – | – | – | – | – |
| 長崎 | – | – | – | – | – | – | – |
| 熊本 | – | – | – | – | – | – | – |
| 大分 | – | – | – | – | – | – | – |
| 宮崎 | – | – | – | – | – | – | – |
| 鹿児島 | – | – | – | – | – | – | – |
| 沖縄 | – | – | – | – | – | – | – |
| 指定都市・特別区（再掲） | | | | | | | |
| 東京都区部 | – | – | – | – | – | – | – |
| 札幌市 | – | – | – | – | – | – | – |
| 仙台市 | – | – | – | – | – | – | – |
| さいたま市 | – | – | – | – | – | – | – |
| 千葉市 | – | – | – | – | – | – | – |
| 横浜市 | – | – | – | – | – | – | – |
| 川崎市 | – | – | – | – | – | – | – |
| 相模原市 | – | – | – | – | – | – | – |
| 新潟市 | – | – | – | – | – | – | – |
| 静岡市 | – | – | – | – | – | – | – |
| 浜松市 | – | – | – | – | – | – | – |
| 名古屋市 | – | – | – | – | – | – | – |
| 京都市 | – | – | – | – | – | – | – |
| 大阪市 | – | – | – | – | – | – | – |
| 堺市 | – | – | – | – | – | – | – |
| 神戸市 | – | – | – | – | – | – | – |
| 岡山市 | – | – | – | – | – | – | – |
| 広島市 | – | – | – | – | – | – | – |
| 北九州市 | – | – | – | – | – | – | – |
| 福岡市 | 109 | – | – | – | 109 | 109 | – |
| 熊本市 | – | – | – | – | – | – | – |

## 医療機関等へ委託した被指導延人員，都道府県－指定都市・特別区－中核市－その他政令市、個別－集団・対象区分別

平成29年度

| 医療機関等へ委託 | | | | | | | |
|---|---|---|---|---|---|---|---|
| 別 | | | 集団 | | | | |
| 乳幼児 | 20歳未満（妊産婦・乳幼児を除く。） | 20歳以上（妊産婦を除く。） | 総数 | 妊産婦 | 乳幼児 | 20歳未満（妊産婦・乳幼児を除く。） | 20歳以上（妊産婦を除く。） |
| **2 482** | **…** | **1 074** | **445** | **…** | **…** | **…** | **445** |
| – | – | – | – | – | – | – | – |
| – | – | – | – | – | – | – | – |
| – | – | – | – | – | – | – | – |
| 239 | – | – | – | – | – | – | – |
| – | – | – | – | – | – | – | – |
| – | – | 838 | 272 | – | – | – | 272 |
| 2 243 | – | – | – | – | – | – | – |
| – | – | – | – | – | – | – | – |
| – | – | – | – | – | – | – | – |
| – | – | – | – | – | – | – | – |
| – | – | – | – | – | – | – | – |
| – | – | – | – | – | – | – | – |
| – | – | – | – | – | – | – | – |
| – | – | – | – | – | – | – | – |
| – | – | – | – | – | – | – | – |
| – | – | – | 46 | – | – | – | 46 |
| – | – | – | – | – | – | – | – |
| – | – | – | – | – | – | – | – |
| – | – | – | – | – | – | – | – |
| – | – | – | – | – | – | – | – |
| – | – | – | – | – | – | – | – |
| – | – | – | – | – | – | – | – |
| – | – | 70 | – | – | – | – | – |
| – | – | – | – | – | – | – | – |
| – | – | – | – | – | – | – | – |
| – | – | – | – | – | – | – | – |
| … | … | … | … | … | … | … | … |
| – | – | – | – | – | – | – | – |
| – | – | – | – | – | – | – | – |
| – | – | – | – | – | – | – | – |
| – | – | – | – | – | – | – | – |
| – | – | – | – | – | – | – | – |
| – | – | – | – | – | – | – | – |
| – | – | – | – | – | – | – | – |
| – | – | – | – | – | – | – | – |
| – | – | – | – | – | – | – | – |
| – | – | – | – | – | – | – | – |
| – | – | 57 | – | – | – | – | – |
| – | – | – | – | – | – | – | – |
| – | – | 109 | 127 | – | – | – | 127 |
| – | – | – | – | – | – | – | – |
| – | – | – | – | – | – | – | – |
| – | – | – | – | – | – | – | – |
| – | – | – | – | – | – | – | – |
| – | – | – | – | – | – | – | – |
| – | – | – | – | – | – | – | – |
| – | – | – | – | – | – | – | – |
| – | – | – | – | – | – | – | – |
| – | – | – | – | – | – | – | – |
| – | – | – | – | – | – | – | – |
| – | – | – | – | – | – | – | – |
| – | – | – | – | – | – | – | – |
| – | – | – | – | – | – | – | – |
| – | – | – | – | – | – | – | – |
| – | – | – | – | – | – | – | – |
| – | – | – | – | – | – | – | – |
| – | – | – | – | – | – | – | – |
| – | – | – | – | – | – | – | – |
| – | – | – | – | – | – | – | – |
| – | – | – | – | – | – | – | – |
| – | – | – | – | – | – | – | – |
| – | – | – | – | – | – | – | – |
| – | – | – | – | – | – | – | – |
| – | – | – | – | – | – | – | – |
| – | – | – | – | – | – | – | – |
| – | – | – | – | – | – | – | – |
| – | – | 109 | – | – | – | – | – |
| – | – | – | – | – | – | – | – |

# 第15表（4－4）保健所及び市区町村が実施したその他の栄養・運動等指導の被指導延人員・

| | （再掲） | | | | | | |
|---|---|---|---|---|---|---|---|
| | 総数 | | | | | 個 | |
| | 総数 | 妊産婦 | 乳幼児 | 20歳未満（妊産婦・乳幼児を除く。） | 20歳以上（妊産婦を除く。） | 総数 | 妊産婦 |
| 中核市(再掲) | | | | | | | |
| 旭川市 | - | - | - | - | - | - | - |
| 函館市 | - | - | - | - | - | - | - |
| 青森市 | - | - | - | - | - | - | - |
| 八戸市 | - | - | - | - | - | - | - |
| 盛岡市 | - | - | - | - | - | - | - |
| 秋田市 | - | - | - | - | - | - | - |
| 郡山市 | - | - | - | - | - | - | - |
| いわき市 | - | - | - | - | - | - | - |
| 宇都宮市 | - | - | - | - | - | - | - |
| 前橋市 | - | - | - | - | - | - | - |
| 高崎市 | - | - | - | - | - | - | - |
| 川越市 | - | - | - | - | - | - | - |
| 越谷市 | - | - | - | - | - | - | - |
| 船橋市 | - | - | - | - | - | - | - |
| 柏市 | - | - | - | - | - | - | - |
| 八王子市 | - | - | - | - | - | - | - |
| 横須賀市 | - | - | - | - | - | - | - |
| 富山市 | - | - | - | - | - | - | - |
| 金沢市 | - | - | - | - | - | - | - |
| 長野市 | - | - | - | - | - | - | - |
| 岐阜市 | - | - | - | - | - | - | - |
| 豊橋市 | - | - | - | - | - | - | - |
| 豊田市 | - | - | - | - | - | - | - |
| 岡崎市 | - | - | - | - | - | - | - |
| 大津市 | - | - | - | - | - | - | - |
| 高槻市 | - | - | - | - | - | - | - |
| 東大阪市 | - | - | - | - | - | - | - |
| 豊中市 | - | - | - | - | - | - | - |
| 枚方市 | - | - | - | - | - | - | - |
| 姫路市 | - | - | - | - | - | - | - |
| 西宮市 | - | - | - | - | - | - | - |
| 尼崎市 | - | - | - | - | - | - | - |
| 奈良市 | - | - | - | - | - | - | - |
| 和歌山市 | - | - | - | - | - | - | - |
| 倉敷市 | - | - | - | - | - | - | - |
| 福山市 | - | - | - | - | - | - | - |
| 呉市 | - | - | - | - | - | - | - |
| 下関市 | - | - | - | - | - | - | - |
| 高松市 | - | - | - | - | - | - | - |
| 松山市 | - | - | - | - | - | - | - |
| 高知市 | - | - | - | - | - | - | - |
| 久留米市 | - | - | - | - | - | - | - |
| 長崎市 | - | - | - | - | - | - | - |
| 佐世保市 | - | - | - | - | - | - | - |
| 大分市 | - | - | - | - | - | - | - |
| 宮崎市 | - | - | - | - | - | - | - |
| 鹿児島市 | - | - | - | - | - | - | - |
| 那覇市 | - | - | - | - | - | - | - |
| その他政令市(再掲) | | | | | | | |
| 小樽市 | - | - | - | - | - | - | - |
| 町田市 | - | - | - | - | - | - | - |
| 藤沢市 | - | - | - | - | - | - | - |
| 茅ヶ崎市 | - | - | - | - | - | - | - |
| 四日市市 | 20 | 20 | - | - | - | 20 | 20 |
| 大牟田市 | - | - | - | - | - | - | - |

# 医療機関等へ委託した被指導延人員，都道府県－指定都市・特別区－中核市－その他政令市、個別－集団・対象区分別

平成29年度

| 医療機関等へ委託 | | | | | | | | |
|---|---|---|---|---|---|---|---|---|
| 別 | | | 集団 | | | | | |
| 乳幼児 | 20歳未満（妊産婦・乳幼児を除く。） | 20歳以上（妊産婦を除く。） | 総数 | 妊産婦 | 乳幼児 | 20歳未満（妊産婦・乳幼児を除く。） | 20歳以上（妊産婦を除く。） | |
| - | - | - | - | - | - | - | - | |
| - | - | - | - | - | - | - | - | |
| - | - | - | - | - | - | - | - | |
| - | - | - | - | - | - | - | - | |
| - | - | - | - | - | - | - | - | |
| - | - | - | - | - | - | - | - | |
| - | - | - | - | - | - | - | - | |
| - | - | - | - | - | - | - | - | |
| - | - | - | - | - | - | - | - | |
| - | - | - | - | - | - | - | - | |
| - | - | - | - | - | - | - | - | |
| - | - | - | - | - | - | - | - | |
| - | - | - | - | - | - | - | - | |
| - | - | - | - | - | - | - | - | |
| - | - | - | - | - | - | - | - | |
| - | - | - | - | - | - | - | - | |
| - | - | - | - | - | - | - | - | |
| - | - | - | - | - | - | - | - | |
| - | - | - | - | - | - | - | - | |
| - | - | - | - | - | - | - | - | |
| - | - | - | - | - | - | - | - | |
| - | - | - | - | - | - | - | - | |
| - | - | - | - | - | - | - | - | |
| - | - | - | - | - | - | - | - | |
| - | - | - | - | - | - | - | - | |
| - | - | - | - | - | - | - | - | |
| - | - | - | - | - | - | - | - | |
| - | - | - | - | - | - | - | - | |
| - | - | - | - | - | - | - | - | |
| - | - | - | - | - | - | - | - | |
| - | - | - | - | - | - | - | - | |
| - | - | - | - | - | - | - | - | |
| - | - | - | - | - | - | - | - | |
| - | - | - | - | - | - | - | - | |
| - | - | - | - | - | - | - | - | |
| - | - | - | - | - | - | - | - | |
| - | - | - | - | - | - | - | - | |
| - | - | - | - | - | - | - | - | |
| - | - | - | - | - | - | - | - | |
| - | - | - | - | - | - | - | - | |
| - | - | - | - | - | - | - | - | |
| - | - | - | - | - | - | - | - | |
| - | - | - | - | - | - | - | - | |
| - | - | - | - | - | - | - | - | |
| - | - | - | - | - | - | - | - | |
| - | - | - | - | - | - | - | - | |
| - | - | - | - | - | - | - | - | |
| - | - | - | - | - | - | - | - | |
| - | - | - | - | - | - | - | - | |
| - | - | - | - | - | - | - | - | |
| - | - | - | - | - | - | - | - | |
| - | - | - | - | - | - | - | - | |
| - | - | - | - | - | - | - | - | |
| - | - | - | - | - | - | - | - | |
| - | - | - | - | - | - | - | - | |

# 第16表（２－１）保健所及び市区町村が実施した精神保健福祉相談等の被指導

| | 相談、デイ・ケア、訪問指導実人員 | （再掲）相談 実人員 | 相談 延人員 | 相談 （再掲） ひきこもり | 相談 （再掲） 自殺関連 | 相談 （再掲） （再掲）自死遺族 | 相談 （再掲） 犯罪被害 | 相談 （再掲） 災害 | （再掲）デイ・ケア 実人員 | デイ・ケア 延人員 | デイ・ケア （再掲）ひきこもり | （再掲） 実人員 | （再掲） 延人員 | （再掲） ひきこもり |
|---|---|---|---|---|---|---|---|---|---|---|---|---|---|---|
| **全国** | **434 529** | **326 675** | **892 688** | **35 710** | **20 697** | **1 710** | **585** | **1 561** | **7 061** | **82 712** | **4 647** | **136 767** | **348 615** | **17 072** |
| 北海道 | 12 168 | 8 340 | 22 786 | 737 | 732 | 52 | 15 | 1 | 213 | 1 567 | 103 | 4 575 | 11 247 | 491 |
| 青森 | 4 458 | 1 741 | 3 469 | 82 | 52 | 5 | – | 48 | 59 | 410 | – | 2 949 | 4 615 | 95 |
| 岩手 | 5 415 | 3 517 | 11 339 | 344 | 344 | 46 | – | 24 | 287 | 2 365 | 1 | 2 488 | 5 889 | 290 |
| 宮城 | 9 064 | 5 435 | 14 507 | 822 | 161 | 29 | 4 | 153 | 137 | 3 840 | – | 4 546 | 14 113 | 469 |
| 秋田 | 3 449 | 1 604 | 4 623 | 202 | 116 | 7 | – | – | 23 | 150 | 68 | 2 121 | 3 120 | 179 |
| 山形 | 3 226 | 2 352 | 3 844 | 597 | 110 | 8 | 12 | – | 25 | 55 | 1 | 1 064 | 2 533 | 208 |
| 福島 | 5 318 | 3 055 | 7 682 | 425 | 178 | 4 | 11 | 24 | 324 | 1 647 | 74 | 2 509 | 5 888 | 290 |
| 茨城 | 3 987 | 2 614 | 6 043 | 383 | 67 | 2 | 2 | – | 217 | 3 241 | 204 | 1 366 | 3 541 | 183 |
| 栃木 | 3 682 | 2 163 | 3 987 | 202 | 45 | 15 | 8 | – | 10 | 89 | – | 1 739 | 3 323 | 169 |
| 群馬 | 4 124 | 3 344 | 5 962 | 259 | 179 | 16 | 14 | – | 44 | 882 | 25 | 965 | 2 198 | 191 |
| 埼玉 | 18 265 | 14 068 | 28 223 | 2 772 | 698 | 97 | 31 | 2 | 200 | 2 552 | 75 | 5 995 | 14 744 | 936 |
| 千葉 | 13 353 | 10 226 | 24 708 | 589 | 200 | 17 | 2 | 6 | 241 | 1 459 | 17 | 4 345 | 11 390 | 272 |
| 東京 | 74 910 | 55 418 | 158 460 | 5 554 | 1 092 | 119 | 161 | 23 | 1 119 | 23 778 | 2 988 | 22 958 | 54 407 | 2 251 |
| 神奈川 | 35 649 | 27 915 | 133 614 | 3 177 | 5 888 | 432 | 115 | 43 | 1 482 | 11 994 | 277 | 7 267 | 18 028 | 1 709 |
| 新潟 | 17 869 | 13 496 | 27 465 | 732 | 760 | 76 | 20 | 10 | 94 | 1 202 | – | 5 426 | 12 744 | 399 |
| 富山 | 2 124 | 1 208 | 2 065 | 141 | 48 | 5 | 10 | 3 | 21 | 238 | – | 969 | 2 124 | 67 |
| 石川 | 2 204 | 1 768 | 2 920 | 339 | 112 | 4 | 4 | – | 5 | 21 | 21 | 1 143 | 2 595 | 151 |
| 福井 | 3 009 | 2 701 | 5 054 | 115 | 30 | 3 | – | 1 | – | – | – | 413 | 1 429 | 73 |
| 山梨 | 3 629 | 2 620 | 5 509 | 164 | 26 | – | 2 | – | 131 | 4 143 | – | 1 360 | 4 003 | 430 |
| 長野 | 11 762 | 8 511 | 17 855 | 892 | 342 | 55 | 10 | 21 | 268 | 2 695 | 295 | 4 969 | 12 995 | 700 |
| 岐阜 | 2 886 | 1 852 | 3 780 | 106 | 62 | 3 | 6 | – | 49 | 267 | – | 1 110 | 2 364 | 102 |
| 静岡 | 7 403 | 5 798 | 16 353 | 2 204 | 138 | 61 | 13 | – | 74 | 617 | 72 | 1 870 | 4 549 | 331 |
| 愛知 | 19 405 | 16 011 | 42 643 | 1 187 | 403 | 45 | 14 | – | 14 | 75 | 2 | 4 762 | 13 311 | 325 |
| 三重 | 2 390 | 1 512 | 3 888 | 171 | 145 | 13 | 2 | 4 | 55 | 352 | – | 1 020 | 3 417 | 179 |
| 滋賀 | 3 997 | 2 995 | 8 136 | 830 | 762 | 25 | 2 | 1 | – | – | – | 1 814 | 4 254 | 456 |
| 京都 | 6 799 | 4 589 | 9 624 | 686 | 471 | 41 | 18 | – | 153 | 4 248 | – | 2 519 | 5 030 | 224 |
| 大阪 | 19 717 | 16 481 | 76 472 | 6 126 | 5 263 | 351 | 19 | 25 | 82 | 166 | – | 5 783 | 17 344 | 1 128 |
| 兵庫 | 16 023 | 11 563 | 29 312 | 721 | 272 | 7 | 5 | 1 | 197 | 1 847 | 52 | 4 959 | 13 979 | 540 |
| 奈良 | 1 911 | 1 502 | 4 953 | 82 | 146 | 1 | – | – | – | – | – | 755 | 3 179 | 87 |
| 和歌山 | 4 182 | 2 424 | 12 232 | 501 | 18 | – | – | – | 46 | 237 | 14 | 2 381 | 11 177 | 291 |
| 鳥取 | 2 284 | 1 374 | 4 256 | 288 | 35 | 6 | – | 5 | 99 | 617 | 35 | 1 112 | 3 074 | 298 |
| 島根 | 3 224 | 2 120 | 5 974 | 227 | 61 | 3 | 7 | – | 110 | 470 | – | 1 559 | 4 051 | 235 |
| 岡山 | 10 093 | 7 795 | 16 280 | 708 | 194 | 33 | 2 | 2 | 27 | 148 | 1 | 3 151 | 8 573 | 639 |
| 広島 | 16 769 | 15 062 | 24 112 | 360 | 77 | 3 | 17 | 4 | 179 | 3 993 | 173 | 3 178 | 7 275 | 385 |
| 山口 | 5 300 | 3 836 | 14 599 | 528 | 59 | 5 | 2 | – | 11 | 173 | – | 2 055 | 4 700 | 162 |
| 徳島 | 1 830 | 1 246 | 3 219 | 89 | 88 | 1 | – | – | 21 | 305 | 1 | 680 | 2 014 | 58 |
| 香川 | 2 284 | 1 282 | 2 953 | 104 | 34 | 2 | – | – | 130 | 1 545 | – | 997 | 4 545 | 173 |
| 愛媛 | 3 623 | 1 601 | 4 595 | 166 | 106 | 9 | 4 | 27 | 440 | 2 042 | 12 | 2 125 | 4 740 | 286 |
| 高知 | 2 166 | 1 311 | 4 752 | 322 | 46 | 8 | – | – | 108 | 1 124 | 34 | 1 390 | 4 660 | 287 |
| 福岡 | 31 614 | 29 809 | 66 899 | 560 | 357 | 70 | – | 153 | 13 | 240 | 27 | 2 587 | 6 901 | 205 |
| 佐賀 | 2 329 | 1 285 | 2 253 | 57 | 17 | 3 | 1 | 1 | 20 | 126 | – | 1 092 | 2 455 | 118 |
| 長崎 | 5 093 | 2 617 | 5 359 | 248 | 58 | 4 | – | – | 34 | 212 | 71 | 2 652 | 5 130 | 286 |
| 熊本 | 4 067 | 3 006 | 4 797 | 114 | 37 | 1 | 8 | 826 | 28 | 48 | 1 | 1 703 | 3 286 | 128 |
| 大分 | 3 763 | 2 616 | 5 422 | 261 | 90 | 8 | – | 153 | 21 | 109 | 1 | 1 428 | 4 534 | 130 |
| 宮崎 | 6 372 | 5 697 | 8 140 | 134 | 215 | 6 | 4 | – | 43 | 282 | 1 | 1 651 | 3 167 | 91 |
| 鹿児島 | 4 467 | 3 398 | 5 238 | 198 | 132 | 4 | 33 | – | 124 | 856 | 1 | 1 382 | 3 875 | 177 |
| 沖縄 | 6 873 | 5 797 | 16 332 | 204 | 231 | 5 | 7 | – | 83 | 285 | – | 1 885 | 6 105 | 198 |
| 指定都市・特別区(再掲) | | | | | | | | | | | | | | |
| 東京都区部 | 53 461 | 38 782 | 102 180 | 1 877 | 500 | 69 | 125 | 7 | 916 | 22 099 | 2 512 | 16 670 | 37 320 | 832 |
| 札幌市 | 2 587 | 1 811 | 3 324 | 38 | 70 | 1 | – | – | 5 | 50 | 30 | 841 | 1 615 | 12 |
| 仙台市 | 2 630 | 1 627 | 4 478 | 280 | 15 | – | 1 | 99 | 60 | 2 024 | – | 1 260 | 4 607 | 93 |
| さいたま市 | 4 512 | 3 497 | 7 173 | 1 829 | 244 | 71 | 17 | 2 | 16 | 247 | – | 1 977 | 3 769 | 461 |
| 千葉市 | 3 088 | 2 846 | 4 302 | 116 | 25 | 1 | 2 | 2 | – | – | – | 806 | 806 | – |
| 横浜市 | 17 342 | 13 313 | 80 863 | 755 | 329 | 324 | 78 | 17 | 1 258 | 9 167 | – | 3 059 | 7 192 | 130 |
| 川崎市 | 5 021 | 3 500 | 18 353 | 1 352 | 292 | 27 | 9 | – | 132 | 1 255 | 170 | 1 389 | 3 695 | 1 271 |
| 相模原市 | 2 299 | 1 744 | 2 795 | 13 | 37 | – | – | – | – | – | – | 555 | 1 193 | 12 |
| 新潟市 | 7 007 | 6 217 | 6 404 | 75 | 44 | – | 1 | – | – | – | – | 790 | 1 897 | 39 |
| 静岡市 | 953 | 772 | 960 | 3 | 1 | – | – | – | – | – | – | 181 | 301 | 3 |
| 浜松市 | 342 | 342 | 2 209 | 1 351 | 47 | 47 | 11 | – | – | – | – | 15 | 32 | 28 |
| 名古屋市 | 8 146 | 7 317 | 15 059 | 87 | 24 | 14 | 3 | – | – | – | – | 1 785 | 4 022 | 31 |
| 京都市 | 5 025 | 3 337 | 5 934 | 235 | 420 | 41 | 18 | – | 146 | 4 213 | – | 1 766 | 3 210 | 68 |
| 大阪市 | 7 978 | 5 868 | 21 476 | 580 | 351 | 6 | 4 | – | – | – | – | 2 110 | 5 365 | 219 |
| 堺市 | 3 128 | 2 796 | 8 876 | 3 104 | 76 | 62 | 3 | – | – | – | – | 1 240 | 4 974 | 344 |
| 神戸市 | 5 882 | 5 188 | 18 057 | 213 | 36 | – | 2 | – | – | – | – | 694 | 1 084 | 34 |
| 岡山市 | 4 619 | 4 083 | 4 097 | 7 | 9 | 6 | – | – | – | – | – | 536 | 1 511 | 64 |
| 広島市 | 11 667 | 11 667 | 16 356 | 101 | 14 | 2 | 10 | 3 | 61 | 3 144 | 167 | 776 | 1 195 | 52 |
| 北九州市 | 3 073 | 2 727 | 6 214 | 124 | 107 | 33 | – | – | 10 | 49 | 27 | 608 | 1 426 | 21 |
| 福岡市 | 19 781 | 19 560 | 45 308 | 215 | 45 | 1 | – | 3 | – | – | – | 336 | 658 | – |
| 熊本市 | 1 265 | 919 | 1 474 | 18 | 9 | 1 | 2 | 2 | – | – | – | 418 | 913 | 30 |

# 実人員－延人員，都道府県－指定都市・特別区－中核市－その他政令市、相談等の種類別

平成29年度

| 訪問指導 (再掲) 自殺関連 | 訪問指導 (再掲) (再掲)自死遺族 | 訪問指導 (再掲) 犯罪被害 | 訪問指導 (再掲) 災害 | 電話相談等延人員 電話による相談延人員 | 電話 (再掲) ひきこもり | 電話 (再掲) 自殺関連 | 電話 (再掲) (再掲)自死遺族 | 電話 (再掲) 犯罪被害 | 電話 (再掲) 災害 | 電子メールによる相談延人員 | 電子メール (再掲) ひきこもり | 電子メール (再掲) 自殺関連 | 電子メール (再掲) (再掲)自死遺族 | 電子メール (再掲) 犯罪被害 | 電子メール (再掲) 災害 |
|---|---|---|---|---|---|---|---|---|---|---|---|---|---|---|---|
| **7 682** | **755** | **246** | **2 727** | **1 518 028** | **35 674** | **37 666** | **2 201** | **1 139** | **1 217** | **18 372** | **2 133** | **954** | **152** | **12** | **66** |
| 246 | 10 | 2 | 16 | 43 395 | 601 | 851 | 42 | 66 | 3 | 590 | 44 | 55 | 1 | – | – |
| 73 | 21 | – | 4 | 5 462 | 67 | 326 | 23 | – | – | 53 | 13 | 15 | – | – | – |
| 384 | 79 | 1 | 73 | 16 242 | 299 | 574 | 82 | 3 | 48 | 250 | 1 | 4 | – | – | – |
| 262 | 31 | 3 | 1 246 | 42 430 | 944 | 1 697 | 12 | 8 | 397 | 748 | 9 | 34 | 1 | – | 63 |
| 49 | 15 | – | 387 | 7 558 | 124 | 170 | 3 | 1 | 6 | 265 | 73 | 2 | – | – | – |
| 102 | 7 | 10 | – | 13 442 | 856 | 195 | 15 | 4 | 1 | 14 | 2 | 1 | – | – | – |
| 69 | 3 | 1 | 36 | 15 320 | 498 | 260 | 10 | 15 | 6 | 367 | 201 | 7 | – | 2 | – |
| 35 | – | – | 17 | 16 261 | 546 | 167 | 11 | – | – | 137 | 19 | – | – | – | – |
| 61 | 20 | 2 | – | 21 010 | 343 | 337 | 121 | 4 | – | 472 | – | – | – | – | – |
| 71 | – | 14 | 5 | 14 799 | 460 | 417 | 80 | 12 | 2 | 61 | 4 | 10 | – | – | – |
| 459 | 54 | 17 | – | 80 247 | 3 550 | 2 927 | 56 | 12 | 1 | 710 | 221 | 163 | 61 | 1 | – |
| 115 | 2 | 4 | – | 68 277 | 837 | 487 | 25 | 9 | 10 | 766 | 22 | 6 | – | – | – |
| 660 | 56 | 35 | 158 | 271 712 | 6 953 | 2 640 | 197 | 222 | 50 | 4 609 | 135 | 10 | 5 | – | – |
| 411 | 9 | 10 | 2 | 148 151 | 3 005 | 6 098 | 457 | 115 | 28 | 1 007 | 94 | 60 | 2 | 3 | – |
| 424 | 53 | 4 | 40 | 31 588 | 609 | 1 436 | 51 | 22 | 27 | 821 | 4 | 15 | – | – | – |
| 53 | 7 | 6 | 10 | 9 710 | 266 | 712 | 150 | 4 | 7 | 147 | – | 62 | 54 | – | – |
| 123 | 5 | 3 | – | 12 406 | 888 | 888 | 32 | 5 | – | 142 | 22 | 77 | – | – | – |
| 69 | – | – | – | 6 005 | 155 | 67 | 4 | 1 | 1 | 14 | – | 1 | – | – | – |
| 54 | – | – | – | 8 398 | 391 | 83 | 2 | 1 | – | 46 | 2 | – | – | – | – |
| 237 | 45 | 5 | 11 | 28 697 | 1 219 | 1 433 | 52 | 6 | – | 329 | 13 | 14 | – | – | – |
| 28 | – | – | – | 9 986 | 65 | 66 | 1 | 2 | – | 492 | – | 1 | – | – | – |
| 79 | 15 | – | – | 21 302 | 446 | 427 | 8 | 1 | – | 155 | 1 | 27 | – | – | – |
| 138 | 12 | 7 | 1 | 68 448 | 1 009 | 813 | 72 | 441 | 4 | 66 | 3 | 3 | 1 | 1 | – |
| 90 | 3 | 4 | 2 | 13 678 | 324 | 341 | 8 | 63 | 4 | 228 | – | 3 | – | – | – |
| 391 | 67 | 18 | – | 20 032 | 1 149 | 2 412 | 66 | 9 | – | 443 | 19 | 79 | – | 1 | – |
| 18 | 3 | – | 4 | 24 102 | 613 | 952 | 94 | 1 | 1 | 1 414 | 411 | – | – | – | – |
| 767 | 84 | 2 | – | 73 792 | 2 754 | 2 001 | 114 | 8 | 5 | 983 | 573 | 286 | 27 | 4 | – |
| 429 | 12 | – | 2 | 53 617 | 793 | 1 032 | 15 | 2 | 2 | 49 | – | 1 | – | – | – |
| 57 | – | – | – | 6 657 | 73 | 156 | – | – | – | 25 | 1 | – | – | – | – |
| 27 | – | – | – | 19 078 | 335 | 107 | 3 | – | – | 307 | 23 | – | – | – | – |
| 63 | 7 | 1 | 5 | 9 024 | 545 | 73 | 8 | 2 | 40 | 228 | 163 | – | – | – | – |
| 66 | – | 1 | – | 15 069 | 267 | 271 | – | 2 | 2 | 99 | 1 | 2 | – | – | – |
| 130 | 21 | 2 | 8 | 25 085 | 472 | 251 | 20 | 10 | 1 | 303 | 17 | 9 | – | – | – |
| 109 | 1 | 6 | 1 | 38 109 | 380 | 223 | 18 | 10 | 5 | 32 | – | – | – | – | – |
| 24 | – | 2 | – | 26 268 | 621 | 152 | – | 3 | – | 212 | 17 | – | – | – | – |
| 89 | 9 | – | 1 | 11 221 | 122 | 349 | 9 | 1 | – | 2 | – | – | – | – | – |
| 29 | 17 | – | – | 10 439 | 108 | 29 | 14 | – | – | 29 | 1 | – | – | – | – |
| 204 | 28 | 22 | 1 | 16 256 | 433 | 773 | 102 | 17 | 4 | 34 | – | 4 | – | – | – |
| 57 | 6 | – | – | 9 853 | 145 | 82 | 4 | – | – | 22 | 6 | – | – | – | – |
| 139 | 7 | 6 | 73 | 89 218 | 586 | 2 731 | 187 | 10 | 88 | 315 | 3 | – | – | – | 2 |
| 59 | 15 | – | 89 | 6 038 | 88 | 28 | 1 | 1 | 7 | 1 | – | – | – | – | – |
| 106 | 14 | – | – | 14 968 | 472 | 246 | 19 | 1 | – | 30 | – | – | – | – | – |
| 101 | 7 | 3 | 385 | 9 426 | 120 | 118 | 3 | 2 | 461 | 28 | – | – | – | – | 1 |
| 84 | 4 | – | 150 | 17 057 | 269 | 534 | 4 | – | 5 | 216 | 3 | – | – | – | – |
| 200 | 3 | – | – | 11 777 | 247 | 599 | – | 3 | 1 | 118 | – | – | – | – | – |
| 115 | 1 | 49 | – | 16 649 | 276 | 512 | 3 | 11 | – | 88 | 6 | – | – | – | – |
| 126 | 2 | 6 | – | 19 769 | 351 | 623 | 3 | 29 | – | 905 | 6 | 3 | – | – | – |
| 484 | 38 | 20 | 136 | 184 954 | 1 938 | 1 754 | 131 | 75 | 29 | 1 893 | 67 | – | – | – | – |
| 5 | – | – | – | 16 196 | 85 | 211 | 12 | 11 | 3 | 169 | – | 9 | – | – | – |
| 5 | – | – | 533 | 18 519 | 295 | 1 078 | 1 | 2 | 33 | 5 | – | – | – | – | 4 |
| 295 | 29 | 6 | – | 19 131 | 1 843 | 2 010 | 10 | – | – | 451 | 216 | 159 | 61 | 1 | – |
| 7 | – | – | – | 6 019 | 128 | 48 | – | 5 | 8 | 10 | – | – | – | – | – |
| 23 | 1 | – | – | 72 315 | 557 | 551 | 378 | 77 | 9 | 399 | 4 | – | – | – | – |
| 47 | 2 | 10 | – | 23 429 | 1 245 | 413 | 8 | 15 | – | 289 | 25 | 2 | 1 | 3 | – |
| 9 | – | – | – | 5 321 | 29 | 93 | 6 | – | – | 35 | – | 6 | – | – | – |
| 23 | – | – | – | 5 111 | 53 | 40 | – | 1 | – | 61 | – | – | – | – | – |
| – | – | – | – | 3 099 | 2 | 1 | – | – | – | – | – | – | – | – | – |
| – | – | – | – | 3 058 | 34 | 116 | – | 1 | – | 34 | – | – | – | – | – |
| 5 | 2 | 7 | – | 31 989 | 158 | 166 | 47 | 433 | 3 | 18 | 1 | 1 | 1 | – | – |
| 7 | – | – | – | 17 194 | 130 | 889 | 94 | 1 | – | – | – | – | – | – | – |
| 158 | 3 | 1 | – | 28 927 | 495 | 1 065 | 22 | 5 | 4 | 23 | – | – | – | – | – |
| 32 | 8 | – | – | 30 235 | 1 989 | 64 | 46 | – | – | 712 | 570 | 286 | 27 | 4 | – |
| 1 | – | – | – | 12 255 | 112 | 268 | – | 1 | – | 3 | – | – | – | – | – |
| – | – | – | – | 6 304 | 17 | 40 | 10 | 2 | – | – | – | – | – | – | – |
| 2 | – | 2 | – | 22 138 | 95 | 43 | 8 | 5 | 3 | 17 | – | – | – | – | – |
| 47 | 2 | 2 | – | 17 424 | 128 | 560 | 13 | 2 | – | 5 | 3 | – | – | – | – |
| – | – | – | – | 51 639 | 119 | 1 754 | 144 | 6 | 5 | 36 | – | – | – | – | – |
| 28 | 5 | 1 | 12 | 4 105 | 27 | 33 | 1 | – | 4 | 20 | – | – | – | – | – |

# 第16表（2－2）保健所及び市区町村が実施した精神保健福祉相談等の被指導

| | 相談、デイ・ケア、訪問指導実人員 | （再掲）相談 | | | | | | | （再掲）デイ・ケア | | | （再掲） | | |
|---|---|---|---|---|---|---|---|---|---|---|---|---|---|---|
| | | 実人員 | 延人員 | （再掲）ひきこもり | 自殺関連 | （再掲）自死遺族 | 犯罪被害 | 災害 | 実人員 | 延人員 | （再掲）ひきこもり | 実人員 | 延人員 | ひきこもり |
| 中核市(再掲) | | | | | | | | | | | | | | |
| 旭川市 | 251 | 181 | 388 | 18 | 8 | 7 | – | – | – | – | – | 84 | 183 | 18 |
| 函館市 | 1 180 | 891 | 993 | 10 | 6 | – | 2 | – | – | – | – | 289 | 417 | 14 |
| 青森市 | 141 | 120 | 162 | 11 | 10 | – | – | – | – | – | – | 50 | 160 | 21 |
| 八戸市 | 2 257 | 189 | 333 | 13 | 3 | – | – | – | – | – | – | 2 068 | 2 184 | 5 |
| 盛岡市 | 191 | 101 | 220 | 34 | 5 | – | – | – | – | – | – | 114 | 245 | 6 |
| 秋田市 | 141 | 118 | 203 | 3 | 4 | – | – | – | – | – | – | 23 | 44 | – |
| 郡山市 | 232 | 189 | 294 | 9 | 1 | – | – | – | – | – | – | 43 | 61 | 1 |
| いわき市 | 1 118 | 629 | 1 033 | 42 | 6 | – | – | – | 11 | 160 | – | 478 | 991 | 36 |
| 宇都宮市 | 453 | 269 | 552 | 8 | 9 | 1 | – | – | – | – | – | 184 | 431 | 15 |
| 前橋市 | 459 | 332 | 436 | 65 | 10 | 2 | – | – | – | – | – | 127 | 285 | 34 |
| 高崎市 | 641 | 588 | 877 | 71 | 7 | – | – | – | – | – | – | 53 | 118 | 12 |
| 川越市 | 369 | 369 | 909 | 104 | 5 | 1 | – | – | 12 | 313 | 24 | 157 | 1 416 | 32 |
| 越谷市 | 3 971 | 3 966 | 4 156 | 120 | 155 | 5 | 4 | – | – | – | – | 324 | 344 | 11 |
| 船橋市 | 441 | 240 | 390 | 21 | 11 | – | – | 3 | 13 | 162 | – | 188 | 668 | – |
| 柏市 | 1 170 | 832 | 2 078 | 34 | 8 | – | – | – | – | – | – | 480 | 1 443 | 13 |
| 八王子市 | 1 746 | 1 079 | 2 040 | 353 | 35 | 2 | – | – | 8 | 203 | 61 | 659 | 1 388 | 92 |
| 横須賀市 | 455 | 203 | 346 | 61 | 3 | – | – | – | 56 | 1 265 | 102 | 196 | 461 | 33 |
| 富山市 | 616 | 225 | 239 | 24 | 26 | 5 | 1 | – | – | – | – | 414 | 443 | 23 |
| 金沢市 | 405 | 266 | 464 | 77 | 22 | 2 | 1 | – | – | – | – | 188 | 566 | 13 |
| 長野市 | 1 263 | 719 | 1 395 | 85 | 57 | 1 | 2 | – | – | – | – | 694 | 1 473 | 118 |
| 岐阜市 | 717 | 402 | 611 | 5 | 1 | – | 2 | – | – | – | – | 315 | 613 | 5 |
| 豊橋市 | 1 036 | 463 | 756 | 30 | 14 | 1 | 1 | – | – | – | – | 573 | 2 027 | 37 |
| 豊田市 | 1 092 | 691 | 1 479 | 11 | 4 | – | 1 | – | – | – | – | 401 | 1 047 | 16 |
| 岡崎市 | 607 | 496 | 1 214 | 39 | 11 | 11 | 2 | – | – | – | – | 111 | 600 | 44 |
| 大津市 | 919 | 487 | 1 130 | 27 | 452 | – | – | – | – | – | – | 432 | 651 | 33 |
| 高槻市 | 330 | 284 | 701 | 60 | 149 | 4 | – | – | – | – | – | 97 | 281 | 15 |
| 東大阪市 | 947 | 947 | 5 929 | 66 | 119 | – | – | – | – | – | – | 223 | 678 | 51 |
| 豊中市 | 596 | 596 | 3 068 | 145 | 197 | 24 | – | – | – | – | – | 165 | 441 | 32 |
| 枚方市 | 486 | 484 | 2 549 | 110 | 557 | 26 | 1 | – | – | – | – | 202 | 797 | 68 |
| 姫路市 | 859 | 415 | 679 | 45 | 19 | – | – | – | – | – | – | 444 | 1 829 | 53 |
| 西宮市 | 604 | 335 | 574 | 121 | 5 | 3 | – | 1 | – | – | – | 269 | 966 | 29 |
| 尼崎市 | 827 | 627 | 2 212 | 45 | 35 | – | – | – | 102 | 1 088 | 8 | 557 | 1 420 | 37 |
| 奈良市 | 189 | 115 | 148 | 7 | 4 | – | – | – | – | – | – | 92 | 370 | 4 |
| 和歌山市 | 949 | 403 | 1 407 | 24 | 6 | – | – | – | – | – | – | 546 | 1 102 | 53 |
| 倉敷市 | 1 703 | 1 244 | 4 853 | 223 | 77 | 3 | – | 2 | – | – | – | 459 | 1 144 | 44 |
| 福山市 | 494 | 267 | 432 | 32 | 13 | – | – | – | – | – | – | 227 | 584 | 15 |
| 呉市 | 384 | 195 | 338 | 21 | 11 | 1 | – | – | 14 | 188 | – | 203 | 652 | 76 |
| 下関市 | 336 | 254 | 535 | 59 | 5 | 5 | – | – | – | – | – | 160 | 468 | 17 |
| 高松市 | 450 | 204 | 517 | 44 | 19 | – | – | – | 21 | 451 | – | 225 | 857 | 78 |
| 松山市 | 332 | 195 | 276 | 15 | 25 | 1 | – | – | 12 | 147 | – | 176 | 273 | 5 |
| 高知市 | 260 | 153 | 267 | 10 | 1 | – | – | – | – | – | – | 131 | 425 | 1 |
| 久留米市 | 1 478 | 1 451 | 6 413 | 50 | 100 | 26 | – | 2 | – | – | – | 94 | 342 | 16 |
| 長崎市 | 604 | 368 | 599 | 32 | 15 | 3 | – | – | – | – | – | 236 | 594 | 6 |
| 佐世保市 | 2 743 | 950 | 1 800 | 52 | 12 | 1 | – | – | 20 | 123 | – | 1 773 | 2 781 | 152 |
| 大分市 | 522 | 286 | 487 | 87 | 24 | – | – | – | – | – | – | 236 | 942 | 31 |
| 宮崎市 | 403 | 232 | 706 | 23 | 15 | – | 1 | – | – | – | – | 171 | 585 | 37 |
| 鹿児島市 | 2 113 | 1 690 | 2 143 | 36 | 20 | – | 1 | – | 52 | 408 | – | 371 | 890 | 24 |
| 那覇市 | 283 | 254 | 449 | 19 | 19 | 1 | – | – | – | – | – | 54 | 120 | 27 |
| その他政令市(再掲) | | | | | | | | | | | | | | |
| 小樽市 | 138 | 83 | 112 | 13 | 2 | – | – | – | 10 | 60 | 31 | 45 | 69 | 8 |
| 町田市 | 2 208 | 1 826 | 11 134 | 810 | 74 | 8 | – | – | 14 | 264 | 169 | 629 | 1 845 | 215 |
| 藤沢市 | 1 133 | 1 133 | 6 316 | 410 | 4 605 | 51 | 10 | – | – | – | – | 84 | 324 | 53 |
| 茅ヶ崎市 | 678 | 625 | 2 014 | 70 | 23 | 6 | – | – | – | – | – | 100 | 289 | 10 |
| 四日市市 | 277 | 236 | 531 | 39 | 25 | 1 | – | – | – | – | – | 85 | 338 | 22 |
| 大牟田市 | 243 | 194 | 367 | 6 | 4 | – | – | – | – | – | – | 106 | 267 | 1 |

# 実人員－延人員，都道府県－指定都市・特別区－中核市－その他政令市、相談等の種類別

平成29年度

| 訪問指導 | | | | 電話相談等延人員 | | | | | | | | | | | |
|---|---|---|---|---|---|---|---|---|---|---|---|---|---|---|---|
| （再掲） | | | | 電話による相談延人員 | （再掲） | | | | | 電子メールによる相談延人員 | （再掲） | | | | |
| 自殺関連 | （再掲）自死遺族 | 犯罪被害 | 災害 | | ひきこもり | 自殺関連 | （再掲）自死遺族 | 犯罪被害 | 災害 | | ひきこもり | 自殺関連 | （再掲）自死遺族 | 犯罪被害 | 災害 |
| 1 | 1 | － | 15 | 2 118 | 26 | 24 | 12 | 1 | － | － | － | － | － | － | － |
| 3 | － | － | － | 3 160 | 24 | 105 | － | 22 | － | 44 | － | 2 | 1 | － | － |
| 25 | － | － | － | 479 | 6 | 189 | － | － | － | － | － | － | － | － | － |
| － | － | － | － | 276 | 2 | 7 | － | － | － | － | － | － | － | － | － |
| 16 | － | － | － | 2 475 | 27 | 17 | 2 | － | － | － | － | － | － | － | － |
| 1 | － | － | － | 1 911 | 6 | 52 | － | － | － | 1 | － | － | － | － | － |
| － | － | － | － | 2 052 | 17 | 21 | 1 | － | － | 3 | － | － | － | － | － |
| 10 | － | － | － | 2 093 | 49 | 54 | 2 | 2 | － | 9 | － | － | － | － | － |
| 17 | 9 | － | － | 3 939 | 40 | 24 | 5 | － | － | 152 | － | － | － | － | － |
| 2 | － | － | － | 2 475 | 205 | 43 | 8 | 4 | － | 4 | － | 1 | － | － | － |
| 3 | － | － | － | 2 339 | 104 | 52 | － | － | － | 28 | － | － | － | － | － |
| 3 | － | － | － | 6 594 | 194 | 30 | － | － | － | 15 | － | 3 | － | － | － |
| 9 | － | － | － | 2 833 | 56 | 96 | 4 | 2 | － | － | － | － | － | － | － |
| 13 | － | － | － | 2 772 | 23 | 27 | － | 1 | － | 1 | － | － | － | － | － |
| 4 | 1 | － | － | 10 213 | 83 | 31 | 1 | － | 1 | 54 | 3 | － | － | － | － |
| 5 | － | － | － | 8 145 | 352 | 37 | 2 | 7 | － | － | － | － | － | － | － |
| 58 | － | － | － | 5 787 | 266 | 310 | － | － | － | 58 | 35 | 4 | － | － | － |
| 44 | 7 | 6 | － | 4 211 | 153 | 632 | 150 | － | － | 126 | － | 62 | 54 | － | － |
| 35 | － | － | － | 3 416 | 137 | 253 | 3 | － | － | 7 | － | － | － | － | － |
| 35 | 5 | － | － | 3 641 | 135 | 152 | 4 | 1 | － | － | － | － | － | － | － |
| 9 | － | － | － | 2 868 | 4 | 7 | － | － | － | 19 | － | － | － | － | － |
| 24 | － | － | － | 5 681 | 92 | 134 | 2 | 4 | － | － | － | － | － | － | － |
| 3 | － | － | 1 | 3 444 | 21 | 26 | 1 | － | － | － | － | － | － | － | － |
| 11 | 8 | － | － | 699 | 15 | 28 | 11 | 1 | － | 5 | － | － | － | 1 | － |
| 84 | － | － | － | 4 444 | 160 | 1 049 | － | － | － | 220 | 11 | 68 | － | － | － |
| 36 | 1 | － | － | 2 883 | 113 | 425 | 12 | － | － | 15 | 1 | － | － | － | － |
| 6 | － | － | － | 557 | 8 | 7 | 1 | － | － | 16 | 1 | － | － | － | － |
| 19 | － | － | － | 1 807 | 29 | 26 | 1 | 1 | 1 | 52 | － | － | － | － | － |
| 81 | 1 | － | － | 1 375 | 21 | 14 | － | － | － | 1 | － | － | － | － | － |
| 38 | － | － | － | 2 314 | 46 | 54 | － | － | － | 4 | － | － | － | － | － |
| 8 | － | － | － | 7 576 | 153 | 92 | － | － | 2 | － | － | － | － | － | － |
| 26 | － | － | 2 | 4 711 | 67 | 11 | － | － | － | － | － | － | － | － | － |
| － | － | － | － | 293 | 11 | 15 | － | － | － | － | － | － | － | － | － |
| 3 | － | － | － | 9 466 | 63 | 47 | 3 | － | － | － | － | － | － | － | － |
| 17 | － | － | － | 3 619 | 101 | 35 | 2 | － | 1 | 13 | 10 | － | － | － | － |
| 10 | － | 1 | － | 2 116 | 28 | 22 | － | － | － | 1 | － | － | － | － | － |
| 8 | － | － | 1 | 932 | 28 | 30 | 9 | － | 1 | － | － | － | － | － | － |
| 1 | － | － | － | 2 905 | 68 | 1 | － | － | － | 119 | 15 | － | － | － | － |
| 15 | 15 | － | － | 3 841 | 49 | 16 | 11 | － | － | － | － | － | － | － | － |
| 11 | 2 | － | － | 4 012 | 51 | 118 | 6 | － | － | 9 | － | － | － | － | － |
| 1 | － | － | － | 3 037 | 28 | 48 | － | － | － | 6 | 1 | － | － | － | － |
| 3 | － | － | － | 4 780 | 31 | 78 | 25 | － | 2 | 54 | － | － | － | － | 2 |
| 10 | － | － | － | 4 026 | 57 | 75 | 10 | － | － | － | － | － | － | － | － |
| 57 | － | － | － | 4 167 | 87 | 57 | － | － | － | － | － | － | － | － | － |
| 17 | － | － | － | 5 035 | 136 | 257 | 3 | － | 1 | － | － | － | － | － | － |
| 17 | 1 | － | － | 3 944 | 131 | 62 | － | 1 | － | － | － | － | － | － | － |
| 48 | － | － | － | 8 842 | 74 | 166 | 2 | 4 | － | － | － | － | － | － | － |
| 7 | － | 4 | － | 2 948 | 161 | 273 | － | 21 | － | 2 | － | － | － | － | － |
| 3 | － | － | － | 384 | 24 | 12 | － | 8 | － | － | － | － | － | － | － |
| 14 | 3 | － | － | 5 577 | 255 | 21 | － | 2 | － | 44 | 2 | － | － | － | － |
| 167 | 1 | － | － | 5 410 | 338 | 4 088 | 50 | 6 | － | 30 | 1 | 23 | 1 | － | － |
| 1 | 1 | － | － | 1 777 | 56 | 22 | 4 | － | － | 2 | － | － | － | － | － |
| 19 | － | － | － | 1 868 | 100 | 95 | 2 | － | － | 1 | － | － | － | － | － |
| 10 | － | － | － | 1 205 | 11 | 35 | － | － | － | － | － | － | － | － | － |

# 第17表　保健所及び市区町村が実施した精神保健福祉相談の被指導

| | 実人員 | 延 人 員 | | | | | | | | | | |
| | | 総　　数 | 老人精神保健 | 社会復帰 | アルコール | 薬　　物 | ギャンブル | 思春期 | 心の健康づくり | 摂食障害 | てんかん | その他 |
|---|---|---|---|---|---|---|---|---|---|---|---|---|
| 全　　国 | 326 675 | 892 688 | 43 302 | 248 823 | 33 646 | 6 003 | 2 817 | 20 666 | 137 260 | 2 816 | 4 165 | 393 190 |
| 北　海　道 | 8 340 | 22 786 | 1 794 | 4 681 | 984 | 123 | 167 | 695 | 4 219 | 43 | 144 | 9 936 |
| 青　森 | 1 741 | 3 469 | 245 | 568 | 135 | 31 | 7 | 67 | 983 | 9 | 18 | 1 406 |
| 岩　手 | 3 517 | 11 339 | 594 | 6 078 | 294 | 16 | 35 | 65 | 1 945 | 19 | 21 | 2 272 |
| 宮　城 | 5 435 | 14 507 | 671 | 4 825 | 727 | 36 | 36 | 432 | 2 991 | 62 | 73 | 4 654 |
| 秋　田 | 1 604 | 4 623 | 698 | 157 | 195 | - | 4 | 88 | 1 010 | 1 | 4 | 2 466 |
| 山　形 | 2 352 | 3 844 | 496 | 383 | 168 | 19 | 18 | 171 | 682 | 12 | 21 | 1 874 |
| 福　島 | 3 055 | 7 682 | 332 | 2 281 | 325 | 33 | 34 | 169 | 1 233 | 26 | 16 | 3 233 |
| 茨　城 | 2 614 | 6 043 | 312 | 722 | 167 | 56 | 3 | 157 | 1 499 | 9 | 4 | 3 114 |
| 栃　木 | 2 163 | 3 987 | 416 | 1 092 | 188 | 30 | 15 | 188 | 779 | 14 | 11 | 1 254 |
| 群　馬 | 3 344 | 5 962 | 850 | 1 334 | 46 | 28 | 10 | 346 | 1 434 | 46 | 19 | 1 849 |
| 埼　玉 | 14 068 | 28 223 | 764 | 3 010 | 913 | 166 | 125 | 2 407 | 7 704 | 89 | 84 | 12 961 |
| 千　葉 | 10 226 | 24 708 | 990 | 4 286 | 645 | 126 | 51 | 565 | 2 857 | 48 | 126 | 15 014 |
| 東　京 | 55 418 | 158 460 | 3 446 | 28 796 | 5 144 | 1 071 | 477 | 5 923 | 15 716 | 814 | 891 | 96 182 |
| 神　奈　川 | 27 915 | 133 614 | 3 950 | 41 583 | 3 330 | 843 | 298 | 999 | 15 780 | 335 | 935 | 65 561 |
| 新　潟 | 13 496 | 27 465 | 2 474 | 6 793 | 1 200 | 92 | 37 | 364 | 3 067 | 194 | 135 | 13 109 |
| 富　山 | 1 208 | 2 065 | 131 | 659 | 146 | 21 | 4 | 30 | 424 | 1 | 1 | 648 |
| 石　川 | 1 768 | 2 920 | 383 | 938 | 82 | 1 | 8 | 64 | 446 | 18 | 6 | 974 |
| 福　井 | 2 701 | 5 054 | 174 | 2 396 | 75 | 11 | 14 | 67 | 563 | 13 | 6 | 1 735 |
| 山　梨 | 2 620 | 5 509 | 1 347 | 992 | 333 | 23 | 9 | 104 | 1 366 | 6 | 16 | 1 313 |
| 長　野 | 8 511 | 17 855 | 4 461 | 4 606 | 522 | 14 | 58 | 704 | 3 319 | 67 | 62 | 4 042 |
| 岐　阜 | 1 852 | 3 780 | 329 | 723 | 144 | 1 | 10 | 52 | 943 | 10 | 11 | 1 557 |
| 静　岡 | 5 798 | 16 353 | 648 | 3 011 | 501 | 75 | 318 | 1 551 | 1 311 | 66 | 52 | 8 820 |
| 愛　知 | 16 011 | 42 643 | 1 175 | 13 191 | 456 | 93 | 68 | 556 | 6 349 | 72 | 69 | 20 614 |
| 三　重 | 1 512 | 3 888 | 174 | 855 | 65 | 16 | 14 | 102 | 1 163 | 10 | 21 | 1 468 |
| 滋　賀 | 2 995 | 8 136 | 1 124 | 963 | 273 | 23 | 27 | 145 | 1 844 | 27 | 8 | 3 702 |
| 京　都 | 4 589 | 9 624 | 474 | 2 448 | 308 | 118 | 35 | 171 | 1 747 | 71 | 40 | 4 212 |
| 大　阪 | 16 481 | 76 472 | 2 565 | 11 417 | 8 201 | 2 060 | 354 | 1 403 | 10 409 | 332 | 260 | 39 471 |
| 兵　庫 | 11 563 | 29 312 | 969 | 15 155 | 749 | 73 | 32 | 245 | 4 097 | 32 | 105 | 7 855 |
| 奈　良 | 1 502 | 4 953 | 232 | 1 556 | 101 | 15 | 8 | 286 | 701 | 21 | 50 | 1 983 |
| 和　歌　山 | 2 424 | 12 232 | 354 | 7 048 | 121 | 23 | 35 | 71 | 1 766 | 60 | 55 | 2 699 |
| 鳥　取 | 1 374 | 4 256 | 396 | 777 | 182 | 5 | 40 | 31 | 1 371 | 9 | 20 | 1 425 |
| 島　根 | 2 120 | 5 974 | 348 | 913 | 812 | 10 | 24 | 272 | 1 749 | 27 | 32 | 1 787 |
| 岡　山 | 7 795 | 16 280 | 777 | 3 346 | 538 | 76 | 35 | 351 | 4 198 | 31 | 33 | 6 895 |
| 広　島 | 15 062 | 24 112 | 1 847 | 8 795 | 861 | 43 | 44 | 239 | 4 821 | 14 | 52 | 7 396 |
| 山　口 | 3 836 | 14 599 | 1 976 | 1 966 | 416 | 69 | 12 | 190 | 3 280 | 20 | 261 | 6 409 |
| 徳　島 | 1 246 | 3 219 | 231 | 917 | 137 | 64 | 3 | 18 | 529 | 4 | 18 | 1 298 |
| 香　川 | 1 282 | 2 953 | 152 | 1 480 | 120 | 17 | 8 | 54 | 816 | 24 | 6 | 276 |
| 愛　媛 | 1 601 | 4 595 | 257 | 2 122 | 97 | 7 | 42 | 122 | 968 | 3 | 11 | 966 |
| 高　知 | 1 311 | 4 752 | 503 | 469 | 181 | 22 | 23 | 40 | 712 | 13 | 21 | 2 768 |
| 福　岡 | 29 809 | 66 899 | 568 | 49 710 | 1 074 | 360 | 120 | 314 | 7 275 | 70 | 170 | 7 238 |
| 佐　賀 | 1 285 | 2 253 | 360 | 341 | 67 | 5 | 3 | 14 | 310 | 3 | 5 | 1 145 |
| 長　崎 | 2 617 | 5 359 | 480 | 1 257 | 199 | 33 | 50 | 84 | 1 000 | 8 | 28 | 2 220 |
| 熊　本 | 3 006 | 4 797 | 619 | 500 | 240 | 18 | 12 | 58 | 1 609 | 7 | 13 | 1 721 |
| 大　分 | 2 616 | 5 422 | 409 | 1 387 | 184 | 3 | 11 | 80 | 1 048 | 19 | 96 | 2 185 |
| 宮　崎 | 5 697 | 8 140 | 1 030 | 273 | 664 | 7 | 14 | 392 | 3 152 | 24 | 35 | 2 549 |
| 鹿　児　島 | 3 398 | 5 238 | 356 | 576 | 178 | 12 | 36 | 164 | 951 | 5 | 8 | 2 952 |
| 沖　縄 | 5 797 | 16 332 | 421 | 1 447 | 1 158 | 15 | 29 | 56 | 5 124 | 8 | 92 | 7 982 |
| 指定都市・特別区(再掲) | | | | | | | | | | | | |
| 東 京 都 区 部 | 38 782 | 102 180 | 2 061 | 15 745 | 3 650 | 745 | 249 | 2 925 | 11 228 | 633 | 630 | 64 314 |
| 札　幌　市 | 1 811 | 3 324 | 72 | 938 | 69 | 17 | 17 | 53 | 47 | 4 | 22 | 2 085 |
| 仙　台　市 | 1 627 | 4 478 | 87 | 586 | 158 | 11 | 4 | 226 | 1 234 | 12 | 30 | 2 130 |
| さ い た ま 市 | 3 497 | 7 173 | 64 | 497 | 190 | 28 | 71 | 1 996 | 1 647 | 30 | 18 | 2 632 |
| 千　葉　市 | 2 846 | 4 302 | 222 | 1 302 | 159 | 43 | 21 | 221 | 502 | 4 | - | 1 828 |
| 横　浜　市 | 13 313 | 80 863 | 1 225 | 29 697 | 1 563 | 306 | 181 | 326 | 10 188 | 116 | 442 | 36 819 |
| 川　崎　市 | 3 500 | 18 353 | 284 | 3 236 | 524 | 206 | 36 | 51 | 2 243 | 31 | 300 | 11 442 |
| 相　模　原　市 | 1 744 | 2 795 | 45 | 1 265 | 40 | 9 | 2 | 20 | 930 | 3 | 4 | 477 |
| 新　潟　市 | 6 217 | 6 404 | 721 | 1 255 | 195 | 35 | - | 15 | 408 | - | - | 3 775 |
| 静　岡　市 | 772 | 960 | 13 | 45 | 11 | 3 | 3 | 3 | 127 | 4 | 2 | 749 |
| 浜　松　市 | 342 | 2 209 | - | - | 249 | 41 | 276 | 1 363 | 50 | 39 | - | 191 |
| 名　古　屋　市 | 7 317 | 15 059 | 668 | 11 297 | 196 | 55 | 42 | 318 | 1 378 | 28 | 57 | 1 020 |
| 京　都　市 | 3 337 | 5 934 | 293 | 1 947 | 189 | 99 | 30 | 115 | 836 | 51 | 38 | 2 336 |
| 大　阪　市 | 5 868 | 21 476 | 783 | 2 689 | 4 898 | 771 | 107 | 295 | 2 850 | 113 | 98 | 8 872 |
| 堺　市 | 2 796 | 8 876 | 155 | 1 811 | 250 | 309 | 15 | 27 | 2 736 | 5 | 14 | 3 554 |
| 神　戸　市 | 5 188 | 18 057 | 441 | 12 866 | 184 | 44 | 11 | 37 | 1 092 | 9 | 51 | 3 322 |
| 岡　山　市 | 4 083 | 4 097 | 16 | 330 | 12 | - | - | 94 | 1 299 | - | - | 2 346 |
| 広　島　市 | 11 667 | 16 356 | 142 | 7 968 | 123 | 7 | 15 | 67 | 3 056 | 7 | 5 | 4 966 |
| 北　九　州　市 | 2 727 | 6 214 | 210 | 2 932 | 252 | 75 | 44 | 51 | 608 | 6 | 47 | 1 989 |
| 福　岡　市 | 19 560 | 45 308 | 34 | 42 795 | 216 | 100 | 21 | 30 | 554 | 1 | 2 | 1 555 |
| 熊　本　市 | 919 | 1 474 | 227 | 240 | 27 | 3 | 1 | 10 | 406 | 1 | 3 | 556 |

# 実人員－延人員，都道府県－指定都市・特別区－中核市－その他政令市、相談内容別

| | 実人員 | 延　人　員 | | | | | | | | | | |
| --- | --- | --- | --- | --- | --- | --- | --- | --- | --- | --- | --- | --- |
| | | 総　　数 | 老人精神保健 | 社会復帰 | アルコール | 薬　物 | ギャンブル | 思春期 | 心の健康づくり | 摂食障害 | てんかん | その他 |
| 中核市(再掲) | | | | | | | | | | | | |
| 旭　川　市 | 181 | 388 | 26 | 6 | 22 | 7 | 10 | 5 | 100 | － | 1 | 211 |
| 函　館　市 | 891 | 993 | 152 | 456 | 13 | 2 | － | 1 | 39 | 1 | 5 | 324 |
| 青　森　市 | 120 | 162 | 26 | 4 | 11 | － | － | 8 | 29 | 5 | 1 | 78 |
| 八　戸　市 | 189 | 333 | 11 | 18 | 17 | 3 | 4 | 5 | 52 | 1 | － | 222 |
| 盛　岡　市 | 101 | 220 | 1 | 34 | 12 | － | 1 | － | 50 | 3 | － | 119 |
| 秋　田　市 | 118 | 203 | 3 | 2 | 6 | － | － | 1 | 27 | － | － | 164 |
| 郡　山　市 | 189 | 294 | 11 | 96 | 7 | － | 3 | 8 | 99 | 1 | － | 69 |
| い　わ　き　市 | 629 | 1 033 | 24 | 519 | 10 | 2 | － | 12 | 206 | － | － | 260 |
| 宇　都　宮　市 | 269 | 552 | 21 | 307 | 25 | 2 | 1 | 12 | 122 | － | － | 62 |
| 前　橋　市 | 332 | 436 | 17 | 102 | 1 | 1 | － | 11 | 88 | 1 | 1 | 214 |
| 高　崎　市 | 588 | 877 | 6 | 68 | 7 | － | 4 | 258 | 39 | 1 | 1 | 493 |
| 川　越　市 | 369 | 909 | 9 | 230 | 40 | 15 | 1 | 30 | 67 | 1 | 1 | 515 |
| 越　谷　市 | 3 966 | 4 156 | 96 | 63 | 208 | 21 | 7 | 116 | 958 | 4 | 14 | 2 669 |
| 船　橋　市 | 240 | 390 | 4 | 18 | 15 | 3 | 1 | 9 | 55 | 1 | 5 | 279 |
| 柏　　市 | 832 | 2 078 | 46 | 496 | 140 | 24 | 8 | 19 | 460 | － | － | 885 |
| 八　王　子　市 | 1 079 | 2 040 | 21 | 531 | 50 | 16 | 13 | 154 | 370 | 23 | 4 | 858 |
| 横　須　賀　市 | 203 | 346 | 13 | 37 | 8 | 5 | － | 7 | 232 | 2 | － | 42 |
| 富　山　市 | 225 | 239 | 10 | 72 | 7 | 1 | － | 10 | 91 | 1 | － | 47 |
| 金　沢　市 | 266 | 464 | 19 | 231 | 11 | 1 | － | 3 | 191 | 1 | － | 7 |
| 長　野　市 | 719 | 1 395 | 69 | 787 | 81 | 1 | 3 | 11 | 345 | 18 | 5 | 75 |
| 岐　阜　市 | 402 | 611 | 14 | 280 | 2 | － | － | 5 | 140 | － | 2 | 168 |
| 豊　橋　市 | 463 | 756 | 1 | 14 | 16 | 2 | 1 | 46 | 215 | 2 | 1 | 458 |
| 豊　田　市 | 691 | 1 479 | 3 | 144 | 10 | 13 | － | 4 | 516 | 2 | － | 787 |
| 岡　崎　市 | 496 | 1 214 | 5 | 54 | 16 | 5 | 7 | 3 | 80 | 7 | 5 | 1 032 |
| 大　津　市 | 487 | 1 130 | 2 | 6 | 17 | 8 | － | 31 | 812 | － | 1 | 253 |
| 高　槻　市 | 284 | 701 | 31 | 8 | 14 | 6 | 2 | 30 | 114 | 9 | － | 487 |
| 東　大　阪　市 | 947 | 5 929 | 139 | 2 875 | 287 | 154 | 19 | 41 | 121 | 33 | 67 | 2 193 |
| 豊　中　市 | 596 | 3 068 | 140 | 283 | 159 | 107 | 10 | 198 | 399 | 1 | 4 | 1 767 |
| 枚　方　市 | 484 | 2 549 | 143 | 127 | 270 | 24 | 41 | 37 | 737 | 29 | － | 1 141 |
| 姫　路　市 | 415 | 679 | 25 | 14 | 45 | － | 4 | 21 | 565 | 4 | － | 1 |
| 西　宮　市 | 335 | 574 | 48 | 73 | 22 | － | 6 | － | 51 | － | 3 | 371 |
| 尼　崎　市 | 627 | 2 212 | 165 | 1 265 | 97 | 7 | 7 | 35 | 230 | 4 | 33 | 369 |
| 奈　良　市 | 115 | 148 | 5 | 77 | 16 | 2 | － | 1 | 4 | － | － | 43 |
| 和　歌　山　市 | 403 | 1 407 | 10 | 1 304 | 1 | 1 | － | 5 | 32 | － | 3 | 51 |
| 倉　敷　市 | 1 244 | 4 853 | 127 | 1 117 | 173 | 18 | 3 | 80 | 1 961 | 7 | － | 1 367 |
| 福　山　市 | 267 | 432 | 7 | 37 | 19 | － | 3 | 23 | 95 | 3 | 7 | 238 |
| 呉　　市 | 195 | 338 | 8 | 13 | 2 | － | 2 | 7 | 98 | 1 | － | 207 |
| 下　関　市 | 254 | 535 | 30 | 18 | 16 | 7 | 2 | 1 | 15 | － | 17 | 429 |
| 高　松　市 | 204 | 517 | 6 | 205 | 9 | － | 5 | － | 257 | 16 | 2 | 17 |
| 松　山　市 | 195 | .276 | 5 | 24 | 5 | 4 | 2 | 2 | 30 | 1 | 3 | 200 |
| 高　知　市 | 153 | 267 | 2 | 1 | 7 | － | 1 | 3 | 18 | － | － | 235 |
| 久　留　米　市 | 1 451 | 6 413 | 90 | 3 126 | 84 | 36 | 38 | 92 | 2 262 | 38 | 35 | 612 |
| 長　崎　市 | 368 | 599 | 27 | 7 | 36 | 17 | 5 | 9 | 10 | 5 | 5 | 478 |
| 佐　世　保　市 | 950 | 1 800 | 333 | 64 | 76 | 3 | 21 | 21 | 635 | 2 | 15 | 630 |
| 大　分　市 | 286 | 487 | 47 | 52 | 13 | － | 1 | 2 | 126 | － | 20 | 226 |
| 宮　崎　市 | 232 | 706 | 39 | 19 | 40 | 2 | 3 | 3 | 95 | 1 | 1 | 503 |
| 鹿　児　島　市 | 1 690 | 2 143 | 57 | 211 | 22 | － | 10 | 24 | 342 | － | － | 1 477 |
| 那　覇　市 | 254 | 449 | 19 | 9 | 83 | 1 | 4 | 12 | 140 | 2 | 1 | 178 |
| その他政令市(再掲) | | | | | | | | | | | | |
| 小　樽　市 | 83 | 112 | 6 | 21 | 6 | － | 2 | 5 | 1 | － | － | 71 |
| 町　田　市 | 1 826 | 11 134 | 120 | 2 964 | 212 | 35 | 7 | 1 052 | 429 | 42 | － | 6 273 |
| 藤　沢　市 | 1 133 | 6 316 | 739 | 19 | 166 | 12 | 3 | 80 | 669 | 7 | － | 4 621 |
| 茅　ヶ　崎　市 | 625 | 2 014 | 93 | － | 39 | 3 | 4 | 24 | 3 | 5 | 5 | 1 838 |
| 四　日　市　市 | 236 | 531 | 2 | － | 37 | － | － | 65 | － | － | 1 | 426 |
| 大　牟　田　市 | 194 | 367 | 31 | 126 | 20 | 1 | － | 5 | 59 | － | 12 | 113 |

# 第18表　保健所及び市区町村が実施した精神保健福祉訪問指導の被指導

| | 実人員 | 延人員 | | | | | | | | | | |
|---|---|---|---|---|---|---|---|---|---|---|---|---|
| | | 総数 | 老人精神保健 | 社会復帰 | アルコール | 薬物 | ギャンブル | 思春期 | 心の健康づくり | 摂食障害 | てんかん | その他 |
| **全国** | 136 767 | 348 615 | 30 960 | 79 954 | 16 198 | 2 012 | 471 | 5 311 | 57 985 | 1 057 | 1 726 | 152 941 |
| 北海道 | 4 575 | 11 247 | 2 059 | 2 759 | 564 | 63 | 26 | 214 | 1 355 | 9 | 86 | 4 112 |
| 青森 | 2 949 | 4 615 | 242 | 411 | 222 | 19 | 1 | 41 | 2 530 | - | 11 | 1 138 |
| 岩手 | 2 488 | 5 889 | 407 | 1 800 | 450 | 11 | 10 | 29 | 1 246 | 11 | 14 | 1 911 |
| 宮城 | 4 546 | 14 113 | 686 | 5 372 | 1 297 | 68 | 35 | 96 | 2 594 | 55 | 49 | 3 861 |
| 秋田 | 2 121 | 3 120 | 880 | 114 | 125 | 4 | 1 | 3 | 969 | - | - | 1 024 |
| 山形 | 1 064 | 2 533 | 475 | 488 | 158 | 3 | 1 | 31 | 356 | 6 | 3 | 1 012 |
| 福島 | 2 509 | 5 888 | 865 | 1 544 | 354 | 12 | 2 | 104 | 1 193 | 5 | 31 | 1 778 |
| 茨城 | 1 366 | 3 541 | 256 | 473 | 153 | 81 | 4 | 49 | 772 | 4 | 11 | 1 738 |
| 栃木 | 1 739 | 3 323 | 531 | 1 017 | 105 | 13 | - | 86 | 369 | 4 | 10 | 1 188 |
| 群馬 | 965 | 2 198 | 220 | 607 | 40 | 15 | 4 | 25 | 358 | 15 | 19 | 895 |
| 埼玉 | 5 995 | 14 744 | 435 | 2 071 | 621 | 126 | 13 | 255 | 2 278 | 23 | 24 | 8 898 |
| 千葉 | 4 345 | 11 390 | 756 | 1 163 | 290 | 43 | 6 | 137 | 1 048 | 6 | 66 | 7 875 |
| 東京 | 22 958 | 54 407 | 1 978 | 5 587 | 1 676 | 338 | 114 | 1 547 | 6 990 | 332 | 422 | 35 423 |
| 神奈川 | 7 267 | 18 028 | 695 | 6 478 | 447 | 94 | 25 | 137 | 2 557 | 73 | 99 | 7 423 |
| 新潟 | 5 426 | 12 744 | 1 322 | 4 453 | 831 | 42 | 7 | 95 | 1 577 | 45 | 28 | 4 344 |
| 富山 | 969 | 2 124 | 174 | 1 387 | 41 | 11 | - | 15 | 232 | 4 | 19 | 241 |
| 石川 | 1 143 | 2 595 | 365 | 1 105 | 73 | 12 | - | 32 | 154 | 1 | 9 | 844 |
| 福井 | 413 | 1 429 | 117 | 277 | 37 | 9 | - | 33 | 128 | 5 | 6 | 817 |
| 山梨 | 1 360 | 4 003 | 848 | 855 | 277 | 17 | 1 | 112 | 869 | 4 | 4 | 1 016 |
| 長野 | 4 969 | 12 995 | 1 801 | 4 058 | 540 | 35 | 28 | 343 | 2 567 | 37 | 57 | 3 529 |
| 岐阜 | 1 110 | 2 364 | 234 | 462 | 127 | 2 | 1 | 36 | 400 | 9 | 10 | 1 083 |
| 静岡 | 1 870 | 4 549 | 779 | 493 | 170 | 6 | 26 | 114 | 480 | 27 | 10 | 2 444 |
| 愛知 | 4 762 | 13 311 | 333 | 2 378 | 223 | 55 | 10 | 99 | 2 704 | 23 | 93 | 7 393 |
| 三重 | 1 020 | 3 417 | 84 | 1 549 | 63 | 4 | - | 58 | 859 | 3 | 18 | 779 |
| 滋賀 | 1 814 | 4 254 | 593 | 402 | 249 | 17 | 4 | 43 | 1 069 | 1 | 10 | 1 866 |
| 京都 | 2 519 | 5 030 | 251 | 1 421 | 148 | 26 | 3 | 12 | 669 | 15 | 18 | 2 467 |
| 大阪 | 5 783 | 17 344 | 1 084 | 2 587 | 1 260 | 355 | 27 | 235 | 3 740 | 75 | 69 | 7 912 |
| 兵庫 | 4 959 | 13 979 | 808 | 2 698 | 685 | 68 | 5 | 179 | 4 367 | 12 | 50 | 5 107 |
| 奈良 | 755 | 3 179 | 475 | 1 263 | 134 | 77 | 27 | 45 | 273 | 6 | 41 | 838 |
| 和歌山 | 2 381 | 11 177 | 324 | 7 271 | 207 | 45 | 6 | 47 | 1 197 | 41 | 55 | 1 984 |
| 鳥取 | 1 112 | 3 074 | 272 | 445 | 222 | 4 | 3 | 7 | 973 | 20 | 16 | 1 112 |
| 島根 | 1 559 | 4 051 | 259 | 1 029 | 377 | 13 | 3 | 90 | 592 | 10 | 21 | 1 657 |
| 岡山 | 3 151 | 8 573 | 820 | 936 | 526 | 27 | 19 | 104 | 1 476 | 36 | 17 | 4 612 |
| 広島 | 3 178 | 7 275 | 2 131 | 1 114 | 360 | 17 | 7 | 129 | 1 114 | 21 | 29 | 2 353 |
| 山口 | 2 055 | 4 700 | 1 936 | 516 | 136 | 11 | - | 39 | 631 | 7 | 44 | 1 380 |
| 徳島 | 680 | 2 014 | 110 | 1 108 | 148 | 17 | 2 | 10 | 297 | 5 | 6 | 311 |
| 香川 | 997 | 4 545 | 157 | 2 761 | 201 | 10 | 2 | 23 | 867 | 7 | 8 | 509 |
| 愛媛 | 2 125 | 4 740 | 426 | 1 896 | 249 | 16 | 17 | 54 | 595 | 10 | 16 | 1 461 |
| 高知 | 1 390 | 4 660 | 285 | 772 | 183 | 15 | 7 | 15 | 738 | 19 | 27 | 2 599 |
| 福岡 | 2 587 | 6 901 | 329 | 2 296 | 312 | 98 | 3 | 77 | 798 | 16 | 40 | 2 932 |
| 佐賀 | 1 092 | 2 455 | 368 | 312 | 46 | 15 | 1 | 5 | 425 | 5 | 3 | 1 275 |
| 長崎 | 2 652 | 5 130 | 930 | 391 | 216 | 29 | 3 | 13 | 455 | 10 | 55 | 3 028 |
| 熊本 | 1 703 | 3 286 | 703 | 389 | 269 | 16 | 3 | 39 | 1 047 | 1 | 14 | 805 |
| 大分 | 1 428 | 4 534 | 315 | 2 014 | 227 | 12 | 5 | 19 | 454 | 10 | 23 | 1 455 |
| 宮崎 | 1 651 | 3 167 | 549 | 149 | 471 | 22 | 4 | 265 | 275 | 6 | 16 | 1 410 |
| 鹿児島 | 1 382 | 3 875 | 849 | 563 | 211 | 11 | 3 | 139 | 557 | 13 | 8 | 1 521 |
| 沖縄 | 1 885 | 6 105 | 444 | 720 | 477 | 8 | 2 | 31 | 791 | 10 | 41 | 3 581 |
| 指定都市・特別区(再掲) | | | | | | | | | | | | |
| 東京都区部 | 16 670 | 37 320 | 1 044 | 3 018 | 1 005 | 242 | 63 | 821 | 5 234 | 269 | 334 | 25 290 |
| 札幌市 | 841 | 1 615 | 39 | 451 | 28 | 6 | 1 | 1 | 1 | - | 18 | 1 070 |
| 仙台市 | 1 260 | 4 607 | 236 | 1 115 | 142 | 17 | 2 | 10 | 715 | 12 | 9 | 2 349 |
| さいたま市 | 1 977 | 3 769 | 71 | 314 | 105 | 7 | 3 | 147 | 475 | 5 | 5 | 2 637 |
| 千葉市 | 806 | 806 | 29 | 40 | 10 | - | - | 2 | - | - | - | 725 |
| 横浜市 | 3 059 | 7 192 | 135 | 2 888 | 113 | 27 | 19 | 55 | 1 371 | 38 | 48 | 2 498 |
| 川崎市 | 1 389 | 3 695 | 59 | 761 | 97 | 17 | 1 | 4 | 240 | 9 | 25 | 2 482 |
| 相模原市 | 555 | 1 193 | 20 | 595 | 15 | 5 | - | 2 | 251 | - | - | 305 |
| 新潟市 | 790 | 1 897 | 171 | 441 | 88 | 16 | - | 11 | 76 | - | - | 1 094 |
| 静岡市 | 181 | 301 | 1 | 11 | 3 | 1 | - | 1 | 29 | 1 | - | 254 |
| 浜松市 | 15 | 32 | - | - | 2 | - | - | 28 | - | 1 | - | 1 |
| 名古屋市 | 1 785 | 4 022 | 168 | 1 431 | 94 | 39 | 8 | 79 | 1 038 | 12 | 83 | 1 070 |
| 京都市 | 1 766 | 3 210 | 137 | 1 087 | 68 | 25 | 2 | 11 | 437 | 15 | 16 | 1 412 |
| 大阪市 | 2 110 | 5 365 | 453 | 240 | 431 | 107 | 6 | 82 | 616 | 47 | 38 | 3 345 |
| 堺市 | 1 240 | 4 974 | 104 | 1 467 | 322 | 124 | 8 | 15 | 2 341 | 1 | 12 | 580 |
| 神戸市 | 694 | 1 084 | 49 | 694 | 17 | 4 | - | 3 | 43 | 2 | 20 | 252 |
| 岡山市 | 536 | 1 511 | 7 | 11 | 24 | 7 | - | 1 | 429 | - | - | 1 032 |
| 広島市 | 776 | 1 195 | 26 | 573 | 24 | 5 | - | 24 | 267 | 9 | 6 | 261 |
| 北九州市 | 608 | 1 426 | 93 | 376 | 91 | 25 | 2 | 11 | 211 | 2 | 9 | 606 |
| 福岡市 | 336 | 658 | 35 | 515 | 23 | 8 | - | - | - | - | - | 77 |
| 熊本市 | 418 | 913 | 221 | 155 | 35 | - | 2 | 21 | 396 | - | 4 | 79 |

## 実人員－延人員，都道府県－指定都市・特別区－中核市－その他政令市、指導内容別

平成29年度

| | 実人員 | 延人員 | | | | | | | | | | |
|---|---|---|---|---|---|---|---|---|---|---|---|---|
| | | 総数 | 老人精神保健 | 社会復帰 | アルコール | 薬物 | ギャンブル | 思春期 | 心の健康づくり | 摂食障害 | てんかん | その他 |
| 中核市(再掲) | | | | | | | | | | | | |
| 旭川市 | 84 | 183 | 12 | － | 12 | 11 | － | － | 49 | － | － | 99 |
| 函館市 | 289 | 417 | 41 | 189 | 7 | 1 | － | 1 | 13 | － | － | 165 |
| 青森市 | 50 | 160 | 27 | 2 | 5 | － | － | 22 | 1 | － | － | 103 |
| 八戸市 | 2 068 | 2 184 | 11 | 3 | 7 | － | － | － | 2 112 | － | － | 51 |
| 盛岡市 | 114 | 245 | 8 | 49 | 11 | － | 1 | － | 27 | － | － | 149 |
| 秋田市 | 23 | 44 | － | － | 1 | 3 | － | 1 | 2 | － | － | 37 |
| 郡山市 | 43 | 61 | 5 | 32 | － | － | － | － | 13 | － | 1 | 10 |
| いわき市 | 478 | 991 | 59 | 507 | 15 | 4 | 2 | － | 218 | － | － | 186 |
| 宇都宮市 | 184 | 431 | 16 | 278 | 16 | 2 | － | 6 | 69 | － | － | 44 |
| 前橋市 | 127 | 285 | 34 | 22 | 8 | － | － | 1 | 53 | 1 | 1 | 165 |
| 高崎市 | 53 | 118 | 2 | 13 | 2 | － | － | － | 13 | － | 1 | 87 |
| 川越市 | 157 | 1 416 | 22 | 338 | 42 | 21 | － | 17 | 31 | － | － | 945 |
| 越谷市 | 324 | 344 | 18 | 2 | 22 | 1 | － | 7 | 90 | － | 1 | 203 |
| 船橋市 | 188 | 668 | 1 | 30 | 8 | 5 | － | － | 32 | － | － | 592 |
| 柏市 | 480 | 1 443 | 50 | 238 | 51 | 6 | 2 | 26 | 259 | － | － | 811 |
| 八王子市 | 659 | 1 388 | 40 | 301 | 37 | 3 | 1 | 27 | 217 | 9 | 7 | 746 |
| 横須賀市 | 196 | 461 | 25 | 33 | 14 | 2 | － | 15 | 297 | － | － | 75 |
| 富山市 | 414 | 443 | 15 | 193 | 11 | 2 | － | 4 | 114 | 3 | 9 | 92 |
| 金沢市 | 188 | 566 | 36 | 457 | 4 | 11 | － | － | 42 | － | － | 16 |
| 長野市 | 694 | 1 473 | 123 | 867 | 74 | 9 | 3 | 4 | 348 | 4 | 3 | 38 |
| 岐阜市 | 315 | 613 | 17 | 211 | 21 | － | － | 1 | 142 | 9 | 5 | 207 |
| 豊橋市 | 573 | 2 027 | 8 | 73 | 37 | 8 | － | 9 | 239 | 2 | 3 | 1 648 |
| 豊田市 | 401 | 1 047 | 16 | 155 | 23 | 1 | 2 | － | 372 | 1 | － | 477 |
| 岡崎市 | 111 | 600 | 4 | 62 | 14 | 1 | － | － | 28 | 3 | 1 | 487 |
| 大津市 | 432 | 651 | 1 | 1 | 26 | 2 | － | 17 | 308 | － | － | 296 |
| 高槻市 | 97 | 281 | 14 | 20 | 20 | 7 | － | 3 | 37 | 1 | － | 179 |
| 東大阪市 | 223 | 678 | 44 | 234 | 37 | 13 | 1 | 6 | 9 | 7 | 9 | 318 |
| 豊中市 | 165 | 441 | 31 | 41 | 11 | 10 | － | 29 | 41 | － | － | 278 |
| 枚方市 | 202 | 797 | 42 | 82 | 57 | 8 | 1 | 2 | 140 | 5 | － | 460 |
| 姫路市 | 444 | 1 829 | 121 | 71 | 89 | 8 | － | 19 | 1 517 | － | － | 4 |
| 西宮市 | 269 | 966 | 80 | 402 | 32 | 5 | 1 | 6 | 124 | 3 | 1 | 312 |
| 尼崎市 | 557 | 1 420 | 168 | 556 | 94 | 8 | 4 | 20 | 220 | － | 22 | 328 |
| 奈良市 | 92 | 370 | 1 | 246 | 53 | 21 | － | 1 | 2 | － | － | 46 |
| 和歌山市 | 546 | 1 102 | 9 | 848 | 22 | 1 | － | 6 | 22 | － | 9 | 185 |
| 倉敷市 | 459 | 1 144 | 25 | 243 | 71 | 4 | － | 28 | 356 | － | － | 417 |
| 福山市 | 227 | 584 | 32 | 28 | 27 | 2 | 3 | 4 | 98 | 3 | 6 | 381 |
| 呉市 | 203 | 652 | 13 | 43 | 13 | － | 2 | 10 | 158 | 1 | － | 412 |
| 下関市 | 160 | 468 | 40 | 14 | 17 | 3 | － | － | 4 | － | 7 | 383 |
| 高松市 | 225 | 857 | 22 | 381 | 27 | 1 | 2 | 6 | 377 | － | － | 41 |
| 松山市 | 176 | 273 | 11 | 33 | 1 | － | － | － | 3 | 2 | 4 | 219 |
| 高知市 | 131 | 425 | 27 | － | 5 | － | － | 1 | 18 | － | － | 374 |
| 久留米市 | 94 | 342 | 2 | 148 | 14 | 4 | － | － | 162 | － | － | 12 |
| 長崎市 | 236 | 594 | 56 | － | 39 | 18 | － | 1 | － | 7 | － | 473 |
| 佐世保市 | 1 773 | 2 781 | 744 | 71 | 84 | 3 | 1 | 10 | 236 | 3 | 41 | 1 588 |
| 大分市 | 236 | 942 | 65 | 3 | 99 | － | － | 8 | 121 | － | 9 | 637 |
| 宮崎市 | 171 | 585 | 39 | 25 | 80 | 6 | 2 | 10 | 88 | － | 6 | 329 |
| 鹿児島市 | 371 | 890 | 72 | 14 | 5 | 2 | － | 107 | 111 | － | － | 579 |
| 那覇市 | 54 | 120 | 16 | 3 | 9 | 6 | 2 | － | 26 | 3 | － | 55 |
| その他政令市(再掲) | | | | | | | | | | | | |
| 小樽市 | 45 | 69 | 4 | 6 | 12 | － | － | － | － | － | － | 47 |
| 町田市 | 629 | 1 845 | 23 | 604 | 66 | 13 | － | 147 | 85 | 11 | － | 896 |
| 藤沢市 | 84 | 324 | 58 | 4 | 15 | － | － | 1 | 40 | － | － | 206 |
| 茅ヶ崎市 | 100 | 289 | 28 | － | 5 | － | － | － | － | － | － | 256 |
| 四日市市 | 85 | 338 | － | － | 20 | － | － | 16 | － | － | 1 | 301 |
| 大牟田市 | 106 | 267 | 35 | 63 | 13 | 1 | － | 5 | 26 | － | － | 124 |

# 第19表（２－１）保健所及び市区町村が実施した精神保健福祉電話相談

| | 電話による相談延人員 | | | | | | | | | | |
|---|---|---|---|---|---|---|---|---|---|---|---|
| | 総数 | 老人精神保健 | 社会復帰 | アルコール | 薬物 | ギャンブル | 思春期 | 心の健康づくり | 摂食障害 | てんかん | その他 |
| **全国** | **1 518 028** | **63 523** | **343 181** | **46 588** | **8 838** | **3 324** | **23 829** | **255 264** | **4 354** | **6 660** | **762 467** |
| 北海道 | 43 395 | 2 211 | 6 262 | 1 640 | 134 | 157 | 708 | 5 135 | 65 | 177 | 26 906 |
| 青森 | 5 462 | 245 | 780 | 215 | 12 | 3 | 48 | 1 286 | 11 | 5 | 2 857 |
| 岩手 | 16 242 | 521 | 5 358 | 724 | 13 | 170 | 59 | 1 691 | 19 | 11 | 7 676 |
| 宮城 | 42 430 | 1 038 | 14 387 | 1 769 | 91 | 76 | 447 | 9 455 | 172 | 179 | 14 816 |
| 秋田 | 7 558 | 832 | 89 | 295 | 27 | 8 | 79 | 1 469 | 2 | 10 | 4 747 |
| 山形 | 13 442 | 673 | 2 100 | 378 | 44 | 34 | 257 | 1 023 | 19 | 38 | 8 876 |
| 福島 | 15 320 | 674 | 4 262 | 546 | 83 | 32 | 240 | 4 090 | 18 | 23 | 5 352 |
| 茨城 | 16 261 | 625 | 2 676 | 704 | 136 | 6 | 505 | 2 911 | 12 | 16 | 8 670 |
| 栃木 | 21 010 | 1 583 | 6 070 | 466 | 142 | 24 | 732 | 3 045 | 45 | 230 | 8 673 |
| 群馬 | 14 799 | 1 209 | 2 538 | 237 | 57 | 16 | 490 | 1 965 | 32 | 26 | 8 229 |
| 埼玉 | 80 247 | 2 285 | 7 168 | 2 744 | 677 | 229 | 2 761 | 15 189 | 248 | 189 | 48 757 |
| 千葉 | 68 277 | 3 709 | 5 742 | 1 986 | 333 | 60 | 788 | 6 078 | 83 | 175 | 49 323 |
| 東京 | 271 712 | 4 732 | 32 091 | 7 475 | 1 686 | 639 | 6 897 | 27 872 | 1 164 | 1 362 | 187 794 |
| 神奈川 | 148 151 | 4 587 | 49 424 | 3 665 | 815 | 281 | 1 231 | 21 098 | 380 | 714 | 65 956 |
| 新潟 | 31 588 | 2 574 | 9 815 | 1 271 | 110 | 31 | 408 | 3 960 | 145 | 130 | 13 144 |
| 富山 | 9 710 | 376 | 4 918 | 245 | 63 | 4 | 130 | 1 721 | 6 | 53 | 2 194 |
| 石川 | 12 406 | 821 | 6 454 | 433 | 45 | 14 | 183 | 1 581 | 23 | 17 | 2 835 |
| 福井 | 6 005 | 268 | 1 612 | 116 | 15 | 2 | 44 | 1 181 | 14 | 8 | 2 745 |
| 山梨 | 8 398 | 1 390 | 1 074 | 636 | 46 | 5 | 208 | 2 426 | － | 19 | 2 594 |
| 長野 | 28 697 | 3 813 | 7 347 | 783 | 43 | 50 | 528 | 7 766 | 71 | 139 | 8 157 |
| 岐阜 | 9 986 | 612 | 1 398 | 206 | 36 | 8 | 56 | 3 610 | 19 | 19 | 4 022 |
| 静岡 | 21 302 | 1 308 | 2 210 | 318 | 56 | 171 | 221 | 4 313 | 58 | 60 | 12 587 |
| 愛知 | 68 448 | 2 381 | 22 866 | 1 257 | 381 | 116 | 710 | 11 487 | 98 | 289 | 28 863 |
| 三重 | 13 678 | 516 | 3 855 | 373 | 53 | 18 | 415 | 2 842 | 53 | 24 | 5 529 |
| 滋賀 | 20 032 | 765 | 1 387 | 654 | 74 | 79 | 565 | 6 294 | 48 | 16 | 10 150 |
| 京都 | 24 102 | 746 | 4 864 | 478 | 158 | 76 | 186 | 5 212 | 142 | 57 | 12 183 |
| 大阪 | 73 792 | 2 910 | 10 502 | 4 029 | 1 845 | 242 | 927 | 24 190 | 235 | 293 | 28 619 |
| 兵庫 | 53 617 | 2 354 | 11 502 | 1 651 | 120 | 35 | 517 | 10 710 | 83 | 96 | 26 549 |
| 奈良 | 6 657 | 403 | 2 673 | 124 | 18 | 14 | 101 | 1 068 | 15 | 39 | 2 202 |
| 和歌山 | 19 078 | 314 | 10 763 | 267 | 89 | 36 | 67 | 1 889 | 41 | 46 | 5 566 |
| 鳥取 | 9 024 | 383 | 1 186 | 474 | 10 | 22 | 24 | 2 679 | 33 | 13 | 4 200 |
| 島根 | 15 069 | 556 | 2 838 | 1 107 | 25 | 29 | 352 | 2 762 | 73 | 52 | 7 275 |
| 岡山 | 25 085 | 986 | 3 981 | 512 | 183 | 46 | 453 | 8 051 | 410 | 17 | 10 446 |
| 広島 | 38 109 | 2 154 | 12 060 | 654 | 32 | 92 | 336 | 8 357 | 43 | 28 | 14 353 |
| 山口 | 26 268 | 4 352 | 3 441 | 934 | 53 | 24 | 154 | 4 717 | 18 | 1 008 | 11 567 |
| 徳島 | 11 221 | 172 | 6 742 | 281 | 46 | 22 | 81 | 1 501 | 23 | 39 | 2 314 |
| 香川 | 10 439 | 212 | 6 077 | 254 | 18 | 3 | 61 | 3 093 | 9 | 14 | 698 |
| 愛媛 | 16 256 | 475 | 5 534 | 390 | 39 | 38 | 174 | 2 879 | 67 | 21 | 6 639 |
| 高知 | 9 853 | 348 | 507 | 255 | 48 | 15 | 51 | 1 329 | 18 | 150 | 7 132 |
| 福岡 | 89 218 | 1 183 | 49 038 | 1 451 | 586 | 221 | 495 | 10 370 | 116 | 282 | 25 476 |
| 佐賀 | 6 038 | 693 | 779 | 122 | 18 | 5 | 28 | 2 152 | 3 | 5 | 2 233 |
| 長崎 | 14 968 | 978 | 949 | 552 | 141 | 42 | 192 | 1 616 | 100 | 67 | 10 331 |
| 熊本 | 9 426 | 1 078 | 947 | 404 | 31 | 15 | 73 | 2 179 | 9 | 18 | 4 672 |
| 大分 | 17 057 | 1 056 | 4 223 | 439 | 25 | 21 | 197 | 3 669 | 44 | 440 | 6 943 |
| 宮崎 | 11 777 | 1 108 | 648 | 1 223 | 81 | 19 | 359 | 1 217 | 42 | 20 | 7 060 |
| 鹿児島 | 16 649 | 767 | 866 | 409 | 52 | 32 | 217 | 1 238 | － | 4 | 13 064 |
| 沖縄 | 19 769 | 547 | 1 178 | 1 442 | 48 | 42 | 74 | 4 898 | 25 | 22 | 11 493 |
| 指定都市・特別区(再掲) | | | | | | | | | | | |
| 東京都区部 | 184 954 | 3 019 | 18 170 | 4 754 | 1 121 | 380 | 3 317 | 18 681 | 882 | 1 076 | 133 554 |
| 札幌市 | 16 196 | 445 | 2 707 | 379 | 56 | 57 | 239 | 839 | 23 | 110 | 11 341 |
| 仙台市 | 18 519 | 184 | 912 | 359 | 16 | 29 | 146 | 6 634 | 31 | 19 | 10 189 |
| さいたま市 | 19 131 | 394 | 374 | 410 | 84 | 92 | 1 809 | 3 654 | 27 | 10 | 12 277 |
| 千葉市 | 6 019 | 316 | 1 735 | 77 | 17 | 5 | 62 | 1 010 | － | － | 2 797 |
| 横浜市 | 72 315 | 1 092 | 23 588 | 1 303 | 296 | 175 | 346 | 8 895 | 122 | 366 | 36 132 |
| 川崎市 | 23 429 | 461 | 7 231 | 763 | 249 | 50 | 225 | 2 107 | 72 | 178 | 12 093 |
| 相模原市 | 5 321 | 121 | 1 337 | 70 | 14 | 6 | 29 | 2 440 | 12 | 6 | 1 286 |
| 新潟市 | 5 111 | 571 | 969 | 163 | 35 | － | 7 | 342 | － | － | 3 024 |
| 静岡市 | 3 099 | 26 | 126 | 44 | 7 | 4 | 7 | 476 | 12 | 8 | 2 389 |
| 浜松市 | 3 058 | 39 | 61 | 30 | 5 | 111 | 46 | 2 252 | 9 | 3 | 502 |
| 名古屋市 | 31 989 | 1 097 | 20 666 | 469 | 214 | 83 | 395 | 4 824 | 52 | 218 | 3 971 |
| 京都市 | 17 194 | 457 | 4 410 | 273 | 129 | 59 | 111 | 3 674 | 81 | 54 | 7 946 |
| 大阪市 | 28 927 | 1 281 | 809 | 2 238 | 872 | 131 | 275 | 5 152 | 138 | 222 | 17 809 |
| 堺市 | 30 235 | 788 | 8 648 | 1 287 | 851 | 42 | 93 | 13 409 | 33 | 53 | 5 031 |
| 神戸市 | 12 255 | 333 | 6 938 | 160 | 26 | 9 | 82 | 2 191 | 8 | 36 | 2 472 |
| 岡山市 | 6 304 | 35 | 161 | 83 | 136 | － | 215 | 2 398 | － | － | 3 276 |
| 広島市 | 22 138 | 193 | 9 796 | 130 | 25 | 59 | 147 | 3 953 | 13 | 2 | 7 820 |
| 北九州市 | 17 424 | 477 | 5 394 | 450 | 171 | 59 | 87 | 1 758 | 38 | 84 | 8 906 |
| 福岡市 | 51 639 | 79 | 37 954 | 239 | 95 | 107 | 73 | 4 709 | 13 | 6 | 8 364 |
| 熊本市 | 4 105 | 673 | 669 | 122 | 16 | 8 | 38 | 1 081 | 5 | 11 | 1 482 |

## 等の被指導延人員，都道府県－指定都市・特別区－中核市－その他政令市、相談内容別

平成29年度

| 電子メールによる相談延人員 | | | | | | | | | | |
|---|---|---|---|---|---|---|---|---|---|---|
| 総数 | 老人精神保健 | 社会復帰 | アルコール | 薬物 | ギャンブル | 思春期 | 心の健康づくり | 摂食障害 | てんかん | その他 |
| **18 372** | **554** | **3 132** | **576** | **133** | **53** | **713** | **3 575** | **87** | **45** | **9 504** |
| 590 | 20 | 106 | 8 | 2 | 5 | 77 | 67 | 6 | – | 299 |
| 53 | – | 13 | – | – | – | 1 | 38 | – | – | 1 |
| 250 | 40 | 148 | – | – | – | 1 | 42 | – | – | 19 |
| 748 | 11 | 195 | 32 | – | – | – | 500 | 1 | 2 | 7 |
| 265 | – | 2 | – | – | – | – | 198 | – | – | 65 |
| 14 | – | 1 | 2 | – | – | 1 | – | – | – | 10 |
| 367 | 11 | 81 | 1 | – | – | 6 | 192 | 5 | – | 71 |
| 137 | – | 21 | 27 | – | – | 15 | – | – | 4 | 70 |
| 472 | 6 | 173 | – | – | – | 4 | 257 | – | – | 32 |
| 61 | 11 | 5 | 2 | – | – | – | 12 | 1 | – | 30 |
| 710 | 9 | 122 | 55 | 1 | 2 | 83 | 196 | – | – | 242 |
| 766 | 20 | 129 | 6 | – | 1 | 44 | 10 | 5 | 4 | 547 |
| 4 609 | 95 | 554 | 72 | 96 | 3 | 270 | 320 | 19 | 4 | 3 176 |
| 1 007 | 10 | 348 | 39 | 15 | 26 | 21 | 146 | 2 | – | 400 |
| 821 | 92 | 231 | 89 | – | – | 31 | 59 | – | – | 319 |
| 147 | – | 3 | 1 | – | – | – | 96 | – | – | 47 |
| 142 | 3 | 20 | 14 | – | – | 5 | 21 | – | – | 79 |
| 14 | 3 | 6 | – | – | – | – | 5 | – | – | – |
| 46 | – | 1 | – | – | – | – | 1 | 1 | – | 43 |
| 329 | 47 | 66 | 10 | – | – | 34 | 37 | 2 | 1 | 132 |
| 492 | – | 9 | – | – | – | – | 3 | – | – | 480 |
| 155 | 9 | 1 | – | – | – | 4 | 103 | 1 | – | 37 |
| 66 | 1 | 10 | – | – | – | 7 | 15 | – | – | 33 |
| 228 | – | 145 | 1 | – | – | 2 | 73 | – | – | 7 |
| 443 | 36 | 8 | 5 | – | – | 13 | 216 | – | 4 | 161 |
| 1 414 | 61 | 28 | 144 | – | 15 | 50 | 263 | – | – | 853 |
| 983 | 9 | 48 | 10 | 2 | – | 10 | 107 | – | – | 797 |
| 49 | – | 3 | – | – | – | 1 | 21 | – | – | 24 |
| 25 | – | 9 | – | – | – | – | 2 | – | – | 14 |
| 307 | – | 180 | – | – | – | – | 85 | 21 | 10 | 11 |
| 228 | – | 28 | – | – | – | 1 | 34 | – | – | 165 |
| 99 | 13 | 25 | 9 | – | – | 10 | 2 | 10 | – | 30 |
| 303 | 21 | 1 | 11 | – | – | 7 | 61 | 12 | – | 190 |
| 32 | – | 10 | – | – | – | – | 4 | – | – | 18 |
| 212 | 1 | – | – | – | – | – | 35 | – | – | 176 |
| 2 | – | – | – | – | – | – | – | – | – | 2 |
| 29 | – | 21 | – | – | – | – | 8 | – | – | – |
| 34 | 3 | 5 | – | – | – | 3 | 6 | – | – | 17 |
| 22 | – | – | 2 | – | – | – | 8 | – | – | 12 |
| 315 | 2 | 73 | 17 | 17 | 1 | 1 | 86 | 1 | 9 | 108 |
| 1 | – | – | – | – | – | – | 1 | – | – | – |
| 30 | – | – | – | – | – | – | – | – | – | 30 |
| 28 | 3 | 8 | 1 | – | – | – | 8 | – | – | 8 |
| 216 | 10 | 143 | 4 | – | – | 7 | 23 | – | – | 29 |
| 118 | 5 | 31 | – | – | – | 4 | 36 | – | 7 | 35 |
| 88 | 2 | 14 | – | – | – | – | 4 | – | – | 68 |
| 905 | – | 107 | 14 | – | – | – | 174 | – | – | 610 |
| 1 893 | 56 | 344 | 59 | 3 | 3 | 174 | 199 | 2 | 3 | 1 050 |
| 169 | 9 | – | 1 | 1 | – | – | – | – | – | 158 |
| 5 | – | 1 | – | – | – | – | 3 | – | – | 1 |
| 451 | 1 | 94 | 31 | 1 | 1 | 76 | 135 | – | – | 112 |
| 10 | 2 | 1 | – | – | 1 | – | 3 | – | – | 3 |
| 399 | 3 | 103 | – | 2 | – | – | 58 | – | – | 233 |
| 289 | – | 188 | 32 | 8 | 8 | 1 | 1 | 1 | – | 50 |
| 35 | – | 6 | 2 | – | – | 2 | 11 | – | – | 14 |
| 61 | 19 | 18 | – | – | – | – | 3 | – | – | 21 |
| – | – | – | – | – | – | – | – | – | – | – |
| 34 | 7 | 1 | – | – | – | – | 10 | – | – | 16 |
| 18 | 1 | 4 | – | – | – | 3 | 5 | – | – | 5 |
| – | – | – | – | – | – | – | – | – | – | – |
| 23 | 1 | 3 | 1 | – | – | – | 2 | – | – | 16 |
| 712 | 5 | 43 | 1 | 2 | – | 6 | 97 | – | – | 558 |
| 3 | – | – | – | – | – | – | – | – | – | 3 |
| – | – | – | – | – | – | – | – | – | – | – |
| 17 | – | 7 | – | – | – | – | 1 | – | – | 9 |
| 5 | 1 | – | – | – | – | – | 3 | – | – | 1 |
| 36 | – | 2 | 1 | 16 | – | – | – | – | 8 | 9 |
| 20 | 2 | 8 | – | – | – | – | 7 | – | – | 3 |

# 第19表（２－２）保健所及び市区町村が実施した精神保健福祉電話相談

| | 電話による相談延人員 | | | | | | | | | | |
|---|---|---|---|---|---|---|---|---|---|---|---|
| | 総数 | 老人精神保健 | 社会復帰 | アルコール | 薬物 | ギャンブル | 思春期 | 心の健康づくり | 摂食障害 | てんかん | その他 |
| 中核市(再掲) | | | | | | | | | | | |
| 旭川市 | 2 118 | 98 | 10 | 63 | 18 | 13 | 23 | 320 | 1 | 1 | 1 571 |
| 函館市 | 3 160 | 209 | 586 | 40 | 3 | 1 | － | 121 | － | 25 | 2 175 |
| 青森市 | 479 | 24 | 1 | 12 | 1 | － | 5 | 167 | 3 | 1 | 265 |
| 八戸市 | 276 | 8 | 8 | 12 | － | 1 | 17 | 67 | 5 | － | 158 |
| 盛岡市 | 2 475 | 16 | 219 | 25 | 3 | 3 | 5 | 117 | 3 | － | 2 084 |
| 秋田市 | 1 911 | 35 | 3 | 36 | 27 | － | 23 | 190 | － | － | 1 597 |
| 郡山市 | 2 052 | 35 | 347 | 45 | 2 | 7 | 32 | 1 148 | － | 4 | 432 |
| いわき市 | 2 093 | 77 | 757 | 53 | 15 | 3 | 14 | 405 | － | － | 769 |
| 宇都宮市 | 3 939 | 61 | 2 383 | 44 | 5 | 1 | 65 | 923 | 9 | － | 448 |
| 前橋市 | 2 475 | 167 | 667 | 95 | 9 | 1 | 35 | 303 | 3 | 5 | 1 190 |
| 高崎市 | 2 339 | 62 | 186 | 40 | 10 | 7 | 309 | 186 | 3 | 2 | 1 534 |
| 川越市 | 6 594 | 113 | 1 081 | 243 | 104 | 9 | 154 | 295 | 3 | 3 | 4 589 |
| 越谷市 | 2 833 | 59 | 30 | 146 | 14 | 4 | 82 | 654 | 4 | 12 | 1 828 |
| 船橋市 | 2 772 | 44 | 74 | 85 | 19 | 7 | 29 | 521 | 8 | 9 | 1 976 |
| 柏市 | 10 213 | 328 | 980 | 627 | 41 | 7 | 239 | 1 108 | 2 | － | 6 881 |
| 八王子市 | 8 145 | 240 | 1 265 | 173 | 35 | 3 | 264 | 1 877 | 25 | 25 | 4 238 |
| 横須賀市 | 5 787 | 201 | 122 | 151 | 36 | 3 | 121 | 3 868 | 6 | － | 1 279 |
| 富山市 | 4 211 | 133 | 1 589 | 72 | 19 | － | 85 | 1 212 | 4 | 41 | 1 056 |
| 金沢市 | 3 416 | 145 | 2 434 | 69 | 36 | － | 16 | 634 | 1 | － | 81 |
| 長野市 | 3 641 | 57 | 1 572 | 232 | 5 | 7 | 18 | 1 652 | 21 | 32 | 45 |
| 岐阜市 | 2 868 | 85 | 504 | 32 | － | 1 | 17 | 1 264 | 1 | 9 | 955 |
| 豊橋市 | 5 681 | 36 | 180 | 175 | 30 | 4 | 65 | 779 | 2 | 7 | 4 403 |
| 豊田市 | 3 444 | 9 | 260 | 47 | 19 | － | 7 | 812 | 2 | － | 2 288 |
| 岡崎市 | 699 | 5 | 27 | 9 | 4 | － | － | 71 | 6 | 10 | 567 |
| 大津市 | 4 444 | 18 | 305 | 140 | 11 | 2 | 91 | 3 550 | － | 7 | 320 |
| 高槻市 | 2 883 | 88 | 23 | 105 | 27 | 11 | 105 | 1 350 | 22 | 2 | 1 150 |
| 東大阪市 | 557 | 42 | 92 | 34 | 6 | 5 | 15 | 46 | 1 | 1 | 315 |
| 豊中市 | 1 807 | 48 | 15 | 64 | 12 | 15 | 41 | 1 037 | 5 | 2 | 568 |
| 枚方市 | 1 375 | 51 | 10 | 38 | 1 | 2 | 23 | 1 024 | 7 | － | 219 |
| 姫路市 | 2 314 | 77 | 9 | 82 | 3 | 5 | 26 | 1 856 | 5 | － | 251 |
| 西宮市 | 7 576 | 350 | 1 077 | 284 | 13 | 9 | 14 | 1 341 | 13 | 4 | 4 471 |
| 尼崎市 | 4 711 | 341 | 1 945 | 177 | 17 | 10 | 53 | 385 | 2 | 24 | 1 757 |
| 奈良市 | 293 | 9 | 91 | 24 | 6 | 1 | 4 | 17 | － | － | 141 |
| 和歌山市 | 9 466 | 75 | 8 129 | 57 | 32 | － | 1 | 77 | 6 | － | 1 089 |
| 倉敷市 | 3 619 | 91 | 745 | 126 | 17 | 3 | 49 | 1 588 | 6 | － | 994 |
| 福山市 | 2 116 | 35 | 134 | 55 | － | 7 | 26 | 274 | 7 | 14 | 1 564 |
| 呉市 | 932 | 19 | 90 | 9 | － | 2 | 10 | 185 | 7 | － | 610 |
| 下関市 | 2 905 | 73 | 42 | 59 | 12 | 6 | 3 | 79 | 1 | 15 | 2 615 |
| 高松市 | 3 841 | 34 | 1 788 | 43 | 3 | 1 | 8 | 1 739 | 3 | － | 222 |
| 松山市 | 4 012 | 46 | 379 | 43 | 3 | － | 5 | 1 266 | 6 | 13 | 2 251 |
| 高知市 | 3 037 | 41 | 3 | 56 | 8 | 3 | 17 | 160 | 1 | － | 2 748 |
| 久留米市 | 4 780 | 66 | 2 372 | 63 | 24 | 25 | 63 | 1 694 | 27 | 24 | 422 |
| 長崎市 | 4 026 | 168 | 9 | 130 | 103 | 8 | 72 | 9 | 58 | 7 | 3 462 |
| 佐世保市 | 4 167 | 554 | 142 | 86 | 1 | 14 | 44 | 1 254 | 39 | 25 | 2 008 |
| 大分市 | 5 035 | 417 | 4 | 100 | 7 | 5 | 79 | 898 | － | 72 | 3 453 |
| 宮崎市 | 3 944 | 207 | 332 | 379 | 18 | 12 | 32 | 419 | 3 | 2 | 2 540 |
| 鹿児島市 | 8 842 | 295 | 572 | 93 | 1 | 25 | 128 | 539 | － | 3 | 7 186 |
| 那覇市 | 2 948 | 129 | 142 | 360 | 26 | 13 | 40 | 714 | 22 | 1 | 1 501 |
| その他政令市(再掲) | | | | | | | | | | | |
| 小樽市 | 384 | 31 | 21 | 46 | 3 | － | 7 | 2 | 1 | 1 | 272 |
| 町田市 | 5 577 | 32 | 2 282 | 66 | 15 | 5 | 338 | 207 | 16 | － | 2 616 |
| 藤沢市 | 5 410 | 592 | 11 | 150 | 10 | 2 | 72 | 568 | 6 | － | 3 999 |
| 茅ヶ崎市 | 1 777 | 180 | － | 34 | 3 | 3 | 21 | 2 | 4 | 4 | 1 526 |
| 四日市市 | 1 868 | 5 | 1 | 163 | 3 | 3 | 215 | － | 1 | 5 | 1 472 |
| 大牟田市 | 1 205 | 137 | 287 | 83 | 1 | － | 16 | 64 | － | － | 617 |

## 等の被指導延人員，都道府県－指定都市・特別区－中核市－その他政令市、相談内容別

平成29年度

| 電子メールによる相談延人員 | | | | | | | | | | |
|---|---|---|---|---|---|---|---|---|---|---|
| 総数 | 老人精神保健 | 社会復帰 | アルコール | 薬物 | ギャンブル | 思春期 | 心の健康づくり | 摂食障害 | てんかん | その他 |
| – | – | – | – | – | – | – | – | – | – | – |
| 44 | 7 | 25 | 2 | – | – | – | 4 | 4 | – | 2 |
| – | – | – | – | – | – | – | – | – | – | – |
| – | – | – | – | – | – | – | – | – | – | – |
| – | – | – | – | – | – | – | – | – | – | – |
| 1 | – | – | – | – | – | – | 1 | – | – | – |
| 3 | – | – | – | – | – | – | – | – | – | 3 |
| 9 | – | – | – | – | – | – | – | – | – | 9 |
| 152 | – | 152 | – | – | – | – | – | – | – | – |
| 4 | – | 2 | – | – | – | – | – | – | – | 2 |
| 28 | 1 | 3 | 2 | – | – | – | 12 | 1 | – | 9 |
| 15 | – | 1 | 3 | – | – | – | 1 | – | – | 10 |
| – | – | – | – | – | – | – | – | – | – | – |
| 1 | – | – | – | – | – | – | – | – | – | 1 |
| 54 | 2 | 6 | 5 | – | – | 1 | – | – | – | 40 |
| – | – | – | – | – | – | – | – | – | – | – |
| 58 | 1 | 1 | – | 1 | – | – | 50 | – | – | 5 |
| 126 | – | 2 | – | – | – | – | 92 | – | – | 32 |
| 7 | – | 5 | – | – | – | – | 1 | – | – | 1 |
| – | – | – | – | – | – | – | – | – | – | – |
| 19 | – | 4 | – | – | – | – | – | – | – | 15 |
| – | – | – | – | – | – | – | – | – | – | – |
| – | – | – | – | – | – | – | – | – | – | – |
| 5 | – | – | – | – | – | – | – | – | – | 5 |
| 220 | – | – | 2 | – | – | 5 | 212 | – | 1 | – |
| 15 | 3 | – | 2 | – | – | – | – | – | – | 10 |
| 16 | – | 2 | 1 | – | – | 1 | 7 | – | – | 5 |
| 52 | – | – | 5 | – | – | 3 | – | – | – | 44 |
| 1 | – | – | – | – | – | – | 1 | – | – | – |
| 4 | – | – | – | – | – | – | 4 | – | – | – |
| – | – | – | – | – | – | – | – | – | – | – |
| – | – | – | – | – | – | – | – | – | – | – |
| – | – | – | – | – | – | – | – | – | – | – |
| – | – | – | – | – | – | – | – | – | – | – |
| 13 | – | 1 | – | – | – | 2 | 8 | – | – | 2 |
| 1 | – | – | – | – | – | – | 1 | – | – | – |
| – | – | – | – | – | – | – | – | – | – | – |
| 119 | – | – | – | – | – | – | – | – | – | 119 |
| – | – | – | – | – | – | – | – | – | – | – |
| 9 | – | – | – | – | – | 3 | – | – | – | 6 |
| 6 | – | – | 1 | – | – | – | 3 | – | – | 2 |
| 54 | 1 | 27 | 1 | 1 | 1 | 1 | 17 | 1 | 1 | 3 |
| – | – | – | – | – | – | – | – | – | – | – |
| – | – | – | – | – | – | – | – | – | – | – |
| – | – | – | – | – | – | – | – | – | – | – |
| – | – | – | – | – | – | – | – | – | – | – |
| – | – | – | – | – | – | – | – | – | – | – |
| 2 | – | – | – | – | – | – | 2 | – | – | – |
| – | – | – | – | – | – | – | – | – | – | – |
| 44 | – | 1 | – | 2 | – | 5 | 1 | – | – | 35 |
| 30 | 1 | – | – | – | – | – | 7 | – | – | 22 |
| 2 | – | – | – | – | – | – | – | – | – | 2 |
| 1 | – | – | 1 | – | – | – | – | – | – | – |
| – | – | – | – | – | – | – | – | – | – | – |

# 第20表　保健所及び市区町村が実施した精神保健福祉の普及啓発のための教室等

| | 精神障害者（家族）に対する教室等 | | （再掲）うつ病に関する教室等 | | 地域住民と精神障害者との地域交流会 | |
|---|---|---|---|---|---|---|
| | 開催回数 | 参加延人員 | 開催回数 | 参加延人員 | 開催回数 | 参加延人員 |
| **全国** | **9 286** | **107 983** | **834** | **24 305** | **4 260** | **80 930** |
| 北海道 | 270 | 6 859 | 56 | 4 981 | 77 | 1 491 |
| 青森 | 101 | 946 | 9 | 352 | 25 | 553 |
| 岩手 | 254 | 3 414 | 49 | 1 719 | 52 | 1 621 |
| 宮城 | 387 | 3 369 | 12 | 311 | 47 | 2 181 |
| 秋田 | 76 | 702 | 10 | 205 | 37 | 670 |
| 山形 | 39 | 893 | 28 | 553 | 9 | 13 |
| 福島 | 89 | 945 | 29 | 242 | 28 | 519 |
| 茨城 | 113 | 2 331 | 4 | 93 | 11 | 269 |
| 栃木 | 86 | 930 | 4 | 121 | 17 | 593 |
| 群馬 | 99 | 838 | 3 | 6 | 51 | 322 |
| 埼玉 | 501 | 5 326 | 84 | 1 197 | 145 | 4 830 |
| 千葉 | 129 | 2 468 | 14 | 214 | 40 | 2 468 |
| 東京 | 850 | 8 702 | 56 | 1 244 | 91 | 4 510 |
| 神奈川 | 1 244 | 13 649 | 19 | 499 | 58 | 4 401 |
| 新潟 | 130 | 1 996 | 36 | 1 116 | 33 | 2 301 |
| 富山 | 179 | 1 570 | 24 | 416 | 2 421 | 4 270 |
| 石川 | 58 | 454 | 7 | 90 | 2 | 52 |
| 福井 | 18 | 107 | - | - | 1 | 20 |
| 山梨 | 26 | 478 | 8 | 346 | 38 | 927 |
| 長野 | 318 | 2 266 | 41 | 414 | 22 | 775 |
| 岐阜 | 14 | 261 | 4 | 34 | 44 | 150 |
| 静岡 | 141 | 1 980 | 15 | 456 | 12 | 252 |
| 愛知 | 699 | 6 114 | 46 | 787 | 33 | 2 970 |
| 三重 | 98 | 883 | 18 | 557 | 13 | 1 165 |
| 滋賀 | 41 | 502 | 7 | 142 | 2 | 59 |
| 京都 | 248 | 1 744 | 10 | 84 | 59 | 5 848 |
| 大阪 | 539 | 4 235 | 20 | 302 | 38 | 3 142 |
| 兵庫 | 289 | 5 808 | 29 | 1 830 | 29 | 403 |
| 奈良 | 26 | 166 | - | - | 39 | 608 |
| 和歌山 | 77 | 1 379 | 1 | 63 | 4 | 484 |
| 鳥取 | 154 | 1 229 | 6 | 184 | 46 | 2 257 |
| 島根 | 80 | 730 | 4 | 28 | 7 | 245 |
| 岡山 | 377 | 2 656 | 9 | 373 | 59 | 2 138 |
| 広島 | 434 | 3 799 | 11 | 595 | 122 | 2 381 |
| 山口 | 75 | 940 | - | - | 14 | 945 |
| 徳島 | 61 | 982 | 22 | 618 | 86 | 1 457 |
| 香川 | 87 | 915 | 4 | 37 | 9 | 366 |
| 愛媛 | 126 | 3 122 | 12 | 922 | 45 | 2 952 |
| 高知 | 131 | 879 | 3 | 26 | 241 | 8 503 |
| 福岡 | 239 | 4 425 | 43 | 1 430 | 69 | 5 099 |
| 佐賀 | 13 | 156 | 7 | 146 | 7 | 37 |
| 長崎 | 63 | 839 | 9 | 504 | 10 | 1 068 |
| 熊本 | 21 | 416 | 2 | 37 | 15 | 1 230 |
| 大分 | 40 | 2 131 | 3 | 50 | 12 | 763 |
| 宮崎 | 76 | 1 383 | 15 | 822 | 19 | 1 309 |
| 鹿児島 | 99 | 1 730 | - | - | 16 | 2 231 |
| 沖縄 | 71 | 336 | 41 | 159 | 5 | 82 |
| 指定都市・特別区（再掲） | | | | | | |
| 東京都区部 | 686 | 6 595 | 41 | 891 | 67 | 2 611 |
| 札幌市 | 27 | 547 | 26 | 529 | - | - |
| 仙台市 | 184 | 1 891 | - | - | 27 | 1 586 |
| さいたま市 | 136 | 1 298 | 3 | 25 | - | - |
| 千葉市 | 4 | 621 | - | - | 1 | 1 330 |
| 横浜市 | 963 | 10 539 | - | - | 14 | 241 |
| 川崎市 | 75 | 643 | 2 | 6 | 10 | 1 100 |
| 相模原市 | 22 | 181 | 4 | 45 | 2 | 423 |
| 新潟市 | - | - | - | - | 2 | 105 |
| 静岡市 | - | - | - | - | - | - |
| 浜松市 | 40 | 388 | 10 | 77 | 1 | 34 |
| 名古屋市 | 160 | 1 759 | 5 | 51 | 2 | 2 231 |
| 京都市 | 120 | 928 | 10 | 84 | 47 | 5 535 |
| 大阪市 | 324 | 2 113 | 15 | 111 | 3 | 295 |
| 堺市 | 35 | 443 | - | - | 26 | 1 300 |
| 神戸市 | 13 | 645 | 3 | 285 | - | - |
| 岡山市 | 10 | 103 | - | - | 5 | 138 |
| 広島市 | 82 | 911 | 10 | 553 | 18 | 1 123 |
| 北九州市 | 75 | 611 | 8 | 76 | 26 | 1 536 |
| 福岡市 | 125 | 1 986 | 17 | 422 | 18 | 2 520 |
| 熊本市 | 10 | 202 | - | - | - | - |

## の開催回数・参加延人員，都道府県－指定都市・特別区－中核市－その他政令市、開催内容別

平成29年度

| | 精神障害者（家族）に対する教室等 | | （再掲）うつ病に関する教室等 | | 地域住民と精神障害者との地域交流会 | |
|---|---|---|---|---|---|---|
| | 開催回数 | 参加延人員 | 開催回数 | 参加延人員 | 開催回数 | 参加延人員 |
| 中核市(再掲) | | | | | | |
| 旭川市 | 1 | 28 | － | － | － | － |
| 函館市 | 16 | 345 | － | － | 2 | 197 |
| 青森市 | － | － | － | － | － | － |
| 八戸市 | － | － | － | － | － | － |
| 盛岡市 | 12 | 219 | 2 | 91 | － | － |
| 秋田市 | － | － | － | － | － | － |
| 郡山市 | 15 | 183 | 5 | 17 | － | － |
| いわき市 | 4 | 91 | － | － | － | － |
| 宇都宮市 | 3 | 51 | － | － | － | － |
| 前橋市 | － | － | － | － | － | － |
| 高崎市 | 54 | 396 | － | － | － | － |
| 川越市 | 10 | 174 | 2 | 24 | － | － |
| 越谷市 | 3 | 66 | － | － | － | － |
| 船橋市 | 12 | 343 | 1 | 86 | 1 | 232 |
| 柏市 | 12 | 110 | － | － | － | － |
| 八王子市 | 9 | 305 | 5 | 129 | 1 | 838 |
| 横須賀市 | 6 | 53 | － | － | － | － |
| 富山市 | 6 | 87 | 4 | 54 | 2 396 | 2 680 |
| 金沢市 | 1 | 17 | － | － | － | － |
| 長野市 | 18 | 190 | 3 | 50 | － | － |
| 岐阜市 | － | － | － | － | － | － |
| 豊橋市 | 3 | 62 | 3 | 62 | － | － |
| 豊田市 | 237 | 1 453 | 1 | 163 | 4 | 189 |
| 岡崎市 | 25 | 288 | － | － | － | － |
| 大津市 | 9 | 179 | － | － | － | － |
| 高槻市 | 29 | 145 | － | － | － | － |
| 東大阪市 | － | － | － | － | － | － |
| 豊中市 | 18 | 50 | － | － | － | － |
| 枚方市 | 38 | 300 | － | － | － | － |
| 姫路市 | 22 | 134 | － | － | － | － |
| 西宮市 | 35 | 597 | 11 | 321 | 1 | 15 |
| 尼崎市 | 50 | 348 | － | － | － | － |
| 奈良市 | 5 | 77 | － | － | － | － |
| 和歌山市 | 23 | 261 | － | － | 3 | 412 |
| 倉敷市 | 5 | 32 | 1 | 26 | 9 | 690 |
| 福山市 | 6 | 75 | － | － | － | － |
| 呉市 | 5 | 108 | － | － | － | － |
| 下関市 | 5 | 53 | － | － | － | － |
| 高松市 | 32 | 336 | 4 | 37 | － | － |
| 松山市 | 8 | 213 | － | － | 3 | 390 |
| 高知市 | － | － | － | － | － | － |
| 久留米市 | － | － | － | － | － | － |
| 長崎市 | 34 | 226 | － | － | － | － |
| 佐世保市 | 2 | 35 | － | － | 2 | 500 |
| 大分市 | 1 | 10 | － | － | － | － |
| 宮崎市 | 8 | 178 | 4 | 104 | － | － |
| 鹿児島市 | 13 | 151 | － | － | 8 | 1 963 |
| 那覇市 | 1 | 26 | － | － | － | － |
| その他政令市(再掲) | | | | | | |
| 小樽市 | 6 | 62 | － | － | － | － |
| 町田市 | － | － | － | － | － | － |
| 藤沢市 | 47 | 692 | 7 | 402 | － | － |
| 茅ヶ崎市 | 10 | 96 | － | － | － | － |
| 四日市市 | － | － | － | － | 1 | 59 |
| 大牟田市 | － | － | － | － | － | － |

# 第21表　保健所及び市区町村が実施した難病相談等の被指導

| | 相談、機能訓練、訪問指導 実人員 | (再掲) 相談 実人員 | (再掲) 相談 延人員 | (再掲) 機能訓練 実人員 | (再掲) 機能訓練 延人員 | (再掲) 訪問指導 実人員 | (再掲) 訪問指導 延人員 | 電話相談 延人員 |
|---|---|---|---|---|---|---|---|---|
| 全　　国 | 558 372 | 544 296 | 764 658 | 1 366 | 3 885 | 21 124 | 47 432 | 389 189 |
| 北　海　道 | 5 405 | 4 555 | 5 492 | 38 | 195 | 1 211 | 2 783 | 1 718 |
| 青　　森 | 1 751 | 1 287 | 2 218 | – | – | 495 | 826 | 332 |
| 岩　　手 | 9 901 | 9 808 | 10 488 | 3 | 3 | 165 | 306 | 4 451 |
| 宮　　城 | 2 245 | 2 080 | 2 775 | 5 | 9 | 295 | 800 | 1 504 |
| 秋　　田 | 4 169 | 4 152 | 5 629 | 7 | 10 | 31 | 43 | 3 185 |
| 山　　形 | 4 806 | 4 742 | 5 812 | 56 | 56 | 180 | 326 | 9 729 |
| 福　　島 | 15 742 | 15 607 | 20 273 | 10 | 43 | 299 | 463 | 10 155 |
| 茨　　城 | 13 777 | 13 739 | 17 010 | – | – | 90 | 179 | 10 299 |
| 栃　　木 | 11 603 | 11 558 | 18 124 | 40 | 42 | 407 | 896 | 5 275 |
| 群　　馬 | 14 988 | 14 873 | 21 094 | 33 | 115 | 227 | 772 | 9 966 |
| 埼　　玉 | 50 885 | 50 760 | 80 583 | 14 | 160 | 405 | 933 | 41 625 |
| 千　　葉 | 9 769 | 9 220 | 11 099 | – | – | 683 | 1 241 | 9 641 |
| 東　　京 | 18 495 | 17 063 | 29 238 | 361 | 1 415 | 1 827 | 5 891 | 14 377 |
| 神　奈　川 | 35 635 | 34 343 | 46 334 | 64 | 219 | 1 410 | 2 135 | 13 600 |
| 新　　潟 | 19 176 | 18 617 | 28 109 | 72 | 213 | 1 103 | 1 981 | 9 940 |
| 富　　山 | 6 695 | 6 635 | 9 922 | 49 | 98 | 256 | 559 | 1 082 |
| 石　　川 | 6 093 | 6 082 | 13 313 | – | – | 62 | 160 | 2 490 |
| 福　　井 | 6 300 | 6 289 | 12 667 | 11 | 11 | 129 | 510 | 5 544 |
| 山　　梨 | 3 104 | 2 953 | 5 270 | 1 | 10 | 259 | 525 | 1 788 |
| 長　　野 | 1 823 | 1 423 | 2 233 | 8 | 10 | 513 | 1 027 | 1 769 |
| 岐　　阜 | 12 855 | 12 770 | 16 002 | – | – | 147 | 288 | 6 823 |
| 静　　岡 | 17 466 | 17 262 | 20 157 | 5 | 9 | 508 | 998 | 12 712 |
| 愛　　知 | 6 323 | 4 755 | 5 192 | – | – | 1 887 | 3 212 | 3 182 |
| 三　　重 | 2 126 | 2 084 | 2 636 | 11 | 11 | 75 | 202 | 1 725 |
| 滋　　賀 | 4 284 | 4 178 | 6 092 | 50 | 121 | 167 | 340 | 1 885 |
| 京　　都 | 11 596 | 10 947 | 13 783 | 69 | 115 | 639 | 1 336 | 4 130 |
| 大　　阪 | 30 622 | 28 337 | 29 489 | 180 | 352 | 2 914 | 8 045 | 23 234 |
| 兵　　庫 | 22 993 | 22 577 | 28 863 | 64 | 160 | 777 | 1 871 | 16 619 |
| 奈　　良 | 4 412 | 4 246 | 7 583 | 17 | 51 | 155 | 392 | 7 006 |
| 和　歌　山 | 9 281 | 9 199 | 11 941 | 8 | 8 | 431 | 517 | 4 564 |
| 鳥　　取 | 2 290 | 2 265 | 2 458 | – | – | 26 | 52 | 150 |
| 島　　根 | 5 981 | 5 866 | 8 864 | 4 | 5 | 174 | 513 | 2 451 |
| 岡　　山 | 17 804 | 17 558 | 20 661 | 27 | 40 | 336 | 799 | 7 034 |
| 広　　島 | 16 144 | 16 102 | 19 425 | – | – | 111 | 290 | 9 848 |
| 山　　口 | 13 186 | 13 030 | 18 659 | 3 | 4 | 505 | 881 | 8 902 |
| 徳　　島 | 6 881 | 6 867 | 9 801 | – | – | 107 | 270 | 8 659 |
| 香　　川 | 1 075 | 876 | 1 937 | 1 | 10 | 226 | 651 | 899 |
| 愛　　媛 | 8 027 | 7 925 | 11 533 | 2 | 4 | 129 | 230 | 9 931 |
| 高　　知 | 1 605 | 1 456 | 2 248 | 1 | 24 | 192 | 494 | 2 990 |
| 福　　岡 | 48 001 | 47 923 | 69 283 | 2 | 7 | 154 | 383 | 34 742 |
| 佐　　賀 | 8 525 | 8 450 | 16 173 | 6 | 18 | 92 | 287 | 7 967 |
| 長　　崎 | 6 913 | 6 645 | 9 095 | 89 | 184 | 337 | 758 | 7 993 |
| 熊　　本 | 10 588 | 10 564 | 14 423 | – | – | 92 | 168 | 9 236 |
| 大　　分 | 7 167 | 7 005 | 13 833 | – | – | 236 | 478 | 5 843 |
| 宮　　崎 | 11 812 | 11 680 | 15 704 | 44 | 44 | 203 | 522 | 7 658 |
| 鹿　児　島 | 18 656 | 18 567 | 29 898 | 1 | 11 | 197 | 377 | 16 657 |
| 沖　　縄 | 9 397 | 9 376 | 11 242 | 10 | 98 | 260 | 722 | 7 879 |
| 指定都市・特別区(再掲) | | | | | | | | |
| 東 京 都 区 部 | 14 147 | 13 443 | 16 292 | 235 | 1 272 | 912 | 2 723 | 6 487 |
| 札　幌　市 | 3 294 | 3 231 | 3 241 | – | – | 170 | 242 | 233 |
| 仙　台　市 | 341 | 229 | 311 | – | – | 146 | 241 | 345 |
| さいたま市 | 7 474 | 7 474 | 14 968 | – | – | 27 | 50 | 2 815 |
| 千　葉　市 | 3 197 | 3 166 | 4 169 | – | – | 57 | 81 | 2 157 |
| 横　浜　市 | 18 387 | 17 626 | 20 402 | – | – | 761 | 884 | 2 842 |
| 川　崎　市 | 3 462 | 3 458 | 3 484 | – | – | 9 | 16 | 561 |
| 相模原市 | 3 498 | 3 177 | 6 062 | – | – | 321 | 460 | 1 823 |
| 新　潟　市 | 7 908 | 7 568 | 12 418 | – | – | 340 | 542 | 2 575 |
| 静　岡　市 | 2 623 | 2 505 | 2 696 | – | – | 118 | 147 | 2 044 |
| 浜　松　市 | 1 643 | 1 627 | 1 897 | – | – | 34 | 64 | 2 843 |
| 名　古　屋　市 | 3 661 | 2 382 | 2 525 | – | – | 1 279 | 1 526 | 1 289 |
| 京　都　市 | 3 066 | 2 920 | 3 306 | – | – | 160 | 280 | 1 263 |
| 大　阪　市 | 5 864 | 5 242 | 5 333 | – | – | 622 | 912 | 1 510 |
| 堺　　市 | 1 329 | 1 123 | 1 156 | – | – | 206 | 660 | 1 291 |
| 神　戸　市 | 6 318 | 6 314 | 7 189 | – | – | 46 | 55 | 623 |
| 岡　山　市 | 12 540 | 12 493 | 13 632 | – | – | 47 | 149 | 4 833 |
| 広　島　市 | 10 723 | 10 715 | 10 850 | – | – | 11 | 17 | 3 257 |
| 北　九　州　市 | 14 310 | 14 298 | 14 740 | – | – | 12 | 13 | 8 059 |
| 福　岡　市 | 12 661 | 12 659 | 23 931 | – | – | 6 | 15 | 4 602 |
| 熊　本　市 | 826 | 823 | 899 | – | – | 3 | 3 | 2 600 |

# 実人員－延人員，都道府県－指定都市・特別区－中核市－その他政令市、相談等の種類別

平成29年度

| | 相談、機能訓練、訪問指導 実人員 | (再掲)相談 | | (再掲)機能訓練 | | (再掲)訪問指導 | | 電話相談 延人員 |
|---|---|---|---|---|---|---|---|---|
| | | 実人員 | 延人員 | 実人員 | 延人員 | 実人員 | 延人員 | |
| **中核市(再掲)** | | | | | | | | |
| 旭川市 | 78 | 74 | 74 | - | - | 4 | 10 | 3 |
| 函館市 | 120 | 64 | 66 | - | - | 56 | 142 | 232 |
| 青森市 | 179 | 134 | 144 | - | - | 45 | 117 | 137 |
| 八戸市 | 169 | 140 | 140 | - | - | 29 | 48 | 63 |
| 盛岡市 | 4 | 4 | 6 | - | - | 4 | 12 | 24 |
| 秋田市 | 355 | 349 | 349 | - | - | 6 | 9 | 2 436 |
| 郡山市 | 2 798 | 2 795 | 2 996 | - | - | 16 | 16 | 1 625 |
| いわき市 | 2 504 | 2 504 | 2 504 | - | - | 27 | 43 | 638 |
| 宇都宮市 | 328 | 306 | 615 | 5 | 5 | 96 | 289 | 328 |
| 前橋市 | 2 902 | 2 902 | 3 105 | - | - | 46 | 95 | 1 168 |
| 高崎市 | 2 091 | 2 040 | 2 040 | - | - | 51 | 243 | 50 |
| 川越市 | 2 796 | 2 796 | 4 032 | - | - | 17 | 60 | 1 571 |
| 越谷市 | 3 373 | 3 350 | 3 373 | - | - | 29 | 79 | 635 |
| 船橋市 | 305 | 63 | 77 | - | - | 273 | 447 | 859 |
| 柏市 | 383 | 363 | 387 | - | - | 43 | 63 | 477 |
| 八王子市 | 182 | 39 | 912 | 34 | 34 | 109 | 348 | 299 |
| 横須賀市 | 192 | 173 | 3 890 | - | - | 19 | 62 | 3 717 |
| 富山市 | 2 976 | 2 976 | 2 976 | - | - | 49 | 111 | - |
| 金沢市 | 77 | 67 | 69 | - | - | 12 | 13 | 6 |
| 長野市 | 880 | 776 | 1 282 | - | - | 104 | 134 | 988 |
| 岐阜市 | 4 164 | 4 118 | 4 223 | - | - | 46 | 103 | 350 |
| 豊橋市 | 543 | 514 | 570 | - | - | 92 | 270 | 606 |
| 豊田市 | 73 | 73 | 91 | - | - | 24 | 35 | 19 |
| 岡崎市 | 388 | 315 | 315 | - | - | 73 | 141 | 11 |
| 大津市 | 2 765 | 2 728 | 3 693 | - | - | 37 | 65 | 351 |
| 高槻市 | 1 073 | 740 | 740 | 52 | 169 | 281 | 1 387 | 6 740 |
| 東大阪市 | 4 375 | 4 152 | 4 302 | - | - | 258 | 660 | 906 |
| 豊中市 | 1 510 | 1 329 | 1 599 | 16 | 16 | 165 | 423 | 2 124 |
| 枚方市 | 1 235 | 1 106 | 1 106 | - | - | 192 | 381 | 1 442 |
| 姫路市 | 360 | 194 | 203 | 18 | 18 | 154 | 193 | 239 |
| 西宮市 | 446 | 406 | 443 | 18 | 25 | 51 | 130 | 2 568 |
| 尼崎市 | 256 | 245 | 266 | - | - | 20 | 38 | 567 |
| 奈良市 | 566 | 528 | 538 | - | - | 38 | 149 | 1 736 |
| 和歌山市 | 3 657 | 3 657 | 4 739 | - | - | 57 | 73 | 1 013 |
| 倉敷市 | 1 708 | 1 655 | 1 731 | - | - | 53 | 143 | 202 |
| 福山市 | 4 | 4 | 4 | - | - | - | - | 14 |
| 呉市 | 1 813 | 1 813 | 2 411 | - | - | 5 | 23 | 1 527 |
| 下関市 | 757 | 728 | 793 | - | - | 29 | 58 | 709 |
| 高松市 | 82 | 9 | 10 | - | - | 73 | 254 | 364 |
| 松山市 | 76 | 13 | 14 | - | - | 63 | 88 | 2 709 |
| 高知市 | 310 | 289 | 394 | - | - | 32 | 75 | 1 265 |
| 久留米市 | 787 | 770 | 770 | - | - | 17 | 21 | 2 011 |
| 長崎市 | 610 | 571 | 575 | 62 | 119 | 41 | 56 | 894 |
| 佐世保市 | 437 | 367 | 572 | 7 | 45 | 94 | 251 | 138 |
| 大分市 | 552 | 416 | 476 | - | - | 136 | 270 | 227 |
| 宮崎市 | 5 211 | 5 127 | 5 988 | - | - | 84 | 164 | 3 074 |
| 鹿児島市 | 7 090 | 7 059 | 8 824 | - | - | 31 | 32 | 10 595 |
| 那覇市 | 1 010 | 994 | 1 363 | - | - | 16 | 34 | 1 723 |
| **その他政令市(再掲)** | | | | | | | | |
| 小樽市 | 47 | 44 | 48 | - | - | 3 | 5 | 47 |
| 町田市 | 99 | 10 | 22 | 4 | 4 | 89 | 268 | 312 |
| 藤沢市 | 4 758 | 4 758 | 4 758 | 3 | 40 | 56 | 175 | 2 480 |
| 茅ヶ崎市 | 217 | 199 | 248 | - | - | 20 | 70 | 70 |
| 四日市市 | 60 | 60 | 60 | - | - | 9 | 13 | 12 |
| 大牟田市 | 460 | 460 | 460 | - | - | - | - | 100 |

# 第22表　保健所及び市区町村が実施した難病相談の被指導

| | 実人員 | 延人員 | | | | | | | | | |
|---|---|---|---|---|---|---|---|---|---|---|---|
| | | 総数 | 申請等の相談 | 医療 | 家庭看護 | 福祉制度 | 就労 | 就学 | 食事・栄養 | 歯科 | その他 |
| **全国** | **544 296** | **764 658** | **621 548** | **53 344** | **27 279** | **25 150** | **2 813** | **218** | **4 066** | **523** | **29 717** |
| 北海道 | 4 555 | 5 492 | 2 548 | 1 443 | 508 | 461 | 17 | 2 | 43 | 7 | 463 |
| 青森 | 1 287 | 2 218 | 1 074 | 186 | 285 | 174 | 53 | 3 | 60 | 7 | 376 |
| 岩手 | 9 808 | 10 488 | 9 452 | 135 | 108 | 44 | 44 | - | 18 | 3 | 684 |
| 宮城 | 2 080 | 2 775 | 1 642 | 135 | 128 | 222 | 21 | 4 | 12 | - | 611 |
| 秋田 | 4 152 | 5 629 | 4 695 | 26 | 15 | 10 | 2 | - | 1 | - | 880 |
| 山形 | 4 742 | 5 812 | 5 586 | 69 | 32 | 35 | 8 | 3 | 27 | - | 52 |
| 福島 | 15 607 | 20 273 | 19 886 | 74 | 43 | 61 | 7 | - | 11 | 3 | 188 |
| 茨城 | 13 739 | 17 010 | 15 557 | 750 | 142 | 449 | 35 | 10 | 12 | - | 55 |
| 栃木 | 11 558 | 18 124 | 13 945 | 1 604 | 740 | 454 | 49 | 4 | 243 | 4 | 1 081 |
| 群馬 | 14 873 | 21 094 | 20 106 | 351 | 183 | 267 | 32 | - | 37 | 2 | 116 |
| 埼玉 | 50 760 | 80 583 | 67 357 | 3 011 | 2 008 | 5 412 | 69 | 13 | 1 359 | 41 | 1 313 |
| 千葉 | 9 220 | 11 099 | 7 843 | 1 210 | 1 018 | 419 | 55 | 3 | 35 | 7 | 509 |
| 東京 | 17 063 | 29 238 | 17 014 | 3 023 | 3 813 | 1 944 | 103 | 14 | 99 | 17 | 3 211 |
| 神奈川 | 34 343 | 46 334 | 32 443 | 3 405 | 3 841 | 2 718 | 142 | 9 | 130 | 39 | 3 607 |
| 新潟 | 18 617 | 28 109 | 23 598 | 2 178 | 777 | 791 | 34 | 5 | 96 | 19 | 611 |
| 富山 | 6 635 | 9 922 | 7 583 | 1 099 | 539 | 227 | 24 | 1 | 257 | 2 | 190 |
| 石川 | 6 082 | 13 313 | 10 245 | 514 | 912 | 284 | 97 | - | 234 | 1 | 1 026 |
| 福井 | 6 289 | 12 667 | 11 779 | 185 | 348 | 99 | 17 | 1 | 8 | 3 | 227 |
| 山梨 | 2 953 | 5 270 | 4 391 | 262 | 128 | 202 | 6 | 1 | 24 | 1 | 255 |
| 長野 | 1 423 | 2 233 | 1 078 | 364 | 410 | 120 | 36 | 3 | 56 | 11 | 155 |
| 岐阜 | 12 770 | 16 002 | 15 521 | 322 | 72 | 58 | 4 | - | 3 | - | 22 |
| 静岡 | 17 262 | 20 157 | 16 463 | 1 368 | 1 124 | 850 | 55 | - | 84 | 5 | 208 |
| 愛知 | 4 755 | 5 192 | 1 551 | 556 | 1 597 | 372 | 125 | 8 | 90 | 23 | 870 |
| 三重 | 2 084 | 2 636 | 2 056 | 143 | 89 | 51 | 9 | 3 | 30 | 5 | 250 |
| 滋賀 | 4 178 | 6 092 | 3 350 | 527 | 507 | 529 | 122 | 4 | 126 | 21 | 906 |
| 京都 | 10 947 | 13 783 | 11 154 | 913 | 697 | 656 | 108 | 9 | 66 | 27 | 153 |
| 大阪 | 28 337 | 29 489 | 13 317 | 11 596 | 600 | 2 272 | 248 | 14 | 279 | 24 | 1 139 |
| 兵庫 | 22 577 | 28 863 | 21 819 | 2 615 | 1 577 | 1 462 | 117 | 10 | 73 | 65 | 1 125 |
| 奈良 | 4 246 | 7 583 | 5 539 | 399 | 967 | 130 | 18 | - | - | 14 | 516 |
| 和歌山 | 9 199 | 11 941 | 10 350 | 726 | 162 | 207 | 30 | 4 | 22 | 4 | 436 |
| 鳥取 | 2 265 | 2 458 | 2 376 | 44 | 17 | 8 | 1 | - | 1 | 1 | 10 |
| 島根 | 5 866 | 8 864 | 7 396 | 207 | 199 | 61 | 27 | 3 | 8 | 3 | 960 |
| 岡山 | 17 558 | 20 661 | 18 428 | 627 | 514 | 580 | 96 | 4 | 64 | 13 | 335 |
| 広島 | 16 102 | 19 425 | 16 779 | 771 | 716 | 804 | 42 | 11 | 33 | 1 | 268 |
| 山口 | 13 030 | 18 659 | 17 340 | 530 | 250 | 229 | 101 | 2 | 23 | 12 | 172 |
| 徳島 | 6 867 | 9 801 | 9 081 | 353 | 112 | 116 | 16 | 6 | 18 | 6 | 93 |
| 香川 | 876 | 1 937 | 421 | 372 | 381 | 259 | 22 | 3 | 93 | 4 | 382 |
| 愛媛 | 7 925 | 11 533 | 9 087 | 1 519 | 431 | 428 | 18 | 10 | 20 | 1 | 19 |
| 高知 | 1 456 | 2 248 | 1 441 | 117 | 11 | 270 | 29 | 21 | 7 | 5 | 347 |
| 福岡 | 47 923 | 69 283 | 64 029 | 1 932 | 634 | 605 | 347 | 11 | 93 | 68 | 1 564 |
| 佐賀 | 8 450 | 16 173 | 10 598 | 5 224 | 34 | 45 | 16 | - | 2 | - | 254 |
| 長崎 | 6 645 | 9 095 | 7 847 | 437 | 193 | 204 | 22 | 1 | 24 | 4 | 363 |
| 熊本 | 10 564 | 14 423 | 13 260 | 553 | 84 | 73 | 61 | 3 | 83 | 9 | 297 |
| 大分 | 7 005 | 13 833 | 12 768 | 521 | 123 | 75 | 26 | - | 18 | - | 302 |
| 宮崎 | 11 680 | 15 704 | 13 982 | 287 | 32 | 102 | 18 | - | 3 | 4 | 1 276 |
| 鹿児島 | 18 567 | 29 898 | 27 292 | 518 | 113 | 249 | 63 | 8 | 33 | 35 | 1 587 |
| 沖縄 | 9 376 | 11 242 | 10 481 | 143 | 65 | 62 | 221 | 7 | 8 | 2 | 253 |
| 指定都市・特別区(再掲) | | | | | | | | | | | |
| 東京都区部 | 13 443 | 16 292 | 13 170 | 1 082 | 702 | 756 | 27 | 13 | 41 | 12 | 489 |
| 札幌市 | 3 231 | 3 241 | 1 717 | 1 113 | 139 | 230 | 2 | - | 29 | - | 11 |
| 仙台市 | 229 | 311 | 137 | 29 | 37 | 38 | 15 | - | 4 | - | 51 |
| さいたま市 | 7 474 | 14 968 | 14 948 | 2 | 3 | 4 | 3 | - | 1 | - | 7 |
| 千葉市 | 3 166 | 4 169 | 2 250 | 882 | 535 | 195 | 29 | - | 17 | 4 | 257 |
| 横浜市 | 17 626 | 20 402 | 16 720 | 862 | 688 | 976 | 83 | 7 | 82 | 10 | 974 |
| 川崎市 | 3 458 | 3 484 | 3 404 | 22 | 26 | 8 | 1 | - | 1 | - | 22 |
| 相模原市 | 3 177 | 6 062 | 3 859 | 57 | 39 | 198 | 4 | - | 8 | 1 | 1 896 |
| 新潟市 | 7 568 | 12 418 | 10 982 | 588 | 320 | 270 | 4 | 4 | 2 | - | 248 |
| 静岡市 | 2 505 | 2 696 | 2 203 | 274 | 11 | 43 | 10 | - | - | - | 155 |
| 浜松市 | 1 627 | 1 897 | 1 374 | 154 | 178 | 176 | - | - | 13 | - | 2 |
| 名古屋市 | 2 382 | 2 525 | 933 | 295 | 651 | 159 | 77 | 8 | 35 | 6 | 361 |
| 京都市 | 2 920 | 3 306 | 2 961 | 79 | 41 | 100 | 9 | 1 | 2 | - | 113 |
| 大阪市 | 5 242 | 5 333 | 4 775 | 203 | 44 | 41 | 13 | - | 9 | - | 248 |
| 堺市 | 1 123 | 1 156 | 590 | 97 | 190 | 116 | 62 | 5 | 26 | 3 | 67 |
| 神戸市 | 6 314 | 7 189 | 6 166 | 330 | 135 | 193 | 12 | 3 | - | - | 350 |
| 岡山市 | 12 493 | 13 632 | 13 073 | 108 | 39 | 301 | 36 | 3 | - | - | 72 |
| 広島市 | 10 715 | 10 850 | 10 617 | 65 | 11 | 106 | 18 | - | 8 | - | 25 |
| 北九州市 | 14 298 | 14 740 | 12 498 | 906 | 59 | 205 | 267 | - | 24 | - | 781 |
| 福岡市 | 12 659 | 23 931 | 23 477 | 161 | 42 | 73 | 21 | 3 | 2 | 4 | 148 |
| 熊本市 | 823 | 899 | 807 | 24 | - | 26 | 5 | - | - | - | 37 |

# 実人員－延人員，都道府県－指定都市・特別区－中核市－その他政令市、相談内容別

平成29年度

| | 実人員 | 延人員 | | | | | | | | | |
|---|---|---|---|---|---|---|---|---|---|---|---|
| | | 総数 | 申請等の相談 | 医療 | 家庭看護 | 福祉制度 | 就労 | 就学 | 食事・栄養 | 歯科 | その他 |
| 中核市(再掲) | | | | | | | | | | | |
| 旭川市 | 74 | 74 | 25 | 19 | 30 | － | － | － | － | － | － |
| 函館市 | 64 | 66 | 52 | － | － | 13 | 1 | － | － | － | － |
| 青森市 | 134 | 144 | 48 | 41 | 13 | 16 | 4 | 1 | 2 | － | 19 |
| 八戸市 | 140 | 140 | 78 | 16 | 11 | 14 | 4 | － | 1 | － | 16 |
| 盛岡市 | 4 | 6 | 1 | － | － | 1 | － | － | － | － | 4 |
| 秋田市 | 349 | 349 | 349 | － | － | － | － | － | － | － | － |
| 郡山市 | 2 795 | 2 996 | 2 968 | 11 | 5 | 11 | 1 | － | － | － | － |
| いわき市 | 2 504 | 2 504 | 2 490 | 2 | 1 | 8 | － | － | － | － | 3 |
| 宇都宮市 | 306 | 615 | 127 | 212 | 88 | 154 | 10 | 1 | 17 | 1 | 5 |
| 前橋市 | 2 902 | 3 105 | 3 001 | 18 | 34 | 33 | 4 | － | － | － | 15 |
| 高崎市 | 2 040 | 2 040 | 2 016 | 15 | 1 | 7 | 1 | － | － | － | － |
| 川越市 | 2 796 | 4 032 | 3 880 | 46 | 52 | 44 | － | － | 1 | － | 9 |
| 越谷市 | 3 350 | 3 373 | 3 322 | 6 | 17 | 14 | 3 | － | 5 | 3 | 3 |
| 船橋市 | 63 | 77 | 3 | 23 | 4 | 12 | 4 | 1 | 1 | － | 29 |
| 柏市 | 363 | 387 | 289 | 16 | 38 | 25 | 11 | － | 2 | － | 6 |
| 八王子市 | 39 | 912 | 74 | 153 | 301 | 153 | 8 | 1 | 1 | 1 | 220 |
| 横須賀市 | 173 | 3 890 | 38 | 1 915 | 1 278 | 639 | － | － | 13 | 7 | － |
| 富山市 | 2 976 | 2 976 | 2 976 | － | － | － | － | － | － | － | － |
| 金沢市 | 67 | 69 | 3 | 14 | 1 | 2 | － | － | － | － | 49 |
| 長野市 | 776 | 1 282 | 620 | 257 | 309 | 38 | 6 | 2 | 21 | － | 29 |
| 岐阜市 | 4 118 | 4 223 | 4 110 | 23 | 51 | 18 | 3 | － | 3 | － | 15 |
| 豊橋市 | 514 | 570 | 34 | 54 | 83 | 78 | 24 | － | 32 | 6 | 259 |
| 豊田市 | 73 | 91 | 1 | 9 | 12 | 10 | － | － | 2 | － | 57 |
| 岡崎市 | 315 | 315 | 8 | 11 | 272 | 11 | 8 | － | 1 | － | 4 |
| 大津市 | 2 728 | 3 693 | 2 595 | 117 | 169 | 217 | 8 | － | 47 | 1 | 539 |
| 高槻市 | 740 | 740 | 493 | 61 | 63 | 18 | 5 | 1 | 18 | 2 | 79 |
| 東大阪市 | 4 152 | 4 302 | 3 969 | 72 | 108 | 68 | 10 | 1 | 10 | － | 64 |
| 豊中市 | 1 329 | 1 599 | 6 | 1 280 | 9 | 136 | 18 | － | 15 | 4 | 131 |
| 枚方市 | 1 106 | 1 106 | 53 | 999 | 13 | 13 | － | － | 1 | － | 27 |
| 姫路市 | 194 | 203 | 153 | 17 | 12 | 6 | 2 | － | － | － | 13 |
| 西宮市 | 406 | 443 | － | 167 | 43 | 102 | 9 | － | 7 | 1 | 114 |
| 尼崎市 | 245 | 266 | 183 | 33 | 18 | 9 | 1 | 1 | 2 | － | 19 |
| 奈良市 | 528 | 538 | 507 | 9 | 1 | 7 | － | － | － | － | 14 |
| 和歌山市 | 3 657 | 4 739 | 4 739 | － | － | － | － | － | － | － | － |
| 倉敷市 | 1 655 | 1 731 | 1 022 | 121 | 244 | 119 | 33 | 1 | 36 | 1 | 154 |
| 福山市 | 4 | 4 | － | － | 1 | 3 | － | － | － | － | － |
| 呉市 | 1 813 | 2 411 | 2 406 | － | － | － | － | － | － | － | 5 |
| 下関市 | 728 | 793 | 556 | 119 | 66 | 14 | 8 | 2 | 2 | － | 26 |
| 高松市 | 9 | 10 | 3 | 3 | 1 | 2 | 1 | － | － | － | － |
| 松山市 | 13 | 14 | 14 | － | － | － | － | － | － | － | － |
| 高知市 | 289 | 394 | 105 | 34 | － | 17 | 1 | － | － | － | 237 |
| 久留米市 | 770 | 770 | 708 | 22 | 4 | 30 | 1 | 1 | － | － | 4 |
| 長崎市 | 571 | 575 | 28 | 290 | 35 | 148 | － | － | 6 | － | 68 |
| 佐世保市 | 367 | 572 | 333 | 71 | 59 | 38 | 9 | － | 15 | 3 | 44 |
| 大分市 | 416 | 476 | 5 | 360 | 54 | 16 | 14 | － | 1 | － | 26 |
| 宮崎市 | 5 127 | 5 988 | 5 127 | 61 | － | 10 | － | － | － | － | 790 |
| 鹿児島市 | 7 059 | 8 824 | 7 657 | 304 | 83 | 122 | 38 | 2 | 26 | 20 | 572 |
| 那覇市 | 994 | 1 363 | 1 057 | 40 | 16 | 24 | 194 | 2 | 3 | － | 27 |
| その他政令市(再掲) | | | | | | | | | | | |
| 小樽市 | 44 | 48 | 1 | － | 33 | － | － | － | － | － | 14 |
| 町田市 | 10 | 22 | 10 | 8 | － | 4 | － | － | － | － | － |
| 藤沢市 | 4 758 | 4 758 | 3 546 | 42 | 999 | 107 | 9 | － | 9 | 2 | 44 |
| 茅ヶ崎市 | 199 | 248 | 157 | 8 | 32 | 2 | 4 | － | 2 | － | 43 |
| 四日市市 | 60 | 60 | 45 | 1 | 1 | 1 | － | － | － | － | 12 |
| 大牟田市 | 460 | 460 | 448 | － | － | － | － | － | － | － | 12 |

# 第23表　保健所及び市区町村が実施した難病患者及び家族に対する学習

| | 開催回数 | 参加延人員 |
|---|---|---|
| 全国 | 2 051 | 35 940 |
| 北海道 | 57 | 881 |
| 青森 | 15 | 332 |
| 岩手 | 24 | 497 |
| 宮城 | 33 | 1 394 |
| 秋田 | 14 | 229 |
| 山形 | 4 | 131 |
| 福島 | 26 | 426 |
| 茨城 | 15 | 444 |
| 栃木 | 40 | 839 |
| 群馬 | 37 | 706 |
| 埼玉 | 124 | 1 942 |
| 千葉 | 35 | 1 269 |
| 東京 | 133 | 2 613 |
| 神奈川 | 275 | 3 995 |
| 新潟 | 71 | 987 |
| 富山 | 78 | 872 |
| 石川 | 12 | 216 |
| 福井 | 22 | 276 |
| 山梨 | 7 | 43 |
| 長野 | 65 | 873 |
| 岐阜 | 10 | 202 |
| 静岡 | 20 | 727 |
| 愛知 | 163 | 2 621 |
| 三重 | 2 | 67 |
| 滋賀 | 24 | 570 |
| 京都 | 25 | 360 |
| 大阪 | 101 | 2 350 |
| 兵庫 | 52 | 2 022 |
| 奈良 | 12 | 102 |
| 和歌山 | 24 | 434 |
| 鳥取 | 11 | 169 |
| 島根 | 62 | 1 009 |
| 岡山 | 76 | 949 |
| 広島 | 28 | 499 |
| 山口 | 57 | 824 |
| 徳島 | 11 | 154 |
| 香川 | 26 | 419 |
| 愛媛 | 11 | 199 |
| 高知 | 5 | 57 |
| 福岡 | 34 | 1 051 |
| 佐賀 | 8 | 57 |
| 長崎 | 85 | 380 |
| 熊本 | 22 | 339 |
| 大分 | 21 | 343 |
| 宮崎 | 22 | 279 |
| 鹿児島 | 46 | 705 |
| 沖縄 | 6 | 87 |
| 指定都市・特別区(再掲) | | |
| 東京都区部 | 99 | 1 968 |
| 札幌市 | 14 | 219 |
| 仙台市 | 29 | 1 349 |
| さいたま市 | 22 | 179 |
| 千葉市 | 3 | 234 |
| 横浜市 | 189 | 2 817 |
| 川崎市 | 1 | 7 |
| 相模原市 | 15 | 158 |
| 新潟市 | 4 | 21 |
| 静岡市 | 3 | 29 |
| 浜松市 | 4 | 45 |
| 名古屋市 | 83 | 939 |
| 京都市 | - | - |
| 大阪市 | 14 | 503 |
| 堺市 | 17 | 300 |
| 神戸市 | 8 | 913 |
| 岡山市 | 18 | 296 |
| 広島市 | 6 | 248 |
| 北九州市 | - | - |
| 福岡市 | 14 | 578 |
| 熊本市 | 10 | 221 |

## 会の開催回数・参加延人員，都道府県－指定都市・特別区－中核市－その他政令市別

平成29年度

| | 開催回数 | 参加延人員 |
|---|---|---|
| 中核市(再掲) | | |
| 旭川市 | - | - |
| 函館市 | 5 | 248 |
| 青森市 | 3 | 75 |
| 八戸市 | 1 | 44 |
| 盛岡市 | 3 | 110 |
| 秋田市 | 3 | 47 |
| 郡山市 | 4 | 77 |
| いわき市 | 3 | 33 |
| 宇都宮市 | 25 | 449 |
| 前橋市 | 6 | 312 |
| 高崎市 | 7 | 143 |
| 川越市 | 2 | 137 |
| 越谷市 | 2 | 129 |
| 船橋市 | 3 | 174 |
| 柏市 | 2 | 178 |
| 八王子市 | 23 | 373 |
| 横須賀市 | 16 | 206 |
| 富山市 | 3 | 17 |
| 金沢市 | 1 | 47 |
| 長野市 | 30 | 447 |
| 岐阜市 | 4 | 109 |
| 豊橋市 | 12 | 247 |
| 豊田市 | 8 | 347 |
| 岡崎市 | 4 | 109 |
| 大津市 | 3 | 198 |
| 高槻市 | 18 | 294 |
| 東大阪市 | 4 | 139 |
| 豊中市 | 7 | 87 |
| 枚方市 | 2 | 124 |
| 姫路市 | 2 | 85 |
| 西宮市 | 9 | 539 |
| 尼崎市 | - | - |
| 奈良市 | 2 | 12 |
| 和歌山市 | 1 | 67 |
| 倉敷市 | 7 | 171 |
| 福山市 | 2 | 31 |
| 呉市 | 1 | 8 |
| 下関市 | 5 | 130 |
| 高松市 | 3 | 68 |
| 松山市 | 6 | 160 |
| 高知市 | 1 | 13 |
| 久留米市 | 6 | 146 |
| 長崎市 | 62 | 119 |
| 佐世保市 | 9 | 137 |
| 大分市 | 2 | 129 |
| 宮崎市 | 10 | 66 |
| 鹿児島市 | 3 | 120 |
| 那覇市 | 2 | 31 |
| その他政令市(再掲) | | |
| 小樽市 | - | - |
| 町田市 | 1 | 11 |
| 藤沢市 | 15 | 184 |
| 茅ヶ崎市 | 3 | 81 |
| 四日市市 | - | - |
| 大牟田市 | - | - |

# 第24表（４－１）保健所及び市区町村が実施した衛生教育の開催

| | 開催 | | | | | | | | | |
|---|---|---|---|---|---|---|---|---|---|---|
| | 総数 | 感染症 | (再掲) 結核 | (再掲) エイズ | 精神 | 難病 | 母子 | 思春期・未婚女性学級 | 婚前・新婚学級 | 両(母)親学級 |
| **全国** | **399 740** | **10 253** | **3 524** | **2 005** | **15 062** | **1 408** | **118 368** | **7 079** | **183** | **21 929** |
| 北海道 | 14 552 | 192 | 19 | 46 | 357 | 67 | 5 035 | 617 | 5 | 1 198 |
| 青森 | 5 076 | 161 | 21 | 16 | 262 | 7 | 1 052 | 273 | - | 102 |
| 岩手 | 8 132 | 163 | 28 | 10 | 685 | 9 | 1 373 | 170 | - | 229 |
| 宮城 | 7 555 | 115 | 36 | 12 | 511 | 10 | 1 895 | 98 | 2 | 370 |
| 秋田 | 6 442 | 204 | 40 | 5 | 396 | 7 | 1 174 | 39 | - | 84 |
| 山形 | 6 714 | 78 | 22 | 5 | 270 | 9 | 1 116 | 56 | - | 173 |
| 福島 | 8 494 | 181 | 81 | 27 | 242 | 16 | 1 846 | 312 | - | 149 |
| 茨城 | 11 963 | 112 | 29 | 21 | 222 | 15 | 3 869 | 332 | - | 584 |
| 栃木 | 6 460 | 66 | 9 | 19 | 149 | 23 | 2 068 | 384 | - | 193 |
| 群馬 | 6 552 | 184 | 34 | 29 | 175 | 10 | 2 452 | 46 | - | 429 |
| 埼玉 | 9 434 | 216 | 85 | 26 | 314 | 66 | 4 195 | 38 | - | 1 131 |
| 千葉 | 14 003 | 161 | 40 | 60 | 160 | 46 | 4 249 | 150 | 39 | 1 008 |
| 東京 | 31 649 | 631 | 191 | 171 | 1 412 | 148 | 11 673 | 59 | 48 | 3 273 |
| 神奈川 | 23 975 | 612 | 239 | 133 | 1 485 | 150 | 7 336 | 294 | 3 | 1 803 |
| 新潟 | 10 902 | 128 | 4 | 74 | 389 | 44 | 1 943 | 153 | - | 260 |
| 富山 | 4 013 | 100 | 22 | 60 | 177 | 38 | 844 | 110 | - | 121 |
| 石川 | 2 390 | 130 | 30 | 13 | 110 | 12 | 922 | 46 | 1 | 170 |
| 福井 | 2 690 | 126 | 28 | 6 | 73 | 12 | 666 | 39 | - | 42 |
| 山梨 | 4 965 | 126 | 29 | 31 | 97 | 1 | 1 794 | 67 | 24 | 366 |
| 長野 | 13 473 | 367 | 98 | 127 | 397 | 14 | 2 695 | 96 | 3 | 564 |
| 岐阜 | 8 200 | 278 | 78 | 21 | 160 | 7 | 3 044 | 115 | - | 542 |
| 静岡 | 11 230 | 142 | 25 | 29 | 273 | 22 | 4 339 | 225 | - | 581 |
| 愛知 | 28 079 | 1 004 | 308 | 175 | 451 | 110 | 7 546 | 766 | 23 | 1 535 |
| 三重 | 6 131 | 169 | 53 | 18 | 123 | 6 | 1 672 | 96 | - | 221 |
| 滋賀 | 3 554 | 46 | 12 | 3 | 58 | 6 | 1 180 | 14 | - | 138 |
| 京都 | 5 104 | 188 | 85 | 40 | 293 | 24 | 1 840 | 57 | - | 391 |
| 大阪 | 19 613 | 918 | 556 | 103 | 534 | 83 | 9 288 | 263 | - | 1 328 |
| 兵庫 | 17 413 | 529 | 185 | 168 | 689 | 133 | 4 819 | 346 | 1 | 593 |
| 奈良 | 3 547 | 39 | 12 | 7 | 77 | 14 | 1 458 | 54 | - | 285 |
| 和歌山 | 3 899 | 64 | 15 | 29 | 52 | 11 | 1 772 | 282 | - | 208 |
| 鳥取 | 1 879 | 75 | 29 | 13 | 187 | 9 | 594 | 56 | - | 52 |
| 島根 | 3 939 | 101 | 27 | 19 | 140 | 40 | 621 | 44 | - | 85 |
| 岡山 | 6 450 | 697 | 191 | 133 | 487 | 25 | 1 890 | 140 | - | 124 |
| 広島 | 7 617 | 206 | 94 | 43 | 613 | 15 | 1 759 | 71 | - | 256 |
| 山口 | 5 148 | 90 | 9 | 25 | 314 | 13 | 1 153 | 85 | - | 152 |
| 徳島 | 1 999 | 35 | 4 | 13 | 178 | 16 | 808 | 50 | - | 149 |
| 香川 | 6 613 | 76 | 42 | 6 | 213 | 28 | 1 489 | 22 | 19 | 142 |
| 愛媛 | 5 379 | 103 | 12 | 18 | 267 | 4 | 770 | 70 | - | 135 |
| 高知 | 2 697 | 58 | 16 | 7 | 74 | 4 | 465 | 86 | - | 76 |
| 福岡 | 15 158 | 495 | 401 | 17 | 452 | 55 | 4 553 | 214 | 5 | 1 425 |
| 佐賀 | 3 106 | 127 | 20 | 69 | 355 | 13 | 1 196 | 36 | - | 112 |
| 長崎 | 4 646 | 118 | 60 | 18 | 222 | 15 | 1 143 | 80 | - | 171 |
| 熊本 | 7 303 | 122 | 29 | 26 | 49 | 8 | 1 936 | 140 | - | 276 |
| 大分 | 5 479 | 105 | 40 | 6 | 166 | 15 | 871 | 70 | - | 67 |
| 宮崎 | 3 516 | 85 | 18 | 11 | 120 | 4 | 826 | 59 | - | 193 |
| 鹿児島 | 10 516 | 307 | 105 | 96 | 594 | 22 | 2 420 | 149 | 9 | 273 |
| 沖縄 | 2 091 | 23 | 13 | 1 | 38 | 2 | 719 | 110 | 1 | 170 |
| 指定都市・特別区(再掲) | | | | | | | | | | |
| 東京都区部 | 22 594 | 532 | 160 | 154 | 1 197 | 127 | 9 318 | 45 | 48 | 2 441 |
| 札幌市 | 1 813 | 18 | 2 | 11 | 18 | 31 | 884 | 3 | - | 331 |
| 仙台市 | 2 153 | 37 | 14 | 10 | 207 | 5 | 807 | 16 | - | 161 |
| さいたま市 | 1 307 | 2 | 2 | - | 13 | 7 | 1 180 | 1 | - | 192 |
| 千葉市 | 409 | 7 | 4 | 2 | 40 | - | 63 | - | - | 57 |
| 横浜市 | 10 405 | 165 | 127 | 3 | 999 | 63 | 3 382 | 126 | - | 854 |
| 川崎市 | 1 586 | 144 | 45 | 13 | 54 | - | 393 | 22 | - | 154 |
| 相模原市 | 1 353 | 40 | 6 | 28 | 134 | 5 | 250 | 13 | 2 | 38 |
| 新潟市 | 2 370 | 35 | 2 | 26 | 16 | 3 | 630 | 64 | - | 95 |
| 静岡市 | 3 505 | 21 | 2 | 18 | - | 3 | 2 308 | 30 | - | 126 |
| 浜松市 | 691 | 10 | - | 3 | 125 | - | 246 | 80 | - | 49 |
| 名古屋市 | 11 723 | 717 | 222 | 126 | 105 | 46 | 3 148 | 282 | - | 552 |
| 京都市 | 1 679 | 85 | 21 | 26 | 192 | 2 | 455 | 41 | - | 133 |
| 大阪市 | 6 117 | 653 | 461 | 38 | 117 | - | 3 647 | 58 | - | 653 |
| 堺市 | 2 052 | 10 | 3 | 7 | 94 | 6 | 937 | 136 | - | 51 |
| 神戸市 | 3 411 | 226 | 28 | 86 | 86 | - | 1 790 | 93 | - | - |
| 岡山市 | 1 713 | 257 | 33 | 81 | 67 | 2 | 814 | 78 | - | - |
| 広島市 | 1 271 | 53 | 15 | 17 | 130 | - | 399 | 21 | - | 49 |
| 北九州市 | 1 760 | 16 | 4 | - | 48 | 21 | 802 | 105 | - | 112 |
| 福岡市 | 4 863 | 378 | 353 | 10 | 193 | 16 | 1 333 | 4 | - | 190 |
| 熊本市 | 3 198 | 28 | 2 | 15 | - | - | 968 | 52 | - | 11 |

# 回数・参加延人員，都道府県－指定都市・特別区－中核市－その他政令市、教育内容別

平成29年度

| 回数 | | | | | | | | | （再掲） | |
|---|---|---|---|---|---|---|---|---|---|---|
| 育児学級 | その他 | 成人・老人 | 栄養・健康増進 | 歯科 | 医事・薬事 | 食品 | 環境 | その他 | 地区組織活動 | 健康危機管理 |
| 52 841 | 36 336 | 93 436 | 78 274 | 44 987 | 3 749 | 20 791 | 3 054 | 10 358 | 53 583 | 3 155 |
| 1 929 | 1 286 | 3 535 | 2 952 | 1 103 | 158 | 763 | 65 | 325 | 1 105 | 185 |
| 354 | 323 | 1 199 | 1 491 | 492 | 24 | 174 | 19 | 195 | 731 | 1 |
| 483 | 491 | 2 466 | 2 319 | 618 | 16 | 244 | 19 | 220 | 1 082 | 19 |
| 727 | 698 | 1 677 | 1 673 | 604 | 146 | 343 | 347 | 234 | 1 085 | 24 |
| 438 | 613 | 2 321 | 1 213 | 739 | 8 | 259 | 8 | 113 | 530 | 40 |
| 437 | 450 | 2 390 | 1 731 | 446 | 85 | 346 | 41 | 202 | 1 186 | 124 |
| 616 | 769 | 2 937 | 1 573 | 832 | 259 | 397 | 42 | 169 | 1 071 | 51 |
| 1 889 | 1 064 | 2 708 | 1 546 | 3 056 | 64 | 259 | 28 | 84 | 654 | 6 |
| 878 | 613 | 1 335 | 2 132 | 392 | 4 | 196 | 6 | 89 | 495 | 5 |
| 1 202 | 775 | 1 079 | 1 955 | 368 | 60 | 211 | 14 | 44 | 1 284 | 3 |
| 1 988 | 1 038 | 1 588 | 1 422 | 534 | 101 | 338 | 42 | 618 | 1 145 | 84 |
| 1 105 | 1 947 | 2 309 | 2 058 | 4 233 | 58 | 462 | 68 | 199 | 1 184 | 13 |
| 4 574 | 3 719 | 4 419 | 3 706 | 6 663 | 123 | 1 716 | 389 | 769 | 5 632 | 144 |
| 4 432 | 804 | 6 689 | 3 728 | 1 865 | 65 | 1 498 | 97 | 450 | 5 747 | 59 |
| 828 | 702 | 3 725 | 2 254 | 1 127 | 63 | 660 | 93 | 476 | 1 846 | 40 |
| 485 | 128 | 1 168 | 855 | 363 | 44 | 311 | 9 | 104 | 200 | 15 |
| 429 | 276 | 229 | 537 | 179 | 18 | 176 | 11 | 66 | 250 | 1 |
| 442 | 143 | 223 | 748 | 490 | 30 | 195 | 26 | 101 | 491 | 1 |
| 607 | 730 | 1 025 | 1 064 | 265 | 37 | 97 | 22 | 437 | 1 126 | 5 |
| 1 231 | 801 | 4 403 | 3 160 | 1 698 | 119 | 312 | 26 | 282 | 2 078 | 11 |
| 1 158 | 1 229 | 1 473 | 1 640 | 998 | 42 | 503 | 23 | 32 | 742 | 4 |
| 1 185 | 2 348 | 2 590 | 1 120 | 1 809 | 68 | 605 | 78 | 184 | 940 | 276 |
| 3 575 | 1 647 | 7 179 | 5 013 | 4 590 | 194 | 1 119 | 614 | 259 | 4 040 | 655 |
| 1 204 | 151 | 636 | 1 349 | 347 | 178 | 379 | 38 | 1 234 | 1 310 | 24 |
| 953 | 75 | 1 065 | 247 | 412 | 6 | 366 | 17 | 151 | 82 | 211 |
| 664 | 728 | 1 424 | 834 | 208 | 69 | 159 | 20 | 45 | 406 | 69 |
| 4 999 | 2 698 | 2 761 | 2 429 | 1 183 | 498 | 1 468 | 190 | 261 | 1 750 | 131 |
| 1 567 | 2 312 | 4 795 | 3 891 | 1 571 | 125 | 589 | 44 | 228 | 2 020 | 280 |
| 670 | 449 | 427 | 988 | 358 | 1 | 88 | 4 | 93 | 459 | 71 |
| 793 | 489 | 649 | 708 | 201 | 86 | 231 | 15 | 110 | 186 | 11 |
| 352 | 134 | 278 | 375 | 120 | 14 | 142 | 10 | 75 | 148 | 9 |
| 375 | 117 | 1 329 | 719 | 186 | 49 | 305 | 8 | 441 | 365 | 3 |
| 725 | 901 | 656 | 1 800 | 389 | 34 | 233 | 60 | 179 | 1 201 | 75 |
| 1 123 | 309 | 1 679 | 2 193 | 377 | 32 | 496 | 18 | 229 | 703 | 69 |
| 538 | 378 | 1 430 | 1 408 | 305 | 44 | 247 | 51 | 93 | 872 | - |
| 256 | 353 | 181 | 393 | 112 | 80 | 142 | 5 | 49 | 166 | 18 |
| 610 | 696 | 1 553 | 2 588 | 154 | 23 | 105 | 8 | 376 | 664 | 26 |
| 355 | 210 | 2 320 | 1 023 | 360 | 127 | 316 | 49 | 40 | 471 | 13 |
| 221 | 82 | 598 | 600 | 444 | 29 | 324 | 5 | 96 | 112 | 60 |
| 2 275 | 634 | 4 789 | 2 621 | 698 | 64 | 957 | 92 | 382 | 3 408 | 17 |
| 595 | 453 | 390 | 554 | 278 | - | 154 | 19 | 20 | 411 | - |
| 503 | 389 | 774 | 1 240 | 570 | 63 | 355 | 33 | 113 | 806 | 15 |
| 1 103 | 417 | 1 062 | 1 409 | 1 376 | 111 | 1 132 | 32 | 66 | 1 319 | 62 |
| 631 | 103 | 1 754 | 1 660 | 163 | 127 | 349 | 24 | 245 | 1 331 | 14 |
| 455 | 119 | 747 | 798 | 403 | 62 | 369 | 58 | 44 | 206 | 4 |
| 576 | 1 413 | 3 263 | 1 943 | 1 267 | 138 | 342 | 105 | 115 | 374 | 140 |
| 306 | 132 | 209 | 614 | 41 | 3 | 359 | 62 | 21 | 169 | 67 |
| | | | | | | | | | | |
| 3 582 | 3 202 | 2 224 | 2 340 | 4 532 | 87 | 1 264 | 312 | 661 | 4 348 | 102 |
| 391 | 159 | 241 | 264 | 107 | 99 | 130 | 21 | - | 12 | 21 |
| 359 | 271 | 452 | 11 | 9 | - | 154 | 285 | 186 | 276 | 24 |
| 974 | 13 | 14 | 12 | 2 | - | 57 | 5 | 15 | 5 | 57 |
| 6 | - | 91 | 40 | 3 | - | 87 | 19 | 59 | 193 | - |
| 2 402 | - | 3 589 | 746 | 442 | 4 | 918 | 27 | 70 | 3 830 | 15 |
| 185 | 32 | 51 | 414 | 347 | 24 | 129 | 30 | - | 294 | 18 |
| 197 | - | 92 | 623 | 94 | 7 | 101 | 7 | - | 38 | - |
| 462 | 9 | 979 | 416 | 44 | 15 | 177 | 55 | - | 264 | - |
| 220 | 1 932 | 136 | 88 | 690 | 37 | 138 | 18 | 66 | 194 | 142 |
| 114 | 3 | 52 | - | 208 | 3 | 37 | 10 | - | - | 1 |
| 2 032 | 282 | 3 444 | 1 218 | 1 698 | 65 | 601 | 493 | 188 | 3 082 | 336 |
| 195 | 86 | 455 | 398 | 72 | - | 16 | - | 4 | 212 | 63 |
| 2 131 | 805 | 22 | 107 | - | 298 | 1 085 | 116 | 72 | - | 83 |
| 750 | - | 326 | 376 | 230 | 18 | 47 | 8 | - | 376 | - |
| 98 | 1 599 | 304 | 270 | 601 | 20 | 103 | 7 | 4 | 67 | 243 |
| 119 | 617 | - | 389 | 132 | - | 48 | 4 | - | 248 | - |
| 313 | 16 | 322 | 55 | 21 | 3 | 144 | 10 | 134 | 25 | - |
| 545 | 40 | 7 | 474 | 218 | 20 | 123 | 14 | 17 | 11 | 9 |
| 924 | 215 | 1 521 | 459 | 118 | 5 | 576 | 68 | 196 | 1 193 | - |
| 605 | 300 | 425 | 372 | 472 | 60 | 869 | 3 | 1 | 1 037 | 1 |

# 第24表（4－2）保健所及び市区町村が実施した衛生教育の開催

| | 開催 | | | | | | | | | |
|---|---|---|---|---|---|---|---|---|---|---|
| | 総数 | 感染症 | （再掲）結核 | （再掲）エイズ | 精神 | 難病 | 母子 | 思春期・未婚女性学級 | 婚前・新婚学級 | 両（母）親学級 |
| 中核市(再掲) | | | | | | | | | | |
| 旭川市 | 165 | 18 | – | 16 | 31 | 4 | 65 | 44 | – | – |
| 函館市 | 279 | 17 | – | 5 | 16 | 2 | 54 | 29 | – | 6 |
| 青森市 | 528 | 19 | 2 | 13 | 11 | – | 228 | 44 | – | 20 |
| 八戸市 | 479 | 6 | 1 | 1 | 22 | 3 | 173 | 31 | – | 12 |
| 盛岡市 | 529 | 17 | 1 | 2 | 40 | 3 | 66 | 8 | – | 16 |
| 秋田市 | 710 | 27 | 2 | 2 | 21 | 1 | 77 | – | – | 6 |
| 郡山市 | 228 | 15 | 5 | 7 | – | – | 127 | 95 | – | 20 |
| いわき市 | 631 | 45 | 32 | 8 | 26 | 4 | 291 | 11 | – | 24 |
| 宇都宮市 | 515 | 31 | 1 | 18 | 48 | 3 | 219 | 46 | – | 34 |
| 前橋市 | 1 181 | 10 | 1 | – | 28 | 3 | 572 | 4 | – | 39 |
| 高崎市 | 608 | 29 | 11 | 2 | 13 | 1 | 526 | – | – | 84 |
| 川越市 | 636 | 33 | – | 16 | 8 | 31 | 80 | – | – | 11 |
| 越谷市 | 422 | 11 | 3 | – | – | 1 | 47 | 3 | – | 40 |
| 船橋市 | 891 | 17 | 8 | 4 | 12 | 5 | 350 | 7 | – | 138 |
| 柏市 | 573 | 10 | 4 | 3 | 23 | 8 | 66 | – | – | 38 |
| 八王子市 | 1 222 | 11 | 3 | 4 | 9 | 4 | 127 | – | – | 53 |
| 横須賀市 | 1 220 | 9 | 2 | 3 | 33 | 26 | 714 | – | – | 167 |
| 富山市 | 1 395 | 47 | – | 47 | 38 | – | 284 | – | – | 24 |
| 金沢市 | 499 | 35 | 10 | 3 | 23 | – | 264 | – | – | 20 |
| 長野市 | 264 | 48 | 1 | 24 | 70 | 1 | – | – | – | – |
| 岐阜市 | 1 342 | 162 | 63 | – | 90 | – | 575 | – | – | 12 |
| 豊橋市 | 329 | 18 | 11 | 7 | 17 | 3 | 139 | 30 | 23 | 10 |
| 豊田市 | 2 083 | 9 | 3 | – | 43 | … | 616 | 98 | – | 12 |
| 岡崎市 | 521 | 38 | 9 | 13 | 37 | 3 | 28 | 11 | – | 12 |
| 大津市 | 1 016 | 23 | 5 | 3 | 13 | 3 | 267 | 3 | – | 28 |
| 高槻市 | 273 | 12 | 4 | 3 | 16 | 1 | 67 | – | – | 31 |
| 東大阪市 | 990 | 9 | 4 | – | 7 | – | 409 | 11 | – | 33 |
| 豊中市 | 489 | 30 | 13 | 5 | 55 | 5 | 163 | 10 | – | 30 |
| 枚方市 | 485 | 21 | 8 | 11 | 64 | 17 | 165 | – | – | 27 |
| 姫路市 | 1 974 | 22 | 2 | 7 | 27 | 3 | 188 | 85 | – | – |
| 西宮市 | 496 | 7 | – | 3 | 62 | 47 | 231 | 8 | – | 38 |
| 尼崎市 | 994 | 13 | 2 | 1 | 55 | – | 489 | 1 | – | 204 |
| 奈良市 | 252 | 8 | 2 | 4 | 4 | 3 | 107 | – | – | 24 |
| 和歌山市 | 424 | 20 | 2 | 11 | 16 | 1 | 229 | – | – | 46 |
| 倉敷市 | 1 091 | 317 | 124 | 18 | 285 | 5 | 187 | – | – | 8 |
| 福山市 | 245 | 13 | 3 | 7 | 21 | – | 47 | 4 | – | 12 |
| 呉市 | 655 | 69 | 56 | 1 | 231 | 1 | 81 | 11 | – | 28 |
| 下関市 | 751 | 11 | 1 | 2 | 24 | 2 | 118 | – | – | 22 |
| 高松市 | 1 029 | 31 | 15 | 3 | 145 | 3 | 363 | 3 | 19 | 30 |
| 松山市 | 1 056 | 8 | 2 | 3 | 5 | 1 | 77 | 8 | – | 17 |
| 高知市 | 227 | 8 | 8 | 7 | 11 | 3 | 35 | 4 | – | 12 |
| 久留米市 | 268 | 16 | 6 | 2 | 48 | 3 | 131 | – | – | 31 |
| 長崎市 | 693 | 18 | 2 | 4 | 34 | – | 316 | – | – | 13 |
| 佐世保市 | 550 | 18 | 9 | 4 | 49 | 9 | 52 | – | – | 52 |
| 大分市 | 859 | 15 | 11 | 1 | 17 | – | 446 | 42 | – | – |
| 宮崎市 | 436 | 22 | 6 | 11 | 8 | – | 196 | 31 | – | 15 |
| 鹿児島市 | 3 835 | 144 | 71 | 1 | 480 | 7 | 795 | – | – | 18 |
| 那覇市 | 139 | 5 | 4 | – | 16 | – | 33 | 31 | – | – |
| その他政令市(再掲) | | | | | | | | | | |
| 小樽市 | 168 | 21 | 10 | 2 | 5 | – | 46 | 24 | – | 12 |
| 町田市 | 414 | 12 | 4 | 3 | 5 | 2 | 121 | – | – | 48 |
| 藤沢市 | 730 | 102 | 23 | 5 | 21 | 9 | 355 | 8 | – | 60 |
| 茅ヶ崎市 | 441 | 17 | 2 | 9 | 19 | – | 179 | 8 | – | 56 |
| 四日市市 | 426 | 72 | 12 | 5 | 16 | 1 | 61 | 2 | – | 17 |
| 大牟田市 | 176 | – | – | – | 6 | – | 32 | – | – | 6 |

# 回数・参加延人員, 都道府県−指定都市・特別区−中核市−その他政令市、教育内容別

平成29年度

| 回 | | | | 数 | | | | | (再掲) | |
|---|---|---|---|---|---|---|---|---|---|---|
| 育児学級 | その他 | 成人・老人 | 栄養・健康増進 | 歯科 | 医事・薬事 | 食品 | 環境 | その他 | 地区組織活動 | 健康危機管理 |
| - | 21 | - | - | - | 2 | 39 | 4 | 2 | - | - |
| 3 | 16 | 45 | 91 | - | - | 54 | - | - | 3 | - |
| 114 | 50 | 123 | 80 | 10 | 1 | 33 | 2 | 21 | 14 | - |
| - | 130 | 207 | 27 | 5 | - | 34 | 2 | - | 97 | - |
| 11 | 31 | 351 | 37 | 14 | 1 | - | - | - | 98 | - |
| 53 | 18 | 188 | 255 | 135 | - | 6 | - | - | 28 | - |
| 12 | - | - | - | 46 | 40 | - | - | - | - | - |
| 73 | 183 | 94 | 47 | 39 | 17 | 55 | 2 | 11 | - | - |
| 36 | 103 | - | 70 | 20 | - | 100 | - | 24 | - | - |
| 178 | 351 | - | 514 | - | 2 | 48 | 1 | 3 | 517 | - |
| 358 | 84 | - | - | - | 17 | 20 | 2 | - | - | - |
| 46 | 23 | 239 | 32 | 107 | - | 23 | 4 | 79 | - | - |
| - | 4 | 297 | 45 | 2 | 2 | 16 | 1 | - | 74 | - |
| 127 | 78 | - | 9 | 425 | 25 | 42 | 3 | 3 | - | 2 |
| - | 28 | 19 | - | 420 | 2 | 23 | 2 | - | - | - |
| 74 | - | 853 | 10 | 146 | 2 | 52 | 8 | - | 755 | - |
| 455 | 92 | 41 | 44 | 272 | 4 | 50 | 1 | 26 | 9 | - |
| 260 | - | 686 | 234 | 32 | 4 | 54 | - | 16 | - | - |
| 146 | 98 | 34 | 58 | 16 | - | 65 | 4 | - | 12 | - |
| - | - | 41 | 3 | - | 36 | 58 | 7 | - | - | - |
| - | 563 | - | 92 | 309 | - | 109 | 2 | 3 | 18 | 4 |
| - | 76 | - | 9 | 53 | 17 | 69 | 4 | - | 17 | 18 |
| 315 | 191 | 906 | 254 | 186 | 30 | 35 | 4 | - | 9 | - |
| - | 5 | - | 239 | 44 | 22 | 105 | 5 | - | 7 | 3 |
| 236 | - | 389 | 29 | 21 | 6 | 188 | 5 | 72 | - | 193 |
| 33 | 3 | - | 4 | 120 | 10 | 38 | 5 | - | - | - |
| 345 | 20 | 134 | 316 | - | 79 | 33 | 3 | - | 135 | 1 |
| 123 | - | 60 | 23 | 80 | 30 | 35 | 8 | - | - | - |
| 138 | - | 64 | 121 | - | 9 | 22 | 2 | - | 102 | 5 |
| 35 | 68 | 810 | 783 | 11 | 2 | 124 | 4 | - | 104 | - |
| 111 | 74 | 20 | 78 | 16 | 9 | 23 | 2 | 1 | 27 | - |
| 243 | 41 | 11 | 171 | 223 | - | 30 | 2 | - | 187 | - |
| 79 | 4 | 8 | 22 | 83 | - | 17 | - | - | 8 | - |
| 120 | 63 | 55 | 2 | 59 | 2 | 40 | - | - | 38 | - |
| 109 | 70 | - | 134 | 30 | - | 39 | 37 | 57 | - | 57 |
| - | 31 | 8 | 31 | 21 | - | 99 | 5 | - | - | - |
| 42 | - | 140 | 49 | 26 | - | 55 | 3 | - | 307 | 12 |
| 96 | - | 38 | 432 | 43 | 10 | 33 | 5 | 35 | 311 | - |
| 311 | - | 239 | - | 90 | 9 | 33 | 1 | 115 | 13 | 19 |
| 26 | 26 | 608 | 152 | 12 | 84 | 106 | 3 | - | 90 | - |
| 16 | 3 | 14 | 22 | 18 | 2 | 111 | 3 | - | 18 | - |
| 59 | 41 | 5 | 31 | - | 2 | 32 | - | - | 31 | - |
| 166 | 137 | - | 211 | 22 | 11 | 54 | 7 | 20 | 139 | - |
| - | - | 207 | 81 | 64 | 2 | 63 | 5 | - | 81 | 12 |
| 404 | - | 133 | 192 | - | - | 56 | - | - | 130 | - |
| 143 | 7 | 31 | - | 97 | 2 | 78 | - | 2 | - | - |
| 36 | 741 | 1 365 | 601 | 357 | - | 84 | 2 | - | 78 | 131 |
| 1 | 1 | 8 | 3 | - | - | 74 | - | - | - | - |
| 5 | 5 | 7 | 26 | 44 | 2 | 17 | - | - | - | - |
| 70 | 3 | - | 20 | 204 | 2 | 44 | 4 | - | 4 | - |
| 48 | 239 | 3 | 97 | 81 | - | 54 | 8 | - | 119 | - |
| 101 | 14 | 121 | 36 | 21 | 7 | 21 | 3 | 17 | 6 | - |
| 30 | 12 | 69 | 14 | 90 | 48 | 49 | 6 | - | - | - |
| 25 | 1 | - | - | 99 | 1 | 38 | - | - | - | 1 |

## 第24表（4－3）保健所及び市区町村が実施した衛生教育の開催

| | 参 | | | | 加 | | | | | |
|---|---|---|---|---|---|---|---|---|---|---|
| | 総　数 | 感染症 | (再掲) 結核 | (再掲) エイズ | 精神 | 難病 | 母子 | 思春期・未婚女性学級 | 婚前・新婚学級 | 両(母)親学級 |
| 全　　　国 | 10 964 615 | 506 827 | 119 871 | 243 624 | 473 971 | 36 991 | 2 599 772 | 524 072 | 3 323 | 374 584 |
| 北　海　道 | 375 629 | 10 056 | 885 | 4 118 | 12 855 | 780 | 103 501 | 34 436 | 26 | 17 223 |
| 青　　森 | 160 895 | 3 993 | 327 | 2 186 | 8 318 | 293 | 37 361 | 17 609 | – | 2 026 |
| 岩　　手 | 153 447 | 5 914 | 689 | 859 | 18 309 | 230 | 23 128 | 8 373 | – | 2 831 |
| 宮　　城 | 223 576 | 6 585 | 2 679 | 1 167 | 12 172 | 991 | 41 818 | 5 689 | 60 | 4 605 |
| 秋　　田 | 130 784 | 4 732 | 1 473 | 134 | 10 123 | 110 | 22 676 | 2 481 | – | 1 368 |
| 山　　形 | 178 807 | 2 973 | 648 | 228 | 10 722 | 375 | 19 491 | 2 972 | – | 2 702 |
| 福　　島 | 201 177 | 6 604 | 3 099 | 1 381 | 6 545 | 548 | 40 477 | 15 621 | – | 2 786 |
| 茨　　城 | 268 170 | 5 581 | 1 448 | 2 102 | 11 355 | 505 | 95 199 | 26 918 | – | 8 678 |
| 栃　　木 | 191 343 | 5 448 | 355 | 3 303 | 7 467 | 843 | 64 086 | 26 804 | – | 3 762 |
| 群　　馬 | 170 532 | 9 454 | 710 | 4 038 | 10 585 | 341 | 47 484 | 3 254 | – | 7 399 |
| 埼　　玉 | 264 267 | 6 637 | 1 839 | 2 391 | 9 649 | 1 460 | 96 025 | 3 549 | – | 22 264 |
| 千　　葉 | 516 339 | 17 024 | 2 405 | 10 260 | 7 111 | 1 426 | 92 932 | 13 446 | 433 | 25 505 |
| 東　　京 | 848 548 | 30 576 | 4 327 | 19 806 | 24 047 | 3 200 | 263 432 | 3 385 | 818 | 85 504 |
| 神　奈　川 | 722 146 | 37 660 | 4 156 | 24 543 | 33 380 | 2 920 | 187 278 | 30 161 | 28 | 37 646 |
| 新　　潟 | 303 342 | 15 597 | 393 | 13 665 | 15 231 | 823 | 42 043 | 14 127 | – | 4 063 |
| 富　　山 | 130 584 | 7 813 | 843 | 6 210 | 5 574 | 488 | 23 374 | 9 908 | – | 2 894 |
| 石　　川 | 75 529 | 6 986 | 1 535 | 3 432 | 4 798 | 174 | 18 768 | 2 148 | 18 | 2 471 |
| 福　　井 | 73 682 | 3 907 | 744 | 900 | 1 992 | 186 | 11 442 | 3 524 | – | 567 |
| 山　　梨 | 111 510 | 8 387 | 619 | 3 325 | 2 359 | 4 | 24 618 | 4 806 | 67 | 4 259 |
| 長　　野 | 282 743 | 23 622 | 2 912 | 17 672 | 11 310 | 363 | 34 920 | 5 109 | 118 | 6 164 |
| 岐　　阜 | 224 997 | 7 725 | 2 407 | 1 746 | 4 940 | 148 | 47 484 | 5 563 | – | 6 458 |
| 静　　岡 | 288 293 | 3 555 | 630 | 685 | 11 064 | 838 | 73 702 | 20 659 | – | 11 910 |
| 愛　　知 | 870 695 | 30 852 | 7 362 | 7 354 | 13 353 | 2 255 | 198 147 | 63 367 | 1 254 | 25 370 |
| 三　　重 | 161 153 | 5 706 | 1 530 | 1 361 | 6 406 | 274 | 36 112 | 6 849 | – | 3 092 |
| 滋　　賀 | 83 496 | 2 137 | 492 | 711 | 2 448 | 291 | 18 345 | 1 271 | – | 1 653 |
| 京　　都 | 150 091 | 9 485 | 2 086 | 4 431 | 10 119 | 528 | 35 834 | 5 698 | – | 5 522 |
| 大　　阪 | 589 327 | 44 113 | 24 702 | 10 858 | 21 257 | 2 615 | 210 663 | 28 343 | – | 22 917 |
| 兵　　庫 | 534 214 | 35 445 | 10 721 | 23 059 | 22 579 | 3 093 | 131 238 | 33 339 | 5 | 6 772 |
| 奈　　良 | 76 255 | 1 626 | 381 | 633 | 1 829 | 461 | 21 132 | 2 820 | – | 3 517 |
| 和　歌　山 | 84 653 | 3 420 | 685 | 1 870 | 1 449 | 217 | 26 756 | 6 122 | – | 1 698 |
| 鳥　　取 | 54 688 | 5 390 | 1 777 | 1 327 | 7 186 | 158 | 11 697 | 1 815 | – | 634 |
| 島　　根 | 95 141 | 4 372 | 689 | 2 312 | 7 015 | 960 | 12 135 | 2 798 | – | 933 |
| 岡　　山 | 216 498 | 36 661 | 7 296 | 18 389 | 17 792 | 373 | 65 405 | 18 924 | – | 1 322 |
| 広　　島 | 208 339 | 13 978 | 2 868 | 8 107 | 18 419 | 535 | 30 888 | 3 427 | – | 5 644 |
| 山　　口 | 139 244 | 4 155 | 558 | 1 867 | 9 362 | 433 | 28 124 | 5 435 | – | 2 760 |
| 徳　　島 | 60 776 | 2 388 | 102 | 1 607 | 5 866 | 367 | 18 684 | 2 538 | – | 1 206 |
| 香　　川 | 200 028 | 2 474 | 966 | 589 | 13 283 | 752 | 29 233 | 914 | 432 | 2 518 |
| 愛　　媛 | 134 056 | 7 909 | 950 | 4 297 | 6 664 | 202 | 19 641 | 5 186 | – | 2 157 |
| 高　　知 | 69 812 | 1 975 | 1 152 | 827 | 1 920 | 208 | 7 059 | 2 075 | – | 826 |
| 福　　岡 | 339 538 | 14 834 | 10 423 | 2 003 | 17 405 | 2 389 | 80 228 | 13 628 | 6 | 10 902 |
| 佐　　賀 | 100 917 | 10 589 | 264 | 9 417 | 5 344 | 514 | 27 407 | 2 192 | – | 1 364 |
| 長　　崎 | 128 847 | 5 973 | 2 962 | 2 635 | 8 657 | 414 | 22 374 | 5 053 | – | 2 447 |
| 熊　　本 | 188 152 | 8 578 | 911 | 5 213 | 2 217 | 166 | 46 328 | 14 242 | – | 2 150 |
| 大　　分 | 145 989 | 4 915 | 1 698 | 1 034 | 8 450 | 202 | 20 208 | 4 436 | – | 935 |
| 宮　　崎 | 92 531 | 3 301 | 794 | 556 | 3 166 | 160 | 17 281 | 5 663 | – | 1 126 |
| 鹿　児　島 | 286 646 | 14 725 | 2 903 | 8 916 | 20 605 | 2 335 | 50 957 | 12 314 | 46 | 2 117 |
| 沖　　縄 | 57 189 | 997 | 476 | 100 | 1 274 | 43 | 22 657 | 15 081 | 12 | 1 917 |
| 指定都市・特別区（再掲）東京都区部 | 624 866 | 26 761 | 3 450 | 19 031 | 19 264 | 2 370 | 215 589 | 2 067 | 818 | 68 414 |
| 札　幌　市 | 111 003 | 1 932 | 325 | 974 | 947 | 528 | 26 146 | 124 | – | 8 707 |
| 仙　台　市 | 70 983 | 2 529 | 1 447 | 936 | 3 682 | 242 | 20 360 | 1 545 | – | 2 960 |
| さいたま市 | 51 131 | 72 | 72 | – | 471 | 172 | 36 150 | 159 | – | 5 087 |
| 千　葉　市 | 20 116 | 930 | 160 | 467 | 952 | – | 3 214 | – | – | 3 004 |
| 横　浜　市 | 300 213 | 3 805 | 2 236 | 517 | 19 667 | 990 | 102 846 | 9 939 | – | 19 224 |
| 川　崎　市 | 53 041 | 7 552 | 626 | 3 599 | 1 025 | – | 13 751 | 3 104 | – | 6 095 |
| 相模原市 | 33 321 | 5 586 | 267 | 5 038 | 2 488 | 294 | 6 995 | 1 886 | 24 | 1 757 |
| 新　潟　市 | 70 380 | 5 805 | 373 | 5 307 | 616 | 177 | 16 918 | 8 002 | – | 1 618 |
| 静　岡　市 | 55 021 | 665 | 91 | 514 | – | 42 | 16 087 | 1 009 | – | 2 829 |
| 浜　松　市 | 34 274 | 359 | – | 52 | 5 148 | – | 16 790 | 11 051 | – | 1 975 |
| 名　古　屋　市 | 298 023 | 17 369 | 4 318 | 2 819 | 1 434 | 702 | 75 517 | 26 985 | – | 7 337 |
| 京　都　市 | 70 219 | 6 031 | 608 | 3 156 | 5 906 | 152 | 15 897 | 4 613 | – | 2 100 |
| 大　阪　市 | 174 256 | 30 666 | 20 004 | 4 610 | 2 396 | – | 77 426 | 6 341 | – | 9 108 |
| 堺　　　市 | 49 163 | 1 254 | 213 | 1 041 | 2 514 | 115 | 24 270 | 14 157 | – | 2 511 |
| 神　戸　市 | 140 828 | 15 575 | 2 406 | 13 169 | 2 671 | – | 60 376 | 11 794 | – | – |
| 岡　山　市 | 79 533 | 17 971 | 1 086 | 14 240 | 2 077 | 38 | 40 629 | 13 788 | – | – |
| 広　島　市 | 48 783 | 4 969 | 428 | 3 924 | 2 966 | – | 9 512 | 894 | – | 2 491 |
| 北　九　州　市 | 40 255 | 498 | 123 | – | 1 968 | 1 162 | 15 513 | 6 745 | – | 2 035 |
| 福　岡　市 | 122 427 | 10 078 | 8 241 | 1 210 | 4 850 | 710 | 29 796 | 1 049 | – | 2 309 |
| 熊　本　市 | 81 116 | 3 924 | 45 | 3 200 | – | – | 26 430 | 3 889 | – | 95 |

## 回数・参加延人員，都道府県－指定都市・特別区－中核市－その他政令市、教育内容別

平成29年度

| 延 | | 人 | | | | 員 | | | （再 掲） | |
|---|---|---|---|---|---|---|---|---|---|---|
| 育児学級 | その他 | 成人・老人 | 栄養・健康増進 | 歯科 | 医事・薬事 | 食品 | 環境 | その他 | 地区組織活動 | 健康危機管理 |
| 927 773 | 770 020 | 2 125 702 | 2 152 580 | 1 406 843 | 301 362 | 924 517 | 115 499 | 320 551 | 1 091 291 | 135 010 |
| 29 143 | 22 673 | 72 816 | 104 434 | 22 705 | 9 583 | 26 572 | 3 155 | 9 172 | 15 476 | 5 808 |
| 5 803 | 11 923 | 42 253 | 42 115 | 9 394 | 3 298 | 7 505 | 779 | 5 586 | 16 607 | 100 |
| 4 864 | 7 060 | 33 970 | 48 460 | 11 984 | 654 | 7 036 | 588 | 3 174 | 20 145 | 514 |
| 15 340 | 16 124 | 36 507 | 51 443 | 19 117 | 10 886 | 12 094 | 16 914 | 15 049 | 25 306 | 1 082 |
| 6 634 | 12 193 | 30 452 | 27 942 | 22 059 | 515 | 8 641 | 316 | 3 218 | 8 775 | 803 |
| 7 221 | 6 596 | 59 541 | 47 528 | 10 763 | 4 131 | 12 466 | 1 778 | 9 039 | 24 011 | 1 791 |
| 8 924 | 13 146 | 51 605 | 28 829 | 26 325 | 18 941 | 14 407 | 1 406 | 5 490 | 12 215 | 575 |
| 32 246 | 27 357 | 68 692 | 46 960 | 13 700 | 8 058 | 13 151 | 1 804 | 3 165 | 15 958 | 313 |
| 16 614 | 16 906 | 41 974 | 44 758 | 11 540 | 724 | 8 792 | 191 | 5 520 | 10 317 | 180 |
| 19 085 | 17 746 | 21 923 | 46 082 | 14 019 | 7 365 | 11 275 | 1 044 | 960 | 24 665 | 103 |
| 48 937 | 21 275 | 47 201 | 42 884 | 19 772 | 3 332 | 17 104 | 2 469 | 17 734 | 22 543 | 4 792 |
| 17 209 | 36 339 | 94 309 | 64 235 | 186 032 | 4 665 | 36 081 | 3 971 | 8 553 | 33 995 | 477 |
| 101 159 | 72 566 | 124 777 | 99 736 | 181 849 | 5 587 | 74 625 | 13 672 | 27 047 | 119 371 | 4 082 |
| 105 095 | 14 348 | 163 008 | 114 457 | 75 029 | 10 954 | 72 976 | 3 568 | 20 916 | 123 147 | 4 360 |
| 11 502 | 12 351 | 67 067 | 59 870 | 52 044 | 5 843 | 27 922 | 5 027 | 11 875 | 38 080 | 1 470 |
| 6 892 | 3 680 | 31 392 | 30 324 | 13 219 | 2 575 | 12 150 | 381 | 3 294 | 5 143 | 465 |
| 8 711 | 5 420 | 8 290 | 14 253 | 4 809 | 1 173 | 14 643 | 528 | 1 107 | 5 165 | 30 |
| 4 511 | 2 840 | 4 946 | 19 238 | 13 201 | 3 654 | 10 989 | 994 | 3 133 | 11 306 | 51 |
| 8 643 | 6 843 | 19 116 | 30 395 | 6 666 | 4 752 | 6 553 | 701 | 7 959 | 25 044 | 252 |
| 12 093 | 11 436 | 63 064 | 67 917 | 42 982 | 9 367 | 19 873 | 1 183 | 8 142 | 36 579 | 433 |
| 13 307 | 22 156 | 35 183 | 45 189 | 43 113 | 4 922 | 34 127 | 958 | 1 208 | 18 808 | 38 |
| 29 357 | 11 776 | 57 174 | 29 211 | 62 745 | 3 866 | 31 624 | 3 412 | 11 102 | 22 970 | 13 719 |
| 61 430 | 46 726 | 166 409 | 161 588 | 179 976 | 21 712 | 59 190 | 14 611 | 22 602 | 98 496 | 36 954 |
| 18 602 | 7 569 | 12 095 | 34 075 | 12 992 | 9 589 | 12 530 | 1 762 | 29 612 | 20 143 | 704 |
| 14 026 | 1 395 | 24 546 | 5 360 | 12 588 | 94 | 13 287 | 843 | 3 557 | 2 341 | 8 463 |
| 12 401 | 12 213 | 33 628 | 39 076 | 8 567 | 4 608 | 5 904 | 578 | 1 764 | 10 284 | 5 065 |
| 67 535 | 91 868 | 86 662 | 67 796 | 34 004 | 42 846 | 62 974 | 9 556 | 6 841 | 36 481 | 1 986 |
| 33 096 | 58 026 | 122 060 | 105 238 | 60 381 | 13 886 | 31 524 | 2 805 | 5 965 | 32 269 | 15 046 |
| 9 818 | 4 977 | 9 586 | 25 974 | 9 540 | 14 | 4 534 | 135 | 1 424 | 9 246 | 1 398 |
| 10 991 | 7 945 | 11 699 | 15 118 | 6 740 | 7 921 | 7 830 | 301 | 3 202 | 3 711 | 221 |
| 6 208 | 3 040 | 7 232 | 10 006 | 3 495 | 444 | 5 837 | 377 | 2 866 | 2 072 | 157 |
| 5 961 | 2 443 | 23 313 | 21 877 | 5 372 | 1 876 | 8 137 | 429 | 9 655 | 6 225 | 108 |
| 12 036 | 33 123 | 15 933 | 43 699 | 13 060 | 3 482 | 9 983 | 3 404 | 6 706 | 28 650 | 2 751 |
| 17 543 | 4 274 | 40 633 | 67 837 | 7 662 | 2 710 | 20 515 | 893 | 4 269 | 24 380 | 2 580 |
| 10 873 | 9 056 | 29 669 | 40 452 | 11 034 | 2 826 | 7 999 | 1 394 | 3 796 | 22 292 | - |
| 3 571 | 11 369 | 3 464 | 13 995 | 3 643 | 3 776 | 5 804 | 170 | 2 619 | 3 451 | 940 |
| 9 533 | 15 836 | 40 472 | 90 584 | 8 620 | 5 624 | 3 573 | 404 | 5 009 | 15 048 | 4 175 |
| 6 700 | 5 598 | 41 910 | 22 333 | 9 145 | 8 670 | 14 678 | 1 708 | 1 196 | 13 193 | 467 |
| 2 709 | 1 449 | 10 476 | 16 653 | 17 118 | 1 683 | 10 805 | 315 | 1 600 | 2 600 | 2 063 |
| 42 570 | 13 122 | 81 436 | 60 549 | 15 050 | 7 393 | 49 770 | 2 451 | 8 033 | 42 873 | 623 |
| 9 381 | 14 470 | 14 861 | 15 856 | 11 460 | - | 13 495 | 658 | 733 | 9 563 | - |
| 8 640 | 6 234 | 18 144 | 31 178 | 14 630 | 4 443 | 20 201 | 1 023 | 1 810 | 14 546 | 1 769 |
| 19 603 | 10 333 | 22 714 | 31 281 | 42 390 | 7 780 | 23 433 | 606 | 2 659 | 18 951 | 1 974 |
| 12 367 | 2 470 | 36 016 | 43 112 | 3 171 | 10 784 | 12 265 | 683 | 6 183 | 22 843 | 235 |
| 7 689 | 2 803 | 16 716 | 15 846 | 11 035 | 7 090 | 13 222 | 2 121 | 2 593 | 2 485 | 530 |
| 7 465 | 29 015 | 77 127 | 54 513 | 40 802 | 7 156 | 13 624 | 1 804 | 2 998 | 10 619 | 3 258 |
| 3 735 | 1 912 | 3 641 | 12 324 | 1 301 | 110 | 12 797 | 1 629 | 416 | 2 903 | 2 105 |
| 81 855 | 62 435 | 68 379 | 63 597 | 139 204 | 2 878 | 53 824 | 9 916 | 23 084 | 94 688 | 2 740 |
| 12 777 | 4 538 | 10 111 | 57 089 | 1 512 | 6 319 | 5 282 | 1 137 | - | 901 | 1 137 |
| 9 284 | 6 571 | 8 576 | 538 | 1 892 | - | 4 998 | 14 477 | 13 689 | 6 770 | 1 082 |
| 28 843 | 2 061 | 5 752 | 652 | 104 | - | 3 393 | 347 | 4 018 | 286 | 3 393 |
| 210 | - | 1 196 | 2 505 | 2 359 | - | 3 980 | 832 | 4 148 | 10 208 | - |
| 73 683 | - | 70 674 | 34 737 | 17 701 | 117 | 41 925 | 841 | 6 910 | 77 119 | 2 183 |
| 3 810 | 742 | 2 358 | 9 633 | 5 699 | 5 800 | 6 273 | 950 | - | 6 292 | 900 |
| 3 328 | - | 1 094 | 9 020 | 1 463 | 607 | 5 439 | 335 | - | 746 | - |
| 7 103 | 195 | 20 843 | 10 731 | 867 | 2 992 | 8 357 | 3 074 | - | 6 608 | - |
| 9 367 | 2 882 | 2 398 | 1 608 | 22 215 | 1 168 | 6 613 | 981 | 3 244 | 3 384 | 6 978 |
| 3 609 | 155 | 1 378 | - | 7 061 | 912 | 2 038 | 588 | - | - | 112 |
| 31 715 | 9 480 | 83 870 | 21 017 | 45 501 | 3 818 | 21 068 | 9 381 | 18 346 | 67 780 | 11 879 |
| 5 310 | 3 874 | 15 260 | 24 162 | 1 965 | - | 293 | - | 553 | 7 141 | 4 715 |
| 21 216 | 40 761 | 754 | 4 536 | - | 18 064 | 33 324 | 5 250 | 1 840 | - | 698 |
| 7 602 | - | 7 204 | 4 312 | 4 323 | 1 352 | 2 991 | 828 | - | 4 312 | - |
| 5 078 | 43 504 | 10 848 | 10 761 | 30 196 | 2 570 | 7 514 | 240 | 77 | 1 784 | 13 271 |
| 4 739 | 22 102 | - | 10 848 | 4 274 | - | 3 259 | 437 | - | 4 729 | - |
| 5 888 | 239 | 14 131 | 6 558 | 497 | 188 | 6 911 | 519 | 2 532 | 285 | - |
| 5 231 | 1 502 | 257 | 6 505 | 4 237 | 1 556 | 5 954 | 1 020 | 1 585 | 1 051 | 291 |
| 23 661 | 2 777 | 30 279 | 14 807 | 1 902 | 294 | 26 789 | 1 112 | 1 810 | 12 884 | - |
| 14 590 | 7 856 | 9 372 | 10 290 | 19 650 | 1 944 | 9 183 | 123 | 200 | 12 970 | 4 |

# 第24表（4－4）保健所及び市区町村が実施した衛生教育の開催

| | 参加 | | | | | | | | | |
|---|---|---|---|---|---|---|---|---|---|---|
| | 総数 | 感染症 | (再掲) 結核 | (再掲) エイズ | 精神 | 難病 | 母子 | 思春期・未婚女性学級 | 婚前・新婚学級 | 両(母)親学級 |
| 中核市(再掲) | | | | | | | | | | |
| 旭川市 | 9 023 | 1 586 | - | 1 395 | 1 086 | 55 | 4 359 | 3 696 | - | - |
| 函館市 | 13 237 | 843 | - | 645 | 351 | 33 | 3 114 | 2 485 | - | 274 |
| 青森市 | 25 225 | 2 208 | 87 | 2 009 | 184 | - | 15 296 | 7 067 | - | 639 |
| 八戸市 | 17 246 | 299 | 10 | 31 | 1 029 | 144 | 6 787 | 2 396 | - | 542 |
| 盛岡市 | 10 525 | 1 231 | 51 | 148 | 2 040 | 110 | 1 542 | 198 | - | 860 |
| 秋田市 | 15 888 | 616 | 66 | 11 | 845 | 7 | 1 692 | - | - | 181 |
| 郡山市 | 10 090 | 489 | 127 | 241 | - | - | 5 139 | 3 564 | - | 901 |
| いわき市 | 17 392 | 1 600 | 881 | 574 | 710 | 161 | 5 744 | 597 | - | 774 |
| 宇都宮市 | 27 076 | 3 630 | 35 | 2 921 | 2 743 | 69 | 9 857 | 4 494 | - | 1 598 |
| 前橋市 | 37 706 | 379 | 46 | - | 4 813 | 111 | 17 227 | 618 | - | 1 477 |
| 高崎市 | 14 721 | 1 267 | 149 | 231 | 1 384 | 77 | 7 263 | - | - | 1 817 |
| 川越市 | 17 546 | 2 823 | - | 2 095 | 595 | 398 | 1 480 | - | - | 264 |
| 越谷市 | 11 994 | 422 | 73 | - | - | 47 | 1 771 | 433 | - | 1 274 |
| 船橋市 | 51 768 | 1 750 | 331 | 1 181 | 343 | 153 | 9 942 | 850 | - | 3 807 |
| 柏市 | 38 410 | 1 714 | 715 | 119 | 919 | 291 | 2 091 | - | - | 1 274 |
| 八王子市 | 24 604 | 1 116 | 60 | 459 | 305 | 169 | 2 639 | - | - | 1 170 |
| 横須賀市 | 46 107 | 912 | 73 | 535 | 1 344 | 491 | 6 971 | - | - | 499 |
| 富山市 | 47 925 | 5 000 | - | 5 000 | 1 836 | - | 4 998 | - | - | 1 193 |
| 金沢市 | 22 856 | 3 772 | 126 | 2 490 | 514 | - | 9 362 | - | - | 931 |
| 長野市 | 16 074 | 4 248 | 83 | 3 496 | 2 559 | 107 | - | - | - | - |
| 岐阜市 | 37 386 | 3 999 | 1 394 | - | 2 498 | - | 10 388 | - | - | 233 |
| 豊橋市 | 22 200 | 1 330 | 530 | 800 | 820 | 226 | 6 740 | 1 473 | 1 254 | 146 |
| 豊田市 | 61 554 | 472 | 284 | - | 897 | … | 23 463 | 5 577 | - | 991 |
| 岡崎市 | 30 276 | 3 491 | 204 | 2 169 | 1 918 | 137 | 3 725 | 2 460 | - | 1 053 |
| 大津市 | 25 181 | 1 387 | 200 | 711 | 500 | 176 | 5 171 | 711 | - | 483 |
| 高槻市 | 18 201 | 879 | 306 | 243 | 555 | 62 | 1 488 | - | - | 892 |
| 東大阪市 | 35 912 | 1 395 | 1 200 | - | 276 | - | 7 782 | 1 494 | - | 290 |
| 豊中市 | 23 337 | 1 533 | 404 | 741 | 4 033 | 354 | 6 241 | 1 725 | - | 1 400 |
| 枚方市 | 14 864 | 1 764 | 93 | 1 517 | 2 088 | 357 | 4 622 | - | - | 841 |
| 姫路市 | 54 741 | 1 457 | 92 | 479 | 1 691 | 152 | 13 236 | 10 856 | - | - |
| 西宮市 | 16 085 | 727 | - | 630 | 2 546 | 1 392 | 4 664 | 681 | - | 1 467 |
| 尼崎市 | 29 143 | 425 | 148 | 53 | 399 | - | 13 750 | 60 | - | 964 |
| 奈良市 | 7 134 | 624 | 73 | 528 | 197 | 193 | 2 268 | - | - | 634 |
| 和歌山市 | 10 478 | 1 251 | 81 | 895 | 394 | 67 | 2 302 | - | - | 287 |
| 倉敷市 | 40 162 | 12 194 | 4 599 | 813 | 11 470 | 144 | 5 749 | - | - | 449 |
| 福山市 | 10 454 | 2 217 | 113 | 1 899 | 1 180 | - | 1 501 | 555 | - | 497 |
| 呉市 | 21 717 | 1 850 | 1 371 | 97 | 7 066 | 8 | 1 629 | 477 | - | 605 |
| 下関市 | 23 532 | 577 | 20 | 430 | 784 | 33 | 1 791 | - | - | 694 |
| 高松市 | 37 550 | 1 372 | 493 | 325 | 10 827 | 81 | 6 087 | 68 | 432 | 965 |
| 松山市 | 29 669 | 2 307 | 455 | 1 281 | 132 | 86 | 3 833 | 997 | - | 961 |
| 高知市 | 10 031 | 847 | 827 | 827 | 390 | 146 | 745 | 122 | - | 333 |
| 久留米市 | 13 914 | 836 | 185 | 516 | 2 365 | 85 | 4 373 | - | - | 849 |
| 長崎市 | 20 472 | 959 | 600 | 695 | 1 304 | - | 8 205 | - | - | 442 |
| 佐世保市 | 18 366 | 1 449 | 323 | 894 | 1 605 | 279 | 1 102 | - | - | 1 102 |
| 大分市 | 29 196 | 796 | 475 | 11 | 3 281 | - | 12 212 | 2 274 | - | - |
| 宮崎市 | 16 288 | 1 076 | 248 | 556 | 178 | - | 7 055 | 4 292 | - | 75 |
| 鹿児島市 | 92 949 | 3 195 | 1 863 | 485 | 13 122 | 764 | 20 579 | - | - | 407 |
| 那覇市 | 10 693 | 110 | 95 | - | 509 | - | 5 910 | 5 891 | - | - |
| その他政令市(再掲) | | | | | | | | | | |
| 小樽市 | 5 982 | 682 | 356 | 197 | 162 | - | 2 062 | 1 715 | - | 151 |
| 町田市 | 17 693 | 635 | 361 | 91 | 156 | 111 | 4 185 | - | - | 1 284 |
| 藤沢市 | 22 662 | 4 698 | 233 | 1 273 | 1 572 | 189 | 7 846 | 1 363 | - | 1 605 |
| 茅ヶ崎市 | 16 529 | 2 039 | 16 | 2 023 | 513 | - | 4 863 | 830 | - | 983 |
| 四日市市 | 17 995 | 3 248 | 569 | 812 | 1 119 | 140 | 2 115 | 23 | - | 664 |
| 大牟田市 | 3 954 | - | - | - | 43 | - | 719 | - | - | 119 |

# 回数・参加延人員，都道府県－指定都市・特別区－中核市－その他政令市、教育内容別

平成29年度

| 延 | | 人 | | | | 員 | | | （再 | 掲） |
|---|---|---|---|---|---|---|---|---|---|---|
| 育児学級 | その他 | 成人・老人 | 栄養・健康増進 | 歯科 | 医事・薬事 | 食品 | 環境 | その他 | 地区組織活動 | 健康危機管理 |
| － | 663 | － | － | － | 68 | 1 639 | 169 | 61 | － | － |
| 43 | 312 | 1 558 | 5 021 | － | － | 2 317 | － | － | 143 | － |
| 3 805 | 3 785 | 2 624 | 1 290 | 132 | 10 | 1 386 | 103 | 1 992 | 275 | － |
| － | 3 849 | 6 070 | 880 | 120 | － | 1 750 | 167 | － | 2 477 | － |
| 58 | 426 | 4 998 | 429 | 164 | 11 | － | － | － | 1 209 | － |
| 1 020 | 491 | 3 057 | 5 536 | 3 785 | － | 350 | － | － | 493 | － |
| 674 | － | － | － | 2 068 | 2 394 | － | － | － | － | － |
| 1 126 | 3 247 | 3 805 | 1 679 | 687 | 311 | 2 353 | 183 | 159 | － | － |
| 810 | 2 955 | － | 1 859 | 628 | － | 5 507 | － | 2 783 | － | － |
| 5 300 | 9 832 | － | 11 497 | － | 950 | 2 605 | 100 | 24 | 11 521 | － |
| 4 944 | 502 | － | － | － | 3 558 | 972 | 200 | － | － | － |
| 1 131 | 85 | 4 684 | 2 978 | 1 894 | － | 1 182 | 113 | 1 399 | － | － |
| － | 64 | 7 698 | 1 017 | 52 | 55 | 881 | 51 | － | 1 158 | － |
| 2 849 | 2 436 | － | 289 | 34 719 | 1 796 | 2 335 | 356 | 85 | － | 10 |
| － | 817 | 6 084 | － | 25 571 | 50 | 1 479 | 211 | － | － | － |
| 1 469 | － | 13 852 | 760 | 2 478 | 118 | 2 516 | 651 | － | 11 386 | － |
| 5 749 | 723 | 1 323 | 2 139 | 27 455 | 644 | 3 453 | 20 | 1 355 | 242 | － |
| 3 805 | － | 21 150 | 9 761 | 1 489 | 153 | 2 447 | － | 1 091 | － | － |
| 5 103 | 3 328 | 2 294 | 1 840 | 355 | － | 4 490 | 229 | － | 215 | － |
| － | － | 515 | 296 | － | 5 452 | 2 661 | 236 | － | － | － |
| － | 10 155 | － | 1 310 | 10 751 | － | 8 233 | 57 | 150 | 255 | 38 |
| － | 3 867 | － | 144 | 4 699 | 4 975 | 2 975 | 291 | － | 283 | 1 330 |
| 13 066 | 3 829 | 14 183 | 7 406 | 8 770 | 2 633 | 3 463 | 267 | － | 480 | － |
| － | 212 | － | 10 743 | 2 734 | 2 774 | 4 352 | 402 | － | 407 | 174 |
| 3 977 | － | 8 364 | 537 | 505 | 94 | 7 607 | 441 | 399 | － | 8 048 |
| 326 | 270 | － | 3 195 | 5 863 | 4 126 | 1 862 | 171 | － | － | － |
| 4 845 | 1 153 | 8 525 | 8 138 | － | 7 229 | 2 277 | 290 | － | 1 214 | 107 |
| 3 116 | － | 1 379 | 456 | 1 451 | 6 368 | 1 038 | 484 | － | － | － |
| 3 781 | － | 1 555 | 3 046 | － | 284 | 1 063 | 85 | － | 2 640 | 122 |
| 225 | 2 155 | 18 074 | 13 017 | 543 | 147 | 6 244 | 180 | － | 2 198 | － |
| 2 140 | 376 | 551 | 1 923 | 565 | 2 376 | 1 248 | 83 | 10 | 943 | － |
| 10 072 | 2 654 | 228 | 3 711 | 9 333 | － | 1 186 | 111 | － | 3 541 | － |
| 1 526 | 108 | 109 | 484 | 2 277 | － | 982 | － | － | 113 | － |
| 1 373 | 642 | 952 | 21 | 3 797 | 225 | 1 469 | － | － | 964 | － |
| 1 231 | 4 069 | － | 2 603 | 1 636 | － | 1 872 | 2 331 | 2 163 | － | 2 163 |
| － | 449 | 278 | 300 | 201 | － | 4 515 | 262 | － | － | － |
| 547 | － | 4 835 | 3 168 | 760 | － | 2 289 | 112 | － | 12 429 | 382 |
| 1 097 | － | 807 | 13 619 | 2 408 | 882 | 1 096 | 136 | 1 399 | 10 946 | － |
| 4 622 | － | 8 624 | － | 5 185 | 2 840 | 1 599 | 90 | 845 | 386 | 3 189 |
| 489 | 1 386 | 9 040 | 5 478 | 394 | 3 108 | 5 069 | 222 | － | 4 197 | － |
| 201 | 89 | 657 | 549 | 604 | 121 | 5 698 | 274 | － | 429 | － |
| 899 | 2 625 | 491 | 675 | － | 1 478 | 3 611 | － | － | 675 | － |
| 5 439 | 2 324 | － | 5 199 | 356 | 707 | 3 262 | 229 | 251 | 2 373 | － |
| － | － | 4 157 | 3 258 | 1 755 | 216 | 4 385 | 160 | － | 1 647 | 1 696 |
| 9 938 | － | 3 975 | 5 710 | － | － | 3 222 | － | － | 2 840 | － |
| 2 516 | 172 | 974 | － | 4 176 | 99 | 2 638 | － | 92 | － | － |
| 1 123 | 19 049 | 25 962 | 14 511 | 11 127 | － | 3 595 | 94 | － | 1 861 | 2 466 |
| 7 | 12 | 202 | 36 | － | － | 3 926 | － | － | － | － |
| 57 | 139 | 535 | 496 | 1 259 | 89 | 697 | － | － | － | － |
| 2 728 | 173 | － | 2 406 | 7 570 | 216 | 2 263 | 151 | － | 180 | － |
| 1 105 | 3 773 | 246 | 2 112 | 2 990 | － | 2 757 | 252 | － | 2 264 | － |
| 2 794 | 256 | 3 855 | 777 | 544 | 1 484 | 1 027 | 138 | 1 289 | 80 | － |
| 843 | 585 | 1 567 | 333 | 2 424 | 4 356 | 2 168 | 525 | － | － | － |
| 586 | 14 | － | － | 2 194 | 44 | 954 | － | － | － | 44 |

# 第25表（6－1）保健所及び市区町村が実施した試験検査件数，

| | 総数 | 細菌学的検査 | | | | | |
|---|---|---|---|---|---|---|---|
| | | 総数 | 赤痢 | コレラ | チフス | 結核 | その他 |
| **全国** | **2 759 340** | **1 401 578** | **437 939** | **305** | **353 953** | **1 617** | **607 764** |
| 北海道 | 108 917 | 26 037 | 8 006 | 45 | 6 283 | 1 | 11 702 |
| 青森 | 2 699 | 321 | 14 | 2 | – | – | 305 |
| 岩手 | 3 999 | 148 | 4 | 3 | – | – | 141 |
| 宮城 | 25 802 | 63 | – | – | – | – | 63 |
| 秋田 | 1 932 | 39 | – | – | – | – | 39 |
| 山形 | 23 470 | 16 196 | 5 234 | 1 | 625 | – | 10 336 |
| 福島 | 35 886 | 5 609 | 1 852 | – | 1 852 | – | 1 905 |
| 茨城 | 20 070 | – | – | – | – | – | – |
| 栃木 | 38 547 | 17 366 | 4 207 | – | 3 083 | – | 10 076 |
| 群馬 | 45 776 | 24 066 | 6 846 | … | 6 839 | 6 | 10 375 |
| 埼玉 | 31 437 | 418 | – | – | 7 | 12 | 399 |
| 千葉 | 163 841 | 96 239 | 25 729 | 1 | 25 531 | 68 | 44 910 |
| 東京 | 942 175 | 748 033 | 202 299 | 4 | 203 638 | 313 | 341 779 |
| 神奈川 | 38 625 | 11 216 | 3 237 | – | 356 | 562 | 7 061 |
| 新潟 | 18 718 | 2 543 | 1 125 | – | 39 | – | 1 379 |
| 富山 | 67 952 | 56 633 | 14 543 | – | 14 531 | – | 27 559 |
| 石川 | 14 158 | 2 885 | 1 004 | … | 968 | … | 913 |
| 福井 | 1 746 | – | – | – | – | – | – |
| 山梨 | 608 | – | – | – | – | – | – |
| 長野 | 31 412 | 7 002 | 1 872 | 1 | 1 859 | – | 3 270 |
| 岐阜 | 29 969 | 6 080 | 1 860 | – | 1 872 | – | 2 348 |
| 静岡 | 34 578 | 1 187 | 208 | – | 231 | 52 | 696 |
| 愛知 | 251 549 | 145 762 | 46 718 | 8 | 46 522 | 8 | 52 506 |
| 三重 | 13 128 | 293 | 5 | – | – | – | 288 |
| 滋賀 | 3 975 | 20 | – | – | – | – | 20 |
| 京都 | 35 014 | 7 116 | 7 077 | – | – | – | 39 |
| 大阪 | 108 348 | 21 855 | 5 303 | 31 | 5 307 | 399 | 10 815 |
| 兵庫 | 77 734 | 37 113 | 10 621 | – | 7 639 | 51 | 18 802 |
| 奈良 | 10 858 | 14 | – | – | – | – | 14 |
| 和歌山 | 6 088 | 1 533 | 478 | – | 310 | – | 745 |
| 鳥取 | 47 463 | – | – | – | – | – | – |
| 島根 | 1 127 | 118 | – | – | – | – | 118 |
| 岡山 | 27 683 | 337 | 68 | – | 3 | – | 266 |
| 広島 | 8 292 | 925 | 10 | – | 1 | – | 914 |
| 山口 | 17 814 | 965 | 399 | – | 9 | – | 557 |
| 徳島 | 9 221 | 23 | – | – | – | – | 23 |
| 香川 | 13 592 | 1 456 | 326 | 167 | 213 | – | 750 |
| 愛媛 | 38 060 | 20 822 | 6 520 | 24 | 6 339 | – | 7 939 |
| 高知 | 3 719 | 57 | 26 | 15 | – | – | 16 |
| 福岡 | 126 134 | 60 747 | 56 198 | – | 2 306 | 80 | 2 163 |
| 佐賀 | 8 201 | – | – | – | – | – | – |
| 長崎 | 32 472 | 17 502 | 5 363 | – | 5 362 | 23 | 6 754 |
| 熊本 | 9 486 | 20 | 4 | 2 | – | – | 14 |
| 大分 | 48 758 | 36 899 | 10 945 | 1 | 10 945 | 12 | 14 996 |
| 宮崎 | 3 377 | 25 | – | – | – | – | 25 |
| 鹿児島 | 38 978 | 23 549 | 9 838 | – | 1 283 | – | 12 428 |
| 沖縄 | 135 952 | 2 346 | – | – | – | 30 | 2 316 |
| 指定都市・特別区(再掲) | | | | | | | |
| 東京都区部 | 877 471 | 742 034 | 200 092 | 4 | 201 431 | 313 | 340 194 |
| 札幌市 | 18 786 | – | – | – | – | – | – |
| 仙台市 | 21 070 | 63 | – | – | – | – | 63 |
| さいたま市 | – | – | – | – | – | – | – |
| 千葉市 | 12 283 | 395 | 70 | 1 | 60 | – | 264 |
| 横浜市 | 5 533 | 288 | 7 | – | – | 1 | 280 |
| 川崎市 | 1 165 | – | – | – | – | – | – |
| 相模原市 | 3 717 | 325 | – | – | – | 269 | 56 |
| 新潟市 | 4 275 | – | – | – | – | – | – |
| 静岡市 | 2 248 | 238 | – | – | 5 | 42 | 191 |
| 浜松市 | 16 353 | 83 | – | – | 6 | – | 77 |
| 名古屋市 | 37 299 | 45 | 5 | – | – | – | 40 |
| 京都市 | 22 985 | 6 597 | 6 597 | – | – | – | – |
| 大阪市 | 41 108 | 62 | – | – | – | 62 | – |
| 堺市 | 164 | – | – | – | – | – | – |
| 神戸市 | 224 | 42 | 14 | – | – | – | 28 |
| 岡山市 | 7 860 | 187 | 47 | – | – | – | 140 |
| 広島市 | 86 | – | – | – | – | – | – |
| 北九州市 | 57 948 | 53 872 | 53 872 | – | – | – | – |
| 福岡市 | 48 386 | 2 933 | 816 | – | 802 | 80 | 1 235 |
| 熊本市 | 6 223 | 20 | 4 | 2 | – | – | 14 |

## 都道府県－指定都市・特別区－中核市－その他政令市、検査の種類別

平成29年度

| 総数 | 食品衛生関係検査 食中毒 微生物学的検査 | 理化学的検査 | その他 | 食品等検査 微生物学的検査 | 理化学的検査 | その他 |
|---|---|---|---|---|---|---|
| 203 454 | 30 692 | 100 | 3 727 | 106 172 | 38 524 | 24 239 |
| 7 665 | 1 839 | – | 204 | 3 548 | 1 984 | 90 |
| 769 | 451 | – | – | 230 | 88 | – |
| 174 | 10 | – | 25 | 129 | 10 | – |
| 4 383 | 475 | – | – | 2 649 | 973 | 286 |
| 519 | 132 | – | – | 267 | 120 | – |
| 4 684 | 242 | – | – | 4 157 | 258 | 27 |
| 1 306 | 387 | 2 | – | 721 | 196 | – |
| 1 002 | 30 | – | 100 | 80 | 52 | 740 |
| 7 516 | 1 716 | 5 | 110 | 4 289 | 1 362 | 34 |
| 884 | 116 | … | 33 | 499 | 231 | 5 |
| 1 639 | 215 | 12 | 152 | 510 | 537 | 213 |
| 11 123 | 1 929 | 23 | 1 601 | 2 914 | 2 560 | 2 096 |
| 48 552 | 7 250 | – | 15 | 29 354 | 2 412 | 9 521 |
| 2 560 | 437 | 16 | 1 | 912 | 1 135 | 59 |
| 5 540 | 508 | – | – | 4 647 | 385 | – |
| 1 458 | 203 | – | – | 818 | 377 | 60 |
| 2 189 | 297 | … | 70 | 1 278 | 325 | 219 |
| 213 | – | – | – | 159 | 54 | – |
| – | – | – | – | – | – | – |
| 3 156 | 564 | – | – | 1 042 | 1 550 | – |
| 1 176 | 362 | 4 | 81 | 244 | 102 | 383 |
| 6 404 | 801 | 3 | – | 2 366 | 3 188 | 46 |
| 16 250 | 2 657 | 3 | 86 | 4 289 | 2 360 | 6 855 |
| 2 464 | 262 | – | 239 | 1 963 | – | – |
| 485 | 188 | – | 57 | 105 | 101 | 34 |
| 2 895 | 795 | – | 120 | 1 084 | 239 | 657 |
| 11 235 | 427 | … | 115 | 5 261 | 4 485 | 947 |
| 5 880 | 1 336 | – | 69 | 2 859 | 1 539 | 77 |
| 338 | 54 | – | 18 | 203 | 56 | 7 |
| 316 | 57 | – | – | 184 | 17 | 58 |
| – | – | – | – | – | – | – |
| 138 | 48 | – | – | 90 | – | – |
| 5 774 | 506 | 1 | 62 | 3 456 | 1 734 | 15 |
| 3 366 | 355 | 15 | 18 | 1 923 | 1 045 | 10 |
| 4 591 | 430 | 10 | – | 3 309 | 842 | – |
| 2 754 | 33 | – | – | 2 432 | 280 | 9 |
| 2 155 | 84 | – | – | 1 293 | 778 | – |
| 3 008 | 474 | – | 132 | 1 547 | 796 | 59 |
| 1 566 | 467 | 1 | 69 | 867 | 131 | 31 |
| 9 189 | 844 | 1 | 14 | 4 626 | 3 232 | 472 |
| 825 | – | – | – | – | 21 | 804 |
| 5 411 | 357 | – | 62 | 3 719 | 1 227 | 46 |
| 2 271 | 124 | 3 | – | 1 451 | 693 | – |
| 1 786 | 26 | 1 | 40 | 1 609 | 95 | 15 |
| 874 | 92 | – | 162 | 333 | 244 | 43 |
| 3 063 | 160 | – | 68 | 1 902 | 621 | 312 |
| 3 908 | 2 952 | – | 4 | 854 | 89 | 9 |
| 26 393 | 102 | – | 15 | 14 611 | 2 144 | 9 521 |
| 619 | – | – | – | 273 | 346 | – |
| 3 487 | 99 | – | – | 2 341 | 761 | 286 |
| – | – | – | – | – | – | – |
| 1 946 | 355 | 23 | 553 | 586 | 360 | 69 |
| 1 012 | 133 | 16 | – | 85 | 727 | 51 |
| – | – | – | – | – | – | – |
| 952 | 150 | – | 1 | 565 | 236 | – |
| 4 253 | – | – | – | 4 049 | 204 | – |
| 1 890 | – | – | – | 1 096 | 794 | – |
| 660 | 222 | – | – | 174 | 218 | 46 |
| 8 854 | 2 007 | – | – | 118 | – | 6 729 |
| – | – | – | – | – | – | – |
| 7 711 | 300 | – | – | 3 980 | 3 351 | 80 |
| 164 | – | – | – | 31 | – | 133 |
| 55 | – | – | – | 55 | – | – |
| 976 | 35 | – | 28 | 574 | 324 | 15 |
| – | – | – | – | – | – | – |
| 2 737 | 114 | 1 | – | 621 | 1 537 | 464 |
| 2 490 | 648 | – | 8 | 1 210 | 622 | 2 |
| 1 279 | 124 | 3 | – | 771 | 381 | – |

## 第25表（6－2）保健所及び市区町村が実施した試験検査件数，

| | 総　　数 | 細　菌　学　的　検　査 | | | | | |
|---|---|---|---|---|---|---|---|
| | | 総　　数 | 赤　痢 | コレラ | チフス | 結　核 | その他 |
| **中核市(再掲)** | | | | | | | |
| 旭　川　市 | 3 909 | 1 818 | 641 | 22 | 463 | - | 692 |
| 函　館　市 | 6 448 | 5 853 | 2 039 | - | 2 039 | - | 1 775 |
| 青　森　市 | 350 | 170 | 4 | - | - | - | 166 |
| 八　戸　市 | 74 | - | - | - | - | - | - |
| 盛　岡　市 | 950 | 148 | 4 | 3 | - | - | 141 |
| 秋　田　市 | 858 | 39 | - | - | - | - | 39 |
| 郡　山　市 | 9 988 | 3 167 | 1 050 | - | 1 050 | - | 1 067 |
| い　わ　き　市 | 5 298 | 2 406 | 802 | - | 802 | - | 802 |
| 宇　都　宮　市 | 9 094 | 26 | 3 | - | - | - | 23 |
| 前　橋　市 | 6 050 | 4 742 | 1 536 | - | 1 536 | - | 1 670 |
| 高　崎　市 | 1 194 | 48 | 13 | - | 6 | 1 | 28 |
| 川　越　市 | 3 425 | 72 | - | - | - | - | 72 |
| 越　谷　市 | 1 161 | 118 | - | - | 7 | - | 111 |
| 船　橋　市 | 13 250 | 10 065 | 2 097 | - | 2 085 | 4 | 5 879 |
| 柏　市 | 13 043 | 6 476 | 1 465 | - | 1 461 | 1 | 3 549 |
| 八　王　子　市 | 3 547 | - | - | - | - | - | - |
| 横　須　賀　市 | 6 357 | 340 | 10 | - | 6 | 292 | 32 |
| 富　山　市 | 50 080 | 41 720 | 10 451 | - | 10 451 | - | 20 818 |
| 金　沢　市 | 7 494 | 311 | 107 | - | 73 | - | 131 |
| 長　野　市 | 11 757 | 5 646 | 1 839 | - | 1 859 | - | 1 948 |
| 岐　阜　市 | 17 601 | - | - | - | - | - | - |
| 豊　橋　市 | 29 724 | 21 444 | 6 187 | 2 | 6 187 | 1 | 9 067 |
| 豊　田　市 | 26 507 | 24 579 | 9 986 | - | 9 985 | - | 4 608 |
| 岡　崎　市 | 17 118 | 13 777 | 5 268 | - | 5 256 | 7 | 3 246 |
| 大　津　市 | 1 098 | 20 | - | - | - | - | 20 |
| 高　槻　市 | 2 357 | 960 | 291 | 1 | 304 | 10 | 354 |
| 東　大　阪　市 | 121 | - | - | - | - | - | - |
| 豊　中　市 | 976 | 112 | 7 | 7 | 7 | - | 91 |
| 枚　方　市 | 4 414 | 1 046 | 339 | - | 336 | - | 371 |
| 姫　路　市 | 413 | - | - | - | - | - | - |
| 西　宮　市 | 10 302 | 7 554 | 2 076 | - | 2 073 | - | 3 405 |
| 尼　崎　市 | 10 925 | 25 | - | - | - | - | 25 |
| 奈　良　市 | 2 990 | 14 | - | - | - | - | 14 |
| 和　歌　山　市 | 2 329 | - | - | - | - | - | - |
| 倉　敷　市 | 12 805 | 25 | - | - | 3 | - | 22 |
| 福　山　市 | 1 820 | 200 | 5 | - | - | - | 195 |
| 呉　市 | 753 | 3 | 3 | - | - | - | - |
| 下　関　市 | 3 382 | 889 | 388 | - | - | - | 501 |
| 高　松　市 | 2 420 | 1 349 | 326 | 167 | 213 | - | 643 |
| 松　山　市 | 5 141 | 2 671 | 171 | - | 590 | - | 1 910 |
| 高　知　市 | 930 | 6 | - | - | - | - | 6 |
| 久　留　米　市 | 3 235 | 28 | 1 | - | - | - | 27 |
| 長　崎　市 | 16 279 | 13 962 | 4 636 | - | 4 636 | 23 | 4 667 |
| 佐　世　保　市 | 8 642 | 2 178 | 726 | - | 726 | - | 726 |
| 大　分　市 | 34 203 | 26 812 | 6 950 | 1 | 6 950 | - | 12 911 |
| 宮　崎　市 | 1 372 | 25 | - | - | - | - | 25 |
| 鹿　児　島　市 | 30 155 | 17 612 | 8 547 | - | - | - | 9 065 |
| 那　覇　市 | 4 635 | 23 | - | - | - | 12 | 11 |
| **その他政令市(再掲)** | | | | | | | |
| 小　樽　市 | 4 912 | 3 367 | 1 067 | - | 1 067 | - | 1 233 |
| 町　田　市 | 2 490 | - | - | - | - | - | - |
| 藤　沢　市 | 11 442 | 10 263 | 3 220 | - | 350 | - | 6 693 |
| 茅　ヶ　崎　市 | - | - | - | - | - | - | - |
| 四　日　市　市 | 1 558 | 21 | - | - | - | - | 21 |
| 大　牟　田　市 | 4 355 | 3 691 | 1 496 | - | 1 496 | - | 699 |

# 都道府県－指定都市・特別区－中核市－その他政令市、検査の種類別

平成29年度

| 総数 | 食品衛生関係検査 | | | | | |
|---|---|---|---|---|---|---|
| | 食中毒 | | | 食品等検査 | | |
| | 微生物学的検査 | 理化学的検査 | その他 | 微生物学的検査 | 理化学的検査 | その他 |
| 624 | 50 | - | 146 | 204 | 164 | 60 |
| 593 | - | - | - | 325 | 268 | - |
| 180 | 96 | - | - | 49 | 35 | - |
| - | - | - | - | - | - | - |
| 174 | 10 | - | 25 | 129 | 10 | - |
| 519 | 132 | - | - | 267 | 120 | - |
| 685 | 215 | 2 | - | 369 | 99 | - |
| 621 | 172 | - | - | 352 | 97 | - |
| 1 892 | 126 | 5 | 110 | 1 159 | 492 | - |
| 442 | 54 | - | 13 | 239 | 131 | 5 |
| 442 | 62 | - | 20 | 260 | 100 | - |
| 704 | 173 | 8 | 119 | 265 | 139 | - |
| 259 | 42 | - | 33 | 63 | 121 | - |
| 377 | 85 | - | - | 233 | 59 | - |
| 416 | 238 | - | - | 140 | 38 | - |
| 7 | - | - | - | 7 | - | - |
| - | - | - | - | - | - | - |
| 82 | 82 | - | - | - | - | - |
| 1 463 | 84 | - | 70 | 765 | 325 | 219 |
| 563 | 145 | - | - | 263 | 155 | - |
| 4 | - | - | - | - | 4 | - |
| 1 815 | 26 | - | 27 | 1 271 | 376 | 115 |
| 504 | 207 | 3 | - | 186 | 108 | - |
| 1 158 | 93 | - | 59 | 684 | 322 | - |
| 485 | 188 | - | 57 | 105 | 101 | 34 |
| 346 | 20 | - | - | 262 | 64 | - |
| 121 | - | - | - | 121 | - | - |
| 137 | 26 | - | 22 | 83 | 6 | - |
| 235 | 28 | - | 86 | 102 | 19 | - |
| 413 | - | - | - | 251 | 162 | - |
| 1 318 | 68 | - | 69 | 828 | 276 | 77 |
| 119 | 6 | - | - | 111 | 2 | - |
| 338 | 54 | - | 18 | 203 | 56 | 7 |
| - | - | - | - | - | - | - |
| 1 255 | 37 | - | 34 | 817 | 367 | - |
| 1 194 | 50 | - | 18 | 609 | 507 | 10 |
| 656 | 67 | 15 | - | 422 | 152 | - |
| 994 | 129 | 10 | - | 696 | 159 | - |
| 775 | 84 | - | - | 566 | 125 | - |
| 1 008 | 344 | - | 132 | 325 | 207 | - |
| 791 | 145 | - | 69 | 504 | 42 | 31 |
| 309 | 43 | - | 6 | 195 | 65 | - |
| 1 351 | 168 | - | - | 743 | 439 | 1 |
| 863 | 81 | - | 62 | 593 | 104 | 23 |
| 656 | 26 | 1 | 40 | 479 | 95 | 15 |
| 781 | 92 | - | 162 | 299 | 187 | 41 |
| 1 409 | 67 | - | 67 | 1 010 | 178 | 87 |
| 217 | 154 | - | - | 51 | 11 | 1 |
| 545 | 49 | - | 58 | 282 | 126 | 30 |
| 1 256 | - | - | - | 1 256 | - | - |
| 596 | 154 | - | - | 262 | 172 | 8 |
| - | - | - | - | - | - | - |
| 338 | 48 | - | 29 | 261 | - | - |
| 228 | 39 | - | - | 150 | 39 | - |

# 第25表（6－3）保健所及び市区町村が実施した試験検査件数，

| | 臨床 | | | | | | | | 学 |
|---|---|---|---|---|---|---|---|---|---|
| | | | 血清等検査 | | | 生化学検査 | | 尿検査 | |
| | 総数 | 血液一般検査 | HBs抗原、抗体検査 | 梅毒血清検査 | その他 | 生化学検査 | 先天性代謝異常検査 | 尿一般等 | 神経芽細胞腫 |
| 全国 | 789 255 | 50 279 | 24 375 | 35 330 | 93 538 | 40 115 | 16 438 | 272 724 | 528 |
| 北海道 | 42 716 | 3 066 | 676 | 282 | 1 695 | 2 959 | 16 438 | 8 370 | 503 |
| 青森 | 767 | 19 | – | – | 657 | – | – | 19 | – |
| 岩手 | 447 | – | 27 | 14 | 289 | – | – | 117 | – |
| 宮城 | 2 127 | – | – | – | 17 | – | – | 382 | – |
| 秋田 | 1 269 | 154 | – | – | 195 | 154 | – | – | – |
| 山形 | 2 163 | – | 71 | 36 | 464 | – | – | 953 | – |
| 福島 | 8 061 | 1 321 | 200 | 271 | 248 | – | – | 2 788 | 25 |
| 茨城 | 12 136 | 1 118 | 43 | 41 | – | 89 | – | 8 706 | – |
| 栃木 | 4 706 | – | – | 1 686 | 2 207 | – | – | 238 | – |
| 群馬 | 17 321 | 345 | 1 235 | 1 165 | 2 272 | 227 | … | 1 998 | … |
| 埼玉 | 21 851 | 475 | 1 551 | 841 | 2 556 | 659 | – | 10 619 | – |
| 千葉 | 33 070 | – | 2 961 | 3 457 | 6 945 | – | – | 16 798 | – |
| 東京 | 108 860 | 7 807 | 1 045 | 1 692 | 5 567 | 9 917 | – | 31 655 | – |
| 神奈川 | 19 856 | 509 | 345 | 538 | 1 844 | 435 | – | 788 | – |
| 新潟 | 6 116 | 2 440 | 395 | 232 | 1 382 | – | – | 1 393 | – |
| 富山 | 4 991 | – | – | 96 | 1 125 | – | – | 3 292 | – |
| 石川 | 7 481 | … | … | … | 814 | … | … | 4 754 | … |
| 福井 | 496 | – | – | – | 25 | – | – | 471 | – |
| 山梨 | 192 | – | – | – | 133 | – | – | 59 | – |
| 長野 | 7 276 | – | 12 | 1 341 | 2 862 | – | – | 1 955 | – |
| 岐阜 | 18 484 | 42 | 3 | 150 | 205 | – | – | 4 839 | – |
| 静岡 | 10 370 | – | 1 962 | 2 520 | 3 769 | – | – | 978 | – |
| 愛知 | 70 670 | 3 277 | 2 807 | 3 767 | 7 222 | 93 | – | 26 606 | – |
| 三重 | 8 961 | 128 | 1 610 | 1 593 | 3 616 | 44 | – | 965 | – |
| 滋賀 | 2 877 | 414 | 501 | 489 | 601 | – | – | 567 | – |
| 京都 | 20 130 | 160 | 111 | – | 196 | – | – | 11 458 | – |
| 大阪 | 63 323 | 854 | 552 | 1 115 | 9 503 | 854 | … | 30 329 | … |
| 兵庫 | 13 778 | 22 | 294 | 755 | 1 178 | – | – | 7 761 | – |
| 奈良 | 8 125 | 12 | 620 | – | 119 | – | – | 1 428 | – |
| 和歌山 | 4 123 | 120 | 12 | 10 | 100 | 87 | – | 2 992 | – |
| 鳥取 | 46 287 | 4 036 | – | – | 238 | 10 773 | – | 12 556 | – |
| 島根 | 318 | – | – | – | 250 | – | – | 36 | – |
| 岡山 | 1 445 | 155 | – | 430 | 662 | – | – | 198 | – |
| 広島 | 23 | – | – | – | 23 | – | – | – | – |
| 山口 | 2 097 | – | 1 | – | 637 | – | – | 806 | – |
| 徳島 | 6 246 | – | 45 | 2 | 620 | – | – | 4 890 | – |
| 香川 | 8 765 | – | – | – | 154 | – | – | 1 046 | – |
| 愛媛 | 2 765 | – | 742 | 726 | 1 237 | – | – | – | – |
| 高知 | 796 | … | … | … | … | … | … | 796 | … |
| 福岡 | 46 349 | – | 255 | 3 811 | 6 507 | – | – | 15 530 | – |
| 佐賀 | 6 820 | 170 | – | 578 | 603 | 1 617 | – | 3 801 | – |
| 長崎 | 4 246 | – | 208 | 87 | 1 805 | – | – | 1 995 | – |
| 熊本 | 3 408 | – | – | – | 2 521 | – | – | 679 | – |
| 大分 | 9 901 | – | 556 | 479 | 3 773 | – | – | 3 971 | – |
| 宮崎 | 1 707 | 238 | 9 | 261 | 291 | 35 | – | 836 | – |
| 鹿児島 | 10 924 | 226 | 987 | 664 | 2 182 | 642 | – | 6 212 | – |
| 沖縄 | 114 415 | 23 171 | 4 539 | 6 201 | 14 229 | 11 530 | – | 36 094 | – |
| 指定都市・特別区(再掲) | | | | | | | | | |
| 東京都区部 | 82 879 | 5 025 | 1 042 | 1 692 | 5 565 | 7 352 | – | 25 276 | – |
| 札幌市 | 18 167 | – | – | – | – | 896 | 16 438 | 330 | 503 |
| 仙台市 | 107 | – | – | – | 17 | – | – | – | – |
| さいたま市 | – | – | – | – | – | – | – | – | – |
| 千葉市 | 8 262 | – | – | – | 658 | – | – | 7 604 | – |
| 横浜市 | 2 717 | – | – | 43 | 152 | – | – | – | – |
| 川崎市 | 1 165 | – | – | – | 368 | – | – | 29 | – |
| 相模原市 | 1 606 | – | – | 454 | 939 | – | – | – | – |
| 新潟市 | – | – | – | – | – | – | – | – | – |
| 静岡市 | – | – | – | – | – | – | – | – | – |
| 浜松市 | 3 262 | – | 667 | 677 | 1 918 | – | – | – | – |
| 名古屋市 | 18 098 | – | – | 2 196 | 1 888 | – | – | 12 295 | – |
| 京都市 | 16 388 | – | – | – | – | – | – | 9 101 | – |
| 大阪市 | 31 854 | – | 491 | 154 | 3 893 | – | – | 17 625 | – |
| 堺市 | – | – | – | – | – | – | – | – | – |
| 神戸市 | – | – | – | – | – | – | – | – | – |
| 岡山市 | 861 | – | – | 430 | 431 | – | – | – | – |
| 広島市 | – | – | – | – | – | – | – | – | – |
| 北九州市 | 192 | – | – | – | 192 | – | – | – | – |
| 福岡市 | 39 750 | – | 255 | 2 274 | 4 272 | – | – | 12 801 | – |
| 熊本市 | 2 599 | – | – | – | 2 391 | – | – | – | – |

## 都道府県－指定都市・特別区－中核市－その他政令市、検査の種類別

平成29年度

| 的 | | | 検 | | 査 | | | |
|---|---|---|---|---|---|---|---|---|
| 糞便検査 | | | 生理学的検査 | | 胸部X線検査 | | | その他 |
| 潜血反応 | 寄生虫卵 | その他 | 心電図 | 眼底 | 間接撮影 | 直接撮影 | 断層撮影 | |
| **24 541** | **3 797** | **2 228** | **15 546** | **5 165** | **15 788** | **94 027** | **209** | **94 627** |
| 386 | 468 | 576 | 1 228 | 930 | 768 | 133 | 53 | 4 185 |
| − | − | − | − | − | − | − | − | 72 |
| − | − | − | − | − | − | − | − | − |
| − | − | 108 | − | − | − | 1 510 | 92 | 18 |
| − | − | − | − | − | − | − | − | 766 |
| − | − | − | − | − | 313 | 243 | − | 83 |
| 30 | … | 246 | 569 | 569 | 1 288 | 32 | − | 474 |
| − | − | − | 1 916 | − | 87 | 136 | − | − |
| − | − | 126 | − | − | − | 416 | − | 33 |
| … | 144 | … | … | … | 1 814 | 6 713 | … | 1 408 |
| − | − | 27 | 4 | 4 | − | 2 991 | − | 2 124 |
| − | 12 | 4 | − | − | − | 1 698 | − | 1 195 |
| 13 592 | 287 | 255 | 3 163 | − | − | 17 736 | − | 16 144 |
| − | 1 | 21 | − | − | 3 376 | 8 273 | − | 3 726 |
| − | − | − | − | − | − | 73 | − | 201 |
| − | 3 | 123 | − | − | − | 352 | − | − |
| … | … | … | … | … | … | 170 | … | 1 743 |
| − | − | − | − | − | − | − | − | − |
| − | − | − | − | − | − | − | − | − |
| 142 | − | − | 252 | 252 | − | − | − | 460 |
| − | − | − | 88 | 109 | − | 23 | − | 13 025 |
| − | − | 12 | − | − | − | − | − | 1 129 |
| 7 733 | 1 644 | − | 1 144 | − | − | 10 918 | − | 5 459 |
| 50 | − | − | − | − | − | 373 | − | 582 |
| − | − | − | − | − | − | 144 | − | 161 |
| − | − | 25 | − | − | − | 7 490 | − | 690 |
| … | 59 | 114 | 812 | 35 | 1 716 | 15 913 | … | 1 467 |
| − | 5 | − | 2 703 | 200 | − | 736 | − | 124 |
| 2 561 | − | 19 | − | − | − | 2 036 | − | 1 330 |
| − | 1 | − | 151 | − | − | 650 | − | − |
| − | − | − | 3 507 | 3 066 | 243 | 437 | 64 | 11 367 |
| − | − | − | − | − | − | 32 | − | − |
| − | − | − | − | − | − | − | − | − |
| − | − | − | − | − | − | − | − | − |
| − | − | − | − | − | − | − | − | 653 |
| − | − | − | − | − | − | 310 | − | 379 |
| − | 54 | − | − | − | 3 562 | 1 391 | − | 2 558 |
| − | − | − | − | − | − | 60 | − | − |
| … | … | … | … | … | … | … | … | … |
| − | 3 | 513 | − | − | 2 588 | 11 198 | − | 5 944 |
| − | − | − | − | − | − | 51 | − | − |
| − | − | − | − | − | − | 127 | − | 24 |
| − | − | − | − | − | − | 208 | − | − |
| − | − | 31 | − | − | − | 819 | − | 272 |
| − | − | 28 | 9 | − | − | − | − | − |
| − | 11 | − | − | − | − | − | − | − |
| 47 | 1 105 | − | − | − | 33 | 635 | − | 16 831 |
| 13 592 | 189 | 255 | 604 | − | − | 8 465 | − | 13 822 |
| − | − | − | − | − | − | − | − | − |
| − | − | 72 | − | − | − | − | − | 18 |
| − | − | − | − | − | − | − | − | − |
| − | − | − | − | − | − | − | − | − |
| − | − | − | − | − | 538 | 1 918 | − | 66 |
| − | − | − | − | − | − | 768 | − | − |
| − | − | 20 | − | − | − | − | − | 193 |
| − | − | − | − | − | − | − | − | − |
| − | − | − | − | − | − | − | − | − |
| − | − | − | − | − | − | − | − | − |
| − | − | − | − | − | − | 168 | − | 1 551 |
| − | − | − | − | − | − | 7 287 | − | − |
| − | − | − | − | − | − | 9 691 | − | − |
| − | − | − | − | − | − | − | − | − |
| − | − | − | − | − | − | − | − | − |
| − | − | − | − | − | − | − | − | − |
| − | − | − | − | − | − | − | − | − |
| − | − | − | − | − | − | − | − | − |
| − | 3 | 513 | − | − | 2 588 | 11 100 | − | 5 944 |
| − | − | − | − | − | − | 208 | − | − |

# 第25表（6－4）保健所及び市区町村が実施した試験検査件数,

| | 臨床学 | | | | | | | | |
|---|---|---|---|---|---|---|---|---|---|
| | 総数 | 血液一般検査 | 血清等検査 | | | 生化学検査 | | 尿検査 | |
| | | | HBs抗原、抗体検査 | 梅毒血清検査 | その他 | 生化学検査 | 先天性代謝異常検査 | 尿一般等 | 神経芽細胞腫 |
| 中核市(再掲) | | | | | | | | | |
| 旭川市 | 295 | - | - | 94 | 187 | - | - | - | - |
| 函館市 | - | - | - | - | - | - | - | - | - |
| 青森市 | - | - | - | - | - | - | - | - | - |
| 八戸市 | 74 | - | - | - | 74 | - | - | - | - |
| 盛岡市 | 244 | - | - | - | 244 | - | - | - | - |
| 秋田市 | 195 | - | - | - | 195 | - | - | - | - |
| 郡山市 | - | - | - | - | - | - | - | - | - |
| いわき市 | 408 | - | - | 203 | 205 | - | - | - | - |
| 宇都宮市 | 1 801 | - | - | 586 | 1 056 | - | - | - | - |
| 前橋市 | 856 | - | 201 | 208 | 447 | - | - | - | - |
| 高崎市 | 694 | - | 156 | 150 | 388 | - | - | - | - |
| 川越市 | 2 380 | - | 283 | 292 | 961 | - | - | - | - |
| 越谷市 | 744 | - | 192 | 194 | 197 | - | - | - | - |
| 船橋市 | 2 727 | - | - | 541 | 1 542 | - | - | 26 | - |
| 柏市 | 5 621 | - | 557 | 560 | 771 | - | - | 3 488 | - |
| 八王子市 | 2 420 | 566 | - | - | - | 570 | - | 584 | - |
| 横須賀市 | 6 017 | - | 314 | - | - | - | - | - | - |
| 富山市 | 3 710 | - | - | 96 | 603 | - | - | 2 791 | - |
| 金沢市 | 4 828 | - | - | - | 684 | - | - | 2 231 | - |
| 長野市 | 2 439 | - | - | 448 | 1 093 | - | - | 560 | - |
| 岐阜市 | 15 977 | - | - | - | - | - | - | 3 046 | - |
| 豊橋市 | 5 853 | - | 304 | 582 | 1 686 | - | - | 2 795 | - |
| 豊田市 | 1 323 | - | - | 333 | 979 | - | - | - | - |
| 岡崎市 | 1 046 | 645 | - | - | - | - | - | - | - |
| 大津市 | - | - | - | - | - | - | - | - | - |
| 高槻市 | 298 | - | - | - | - | - | - | - | - |
| 東大阪市 | - | - | - | - | - | - | - | - | - |
| 豊中市 | 725 | - | - | 23 | 267 | - | - | - | - |
| 枚方市 | 2 883 | - | 47 | - | - | - | - | 2 601 | - |
| 姫路市 | - | - | - | - | - | - | - | - | - |
| 西宮市 | 1 126 | - | 230 | 109 | 584 | - | - | 90 | - |
| 尼崎市 | 10 124 | - | - | - | 16 | - | - | 7 205 | - |
| 奈良市 | 257 | - | 119 | - | 119 | - | - | - | - |
| 和歌山市 | 2 329 | - | - | - | - | - | - | 2 329 | - |
| 倉敷市 | 142 | - | - | - | 142 | - | - | - | - |
| 福山市 | - | - | - | - | - | - | - | - | - |
| 呉市 | - | - | - | - | - | - | - | - | - |
| 下関市 | 506 | - | - | - | - | - | - | 341 | - |
| 高松市 | 54 | - | - | - | - | - | - | - | - |
| 松山市 | 337 | - | - | - | 306 | - | - | - | - |
| 高知市 | … | … | … | … | … | … | … | … | … |
| 久留米市 | 842 | - | - | 255 | 587 | - | - | - | - |
| 長崎市 | 396 | - | - | - | 372 | - | - | - | - |
| 佐世保市 | 2 158 | - | - | - | 163 | - | - | 1 995 | - |
| 大分市 | 6 608 | - | 357 | 307 | 1 633 | - | - | 3 827 | - |
| 宮崎市 | 525 | - | - | 253 | 265 | - | - | - | - |
| 鹿児島市 | 9 692 | 119 | 850 | 664 | 1 901 | 642 | - | 5 505 | - |
| 那覇市 | 4 395 | - | 162 | 1 148 | 1 191 | 444 | - | 992 | - |
| その他政令市(再掲) | | | | | | | | | |
| 小樽市 | - | - | - | - | - | - | - | - | - |
| 町田市 | 216 | - | - | - | - | - | - | - | - |
| 藤沢市 | 458 | - | 31 | 41 | 385 | - | - | - | - |
| 茅ヶ崎市 | - | - | - | - | - | - | - | - | - |
| 四日市市 | 1 199 | - | 395 | 401 | 403 | - | - | - | - |
| 大牟田市 | 184 | - | - | 75 | 109 | - | - | - | - |

## 都道府県－指定都市・特別区－中核市－その他政令市、検査の種類別

平成29年度

| 的 | | | 検 | | 査 | | | |
|---|---|---|---|---|---|---|---|---|
| 糞便検査 | | | 生理学的検査 | | 胸部X線検査 | | | その他 |
| 潜血反応 | 寄生虫卵 | その他 | 心電図 | 眼底 | 間接撮影 | 直接撮影 | 断層撮影 | |
| － | 14 | － | － | － | － | － | － | － |
| － | － | － | － | － | － | － | － | － |
| － | － | － | － | － | － | － | － | － |
| － | － | － | － | － | － | － | － | － |
| － | － | － | － | － | － | － | － | － |
| － | － | － | － | － | － | － | － | － |
| － | － | － | － | － | － | － | － | － |
| － | － | － | － | － | － | － | － | － |
| － | － | 126 | － | － | － | － | － | 33 |
| － | － | － | － | － | － | － | － | － |
| － | － | － | － | － | － | － | － | － |
| － | － | － | － | － | － | － | － | 844 |
| － | － | 26 | － | － | － | － | － | 135 |
| － | － | 4 | － | － | － | 614 | － | － |
| － | － | － | － | － | － | 245 | － | － |
| － | － | － | 98 | － | － | 602 | － | － |
| － | － | － | － | － | － | 5 547 | － | 156 |
| － | 3 | 118 | － | － | － | 99 | － | － |
| － | － | － | － | － | － | 170 | － | 1 743 |
| － | － | － | － | － | － | － | － | 338 |
| － | － | － | － | － | － | 16 | － | 12 915 |
| － | 39 | － | － | － | － | 447 | － | － |
| － | 11 | － | － | － | － | － | － | － |
| － | 2 | － | － | － | － | 399 | － | － |
| － | － | － | － | － | － | － | － | － |
| － | 4 | － | － | － | － | 291 | － | 3 |
| － | － | － | － | － | － | － | － | － |
| － | － | 114 | － | － | － | 321 | － | － |
| － | 5 | － | － | － | － | 230 | － | － |
| － | － | － | － | － | － | － | － | － |
| － | － | － | － | － | － | 113 | － | － |
| － | － | － | 2 703 | 200 | － | － | － | － |
| － | － | 19 | － | － | － | － | － | － |
| － | － | － | － | － | － | － | － | － |
| － | － | － | － | － | － | － | － | － |
| － | － | － | － | － | － | － | － | － |
| － | － | － | － | － | － | － | － | － |
| － | － | － | － | － | － | － | － | 165 |
| － | 54 | － | － | － | － | － | － | － |
| － | － | － | － | － | － | 31 | － | － |
| … | … | … | … | … | … | … | … | … |
| － | － | － | － | － | － | － | － | － |
| － | － | － | － | － | － | － | － | 24 |
| － | － | － | － | － | － | － | － | － |
| － | － | 31 | － | － | － | 181 | － | 272 |
| － | － | 7 | － | － | － | － | － | － |
| － | 11 | － | － | － | － | － | － | － |
| － | － | － | － | － | － | 225 | － | 233 |
| － | － | － | － | － | － | － | － | － |
| － | － | － | － | － | － | 216 | － | － |
| － | 1 | － | － | － | － | － | － | － |
| － | － | － | － | － | － | － | － | － |
| － | － | － | － | － | － | － | － | － |
| － | － | － | － | － | － | － | － | － |

# 第25表（6－5）保健所及び市区町村が実施した試験検査件数，

| | 水質検査 | | | | | | | |
|---|---|---|---|---|---|---|---|---|
| | 総数 | 水道原水 | | | 飲用水 | | 利用水等（プール水等を含む。） | |
| | | 細菌学的検査 | 理化学的検査 | 生物学的検査 | 細菌学的検査 | 理化学的検査 | 細菌学的検査 | 理化学的検査 |
| **全国** | **159 102** | **5 944** | **5 272** | **1 165** | **24 116** | **58 185** | **24 682** | **39 738** |
| 北海道 | 25 357 | 1 340 | 1 360 | 140 | 3 331 | 8 128 | 615 | 10 443 |
| 青森 | 834 | 156 | 156 | 18 | 221 | 221 | 31 | 31 |
| 岩手 | 2 174 | 520 | 184 | - | 735 | 726 | - | 9 |
| 宮城 | 1 034 | 33 | 33 | 13 | 237 | 651 | 42 | 25 |
| 秋田 | 22 | - | - | - | - | - | 11 | 11 |
| 山形 | 255 | - | - | - | 1 | - | 254 | - |
| 福島 | 2 176 | 252 | 65 | 162 | 716 | 748 | 153 | 80 |
| 茨城 | 64 | - | - | - | 20 | 20 | 12 | 12 |
| 栃木 | 313 | 3 | 3 | - | - | 52 | 139 | 116 |
| 群馬 | 833 | 9 | 154 | - | 107 | 141 | 211 | 211 |
| 埼玉 | 2 753 | 372 | 123 | - | 268 | 287 | 928 | 775 |
| 千葉 | 7 798 | 158 | 64 | - | 845 | 5 382 | 189 | 1 160 |
| 東京 | 18 868 | 37 | 18 | 17 | 462 | 1 662 | 7 149 | 9 523 |
| 神奈川 | 1 994 | - | - | - | 98 | 819 | 192 | 885 |
| 新潟 | 833 | - | - | - | 33 | 19 | 57 | 724 |
| 富山 | 1 121 | - | - | - | 416 | 435 | 265 | 5 |
| 石川 | 738 | … | … | … | 106 | 78 | 285 | 269 |
| 福井 | 306 | 33 | 9 | 90 | 132 | - | 21 | 21 |
| 山梨 | 33 | 4 | 2 | 1 | 13 | 13 | - | - |
| 長野 | 558 | 1 | 1 | 1 | 44 | 24 | 431 | 56 |
| 岐阜 | 1 879 | 13 | 124 | 13 | 516 | 665 | 248 | 300 |
| 静岡 | 1 866 | 288 | 95 | 100 | 576 | 589 | 124 | 94 |
| 愛知 | 14 615 | 18 | 4 | - | 1 437 | 4 007 | 4 357 | 4 792 |
| 三重 | 68 | 12 | 12 | - | 12 | 12 | 20 | - |
| 滋賀 | 16 | - | - | - | - | - | 9 | 7 |
| 京都 | 2 535 | 306 | 462 | 87 | 606 | 882 | 1 | 191 |
| 大阪 | 9 423 | 229 | 350 | 24 | 1 221 | 2 125 | 2 506 | 2 968 |
| 兵庫 | 11 850 | 505 | 285 | - | 4 699 | 4 829 | 984 | 548 |
| 奈良 | 320 | - | - | - | 98 | 98 | 68 | 56 |
| 和歌山 | - | - | - | - | - | - | - | - |
| 鳥取 | - | - | - | - | - | - | - | - |
| 島根 | 56 | - | - | - | - | - | 56 | - |
| 岡山 | 5 172 | 651 | 578 | 168 | 844 | 914 | 1 232 | 785 |
| 広島 | 794 | 120 | 120 | 120 | 154 | 179 | 43 | 58 |
| 山口 | 8 301 | 226 | 279 | 71 | 82 | 6 750 | 484 | 409 |
| 徳島 | 1 | - | - | - | - | - | 1 | - |
| 香川 | 980 | 12 | 192 | - | 349 | 353 | 34 | 40 |
| 愛媛 | 8 013 | 211 | 30 | - | 2 963 | 3 066 | 912 | 831 |
| 高知 | 1 044 | 216 | 41 | 16 | 302 | 305 | 75 | 89 |
| 福岡 | 5 200 | 28 | 64 | 18 | 716 | 1 449 | 1 380 | 1 545 |
| 佐賀 | 411 | - | 4 | 1 | 1 | 101 | 4 | 300 |
| 長崎 | 2 659 | 66 | 6 | 17 | 456 | 586 | 779 | 749 |
| 熊本 | 1 666 | 77 | 65 | 52 | 687 | 451 | 56 | 278 |
| 大分 | 162 | - | - | - | - | 54 | 54 | 54 |
| 宮崎 | - | - | - | - | - | - | - | - |
| 鹿児島 | 589 | - | - | - | 189 | 189 | 112 | 99 |
| 沖縄 | 13 418 | 48 | 389 | 36 | 423 | 11 175 | 158 | 1 189 |
| 指定都市・特別区(再掲) | | | | | | | | |
| 東京都区部 | 13 629 | - | - | - | 341 | 853 | 6 312 | 6 123 |
| 札幌市 | - | - | - | - | - | - | - | - |
| 仙台市 | 83 | 5 | 1 | - | 31 | 31 | 15 | - |
| さいたま市 | - | - | - | - | - | - | - | - |
| 千葉市 | 954 | 98 | 4 | - | 385 | 400 | 54 | 13 |
| 横浜市 | 1 493 | - | - | - | - | 733 | 17 | 743 |
| 川崎市 | - | - | - | - | - | - | - | - |
| 相模原市 | 423 | - | - | - | 98 | 86 | 138 | 101 |
| 新潟市 | - | - | - | - | - | - | - | - |
| 静岡市 | - | - | - | - | - | - | - | - |
| 浜松市 | 218 | - | - | - | - | - | 124 | 94 |
| 名古屋市 | 7 501 | - | - | - | 57 | 2 601 | 2 265 | 2 578 |
| 京都市 | - | - | - | - | - | - | - | - |
| 大阪市 | 819 | 5 | - | - | 14 | 15 | 420 | 365 |
| 堺市 | - | - | - | - | - | - | - | - |
| 神戸市 | 119 | - | - | - | 32 | 33 | 54 | - |
| 岡山市 | 1 376 | - | - | - | - | - | 909 | 467 |
| 広島市 | 23 | - | - | - | - | - | - | 23 |
| 北九州市 | 942 | - | - | - | - | 87 | 463 | 392 |
| 福岡市 | 3 046 | - | - | - | 391 | 1 257 | 598 | 800 |
| 熊本市 | 385 | - | - | - | 26 | 25 | 56 | 278 |

## 都道府県－指定都市・特別区－中核市－その他政令市、検査の種類別

平成29年度

| 廃棄物関係検査 | 環境・公害関係検査 総数 | 大気検査 | 水質検査 | 騒音・振動 | 悪臭検査 | 土壌・底質検査 | その他 | その他 |
|---|---|---|---|---|---|---|---|---|
| 2 830 | 153 954 | 93 964 | 47 481 | 8 555 | 373 | 312 | 3 269 | 49 167 |
| 241 | 6 150 | 2 927 | 761 | 2 013 | 8 | 1 | 440 | 751 |
| - | 8 | 4 | 4 | - | - | - | - | - |
| - | 833 | 47 | 241 | 81 | - | - | 464 | 223 |
| 415 | 15 324 | 7 927 | 6 251 | 1 116 | 15 | - | 15 | 2 456 |
| 32 | 16 | - | 16 | - | - | - | - | 35 |
| 2 | 32 | - | 5 | - | 3 | 20 | 4 | 138 |
| - | 3 521 | 2 990 | 480 | 34 | 1 | - | 16 | 15 213 |
| - | 3 034 | 2 980 | 44 | 9 | - | 1 | - | 3 834 |
| 24 | 6 686 | 3 370 | 2 151 | 1 116 | 8 | 41 | - | 1 936 |
| 30 | 1 687 | 1 013 | 572 | 99 | … | 3 | … | 955 |
| 330 | 4 351 | 3 153 | 1 016 | 129 | 10 | 19 | 24 | 95 |
| 122 | 14 317 | 13 146 | 904 | 182 | 7 | 25 | 53 | 1 172 |
| - | 4 502 | 2 387 | 354 | 172 | - | - | 1 589 | 13 360 |
| - | 2 501 | 1 890 | 558 | 41 | - | - | 12 | 498 |
| 173 | 3 487 | 84 | 3 182 | 108 | 10 | 73 | 30 | 26 |
| 32 | 3 691 | 3 285 | 312 | - | - | - | 94 | 26 |
| 84 | 777 | 94 | 663 | 2 | 18 | … | … | 4 |
| 123 | 608 | 368 | 219 | 6 | 11 | 1 | 3 | - |
| - | 383 | - | 350 | 32 | 1 | - | - | - |
| 79 | 11 885 | 9 551 | 2 192 | 117 | 14 | 8 | 3 | 1 456 |
| 116 | 2 186 | 197 | 1 566 | 388 | 24 | 6 | 5 | 48 |
| 131 | 14 083 | 12 583 | 1 301 | 47 | 14 | - | 138 | 537 |
| - | 2 862 | 1 078 | 1 098 | 550 | 96 | 32 | 8 | 1 390 |
| - | 38 | - | 25 | 10 | 3 | - | - | 1 304 |
| - | 528 | 1 | 527 | - | - | - | - | 49 |
| 71 | 2 267 | 439 | 1 743 | 68 | - | 17 | - | - |
| 2 | 888 | 76 | 749 | 39 | 4 | … | 20 | 1 622 |
| 1 | 8 687 | 3 491 | 4 961 | 197 | 34 | 4 | - | 425 |
| - | 2 061 | 1 762 | 287 | 4 | 2 | 6 | - | - |
| 7 | 109 | 6 | 98 | - | - | - | 5 | - |
| - | 1 176 | 88 | 541 | 509 | 38 | - | - | - |
| - | 419 | 60 | 359 | - | - | - | - | 78 |
| 9 | 14 844 | 13 530 | 1 185 | 100 | 7 | 22 | - | 102 |
| 287 | 2 632 | 1 145 | 1 247 | 20 | 2 | 2 | 216 | 265 |
| 48 | 1 808 | 360 | 1 271 | 170 | 5 | 2 | - | 4 |
| - | 197 | 52 | 137 | - | - | - | 8 | - |
| 12 | 24 | 12 | 12 | - | - | - | - | 200 |
| - | 3 384 | 1 096 | 2 262 | 20 | 1 | 1 | 4 | 68 |
| … | 175 | … | 174 | 1 | … | … | … | 81 |
| - | 4 358 | 1 520 | 2 710 | 18 | - | 9 | 101 | 291 |
| 25 | 120 | - | 103 | 3 | - | 14 | - | - |
| 335 | 2 241 | 51 | 2 130 | 48 | 12 | - | - | 78 |
| 45 | 1 639 | 232 | 1 386 | 4 | - | - | 17 | 437 |
| - | - | - | - | - | - | - | - | 10 |
| - | 771 | 730 | 41 | - | - | - | - | - |
| - | 853 | 219 | 629 | - | - | 5 | - | - |
| 54 | 1 811 | 20 | 664 | 1 102 | 25 | - | - | - |
| - | 3 128 | 2 331 | 354 | 172 | - | - | 271 | 9 408 |
| - | - | - | - | - | - | - | - | - |
| 415 | 14 462 | 7 926 | 6 057 | 464 | - | - | 15 | 2 453 |
| - | - | - | - | - | - | - | - | - |
| - | 25 | - | 25 | - | - | - | - | 701 |
| - | 23 | 23 | - | - | - | - | - | - |
| - | - | - | - | - | - | - | - | - |
| - | 19 | - | 19 | - | - | - | - | 392 |
| - | - | - | - | - | - | - | - | 22 |
| - | 120 | 96 | - | - | - | - | 24 | - |
| 44 | 11 833 | 10 888 | 911 | 10 | - | - | 24 | 253 |
| - | 1 638 | 316 | 789 | 497 | 4 | 25 | 7 | 1 163 |
| - | - | - | - | - | - | - | - | - |
| - | - | - | - | - | - | - | - | 662 |
| - | - | - | - | - | - | - | - | - |
| - | - | - | - | - | - | - | - | 8 |
| - | 4 418 | 4 380 | - | 38 | - | - | - | 42 |
| - | - | - | - | - | - | - | - | 63 |
| - | - | - | - | - | - | - | - | 205 |
| - | 101 | - | - | - | - | - | 101 | 66 |
| 45 | 1 458 | 172 | 1 269 | - | - | - | 17 | 437 |

# 第25表（6－6）保健所及び市区町村が実施した試験検査件数，

| | 水質検査 | | | | | | | |
|---|---|---|---|---|---|---|---|---|
| | 総数 | 水道原水 | | | 飲用水 | | 利用水等（プール水等を含む。） | |
| | | 細菌学的検査 | 理化学的検査 | 生物学的検査 | 細菌学的検査 | 理化学的検査 | 細菌学的検査 | 理化学的検査 |
| 中核市(再掲) | | | | | | | | |
| 旭川市 | 950 | 14 | － | － | 377 | 378 | 102 | 79 |
| 函館市 | 2 | － | － | － | － | － | 2 | － |
| 青森市 | － | － | － | － | － | － | － | － |
| 八戸市 | － | － | － | － | － | － | － | － |
| 盛岡市 | 161 | － | － | － | 85 | 76 | － | － |
| 秋田市 | 22 | － | － | － | － | － | 11 | 11 |
| 郡山市 | 401 | 40 | 4 | － | 143 | 137 | 67 | 10 |
| いわき市 | 623 | － | 1 | － | 239 | 237 | 80 | 66 |
| 宇都宮市 | 307 | － | － | － | － | 52 | 139 | 116 |
| 前橋市 | － | － | － | － | － | － | － | － |
| 高崎市 | － | － | － | － | － | － | － | － |
| 川越市 | 269 | － | － | － | 92 | 95 | 59 | 23 |
| 越谷市 | 22 | － | － | － | 11 | 11 | － | － |
| 船橋市 | 33 | － | － | － | － | － | 21 | 12 |
| 柏市 | 530 | － | － | － | 233 | 232 | 38 | 27 |
| 八王子市 | 429 | － | － | － | － | 142 | － | 287 |
| 横須賀市 | － | － | － | － | － | － | － | － |
| 富山市 | 845 | － | － | － | 342 | 416 | 82 | 5 |
| 金沢市 | 74 | － | － | － | － | － | 45 | 29 |
| 長野市 | 124 | － | － | － | 6 | 6 | 56 | 56 |
| 岐阜市 | 1 070 | － | － | － | 386 | 446 | 119 | 119 |
| 豊橋市 | 586 | － | － | － | 155 | 162 | 152 | 117 |
| 豊田市 | 101 | － | － | － | 32 | 30 | 23 | 16 |
| 岡崎市 | 956 | － | － | － | 315 | 315 | 137 | 189 |
| 大津市 | 16 | － | － | － | － | － | 9 | 7 |
| 高槻市 | 495 | 23 | － | － | 41 | 41 | 236 | 154 |
| 東大阪市 | － | － | － | － | － | － | － | － |
| 豊中市 | 2 | － | － | － | － | － | 2 | － |
| 枚方市 | 198 | － | － | － | － | 136 | 12 | 50 |
| 姫路市 | － | － | － | － | － | － | － | － |
| 西宮市 | 294 | － | － | － | － | － | 151 | 143 |
| 尼崎市 | 480 | － | － | － | 43 | 51 | 251 | 135 |
| 奈良市 | 320 | － | － | － | 98 | 98 | 68 | 56 |
| 和歌山市 | － | － | － | － | － | － | － | － |
| 倉敷市 | 1 133 | 351 | 254 | 92 | 196 | 178 | 31 | 31 |
| 福山市 | 4 | － | － | － | － | － | 4 | － |
| 呉市 | 94 | － | － | － | 10 | 10 | 39 | 35 |
| 下関市 | 457 | － | － | － | 71 | 111 | 160 | 115 |
| 高松市 | 200 | － | － | － | 85 | 89 | 13 | 13 |
| 松山市 | 1 125 | － | － | － | 468 | 487 | 110 | 60 |
| 高知市 | 52 | … | … | … | … | … | 26 | 26 |
| 久留米市 | 132 | － | － | － | － | － | 66 | 66 |
| 長崎市 | 520 | － | － | － | 46 | 45 | 260 | 169 |
| 佐世保市 | 1 788 | 11 | － | － | 337 | 357 | 519 | 564 |
| 大分市 | 117 | － | － | － | － | 54 | 9 | 54 |
| 宮崎市 | － | － | － | － | － | － | － | － |
| 鹿児島市 | 589 | － | － | － | 189 | 189 | 112 | 99 |
| 那覇市 | － | － | － | － | － | － | － | － |
| その他政令市(再掲) | | | | | | | | |
| 小樽市 | 335 | － | － | － | 75 | 92 | 81 | 87 |
| 町田市 | 279 | － | － | － | － | 50 | － | 229 |
| 藤沢市 | 78 | － | － | － | － | － | 37 | 41 |
| 茅ヶ崎市 | － | － | － | － | － | － | － | － |
| 四日市市 | － | － | － | － | － | － | － | － |
| 大牟田市 | 36 | － | － | － | － | － | 24 | 12 |

## 都道府県－指定都市・特別区－中核市－その他政令市、検査の種類別

平成29年度

| 廃棄物関係検査 | 環境・公害関係検査 総数 | 大気検査 | 水質検査 | 騒音・振動 | 悪臭検査 | 土壌・底質検査 | その他 | その他 |
|---|---|---|---|---|---|---|---|---|
| − | 222 | − | − | − | − | − | 222 | − |
| − | − | − | − | − | − | − | − | − |
| − | − | − | − | − | − | − | − | − |
| − | − | − | − | − | − | − | − | − |
| − | − | − | − | − | − | − | − | 223 |
| 32 | 16 | − | 16 | − | − | − | − | 35 |
| − | 3 433 | 2 990 | 393 | 34 | − | − | 16 | 2 302 |
| − | 23 | − | 23 | − | − | − | − | 1 217 |
| − | 5 042 | 3 370 | 574 | 1 089 | − | 9 | − | 26 |
| − | − | − | − | − | − | − | − | 10 |
| − | − | − | − | − | − | − | − | 10 |
| − | − | − | − | − | − | − | − | − |
| − | − | − | − | − | − | − | − | 18 |
| − | − | − | − | − | − | − | − | 48 |
| − | − | − | − | − | − | − | − | − |
| − | 181 | − | − | − | − | − | 181 | 510 |
| − | − | − | − | − | − | − | − | − |
| 32 | 3 691 | 3 285 | 312 | − | − | − | 94 | − |
| 84 | 733 | 92 | 623 | − | 18 | − | − | 1 |
| 23 | 2 772 | 2 190 | 571 | − | 5 | 3 | 3 | 190 |
| 15 | 535 | 12 | 513 | − | 7 | 3 | − | − |
| − | − | − | − | − | − | − | − | 26 |
| − | − | − | − | − | − | − | − | − |
| − | − | − | − | − | − | − | − | 181 |
| − | 528 | 1 | 527 | − | − | − | − | 49 |
| − | 205 | 38 | 167 | − | − | − | − | 53 |
| − | − | − | − | − | − | − | − | − |
| − | − | − | − | − | − | − | − | − |
| − | − | − | − | − | − | − | − | 52 |
| − | − | − | − | − | − | − | − | − |
| − | − | − | − | − | − | − | − | 10 |
| − | 135 | − | 124 | 11 | − | − | − | 42 |
| − | 2 061 | 1 762 | 287 | 4 | 2 | 6 | − | − |
| − | − | − | − | − | − | − | − | − |
| 9 | 10 211 | 9 145 | 1 000 | 37 | 7 | 22 | − | 30 |
| 66 | 336 | 56 | 280 | − | − | − | − | 20 |
| − | − | − | − | − | − | − | − | − |
| − | 532 | 52 | 467 | 10 | 3 | − | − | 4 |
| − | − | − | − | − | − | − | − | 42 |
| − | − | − | − | − | − | − | − | − |
| … | … | … | … | … | … | … | … | 81 |
| − | 1 904 | 1 496 | 381 | 18 | − | 9 | − | 20 |
| − | − | − | − | − | − | − | − | 50 |
| 334 | 1 293 | 51 | 1 182 | 48 | 12 | − | − | 28 |
| − | − | − | − | − | − | − | − | 10 |
| − | 41 | − | 41 | − | − | − | − | − |
| − | 853 | 219 | 629 | − | − | 5 | − | − |
| − | − | − | − | − | − | − | − | − |
| − | 552 | 158 | 369 | − | − | − | 25 | 113 |
| − | − | − | − | − | − | − | − | 739 |
| − | 12 | − | − | − | − | − | 12 | 35 |
| − | − | − | − | − | − | − | − | − |
| − | − | − | − | − | − | − | − | − |
| − | 216 | 24 | 192 | − | − | − | − | − |

# 第26表(2－1) 保健所及び市区町村における調査及び研究数,

| | 総数 | 全般 (再掲)健康危機管理 | 全般 地域診断 | 全般 情報システム | 対人 総数 | 対人 母子保健 | 対人 健康増進 | 対人 歯科保健 | 対人 感染症 | 対人 (再掲) 結核 |
|---|---|---|---|---|---|---|---|---|---|---|
| 全国 | 3 257 | 52 | 393 | 23 | 2 274 | 454 | 677 | 189 | 258 | 109 |
| 北海道 | 156 | - | 9 | - | 127 | 7 | 33 | 30 | 5 | 4 |
| 青森 | 63 | - | 4 | 1 | 58 | 17 | 19 | 6 | - | - |
| 岩手 | 47 | - | 4 | 1 | 40 | 5 | 19 | 6 | 2 | 1 |
| 宮城 | 94 | - | 14 | 1 | 62 | 10 | 22 | 3 | 11 | 3 |
| 秋田 | 34 | - | 1 | - | 25 | 3 | 10 | 2 | 4 | 2 |
| 山形 | 18 | - | 4 | - | 14 | 2 | 5 | - | 2 | 2 |
| 福島 | 70 | - | 7 | 1 | 49 | 13 | 17 | 3 | 2 | 1 |
| 茨城 | 16 | - | 2 | - | 13 | 3 | 5 | - | 3 | 1 |
| 栃木 | 38 | - | 4 | - | 24 | 5 | 8 | 2 | 1 | - |
| 群馬 | 71 | - | 2 | 1 | 68 | 7 | 13 | 11 | 6 | 3 |
| 埼玉 | 96 | 1 | 14 | - | 72 | 13 | 19 | 4 | 5 | 3 |
| 千葉 | 129 | 4 | 3 | - | 90 | 21 | 28 | 7 | 13 | 9 |
| 東京 | 115 | 4 | 16 | - | 67 | 16 | 8 | 16 | 17 | 8 |
| 神奈川 | 144 | 1 | 15 | - | 114 | 21 | 39 | 10 | 5 | 3 |
| 新潟 | 42 | 1 | 1 | - | 24 | 2 | 7 | - | 1 | 1 |
| 富山 | 80 | - | 43 | - | 36 | 14 | 9 | 4 | - | - |
| 石川 | 18 | - | 1 | - | 17 | 4 | 2 | - | 5 | 1 |
| 福井 | 33 | - | 3 | - | 30 | 7 | 13 | 1 | 3 | 2 |
| 山梨 | 132 | - | 32 | 4 | 91 | 16 | 17 | 4 | 30 | 3 |
| 長野 | 63 | 1 | 17 | - | 42 | 4 | 26 | 1 | 4 | 4 |
| 岐阜 | 45 | - | 5 | - | 30 | 7 | 13 | 2 | 1 | - |
| 静岡 | 109 | 2 | 19 | - | 74 | 14 | 35 | 5 | 7 | 3 |
| 愛知 | 211 | 10 | 4 | - | 91 | 25 | 19 | 9 | 20 | 9 |
| 三重 | 58 | - | 7 | 5 | 46 | 26 | 6 | 3 | 1 | 1 |
| 滋賀 | 88 | 3 | 22 | 3 | 55 | 9 | 14 | 3 | 2 | 1 |
| 京都 | 65 | - | 9 | - | 43 | 15 | 19 | - | 2 | 1 |
| 大阪 | 178 | 1 | 11 | … | 146 | 48 | 33 | 1 | 18 | 12 |
| 兵庫 | 74 | 2 | 5 | - | 57 | 6 | 16 | 9 | 9 | 3 |
| 奈良 | 88 | 1 | 19 | 2 | 61 | 23 | 17 | 5 | 3 | 3 |
| 和歌山 | 64 | 5 | 10 | 1 | 48 | 7 | 18 | 1 | 4 | 2 |
| 鳥取 | 53 | - | 9 | - | 35 | 6 | 17 | 1 | 2 | 1 |
| 島根 | 26 | - | 5 | 1 | 10 | 3 | 2 | - | - | - |
| 岡山 | 68 | 1 | 16 | - | 43 | 10 | 10 | 2 | 5 | 1 |
| 広島 | 103 | 2 | 7 | 2 | 46 | 3 | 13 | 7 | 5 | 3 |
| 山口 | 49 | - | 4 | - | 19 | 3 | 12 | - | 2 | - |
| 徳島 | 21 | - | 2 | - | 16 | 4 | 7 | - | 1 | - |
| 香川 | 33 | 1 | - | - | 25 | 4 | 13 | - | 3 | 1 |
| 愛媛 | 44 | 4 | 5 | - | 33 | 7 | 10 | 1 | 2 | 2 |
| 高知 | 34 | - | 1 | - | 31 | 5 | 9 | 9 | 1 | 1 |
| 福岡 | 99 | - | 4 | - | 86 | 9 | 13 | - | 31 | 5 |
| 佐賀 | 20 | 1 | 4 | - | 15 | 7 | 1 | 2 | 2 | 1 |
| 長崎 | 39 | - | 1 | - | 32 | 3 | 9 | 2 | 4 | 2 |
| 熊本 | 30 | 3 | 4 | - | 22 | - | 4 | 3 | 4 | 2 |
| 大分 | 82 | 3 | 12 | - | 62 | 6 | 27 | 2 | 6 | 3 |
| 宮崎 | 38 | - | - | - | 27 | 5 | 6 | 3 | 4 | 1 |
| 鹿児島 | 61 | 1 | 10 | - | 47 | 8 | 13 | 4 | - | - |
| 沖縄 | 18 | - | 2 | - | 11 | 1 | 2 | 5 | - | - |
| 指定都市・特別区(再掲) | | | | | | | | | | |
| 東京都区部 | 51 | 3 | 14 | - | 28 | 9 | 4 | 2 | 11 | 5 |
| 札幌市 | 20 | - | - | - | 12 | 3 | - | 2 | 2 | 1 |
| 仙台市 | 43 | - | 1 | - | 25 | 2 | 1 | - | 11 | 3 |
| さいたま市 | 8 | 1 | 1 | - | 6 | 4 | 1 | - | - | - |
| 千葉市 | 11 | - | - | - | 7 | 3 | 4 | - | - | - |
| 横浜市 | 22 | - | 8 | - | 12 | 3 | 2 | - | - | - |
| 川崎市 | 3 | - | - | - | 1 | - | - | - | - | - |
| 相模原市 | 8 | - | - | - | 6 | - | - | - | 1 | 1 |
| 新潟市 | 16 | - | - | - | 6 | 1 | 2 | - | - | - |
| 静岡市 | 8 | 1 | - | - | 7 | 1 | 2 | 3 | - | - |
| 浜松市 | 11 | - | - | - | 5 | - | - | - | 2 | - |
| 名古屋市 | 57 | - | 2 | - | 21 | 11 | 3 | 1 | 2 | - |
| 京都市 | 17 | - | 4 | - | 10 | 4 | 3 | - | - | - |
| 大阪市 | 24 | - | - | - | 13 | 3 | 1 | - | 7 | 5 |
| 堺市 | 43 | - | - | - | 43 | 21 | 6 | - | 3 | 2 |
| 神戸市 | 9 | - | - | - | - | - | - | - | - | - |
| 岡山市 | 6 | - | - | - | 2 | - | - | - | - | - |
| 広島市 | 43 | - | 3 | - | 11 | - | 1 | - | 2 | 1 |
| 北九州市 | 4 | - | - | - | 1 | - | 1 | - | - | - |
| 福岡市 | 26 | - | - | - | 23 | - | 2 | - | 21 | 2 |
| 熊本市 | 4 | - | - | - | 1 | - | - | - | - | - |

# 都道府県－指定都市・特別区－中核市－その他政令市、調査及び研究内容別

平成29年度

| 保健 | | | | | 対物保健 | | | | |
|---|---|---|---|---|---|---|---|---|---|
| 掲）<br>エイズ | 精神保健福祉 | 難病 | 介護保険 | その他 | 総数 | 医事・薬事 | 食品衛生 | 環境衛生 | その他 |
| 17 | 324 | 90 | 123 | 159 | 567 | 23 | 363 | 129 | 52 |
| - | 27 | 3 | 19 | 3 | 20 | 1 | 10 | 9 | - |
| - | 9 | 3 | 1 | 3 | - | - | - | - | - |
| - | 4 | 3 | - | 1 | 2 | 1 | 1 | - | - |
| - | 7 | - | - | 9 | 17 | - | 12 | 5 | - |
| - | 3 | - | - | 3 | 8 | - | 6 | 2 | - |
| - | 3 | 1 | - | 1 | - | - | - | - | - |
| - | 4 | 1 | 2 | 7 | 13 | - | 6 | 7 | - |
| - | 1 | - | - | 1 | 1 | 1 | - | - | - |
| 1 | 2 | 1 | 2 | 3 | 10 | - | 10 | - | - |
| - | 29 | - | 1 | 1 | - | - | - | - | - |
| 1 | 22 | 5 | 2 | 2 | 10 | 2 | 5 | 3 | - |
| 1 | 5 | 6 | 1 | 9 | 36 | 2 | 23 | 8 | 3 |
| 4 | 7 | 1 | 1 | 1 | 32 | 1 | 13 | 17 | 1 |
| 1 | 17 | - | 18 | 4 | 15 | - | 4 | 8 | 3 |
| - | 6 | 4 | 3 | 1 | 17 | - | 13 | 2 | 2 |
| - | 2 | 2 | 2 | 3 | 1 | - | 1 | - | - |
| - | 3 | - | 1 | 2 | - | - | - | - | - |
| 1 | 1 | 2 | 2 | 1 | - | - | - | - | - |
| - | 1 | 3 | 11 | 9 | 5 | 1 | 3 | 1 | - |
| - | 4 | - | - | 3 | 4 | - | 3 | - | 1 |
| - | 5 | 1 | - | 1 | 10 | - | 10 | - | - |
| - | 7 | 3 | 1 | 2 | 16 | 2 | 5 | 7 | 2 |
| - | 12 | 4 | - | 2 | 116 | 2 | 77 | 22 | 15 |
| - | 1 | 1 | 2 | 6 | - | - | - | - | - |
| - | 4 | 2 | 5 | 16 | 8 | - | 6 | 2 | - |
| - | 1 | 3 | 1 | 2 | 13 | - | 12 | 1 | - |
| 4 | 28 | 12 | 4 | 2 | 21 | … | 12 | 7 | 2 |
| - | 5 | 6 | 2 | 4 | 12 | - | 2 | 2 | 8 |
| - | 4 | 2 | 6 | 1 | 6 | - | 5 | 1 | - |
| 1 | 4 | 3 | 6 | 5 | 5 | - | 1 | 1 | 3 |
| - | 4 | 1 | 2 | 2 | 9 | - | 8 | 1 | - |
| - | 3 | - | - | 2 | 10 | - | 8 | 1 | 1 |
| 1 | 7 | 2 | 2 | 5 | 9 | - | 6 | 2 | 1 |
| - | 13 | - | 4 | 1 | 48 | 5 | 36 | 5 | 2 |
| 1 | 1 | - | 1 | - | 26 | - | 15 | 8 | 3 |
| - | 1 | 1 | 1 | 1 | 3 | - | 3 | - | - |
| - | 3 | 1 | 1 | - | 8 | - | 7 | 1 | - |
| - | 8 | 1 | - | 4 | 6 | 2 | 3 | - | 1 |
| - | 4 | - | 1 | 2 | 2 | - | 2 | - | - |
| - | 18 | 5 | 3 | 7 | 9 | - | 8 | 1 | - |
| 1 | - | 1 | - | 2 | 1 | - | 1 | - | - |
| - | 9 | 1 | - | 4 | 6 | - | 6 | - | - |
| - | 3 | 2 | 5 | 1 | 4 | - | 4 | - | - |
| - | 12 | 1 | 1 | 7 | 8 | 1 | 3 | 4 | - |
| - | 4 | 1 | 2 | 2 | 11 | 2 | 7 | 1 | 1 |
| - | 4 | 1 | 6 | 11 | 4 | - | 1 | - | 3 |
| - | 2 | - | 1 | - | 5 | - | 5 | - | - |
| 3 | 2 | - | - | - | 9 | - | 4 | 4 | 1 |
| - | 4 | - | 1 | - | 8 | 1 | 7 | - | - |
| - | 5 | - | - | 6 | 17 | - | 12 | 5 | - |
| - | - | - | - | 1 | 1 | - | 1 | - | - |
| - | - | - | - | - | 4 | - | 4 | - | - |
| - | 6 | - | 1 | - | 2 | - | - | 2 | - |
| - | 1 | - | - | - | 2 | - | - | 2 | - |
| - | 5 | - | - | - | 2 | - | - | 2 | - |
| - | - | 3 | - | - | 10 | - | 8 | 2 | - |
| - | - | 1 | - | - | 1 | - | 1 | - | - |
| - | 3 | - | - | - | 6 | - | 2 | 4 | - |
| - | 1 | 2 | - | 1 | 34 | - | 28 | 5 | 1 |
| - | 1 | 1 | - | 1 | 3 | - | 3 | - | - |
| 2 | - | 1 | - | 1 | 11 | - | 9 | 2 | - |
| - | 13 | - | - | - | - | - | - | - | - |
| - | - | - | - | - | 9 | - | 1 | 2 | 6 |
| - | 2 | - | - | - | 4 | - | 2 | 2 | - |
| - | 8 | - | - | - | 29 | - | 28 | 1 | - |
| - | - | - | - | - | 3 | - | 2 | 1 | - |
| - | - | - | - | - | 3 | - | 3 | - | - |
| - | - | - | 1 | - | 3 | - | 3 | - | - |

# 第26表（２－２）保健所及び市区町村における調査及び研究数，

| | 総数 | 全般 | | | 対人 | | | | | |
|---|---|---|---|---|---|---|---|---|---|---|
| | | （再掲）健康危機管理 | 地域診断 | 情報システム | 総数 | 母子保健 | 健康増進 | 歯科保健 | 感染症 | （再 結核 |
| 中核市(再掲) | | | | | | | | | | |
| 旭川市 | 4 | - | - | - | 2 | - | 1 | 1 | - | - |
| 函館市 | 1 | - | - | - | 1 | - | 1 | - | - | - |
| 青森市 | - | - | - | - | - | - | - | - | - | - |
| 八戸市 | 2 | - | - | - | 2 | - | - | - | - | - |
| 盛岡市 | 2 | - | - | - | 2 | 1 | 1 | - | - | - |
| 秋田市 | 4 | - | - | - | 1 | - | 1 | - | - | - |
| 郡山市 | - | - | - | - | - | - | - | - | - | - |
| いわき市 | 11 | - | - | - | 11 | 6 | 1 | - | - | - |
| 宇都宮市 | 7 | - | - | - | - | - | - | - | - | - |
| 前橋市 | - | - | - | - | - | - | - | - | - | - |
| 高崎市 | 2 | - | - | 1 | 1 | 1 | - | - | - | - |
| 川越市 | 8 | - | - | - | 8 | - | - | - | - | - |
| 越谷市 | 5 | - | - | - | 2 | 1 | 1 | - | - | - |
| 船橋市 | 13 | - | - | - | 10 | 4 | - | 1 | 3 | 3 |
| 柏市 | 9 | - | - | - | 9 | 2 | 3 | - | 1 | 1 |
| 八王子市 | 9 | - | - | - | 8 | 6 | - | - | - | - |
| 横須賀市 | 3 | - | - | - | 2 | - | 1 | 1 | - | - |
| 富山市 | 1 | - | - | - | 1 | 1 | - | - | - | - |
| 金沢市 | 10 | - | - | - | 10 | 3 | 1 | - | 3 | 1 |
| 長野市 | 3 | - | - | - | 3 | - | 3 | - | - | - |
| 岐阜市 | 3 | - | - | - | 2 | 1 | 1 | - | - | - |
| 豊橋市 | 13 | - | - | - | - | - | - | - | - | - |
| 豊田市 | 11 | 9 | - | - | 5 | 1 | 1 | - | 3 | - |
| 岡崎市 | 10 | - | - | - | 4 | - | 1 | 1 | - | - |
| 大津市 | 4 | - | - | - | 3 | - | 2 | - | 1 | 1 |
| 高槻市 | 1 | - | - | - | 1 | - | 1 | - | - | - |
| 東大阪市 | 14 | - | - | - | 12 | 3 | 8 | - | 1 | 1 |
| 豊中市 | 7 | - | 1 | - | 5 | - | - | - | 1 | 1 |
| 枚方市 | 10 | - | - | - | 10 | - | 1 | 1 | - | - |
| 姫路市 | 5 | - | - | - | 5 | 1 | 3 | - | 1 | - |
| 西宮市 | 3 | - | - | - | 3 | - | 1 | - | - | - |
| 尼崎市 | - | - | - | - | - | - | - | - | - | - |
| 奈良市 | 4 | - | - | - | 3 | 1 | 1 | - | - | - |
| 和歌山市 | 5 | - | - | - | 5 | 1 | 2 | - | 1 | - |
| 倉敷市 | 12 | - | - | - | 8 | 1 | - | - | 2 | 1 |
| 福山市 | 12 | - | - | 2 | 4 | - | - | 4 | - | - |
| 呉市 | 2 | - | - | - | 1 | - | 1 | - | - | - |
| 下関市 | 1 | - | - | - | 1 | - | 1 | - | - | - |
| 高松市 | 4 | - | - | - | - | - | - | - | - | - |
| 松山市 | 3 | - | - | - | 1 | - | - | - | - | - |
| 高知市 | 2 | - | - | - | 2 | - | - | 1 | 1 | 1 |
| 久留米市 | 3 | - | - | - | 3 | 3 | - | - | - | - |
| 長崎市 | 2 | - | - | - | 1 | - | - | - | - | - |
| 佐世保市 | 1 | - | - | - | - | - | - | - | - | - |
| 大分市 | 4 | - | - | - | 3 | 1 | 1 | - | - | - |
| 宮崎市 | - | - | - | - | - | - | - | - | - | - |
| 鹿児島市 | 13 | - | 1 | - | 12 | 3 | 7 | - | - | - |
| 那覇市 | 3 | - | - | - | 1 | - | - | - | - | - |
| その他政令市(再掲) | | | | | | | | | | |
| 小樽市 | - | - | - | - | - | - | - | - | - | - |
| 町田市 | 5 | - | - | - | 3 | - | 1 | - | - | - |
| 藤沢市 | 4 | - | - | - | 4 | 1 | 3 | - | - | - |
| 茅ヶ崎市 | 3 | - | - | - | 3 | 1 | 1 | - | - | - |
| 四日市市 | 10 | - | 5 | 5 | - | - | - | - | - | - |
| 大牟田市 | - | - | - | - | - | - | - | - | - | - |

## 都道府県－指定都市・特別区－中核市－その他政令市、調査及び研究内容別

平成29年度

| 保健 (再掲) エイズ | 保健 精神保健福祉 | 保健 難病 | 保健 介護保険 | 保健 その他 | 対物保健 総数 | 対物保健 医事・薬事 | 対物保健 食品衛生 | 対物保健 環境衛生 | 対物保健 その他 |
|---|---|---|---|---|---|---|---|---|---|
| - | - | - | - | - | 2 | - | 1 | 1 | - |
| - | - | - | - | - | - | - | - | - | - |
| - | - | - | - | - | - | - | - | - | - |
| - | - | 2 | - | - | - | - | - | - | - |
| - | - | - | - | - | - | - | - | - | - |
| - | - | - | - | - | 3 | - | 3 | - | - |
| - | - | - | - | - | - | - | - | - | - |
| - | 2 | - | - | 2 | - | - | - | - | - |
| - | - | - | - | - | 7 | - | 7 | - | - |
| - | - | - | - | - | - | - | - | - | - |
| - | - | - | - | - | - | - | - | - | - |
| - | 8 | - | - | - | - | - | - | - | - |
| - | - | - | - | - | 3 | - | 3 | - | - |
| - | - | 2 | - | - | 3 | - | 1 | 2 | - |
| - | 2 | - | - | 1 | - | - | - | - | - |
| - | 1 | 1 | - | - | 1 | - | - | 1 | - |
| - | - | - | - | - | 1 | - | - | 1 | - |
| - | - | - | - | - | - | - | - | - | - |
| - | 3 | - | - | - | - | - | - | - | - |
| - | - | - | - | - | - | - | - | - | - |
| - | - | - | - | - | 1 | - | 1 | - | - |
| - | - | - | - | - | 13 | 1 | 12 | - | - |
| - | - | - | - | - | 6 | - | 6 | - | - |
| - | 2 | - | - | - | 6 | - | 3 | 3 | - |
| - | - | - | - | - | 1 | - | 1 | - | - |
| - | - | - | - | - | - | - | - | - | - |
| - | - | - | - | - | 2 | - | - | - | 2 |
| - | 3 | 1 | - | - | 1 | - | - | 1 | - |
| - | 2 | 6 | - | - | - | - | - | - | - |
| - | - | - | - | - | - | - | - | - | - |
| - | - | 2 | - | - | - | - | - | - | - |
| - | - | - | - | - | - | - | - | - | - |
| - | 1 | - | - | - | 1 | - | 1 | - | - |
| 1 | 1 | - | - | - | - | - | - | - | - |
| - | 1 | 1 | - | 3 | 4 | - | 3 | - | 1 |
| - | - | - | - | - | 6 | - | 2 | 4 | - |
| - | - | - | - | - | 1 | - | 1 | - | - |
| - | - | - | - | - | - | - | - | - | - |
| - | - | - | - | - | 4 | - | 4 | - | - |
| - | - | 1 | - | - | 2 | 1 | 1 | - | - |
| - | - | - | - | - | - | - | - | - | - |
| - | - | - | - | - | - | - | - | - | - |
| - | 1 | - | - | - | 1 | - | 1 | - | - |
| - | - | - | - | - | 1 | - | 1 | - | - |
| - | 1 | - | - | - | 1 | - | 1 | - | - |
| - | - | - | - | - | - | - | - | - | - |
| - | 1 | - | - | 1 | - | - | - | - | - |
| - | 1 | - | - | - | 2 | - | 2 | - | - |
| - | - | - | - | - | - | - | - | - | - |
| - | 2 | - | - | - | 2 | - | - | 2 | - |
| - | - | - | - | - | - | - | - | - | - |
| - | - | - | 1 | - | - | - | - | - | - |
| - | - | - | - | - | - | - | - | - | - |
| - | - | - | - | - | - | - | - | - | - |

# 第27表(2－1) 保健所及び市区町村の常勤職員数,

| | 総数 | 医師 | 歯科医師 | 獣医師 | 薬剤師 | 保健師 | 助産師 | 看護師 | 准看護師 | 理学療法士 | 作業療法士 | 歯科衛生士 |
|---|---|---|---|---|---|---|---|---|---|---|---|---|
| 全国 | 54 967 | 891 | 125 | 2 488 | 3 077 | 25 993 | 151 | 757 | 94 | 145 | 103 | 704 |
| 北海道 | 3 253 | 42 | 15 | 190 | 78 | 1 514 | 12 | 31 | 12 | 9 | 10 | 52 |
| 青森 | 712 | 9 | 2 | 37 | 37 | 408 | 1 | 12 | － | － | － | 3 |
| 岩手 | 825 | 10 | 2 | 25 | 18 | 398 | 2 | 11 | 3 | － | － | 9 |
| 宮城 | 1 289 | 12 | 4 | 41 | 43 | 599 | 3 | 20 | － | 8 | 5 | 24 |
| 秋田 | 608 | 11 | 1 | 33 | 24 | 317 | － | 6 | 4 | 1 | － | 3 |
| 山形 | 648 | 12 | 1 | 13 | 44 | 335 | 1 | 34 | 3 | 1 | － | 3 |
| 福島 | 1 066 | 10 | － | 36 | 41 | 590 | 1 | 19 | 3 | 1 | 4 | 11 |
| 茨城 | 1 043 | 12 | 2 | 36 | 39 | 577 | 2 | 23 | 2 | 6 | 7 | 9 |
| 栃木 | 779 | 7 | － | 34 | 58 | 436 | 6 | 12 | － | 2 | 3 | 2 |
| 群馬 | 826 | 14 | － | 29 | 49 | 456 | 4 | 5 | 3 | 2 | 4 | 6 |
| 埼玉 | 2 080 | 26 | 1 | 155 | 127 | 1 049 | 2 | 16 | 2 | 3 | 2 | 23 |
| 千葉 | 2 345 | 27 | 1 | 125 | 132 | 1 038 | 2 | 64 | 5 | 8 | 5 | 80 |
| 東京 | 4 714 | 109 | 14 | 55 | 174 | 1 612 | 2 | 49 | 1 | 13 | 6 | 114 |
| 神奈川 | 3 291 | 68 | 18 | 174 | 200 | 1 048 | 21 | 10 | 2 | 1 | － | 40 |
| 新潟 | 1 266 | 17 | 6 | 38 | 51 | 665 | 3 | 35 | 4 | 5 | 6 | 12 |
| 富山 | 548 | 10 | 2 | 28 | 52 | 294 | 2 | 10 | － | 4 | － | － |
| 石川 | 481 | 8 | － | 28 | 37 | 269 | － | 2 | － | － | 1 | 1 |
| 福井 | 395 | 6 | － | 10 | 42 | 194 | 1 | 7 | 1 | 1 | － | 4 |
| 山梨 | 456 | 7 | 1 | 11 | 34 | 284 | 1 | 14 | 3 | 2 | － | 1 |
| 長野 | 1 208 | 17 | 2 | 58 | 43 | 715 | 2 | 13 | 2 | 4 | 1 | 17 |
| 岐阜 | 889 | 9 | 1 | 66 | 46 | 516 | 3 | 13 | － | 3 | － | 18 |
| 静岡 | 1 422 | 11 | 5 | 86 | 160 | 733 | 1 | 13 | － | 3 | 2 | 19 |
| 愛知 | 2 817 | 54 | 16 | 167 | 188 | 1 148 | 5 | 31 | 2 | 1 | 1 | 73 |
| 三重 | 672 | 9 | 2 | 31 | 35 | 390 | 4 | 11 | 2 | 3 | － | 5 |
| 滋賀 | 619 | 8 | 1 | 12 | 29 | 360 | 5 | 8 | － | 2 | － | 11 |
| 京都 | 1 184 | 21 | 2 | 49 | 146 | 642 | － | 6 | 1 | 6 | 5 | 8 |
| 大阪 | 3 179 | 69 | 4 | 190 | 341 | 1 272 | － | 32 | 1 | 15 | 4 | 20 |
| 兵庫 | 1 982 | 33 | 1 | 130 | 78 | 920 | 8 | 19 | 1 | 5 | 1 | 27 |
| 奈良 | 571 | 15 | 1 | 16 | 34 | 350 | 3 | 30 | 3 | 2 | － | 10 |
| 和歌山 | 612 | 12 | － | 25 | 27 | 334 | － | 8 | － | 2 | － | 4 |
| 鳥取 | 393 | 4 | 1 | 12 | 12 | 178 | 1 | 5 | 1 | － | － | 7 |
| 島根 | 530 | 10 | 1 | 14 | 14 | 293 | － | 5 | 1 | － | 1 | 4 |
| 岡山 | 1 054 | 14 | 1 | 39 | 52 | 547 | 7 | 17 | 1 | 2 | 3 | 9 |
| 広島 | 1 117 | 20 | 1 | 53 | 56 | 562 | 2 | 3 | － | － | 5 | 6 |
| 山口 | 714 | 8 | － | 34 | 24 | 352 | 2 | 4 | － | 1 | 4 | 3 |
| 徳島 | 360 | 6 | － | 9 | 28 | 232 | 1 | 4 | 1 | － | － | － |
| 香川 | 461 | 6 | － | 24 | 38 | 239 | － | 6 | 1 | 2 | － | 2 |
| 愛媛 | 754 | 13 | 1 | 31 | 59 | 370 | 1 | 10 | 3 | 6 | 1 | 11 |
| 高知 | 532 | 8 | 1 | 19 | 32 | 285 | 1 | 11 | 1 | 7 | 3 | 11 |
| 福岡 | 2 156 | 48 | 4 | 120 | 125 | 906 | 34 | 34 | 1 | 7 | 8 | 3 |
| 佐賀 | 453 | 4 | － | 20 | 18 | 252 | － | 15 | 4 | － | － | － |
| 長崎 | 712 | 13 | 1 | 30 | 48 | 315 | 1 | 12 | 3 | 3 | 8 | 4 |
| 熊本 | 1 010 | 15 | 4 | 37 | 41 | 500 | 1 | 20 | 5 | 1 | 3 | 9 |
| 大分 | 627 | 9 | － | 29 | 34 | 363 | 1 | 13 | － | － | － | 1 |
| 宮崎 | 604 | 11 | － | 25 | 47 | 311 | － | 4 | 2 | 2 | － | － |
| 鹿児島 | 1 008 | 16 | 1 | 48 | 27 | 459 | 2 | 19 | 9 | 1 | － | 21 |
| 沖縄 | 702 | 11 | 4 | 16 | 15 | 366 | － | 11 | 1 | － | － | 4 |
| 指定都市・特別区(再掲) | | | | | | | | | | | | |
| 東京都区部 | 3 373 | 74 | 6 | 23 | 131 | 1 037 | － | 21 | － | 9 | 6 | 89 |
| 札幌市 | 625 | 12 | 2 | 1 | 10 | 199 | － | 10 | － | － | 1 | 8 |
| 仙台市 | 331 | 6 | 3 | 10 | 8 | 144 | 1 | 6 | － | 1 | － | 12 |
| さいたま市 | 422 | 8 | － | 60 | 31 | 158 | － | 2 | － | － | － | 12 |
| 千葉市 | 308 | 4 | － | 35 | 38 | 109 | － | 1 | 1 | － | － | 7 |
| 横浜市 | 1 733 | 29 | 4 | － | 34 | 406 | 14 | 2 | － | － | － | 9 |
| 川崎市 | 369 | 15 | 3 | 80 | 62 | 140 | 4 | 1 | － | － | － | 8 |
| 相模原市 | 152 | 5 | 2 | 21 | 27 | 39 | － | － | － | － | － | 2 |
| 新潟市 | 261 | 5 | 1 | 18 | 12 | 141 | － | 12 | 3 | 2 | 4 | 3 |
| 静岡市 | 154 | 2 | 2 | 11 | 22 | 92 | － | － | － | 1 | 1 | 6 |
| 浜松市 | 299 | 2 | 2 | 22 | 40 | 138 | － | 2 | － | － | － | 8 |
| 名古屋市 | 1 062 | 27 | 5 | 44 | 56 | 228 | 1 | 11 | － | － | － | 19 |
| 京都市 | 462 | 12 | 1 | 25 | 100 | 276 | － | 3 | － | 1 | 1 | 7 |
| 大阪市 | 1 073 | 31 | － | 107 | 132 | 287 | － | 1 | － | － | － | － |
| 堺市 | 320 | 10 | 2 | 15 | 27 | 116 | － | 1 | － | 1 | 1 | 8 |
| 神戸市 | 478 | 10 | 1 | 39 | 13 | 162 | － | － | － | － | － | 6 |
| 岡山市 | 308 | 5 | 1 | 24 | 10 | 131 | 6 | 9 | － | － | － | 4 |
| 広島市 | 280 | 13 | 1 | 7 | 18 | 148 | － | － | － | － | 2 | 2 |
| 北九州市 | 500 | 9 | 2 | 14 | 30 | 149 | 2 | 8 | － | 4 | 8 | － |
| 福岡市 | 402 | 14 | 1 | 52 | 17 | 164 | 8 | 3 | － | － | － | － |
| 熊本市 | 339 | 6 | 2 | 9 | 19 | 101 | 1 | 19 | － | 1 | 3 | 7 |

# 都道府県−指定都市・特別区−中核市−その他政令市、職種別

平成29年度末現在

| 診療放射線技師 | 診療エックス線技師 | 臨床検査技師 | 衛生検査技師 | 管理栄養士 | 栄養士 | その他 | （再掲）精神保健福祉士 | 精神保健福祉相談員 | 栄養指導員 | 食品衛生監視員 | 環境衛生監視員 | 医療監視員 |
|---|---|---|---|---|---|---|---|---|---|---|---|---|
| **484** | **3** | **693** | **50** | **3 440** | **403** | **15 366** | **893** | **1 286** | **1 124** | **5 730** | **4 930** | **8 930** |
| 21 | − | 83 | − | 256 | 38 | 890 | 28 | 95 | 52 | 345 | 292 | 240 |
| 4 | − | 5 | − | 36 | 11 | 147 | 16 | 37 | 9 | 58 | 55 | 80 |
| 1 | − | − | − | 63 | 15 | 268 | 7 | 12 | 13 | 58 | 96 | 174 |
| 5 | − | 6 | − | 134 | 10 | 375 | 6 | 8 | 17 | 117 | 95 | 240 |
| 5 | − | 1 | − | 45 | 13 | 144 | − | 11 | 16 | 56 | 56 | 171 |
| 1 | − | 16 | − | 38 | 5 | 141 | 1 | 12 | 9 | 39 | 43 | 50 |
| 5 | − | 6 | − | 54 | 20 | 265 | 1 | 18 | 15 | 95 | 94 | 117 |
| 3 | − | − | 1 | 75 | 12 | 237 | 13 | 4 | 15 | 72 | 86 | 206 |
| 5 | − | 14 | − | 51 | 2 | 147 | 7 | 3 | 13 | 64 | 66 | 119 |
| 12 | − | 20 | − | 72 | 7 | 143 | 10 | − | 13 | 89 | 54 | 99 |
| 10 | − | 6 | − | 128 | 3 | 527 | 82 | 68 | 43 | 234 | 167 | 564 |
| 19 | − | 81 | 2 | 172 | 16 | 568 | 27 | 71 | 40 | 210 | 164 | 484 |
| 45 | 1 | 38 | 35 | 209 | 14 | 2 223 | 40 | 72 | 100 | 509 | 335 | 255 |
| 35 | − | 7 | − | 134 | 7 | 1 526 | 96 | 90 | 116 | 468 | 345 | 374 |
| 7 | − | 10 | − | 90 | 12 | 305 | 21 | 33 | 38 | 107 | 68 | 64 |
| 12 | − | 18 | − | 51 | 6 | 59 | 5 | 25 | 18 | 83 | 85 | 230 |
| 4 | − | 9 | − | 46 | 9 | 67 | 17 | 29 | 10 | 65 | 69 | 132 |
| 4 | − | 2 | − | 32 | 2 | 89 | 30 | 31 | 12 | 51 | 61 | 107 |
| − | − | 6 | − | 37 | 12 | 43 | 16 | 7 | 4 | 24 | 24 | 59 |
| 7 | − | 22 | − | 127 | 12 | 166 | 16 | 3 | 27 | 97 | 107 | 188 |
| 10 | − | 15 | 1 | 67 | 9 | 112 | 4 | 11 | 17 | 94 | 71 | 155 |
| 2 | − | 8 | − | 90 | 11 | 278 | 26 | 16 | 24 | 153 | 145 | 150 |
| 15 | − | 30 | − | 111 | 6 | 969 | 29 | 50 | 54 | 309 | 324 | 512 |
| 10 | − | 19 | − | 46 | 9 | 96 | 15 | 14 | 14 | 72 | 57 | 37 |
| 5 | − | 1 | − | 32 | 5 | 140 | 3 | 18 | 11 | 56 | 59 | 155 |
| 22 | − | 2 | − | 51 | 4 | 219 | 12 | 44 | 37 | 192 | 190 | 330 |
| 51 | − | 32 | − | 121 | 16 | 1 011 | 65 | 93 | 80 | 365 | 296 | 341 |
| 31 | − | 37 | 5 | 125 | 14 | 547 | 56 | 58 | 41 | 262 | 240 | 335 |
| 2 | − | − | − | 27 | 3 | 75 | 3 | 9 | 3 | 35 | 37 | 97 |
| 11 | 1 | 8 | − | 18 | 5 | 157 | 14 | 6 | 11 | 51 | 48 | 183 |
| 1 | − | 2 | − | 31 | 2 | 136 | 2 | − | 5 | 28 | 33 | 34 |
| 5 | − | 11 | − | 32 | 6 | 133 | 23 | 23 | 14 | 52 | 73 | 180 |
| 7 | − | 12 | − | 77 | 11 | 255 | 24 | 25 | 18 | 86 | 80 | 134 |
| 9 | − | 6 | 1 | 55 | 8 | 330 | 68 | 91 | 24 | 141 | 59 | 261 |
| 3 | − | 11 | − | 49 | − | 219 | 10 | 8 | 12 | 58 | 39 | 91 |
| 2 | − | 6 | − | 33 | 1 | 37 | 10 | 11 | 8 | 44 | 36 | 85 |
| 4 | − | 2 | − | 34 | 2 | 101 | 13 | 8 | 23 | 69 | 65 | 62 |
| 6 | − | 22 | − | 49 | 9 | 162 | 5 | 1 | 19 | 63 | 57 | 186 |
| 2 | − | 1 | − | 33 | 5 | 112 | 5 | 3 | 9 | 60 | 53 | 74 |
| 41 | − | 32 | − | 130 | 7 | 656 | 25 | 43 | 27 | 241 | 112 | 311 |
| 5 | − | 5 | − | 38 | 3 | 89 | 3 | 11 | 10 | 34 | 34 | 120 |
| 13 | 1 | 23 | − | 56 | 9 | 172 | 8 | − | 16 | 68 | 75 | 205 |
| 3 | − | 20 | 1 | 79 | 13 | 258 | 2 | 20 | 15 | 75 | 78 | 176 |
| 4 | − | 10 | − | 48 | 4 | 111 | 14 | 10 | 18 | 68 | 63 | 233 |
| 3 | − | 2 | − | 54 | 5 | 138 | − | 2 | 6 | 62 | 81 | 206 |
| 8 | − | 19 | 4 | 54 | 4 | 316 | 13 | 37 | 19 | 93 | 84 | 214 |
| 4 | − | 7 | − | 50 | 6 | 207 | 2 | 45 | 9 | 58 | 79 | 110 |
| 34 | 1 | 32 | 35 | 135 | 12 | 1 728 | 24 | 60 | 50 | 371 | 246 | 138 |
| − | − | 2 | − | 21 | 6 | 353 | 12 | 43 | 6 | 74 | 23 | 29 |
| 4 | − | 4 | − | 19 | − | 113 | 2 | 8 | 6 | 48 | 30 | 27 |
| 1 | − | − | − | 14 | − | 136 | 32 | − | 3 | 42 | 28 | 80 |
| 1 | − | 8 | 1 | 15 | − | 88 | 1 | 40 | 9 | 56 | 24 | 41 |
| 15 | − | − | − | 38 | 2 | 1 180 | 47 | 75 | 66 | 202 | 134 | 194 |
| 5 | − | − | − | 16 | − | 35 | 6 | 2 | 16 | 103 | 79 | 73 |
| 2 | − | 3 | − | 7 | − | 44 | 18 | − | 11 | 35 | 34 | 22 |
| 1 | − | 1 | − | 13 | − | 45 | 6 | 7 | 11 | 33 | 15 | 29 |
| − | − | − | − | 6 | − | 11 | 8 | − | 2 | 19 | 9 | 41 |
| − | − | − | − | 14 | 2 | 69 | 6 | 10 | 2 | 35 | 31 | 24 |
| 12 | − | 12 | − | 41 | − | 606 | 12 | 23 | 34 | 104 | 110 | 44 |
| 14 | − | − | − | 22 | − | − | − | 29 | 23 | 123 | 122 | 99 |
| 26 | − | 7 | − | 24 | 13 | 445 | − | 35 | 36 | 203 | 164 | 79 |
| 1 | − | − | − | 15 | − | 123 | 25 | 3 | 15 | 21 | 24 | 15 |
| 2 | − | 3 | − | 11 | 4 | 227 | 11 | 15 | 1 | 119 | 118 | 1 |
| 1 | − | 2 | − | 13 | − | 102 | 15 | − | 12 | 16 | 6 | 22 |
| 2 | − | 3 | 1 | 9 | 2 | 72 | 8 | 35 | 5 | 41 | 16 | 15 |
| 9 | − | 5 | − | 20 | 1 | 239 | 2 | 20 | − | 60 | 13 | 39 |
| 5 | − | − | − | 10 | − | 128 | 7 | 6 | 9 | 99 | 36 | 82 |
| 2 | − | 9 | − | 21 | 1 | 138 | − | − | 6 | 22 | 14 | 19 |

# 第27表（２－２）保健所及び市区町村の常勤職員数，

| | 総数 | 医師 | 歯科医師 | 獣医師 | 薬剤師 | 保健師 | 助産師 | 看護師 | 准看護師 | 理学療法士 | 作業療法士 | 歯科衛生士 |
|---|---|---|---|---|---|---|---|---|---|---|---|---|
| 中核市(再掲) | | | | | | | | | | | | |
| 旭川市 | 129 | 3 | 1 | 28 | 7 | 41 | – | – | – | – | – | 2 |
| 函館市 | 115 | 1 | – | 11 | 3 | 40 | – | 1 | – | – | – | – |
| 青森市 | 72 | 1 | – | 3 | 3 | 38 | – | – | – | – | – | – |
| 八戸市 | 81 | 1 | – | 7 | 5 | 36 | – | – | – | – | – | – |
| 盛岡市 | 91 | 1 | – | 5 | 4 | 37 | – | 2 | – | – | – | 1 |
| 秋田市 | 119 | 1 | – | 18 | 3 | 39 | – | 1 | – | – | – | 2 |
| 郡山市 | 111 | 1 | – | 18 | 6 | 34 | – | 1 | – | – | – | 3 |
| いわき市 | 116 | 1 | – | 5 | 7 | 58 | – | 2 | – | – | – | 1 |
| 宇都宮市 | 124 | 1 | – | 9 | 18 | 58 | – | 4 | – | 2 | 3 | 2 |
| 前橋市 | 162 | 1 | – | 6 | 12 | 63 | – | – | – | 2 | 4 | 2 |
| 高崎市 | 129 | 1 | – | 5 | 15 | 67 | 1 | 2 | – | – | – | – |
| 川越市 | 106 | 2 | – | 7 | 14 | 43 | – | 1 | – | – | – | 1 |
| 越谷市 | 98 | 1 | – | 22 | 12 | 34 | – | – | – | 1 | 1 | – |
| 船橋市 | 193 | 3 | – | 18 | 18 | 77 | – | – | – | 1 | 1 | 7 |
| 柏市 | 133 | 2 | – | 15 | 9 | 58 | – | 1 | – | 3 | 2 | 3 |
| 八王子市 | 161 | 3 | – | 6 | 8 | 68 | – | 1 | – | – | – | 2 |
| 横須賀市 | 85 | 3 | 1 | 11 | 13 | 15 | – | 4 | 1 | – | – | 7 |
| 富山市 | 174 | 3 | 1 | 6 | 13 | 98 | 1 | 4 | – | 1 | – | – |
| 金沢市 | 124 | 4 | – | 19 | 18 | 53 | – | – | – | – | 1 | 1 |
| 長野市 | 133 | 1 | – | 9 | 6 | 64 | – | – | – | 1 | – | 2 |
| 岐阜市 | 182 | 1 | 1 | 24 | 26 | 75 | – | – | – | – | – | 3 |
| 豊橋市 | 131 | 2 | – | 24 | 14 | 56 | 1 | 1 | – | – | – | 2 |
| 豊田市 | 121 | 2 | – | 22 | 7 | 65 | – | – | – | – | – | 2 |
| 岡崎市 | 136 | 1 | – | 14 | 10 | 45 | – | 2 | – | – | – | 2 |
| 大津市 | 115 | 1 | – | 4 | 13 | 54 | – | 1 | – | 1 | – | 1 |
| 高槻市 | 122 | 1 | – | 11 | 12 | 52 | – | – | – | – | – | – |
| 東大阪市 | 172 | 4 | 1 | 15 | 25 | 57 | – | 1 | – | 1 | – | – |
| 豊中市 | 95 | 2 | – | 9 | 13 | 37 | – | 3 | – | – | – | 2 |
| 枚方市 | 126 | 2 | 1 | 6 | 15 | 58 | – | 1 | – | 2 | 1 | 1 |
| 姫路市 | 168 | 3 | – | 22 | – | 61 | – | 1 | – | 1 | – | 2 |
| 西宮市 | 147 | 1 | – | 17 | 13 | 62 | – | 2 | – | – | – | 2 |
| 尼崎市 | 166 | 4 | – | 2 | – | 64 | – | 2 | – | 1 | – | 2 |
| 奈良市 | 107 | 3 | – | 6 | 9 | 42 | – | 3 | – | 1 | – | 3 |
| 和歌山市 | 112 | 2 | – | 8 | 10 | 50 | – | 1 | – | – | – | 3 |
| 倉敷市 | 160 | 2 | – | 7 | 9 | 81 | – | – | – | – | – | 3 |
| 福山市 | 176 | 3 | – | 19 | 16 | 83 | – | 1 | – | – | 2 | – |
| 呉市 | 87 | 1 | – | 1 | – | 39 | – | – | – | – | – | 1 |
| 下関市 | 124 | 1 | – | – | 3 | 57 | 1 | 1 | – | – | – | 1 |
| 高松市 | 128 | 2 | – | 13 | 14 | 63 | – | 1 | – | – | – | 1 |
| 松山市 | 155 | 2 | – | 6 | 10 | 49 | – | 2 | – | 4 | – | 3 |
| 高知市 | 97 | 2 | 1 | 13 | 10 | 40 | – | 2 | – | – | – | 2 |
| 久留米市 | 101 | 2 | – | 8 | 9 | 48 | 1 | – | – | – | – | – |
| 長崎市 | 89 | 1 | 1 | 1 | 12 | 23 | – | 1 | – | 1 | – | 2 |
| 佐世保市 | 138 | 5 | – | 7 | 11 | 41 | – | 1 | – | 1 | 1 | 2 |
| 大分市 | 127 | 3 | – | 7 | 9 | 76 | – | – | – | – | – | – |
| 宮崎市 | 136 | 1 | – | 7 | 8 | 52 | – | 1 | – | 2 | – | – |
| 鹿児島市 | 203 | 5 | 1 | 27 | 9 | 72 | 1 | 3 | – | – | – | 3 |
| 那覇市 | 95 | 3 | 1 | 2 | 4 | 41 | – | – | – | – | – | – |
| その他政令市(再掲) | | | | | | | | | | | | |
| 小樽市 | 67 | 1 | 1 | – | – | 16 | – | – | 1 | – | – | 1 |
| 町田市 | 108 | 3 | – | 8 | 5 | 39 | – | – | – | – | – | 4 |
| 藤沢市 | 106 | 2 | 1 | 8 | 8 | 40 | – | – | – | – | – | 3 |
| 茅ヶ崎市 | 77 | 1 | – | 6 | 6 | 40 | – | – | – | – | – | – |
| 四日市市 | 81 | 1 | – | 4 | 6 | 32 | 1 | 1 | – | 2 | – | 1 |
| 大牟田市 | 64 | 1 | – | 2 | 6 | 11 | – | 2 | – | – | – | 1 |

## 都道府県－指定都市・特別区－中核市－その他政令市、職種別

平成29年度末現在

| 診療放射線技師 | 診療エックス線技師 | 臨床検査技師 | 衛生検査技師 | 管理栄養士 | 栄養士 | その他 | （再掲）精神保健福祉士 | （再掲）精神保健福祉相談員 | （再掲）栄養指導員 | （再掲）食品衛生監視員 | （再掲）環境衛生監視員 | （再掲）医療監視員 |
|---|---|---|---|---|---|---|---|---|---|---|---|---|
| － | － | 5 | － | 5 | － | 37 | － | － | 5 | 31 | 29 | 14 |
| － | － | 1 | － | 3 | － | 55 | 1 | 1 | 3 | 12 | 16 | 7 |
| － | － | 2 | － | 3 | － | 22 | 7 | 7 | － | 12 | 7 | 8 |
| － | － | － | － | 3 | － | 29 | 1 | － | 3 | 7 | 10 | 17 |
| － | － | － | － | 5 | － | 36 | － | － | 5 | 16 | 25 | 39 |
| 1 | － | － | － | 7 | 1 | 46 | － | － | 7 | 28 | 5 | 21 |
| 3 | － | 3 | － | 4 | － | 38 | － | 7 | 4 | 25 | 14 | 21 |
| － | － | 3 | － | 4 | － | 35 | － | － | 4 | 12 | 19 | 24 |
| － | － | － | － | 3 | － | 24 | 2 | 2 | 3 | 17 | 19 | 9 |
| － | － | 3 | － | 11 | － | 58 | 4 | － | 2 | 19 | 11 | 24 |
| － | － | 2 | － | 8 | 2 | 26 | － | － | － | 36 | 11 | 39 |
| 3 | － | 3 | － | 3 | － | 29 | 3 | 16 | 5 | 15 | 15 | 46 |
| － | － | － | － | 3 | － | 24 | 3 | 6 | 5 | 27 | 17 | 46 |
| 2 | － | 3 | － | 14 | － | 49 | 2 | － | 6 | 23 | 23 | 40 |
| 2 | － | 4 | － | 6 | － | 28 | 4 | － | － | 11 | 4 | 70 |
| － | － | － | － | 9 | － | 64 | － | － | 5 | 10 | 10 | 8 |
| 9 | － | 1 | － | 3 | － | 17 | － | 6 | － | 22 | 22 | 13 |
| 3 | － | 5 | － | 24 | 4 | 11 | 2 | 3 | 12 | 26 | 29 | 85 |
| 3 | － | 4 | － | 5 | － | 16 | 2 | 4 | － | 25 | 25 | 29 |
| 1 | － | 3 | － | 7 | － | 39 | － | － | － | 11 | 16 | 32 |
| 3 | － | 2 | 1 | 5 | － | 41 | － | 5 | 5 | 26 | 10 | 14 |
| 1 | － | 2 | － | 4 | － | 24 | － | － | 6 | 41 | 31 | 35 |
| － | － | － | － | 3 | － | 20 | 1 | － | 3 | 24 | 13 | 28 |
| 2 | － | 4 | － | 3 | － | 53 | 4 | － | 2 | 19 | 24 | 36 |
| 1 | － | － | － | 3 | － | 36 | － | － | － | 21 | 24 | 46 |
| 1 | － | 1 | － | 6 | － | 38 | 1 | 14 | 3 | 24 | 24 | 8 |
| 3 | － | 2 | － | 7 | － | 56 | 9 | 1 | 7 | 16 | 9 | 5 |
| 1 | － | 2 | － | 2 | － | 24 | 3 | － | 1 | 10 | 6 | 55 |
| 3 | － | 1 | － | 5 | － | 30 | 2 | － | 2 | 21 | 23 | 54 |
| 3 | － | 5 | － | 5 | － | 65 | 6 | － | － | 14 | 4 | 42 |
| 2 | － | 2 | － | 10 | － | 36 | － | － | 3 | 10 | 8 | 39 |
| 2 | － | 1 | － | 7 | － | 81 | 3 | 8 | 8 | 26 | 24 | 36 |
| 1 | － | － | － | 4 | － | 35 | － | 3 | 3 | 13 | 17 | 14 |
| 3 | － | － | － | 4 | － | 31 | 7 | 2 | 2 | 17 | 10 | 28 |
| 1 | － | 2 | － | 8 | － | 47 | 2 | － | － | 19 | 20 | 30 |
| － | － | － | － | 8 | － | 44 | 7 | 1 | 6 | 28 | 17 | 40 |
| 1 | － | － | － | 5 | － | 39 | 7 | 15 | 5 | 10 | 4 | 8 |
| 2 | － | 4 | － | 7 | － | 47 | 6 | 6 | 2 | 10 | 7 | 27 |
| 1 | － | 1 | － | 6 | － | 26 | 2 | 1 | 7 | 31 | 31 | － |
| 2 | － | 3 | － | 3 | 1 | 70 | 1 | － | 5 | 10 | 14 | 26 |
| － | － | － | － | 4 | － | 23 | 1 | － | － | 22 | 18 | 16 |
| 2 | － | － | － | 4 | － | 27 | 1 | － | 4 | 5 | 5 | 23 |
| － | － | 3 | － | 4 | － | 40 | 2 | － | － | 15 | 11 | 24 |
| 3 | － | 4 | － | 4 | － | 58 | － | － | － | 17 | 20 | 58 |
| － | － | 2 | － | 9 | － | 21 | － | － | － | 16 | 19 | 31 |
| 3 | － | 2 | － | 6 | － | 54 | － | － | － | 14 | 27 | 10 |
| 3 | － | 4 | － | 7 | － | 68 | － | 5 | 2 | 18 | 20 | 23 |
| 1 | － | 2 | － | 3 | － | 38 | － | 8 | － | 13 | 13 | 13 |
| － | － | 5 | － | 2 | － | 40 | － | 1 | 2 | 17 | 12 | 29 |
| － | － | － | － | 6 | － | 43 | － | － | 6 | 20 | 10 | 8 |
| 1 | － | 3 | － | 6 | － | 34 | 1 | － | － | 8 | 6 | － |
| － | － | － | － | 4 | 1 | 19 | 3 | － | 2 | 7 | 6 | 7 |
| － | － | 5 | － | 4 | － | 24 | － | － | 2 | 15 | 14 | 16 |
| 2 | － | 2 | － | 4 | － | 33 | － | － | 2 | 7 | 6 | 7 |

# 第28表（２－１）保健所及び市区町村で年度中に活動した非常

| | 総数 | 医師 | 歯科医師 | 獣医師 | 薬剤師 | 保健師 | 助産師 | 看護師 | 准看護師 | 理学療法士 | 作業療法士 | 歯科衛生士 |
|---|---|---|---|---|---|---|---|---|---|---|---|---|
| 全国 | 2 121 938 | 49 310 | 24 653 | 10 637 | 5 803 | 354 563 | 127 116 | 328 109 | 31 149 | 2 202 | 3 214 | 143 084 |
| 北海道 | 99 681 | 2 202 | 527 | 1 639 | 23 | 22 349 | 3 023 | 11 741 | 960 | 46 | 18 | 4 494 |
| 青森 | 31 862 | 432 | 176 | 183 | 10 | 3 516 | 1 675 | 7 325 | 812 | 26 | 2 | 689 |
| 岩手 | 37 506 | 444 | 177 | – | – | 7 499 | 2 005 | 8 289 | 1 907 | 134 | 232 | 1 791 |
| 宮城 | 60 443 | 814 | 225 | – | 1 | 8 517 | 4 098 | 9 292 | 243 | 5 | 29 | 2 398 |
| 秋田 | 18 162 | 181 | 120 | 2 | 1 | 2 205 | 567 | 982 | 64 | 3 | – | 958 |
| 山形 | 18 716 | 329 | 192 | 207 | 2 | 2 612 | 1 240 | 2 126 | 9 | 8 | 3 | 843 |
| 福島 | 40 791 | 370 | 140 | 3 | – | 4 054 | 887 | 8 261 | 968 | 9 | 16 | 2 671 |
| 茨城 | 50 195 | 1 168 | 952 | 313 | – | 8 366 | 2 776 | 6 726 | 606 | 328 | 54 | 3 931 |
| 栃木 | 31 280 | 1 446 | 753 | 237 | 11 | 5 394 | 1 806 | 7 031 | 644 | 17 | 321 | 2 069 |
| 群馬 | 39 160 | 1 115 | 386 | – | 165 | 6 608 | 890 | 7 261 | 727 | 97 | 81 | 4 595 |
| 埼玉 | 80 059 | 1 884 | 964 | 296 | 67 | 11 810 | 7 247 | 12 595 | 414 | 150 | 305 | 3 740 |
| 千葉 | 117 895 | 2 692 | 1 081 | 471 | 366 | 18 485 | 7 780 | 19 838 | 1 895 | 33 | 12 | 10 005 |
| 東京 | 214 990 | 7 762 | 4 105 | 1 | 387 | 30 904 | 10 774 | 29 600 | 208 | 118 | 190 | 21 995 |
| 神奈川 | 83 712 | 3 821 | 2 204 | 202 | 189 | 15 202 | 8 618 | 10 065 | 864 | 244 | 6 | 8 071 |
| 新潟 | 65 270 | 901 | 956 | – | 161 | 6 281 | 4 534 | 10 670 | 1 190 | 33 | 30 | 4 843 |
| 富山 | 13 732 | 139 | 82 | – | 1 | 1 615 | 1 109 | 3 443 | 435 | 5 | 24 | 1 203 |
| 石川 | 13 534 | 383 | 105 | 180 | 211 | 2 902 | 524 | 1 753 | 146 | 1 | – | 299 |
| 福井 | 5 724 | 78 | 28 | – | – | 2 050 | 326 | 1 326 | 1 | – | 2 | 258 |
| 山梨 | 10 063 | 476 | 297 | – | 43 | 2 788 | 1 056 | 866 | 42 | 17 | 11 | 847 |
| 長野 | 39 447 | 656 | 323 | 17 | – | 9 692 | 1 545 | 5 953 | 191 | 81 | 202 | 4 759 |
| 岐阜 | 37 047 | 573 | 256 | 727 | 219 | 7 828 | 1 128 | 4 059 | 701 | 27 | 15 | 3 621 |
| 静岡 | 69 059 | 1 061 | 1 042 | 736 | – | 10 786 | 4 333 | 9 425 | 210 | 7 | 36 | 8 512 |
| 愛知 | 117 975 | 1 442 | 720 | 584 | 1 152 | 20 619 | 6 375 | 13 669 | 723 | 46 | 15 | 6 111 |
| 三重 | 16 801 | 63 | 159 | 229 | – | 3 239 | 1 083 | 2 633 | 378 | 5 | 9 | 713 |
| 滋賀 | 30 599 | 806 | 389 | – | 27 | 5 793 | 2 421 | 3 323 | 74 | 1 | 4 | 2 352 |
| 京都 | 40 419 | 1 748 | 766 | 1 | – | 6 726 | 4 505 | 6 435 | 682 | 180 | 106 | 1 582 |
| 大阪 | 88 875 | 5 450 | 2 244 | – | 161 | 10 482 | 10 595 | 11 113 | 243 | 77 | 78 | 6 059 |
| 兵庫 | 77 442 | 1 331 | 575 | 1 198 | 3 | 14 877 | 3 739 | 11 242 | 320 | 140 | 75 | 7 221 |
| 奈良 | 20 508 | 579 | 357 | 196 | 3 | 3 330 | 2 429 | 3 628 | 227 | 22 | 7 | 1 832 |
| 和歌山 | 19 260 | 618 | 224 | – | 210 | 2 338 | 1 080 | 3 014 | 617 | 47 | 7 | 783 |
| 鳥取 | 8 940 | 231 | 67 | – | 1 | 2 357 | 555 | 2 512 | 38 | 7 | – | 635 |
| 島根 | 18 937 | 552 | 224 | – | 8 | 3 551 | 1 897 | 2 575 | 435 | 1 | – | 1 523 |
| 岡山 | 19 405 | 846 | 392 | 186 | 197 | 3 315 | 550 | 3 889 | 14 | 56 | 45 | 1 106 |
| 広島 | 43 113 | 706 | 263 | 334 | 3 | 11 050 | 1 618 | 4 447 | 535 | 5 | 173 | 1 777 |
| 山口 | 27 796 | 184 | 84 | 613 | 201 | 6 521 | 2 220 | 4 042 | 109 | – | – | 246 |
| 徳島 | 16 178 | 416 | 217 | – | 2 | 1 986 | 920 | 3 215 | 332 | 5 | 18 | 1 364 |
| 香川 | 24 037 | 185 | 86 | 286 | – | 5 932 | 1 540 | 4 743 | 30 | 6 | – | 465 |
| 愛媛 | 19 141 | 299 | 153 | 355 | – | 1 876 | 155 | 4 113 | 371 | 25 | 1 | 782 |
| 高知 | 14 891 | 254 | 59 | 276 | – | 1 383 | 645 | 755 | 211 | 1 | 1 | 858 |
| 福岡 | 70 817 | 1 011 | 342 | 129 | 1 725 | 14 039 | 7 652 | 10 198 | 3 366 | 5 | 490 | 1 679 |
| 佐賀 | 18 577 | 269 | 147 | – | 51 | 2 160 | 362 | 3 519 | 1 175 | 3 | – | 965 |
| 長崎 | 34 693 | 883 | 379 | 1 | 1 | 6 118 | 1 398 | 3 589 | 819 | 8 | 84 | 1 729 |
| 熊本 | 58 077 | 1 059 | 771 | – | 184 | 5 167 | 833 | 13 971 | 3 219 | 7 | 392 | 4 166 |
| 大分 | 21 509 | 211 | 232 | 428 | 3 | 3 581 | 662 | 4 935 | 40 | 3 | 1 | 1 077 |
| 宮崎 | 30 602 | 445 | 94 | – | – | 5 381 | 1 161 | 7 572 | 790 | – | 14 | 735 |
| 鹿児島 | 60 520 | 753 | 558 | 427 | 14 | 12 061 | 3 995 | 12 256 | 2 682 | 129 | 79 | 4 571 |
| 沖縄 | 44 498 | 42 | 60 | 180 | – | 9 218 | 785 | 8 094 | 482 | 34 | 26 | 161 |
| 指定都市・特別区(再掲) | | | | | | | | | | | | |
| 東京都区部 | 120 262 | 5 820 | 2 864 | – | – | 12 229 | 6 078 | 18 723 | – | 64 | 161 | 10 545 |
| 札幌市 | 31 623 | 968 | 103 | – | – | 4 229 | 442 | 5 232 | 1 | – | – | 440 |
| 仙台市 | 33 341 | 230 | 36 | – | – | 4 520 | 1 892 | 6 458 | – | – | – | 339 |
| さいたま市 | 9 611 | – | 72 | – | – | 664 | 1 092 | 272 | – | – | – | 167 |
| 千葉市 | 19 418 | 307 | – | – | – | 3 452 | 1 777 | 3 498 | – | – | – | 1 478 |
| 横浜市 | 21 566 | 2 471 | 1 132 | – | – | 4 723 | 2 541 | 4 580 | 550 | – | – | 3 630 |
| 川崎市 | 7 045 | – | – | – | – | 746 | 835 | 1 927 | 245 | – | – | 652 |
| 相模原市 | 4 313 | 225 | – | 198 | – | 255 | – | 53 | – | – | – | 110 |
| 新潟市 | 23 735 | 244 | 427 | – | 160 | 1 804 | 1 257 | 3 125 | 285 | 3 | – | 2 402 |
| 静岡市 | 12 350 | 303 | 218 | 259 | – | 1 581 | 1 774 | 1 792 | – | – | – | 2 289 |
| 浜松市 | 21 418 | 367 | 590 | 477 | – | 3 341 | 601 | 829 | – | – | – | 3 205 |
| 名古屋市 | 31 934 | 579 | 155 | 1 | 1 | 2 129 | 2 355 | 1 696 | – | – | 1 | 207 |
| 京都市 | 10 003 | 861 | 418 | – | – | 882 | 3 688 | 2 873 | – | – | 4 | 532 |
| 大阪市 | 2 331 | 723 | 395 | – | – | – | 144 | 56 | 6 | 10 | – | 238 |
| 堺市 | 6 187 | 1 465 | 491 | – | 13 | – | 1 567 | 1 544 | – | 4 | – | 436 |
| 神戸市 | 15 920 | 146 | 23 | – | 1 | 4 035 | 1 693 | 1 901 | – | – | – | 3 397 |
| 岡山市 | 3 501 | 502 | 191 | – | – | 563 | 221 | 1 048 | 6 | 6 | – | 307 |
| 広島市 | 18 338 | 253 | 101 | – | – | 4 887 | 696 | 2 098 | – | – | – | 106 |
| 北九州市 | 240 | – | – | – | – | – | – | – | – | – | – | – |
| 福岡市 | 20 754 | 114 | – | – | 1 628 | 3 838 | 3 078 | 1 363 | – | 1 | – | 266 |
| 熊本市 | 18 277 | 327 | 479 | – | 164 | 1 277 | – | 2 940 | 99 | – | 392 | 1 186 |

# 勤職員延数，都道府県－指定都市・特別区－中核市－その他政令市、職種別

平成29年度

| 診療放射線技師 | 診療エックス線技師 | 臨床検査技師 | 衛生検査技師 | 管理栄養士 | 栄養士 | その他 | （再掲）精神保健福祉士 | 食品衛生監視員 | 環境衛生監視員 | 医療監視員 |
|---|---|---|---|---|---|---|---|---|---|---|
| 5 367 | 399 | 12 709 | 1 801 | 153 103 | 51 986 | 816 733 | 18 419 | 11 326 | 8 739 | 8 634 |
| 3 | – | 51 | 5 | 6 664 | 4 124 | 41 812 | 117 | 104 | 105 | 7 |
| – | – | 155 | – | 1 411 | 1 014 | 14 436 | 131 | 149 | 190 | – |
| 73 | – | 78 | – | 1 692 | 1 021 | 12 164 | – | – | – | – |
| – | – | – | – | 4 824 | 2 713 | 27 284 | 340 | 329 | – | 182 |
| 189 | – | 230 | – | 730 | 743 | 11 187 | – | 2 | 189 | – |
| 253 | – | 321 | – | 499 | 912 | 9 160 | 44 | – | – | 244 |
| 376 | 7 | 435 | – | 1 825 | 1 677 | 19 092 | 70 | 1 | 1 | – |
| 1 | – | 31 | – | 5 712 | 1 914 | 17 317 | 295 | 458 | 460 | 315 |
| 20 | – | 271 | – | 1 590 | 572 | 9 098 | 501 | 1 | – | – |
| 161 | – | 292 | 3 | 4 264 | 580 | 11 935 | – | 286 | 3 | 9 |
| 124 | – | 57 | – | 4 423 | 1 821 | 34 162 | 423 | 52 | 1 | 4 |
| 273 | – | 328 | 151 | 6 491 | 1 568 | 46 426 | 3 769 | 557 | 552 | 352 |
| 1 659 | 186 | 2 797 | 1 642 | 12 661 | 3 704 | 86 297 | 2 445 | 1 806 | 1 210 | 1 377 |
| 239 | – | 631 | – | 6 881 | 2 000 | 24 475 | 1 315 | 806 | 333 | 567 |
| 12 | – | 66 | – | 2 680 | 3 473 | 29 440 | 412 | 601 | 361 | 66 |
| – | – | 135 | – | 391 | 366 | 4 784 | 31 | – | – | – |
| 199 | – | 397 | – | 1 948 | 213 | 4 273 | 12 | 210 | 210 | 3 |
| – | – | – | – | 615 | 38 | 1 002 | 1 | – | – | – |
| – | 1 | 1 | – | 706 | 125 | 2 787 | – | – | – | – |
| 8 | – | 259 | – | 4 684 | 1 264 | 9 813 | 26 | – | – | – |
| 72 | – | 415 | – | 3 093 | 1 298 | 13 015 | 190 | 1 143 | – | 173 |
| – | 1 | 2 | – | 6 396 | 1 818 | 24 694 | 125 | 434 | 175 | – |
| 198 | 192 | 774 | – | 4 220 | 533 | 60 602 | 379 | 202 | 964 | 1 309 |
| 115 | – | 273 | – | 1 310 | 172 | 6 420 | 161 | 229 | 229 | 406 |
| 17 | – | 71 | – | 2 849 | 554 | 11 918 | 148 | – | – | 1 |
| 67 | – | 364 | – | 3 002 | 259 | 13 996 | 24 | 185 | 8 | 1 |
| 233 | – | 126 | – | 4 946 | 438 | 36 630 | 455 | 179 | 177 | 1 |
| – | – | 466 | … | 3 775 | 1 748 | 30 732 | 604 | 932 | 196 | 199 |
| 23 | – | 4 | – | 1 667 | 450 | 5 754 | 275 | 1 | – | – |
| 2 | – | 16 | – | 1 627 | 780 | 7 897 | 447 | – | 2 | – |
| – | – | 21 | – | 985 | 11 | 1 520 | 190 | – | – | – |
| 17 | – | 7 | – | 910 | 658 | 6 579 | 3 | – | – | 25 |
| – | – | 483 | – | 1 251 | 937 | 6 138 | 585 | 742 | – | 183 |
| 1 | – | 1 | – | 2 104 | 1 801 | 18 295 | 233 | 350 | 350 | 970 |
| – | – | 12 | – | 2 052 | 720 | 10 792 | – | 397 | 1 | 1 |
| 82 | – | 814 | – | 3 988 | 26 | 2 793 | 7 | – | – | – |
| 3 | – | 164 | – | 1 532 | 39 | 9 026 | 576 | 392 | – | 237 |
| – | – | 1 | – | 1 334 | 700 | 8 976 | 477 | – | – | – |
| – | – | 244 | – | 945 | 1 065 | 8 194 | 2 | 92 | – | – |
| 119 | – | 162 | – | 7 535 | 634 | 21 731 | 2 227 | 283 | 276 | 1 446 |
| – | – | 5 | – | 2 013 | 429 | 7 479 | – | – | – | 11 |
| 146 | – | 7 | – | 5 104 | 773 | 13 654 | – | 179 | 169 | 327 |
| – | – | 977 | – | 6 024 | 2 526 | 18 781 | 3 | 1 | 1 760 | – |
| 379 | – | 255 | – | 2 406 | 889 | 6 407 | – | 222 | 816 | 26 |
| – | – | 50 | – | 1 479 | 828 | 12 053 | – | – | – | 191 |
| – | – | 451 | – | 2 508 | 1 165 | 18 871 | 593 | 1 | 1 | 1 |
| 303 | 12 | 9 | – | 7 357 | 893 | 16 842 | 783 | – | – | – |
| 1 073 | 186 | 2 234 | 1 642 | 7 392 | 2 471 | 48 780 | 1 814 | 1 626 | 1 023 | 626 |
| – | – | – | – | 1 935 | 263 | 18 010 | – | – | – | – |
| – | – | – | – | 2 920 | 577 | 16 369 | 293 | 329 | – | 182 |
| – | – | – | – | 125 | 55 | 7 164 | – | – | – | – |
| – | – | 86 | – | 1 934 | – | 6 886 | 2 123 | – | – | – |
| – | – | – | – | 734 | 470 | 735 | 294 | – | – | – |
| 200 | – | 538 | – | 413 | 418 | 1 071 | – | – | – | 378 |
| – | – | – | – | 42 | 54 | 3 376 | – | 198 | 198 | – |
| – | – | 55 | – | 473 | 583 | 12 917 | 183 | 588 | 348 | 28 |
| – | – | – | – | 1 336 | 158 | 2 640 | 1 | 259 | – | – |
| – | – | – | – | 1 405 | 63 | 10 540 | 87 | 175 | 175 | – |
| 6 | – | – | – | 335 | 117 | 24 352 | 189 | – | 1 | – |
| – | – | – | – | 90 | 77 | 578 | – | – | – | – |
| – | – | – | – | – | – | 759 | – | – | – | – |
| – | – | 65 | – | 12 | – | 590 | – | 1 | – | 1 |
| – | – | 80 | – | 1 016 | 86 | 3 542 | – | – | – | – |
| – | – | 73 | – | – | 218 | 366 | – | – | – | – |
| – | – | – | – | 117 | 71 | 10 009 | – | – | – | – |
| – | – | – | – | 178 | 62 | – | – | – | – | – |
| 1 | – | – | – | 803 | 112 | 9 550 | 1 921 | 155 | 148 | 1 446 |
| – | – | 958 | – | 768 | 164 | 9 523 | 1 | 1 | 1 760 | – |

## 第28表（2－2）保健所及び市区町村で年度中に活動した非常

| | 総　数 | 医　師 | 歯科医師 | 獣医師 | 薬剤師 | 保健師 | 助産師 | 看護師 | 准看護師 | 理　学療法士 | 作　業療法士 | 歯　科衛生士 |
|---|---|---|---|---|---|---|---|---|---|---|---|---|
| 中核市(再掲) | | | | | | | | | | | | |
| 旭　川　市 | 11 182 | 83 | 19 | 874 | 20 | 3 469 | － | 295 | － | － | － | 74 |
| 函　館　市 | 7 240 | 143 | － | 533 | － | 526 | － | 511 | － | － | － | － |
| 青　森　市 | 6 079 | 12 | 28 | － | 1 | 487 | 406 | 1 174 | － | － | － | 65 |
| 八　戸　市 | 6 396 | － | － | 183 | － | － | － | 3 117 | － | － | － | － |
| 盛　岡　市 | 4 810 | － | － | － | － | 1 973 | 378 | 675 | － | － | 189 | － |
| 秋　田　市 | 1 670 | － | － | 2 | － | 579 | 212 | － | － | － | － | 8 |
| 郡　山　市 | 4 551 | － | － | － | － | 148 | － | 1 013 | － | － | － | 148 |
| い　わ　き　市 | 8 687 | － | － | － | － | 780 | － | 2 080 | － | － | － | 260 |
| 宇　都　宮　市 | 7 950 | 233 | － | － | － | 767 | － | 1 938 | － | － | 174 | 404 |
| 前　橋　市 | 6 787 | 7 | － | － | 163 | 968 | － | 446 | － | － | － | 483 |
| 高　崎　市 | 1 875 | 63 | － | － | － | 674 | 45 | 641 | － | － | － | － |
| 川　越　市 | 3 756 | 208 | 77 | － | － | 501 | 263 | 1 210 | － | － | － | 142 |
| 越　谷　市 | 2 851 | － | － | 295 | － | 93 | － | 388 | － | － | － | 79 |
| 船　橋　市 | 14 916 | 21 | 131 | － | 2 | 2 837 | 954 | 2 448 | － | － | － | 777 |
| 柏　　市 | 5 132 | － | － | 280 | － | 1 051 | 246 | 540 | － | － | － | 547 |
| 八　王　子　市 | 14 734 | 147 | 159 | － | － | 4 966 | 177 | 571 | 10 | 6 | － | 591 |
| 横　須　賀　市 | 1 707 | 14 | 65 | － | － | 243 | － | － | － | － | － | 684 |
| 富　山　市 | 1 783 | － | － | － | 1 | － | － | 1 023 | － | － | － | 184 |
| 金　沢　市 | 4 681 | 306 | 67 | 180 | 210 | 1 493 | － | 398 | － | － | － | 163 |
| 長　野　市 | 4 443 | － | － | － | － | 705 | － | 939 | － | － | － | 269 |
| 岐　阜　市 | 4 474 | 14 | － | 500 | 219 | 546 | － | － | － | － | － | 385 |
| 豊　橋　市 | 7 588 | 33 | 2 | － | － | 1 100 | 605 | 682 | － | － | － | 155 |
| 豊　田　市 | 3 965 | － | － | － | － | 1 083 | 36 | 758 | － | － | － | － |
| 岡　崎　市 | 8 134 | 3 | － | 405 | － | 1 013 | 647 | 1 869 | － | － | － | 64 |
| 大　津　市 | 8 031 | 250 | 3 | － | － | 1 609 | 506 | 1 329 | － | － | － | 405 |
| 高　槻　市 | 4 222 | － | － | － | － | 1 524 | 539 | 360 | － | － | － | － |
| 東　大　阪　市 | 51 | － | － | － | － | － | － | － | － | － | － | － |
| 豊　中　市 | 10 377 | 151 | 93 | － | － | 1 230 | 1 461 | 503 | － | － | 6 | 520 |
| 枚　方　市 | 7 986 | 140 | 105 | － | － | 823 | － | 537 | 57 | － | － | 604 |
| 姫　路　市 | 9 510 | － | － | 634 | － | 561 | 433 | 3 245 | － | － | － | 181 |
| 西　宮　市 | 5 333 | － | － | 233 | － | 900 | － | 225 | 180 | － | － | － |
| 尼　崎　市 | 8 696 | 129 | － | － | － | 2 031 | － | 825 | － | － | － | 547 |
| 奈　良　市 | 5 348 | － | － | 196 | － | 959 | 617 | 1 314 | 14 | － | － | 36 |
| 和　歌　山　市 | 6 267 | 36 | － | － | 206 | 200 | 324 | 843 | － | － | － | 138 |
| 倉　敷　市 | 4 825 | 108 | 88 | － | － | 68 | － | 985 | － | － | 3 | 335 |
| 福　山　市 | 2 098 | 249 | 109 | 331 | － | 28 | 4 | 85 | 8 | 4 | 2 | 184 |
| 呉　　市 | 317 | 39 | 5 | 2 | － | － | － | 113 | － | － | － | 3 |
| 下　関　市 | 7 000 | 56 | 59 | － | － | 1 175 | 396 | 1 124 | － | － | － | － |
| 高　松　市 | 11 805 | － | － | 286 | － | 2 543 | 535 | 2 628 | － | － | － | 159 |
| 松　山　市 | 6 792 | － | － | 355 | － | 563 | － | 1 373 | － | － | － | 101 |
| 高　知　市 | 3 273 | 16 | － | 276 | － | 553 | － | 176 | － | － | － | 176 |
| 久　留　米　市 | 6 424 | － | － | 128 | － | 2 169 | 220 | 557 | － | － | － | 97 |
| 長　崎　市 | 5 971 | 443 | 243 | － | － | 1 439 | － | 592 | 155 | － | － | 510 |
| 佐　世　保　市 | 5 511 | 36 | － | － | － | 264 | 504 | 776 | 209 | － | 12 | 187 |
| 大　分　市 | 7 851 | 35 | 168 | 211 | － | 1 072 | － | 2 220 | － | － | － | 702 |
| 宮　崎　市 | 14 351 | － | － | － | － | 3 318 | 536 | 3 927 | 108 | － | － | 399 |
| 鹿　児　島　市 | 14 836 | 37 | － | 40 | － | 2 978 | 1 537 | 3 216 | － | － | － | 893 |
| 那　覇　市 | 3 677 | － | － | － | － | 1 308 | － | 182 | － | － | － | － |
| その他政令市(再掲) | | | | | | | | | | | | |
| 小　樽　市 | 1 027 | － | － | － | － | 219 | － | 98 | 70 | － | － | 334 |
| 町　田　市 | 9 202 | － | － | － | 192 | 2 702 | 219 | 1 028 | 83 | － | － | 1 377 |
| 藤　沢　市 | 6 990 | 79 | 97 | － | － | 1 207 | 675 | 779 | － | － | － | 496 |
| 茅　ヶ　崎　市 | 2 159 | － | 175 | － | － | 483 | 117 | 114 | － | － | － | 333 |
| 四　日　市　市 | 2 470 | － | 92 | 229 | － | 202 | － | 264 | 36 | － | － | － |
| 大　牟　田　市 | 2 467 | － | － | － | － | － | 9 | 326 | － | － | － | 124 |

# 勤職員延数，都道府県－指定都市・特別区－中核市－その他政令市、職種別

平成29年度

| 診療放射線技師 | 診療エックス線技師 | 臨床検査技師 | 衛生検査技師 | 管理栄養士 | 栄養士 | その他 | （再掲）精神保健福祉士 | 食品衛生監視員 | 環境衛生監視員 | 医療監視員 |
|---|---|---|---|---|---|---|---|---|---|---|
| – | – | 27 | – | 349 | 566 | 5 406 | – | – | – | – |
| – | – | – | – | 177 | – | 5 350 | – | 88 | 89 | – |
| – | – | 27 | – | 461 | 81 | 3 337 | 1 | – | 190 | – |
| – | – | – | – | – | 181 | 2 915 | – | 148 | – | – |
| – | – | – | – | – | – | 1 595 | – | – | – | – |
| – | – | 168 | – | – | 178 | 523 | – | 2 | – | – |
| – | – | 211 | – | – | 526 | 2 505 | – | – | – | – |
| 239 | – | 224 | – | 130 | 110 | 4 864 | 19 | – | – | – |
| 20 | – | 3 | – | 648 | – | 3 763 | 326 | 1 | – | – |
| 159 | – | 146 | – | 640 | – | 3 775 | – | 282 | – | – |
| – | – | – | – | 191 | 48 | 213 | – | – | – | – |
| 101 | – | – | – | 53 | 15 | 1 186 | – | – | – | – |
| – | – | – | – | 61 | 117 | 1 818 | – | 49 | – | – |
| – | – | – | 151 | 400 | 52 | 7 143 | 1 638 | – | – | 151 |
| – | – | – | – | 156 | 161 | 2 151 | – | – | – | – |
| 227 | – | 63 | – | 720 | 58 | 7 039 | 215 | – | 187 | 367 |
| – | – | 5 | – | 5 | – | 691 | 333 | – | – | – |
| – | – | 1 | – | 75 | 105 | 394 | – | – | – | – |
| 198 | – | 180 | – | 583 | 60 | 843 | – | 210 | 210 | 3 |
| – | – | 235 | – | – | – | 2 295 | – | – | – | – |
| – | – | – | – | – | – | 2 810 | – | – | – | – |
| 2 | – | 188 | – | 76 | 44 | 4 701 | – | – | – | 558 |
| – | – | 12 | – | 63 | – | 2 013 | – | – | – | – |
| – | – | – | – | 446 | 206 | 3 481 | – | 200 | 200 | – |
| – | – | 13 | – | 172 | 288 | 3 456 | – | – | – | – |
| – | – | – | – | 476 | – | 1 323 | – | – | – | – |
| – | – | – | – | – | – | 51 | – | – | – | – |
| – | – | – | – | – | 119 | 6 294 | 315 | – | – | – |
| – | – | – | – | 361 | – | 5 359 | 140 | – | – | – |
| – | – | 158 | – | 41 | 459 | 3 798 | 115 | 308 | – | – |
| – | – | 180 | – | 360 | – | 3 255 | 150 | – | – | – |
| – | – | – | – | 222 | – | 4 942 | – | 428 | – | – |
| – | – | – | – | 621 | 96 | 1 495 | – | – | – | – |
| – | – | – | – | 210 | – | 4 310 | 447 | – | – | – |
| – | – | 33 | – | 203 | 338 | 2 664 | 585 | 406 | – | 183 |
| – | – | – | – | 1 | 199 | 894 | – | – | – | – |
| – | – | – | – | – | 6 | 149 | – | – | – | – |
| – | – | – | – | 594 | 314 | 3 282 | – | 396 | – | – |
| – | – | 164 | – | 536 | – | 4 954 | 457 | 392 | – | – |
| – | – | – | – | 249 | 186 | 3 965 | 465 | – | – | – |
| – | – | 244 | – | – | – | 1 832 | – | – | – | – |
| – | – | – | – | 76 | – | 3 177 | – | 128 | 128 | – |
| 146 | – | – | – | 393 | 23 | 2 027 | – | 179 | 169 | 327 |
| – | – | – | – | 633 | – | 2 890 | – | – | – | – |
| – | – | 211 | – | 178 | 729 | 2 325 | – | 220 | 816 | – |
| – | – | – | – | 435 | – | 5 628 | – | – | – | 170 |
| – | – | 390 | – | 555 | 122 | 5 068 | 488 | 1 | 1 | 1 |
| – | – | – | – | 338 | – | 1 849 | – | – | – | – |
| – | – | – | – | – | 306 | – | – | – | – | – |
| 186 | – | – | – | 208 | 450 | 2 757 | – | 180 | – | 384 |
| 20 | – | – | – | 502 | – | 3 135 | 411 | 153 | 135 | – |
| 2 | – | – | – | 208 | 15 | 712 | – | – | – | – |
| – | – | – | – | 162 | – | 1 485 | 161 | 229 | 229 | – |
| – | – | – | – | 22 | 8 | 1 978 | – | – | – | – |

# 第２章　保健所編

## 利用上の注意

（１）「政令市」とは保健所を設置する市、「特別区」とは東京都区部である。

（２）表章記号の規約

| | |
|---|---|
| 計数のない場合 | － |
| 計数不明又は計数を表章することが不適当な場合 | … |
| 統計項目がありえない場合 | ・ |

# 第1表(2－1) 保健所が実施した健康診断受診延人員・事業所からの受託

| | 総数 | (再掲)事業所からの受託 | 結核 | | | 精神 | 療育 | 生 |
|---|---|---|---|---|---|---|---|---|
| | | | 総数 | 定期 | 接触者健診 | | | 総数 |
| **全国** | **1 348 741** | **6 299** | **1 288 501** | **1 177 192** | **111 309** | **2 531** | **2 668** | **14 823** |
| 北海道 | 60 258 | － | 60 074 | 57 543 | 2 531 | 27 | － | － |
| 青森 | 1 181 | － | 938 | 22 | 916 | － | 28 | － |
| 岩手 | 39 139 | － | 39 068 | 37 986 | 1 082 | － | － | － |
| 宮城 | 87 113 | － | 86 942 | 85 496 | 1 446 | － | － | － |
| 秋田 | 34 115 | － | 34 078 | 33 796 | 282 | － | － | － |
| 山形 | 174 340 | － | 174 227 | 173 439 | 788 | 4 | － | － |
| 福島 | 86 501 | － | 86 501 | 84 868 | 1 633 | － | － | － |
| 茨城 | 2 220 | － | 1 867 | － | 1 867 | 221 | 15 | － |
| 栃木 | 1 662 | － | 1 107 | － | 1 107 | 41 | 159 | － |
| 群馬 | 28 557 | 603 | 28 243 | 27 186 | 1 057 | 25 | － | － |
| 埼玉 | 38 060 | － | 38 033 | 30 093 | 7 940 | 7 | － | － |
| 千葉 | 43 626 | － | 42 943 | 38 502 | 4 441 | － | － | － |
| 東京 | 167 911 | 5 690 | 147 058 | 129 613 | 17 445 | 773 | － | 8 668 |
| 神奈川 | 31 545 | － | 29 731 | 21 432 | 8 299 | － | 922 | － |
| 新潟 | 31 799 | － | 31 377 | 29 570 | 1 807 | － | 383 | － |
| 富山 | 1 261 | … | 1 028 | … | 1 028 | 25 | 20 | … |
| 石川 | 1 839 | － | 1 314 | － | 1 314 | － | － | － |
| 福井 | 1 185 | － | 1 019 | － | 1 019 | － | － | － |
| 山梨 | 341 | － | 341 | 10 | 331 | － | － | － |
| 長野 | 1 344 | － | 1 040 | － | 1 040 | 82 | 30 | － |
| 岐阜 | 2 322 | － | 1 680 | 90 | 1 590 | 27 | － | － |
| 静岡 | 87 570 | － | 87 462 | 86 001 | 1 461 | － | － | － |
| 愛知 | 6 590 | － | 6 212 | 556 | 5 656 | 10 | … | － |
| 三重 | 1 460 | － | 1 456 | － | 1 456 | － | － | － |
| 滋賀 | 1 022 | － | 1 022 | － | 1 022 | － | － | － |
| 京都 | 33 717 | － | 30 347 | 27 435 | 2 912 | 46 | 2 | － |
| 大阪 | 30 651 | … | 26 633 | 17 032 | 9 601 | 738 | 476 | … |
| 兵庫 | 57 527 | － | 54 226 | 51 471 | 2 755 | － | － | － |
| 奈良 | 32 092 | － | 32 001 | 30 592 | 1 409 | － | － | － |
| 和歌山 | 3 301 | － | 2 295 | 1 418 | 877 | 89 | 295 | － |
| 鳥取 | 57 044 | － | 56 960 | 56 406 | 554 | － | － | － |
| 島根 | 1 003 | － | 625 | － | 625 | － | － | － |
| 岡山 | 18 | － | － | － | － | 18 | － | － |
| 広島 | 2 426 | － | 1 958 | 321 | 1 637 | 295 | － | － |
| 山口 | 17 002 | － | 16 975 | 16 755 | 220 | 1 | － | － |
| 徳島 | 1 055 | － | 970 | 209 | 761 | － | － | － |
| 香川 | 68 272 | － | 68 267 | 66 636 | 1 631 | － | － | － |
| 愛媛 | 19 816 | － | 19 796 | 19 248 | 548 | － | － | － |
| 高知 | 853 | － | 484 | 51 | 433 | － | － | 260 |
| 福岡 | 70 987 | － | 55 777 | 47 417 | 8 360 | 16 | － | 5 895 |
| 佐賀 | 866 | － | 495 | － | 495 | 15 | 121 | － |
| 長崎 | 2 820 | － | 2 255 | 16 | 2 239 | 27 | － | － |
| 熊本 | 2 690 | － | 1 228 | － | 1 228 | － | － | － |
| 大分 | 3 819 | － | 3 561 | － | 3 561 | － | 143 | － |
| 宮崎 | 1 382 | － | 1 143 | － | 1 143 | 18 | － | － |
| 鹿児島 | 6 520 | 6 | 6 378 | 5 982 | 396 | 26 | 74 | － |
| 沖縄 | 1 919 | － | 1 366 | － | 1 366 | － | － | － |
| 指定都市・特別区(再掲) | | | | | | | | |
| 東京都区部 | 157 237 | 647 | 140 470 | 126 036 | 14 434 | 773 | － | 8 668 |
| 札幌市 | － | － | － | － | － | － | － | － |
| 仙台市 | － | － | － | － | － | － | － | － |
| さいたま市 | 2 042 | － | 2 042 | － | 2 042 | － | － | － |
| 千葉市 | － | － | － | － | － | － | － | － |
| 横浜市 | 11 438 | － | 10 167 | 5 917 | 4 250 | － | 922 | － |
| 川崎市 | 1 718 | － | 1 484 | 89 | 1 395 | － | － | － |
| 相模原市 | 505 | － | 345 | － | 345 | － | － | － |
| 新潟市 | 30 509 | － | 30 472 | 29 569 | 903 | － | － | － |
| 静岡市 | － | － | － | － | － | － | － | － |
| 浜松市 | － | － | － | － | － | － | － | － |
| 名古屋市 | 2 405 | － | 2 405 | 556 | 1 849 | － | － | － |
| 京都市 | 31 836 | － | 28 924 | 27 428 | 1 496 | － | － | － |
| 大阪市 | 19 536 | － | 19 536 | 15 887 | 3 649 | － | － | － |
| 堺市 | － | － | － | － | － | － | － | － |
| 神戸市 | 51 999 | － | 51 999 | 51 471 | 528 | － | － | － |
| 岡山市 | － | － | － | － | － | － | － | － |
| 広島市 | 184 | － | 184 | － | 184 | － | － | － |
| 北九州市 | 927 | － | 927 | － | 927 | － | － | － |
| 福岡市 | 30 144 | － | 15 175 | 9 678 | 5 497 | － | － | 5 895 |
| 熊本市 | 2 629 | － | 1 167 | － | 1 167 | － | － | － |

## による受診延人員, 都道府県－指定都市・特別区－中核市－その他政令市、健康診断の種類別

平成29年度

| 生活習慣病 悪性新生物 | 生活習慣病 循環器疾患 | 生活習慣病 その他 | 母子 妊婦 | 母子 産婦 | 母子 乳児（療育を除く。） | 母子 幼児（療育を除く。） | 一般 | その他 |
|---|---|---|---|---|---|---|---|---|
| … | 647 | 14 176 | … | 3 | 35 | 928 | 14 840 | 24 412 |
| － | － | － | － | － | － | － | － | 157 |
| － | － | － | － | － | － | － | － | 215 |
| － | － | － | － | － | － | － | － | 71 |
| － | － | － | － | － | － | － | － | 171 |
| － | － | － | － | － | － | 14 | 23 | － |
| － | － | － | － | － | － | － | － | 109 |
| － | － | － | － | － | － | － | － | － |
| － | － | － | － | － | － | 117 | － | － |
| － | － | － | － | － | 1 | 154 | － | 200 |
| － | － | － | － | 3 | － | － | － | 286 |
| － | － | － | － | － | － | 2 | 18 | － |
| － | － | － | － | － | － | － | － | 683 |
| － | 647 | 8 021 | － | － | － | － | 6 395 | 5 017 |
| － | － | － | － | － | － | － | 160 | 732 |
| － | － | － | － | － | － | － | － | 39 |
| … | … | … | － | － | 6 | 43 | … | 139 |
| － | － | － | － | － | － | － | － | 525 |
| － | － | － | － | － | － | － | － | 166 |
| － | － | － | － | － | － | － | － | － |
| － | － | － | － | － | － | 17 | 9 | 166 |
| － | － | － | － | － | － | － | － | 615 |
| － | － | － | － | － | － | － | 82 | 26 |
| － | － | － | － | － | － | － | － | 368 |
| － | － | － | － | － | － | － | － | 4 |
| － | － | － | － | － | － | － | － | － |
| － | － | － | － | － | － | 396 | － | 2 926 |
| … | … | … | … | … | … | … | … | 2 804 |
| － | － | － | － | － | － | － | 2 758 | 543 |
| － | － | － | － | － | － | － | 6 | 85 |
| － | － | － | － | － | － | － | 306 | 316 |
| － | － | － | － | － | － | － | － | 84 |
| － | － | － | － | － | － | － | － | 378 |
| － | － | － | － | － | － | － | － | － |
| － | － | － | － | － | － | － | － | 173 |
| － | － | － | － | － | 1 | 25 | － | － |
| － | － | － | － | － | － | 9 | 9 | 67 |
| － | － | － | － | － | － | － | － | 5 |
| － | － | － | － | － | － | － | － | 20 |
| － | － | 260 | － | － | － | － | － | 109 |
| － | － | 5 895 | － | － | 27 | 131 | 5 040 | 4 101 |
| － | － | － | － | － | － | － | － | 235 |
| － | － | － | － | － | － | － | － | 538 |
| － | － | － | － | － | － | － | － | 1 462 |
| － | － | － | － | － | － | － | － | 115 |
| － | － | － | － | － | － | － | 34 | 187 |
| － | － | － | － | － | － | 20 | － | 22 |
| － | － | － | － | － | － | － | － | 553 |
| － | 647 | 8 021 | · | · | · | · | 2 725 | 4 601 |
| － | － | － | · | · | · | · | － | － |
| － | － | － | · | · | · | · | － | － |
| － | － | － | · | · | · | · | － | － |
| － | － | － | · | · | · | · | － | － |
| － | － | － | · | · | · | · | － | 349 |
| － | － | － | · | · | · | · | － | 234 |
| － | － | － | · | · | · | · | 160 | － |
| － | － | － | · | · | · | · | － | 37 |
| － | － | － | · | · | · | · | － | － |
| － | － | － | · | · | · | · | － | － |
| － | － | － | · | · | · | · | － | － |
| － | － | － | · | · | · | · | － | 2 912 |
| － | － | － | · | · | · | · | － | － |
| － | － | － | · | · | · | · | － | － |
| － | － | － | · | · | · | · | － | － |
| － | － | － | · | · | · | · | － | － |
| － | － | － | · | · | · | · | － | － |
| － | － | － | · | · | · | · | － | － |
| － | － | 5 895 | · | · | · | · | 5 040 | 4 034 |
| － | － | － | · | · | · | · | － | 1 462 |

# 第１表（２－２）保健所が実施した健康診断受診延人員・事業所からの受託

| | 総数 | （再掲）事業所からの受託 | 結核 総数 | 結核 定期 | 結核 接触者健診 | 精神 | 療育 | 生 総数 |
|---|---|---|---|---|---|---|---|---|
| 中核市(再掲) | | | | | | | | |
| 旭川市 | - | - | - | - | - | - | - | - |
| 函館市 | - | - | - | - | - | - | - | - |
| 青森市 | 175 | - | 175 | - | 175 | - | - | - |
| 八戸市 | 125 | - | - | - | - | - | - | - |
| 盛岡市 | 81 | - | 81 | - | 81 | - | - | - |
| 秋田市 | 34 006 | - | 34 006 | 33 796 | 210 | - | - | - |
| 郡山市 | 514 | - | 514 | - | 514 | - | - | - |
| いわき市 | 106 | - | 106 | - | 106 | - | - | - |
| 宇都宮市 | 339 | - | 339 | - | 339 | - | - | - |
| 前橋市 | 82 | - | 63 | - | 63 | 19 | - | - |
| 高崎市 | 18 627 | - | 18 591 | 18 430 | 161 | - | - | - |
| 川越市 | 231 | - | 231 | - | 231 | - | - | - |
| 越谷市 | 129 | - | 129 | - | 129 | - | - | - |
| 船橋市 | 659 | - | 633 | - | 633 | - | - | - |
| 柏市 | 17 992 | - | 17 873 | 17 264 | 609 | - | - | - |
| 八王子市 | 670 | - | 670 | - | 670 | - | - | - |
| 横須賀市 | 397 | - | 353 | - | 353 | - | - | - |
| 富山市 | 436 | … | 400 | … | 400 | … | … | … |
| 金沢市 | 673 | - | 366 | - | 366 | - | - | - |
| 長野市 | 68 | - | 68 | - | 68 | - | - | - |
| 岐阜市 | 351 | - | 317 | 90 | 227 | - | - | - |
| 豊橋市 | 303 | - | 303 | - | 303 | - | - | - |
| 豊田市 | 155 | - | 155 | - | 155 | - | … | - |
| 岡崎市 | 450 | - | 386 | - | 386 | - | - | - |
| 大津市 | 372 | - | 372 | - | 372 | - | - | - |
| 高槻市 | 561 | - | 232 | - | 232 | - | - | - |
| 東大阪市 | 1 537 | - | 1 489 | 1 145 | 344 | 48 | - | - |
| 豊中市 | 603 | - | 558 | - | 558 | 45 | - | - |
| 枚方市 | 562 | - | 314 | - | 314 | - | 87 | - |
| 姫路市 | 379 | - | 379 | - | 379 | - | - | - |
| 西宮市 | 170 | - | 156 | - | 156 | - | - | - |
| 尼崎市 | 3 118 | - | 314 | - | 314 | - | - | - |
| 奈良市 | 805 | - | 805 | 103 | 702 | - | - | - |
| 和歌山市 | 1 929 | - | 1 609 | 1 361 | 248 | 89 | - | - |
| 倉敷市 | 18 | - | - | - | - | 18 | - | - |
| 福山市 | 881 | - | 881 | 230 | 651 | - | - | - |
| 呉市 | 117 | - | 117 | 91 | 26 | - | - | - |
| 下関市 | - | - | - | - | - | - | - | - |
| 高松市 | 14 108 | - | 14 108 | 13 604 | 504 | - | - | - |
| 松山市 | 118 | - | 99 | - | 99 | - | - | - |
| 高知市 | 705 | - | 346 | - | 346 | - | - | 260 |
| 久留米市 | - | - | - | - | - | - | - | - |
| 長崎市 | 573 | - | 544 | - | 544 | 23 | - | - |
| 佐世保市 | 839 | - | 657 | - | 657 | - | - | - |
| 大分市 | 981 | - | 981 | - | 981 | - | - | - |
| 宮崎市 | 371 | - | 371 | - | 371 | - | - | - |
| 鹿児島市 | 6 022 | - | 6 022 | 5 982 | 40 | - | - | - |
| 那覇市 | 376 | - | 376 | - | 376 | - | - | - |
| その他政令市(再掲) | | | | | | | | |
| 小樽市 | 468 | - | 468 | - | 468 | - | - | - |
| 町田市 | 356 | - | 356 | - | 356 | - | - | - |
| 藤沢市 | 15 913 | - | 15 913 | 15 424 | 489 | - | - | - |
| 茅ヶ崎市 | 121 | - | 121 | - | 121 | - | - | - |
| 四日市市 | 95 | - | 95 | - | 95 | - | - | - |
| 大牟田市 | 13 944 | - | 13 928 | 13 796 | 132 | 16 | - | - |

# による受診延人員，都道府県－指定都市・特別区－中核市－その他政令市、健康診断の種類別

平成29年度

| 活習慣病<br>悪性新生物 | 循環器疾患 | その他 | 母子<br>妊婦 | 産婦 | 乳児（療育を除く。） | 幼児（療育を除く。） | 一般 | その他 |
|---|---|---|---|---|---|---|---|---|
| – | – | – | · | · | · | · | – | – |
| – | – | – | · | · | · | · | – | – |
| – | – | – | · | · | · | · | – | – |
| – | – | – | · | · | · | · | – | 125 |
| – | – | – | · | · | · | · | – | – |
| – | – | – | · | · | · | · | – | – |
| – | – | – | · | · | · | · | – | – |
| – | – | – | · | · | · | · | – | – |
| – | – | – | · | · | · | · | – | – |
| – | – | – | · | · | · | · | – | – |
| – | – | – | · | · | · | · | – | 36 |
| – | – | – | · | · | · | · | – | – |
| – | – | – | · | · | · | · | – | – |
| – | – | – | · | · | · | · | – | 26 |
| – | – | – | · | · | · | · | – | 119 |
| – | – | – | · | · | · | · | – | – |
| – | – | – | · | · | · | · | – | 44 |
| … | … | … | · | · | · | · | … | 36 |
| – | – | – | · | · | · | · | – | 307 |
| – | – | – | · | · | · | · | – | – |
| – | – | – | · | · | · | · | – | 34 |
| – | – | – | · | · | · | · | – | – |
| – | – | – | · | · | · | · | – | – |
| – | – | – | · | · | · | · | – | 64 |
| – | – | – | · | · | · | · | – | – |
| – | – | – | · | · | · | · | – | 329 |
| – | – | – | · | · | · | · | – | – |
| – | – | – | · | · | · | · | – | – |
| – | – | – | · | · | · | · | – | 161 |
| – | – | – | · | · | · | · | – | – |
| – | – | – | · | · | · | · | 6 | 8 |
| – | – | – | · | · | · | · | 2 752 | 52 |
| – | – | – | · | · | · | · | – | – |
| – | – | – | · | · | · | · | – | 231 |
| – | – | – | · | · | · | · | – | – |
| – | – | – | · | · | · | · | – | – |
| – | – | – | · | · | · | · | – | – |
| – | – | – | · | · | · | · | – | – |
| – | – | – | · | · | · | · | – | – |
| – | – | – | · | · | · | · | – | 19 |
| – | – | 260 | · | · | · | · | – | 99 |
| – | – | – | · | · | · | · | – | – |
| – | – | – | · | · | · | · | – | 6 |
| – | – | – | · | · | · | · | – | 182 |
| – | – | – | · | · | · | · | – | – |
| – | – | – | · | · | · | · | – | – |
| – | – | – | · | · | · | · | – | – |
| – | – | – | · | · | · | · | – | – |
| – | – | – | · | · | · | · | – | – |
| – | – | – | · | · | · | · | – | – |
| – | – | – | · | · | · | · | – | – |
| – | – | – | · | · | · | · | – | – |
| – | – | – | · | · | · | · | – | – |
| – | – | – | · | · | · | · | – | – |

# 第2表(3－1)　政令市及び特別区の設置する保健所が実施した妊産婦及び乳幼児の健康診査受診実人員－

| | 一般健康診 | | | | | | | | | | | | | |
|---|---|---|---|---|---|---|---|---|---|---|---|---|---|---|
| | 妊婦 | | 産婦 | | 乳児1～2か月 | | | 乳児3～5か月 | | | 乳児6～8か月 | | | |
| | 受診実人員 | 受診延人員 | 受診実人員 | 受診延人員 | 対象人員 | 受診実人員 | 受診延人員 | 対象人員 | 受診実人員 | 受診延人員 | 対象人員 | 受診実人員 | 受診延人員 | |
| 政令市 | 284 614 | 2 987 086 | 36 931 | 71 798 | 91 575 | 76 003 | 76 006 | 258 674 | 244 669 | 245 313 | 164 953 | 140 732 | 141 573 | |
| 指定都市・特別区(再掲) | | | | | | | | | | | | | | |
| 東京都区部 | 55 367 | 602 085 | 11 | 11 | 10 | 10 | 10 | 54 645 | 51 939 | 51 939 | 57 554 | 52 493 | 52 493 | |
| 札幌市 | - | - | - | - | - | - | - | - | - | - | - | - | - | |
| 仙台市 | 9 743 | 94 536 | - | - | 8 673 | 8 381 | 8 381 | 8 666 | 8 287 | 8 287 | 8 667 | 8 221 | 8 221 | |
| さいたま市 | - | - | - | - | - | - | - | - | - | - | - | - | - | |
| 千葉市 | - | - | - | - | - | - | - | - | - | - | - | - | - | |
| 横浜市 | 30 603 | 347 850 | 24 568 | 24 568 | 23 996 | 18 766 | 18 766 | 23 996 | 23 191 | 23 191 | 23 996 | 19 064 | 19 064 | |
| 川崎市 | 15 037 | 176 494 | 726 | 912 | - | - | - | 14 223 | 13 663 | 13 663 | 14 278 | 13 671 | 13 671 | |
| 相模原市 | - | - | - | - | - | - | - | - | - | - | - | - | - | |
| 新潟市 | - | - | - | - | - | - | - | - | - | - | - | - | - | |
| 静岡市 | - | - | - | - | - | - | - | - | - | - | - | - | - | |
| 浜松市 | - | - | - | - | - | - | - | - | - | - | - | - | - | |
| 名古屋市 | 20 410 | 235 000 | … | 30 272 | 19 880 | 16 693 | 16 693 | 19 880 | 19 487 | 19 487 | - | - | - | |
| 京都市 | - | - | - | - | - | - | - | 10 666 | 10 430 | 10 816 | 10 718 | 10 470 | 11 310 | |
| 大阪市 | - | - | - | - | - | - | - | - | - | - | - | - | - | |
| 堺市 | - | - | - | - | - | - | - | - | - | - | - | - | - | |
| 神戸市 | - | - | - | - | - | - | - | - | - | - | - | - | - | |
| 岡山市 | 6 336 | 75 021 | - | - | 6 180 | 5 811 | 5 811 | 6 154 | 5 687 | 5 687 | 6 198 | 4 501 | 4 501 | |
| 広島市 | - | - | - | - | - | - | - | - | - | - | - | - | - | |
| 北九州市 | - | - | - | - | - | - | - | - | - | - | - | - | - | |
| 福岡市 | 14 725 | 180 938 | - | - | - | - | - | 14 464 | 14 090 | 14 090 | - | - | - | |
| 熊本市 | - | - | - | - | - | - | - | - | - | - | - | - | - | |
| 中核市(再掲) | | | | | | | | | | | | | | |
| 旭川市 | - | - | - | - | - | - | - | - | - | - | - | - | - | |
| 函館市 | - | - | - | - | - | - | - | - | - | - | - | - | - | |
| 青森市 | 1 768 | 21 918 | - | - | - | - | - | 1 824 | 1 765 | 1 765 | 1 807 | 1 792 | 1 792 | |
| 八戸市 | 1 722 | 20 128 | - | - | 1 611 | 834 | 834 | 1 611 | 1 449 | 1 449 | 1 611 | 615 | 615 | |
| 盛岡市 | - | - | - | - | - | - | - | - | - | - | - | - | - | |
| 秋田市 | - | - | - | - | - | - | - | - | - | - | - | - | - | |
| 郡山市 | - | - | - | - | - | - | - | - | - | - | - | - | - | |
| いわき市 | - | - | - | - | - | - | - | - | - | - | - | - | - | |
| 宇都宮市 | - | - | - | - | - | - | - | - | - | - | - | - | - | |
| 前橋市 | - | - | - | - | - | - | - | - | - | - | - | - | - | |
| 高崎市 | - | - | - | - | - | - | - | - | - | - | - | - | - | |
| 川越市 | 2 557 | 32 091 | - | - | - | - | - | 2 668 | 2 563 | 2 563 | - | - | - | |
| 越谷市 | - | - | - | - | - | - | - | - | - | - | - | - | - | |
| 船橋市 | 5 079 | 60 321 | - | - | - | - | - | 5 161 | 4 591 | 4 591 | - | - | - | |
| 柏市 | 5 179 | 39 438 | - | - | - | - | - | 4 326 | 2 986 | 2 986 | - | - | - | |
| 八王子市 | - | - | - | - | - | - | - | - | - | - | - | - | - | |
| 横須賀市 | - | - | - | - | - | - | - | - | - | - | - | - | - | |
| 富山市 | 3 834 | 36 727 | 933 | 933 | - | - | - | 3 159 | 3 070 | 3 070 | 3 569 | 2 827 | 2 827 | |
| 金沢市 | - | - | - | - | - | - | - | - | - | - | - | - | - | |
| 長野市 | 2 839 | 35 967 | - | - | - | - | - | 2 841 | 2 788 | 2 788 | 3 384 | 2 605 | 2 605 | |
| 岐阜市 | - | - | - | - | - | - | - | - | - | - | - | - | - | |
| 豊橋市 | 4 784 | 36 772 | - | - | 3 045 | 2 931 | 2 931 | 3 045 | 2 965 | 2 965 | - | - | - | |
| 豊田市 | - | - | - | - | - | - | - | - | - | - | - | - | - | |
| 岡崎市 | 3 916 | 45 124 | - | - | 3 933 | 3 546 | 3 546 | 3 575 | 3 518 | 3 518 | - | - | - | |
| 大津市 | 4 163 | 31 805 | - | - | - | - | - | 2 757 | 2 707 | 2 707 | - | - | - | |
| 高槻市 | - | - | - | - | - | - | - | - | - | - | - | - | - | |
| 東大阪市 | 3 456 | 30 857 | 2 863 | 2 863 | 3 371 | 3 371 | 3 371 | 3 355 | 3 302 | 3 302 | - | - | - | |
| 豊中市 | 3 501 | 40 286 | 1 319 | 1 914 | 3 534 | 2 911 | 2 911 | 3 593 | 3 479 | 3 479 | - | - | - | |
| 枚方市 | 2 878 | 33 567 | 1 141 | 1 836 | 2 729 | 2 298 | 2 298 | 2 795 | 2 706 | 2 706 | - | - | - | |
| 姫路市 | 6 739 | 53 573 | - | - | - | - | - | 4 399 | 4 295 | 4 295 | - | - | - | |
| 西宮市 | 6 475 | 51 341 | - | - | - | - | - | 4 126 | 4 032 | 4 032 | - | - | - | |
| 尼崎市 | 6 193 | 47 494 | - | - | - | - | - | 3 828 | 3 720 | 3 826 | - | - | - | |
| 奈良市 | 3 715 | 28 665 | - | - | - | - | - | 2 298 | 2 241 | 2 241 | - | - | - | |
| 和歌山市 | 2 708 | 33 235 | 849 | 849 | - | - | - | 2 721 | 2 677 | 2 829 | - | - | - | |
| 倉敷市 | 4 270 | 49 963 | - | - | - | - | - | 4 307 | 4 107 | 4 107 | 4 329 | 4 139 | 4 139 | |
| 福山市 | 6 166 | 59 597 | - | - | 4 516 | 2 613 | 2 616 | 4 956 | 3 849 | 3 849 | 5 054 | 2 543 | 2 544 | |
| 呉市 | 1 405 | 21 978 | - | - | 1 416 | 1 367 | 1 367 | 1 422 | 1 394 | 1 394 | 1 422 | 1 384 | 1 384 | |
| 下関市 | - | - | - | - | - | - | - | - | - | - | - | - | - | |
| 高松市 | 3 394 | 42 205 | - | - | 3 983 | 2 601 | 2 601 | 3 983 | 2 186 | 2 186 | 3 983 | 822 | 822 | |
| 松山市 | 6 290 | 48 850 | - | - | - | - | - | 4 107 | 3 991 | 3 991 | - | - | - | |
| 高知市 | 2 511 | 30 587 | - | - | 2 609 | 2 186 | 2 186 | 2 604 | 1 795 | 1 795 | 2 601 | 424 | 424 | |
| 久留米市 | 4 375 | 33 410 | 1 111 | 1 948 | - | - | - | 2 783 | 2 716 | 2 716 | - | - | - | |
| 長崎市 | - | - | - | - | - | - | - | - | - | - | - | - | - | |
| 佐世保市 | 2 019 | 25 250 | - | - | 2 089 | 1 684 | 1 684 | 2 089 | 2 041 | 2 041 | - | - | - | |
| 大分市 | 6 426 | 50 208 | - | - | - | - | - | 4 216 | 4 043 | 4 043 | 4 217 | 3 994 | 3 994 | |
| 宮崎市 | 5 351 | 41 466 | 2 795 | 5 077 | - | - | - | 3 457 | 3 443 | 3 443 | 3 512 | 3 363 | 3 363 | |
| 鹿児島市 | 5 477 | 65 637 | - | - | - | - | - | 5 166 | 5 119 | 5 119 | 5 290 | 5 096 | 5 096 | |
| 那覇市 | 5 327 | 35 822 | - | - | - | - | - | 3 017 | 2 766 | 2 766 | - | 61 | 61 | |
| その他政令市(再掲) | | | | | | | | | | | | | | |
| 小樽市 | 810 | 6 030 | - | - | - | - | - | 534 | 507 | 507 | - | - | - | |
| 町田市 | 2 614 | 35 609 | 19 | 19 | - | - | - | 2 763 | 2 707 | 2 707 | 2 763 | 2 647 | 2 647 | |
| 藤沢市 | - | - | - | - | - | - | - | - | - | - | - | - | - | |
| 茅ヶ崎市 | 1 975 | 21 598 | - | - | - | - | - | - | - | - | - | - | - | |
| 四日市市 | 2 477 | 27 643 | 596 | 596 | - | - | - | 2 494 | 2 377 | 2 377 | - | - | - | |
| 大牟田市 | - | - | - | - | - | - | - | - | - | - | - | - | - | |

注：1）「幼児4～6歳」及び「幼児その他」は法定外の健康診査である。

## 延人員・医療機関等へ委託した受診実人員－延人員，指定都市・特別区－中核市－その他政令市、健康診査の種類、対象区分別

平成29年度

| 査受診人員 | | | | | | | | | | | | | | |
|---|---|---|---|---|---|---|---|---|---|---|---|---|---|---|
| 乳児9～12か月 | | | 幼児1歳6か月 | | | 幼児3歳 | | | 幼児4～6歳[1)] | | | 幼児その他[1)] | | |
| 対象人員 | 受診実人員 | 受診延人員 | 対象人員 | 受診実人員 | 受診延人員 | 対象人員 | 受診実人員 | 受診延人員 | 対象人員 | 受診実人員 | 受診延人員 | 対象人員 | 受診実人員 | 受診延人員 |
| 233 823 | 176 823 | 177 339 | 271 210 | 257 944 | 259 798 | 265 661 | 251 074 | 251 837 | 16 246 | 12 895 | 12 895 | 6 394 | 5 712 | 5 909 |
| 57 554 | 51 125 | 51 125 | 61 429 | 55 955 | 55 955 | 54 730 | 50 841 | 50 841 | 3 009 | 2 034 | 2 034 | 948 | 660 | 814 |
| - | - | - | - | - | - | - | - | - | - | - | - | - | - | - |
| - | - | - | 8 959 | 8 795 | 8 795 | 8 865 | 8 292 | 8 299 | - | - | - | - | - | - |
| - | - | - | - | - | - | - | - | - | - | - | - | - | - | - |
| - | - | - | - | - | - | - | - | - | - | - | - | - | - | - |
| 23 996 | 18 411 | 18 411 | 24 705 | 23 583 | 23 583 | 25 515 | 24 526 | 24 526 | - | - | - | - | - | - |
| 14 278 | 1 426 | 1 426 | 14 224 | 13 806 | 13 806 | 13 402 | 12 831 | 12 831 | 13 237 | 10 861 | 10 861 | - | - | - |
| - | - | - | - | - | - | - | - | - | - | - | - | - | - | - |
| - | - | - | - | - | - | - | - | - | - | - | - | - | - | - |
| - | - | - | - | - | - | - | - | - | - | - | - | - | - | - |
| - | - | - | - | - | - | - | - | - | - | - | - | - | - | - |
| 19 880 | 13 199 | 13 199 | 19 977 | 19 351 | 19 351 | 19 622 | 18 926 | 18 926 | - | - | - | - | - | - |
| - | - | - | 11 114 | 10 809 | 12 088 | 10 733 | 10 362 | 11 062 | - | - | - | - | - | - |
| - | - | - | - | - | - | - | - | - | - | - | - | - | - | - |
| - | - | - | - | - | - | - | - | - | - | - | - | - | - | - |
| - | - | - | - | - | - | - | - | - | - | - | - | - | - | - |
| 6 180 | 4 185 | 4 185 | 6 314 | 6 014 | 6 014 | 6 328 | 5 996 | 5 996 | - | - | - | - | - | - |
| - | - | - | - | - | - | - | - | - | - | - | - | - | - | - |
| - | - | - | - | - | - | - | - | - | - | - | - | - | - | - |
| 14 387 | 12 946 | 12 946 | 14 548 | 14 158 | 14 158 | 14 484 | 14 013 | 14 013 | - | - | - | - | - | - |
| - | - | - | - | - | - | - | - | - | - | - | - | - | - | - |
| - | - | - | - | - | - | - | - | - | - | - | - | - | - | - |
| - | - | - | - | - | - | - | - | - | - | - | - | - | - | - |
| - | - | - | 1 966 | 1 932 | 1 932 | 2 021 | 1 971 | 1 971 | - | - | - | - | - | - |
| 1 611 | 645 | 645 | 1 727 | 1 703 | 1 703 | 1 819 | 1 782 | 1 782 | - | - | - | - | - | - |
| - | - | - | - | - | - | - | - | - | - | - | - | - | - | - |
| - | - | - | - | - | - | - | - | - | - | - | - | - | - | - |
| - | - | - | - | - | - | - | - | - | - | - | - | - | - | - |
| - | - | - | - | - | - | - | - | - | - | - | - | - | - | - |
| - | - | - | - | - | - | - | - | - | - | - | - | - | - | - |
| - | - | - | - | - | - | - | - | - | - | - | - | - | - | - |
| - | - | - | - | - | - | - | - | - | - | - | - | - | - | - |
| - | - | - | 2 781 | 2 648 | 2 648 | 2 864 | 2 649 | 2 649 | - | - | - | - | - | - |
| - | - | - | - | - | - | - | - | - | - | - | - | - | - | - |
| 5 161 | 4 359 | 4 359 | 5 391 | 5 149 | 5 149 | 5 526 | 5 150 | 5 150 | - | - | - | - | - | - |
| 4 892 | 2 819 | 2 819 | 3 686 | 3 391 | 3 391 | 3 535 | 3 227 | 3 227 | - | - | - | - | - | - |
| - | - | - | - | - | - | - | - | - | - | - | - | - | - | - |
| - | - | - | - | - | - | - | - | - | - | - | - | - | - | - |
| 3 569 | 2 528 | 2 528 | 3 262 | 3 194 | 3 194 | 3 219 | 3 106 | 3 106 | - | - | - | - | - | - |
| - | - | - | - | - | - | - | - | - | - | - | - | - | - | - |
| 2 901 | 2 494 | 2 494 | 2 899 | 2 786 | 2 786 | 2 913 | 2 821 | 2 821 | - | - | - | - | - | - |
| - | - | - | - | - | - | - | - | - | - | - | - | - | - | - |
| 3 045 | 2 826 | 2 826 | 3 221 | 3 116 | 3 116 | 3 227 | 3 098 | 3 098 | - | - | - | - | - | - |
| - | - | - | - | - | - | - | - | - | - | - | - | - | - | - |
| 4 102 | 3 052 | 3 052 | 3 849 | 3 815 | 3 815 | 3 686 | 3 620 | 3 620 | - | - | - | - | - | - |
| 2 862 | 2 803 | 2 803 | 3 020 | 2 827 | 2 827 | 3 036 | 2 731 | 2 731 | - | - | - | - | - | - |
| - | - | - | - | - | - | - | - | - | - | - | - | - | - | - |
| 3 355 | 2 992 | 2 992 | 3 478 | 3 394 | 3 394 | 3 493 | 3 293 | 3 293 | - | - | - | - | - | - |
| 3 593 | 3 109 | 3 109 | 3 764 | 3 676 | 3 676 | 3 818 | 3 587 | 3 587 | - | - | - | - | - | - |
| 2 814 | 2 622 | 2 622 | 2 939 | 2 827 | 2 827 | 3 154 | 2 781 | 2 781 | - | - | - | - | - | - |
| 4 436 | 4 193 | 4 193 | 4 549 | 4 418 | 4 418 | 4 642 | 4 552 | 4 552 | - | - | - | - | - | - |
| 4 267 | 4 155 | 4 155 | 4 305 | 4 183 | 4 183 | 4 405 | 4 156 | 4 156 | - | - | - | - | - | - |
| 3 740 | 3 551 | 3 756 | 3 676 | 3 512 | 4 042 | 3 526 | 3 340 | 3 390 | - | - | - | - | - | - |
| 2 435 | 2 341 | 2 341 | 2 564 | 2 465 | 2 465 | 2 637 | 2 434 | 2 434 | - | - | - | - | - | - |
| 2 740 | 2 661 | 2 954 | 2 970 | 2 892 | 2 937 | 2 863 | 2 677 | 2 683 | - | - | - | - | - | - |
| 4 367 | 3 751 | 3 751 | 4 324 | 4 153 | 4 153 | 4 453 | 4 159 | 4 159 | - | - | - | - | - | - |
| 5 361 | 1 401 | 1 419 | 3 931 | 3 758 | 3 758 | 4 142 | 3 959 | 3 959 | - | - | - | - | - | - |
| - | - | - | 1 507 | 1 473 | 1 473 | 1 540 | 1 496 | 1 496 | - | - | - | - | - | - |
| - | - | - | - | - | - | - | - | - | - | - | - | - | - | - |
| 3 983 | 602 | 602 | 3 620 | 3 373 | 3 373 | 3 829 | 3 477 | 3 477 | - | - | - | - | - | - |
| 4 221 | 2 979 | 2 979 | 4 220 | 3 895 | 3 895 | 4 343 | 3 985 | 3 985 | - | - | - | - | - | - |
| 2 582 | 168 | 168 | 2 572 | 2 515 | 2 515 | 2 580 | 2 413 | 2 413 | - | - | - | - | - | - |
| 2 715 | 2 567 | 2 567 | 2 836 | 2 759 | 2 759 | 2 976 | 2 766 | 2 766 | - | - | - | - | - | - |
| - | - | - | - | - | - | - | - | - | - | - | - | - | - | - |
| 2 089 | 1 321 | 1 321 | 2 165 | 2 069 | 2 069 | 2 298 | 2 108 | 2 108 | - | - | - | - | - | - |
| 4 250 | 3 995 | 3 995 | 4 375 | 4 219 | 4 219 | 4 358 | 4 153 | 4 153 | - | - | - | - | - | - |
| 3 563 | 3 310 | 3 310 | 3 537 | 3 455 | 3 455 | 3 716 | 3 620 | 3 620 | - | - | - | - | - | - |
| - | - | - | 5 419 | 5 223 | 5 223 | 5 581 | 5 349 | 5 349 | - | - | - | 5 388 | 4 994 | 4 994 |
| 3 058 | 2 729 | 2 729 | 3 286 | 2 884 | 2 884 | 3 308 | 2 875 | 2 875 | - | - | - | - | - | - |
| 515 | 497 | 497 | 545 | 526 | 526 | 616 | 597 | 597 | - | - | - | - | - | - |
| 2 763 | 2 675 | 2 675 | 3 062 | 2 921 | 2 921 | 3 303 | 3 045 | 3 045 | - | - | - | - | - | - |
| - | - | - | - | - | - | - | - | - | - | - | - | - | - | - |
| - | - | - | 1 978 | 1 878 | 1 878 | 2 017 | 1 885 | 1 885 | - | - | - | - | - | - |
| 2 558 | 2 386 | 2 386 | 2 516 | 2 444 | 2 444 | 2 538 | 2 425 | 2 425 | - | - | - | - | - | - |
| - | - | - | - | - | - | - | - | - | - | - | - | 58 | 58 | 101 |

# 第2表(3－2) 政令市及び特別区の設置する保健所が実施した妊産婦及び乳幼児の健康診査受診実人員－

| | （再掲）医療 | | | | | | | | | | | | |
|---|---|---|---|---|---|---|---|---|---|---|---|---|---|
| | 妊婦 | | 産婦 | | 乳児１～２か月 | | | 乳児３～５か月 | | | 乳児６～８か月 | | |
| | 受診実人員 | 受診延人員 | 受診実人員 | 受診延人員 | 対象人員 | 受診実人員 | 受診延人員 | 対象人員 | 受診実人員 | 受診延人員 | 対象人員 | 受診実人員 | 受診延人員 |
| 政令市 | 282 635 | 2 965 001 | 36 205 | 70 886 | 91 575 | 76 003 | 76 006 | 92 276 | 83 972 | 83 972 | 154 235 | 130 201 | 130 202 |
| 指定都市・特別区(再掲) | | | | | | | | | | | | | |
| 東京都区部 | 55 367 | 602 085 | 11 | 11 | 10 | 10 | 10 | 499 | 499 | 499 | 57 554 | 52 493 | 52 493 |
| 札幌市 | - | - | - | - | - | - | - | - | - | - | - | - | - |
| 仙台市 | 9 743 | 94 536 | - | - | 8 673 | 8 381 | 8 381 | 8 666 | 8 287 | 8 287 | 8 667 | 8 221 | 8 221 |
| さいたま市 | - | - | - | - | - | - | - | - | - | - | - | - | - |
| 千葉市 | - | - | - | - | - | - | - | - | - | - | - | - | - |
| 横浜市 | 30 603 | 347 850 | 24 568 | 24 568 | 23 996 | 18 766 | 18 766 | - | - | - | 23 996 | 19 064 | 19 064 |
| 川崎市 | 15 037 | 176 494 | - | - | - | - | - | 14 223 | 13 663 | 13 663 | 14 278 | 13 671 | 13 671 |
| 相模原市 | - | - | - | - | - | - | - | - | - | - | - | - | - |
| 新潟市 | - | - | - | - | - | - | - | - | - | - | - | - | - |
| 静岡市 | - | - | - | - | - | - | - | - | - | - | - | - | - |
| 浜松市 | - | - | - | - | - | - | - | - | - | - | - | - | - |
| 名古屋市 | 20 410 | 235 000 | … | 30 272 | 19 880 | 16 693 | 16 693 | - | - | - | - | - | - |
| 京都市 | - | - | - | - | - | - | - | - | - | - | - | - | - |
| 大阪市 | - | - | - | - | - | - | - | - | - | - | - | - | - |
| 堺市 | - | - | - | - | - | - | - | - | - | - | - | - | - |
| 神戸市 | - | - | - | - | - | - | - | - | - | - | - | - | - |
| 岡山市 | 6 336 | 75 021 | - | - | 6 180 | 5 811 | 5 811 | 6 154 | 5 687 | 5 687 | 6 198 | 4 501 | 4 501 |
| 広島市 | - | - | - | - | - | - | - | - | - | - | - | - | - |
| 北九州市 | - | - | - | - | - | - | - | - | - | - | - | - | - |
| 福岡市 | 14 725 | 180 938 | - | - | - | - | - | - | - | - | - | - | - |
| 熊本市 | - | - | - | - | - | - | - | - | - | - | - | - | - |
| 中核市(再掲) | | | | | | | | | | | | | |
| 旭川市 | - | - | - | - | - | - | - | - | - | - | - | - | - |
| 函館市 | - | - | - | - | - | - | - | - | - | - | - | - | - |
| 青森市 | 1 768 | 21 918 | - | - | - | - | - | - | - | - | 1 807 | 1 792 | 1 792 |
| 八戸市 | 1 718 | 19 641 | - | - | 1 611 | 834 | 834 | 1 611 | 1 449 | 1 449 | 1 611 | 615 | 615 |
| 盛岡市 | - | - | - | - | - | - | - | - | - | - | - | - | - |
| 秋田市 | - | - | - | - | - | - | - | - | - | - | - | - | - |
| 郡山市 | - | - | - | - | - | - | - | - | - | - | - | - | - |
| いわき市 | - | - | - | - | - | - | - | - | - | - | - | - | - |
| 宇都宮市 | - | - | - | - | - | - | - | - | - | - | - | - | - |
| 前橋市 | - | - | - | - | - | - | - | - | - | - | - | - | - |
| 高崎市 | - | - | - | - | - | - | - | - | - | - | - | - | - |
| 川越市 | 2 557 | 32 091 | - | - | - | - | - | - | - | - | - | - | - |
| 越谷市 | - | - | - | - | - | - | - | - | - | - | - | - | - |
| 船橋市 | 5 079 | 60 321 | - | - | - | - | - | 5 161 | 4 591 | 4 591 | - | - | - |
| 柏市 | 5 179 | 39 438 | - | - | - | - | - | 4 326 | 2 986 | 2 986 | - | - | - |
| 八王子市 | - | - | - | - | - | - | - | - | - | - | - | - | - |
| 横須賀市 | - | - | - | - | - | - | - | - | - | - | - | - | - |
| 富山市 | 3 834 | 36 727 | 933 | 933 | - | - | - | - | - | - | 3 569 | 2 827 | 2 827 |
| 金沢市 | - | - | - | - | - | - | - | - | - | - | - | - | - |
| 長野市 | 2 839 | 35 967 | - | - | - | - | - | - | - | - | 3 384 | 2 605 | 2 605 |
| 岐阜市 | - | - | - | - | - | - | - | - | - | - | - | - | - |
| 豊橋市 | 4 784 | 36 772 | - | - | 3 045 | 2 931 | 2 931 | - | - | - | - | - | - |
| 豊田市 | - | - | - | - | - | - | - | - | - | - | - | - | - |
| 岡崎市 | 3 916 | 45 124 | - | - | 3 933 | 3 546 | 3 546 | 3 575 | 3 518 | 3 518 | - | - | - |
| 大津市 | 4 163 | 31 805 | - | - | - | - | - | 2 757 | 2 707 | 2 707 | - | - | - |
| 高槻市 | - | - | - | - | - | - | - | - | - | - | - | - | - |
| 東大阪市 | 3 456 | 30 857 | 2 863 | 2 863 | 3 371 | 3 371 | 3 371 | - | - | - | - | - | - |
| 豊中市 | 3 501 | 40 286 | 1 319 | 1 914 | 3 534 | 2 911 | 2 911 | - | - | - | - | - | - |
| 枚方市 | 2 878 | 33 567 | 1 141 | 1 836 | 2 729 | 2 298 | 2 298 | - | - | - | - | - | - |
| 姫路市 | 6 739 | 53 573 | - | - | - | - | - | 4 399 | 4 295 | 4 295 | - | - | - |
| 西宮市 | 6 475 | 51 341 | - | - | - | - | - | - | - | - | - | - | - |
| 尼崎市 | 6 193 | 47 494 | - | - | - | - | - | - | - | - | - | - | - |
| 奈良市 | 3 715 | 28 665 | - | - | - | - | - | 2 298 | 2 241 | 2 241 | - | - | - |
| 和歌山市 | 2 708 | 33 235 | 849 | 849 | - | - | - | - | - | - | - | - | - |
| 倉敷市 | 4 270 | 49 963 | - | - | - | - | - | 4 307 | 4 107 | 4 107 | 4 329 | 4 139 | 4 139 |
| 福山市 | 6 166 | 59 597 | - | - | 4 516 | 2 613 | 2 616 | 4 956 | 3 849 | 3 849 | 5 054 | 2 543 | 2 544 |
| 呉市 | 1 405 | 21 978 | - | - | 1 416 | 1 367 | 1 367 | - | - | - | 1 422 | 1 384 | 1 384 |
| 下関市 | - | - | - | - | - | - | - | - | - | - | - | - | - |
| 高松市 | 3 394 | 42 205 | - | - | 3 983 | 2 601 | 2 601 | 3 983 | 2 186 | 2 186 | 3 983 | 822 | 822 |
| 松山市 | 6 290 | 48 850 | - | - | - | - | - | 4 107 | 3 991 | 3 991 | - | - | - |
| 高知市 | 2 511 | 30 587 | - | - | 2 609 | 2 186 | 2 186 | 2 604 | 1 795 | 1 795 | 2 601 | 424 | 424 |
| 久留米市 | 4 375 | 33 410 | 1 111 | 1 948 | - | - | - | 2 783 | 2 716 | 2 716 | - | - | - |
| 長崎市 | - | - | - | - | - | - | - | - | - | - | - | - | - |
| 佐世保市 | 2 019 | 25 250 | - | - | 2 089 | 1 684 | 1 684 | - | - | - | - | - | - |
| 大分市 | 6 426 | 50 208 | - | - | - | - | - | 4 216 | 4 043 | 4 043 | 4 217 | 3 994 | 3 994 |
| 宮崎市 | 5 351 | 41 466 | 2 795 | 5 077 | - | - | - | 3 457 | 3 443 | 3 443 | 3 512 | 3 363 | 3 363 |
| 鹿児島市 | 5 477 | 65 637 | - | - | - | - | - | 5 166 | 5 119 | 5 119 | 5 290 | 5 096 | 5 096 |
| 那覇市 | 5 327 | 35 822 | - | - | - | - | - | - | - | - | - | - | - |
| その他政令市(再掲) | | | | | | | | | | | | | |
| 小樽市 | 810 | 6 030 | - | - | - | - | - | 534 | 423 | 423 | - | - | - |
| 町田市 | 2 614 | 35 609 | 19 | 19 | - | - | - | - | - | - | 2 763 | 2 647 | 2 647 |
| 藤沢市 | - | - | - | - | - | - | - | - | - | - | - | - | - |
| 茅ヶ崎市 | - | - | - | - | - | - | - | - | - | - | - | - | - |
| 四日市市 | 2 477 | 27 643 | 596 | 596 | - | - | - | 2 494 | 2 377 | 2 377 | - | - | - |
| 大牟田市 | - | - | - | - | - | - | - | - | - | - | - | - | - |

注：1）「幼児４～６歳」及び「幼児その他」は法定外の健康診査である。

## 延人員・医療機関等へ委託した受診実人員－延人員，指定都市・特別区－中核市－その他政令市、健康診査の種類、対象区分別

平成29年度

| 機関等へ委託 | | | | | | | | | | | | | | |
|---|---|---|---|---|---|---|---|---|---|---|---|---|---|---|
| 乳児９～12か月 | | | 幼児１歳６か月 | | | 幼児３歳 | | | 幼児４～６歳[1)] | | | 幼児その他[1)] | | |
| 対象人員 | 受診実人員 | 受診延人員 | 対象人員 | 受診実人員 | 受診延人員 | 対象人員 | 受診実人員 | 受診延人員 | 対象人員 | 受診実人員 | 受診延人員 | 対象人員 | 受診実人員 | 受診延人員 |
| 220 908 | 164 580 | 164 598 | 64 131 | 57 701 | 57 701 | 8 961 | 6 611 | 6 611 | 15 365 | 12 328 | 12 328 | 5 388 | 4 994 | 4 994 |
| 57 554 | 51 125 | 51 125 | 48 622 | 43 798 | 43 798 | 459 | 459 | 459 | 2 128 | 1 467 | 1 467 | - | - | - |
| - | - | - | - | - | - | - | - | - | - | - | - | - | - | - |
| - | - | - | - | - | - | - | - | - | - | - | - | - | - | - |
| - | - | - | - | - | - | - | - | - | - | - | - | - | - | - |
| - | - | - | - | - | - | - | - | - | - | - | - | - | - | - |
| 23 996 | 18 411 | 18 411 | - | - | - | - | - | - | - | - | - | - | - | - |
| 14 278 | 1 426 | 1 426 | - | - | - | - | - | - | 13 237 | 10 861 | 10 861 | - | - | - |
| - | - | - | - | - | - | - | - | - | - | - | - | - | - | - |
| - | - | - | - | - | - | - | - | - | - | - | - | - | - | - |
| - | - | - | - | - | - | - | - | - | - | - | - | - | - | - |
| - | - | - | - | - | - | - | - | - | - | - | - | - | - | - |
| 19 880 | 13 199 | 13 199 | - | - | - | - | - | - | - | - | - | - | - | - |
| - | - | - | - | - | - | - | - | - | - | - | - | - | - | - |
| - | - | - | - | - | - | - | - | - | - | - | - | - | - | - |
| - | - | - | - | - | - | - | - | - | - | - | - | - | - | - |
| - | - | - | - | - | - | - | - | - | - | - | - | - | - | - |
| 6 180 | 4 185 | 4 185 | - | - | - | - | - | - | - | - | - | - | - | - |
| - | - | - | - | - | - | - | - | - | - | - | - | - | - | - |
| - | - | - | - | - | - | - | - | - | - | - | - | - | - | - |
| 14 387 | 12 946 | 12 946 | - | - | - | - | - | - | - | - | - | - | - | - |
| - | - | - | - | - | - | - | - | - | - | - | - | - | - | - |
| - | - | - | - | - | - | - | - | - | - | - | - | - | - | - |
| - | - | - | - | - | - | - | - | - | - | - | - | - | - | - |
| - | - | - | - | - | - | - | - | - | - | - | - | - | - | - |
| 1 611 | 645 | 645 | - | - | - | - | - | - | - | - | - | - | - | - |
| - | - | - | - | - | - | - | - | - | - | - | - | - | - | - |
| - | - | - | - | - | - | - | - | - | - | - | - | - | - | - |
| - | - | - | - | - | - | - | - | - | - | - | - | - | - | - |
| - | - | - | - | - | - | - | - | - | - | - | - | - | - | - |
| - | - | - | - | - | - | - | - | - | - | - | - | - | - | - |
| - | - | - | - | - | - | - | - | - | - | - | - | - | - | - |
| - | - | - | - | - | - | - | - | - | - | - | - | - | - | - |
| - | - | - | - | - | - | - | - | - | - | - | - | - | - | - |
| - | - | - | - | - | - | - | - | - | - | - | - | - | - | - |
| 5 161 | 4 359 | 4 359 | 5 391 | 4 328 | 4 328 | 5 526 | 3 386 | 3 386 | - | - | - | - | - | - |
| 4 892 | 2 819 | 2 819 | - | - | - | - | - | - | - | - | - | - | - | - |
| - | - | - | - | - | - | - | - | - | - | - | - | - | - | - |
| - | - | - | - | - | - | - | - | - | - | - | - | - | - | - |
| 3 569 | 2 528 | 2 528 | - | - | - | - | - | - | - | - | - | - | - | - |
| - | - | - | - | - | - | - | - | - | - | - | - | - | - | - |
| 2 901 | 2 494 | 2 494 | - | - | - | - | - | - | - | - | - | - | - | - |
| - | - | - | - | - | - | - | - | - | - | - | - | - | - | - |
| 3 045 | 2 826 | 2 826 | - | - | - | - | - | - | - | - | - | - | - | - |
| - | - | - | - | - | - | - | - | - | - | - | - | - | - | - |
| 4 102 | 3 052 | 3 052 | - | - | - | - | - | - | - | - | - | - | - | - |
| - | - | - | - | - | - | - | - | - | - | - | - | - | - | - |
| - | - | - | - | - | - | - | - | - | - | - | - | - | - | - |
| 3 355 | 2 992 | 2 992 | - | - | - | - | - | - | - | - | - | - | - | - |
| 3 593 | 3 109 | 3 109 | - | - | - | - | - | - | - | - | - | - | - | - |
| 2 814 | 2 622 | 2 622 | - | - | - | - | - | - | - | - | - | - | - | - |
| 4 436 | 4 193 | 4 193 | - | - | - | - | - | - | - | - | - | - | - | - |
| 4 267 | 4 155 | 4 155 | - | - | - | - | - | - | - | - | - | - | - | - |
| - | - | - | - | - | - | - | - | - | - | - | - | - | - | - |
| 2 435 | 2 341 | 2 341 | - | - | - | - | - | - | - | - | - | - | - | - |
| - | - | - | - | - | - | - | - | - | - | - | - | - | - | - |
| 4 367 | 3 751 | 3 751 | - | - | - | - | - | - | - | - | - | - | - | - |
| 5 361 | 1 401 | 1 419 | - | - | - | - | - | - | - | - | - | - | - | - |
| - | - | - | - | - | - | - | - | - | - | - | - | - | - | - |
| - | - | - | - | - | - | - | - | - | - | - | - | - | - | - |
| 3 983 | 602 | 602 | - | - | - | - | - | - | - | - | - | - | - | - |
| 4 221 | 2 979 | 2 979 | 4 220 | 3 895 | 3 895 | - | - | - | - | - | - | - | - | - |
| 2 582 | 168 | 168 | - | - | - | - | - | - | - | - | - | - | - | - |
| 2 715 | 2 567 | 2 567 | 2 836 | 2 759 | 2 759 | 2 976 | 2 766 | 2 766 | - | - | - | - | - | - |
| - | - | - | - | - | - | - | - | - | - | - | - | - | - | - |
| 2 089 | 1 321 | 1 321 | - | - | - | - | - | - | - | - | - | - | - | - |
| 4 250 | 3 995 | 3 995 | - | - | - | - | - | - | - | - | - | - | - | - |
| 3 563 | 3 310 | 3 310 | - | - | - | - | - | - | - | - | - | - | - | - |
| - | - | - | - | - | - | - | - | - | - | - | - | 5 388 | 4 994 | 4 994 |
| - | - | - | - | - | - | - | - | - | - | - | - | - | - | - |
| - | - | - | - | - | - | - | - | - | - | - | - | - | - | - |
| 2 763 | 2 675 | 2 675 | 3 062 | 2 921 | 2 921 | - | - | - | - | - | - | - | - | - |
| - | - | - | - | - | - | - | - | - | - | - | - | - | - | - |
| - | - | - | - | - | - | - | - | - | - | - | - | - | - | - |
| 2 558 | 2 384 | 2 384 | - | - | - | - | - | - | - | - | - | - | - | - |
| - | - | - | - | - | - | - | - | - | - | - | - | - | - | - |

# 第2表(3－3) 政令市及び特別区の設置する保健所が実施した妊産婦及び乳幼児の健康診査受診実人員－

| | 精密健康診査受診実人員 | | | | | | | | | | (再掲) | | |
|---|---|---|---|---|---|---|---|---|---|---|---|---|---|
| | | | 乳児 | | | | 幼児 | | | | | | |
| | 妊婦 | 産婦 | 1～2か月 | 3～5か月 | 6～8か月 | 9～12か月 | 1歳6か月 | 3歳 | 4～6歳[1] | その他[1] | 妊婦 | 産婦 | 1～2か月 |
| 政令市 | 895 | 8 | 498 | 5 061 | 249 | 585 | 3 567 | 16 246 | 966 | 62 | 649 | … | 498 |
| 指定都市・特別区(再掲) | | | | | | | | | | | | | |
| 東京都区部 | 1 | … | … | 1 972 | … | … | 104 | 2 916 | 50 | … | 1 | … | … |
| 札幌市 | – | – | – | – | – | – | – | – | – | – | – | – | – |
| 仙台市 | 1 | – | 457 | 105 | 22 | – | 162 | 1 996 | – | – | 1 | – | 457 |
| さいたま市 | – | – | – | – | – | – | – | – | – | – | – | – | – |
| 千葉市 | – | – | – | – | – | – | – | – | – | – | – | – | – |
| 横浜市 | – | – | – | – | – | – | 379 | 508 | – | – | – | – | – |
| 川崎市 | – | – | – | – | – | – | – | – | 916 | – | – | – | – |
| 相模原市 | – | – | – | – | – | – | – | – | – | – | – | – | – |
| 新潟市 | – | – | – | – | – | – | – | – | – | – | – | – | – |
| 静岡市 | – | – | – | – | – | – | – | – | – | – | – | – | – |
| 浜松市 | – | – | – | – | – | – | – | – | – | – | – | – | – |
| 名古屋市 | – | – | – | – | – | – | – | – | – | – | – | – | – |
| 京都市 | – | – | – | 244 | 117 | – | 252 | 539 | – | – | – | – | – |
| 大阪市 | – | – | – | – | – | – | – | – | – | – | – | – | – |
| 堺市 | – | – | – | – | – | – | – | – | – | – | – | – | – |
| 神戸市 | – | – | – | – | – | – | – | – | – | – | – | – | – |
| 岡山市 | – | – | – | – | – | – | 126 | 410 | – | – | – | – | – |
| 広島市 | – | – | – | – | – | – | – | – | – | – | – | – | – |
| 北九州市 | – | – | – | – | – | – | – | – | – | – | – | – | – |
| 福岡市 | – | – | – | 217 | – | 110 | 272 | 761 | – | – | – | – | – |
| 熊本市 | – | – | – | – | – | – | – | – | – | – | – | – | – |
| 中核市(再掲) | | | | | | | | | | | | | |
| 旭川市 | – | – | – | – | – | – | – | – | – | – | – | – | – |
| 函館市 | – | – | – | – | – | – | – | – | – | – | – | – | – |
| 青森市 | – | – | – | 165 | 55 | – | 50 | 175 | – | – | – | – | – |
| 八戸市 | – | – | 1 | 19 | 4 | 2 | 40 | 476 | – | – | – | – | 1 |
| 盛岡市 | – | – | – | – | – | – | – | – | – | – | – | – | – |
| 秋田市 | – | – | – | – | – | – | – | – | – | – | – | – | – |
| 郡山市 | – | – | – | – | – | – | – | – | – | – | – | – | – |
| いわき市 | – | – | – | – | – | – | – | – | – | – | – | – | – |
| 宇都宮市 | – | – | – | – | – | – | – | – | – | – | – | – | – |
| 前橋市 | – | – | – | – | – | – | – | – | – | – | – | – | – |
| 高崎市 | – | – | – | – | – | – | – | – | – | – | – | – | – |
| 川越市 | – | – | – | 15 | – | – | 9 | 26 | – | – | – | – | – |
| 越谷市 | – | – | – | – | – | – | – | – | – | – | – | – | – |
| 船橋市 | – | – | – | – | – | – | 18 | 176 | – | – | – | – | – |
| 柏市 | – | – | – | – | – | – | 11 | 244 | – | – | – | – | – |
| 八王子市 | – | – | – | – | – | – | – | – | – | – | – | – | – |
| 横須賀市 | – | – | – | – | – | – | – | – | – | – | – | – | – |
| 富山市 | 157 | – | – | 65 | – | – | 45 | 278 | – | – | 157 | – | – |
| 金沢市 | – | – | – | – | – | – | – | – | – | – | – | – | – |
| 長野市 | – | – | – | 876 | – | – | 114 | 390 | – | – | – | – | – |
| 岐阜市 | – | – | – | – | – | – | – | – | – | – | – | – | – |
| 豊橋市 | 246 | – | – | 252 | – | – | 152 | 360 | – | – | – | – | – |
| 豊田市 | – | – | – | – | – | – | – | – | – | – | – | – | – |
| 岡崎市 | – | – | – | 53 | – | – | 67 | 358 | – | – | – | – | – |
| 大津市 | 3 | – | – | 44 | – | 36 | 42 | 134 | – | – | 3 | – | – |
| 高槻市 | – | – | – | – | – | – | – | – | – | – | – | – | – |
| 東大阪市 | – | – | 16 | 196 | – | 16 | 257 | 405 | – | – | – | – | 16 |
| 豊中市 | – | – | – | 76 | – | – | 53 | 74 | – | – | – | – | – |
| 枚方市 | – | – | – | 54 | – | – | 20 | 62 | – | – | – | – | – |
| 姫路市 | – | – | – | 1 | – | 13 | 70 | 886 | – | – | – | – | – |
| 西宮市 | – | – | – | 81 | – | 21 | 28 | 48 | – | – | – | – | – |
| 尼崎市 | – | – | – | 83 | – | 58 | 57 | 292 | – | – | – | – | – |
| 奈良市 | – | – | – | 69 | – | 28 | 58 | 465 | – | – | – | – | – |
| 和歌山市 | – | – | – | 65 | – | 64 | 82 | 151 | – | – | – | – | – |
| 倉敷市 | – | – | – | – | – | – | 78 | 392 | – | – | – | – | – |
| 福山市 | – | – | – | 33 | – | – | 370 | 358 | – | – | – | – | – |
| 呉市 | – | – | – | 62 | 12 | – | 34 | 68 | – | – | – | – | – |
| 下関市 | – | – | – | – | – | – | – | – | – | – | – | – | – |
| 高松市 | 68 | – | 18 | 21 | 5 | 1 | 77 | 459 | – | – | 68 | – | 18 |
| 松山市 | 194 | – | – | 23 | – | 12 | 21 | 764 | – | – | 194 | – | – |
| 高知市 | 159 | – | – | – | – | – | 58 | 196 | – | – | 159 | – | – |
| 久留米市 | 15 | – | – | 32 | – | 7 | 16 | 85 | – | – | 15 | – | – |
| 長崎市 | – | – | – | – | – | – | – | – | – | – | – | – | – |
| 佐世保市 | – | – | 6 | 39 | – | 15 | 32 | 116 | – | – | – | – | 6 |
| 大分市 | 51 | – | – | 20 | 10 | 7 | 100 | 635 | – | – | 51 | – | – |
| 宮崎市 | – | – | – | – | – | – | 59 | 349 | – | – | – | – | – |
| 鹿児島市 | – | – | – | 6 | 22 | – | 115 | 160 | – | 4 | – | – | – |
| 那覇市 | – | – | – | 173 | – | 191 | 97 | 113 | – | – | – | – | – |
| その他政令市(再掲) | | | | | | | | | | | | | |
| 小樽市 | – | – | – | – | – | 2 | 18 | 33 | – | – | – | – | – |
| 町田市 | – | 8 | – | – | 2 | 2 | – | – | – | – | – | – | – |
| 藤沢市 | – | – | – | – | – | – | – | – | – | – | – | – | – |
| 茅ヶ崎市 | – | – | – | – | – | – | 24 | 150 | – | – | – | – | – |
| 四日市市 | – | – | – | – | – | – | – | 238 | – | – | – | – | – |
| 大牟田市 | – | – | – | – | – | – | – | – | – | 58 | – | – | – |

注：1）「幼児4～6歳」及び「幼児その他」は法定外の健康診査である。

## 延人員・医療機関等へ委託した受診実人員－延人員，指定都市・特別区－中核市－その他政令市、健康診査の種類、対象区分別

平成29年度

| 医療機関等へ委託 乳児 3～5か月 | 6～8か月 | 9～12か月 | 幼児 1歳6か月 | 3歳 | 4～6歳[1] | その他[1] | 妊婦B型肝炎検査実人員 B型肝炎検査 | 事後指導 妊婦 | 事後指導 乳児 | (再掲) 医療機関等へ委託 B型肝炎検査 | 事後指導 妊婦 | 事後指導 乳児 |
|---|---|---|---|---|---|---|---|---|---|---|---|---|
| 2 740 | 132 | 378 | 1 382 | 7 535 | 916 | 4 | 164 349 | 54 | 1 | 164 333 | 42 | 1 |
| 1 117 | … | … | 54 | 1 529 | – | – | 31 845 | … | … | 31 845 | … | … |
| – | – | – | – | – | – | – | – | – | – | – | – | – |
| 105 | 22 | – | – | – | – | – | 8 700 | – | – | 8 700 | – | – |
| – | – | – | – | – | – | – | – | – | – | – | – | – |
| – | – | – | – | – | – | – | – | – | – | – | – | – |
| – | – | – | 379 | 508 | – | – | – | – | – | – | – | – |
| – | – | – | – | – | 916 | – | – | – | – | – | – | – |
| – | – | – | – | – | – | – | – | – | – | – | – | – |
| – | – | – | – | – | – | – | 5 697 | – | – | 5 697 | – | – |
| – | – | – | – | – | – | – | – | – | – | – | – | – |
| – | – | – | – | – | – | – | – | – | – | – | – | – |
| – | – | – | – | – | – | – | 20 390 | – | – | 20 390 | – | – |
| – | – | – | – | – | – | – | – | – | – | – | – | – |
| – | – | – | – | – | – | – | – | – | – | – | – | – |
| – | – | – | – | – | – | – | – | – | – | – | – | – |
| – | – | – | – | – | – | – | – | – | – | – | – | – |
| – | – | – | 126 | 410 | – | – | 6 336 | – | – | 6 336 | – | – |
| – | – | – | – | – | – | – | – | – | – | – | – | – |
| – | – | – | – | – | – | – | – | – | – | – | – | – |
| – | – | 5 | – | – | – | – | – | – | – | – | – | – |
| – | – | – | – | – | – | – | – | – | – | – | – | – |
| – | – | – | – | – | – | – | – | – | – | – | – | – |
| – | – | – | – | – | – | – | – | – | – | – | – | – |
| – | 55 | – | – | – | – | – | 1 768 | – | – | 1 768 | – | – |
| 19 | 4 | 2 | 40 | 476 | – | – | 1 658 | – | – | 1 652 | – | – |
| – | – | – | – | – | – | – | 2 167 | – | – | 2 167 | – | – |
| – | – | – | – | – | – | – | – | – | – | – | – | – |
| – | – | – | – | – | – | – | – | – | – | – | – | – |
| – | – | – | – | – | – | – | – | – | – | – | – | – |
| – | – | – | – | – | – | – | – | – | – | – | – | – |
| – | – | – | – | – | – | – | – | – | – | – | – | – |
| – | – | – | – | – | – | – | – | – | – | – | – | – |
| – | – | – | – | – | – | – | 2 556 | – | – | 2 556 | – | – |
| – | – | – | – | – | – | – | – | – | – | – | – | – |
| – | – | – | 18 | 17 | – | – | 5 079 | – | – | 5 079 | – | – |
| – | – | – | 11 | 244 | – | – | 3 554 | – | – | 3 554 | – | – |
| – | – | – | – | – | – | – | – | – | – | – | – | – |
| – | – | – | – | – | – | – | – | – | – | – | – | – |
| 65 | – | – | 45 | 278 | – | – | 3 096 | – | – | 3 096 | – | – |
| – | – | – | – | – | – | – | – | – | – | – | – | – |
| 876 | – | – | 114 | 390 | – | – | 2 839 | – | – | 2 829 | – | – |
| – | – | – | – | – | – | – | – | – | – | – | – | – |
| – | – | – | – | – | – | – | 3 084 | 7 | – | 3 084 | 7 | – |
| – | – | – | – | – | – | – | – | – | – | – | – | – |
| 53 | – | – | 67 | 358 | – | – | 3 561 | – | – | 3 561 | – | – |
| 44 | – | – | – | – | – | – | 2 588 | – | – | 2 588 | – | – |
| – | – | – | – | – | – | – | – | – | – | – | – | – |
| – | – | 16 | – | – | – | – | 3 456 | – | – | 3 456 | – | – |
| – | – | – | – | – | – | – | 3 343 | 4 | – | 3 343 | 4 | – |
| – | – | – | – | – | – | – | 2 780 | – | – | 2 780 | – | – |
| 1 | – | 13 | – | – | – | – | – | – | – | – | – | – |
| – | – | 21 | – | – | – | – | – | – | – | – | – | – |
| 83 | – | 58 | 57 | 292 | – | – | 3 560 | 15 | – | 3 560 | 15 | – |
| 69 | – | 28 | 58 | 465 | – | – | – | – | – | – | – | – |
| – | – | – | – | – | – | – | 2 708 | – | – | 2 708 | – | – |
| – | – | – | – | – | – | – | 4 270 | – | – | 4 270 | – | – |
| 33 | – | – | – | – | – | – | 3 930 | – | – | 3 930 | – | – |
| – | 12 | – | – | – | – | – | 1 405 | 4 | – | 1 405 | 4 | – |
| – | – | – | – | – | – | – | – | – | – | – | – | – |
| 21 | 5 | 1 | 77 | 459 | – | – | 3 412 | – | – | 3 412 | – | – |
| 23 | – | 12 | 21 | 764 | – | – | 4 077 | 2 | 1 | 4 077 | 2 | 1 |
| – | – | – | 58 | 196 | – | – | 2 493 | – | – | 2 493 | – | – |
| 32 | – | 7 | 16 | 85 | – | – | 2 837 | – | – | 2 837 | – | – |
| – | – | – | – | – | – | – | – | – | – | – | – | – |
| – | – | 15 | – | – | – | – | 2 037 | – | – | 2 037 | – | – |
| 20 | 10 | 7 | 29 | 553 | – | – | 4 135 | – | – | 4 135 | – | – |
| – | – | – | – | – | – | – | 3 418 | 12 | – | 3 418 | – | – |
| 6 | 22 | – | 115 | 160 | – | 4 | 5 443 | 10 | – | 5 443 | 10 | – |
| 173 | – | 191 | 97 | 113 | – | – | 3 120 | – | – | 3 120 | – | – |
| – | – | – | – | – | – | – | 530 | – | – | 530 | – | – |
| – | 2 | 2 | – | – | – | – | – | – | – | – | – | – |
| – | – | – | – | – | – | – | – | – | – | – | – | – |
| – | – | – | – | – | – | – | – | – | – | – | – | – |
| – | – | – | – | 238 | – | – | 2 477 | – | – | 2 477 | – | – |
| – | – | – | – | – | – | – | – | – | – | – | – | – |

## 第3−1表（2−1）政令市及び特別区の設置する保健所が実施した乳児の健康診査受診結果別人員・医療

| | | 乳　　　　児 | | | | | | | | | 1 | | | |
| | 一般健康診査受診実人員 | 受　　診　　結　　果1) | | | | | | | (再掲)医療機関等へ委託 | 受　　　診 | | | |
| | | 異常なし | 既医療 | 要経過観察 | 要治療 | (再掲)精神面 | (再掲)身体面 | 要精密 | | 異常なし | 既医療 | 要経過観察 | 要治療 |
|---|---|---|---|---|---|---|---|---|---|---|---|---|---|
| 政　令　市 | 76 003 | 71 773 | 404 | 2 128 | 834 | 2 | 832 | 743 | 76 003 | 71 773 | 404 | 2 128 | 834 |
| 指定都市・特別区(再掲) | | | | | | | | | | | | | |
| 東京都区部 | 10 | 8 | … | … | … | … | … | … | 10 | 8 | … | … | … |
| 札　幌　市 | − | − | − | − | − | − | − | − | − | − | − | − | − |
| 仙　台　市 | 8 381 | 6 913 | 242 | 475 | 276 | − | 276 | 475 | 8 381 | 6 913 | 242 | 475 | 276 |
| さいたま市 | − | − | − | − | − | − | − | − | − | − | − | − | − |
| 千　葉　市 | − | − | − | − | − | − | − | − | − | − | − | − | − |
| 横　浜　市 | 18 766 | 18 766 | − | − | − | − | − | − | 18 766 | 18 766 | − | − | − |
| 川　崎　市 | − | − | − | − | − | − | − | − | − | − | − | − | − |
| 相模原市 | − | − | − | − | − | − | − | − | − | − | − | − | − |
| 新　潟　市 | − | − | − | − | − | − | − | − | − | − | − | − | − |
| 静　岡　市 | − | − | − | − | − | − | − | − | − | − | − | − | − |
| 浜　松　市 | − | − | − | − | − | − | − | − | − | − | − | − | − |
| 名古屋市 | 16 693 | 16 404 | − | 289 | − | − | − | − | 16 693 | 16 404 | − | 289 | − |
| 京　都　市 | − | − | − | − | − | − | − | − | − | − | − | − | − |
| 大　阪　市 | − | − | − | − | − | − | − | − | − | − | − | − | − |
| 堺　　　市 | − | − | − | − | − | − | − | − | − | − | − | − | − |
| 神　戸　市 | − | − | − | − | − | − | − | − | − | − | − | − | − |
| 岡　山　市 | 5 811 | 5 370 | − | 270 | 115 | − | 115 | 56 | 5 811 | 5 370 | − | 270 | 115 |
| 広　島　市 | − | − | − | − | − | − | − | − | − | − | − | − | − |
| 北九州市 | − | − | − | − | − | − | − | − | − | − | − | − | − |
| 福　岡　市 | − | − | − | − | − | − | − | − | − | − | − | − | − |
| 熊　本　市 | − | − | − | − | − | − | − | − | − | − | − | − | − |
| 中　核　市(再掲) | | | | | | | | | | | | | |
| 旭　川　市 | − | − | − | − | − | − | − | − | − | − | − | − | − |
| 函　館　市 | − | − | − | − | − | − | − | − | − | − | − | − | − |
| 青　森　市 | − | − | − | − | − | − | − | − | − | − | − | − | − |
| 八　戸　市 | 834 | 809 | 1 | 18 | 5 | − | 5 | 1 | 834 | 809 | 1 | 18 | 5 |
| 盛　岡　市 | − | − | − | − | − | − | − | − | − | − | − | − | − |
| 秋　田　市 | − | − | − | − | − | − | − | − | − | − | − | − | − |
| 郡　山　市 | − | − | − | − | − | − | − | − | − | − | − | − | − |
| いわき市 | − | − | − | − | − | − | − | − | − | − | − | − | − |
| 宇都宮市 | − | − | − | − | − | − | − | − | − | − | − | − | − |
| 前　橋　市 | − | − | − | − | − | − | − | − | − | − | − | − | − |
| 高　崎　市 | − | − | − | − | − | − | − | − | − | − | − | − | − |
| 川　越　市 | − | − | − | − | − | − | − | − | − | − | − | − | − |
| 越　谷　市 | − | − | − | − | − | − | − | − | − | − | − | − | − |
| 船　橋　市 | − | − | − | − | − | − | − | − | − | − | − | − | − |
| 柏　　　市 | − | − | − | − | − | − | − | − | − | − | − | − | − |
| 八王子市 | − | − | − | − | − | − | − | − | − | − | − | − | − |
| 横須賀市 | − | − | − | − | − | − | − | − | − | − | − | − | − |
| 富　山　市 | − | − | − | − | − | − | − | − | − | − | − | − | − |
| 金　沢　市 | − | − | − | − | − | − | − | − | − | − | − | − | − |
| 長　野　市 | − | − | − | − | − | − | − | − | − | − | − | − | − |
| 岐　阜　市 | − | − | − | − | − | − | − | − | − | − | − | − | − |
| 豊　橋　市 | 2 931 | 2 699 | 50 | 112 | 56 | 2 | 54 | 14 | 2 931 | 2 699 | 50 | 112 | 56 |
| 豊　田　市 | − | − | − | − | − | − | − | − | − | − | − | − | − |
| 岡　崎　市 | 3 546 | 3 397 | 16 | 94 | 39 | − | 39 | − | 3 546 | 3 397 | 16 | 94 | 39 |
| 大　津　市 | − | − | − | − | − | − | − | − | − | − | − | − | − |
| 高　槻　市 | − | − | − | − | − | − | − | − | − | − | − | − | − |
| 東大阪市 | 3 371 | 3 186 | 9 | 127 | 33 | − | 33 | 16 | 3 371 | 3 186 | 9 | 127 | 33 |
| 豊　中　市 | 2 911 | 2 572 | 31 | 135 | 36 | − | 36 | 18 | 2 911 | 2 572 | 31 | 135 | 36 |
| 枚　方　市 | 2 298 | 2 056 | 19 | 107 | 48 | − | 48 | 68 | 2 298 | 2 056 | 19 | 107 | 48 |
| 姫　路　市 | − | − | − | − | − | − | − | − | − | − | − | − | − |
| 西　宮　市 | − | − | − | − | − | − | − | − | − | − | − | − | − |
| 尼　崎　市 | − | − | − | − | − | − | − | − | − | − | − | − | − |
| 奈　良　市 | − | − | − | − | − | − | − | − | − | − | − | − | − |
| 和歌山市 | − | − | − | − | − | − | − | − | − | − | − | − | − |
| 倉　敷　市 | − | − | − | − | − | − | − | − | − | − | − | − | − |
| 福　山　市 | 2 613 | 2 431 | − | 78 | 93 | − | 93 | 11 | 2 613 | 2 431 | − | 78 | 93 |
| （呉　　　市 | 1 367 | 1 224 | − | 105 | 17 | − | 17 | 21 | 1 367 | 1 224 | − | 105 | 17 |
| 下　関　市 | − | − | − | − | − | − | − | − | − | − | − | − | − |
| 高　松　市 | 2 601 | 2 359 | 36 | 115 | 66 | − | 66 | 25 | 2 601 | 2 359 | 36 | 115 | 66 |
| 松　山　市 | − | − | − | − | − | − | − | − | − | − | − | − | − |
| 高　知　市 | 2 186 | 2 048 | − | 78 | 29 | − | 29 | 31 | 2 186 | 2 048 | − | 78 | 29 |
| 久留米市 | − | − | − | − | − | − | − | − | − | − | − | − | − |
| 長　崎　市 | − | − | − | − | − | − | − | − | − | − | − | − | − |
| 佐世保市 | 1 684 | 1 531 | − | 125 | 21 | − | 21 | 7 | 1 684 | 1 531 | − | 125 | 21 |
| 大　分　市 | − | − | − | − | − | − | − | − | − | − | − | − | − |
| 宮　崎　市 | − | − | − | − | − | − | − | − | − | − | − | − | − |
| 鹿児島市 | − | − | − | − | − | − | − | − | − | − | − | − | − |
| 那　覇　市 | − | − | − | − | − | − | − | − | − | − | − | − | − |
| その他政令市(再掲) | | | | | | | | | | | | | |
| 小　樽　市 | − | − | − | − | − | − | − | − | − | − | − | − | − |
| 町　田　市 | − | − | − | − | − | − | − | − | − | − | − | − | − |
| 藤　沢　市 | − | − | − | − | − | − | − | − | − | − | − | − | − |
| 茅ヶ崎市 | − | − | − | − | − | − | − | − | − | − | − | − | − |
| 四日市市 | − | − | − | − | − | − | − | − | − | − | − | − | − |
| 大牟田市 | − | − | − | − | − | − | − | − | − | − | − | − | − |

注：1）受診結果は計数不詳な市区町村があるため、受診実人員と受診結果の計が一致しない場合がある。

## 機関等へ委託した受診結果別人員, 指定都市・特別区－中核市－その他政令市、対象区分別 (乳児1～2か月・乳児3～5か月)

平成29年度

| ～2か月 | | | | | | | | | | | | | | |
|---|---|---|---|---|---|---|---|---|---|---|---|---|---|---|
| 結果[1] | | | 精密健康診査受診実人員 | 受診結果[1] | | | | | (再掲)医療機関等へ委託 | 受診結果[1] | | | | |
| (再掲) | | 要精密 | | 異常なし | 要経過観察 | 要治療 | (再掲) | | | 異常なし | 要経過観察 | 要治療 | (再掲) | |
| 精神面 | 身体面 | | | | | | 精神面 | 身体面 | | | | | 精神面 | 身体面 |
| 2 | 832 | 743 | 498 | 200 | 283 | 15 | … | 15 | 498 | 200 | 283 | 15 | … | 15 |
| … | … | … | … | … | … | … | … | … | … | … | … | … | … | … |
| – | – | – | – | – | – | – | – | – | – | – | – | – | – | – |
| – | 276 | 475 | 457 | 179 | 266 | 12 | – | 12 | 457 | 179 | 266 | 12 | – | 12 |
| – | – | – | – | – | – | – | – | – | – | – | – | – | – | – |
| – | – | – | – | – | – | – | – | – | – | – | – | – | – | – |
| – | – | – | – | – | – | – | – | – | – | – | – | – | – | – |
| – | – | – | – | – | – | – | – | – | – | – | – | – | – | – |
| – | – | – | – | – | – | – | – | – | – | – | – | – | – | – |
| – | – | – | – | – | – | – | – | – | – | – | – | – | – | – |
| – | – | – | – | – | – | – | – | – | – | – | – | – | – | – |
| – | – | – | – | – | – | – | – | – | – | – | – | – | – | – |
| – | – | – | – | – | – | – | – | – | – | – | – | – | – | – |
| – | – | – | – | – | – | – | – | – | – | – | – | – | – | – |
| – | – | – | – | – | – | – | – | – | – | – | – | – | – | – |
| – | – | – | – | – | – | – | – | – | – | – | – | – | – | – |
| – | – | – | – | – | – | – | – | – | – | – | – | – | – | – |
| – | 115 | 56 | – | – | – | – | – | – | – | – | – | – | – | – |
| – | – | – | – | – | – | – | – | – | – | – | – | – | – | – |
| – | – | – | – | – | – | – | – | – | – | – | – | – | – | – |
| – | – | – | – | – | – | – | – | – | – | – | – | – | – | – |
| – | – | – | – | – | – | – | – | – | – | – | – | – | – | – |
| – | – | – | – | – | – | – | – | – | – | – | – | – | – | – |
| – | – | – | – | – | – | – | – | – | – | – | – | – | – | – |
| – | – | – | – | – | – | – | – | – | – | – | – | – | – | – |
| – | 5 | 1 | 1 | 1 | – | – | – | – | 1 | 1 | – | – | – | – |
| – | – | – | – | – | – | – | – | – | – | – | – | – | – | – |
| – | – | – | – | – | – | – | – | – | – | – | – | – | – | – |
| – | – | – | – | – | – | – | – | – | – | – | – | – | – | – |
| – | – | – | – | – | – | – | – | – | – | – | – | – | – | – |
| – | – | – | – | – | – | – | – | – | – | – | – | – | – | – |
| – | – | – | – | – | – | – | – | – | – | – | – | – | – | – |
| – | – | – | – | – | – | – | – | – | – | – | – | – | – | – |
| – | – | – | – | – | – | – | – | – | – | – | – | – | – | – |
| – | – | – | – | – | – | – | – | – | – | – | – | – | – | – |
| – | – | – | – | – | – | – | – | – | – | – | – | – | – | – |
| – | – | – | – | – | – | – | – | – | – | – | – | – | – | – |
| – | – | – | – | – | – | – | – | – | – | – | – | – | – | – |
| – | – | – | – | – | – | – | – | – | – | – | – | – | – | – |
| – | – | – | – | – | – | – | – | – | – | – | – | – | – | – |
| – | – | – | – | – | – | – | – | – | – | – | – | – | – | – |
| – | – | – | – | – | – | – | – | – | – | – | – | – | – | – |
| – | – | – | – | – | – | – | – | – | – | – | – | – | – | – |
| 2 | 54 | 14 | – | – | – | – | – | – | – | – | – | – | – | – |
| – | – | – | – | – | – | – | – | – | – | – | – | – | – | – |
| – | 39 | – | – | – | – | – | – | – | – | – | – | – | – | – |
| – | – | – | – | – | – | – | – | – | – | – | – | – | – | – |
| – | – | – | – | – | – | – | – | – | – | – | – | – | – | – |
| – | 33 | 16 | 16 | 9 | 6 | 1 | – | 1 | 16 | 9 | 6 | 1 | – | 1 |
| – | 36 | 18 | – | – | – | – | – | – | – | – | – | – | – | – |
| – | 48 | 68 | – | – | – | – | – | – | – | – | – | – | – | – |
| – | – | – | – | – | – | – | – | – | – | – | – | – | – | – |
| – | – | – | – | – | – | – | – | – | – | – | – | – | – | – |
| – | – | – | – | – | – | – | – | – | – | – | – | – | – | – |
| – | – | – | – | – | – | – | – | – | – | – | – | – | – | – |
| – | – | – | – | – | – | – | – | – | – | – | – | – | – | – |
| – | – | – | – | – | – | – | – | – | – | – | – | – | – | – |
| – | 93 | 11 | – | – | – | – | – | – | – | – | – | – | – | – |
| – | 17 | 21 | – | – | – | – | – | – | – | – | – | – | – | – |
| – | – | – | – | – | – | – | – | – | – | – | – | – | – | – |
| – | 66 | 25 | 18 | 11 | 7 | – | – | – | 18 | 11 | 7 | – | – | – |
| – | – | – | – | – | – | – | – | – | – | – | – | – | – | – |
| – | 29 | 31 | – | – | – | – | – | – | – | – | – | – | – | – |
| – | – | – | – | – | – | – | – | – | – | – | – | – | – | – |
| – | – | – | – | – | – | – | – | – | – | – | – | – | – | – |
| – | 21 | 7 | 6 | – | 4 | 2 | – | 2 | 6 | – | 4 | 2 | – | 2 |
| – | – | – | – | – | – | – | – | – | – | – | – | – | – | – |
| – | – | – | – | – | – | – | – | – | – | – | – | – | – | – |
| – | – | – | – | – | – | – | – | – | – | – | – | – | – | – |
| – | – | – | – | – | – | – | – | – | – | – | – | – | – | – |
| – | – | – | – | – | – | – | – | – | – | – | – | – | – | – |
| – | – | – | – | – | – | – | – | – | – | – | – | – | – | – |
| – | – | – | – | – | – | – | – | – | – | – | – | – | – | – |
| – | – | – | – | – | – | – | – | – | – | – | – | – | – | – |
| – | – | – | – | – | – | – | – | – | – | – | – | – | – | – |
| – | – | – | – | – | – | – | – | – | – | – | – | – | – | – |

# 第3－1表（2－2）政令市及び特別区の設置する保健所が実施した乳児の健康診査受診結果別人員・医療

| | 乳児 | | | | | | | | | 3 | | | |
|---|---|---|---|---|---|---|---|---|---|---|---|---|---|
| | 一般健康診査受診実人員 | 受診結果[1] | | | | | | | (再掲)医療機関等へ委託 | 受診 | | | |
| | | 異常なし | 既医療 | 要経過観察 | 要治療 | (再掲) | | 要精密 | | 異常なし | 既医療 | 要経過観察 | 要治療 |
| | | | | | | 精神面 | 身体面 | | | | | | |
| 政令市 | 244 669 | 190 171 | 14 479 | 25 805 | 3 841 | 27 | 3 600 | 7 096 | 83 972 | 74 120 | 2 408 | 4 943 | 1 128 |
| 指定都市・特別区(再掲) | | | | | | | | | | | | | |
| 東京都区部 | 51 939 | 33 593 | 5 977 | 5 432 | 1 637 | 4 | 1 582 | 2 267 | 499 | – | – | – | – |
| 札幌市 | – | – | – | – | – | – | – | – | – | – | – | – | – |
| 仙台市 | 8 287 | 7 342 | 370 | 281 | 214 | – | 214 | 80 | 8 287 | 7 342 | 370 | 281 | 214 |
| さいたま市 | – | – | – | – | – | – | – | – | – | – | – | – | – |
| 千葉市 | – | – | – | – | – | – | – | – | – | – | – | – | – |
| 横浜市 | 23 191 | 18 462 | 1 560 | 2 450 | 303 | 1 | 302 | 828 | – | – | – | – | – |
| 川崎市 | 13 663 | 11 720 | 506 | 1 215 | 122 | – | 122 | 100 | 13 663 | 11 720 | 506 | 1 215 | 122 |
| 相模原市 | – | – | – | – | – | – | – | – | – | – | – | – | – |
| 新潟市 | – | – | – | – | – | – | – | – | – | – | – | – | – |
| 静岡市 | – | – | – | – | – | – | – | – | – | – | – | – | – |
| 浜松市 | – | – | – | – | – | – | – | – | – | – | – | – | – |
| 名古屋市 | 19 487 | 14 985 | 270 | 3 950 | 76 | 5 | 71 | 206 | – | – | – | – | – |
| 京都市 | 10 430 | 8 951 | 684 | 453 | 126 | 15 | 111 | 216 | – | – | – | – | – |
| 大阪市 | – | – | – | – | – | – | – | – | – | – | – | – | – |
| 堺市 | – | – | – | – | – | – | – | – | – | – | – | – | – |
| 神戸市 | – | – | – | – | – | – | – | – | – | – | – | – | – |
| 岡山市 | 5 687 | 5 100 | – | 371 | 127 | – | 127 | 89 | 5 687 | 5 100 | – | 371 | 127 |
| 広島市 | – | – | – | – | – | – | – | – | – | – | – | – | – |
| 北九州市 | – | – | – | – | – | – | – | – | – | – | – | – | – |
| 福岡市 | 14 090 | 9 895 | 1 035 | 2 881 | 51 | – | – | 228 | – | – | – | – | – |
| 熊本市 | – | – | – | – | – | – | – | – | – | – | – | – | – |
| 中核市(再掲) | | | | | | | | | | | | | |
| 旭川市 | – | – | – | – | – | – | – | – | – | – | – | – | – |
| 函館市 | – | – | – | – | – | – | – | – | – | – | – | – | – |
| 青森市 | 1 765 | 1 439 | 70 | 21 | 8 | – | 8 | 227 | – | – | – | – | – |
| 八戸市 | 1 449 | 1 381 | – | 24 | 25 | – | 25 | 19 | 1 449 | 1 381 | – | 24 | 25 |
| 盛岡市 | – | – | – | – | – | – | – | – | – | – | – | – | – |
| 秋田市 | – | – | – | – | – | – | – | – | – | – | – | – | – |
| 郡山市 | – | – | – | – | – | – | – | – | – | – | – | – | – |
| いわき市 | – | – | – | – | – | – | – | – | – | – | – | – | – |
| 宇都宮市 | – | – | – | – | – | – | – | – | – | – | – | – | – |
| 前橋市 | – | – | – | – | – | – | – | – | – | – | – | – | – |
| 高崎市 | – | – | – | – | – | – | – | – | – | – | – | – | – |
| 川越市 | 2 563 | 1 811 | 229 | 333 | 168 | – | 168 | 22 | – | – | – | – | – |
| 越谷市 | – | – | – | – | – | – | – | – | – | – | – | – | – |
| 船橋市 | 4 591 | 4 413 | 45 | 96 | 37 | – | 37 | – | 4 591 | 4 413 | 45 | 96 | 37 |
| 柏市 | 2 986 | 2 943 | – | 40 | 2 | – | 2 | 1 | 2 986 | 2 943 | – | 40 | 2 |
| 八王子市 | – | – | – | – | – | – | – | – | – | – | – | – | – |
| 横須賀市 | – | – | – | – | – | – | – | – | – | – | – | – | – |
| 富山市 | 3 070 | 1 876 | 76 | 1 026 | 12 | – | 12 | 80 | – | – | – | – | – |
| 金沢市 | – | – | – | – | – | – | – | – | – | – | – | – | – |
| 長野市 | 2 788 | 1 224 | – | 499 | 143 | – | 143 | 922 | – | – | – | – | – |
| 岐阜市 | – | – | – | – | – | – | – | – | – | – | – | – | – |
| 豊橋市 | 2 965 | 2 118 | 174 | 406 | 10 | – | 10 | 257 | – | – | – | – | – |
| 豊田市 | – | – | – | – | – | – | – | – | – | – | – | – | – |
| 岡崎市 | 3 518 | 3 112 | 147 | 188 | 2 | – | 2 | 69 | 3 518 | 3 112 | 147 | 188 | 2 |
| 大津市 | 2 707 | 2 123 | 208 | 299 | – | – | – | 77 | 2 707 | 2 123 | 208 | 299 | – |
| 高槻市 | – | – | – | – | – | – | – | – | – | – | – | – | – |
| 東大阪市 | 3 302 | 1 948 | 283 | 828 | 40 | 2 | 38 | 203 | – | – | – | – | – |
| 豊中市 | 3 479 | 2 671 | 194 | 524 | 2 | – | 2 | 88 | – | – | – | – | – |
| 枚方市 | 2 706 | 2 049 | 13 | 581 | – | – | – | 63 | – | – | – | – | – |
| 姫路市 | 4 295 | 4 017 | – | 277 | – | – | – | 1 | 4 295 | 4 017 | – | 277 | – |
| 西宮市 | 4 032 | 3 010 | 397 | 479 | 58 | – | 58 | 88 | – | – | – | – | – |
| 尼崎市 | 3 720 | 3 063 | 421 | 119 | 13 | – | 13 | 104 | – | – | – | – | – |
| 奈良市 | 2 241 | 1 608 | 103 | 423 | 38 | – | 38 | 69 | 2 241 | 1 608 | 103 | 423 | 38 |
| 和歌山市 | 2 677 | 2 112 | 217 | 281 | – | – | – | 67 | – | – | – | – | – |
| 倉敷市 | 4 107 | 3 982 | – | – | 95 | – | 95 | 30 | 4 107 | 3 982 | – | – | 95 |
| 福山市 | 3 849 | 3 385 | 143 | 207 | 81 | – | 81 | 33 | 3 849 | 3 385 | 143 | 207 | 81 |
| 呉市 | 1 394 | 933 | 132 | 230 | 36 | – | 36 | 63 | – | – | – | – | – |
| 下関市 | – | – | – | – | – | – | – | – | – | – | – | – | – |
| 高松市 | 2 186 | 1 875 | 105 | 118 | 66 | – | 66 | 22 | 2 186 | 1 875 | 105 | 118 | 66 |
| 松山市 | 3 991 | 3 127 | 393 | 336 | 112 | – | – | 23 | 3 991 | 3 127 | 393 | 336 | 112 |
| 高知市 | 1 795 | 1 733 | – | 33 | 20 | – | 20 | 9 | 1 795 | 1 733 | – | 33 | 20 |
| 久留米市 | 2 716 | 2 201 | 150 | 247 | 55 | – | 55 | 63 | 2 716 | 2 201 | 150 | 247 | 55 |
| 長崎市 | – | – | – | – | – | – | – | – | – | – | – | – | – |
| 佐世保市 | 2 041 | 1 509 | 223 | 221 | 20 | – | 20 | 68 | – | – | – | – | – |
| 大分市 | 4 043 | 3 591 | 93 | 219 | 96 | – | 96 | 44 | 4 043 | 3 591 | 93 | 219 | 96 |
| 宮崎市 | 3 443 | 2 992 | 111 | 302 | 8 | – | 8 | 30 | 3 443 | 2 992 | 111 | 302 | 8 |
| 鹿児島市 | 5 119 | 4 886 | – | 165 | 19 | – | 19 | 49 | 5 119 | 4 886 | – | 165 | 19 |
| 那覇市 | 2 766 | 2 282 | 116 | 135 | 10 | – | 10 | 223 | – | – | – | – | – |
| その他政令市(再掲) | | | | | | | | | | | | | |
| 小樽市 | 507 | 426 | – | 29 | 2 | – | 2 | 50 | 423 | 357 | – | 16 | 2 |
| 町田市 | 2 707 | 2 051 | … | … | … | … | … | … | – | – | – | – | – |
| 藤沢市 | – | – | – | – | – | – | – | – | – | – | – | – | – |
| 茅ヶ崎市 | – | – | – | – | – | – | – | – | – | – | – | – | – |
| 四日市市 | 2 377 | 2 232 | 34 | 86 | 7 | – | 7 | 18 | 2 377 | 2 232 | 34 | 86 | 7 |
| 大牟田市 | – | – | – | – | – | – | – | – | – | – | – | – | – |

注：1）受診結果は計数不詳な市区町村があるため、受診実人員と受診結果の計が一致しない場合がある。

# 機関等へ委託した受診結果別人員，指定都市・特別区－中核市－その他政令市、対象区分別（乳児1～2か月・乳児3～5か月）

平成29年度

| ～5か月 | | | | | | | | | | | | | | |
|---|---|---|---|---|---|---|---|---|---|---|---|---|---|---|
| 結果[1)] | | | 精密健康診査受診実人員 | 受診結果[1)] | | | | | （再掲）医療機関等へ委託 | 受診結果[1)] | | | | |
| （再掲） | | 要精密 | | 異常なし | 要経過観察 | 要治療 | （再掲） | | | 異常なし | 要経過観察 | 要治療 | （再掲） | |
| 精神面 | 身体面 | | | | | | 精神面 | 身体面 | | | | | 精神面 | 身体面 |
| － | 1 016 | 1 373 | 5 061 | 2 490 | 2 076 | 400 | 5 | 368 | 2 740 | 1 503 | 948 | 201 | … | 196 |
| － | － | 499 | 1 972 | 789 | 917 | 178 | … | 175 | 1 117 | 464 | 478 | 87 | … | 84 |
| － | － | － | － | － | － | － | － | － | － | － | － | － | － | － |
| － | 214 | 80 | 105 | 64 | 39 | 2 | － | 2 | 105 | 64 | 39 | 2 | － | 2 |
| － | － | － | － | － | － | － | － | － | － | － | － | － | － | － |
| － | － | － | － | － | － | － | － | － | － | － | － | － | － | － |
| － | － | － | － | － | － | － | － | － | － | － | － | － | － | － |
| － | 122 | 100 | － | － | － | － | － | － | － | － | － | － | － | － |
| － | － | － | － | － | － | － | － | － | － | － | － | － | － | － |
| － | － | － | － | － | － | － | － | － | － | － | － | － | － | － |
| － | － | － | － | － | － | － | － | － | － | － | － | － | － | － |
| － | － | － | － | － | － | － | － | － | － | － | － | － | － | － |
| － | － | － | － | － | － | － | － | － | － | － | － | － | － | － |
| － | － | － | 244 | 90 | 124 | 30 | 5 | 25 | － | － | － | － | － | － |
| － | － | － | － | － | － | － | － | － | － | － | － | － | － | － |
| － | － | － | － | － | － | － | － | － | － | － | － | － | － | － |
| － | － | － | － | － | － | － | － | － | － | － | － | － | － | － |
| － | 127 | 89 | － | － | － | － | － | － | － | － | － | － | － | － |
| － | － | － | － | － | － | － | － | － | － | － | － | － | － | － |
| － | － | － | － | － | － | － | － | － | － | － | － | － | － | － |
| － | － | － | 217 | 61 | 134 | 22 | － | － | － | － | － | － | － | － |
| － | － | － | － | － | － | － | － | － | － | － | － | － | － | － |
| － | － | － | － | － | － | － | － | － | － | － | － | － | － | － |
| － | － | － | － | － | － | － | － | － | － | － | － | － | － | － |
| － | － | － | 165 | 95 | 53 | 10 | － | 10 | － | － | － | － | － | － |
| － | 25 | 19 | 19 | 4 | 2 | 13 | － | 13 | 19 | 4 | 2 | 13 | － | 13 |
| － | － | － | － | － | － | － | － | － | － | － | － | － | － | － |
| － | － | － | － | － | － | － | － | － | － | － | － | － | － | － |
| － | － | － | － | － | － | － | － | － | － | － | － | － | － | － |
| － | － | － | － | － | － | － | － | － | － | － | － | － | － | － |
| － | － | － | － | － | － | － | － | － | － | － | － | － | － | － |
| － | － | － | － | － | － | － | － | － | － | － | － | － | － | － |
| － | － | － | － | － | － | － | － | － | － | － | － | － | － | － |
| － | － | － | 15 | 8 | 7 | － | － | － | － | － | － | － | － | － |
| － | － | － | － | － | － | － | － | － | － | － | － | － | － | － |
| － | 37 | － | － | － | － | － | － | － | － | － | － | － | － | － |
| － | 2 | 1 | － | － | － | － | － | － | － | － | － | － | － | － |
| － | － | － | － | － | － | － | － | － | － | － | － | － | － | － |
| － | － | － | － | － | － | － | － | － | － | － | － | － | － | － |
| － | － | － | 65 | 40 | 22 | 3 | － | 3 | 65 | 40 | 22 | 3 | － | 3 |
| － | － | － | － | － | － | － | － | － | － | － | － | － | － | － |
| － | － | － | 876 | 658 | 194 | 24 | － | 24 | 876 | 658 | 194 | 24 | － | 24 |
| － | － | － | － | － | － | － | － | － | － | － | － | － | － | － |
| － | － | － | 252 | 163 | 83 | 6 | － | 6 | － | － | － | － | － | － |
| － | － | － | － | － | － | － | － | － | － | － | － | － | － | － |
| － | 2 | 69 | 53 | 25 | 21 | 7 | － | 7 | 53 | 25 | 21 | 7 | － | 7 |
| － | － | 77 | 44 | 22 | 16 | 6 | － | 6 | 44 | 22 | 16 | 6 | － | 6 |
| － | － | － | － | － | － | － | － | － | － | － | － | － | － | － |
| － | － | － | 196 | 92 | 101 | 3 | － | 3 | － | － | － | － | － | － |
| － | － | － | 76 | 35 | 32 | 9 | － | 9 | － | － | － | － | － | － |
| － | － | － | 54 | 31 | 23 | － | － | － | － | － | － | － | － | － |
| － | － | 1 | 1 | － | 1 | － | － | － | 1 | － | 1 | － | － | － |
| － | － | － | 81 | 21 | 49 | 11 | － | 11 | － | － | － | － | － | － |
| － | － | － | 83 | 24 | 32 | 27 | － | 27 | 83 | 24 | 32 | 27 | － | 27 |
| － | 38 | 69 | 69 | 25 | 37 | 7 | － | 7 | 69 | 25 | 37 | 7 | － | 7 |
| － | － | － | 65 | 34 | 24 | 7 | － | 7 | － | － | － | － | － | － |
| － | 95 | 30 | － | － | － | － | － | － | － | － | － | － | － | － |
| － | 81 | 33 | 33 | 17 | 14 | 2 | － | 2 | 33 | 17 | 14 | 2 | － | 2 |
| － | － | － | 62 | 24 | 38 | － | － | － | － | － | － | － | － | － |
| － | － | － | － | － | － | － | － | － | － | － | － | － | － | － |
| － | 66 | 22 | 21 | 6 | 12 | 3 | － | 3 | 21 | 6 | 12 | 3 | － | 3 |
| － | － | 23 | 23 | 8 | 13 | 2 | － | － | 23 | 8 | 13 | 2 | － | － |
| － | 20 | 9 | － | － | － | － | － | － | － | － | － | － | － | － |
| － | 55 | 63 | 32 | 16 | 8 | 8 | － | 8 | 32 | 16 | 8 | 8 | － | 8 |
| － | － | － | － | － | － | － | － | － | － | － | － | － | － | － |
| － | － | － | 39 | 8 | 21 | 10 | － | 10 | － | － | － | － | － | － |
| － | 96 | 44 | 20 | 14 | 6 | － | － | － | 20 | 14 | 6 | － | － | － |
| － | 8 | 30 | － | － | － | － | － | － | － | － | － | － | － | － |
| － | 19 | 49 | 6 | 2 | 4 | － | － | － | 6 | 2 | 4 | － | － | － |
| － | － | － | 173 | 114 | 49 | 10 | － | 10 | 173 | 114 | 49 | 10 | － | 10 |
| － | 2 | 48 | － | － | － | － | － | － | － | － | － | － | － | － |
| － | － | － | － | － | － | － | － | － | － | － | － | － | － | － |
| － | － | － | － | － | － | － | － | － | － | － | － | － | － | － |
| － | － | － | － | － | － | － | － | － | － | － | － | － | － | － |
| － | 7 | 18 | － | － | － | － | － | － | － | － | － | － | － | － |
| － | － | － | － | － | － | － | － | － | － | － | － | － | － | － |

## 第3－2表（2－1）政令市及び特別区の設置する保健所が実施した乳児の健康診査受診結果別人員・医療

| | 一般健康診査受診実人員 | 乳　児 受診結果1) 異常なし | 既医療 | 要経過観察 | 要治療 | （再掲）精神面 | （再掲）身体面 | 要精密 | （再掲）医療機関等へ委託 | 6 受診 異常なし | 既医療 | 要経過観察 | 要治療 |
|---|---|---|---|---|---|---|---|---|---|---|---|---|---|
| 政　令　市 | 140 732 | 115 284 | 2 012 | 9 957 | 1 317 | 14 | 1 228 | 519 | 130 201 | 106 609 | 1 510 | 8 759 | 1 226 |
| 指定都市・特別区(再掲) | | | | | | | | | | | | | |
| 東 京 都 区 部 | 52 493 | 35 555 | 516 | 4 156 | 585 | 6 | 581 | 38 | 52 493 | 35 555 | 516 | 4 156 | 585 |
| 札 幌 市 | － | － | － | － | － | － | － | － | － | － | － | － | － |
| 仙 台 市 | 8 221 | 7 305 | 252 | 465 | 117 | － | 117 | 82 | 8 221 | 7 305 | 252 | 465 | 117 |
| さいたま市 | － | － | － | － | － | － | － | － | － | － | － | － | － |
| 千 葉 市 | － | － | － | － | － | － | － | － | － | － | － | － | － |
| 横 浜 市 | 19 064 | 19 064 | － | － | － | － | － | － | 19 064 | 19 064 | － | － | － |
| 川 崎 市 | 13 671 | 11 054 | 426 | 2 062 | 74 | － | 74 | 55 | 13 671 | 11 054 | 426 | 2 062 | 74 |
| 相 模 原 市 | － | － | － | － | － | － | － | － | － | － | － | － | － |
| 新 潟 市 | － | － | － | － | － | － | － | － | － | － | － | － | － |
| 静 岡 市 | － | － | － | － | － | － | － | － | － | － | － | － | － |
| 浜 松 市 | － | － | － | － | － | － | － | － | － | － | － | － | － |
| 名 古 屋 市 | 10 470 | 8 633 | 502 | 1 186 | 91 | 7 | 84 | 58 | 10 470 | 8 633 | 502 | 1 186 | 91 |
| 京 都 市 | － | － | － | － | － | － | － | － | － | － | － | － | － |
| 大 阪 市 | － | － | － | － | － | － | － | － | － | － | － | － | － |
| 堺 市 | － | － | － | － | － | － | － | － | － | － | － | － | － |
| 神 戸 市 | － | － | － | － | － | － | － | － | － | － | － | － | － |
| 岡 山 市 | 4 501 | 3 935 | － | 430 | 108 | － | 108 | 28 | 4 501 | 3 935 | － | 430 | 108 |
| 広 島 市 | － | － | － | － | － | － | － | － | － | － | － | － | － |
| 北 九 州 市 | － | － | － | － | － | － | － | － | － | － | － | － | － |
| 福 岡 市 | － | － | － | － | － | － | － | － | － | － | － | － | － |
| 熊 本 市 | － | － | － | － | － | － | － | － | － | － | － | － | － |
| 中 核 市(再掲) | | | | | | | | | | | | | |
| 旭 川 市 | － | － | － | － | － | － | － | － | － | － | － | － | － |
| 函 館 市 | － | － | － | － | － | － | － | － | － | － | － | － | － |
| 青 森 市 | 1 792 | 1 653 | 50 | 15 | 1 | － | 1 | 73 | 1 792 | 1 653 | 50 | 15 | 1 |
| 八 戸 市 | 615 | 600 | 1 | 7 | 3 | － | 3 | 4 | 615 | 600 | 1 | 7 | 3 |
| 盛 岡 市 | － | － | － | － | － | － | － | － | － | － | － | － | － |
| 秋 田 市 | － | － | － | － | － | － | － | － | － | － | － | － | － |
| 郡 山 市 | － | － | － | － | － | － | － | － | － | － | － | － | － |
| いわき市 | － | － | － | － | － | － | － | － | － | － | － | － | － |
| 宇 都 宮 市 | － | － | － | － | － | － | － | － | － | － | － | － | － |
| 前 橋 市 | － | － | － | － | － | － | － | － | － | － | － | － | － |
| 高 崎 市 | － | － | － | － | － | － | － | － | － | － | － | － | － |
| 川 越 市 | － | － | － | － | － | － | － | － | － | － | － | － | － |
| 越 谷 市 | － | － | － | － | － | － | － | － | － | － | － | － | － |
| 船 橋 市 | － | － | － | － | － | － | － | － | － | － | － | － | － |
| 柏 市 | － | － | － | － | － | － | － | － | － | － | － | － | － |
| 八 王 子 市 | － | － | － | － | － | － | － | － | － | － | － | － | － |
| 横 須 賀 市 | － | － | － | － | － | － | － | － | － | － | － | － | － |
| 富 山 市 | 2 827 | 2 685 | － | 118 | 16 | － | 16 | 8 | 2 827 | 2 685 | － | 118 | 16 |
| 金 沢 市 | － | － | － | － | － | － | － | － | － | － | － | － | － |
| 長 野 市 | 2 605 | 2 358 | － | 150 | 77 | … | … | 20 | 2 605 | 2 358 | － | 150 | 77 |
| 岐 阜 市 | － | － | － | － | － | － | － | － | － | － | － | － | － |
| 豊 橋 市 | － | － | － | － | － | － | － | － | － | － | － | － | － |
| 豊 田 市 | － | － | － | － | － | － | － | － | － | － | － | － | － |
| 岡 崎 市 | － | － | － | － | － | － | － | － | － | － | － | － | － |
| 大 津 市 | － | － | － | － | － | － | － | － | － | － | － | － | － |
| 高 槻 市 | － | － | － | － | － | － | － | － | － | － | － | － | － |
| 東 大 阪 市 | － | － | － | － | － | － | － | － | － | － | － | － | － |
| 豊 中 市 | － | － | － | － | － | － | － | － | － | － | － | － | － |
| 枚 方 市 | － | － | － | － | － | － | － | － | － | － | － | － | － |
| 姫 路 市 | － | － | － | － | － | － | － | － | － | － | － | － | － |
| 西 宮 市 | － | － | － | － | － | － | － | － | － | － | － | － | － |
| 尼 崎 市 | － | － | － | － | － | － | － | － | － | － | － | － | － |
| 奈 良 市 | － | － | － | － | － | － | － | － | － | － | － | － | － |
| 和 歌 山 市 | － | － | － | － | － | － | － | － | － | － | － | － | － |
| 倉 敷 市 | 4 139 | 4 041 | － | － | 71 | － | 71 | 27 | 4 139 | 4 041 | － | － | 71 |
| 福 山 市 | 2 543 | 2 348 | － | 120 | 68 | － | 68 | 7 | 2 543 | 2 348 | － | 120 | 68 |
| 呉 市 | 1 384 | 1 125 | 35 | 196 | 15 | － | 15 | 13 | 1 384 | 1 125 | 35 | 196 | 15 |
| 下 関 市 | － | － | － | － | － | － | － | － | － | － | － | － | － |
| 高 松 市 | 822 | 716 | 49 | 41 | 7 | － | 7 | 9 | 822 | 716 | 49 | 41 | 7 |
| 松 山 市 | － | － | － | － | － | － | － | － | － | － | － | － | － |
| 高 知 市 | 424 | 406 | － | 12 | 4 | － | 4 | 2 | 424 | 406 | － | 12 | 4 |
| 久 留 米 市 | － | － | － | － | － | － | － | － | － | － | － | － | － |
| 長 崎 市 | － | － | － | － | － | － | － | － | － | － | － | － | － |
| 佐 世 保 市 | － | － | － | － | － | － | － | － | － | － | － | － | － |
| 大 分 市 | 3 994 | 3 533 | 71 | 318 | 50 | － | 50 | 22 | 3 994 | 3 533 | 71 | 318 | 50 |
| 宮 崎 市 | 3 363 | 2 974 | 110 | 241 | 7 | － | 7 | 31 | 3 363 | 2 974 | 110 | 241 | 7 |
| 鹿 児 島 市 | 5 096 | 4 849 | － | 194 | 20 | － | 20 | 33 | 5 096 | 4 849 | － | 194 | 20 |
| 那 覇 市 | 61 | 42 | － | 12 | － | － | － | 7 | | | | | |
| その他政令市(再掲) | | | | | | | | | | | | | |
| 小 樽 市 | － | － | － | － | － | － | － | － | － | － | － | － | － |
| 町 田 市 | 2 647 | 2 408 | － | 234 | 3 | 1 | 2 | 2 | 2 647 | 2 408 | － | 234 | 3 |
| 藤 沢 市 | － | － | － | － | － | － | － | － | － | － | － | － | － |
| 茅 ヶ 崎 市 | － | － | － | － | － | － | － | － | － | － | － | － | － |
| 四 日 市 市 | － | － | － | － | － | － | － | － | － | － | － | － | － |
| 大 牟 田 市 | － | － | － | － | － | － | － | － | － | － | － | － | － |

注：1）受診結果は計数不詳な市区町村があるため、受診実人員と受診結果の計が一致しない場合がある。

## 機関等へ委託した受診結果別人員，指定都市・特別区－中核市－その他政令市、対象区分別（乳児６～８か月・乳児９～12か月）

平成29年度

| ～8か月 | | | | | | | | | | | | | | |
|---|---|---|---|---|---|---|---|---|---|---|---|---|---|---|
| 結果[1] | | | 精密健康診査受診実人員 | 受診結果[1] | | | | | (再掲)医療機関等へ委託 | 受診結果[1] | | | | |
| (再掲) | | 要精密 | | 異常なし | 要経過観察 | 要治療 | (再掲) | | | 異常なし | 要経過観察 | 要治療 | (再掲) | |
| 精神面 | 身体面 | | | | | | 精神面 | 身体面 | | | | | 精神面 | 身体面 |
| 7 | 1 144 | 454 | 249 | 70 | 147 | 30 | 10 | 20 | 132 | 55 | 68 | 7 | … | 7 |
| 6 | 581 | 38 | … | … | … | … | … | … | … | … | … | … | … | … |
| － | － | － | － | － | － | － | － | － | － | － | － | － | － | － |
| － | 117 | 82 | 22 | 19 | 3 | － | － | － | 22 | 19 | 3 | － | － | － |
| － | － | － | － | － | － | － | － | － | － | － | － | － | － | － |
| － | － | － | － | － | － | － | － | － | － | － | － | － | － | － |
| － | － | － | － | － | － | － | － | － | － | － | － | － | － | － |
| － | 74 | 55 | － | － | － | － | － | － | － | － | － | － | － | － |
| － | － | － | － | － | － | － | － | － | － | － | － | － | － | － |
| － | － | － | － | － | － | － | － | － | － | － | － | － | － | － |
| － | － | － | － | － | － | － | － | － | － | － | － | － | － | － |
| － | － | － | － | － | － | － | － | － | － | － | － | － | － | － |
| － | － | － | － | － | － | － | － | － | － | － | － | － | － | － |
| － | － | － | 117 | 15 | 79 | 23 | 10 | 13 | － | － | － | － | － | － |
| － | － | － | － | － | － | － | － | － | － | － | － | － | － | － |
| － | － | － | － | － | － | － | － | － | － | － | － | － | － | － |
| － | － | － | － | － | － | － | － | － | － | － | － | － | － | － |
| － | 108 | 28 | － | － | － | － | － | － | － | － | － | － | － | － |
| － | － | － | － | － | － | － | － | － | － | － | － | － | － | － |
| － | － | － | － | － | － | － | － | － | － | － | － | － | － | － |
| － | － | － | － | － | － | － | － | － | － | － | － | － | － | － |
| － | － | － | － | － | － | － | － | － | － | － | － | － | － | － |
| － | － | － | － | － | － | － | － | － | － | － | － | － | － | － |
| － | － | － | － | － | － | － | － | － | － | － | － | － | － | － |
| － | 1 | 73 | 55 | 27 | 25 | 1 | － | 1 | 55 | 27 | 25 | 1 | － | 1 |
| － | 3 | 4 | 4 | 1 | 1 | 2 | － | 2 | 4 | 1 | 1 | 2 | － | 2 |
| － | － | － | － | － | － | － | － | － | － | － | － | － | － | － |
| － | － | － | － | － | － | － | － | － | － | － | － | － | － | － |
| － | － | － | － | － | － | － | － | － | － | － | － | － | － | － |
| － | － | － | － | － | － | － | － | － | － | － | － | － | － | － |
| － | － | － | － | － | － | － | － | － | － | － | － | － | － | － |
| － | － | － | － | － | － | － | － | － | － | － | － | － | － | － |
| － | － | － | － | － | － | － | － | － | － | － | － | － | － | － |
| － | － | － | － | － | － | － | － | － | － | － | － | － | － | － |
| － | － | － | － | － | － | － | － | － | － | － | － | － | － | － |
| － | － | － | － | － | － | － | － | － | － | － | － | － | － | － |
| － | － | － | － | － | － | － | － | － | － | － | － | － | － | － |
| － | － | － | － | － | － | － | － | － | － | － | － | － | － | － |
| － | － | － | － | － | － | － | － | － | － | － | － | － | － | － |
| － | 16 | 8 | － | － | － | － | － | － | － | － | － | － | － | － |
| － | － | － | － | － | － | － | － | － | － | － | － | － | － | － |
| … | … | 20 | － | － | － | － | － | － | － | － | － | － | － | － |
| － | － | － | － | － | － | － | － | － | － | － | － | － | － | － |
| － | － | － | － | － | － | － | － | － | － | － | － | － | － | － |
| － | － | － | － | － | － | － | － | － | － | － | － | － | － | － |
| － | － | － | － | － | － | － | － | － | － | － | － | － | － | － |
| － | － | － | － | － | － | － | － | － | － | － | － | － | － | － |
| － | － | － | － | － | － | － | － | － | － | － | － | － | － | － |
| － | － | － | － | － | － | － | － | － | － | － | － | － | － | － |
| － | － | － | － | － | － | － | － | － | － | － | － | － | － | － |
| － | － | － | － | － | － | － | － | － | － | － | － | － | － | － |
| － | － | － | － | － | － | － | － | － | － | － | － | － | － | － |
| － | － | － | － | － | － | － | － | － | － | － | － | － | － | － |
| － | － | － | － | － | － | － | － | － | － | － | － | － | － | － |
| － | － | － | － | － | － | － | － | － | － | － | － | － | － | － |
| － | － | － | － | － | － | － | － | － | － | － | － | － | － | － |
| － | 71 | 27 | － | － | － | － | － | － | － | － | － | － | － | － |
| － | 68 | 7 | － | － | － | － | － | － | － | － | － | － | － | － |
| － | 15 | 13 | 12 | 2 | 9 | 1 | － | 1 | 12 | 2 | 9 | 1 | － | 1 |
| － | － | － | － | － | － | － | － | － | － | － | － | － | － | － |
| － | 7 | 9 | 5 | 2 | 3 | － | － | － | 5 | 2 | 3 | － | － | － |
| － | － | － | － | － | － | － | － | － | － | － | － | － | － | － |
| － | 4 | 2 | － | － | － | － | － | － | － | － | － | － | － | － |
| － | － | － | － | － | － | － | － | － | － | － | － | － | － | － |
| － | － | － | － | － | － | － | － | － | － | － | － | － | － | － |
| － | － | － | － | － | － | － | － | － | － | － | － | － | － | － |
| － | 50 | 22 | 10 | 1 | 9 | － | － | － | 10 | 1 | 9 | － | － | － |
| － | 7 | 31 | － | － | － | － | － | － | － | － | － | － | － | － |
| － | 20 | 33 | 22 | 2 | 17 | 3 | － | 3 | 22 | 2 | 17 | 3 | － | 3 |
| － | － | － | － | － | － | － | － | － | － | － | － | － | － | － |
| | － | － | － | － | － | － | － | － | － | － | － | － | － | － |
| 1 | 2 | 2 | 2 | 1 | 1 | － | － | － | 2 | 1 | 1 | － | － | － |
| － | － | － | － | － | － | － | － | － | － | － | － | － | － | － |
| － | － | － | － | － | － | － | － | － | － | － | － | － | － | － |
| － | － | － | － | － | － | － | － | － | － | － | － | － | － | － |
| － | － | － | － | － | － | － | － | － | － | － | － | － | － | － |

# 第3－2表（2－2）政令市及び特別区の設置する保健所が実施した乳児の健康診査受診結果別人員・医療

| | 乳 | | | | | | | | 児 | | | | 9 |
|---|---|---|---|---|---|---|---|---|---|---|---|---|---|
| | | 受 | 診 | | 結 | | 果[1] | | | 受 | | 診 | |
| | 一般健康診査受診実人員 | 異常なし | 既医療 | 要経過観察 | 要治療 | （再掲）精神面 | （再掲）身体面 | 要精密 | （再掲）医療機関等へ委託 | 異常なし | 既医療 | 要経過観察 | 要治療 |
| 政令市 | 176 823 | 144 133 | 3 177 | 15 919 | 1 228 | 9 | 1 064 | 995 | 164 580 | 135 828 | 2 400 | 13 247 | 1 207 |
| 指定都市・特別区(再掲) | | | | | | | | | | | | | |
| 東京都区部 | 51 125 | 34 831 | 456 | 3 962 | 499 | 2 | 499 | 37 | 51 125 | 34 831 | 456 | 3 962 | 499 |
| 札幌市 | – | – | – | – | – | – | – | – | – | – | – | – | – |
| 仙台市 | – | – | – | – | – | – | – | – | – | – | – | – | – |
| さいたま市 | – | – | – | – | – | – | – | – | – | – | – | – | – |
| 千葉市 | – | – | – | – | – | – | – | – | – | – | – | – | – |
| 横浜市 | 18 411 | 18 411 | – | – | – | – | – | – | 18 411 | 18 411 | – | – | – |
| 川崎市 | 1 426 | 900 | 70 | 434 | 4 | – | 4 | 18 | 1 426 | 900 | 70 | 434 | 4 |
| 相模原市 | – | – | – | – | – | – | – | – | – | – | – | – | – |
| 新潟市 | – | – | – | – | – | – | – | – | – | – | – | – | – |
| 静岡市 | – | – | – | – | – | – | – | – | – | – | – | – | – |
| 浜松市 | – | – | – | – | – | – | – | – | – | – | – | – | – |
| 名古屋市 | 13 199 | 13 087 | – | 112 | – | – | – | – | 13 199 | 13 087 | – | 112 | – |
| 京都市 | – | – | – | – | – | – | – | – | – | – | – | – | – |
| 大阪市 | – | – | – | – | – | – | – | – | – | – | – | – | – |
| 堺市 | – | – | – | – | – | – | – | – | – | – | – | – | – |
| 神戸市 | – | – | – | – | – | – | – | – | – | – | – | – | – |
| 岡山市 | 4 185 | 3 917 | – | 181 | 63 | – | 63 | 24 | 4 185 | 3 917 | – | 181 | 63 |
| 広島市 | – | – | – | – | – | – | – | – | – | – | – | – | – |
| 北九州市 | – | – | – | – | – | – | – | – | – | – | – | – | – |
| 福岡市 | 12 946 | 9 244 | 541 | 2 933 | 47 | – | – | 181 | 12 946 | 9 244 | 541 | 2 933 | 47 |
| 熊本市 | – | – | – | – | – | – | – | – | – | – | – | – | – |
| 中核市(再掲) | | | | | | | | | | | | | |
| 旭川市 | – | – | – | – | – | – | – | – | – | – | – | – | – |
| 函館市 | – | – | – | – | – | – | – | – | – | – | – | – | – |
| 青森市 | – | – | – | – | – | – | – | – | – | – | – | – | – |
| 八戸市 | 645 | 627 | 1 | 8 | 7 | – | 7 | 2 | 645 | 627 | 1 | 8 | 7 |
| 盛岡市 | – | – | – | – | – | – | – | – | – | – | – | – | – |
| 秋田市 | – | – | – | – | – | – | – | – | – | – | – | – | – |
| 郡山市 | – | – | – | – | – | – | – | – | – | – | – | – | – |
| いわき市 | – | – | – | – | – | – | – | – | – | – | – | – | – |
| 宇都宮市 | – | – | – | – | – | – | – | – | – | – | – | – | – |
| 前橋市 | – | – | – | – | – | – | – | – | – | – | – | – | – |
| 高崎市 | – | – | – | – | – | – | – | – | – | – | – | – | – |
| 川越市 | – | – | – | – | – | – | – | – | – | – | – | – | – |
| 越谷市 | – | – | – | – | – | – | – | – | – | – | – | – | – |
| 船橋市 | 4 359 | 4 182 | 25 | 128 | 24 | – | 24 | – | 4 359 | 4 182 | 25 | 128 | 24 |
| 柏市 | 2 819 | 2 781 | – | 37 | 1 | – | 1 | – | 2 819 | 2 781 | – | 37 | 1 |
| 八王子市 | – | – | – | – | – | – | – | – | – | – | – | – | – |
| 横須賀市 | – | – | – | – | – | – | – | – | – | – | – | – | – |
| 富山市 | 2 528 | 2 390 | – | 111 | 11 | – | 11 | 16 | 2 528 | 2 390 | – | 111 | 11 |
| 金沢市 | – | – | – | – | – | – | – | – | – | – | – | – | – |
| 長野市 | 2 494 | 2 206 | – | 213 | 59 | … | … | 16 | 2 494 | 2 206 | – | 213 | 59 |
| 岐阜市 | – | – | – | – | – | – | – | – | – | – | – | – | – |
| 豊橋市 | 2 826 | 2 587 | 65 | 125 | 28 | – | 28 | 21 | 2 826 | 2 587 | 65 | 125 | 28 |
| 豊田市 | – | – | – | – | – | – | – | – | – | – | – | – | – |
| 岡崎市 | 3 052 | 2 778 | 38 | 197 | 39 | 1 | 38 | – | 3 052 | 2 778 | 38 | 197 | 39 |
| 大津市 | 2 803 | 1 268 | 78 | 1 408 | – | – | – | 49 | – | – | – | – | – |
| 高槻市 | – | – | – | – | – | – | – | – | – | – | – | – | – |
| 東大阪市 | 2 992 | 2 725 | 57 | 174 | 20 | – | 20 | 16 | 2 992 | 2 725 | 57 | 174 | 20 |
| 豊中市 | 3 109 | 2 680 | 66 | 308 | 21 | – | 21 | 3 | 3 109 | 2 680 | 66 | 308 | 21 |
| 枚方市 | 2 622 | 1 493 | – | 1 129 | – | – | – | – | 2 622 | 1 493 | – | 1 129 | – |
| 姫路市 | 4 193 | 3 924 | – | 256 | – | – | – | 13 | 4 193 | 3 924 | – | 256 | – |
| 西宮市 | 4 155 | 3 162 | 259 | 655 | 47 | – | 47 | 32 | 4 155 | 3 162 | 259 | 655 | 47 |
| 尼崎市 | 3 551 | 2 850 | 352 | 259 | 17 | – | 17 | 73 | – | – | – | – | – |
| 奈良市 | 2 341 | 1 641 | 91 | 549 | 32 | – | 32 | 28 | 2 341 | 1 641 | 91 | 549 | 32 |
| 和歌山市 | 2 661 | 1 967 | 207 | 415 | – | – | – | 72 | – | – | – | – | – |
| 倉敷市 | 3 751 | 3 643 | – | – | 89 | – | 89 | 19 | 3 751 | 3 643 | – | – | 89 |
| 福山市 | 1 401 | 1 286 | – | 68 | 40 | – | 40 | 7 | 1 401 | 1 286 | – | 68 | 40 |
| 呉市 | – | – | – | – | – | – | – | – | – | – | – | – | – |
| 下関市 | – | – | – | – | – | – | – | – | – | – | – | – | – |
| 高松市 | 602 | 519 | 36 | 38 | 7 | – | 7 | 2 | 602 | 519 | 36 | 38 | 7 |
| 松山市 | 2 979 | 2 165 | 329 | 422 | 51 | – | – | 12 | 2 979 | 2 165 | 329 | 422 | 51 |
| 高知市 | 168 | 156 | – | 7 | 4 | – | 4 | 1 | 168 | 156 | – | 7 | 4 |
| 久留米市 | 2 567 | 2 078 | 127 | 313 | 29 | – | 29 | 20 | 2 567 | 2 078 | 127 | 313 | 29 |
| 長崎市 | – | – | – | – | – | – | – | – | – | – | – | – | – |
| 佐世保市 | 1 321 | 1 198 | – | 91 | 16 | – | 16 | 16 | 1 321 | 1 198 | – | 91 | 16 |
| 大分市 | 3 995 | 3 619 | 75 | 228 | 52 | – | 52 | 21 | 3 995 | 3 619 | 75 | 228 | 52 |
| 宮崎市 | 3 310 | 2 965 | 127 | 203 | 4 | – | 4 | 11 | 3 310 | 2 965 | 127 | 203 | 4 |
| 鹿児島市 | – | – | – | – | – | – | – | – | – | – | – | – | – |
| 那覇市 | 2 729 | 1 816 | 110 | 528 | 4 | – | 4 | 271 | – | – | – | – | – |
| その他政令市(再掲) | | | | | | | | | | | | | |
| 小樽市 | 497 | 402 | 30 | 62 | – | – | – | 3 | – | – | – | – | – |
| 町田市 | 2 675 | 2 473 | – | 191 | 9 | 6 | 3 | 2 | 2 675 | 2 473 | – | 191 | 9 |
| 藤沢市 | – | – | – | – | – | – | – | – | – | – | – | – | – |
| 茅ヶ崎市 | – | – | – | – | – | – | – | – | – | – | – | – | – |
| 四日市市 | 2 386 | 2 162 | 37 | 174 | 4 | – | 4 | 9 | 2 384 | 2 160 | 37 | 174 | 4 |
| 大牟田市 | – | – | – | – | – | – | – | – | – | – | – | – | – |

注：1）受診結果は計数不詳な市区町村があるため、受診実人員と受診結果の計が一致しない場合がある。

## 機関等へ委託した受診結果別人員，指定都市・特別区－中核市－その他政令市、対象区分別（乳児６～８か月・乳児９～12か月）

平成29年度

| ～ | | | | | | 12 | か | | 月 | | | | | |
|---|---|---|---|---|---|---|---|---|---|---|---|---|---|---|
| 結果[1] | | | 精密健康診査受診実人員 | 受診結果[1] | | | | | （再掲）医療機関等へ委託 | 受診結果[1] | | | | |
| （再掲） | | 要精密 | | 異常なし | 要経過観察 | 要治療 | （再掲） | | | 異常なし | 要経過観察 | 要治療 | （再掲） | |
| 精神面 | 身体面 | | | | | | 精神面 | 身体面 | | | | | 精神面 | 身体面 |
| 9 | 1 043 | 527 | 585 | 138 | 291 | 152 | … | 135 | 378 | 90 | 170 | 114 | … | 111 |
| 2 | 499 | 37 | … | … | … | … | … | … | … | … | … | … | … | … |
| － | － | － | － | － | － | － | － | － | － | － | － | － | － | － |
| － | － | － | － | － | － | － | － | － | － | － | － | － | － | － |
| － | － | － | － | － | － | － | － | － | － | － | － | － | － | － |
| － | － | － | － | － | － | － | － | － | － | － | － | － | － | － |
| － | － | － | － | － | － | － | － | － | － | － | － | － | － | － |
| － | 4 | 18 | － | － | － | － | － | － | － | － | － | － | － | － |
| － | － | － | － | － | － | － | － | － | － | － | － | － | － | － |
| － | － | － | － | － | － | － | － | － | － | － | － | － | － | － |
| － | － | － | － | － | － | － | － | － | － | － | － | － | － | － |
| － | － | － | － | － | － | － | － | － | － | － | － | － | － | － |
| － | － | － | － | － | － | － | － | － | － | － | － | － | － | － |
| － | － | － | － | － | － | － | － | － | － | － | － | － | － | － |
| － | － | － | － | － | － | － | － | － | － | － | － | － | － | － |
| － | － | － | － | － | － | － | － | － | － | － | － | － | － | － |
| － | － | － | － | － | － | － | － | － | － | － | － | － | － | － |
| － | 63 | 24 | － | － | － | － | － | － | － | － | － | － | － | － |
| － | － | － | － | － | － | － | － | － | － | － | － | － | － | － |
| － | － | － | － | － | － | － | － | － | － | － | － | － | － | － |
| － | － | 181 | 110 | 28 | 67 | 15 | － | － | 5 | 3 | － | 2 | － | － |
| － | － | － | － | － | － | － | － | － | － | － | － | － | － | － |
| － | － | － | － | － | － | － | － | － | － | － | － | － | － | － |
| － | － | － | － | － | － | － | － | － | － | － | － | － | － | － |
| － | － | － | － | － | － | － | － | － | － | － | － | － | － | － |
| － | 7 | 2 | 2 | 1 | 1 | － | － | － | 2 | 1 | 1 | － | － | － |
| － | － | － | － | － | － | － | － | － | － | － | － | － | － | － |
| － | － | － | － | － | － | － | － | － | － | － | － | － | － | － |
| － | － | － | － | － | － | － | － | － | － | － | － | － | － | － |
| － | － | － | － | － | － | － | － | － | － | － | － | － | － | － |
| － | － | － | － | － | － | － | － | － | － | － | － | － | － | － |
| － | － | － | － | － | － | － | － | － | － | － | － | － | － | － |
| － | － | － | － | － | － | － | － | － | － | － | － | － | － | － |
| － | － | － | － | － | － | － | － | － | － | － | － | － | － | － |
| － | － | － | － | － | － | － | － | － | － | － | － | － | － | － |
| － | 24 | － | － | － | － | － | － | － | － | － | － | － | － | － |
| － | 1 | － | － | － | － | － | － | － | － | － | － | － | － | － |
| － | － | － | － | － | － | － | － | － | － | － | － | － | － | － |
| － | － | － | － | － | － | － | － | － | － | － | － | － | － | － |
| － | 11 | 16 | － | － | － | － | － | － | － | － | － | － | － | － |
| － | － | － | － | － | － | － | － | － | － | － | － | － | － | － |
| … | … | 16 | － | － | － | － | － | － | － | － | － | － | － | － |
| － | － | － | － | － | － | － | － | － | － | － | － | － | － | － |
| － | 28 | 21 | － | － | － | － | － | － | － | － | － | － | － | － |
| － | － | － | － | － | － | － | － | － | － | － | － | － | － | － |
| 1 | 38 | － | － | － | － | － | － | － | － | － | － | － | － | － |
| － | － | － | 36 | 7 | 15 | 14 | － | 14 | － | － | － | － | － | － |
| － | － | － | － | － | － | － | － | － | － | － | － | － | － | － |
| － | 20 | 16 | 16 | 6 | 9 | 1 | － | 1 | 16 | 6 | 9 | 1 | － | 1 |
| － | 21 | 3 | － | － | － | － | － | － | － | － | － | － | － | － |
| － | － | － | － | － | － | － | － | － | － | － | － | － | － | － |
| － | － | 13 | 13 | － | 12 | 1 | － | 1 | 13 | － | 12 | 1 | － | 1 |
| － | 47 | 32 | 21 | 6 | 5 | 10 | － | 10 | 21 | 6 | 5 | 10 | － | 10 |
| － | － | － | 58 | 9 | 30 | 19 | － | 19 | 58 | 9 | 30 | 19 | － | 19 |
| － | 32 | 28 | 28 | 4 | 17 | 3 | － | 3 | 28 | 4 | 17 | 3 | － | 3 |
| － | － | － | 64 | 16 | 38 | 10 | － | 10 | － | － | － | － | － | － |
| － | 89 | 19 | － | － | － | － | － | － | － | － | － | － | － | － |
| － | 40 | 7 | － | － | － | － | － | － | － | － | － | － | － | － |
| － | － | － | － | － | － | － | － | － | － | － | － | － | － | － |
| － | － | － | － | － | － | － | － | － | － | － | － | － | － | － |
| － | 7 | 2 | 1 | － | 1 | － | － | － | 1 | － | 1 | － | － | － |
| － | － | 12 | 12 | 3 | 8 | 1 | － | － | 12 | 3 | 8 | 1 | － | － |
| － | 4 | 1 | － | － | － | － | － | － | － | － | － | － | － | － |
| － | 29 | 20 | 7 | 1 | 4 | 2 | － | 2 | 7 | 1 | 4 | 2 | － | 2 |
| － | － | － | － | － | － | － | － | － | － | － | － | － | － | － |
| － | 16 | 16 | 15 | 3 | 3 | 9 | － | 9 | 15 | 3 | 3 | 9 | － | 9 |
| － | 52 | 21 | 7 | 3 | 4 | － | － | － | 7 | 3 | 4 | － | － | － |
| － | 4 | 11 | － | － | － | － | － | － | － | － | － | － | － | － |
| － | － | － | － | － | － | － | － | － | － | － | － | － | － | － |
| － | － | － | 191 | 49 | 76 | 66 | － | 66 | 191 | 49 | 76 | 66 | － | 66 |
| － | － | － | 2 | － | 1 | 1 | － | － | － | － | － | － | － | － |
| 6 | 3 | 2 | 2 | 2 | － | － | － | － | 2 | 2 | － | － | － | － |
| － | － | － | － | － | － | － | － | － | － | － | － | － | － | － |
| － | － | － | － | － | － | － | － | － | － | － | － | － | － | － |
| － | 4 | 9 | － | － | － | － | － | － | － | － | － | － | － | － |
| － | － | － | － | － | － | － | － | － | － | － | － | － | － | － |

# 第3－3表（2－1）政令市及び特別区の設置する保健所が実施した幼児の健康診査受診結果別人員・

| | 幼 | | | | | | | | 児 | | | | 1 |
|---|---|---|---|---|---|---|---|---|---|---|---|---|---|
| | | 受 | 診 | 結 | 果[1] | | | | | 受 | 診 | | |
| | 一般健康診査受診実人員 | 異常なし | 既医療 | 要経過観察 | 要治療 | （再掲）精神面 | （再掲）身体面 | 要精密 | （再掲）医療機関等へ委託 | 異常なし | 既医療 | 要経過観察 | 要治療 |
| 政令市 | 257 944 | 181 861 | 11 331 | 52 226 | 2 681 | 70 | 2 582 | 5 390 | 57 701 | 47 113 | 983 | 4 357 | 745 |
| 指定都市・特別区(再掲) | | | | | | | | | | | | | |
| 東京都区部 | 55 955 | 44 411 | 1 552 | 4 770 | 672 | 23 | 648 | 536 | 43 798 | 36 330 | 404 | 2 459 | 361 |
| 札幌市 | - | - | - | - | - | - | - | - | - | - | - | - | - |
| 仙台市 | 8 795 | 3 600 | 1 489 | 3 369 | 184 | 4 | 180 | 242 | - | - | - | - | - |
| さいたま市 | - | - | - | - | - | - | - | - | - | - | - | - | - |
| 千葉市 | - | - | - | - | - | - | - | - | - | - | - | - | - |
| 横浜市 | 23 583 | 15 563 | 1 247 | 6 664 | 104 | 2 | 102 | 616 | - | - | - | - | - |
| 川崎市 | 13 806 | 11 837 | 474 | 1 324 | 86 | - | 86 | 85 | - | - | - | - | - |
| 相模原市 | - | - | - | - | - | - | - | - | - | - | - | - | - |
| 新潟市 | - | - | - | - | - | - | - | - | - | - | - | - | - |
| 静岡市 | - | - | - | - | - | - | - | - | - | - | - | - | - |
| 浜松市 | - | - | - | - | - | - | - | - | - | - | - | - | - |
| 名古屋市 | 19 351 | 11 843 | 205 | 7 177 | 52 | 9 | 43 | 74 | - | - | - | - | - |
| 京都市 | 10 809 | 8 185 | 712 | 1 720 | 104 | 3 | 101 | 88 | - | - | - | - | - |
| 大阪市 | - | - | - | - | - | - | - | - | - | - | - | - | - |
| 堺市 | - | - | - | - | - | - | - | - | - | - | - | - | - |
| 神戸市 | - | - | - | - | - | - | - | - | - | - | - | - | - |
| 岡山市 | 6 014 | 4 265 | - | 1 372 | 137 | 17 | 130 | 240 | - | - | - | - | - |
| 広島市 | - | - | - | - | - | - | - | - | - | - | - | - | - |
| 北九州市 | - | - | - | - | - | - | - | - | - | - | - | - | - |
| 福岡市 | 14 158 | 8 787 | 884 | 3 935 | 38 | - | - | 514 | - | - | - | - | - |
| 熊本市 | - | - | - | - | - | - | - | - | - | - | - | - | - |
| 中核市(再掲) | | | | | | | | | | | | | |
| 旭川市 | - | - | - | - | - | - | - | - | - | - | - | - | - |
| 函館市 | - | - | - | - | - | - | - | - | - | - | - | - | - |
| 青森市 | 1 932 | 1 697 | 104 | 52 | 12 | - | 12 | 64 | - | - | - | - | - |
| 八戸市 | 1 703 | 1 501 | 4 | 134 | 17 | - | 17 | 47 | - | - | - | - | - |
| 盛岡市 | - | - | - | - | - | - | - | - | - | - | - | - | - |
| 秋田市 | - | - | - | - | - | - | - | - | - | - | - | - | - |
| 郡山市 | - | - | - | - | - | - | - | - | - | - | - | - | - |
| いわき市 | - | - | - | - | - | - | - | - | - | - | - | - | - |
| 宇都宮市 | - | - | - | - | - | - | - | - | - | - | - | - | - |
| 前橋市 | - | - | - | - | - | - | - | - | - | - | - | - | - |
| 高崎市 | - | - | - | - | - | - | - | - | - | - | - | - | - |
| 川越市 | 2 648 | 1 598 | 98 | 640 | 299 | - | 299 | 13 | - | - | - | - | - |
| 越谷市 | - | - | - | - | - | - | - | - | - | - | - | - | - |
| 船橋市 | 5 149 | 3 133 | 394 | 1 137 | 461 | - | 461 | 24 | 4 328 | 2 589 | 332 | 1 021 | 362 |
| 柏市 | 3 391 | 3 017 | 14 | 305 | 44 | 1 | 43 | 11 | - | - | - | - | - |
| 八王子市 | - | - | - | - | - | - | - | - | - | - | - | - | - |
| 横須賀市 | - | - | - | - | - | - | - | - | - | - | - | - | - |
| 富山市 | 3 194 | 1 982 | 54 | 1 076 | 23 | - | 23 | 59 | - | - | - | - | - |
| 金沢市 | - | - | - | - | - | - | - | - | - | - | - | - | - |
| 長野市 | 2 786 | 1 396 | - | 1 188 | 54 | - | 54 | 148 | - | - | - | - | - |
| 岐阜市 | - | - | - | - | - | - | - | - | - | - | - | - | - |
| 豊橋市 | 3 116 | 2 196 | 201 | 525 | 7 | - | 7 | 187 | - | - | - | - | - |
| 豊田市 | - | - | - | - | - | - | - | - | - | - | - | - | - |
| 岡崎市 | 3 815 | 2 599 | 282 | 850 | 5 | - | 5 | 79 | - | - | - | - | - |
| 大津市 | 2 827 | 1 211 | 59 | 1 498 | 3 | - | 3 | 56 | - | - | - | - | - |
| 高槻市 | - | - | - | - | - | - | - | - | - | - | - | - | - |
| 東大阪市 | 3 394 | 1 309 | 222 | 1 587 | 13 | 1 | 12 | 263 | - | - | - | - | - |
| 豊中市 | 3 676 | 1 196 | 201 | 1 259 | - | - | - | 61 | - | - | - | - | - |
| 枚方市 | 2 827 | 1 845 | 21 | 933 | - | - | - | 28 | - | - | - | - | - |
| 姫路市 | 4 418 | 3 825 | - | 523 | - | - | - | 70 | - | - | - | - | - |
| 西宮市 | 4 183 | 3 298 | 225 | 581 | 25 | 2 | 23 | 54 | - | - | - | - | - |
| 尼崎市 | 3 512 | 2 639 | 378 | 393 | 25 | - | 25 | 77 | - | - | - | - | - |
| 奈良市 | 2 465 | 1 675 | 90 | 595 | 47 | 3 | 44 | 58 | - | - | - | - | - |
| 和歌山市 | 2 892 | 2 357 | 280 | 168 | - | - | - | 87 | - | - | - | - | - |
| 倉敷市 | 4 153 | 3 056 | 377 | 569 | 54 | 3 | 51 | 97 | - | - | - | - | - |
| 福山市 | 3 758 | 2 493 | 75 | 599 | 10 | - | 10 | 581 | - | - | - | - | - |
| 呉市 | 1 473 | 699 | 81 | 632 | 22 | - | 22 | 39 | - | - | - | - | - |
| 下関市 | - | - | - | - | - | - | - | - | - | - | - | - | - |
| 高松市 | 3 373 | 2 438 | 195 | 588 | 20 | - | 20 | 132 | - | - | - | - | - |
| 松山市 | 3 895 | 3 134 | 129 | 604 | 4 | - | 4 | 24 | 3 895 | 3 134 | 129 | 604 | 4 |
| 高知市 | 2 515 | 2 047 | 90 | 333 | 8 | - | 8 | 37 | - | - | - | - | - |
| 久留米市 | 2 759 | 2 318 | 118 | 273 | 18 | - | 18 | 32 | 2 759 | 2 318 | 118 | 273 | 18 |
| 長崎市 | - | - | - | - | - | - | - | - | - | - | - | - | - |
| 佐世保市 | 2 069 | 1 498 | 143 | 371 | 10 | - | 10 | 47 | - | - | - | - | - |
| 大分市 | 4 219 | 3 145 | 241 | 684 | 2 | 1 | 1 | 147 | - | - | - | - | - |
| 宮崎市 | 3 455 | 1 857 | 203 | 1 319 | 1 | - | 1 | 75 | - | - | - | - | - |
| 鹿児島市 | 5 223 | 3 965 | 157 | 878 | 78 | - | 78 | 145 | - | - | - | - | - |
| 那覇市 | 2 884 | 1 664 | 140 | 899 | 16 | 1 | 15 | 165 | - | - | - | - | - |
| その他政令市(再掲) | | | | | | | | | | | | | |
| 小樽市 | 526 | 374 | 25 | 108 | - | - | - | 19 | - | - | - | - | - |
| 町田市 | 2 921 | 2 742 | … | … | … | … | … | … | 2 921 | 2 742 | … | … | … |
| 藤沢市 | - | - | - | - | - | - | - | - | - | - | - | - | - |
| 茅ヶ崎市 | 1 878 | 1 689 | 48 | 104 | 8 | - | 8 | 29 | - | - | - | - | - |
| 四日市市 | 2 444 | 1 777 | 119 | 490 | 18 | - | 18 | 40 | - | - | - | - | - |
| 大牟田市 | - | - | - | - | - | - | - | - | - | - | - | - | - |

注：1）受診結果は計数不詳な市区町村があるため、受診実人員と受診結果の計が一致しない場合がある。

## 医療機関等へ委託した受診結果別人員，指定都市・特別区－中核市－その他政令市、対象区分別（幼児1歳6か月・幼児3歳）

平成29年度

| 歳　6　か　月 結果[1)]（再掲）精神面 | 結果[1)]（再掲）身体面 | 要精密 | 精密健康診査受診実人員 | 受診結果[1)] 異常なし | 受診結果[1)] 要経過観察 | 受診結果[1)] 要治療 | 受診結果[1)]（再掲）精神面 | 受診結果[1)]（再掲）身体面 | （再掲）医療機関等へ委託 | 受診結果[1)] 異常なし | 受診結果[1)] 要経過観察 | 受診結果[1)] 要治療 | 受診結果[1)]（再掲）精神面 | 受診結果[1)]（再掲）身体面 |
|---|---|---|---|---|---|---|---|---|---|---|---|---|---|---|
| 22 | 722 | 310 | 3 567 | 945 | 1 977 | 626 | 170 | 363 | 1 382 | 320 | 781 | 272 | 52 | 220 |
| 22 | 338 | 230 | 104 | 14 | 73 | 17 | 3 | 14 | 54 | 6 | 38 | 10 | … | 10 |
| － | － | － | － | － | － | － | － | － | － | － | － | － | － | － |
| － | － | － | 162 | 96 | 51 | 10 | － | 10 | － | － | － | － | － | － |
| － | － | － | － | － | － | － | － | － | － | － | － | － | － | － |
| － | － | － | － | － | － | － | － | － | － | － | － | － | － | － |
| － | － | － | 379 | 95 | 183 | 99 | 39 | 60 | 379 | 95 | 183 | 99 | 39 | 60 |
| － | － | － | － | － | － | － | － | － | － | － | － | － | － | － |
| － | － | － | － | － | － | － | － | － | － | － | － | － | － | － |
| － | － | － | － | － | － | － | － | － | － | － | － | － | － | － |
| － | － | － | － | － | － | － | － | － | － | － | － | － | － | － |
| － | － | － | － | － | － | － | － | － | － | － | － | － | － | － |
| － | － | － | － | － | － | － | － | － | － | － | － | － | － | － |
| － | － | － | 252 | 29 | 143 | 80 | 74 | 6 | － | － | － | － | － | － |
| － | － | － | － | － | － | － | － | － | － | － | － | － | － | － |
| － | － | － | － | － | － | － | － | － | － | － | － | － | － | － |
| － | － | － | － | － | － | － | － | － | － | － | － | － | － | － |
| － | － | － | 126 | 41 | 72 | 13 | － | 13 | 126 | 41 | 72 | 13 | － | 13 |
| － | － | － | － | － | － | － | － | － | － | － | － | － | － | － |
| － | － | － | － | － | － | － | － | － | － | － | － | － | － | － |
| － | － | － | 272 | 39 | 139 | 94 | － | － | － | － | － | － | － | － |
| － | － | － | － | － | － | － | － | － | － | － | － | － | － | － |
| － | － | － | － | － | － | － | － | － | － | － | － | － | － | － |
| － | － | － | － | － | － | － | － | － | － | － | － | － | － | － |
| － | － | － | 50 | 14 | 27 | 4 | － | 4 | － | － | － | － | － | － |
| － | － | － | 40 | 13 | 21 | 6 | － | 6 | 40 | 13 | 21 | 6 | － | 6 |
| － | － | － | － | － | － | － | － | － | － | － | － | － | － | － |
| － | － | － | － | － | － | － | － | － | － | － | － | － | － | － |
| － | － | － | － | － | － | － | － | － | － | － | － | － | － | － |
| － | － | － | － | － | － | － | － | － | － | － | － | － | － | － |
| － | － | － | － | － | － | － | － | － | － | － | － | － | － | － |
| － | － | － | － | － | － | － | － | － | － | － | － | － | － | － |
| － | － | － | － | － | － | － | － | － | － | － | － | － | － | － |
| － | － | － | 9 | 6 | 3 | － | － | － | － | － | － | － | － | － |
| － | － | － | － | － | － | － | － | － | － | － | － | － | － | － |
| － | 362 | 24 | 18 | 3 | 12 | 3 | － | 3 | 18 | 3 | 12 | 3 | － | 3 |
| － | － | － | 11 | － | 10 | 1 | － | 1 | 11 | － | 10 | 1 | － | 1 |
| － | － | － | － | － | － | － | － | － | － | － | － | － | － | － |
| － | － | － | － | － | － | － | － | － | － | － | － | － | － | － |
| － | － | － | 45 | 12 | 31 | 2 | － | 2 | 45 | 12 | 31 | 2 | － | 2 |
| － | － | － | － | － | － | － | － | － | － | － | － | － | － | － |
| － | － | － | 114 | 32 | 71 | 11 | － | 11 | 114 | 32 | 71 | 11 | － | 11 |
| － | － | － | － | － | － | － | － | － | － | － | － | － | － | － |
| － | － | － | 152 | 98 | 31 | 23 | 1 | 22 | － | － | － | － | － | － |
| － | － | － | － | － | － | － | － | － | － | － | － | － | － | － |
| － | － | － | 67 | 7 | 47 | 13 | 2 | 11 | 67 | 7 | 47 | 13 | 2 | 11 |
| － | － | － | 42 | 2 | 29 | 11 | － | 11 | － | － | － | － | － | － |
| － | － | － | － | － | － | － | － | － | － | － | － | － | － | － |
| － | － | － | 257 | 123 | 125 | 9 | － | 9 | － | － | － | － | － | － |
| － | － | － | 53 | 21 | 30 | 2 | － | 2 | － | － | － | － | － | － |
| － | － | － | 20 | 13 | 4 | 3 | － | 3 | － | － | － | － | － | － |
| － | － | － | 70 | 2 | 43 | 25 | 25 | － | － | － | － | － | － | － |
| － | － | － | 28 | 6 | 15 | 7 | 5 | 3 | － | － | － | － | － | － |
| － | － | － | 57 | 11 | 39 | 7 | － | 7 | 57 | 11 | 39 | 7 | － | 7 |
| － | － | － | 58 | 13 | 28 | 10 | 1 | 9 | 58 | 13 | 28 | 10 | 1 | 9 |
| － | － | － | 82 | 23 | 48 | 11 | － | 11 | － | － | － | － | － | － |
| － | － | － | 78 | 26 | 44 | 8 | 3 | 5 | － | － | － | － | － | － |
| － | － | － | 370 | 69 | 270 | 31 | － | 31 | － | － | － | － | － | － |
| － | － | － | 34 | 18 | 16 | － | － | － | － | － | － | － | － | － |
| － | － | － | － | － | － | － | － | － | － | － | － | － | － | － |
| － | － | － | 77 | 23 | 39 | 15 | 4 | 11 | 77 | 23 | 39 | 15 | 4 | 11 |
| － | 4 | 24 | 21 | 4 | 14 | 3 | － | 3 | 21 | 4 | 14 | 3 | － | 3 |
| － | － | － | 58 | 5 | 37 | 16 | 5 | 11 | 58 | 5 | 37 | 16 | 5 | 11 |
| － | 18 | 32 | 16 | 2 | 6 | 8 | 1 | 7 | 16 | 2 | 6 | 8 | 1 | 7 |
| － | － | － | － | － | － | － | － | － | － | － | － | － | － | － |
| － | － | － | 32 | 11 | 15 | 6 | － | 6 | － | － | － | － | － | － |
| － | － | － | 100 | 11 | 79 | 10 | 5 | 5 | 29 | 5 | 20 | 4 | － | 4 |
| － | － | － | 59 | 9 | 43 | 7 | 1 | 6 | － | － | － | － | － | － |
| － | － | － | 115 | 29 | 62 | 24 | － | 24 | 115 | 29 | 62 | 24 | － | 24 |
| － | － | － | 97 | 19 | 51 | 27 | － | 27 | 97 | 19 | 51 | 27 | － | 27 |
| － | － | － | 18 | 2 | 13 | 3 | 1 | 2 | － | － | － | － | － | － |
| … | … | … | － | － | － | － | － | － | － | － | － | － | － | － |
| － | － | － | － | － | － | － | － | － | － | － | － | － | － | － |
| － | － | － | 24 | 4 | 13 | 7 | － | 7 | － | － | － | － | － | － |
| － | － | － | － | － | － | － | － | － | － | － | － | － | － | － |
| － | － | － | － | － | － | － | － | － | － | － | － | － | － | － |

# 第3－3表（2－2）政令市及び特別区の設置する保健所が実施した幼児の健康診査受診結果別人員・

| | 幼 | | | | | | | | | 児 | | | |
|---|---|---|---|---|---|---|---|---|---|---|---|---|---|
| | 一般健康診査受診実人員 | 受診結果[1] | | | | | | | （再掲）医療機関等へ委託 | 受診 | | | |
| | | 異常なし | 既医療 | 要経過観察 | 要治療 | （再掲）精神面 | （再掲）身体面 | 要精密 | | 異常なし | 既医療 | 要経過観察 | 要治療 |
| 政令市 | 251 074 | 168 447 | 15 353 | 36 486 | 4 170 | 136 | 3 939 | 23 273 | 6 611 | 3 849 | 655 | 1 073 | 258 |
| 指定都市・特別区(再掲) | | | | | | | | | | | | | |
| 東京都区部 | 50 841 | 31 723 | 4 367 | 6 540 | 1 105 | 22 | 1 006 | 3 846 | 459 | – | – | – | – |
| 札幌市 | – | – | – | – | – | – | – | – | – | – | – | – | – |
| 仙台市 | 8 292 | 3 117 | 1 327 | 1 512 | 461 | – | 461 | 3 228 | – | – | – | – | – |
| さいたま市 | – | – | – | – | – | – | – | – | – | – | – | – | – |
| 千葉市 | – | – | – | – | – | – | – | – | – | – | – | – | – |
| 横浜市 | 24 526 | 18 332 | 1 671 | 4 252 | 139 | 20 | 120 | 631 | – | – | – | – | – |
| 川崎市 | 12 831 | 11 463 | 411 | 747 | 91 | – | 91 | 119 | – | – | – | – | – |
| 相模原市 | – | – | – | – | – | – | – | – | – | – | – | – | – |
| 新潟市 | – | – | – | – | – | – | – | – | – | – | – | – | – |
| 静岡市 | – | – | – | – | – | – | – | – | – | – | – | – | – |
| 浜松市 | – | – | – | – | – | – | – | – | – | – | – | – | – |
| 名古屋市 | 18 926 | 15 239 | 250 | 3 289 | 44 | 8 | 36 | 104 | – | – | – | – | – |
| 京都市 | 10 362 | 8 376 | 590 | 577 | 56 | 11 | 45 | 763 | – | – | – | – | – |
| 大阪市 | – | – | – | – | – | – | – | – | – | – | – | – | – |
| 堺市 | – | – | – | – | – | – | – | – | – | – | – | – | – |
| 神戸市 | – | – | – | – | – | – | – | – | – | – | – | – | – |
| 岡山市 | 5 996 | 3 776 | – | 1 251 | 110 | 28 | 85 | 859 | – | – | – | – | – |
| 広島市 | – | – | – | – | – | – | – | – | – | – | – | – | – |
| 北九州市 | – | – | – | – | – | – | – | – | – | – | – | – | – |
| 福岡市 | 14 013 | 8 908 | 925 | 2 740 | 22 | – | – | 1 418 | – | – | – | – | – |
| 熊本市 | – | – | – | – | – | – | – | – | – | – | – | – | – |
| 中核市(再掲) | | | | | | | | | | | | | |
| 旭川市 | – | – | | – | – | – | – | – | – | – | – | – | – |
| 函館市 | – | – | – | – | – | – | – | – | – | – | – | – | – |
| 青森市 | 1 971 | 1 612 | 86 | 30 | 1 | – | 1 | 242 | – | – | – | – | – |
| 八戸市 | 1 782 | 954 | 40 | 48 | 32 | 1 | 31 | 708 | – | – | – | – | – |
| 盛岡市 | – | – | – | – | – | – | – | – | – | – | – | – | – |
| 秋田市 | – | – | – | – | – | – | – | – | – | – | – | – | – |
| 郡山市 | – | – | – | – | – | – | – | – | – | – | – | – | – |
| いわき市 | – | – | – | – | – | – | – | – | – | – | – | – | – |
| 宇都宮市 | – | – | – | – | – | – | – | – | – | – | – | – | – |
| 前橋市 | – | – | – | – | – | – | – | – | – | – | – | – | – |
| 高崎市 | – | – | – | – | – | – | – | – | – | – | – | – | – |
| 川越市 | 2 649 | 1 173 | 366 | 827 | 248 | – | 248 | 35 | – | – | – | – | – |
| 越谷市 | – | – | – | – | – | – | – | – | – | – | – | – | – |
| 船橋市 | 5 150 | 2 608 | 764 | 1 054 | 484 | 8 | 476 | 240 | 3 386 | 1 616 | 492 | 855 | 247 |
| 柏市 | 3 227 | 1 627 | 15 | 910 | 368 | – | 368 | 307 | – | – | – | – | – |
| 八王子市 | – | – | – | – | – | – | – | – | – | – | – | – | – |
| 横須賀市 | – | – | – | – | – | – | – | – | – | – | – | – | – |
| 富山市 | 3 106 | 1 861 | 73 | 788 | 9 | – | 9 | 375 | – | – | – | – | – |
| 金沢市 | – | – | – | – | – | – | – | – | – | – | – | – | – |
| 長野市 | 2 821 | 1 687 | – | 541 | 72 | 2 | 70 | 521 | – | – | – | – | – |
| 岐阜市 | – | – | – | – | – | – | – | – | – | – | – | – | – |
| 豊橋市 | 3 098 | 2 218 | 121 | 298 | 17 | 7 | 10 | 444 | – | – | – | – | – |
| 豊田市 | – | – | – | – | – | – | – | – | – | – | – | – | – |
| 岡崎市 | 3 620 | 2 149 | 377 | 612 | 1 | 1 | – | 481 | – | – | – | – | – |
| 大津市 | 2 731 | 1 416 | 160 | 687 | 4 | – | 4 | 464 | – | – | – | – | – |
| 高槻市 | – | – | – | – | – | – | – | – | – | – | – | – | – |
| 東大阪市 | 3 293 | 1 294 | 271 | 1 043 | 28 | 3 | 25 | 657 | – | – | – | – | – |
| 豊中市 | 3 587 | 1 416 | 162 | 652 | – | – | – | 94 | – | – | – | – | – |
| 枚方市 | 2 781 | 2 109 | – | 587 | 2 | – | 2 | 83 | – | – | – | – | – |
| 姫路市 | 4 552 | 3 358 | – | 308 | – | – | – | 886 | – | – | – | – | – |
| 西宮市 | 4 156 | 3 320 | 334 | 293 | 134 | 2 | 132 | 75 | – | – | – | – | – |
| 尼崎市 | 3 340 | 2 260 | 243 | 214 | 218 | – | 218 | 405 | – | – | – | – | – |
| 奈良市 | 2 434 | 1 623 | 83 | 224 | 39 | 5 | 34 | 465 | – | – | – | – | – |
| 和歌山市 | 2 677 | 1 951 | 219 | 310 | 1 | – | 1 | 196 | – | – | – | – | – |
| 倉敷市 | 4 159 | 2 756 | 389 | 435 | 29 | 4 | 25 | 550 | – | – | – | – | – |
| 福山市 | 3 959 | 2 631 | 130 | 634 | 21 | 6 | 15 | 543 | – | – | – | – | – |
| 呉市 | 1 496 | 732 | 62 | 589 | 26 | – | 26 | 87 | – | – | – | – | – |
| 下関市 | – | – | – | – | – | – | – | – | – | – | – | – | – |
| 高松市 | 3 477 | 2 195 | 249 | 420 | 23 | 2 | 21 | 590 | – | – | – | – | – |
| 松山市 | 3 985 | 1 994 | 164 | 615 | 8 | 1 | 7 | 1 204 | – | – | – | – | – |
| 高知市 | 2 413 | 1 718 | 156 | 385 | 8 | 1 | 7 | 146 | – | – | – | – | – |
| 久留米市 | 2 766 | 2 233 | 163 | 218 | 11 | – | 11 | 141 | 2 766 | 2 233 | 163 | 218 | 11 |
| 長崎市 | – | – | – | – | – | – | – | – | – | – | – | – | – |
| 佐世保市 | 2 108 | 1 495 | 149 | 284 | 12 | – | 12 | 168 | – | – | – | – | – |
| 大分市 | 4 153 | 2 603 | 318 | 434 | 4 | 4 | – | 794 | – | – | – | – | – |
| 宮崎市 | 3 620 | 1 952 | 196 | 1 023 | 2 | – | 2 | 447 | – | – | – | – | – |
| 鹿児島市 | 5 349 | 4 267 | 152 | 629 | 88 | – | 88 | 213 | – | – | – | – | – |
| 那覇市 | 2 875 | 2 318 | 143 | 174 | 6 | – | 6 | 234 | – | – | – | – | – |
| その他政令市(再掲) | | | | | | | | | | | | | |
| 小樽市 | 597 | 411 | 65 | 71 | – | – | – | 38 | | | – | – | – |
| 町田市 | 3 045 | 2 383 | … | … | … | … | … | … | – | – | – | – | – |
| 藤沢市 | – | – | – | – | – | – | – | – | – | – | – | – | – |
| 茅ヶ崎市 | 1 885 | 1 552 | 47 | 100 | 12 | – | 12 | 174 | – | – | – | – | – |
| 四日市市 | 2 425 | 1 637 | 115 | 141 | 234 | – | 234 | 298 | – | – | – | – | – |
| 大牟田市 | – | – | – | – | – | – | – | – | – | – | – | – | – |

注：1）受診結果は計数不詳な市区町村があるため、受診実人員と受診結果の計が一致しない場合がある。

# 医療機関等へ委託した受診結果別人員，指定都市・特別区－中核市－その他政令市、対象区分別（幼児1歳6か月・幼児3歳）

平成29年度

| 3 | | | 歳 | | | | | | | | | | | |
|---|---|---|---|---|---|---|---|---|---|---|---|---|---|---|
| 結果[1] | | | 精密健康診査受診実人員 | 受診結果[1] | | | | | （再掲）医療機関等へ委託 | 受診結果[1] | | | | |
| （再掲） | | 要精密 | | 異常なし | 要経過観察 | 要治療 | （再掲） | | | 異常なし | 要経過観察 | 要治療 | （再掲） | |
| 精神面 | 身体面 | | | | | | 精神面 | 身体面 | | | | | 精神面 | 身体面 |
| 5 | 253 | 776 | 16 246 | 4 847 | 8 143 | 3 085 | 406 | 2 450 | 7 535 | 2 573 | 3 325 | 1 479 | 158 | 1 317 |
| – | – | 459 | 2 916 | 732 | 1 723 | 394 | 8 | 382 | 1 529 | 327 | 856 | 279 | 6 | 269 |
| – | – | – | – | – | – | – | – | – | – | – | – | – | – | – |
| – | – | – | 1 996 | 413 | 1 263 | 307 | 33 | 274 | – | – | – | – | – | – |
| – | – | – | – | – | – | – | – | – | – | – | – | – | – | – |
| – | – | – | – | – | – | – | – | – | – | – | – | – | – | – |
| – | – | – | 508 | 114 | 217 | 175 | 113 | 62 | 508 | 114 | 217 | 175 | 113 | 62 |
| – | – | – | – | – | – | – | – | – | – | – | – | – | – | – |
| – | – | – | – | – | – | – | – | – | – | – | – | – | – | – |
| – | – | – | – | – | – | – | – | – | – | – | – | – | – | – |
| – | – | – | – | – | – | – | – | – | – | – | – | – | – | – |
| – | – | – | – | – | – | – | – | – | – | – | – | – | – | – |
| – | – | – | – | – | – | – | – | – | – | – | – | – | – | – |
| – | – | – | 539 | 146 | 271 | 122 | 73 | 49 | – | – | – | – | – | – |
| – | – | – | – | – | – | – | – | – | – | – | – | – | – | – |
| – | – | – | – | – | – | – | – | – | – | – | – | – | – | – |
| – | – | – | – | – | – | – | – | – | – | – | – | – | – | – |
| – | – | – | 410 | 207 | 161 | 42 | – | 42 | 410 | 207 | 161 | 42 | – | 42 |
| – | – | – | – | – | – | – | – | – | – | – | – | – | – | – |
| – | – | – | – | – | – | – | – | – | – | – | – | – | – | – |
| – | – | – | 761 | 161 | 386 | 214 | – | – | – | – | – | – | – | – |
| – | – | – | – | – | – | – | – | – | – | – | – | – | – | – |
| – | – | – | – | – | – | – | – | – | – | – | – | – | – | – |
| – | – | – | – | – | – | – | – | – | – | – | – | – | – | – |
| – | – | – | 175 | 124 | 43 | 8 | 6 | 2 | – | – | – | – | – | – |
| – | – | – | 476 | 183 | 84 | 209 | 8 | 201 | 476 | 183 | 84 | 209 | 8 | 201 |
| – | – | – | – | – | – | – | – | – | – | – | – | – | – | – |
| – | – | – | – | – | – | – | – | – | – | – | – | – | – | – |
| – | – | – | – | – | – | – | – | – | – | – | – | – | – | – |
| – | – | – | – | – | – | – | – | – | – | – | – | – | – | – |
| – | – | – | – | – | – | – | – | – | – | – | – | – | – | – |
| – | – | – | – | – | – | – | – | – | – | – | – | – | – | – |
| – | – | – | – | – | – | – | – | – | – | – | – | – | – | – |
| – | – | – | 26 | 13 | 8 | 5 | – | 5 | – | – | – | – | – | – |
| – | – | – | – | – | – | – | – | – | – | – | – | – | – | – |
| 5 | 242 | 176 | 176 | 22 | 74 | 80 | – | 80 | 17 | 10 | 6 | 1 | – | 1 |
| – | – | – | 244 | 46 | 141 | 57 | – | 57 | 244 | 46 | 141 | 57 | – | 57 |
| – | – | – | – | – | – | – | – | – | – | – | – | – | – | – |
| – | – | – | – | – | – | – | – | – | – | – | – | – | – | – |
| – | – | – | 278 | 130 | 120 | 28 | – | 28 | 278 | 130 | 120 | 28 | – | 28 |
| – | – | – | – | – | – | – | – | – | – | – | – | – | – | – |
| – | – | – | 390 | 166 | 186 | 38 | – | 38 | 390 | 166 | 186 | 38 | – | 38 |
| – | – | – | – | – | – | – | – | – | – | – | – | – | – | – |
| – | – | – | 360 | 77 | 160 | 123 | 15 | 108 | – | – | – | – | – | – |
| – | – | – | – | – | – | – | – | – | – | – | – | – | – | – |
| – | – | – | 358 | 135 | 169 | 54 | 1 | 53 | 358 | 135 | 169 | 54 | 1 | 53 |
| – | – | – | 134 | 51 | 54 | 29 | – | 29 | – | – | – | – | – | – |
| – | – | – | – | – | – | – | – | – | – | – | – | – | – | – |
| – | – | – | 405 | 162 | 179 | 64 | – | 64 | – | – | – | – | – | – |
| – | – | – | 74 | 40 | 29 | 5 | – | 5 | – | – | – | – | – | – |
| – | – | – | 62 | 29 | 32 | 1 | – | 1 | – | – | – | – | – | – |
| – | – | – | 886 | 179 | 452 | 255 | 78 | 177 | – | – | – | – | – | – |
| – | – | – | 48 | 15 | 17 | 16 | 13 | 3 | – | – | – | – | – | – |
| – | – | – | 292 | 149 | 116 | 27 | 3 | 24 | 292 | 149 | 116 | 27 | 3 | 24 |
| – | – | – | 465 | 125 | 205 | 46 | – | 46 | 465 | 125 | 205 | 46 | – | 46 |
| – | – | – | 151 | 41 | 89 | 21 | 1 | 20 | – | – | – | – | – | – |
| – | – | – | 392 | 142 | 226 | 24 | 3 | 21 | – | – | – | – | – | – |
| – | – | – | 358 | 87 | 247 | 24 | 3 | 21 | – | – | – | – | – | – |
| – | – | – | 68 | 32 | 23 | 13 | – | 13 | – | – | – | – | – | – |
| – | – | – | – | – | – | – | – | – | – | – | – | – | – | – |
| – | – | – | 459 | 251 | 152 | 56 | 2 | 54 | 459 | 251 | 152 | 56 | 2 | 54 |
| – | – | – | 764 | 288 | 243 | 233 | – | 233 | 764 | 288 | 243 | 233 | – | 233 |
| – | – | – | 196 | 42 | 101 | 53 | 24 | 29 | 196 | 42 | 101 | 53 | 24 | 29 |
| – | 11 | 141 | 85 | 32 | 37 | 16 | 1 | 15 | 85 | 32 | 37 | 16 | 1 | 15 |
| – | – | – | – | – | – | – | – | – | – | – | – | – | – | – |
| – | – | – | 116 | 43 | 57 | 16 | – | 16 | – | – | – | – | – | – |
| – | – | – | 635 | 149 | 354 | 132 | 15 | 117 | 553 | 142 | 309 | 102 | – | 102 |
| – | – | – | 349 | 69 | 196 | 84 | 6 | 78 | – | – | – | – | – | – |
| – | – | – | 160 | 45 | 90 | 25 | – | 25 | 160 | 45 | 90 | 25 | – | 25 |
| – | – | – | 113 | 35 | 55 | 23 | – | 23 | 113 | 35 | 55 | 23 | – | 23 |
| – | – | – | 33 | 4 | 18 | 11 | – | – | – | – | – | – | – | – |
| – | – | – | – | – | – | – | – | – | – | – | – | – | – | – |
| – | – | – | – | – | – | – | – | – | – | – | – | – | – | – |
| – | – | – | 150 | 22 | 88 | 40 | – | 40 | – | – | – | – | – | – |
| – | – | – | 238 | 146 | 77 | 15 | – | 15 | 238 | 146 | 77 | 15 | – | 15 |
| – | – | – | – | – | – | – | – | – | – | – | – | – | – | – |

# 第3－4表（2－1）政令市及び特別区の設置する保健所が実施した幼児の健康診査受診結果別人員・

| | 幼 | | | | | | | | | 児 | | | |
|---|---|---|---|---|---|---|---|---|---|---|---|---|---|
| | 一般健康診査受診実人員 | 受診結果[1) ] 異常なし | 既医療 | 要経過観察 | 要治療 | （再掲）精神面 | （再掲）身体面 | 要精密 | （再掲）医療機関等へ委託 | 受診 異常なし | 既医療 | 要経過観察 | 要治療 |
| 政令市 | 12 895 | 10 347 | 476 | 855 | 167 | - | 167 | 1 050 | 12 328 | 9 987 | 402 | 797 | 160 |
| 指定都市・特別区(再掲) | | | | | | | | | | | | | |
| 東京都区部 | 2 034 | 1 676 | 106 | 140 | 37 | - | 37 | 75 | 1 467 | 1 316 | 32 | 82 | 30 |
| 札幌市 | - | - | - | - | - | - | - | - | - | - | - | - | - |
| 仙台市 | - | - | - | - | - | - | - | - | - | - | - | - | - |
| さいたま市 | - | - | - | - | - | - | - | - | - | - | - | - | - |
| 千葉市 | - | - | - | - | - | - | - | - | - | - | - | - | - |
| 横浜市 | - | - | - | - | - | - | - | - | - | - | - | - | - |
| 川崎市 | 10 861 | 8 671 | 370 | 715 | 130 | - | 130 | 975 | 10 861 | 8 671 | 370 | 715 | 130 |
| 相模原市 | - | - | - | - | - | - | - | - | - | - | - | - | - |
| 新潟市 | - | - | - | - | - | - | - | - | - | - | - | - | - |
| 静岡市 | - | - | - | - | - | - | - | - | - | - | - | - | - |
| 浜松市 | - | - | - | - | - | - | - | - | - | - | - | - | - |
| 名古屋市 | - | - | - | - | - | - | - | - | - | - | - | - | - |
| 京都市 | - | - | - | - | - | - | - | - | - | - | - | - | - |
| 大阪市 | - | - | - | - | - | - | - | - | - | - | - | - | - |
| 堺市 | - | - | - | - | - | - | - | - | - | - | - | - | - |
| 神戸市 | - | - | - | - | - | - | - | - | - | - | - | - | - |
| 岡山市 | - | - | - | - | - | - | - | - | - | - | - | - | - |
| 広島市 | - | - | - | - | - | - | - | - | - | - | - | - | - |
| 北九州市 | - | - | - | - | - | - | - | - | - | - | - | - | - |
| 福岡市 | - | - | - | - | - | - | - | - | - | - | - | - | - |
| 熊本市 | - | - | - | - | - | - | - | - | - | - | - | - | - |
| 中核市(再掲) | | | | | | | | | | | | | |
| 旭川市 | - | - | - | - | - | - | - | - | - | - | - | - | - |
| 函館市 | - | - | - | - | - | - | - | - | - | - | - | - | - |
| 青森市 | - | - | - | - | - | - | - | - | - | - | - | - | - |
| 八戸市 | - | - | - | - | - | - | - | - | - | - | - | - | - |
| 盛岡市 | - | - | - | - | - | - | - | - | - | - | - | - | - |
| 秋田市 | - | - | - | - | - | - | - | - | - | - | - | - | - |
| 郡山市 | - | - | - | - | - | - | - | - | - | - | - | - | - |
| いわき市 | - | - | - | - | - | - | - | - | - | - | - | - | - |
| 宇都宮市 | - | - | - | - | - | - | - | - | - | - | - | - | - |
| 前橋市 | - | - | - | - | - | - | - | - | - | - | - | - | - |
| 高崎市 | - | - | - | - | - | - | - | - | - | - | - | - | - |
| 川越市 | - | - | - | - | - | - | - | - | - | - | - | - | - |
| 越谷市 | - | - | - | - | - | - | - | - | - | - | - | - | - |
| 船橋市 | - | - | - | - | - | - | - | - | - | - | - | - | - |
| 柏市 | - | - | - | - | - | - | - | - | - | - | - | - | - |
| 八王子市 | - | - | - | - | - | - | - | - | - | - | - | - | - |
| 横須賀市 | - | - | - | - | - | - | - | - | - | - | - | - | - |
| 富山市 | - | - | - | - | - | - | - | - | - | - | - | - | - |
| 金沢市 | - | - | - | - | - | - | - | - | - | - | - | - | - |
| 長野市 | - | - | - | - | - | - | - | - | - | - | - | - | - |
| 岐阜市 | - | - | - | - | - | - | - | - | - | - | - | - | - |
| 豊橋市 | - | - | - | - | - | - | - | - | - | - | - | - | - |
| 豊田市 | - | - | - | - | - | - | - | - | - | - | - | - | - |
| 岡崎市 | - | - | - | - | - | - | - | - | - | - | - | - | - |
| 大津市 | - | - | - | - | - | - | - | - | - | - | - | - | - |
| 高槻市 | - | - | - | - | - | - | - | - | - | - | - | - | - |
| 東大阪市 | - | - | - | - | - | - | - | - | - | - | - | - | - |
| 豊中市 | - | - | - | - | - | - | - | - | - | - | - | - | - |
| 枚方市 | - | - | - | - | - | - | - | - | - | - | - | - | - |
| 姫路市 | - | - | - | - | - | - | - | - | - | - | - | - | - |
| 西宮市 | - | - | - | - | - | - | - | - | - | - | - | - | - |
| 尼崎市 | - | - | - | - | - | - | - | - | - | - | - | - | - |
| 奈良市 | - | - | - | - | - | - | - | - | - | - | - | - | - |
| 和歌山市 | - | - | - | - | - | - | - | - | - | - | - | - | - |
| 倉敷市 | - | - | - | - | - | - | - | - | - | - | - | - | - |
| 福山市 | - | - | - | - | - | - | - | - | - | - | - | - | - |
| 呉市 | - | - | - | - | - | - | - | - | - | - | - | - | - |
| 下関市 | - | - | - | - | - | - | - | - | - | - | - | - | - |
| 高松市 | - | - | - | - | - | - | - | - | - | - | - | - | - |
| 松山市 | - | - | - | - | - | - | - | - | - | - | - | - | - |
| 高知市 | - | - | - | - | - | - | - | - | - | - | - | - | - |
| 久留米市 | - | - | - | - | - | - | - | - | - | - | - | - | - |
| 長崎市 | - | - | - | - | - | - | - | - | - | - | - | - | - |
| 佐世保市 | - | - | - | - | - | - | - | - | - | - | - | - | - |
| 大分市 | - | - | - | - | - | - | - | - | - | - | - | - | - |
| 宮崎市 | - | - | - | - | - | - | - | - | - | - | - | - | - |
| 鹿児島市 | - | - | - | - | - | - | - | - | - | - | - | - | - |
| 那覇市 | - | - | - | - | - | - | - | - | - | - | - | - | - |
| その他政令市(再掲) | | | | | | | | | | | | | |
| 小樽市 | - | - | - | - | - | - | - | - | - | - | - | - | - |
| 町田市 | - | - | - | - | - | - | - | - | - | - | - | - | - |
| 藤沢市 | - | - | - | - | - | - | - | - | - | - | - | - | - |
| 茅ヶ崎市 | - | - | - | - | - | - | - | - | - | - | - | - | - |
| 四日市市 | - | - | - | - | - | - | - | - | - | - | - | - | - |
| 大牟田市 | - | - | - | - | - | - | - | - | - | - | - | - | - |

注：「幼児4～6歳」及び「幼児その他」は法定外の健康診査である。
1）受診結果は計数不詳な市区町村があるため、受診実人員と受診結果の計が一致しない場合がある。

## 医療機関等へ委託した受診結果別人員，指定都市・特別区－中核市－その他政令市、対象区分別（幼児４～６歳・幼児その他）

平成29年度

| 4 ～ 6 歳 | | | | | | | | | | | | | | |
|---|---|---|---|---|---|---|---|---|---|---|---|---|---|---|
| 結果[1] | | | 精密健康診査受診実人員 | 受診結果[1] | | | | | (再掲)医療機関等へ委託 | 受診結果[1] | | | | |
| (再掲) | | 要精密 | | 異常なし | 要経過観察 | 要治療 | (再掲) | | | 異常なし | 要経過観察 | 要治療 | (再掲) | |
| 精神面 | 身体面 | | | | | | 精神面 | 身体面 | | | | | 精神面 | 身体面 |
| - | 160 | 982 | 966 | 741 | 135 | 90 | 5 | 85 | 916 | 734 | 104 | 78 | - | 78 |
| - | 30 | 7 | 50 | 7 | 31 | 12 | 5 | 7 | - | - | - | - | - | - |
| - | - | - | - | - | - | - | - | - | - | - | - | - | - | - |
| - | - | - | - | - | - | - | - | - | - | - | - | - | - | - |
| - | - | - | - | - | - | - | - | - | - | - | - | - | - | - |
| - | - | - | - | - | - | - | - | - | - | - | - | - | - | - |
| - | - | - | - | - | - | - | - | - | - | - | - | - | - | - |
| - | 130 | 975 | 916 | 734 | 104 | 78 | - | 78 | 916 | 734 | 104 | 78 | - | 78 |
| - | - | - | - | - | - | - | - | - | - | - | - | - | - | - |
| - | - | - | - | - | - | - | - | - | - | - | - | - | - | - |
| - | - | - | - | - | - | - | - | - | - | - | - | - | - | - |
| - | - | - | - | - | - | - | - | - | - | - | - | - | - | - |
| - | - | - | - | - | - | - | - | - | - | - | - | - | - | - |
| - | - | - | - | - | - | - | - | - | - | - | - | - | - | - |
| - | - | - | - | - | - | - | - | - | - | - | - | - | - | - |
| - | - | - | - | - | - | - | - | - | - | - | - | - | - | - |
| - | - | - | - | - | - | - | - | - | - | - | - | - | - | - |
| - | - | - | - | - | - | - | - | - | - | - | - | - | - | - |
| - | - | - | - | - | - | - | - | - | - | - | - | - | - | - |
| - | - | - | - | - | - | - | - | - | - | - | - | - | - | - |
| - | - | - | - | - | - | - | - | - | - | - | - | - | - | - |
| - | - | - | - | - | - | - | - | - | - | - | - | - | - | - |
| - | - | - | - | - | - | - | - | - | - | - | - | - | - | - |
| - | - | - | - | - | - | - | - | - | - | - | - | - | - | - |
| - | - | - | - | - | - | - | - | - | - | - | - | - | - | - |
| - | - | - | - | - | - | - | - | - | - | - | - | - | - | - |
| - | - | - | - | - | - | - | - | - | - | - | - | - | - | - |
| - | - | - | - | - | - | - | - | - | - | - | - | - | - | - |
| - | - | - | - | - | - | - | - | - | - | - | - | - | - | - |
| - | - | - | - | - | - | - | - | - | - | - | - | - | - | - |
| - | - | - | - | - | - | - | - | - | - | - | - | - | - | - |
| - | - | - | - | - | - | - | - | - | - | - | - | - | - | - |
| - | - | - | - | - | - | - | - | - | - | - | - | - | - | - |
| - | - | - | - | - | - | - | - | - | - | - | - | - | - | - |
| - | - | - | - | - | - | - | - | - | - | - | - | - | - | - |
| - | - | - | - | - | - | - | - | - | - | - | - | - | - | - |
| - | - | - | - | - | - | - | - | - | - | - | - | - | - | - |
| - | - | - | - | - | - | - | - | - | - | - | - | - | - | - |
| - | - | - | - | - | - | - | - | - | - | - | - | - | - | - |
| - | - | - | - | - | - | - | - | - | - | - | - | - | - | - |
| - | - | - | - | - | - | - | - | - | - | - | - | - | - | - |
| - | - | - | - | - | - | - | - | - | - | - | - | - | - | - |
| - | - | - | - | - | - | - | - | - | - | - | - | - | - | - |
| - | - | - | - | - | - | - | - | - | - | - | - | - | - | - |
| - | - | - | - | - | - | - | - | - | - | - | - | - | - | - |
| - | - | - | - | - | - | - | - | - | - | - | - | - | - | - |
| - | - | - | - | - | - | - | - | - | - | - | - | - | - | - |
| - | - | - | - | - | - | - | - | - | - | - | - | - | - | - |
| - | - | - | - | - | - | - | - | - | - | - | - | - | - | - |
| - | - | - | - | - | - | - | - | - | - | - | - | - | - | - |
| - | - | - | - | - | - | - | - | - | - | - | - | - | - | - |
| - | - | - | - | - | - | - | - | - | - | - | - | - | - | - |
| - | - | - | - | - | - | - | - | - | - | - | - | - | - | - |
| - | - | - | - | - | - | - | - | - | - | - | - | - | - | - |
| - | - | - | - | - | - | - | - | - | - | - | - | - | - | - |
| - | - | - | - | - | - | - | - | - | - | - | - | - | - | - |
| - | - | - | - | - | - | - | - | - | - | - | - | - | - | - |
| - | - | - | - | - | - | - | - | - | - | - | - | - | - | - |
| - | - | - | - | - | - | - | - | - | - | - | - | - | - | - |
| - | - | - | - | - | - | - | - | - | - | - | - | - | - | - |
| - | - | - | - | - | - | - | - | - | - | - | - | - | - | - |
| - | - | - | - | - | - | - | - | - | - | - | - | - | - | - |
| - | - | - | - | - | - | - | - | - | - | - | - | - | - | - |
| - | - | - | - | - | - | - | - | - | - | - | - | - | - | - |
| - | - | - | - | - | - | - | - | - | - | - | - | - | - | - |
| - | - | - | - | - | - | - | - | - | - | - | - | - | - | - |
| - | - | - | - | - | - | - | - | - | - | - | - | - | - | - |
| - | - | - | - | - | - | - | - | - | - | - | - | - | - | - |
| - | - | - | - | - | - | - | - | - | - | - | - | - | - | - |
| - | - | - | - | - | - | - | - | - | - | - | - | - | - | - |
| - | - | - | - | - | - | - | - | - | - | - | - | - | - | - |
| - | - | - | - | - | - | - | - | - | - | - | - | - | - | - |
| - | - | - | - | - | - | - | - | - | - | - | - | - | - | - |
| - | - | - | - | - | - | - | - | - | - | - | - | - | - | - |
| - | - | - | - | - | - | - | - | - | - | - | - | - | - | - |
| - | - | - | - | - | - | - | - | - | - | - | - | - | - | - |
| - | - | - | - | - | - | - | - | - | - | - | - | - | - | - |
| - | - | - | - | - | - | - | - | - | - | - | - | - | - | - |
| - | - | - | - | - | - | - | - | - | - | - | - | - | - | - |

# 第3－4表（2－2）政令市及び特別区の設置する保健所が実施した幼児の健康診査受診結果別人員・

| | 幼児：一般健康診査受診実人員 | 幼児：受診結果[1)] 異常なし | 幼児：受診結果 既医療 | 幼児：受診結果 要経過観察 | 幼児：受診結果 要治療 | 幼児：受診結果（再掲）精神面 | 幼児：受診結果（再掲）身体面 | 幼児：受診結果 要精密 | 幼児：（再掲）医療機関等へ委託 | 児：受診 異常なし | 児：受診 既医療 | 児：受診 要経過観察 | 児：受診 要治療 |
|---|---|---|---|---|---|---|---|---|---|---|---|---|---|
| 政令市 | 5 712 | 4 808 | … | 176 | 18 | … | 18 | 105 | 4 994 | 4 753 | – | 176 | 18 |
| 指定都市・特別区(再掲) | | | | | | | | | | | | | |
| 東京都区部 | 660 | 55 | … | … | … | … | … | … | – | – | – | – | – |
| 札幌市 | – | – | – | – | – | – | – | – | – | – | – | – | – |
| 仙台市 | – | – | – | – | – | – | – | – | – | – | – | – | – |
| さいたま市 | – | – | – | – | – | – | – | – | – | – | – | – | – |
| 千葉市 | – | – | – | – | – | – | – | – | – | – | – | – | – |
| 横浜市 | – | – | – | – | – | – | – | – | – | – | – | – | – |
| 川崎市 | – | – | – | – | – | – | – | – | – | – | – | – | – |
| 相模原市 | – | – | – | – | – | – | – | – | – | – | – | – | – |
| 新潟市 | – | – | – | – | – | – | – | – | – | – | – | – | – |
| 静岡市 | – | – | – | – | – | – | – | – | – | – | – | – | – |
| 浜松市 | – | – | – | – | – | – | – | – | – | – | – | – | – |
| 名古屋市 | – | – | – | – | – | – | – | – | – | – | – | – | – |
| 京都市 | – | – | – | – | – | – | – | – | – | – | – | – | – |
| 大阪市 | – | – | – | – | – | – | – | – | – | – | – | – | – |
| 堺市 | – | – | – | – | – | – | – | – | – | – | – | – | – |
| 神戸市 | – | – | – | – | – | – | – | – | – | – | – | – | – |
| 岡山市 | – | – | – | – | – | – | – | – | – | – | – | – | – |
| 広島市 | – | – | – | – | – | – | – | – | – | – | – | – | – |
| 北九州市 | – | – | – | – | – | – | – | – | – | – | – | – | – |
| 福岡市 | – | – | – | – | – | – | – | – | – | – | – | – | – |
| 熊本市 | – | – | – | – | – | – | – | – | – | – | – | – | – |
| 中核市(再掲) | | | | | | | | | | | | | |
| 旭川市 | – | – | – | – | – | – | – | – | – | – | – | – | – |
| 函館市 | – | – | – | – | – | – | – | – | – | – | – | – | – |
| 青森市 | – | – | – | – | – | – | – | – | – | – | – | – | – |
| 八戸市 | – | – | – | – | – | – | – | – | – | – | – | – | – |
| 盛岡市 | – | – | – | – | – | – | – | – | – | – | – | – | – |
| 秋田市 | – | – | – | – | – | – | – | – | – | – | – | – | – |
| 郡山市 | – | – | – | – | – | – | – | – | – | – | – | – | – |
| いわき市 | – | – | – | – | – | – | – | – | – | – | – | – | – |
| 宇都宮市 | – | – | – | – | – | – | – | – | – | – | – | – | – |
| 前橋市 | – | – | – | – | – | – | – | – | – | – | – | – | – |
| 高崎市 | – | – | – | – | – | – | – | – | – | – | – | – | – |
| 川越市 | – | – | – | – | – | – | – | – | – | – | – | – | – |
| 越谷市 | – | – | – | – | – | – | – | – | – | – | – | – | – |
| 船橋市 | – | – | – | – | – | – | – | – | – | – | – | – | – |
| 柏市 | – | – | – | – | – | – | – | – | – | – | – | – | – |
| 八王子市 | – | – | – | – | – | – | – | – | – | – | – | – | – |
| 横須賀市 | – | – | – | – | – | – | – | – | – | – | – | – | – |
| 富山市 | – | – | – | – | – | – | – | – | – | – | – | – | – |
| 金沢市 | – | – | – | – | – | – | – | – | – | – | – | – | – |
| 長野市 | – | – | – | – | – | – | – | – | – | – | – | – | – |
| 岐阜市 | – | – | – | – | – | – | – | – | – | – | – | – | – |
| 豊橋市 | – | – | – | – | – | – | – | – | – | – | – | – | – |
| 豊田市 | – | – | – | – | – | – | – | – | – | – | – | – | – |
| 岡崎市 | – | – | – | – | – | – | – | – | – | – | – | – | – |
| 大津市 | – | – | – | – | – | – | – | – | – | – | – | – | – |
| 高槻市 | – | – | – | – | – | – | – | – | – | – | – | – | – |
| 東大阪市 | – | – | – | – | – | – | – | – | – | – | – | – | – |
| 豊中市 | – | – | – | – | – | – | – | – | – | – | – | – | – |
| 枚方市 | – | – | – | – | – | – | – | – | – | – | – | – | – |
| 姫路市 | – | – | – | – | – | – | – | – | – | – | – | – | – |
| 西宮市 | – | – | – | – | – | – | – | – | – | – | – | – | – |
| 尼崎市 | – | – | – | – | – | – | – | – | – | – | – | – | – |
| 奈良市 | – | – | – | – | – | – | – | – | – | – | – | – | – |
| 和歌山市 | – | – | – | – | – | – | – | – | – | – | – | – | – |
| 倉敷市 | – | – | – | – | – | – | – | – | – | – | – | – | – |
| 福山市 | – | – | – | – | – | – | – | – | – | – | – | – | – |
| 呉市 | – | – | – | – | – | – | – | – | – | – | – | – | – |
| 下関市 | – | – | – | – | – | – | – | – | – | – | – | – | – |
| 高松市 | – | – | – | – | – | – | – | – | – | – | – | – | – |
| 松山市 | – | – | – | – | – | – | – | – | – | – | – | – | – |
| 高知市 | – | – | – | – | – | – | – | – | – | – | – | – | – |
| 久留米市 | – | – | – | – | – | – | – | – | – | – | – | – | – |
| 長崎市 | – | – | – | – | – | – | – | – | – | – | – | – | – |
| 佐世保市 | – | – | – | – | – | – | – | – | – | – | – | – | – |
| 大分市 | – | – | – | – | – | – | – | – | – | – | – | – | – |
| 宮崎市 | – | – | – | – | – | – | – | – | – | – | – | – | – |
| 鹿児島市 | 4 994 | 4 753 | – | 176 | 18 | – | 18 | 47 | 4 994 | 4 753 | – | 176 | 18 |
| 那覇市 | – | – | – | – | – | – | – | – | – | – | – | – | – |
| その他政令市(再掲) | | | | | | | | | | | | | |
| 小樽市 | – | – | – | – | – | – | – | – | – | – | – | – | – |
| 町田市 | – | – | – | – | – | – | – | – | – | – | – | – | – |
| 藤沢市 | – | – | – | – | – | – | – | – | – | – | – | – | – |
| 茅ヶ崎市 | – | – | – | – | – | – | – | – | – | – | – | – | – |
| 四日市市 | – | – | – | – | – | – | – | – | – | – | – | – | – |
| 大牟田市 | 58 | – | – | – | – | – | – | 58 | – | – | – | – | – |

注：「幼児４～６歳」及び「幼児その他」は法定外の健康診査である。
　1）受診結果は計数不詳な市区町村があるため、受診実人員と受診結果の計が一致しない場合がある。

# 医療機関等へ委託した受診結果別人員，指定都市・特別区－中核市－その他政令市、対象区分別（幼児4～6歳・幼児その他）

平成29年度

| その他 | | | | | | | | | | | | | | |
|---|---|---|---|---|---|---|---|---|---|---|---|---|---|---|
| 結果[1] | | | 精密健康診査受診実人員 | 受診結果[1] | | | | | （再掲）医療機関等へ委託 | 受診結果[1] | | | | |
| （再掲） | | 要精密 | | 異常なし | 要経過観察 | 要治療 | （再掲） | | | 異常なし | 要経過観察 | 要治療 | （再掲） | |
| 精神面 | 身体面 | | | | | | 精神面 | 身体面 | | | | | 精神面 | 身体面 |
| － | 18 | 47 | 62 | 20 | 21 | 21 | 7 | 14 | 4 | 1 | 1 | 2 | － | 2 |
| － | － | － | … | … | … | … | … | … | － | － | － | － | － | － |
| － | － | － | － | － | － | － | － | － | － | － | － | － | － | － |
| － | － | － | － | － | － | － | － | － | － | － | － | － | － | － |
| － | － | － | － | － | － | － | － | － | － | － | － | － | － | － |
| － | － | － | － | － | － | － | － | － | － | － | － | － | － | － |
| － | － | － | － | － | － | － | － | － | － | － | － | － | － | － |
| － | － | － | － | － | － | － | － | － | － | － | － | － | － | － |
| － | － | － | － | － | － | － | － | － | － | － | － | － | － | － |
| － | － | － | － | － | － | － | － | － | － | － | － | － | － | － |
| － | － | － | － | － | － | － | － | － | － | － | － | － | － | － |
| － | － | － | － | － | － | － | － | － | － | － | － | － | － | － |
| － | － | － | － | － | － | － | － | － | － | － | － | － | － | － |
| － | － | － | － | － | － | － | － | － | － | － | － | － | － | － |
| － | － | － | － | － | － | － | － | － | － | － | － | － | － | － |
| － | － | － | － | － | － | － | － | － | － | － | － | － | － | － |
| － | － | － | － | － | － | － | － | － | － | － | － | － | － | － |
| － | － | － | － | － | － | － | － | － | － | － | － | － | － | － |
| － | － | － | － | － | － | － | － | － | － | － | － | － | － | － |
| － | － | － | － | － | － | － | － | － | － | － | － | － | － | － |
| － | － | － | － | － | － | － | － | － | － | － | － | － | － | － |
| － | － | － | － | － | － | － | － | － | － | － | － | － | － | － |
| － | － | － | － | － | － | － | － | － | － | － | － | － | － | － |
| － | － | － | － | － | － | － | － | － | － | － | － | － | － | － |
| － | － | － | － | － | － | － | － | － | － | － | － | － | － | － |
| － | － | － | － | － | － | － | － | － | － | － | － | － | － | － |
| － | － | － | － | － | － | － | － | － | － | － | － | － | － | － |
| － | － | － | － | － | － | － | － | － | － | － | － | － | － | － |
| － | － | － | － | － | － | － | － | － | － | － | － | － | － | － |
| － | － | － | － | － | － | － | － | － | － | － | － | － | － | － |
| － | － | － | － | － | － | － | － | － | － | － | － | － | － | － |
| － | － | － | － | － | － | － | － | － | － | － | － | － | － | － |
| － | － | － | － | － | － | － | － | － | － | － | － | － | － | － |
| － | － | － | － | － | － | － | － | － | － | － | － | － | － | － |
| － | － | － | － | － | － | － | － | － | － | － | － | － | － | － |
| － | － | － | － | － | － | － | － | － | － | － | － | － | － | － |
| － | － | － | － | － | － | － | － | － | － | － | － | － | － | － |
| － | － | － | － | － | － | － | － | － | － | － | － | － | － | － |
| － | － | － | － | － | － | － | － | － | － | － | － | － | － | － |
| － | － | － | － | － | － | － | － | － | － | － | － | － | － | － |
| － | － | － | － | － | － | － | － | － | － | － | － | － | － | － |
| － | － | － | － | － | － | － | － | － | － | － | － | － | － | － |
| － | － | － | － | － | － | － | － | － | － | － | － | － | － | － |
| － | － | － | － | － | － | － | － | － | － | － | － | － | － | － |
| － | － | － | － | － | － | － | － | － | － | － | － | － | － | － |
| － | － | － | － | － | － | － | － | － | － | － | － | － | － | － |
| － | － | － | － | － | － | － | － | － | － | － | － | － | － | － |
| － | － | － | － | － | － | － | － | － | － | － | － | － | － | － |
| － | － | － | － | － | － | － | － | － | － | － | － | － | － | － |
| － | － | － | － | － | － | － | － | － | － | － | － | － | － | － |
| － | － | － | － | － | － | － | － | － | － | － | － | － | － | － |
| － | － | － | － | － | － | － | － | － | － | － | － | － | － | － |
| － | － | － | － | － | － | － | － | － | － | － | － | － | － | － |
| － | － | － | － | － | － | － | － | － | － | － | － | － | － | － |
| － | － | － | － | － | － | － | － | － | － | － | － | － | － | － |
| － | － | － | － | － | － | － | － | － | － | － | － | － | － | － |
| － | － | － | － | － | － | － | － | － | － | － | － | － | － | － |
| － | － | － | － | － | － | － | － | － | － | － | － | － | － | － |
| － | － | － | － | － | － | － | － | － | － | － | － | － | － | － |
| － | － | － | － | － | － | － | － | － | － | － | － | － | － | － |
| － | － | － | － | － | － | － | － | － | － | － | － | － | － | － |
| － | － | － | － | － | － | － | － | － | － | － | － | － | － | － |
| － | － | － | － | － | － | － | － | － | － | － | － | － | － | － |
| － | － | － | － | － | － | － | － | － | － | － | － | － | － | － |
| － | － | － | － | － | － | － | － | － | － | － | － | － | － | － |
| － | － | － | － | － | － | － | － | － | － | － | － | － | － | － |
| － | － | － | － | － | － | － | － | － | － | － | － | － | － | － |
| － | 18 | 47 | 4 | 1 | 1 | 2 | － | 2 | 4 | 1 | 1 | 2 | － | 2 |
| － | － | － | － | － | － | － | － | － | － | － | － | － | － | － |
| － | － | － | － | － | － | － | － | － | － | － | － | － | － | － |
| － | － | － | － | － | － | － | － | － | － | － | － | － | － | － |
| － | － | － | － | － | － | － | － | － | － | － | － | － | － | － |
| － | － | － | － | － | － | － | － | － | － | － | － | － | － | － |
| － | － | － | － | － | － | － | － | － | － | － | － | － | － | － |
| － | － | － | 58 | 19 | 20 | 19 | 7 | 12 | － | － | － | － | － | － |

# 第4表（2－1）保健所が実施した妊産婦及び乳幼児等保健指導の被指導実人員－延人員・

| | 総 | | | | 数 | | | |
|---|---|---|---|---|---|---|---|---|
| | 妊婦 | | 産婦 | | 乳児 | | 幼児 | |
| | 実人員 | 延人員 | 実人員 | 延人員 | 実人員 | 延人員 | 実人員 | 延人員 |
| **全国** | **229 310** | **238 191** | **56 723** | **73 211** | **148 702** | **207 191** | **164 191** | **219 904** |
| 北海道 | 166 | 171 | 13 | 18 | 266 | 288 | 767 | 918 |
| 青森 | 3 822 | 4 065 | 102 | 103 | 1 824 | 2 101 | 1 942 | 3 309 |
| 岩手 | – | – | – | – | – | – | – | – |
| 宮城 | 9 379 | 9 574 | 6 430 | 7 172 | 8 802 | 9 582 | 13 181 | 15 926 |
| 秋田 | – | – | – | – | – | – | 1 | 1 |
| 山形 | – | – | 2 | 2 | 2 | 2 | 3 | 4 |
| 福島 | 17 | 20 | 10 | 13 | 18 | 24 | 90 | 174 |
| 茨城 | 4 | 20 | 3 | 12 | 7 | 21 | 276 | 411 |
| 栃木 | 1 | 1 | 1 | 12 | 11 | 16 | 162 | 225 |
| 群馬 | 1 | 1 | 5 | 5 | 10 | 11 | 5 | 11 |
| 埼玉 | 396 | 406 | 196 | 210 | 911 | 1 464 | 1 813 | 2 677 |
| 千葉 | 8 421 | 8 491 | 1 917 | 4 938 | 14 148 | 17 838 | 5 619 | 7 192 |
| 東京 | 38 359 | 40 563 | 9 895 | 12 308 | 30 194 | 39 336 | 39 028 | 45 805 |
| 神奈川 | 49 313 | 51 589 | 4 081 | 4 293 | 9 251 | 12 972 | 18 677 | 22 085 |
| 新潟 | 1 | 1 | – | – | 1 | 1 | 89 | 97 |
| 富山 | 1 823 | 1 824 | 2 | 4 | 1 167 | 2 971 | 607 | 1 291 |
| 石川 | 70 | 171 | 372 | 902 | 155 | 384 | 138 | 295 |
| 福井 | 2 | 2 | 36 | 51 | 38 | 55 | 78 | 93 |
| 山梨 | 3 | 3 | 1 | 1 | 11 | 16 | 11 | 13 |
| 長野 | 2 447 | 2 447 | 63 | 63 | 1 159 | 3 851 | 1 034 | 3 313 |
| 岐阜 | 2 | 4 | 5 | 5 | 13 | 27 | – | – |
| 静岡 | 2 | 2 | 3 | 5 | 11 | 25 | 299 | 1 335 |
| 愛知 | 16 445 | 18 059 | 13 448 | 17 870 | 22 498 | 29 616 | 22 444 | 34 028 |
| 三重 | 1 760 | 1 760 | 6 | 20 | 3 601 | 3 602 | 1 671 | 2 111 |
| 滋賀 | 2 689 | 2 689 | … | 30 | 3 | 5 847 | 9 | 3 685 |
| 京都 | 10 566 | 10 813 | 642 | 1 032 | 843 | 1 363 | 1 088 | 1 620 |
| 大阪 | 10 180 | 10 325 | 1 165 | 1 319 | 6 658 | 10 016 | 10 711 | 14 293 |
| 兵庫 | 12 502 | 12 665 | 522 | 607 | 7 907 | 10 831 | 5 031 | 7 641 |
| 奈良 | 1 809 | 1 810 | 506 | 777 | 1 075 | 2 318 | 1 097 | 2 344 |
| 和歌山 | 2 883 | 2 938 | 419 | 988 | 2 246 | 2 808 | 5 010 | 6 475 |
| 鳥取 | – | – | – | – | – | – | 13 | 20 |
| 島根 | 5 | 7 | – | – | 7 | 36 | 7 | 39 |
| 岡山 | 10 387 | 10 484 | 555 | 674 | 3 700 | 8 790 | 2 089 | 2 769 |
| 広島 | 5 011 | 5 105 | 337 | 406 | 3 597 | 4 425 | 3 095 | 5 417 |
| 山口 | – | – | 2 | 4 | 10 | 16 | 157 | 197 |
| 徳島 | 1 | 2 | 3 | 4 | 2 | 4 | 1 | 1 |
| 香川 | 4 218 | 4 370 | 776 | 812 | 4 176 | 5 089 | 1 265 | 1 624 |
| 愛媛 | 16 | 16 | 5 | 5 | 1 983 | 5 623 | 952 | 1 675 |
| 高知 | 1 063 | 1 087 | 514 | 677 | 447 | 618 | 1 229 | 1 274 |
| 福岡 | 19 225 | 20 096 | 12 700 | 13 799 | 17 728 | 19 179 | 15 647 | 17 259 |
| 佐賀 | – | – | 1 | 1 | 12 | 13 | 230 | 281 |
| 長崎 | 2 023 | 2 121 | 58 | 66 | 999 | 1 053 | 702 | 822 |
| 熊本 | – | – | – | – | 70 | 96 | 92 | 150 |
| 大分 | 4 717 | 4 752 | 132 | 142 | 1 085 | 1 183 | 2 462 | 2 925 |
| 宮崎 | 3 758 | 3 801 | 608 | 1 129 | 940 | 1 124 | 1 229 | 1 839 |
| 鹿児島 | 5 723 | 5 789 | 1 048 | 2 491 | 975 | 2 348 | 3 241 | 4 937 |
| 沖縄 | 100 | 147 | 139 | 241 | 141 | 208 | 899 | 1 303 |
| 指定都市・特別区(再掲) | | | | | | | | |
| 東京都区部 | 35 799 | 38 003 | 9 834 | 12 234 | 29 787 | 38 879 | 38 429 | 45 167 |
| 札幌市 | – | – | – | – | – | – | – | – |
| 仙台市 | 9 378 | 9 569 | 6 429 | 7 157 | 8 800 | 9 580 | 13 165 | 15 908 |
| さいたま市 | – | – | – | – | 366 | 366 | 949 | 949 |
| 千葉市 | – | – | – | – | – | – | – | – |
| 横浜市 | 30 472 | 30 489 | 2 403 | 2 498 | 926 | 1 173 | 372 | 428 |
| 川崎市 | 17 640 | 19 839 | 1 450 | 1 553 | 5 551 | 8 993 | 15 123 | 18 153 |
| 相模原市 | – | – | – | – | – | – | – | – |
| 新潟市 | – | – | – | – | – | – | – | – |
| 静岡市 | – | – | – | – | – | – | – | – |
| 浜松市 | – | – | – | – | – | – | – | – |
| 名古屋市 | 9 993 | 11 342 | 13 354 | 17 756 | 20 864 | 27 865 | 21 215 | 32 162 |
| 京都市 | 10 566 | 10 813 | 642 | 1 032 | 843 | 1 363 | 790 | 1 200 |
| 大阪市 | – | – | – | – | – | – | – | – |
| 堺市 | – | – | – | – | – | – | – | – |
| 神戸市 | – | – | – | – | – | – | – | – |
| 岡山市 | 6 069 | 6 100 | 283 | 316 | 2 660 | 7 479 | 627 | 662 |
| 広島市 | – | – | – | – | – | – | – | – |
| 北九州市 | – | – | – | – | – | – | – | – |
| 福岡市 | 18 314 | 19 110 | 11 570 | 11 760 | 15 785 | 16 275 | 12 901 | 13 518 |
| 熊本市 | – | – | – | – | – | – | – | – |

## 健診の事後指導実人員・電話相談延人員，都道府県－指定都市・特別区－中核市－その他政令市、対象区分別

平成29年度

| その他 | | （再掲）健診の事後指導 | | | | | 電話相談延人員 |
|---|---|---|---|---|---|---|---|
| | | 妊婦 | 産婦 | 乳児 | 幼児 | その他 | |
| 実人員 | 延人員 | 実人員 | 実人員 | 実人員 | 実人員 | 実人員 | |
| **39 816** | **54 349** | **1 328** | **4 651** | **28 856** | **53 918** | **405** | **510 067** |
| 844 | 884 | – | – | 95 | 338 | – | 2 221 |
| 325 | 325 | 220 | – | 104 | 804 | – | 1 898 |
| 8 | 8 | – | – | – | – | – | 24 |
| 6 510 | 8 351 | 1 | 17 | 20 | 504 | 343 | 29 983 |
| 1 | 1 | – | – | – | – | – | 2 |
| 77 | 101 | – | – | – | – | – | 431 |
| 967 | 1 182 | – | – | – | – | – | 1 665 |
| 218 | 256 | – | – | – | – | – | 506 |
| 98 | 533 | – | – | – | – | – | 763 |
| 92 | 114 | – | – | – | – | – | 594 |
| 958 | 1 343 | – | – | 685 | 1 385 | – | 9 520 |
| 2 602 | 3 439 | – | – | – | 6 | – | 19 939 |
| 342 | 476 | 480 | 4 014 | 20 859 | 30 970 | – | 107 705 |
| 2 191 | 2 559 | 362 | 19 | 1 293 | 2 736 | – | 23 770 |
| 6 | 7 | – | – | – | – | – | 60 |
| 145 | 171 | – | – | 8 | 40 | – | 3 579 |
| 386 | 650 | – | – | – | – | – | 4 373 |
| 46 | 59 | – | – | – | – | – | 307 |
| 129 | 156 | – | – | – | – | – | 77 |
| 64 | 99 | – | – | 103 | 28 | 11 | 917 |
| 2 | 2 | – | – | – | – | – | 173 |
| 447 | 504 | – | – | – | 39 | – | 201 |
| 7 985 | 12 353 | – | – | 371 | 945 | – | 66 395 |
| 67 | 102 | – | – | – | 466 | – | 12 473 |
| 66 | 124 | – | – | – | – | – | 1 391 |
| 532 | 750 | – | – | 8 | 266 | 1 | 13 827 |
| 533 | 630 | – | 594 | 1 349 | 1 199 | – | 32 077 |
| 999 | 1 389 | – | – | 740 | 1 665 | – | 41 263 |
| 441 | 484 | – | – | 96 | 95 | – | 4 475 |
| 439 | 477 | – | – | 968 | 1 034 | – | 5 980 |
| – | – | – | – | – | 13 | – | 11 |
| 49 | 67 | – | – | – | – | – | 114 |
| 745 | 968 | 7 | 1 | 22 | 749 | – | 17 158 |
| 1 023 | 1 161 | 4 | 4 | 70 | 188 | 1 | 14 033 |
| 61 | 69 | – | – | – | 63 | – | 268 |
| 520 | 827 | – | – | – | – | – | 541 |
| 573 | 719 | 170 | 2 | 1 | 222 | 36 | 9 620 |
| 499 | 700 | – | – | – | 743 | – | 1 036 |
| 75 | 84 | – | – | – | 220 | – | 5 534 |
| 5 769 | 7 839 | 83 | – | 1 964 | 4 507 | – | 14 666 |
| 1 210 | 1 661 | – | – | 1 | 42 | – | 1 172 |
| 321 | 474 | – | – | – | 189 | – | 1 323 |
| 97 | 131 | – | – | 15 | 24 | – | 123 |
| 435 | 748 | – | – | 2 | 472 | 1 | 9 441 |
| 603 | 922 | 1 | – | 8 | 131 | – | 7 507 |
| 65 | 111 | – | – | 45 | 3 213 | – | 31 544 |
| 251 | 339 | – | – | 29 | 622 | 12 | 9 387 |
| 335 | 468 | 480 | 4 013 | 20 556 | 30 436 | – | 103 985 |
| – | – | – | – | – | – | – | – |
| 6 507 | 8 348 | 1 | 17 | 20 | 504 | 343 | 29 963 |
| 4 | 4 | – | – | 366 | 949 | – | 86 |
| – | – | – | – | – | – | – | – |
| 294 | 302 | – | – | 926 | 372 | – | 1 926 |
| 38 | 39 | 362 | 19 | 367 | 2 364 | – | 20 115 |
| – | – | – | – | – | – | – | – |
| – | – | – | – | – | – | – | – |
| – | – | – | – | – | | – | – |
| – | – | – | – | – | – | – | – |
| 7 578 | 11 893 | – | – | – | – | – | 58 968 |
| 469 | 635 | – | – | 8 | 27 | – | 13 364 |
| – | – | – | – | – | – | – | – |
| – | – | – | – | – | – | – | – |
| – | – | – | – | – | – | – | – |
| 283 | 313 | 7 | 1 | 22 | 204 | – | 10 366 |
| – | – | – | – | – | – | – | – |
| – | – | – | – | – | – | – | – |
| 5 030 | 5 107 | 83 | – | 1 870 | 4 305 | – | 10 397 |
| – | – | – | – | – | – | – | – |

# 第４表（２－２）保健所が実施した妊産婦及び乳幼児等保健指導の被指導実人員－延人員・

| | 総数 | | | | | | | |
|---|---|---|---|---|---|---|---|---|
| | 妊婦 | | 産婦 | | 乳児 | | 幼児 | |
| | 実人員 | 延人員 | 実人員 | 延人員 | 実人員 | 延人員 | 実人員 | 延人員 |
| 中核市(再掲) | | | | | | | | |
| 旭川市 | - | - | - | - | - | - | - | - |
| 函館市 | - | - | - | - | - | - | - | - |
| 青森市 | 1 782 | 2 024 | 96 | 96 | 738 | 781 | 1 066 | 1 066 |
| 八戸市 | 2 040 | 2 041 | 6 | 7 | 1 083 | 1 314 | 865 | 2 221 |
| 盛岡市 | - | - | - | - | - | - | - | - |
| 秋田市 | - | - | - | - | - | - | - | - |
| 郡山市 | - | - | - | - | - | - | - | - |
| いわき市 | - | - | - | - | - | - | - | - |
| 宇都宮市 | - | - | - | - | - | - | - | - |
| 前橋市 | - | - | - | - | - | - | - | - |
| 高崎市 | - | - | - | - | - | - | - | - |
| 川越市 | 337 | 340 | 167 | 178 | 489 | 983 | 682 | 1 148 |
| 越谷市 | - | - | - | - | - | - | - | - |
| 船橋市 | 5 419 | 5 459 | 120 | 186 | 9 323 | 9 919 | 3 679 | 4 243 |
| 柏市 | 3 002 | 3 032 | 1 797 | 4 752 | 4 822 | 7 908 | 1 935 | 2 942 |
| 八王子市 | - | - | - | - | - | - | 1 | 1 |
| 横須賀市 | - | - | - | - | - | - | - | - |
| 富山市 | 1 822 | 1 822 | - | - | 1 158 | 2 960 | 484 | 1 073 |
| 金沢市 | - | - | - | - | - | - | - | - |
| 長野市 | 2 447 | 2 447 | 63 | 63 | 1 152 | 3 840 | 964 | 3 215 |
| 岐阜市 | - | - | - | - | - | - | - | - |
| 豊橋市 | 2 593 | 2 830 | 15 | 18 | 438 | 528 | 838 | 1 396 |
| 豊田市 | - | - | - | - | - | - | - | - |
| 岡崎市 | 3 858 | 3 886 | 78 | 94 | 1 180 | 1 206 | 335 | 412 |
| 大津市 | 2 689 | 2 689 | … | 30 | … | 5 841 | … | 3 662 |
| 高槻市 | - | - | - | - | - | - | - | - |
| 東大阪市 | 2 461 | 2 585 | 105 | 146 | 1 024 | 2 144 | 711 | 1 934 |
| 豊中市 | 4 608 | 4 620 | 177 | 217 | 3 431 | 3 627 | 4 153 | 4 422 |
| 枚方市 | 3 110 | 3 119 | 880 | 951 | 2 200 | 4 242 | 5 843 | 7 933 |
| 姫路市 | 4 747 | 4 771 | 146 | 166 | 4 768 | 4 980 | 1 295 | 2 008 |
| 西宮市 | 2 986 | 2 986 | 70 | 110 | 1 698 | 4 110 | 842 | 1 769 |
| 尼崎市 | 4 769 | 4 908 | 306 | 331 | 1 441 | 1 741 | 2 894 | 3 864 |
| 奈良市 | 1 808 | 1 809 | 504 | 772 | 1 072 | 2 313 | 1 086 | 2 319 |
| 和歌山市 | 2 883 | 2 938 | 419 | 988 | 2 216 | 2 764 | 4 643 | 5 744 |
| 倉敷市 | 4 295 | 4 354 | 258 | 339 | 994 | 1 220 | 1 124 | 1 758 |
| 福山市 | 3 473 | 3 473 | 96 | 96 | 1 978 | 1 996 | 669 | 1 373 |
| 呉市 | 1 538 | 1 632 | 240 | 308 | 1 592 | 2 401 | 2 398 | 4 015 |
| 下関市 | - | - | - | - | - | - | - | - |
| 高松市 | 4 218 | 4 370 | 776 | 812 | 4 176 | 5 089 | 1 261 | 1 619 |
| 松山市 | 15 | 15 | 5 | 5 | 1 983 | 5 623 | 951 | 1 674 |
| 高知市 | 1 060 | 1 081 | 514 | 677 | 447 | 618 | 1 166 | 1 208 |
| 久留米市 | 3 | 3 | 888 | 1 587 | 888 | 1 559 | 1 546 | 2 065 |
| 長崎市 | - | - | - | - | - | - | - | - |
| 佐世保市 | 2 019 | 2 117 | 52 | 60 | 996 | 1 048 | 612 | 690 |
| 大分市 | 4 705 | 4 740 | 124 | 134 | 1 061 | 1 117 | 2 404 | 2 808 |
| 宮崎市 | 3 750 | 3 791 | 607 | 1 128 | 906 | 1 044 | 1 140 | 1 690 |
| 鹿児島市 | 5 721 | 5 787 | 1 040 | 2 479 | 963 | 2 332 | 3 176 | 4 869 |
| 那覇市 | 100 | 147 | 139 | 241 | 141 | 208 | 897 | 1 301 |
| その他政令市(再掲) | | | | | | | | |
| 小樽市 | 150 | 150 | - | - | 253 | 275 | 755 | 895 |
| 町田市 | 2 560 | 2 560 | 61 | 74 | 405 | 447 | 598 | 637 |
| 藤沢市 | - | - | - | - | - | - | - | - |
| 茅ヶ崎市 | 1 187 | 1 187 | 225 | 239 | 2 749 | 2 763 | 2 877 | 2 968 |
| 四日市市 | 1 760 | 1 760 | 6 | 20 | 3 593 | 3 593 | 1 608 | 2 007 |
| 大牟田市 | 810 | 885 | 240 | 450 | 1 022 | 1 297 | 984 | 1 377 |

## 健診の事後指導実人員・電話相談延人員，都道府県－指定都市・特別区－中核市－その他政令市、対象区分別

平成29年度

| その他 | | （再掲）健診の事後指導 | | | | | 電話相談延人員 |
|---|---|---|---|---|---|---|---|
| | | 妊婦 | 産婦 | 乳児 | 幼児 | その他 | |
| 実人員 | 延人員 | 実人員 | 実人員 | 実人員 | 実人員 | 実人員 | |
| - | - | - | - | - | - | - | - |
| - | - | - | - | - | - | - | - |
| 38 | 38 | - | - | 78 | 600 | - | 453 |
| 285 | 285 | 220 | - | 26 | 204 | - | 1 442 |
| - | - | - | - | - | - | - | - |
| - | - | - | - | - | - | - | - |
| - | - | - | - | - | - | - | - |
| - | - | - | - | - | - | - | - |
| - | - | - | - | - | - | - | - |
| - | - | - | - | - | - | - | - |
| - | - | - | - | - | - | - | - |
| 168 | 176 | - | - | 319 | 436 | - | 3 669 |
| - | - | - | - | - | - | - | - |
| 134 | 166 | - | - | - | - | - | 15 118 |
| 1 653 | 2 430 | - | - | - | 6 | - | 3 271 |
| - | - | - | - | - | - | - | 6 |
| - | - | - | - | - | - | - | - |
| - | - | - | - | - | - | - | 3 449 |
| - | - | - | - | - | - | - | - |
| 17 | 17 | - | - | 103 | 18 | - | 749 |
| - | - | - | - | - | - | - | - |
| 15 | 23 | - | - | 371 | 818 | - | 3 519 |
| - | - | - | - | - | - | - | - |
| 253 | 288 | - | - | - | 127 | - | 3 723 |
| … | 46 | - | - | - | - | - | 1 322 |
| - | - | - | - | - | - | - | - |
| - | - | - | - | 144 | 21 | - | 5 211 |
| 84 | 87 | - | - | 213 | 161 | - | 11 616 |
| 35 | 40 | - | 594 | 992 | 1 017 | - | 11 123 |
| 9 | 9 | - | - | - | - | - | 6 460 |
| - | - | - | - | 288 | 416 | - | 19 085 |
| 45 | 59 | - | - | 452 | 1 249 | - | 14 406 |
| - | - | - | - | 96 | 95 | - | 3 522 |
| 368 | 406 | - | - | 954 | 931 | - | 5 688 |
| 429 | 610 | - | - | - | 433 | - | 6 570 |
| 91 | 91 | 4 | 4 | 6 | 14 | 1 | 3 414 |
| 167 | 204 | - | - | 64 | 174 | - | 10 299 |
| - | - | - | - | - | - | - | - |
| 568 | 714 | 170 | 2 | 1 | 222 | 36 | 9 604 |
| 6 | 8 | - | - | - | 743 | - | 503 |
| 26 | 35 | - | - | - | 206 | - | 5 521 |
| 333 | 2 065 | - | - | - | - | - | 1 188 |
| - | - | - | - | - | - | - | - |
| - | - | - | - | - | 189 | - | 726 |
| 118 | 130 | - | - | 2 | 463 | - | 8 611 |
| 111 | 149 | 1 | - | 8 | 131 | - | 6 716 |
| - | - | - | - | 45 | 3 176 | - | 31 325 |
| 68 | 98 | - | - | 29 | 622 | 12 | 9 144 |
| 15 | 15 | - | - | 95 | 338 | - | 1 417 |
| 6 | 7 | - | 1 | 303 | 534 | - | 3 680 |
| - | - | - | - | - | - | - | - |
| 1 094 | 1 094 | - | - | - | - | - | 788 |
| - | - | - | - | - | 466 | - | 12 314 |
| 119 | 223 | - | - | 73 | 108 | - | 1 606 |

# 第５表（４－１）保健所が実施した妊産婦及び乳幼児等訪問指導の被指導
# 乳児家庭全戸訪問事業を併せて実施した被指導実人員，

| | 総 | | | | | |
|---|---|---|---|---|---|---|
| | 妊婦 | | 産婦 | | 新生児（未熟児を除く。） | |
| | 実人員 | 延人員 | 実人員 | 延人員 | 実人員 | 延人員 |
| **全国** | **7 937** | **11 015** | **179 946** | **200 800** | **99 439** | **104 442** |
| 北海道 | 42 | 52 | 551 | 709 | 361 | 375 |
| 青森 | 74 | 147 | 3 290 | 3 840 | 2 209 | 2 392 |
| 岩手 | - | - | 2 | 3 | - | - |
| 宮城 | 119 | 179 | 5 761 | 7 402 | 7 346 | 7 846 |
| 秋田 | - | - | - | - | - | - |
| 山形 | - | - | 4 | 4 | 1 | 1 |
| 福島 | 9 | 15 | 108 | 152 | 14 | 16 |
| 茨城 | 1 | 1 | 4 | 5 | - | - |
| 栃木 | - | - | - | - | - | - |
| 群馬 | - | - | 2 | 2 | 1 | 1 |
| 埼玉 | 34 | 45 | 2 557 | 3 149 | 1 212 | 1 234 |
| 千葉 | 274 | 450 | 4 938 | 5 644 | 2 938 | 3 115 |
| 東京 | 1 381 | 2 036 | 48 417 | 51 913 | 37 696 | 39 447 |
| 神奈川 | 676 | 1 011 | 29 862 | 31 136 | 24 610 | 24 995 |
| 新潟 | - | - | 4 | 18 | 2 | 12 |
| 富山 | 41 | 70 | 2 103 | 2 736 | 1 632 | 1 880 |
| 石川 | 6 | 9 | 93 | 126 | 21 | 26 |
| 福井 | - | - | 7 | 7 | 4 | 4 |
| 山梨 | - | - | - | - | - | - |
| 長野 | 43 | 63 | 2 582 | 2 995 | 591 | 711 |
| 岐阜 | 7 | 20 | 132 | 164 | 44 | 63 |
| 静岡 | - | - | - | - | - | - |
| 愛知 | 824 | 1 200 | 22 928 | 25 245 | 5 194 | 5 468 |
| 三重 | 68 | 111 | 735 | 1 069 | 150 | 204 |
| 滋賀 | 32 | 44 | 24 | 36 | 652 | 652 |
| 京都 | 2 294 | 2 424 | 5 137 | 5 822 | 819 | 887 |
| 大阪 | 381 | 660 | 5 751 | 7 034 | 2 032 | 2 232 |
| 兵庫 | 232 | 422 | 6 242 | 7 146 | 1 779 | 1 925 |
| 奈良 | 36 | 48 | 702 | 831 | 66 | 75 |
| 和歌山 | 41 | 59 | 350 | 523 | 85 | 109 |
| 鳥取 | - | - | 1 | 1 | - | - |
| 島根 | 1 | 3 | 5 | 6 | - | - |
| 岡山 | 296 | 456 | 1 623 | 2 200 | 1 148 | 1 256 |
| 広島 | 174 | 289 | 3 249 | 3 728 | 474 | 521 |
| 山口 | - | - | 2 | 2 | - | - |
| 徳島 | 1 | 2 | 101 | 150 | 57 | 68 |
| 香川 | 84 | 111 | 3 499 | 3 940 | 2 490 | 2 503 |
| 愛媛 | 53 | 56 | 1 116 | 1 240 | 165 | 168 |
| 高知 | 82 | 151 | 2 700 | 2 952 | 117 | 127 |
| 福岡 | 374 | 511 | 13 759 | 15 726 | 884 | 1 087 |
| 佐賀 | 5 | 7 | 42 | 74 | 4 | 5 |
| 長崎 | - | - | - | - | - | - |
| 熊本 | - | - | 12 | 17 | - | - |
| 大分 | 48 | 86 | 3 956 | 4 289 | 301 | 366 |
| 宮崎 | 37 | 58 | 1 603 | 2 160 | 287 | 339 |
| 鹿児島 | 88 | 105 | 4 776 | 5 155 | 3 860 | 4 117 |
| 沖縄 | 79 | 114 | 1 216 | 1 449 | 193 | 215 |
| 指定都市・特別区(再掲) | | | | | | |
| 東京都区部 | 1 334 | 1 951 | 46 149 | 49 615 | 35 505 | 37 234 |
| 札幌市 | - | - | - | - | - | - |
| 仙台市 | 118 | 174 | 5 760 | 7 397 | 7 345 | 7 845 |
| さいたま市 | - | - | - | - | - | - |
| 千葉市 | - | - | - | - | - | - |
| 横浜市 | 460 | 583 | 15 863 | 16 713 | 14 053 | 14 193 |
| 川崎市 | 199 | 390 | 12 217 | 12 569 | 10 242 | 10 465 |
| 相模原市 | - | - | - | - | - | - |
| 新潟市 | - | - | - | - | - | - |
| 静岡市 | - | - | - | - | - | - |
| 浜松市 | - | - | - | - | - | - |
| 名古屋市 | 498 | 734 | 18 986 | 20 619 | 4 733 | 4 960 |
| 京都市 | 2 294 | 2 424 | 5 134 | 5 818 | 819 | 887 |
| 大阪市 | - | - | - | - | - | - |
| 堺市 | - | - | - | - | - | - |
| 神戸市 | - | - | - | - | - | - |
| 岡山市 | 197 | 302 | 1 189 | 1 661 | 883 | 951 |
| 広島市 | - | - | - | - | - | - |
| 北九州市 | - | - | - | - | - | - |
| 福岡市 | 306 | 421 | 11 717 | 13 365 | 302 | 365 |
| 熊本市 | - | - | - | - | - | - |

# 実人員－延人員・医療機関等へ委託した被指導実人員－延人員・
## 都道府県－指定都市・特別区－中核市－その他政令市、対象区分別

平成29年度

| 数 | | | | | | | |
|---|---|---|---|---|---|---|---|
| 未熟児 | | 乳児（新生児・未熟児を除く。） | | 幼児 | | その他 | |
| 実人員 | 延人員 | 実人員 | 延人員 | 実人員 | 延人員 | 実人員 | 延人員 |
| 13 476 | 16 222 | 98 508 | 116 572 | 32 912 | 50 918 | 15 200 | 26 722 |
| 46 | 70 | 221 | 309 | 59 | 139 | 20 | 70 |
| 333 | 412 | 802 | 1 101 | 918 | 1 127 | 632 | 931 |
| 1 | 1 | 2 | 2 | 3 | 4 | − | − |
| 566 | 658 | 674 | 1 129 | 1 052 | 2 079 | 1 017 | 2 096 |
| − | − | 1 | 1 | − | − | − | − |
| 2 | 2 | 6 | 7 | 11 | 13 | 13 | 22 |
| 59 | 75 | 62 | 92 | 222 | 318 | 237 | 388 |
| − | − | 3 | 7 | 7 | 11 | 8 | 11 |
| − | − | 1 | 8 | 4 | 9 | 42 | 87 |
| − | − | 2 | 2 | 6 | 22 | − | − |
| 62 | 67 | 1 335 | 1 922 | 336 | 424 | 314 | 427 |
| 287 | 402 | 5 071 | 5 940 | 1 140 | 1 787 | 119 | 269 |
| 1 521 | 1 768 | 13 332 | 15 811 | 3 433 | 5 319 | 491 | 1 005 |
| 2 700 | 2 790 | 4 844 | 6 093 | 4 577 | 6 585 | 3 331 | 4 839 |
| − | − | 2 | 3 | 9 | 31 | 6 | 18 |
| 324 | 437 | 237 | 514 | 243 | 505 | 29 | 71 |
| 12 | 20 | 57 | 72 | 15 | 23 | 6 | 11 |
| − | − | 11 | 12 | 6 | 8 | 18 | 22 |
| − | − | 6 | 7 | 3 | 5 | 22 | 34 |
| 588 | 770 | 1 411 | 1 522 | 182 | 182 | 105 | 107 |
| 48 | 64 | 40 | 42 | 1 | 2 | 1 | 1 |
| 1 | 2 | 6 | 7 | 4 | 4 | 5 | 5 |
| 1 005 | 1 259 | 18 321 | 20 983 | 6 684 | 10 249 | 3 499 | 6 597 |
| 183 | 245 | 2 461 | 2 948 | 235 | 456 | 33 | 34 |
| 230 | 230 | 1 659 | 1 753 | 9 | 1 045 | 5 | 190 |
| 419 | 482 | 6 352 | 7 000 | 826 | 1 241 | 394 | 617 |
| 803 | 1 061 | 3 373 | 4 498 | 1 594 | 2 431 | 394 | 1 056 |
| 516 | 635 | 4 616 | 5 613 | 1 883 | 3 146 | 178 | 437 |
| 135 | 135 | 555 | 648 | 336 | 468 | 27 | 35 |
| 38 | 52 | 329 | 521 | 226 | 359 | 160 | 245 |
| − | − | 1 | 1 | 1 | 2 | − | − |
| 2 | 2 | 7 | 18 | 14 | 44 | 4 | 9 |
| 499 | 523 | 2 592 | 3 462 | 1 856 | 2 704 | 700 | 1 628 |
| 309 | 419 | 2 755 | 3 326 | 1 861 | 2 699 | 631 | 1 172 |
| − | − | 3 | 3 | 5 | 8 | − | − |
| 5 | 8 | 50 | 82 | 3 | 9 | − | − |
| 59 | 85 | 1 180 | 1 595 | 351 | 564 | 399 | 604 |
| 325 | 340 | 3 837 | 4 254 | 615 | 773 | 29 | 50 |
| 220 | 250 | 2 506 | 2 850 | 979 | 1 213 | 18 | 28 |
| 1 216 | 1 772 | 12 468 | 14 072 | 1 218 | 2 121 | 1 352 | 2 120 |
| 5 | 15 | 19 | 25 | 16 | 35 | 126 | 260 |
| − | − | 6 | 9 | 15 | 23 | 29 | 60 |
| 19 | 34 | 4 | 6 | 15 | 28 | 10 | 21 |
| 387 | 470 | 3 488 | 3 907 | 853 | 1 290 | 149 | 243 |
| 100 | 133 | 1 252 | 1 682 | 297 | 422 | 131 | 278 |
| 410 | 460 | 1 596 | 1 672 | 564 | 652 | 455 | 511 |
| 41 | 74 | 952 | 1 041 | 225 | 339 | 61 | 113 |
| 1 438 | 1 668 | 13 010 | 15 209 | 3 194 | 4 825 | 483 | 993 |
| − | − | − | − | − | − | − | − |
| 566 | 658 | 673 | 1 123 | 1 051 | 2 078 | 1 016 | 2 095 |
| − | − | − | − | − | − | − | − |
| − | − | − | − | − | − | − | − |
| 1 710 | 1 766 | 1 362 | 2 212 | 3 319 | 4 306 | 3 191 | 4 532 |
| 819 | 831 | 2 129 | 2 459 | 1 153 | 2 092 | 43 | 77 |
| − | − | − | − | − | − | − | − |
| − | − | − | − | − | − | − | − |
| − | − | − | − | − | − | − | − |
| 427 | 560 | 15 150 | 17 241 | 5 994 | 9 145 | 2 855 | 4 544 |
| 417 | 480 | 6 340 | 6 982 | 804 | 1 177 | 374 | 557 |
| − | − | − | − | − | − | − | − |
| − | − | − | − | − | − | − | − |
| − | − | − | − | − | − | − | − |
| 192 | 216 | 2 083 | 2 716 | 1 101 | 1 592 | 469 | 1 263 |
| − | − | − | − | − | − | − | − |
| − | − | − | − | − | − | − | − |
| 1 134 | 1 680 | 11 009 | 12 477 | 895 | 1 596 | 1 093 | 1 698 |
| − | − | − | − | − | − | − | − |

# 第５表（４－２）保健所が実施した妊産婦及び乳幼児等訪問指導の被指導
# 乳児家庭全戸訪問事業を併せて実施した被指導実人員，

| | 総 | | | | | |
|---|---|---|---|---|---|---|
| | 妊婦 | | 産婦 | | 新生児（未熟児を除く。） | |
| | 実人員 | 延人員 | 実人員 | 延人員 | 実人員 | 延人員 |
| 中核市(再掲) | | | | | | |
| 旭川市 | - | - | - | - | - | - |
| 函館市 | - | - | - | - | - | - |
| 青森市 | 22 | 23 | 1 622 | 1 760 | 1 463 | 1 583 |
| 八戸市 | 52 | 124 | 1 667 | 2 079 | 745 | 808 |
| 盛岡市 | - | - | - | - | - | - |
| 秋田市 | - | - | - | - | - | - |
| 郡山市 | - | - | - | - | - | - |
| いわき市 | - | - | - | - | - | - |
| 宇都宮市 | - | - | - | - | - | - |
| 前橋市 | - | - | - | - | - | - |
| 高崎市 | - | - | - | - | - | - |
| 川越市 | 29 | 35 | 2 541 | 3 111 | 1 207 | 1 211 |
| 越谷市 | - | - | - | - | - | - |
| 船橋市 | 204 | 342 | 2 208 | 2 522 | 2 131 | 2 275 |
| 柏市 | 69 | 105 | 2 729 | 3 121 | 807 | 840 |
| 八王子市 | - | - | - | - | - | - |
| 横須賀市 | - | - | - | - | - | - |
| 富山市 | 39 | 68 | 2 092 | 2 705 | 1 629 | 1 861 |
| 金沢市 | - | - | - | - | - | - |
| 長野市 | 43 | 63 | 2 580 | 2 993 | 587 | 707 |
| 岐阜市 | - | - | - | - | - | - |
| 豊橋市 | 123 | 196 | 3 044 | 3 552 | 235 | 261 |
| 豊田市 | - | - | - | - | - | - |
| 岡崎市 | 202 | 268 | 896 | 1 060 | 225 | 246 |
| 大津市 | 32 | 44 | 24 | 36 | 652 | 652 |
| 高槻市 | - | - | - | - | - | - |
| 東大阪市 | 201 | 373 | 1 879 | 2 339 | 1 247 | 1 363 |
| 豊中市 | 72 | 111 | 1 773 | 2 085 | 414 | 460 |
| 枚方市 | 94 | 155 | 2 053 | 2 455 | 368 | 403 |
| 姫路市 | 106 | 224 | 4 293 | 4 616 | 1 496 | 1 549 |
| 西宮市 | 55 | 97 | 1 190 | 1 453 | 162 | 194 |
| 尼崎市 | 68 | 96 | 753 | 1 059 | 115 | 170 |
| 奈良市 | 36 | 48 | 702 | 831 | 66 | 75 |
| 和歌山市 | 41 | 59 | 350 | 523 | 85 | 109 |
| 倉敷市 | 92 | 139 | 411 | 502 | 245 | 274 |
| 福山市 | 56 | 114 | 1 994 | 2 317 | 168 | 183 |
| 呉市 | 116 | 173 | 1 254 | 1 409 | 306 | 338 |
| 下関市 | - | - | - | - | - | - |
| 高松市 | 83 | 110 | 3 488 | 3 927 | 2 483 | 2 496 |
| 松山市 | 53 | 56 | 1 114 | 1 238 | 165 | 168 |
| 高知市 | 80 | 148 | 2 694 | 2 944 | 116 | 126 |
| 久留米市 | 60 | 70 | 1 552 | 1 662 | 139 | 150 |
| 長崎市 | - | - | - | - | - | - |
| 佐世保市 | - | - | - | - | - | - |
| 大分市 | 48 | 86 | 3 948 | 4 278 | 294 | 359 |
| 宮崎市 | 36 | 57 | 1 600 | 2 156 | 287 | 339 |
| 鹿児島市 | 80 | 93 | 4 749 | 5 124 | 3 844 | 4 098 |
| 那覇市 | 77 | 104 | 1 213 | 1 434 | 192 | 213 |
| その他政令市(再掲) | | | | | | |
| 小樽市 | 42 | 52 | 528 | 683 | 343 | 356 |
| 町田市 | 47 | 85 | 2 268 | 2 298 | 2 187 | 2 207 |
| 藤沢市 | - | - | - | - | - | - |
| 茅ヶ崎市 | 16 | 35 | 1 781 | 1 853 | 315 | 337 |
| 四日市市 | 68 | 111 | 734 | 1 068 | 148 | 202 |
| 大牟田市 | 5 | 17 | 483 | 688 | 443 | 572 |

# 実人員－延人員・医療機関等へ委託した被指導実人員－延人員・
## 都道府県－指定都市・特別区－中核市－その他政令市、対象区分別

平成29年度

| 数 | | | | | | | |
|---|---|---|---|---|---|---|---|
| 未熟児 | | 乳児（新生児・未熟児を除く。） | | 幼児 | | その他 | |
| 実人員 | 延人員 | 実人員 | 延人員 | 実人員 | 延人員 | 実人員 | 延人員 |
| – | – | – | – | – | – | – | – |
| – | – | – | – | – | – | – | – |
| 178 | 196 | 15 | 35 | 87 | 127 | 46 | 55 |
| 154 | 215 | 787 | 1 066 | 829 | 996 | 586 | 876 |
| – | – | – | – | – | – | – | – |
| – | – | – | – | – | – | – | – |
| – | – | – | – | – | – | – | – |
| – | – | – | – | – | – | – | – |
| – | – | – | – | – | – | – | – |
| – | – | – | – | – | – | – | – |
| – | – | – | – | – | – | – | – |
| 59 | 63 | 1 296 | 1 847 | 254 | 289 | 191 | 225 |
| – | – | – | – | – | – | – | – |
| 101 | 174 | 3 235 | 3 959 | 1 016 | 1 548 | 80 | 193 |
| 186 | 228 | 1 833 | 1 974 | 122 | 235 | 34 | 62 |
| – | – | – | – | 1 | 1 | – | – |
| – | – | – | – | – | – | – | – |
| 323 | 436 | 231 | 499 | 231 | 483 | 18 | 34 |
| – | – | – | – | – | – | – | – |
| 588 | 770 | 1 405 | 1 516 | 172 | 172 | 96 | 96 |
| – | – | – | – | – | – | – | – |
| 316 | 413 | 2 580 | 3 015 | 336 | 573 | 575 | 1 947 |
| – | – | – | – | – | – | – | – |
| 260 | 284 | 587 | 722 | 351 | 512 | 66 | 99 |
| 230 | 230 | 1 650 | 1 737 | … | 1 028 | … | 180 |
| – | – | – | – | – | – | – | – |
| 270 | 355 | 666 | 1 307 | 774 | 1 274 | – | – |
| 258 | 326 | 1 204 | 1 376 | 450 | 611 | 61 | 72 |
| 268 | 371 | 1 491 | 1 781 | 345 | 472 | 46 | 91 |
| 216 | 239 | 2 857 | 3 328 | 1 082 | 1 820 | 7 | 23 |
| 118 | 163 | 1 016 | 1 260 | 275 | 579 | 46 | 112 |
| 180 | 230 | 726 | 995 | 500 | 665 | 109 | 190 |
| 135 | 135 | 554 | 647 | 336 | 468 | – | – |
| 38 | 52 | 328 | 520 | 221 | 352 | 160 | 245 |
| 304 | 304 | 478 | 656 | 695 | 1 018 | 176 | 214 |
| 154 | 188 | 1 711 | 1 988 | 677 | 877 | 54 | 146 |
| 155 | 231 | 1 041 | 1 334 | 1 183 | 1 820 | 576 | 1 025 |
| – | – | – | – | – | – | – | – |
| 59 | 85 | 1 171 | 1 581 | 349 | 547 | 387 | 572 |
| 324 | 334 | 3 835 | 4 248 | 614 | 770 | 20 | 24 |
| 220 | 250 | 2 502 | 2 844 | 977 | 1 211 | 16 | 23 |
| 69 | 76 | 1 393 | 1 461 | 139 | 150 | 225 | 249 |
| – | – | – | – | – | – | – | – |
| – | – | – | – | – | – | – | – |
| 376 | 450 | 3 465 | 3 870 | 828 | 1 231 | 130 | 204 |
| 100 | 133 | 1 248 | 1 678 | 287 | 406 | 112 | 226 |
| 408 | 457 | 1 590 | 1 666 | 563 | 650 | 448 | 498 |
| 38 | 59 | 948 | 1 025 | 203 | 275 | 59 | 104 |
| 41 | 63 | 219 | 305 | 58 | 135 | 9 | 19 |
| 82 | 92 | 322 | 602 | 238 | 493 | 7 | 11 |
| – | – | – | – | – | – | – | – |
| 171 | 193 | 1 351 | 1 420 | 78 | 105 | 38 | 47 |
| 183 | 245 | 2 455 | 2 938 | 220 | 425 | 31 | 32 |
| 12 | 14 | 59 | 125 | 179 | 358 | 32 | 171 |

# 第５表（４－３）保健所が実施した妊産婦及び乳幼児等訪問指導の被指導 乳児家庭全戸訪問事業を併せて実施した被指導実人員，

| | （再掲）医療機関 | | | | | | | |
|---|---|---|---|---|---|---|---|---|
| | 妊婦 | | 産婦 | | 新生児（未熟児を除く。） | | 未熟児 | |
| | 実人員 | 延人員 | 実人員 | 延人員 | 実人員 | 延人員 | 実人員 | 延人員 |
| **全国** | **364** | **365** | **28 702** | **29 760** | **22 542** | **23 247** | **479** | **500** |
| 北海道 | 26 | 26 | 481 | 481 | 300 | 303 | 20 | 20 |
| 青森 | – | – | 1 226 | 1 299 | 1 228 | 1 302 | – | – |
| 岩手 | – | – | – | – | – | – | – | – |
| 宮城 | – | – | – | – | – | – | – | – |
| 秋田 | – | – | – | – | – | – | – | – |
| 山形 | – | – | – | – | – | – | – | – |
| 福島 | – | – | – | – | – | – | – | – |
| 茨城 | – | – | – | – | – | – | – | – |
| 栃木 | – | – | – | – | – | – | – | – |
| 群馬 | – | – | – | – | – | – | – | – |
| 埼玉 | – | – | – | – | – | – | – | – |
| 千葉 | – | – | – | – | – | – | – | – |
| 東京 | 294 | 294 | 16 046 | 16 414 | 13 251 | 13 460 | 131 | 134 |
| 神奈川 | – | – | – | – | – | – | – | – |
| 新潟 | – | – | – | – | – | – | – | – |
| 富山 | – | – | – | – | – | – | – | – |
| 石川 | – | – | 1 | 1 | – | – | – | – |
| 福井 | – | – | – | – | – | – | – | – |
| 山梨 | – | – | – | – | – | – | – | – |
| 長野 | – | – | – | – | – | – | – | – |
| 岐阜 | – | – | – | – | – | – | – | – |
| 静岡 | – | – | – | – | – | – | – | – |
| 愛知 | – | – | 342 | 342 | 106 | 106 | 133 | 133 |
| 三重 | – | – | 6 | 20 | – | – | – | – |
| 滋賀 | – | – | – | – | – | – | – | – |
| 京都 | – | – | – | – | – | – | – | – |
| 大阪 | 3 | 3 | 2 475 | 2 724 | 1 233 | 1 297 | 51 | 67 |
| 兵庫 | – | – | 501 | 501 | 62 | 62 | 11 | 11 |
| 奈良 | – | – | 201 | 203 | 11 | 11 | 49 | 49 |
| 和歌山 | – | – | – | – | – | – | – | – |
| 鳥取 | – | – | – | – | – | – | – | – |
| 島根 | – | – | – | – | – | – | – | – |
| 岡山 | – | – | – | – | – | – | – | – |
| 広島 | – | – | – | – | – | – | – | – |
| 山口 | – | – | – | – | – | – | – | – |
| 徳島 | – | – | – | – | – | – | – | – |
| 香川 | 37 | 37 | 2 366 | 2 367 | 2 368 | 2 368 | – | – |
| 愛媛 | – | – | – | – | – | – | – | – |
| 高知 | – | – | – | – | – | – | – | – |
| 福岡 | – | – | 442 | 563 | 440 | 565 | 11 | 13 |
| 佐賀 | – | – | – | – | – | – | – | – |
| 長崎 | – | – | – | – | – | – | – | – |
| 熊本 | – | – | – | – | – | – | – | – |
| 大分 | – | – | 1 184 | 1 184 | 109 | 109 | 73 | 73 |
| 宮崎 | – | – | – | – | – | – | – | – |
| 鹿児島 | 4 | 5 | 3 431 | 3 661 | 3 434 | 3 664 | – | – |
| 沖縄 | – | – | – | – | – | – | – | – |
| 指定都市・特別区(再掲) | | | | | | | | |
| 東京都区部 | 294 | 294 | 16 046 | 16 414 | 13 250 | 13 457 | 131 | 134 |
| 札幌市 | – | – | – | – | – | – | – | – |
| 仙台市 | – | – | – | – | – | – | – | – |
| さいたま市 | – | – | – | – | – | – | – | – |
| 千葉市 | – | – | – | – | – | – | – | – |
| 横浜市 | – | – | – | – | – | – | – | – |
| 川崎市 | – | – | – | – | – | – | – | – |
| 相模原市 | – | – | – | – | – | – | – | – |
| 新潟市 | – | – | – | – | – | – | – | – |
| 静岡市 | – | – | – | – | – | – | – | – |
| 浜松市 | – | – | – | – | – | – | – | – |
| 名古屋市 | – | – | – | – | – | – | – | – |
| 京都市 | – | – | – | – | – | – | – | – |
| 大阪市 | – | – | – | – | – | – | – | – |
| 堺市 | – | – | – | – | – | – | – | – |
| 神戸市 | – | – | – | – | – | – | – | – |
| 岡山市 | – | – | – | – | – | – | – | – |
| 広島市 | – | – | – | – | – | – | – | – |
| 北九州市 | – | – | – | – | – | – | – | – |
| 福岡市 | – | – | – | – | – | – | – | – |
| 熊本市 | – | – | – | – | – | – | – | – |

## 実人員－延人員・医療機関等へ委託した被指導実人員－延人員・
## 都道府県－指定都市・特別区－中核市－その他政令市、対象区分別

平成29年度

| 等へ委託 乳児（新生児・未熟児を除く。） 実人員 | 延人員 | 幼児 実人員 | 延人員 | その他 実人員 | 延人員 | （再掲）乳児家庭全戸訪問事業を併せて実施 新生児（未熟児を除く。） 実人員 | 未熟児 実人員 | 乳児（新生児・未熟児を除く。） 実人員 |
|---|---|---|---|---|---|---|---|---|
| **5 579** | **5 905** | **31** | **32** | **1** | **1** | **91 010** | **11 174** | **80 038** |
| 164 | 169 | – | – | – | – | 343 | 37 | 177 |
| – | – | – | – | – | – | 2 208 | 332 | 787 |
| – | – | – | – | – | – | – | – | – |
| – | – | – | – | – | – | 6 665 | 482 | 245 |
| – | – | – | – | – | – | – | – | – |
| – | – | – | – | – | – | – | – | – |
| – | – | 31 | 32 | – | – | – | – | – |
| – | – | – | – | – | – | – | – | – |
| – | – | – | – | – | – | – | – | – |
| – | – | – | – | – | – | – | – | – |
| – | – | – | – | – | – | 1 207 | 59 | 1 275 |
| – | – | – | – | – | – | 2 828 | 234 | 4 820 |
| 2 501 | 2 662 | – | – | 1 | 1 | 34 318 | 1 116 | 8 540 |
| – | – | – | – | – | – | 24 606 | 2 683 | 3 342 |
| – | – | – | – | – | – | – | – | – |
| – | – | – | – | – | – | – | – | – |
| – | – | – | – | – | – | – | – | – |
| – | – | – | – | – | – | – | – | – |
| – | – | – | – | – | – | – | – | – |
| – | – | – | – | – | – | 587 | 588 | 1 405 |
| – | – | – | – | – | – | – | – | – |
| – | – | – | – | – | – | – | – | – |
| 121 | 121 | – | – | – | – | 5 121 | 969 | 18 101 |
| – | – | – | – | – | – | 148 | 183 | 2 151 |
| – | – | – | – | – | – | 652 | 230 | 1 650 |
| – | – | – | – | – | – | 767 | 417 | 6 023 |
| 1 214 | 1 373 | … | … | … | … | 1 886 | 688 | 2 282 |
| 429 | 429 | – | – | – | – | 1 479 | 209 | 2 640 |
| 149 | 150 | – | – | – | – | 56 | 127 | 488 |
| – | – | – | – | – | – | – | – | 19 |
| – | – | – | – | – | – | – | – | – |
| – | – | – | – | – | – | – | – | – |
| – | – | – | – | – | – | – | – | – |
| – | – | – | – | – | – | 227 | 184 | 1 911 |
| – | – | – | – | – | – | – | – | – |
| – | – | – | – | – | – | – | – | – |
| – | – | – | – | – | – | 2 483 | 59 | 1 171 |
| – | – | – | – | – | – | 105 | 297 | 3 448 |
| – | – | – | – | – | – | 72 | 194 | 2 225 |
| – | – | – | – | – | – | 881 | 1 214 | 11 351 |
| – | – | – | – | – | – | – | – | – |
| – | – | – | – | – | – | – | – | – |
| – | – | – | – | – | – | – | – | – |
| 1 001 | 1 001 | – | – | – | – | 286 | 365 | 3 288 |
| – | – | – | – | – | – | 241 | 99 | 1 109 |
| – | – | – | – | – | – | 3 844 | 408 | 1 590 |
| – | – | – | – | – | – | – | – | – |
| 2 501 | 2 662 | – | – | – | – | 32 131 | 1 034 | 8 218 |
| – | – | – | – | – | – | – | – | – |
| – | – | – | – | – | – | 6 665 | 482 | 245 |
| – | – | – | – | – | – | – | – | – |
| – | – | – | – | – | – | – | – | – |
| – | – | – | – | – | – | 14 053 | 1 710 | 1 362 |
| – | – | – | – | – | – | 10 242 | 819 | 667 |
| – | – | – | – | – | – | – | – | – |
| – | – | – | – | – | – | – | – | – |
| – | – | – | – | – | – | – | – | – |
| – | – | – | – | – | – | – | – | – |
| – | – | – | – | – | – | 4 733 | 427 | 15 150 |
| – | – | – | – | – | – | 767 | 417 | 6 023 |
| – | – | – | – | – | – | – | – | – |
| – | – | – | – | – | – | – | – | – |
| – | – | – | – | – | – | – | – | – |
| – | – | – | – | – | – | – | – | – |
| – | – | – | – | – | – | – | – | – |
| – | – | – | – | – | – | – | – | – |
| – | – | – | – | – | – | 302 | 1 134 | 11 009 |
| – | – | – | – | – | – | – | – | – |

# 第５表（４－４）保健所が実施した妊産婦及び乳幼児等訪問指導の被指導乳児家庭全戸訪問事業を併せて実施した被指導実人員，

| | （再掲）医療機関 | | | | | | | |
|---|---|---|---|---|---|---|---|---|
| | 妊婦 | | 産婦 | | 新生児（未熟児を除く。） | | 未熟児 | |
| | 実人員 | 延人員 | 実人員 | 延人員 | 実人員 | 延人員 | 実人員 | 延人員 |
| 中核市(再掲) | | | | | | | | |
| 旭川市 | - | - | - | - | - | - | - | - |
| 函館市 | - | - | - | - | - | - | - | - |
| 青森市 | - | - | 1 226 | 1 299 | 1 228 | 1 302 | - | - |
| 八戸市 | - | - | - | - | - | - | - | - |
| 盛岡市 | - | - | - | - | - | - | - | - |
| 秋田市 | - | - | - | - | - | - | - | - |
| 郡山市 | - | - | - | - | - | - | - | - |
| いわき市 | - | - | - | - | - | - | - | - |
| 宇都宮市 | - | - | - | - | - | - | - | - |
| 前橋市 | - | - | - | - | - | - | - | - |
| 高崎市 | - | - | - | - | - | - | - | - |
| 川越市 | - | - | - | - | - | - | - | - |
| 越谷市 | - | - | - | - | - | - | - | - |
| 船橋市 | - | - | - | - | - | - | - | - |
| 柏市 | - | - | - | - | - | - | - | - |
| 八王子市 | - | - | - | - | - | - | - | - |
| 横須賀市 | - | - | - | - | - | - | - | - |
| 富山市 | - | - | - | - | - | - | - | - |
| 金沢市 | - | - | - | - | - | - | - | - |
| 長野市 | - | - | - | - | - | - | - | - |
| 岐阜市 | - | - | - | - | - | - | - | - |
| 豊橋市 | - | - | 342 | 342 | 106 | 106 | 133 | 133 |
| 豊田市 | - | - | - | - | - | - | - | - |
| 岡崎市 | - | - | - | - | - | - | - | - |
| 大津市 | - | - | - | - | - | - | - | - |
| 高槻市 | - | - | - | - | - | - | - | - |
| 東大阪市 | 1 | 1 | 1 027 | 1 087 | 1 028 | 1 088 | - | - |
| 豊中市 | - | - | - | - | - | - | - | - |
| 枚方市 | 2 | 2 | 1 448 | 1 637 | 205 | 209 | 51 | 67 |
| 姫路市 | - | - | - | - | - | - | - | - |
| 西宮市 | - | - | 501 | 501 | 62 | 62 | 11 | 11 |
| 尼崎市 | - | - | - | - | - | - | - | - |
| 奈良市 | - | - | 201 | 203 | 11 | 11 | 49 | 49 |
| 和歌山市 | - | - | - | - | - | - | - | - |
| 倉敷市 | - | - | - | - | - | - | - | - |
| 福山市 | - | - | - | - | - | - | - | - |
| 呉市 | - | - | - | - | - | - | - | - |
| 下関市 | - | - | - | - | - | - | - | - |
| 高松市 | 37 | 37 | 2 366 | 2 367 | 2 368 | 2 368 | - | - |
| 松山市 | - | - | - | - | - | - | - | - |
| 高知市 | - | - | - | - | - | - | - | - |
| 久留米市 | - | - | - | - | - | - | - | - |
| 長崎市 | - | - | - | - | - | - | - | - |
| 佐世保市 | - | - | - | - | - | - | - | - |
| 大分市 | - | - | 1 184 | 1 184 | 109 | 109 | 73 | 73 |
| 宮崎市 | - | - | - | - | - | - | - | - |
| 鹿児島市 | 4 | 5 | 3 431 | 3 661 | 3 434 | 3 664 | - | - |
| 那覇市 | - | - | - | - | - | - | - | - |
| その他政令市(再掲) | | | | | | | | |
| 小樽市 | 26 | 26 | 481 | 481 | 300 | 303 | 20 | 20 |
| 町田市 | - | - | - | - | - | - | - | - |
| 藤沢市 | - | - | - | - | - | - | - | - |
| 茅ケ崎市 | - | - | - | - | - | - | - | - |
| 四日市市 | - | - | 6 | 20 | - | - | - | - |
| 大牟田市 | - | - | 442 | 563 | 440 | 565 | 11 | 13 |

## 実人員－延人員・医療機関等へ委託した被指導実人員－延人員・
## 都道府県－指定都市・特別区－中核市－その他政令市、対象区分別

平成29年度

| 等　へ　委　託 | | | | | | （再掲）乳児家庭全戸訪問事業を併せて実施 | | |
|---|---|---|---|---|---|---|---|---|
| 乳児（新生児・未熟児を除く。） | | 幼児 | | その他 | | 新生児（未熟児を除く。） | 未熟児 | 乳児（新生児・未熟児を除く。） |
| 実人員 | 延人員 | 実人員 | 延人員 | 実人員 | 延人員 | 実人員 | 実人員 | 実人員 |
| － | － | － | － | － | － | － | － | － |
| － | － | － | － | － | － | － | － | － |
| － | － | － | － | － | － | 1 463 | 178 | － |
| － | － | － | － | － | － | 745 | 154 | 787 |
| － | － | － | － | － | － | － | － | － |
| － | － | － | － | － | － | － | － | － |
| － | － | － | － | － | － | － | － | － |
| － | － | － | － | － | － | － | － | － |
| － | － | － | － | － | － | － | － | － |
| － | － | － | － | － | － | － | － | － |
| － | － | － | － | － | － | － | － | － |
| － | － | － | － | － | － | 1 207 | 59 | 1 275 |
| － | － | － | － | － | － | － | － | － |
| － | － | － | － | － | － | 2 131 | 101 | 3 235 |
| － | － | － | － | － | － | 697 | 133 | 1 585 |
| － | － | － | － | － | － | － | － | － |
| － | － | － | － | － | － | － | － | － |
| － | － | － | － | － | － | － | － | － |
| － | － | － | － | － | － | － | － | － |
| － | － | － | － | － | － | 587 | 588 | 1 405 |
| － | － | － | － | － | － | － | － | － |
| 121 | 121 | － | － | － | － | 163 | 282 | 2 364 |
| － | － | － | － | － | － | － | － | － |
| － | － | － | － | － | － | 225 | 260 | 587 |
| － | － | － | － | － | － | 652 | 230 | 1 650 |
| － | － | － | － | － | － | － | － | － |
| － | － | － | － | － | － | 1 247 | 270 | 666 |
| － | － | － | － | － | － | 414 | 258 | 1 204 |
| 1 214 | 1 373 | － | － | － | － | 225 | 160 | 412 |
| － | － | － | － | － | － | 1 479 | 209 | 2 638 |
| 429 | 429 | － | － | － | － | － | － | － |
| － | － | － | － | － | － | － | － | 2 |
| 149 | 150 | － | － | － | － | 56 | 127 | 488 |
| － | － | － | － | － | － | － | － | 19 |
| － | － | － | － | － | － | － | － | － |
| － | － | － | － | － | － | 168 | 154 | 1 711 |
| － | － | － | － | － | － | 59 | 30 | 200 |
| － | － | － | － | － | － | － | － | － |
| － | － | － | － | － | － | 2 483 | 59 | 1 171 |
| － | － | － | － | － | － | 105 | 297 | 3 448 |
| － | － | － | － | － | － | 72 | 194 | 2 225 |
| － | － | － | － | － | － | 139 | 69 | 342 |
| － | － | － | － | － | － | － | － | － |
| － | － | － | － | － | － | － | － | － |
| 1 001 | 1 001 | － | － | － | － | 286 | 365 | 3 288 |
| － | － | － | － | － | － | 241 | 99 | 1 109 |
| － | － | － | － | － | － | 3 844 | 408 | 1 590 |
| － | － | － | － | － | － | － | － | － |
| 164 | 169 | － | － | － | － | 343 | 37 | 177 |
| － | － | － | － | － | － | 2 187 | 82 | 322 |
| － | － | － | － | － | － | － | － | － |
| － | － | － | － | － | － | 311 | 154 | 1 313 |
| － | － | － | － | － | － | 148 | 183 | 2 151 |
| － | － | － | － | － | － | 440 | 11 | － |

# 第6表　保健所が実施した長期療養児相談等の被指導実人員

| | 相談、機能訓練、訪問指導実人員 | （再掲）相談 | | （再掲）機能訓練 | | （再掲）訪問指導 | | 電話相談延人員 |
|---|---|---|---|---|---|---|---|---|
| | | 実人員 | 延人員 | 実人員 | 延人員 | 実人員 | 延人員 | |
| **全国** | **59 966** | **57 427** | **85 970** | **283** | **518** | **4 336** | **9 604** | **46 238** |
| 北海道 | 25 | 23 | 65 | - | - | 4 | 10 | 38 |
| 青森 | 690 | 671 | 1 384 | - | - | 43 | 47 | 77 |
| 岩手 | 292 | 290 | 350 | - | - | 6 | 8 | 115 |
| 宮城 | 1 002 | 970 | 1 383 | 3 | 3 | 45 | 75 | 217 |
| 秋田 | 416 | 416 | 473 | - | - | 5 | 8 | 16 |
| 山形 | 544 | 516 | 541 | - | - | 41 | 57 | 1 027 |
| 福島 | 535 | 533 | 845 | - | - | 26 | 41 | 884 |
| 茨城 | 1 852 | 1 852 | 2 170 | - | - | 11 | 15 | 627 |
| 栃木 | 1 472 | 1 469 | 2 128 | 8 | 8 | 38 | 73 | 739 |
| 群馬 | 1 639 | 1 634 | 2 223 | - | - | 10 | 26 | 1 024 |
| 埼玉 | 6 171 | 6 074 | 9 472 | - | - | 240 | 349 | 4 928 |
| 千葉 | 3 548 | 3 458 | 4 031 | - | - | 107 | 197 | 1 485 |
| 東京 | 1 293 | 900 | 2 574 | 6 | 20 | 458 | 1 120 | 2 332 |
| 神奈川 | 1 258 | 1 213 | 3 589 | 19 | 31 | 134 | 351 | 1 518 |
| 新潟 | 796 | 795 | 1 091 | - | - | 27 | 73 | 88 |
| 富山 | 757 | 753 | 1 127 | - | - | 15 | 35 | 106 |
| 石川 | 787 | 787 | 1 357 | - | - | 6 | 8 | 221 |
| 福井 | 879 | 875 | 1 616 | - | - | 39 | 67 | 591 |
| 山梨 | 537 | 520 | 1 194 | - | - | 39 | 40 | 115 |
| 長野 | 256 | 166 | 513 | - | - | 92 | 129 | 275 |
| 岐阜 | 1 233 | 1 228 | 1 377 | - | - | 9 | 10 | 352 |
| 静岡 | 1 454 | 1 444 | 1 802 | 8 | 8 | 4 | 6 | 472 |
| 愛知 | 2 008 | 1 759 | 2 195 | - | - | 394 | 767 | 1 282 |
| 三重 | 681 | 647 | 921 | 23 | 64 | 33 | 57 | 286 |
| 滋賀 | 533 | 532 | 836 | - | - | 35 | 58 | 163 |
| 京都 | 1 392 | 1 367 | 1 885 | 9 | 9 | 119 | 272 | 1 205 |
| 大阪 | 3 050 | 2 271 | 2 845 | 73 | 92 | 915 | 2 670 | 5 351 |
| 兵庫 | 1 902 | 1 808 | 2 570 | - | - | 174 | 366 | 2 014 |
| 奈良 | 1 145 | 1 099 | 1 208 | - | - | 101 | 155 | 1 278 |
| 和歌山 | 920 | 898 | 1 135 | 35 | 114 | 127 | 160 | 776 |
| 鳥取 | 430 | 430 | 662 | - | - | - | - | 500 |
| 島根 | 126 | 74 | 177 | - | - | 65 | 299 | 778 |
| 岡山 | 1 212 | 1 158 | 1 488 | - | - | 89 | 185 | 626 |
| 広島 | 1 494 | 1 490 | 1 718 | - | - | 4 | 5 | 822 |
| 山口 | 1 235 | 1 235 | 1 525 | - | - | - | - | 613 |
| 徳島 | 536 | 533 | 755 | - | - | 13 | 33 | 580 |
| 香川 | 496 | 464 | 481 | - | - | 32 | 78 | 493 |
| 愛媛 | 844 | 837 | 1 130 | - | - | 22 | 57 | 902 |
| 高知 | 65 | 49 | 74 | - | - | 19 | 33 | 70 |
| 福岡 | 3 826 | 3 826 | 7 180 | 1 | 2 | 39 | 72 | 2 372 |
| 佐賀 | 1 013 | 915 | 1 684 | 71 | 136 | 96 | 219 | 623 |
| 長崎 | 671 | 587 | 778 | - | - | 92 | 151 | 969 |
| 熊本 | 1 016 | 1 010 | 1 696 | - | - | 42 | 94 | 307 |
| 大分 | 882 | 862 | 1 561 | - | - | 86 | 165 | 1 129 |
| 宮崎 | 1 710 | 1 698 | 2 304 | - | - | 47 | 81 | 749 |
| 鹿児島 | 2 284 | 2 265 | 4 268 | - | - | 169 | 248 | 2 008 |
| 沖縄 | 3 059 | 3 026 | 3 589 | 27 | 31 | 224 | 634 | 3 095 |
| 指定都市・特別区（再掲） | | | | | | | | |
| 東京都区部 | 1 045 | 793 | 984 | 5 | 5 | 307 | 696 | 1 434 |
| 札幌市 | - | - | - | - | - | - | - | - |
| 仙台市 | 783 | 764 | 1 055 | - | - | 31 | 52 | 196 |
| さいたま市 | 1 184 | 1 184 | 2 368 | - | - | 1 | 2 | 721 |
| 千葉市 | - | - | - | - | - | - | - | - |
| 横浜市 | - | - | - | - | - | - | - | - |
| 川崎市 | 359 | 359 | 585 | - | - | 13 | 21 | 38 |
| 相模原市 | - | - | - | - | - | - | - | - |
| 新潟市 | - | - | - | - | - | - | - | - |
| 静岡市 | 27 | 27 | 67 | - | - | - | - | 67 |
| 浜松市 | - | - | - | - | - | - | - | - |
| 名古屋市 | 433 | 271 | 510 | - | - | 225 | 358 | 635 |
| 京都市 | 144 | 121 | 173 | - | - | 57 | 102 | 140 |
| 大阪市 | 52 | 50 | 50 | - | - | 2 | 2 | 35 |
| 堺市 | 1 | 1 | 1 | - | - | - | - | 2 |
| 神戸市 | 702 | 691 | 851 | - | - | 37 | 52 | 151 |
| 岡山市 | 814 | 791 | 907 | - | - | 23 | 52 | 438 |
| 広島市 | - | - | - | - | - | - | - | - |
| 北九州市 | - | - | - | - | - | - | - | - |
| 福岡市 | 1 561 | 1 561 | 2 183 | - | - | 1 | 2 | 682 |
| 熊本市 | - | - | - | - | - | - | - | - |

## －延人員，都道府県－指定都市・特別区－中核市－その他政令市、相談等の種類別

平成29年度

| | 相談、機能訓練、訪問指導実人員 | （再掲）相談 | | （再掲）機能訓練 | | （再掲）訪問指導 | | 電話相談延人員 |
|---|---|---|---|---|---|---|---|---|
| | | 実人員 | 延人員 | 実人員 | 延人員 | 実人員 | 延人員 | |
| 中核市(再掲) | | | | | | | | |
| 旭川市 | - | - | - | - | - | - | - | - |
| 函館市 | - | - | - | - | - | - | - | - |
| 青森市 | 193 | 183 | 220 | - | - | 10 | 10 | 35 |
| 八戸市 | 344 | 344 | 805 | - | - | 12 | 12 | 23 |
| 盛岡市 | - | - | - | - | - | - | - | - |
| 秋田市 | - | - | - | - | - | - | - | - |
| 郡山市 | - | - | - | - | - | - | - | - |
| いわき市 | - | - | - | - | - | - | - | - |
| 宇都宮市 | - | - | - | - | - | - | - | - |
| 前橋市 | 307 | 307 | 317 | - | - | 1 | 1 | 20 |
| 高崎市 | 334 | 334 | 618 | - | - | - | - | - |
| 川越市 | 589 | 530 | 530 | - | - | 59 | 63 | 452 |
| 越谷市 | - | - | - | - | - | - | - | - |
| 船橋市 | 443 | 443 | 621 | - | - | 9 | 10 | 67 |
| 柏市 | 398 | 398 | 398 | - | - | - | - | - |
| 八王子市 | 95 | 50 | 845 | - | - | 45 | 131 | 267 |
| 横須賀市 | - | - | - | - | - | - | - | - |
| 富山市 | 323 | 323 | 323 | - | - | - | - | - |
| 金沢市 | - | - | - | - | - | - | - | - |
| 長野市 | 153 | 102 | 429 | - | - | 51 | 74 | 109 |
| 岐阜市 | - | - | - | - | - | - | - | - |
| 豊橋市 | 326 | 312 | 375 | - | - | 14 | 23 | 52 |
| 豊田市 | - | - | - | - | - | - | - | - |
| 岡崎市 | 394 | 349 | 353 | - | - | 67 | 114 | 108 |
| 大津市 | - | - | - | - | - | - | - | - |
| 高槻市 | - | - | - | - | - | - | - | - |
| 東大阪市 | 429 | 429 | 491 | - | - | 38 | 39 | 83 |
| 豊中市 | 292 | 163 | 163 | - | - | 129 | 195 | 326 |
| 枚方市 | 272 | 145 | 167 | - | - | 127 | 244 | 562 |
| 姫路市 | 86 | 61 | 74 | - | - | 25 | 43 | 63 |
| 西宮市 | 90 | 70 | 73 | - | - | 20 | 40 | 469 |
| 尼崎市 | 35 | 17 | 22 | - | - | 23 | 32 | 39 |
| 奈良市 | 51 | 40 | 107 | - | - | 46 | 61 | 56 |
| 和歌山市 | 377 | 371 | 371 | - | - | 30 | 40 | 517 |
| 倉敷市 | 30 | 22 | 44 | - | - | 8 | 17 | 51 |
| 福山市 | 838 | 838 | 838 | - | - | - | - | 309 |
| 呉市 | - | - | - | - | - | - | - | - |
| 下関市 | - | - | - | - | - | - | - | - |
| 高松市 | 413 | 411 | 418 | - | - | 2 | 3 | 442 |
| 松山市 | 20 | 15 | 17 | - | - | 9 | 17 | 35 |
| 高知市 | 12 | 2 | 4 | - | - | 10 | 13 | 6 |
| 久留米市 | - | - | - | - | - | - | - | - |
| 長崎市 | - | - | - | - | - | - | - | - |
| 佐世保市 | 97 | 48 | 50 | - | - | 49 | 67 | 79 |
| 大分市 | 2 | - | - | - | - | 2 | 8 | 1 |
| 宮崎市 | 740 | 740 | 740 | - | - | - | - | - |
| 鹿児島市 | 934 | 934 | 1 722 | - | - | 53 | 69 | 141 |
| 那覇市 | 614 | 588 | 865 | - | - | 26 | 59 | 311 |
| その他政令市(再掲) | | | | | | | | |
| 小樽市 | 9 | 9 | 9 | - | - | - | - | - |
| 町田市 | 39 | 2 | 4 | - | - | 37 | 94 | 156 |
| 藤沢市 | - | - | - | - | - | - | - | - |
| 茅ヶ崎市 | 20 | 20 | 21 | - | - | 10 | 12 | 5 |
| 四日市市 | - | - | - | - | - | - | - | - |
| 大牟田市 | 106 | 106 | 106 | - | - | - | - | - |

# 第７表　保健所が実施した長期療養児相談等の新規被指導者実人員・小児慢性特定疾患

| | 新規者の受付経路 | | | | 医療受給者証所持者 |
|---|---|---|---|---|---|
| | 総数 | 市町村 | 医療機関 | その他 | |
| 全国 | 17 059 | 563 | 13 244 | 3 252 | 50 781 |
| 北海道 | 18 | - | 15 | 3 | 18 |
| 青森 | 378 | 10 | 176 | 192 | 577 |
| 岩手 | 31 | - | 25 | 6 | 292 |
| 宮城 | 232 | 31 | 191 | 10 | 935 |
| 秋田 | 51 | - | 47 | 4 | 398 |
| 山形 | 114 | 2 | 97 | 15 | 494 |
| 福島 | 64 | - | 64 | - | 399 |
| 茨城 | 230 | 13 | 205 | 12 | 1 715 |
| 栃木 | 248 | 23 | 225 | - | 1 340 |
| 群馬 | 390 | 6 | 262 | 122 | 1 459 |
| 埼玉 | 3 228 | 59 | 3 076 | 93 | 5 740 |
| 千葉 | 643 | 2 | 500 | 141 | 2 570 |
| 東京 | 499 | 15 | 347 | 137 | 467 |
| 神奈川 | 537 | 20 | 348 | 169 | 1 076 |
| 新潟 | 179 | 35 | 137 | 7 | 761 |
| 富山 | 79 | - | 78 | 1 | 724 |
| 石川 | 70 | - | 48 | 22 | 707 |
| 福井 | 164 | - | 104 | 60 | 857 |
| 山梨 | 107 | - | 76 | 31 | 392 |
| 長野 | 229 | 1 | 39 | 189 | 59 |
| 岐阜 | 272 | - | 219 | 53 | 1 187 |
| 静岡 | 214 | 6 | 180 | 28 | 1 386 |
| 愛知 | 672 | 1 | 534 | 137 | 1 411 |
| 三重 | 119 | 4 | 109 | 6 | 640 |
| 滋賀 | 381 | 1 | 318 | 62 | 510 |
| 京都 | 434 | 1 | 251 | 182 | 1 327 |
| 大阪 | 1 469 | 9 | 836 | 624 | 2 418 |
| 兵庫 | 542 | 22 | 450 | 70 | 1 108 |
| 奈良 | 84 | - | 80 | 4 | 1 033 |
| 和歌山 | 130 | 3 | 113 | 14 | 910 |
| 鳥取 | 78 | - | 78 | - | 225 |
| 島根 | 28 | 1 | 21 | 6 | 89 |
| 岡山 | 171 | 36 | 49 | 86 | 1 067 |
| 広島 | 368 | 26 | 186 | 156 | 1 333 |
| 山口 | 191 | 1 | 146 | 44 | 1 127 |
| 徳島 | 106 | 55 | 51 | - | 410 |
| 香川 | 462 | - | 455 | 7 | 74 |
| 愛媛 | 114 | - | 95 | 19 | 766 |
| 高知 | 44 | 4 | 20 | 20 | 40 |
| 福岡 | 791 | 9 | 584 | 198 | 3 344 |
| 佐賀 | 280 | 29 | 129 | 122 | 500 |
| 長崎 | 262 | 59 | 194 | 9 | 481 |
| 熊本 | 174 | - | 174 | - | 959 |
| 大分 | 189 | 72 | 110 | 7 | 693 |
| 宮崎 | 276 | 1 | 204 | 71 | 1 664 |
| 鹿児島 | 1 179 | 6 | 1 086 | 87 | 2 250 |
| 沖縄 | 538 | - | 512 | 26 | 2 849 |
| 指定都市・特別区(再掲) | | | | | |
| 東京都区部 | 282 | ・ | 195 | 87 | 359 |
| 札幌市 | - | ・ | - | - | - |
| 仙台市 | 90 | ・ | 80 | 10 | 757 |
| さいたま市 | 1 184 | ・ | 1 184 | - | 1 184 |
| 千葉市 | - | ・ | - | - | - |
| 横浜市 | - | ・ | - | - | - |
| 川崎市 | 355 | ・ | 338 | 17 | 346 |
| 相模原市 | - | ・ | - | - | - |
| 新潟市 | - | ・ | - | - | - |
| 静岡市 | 27 | ・ | - | 27 | 27 |
| 浜松市 | - | ・ | - | - | - |
| 名古屋市 | 183 | ・ | 68 | 115 | 56 |
| 京都市 | 67 | ・ | 17 | 50 | 102 |
| 大阪市 | - | ・ | - | - | 51 |
| 堺市 | 1 | ・ | - | 1 | 1 |
| 神戸市 | 203 | ・ | 183 | 20 | - |
| 岡山市 | 10 | ・ | 10 | - | 791 |
| 広島市 | - | ・ | - | - | - |
| 北九州市 | - | ・ | - | - | - |
| 福岡市 | 286 | ・ | 248 | 38 | 1 375 |
| 熊本市 | - | ・ | - | - | - |

## 医療受給者証所持者数, 都道府県－指定都市・特別区－中核市－その他政令市、新規者の受付経路別

平成29年度

| | 新規者の受付経路 総数 | 市町村 | 医療機関 | その他 | 医療受給者証所持者 |
|---|---|---|---|---|---|
| 中核市(再掲) | | | | | |
| 旭川市 | - | ・ | - | - | - |
| 函館市 | - | ・ | - | - | - |
| 青森市 | 193 | ・ | 46 | 147 | 182 |
| 八戸市 | 62 | ・ | 28 | 34 | 291 |
| 盛岡市 | - | ・ | - | - | - |
| 秋田市 | - | ・ | - | - | - |
| 郡山市 | - | ・ | - | - | - |
| いわき市 | - | ・ | - | - | - |
| 宇都宮市 | - | ・ | - | - | - |
| 前橋市 | 41 | ・ | 41 | - | 254 |
| 高崎市 | 60 | ・ | 60 | - | 334 |
| 川越市 | 151 | ・ | 151 | - | 452 |
| 越谷市 | - | ・ | - | - | - |
| 船橋市 | 37 | ・ | 37 | - | - |
| 柏市 | 69 | ・ | 69 | - | 398 |
| 八王子市 | 95 | ・ | 76 | 19 | 66 |
| 横須賀市 | - | ・ | - | - | - |
| 富山市 | 33 | ・ | 33 | - | 323 |
| 金沢市 | - | ・ | - | - | - |
| 長野市 | 153 | ・ | - | 153 | - |
| 岐阜市 | - | ・ | - | - | - |
| 豊橋市 | 55 | ・ | 55 | - | 301 |
| 豊田市 | - | ・ | - | - | - |
| 岡崎市 | 112 | ・ | 107 | 5 | 346 |
| 大津市 | - | ・ | - | - | - |
| 高槻市 | - | ・ | - | - | - |
| 東大阪市 | 429 | ・ | 17 | 412 | 429 |
| 豊中市 | 292 | ・ | 163 | 129 | - |
| 枚方市 | 63 | ・ | 35 | 28 | 73 |
| 姫路市 | 33 | ・ | 10 | 23 | 26 |
| 西宮市 | 65 | ・ | 58 | 7 | 90 |
| 尼崎市 | 22 | ・ | 4 | 18 | 35 |
| 奈良市 | 8 | ・ | 5 | 3 | 48 |
| 和歌山市 | 50 | ・ | 50 | - | 373 |
| 倉敷市 | 30 | ・ | - | 30 | - |
| 福山市 | 142 | ・ | - | 142 | 763 |
| 呉市 | - | ・ | - | - | - |
| 下関市 | - | ・ | - | - | - |
| 高松市 | 412 | ・ | 411 | 1 | - |
| 松山市 | 16 | ・ | 2 | 14 | 12 |
| 高知市 | 1 | ・ | 1 | - | - |
| 久留米市 | - | ・ | - | - | - |
| 長崎市 | - | ・ | - | - | - |
| 佐世保市 | 97 | ・ | 97 | - | 40 |
| 大分市 | 2 | ・ | - | 2 | - |
| 宮崎市 | 108 | ・ | 108 | - | 740 |
| 鹿児島市 | 881 | ・ | 824 | 57 | 934 |
| 那覇市 | 97 | ・ | 97 | - | 614 |
| その他政令市(再掲) | | | | | |
| 小樽市 | 9 | ・ | 9 | - | 9 |
| 町田市 | 39 | ・ | 32 | 7 | 7 |
| 藤沢市 | - | ・ | - | - | - |
| 茅ヶ崎市 | 5 | ・ | - | 5 | - |
| 四日市市 | - | ・ | - | - | - |
| 大牟田市 | 95 | ・ | 76 | 19 | 83 |

# 第８表　保健所が実施した長期療養児相談の被指導

| | 実人員 | 延人員 | | | | | | | | |
|---|---|---|---|---|---|---|---|---|---|---|
| | | 総数 | 申請等の相談 | 医療 | 家庭看護 | 福祉制度 | 就学 | 食事・栄養 | 歯科 | その他 |
| **全国** | **57 427** | **85 970** | **60 352** | **5 693** | **7 383** | **4 144** | **1 962** | **1 065** | **410** | **4 961** |
| 北海道 | 23 | 65 | 15 | 1 | 28 | 12 | 1 | - | 3 | 5 |
| 青森 | 671 | 1 384 | 488 | 274 | 192 | 70 | 108 | 60 | 15 | 177 |
| 岩手 | 290 | 350 | 347 | - | 3 | - | - | - | - | - |
| 宮城 | 970 | 1 383 | 999 | 78 | 75 | 70 | 25 | 23 | 14 | 99 |
| 秋田 | 416 | 473 | 453 | 5 | 2 | 4 | 1 | 1 | - | 7 |
| 山形 | 516 | 541 | 514 | 4 | 16 | 3 | - | 2 | - | 2 |
| 福島 | 533 | 845 | 511 | 36 | 43 | 50 | 19 | 30 | 8 | 148 |
| 茨城 | 1 852 | 2 170 | 1 935 | 101 | 39 | 25 | 15 | 11 | 4 | 40 |
| 栃木 | 1 469 | 2 128 | 1 632 | 159 | 95 | 20 | 107 | 3 | 19 | 93 |
| 群馬 | 1 634 | 2 223 | 1 675 | 101 | 34 | 334 | 13 | 6 | 11 | 49 |
| 埼玉 | 6 074 | 9 472 | 7 274 | 534 | 667 | 354 | 171 | 64 | 22 | 386 |
| 千葉 | 3 458 | 4 031 | 2 642 | 143 | 849 | 135 | 56 | 54 | 4 | 148 |
| 東京 | 900 | 2 574 | 595 | 317 | 706 | 317 | 56 | 39 | 8 | 536 |
| 神奈川 | 1 213 | 3 589 | 928 | 577 | 863 | 253 | 201 | 156 | 122 | 489 |
| 新潟 | 795 | 1 091 | 868 | 42 | 23 | 44 | 13 | 1 | - | 100 |
| 富山 | 753 | 1 127 | 859 | 47 | 102 | 11 | 46 | 15 | 6 | 41 |
| 石川 | 787 | 1 357 | 1 102 | 62 | 81 | 18 | 39 | 9 | - | 46 |
| 福井 | 875 | 1 616 | 1 357 | 67 | 113 | 58 | 2 | 1 | - | 18 |
| 山梨 | 520 | 1 194 | 335 | 161 | 339 | 149 | 27 | 148 | - | 35 |
| 長野 | 166 | 513 | 44 | 126 | 84 | 30 | 10 | 115 | 90 | 14 |
| 岐阜 | 1 228 | 1 377 | 1 352 | 2 | 2 | 8 | 3 | - | - | 10 |
| 静岡 | 1 444 | 1 802 | 1 704 | 7 | 12 | 5 | 39 | - | 4 | 31 |
| 愛知 | 1 759 | 2 195 | 489 | 334 | 709 | 113 | 159 | 48 | 13 | 330 |
| 三重 | 647 | 921 | 759 | 60 | 16 | 24 | 18 | 7 | 3 | 34 |
| 滋賀 | 532 | 836 | 466 | 62 | 132 | 37 | 41 | 6 | - | 92 |
| 京都 | 1 367 | 1 885 | 1 315 | 95 | 190 | 104 | 23 | 45 | 2 | 111 |
| 大阪 | 2 271 | 2 845 | 811 | 684 | 486 | 235 | 139 | 52 | 15 | 423 |
| 兵庫 | 1 808 | 2 570 | 1 856 | 216 | 177 | 159 | 27 | 7 | 3 | 125 |
| 奈良 | 1 099 | 1 208 | 1 033 | 25 | 70 | 28 | 10 | 1 | 10 | 31 |
| 和歌山 | 898 | 1 135 | 997 | 59 | 7 | 39 | 5 | 1 | - | 27 |
| 鳥取 | 430 | 662 | 662 | - | - | - | - | - | - | - |
| 島根 | 74 | 177 | 81 | 32 | 31 | 4 | 3 | 11 | - | 15 |
| 岡山 | 1 158 | 1 488 | 1 157 | 140 | 53 | 38 | 16 | - | - | 84 |
| 広島 | 1 490 | 1 718 | 1 448 | 61 | 57 | 51 | 16 | 3 | 7 | 75 |
| 山口 | 1 235 | 1 525 | 1 471 | 36 | 5 | 3 | 4 | 2 | - | 4 |
| 徳島 | 533 | 755 | 616 | 39 | 22 | 13 | 10 | 8 | 3 | 44 |
| 香川 | 464 | 481 | 459 | 5 | - | - | 10 | 3 | - | 4 |
| 愛媛 | 837 | 1 130 | 1 006 | 68 | 12 | 11 | 3 | 26 | - | 4 |
| 高知 | 49 | 74 | 63 | 1 | 3 | 2 | - | 2 | 2 | 1 |
| 福岡 | 3 826 | 7 180 | 4 884 | 478 | 566 | 623 | 189 | 52 | 2 | 386 |
| 佐賀 | 915 | 1 684 | 1 499 | 20 | 105 | 2 | 10 | 2 | 7 | 39 |
| 長崎 | 587 | 778 | 509 | 33 | 16 | 8 | 14 | 4 | - | 194 |
| 熊本 | 1 010 | 1 696 | 1 516 | 37 | 18 | 13 | 23 | 9 | 1 | 79 |
| 大分 | 862 | 1 561 | 1 105 | 94 | 201 | 8 | 28 | 13 | 1 | 111 |
| 宮崎 | 1 698 | 2 304 | 2 125 | 22 | 27 | 25 | 21 | 9 | 2 | 73 |
| 鹿児島 | 2 265 | 4 268 | 3 281 | 86 | 68 | 568 | 178 | 11 | 8 | 68 |
| 沖縄 | 3 026 | 3 589 | 3 115 | 162 | 44 | 66 | 63 | 5 | 1 | 133 |
| 指定都市・特別区(再掲) | | | | | | | | | | |
| 東京都区部 | 793 | 984 | 542 | 88 | 116 | 69 | 8 | 8 | 8 | 145 |
| 札幌市 | - | - | - | - | - | - | - | - | - | - |
| 仙台市 | 764 | 1 055 | 895 | 57 | 40 | 19 | - | 5 | - | 39 |
| さいたま市 | 1 184 | 2 368 | 2 368 | - | - | - | - | - | - | - |
| 千葉市 | - | - | - | - | - | - | - | - | - | - |
| 横浜市 | - | - | - | - | - | - | - | - | - | - |
| 川崎市 | 359 | 585 | 341 | 172 | 41 | 23 | 1 | 6 | - | 1 |
| 相模原市 | - | - | - | - | - | - | - | - | - | - |
| 新潟市 | - | - | - | - | - | - | - | - | - | - |
| 静岡市 | 27 | 67 | - | 1 | 7 | - | 39 | - | - | 20 |
| 浜松市 | - | - | - | - | - | - | - | - | - | - |
| 名古屋市 | 271 | 510 | 46 | 75 | 217 | 43 | 33 | 11 | - | 85 |
| 京都市 | 121 | 173 | 48 | 16 | 56 | 26 | 4 | - | - | 23 |
| 大阪市 | 50 | 50 | - | 11 | 6 | - | - | 4 | - | 29 |
| 堺市 | 1 | 1 | - | - | - | - | 1 | - | - | - |
| 神戸市 | 691 | 851 | 764 | 8 | 28 | 29 | 3 | 2 | - | 17 |
| 岡山市 | 791 | 907 | 798 | 84 | - | 5 | 8 | - | - | 12 |
| 広島市 | - | - | - | - | - | - | - | - | - | - |
| 北九州市 | - | - | - | - | - | - | - | - | - | - |
| 福岡市 | 1 561 | 2 183 | 2 057 | 34 | 4 | 22 | 10 | - | - | 56 |
| 熊本市 | - | - | - | - | - | - | - | - | - | - |

# 実人員－延人員，都道府県－指定都市・特別区－中核市－その他政令市、相談内容別

平成29年度

| | 実人員 | 延人員 | | | | | | | | |
|---|---|---|---|---|---|---|---|---|---|---|
| | | 総数 | 申請等の相談 | 医療 | 家庭看護 | 福祉制度 | 就学 | 食事・栄養 | 歯科 | その他 |
| 中核市(再掲) | | | | | | | | | | |
| 旭川市 | - | - | - | - | - | - | - | - | - | - |
| 函館市 | - | - | - | - | - | - | - | - | - | - |
| 青森市 | 183 | 220 | 149 | 18 | 2 | 1 | 6 | 8 | 1 | 35 |
| 八戸市 | 344 | 805 | 247 | 222 | 127 | 30 | 63 | 23 | 14 | 79 |
| 盛岡市 | - | - | - | - | - | - | - | - | - | - |
| 秋田市 | - | - | - | - | - | - | - | - | - | - |
| 郡山市 | - | - | - | - | - | - | - | - | - | - |
| いわき市 | - | - | - | - | - | - | - | - | - | - |
| 宇都宮市 | - | - | - | - | - | - | - | - | - | - |
| 前橋市 | 307 | 317 | 277 | 1 | 9 | 1 | 3 | 1 | - | 25 |
| 高崎市 | 334 | 618 | 317 | - | - | 301 | - | - | - | - |
| 川越市 | 530 | 530 | 452 | - | - | - | - | - | - | 78 |
| 越谷市 | - | - | - | - | - | - | - | - | - | - |
| 船橋市 | 443 | 621 | 303 | 39 | 22 | 68 | 21 | 48 | - | 120 |
| 柏市 | 398 | 398 | 319 | 4 | 37 | 23 | 7 | - | - | 8 |
| 八王子市 | 50 | 845 | 29 | 131 | 267 | 187 | - | - | - | 231 |
| 横須賀市 | - | - | - | - | - | - | - | - | - | - |
| 富山市 | 323 | 323 | 323 | - | - | - | - | - | - | - |
| 金沢市 | - | - | - | - | - | - | - | - | - | - |
| 長野市 | 102 | 429 | 15 | 104 | 74 | 27 | 9 | 111 | 89 | - |
| 岐阜市 | - | - | - | - | - | - | - | - | - | - |
| 豊橋市 | 312 | 375 | 164 | 73 | 21 | 8 | 51 | 21 | 9 | 28 |
| 豊田市 | - | - | - | - | - | - | - | - | - | - |
| 岡崎市 | 349 | 353 | 1 | 98 | 38 | 43 | 28 | 4 | 1 | 140 |
| 大津市 | - | - | - | - | - | - | - | - | - | - |
| 高槻市 | - | - | - | - | - | - | - | - | - | - |
| 東大阪市 | 429 | 491 | 429 | 11 | 15 | 5 | - | 2 | - | 29 |
| 豊中市 | 163 | 163 | 3 | - | - | - | - | - | - | 160 |
| 枚方市 | 145 | 167 | 96 | 9 | 11 | 5 | 3 | 3 | - | 40 |
| 姫路市 | 61 | 74 | 58 | 3 | 2 | 9 | - | - | - | 2 |
| 西宮市 | 70 | 73 | 10 | 10 | 10 | 27 | 6 | - | - | 10 |
| 尼崎市 | 17 | 22 | 4 | 7 | 1 | 1 | 2 | - | - | 7 |
| 奈良市 | 40 | 107 | 5 | 15 | 41 | 18 | 3 | 1 | - | 24 |
| 和歌山市 | 371 | 371 | 370 | - | - | - | - | - | - | 1 |
| 倉敷市 | 22 | 44 | 44 | - | - | - | - | - | - | - |
| 福山市 | 838 | 838 | 838 | - | - | - | - | - | - | - |
| 呉市 | - | - | - | - | - | - | - | - | - | - |
| 下関市 | - | - | - | - | - | - | - | - | - | - |
| 高松市 | 411 | 418 | 410 | - | - | - | 6 | 2 | - | - |
| 松山市 | 15 | 17 | 5 | 8 | 2 | - | - | - | - | 2 |
| 高知市 | 2 | 4 | - | - | - | - | - | 2 | 2 | - |
| 久留米市 | - | - | - | - | - | - | - | - | - | - |
| 長崎市 | - | - | - | - | - | - | - | - | - | - |
| 佐世保市 | 48 | 50 | 4 | 5 | 5 | 2 | 5 | 3 | - | 26 |
| 大分市 | - | - | - | - | - | - | - | - | - | - |
| 宮崎市 | 740 | 740 | 692 | 6 | 6 | 11 | 10 | 5 | - | 10 |
| 鹿児島市 | 934 | 1 722 | 946 | 18 | - | 550 | 155 | 8 | - | 45 |
| 那覇市 | 588 | 865 | 588 | 103 | 19 | 43 | 47 | 5 | 1 | 59 |
| その他政令市(再掲) | | | | | | | | | | |
| 小樽市 | 9 | 9 | 9 | - | - | - | - | - | - | - |
| 町田市 | 2 | 4 | 2 | - | - | 2 | - | - | - | - |
| 藤沢市 | - | - | - | - | - | - | - | - | - | - |
| 茅ヶ崎市 | 20 | 21 | 7 | 2 | 1 | - | 1 | - | - | 10 |
| 四日市市 | - | - | - | - | - | - | - | - | - | - |
| 大牟田市 | 106 | 106 | 83 | - | - | - | - | - | - | 23 |

# 第9表（4－1）保健所が実施した歯科健診及び保健指導の受診延人員・医療機関等へ

| | 延 | | | | | | |
|---|---|---|---|---|---|---|---|
| | 総数 | | | | | 個 | |
| | 総数 | 妊産婦 | 乳幼児 | その他 | (再掲)[1] 歯周疾患検診 | 総数 | 妊産婦 |
| **全国** | **1 279 496** | **68 289** | **961 755** | **249 452** | **81 590** | **333 049** | **48 434** |
| 北海道 | 5 078 | 395 | 4 380 | 303 | 5 | 1 453 | 395 |
| 青森 | 10 683 | 658 | 9 888 | 137 | - | 970 | 614 |
| 岩手 | 391 | - | - | 391 | - | 224 | - |
| 宮城 | 54 199 | 490 | 45 916 | 7 793 | - | 2 652 | - |
| 秋田 | 687 | - | 57 | 630 | - | 621 | - |
| 山形 | - | - | - | - | · | - | - |
| 福島 | 549 | - | 202 | 347 | - | 537 | - |
| 茨城 | 52 | - | - | 52 | · | - | - |
| 栃木 | 1 219 | - | 76 | 1 143 | 1 109 | 628 | - |
| 群馬 | 174 | - | 45 | 129 | - | 159 | - |
| 埼玉 | 6 250 | 117 | 5 990 | 143 | 10 | 113 | - |
| 千葉 | 79 677 | 2 319 | 40 596 | 36 762 | 2 916 | 7 847 | 1 629 |
| 東京 | 338 645 | 24 950 | 206 176 | 107 519 | 44 080 | 142 093 | 19 543 |
| 神奈川 | 191 678 | 4 001 | 165 085 | 22 592 | 5 642 | 46 203 | 89 |
| 新潟 | 25 041 | 1 808 | 22 889 | 344 | - | 3 558 | - |
| 富山 | 14 597 | 922 | 10 538 | 3 137 | 388 | 4 455 | 922 |
| 石川 | - | - | - | - | - | - | - |
| 福井 | 287 | - | 99 | 188 | · | 7 | - |
| 山梨 | 279 | - | 78 | 201 | · | - | - |
| 長野 | 15 730 | 1 112 | 10 922 | 3 696 | 869 | 1 942 | 950 |
| 岐阜 | 86 | - | 43 | 43 | - | 16 | - |
| 静岡 | 5 | - | 4 | 1 | - | 5 | - |
| 愛知 | 77 699 | 3 218 | 66 242 | 8 239 | 8 017 | 17 783 | 3 204 |
| 三重 | 7 287 | 90 | 5 574 | 1 623 | - | - | - |
| 滋賀 | 12 884 | 455 | 11 749 | 680 | 680 | 1 733 | 455 |
| 京都 | 36 660 | 1 284 | 32 929 | 2 447 | 279 | 1 808 | 748 |
| 大阪 | 37 702 | 1 573 | 25 923 | 10 206 | 6 518 | 9 531 | 1 573 |
| 兵庫 | 156 039 | 6 895 | 125 975 | 23 169 | 3 929 | 43 330 | 6 470 |
| 奈良 | 6 434 | 225 | 6 204 | 5 | - | 5 | - |
| 和歌山 | 11 554 | 449 | 11 023 | 82 | - | 785 | 340 |
| 鳥取 | 173 | - | 20 | 153 | · | 54 | - |
| 島根 | 58 | - | 24 | 34 | · | 50 | - |
| 岡山 | 30 663 | 3 475 | 24 695 | 2 493 | - | 4 380 | 3 475 |
| 広島 | 15 824 | 2 161 | 13 612 | 51 | - | 4 008 | 2 101 |
| 山口 | - | - | - | - | - | - | - |
| 徳島 | 1 413 | - | 120 | 1 293 | · | 1 176 | - |
| 香川 | 10 650 | 1 704 | 8 814 | 132 | - | 3 673 | 1 704 |
| 愛媛 | 17 051 | 1 911 | 9 849 | 5 291 | 4 517 | 6 738 | 1 911 |
| 高知 | 9 303 | 55 | 6 907 | 2 341 | 253 | 1 965 | - |
| 福岡 | 39 989 | 1 606 | 36 853 | 1 530 | - | 4 950 | 1 097 |
| 佐賀 | 294 | - | 62 | 232 | · | 162 | - |
| 長崎 | 11 874 | 1 209 | 8 739 | 1 926 | 1 130 | 7 438 | 1 060 |
| 熊本 | - | - | - | - | - | - | - |
| 大分 | 10 825 | 154 | 10 607 | 64 | 64 | 1 231 | 154 |
| 宮崎 | 11 155 | - | 9 805 | 1 350 | 1 184 | 4 106 | - |
| 鹿児島 | 22 427 | 5 053 | 17 162 | 212 | - | 4 451 | - |
| 沖縄 | 6 231 | - | 5 883 | 348 | - | 209 | - |
| 指定都市・特別区(再掲) | | | | | | | |
| 東京都区部 | 317 827 | 24 293 | 188 602 | 104 932 | 43 961 | 139 879 | 19 064 |
| 札幌市 | - | - | - | - | - | - | - |
| 仙台市 | 54 199 | 490 | 45 916 | 7 793 | - | 2 652 | - |
| さいたま市 | 12 | - | - | 12 | - | 12 | - |
| 千葉市 | 32 | - | 16 | 16 | - | 32 | - |
| 横浜市 | 132 509 | 3 548 | 118 952 | 10 009 | - | 29 299 | - |
| 川崎市 | 35 064 | 211 | 33 657 | 1 196 | - | 598 | 2 |
| 相模原市 | 3 357 | - | 7 | 3 350 | 3 295 | 3 357 | - |
| 新潟市 | 24 697 | 1 808 | 22 889 | - | - | 3 214 | - |
| 静岡市 | - | - | - | - | - | - | - |
| 浜松市 | - | - | - | - | - | - | - |
| 名古屋市 | 52 100 | - | 47 515 | 4 585 | 4 483 | 9 192 | - |
| 京都市 | 36 145 | 1 284 | 32 924 | 1 937 | 279 | 1 626 | 748 |
| 大阪市 | - | - | - | - | - | - | - |
| 堺市 | - | - | - | - | - | - | - |
| 神戸市 | 110 727 | 4 119 | 88 595 | 18 013 | 960 | 31 635 | 4 119 |
| 岡山市 | 17 322 | 1 791 | 13 046 | 2 485 | - | 2 636 | 1 791 |
| 広島市 | - | - | - | - | - | - | - |
| 北九州市 | - | - | - | - | - | - | - |
| 福岡市 | 28 165 | - | 28 165 | - | - | - | - |
| 熊本市 | - | - | - | - | - | - | - |

委託した受診延人員，都道府県－指定都市・特別区－中核市－その他政令市、個別－集団・対象区分別

平成29年度

| 人 | | | 員 | | | | |
|---|---|---|---|---|---|---|---|
| 別 | | | 集団 | | | | |
| 乳幼児 | その他 | (再掲)[1] 歯周疾患検診 | 総数 | 妊産婦 | 乳幼児 | その他 | (再掲)[1] 歯周疾患検診 |
| **146 592** | **138 023** | **72 507** | **946 447** | **19 855** | **815 163** | **111 429** | **9 083** |
| 985 | 73 | 5 | 3 625 | – | 3 395 | 230 | – |
| 318 | 38 | – | 9 713 | 44 | 9 570 | 99 | – |
| – | 224 | – | 167 | – | – | 167 | – |
| 2 123 | 529 | – | 51 547 | 490 | 43 793 | 7 264 | – |
| 43 | 578 | – | 66 | – | 14 | 52 | – |
| – | – | ・ | – | – | – | – | ・ |
| 202 | 335 | – | 12 | – | – | 12 | – |
| – | – | ・ | 52 | – | – | 52 | ・ |
| – | 628 | 628 | 591 | – | 76 | 515 | 481 |
| 45 | 114 | – | 15 | – | – | 15 | – |
| 101 | 12 | – | 6 137 | 117 | 5 889 | 131 | 10 |
| 4 726 | 1 492 | 1 351 | 71 830 | 690 | 35 870 | 35 270 | 1 565 |
| 29 358 | 93 192 | 44 080 | 196 552 | 5 407 | 176 818 | 14 327 | – |
| 36 888 | 9 226 | 4 619 | 145 475 | 3 912 | 128 197 | 13 366 | 1 023 |
| 3 214 | 344 | – | 21 483 | 1 808 | 19 675 | – | – |
| 2 052 | 1 481 | 388 | 10 142 | – | 8 486 | 1 656 | – |
| – | – | – | – | – | – | – | – |
| 2 | 5 | ・ | 280 | – | 97 | 183 | ・ |
| – | – | ・ | 279 | – | 78 | 201 | ・ |
| 983 | 9 | – | 13 788 | 162 | 9 939 | 3 687 | 869 |
| 8 | 8 | – | 70 | – | 35 | 35 | – |
| 4 | 1 | – | – | – | – | – | – |
| 7 859 | 6 720 | 6 536 | 59 916 | 14 | 58 383 | 1 519 | 1 481 |
| – | – | – | 7 287 | 90 | 5 574 | 1 623 | – |
| 598 | 680 | 680 | 11 151 | – | 11 151 | – | – |
| 604 | 456 | 279 | 34 852 | 536 | 32 325 | 1 991 | – |
| 473 | 7 485 | 6 374 | 28 171 | – | 25 450 | 2 721 | 144 |
| 32 807 | 4 053 | 1 330 | 112 709 | 425 | 93 168 | 19 116 | 2 599 |
| – | 5 | – | 6 429 | 225 | 6 204 | – | – |
| 403 | 42 | – | 10 769 | 109 | 10 620 | 40 | – |
| 6 | 48 | ・ | 119 | – | 14 | 105 | ・ |
| 20 | 30 | ・ | 8 | – | 4 | 4 | ・ |
| 52 | 853 | – | 26 283 | – | 24 643 | 1 640 | – |
| 1 895 | 12 | – | 11 816 | 60 | 11 717 | 39 | – |
| – | – | – | – | – | – | – | – |
| 97 | 1 079 | ・ | 237 | – | 23 | 214 | ・ |
| 1 969 | – | – | 6 977 | – | 6 845 | 132 | – |
| 230 | 4 597 | 4 257 | 10 313 | – | 9 619 | 694 | 260 |
| 1 438 | 527 | – | 7 338 | 55 | 5 469 | 1 814 | 253 |
| 3 828 | 25 | – | 35 039 | 509 | 33 025 | 1 505 | – |
| 43 | 119 | ・ | 132 | – | 19 | 113 | ・ |
| 4 889 | 1 489 | 732 | 4 436 | 149 | 3 850 | 437 | 398 |
| – | – | – | – | – | – | – | – |
| 1 013 | 64 | 64 | 9 594 | – | 9 594 | – | – |
| 2 756 | 1 350 | 1 184 | 7 049 | – | 7 049 | – | – |
| 4 433 | 18 | – | 17 976 | 5 053 | 12 729 | 194 | – |
| 127 | 82 | – | 6 022 | – | 5 756 | 266 | – |
| 29 358 | 91 457 | 43 961 | 177 948 | 5 229 | 159 244 | 13 475 | – |
| – | – | – | – | – | – | – | – |
| 2 123 | 529 | – | 51 547 | 490 | 43 793 | 7 264 | – |
| – | 12 | – | – | – | – | – | – |
| 16 | 16 | – | – | – | – | – | – |
| 29 299 | – | – | 103 210 | 3 548 | 89 653 | 10 009 | – |
| 484 | 112 | – | 34 466 | 209 | 33 173 | 1 084 | – |
| 7 | 3 350 | 3 295 | – | – | – | – | – |
| 3 214 | – | – | 21 483 | 1 808 | 19 675 | – | – |
| – | – | – | – | – | – | – | – |
| – | – | – | – | – | – | – | – |
| 6 022 | 3 170 | 3 068 | 42 908 | – | 41 493 | 1 415 | 1 415 |
| 599 | 279 | 279 | 34 519 | 536 | 32 325 | 1 658 | – |
| – | – | – | – | – | – | – | – |
| – | – | – | – | – | – | – | – |
| 25 477 | 2 039 | 480 | 79 092 | – | 63 118 | 15 974 | 480 |
| – | 845 | – | 14 686 | – | 13 046 | 1 640 | – |
| – | – | – | – | – | – | – | – |
| – | – | – | – | – | – | – | – |
| – | – | – | 28 165 | – | 28 165 | – | – |
| – | – | – | – | – | – | – | – |

# 第9表（4－2）保健所が実施した歯科健診及び保健指導の受診延人員・医療機関等へ

| | 延 | | | | | | |
|---|---|---|---|---|---|---|---|
| | 総数 | | | | | 個 | |
| | 総数 | 妊産婦 | 乳幼児 | その他 | （再掲）[1] 歯周疾患検診 | 総数 | 妊産婦 |
| 中核市（再掲） | | | | | | | |
| 旭川市 | 585 | 395 | 153 | 37 | 5 | 532 | 395 |
| 函館市 | － | － | － | － | － | － | － |
| 青森市 | 6 090 | 44 | 6 002 | 44 | － | 89 | － |
| 八戸市 | 4 441 | 614 | 3 827 | － | － | 805 | 614 |
| 盛岡市 | － | － | － | － | － | － | － |
| 秋田市 | 299 | － | － | 299 | － | 299 | － |
| 郡山市 | － | － | － | － | － | － | － |
| いわき市 | 541 | － | 202 | 339 | － | 529 | － |
| 宇都宮市 | 1 109 | － | － | 1 109 | 1 109 | 628 | － |
| 前橋市 | － | － | － | － | － | － | － |
| 高崎市 | － | － | － | － | － | － | － |
| 川越市 | 6 117 | 117 | 5 990 | 10 | 10 | 101 | － |
| 越谷市 | － | － | － | － | － | － | － |
| 船橋市 | 54 125 | 2 200 | 22 456 | 29 469 | 2 693 | 4 065 | 1 621 |
| 柏市 | 25 468 | 119 | 18 124 | 7 225 | 223 | 3 750 | 8 |
| 八王子市 | － | － | － | － | － | － | － |
| 横須賀市 | 4 959 | 60 | 2 480 | 2 419 | 1 419 | 3 605 | － |
| 富山市 | 14 530 | 922 | 10 516 | 3 092 | 388 | 4 404 | 922 |
| 金沢市 | － | － | － | － | － | － | － |
| 長野市 | 15 711 | 1 112 | 10 912 | 3 687 | 869 | 1 923 | 950 |
| 岐阜市 | － | － | － | － | － | － | － |
| 豊橋市 | 11 360 | 1 421 | 8 045 | 1 894 | 1 894 | 5 135 | 1 407 |
| 豊田市 | － | － | － | － | － | － | － |
| 岡崎市 | 14 116 | 1 797 | 10 679 | 1 640 | 1 640 | 3 371 | 1 797 |
| 大津市 | 12 501 | 455 | 11 366 | 680 | 680 | 1 350 | 455 |
| 高槻市 | － | － | － | － | － | － | － |
| 東大阪市 | 8 172 | 765 | 7 263 | 144 | 144 | 765 | 765 |
| 豊中市 | 13 651 | 25 | 8 484 | 5 142 | 4 945 | 5 167 | 25 |
| 枚方市 | 15 879 | 783 | 10 176 | 4 920 | 1 429 | 3 599 | 783 |
| 姫路市 | 13 869 | 287 | 13 582 | － | － | 287 | 287 |
| 西宮市 | 11 418 | 1 639 | 8 727 | 1 052 | － | 4 008 | 1 639 |
| 尼崎市 | 19 359 | 850 | 15 052 | 3 457 | 2 969 | 6 931 | 425 |
| 奈良市 | 6 429 | 225 | 6 204 | － | － | － | － |
| 和歌山市 | 11 492 | 449 | 10 994 | 49 | － | 729 | 340 |
| 倉敷市 | 13 281 | 1 684 | 11 597 | － | － | 1 684 | 1 684 |
| 福山市 | 11 205 | 1 565 | 9 640 | － | － | 3 325 | 1 565 |
| 呉市 | 4 517 | 596 | 3 921 | － | － | 659 | 536 |
| 下関市 | － | － | － | － | － | － | － |
| 高松市 | 10 518 | 1 704 | 8 814 | － | － | 3 673 | 1 704 |
| 松山市 | 16 193 | 1 910 | 9 766 | 4 517 | 4 517 | 6 314 | 1 910 |
| 高知市 | 8 961 | 55 | 6 823 | 2 083 | 253 | 1 871 | － |
| 久留米市 | 7 640 | 988 | 6 652 | － | － | 4 751 | 988 |
| 長崎市 | － | － | － | － | － | － | － |
| 佐世保市 | 11 869 | 1 209 | 8 739 | 1 921 | 1 130 | 7 433 | 1 060 |
| 大分市 | 10 825 | 154 | 10 607 | 64 | 64 | 1 231 | 154 |
| 宮崎市 | 11 155 | － | 9 805 | 1 350 | 1 184 | 4 106 | － |
| 鹿児島市 | 22 284 | 5 053 | 17 043 | 188 | － | 4 417 | － |
| 那覇市 | 5 756 | － | 5 756 | － | － | － | － |
| その他政令市（再掲） | | | | | | | |
| 小樽市 | 3 896 | － | 3 896 | － | － | 873 | － |
| 町田市 | 20 818 | 657 | 17 574 | 2 587 | 119 | 2 214 | 479 |
| 藤沢市 | － | － | － | － | － | － | － |
| 茅ヶ崎市 | 8 875 | 118 | 7 256 | 1 501 | 928 | 3 356 | 23 |
| 四日市市 | 7 287 | 90 | 5 574 | 1 623 | － | － | － |
| 大牟田市 | 4 134 | 618 | 2 022 | 1 494 | － | 176 | 109 |

注：1）「（再掲）歯周疾患検診」は、政令市及び特別区が設置する保健所の報告表の項目である。

# 委託した受診延人員，都道府県－指定都市・特別区－中核市－その他政令市、個別－集団・対象区分別

平成29年度

| 人員 | | | | | | | |
|---|---|---|---|---|---|---|---|
| 個別 | | | 集団 | | | | |
| 乳幼児 | その他 | (再掲)[1] 歯周疾患検診 | 総数 | 妊産婦 | 乳幼児 | その他 | (再掲)[1] 歯周疾患検診 |
| 100 | 37 | 5 | 53 | - | 53 | - | - |
| - | - | - | - | - | - | - | - |
| 89 | - | - | 6 001 | 44 | 5 913 | 44 | - |
| 191 | - | - | 3 636 | - | 3 636 | - | - |
| - | - | - | - | - | - | - | - |
| - | 299 | - | - | - | - | - | - |
| - | - | - | - | - | - | - | - |
| 202 | 327 | - | 12 | - | - | 12 | - |
| - | 628 | 628 | 481 | - | - | 481 | 481 |
| - | - | - | - | - | - | - | - |
| - | - | - | - | - | - | - | - |
| 101 | - | - | 6 016 | 117 | 5 889 | 10 | 10 |
| - | - | - | - | - | - | - | - |
| 1 316 | 1 128 | 1 128 | 50 060 | 579 | 21 140 | 28 341 | 1 565 |
| 3 394 | 348 | 223 | 21 718 | 111 | 14 730 | 6 877 | - |
| - | - | - | - | - | - | - | - |
| 2 209 | 1 396 | 396 | 1 354 | 60 | 271 | 1 023 | 1 023 |
| 2 035 | 1 447 | 388 | 10 126 | - | 8 481 | 1 645 | - |
| - | - | - | - | - | - | - | - |
| 973 | - | - | 13 788 | 162 | 9 939 | 3 687 | 869 |
| - | - | - | - | - | - | - | - |
| 1 834 | 1 894 | 1 894 | 6 225 | 14 | 6 211 | - | - |
| - | - | - | - | - | - | - | - |
| - | 1 574 | 1 574 | 10 745 | - | 10 679 | 66 | 66 |
| 215 | 680 | 680 | 11 151 | - | 11 151 | - | - |
| - | - | - | - | - | - | - | - |
| - | - | - | 7 407 | - | 7 263 | 144 | 144 |
| - | 5 142 | 4 945 | 8 484 | - | 8 484 | - | - |
| 473 | 2 343 | 1 429 | 12 280 | - | 9 703 | 2 577 | - |
| - | - | - | 13 582 | - | 13 582 | - | - |
| 1 655 | 714 | - | 7 410 | - | 7 072 | 338 | - |
| 5 656 | 850 | 850 | 12 428 | 425 | 9 396 | 2 607 | 2 119 |
| - | - | - | 6 429 | 225 | 6 204 | - | - |
| 377 | 12 | - | 10 763 | 109 | 10 617 | 37 | - |
| - | - | - | 11 597 | - | 11 597 | - | - |
| 1 760 | - | - | 7 880 | - | 7 880 | - | - |
| 123 | - | - | 3 858 | 60 | 3 798 | - | - |
| - | - | - | - | - | - | - | - |
| 1 969 | - | - | 6 845 | - | 6 845 | - | - |
| 147 | 4 257 | 4 257 | 9 879 | - | 9 619 | 260 | 260 |
| 1 424 | 447 | - | 7 090 | 55 | 5 399 | 1 636 | 253 |
| 3 763 | - | - | 2 889 | - | 2 889 | - | - |
| - | - | - | - | - | - | - | - |
| 4 889 | 1 484 | 732 | 4 436 | 149 | 3 850 | 437 | 398 |
| 1 013 | 64 | 64 | 9 594 | - | 9 594 | - | - |
| 2 756 | 1 350 | 1 184 | 7 049 | - | 7 049 | - | - |
| 4 417 | - | - | 17 867 | 5 053 | 12 626 | 188 | - |
| - | - | - | 5 756 | - | 5 756 | - | - |
| 873 | - | - | 3 023 | - | 3 023 | - | - |
| - | 1 735 | 119 | 18 604 | 178 | 17 574 | 852 | - |
| - | - | - | - | - | - | - | - |
| 2 328 | 1 005 | 928 | 5 519 | 95 | 4 928 | 496 | - |
| - | - | - | 7 287 | 90 | 5 574 | 1 623 | - |
| 61 | 6 | - | 3 958 | 509 | 1 961 | 1 488 | - |

# 第9表(4－3) 保健所が実施した歯科健診及び保健指導の受診延人員・医療機関等へ

| | (再掲) | | | | | | |
|---|---|---|---|---|---|---|---|
| | 総数 | | | | | 個 | |
| | 総数 | 妊産婦 | 乳幼児 | その他 | (再掲)[1] 歯周疾患検診 | 総数 | 妊産婦 |
| **全国** | **235 434** | **46 031** | **68 729** | **120 674** | **66 975** | **205 016** | **45 976** |
| 北海道 | 400 | 395 | － | 5 | 5 | 400 | 395 |
| 青森 | 614 | 614 | － | － | － | 614 | 614 |
| 岩手 | － | － | － | － | － | － | － |
| 宮城 | － | － | － | － | － | － | － |
| 秋田 | 299 | － | － | 299 | － | 299 | － |
| 山形 | － | － | － | － | ・ | － | － |
| 福島 | － | － | － | － | － | － | － |
| 茨城 | － | － | － | － | ・ | － | － |
| 栃木 | 1 109 | － | － | 1 109 | 1 109 | 628 | － |
| 群馬 | － | － | － | － | － | － | － |
| 埼玉 | － | － | － | － | － | － | － |
| 千葉 | 1 844 | 1 621 | － | 223 | 223 | 1 844 | 1 621 |
| 東京 | 156 926 | 19 479 | 43 276 | 94 171 | 44 042 | 133 709 | 19 479 |
| 神奈川 | 6 515 | － | 1 896 | 4 619 | 4 619 | 6 515 | － |
| 新潟 | 3 558 | － | 3 214 | 344 | － | 3 558 | － |
| 富山 | 1 310 | 922 | － | 388 | 388 | 1 310 | 922 |
| 石川 | － | － | － | － | － | － | － |
| 福井 | － | － | － | － | ・ | － | － |
| 山梨 | － | － | － | － | ・ | － | － |
| 長野 | 969 | 950 | 10 | 9 | － | 969 | 950 |
| 岐阜 | 10 | － | 5 | 5 | － | － | － |
| 静岡 | － | － | － | － | － | － | － |
| 愛知 | 11 810 | 3 204 | 5 072 | 3 534 | 3 534 | 8 500 | 3 204 |
| 三重 | － | － | － | － | － | － | － |
| 滋賀 | 1 135 | 455 | － | 680 | 680 | 1 135 | 455 |
| 京都 | － | － | － | － | － | － | － |
| 大阪 | 8 290 | 1 548 | － | 6 742 | 6 374 | 8 290 | 1 548 |
| 兵庫 | 7 315 | 6 045 | － | 1 270 | － | 7 315 | 6 045 |
| 奈良 | － | － | － | － | － | － | － |
| 和歌山 | 342 | 340 | 1 | 1 | － | 342 | 340 |
| 鳥取 | － | － | － | － | ・ | － | － |
| 島根 | 8 | － | 4 | 4 | ・ | － | － |
| 岡山 | 4 320 | 3 475 | － | 845 | － | 4 320 | 3 475 |
| 広島 | 2 101 | 2 101 | － | － | － | 2 101 | 2 101 |
| 山口 | － | － | － | － | － | － | － |
| 徳島 | － | － | － | － | ・ | － | － |
| 香川 | 3 673 | 1 704 | 1 969 | － | － | 3 673 | 1 704 |
| 愛媛 | 6 171 | 1 910 | 1 | 4 260 | 4 257 | 6 171 | 1 910 |
| 高知 | 361 | 55 | － | 306 | 253 | － | － |
| 福岡 | 7 643 | 988 | 6 652 | 3 | － | 4 751 | 988 |
| 佐賀 | － | － | － | － | ・ | － | － |
| 長崎 | 898 | 225 | － | 673 | 307 | 898 | 225 |
| 熊本 | － | － | － | － | － | － | － |
| 大分 | － | － | － | － | － | － | － |
| 宮崎 | 3 756 | － | 2 572 | 1 184 | 1 184 | 3 756 | － |
| 鹿児島 | 3 918 | － | 3 918 | － | － | 3 918 | － |
| 沖縄 | 139 | － | 139 | － | － | － | － |
| 指定都市・特別区(再掲) | | | | | | | |
| 東京都区部 | 154 712 | 19 000 | 43 276 | 92 436 | 43 923 | 131 495 | 19 000 |
| 札幌市 | － | － | － | － | － | － | － |
| 仙台市 | － | － | － | － | － | － | － |
| さいたま市 | － | － | － | － | － | － | － |
| 千葉市 | － | － | － | － | － | － | － |
| 横浜市 | － | － | － | － | － | － | － |
| 川崎市 | － | － | － | － | － | － | － |
| 相模原市 | 3 295 | － | － | 3 295 | 3 295 | 3 295 | － |
| 新潟市 | 3 214 | － | 3 214 | － | － | 3 214 | － |
| 静岡市 | － | － | － | － | － | － | － |
| 浜松市 | － | － | － | － | － | － | － |
| 名古屋市 | － | － | － | － | － | － | － |
| 京都市 | － | － | － | － | － | － | － |
| 大阪市 | － | － | － | － | － | － | － |
| 堺市 | － | － | － | － | － | － | － |
| 神戸市 | 5 389 | 4 119 | － | 1 270 | － | 5 389 | 4 119 |
| 岡山市 | 2 636 | 1 791 | － | 845 | － | 2 636 | 1 791 |
| 広島市 | － | － | － | － | － | － | － |
| 北九州市 | － | － | － | － | － | － | － |
| 福岡市 | － | － | － | － | － | － | － |
| 熊本市 | － | － | － | － | － | － | － |

## 委託した受診延人員，都道府県－指定都市・特別区－中核市－その他政令市、個別－集団・対象区分別

平成29年度

| 医療機関等へ委託 | | | | | | | |
|---|---|---|---|---|---|---|---|
| 別 | | | 集団 | | | | |
| 乳幼児 | その他 | (再掲)[1] 歯周疾患検診 | 総数 | 妊産婦 | 乳幼児 | その他 | (再掲)[1] 歯周疾患検診 |
| **41 074** | **117 966** | **66 175** | **30 418** | **55** | **27 655** | **2 708** | **800** |
| － | 5 | 5 | － | － | － | － | － |
| － | － | － | － | － | － | － | － |
| － | － | － | － | － | － | － | － |
| － | － | － | － | － | － | － | － |
| － | 299 | － | － | － | － | － | － |
| － | － | ・ | － | － | － | － | ・ |
| － | － | － | － | － | － | － | － |
| － | － | ・ | － | － | － | － | ・ |
| － | 628 | 628 | 481 | － | － | 481 | 481 |
| － | － | － | － | － | － | － | － |
| － | － | － | － | － | － | － | － |
| － | 223 | 223 | － | － | － | － | － |
| 21 902 | 92 328 | 44 042 | 23 217 | － | 21 374 | 1 843 | － |
| 1 896 | 4 619 | 4 619 | － | － | － | － | － |
| 3 214 | 344 | － | － | － | － | － | － |
| － | 388 | 388 | － | － | － | － | － |
| － | － | － | － | － | － | － | － |
| － | － | ・ | － | － | － | － | ・ |
| － | － | ・ | － | － | － | － | ・ |
| 10 | 9 | － | － | － | － | － | － |
| － | － | － | 10 | － | 5 | 5 | － |
| － | － | － | － | － | － | － | － |
| 1 828 | 3 468 | 3 468 | 3 310 | － | 3 244 | 66 | 66 |
| － | － | － | － | － | － | － | － |
| － | 680 | 680 | － | － | － | － | － |
| － | － | － | － | － | － | － | － |
| － | 6 742 | 6 374 | － | － | － | － | － |
| － | 1 270 | － | － | － | － | － | － |
| － | － | － | － | － | － | － | － |
| 1 | 1 | － | － | － | － | － | － |
| － | － | ・ | － | － | － | － | ・ |
| － | － | ・ | 8 | － | 4 | 4 | ・ |
| － | 845 | － | － | － | － | － | － |
| － | － | － | － | － | － | － | － |
| － | － | － | － | － | － | － | － |
| － | － | ・ | － | － | － | － | ・ |
| 1 969 | － | － | － | － | － | － | － |
| 1 | 4 260 | 4 257 | － | － | － | － | － |
| － | － | － | 361 | 55 | － | 306 | 253 |
| 3 763 | － | － | 2 892 | － | 2 889 | 3 | － |
| － | － | ・ | － | － | － | － | ・ |
| － | 673 | 307 | － | － | － | － | － |
| － | － | － | － | － | － | － | － |
| － | － | － | － | － | － | － | － |
| 2 572 | 1 184 | 1 184 | － | － | － | － | － |
| 3 918 | － | － | － | － | － | － | － |
| － | － | － | 139 | － | 139 | － | － |
| 21 902 | 90 593 | 43 923 | 23 217 | － | 21 374 | 1 843 | － |
| － | － | － | － | － | － | － | － |
| － | － | － | － | － | － | － | － |
| － | － | － | － | － | － | － | － |
| － | － | － | － | － | － | － | － |
| － | － | － | － | － | － | － | － |
| － | － | － | － | － | － | － | － |
| － | 3 295 | 3 295 | － | － | － | － | － |
| 3 214 | － | － | － | － | － | － | － |
| － | － | － | － | － | － | － | － |
| － | － | － | － | － | － | － | － |
| － | － | － | － | － | － | － | － |
| － | － | － | － | － | － | － | － |
| － | － | － | － | － | － | － | － |
| － | － | － | － | － | － | － | － |
| － | 1 270 | － | － | － | － | － | － |
| － | 845 | － | － | － | － | － | － |
| － | － | － | － | － | － | － | － |
| － | － | － | － | － | － | － | － |
| － | － | － | － | － | － | － | － |
| － | － | － | － | － | － | － | － |

# 第9表(4－4) 保健所が実施した歯科健診及び保健指導の受診延人員・医療機関等へ

| | 総数 | | | | | (再掲) 個 | |
|---|---|---|---|---|---|---|---|
| | 総数 | 妊産婦 | 乳幼児 | その他 | (再掲)[1] 歯周疾患検診 | 総数 | 妊産婦 |
| 中核市(再掲) | | | | | | | |
| 旭川市 | 400 | 395 | － | 5 | 5 | 400 | 395 |
| 函館市 | － | － | － | － | － | － | － |
| 青森市 | － | － | － | － | － | － | － |
| 八戸市 | 614 | 614 | － | － | － | 614 | 614 |
| 盛岡市 | － | － | － | － | － | － | － |
| 秋田市 | 299 | － | － | 299 | － | 299 | － |
| 郡山市 | － | － | － | － | － | － | － |
| いわき市 | － | － | － | － | － | － | － |
| 宇都宮市 | 1 109 | － | － | 1 109 | 1 109 | 628 | － |
| 前橋市 | － | － | － | － | － | － | － |
| 高崎市 | － | － | － | － | － | － | － |
| 川越市 | － | － | － | － | － | － | － |
| 越谷市 | － | － | － | － | － | － | － |
| 船橋市 | 1 621 | 1 621 | － | － | － | 1 621 | 1 621 |
| 柏市 | 223 | － | － | 223 | 223 | 223 | － |
| 八王子市 | － | － | － | － | － | － | － |
| 横須賀市 | 2 292 | － | 1 896 | 396 | 396 | 2 292 | － |
| 富山市 | 1 310 | 922 | － | 388 | 388 | 1 310 | 922 |
| 金沢市 | － | － | － | － | － | － | － |
| 長野市 | 950 | 950 | － | － | － | 950 | 950 |
| 岐阜市 | － | － | － | － | － | － | － |
| 豊橋市 | 5 129 | 1 407 | 1 828 | 1 894 | 1 894 | 5 129 | 1 407 |
| 豊田市 | － | － | － | － | － | － | － |
| 岡崎市 | 6 681 | 1 797 | 3 244 | 1 640 | 1 640 | 3 371 | 1 797 |
| 大津市 | 1 135 | 455 | － | 680 | 680 | 1 135 | 455 |
| 高槻市 | － | － | － | － | － | － | － |
| 東大阪市 | 765 | 765 | － | － | － | 765 | 765 |
| 豊中市 | 4 945 | － | － | 4 945 | 4 945 | 4 945 | － |
| 枚方市 | 2 580 | 783 | － | 1 797 | 1 429 | 2 580 | 783 |
| 姫路市 | 287 | 287 | － | － | － | 287 | 287 |
| 西宮市 | 1 639 | 1 639 | － | － | － | 1 639 | 1 639 |
| 尼崎市 | － | － | － | － | － | － | － |
| 奈良市 | － | － | － | － | － | － | － |
| 和歌山市 | 340 | 340 | － | － | － | 340 | 340 |
| 倉敷市 | 1 684 | 1 684 | － | － | － | 1 684 | 1 684 |
| 福山市 | 1 565 | 1 565 | － | － | － | 1 565 | 1 565 |
| 呉市 | 536 | 536 | － | － | － | 536 | 536 |
| 下関市 | － | － | － | － | － | － | － |
| 高松市 | 3 673 | 1 704 | 1 969 | － | － | 3 673 | 1 704 |
| 松山市 | 6 167 | 1 910 | － | 4 257 | 4 257 | 6 167 | 1 910 |
| 高知市 | 361 | 55 | － | 306 | 253 | － | － |
| 久留米市 | 7 640 | 988 | 6 652 | － | － | 4 751 | 988 |
| 長崎市 | － | － | － | － | － | － | － |
| 佐世保市 | 898 | 225 | － | 673 | 307 | 898 | 225 |
| 大分市 | － | － | － | － | － | － | － |
| 宮崎市 | 3 756 | － | 2 572 | 1 184 | 1 184 | 3 756 | － |
| 鹿児島市 | 3 918 | － | 3 918 | － | － | 3 918 | － |
| 那覇市 | 139 | － | 139 | － | － | － | － |
| その他政令市(再掲) | | | | | | | |
| 小樽市 | － | － | － | － | － | － | － |
| 町田市 | 2 214 | 479 | － | 1 735 | 119 | 2 214 | 479 |
| 藤沢市 | － | － | － | － | － | － | － |
| 茅ヶ崎市 | 928 | － | － | 928 | 928 | 928 | － |
| 四日市市 | － | － | － | － | － | － | － |
| 大牟田市 | － | － | － | － | － | － | － |

注：1）「（再掲）歯周疾患検診」は、政令市及び特別区が設置する保健所の報告表の項目である。

# 委託した受診延人員，都道府県－指定都市・特別区－中核市－その他政令市、個別－集団・対象区分別

平成29年度

| 医療機関等へ委託 | | | | | | | |
|---|---|---|---|---|---|---|---|
| 別 | | | 集団 | | | | |
| 乳幼児 | その他 | (再掲)[1] 歯周疾患検診 | 総数 | 妊産婦 | 乳幼児 | その他 | (再掲)[1] 歯周疾患検診 |
| – | 5 | 5 | – | – | – | – | – |
| – | – | – | – | – | – | – | – |
| – | – | – | – | – | – | – | – |
| – | – | – | – | – | – | – | – |
| – | – | – | – | – | – | – | – |
| | | | | | | | |
| – | 299 | – | – | – | – | – | – |
| – | – | – | – | – | – | – | – |
| – | – | – | – | – | – | – | – |
| – | 628 | 628 | 481 | – | – | 481 | 481 |
| – | – | – | – | – | – | – | – |
| | | | | | | | |
| – | – | – | – | – | – | – | – |
| – | – | – | – | – | – | – | – |
| – | – | – | – | – | – | – | – |
| – | – | – | – | – | – | – | – |
| – | 223 | 223 | – | – | – | – | – |
| | | | | | | | |
| – | – | – | – | – | – | – | – |
| 1 896 | 396 | 396 | – | – | – | – | – |
| – | 388 | 388 | – | – | – | – | – |
| – | – | – | – | – | – | – | – |
| – | – | – | – | – | – | – | – |
| | | | | | | | |
| – | – | – | – | – | – | – | – |
| 1 828 | 1 894 | 1 894 | – | – | – | – | – |
| – | – | – | – | – | – | – | – |
| – | 1 574 | 1 574 | 3 310 | – | 3 244 | 66 | 66 |
| – | 680 | 680 | – | – | – | – | – |
| | | | | | | | |
| – | – | – | – | – | – | – | – |
| – | – | – | – | – | – | – | – |
| – | 4 945 | 4 945 | – | – | – | – | – |
| – | 1 797 | 1 429 | – | – | – | – | – |
| – | – | – | – | – | – | – | – |
| | | | | | | | |
| – | – | – | – | – | – | – | – |
| – | – | – | – | – | – | – | – |
| – | – | – | – | – | – | – | – |
| – | – | – | – | – | – | – | – |
| – | – | – | – | – | – | – | – |
| | | | | | | | |
| – | – | – | – | – | – | – | – |
| – | – | – | – | – | – | – | – |
| – | – | – | – | – | – | – | – |
| 1 969 | – | – | – | – | – | – | – |
| – | 4 257 | 4 257 | – | – | – | – | – |
| | | | | | | | |
| – | – | – | 361 | 55 | – | 306 | 253 |
| 3 763 | – | – | 2 889 | – | 2 889 | – | – |
| – | – | – | – | – | – | – | – |
| – | 673 | 307 | – | – | – | – | – |
| – | – | – | – | – | – | – | – |
| | | | | | | | |
| 2 572 | 1 184 | 1 184 | – | – | – | – | – |
| 3 918 | – | – | – | – | – | – | – |
| – | – | – | 139 | – | 139 | – | – |
| | | | | | | | |
| – | – | – | – | – | – | – | – |
| – | 1 735 | 119 | – | – | – | – | – |
| – | – | – | – | – | – | – | – |
| – | 928 | 928 | – | – | – | – | – |
| – | – | – | – | – | – | – | – |
| | | | | | | | |
| – | – | – | – | – | – | – | – |

# 第10表　保健所が実施した訪問による歯科健診及び保健指導の受診実人員－延人員・

| | 総数 | | （再掲）身体障害者（児）・知的障害者（児）・精神障害者 | | （再掲）医療機関等へ委託 | | （再掲）医療機関等へ委託（再掲）身体障害者（児）・知的障害者（児）・精神障害者 | |
|---|---|---|---|---|---|---|---|---|
| | 実人員 | 延人員 | 実人員 | 延人員 | 実人員 | 延人員 | 実人員 | 延人員 |
| **全国** | 5 581 | 6 859 | 4 135 | 4 564 | 1 139 | 1 257 | 611 | 611 |
| 北海道 | 258 | 348 | 233 | 323 | 1 | 1 | 1 | 1 |
| 青森 | - | - | - | - | - | - | - | - |
| 岩手 | - | - | - | - | - | - | - | - |
| 宮城 | 278 | 336 | 254 | 306 | - | - | - | - |
| 秋田 | - | - | - | - | - | - | - | - |
| 山形 | - | - | - | - | - | - | - | - |
| 福島 | 207 | 242 | 79 | 92 | - | - | - | - |
| 茨城 | 88 | 88 | 63 | 63 | - | - | - | - |
| 栃木 | - | - | - | - | - | - | - | - |
| 群馬 | 3 | 4 | - | - | - | - | - | - |
| 埼玉 | 621 | 650 | 621 | 650 | - | - | - | - |
| 千葉 | 521 | 830 | 218 | 270 | - | - | - | - |
| 東京 | 792 | 1 084 | 355 | 395 | 390 | 508 | 18 | 18 |
| 神奈川 | 74 | 130 | 49 | 90 | - | - | - | - |
| 新潟 | 311 | 311 | 160 | 160 | 311 | 311 | 160 | 160 |
| 富山 | - | - | - | - | - | - | - | - |
| 石川 | - | - | - | - | - | - | - | - |
| 福井 | - | - | - | - | - | - | - | - |
| 山梨 | - | - | - | - | - | - | - | - |
| 長野 | 19 | 19 | 19 | 19 | 19 | 19 | 19 | 19 |
| 岐阜 | - | - | - | - | - | - | - | - |
| 静岡 | - | - | - | - | - | - | - | - |
| 愛知 | 590 | 593 | 572 | 574 | - | - | - | - |
| 三重 | - | - | - | - | - | - | - | - |
| 滋賀 | 538 | 539 | 538 | 539 | - | - | - | - |
| 京都 | - | - | - | - | - | - | - | - |
| 大阪 | 288 | 376 | 283 | 369 | 263 | 263 | 263 | 263 |
| 兵庫 | 165 | 322 | 95 | 95 | - | - | - | - |
| 奈良 | 11 | 18 | 3 | 8 | 5 | 5 | - | - |
| 和歌山 | 1 | 1 | - | - | - | - | - | - |
| 鳥取 | - | - | - | - | - | - | - | - |
| 島根 | - | - | - | - | - | - | - | - |
| 岡山 | 150 | 150 | 150 | 150 | 150 | 150 | 150 | 150 |
| 広島 | - | - | - | - | - | - | - | - |
| 山口 | - | - | - | - | - | - | - | - |
| 徳島 | 169 | 199 | 11 | 18 | - | - | - | - |
| 香川 | - | - | - | - | - | - | - | - |
| 愛媛 | 35 | 35 | 35 | 35 | - | - | - | - |
| 高知 | 13 | 17 | 6 | 13 | - | - | - | - |
| 福岡 | 57 | 57 | 57 | 57 | - | - | - | - |
| 佐賀 | 271 | 271 | 250 | 250 | - | - | - | - |
| 長崎 | - | - | - | - | - | - | - | - |
| 熊本 | 1 | 1 | - | - | - | - | - | - |
| 大分 | - | - | - | - | - | - | - | - |
| 宮崎 | 15 | 115 | - | - | - | - | - | - |
| 鹿児島 | 61 | 79 | 40 | 44 | - | - | - | - |
| 沖縄 | 44 | 44 | 44 | 44 | - | - | - | - |
| 指定都市・特別区(再掲) | | | | | | | | |
| 東京都区部 | 543 | 835 | 106 | 146 | 390 | 508 | 18 | 18 |
| 札幌市 | - | - | - | - | - | - | - | - |
| 仙台市 | 278 | 336 | 254 | 306 | - | - | - | - |
| さいたま市 | - | - | - | - | - | - | - | - |
| 千葉市 | - | - | - | - | - | - | - | - |
| 横浜市 | - | - | - | - | - | - | - | - |
| 川崎市 | 8 | 8 | 4 | 4 | - | - | - | - |
| 相模原市 | - | - | - | - | - | - | - | - |
| 新潟市 | - | - | - | - | - | - | - | - |
| 静岡市 | - | - | - | - | - | - | - | - |
| 浜松市 | - | - | - | - | - | - | - | - |
| 名古屋市 | 572 | 572 | 568 | 568 | - | - | - | - |
| 京都市 | - | - | - | - | - | - | - | - |
| 大阪市 | - | - | - | - | - | - | - | - |
| 堺市 | - | - | - | - | - | - | - | - |
| 神戸市 | 28 | 184 | - | - | - | - | - | - |
| 岡山市 | - | - | - | - | - | - | - | - |
| 広島市 | - | - | - | - | - | - | - | - |
| 北九州市 | - | - | - | - | - | - | - | - |
| 福岡市 | - | - | - | - | - | - | - | - |
| 熊本市 | - | - | - | - | - | - | - | - |

## 医療機関等へ委託した受診実人員－延人員，都道府県－指定都市・特別区－中核市－その他政令市、対象区分別

平成29年度

| | 総数 | | （再掲） | | | | | |
|---|---|---|---|---|---|---|---|---|
| | | | 身体障害者（児）・知的障害者（児）・精神障害者 | | 医療機関等へ委託 | | | |
| | | | | | | | （再掲）身体障害者（児）・知的障害者（児）・精神障害者 | |
| | 実人員 | 延人員 | 実人員 | 延人員 | 実人員 | 延人員 | 実人員 | 延人員 |
| 中核市(再掲) | | | | | | | | |
| 旭川市 | – | – | – | – | – | – | – | – |
| 函館市 | – | – | – | – | – | – | – | – |
| 青森市 | – | – | – | – | – | – | – | – |
| 八戸市 | – | – | – | – | – | – | – | – |
| 盛岡市 | – | – | – | – | – | – | – | – |
| 秋田市 | – | – | – | – | – | – | – | – |
| 郡山市 | – | – | – | – | – | – | – | – |
| いわき市 | 66 | 68 | – | – | – | – | – | – |
| 宇都宮市 | – | – | – | – | – | – | – | – |
| 前橋市 | – | – | – | – | – | – | – | – |
| 高崎市 | – | – | – | – | – | – | – | – |
| 川越市 | 621 | 650 | 621 | 650 | – | – | – | – |
| 越谷市 | – | – | – | – | – | – | – | – |
| 船橋市 | 231 | 287 | 218 | 270 | – | – | – | – |
| 柏市 | 290 | 543 | – | – | – | – | – | – |
| 八王子市 | – | – | – | – | – | – | – | – |
| 横須賀市 | 3 | 3 | 3 | 3 | – | – | – | – |
| 富山市 | – | – | – | – | – | – | – | – |
| 金沢市 | – | – | – | – | – | – | – | – |
| 長野市 | – | – | – | – | – | – | – | – |
| 岐阜市 | – | – | – | – | – | – | – | – |
| 豊橋市 | – | – | – | – | – | – | – | – |
| 豊田市 | – | – | – | – | – | – | – | – |
| 岡崎市 | – | – | – | – | – | – | – | – |
| 大津市 | 8 | 9 | 8 | 9 | – | – | – | – |
| 高槻市 | 4 | 4 | 4 | 4 | – | – | – | – |
| 東大阪市 | – | – | – | – | – | – | – | – |
| 豊中市 | 5 | 91 | 5 | 91 | 1 | 1 | 1 | 1 |
| 枚方市 | 266 | 266 | 266 | 266 | 262 | 262 | 262 | 262 |
| 姫路市 | – | – | – | – | – | – | – | – |
| 西宮市 | 77 | 77 | 77 | 77 | – | – | – | – |
| 尼崎市 | – | – | – | – | – | – | – | – |
| 奈良市 | – | – | – | – | – | – | – | – |
| 和歌山市 | 1 | 1 | – | – | – | – | – | – |
| 倉敷市 | 150 | 150 | 150 | 150 | 150 | 150 | 150 | 150 |
| 福山市 | – | – | – | – | – | – | – | – |
| 呉市 | – | – | – | – | – | – | – | – |
| 下関市 | – | – | – | – | – | – | – | – |
| 高松市 | – | – | – | – | – | – | – | – |
| 松山市 | – | – | – | – | – | – | – | – |
| 高知市 | 9 | 13 | 6 | 13 | – | – | – | – |
| 久留米市 | – | – | – | – | – | – | – | – |
| 長崎市 | – | – | – | – | – | – | – | – |
| 佐世保市 | – | – | – | – | – | – | – | – |
| 大分市 | – | – | – | – | – | – | – | – |
| 宮崎市 | 15 | 115 | – | – | – | – | – | – |
| 鹿児島市 | 1 | 1 | 1 | 1 | – | – | – | – |
| 那覇市 | – | – | – | – | – | – | – | – |
| その他政令市(再掲) | | | | | | | | |
| 小樽市 | 49 | 123 | 49 | 123 | – | – | – | – |
| 町田市 | 213 | 213 | 213 | 213 | – | – | – | – |
| 藤沢市 | – | – | – | – | – | – | – | – |
| 茅ヶ崎市 | 1 | 1 | – | – | – | – | – | – |
| 四日市市 | – | – | – | – | – | – | – | – |
| 大牟田市 | – | – | – | – | – | – | – | – |

# 第11表 保健所が実施した歯科予防処置及び治療の受診延人員・医療機関

| | 総数 | | | | | （再掲）医療機関等へ委託 | | | | |
|---|---|---|---|---|---|---|---|---|---|---|
| | 予防処置 | | | | 治療 | 予防処置 | | | | 治療 |
| | 総数 | 妊産婦 | 乳幼児 | その他 | | 総数 | 妊産婦 | 乳幼児 | その他 | |
| **全国** | **364 290** | **210** | **287 353** | **76 727** | **3 105** | **57 402** | **-** | **55 168** | **2 234** | **3 105** |
| 北海道 | 3 950 | - | 3 196 | 754 | 2 416 | - | - | - | - | 2 416 |
| 青森 | 4 143 | - | 4 143 | - | - | 4 115 | - | 4 115 | - | - |
| 岩手 | - | - | - | - | - | - | - | - | - | - |
| 宮城 | - | - | - | - | - | - | - | - | - | - |
| 秋田 | - | - | - | - | - | - | - | - | - | - |
| 山形 | - | - | - | - | - | - | - | - | - | - |
| 福島 | 4 390 | - | 4 390 | - | - | - | - | - | - | - |
| 茨城 | - | - | - | - | - | - | - | - | - | - |
| 栃木 | - | - | - | - | - | - | - | - | - | - |
| 群馬 | 31 | - | 31 | - | - | - | - | - | - | - |
| 埼玉 | 1 641 | - | 1 641 | - | - | 1 641 | - | 1 641 | - | - |
| 千葉 | 5 861 | - | 5 647 | 214 | - | 1 721 | - | 1 721 | - | - |
| 東京 | 40 775 | - | 37 923 | 2 852 | 689 | 22 257 | - | 20 023 | 2 234 | 689 |
| 神奈川 | 5 727 | - | 5 687 | 40 | - | - | - | - | - | - |
| 新潟 | 18 123 | - | 18 123 | - | - | 3 214 | - | 3 214 | - | - |
| 富山 | 1 613 | - | 1 613 | - | - | - | - | - | - | - |
| 石川 | - | - | - | - | - | - | - | - | - | - |
| 福井 | - | - | - | - | - | - | - | - | - | - |
| 山梨 | - | - | - | - | - | - | - | - | - | - |
| 長野 | 161 852 | - | 89 729 | 72 123 | - | - | - | - | - | - |
| 岐阜 | - | - | - | - | - | - | - | - | - | - |
| 静岡 | - | - | - | - | - | - | - | - | - | - |
| 愛知 | 32 188 | - | 32 164 | 24 | - | 4 694 | - | 4 694 | - | - |
| 三重 | 660 | - | 660 | - | - | - | - | - | - | - |
| 滋賀 | 8 935 | - | 8 935 | - | - | - | - | - | - | - |
| 京都 | - | - | - | - | - | - | - | - | - | - |
| 大阪 | 8 737 | - | 8 737 | - | - | - | - | - | - | - |
| 兵庫 | 19 238 | - | 19 238 | - | - | - | - | - | - | - |
| 奈良 | 1 112 | 210 | 902 | - | - | - | - | - | - | - |
| 和歌山 | - | - | - | - | - | - | - | - | - | - |
| 鳥取 | - | - | - | - | - | - | - | - | - | - |
| 島根 | - | - | - | - | - | - | - | - | - | - |
| 岡山 | 3 410 | - | 3 410 | - | - | - | - | - | - | - |
| 広島 | 1 423 | - | 1 423 | - | - | - | - | - | - | - |
| 山口 | - | - | - | - | - | - | - | - | - | - |
| 徳島 | - | - | - | - | - | - | - | - | - | - |
| 香川 | - | - | - | - | - | - | - | - | - | - |
| 愛媛 | 1 578 | - | 1 553 | 25 | - | - | - | - | - | - |
| 高知 | 2 674 | - | 2 565 | 109 | - | - | - | - | - | - |
| 福岡 | 7 970 | - | 7 545 | 425 | - | 3 449 | - | 3 449 | - | - |
| 佐賀 | 44 | - | 44 | - | - | - | - | - | - | - |
| 長崎 | 9 | - | 9 | - | - | - | - | - | - | - |
| 熊本 | - | - | - | - | - | - | - | - | - | - |
| 大分 | 5 194 | - | 5 194 | - | - | - | - | - | - | - |
| 宮崎 | 11 511 | - | 11 420 | 91 | - | 4 880 | - | 4 880 | - | - |
| 鹿児島 | 11 431 | - | 11 431 | - | - | 11 431 | - | 11 431 | - | - |
| 沖縄 | 70 | - | - | 70 | - | - | - | - | - | - |
| 指定都市・特別区（再掲） | | | | | | | | | | |
| 東京都区部 | 36 016 | - | 33 164 | 2 852 | 689 | 22 257 | - | 20 023 | 2 234 | 689 |
| 札幌市 | - | - | - | - | - | - | - | - | - | - |
| 仙台市 | - | - | - | - | - | - | - | - | - | - |
| さいたま市 | - | - | - | - | - | - | - | - | - | - |
| 千葉市 | - | - | - | - | - | - | - | - | - | - |
| 横浜市 | 1 175 | - | 1 175 | - | - | - | - | - | - | - |
| 川崎市 | 1 976 | - | 1 976 | - | - | - | - | - | - | - |
| 相模原市 | - | - | - | - | - | - | - | - | - | - |
| 新潟市 | 18 123 | - | 18 123 | - | - | 3 214 | - | 3 214 | - | - |
| 静岡市 | - | - | - | - | - | - | - | - | - | - |
| 浜松市 | - | - | - | - | - | - | - | - | - | - |
| 名古屋市 | 22 206 | - | 22 182 | 24 | - | - | - | - | - | - |
| 京都市 | - | - | - | - | - | - | - | - | - | - |
| 大阪市 | - | - | - | - | - | - | - | - | - | - |
| 堺市 | - | - | - | - | - | - | - | - | - | - |
| 神戸市 | 16 685 | - | 16 685 | - | - | - | - | - | - | - |
| 岡山市 | 691 | - | 691 | - | - | - | - | - | - | - |
| 広島市 | - | - | - | - | - | - | - | - | - | - |
| 北九州市 | - | - | - | - | - | - | - | - | - | - |
| 福岡市 | - | - | - | - | - | - | - | - | - | - |
| 熊本市 | - | - | - | - | - | - | - | - | - | - |

等へ委託した受診延人員，都道府県－指定都市・特別区－中核市－その他政令市、対象区分別

平成29年度

| | 総　　　　数 | | | | | （再掲）医療機関等へ委託 | | | | |
| | 予　防　処　置 | | | | 治　療 | 予　防　処　置 | | | | 治　療 |
| | 総　数 | 妊産婦 | 乳幼児 | その他 | | 総　数 | 妊産婦 | 乳幼児 | その他 | |
|---|---|---|---|---|---|---|---|---|---|---|
| 中核市(再掲) | | | | | | | | | | |
| 旭　川　市 | 772 | – | 772 | – | 2 416 | – | – | – | – | 2 416 |
| 函　館　市 | – | – | – | – | – | – | – | – | – | – |
| 青　森　市 | 4 143 | – | 4 143 | – | – | 4 115 | – | 4 115 | – | – |
| 八　戸　市 | | | | | | | | | | |
| 盛　岡　市 | | | | | | | | | | |
| 秋　田　市 | – | – | – | – | – | – | – | – | – | – |
| 郡　山　市 | – | – | – | – | – | – | – | – | – | – |
| い　わ　き　市 | 4 390 | – | 4 390 | – | – | – | – | – | – | – |
| 宇　都　宮　市 | – | – | – | – | – | – | – | – | – | – |
| 前　橋　市 | | | | | | | | | | |
| 高　崎　市 | – | – | – | – | – | – | – | – | – | – |
| 川　越　市 | 1 641 | – | 1 641 | – | – | 1 641 | – | 1 641 | – | – |
| 越　谷　市 | – | – | – | – | – | – | – | – | – | – |
| 船　橋　市 | 4 140 | – | 3 926 | 214 | – | – | – | – | – | – |
| 柏　　　市 | 1 721 | – | 1 721 | – | – | 1 721 | – | 1 721 | – | – |
| 八　王　子　市 | – | – | – | – | – | – | – | – | – | – |
| 横　須　賀　市 | – | – | – | – | – | – | – | – | – | – |
| 富　山　市 | 1 613 | – | 1 613 | – | – | – | – | – | – | – |
| 金　沢　市 | – | – | – | – | – | – | – | – | – | – |
| 長　野　市 | 161 852 | – | 89 729 | 72 123 | – | – | – | – | – | – |
| 岐　阜　市 | | | | | | | | | | |
| 豊　橋　市 | 6 917 | – | 6 917 | – | – | 1 629 | – | 1 629 | – | – |
| 豊　田　市 | – | – | – | – | – | – | – | – | – | – |
| 岡　崎　市 | 3 065 | – | 3 065 | – | – | 3 065 | – | 3 065 | – | – |
| 大　津　市 | 8 563 | – | 8 563 | – | – | – | – | – | – | – |
| 高　槻　市 | – | – | – | – | – | – | – | – | – | – |
| 東　大　阪　市 | – | – | – | – | – | – | – | – | – | – |
| 豊　中　市 | 609 | – | 609 | – | – | – | – | – | – | – |
| 枚　方　市 | 8 128 | – | 8 128 | – | – | – | – | – | – | – |
| 姫　路　市 | 459 | – | 459 | – | – | – | – | – | – | – |
| 西　宮　市 | 57 | – | 57 | – | – | – | – | – | – | – |
| 尼　崎　市 | 2 037 | – | 2 037 | – | – | – | – | – | – | – |
| 奈　良　市 | 1 112 | 210 | 902 | – | – | – | – | – | – | – |
| 和　歌　山　市 | – | – | – | – | – | – | – | – | – | – |
| 倉　敷　市 | 2 719 | – | 2 719 | – | – | – | – | – | – | – |
| 福　山　市 | – | – | – | – | – | – | – | – | – | – |
| 呉　　　市 | 1 423 | – | 1 423 | – | – | – | – | – | – | – |
| 下　関　市 | – | – | – | – | – | – | – | – | – | – |
| 高　松　市 | – | – | – | – | – | – | – | – | – | – |
| 松　山　市 | 1 165 | – | 1 165 | – | – | – | – | – | – | – |
| 高　知　市 | 2 556 | – | 2 556 | – | – | – | – | – | – | – |
| 久　留　米　市 | 6 244 | – | 6 244 | – | – | 3 449 | – | 3 449 | – | – |
| 長　崎　市 | – | – | – | – | – | – | – | – | – | – |
| 佐　世　保　市 | 9 | – | 9 | – | – | – | – | – | – | – |
| 大　分　市 | 5 194 | – | 5 194 | – | – | – | – | – | – | – |
| 宮　崎　市 | 11 511 | – | 11 420 | 91 | – | 4 880 | – | 4 880 | – | – |
| 鹿　児　島　市 | 11 431 | – | 11 431 | – | – | 11 431 | – | 11 431 | – | – |
| 那　覇　市 | – | – | – | – | – | – | – | – | – | – |
| その他政令市(再掲) | | | | | | | | | | |
| 小　樽　市 | 2 149 | – | 2 149 | – | – | – | – | – | – | – |
| 町　田　市 | 4 759 | – | 4 759 | – | – | – | – | – | – | – |
| 藤　沢　市 | | | | | | | | | | |
| 茅　ヶ　崎　市 | 296 | – | 289 | 7 | – | – | – | – | – | – |
| 四　日　市　市 | 660 | – | 660 | – | – | – | – | – | – | – |
| 大　牟　田　市 | 1 708 | – | 1 297 | 411 | – | – | – | – | – | – |

# 第12表 保健所が実施した訪問による歯科予防処置及び治療の受診実人員－延人員・医療

| | 総数 | | (再掲) 身体障害者(児)・知的障害者(児)・精神障害者 | | (再掲) 医療機関等へ委託 | | 医療機関等へ委託 (再掲) 身体障害者(児)・知的障害者(児)・精神障害者 | |
|---|---|---|---|---|---|---|---|---|
| | 実人員 | 延人員 | 実人員 | 延人員 | 実人員 | 延人員 | 実人員 | 延人員 |
| 全国 | 851 | 1 474 | 659 | 818 | 246 | 246 | 246 | 246 |
| 北海道 | 90 | 178 | 90 | 178 | - | - | - | - |
| 青森 | - | - | - | - | - | - | - | - |
| 岩手 | - | - | - | - | - | - | - | - |
| 宮城 | - | - | - | - | - | - | - | - |
| 秋田 | - | - | - | - | - | - | - | - |
| 山形 | - | - | - | - | - | - | - | - |
| 福島 | - | - | - | - | - | - | - | - |
| 茨城 | - | - | - | - | - | - | - | - |
| 栃木 | - | - | - | - | - | - | - | - |
| 群馬 | - | - | - | - | - | - | - | - |
| 埼玉 | - | - | - | - | - | - | - | - |
| 千葉 | 120 | 170 | 120 | 170 | - | - | - | - |
| 東京 | - | - | - | - | - | - | - | - |
| 神奈川 | 17 | 46 | 11 | 32 | - | - | - | - |
| 新潟 | 21 | 21 | 21 | 21 | 21 | 21 | 21 | 21 |
| 富山 | - | - | - | - | - | - | - | - |
| 石川 | - | - | - | - | - | - | - | - |
| 福井 | - | - | - | - | - | - | - | - |
| 山梨 | - | - | - | - | - | - | - | - |
| 長野 | - | - | - | - | - | - | - | - |
| 岐阜 | - | - | - | - | - | - | - | - |
| 静岡 | - | - | - | - | - | - | - | - |
| 愛知 | - | - | - | - | - | - | - | - |
| 三重 | - | - | - | - | - | - | - | - |
| 滋賀 | 172 | 172 | 172 | 172 | 2 | 2 | 2 | 2 |
| 京都 | - | - | - | - | - | - | - | - |
| 大阪 | 222 | 222 | 222 | 222 | 222 | 222 | 222 | 222 |
| 兵庫 | 125 | 581 | - | - | - | - | - | - |
| 奈良 | - | - | - | - | - | - | - | - |
| 和歌山 | - | - | - | - | - | - | - | - |
| 鳥取 | - | - | - | - | - | - | - | - |
| 島根 | - | - | - | - | - | - | - | - |
| 岡山 | - | - | - | - | - | - | - | - |
| 広島 | - | - | - | - | - | - | - | - |
| 山口 | - | - | - | - | - | - | - | - |
| 徳島 | - | - | - | - | - | - | - | - |
| 香川 | - | - | - | - | - | - | - | - |
| 愛媛 | - | - | - | - | - | - | - | - |
| 高知 | 1 | 1 | 1 | 1 | - | - | - | - |
| 福岡 | 1 | 1 | 1 | 1 | 1 | 1 | 1 | 1 |
| 佐賀 | 21 | 21 | 21 | 21 | - | - | - | - |
| 長崎 | - | - | - | - | - | - | - | - |
| 熊本 | - | - | - | - | - | - | - | - |
| 大分 | - | - | - | - | - | - | - | - |
| 宮崎 | 61 | 61 | - | - | - | - | - | - |
| 鹿児島 | - | - | - | - | - | - | - | - |
| 沖縄 | - | - | - | - | - | - | - | - |
| 指定都市・特別区(再掲) | | | | | | | | |
| 東京都区部 | - | - | - | - | - | - | - | - |
| 札幌市 | - | - | - | - | - | - | - | - |
| 仙台市 | - | - | - | - | - | - | - | - |
| さいたま市 | - | - | - | - | - | - | - | - |
| 千葉市 | - | - | - | - | - | - | - | - |
| 横浜市 | - | - | - | - | - | - | - | - |
| 川崎市 | - | - | - | - | - | - | - | - |
| 相模原市 | - | - | - | - | - | - | - | - |
| 新潟市 | - | - | - | - | - | - | - | - |
| 静岡市 | - | - | - | - | - | - | - | - |
| 浜松市 | - | - | - | - | - | - | - | - |
| 名古屋市 | - | - | - | - | - | - | - | - |
| 京都市 | - | - | - | - | - | - | - | - |
| 大阪市 | - | - | - | - | - | - | - | - |
| 堺市 | - | - | - | - | - | - | - | - |
| 神戸市 | 125 | 581 | - | - | - | - | - | - |
| 岡山市 | - | - | - | - | - | - | - | - |
| 広島市 | - | - | - | - | - | - | - | - |
| 北九州市 | - | - | - | - | - | - | - | - |
| 福岡市 | - | - | - | - | - | - | - | - |
| 熊本市 | - | - | - | - | - | - | - | - |

## 機関等へ委託した受診実人員－延人員，都道府県－指定都市・特別区－中核市－その他政令市、対象区分別

平成29年度

| | 総数 | | （再掲）身体障害者（児）・知的障害者（児）・精神障害者 | | 医療機関等へ委託 | | 医療機関等へ委託（再掲）身体障害者（児）・知的障害者（児）・精神障害者 | |
|---|---|---|---|---|---|---|---|---|
| | 実人員 | 延人員 | 実人員 | 延人員 | 実人員 | 延人員 | 実人員 | 延人員 |
| 中核市(再掲) | | | | | | | | |
| 旭川市 | - | - | - | - | - | - | - | - |
| 函館市 | - | - | - | - | - | - | - | - |
| 青森市 | - | - | - | - | - | - | - | - |
| 八戸市 | - | - | - | - | - | - | - | - |
| 盛岡市 | - | - | - | - | - | - | - | - |
| 秋田市 | - | - | - | - | - | - | - | - |
| 郡山市 | - | - | - | - | - | - | - | - |
| いわき市 | - | - | - | - | - | - | - | - |
| 宇都宮市 | - | - | - | - | - | - | - | - |
| 前橋市 | - | - | - | - | - | - | - | - |
| 高崎市 | - | - | - | - | - | - | - | - |
| 川越市 | - | - | - | - | - | - | - | - |
| 越谷市 | - | - | - | - | - | - | - | - |
| 船橋市 | 120 | 170 | 120 | 170 | - | - | - | - |
| 柏市 | - | - | - | - | - | - | - | - |
| 八王子市 | - | - | - | - | - | - | - | - |
| 横須賀市 | - | - | - | - | - | - | - | - |
| 富山市 | - | - | - | - | - | - | - | - |
| 金沢市 | - | - | - | - | - | - | - | - |
| 長野市 | - | - | - | - | - | - | - | - |
| 岐阜市 | - | - | - | - | - | - | - | - |
| 豊橋市 | - | - | - | - | - | - | - | - |
| 豊田市 | - | - | - | - | - | - | - | - |
| 岡崎市 | - | - | - | - | - | - | - | - |
| 大津市 | 2 | 2 | 2 | 2 | 2 | 2 | 2 | 2 |
| 高槻市 | - | - | - | - | - | - | - | - |
| 東大阪市 | - | - | - | - | - | - | - | - |
| 豊中市 | - | - | - | - | - | - | - | - |
| 枚方市 | 222 | 222 | 222 | 222 | 222 | 222 | 222 | 222 |
| 姫路市 | - | - | - | - | - | - | - | - |
| 西宮市 | - | - | - | - | - | - | - | - |
| 尼崎市 | - | - | - | - | - | - | - | - |
| 奈良市 | - | - | - | - | - | - | - | - |
| 和歌山市 | - | - | - | - | - | - | - | - |
| 倉敷市 | - | - | - | - | - | - | - | - |
| 福山市 | - | - | - | - | - | - | - | - |
| 呉市 | - | - | - | - | - | - | - | - |
| 下関市 | - | - | - | - | - | - | - | - |
| 高松市 | - | - | - | - | - | - | - | - |
| 松山市 | - | - | - | - | - | - | - | - |
| 高知市 | 1 | 1 | 1 | 1 | - | - | - | - |
| 久留米市 | - | - | - | - | - | - | - | - |
| 長崎市 | - | - | - | - | - | - | - | - |
| 佐世保市 | - | - | - | - | - | - | - | - |
| 大分市 | - | - | - | - | - | - | - | - |
| 宮崎市 | 61 | 61 | - | - | - | - | - | - |
| 鹿児島市 | - | - | - | - | - | - | - | - |
| 那覇市 | - | - | - | - | - | - | - | - |
| その他政令市(再掲) | | | | | | | | |
| 小樽市 | 45 | 119 | 45 | 119 | - | - | - | - |
| 町田市 | - | - | - | - | - | - | - | - |
| 藤沢市 | - | - | - | - | - | - | - | - |
| 茅ヶ崎市 | 1 | 1 | - | - | - | - | - | - |
| 四日市市 | - | - | - | - | - | - | - | - |
| 大牟田市 | - | - | - | - | - | - | - | - |

# 第13表（4－1）政令市及び特別区の設置する保健所が実施した幼児の歯科健診の受診実人員－受診結果

| | 総 | | | | | | |
|---|---|---|---|---|---|---|---|
| | 1 歳 6 か 月 児[1] | | | | | | |
| | 対象人員 | 受診実人員 | むし歯の総本数 | 受診結果・むし歯のある人員 | 受診結果・軟組織異常のある人員 | 受診結果・咬合異常のある人員 | 受診結果・その他の異常のある人員 |
| **全国** | **281 830** | **265 967** | **8 111** | **2 990** | **22 717** | **21 411** | **17 520** |
| 北海道 | 544 | 524 | 13 | 9 | 14 | 11 | 34 |
| 青森 | 3 693 | 3 634 | 112 | 40 | 163 | 229 | 314 |
| 岩手 | － | － | － | － | － | － | － |
| 宮城 | 8 939 | 8 791 | 512 | 185 | 194 | 565 | 838 |
| 秋田 | － | － | － | － | － | － | － |
| 山形 | ・ | ・ | ・ | ・ | ・ | ・ | ・ |
| 福島 | － | － | － | － | － | － | － |
| 茨城 | ・ | ・ | ・ | ・ | ・ | ・ | ・ |
| 栃木 | － | － | － | － | － | － | － |
| 群馬 | － | － | － | － | － | － | － |
| 埼玉 | 2 781 | 2 648 | 22 | 8 | 320 | 93 | 106 |
| 千葉 | 9 077 | 8 290 | 206 | 73 | 522 | 423 | 372 |
| 東京 | 53 860 | 46 134 | 1 335 | 490 | 4 391 | 3 370 | 4 111 |
| 神奈川 | 46 250 | 44 415 | 1 316 | 502 | 6 273 | 5 008 | 3 505 |
| 新潟 | 6 022 | 5 953 | 136 | 54 | 127 | 121 | 231 |
| 富山 | 3 262 | 3 194 | 92 | 21 | 124 | 214 | 167 |
| 石川 | － | － | － | － | － | － | － |
| 福井 | ・ | ・ | ・ | ・ | ・ | ・ | ・ |
| 山梨 | ・ | ・ | ・ | ・ | ・ | ・ | ・ |
| 長野 | 2 899 | 2 820 | 105 | 34 | 135 | 272 | 2 |
| 岐阜 | － | － | － | － | － | － | － |
| 静岡 | － | － | － | － | － | － | － |
| 愛知 | 27 047 | 26 263 | 763 | 263 | 2 465 | 2 772 | 1 485 |
| 三重 | 2 516 | 2 438 | 45 | 13 | 59 | 240 | 21 |
| 滋賀 | 3 000 | 2 827 | 138 | 35 | － | 140 | － |
| 京都 | 11 137 | 10 817 | 215 | 86 | 344 | 139 | 1 080 |
| 大阪 | 10 169 | 9 894 | 294 | 95 | 904 | 813 | 579 |
| 兵庫 | 24 451 | 23 935 | 710 | 294 | 2 846 | 2 780 | 1 771 |
| 奈良 | 2 564 | 2 462 | 61 | 23 | 34 | 190 | 150 |
| 和歌山 | 2 970 | 2 891 | 69 | 28 | 122 | 166 | 5 |
| 鳥取 | ・ | ・ | ・ | ・ | ・ | ・ | ・ |
| 島根 | ・ | ・ | ・ | ・ | ・ | ・ | ・ |
| 岡山 | 10 638 | 10 137 | 291 | 104 | 840 | 709 | 247 |
| 広島 | 5 438 | 5 231 | 143 | 54 | 118 | 144 | 176 |
| 山口 | － | － | － | － | － | － | － |
| 徳島 | ・ | ・ | ・ | ・ | ・ | ・ | ・ |
| 香川 | 3 620 | 3 373 | 73 | 31 | 236 | 226 | 192 |
| 愛媛 | 4 220 | 4 064 | 84 | 41 | 59 | 299 | 145 |
| 高知 | 2 572 | 2 515 | 119 | 44 | 360 | 693 | 270 |
| 福岡 | 15 349 | 14 845 | 476 | 175 | 754 | 405 | 235 |
| 佐賀 | ・ | ・ | ・ | ・ | ・ | ・ | ・ |
| 長崎 | 2 165 | 2 109 | 51 | 18 | 233 | 196 | 75 |
| 熊本 | － | － | － | － | － | － | － |
| 大分 | 4 375 | 4 219 | 197 | 70 | 526 | 270 | 260 |
| 宮崎 | 3 567 | 3 446 | 116 | 35 | 171 | 356 | 1 130 |
| 鹿児島 | 5 419 | 5 215 | 295 | 114 | 281 | 516 | － |
| 沖縄 | 3 286 | 2 883 | 122 | 51 | 102 | 51 | 19 |
| 指定都市・特別区（再掲） | | | | | | | |
| 東京都区部 | 50 725 | 43 310 | 1 261 | 465 | 4 149 | 3 146 | 3 868 |
| 札幌市 | － | － | － | － | － | － | － |
| 仙台市 | 8 939 | 8 791 | 512 | 185 | 194 | 565 | 838 |
| さいたま市 | － | － | － | － | － | － | － |
| 千葉市 | － | － | － | － | － | － | － |
| 横浜市 | 30 019 | 28 722 | 830 | 313 | 5 015 | 2 359 | 2 723 |
| 川崎市 | 14 253 | 13 815 | 436 | 171 | 1 007 | 2 518 | 675 |
| 相模原市 | － | － | － | － | － | － | － |
| 新潟市 | 6 022 | 5 953 | 136 | 54 | 127 | 121 | 231 |
| 静岡市 | － | － | － | － | － | － | － |
| 浜松市 | － | － | － | － | － | － | － |
| 名古屋市 | 19 977 | 19 334 | 422 | 144 | 1 880 | 1 906 | 1 125 |
| 京都市 | 11 137 | 10 817 | 215 | 86 | 344 | 139 | 1 080 |
| 大阪市 | － | － | － | － | － | － | － |
| 堺市 | － | － | － | － | － | － | － |
| 神戸市 | 12 043 | 11 822 | 341 | 148 | 1 558 | 1 752 | 1 181 |
| 岡山市 | 6 314 | 5 985 | 115 | 50 | 475 | 259 | 91 |
| 広島市 | － | － | － | － | － | － | － |
| 北九州市 | － | － | － | － | － | － | － |
| 福岡市 | 14 548 | 14 156 | 452 | 165 | 698 | 377 | 147 |
| 熊本市 | － | － | － | － | － | － | － |

## 別人員・医療機関等へ委託した受診実人員－受診結果別人員，都道府県－指定都市・特別区－中核市－その他政令市別

平成29年度

| 数 | | | | | | |
|---|---|---|---|---|---|---|
| 3　歳　児[1] | | | | | | |
| 対象人員 | 受診実人員 | むし歯の総本数 | 受診結果・むし歯のある人員 | 受診結果・軟組織異常のある人員 | 受診結果・咬合異常のある人員 | 受診結果・その他の異常のある人員 |
| **280 825** | **265 668** | **106 856** | **33 386** | **10 082** | **39 342** | **22 259** |
| 599 | 591 | 335 | 102 | 6 | 115 | 63 |
| 3 840 | 3 752 | 2 914 | 792 | 42 | 392 | 494 |
| – | – | – | – | – | – | – |
| 8 866 | 8 276 | 4 993 | 1 427 | 121 | 973 | 930 |
| – | – | – | – | – | – | – |
| ・ | ・ | ・ | ・ | ・ | ・ | ・ |
| – | – | – | – | – | – | – |
| ・ | ・ | ・ | ・ | ・ | ・ | ・ |
| – | – | – | – | – | – | – |
| – | – | – | – | – | – | – |
| 2 864 | 2 649 | 728 | 271 | 73 | 163 | 167 |
| 9 061 | 8 099 | 3 006 | 991 | 250 | 839 | 542 |
| 51 827 | 48 048 | 13 592 | 4 483 | 1 853 | 6 585 | 5 892 |
| 46 352 | 44 244 | 14 883 | 4 796 | 2 124 | 6 762 | 4 046 |
| 6 350 | 6 189 | 1 914 | 606 | 40 | 401 | 258 |
| 3 219 | 3 078 | 1 543 | 476 | 57 | 338 | 227 |
| – | – | – | – | – | – | – |
| ・ | ・ | ・ | ・ | ・ | ・ | ・ |
| ・ | ・ | ・ | ・ | ・ | ・ | ・ |
| 2 913 | 2 839 | 1 118 | 370 | 35 | 472 | – |
| – | – | – | – | – | – | – |
| – | – | – | – | – | – | – |
| 26 535 | 25 617 | 8 349 | 2 438 | 1 474 | 4 781 | 1 926 |
| 2 538 | 2 425 | 968 | 301 | 28 | 245 | 40 |
| 3 026 | 2 732 | 930 | 312 | – | 144 | – |
| 10 628 | 10 356 | 3 917 | 1 342 | 413 | 1 388 | 949 |
| 10 465 | 9 647 | 4 591 | 1 473 | 384 | 1 338 | 696 |
| 24 501 | 23 886 | 9 497 | 2 907 | 1 109 | 4 231 | 2 387 |
| 2 637 | 2 427 | 1 241 | 390 | 28 | 375 | 222 |
| 2 863 | 2 676 | 2 040 | 573 | 50 | 84 | 2 |
| ・ | ・ | ・ | ・ | ・ | ・ | ・ |
| ・ | ・ | ・ | ・ | ・ | ・ | ・ |
| 10 781 | 10 141 | 5 702 | 1 657 | 630 | 2 673 | 297 |
| 5 682 | 5 457 | 2 292 | 720 | 16 | 735 | 173 |
| – | – | – | – | – | – | – |
| ・ | ・ | ・ | ・ | ・ | ・ | ・ |
| 3 829 | 3 472 | 1 655 | 670 | 102 | 434 | 254 |
| 4 343 | 3 983 | 2 489 | 715 | 42 | 756 | 256 |
| 2 580 | 2 411 | 990 | 304 | 216 | 860 | 389 |
| 15 265 | 14 656 | 6 370 | 2 055 | 341 | 1 609 | 329 |
| ・ | ・ | ・ | ・ | ・ | ・ | ・ |
| 2 298 | 2 043 | 1 061 | 340 | 45 | 214 | 64 |
| – | – | – | – | – | – | – |
| 4 358 | 4 153 | 2 498 | 737 | 124 | 496 | 317 |
| 3 716 | 3 603 | 1 956 | 554 | 145 | 451 | 1 154 |
| 5 581 | 5 345 | 3 017 | 880 | 295 | 1 152 | – |
| 3 308 | 2 873 | 2 267 | 704 | 39 | 336 | 185 |
| 48 567 | 45 016 | 12 670 | 4 165 | 1 691 | 6 179 | 5 353 |
| – | – | – | – | – | – | – |
| 8 866 | 8 276 | 4 993 | 1 427 | 121 | 973 | 930 |
| – | – | – | – | – | – | – |
| – | – | – | – | – | – | – |
| 30 893 | 29 668 | 9 630 | 3 115 | 1 827 | 4 596 | 3 183 |
| 13 442 | 12 694 | 4 546 | 1 477 | 213 | 1 890 | 603 |
| – | – | – | – | – | – | – |
| 6 350 | 6 189 | 1 914 | 606 | 40 | 401 | 258 |
| – | – | – | – | – | – | – |
| – | – | – | – | – | – | – |
| 19 622 | 18 900 | 4 510 | 1 392 | 1 257 | 3 547 | 1 595 |
| 10 628 | 10 356 | 3 917 | 1 342 | 413 | 1 388 | 949 |
| – | – | – | – | – | – | – |
| – | – | – | – | – | – | – |
| 12 177 | 11 846 | 4 694 | 1 431 | 683 | 2 638 | 1 507 |
| 6 328 | 5 985 | 3 808 | 1 055 | 477 | 1 938 | 139 |
| – | – | – | – | – | – | – |
| – | – | – | – | – | – | – |
| 14 483 | 14 009 | 5 949 | 1 934 | 325 | 1 506 | 249 |
| – | – | – | – | – | – | – |

## 第13表（4-2）政令市及び特別区の設置する保健所が実施した幼児の歯科健診の受診実人員-受診結果

| | 総 | | | | | | |
| | 1　歳　6　か　月　児1) | | | | | | |
| | 対　象　人　員 | 受　診　実　人　員 | むし歯の総本数 | 受診結果・むし歯のある人員 | 受診結果・軟組織異常のある人員 | 受診結果・咬合異常のある人員 | 受診結果・その他の異常のある人員 |
|---|---|---|---|---|---|---|---|
| 中　核　市(再掲) | | | | | | | |
| 旭　川　市 | - | - | - | - | - | - | - |
| 函　館　市 | - | - | - | - | - | - | - |
| 青　森　市 | 1 966 | 1 931 | 61 | 21 | 89 | 125 | 227 |
| 八　戸　市 | 1 727 | 1 703 | 51 | 19 | 74 | 104 | 87 |
| 盛　岡　市 | - | - | - | - | - | - | - |
| 秋　田　市 | - | - | - | - | - | - | - |
| 郡　山　市 | - | - | - | - | - | - | - |
| い　わ　き　市 | - | - | - | - | - | - | - |
| 宇　都　宮　市 | - | - | - | - | - | - | - |
| 前　橋　市 | - | - | - | - | - | - | - |
| 高　崎　市 | - | - | - | - | - | - | - |
| 川　越　市 | 2 781 | 2 648 | 22 | 8 | 320 | 93 | 106 |
| 越　谷　市 | - | - | - | - | - | - | - |
| 船　橋　市 | 5 391 | 4 904 | 82 | 30 | 268 | 112 | 164 |
| 柏　市 | 3 686 | 3 386 | 124 | 43 | 254 | 311 | 208 |
| 八　王　子　市 | - | - | - | - | - | - | - |
| 横　須　賀　市 | - | - | - | - | - | - | - |
| 富　山　市 | 3 262 | 3 194 | 92 | 21 | 124 | 214 | 167 |
| 金　沢　市 | - | - | - | - | - | - | - |
| 長　野　市 | 2 899 | 2 820 | 105 | 34 | 135 | 272 | 2 |
| 岐　阜　市 | - | - | - | - | - | - | - |
| 豊　橋　市 | 3 221 | 3 114 | 175 | 59 | 267 | 394 | 127 |
| 豊　田　市 | - | - | - | - | - | - | - |
| 岡　崎　市 | 3 849 | 3 815 | 166 | 60 | 318 | 472 | 233 |
| 大　津　市 | 3 000 | 2 827 | 138 | 35 | - | 140 | - |
| 高　槻　市 | - | - | - | - | - | - | - |
| 東　大　阪　市 | 3 478 | 3 394 | 107 | 35 | 27 | 287 | 159 |
| 豊　中　市 | 3 752 | 3 674 | 121 | 41 | 571 | 375 | 218 |
| 枚　方　市 | 2 939 | 2 826 | 66 | 19 | 306 | 151 | 202 |
| 姫　路　市 | 4 549 | 4 418 | 181 | 76 | 615 | 525 | 222 |
| 西　宮　市 | 4 183 | 4 183 | 60 | 29 | 369 | 281 | 188 |
| 尼　崎　市 | 3 676 | 3 512 | 128 | 41 | 304 | 222 | 180 |
| 奈　良　市 | 2 564 | 2 462 | 61 | 23 | 34 | 190 | 150 |
| 和　歌　山　市 | 2 970 | 2 891 | 69 | 28 | 122 | 166 | 5 |
| 倉　敷　市 | 4 324 | 4 152 | 176 | 54 | 365 | 450 | 156 |
| 福　山　市 | 3 931 | 3 757 | 100 | 37 | 44 | 69 | 170 |
| 呉　市 | 1 507 | 1 474 | 43 | 17 | 74 | 75 | 6 |
| 下　関　市 | - | - | - | - | - | - | - |
| 高　松　市 | 3 620 | 3 373 | 73 | 31 | 236 | 226 | 192 |
| 松　山　市 | 4 220 | 4 064 | 84 | 41 | 59 | 299 | 145 |
| 高　知　市 | 2 572 | 2 515 | 119 | 44 | 360 | 693 | 270 |
| 久　留　米　市 | - | - | - | - | - | - | - |
| 長　崎　市 | - | - | - | - | - | - | - |
| 佐　世　保　市 | 2 165 | 2 109 | 51 | 18 | 233 | 196 | 75 |
| 大　分　市 | 4 375 | 4 219 | 197 | 70 | 526 | 270 | 260 |
| 宮　崎　市 | 3 567 | 3 446 | 116 | 35 | 171 | 356 | 1 130 |
| 鹿　児　島　市 | 5 419 | 5 215 | 295 | 114 | 281 | 516 | - |
| 那　覇　市 | 3 286 | 2 883 | 122 | 51 | 102 | 51 | 19 |
| その他政令市(再掲) | | | | | | | |
| 小　樽　市 | 544 | 524 | 13 | 9 | 14 | 11 | 34 |
| 町　田　市 | 3 135 | 2 824 | 74 | 25 | 242 | 224 | 243 |
| 藤　沢　市 | - | - | - | - | - | - | - |
| 茅　ヶ　崎　市 | 1 978 | 1 878 | 50 | 18 | 251 | 131 | 107 |
| 四　日　市　市 | 2 516 | 2 438 | 45 | 13 | 59 | 240 | 21 |
| 大　牟　田　市 | 801 | 689 | 24 | 10 | 56 | 28 | 88 |

注：1）「1歳6か月児」、「3歳児」は、政令市及び特別区が設置する保健所の報告表の項目である。

## 別人員・医療機関等へ委託した受診実人員－受診結果別人員，都道府県－指定都市・特別区－中核市－その他政令市別

平成29年度

| 数 | | | | | | |
|---|---|---|---|---|---|---|
| 3 歳 児[1] | | | | | | |
| 対象人員 | 受診実人員 | むし歯の総本数 | 受診結果・むし歯のある人員 | 受診結果・軟組織異常のある人員 | 受診結果・咬合異常のある人員 | 受診結果・その他の異常のある人員 |
| – | – | – | – | – | – | – |
| – | – | – | – | – | – | – |
| 2 021 | 1 971 | 1 245 | 353 | 28 | 243 | 405 |
| 1 819 | 1 781 | 1 669 | 439 | 14 | 149 | 89 |
| – | – | – | – | – | – | – |
| – | – | – | – | – | – | – |
| – | – | – | – | – | – | – |
| – | – | – | – | – | – | – |
| – | – | – | – | – | – | – |
| – | – | – | – | – | – | – |
| – | – | – | – | – | – | – |
| 2 864 | 2 649 | 728 | 271 | 73 | 163 | 167 |
| – | – | – | – | – | – | – |
| 5 526 | 4 878 | 1 587 | 520 | 120 | 371 | 212 |
| 3 535 | 3 221 | 1 419 | 471 | 130 | 468 | 330 |
| – | – | – | – | – | – | – |
| – | – | – | – | – | – | – |
| 3 219 | 3 078 | 1 543 | 476 | 57 | 338 | 227 |
| – | – | – | – | – | – | – |
| 2 913 | 2 839 | 1 118 | 370 | 35 | 472 | – |
| – | – | – | – | – | – | – |
| 3 227 | 3 097 | 1 817 | 519 | 118 | 520 | 12 |
| – | – | – | – | – | – | – |
| 3 686 | 3 620 | 2 022 | 527 | 99 | 714 | 319 |
| 3 026 | 2 732 | 930 | 312 | – | 144 | – |
| – | – | – | – | – | – | – |
| 3 493 | 3 293 | 2 114 | 594 | 42 | 500 | 87 |
| 3 818 | 3 575 | 1 485 | 555 | 210 | 479 | 241 |
| 3 154 | 2 779 | 992 | 324 | 132 | 359 | 368 |
| 4 642 | 4 551 | 2 076 | 628 | 219 | 770 | 364 |
| 4 156 | 4 152 | 1 345 | 453 | 107 | 499 | 282 |
| 3 526 | 3 337 | 1 382 | 395 | 100 | 324 | 234 |
| 2 637 | 2 427 | 1 241 | 390 | 28 | 375 | 222 |
| 2 863 | 2 676 | 2 040 | 573 | 50 | 84 | 2 |
| 4 453 | 4 156 | 1 894 | 602 | 153 | 735 | 158 |
| 4 142 | 3 959 | 1 333 | 439 | 4 | 496 | 167 |
| 1 540 | 1 498 | 959 | 281 | 12 | 239 | 6 |
| – | – | – | – | – | – | – |
| 3 829 | 3 472 | 1 655 | 670 | 102 | 434 | 254 |
| 4 343 | 3 983 | 2 489 | 715 | 42 | 756 | 256 |
| 2 580 | 2 411 | 990 | 304 | 216 | 860 | 389 |
| – | – | – | – | – | – | – |
| – | – | – | – | – | – | – |
| 2 298 | 2 043 | 1 061 | 340 | 45 | 214 | 64 |
| 4 358 | 4 153 | 2 498 | 737 | 124 | 496 | 317 |
| 3 716 | 3 603 | 1 956 | 554 | 145 | 451 | 1 154 |
| 5 581 | 5 345 | 3 017 | 880 | 295 | 1 152 | – |
| 3 308 | 2 873 | 2 267 | 704 | 39 | 336 | 185 |
| 599 | 591 | 335 | 102 | 6 | 115 | 63 |
| 3 260 | 3 032 | 922 | 318 | 162 | 406 | 539 |
| – | – | – | – | – | – | – |
| 2 017 | 1 882 | 707 | 204 | 84 | 276 | 260 |
| 2 538 | 2 425 | 968 | 301 | 28 | 245 | 40 |
| 782 | 647 | 421 | 121 | 16 | 103 | 80 |

# 第13表（4－3）政令市及び特別区の設置する保健所が実施した幼児の歯科健診の受診実人員－受診結果

| | （再掲）1歳6か月児[1] | | | | | | |
|---|---|---|---|---|---|---|---|
| | 対象人員 | 受診実人員 | むし歯の総本数 | 受診結果・むし歯のある人員 | 受診結果・軟組織異常のある人員 | 受診結果・咬合異常のある人員 | 受診結果・その他の異常のある人員 |
| **全国** | 5 058 | 3 818 | 77 | 33 | 355 | 245 | 169 |
| 北海道 | － | － | － | － | － | － | － |
| 青森 | － | － | － | － | － | － | － |
| 岩手 | － | － | － | － | － | － | － |
| 宮城 | － | － | － | － | － | － | － |
| 秋田 | － | － | － | － | － | － | － |
| 山形 | ・ | ・ | ・ | ・ | ・ | ・ | ・ |
| 福島 | － | － | － | － | － | － | － |
| 茨城 | ・ | ・ | ・ | ・ | ・ | ・ | ・ |
| 栃木 | － | － | － | － | － | － | － |
| 群馬 | － | － | － | － | － | － | － |
| 埼玉 | － | － | － | － | － | － | － |
| 千葉 | － | － | － | － | － | － | － |
| 東京 | 5 048 | 3 813 | 68 | 28 | 355 | 245 | 169 |
| 神奈川 | － | － | － | － | － | － | － |
| 新潟 | － | － | － | － | － | － | － |
| 富山 | － | － | － | － | － | － | － |
| 石川 | － | － | － | － | － | － | － |
| 福井 | ・ | ・ | ・ | ・ | ・ | ・ | ・ |
| 山梨 | ・ | ・ | ・ | ・ | ・ | ・ | ・ |
| 長野 | － | － | － | － | － | － | － |
| 岐阜 | － | － | － | － | － | － | － |
| 静岡 | － | － | － | － | － | － | － |
| 愛知 | － | － | － | － | － | － | － |
| 三重 | － | － | － | － | － | － | － |
| 滋賀 | － | － | － | － | － | － | － |
| 京都 | － | － | － | － | － | － | － |
| 大阪 | － | － | － | － | － | － | － |
| 兵庫 | － | － | － | － | － | － | － |
| 奈良 | － | － | － | － | － | － | － |
| 和歌山 | － | － | － | － | － | － | － |
| 鳥取 | ・ | ・ | ・ | ・ | ・ | ・ | ・ |
| 島根 | ・ | ・ | ・ | ・ | ・ | ・ | ・ |
| 岡山 | － | － | － | － | － | － | － |
| 広島 | － | － | － | － | － | － | － |
| 山口 | － | － | － | － | － | － | － |
| 徳島 | ・ | ・ | ・ | ・ | ・ | ・ | ・ |
| 香川 | － | － | － | － | － | － | － |
| 愛媛 | － | － | － | － | － | － | － |
| 高知 | － | － | － | － | － | － | － |
| 福岡 | － | － | － | － | － | － | － |
| 佐賀 | ・ | ・ | ・ | ・ | ・ | ・ | ・ |
| 長崎 | － | － | － | － | － | － | － |
| 熊本 | － | － | － | － | － | － | － |
| 大分 | － | － | － | － | － | － | － |
| 宮崎 | － | － | － | － | － | － | － |
| 鹿児島 | － | － | － | － | － | － | － |
| 沖縄 | 10 | 5 | 9 | 5 | － | － | － |
| 指定都市・特別区（再掲） | | | | | | | |
| 東京都区部 | 5 048 | 3 813 | 68 | 28 | 355 | 245 | 169 |
| 札幌市 | － | － | － | － | － | － | － |
| 仙台市 | － | － | － | － | － | － | － |
| さいたま市 | － | － | － | － | － | － | － |
| 千葉市 | － | － | － | － | － | － | － |
| 横浜市 | － | － | － | － | － | － | － |
| 川崎市 | － | － | － | － | － | － | － |
| 相模原市 | － | － | － | － | － | － | － |
| 新潟市 | － | － | － | － | － | － | － |
| 静岡市 | － | － | － | － | － | － | － |
| 浜松市 | － | － | － | － | － | － | － |
| 名古屋市 | － | － | － | － | － | － | － |
| 京都市 | － | － | － | － | － | － | － |
| 大阪市 | － | － | － | － | － | － | － |
| 堺市 | － | － | － | － | － | － | － |
| 神戸市 | － | － | － | － | － | － | － |
| 岡山市 | － | － | － | － | － | － | － |
| 広島市 | － | － | － | － | － | － | － |
| 北九州市 | － | － | － | － | － | － | － |
| 福岡市 | － | － | － | － | － | － | － |
| 熊本市 | － | － | － | － | － | － | － |

## 別人員・医療機関等へ委託した受診実人員－受診結果別人員，都道府県－指定都市・特別区－中核市－その他政令市別

平成29年度

| 医療機関等へ委託 | | | | | | |
|---|---|---|---|---|---|---|
| 3歳児[1)] | | | | | | |
| 対象人員 | 受診実人員 | むし歯の総本数 | 受診結果・むし歯のある人員 | 受診結果・軟組織異常のある人員 | 受診結果・咬合異常のある人員 | 受診結果・その他の異常のある人員 |
| **413** | **134** | **347** | **128** | **5** | **3** | **－** |
| － | － | － | － | － | － | － |
| － | － | － | － | － | － | － |
| － | － | － | － | － | － | － |
| － | － | － | － | － | － | － |
| － | － | － | － | － | － | － |
| ・ | ・ | ・ | ・ | ・ | ・ | ・ |
| － | － | － | － | － | － | － |
| ・ | ・ | ・ | ・ | ・ | ・ | ・ |
| － | － | － | － | － | － | － |
| － | － | － | － | － | － | － |
| － | － | － | － | － | － | － |
| － | － | － | － | － | － | － |
| － | － | － | － | － | － | － |
| － | － | － | － | － | － | － |
| － | － | － | － | － | － | － |
| － | － | － | － | － | － | － |
| － | － | － | － | － | － | － |
| ・ | ・ | ・ | ・ | ・ | ・ | ・ |
| ・ | ・ | ・ | ・ | ・ | ・ | ・ |
| － | － | － | － | － | － | － |
| － | － | － | － | － | － | － |
| － | － | － | － | － | － | － |
| － | － | － | － | － | － | － |
| － | － | － | － | － | － | － |
| － | － | － | － | － | － | － |
| － | － | － | － | － | － | － |
| － | － | － | － | － | － | － |
| － | － | － | － | － | － | － |
| － | － | － | － | － | － | － |
| － | － | － | － | － | － | － |
| ・ | ・ | ・ | ・ | ・ | ・ | ・ |
| ・ | ・ | ・ | ・ | ・ | ・ | ・ |
| － | － | － | － | － | － | － |
| － | － | － | － | － | － | － |
| － | － | － | － | － | － | － |
| ・ | ・ | ・ | ・ | ・ | ・ | ・ |
| － | － | － | － | － | － | － |
| － | － | － | － | － | － | － |
| － | － | － | － | － | － | － |
| － | － | － | － | － | － | － |
| ・ | ・ | ・ | ・ | ・ | ・ | ・ |
| － | － | － | － | － | － | － |
| － | － | － | － | － | － | － |
| － | － | － | － | － | － | － |
| － | － | － | － | － | － | － |
| － | － | － | － | － | － | － |
| 413 | 134 | 347 | 128 | 5 | 3 | － |
| － | － | － | － | － | － | － |
| － | － | － | － | － | － | － |
| － | － | － | － | － | － | － |
| － | － | － | － | － | － | － |
| － | － | － | － | － | － | － |
| － | － | － | － | － | － | － |
| － | － | － | － | － | － | － |
| － | － | － | － | － | － | － |
| － | － | － | － | － | － | － |
| － | － | － | － | － | － | － |
| － | － | － | － | － | － | － |
| － | － | － | － | － | － | － |
| － | － | － | － | － | － | － |
| － | － | － | － | － | － | － |
| － | － | － | － | － | － | － |
| － | － | － | － | － | － | － |
| － | － | － | － | － | － | － |
| － | － | － | － | － | － | － |
| － | － | － | － | － | － | － |
| － | － | － | － | － | － | － |
| － | － | － | － | － | － | － |

## 第13表(4−4)　政令市及び特別区の設置する保健所が実施した幼児の歯科健診の受診実人員−受診結果

| | 1　歳　6　か　月　児[1] （再掲） | | | | | | |
| | 対　象　人　員 | 受　診　実　人　員 | むし歯の総本数 | 受　診　結　果・むし歯のある人　　　員 | 受　診　結　果・軟組織異常のある　人　員 | 受　診　結　果・咬合異常のある人　　　　　員 | 受　診　結　果・その他の異常のあ　る　人　員 |
|---|---|---|---|---|---|---|---|
| 中　核　市(再掲) | | | | | | | |
| 旭　　川　　市 | − | − | − | − | − | − | − |
| 函　　館　　市 | − | − | − | − | − | − | − |
| 青　　森　　市 | − | − | − | − | − | − | − |
| 八　　戸　　市 | − | − | − | − | − | − | − |
| 盛　　岡　　市 | − | − | − | − | − | − | − |
| 秋　　田　　市 | − | − | − | − | − | − | − |
| 郡　　山　　市 | − | − | − | − | − | − | − |
| い　わ　き　市 | − | − | − | − | − | − | − |
| 宇　都　宮　市 | − | − | − | − | − | − | − |
| 前　　橋　　市 | − | − | − | − | − | − | − |
| 高　　崎　　市 | − | − | − | − | − | − | − |
| 川　　越　　市 | − | − | − | − | − | − | − |
| 越　　谷　　市 | − | − | − | − | − | − | − |
| 船　　橋　　市 | − | − | − | − | − | − | − |
| 柏　　　　　市 | − | − | − | − | − | − | − |
| 八　王　子　市 | − | − | − | − | − | − | − |
| 横　須　賀　市 | − | − | − | − | − | − | − |
| 富　　山　　市 | − | − | − | − | − | − | − |
| 金　　沢　　市 | − | − | − | − | − | − | − |
| 長　　野　　市 | − | − | − | − | − | − | − |
| 岐　　阜　　市 | − | − | − | − | − | − | − |
| 豊　　橋　　市 | − | − | − | − | − | − | − |
| 豊　　田　　市 | − | − | − | − | − | − | − |
| 岡　　崎　　市 | − | − | − | − | − | − | − |
| 大　　津　　市 | − | − | − | − | − | − | − |
| 高　　槻　　市 | − | − | − | − | − | − | − |
| 東　大　阪　市 | − | − | − | − | − | − | − |
| 豊　　中　　市 | − | − | − | − | − | − | − |
| 枚　　方　　市 | − | − | − | − | − | − | − |
| 姫　　路　　市 | − | − | − | − | − | − | − |
| 西　　宮　　市 | − | − | − | − | − | − | − |
| 尼　　崎　　市 | − | − | − | − | − | − | − |
| 奈　　良　　市 | − | − | − | − | − | − | − |
| 和　歌　山　市 | − | − | − | − | − | − | − |
| 倉　　敷　　市 | − | − | − | − | − | − | − |
| 福　　山　　市 | − | − | − | − | − | − | − |
| 呉　　　　　市 | − | − | − | − | − | − | − |
| 下　　関　　市 | − | − | − | − | − | − | − |
| 高　　松　　市 | − | − | − | − | − | − | − |
| 松　　山　　市 | − | − | − | − | − | − | − |
| 高　　知　　市 | − | − | − | − | − | − | − |
| 久　留　米　市 | − | − | − | − | − | − | − |
| 長　　崎　　市 | − | − | − | − | − | − | − |
| 佐　世　保　市 | − | − | − | − | − | − | − |
| 大　　分　　市 | − | − | − | − | − | − | − |
| 宮　　崎　　市 | − | − | − | − | − | − | − |
| 鹿　児　島　市 | − | − | − | − | − | − | − |
| 那　　覇　　市 | 10 | 5 | 9 | 5 | − | − | − |
| その他政令市(再掲) | | | | | | | |
| 小　　樽　　市 | − | − | − | − | − | − | − |
| 町　　田　　市 | − | − | − | − | − | − | − |
| 藤　　沢　　市 | − | − | − | − | − | − | − |
| 茅　ヶ　崎　市 | − | − | − | − | − | − | − |
| 四　日　市　市 | − | − | − | − | − | − | − |
| 大　牟　田　市 | − | − | − | − | − | − | − |

注：1）　「1歳6か月児」、「3歳児」は、政令市及び特別区が設置する保健所の報告表の項目である。

別人員・医療機関等へ委託した受診実人員－受診結果別人員，都道府県－指定都市・特別区－中核市－その他政令市別

平成29年度

| 医療機関等へ委託 | | | | | | |
|---|---|---|---|---|---|---|
| 3歳児[1] | | | | | | |
| 対象人員 | 受診実人員 | むし歯の総本数 | 受診結果・むし歯のある人員 | 受診結果・軟組織異常のある人員 | 受診結果・咬合異常のある人員 | 受診結果・その他の異常のある人員 |
| – | – | – | – | – | – | – |
| – | – | – | – | – | – | – |
| – | – | – | – | – | – | – |
| – | – | – | – | – | – | – |
| – | – | – | – | – | – | – |
| – | – | – | – | – | – | – |
| – | – | – | – | – | – | – |
| – | – | – | – | – | – | – |
| – | – | – | – | – | – | – |
| – | – | – | – | – | – | – |
| – | – | – | – | – | – | – |
| – | – | – | – | – | – | – |
| – | – | – | – | – | – | – |
| – | – | – | – | – | – | – |
| – | – | – | – | – | – | – |
| – | – | – | – | – | – | – |
| – | – | – | – | – | – | – |
| – | – | – | – | – | – | – |
| – | – | – | – | – | – | – |
| – | – | – | – | – | – | – |
| – | – | – | – | – | – | – |
| – | – | – | – | – | – | – |
| – | – | – | – | – | – | – |
| – | – | – | – | – | – | – |
| – | – | – | – | – | – | – |
| – | – | – | – | – | – | – |
| – | – | – | – | – | – | – |
| – | – | – | – | – | – | – |
| – | – | – | – | – | – | – |
| – | – | – | – | – | – | – |
| – | – | – | – | – | – | – |
| – | – | – | – | – | – | – |
| – | – | – | – | – | – | – |
| – | – | – | – | – | – | – |
| – | – | – | – | – | – | – |
| – | – | – | – | – | – | – |
| – | – | – | – | – | – | – |
| – | – | – | – | – | – | – |
| – | – | – | – | – | – | – |
| – | – | – | – | – | – | – |
| – | – | – | – | – | – | – |
| – | – | – | – | – | – | – |
| – | – | – | – | – | – | – |
| – | – | – | – | – | – | – |
| – | – | – | – | – | – | – |
| – | – | – | – | – | – | – |
| – | – | – | – | – | – | – |
| 413 | 134 | 347 | 128 | 5 | 3 | – |
| – | – | – | – | – | – | – |
| – | – | – | – | – | – | – |
| – | – | – | – | – | – | – |
| – | – | – | – | – | – | – |
| – | – | – | – | – | – | – |
| – | – | – | – | – | – | – |

# 第14表(4-1) 保健所が実施した栄養指導の被指導延人員・医療機関等へ

| | 総 | | | | | | |
|---|---|---|---|---|---|---|---|
| | 総 | 数 | | | | 個 | |
| | 総　数 | 妊　産　婦 | 乳　幼　児 | 20歳未満(妊産婦・乳幼児を除く。) | 20歳以上(妊産婦を除く。) | 総　数 | 妊　産　婦 |
| 全　　国 | 1 182 392 | 65 238 | 719 100 | 35 484 | 362 570 | 335 791 | 21 781 |
| 北　海　道 | 12 389 | 619 | 3 347 | 385 | 8 038 | 5 486 | 590 |
| 青　森 | 12 828 | 44 | 12 399 | 17 | 368 | 951 | - |
| 岩　手 | 4 545 | - | - | 1 151 | 3 394 | 1 134 | - |
| 宮　城 | 12 761 | 1 542 | 6 785 | 880 | 3 554 | 5 979 | 90 |
| 秋　田 | 1 183 | - | 10 | 204 | 969 | 108 | - |
| 山　形 | 925 | - | 1 | 81 | 843 | 12 | - |
| 福　島 | 13 722 | 2 | 3 288 | 1 571 | 8 861 | 3 073 | 2 |
| 茨　城 | 5 809 | - | - | 407 | 5 402 | 1 269 | - |
| 栃　木 | 752 | - | - | - | 752 | 199 | - |
| 群　馬 | 5 310 | - | 96 | 442 | 4 772 | 850 | - |
| 埼　玉 | 12 755 | 141 | 4 661 | 62 | 7 891 | 1 057 | 1 |
| 千　葉 | 39 329 | 9 400 | 3 949 | 520 | 25 460 | 7 296 | 1 047 |
| 東　京 | 276 650 | 19 193 | 204 465 | 4 911 | 48 081 | 88 084 | 9 906 |
| 神　奈　川 | 200 480 | 6 448 | 140 843 | 6 042 | 47 147 | 27 496 | 237 |
| 新　潟 | 1 652 | - | - | 397 | 1 255 | 454 | - |
| 富　山 | 15 388 | 23 | 4 426 | 137 | 10 802 | 4 403 | 23 |
| 石　川 | 3 600 | 4 | 165 | 119 | 3 312 | 369 | 4 |
| 福　井 | 1 506 | - | - | 12 | 1 494 | 116 | - |
| 山　梨 | 384 | - | 1 | 2 | 381 | 16 | - |
| 長　野 | 22 082 | 6 160 | 3 271 | 136 | 12 515 | 5 437 | 580 |
| 岐　阜 | 4 072 | - | - | 100 | 3 972 | 2 453 | - |
| 静　岡 | 1 701 | - | 3 | 721 | 977 | 126 | - |
| 愛　知 | 111 206 | 4 950 | 86 022 | 1 288 | 18 946 | 59 698 | 1 809 |
| 三　重 | 1 313 | 3 | 1 001 | 96 | 213 | 179 | 3 |
| 滋　賀 | 4 401 | 36 | 2 316 | - | 2 049 | 794 | - |
| 京　都 | 42 294 | 653 | 30 802 | 730 | 10 109 | 7 853 | 11 |
| 大　阪 | 46 542 | 2 865 | 21 451 | 2 375 | 19 851 | 16 876 | 2 286 |
| 兵　庫 | 92 978 | 1 244 | 69 284 | 7 096 | 15 354 | 25 043 | 152 |
| 奈　良 | 5 814 | 217 | 3 997 | 138 | 1 462 | 1 124 | 7 |
| 和　歌　山 | 11 796 | 408 | 9 937 | 312 | 1 139 | 1 672 | 275 |
| 鳥　取 | 142 | - | - | - | 142 | - | - |
| 島　根 | 162 | - | - | - | 162 | 4 | - |
| 岡　山 | 21 227 | 6 | 7 295 | 1 574 | 12 352 | 5 134 | 6 |
| 広　島 | 49 670 | 182 | 17 651 | 2 | 31 835 | 5 681 | 28 |
| 山　口 | 377 | 1 | 1 | - | 375 | 377 | 1 |
| 徳　島 | 1 188 | - | 32 | 212 | 944 | 274 | - |
| 香　川 | 18 595 | 3 954 | 9 334 | 647 | 4 660 | 11 922 | 3 954 |
| 愛　媛 | 1 014 | 2 | 212 | 6 | 794 | 940 | 2 |
| 高　知 | 1 632 | 60 | 1 308 | 12 | 252 | 910 | 2 |
| 福　岡 | 56 200 | 1 409 | 33 610 | 1 797 | 19 384 | 11 427 | 240 |
| 佐　賀 | 2 346 | - | 12 | 4 | 2 330 | 584 | - |
| 長　崎 | 1 187 | - | 3 | 3 | 1 181 | 257 | - |
| 熊　本 | 369 | - | 70 | 55 | 244 | 128 | - |
| 大　分 | 8 039 | 2 | 3 856 | 558 | 3 623 | 1 814 | 2 |
| 宮　崎 | 4 978 | 1 | 2 105 | 6 | 2 866 | 2 194 | 1 |
| 鹿　児　島 | 36 378 | 5 649 | 21 225 | 35 | 9 469 | 14 864 | 505 |
| 沖　縄 | 12 721 | 20 | 9 866 | 241 | 2 594 | 9 674 | 17 |
| 指定都市・特別区(再掲) | | | | | | | |
| 東　京　都　区　部 | 263 818 | 18 878 | 192 860 | 4 755 | 47 325 | 85 525 | 9 904 |
| 札　幌　市 | 288 | - | 2 | - | 286 | 288 | - |
| 仙　台　市 | 10 405 | 1 542 | 6 715 | 611 | 1 537 | 5 418 | 90 |
| さ　い　た　ま　市 | 7 | - | 3 | - | 4 | 7 | - |
| 千　葉　市 | - | - | - | - | - | - | - |
| 横　浜　市 | 137 578 | 3 050 | 96 127 | 4 790 | 33 611 | 13 615 | 31 |
| 川　崎　市 | 55 644 | 3 237 | 40 312 | 790 | 11 305 | 11 987 | 206 |
| 相　模　原　市 | - | - | - | - | - | - | - |
| 新　潟　市 | 981 | - | - | 282 | 699 | - | - |
| 静　岡　市 | - | - | - | - | - | - | - |
| 浜　松　市 | - | - | - | - | - | - | - |
| 名　古　屋　市 | 85 443 | 4 306 | 76 865 | 1 120 | 3 152 | 57 314 | 1 799 |
| 京　都　市 | 38 933 | 653 | 30 798 | 687 | 6 795 | 7 552 | 11 |
| 大　阪　市 | 2 291 | - | 89 | 157 | 2 045 | 998 | - |
| 堺　市 | - | - | - | - | - | - | - |
| 神　戸　市 | 32 455 | 352 | 28 430 | 2 249 | 1 424 | 8 950 | 3 |
| 岡　山　市 | 10 870 | 5 | 2 873 | 926 | 7 066 | 505 | 5 |
| 広　島　市 | - | - | - | - | - | - | - |
| 北　九　州　市 | - | - | - | - | - | - | - |
| 福　岡　市 | 37 803 | 796 | 27 597 | 546 | 8 864 | 6 849 | 204 |
| 熊　本　市 | - | - | - | - | - | - | - |

# 委託した被指導延人員，都道府県－指定都市・特別区－中核市－その他政令市、個別－集団・対象区分別

平成29年度

| 数 | | | | | | | |
|---|---|---|---|---|---|---|---|
| 別 | | | 集団 | | | | |
| 乳幼児 | 20歳未満（妊産婦・乳幼児を除く。） | 20歳以上（妊産婦を除く。） | 総数 | 妊産婦 | 乳幼児 | 20歳未満（妊産婦・乳幼児を除く。） | 20歳以上（妊産婦を除く。） |
| 235 243 | 2 670 | 76 097 | 846 601 | 43 457 | 483 857 | 32 814 | 286 473 |
| 2 170 | 24 | 2 702 | 6 903 | 29 | 1 177 | 361 | 5 336 |
| 947 | 2 | 2 | 11 877 | 44 | 11 452 | 15 | 366 |
| - | 2 | 1 132 | 3 411 | - | - | 1 149 | 2 262 |
| 4 623 | 12 | 1 254 | 6 782 | 1 452 | 2 162 | 868 | 2 300 |
| - | - | 108 | 1 075 | - | 10 | 204 | 861 |
| 1 | - | 11 | 913 | - | - | 81 | 832 |
| 1 363 | 38 | 1 670 | 10 649 | - | 1 925 | 1 533 | 7 191 |
| - | 16 | 1 253 | 4 540 | - | - | 391 | 4 149 |
| - | - | 199 | 553 | - | - | - | 553 |
| 1 | 83 | 766 | 4 460 | - | 95 | 359 | 4 006 |
| 854 | 10 | 192 | 11 698 | 140 | 3 807 | 52 | 7 699 |
| 2 936 | 23 | 3 290 | 32 033 | 8 353 | 1 013 | 497 | 22 170 |
| 59 951 | 94 | 18 133 | 188 566 | 9 287 | 144 514 | 4 817 | 29 948 |
| 23 039 | 171 | 4 049 | 172 984 | 6 211 | 117 804 | 5 871 | 43 098 |
| - | 5 | 449 | 1 198 | - | - | 392 | 806 |
| 2 435 | 6 | 1 939 | 10 985 | - | 1 991 | 131 | 8 863 |
| 165 | 16 | 184 | 3 231 | - | - | 103 | 3 128 |
| - | - | 116 | 1 390 | - | - | 12 | 1 378 |
| 1 | 2 | 13 | 368 | - | - | - | 368 |
| 809 | 32 | 4 016 | 16 645 | 5 580 | 2 462 | 104 | 8 499 |
| - | - | 2 453 | 1 619 | - | - | 100 | 1 519 |
| 3 | 9 | 114 | 1 575 | - | - | 712 | 863 |
| 53 899 | 64 | 3 926 | 51 508 | 3 141 | 32 123 | 1 224 | 15 020 |
| 158 | 1 | 17 | 1 134 | - | 843 | 95 | 196 |
| 778 | - | 16 | 3 607 | 36 | 1 538 | - | 2 033 |
| 6 485 | 84 | 1 273 | 34 441 | 642 | 24 317 | 646 | 8 836 |
| 6 965 | 412 | 7 213 | 29 666 | 579 | 14 486 | 1 963 | 12 638 |
| 20 574 | 623 | 3 694 | 67 935 | 1 092 | 48 710 | 6 473 | 11 660 |
| 793 | 63 | 261 | 4 690 | 210 | 3 204 | 75 | 1 201 |
| 1 312 | 3 | 82 | 10 124 | 133 | 8 625 | 309 | 1 057 |
| - | - | - | 142 | - | - | - | 142 |
| - | - | 4 | 158 | - | - | - | 158 |
| 3 352 | 251 | 1 525 | 16 093 | - | 3 943 | 1 323 | 10 827 |
| 5 368 | 2 | 283 | 43 989 | 154 | 12 283 | - | 31 552 |
| 1 | - | 375 | - | - | - | - | - |
| 32 | 83 | 159 | 914 | - | - | 129 | 785 |
| 5 555 | 291 | 2 122 | 6 673 | - | 3 779 | 356 | 2 538 |
| 212 | 6 | 720 | 74 | - | - | - | 74 |
| 764 | 12 | 132 | 722 | 58 | 544 | - | 120 |
| 7 724 | 37 | 3 426 | 44 773 | 1 169 | 25 886 | 1 760 | 15 958 |
| 12 | 4 | 568 | 1 762 | - | - | - | 1 762 |
| 3 | 3 | 251 | 930 | - | - | - | 930 |
| - | 45 | 83 | 241 | - | 70 | 10 | 161 |
| 1 183 | 99 | 530 | 6 225 | - | 2 673 | 459 | 3 093 |
| 1 458 | 6 | 729 | 2 784 | - | 647 | - | 2 137 |
| 10 367 | 35 | 3 957 | 21 514 | 5 144 | 10 858 | - | 5 512 |
| 8 950 | 1 | 706 | 3 047 | 3 | 916 | 240 | 1 888 |
| 57 760 | 92 | 17 769 | 178 293 | 8 974 | 135 100 | 4 663 | 29 556 |
| 2 | - | 286 | - | - | - | - | - |
| 4 623 | 12 | 693 | 4 987 | 1 452 | 2 092 | 599 | 844 |
| 3 | - | 4 | - | - | - | - | - |
| - | - | - | - | - | - | - | - |
| 11 577 | 20 | 1 987 | 123 963 | 3 019 | 84 550 | 4 770 | 31 624 |
| 10 027 | 40 | 1 714 | 43 657 | 3 031 | 30 285 | 750 | 9 591 |
| - | - | - | - | - | - | - | - |
| - | - | - | 981 | - | - | 282 | 699 |
| - | - | - | - | - | - | - | - |
| - | - | - | - | - | - | - | - |
| 52 535 | 53 | 2 927 | 28 129 | 2 507 | 24 330 | 1 067 | 225 |
| 6 481 | 61 | 999 | 31 381 | 642 | 24 317 | 626 | 5 796 |
| 45 | 157 | 796 | 1 293 | - | 44 | - | 1 249 |
| - | - | - | - | - | - | - | - |
| 8 331 | 65 | 551 | 23 505 | 349 | 20 099 | 2 184 | 873 |
| 86 | - | 414 | 10 365 | - | 2 787 | 926 | 6 652 |
| - | - | - | - | - | - | - | - |
| - | - | - | - | - | - | - | - |
| 6 318 | 34 | 293 | 30 954 | 592 | 21 279 | 512 | 8 571 |
| - | - | - | - | - | - | - | - |

## 第14表(4-2) 保健所が実施した栄養指導の被指導延人員・医療機関等へ

| | 総 | | | | | | |
|---|---|---|---|---|---|---|---|
| | 総 | | 数 | | | 個 | |
| | 総　　数 | 妊　産　婦 | 乳　幼　児 | 20 歳 未 満<br>(妊産婦・乳幼児<br>を 除 く 。) | 20 歳 以 上<br>(妊 産 婦<br>を 除 く 。) | 総　　数 | 妊　産　婦 |
| 中　核　市(再掲) | | | | | | | |
| 旭　川　市 | 4 840 | 4 | 1 342 | 202 | 3 292 | 838 | 4 |
| 函　館　市 | – | – | – | – | – | – | – |
| 青　森　市 | 5 802 | 44 | 5 758 | – | – | 90 | – |
| 八　戸　市 | 6 995 | – | 6 613 | 15 | 367 | 830 | – |
| 盛　岡　市 | – | – | – | – | – | – | – |
| 秋　田　市 | – | – | – | – | – | – | – |
| 郡　山　市 | 3 886 | – | 2 255 | 24 | 1 607 | 945 | – |
| い　わ　き　市 | 1 437 | 2 | 1 033 | – | 402 | 1 188 | 2 |
| 宇　都　宮　市 | 160 | – | – | – | 160 | 108 | – |
| 前　橋　市 | – | – | – | – | – | – | – |
| 高　崎　市 | 2 975 | – | – | – | 2 975 | – | – |
| 川　越　市 | 7 697 | 141 | 4 421 | – | 3 135 | 852 | 1 |
| 越　谷　市 | – | – | – | – | – | – | – |
| 船　橋　市 | 25 292 | 4 739 | 3 937 | 450 | 16 166 | 3 805 | 15 |
| 柏　市 | 9 161 | 4 659 | – | 4 | 4 498 | 2 806 | 1 030 |
| 八　王　子　市 | 251 | – | – | 130 | 121 | 46 | – |
| 横　須　賀　市 | 1 510 | – | – | 340 | 1 170 | 64 | – |
| 富　山　市 | 13 712 | 22 | 4 394 | 124 | 9 172 | 3 414 | 22 |
| 金　沢　市 | 1 880 | 4 | 163 | 5 | 1 708 | 232 | 4 |
| 長　野　市 | 12 751 | 6 160 | 3 271 | 1 | 3 319 | 4 326 | 580 |
| 岐　阜　市 | – | – | – | – | – | – | – |
| 豊　橋　市 | 4 496 | 132 | 4 234 | 2 | 128 | 431 | 10 |
| 豊　田　市 | 191 | – | – | – | 191 | – | – |
| 岡　崎　市 | 6 104 | 512 | 4 921 | – | 671 | 1 045 | – |
| 大　津　市 | 4 340 | 36 | 2 316 | – | 1 988 | 779 | – |
| 高　槻　市 | – | – | – | – | – | – | – |
| 東　大　阪　市 | 14 380 | 48 | 5 940 | 211 | 8 181 | 2 738 | – |
| 豊　中　市 | 9 961 | 2 500 | 7 101 | 360 | – | 5 799 | 2 280 |
| 枚　方　市 | 9 600 | 317 | 8 127 | 102 | 1 054 | 2 577 | 6 |
| 姫　路　市 | 16 669 | 1 | 13 192 | 2 217 | 1 259 | 5 844 | 1 |
| 西　宮　市 | 13 298 | 425 | 8 957 | 543 | 3 373 | 6 027 | 7 |
| 尼　崎　市 | 22 573 | 466 | 18 702 | 723 | 2 682 | 2 829 | 141 |
| 奈　良　市 | 5 316 | 217 | 3 980 | 41 | 1 078 | 1 013 | 7 |
| 和　歌　山　市 | 11 232 | 408 | 9 903 | 121 | 800 | 1 669 | 275 |
| 倉　敷　市 | 8 931 | 1 | 4 412 | 86 | 4 432 | 4 042 | 1 |
| 福　山　市 | 42 859 | 112 | 11 487 | – | 31 260 | 2 672 | – |
| 呉　市 | 6 743 | 70 | 6 112 | 2 | 559 | 2 992 | 28 |
| 下　関　市 | – | – | – | – | – | – | – |
| 高　松　市 | 14 961 | 3 954 | 9 073 | – | 1 934 | 9 248 | 3 954 |
| 松　山　市 | 554 | 2 | 175 | 6 | 371 | 554 | 2 |
| 高　知　市 | 1 524 | 60 | 1 304 | 7 | 153 | 802 | 2 |
| 久　留　米　市 | 6 960 | – | 4 006 | 1 155 | 1 799 | 1 679 | – |
| 長　崎　市 | – | – | – | – | – | – | – |
| 佐　世　保　市 | – | – | – | – | – | – | – |
| 大　分　市 | 6 740 | 2 | 3 855 | 164 | 2 719 | 1 452 | 2 |
| 宮　崎　市 | 2 958 | – | 2 105 | – | 853 | 2 135 | – |
| 鹿　児　島　市 | 36 051 | 5 649 | 21 217 | 3 | 9 182 | 14 682 | 505 |
| 那　覇　市 | 12 202 | 20 | 9 865 | 241 | 2 076 | 9 227 | 17 |
| その他政令市(再掲) | | | | | | | |
| 小　樽　市 | 5 562 | 615 | 2 003 | 53 | 2 891 | 4 159 | 586 |
| 町　田　市 | 12 230 | 315 | 11 605 | 16 | 294 | 2 373 | 2 |
| 藤　沢　市 | – | – | – | – | – | – | – |
| 茅　ヶ　崎　市 | 5 100 | 161 | 4 254 | 12 | 673 | 1 315 | – |
| 四　日　市　市 | 1 004 | 3 | 1 000 | 1 | – | 161 | 3 |
| 大　牟　田　市 | 3 444 | 591 | 2 007 | 70 | 776 | 476 | 14 |

# 委託した被指導延人員，都道府県－指定都市・特別区－中核市－その他政令市、個別－集団・対象区分別

平成29年度

| 数 | | | | | | | |
|---|---|---|---|---|---|---|---|
| 別 | | | 集団 | | | | |
| 乳幼児 | 20歳未満（妊産婦・乳幼児を除く。） | 20歳以上（妊産婦を除く。） | 総数 | 妊産婦 | 乳幼児 | 20歳未満（妊産婦・乳幼児を除く。） | 20歳以上（妊産婦を除く。） |
| 248 | 1 | 585 | 4 002 | - | 1 094 | 201 | 2 707 |
| - | - | - | - | - | - | - | - |
| 90 | - | - | 5 712 | 44 | 5 668 | - | - |
| 829 | - | 1 | 6 165 | - | 5 784 | 15 | 366 |
| - | - | - | - | - | - | - | - |
| - | - | - | - | - | - | - | - |
| 506 | 24 | 415 | 2 941 | - | 1 749 | - | 1 192 |
| 857 | - | 329 | 249 | - | 176 | - | 73 |
| - | - | 108 | 52 | - | - | - | 52 |
| - | - | - | - | - | - | - | - |
| - | - | - | 2 975 | - | - | - | 2 975 |
| 851 | - | - | 6 845 | 140 | 3 570 | - | 3 135 |
| - | - | - | - | - | - | - | - |
| 2 924 | - | 866 | 21 487 | 4 724 | 1 013 | 450 | 15 300 |
| - | - | 1 776 | 6 355 | 3 629 | - | 4 | 2 722 |
| - | - | 46 | 205 | - | - | 130 | 75 |
| - | 1 | 63 | 1 446 | - | - | 339 | 1 107 |
| 2 412 | 2 | 978 | 10 298 | - | 1 982 | 122 | 8 194 |
| 163 | 3 | 62 | 1 648 | - | - | 2 | 1 646 |
| 809 | 1 | 2 936 | 8 425 | 5 580 | 2 462 | - | 383 |
| - | - | - | - | - | - | - | - |
| 394 | 2 | 25 | 4 065 | 122 | 3 840 | - | 103 |
| - | - | - | 191 | - | - | - | 191 |
| 968 | - | 77 | 5 059 | 512 | 3 953 | - | 594 |
| 778 | - | 1 | 3 561 | 36 | 1 538 | - | 1 987 |
| - | - | - | - | - | - | - | - |
| 1 442 | - | 1 296 | 11 642 | 48 | 4 498 | 211 | 6 885 |
| 3 519 | - | - | 4 162 | 220 | 3 582 | 360 | - |
| 1 765 | 2 | 804 | 7 023 | 311 | 6 362 | 100 | 250 |
| 5 481 | 6 | 356 | 10 825 | - | 7 711 | 2 211 | 903 |
| 4 407 | 10 | 1 603 | 7 271 | 418 | 4 550 | 533 | 1 770 |
| 2 352 | 1 | 335 | 19 744 | 325 | 16 350 | 722 | 2 347 |
| 793 | - | 213 | 4 303 | 210 | 3 187 | 41 | 865 |
| 1 312 | 3 | 79 | 9 563 | 133 | 8 591 | 118 | 721 |
| 3 256 | 9 | 776 | 4 889 | - | 1 156 | 77 | 3 656 |
| 2 621 | - | 51 | 40 187 | 112 | 8 866 | - | 31 209 |
| 2 746 | 2 | 216 | 3 751 | 42 | 3 366 | - | 343 |
| - | - | - | - | - | - | - | - |
| 5 294 | - | - | 5 713 | - | 3 779 | - | 1 934 |
| 175 | 6 | 371 | - | - | - | - | - |
| 760 | 7 | 33 | 722 | 58 | 544 | - | 120 |
| 1 001 | 2 | 676 | 5 281 | - | 3 005 | 1 153 | 1 123 |
| - | - | - | - | - | - | - | - |
| - | - | - | - | - | - | - | - |
| 1 182 | 3 | 265 | 5 288 | - | 2 673 | 161 | 2 454 |
| 1 458 | - | 677 | 823 | - | 647 | - | 176 |
| 10 359 | 3 | 3 815 | 21 369 | 5 144 | 10 858 | - | 5 367 |
| 8 949 | 1 | 260 | 2 975 | 3 | 916 | 240 | 1 816 |
| 1 920 | 23 | 1 630 | 1 403 | 29 | 83 | 30 | 1 261 |
| 2 191 | 2 | 178 | 9 857 | 313 | 9 414 | 14 | 116 |
| - | - | - | - | - | - | - | - |
| 1 315 | - | - | 3 785 | 161 | 2 939 | 12 | 673 |
| 157 | 1 | - | 843 | - | 843 | - | - |
| 405 | 1 | 56 | 2 968 | 577 | 1 602 | 69 | 720 |

# 第14表（4－3）保健所が実施した栄養指導の被指導延人員・医療機関等へ

| | （再掲） | | | | | | |
|---|---|---|---|---|---|---|---|
| | 総数 | | | | | 個 | |
| | 総数 | 妊産婦 | 乳幼児 | 20歳未満（妊産婦・乳幼児を除く。） | 20歳以上（妊産婦を除く。） | 総数 | 妊産婦 |
| **全国** | 12 830 | 2 804 | 8 364 | … | 1 662 | 5 610 | 2 404 |
| 北海道 | - | - | - | - | - | - | - |
| 青森 | 1 868 | - | 1 868 | - | - | 86 | - |
| 岩手 | - | - | - | - | - | - | - |
| 宮城 | - | - | - | - | - | - | - |
| 秋田 | - | - | - | - | - | - | - |
| 山形 | - | - | - | - | - | - | - |
| 福島 | - | - | - | - | - | - | - |
| 茨城 | - | - | - | - | - | - | - |
| 栃木 | - | - | - | - | - | - | - |
| 群馬 | - | - | - | - | - | - | - |
| 埼玉 | - | - | - | - | - | - | - |
| 千葉 | - | - | - | - | - | - | - |
| 東京 | 1 229 | 345 | 884 | - | - | 268 | - |
| 神奈川 | 224 | - | - | - | 224 | - | - |
| 新潟 | - | - | - | - | - | - | - |
| 富山 | 10 | - | - | - | 10 | - | - |
| 石川 | - | - | - | - | - | - | - |
| 福井 | - | - | - | - | - | - | - |
| 山梨 | - | - | - | - | - | - | - |
| 長野 | - | - | - | - | - | - | - |
| 岐阜 | - | - | - | - | - | - | - |
| 静岡 | 50 | - | - | - | 50 | - | - |
| 愛知 | 3 244 | - | 3 244 | - | - | - | - |
| 三重 | - | - | - | - | - | - | - |
| 滋賀 | - | - | - | - | - | - | - |
| 京都 | - | - | - | - | - | - | - |
| 大阪 | … | … | … | … | … | … | … |
| 兵庫 | - | - | - | - | - | - | - |
| 奈良 | - | - | - | - | - | - | - |
| 和歌山 | - | - | - | - | - | - | - |
| 鳥取 | - | - | - | - | - | - | - |
| 島根 | - | - | - | - | - | - | - |
| 岡山 | 1 316 | - | - | - | 1 316 | 475 | - |
| 広島 | - | - | - | - | - | - | - |
| 山口 | - | - | - | - | - | - | - |
| 徳島 | - | - | - | - | - | - | - |
| 香川 | 4 772 | 2 404 | 2 368 | - | - | 4 772 | 2 404 |
| 愛媛 | - | - | - | - | - | - | - |
| 高知 | 108 | 55 | - | - | 53 | - | - |
| 福岡 | - | - | - | - | - | - | - |
| 佐賀 | - | - | - | - | - | - | - |
| 長崎 | - | - | - | - | - | - | - |
| 熊本 | - | - | - | - | - | - | - |
| 大分 | - | - | - | - | - | - | - |
| 宮崎 | - | - | - | - | - | - | - |
| 鹿児島 | 9 | - | - | - | 9 | 9 | - |
| 沖縄 | - | - | - | - | - | - | - |
| 指定都市・特別区（再掲） | | | | | | | |
| 東京都区部 | 1 229 | 345 | 884 | - | - | 268 | - |
| 札幌市 | - | - | - | - | - | - | - |
| 仙台市 | - | - | - | - | - | - | - |
| さいたま市 | - | - | - | - | - | - | - |
| 千葉市 | - | - | - | - | - | - | - |
| 横浜市 | - | - | - | - | - | - | - |
| 川崎市 | 224 | - | - | - | 224 | - | - |
| 相模原市 | - | - | - | - | - | - | - |
| 新潟市 | - | - | - | - | - | - | - |
| 静岡市 | - | - | - | - | - | - | - |
| 浜松市 | - | - | - | - | - | - | - |
| 名古屋市 | - | - | - | - | - | - | - |
| 京都市 | - | - | - | - | - | - | - |
| 大阪市 | - | - | - | - | - | - | - |
| 堺市 | - | - | - | - | - | - | - |
| 神戸市 | - | - | - | - | - | - | - |
| 岡山市 | - | - | - | - | - | - | - |
| 広島市 | - | - | - | - | - | - | - |
| 北九州市 | - | - | - | - | - | - | - |
| 福岡市 | - | - | - | - | - | - | - |
| 熊本市 | - | - | - | - | - | - | - |

## 委託した被指導延人員，都道府県－指定都市・特別区－中核市－その他政令市、個別－集団・対象区分別

平成29年度

医療機関等へ委託

| 別 | | | 集 | | 団 | | |
|---|---|---|---|---|---|---|---|
| 乳幼児 | 20歳未満（妊産婦・乳幼児を除く。） | 20歳以上（妊産婦を除く。） | 総数 | 妊産婦 | 乳幼児 | 20歳未満（妊産婦・乳幼児を除く。） | 20歳以上（妊産婦を除く。） |
| **2 722** | **…** | **484** | **7 220** | **400** | **5 642** | **…** | **1 178** |
| － | － | － | － | － | － | － | － |
| 86 | － | － | 1 782 | － | 1 782 | － | － |
| － | － | － | － | － | － | － | － |
| － | － | － | － | － | － | － | － |
| － | － | － | － | － | － | － | － |
| － | － | － | － | － | － | － | － |
| － | － | － | － | － | － | － | － |
| － | － | － | － | － | － | － | － |
| － | － | － | － | － | － | － | － |
| － | － | － | － | － | － | － | － |
| － | － | － | － | － | － | － | － |
| － | － | － | － | － | － | － | － |
| 268 | － | － | 961 | 345 | 616 | － | － |
| － | － | － | 224 | － | － | － | 224 |
| － | － | － | － | － | － | － | － |
| － | － | － | 10 | － | － | － | 10 |
| － | － | － | － | － | － | － | － |
| － | － | － | － | － | － | － | － |
| － | － | － | － | － | － | － | － |
| － | － | － | － | － | － | － | － |
| － | － | － | － | － | － | － | － |
| － | － | － | 50 | － | － | － | 50 |
| － | － | － | 3 244 | － | 3 244 | － | － |
| － | － | － | － | － | － | － | － |
| － | － | － | － | － | － | － | － |
| － | － | － | － | － | － | － | － |
| … | … | … | … | … | … | … | … |
| － | － | － | － | － | － | － | － |
| － | － | － | － | － | － | － | － |
| － | － | － | － | － | － | － | － |
| － | － | － | － | － | － | － | － |
| － | － | － | － | － | － | － | － |
| － | － | 475 | 841 | － | － | － | 841 |
| － | － | － | － | － | － | － | － |
| － | － | － | － | － | － | － | － |
| － | － | － | － | － | － | － | － |
| 2 368 | － | － | － | － | － | － | － |
| － | － | － | － | － | － | － | － |
| － | － | － | 108 | 55 | － | － | 53 |
| － | － | － | － | － | － | － | － |
| － | － | － | － | － | － | － | － |
| － | － | － | － | － | － | － | － |
| － | － | － | － | － | － | － | － |
| － | － | － | － | － | － | － | － |
| － | － | － | － | － | － | － | － |
| － | － | 9 | － | － | － | － | － |
| － | － | － | － | － | － | － | － |
| 268 | － | － | 961 | 345 | 616 | － | － |
| － | － | － | － | － | － | － | － |
| － | － | － | － | － | － | － | － |
| － | － | － | － | － | － | － | － |
| － | － | － | － | － | － | － | － |
| － | － | － | － | － | － | － | － |
| － | － | － | 224 | － | － | － | 224 |
| － | － | － | － | － | － | － | － |
| － | － | － | － | － | － | － | － |
| － | － | － | － | － | － | － | － |
| － | － | － | － | － | － | － | － |
| － | － | － | － | － | － | － | － |
| － | － | － | － | － | － | － | － |
| － | － | － | － | － | － | － | － |
| － | － | － | － | － | － | － | － |
| － | － | － | － | － | － | － | － |
| － | － | － | － | － | － | － | － |
| － | － | － | － | － | － | － | － |
| － | － | － | － | － | － | － | － |
| － | － | － | － | － | － | － | － |
| － | － | － | － | － | － | － | － |

## 第14表（4－4） 保健所が実施した栄養指導の被指導延人員・医療機関等へ

| | 総 | | | 数 | | （再　掲） | | |
|---|---|---|---|---|---|---|---|---|
| | | | | | | 個 | | |
| | 総　　数 | 妊 産 婦 | 乳 幼 児 | 20 歳 未 満<br>（妊産婦・乳幼児<br>を 除 く 。） | 20 歳 以 上<br>（妊 産 婦<br>を 除 く 。） | 総　　数 | 妊 産 婦 |
| 中 核 市(再掲) | | | | | | | |
| 旭 川 市 | － | － | － | － | － | － | － |
| 函 館 市 | － | － | － | － | － | － | － |
| 青 森 市 | － | － | － | － | － | － | － |
| 八 戸 市 | 1 868 | － | 1 868 | － | － | 86 | － |
| 盛 岡 市 | － | － | － | － | － | － | － |
| 秋 田 市 | － | － | － | － | － | － | － |
| 郡 山 市 | － | － | － | － | － | － | － |
| い わ き 市 | － | － | － | － | － | － | － |
| 宇 都 宮 市 | － | － | － | － | － | － | － |
| 前 橋 市 | － | － | － | － | － | － | － |
| 高 崎 市 | － | － | － | － | － | － | － |
| 川 越 市 | － | － | － | － | － | － | － |
| 越 谷 市 | － | － | － | － | － | － | － |
| 船 橋 市 | － | － | － | － | － | － | － |
| 柏 市 | － | － | － | － | － | － | － |
| 八 王 子 市 | － | － | － | － | － | － | － |
| 横 須 賀 市 | － | － | － | － | － | － | － |
| 富 山 市 | － | － | － | － | － | － | － |
| 金 沢 市 | － | － | － | － | － | － | － |
| 長 野 市 | － | － | － | － | － | － | － |
| 岐 阜 市 | － | － | － | － | － | － | － |
| 豊 橋 市 | － | － | － | － | － | － | － |
| 豊 田 市 | － | － | － | － | － | － | － |
| 岡 崎 市 | 3 244 | － | 3 244 | － | － | － | － |
| 大 津 市 | － | － | － | － | － | － | － |
| 高 槻 市 | － | － | － | － | － | － | － |
| 東 大 阪 市 | － | － | － | － | － | － | － |
| 豊 中 市 | － | － | － | － | － | － | － |
| 枚 方 市 | － | － | － | － | － | － | － |
| 姫 路 市 | － | － | － | － | － | － | － |
| 西 宮 市 | － | － | － | － | － | － | － |
| 尼 崎 市 | － | － | － | － | － | － | － |
| 奈 良 市 | － | － | － | － | － | － | － |
| 和 歌 山 市 | － | － | － | － | － | － | － |
| 倉 敷 市 | 1 316 | － | － | － | 1 316 | 475 | － |
| 福 山 市 | － | － | － | － | － | － | － |
| 呉 市 | － | － | － | － | － | － | － |
| 下 関 市 | － | － | － | － | － | － | － |
| 高 松 市 | 4 772 | 2 404 | 2 368 | | － | 4 772 | 2 404 |
| 松 山 市 | － | － | － | － | － | － | － |
| 高 知 市 | 108 | 55 | － | － | 53 | － | － |
| 久 留 米 市 | － | － | － | － | － | － | － |
| 長 崎 市 | － | － | － | － | － | － | － |
| 佐 世 保 市 | － | － | － | － | － | － | － |
| 大 分 市 | － | － | － | － | － | － | － |
| 宮 崎 市 | － | － | － | － | － | － | － |
| 鹿 児 島 市 | － | － | － | － | － | － | － |
| 那 覇 市 | － | － | － | － | － | － | － |
| その他政令市(再掲) | | | | | | | |
| 小 樽 市 | － | － | － | － | － | － | － |
| 町 田 市 | － | － | － | － | － | － | － |
| 藤 沢 市 | － | － | － | － | － | － | － |
| 茅 ヶ 崎 市 | － | － | － | － | － | － | － |
| 四 日 市 市 | － | － | － | － | － | － | － |
| 大 牟 田 市 | － | － | － | － | － | － | － |

# 委託した被指導延人員，都道府県－指定都市・特別区－中核市－その他政令市、個別－集団・対象区分別

平成29年度

| 医療機関等へ委託 | | | | | | | |
|---|---|---|---|---|---|---|---|
| 別 | | | 集団 | | | | |
| 乳幼児 | 20歳未満（妊産婦・乳幼児を除く。） | 20歳以上（妊産婦を除く。） | 総数 | 妊産婦 | 乳幼児 | 20歳未満（妊産婦・乳幼児を除く。） | 20歳以上（妊産婦を除く。） |
| - | - | - | - | - | - | - | - |
| - | - | - | - | - | - | - | - |
| - | - | - | - | - | - | - | - |
| 86 | - | - | 1 782 | - | 1 782 | - | - |
| - | - | - | - | - | - | - | - |
| | | | | | | | |
| - | - | - | - | - | - | - | - |
| - | - | - | - | - | - | - | - |
| - | - | - | - | - | - | - | - |
| - | - | - | - | - | - | - | - |
| - | - | - | - | - | - | - | - |
| | | | | | | | |
| - | - | - | - | - | - | - | - |
| - | - | - | - | - | - | - | - |
| - | - | - | - | - | - | - | - |
| - | - | - | - | - | - | - | - |
| - | - | - | - | - | - | - | - |
| | | | | | | | |
| - | - | - | - | - | - | - | - |
| - | - | - | - | - | - | - | - |
| - | - | - | - | - | - | - | - |
| - | - | - | - | - | - | - | - |
| - | - | - | - | - | - | - | - |
| | | | | | | | |
| - | - | - | - | - | - | - | - |
| - | - | - | - | - | - | - | - |
| - | - | - | - | - | - | - | - |
| - | - | - | 3 244 | - | 3 244 | - | - |
| - | - | - | - | - | - | - | - |
| | | | | | | | |
| - | - | - | - | - | - | - | - |
| - | - | - | - | - | - | - | - |
| - | - | - | - | - | - | - | - |
| - | - | - | - | - | - | - | - |
| - | - | - | - | - | - | - | - |
| | | | | | | | |
| - | - | - | - | - | - | - | - |
| - | - | - | - | - | - | - | - |
| - | - | - | - | - | - | - | - |
| - | - | - | - | - | - | - | - |
| - | - | 475 | 841 | - | - | - | 841 |
| | | | | | | | |
| - | - | - | - | - | - | - | - |
| - | - | - | - | - | - | - | - |
| - | - | - | - | - | - | - | - |
| 2 368 | - | - | - | - | - | - | - |
| - | - | - | - | - | - | - | - |
| | | | | | | | |
| - | - | - | 108 | 55 | - | - | 53 |
| - | - | - | - | - | - | - | - |
| - | - | - | - | - | - | - | - |
| - | - | - | - | - | - | - | - |
| - | - | - | - | - | - | - | - |
| | | | | | | | |
| - | - | - | - | - | - | - | - |
| - | - | - | - | - | - | - | - |
| - | - | - | - | - | - | - | - |
| | | | | | | | |
| - | - | - | - | - | - | - | - |
| - | - | - | - | - | - | - | - |
| - | - | - | - | - | - | - | - |
| - | - | - | - | - | - | - | - |
| - | - | - | - | - | - | - | - |
| | | | | | | | |
| - | - | - | - | - | - | - | - |

# 第15表（4－1）保健所が実施した病態別栄養指導の被指導延人員・医療機関等へ

| | 総 | | | | | | |
|---|---|---|---|---|---|---|---|
| | 総 | | 数 | | | 個 | |
| | 総数 | 妊産婦 | 乳幼児 | 20歳未満（妊産婦・乳幼児を除く。） | 20歳以上（妊産婦を除く。） | 総数 | 妊産婦 |
| **全国** | **113 515** | **4 847** | **41 030** | **2 900** | **64 738** | **36 364** | **941** |
| 北海道 | 487 | - | - | - | 487 | 149 | - |
| 青森 | 1 | - | - | 1 | - | 1 | - |
| 岩手 | 48 | - | - | - | 48 | - | - |
| 宮城 | 59 | 3 | 6 | - | 50 | 59 | 3 |
| 秋田 | 449 | - | - | - | 449 | - | - |
| 山形 | 5 | - | - | - | 5 | 5 | - |
| 福島 | 5 437 | - | 176 | 1 544 | 3 717 | 90 | - |
| 茨城 | 1 674 | - | - | - | 1 674 | 477 | - |
| 栃木 | 182 | - | - | - | 182 | 130 | - |
| 群馬 | 59 | - | - | - | 59 | 44 | - |
| 埼玉 | 415 | - | - | 8 | 407 | 71 | - |
| 千葉 | 676 | - | - | 4 | 672 | 139 | - |
| 東京 | 25 813 | 448 | 1 407 | 126 | 23 832 | 11 279 | 404 |
| 神奈川 | 21 324 | 1 844 | 15 310 | 43 | 4 127 | 3 370 | 31 |
| 新潟 | 633 | - | - | - | 633 | 313 | - |
| 富山 | 14 174 | 22 | 4 399 | 124 | 9 629 | 3 838 | 22 |
| 石川 | 77 | 4 | 11 | - | 62 | 27 | 4 |
| 福井 | 252 | - | - | - | 252 | 4 | - |
| 山梨 | 11 | - | - | 1 | 10 | 11 | - |
| 長野 | 458 | - | - | 51 | 407 | 137 | - |
| 岐阜 | 122 | - | - | - | 122 | 3 | - |
| 静岡 | 32 | - | - | 1 | 31 | 22 | - |
| 愛知 | 21 324 | 2 265 | 16 951 | 732 | 1 376 | 6 768 | 264 |
| 三重 | 49 | - | - | - | 49 | 10 | - |
| 滋賀 | 305 | - | 94 | - | 211 | 91 | - |
| 京都 | 1 924 | 48 | 465 | 120 | 1 291 | 699 | - |
| 大阪 | 2 348 | - | 96 | 6 | 2 246 | 1 256 | - |
| 兵庫 | 3 506 | 13 | 1 295 | 26 | 2 172 | 3 199 | 13 |
| 奈良 | 731 | 1 | - | - | 730 | 210 | 1 |
| 和歌山 | 247 | - | - | 1 | 246 | 17 | - |
| 鳥取 | - | - | - | - | - | - | - |
| 島根 | 50 | - | - | - | 50 | 1 | - |
| 岡山 | 2 584 | 1 | 358 | 17 | 2 208 | 473 | 1 |
| 広島 | 400 | 2 | 171 | - | 227 | 324 | 2 |
| 山口 | - | - | - | - | - | - | - |
| 徳島 | 116 | - | - | - | 116 | 10 | - |
| 香川 | 759 | - | 75 | 60 | 624 | 484 | - |
| 愛媛 | 234 | - | - | - | 234 | 234 | - |
| 高知 | 1 | - | - | - | 1 | 1 | - |
| 福岡 | 480 | - | 29 | 28 | 423 | 231 | - |
| 佐賀 | 996 | - | - | 1 | 995 | 11 | - |
| 長崎 | 29 | - | - | - | 29 | 29 | - |
| 熊本 | 100 | - | - | - | 100 | 34 | - |
| 大分 | 348 | - | 1 | - | 347 | 94 | - |
| 宮崎 | 644 | - | - | 3 | 641 | 610 | - |
| 鹿児島 | 3 952 | 196 | 186 | 3 | 3 567 | 1 409 | 196 |
| 沖縄 | - | - | - | - | - | - | - |
| 指定都市・特別区(再掲) | | | | | | | |
| 東京都区部 | 25 466 | 448 | 1 334 | 125 | 23 559 | 10 985 | 404 |
| 札幌市 | 2 | - | - | - | 2 | 2 | - |
| 仙台市 | 54 | 3 | 6 | - | 45 | 54 | 3 |
| さいたま市 | 2 | - | - | - | 2 | 2 | - |
| 千葉市 | - | - | - | - | - | - | - |
| 横浜市 | 1 905 | - | - | - | 1 905 | 687 | - |
| 川崎市 | 18 836 | 1 844 | 15 203 | 40 | 1 749 | 2 489 | 31 |
| 相模原市 | - | - | - | - | - | - | - |
| 新潟市 | 320 | - | - | - | 320 | - | - |
| 静岡市 | - | - | - | - | - | - | - |
| 浜松市 | - | - | - | - | - | - | - |
| 名古屋市 | 20 025 | 2 265 | 16 950 | 724 | 86 | 6 578 | 264 |
| 京都市 | 1 822 | 48 | 464 | 120 | 1 190 | 662 | - |
| 大阪市 | 157 | - | 88 | 6 | 63 | 113 | - |
| 堺市 | - | - | - | - | - | - | - |
| 神戸市 | 663 | - | 253 | 1 | 409 | 663 | - |
| 岡山市 | 2 145 | 1 | - | - | 2 144 | 58 | 1 |
| 広島市 | - | - | - | - | - | - | - |
| 北九州市 | - | - | - | - | - | - | - |
| 福岡市 | 144 | - | 2 | 16 | 126 | 144 | - |
| 熊本市 | - | - | - | - | - | - | - |

# 委託した被指導延人員，都道府県－指定都市・特別区－中核市－その他政令市、個別－集団・対象区分別

平成29年度

| | | | | | | | |
|---|---|---|---|---|---|---|---|
| 数 | | | | | | | |
| 別 | | | 集団 | | | | |
| 乳幼児 | 20歳未満（妊産婦・乳幼児を除く。） | 20歳以上（妊産婦を除く。） | 総数 | 妊産婦 | 乳幼児 | 20歳未満（妊産婦・乳幼児を除く。） | 20歳以上（妊産婦を除く。） |
| **14 312** | **198** | **20 913** | **77 151** | **3 906** | **26 718** | **2 702** | **43 825** |
| − | − | 149 | 338 | − | − | − | 338 |
| − | 1 | − | − | − | − | − | − |
| − | − | − | 48 | − | − | − | 48 |
| 6 | − | 50 | − | − | − | − | − |
| − | − | − | 449 | − | − | − | 449 |
| − | − | 5 | − | − | − | − | − |
| − | 24 | 66 | 5 347 | − | 176 | 1 520 | 3 651 |
| − | − | 477 | 1 197 | − | − | − | 1 197 |
| − | − | 130 | 52 | − | − | − | 52 |
| − | − | 44 | 15 | − | − | − | 15 |
| − | − | 71 | 344 | − | − | 8 | 336 |
| − | 4 | 135 | 537 | − | − | − | 537 |
| 1 073 | 12 | 9 790 | 14 534 | 44 | 334 | 114 | 14 042 |
| 2 242 | 7 | 1 090 | 17 954 | 1 813 | 13 068 | 36 | 3 037 |
| − | − | 313 | 320 | − | − | − | 320 |
| 2 417 | 2 | 1 397 | 10 336 | − | 1 982 | 122 | 8 232 |
| 11 | − | 12 | 50 | − | − | − | 50 |
| − | − | 4 | 248 | − | − | − | 248 |
| − | 1 | 10 | − | − | − | − | − |
| − | 26 | 111 | 321 | − | − | 25 | 296 |
| − | − | 3 | 119 | − | − | − | 119 |
| − | 1 | 21 | 10 | − | − | − | 10 |
| 6 262 | 17 | 225 | 14 556 | 2 001 | 10 689 | 715 | 1 151 |
| − | − | 10 | 39 | − | − | − | 39 |
| 87 | − | 4 | 214 | − | 7 | − | 207 |
| 185 | 1 | 513 | 1 225 | 48 | 280 | 119 | 778 |
| 52 | 6 | 1 198 | 1 092 | − | 44 | … | 1 048 |
| 1 201 | 2 | 1 983 | 307 | − | 94 | 24 | 189 |
| − | − | 209 | 521 | − | − | − | 521 |
| − | 1 | 16 | 230 | − | − | − | 230 |
| − | − | − | − | − | − | − | − |
| − | − | 1 | 49 | − | − | − | 49 |
| 350 | 9 | 113 | 2 111 | − | 8 | 8 | 2 095 |
| 162 | − | 160 | 76 | − | 9 | − | 67 |
| − | − | − | − | − | − | − | − |
| − | − | 10 | 106 | − | − | − | 106 |
| 75 | 60 | 349 | 275 | − | − | − | 275 |
| − | − | 234 | − | − | − | − | − |
| − | − | 1 | − | − | − | − | − |
| 2 | 17 | 212 | 249 | − | 27 | 11 | 211 |
| − | 1 | 10 | 985 | − | − | − | 985 |
| − | − | 29 | − | − | − | − | − |
| − | − | 34 | 66 | − | − | − | 66 |
| 1 | − | 93 | 254 | − | − | − | 254 |
| − | 3 | 607 | 34 | − | − | − | 34 |
| 186 | 3 | 1 024 | 2 543 | − | − | − | 2 543 |
| − | − | − | − | − | − | − | − |
| 1 009 | 11 | 9 561 | 14 481 | 44 | 325 | 114 | 13 998 |
| − | − | 2 | − | − | − | − | − |
| 6 | − | 45 | − | − | − | − | − |
| − | − | 2 | − | − | − | − | − |
| − | − | − | − | − | − | − | − |
| − | − | 687 | 1 218 | − | − | − | 1 218 |
| 2 143 | 4 | 311 | 16 347 | 1 813 | 13 060 | 36 | 1 438 |
| − | − | − | − | − | − | − | − |
| − | − | − | 320 | − | − | − | 320 |
| − | − | − | − | − | − | − | − |
| − | − | − | − | − | − | − | − |
| 6 261 | 9 | 44 | 13 447 | 2 001 | 10 689 | 715 | 42 |
| 184 | 1 | 477 | 1 160 | 48 | 280 | 119 | 713 |
| 44 | 6 | 63 | 44 | − | 44 | − | − |
| − | − | − | − | − | − | − | − |
| 253 | 1 | 409 | − | − | − | − | − |
| − | − | 57 | 2 087 | − | − | − | 2 087 |
| − | − | − | − | − | − | − | − |
| − | − | − | − | − | − | − | − |
| 2 | 16 | 126 | − | − | − | − | − |
| − | − | − | − | − | − | − | − |

# 第15表（4－2）保健所が実施した病態別栄養指導の被指導延人員・医療機関等へ

| | 総 | | | | | | |
|---|---|---|---|---|---|---|---|
| | 総 | 数 | | | | 個 | |
| | 総数 | 妊産婦 | 乳幼児 | 20歳未満（妊産婦・乳幼児を除く。） | 20歳以上（妊産婦を除く。） | 総数 | 妊産婦 |
| 中核市(再掲) | | | | | | | |
| 旭川市 | - | - | - | - | - | - | - |
| 函館市 | - | - | - | - | - | - | - |
| 青森市 | - | - | - | - | - | - | - |
| 八戸市 | - | - | - | - | - | - | - |
| 盛岡市 | - | - | - | - | - | - | - |
| 秋田市 | - | - | - | - | - | - | - |
| 郡山市 | 289 | - | - | 24 | 265 | 48 | - |
| いわき市 | 199 | - | 176 | - | 23 | 23 | - |
| 宇都宮市 | 95 | - | - | - | 95 | 43 | - |
| 前橋市 | - | - | - | - | - | - | - |
| 高崎市 | - | - | - | - | - | - | - |
| 川越市 | - | - | - | - | - | - | - |
| 越谷市 | - | - | - | - | - | - | - |
| 船橋市 | 179 | - | - | - | 179 | 46 | - |
| 柏市 | 18 | - | - | - | 18 | 18 | - |
| 八王子市 | 30 | - | - | - | 30 | 30 | - |
| 横須賀市 | 128 | - | - | - | 128 | 4 | - |
| 富山市 | 13 712 | 22 | 4 394 | 124 | 9 172 | 3 414 | 22 |
| 金沢市 | 23 | 4 | 10 | - | 9 | 23 | 4 |
| 長野市 | 248 | - | - | - | 248 | 52 | - |
| 岐阜市 | - | - | - | - | - | - | - |
| 豊橋市 | - | - | - | - | - | - | - |
| 豊田市 | - | - | - | - | - | - | - |
| 岡崎市 | 10 | - | - | - | 10 | 10 | - |
| 大津市 | 301 | - | 94 | - | 207 | 87 | - |
| 高槻市 | - | - | - | - | - | - | - |
| 東大阪市 | 2 085 | - | 8 | - | 2 077 | 1 113 | - |
| 豊中市 | - | - | - | - | - | - | - |
| 枚方市 | 2 | - | - | - | 2 | 2 | - |
| 姫路市 | 83 | - | 18 | 1 | 64 | 83 | - |
| 西宮市 | 1 719 | - | 368 | 24 | 1 327 | 1 609 | - |
| 尼崎市 | 883 | 13 | 656 | - | 214 | 807 | 13 |
| 奈良市 | 463 | 1 | - | - | 462 | 176 | 1 |
| 和歌山市 | 226 | - | - | 1 | 225 | 14 | - |
| 倉敷市 | 388 | - | 350 | - | 38 | 372 | - |
| 福山市 | 202 | - | 171 | - | 31 | 162 | - |
| 呉市 | 193 | 2 | - | - | 191 | 157 | 2 |
| 下関市 | - | - | - | - | - | - | - |
| 高松市 | 288 | - | 75 | - | 213 | 75 | - |
| 松山市 | 195 | - | - | - | 195 | 195 | - |
| 高知市 | - | - | - | - | - | - | - |
| 久留米市 | 86 | - | 2 | - | 84 | 23 | - |
| 長崎市 | - | - | - | - | - | - | - |
| 佐世保市 | - | - | - | - | - | - | - |
| 大分市 | 340 | - | - | - | 340 | 86 | - |
| 宮崎市 | 618 | - | - | - | 618 | 584 | - |
| 鹿児島市 | 3 948 | 196 | 186 | 3 | 3 563 | 1 405 | 196 |
| 那覇市 | - | - | - | - | - | - | - |
| その他政令市(再掲) | | | | | | | |
| 小樽市 | 375 | - | - | - | 375 | 143 | - |
| 町田市 | 245 | - | 73 | 1 | 171 | 192 | - |
| 藤沢市 | - | - | - | - | - | - | - |
| 茅ヶ崎市 | 154 | - | - | - | 154 | - | - |
| 四日市市 | - | - | - | - | - | - | - |
| 大牟田市 | 51 | - | 25 | 11 | 15 | 16 | - |

# 委託した被指導延人員，都道府県－指定都市・特別区－中核市－その他政令市、個別－集団・対象区分別

平成29年度

| 数 | | | | | | | |
|---|---|---|---|---|---|---|---|
| 別 | | | 集 | | 団 | | |
| 乳幼児 | 20歳未満（妊産婦・乳幼児を除く。） | 20歳以上（妊産婦を除く。） | 総数 | 妊産婦 | 乳幼児 | 20歳未満（妊産婦・乳幼児を除く。） | 20歳以上（妊産婦を除く。） |
| | | | | | | | |
| - | - | - | - | - | - | - | - |
| - | - | - | - | - | - | - | - |
| - | - | - | - | - | - | - | - |
| - | - | - | - | - | - | - | - |
| - | - | - | - | - | - | - | - |
| | | | | | | | |
| - | - | - | - | - | - | - | - |
| - | 24 | 24 | 241 | - | - | - | 241 |
| - | - | 23 | 176 | - | 176 | - | - |
| - | - | 43 | 52 | - | - | - | 52 |
| - | - | - | - | - | - | - | - |
| | | | | | | | |
| - | - | - | - | - | - | - | - |
| - | - | - | - | - | - | - | - |
| - | - | - | - | - | - | - | - |
| - | - | 46 | 133 | - | - | - | 133 |
| - | - | 18 | - | - | - | - | - |
| | | | | | | | |
| - | - | 30 | - | - | - | - | - |
| - | - | 4 | 124 | - | - | - | 124 |
| 2 412 | 2 | 978 | 10 298 | - | 1 982 | 122 | 8 194 |
| 10 | - | 9 | - | - | - | - | - |
| - | - | 52 | 196 | - | - | - | 196 |
| | | | | | | | |
| - | - | - | - | - | - | - | - |
| - | - | - | - | - | - | - | - |
| - | - | - | - | - | - | - | - |
| - | - | 10 | - | - | - | - | - |
| 87 | - | - | 214 | - | 7 | - | 207 |
| | | | | | | | |
| - | - | - | - | - | - | - | - |
| 8 | - | 1 105 | 972 | - | - | - | 972 |
| - | - | - | - | - | - | - | - |
| - | - | 2 | - | - | - | - | - |
| 18 | 1 | 64 | - | - | - | - | - |
| | | | | | | | |
| 350 | - | 1 259 | 110 | - | 18 | 24 | 68 |
| 580 | - | 214 | 76 | - | 76 | - | - |
| - | - | 175 | 287 | - | - | - | 287 |
| - | 1 | 13 | 212 | - | - | - | 212 |
| 342 | - | 30 | 16 | - | 8 | - | 8 |
| | | | | | | | |
| 162 | - | - | 40 | - | 9 | - | 31 |
| - | - | 155 | 36 | - | - | - | 36 |
| - | - | - | - | - | - | - | - |
| 75 | - | - | 213 | - | - | - | 213 |
| - | - | 195 | - | - | - | - | - |
| | | | | | | | |
| - | - | - | - | - | - | - | - |
| - | - | 23 | 63 | - | 2 | - | 61 |
| - | - | - | - | - | - | - | - |
| - | - | - | - | - | - | - | - |
| - | - | 86 | 254 | - | - | - | 254 |
| | | | | | | | |
| - | - | 584 | 34 | - | - | - | 34 |
| 186 | 3 | 1 020 | 2 543 | - | - | - | 2 543 |
| - | - | - | - | - | - | - | - |
| | | | | | | | |
| - | - | 143 | 232 | - | - | - | 232 |
| 64 | 1 | 127 | 53 | - | 9 | - | 44 |
| - | - | - | - | - | - | - | - |
| - | - | - | 154 | - | - | - | 154 |
| - | - | - | - | - | - | - | - |
| | | | | | | | |
| - | 1 | 15 | 35 | - | 25 | 10 | - |

# 第15表（4－3）保健所が実施した病態別栄養指導の被指導延人員・医療機関等へ

| | 総 | | 数 | | | （再掲）個 | |
|---|---|---|---|---|---|---|---|
| | 総　数 | 妊　産　婦 | 乳　幼　児 | 20歳未満（妊産婦・乳幼児を除く。） | 20歳以上（妊産婦を除く。） | 総　数 | 妊　産　婦 |
| 全　　　　国 | 11 | … | … | … | 11 | 1 | … |
| 北　海　道 | － | － | － | － | － | － | － |
| 青　　　森 | － | － | － | － | － | － | － |
| 岩　　　手 | － | － | － | － | － | － | － |
| 宮　　　城 | － | － | － | － | － | － | － |
| 秋　　　田 | － | － | － | － | － | － | － |
| 山　　　形 | － | － | － | － | － | － | － |
| 福　　　島 | － | － | － | － | － | － | － |
| 茨　　　城 | － | － | － | － | － | － | － |
| 栃　　　木 | － | － | － | － | － | － | － |
| 群　　　馬 | － | － | － | － | － | － | － |
| 埼　　　玉 | － | － | － | － | － | － | － |
| 千　　　葉 | － | － | － | － | － | － | － |
| 東　　　京 | － | － | － | － | － | － | － |
| 神　奈　川 | － | － | － | － | － | － | － |
| 新　　　潟 | － | － | － | － | － | － | － |
| 富　　　山 | 10 | － | － | － | 10 | － | － |
| 石　　　川 | － | － | － | － | － | － | － |
| 福　　　井 | － | － | － | － | － | － | － |
| 山　　　梨 | － | － | － | － | － | － | － |
| 長　　　野 | － | － | － | － | － | － | － |
| 岐　　　阜 | － | － | － | － | － | － | － |
| 静　　　岡 | － | － | － | － | － | － | － |
| 愛　　　知 | － | － | － | － | － | － | － |
| 三　　　重 | － | － | － | － | － | － | － |
| 滋　　　賀 | － | － | － | － | － | － | － |
| 京　　　都 | … | … | … | … | … | … | … |
| 大　　　阪 | － | － | － | － | － | － | － |
| 兵　　　庫 | － | － | － | － | － | － | － |
| 奈　　　良 | － | － | － | － | － | － | － |
| 和　歌　山 | － | － | － | － | － | － | － |
| 鳥　　　取 | － | － | － | － | － | － | － |
| 島　　　根 | － | － | － | － | － | － | － |
| 岡　　　山 | － | － | － | － | － | － | － |
| 広　　　島 | － | － | － | － | － | － | － |
| 山　　　口 | － | － | － | － | － | － | － |
| 徳　　　島 | － | － | － | － | － | － | － |
| 香　　　川 | － | － | － | － | － | － | － |
| 愛　　　媛 | － | － | － | － | － | － | － |
| 高　　　知 | － | － | － | － | － | － | － |
| 福　　　岡 | － | － | － | － | － | － | － |
| 佐　　　賀 | － | － | － | － | － | － | － |
| 長　　　崎 | － | － | － | － | － | － | － |
| 熊　　　本 | － | － | － | － | － | － | － |
| 大　　　分 | － | － | － | － | － | － | － |
| 宮　　　崎 | － | － | － | － | － | － | － |
| 鹿　児　島 | 1 | － | － | － | 1 | 1 | － |
| 沖　　　縄 | － | － | － | － | － | － | － |
| 指定都市・特別区（再掲） | | | | | | | |
| 東京都区部 | － | － | － | － | － | － | － |
| 札　幌　市 | － | － | － | － | － | － | － |
| 仙　台　市 | － | － | － | － | － | － | － |
| さいたま市 | － | － | － | － | － | － | － |
| 千　葉　市 | － | － | － | － | － | － | － |
| 横　浜　市 | － | － | － | － | － | － | － |
| 川　崎　市 | － | － | － | － | － | － | － |
| 相模原市 | － | － | － | － | － | － | － |
| 新　潟　市 | － | － | － | － | － | － | － |
| 静　岡　市 | － | － | － | － | － | － | － |
| 浜　松　市 | － | － | － | － | － | － | － |
| 名古屋市 | － | － | － | － | － | － | － |
| 京　都　市 | － | － | － | － | － | － | － |
| 大　阪　市 | － | － | － | － | － | － | － |
| 堺　　　市 | － | － | － | － | － | － | － |
| 神　戸　市 | － | － | － | － | － | － | － |
| 岡　山　市 | － | － | － | － | － | － | － |
| 広　島　市 | － | － | － | － | － | － | － |
| 北九州市 | － | － | － | － | － | － | － |
| 福　岡　市 | － | － | － | － | － | － | － |
| 熊　本　市 | － | － | － | － | － | － | － |

## 委託した被指導延人員，都道府県－指定都市・特別区－中核市－その他政令市、個別－集団・対象区分別

平成29年度

| 医療機関等へ委託 | | | | | | | |
|---|---|---|---|---|---|---|---|
| 別 | | | 集団 | | | | |
| 乳幼児 | 20歳未満（妊産婦・乳幼児を除く。） | 20歳以上（妊産婦を除く。） | 総数 | 妊産婦 | 乳幼児 | 20歳未満（妊産婦・乳幼児を除く。） | 20歳以上（妊産婦を除く。） |
| … | … | 1 | 10 | … | … | … | 10 |
| – | – | – | – | – | – | – | – |
| – | – | – | – | – | – | – | – |
| – | – | – | – | – | – | – | – |
| – | – | – | – | – | – | – | – |
| – | – | – | – | – | – | – | – |
| – | – | – | – | – | – | – | – |
| – | – | – | – | – | – | – | – |
| – | – | – | – | – | – | – | – |
| – | – | – | – | – | – | – | – |
| – | – | – | – | – | – | – | – |
| – | – | – | – | – | – | – | – |
| – | – | – | – | – | – | – | – |
| – | – | – | – | – | – | – | – |
| – | – | – | – | – | – | – | – |
| – | – | – | – | – | – | – | – |
| – | – | – | 10 | – | – | – | 10 |
| – | – | – | – | – | – | – | – |
| – | – | – | – | – | – | – | – |
| – | – | – | – | – | – | – | – |
| – | – | – | – | – | – | – | – |
| – | – | – | – | – | – | – | – |
| – | – | – | – | – | – | – | – |
| – | – | – | – | – | – | – | – |
| – | – | – | – | – | – | – | – |
| – | – | – | – | – | – | – | – |
| – | – | – | – | – | – | – | – |
| … | … | … | … | … | … | … | … |
| – | – | – | – | – | – | – | – |
| – | – | – | – | – | – | – | – |
| – | – | – | – | – | – | – | – |
| – | – | – | – | – | – | – | – |
| – | – | – | – | – | – | – | – |
| – | – | – | – | – | – | – | – |
| – | – | – | – | – | – | – | – |
| – | – | – | – | – | – | – | – |
| – | – | – | – | – | – | – | – |
| – | – | – | – | – | – | – | – |
| – | – | – | – | – | – | – | – |
| – | – | – | – | – | – | – | – |
| – | – | – | – | – | – | – | – |
| – | – | – | – | – | – | – | – |
| – | – | – | – | – | – | – | – |
| – | – | – | – | – | – | – | – |
| – | – | – | – | – | – | – | – |
| – | – | – | – | – | – | – | – |
| – | – | 1 | – | – | – | – | – |
| – | – | – | – | – | – | – | – |
| – | – | – | – | – | – | – | – |
| – | – | – | – | – | – | – | – |
| – | – | – | – | – | – | – | – |
| – | – | – | – | – | – | – | – |
| – | – | – | – | – | – | – | – |
| – | – | – | – | – | – | – | – |
| – | – | – | – | – | – | – | – |
| – | – | – | – | – | – | – | – |
| – | – | – | – | – | – | – | – |
| – | – | – | – | – | – | – | – |
| – | – | – | – | – | – | – | – |
| – | – | – | – | – | – | – | – |
| – | – | – | – | – | – | – | – |
| – | – | – | – | – | – | – | – |
| – | – | – | – | – | – | – | – |
| – | – | – | – | – | – | – | – |
| – | – | – | – | – | – | – | – |
| – | – | – | – | – | – | – | – |
| – | – | – | – | – | – | – | – |
| – | – | – | – | – | – | – | – |
| – | – | – | – | – | – | – | – |

## 第15表（4－4） 保健所が実施した病態別栄養指導の被指導延人員・医療機関等へ

| | 総 | 数 | | | | （再　掲） | |
| | | | | | | 個 | |
| | 総　　数 | 妊　産　婦 | 乳　幼　児 | 20 歳 未 満（妊産婦・乳幼児を 除 く 。） | 20 歳 以 上（妊 産 婦を 除 く 。） | 総　　数 | 妊　産　婦 |
|---|---|---|---|---|---|---|---|
| 中 核 市(再掲) | | | | | | | |
| 旭　　川　　市 | － | － | － | － | － | － | － |
| 函　　館　　市 | － | － | － | － | － | － | － |
| 青　　森　　市 | － | － | － | － | － | － | － |
| 八　　戸　　市 | － | － | － | － | － | － | － |
| 盛　　岡　　市 | － | － | － | － | － | － | － |
| 秋　　田　　市 | － | － | － | － | － | － | － |
| 郡　　山　　市 | － | － | － | － | － | － | － |
| い　わ　き　市 | － | － | － | － | － | － | － |
| 宇　都　宮　市 | － | － | － | － | － | － | － |
| 前　　橋　　市 | － | － | － | － | － | － | － |
| 高　　崎　　市 | － | － | － | － | － | － | － |
| 川　　越　　市 | － | － | － | － | － | － | － |
| 越　　谷　　市 | － | － | － | － | － | － | － |
| 船　　橋　　市 | － | － | － | － | － | － | － |
| 柏　　　　　市 | － | － | － | － | － | － | － |
| 八　王　子　市 | － | － | － | － | － | － | － |
| 横　須　賀　市 | － | － | － | － | － | － | － |
| 富　　山　　市 | － | － | － | － | － | － | － |
| 金　　沢　　市 | － | － | － | － | － | － | － |
| 長　　野　　市 | － | － | － | － | － | － | － |
| 岐　　阜　　市 | － | － | － | － | － | － | － |
| 豊　　橋　　市 | － | － | － | － | － | － | － |
| 豊　　田　　市 | － | － | － | － | － | － | － |
| 岡　　崎　　市 | － | － | － | － | － | － | － |
| 大　　津　　市 | － | － | － | － | － | － | － |
| 高　　槻　　市 | － | － | － | － | － | － | － |
| 東　大　阪　市 | － | － | － | － | － | － | － |
| 豊　　中　　市 | － | － | － | － | － | － | － |
| 枚　　方　　市 | － | － | － | － | － | － | － |
| 姫　　路　　市 | － | － | － | － | － | － | － |
| 西　　宮　　市 | － | － | － | － | － | － | － |
| 尼　　崎　　市 | － | － | － | － | － | － | － |
| 奈　　良　　市 | － | － | － | － | － | － | － |
| 和　歌　山　市 | － | － | － | － | － | － | － |
| 倉　　敷　　市 | － | － | － | － | － | － | － |
| 福　　山　　市 | － | － | － | － | － | － | － |
| 呉　　　　　市 | － | － | － | － | － | － | － |
| 下　　関　　市 | － | － | － | － | － | － | － |
| 高　　松　　市 | － | － | － | － | － | － | － |
| 松　　山　　市 | － | － | － | － | － | － | － |
| 高　　知　　市 | － | － | － | － | － | － | － |
| 久　留　米　市 | － | － | － | － | － | － | － |
| 長　　崎　　市 | － | － | － | － | － | － | － |
| 佐　世　保　市 | － | － | － | － | － | － | － |
| 大　　分　　市 | － | － | － | － | － | － | － |
| 宮　　崎　　市 | － | － | － | － | － | － | － |
| 鹿　児　島　市 | － | － | － | － | － | － | － |
| 那　　覇　　市 | － | － | － | － | － | － | － |
| その他政令市(再掲) | | | | | | | |
| 小　　樽　　市 | － | － | － | － | － | － | － |
| 町　　田　　市 | － | － | － | － | － | － | － |
| 藤　　沢　　市 | － | － | － | － | － | － | － |
| 茅　ヶ　崎　市 | － | － | － | － | － | － | － |
| 四　日　市　市 | － | － | － | － | － | － | － |
| 大　牟　田　市 | － | － | － | － | － | － | － |

# 委託した被指導延人員，都道府県－指定都市・特別区－中核市－その他政令市、個別－集団・対象区分別

平成29年度

| 医療機関等へ委託 | | | | | | | |
|---|---|---|---|---|---|---|---|
| 別 | | | 集団 | | | | |
| 乳幼児 | 20歳未満（妊産婦・乳幼児を除く。） | 20歳以上（妊産婦を除く。） | 総数 | 妊産婦 | 乳幼児 | 20歳未満（妊産婦・乳幼児を除く。） | 20歳以上（妊産婦を除く。） |
| – | – | – | – | – | – | – | – |
| – | – | – | – | – | – | – | – |
| – | – | – | – | – | – | – | – |
| – | – | – | – | – | – | – | – |
| – | – | – | – | – | – | – | – |
| – | – | – | – | – | – | – | – |
| – | – | – | – | – | – | – | – |
| – | – | – | – | – | – | – | – |
| – | – | – | – | – | – | – | – |
| – | – | – | – | – | – | – | – |
| – | – | – | – | – | – | – | – |
| – | – | – | – | – | – | – | – |
| – | – | – | – | – | – | – | – |
| – | – | – | – | – | – | – | – |
| – | – | – | – | – | – | – | – |
| – | – | – | – | – | – | – | – |
| – | – | – | – | – | – | – | – |
| – | – | – | – | – | – | – | – |
| – | – | – | – | – | – | – | – |
| – | – | – | – | – | – | – | – |
| – | – | – | – | – | – | – | – |
| – | – | – | – | – | – | – | – |
| – | – | – | – | – | – | – | – |
| – | – | – | – | – | – | – | – |
| – | – | – | – | – | – | – | – |
| – | – | – | – | – | – | – | – |
| – | – | – | – | – | – | – | – |
| – | – | – | – | – | – | – | – |
| – | – | – | – | – | – | – | – |
| – | – | – | – | – | – | – | – |
| – | – | – | – | – | – | – | – |
| – | – | – | – | – | – | – | – |
| – | – | – | – | – | – | – | – |
| – | – | – | – | – | – | – | – |
| – | – | – | – | – | – | – | – |
| – | – | – | – | – | – | – | – |
| – | – | – | – | – | – | – | – |
| – | – | – | – | – | – | – | – |
| – | – | – | – | – | – | – | – |
| – | – | – | – | – | – | – | – |
| – | – | – | – | – | – | – | – |
| – | – | – | – | – | – | – | – |
| – | – | – | – | – | – | – | – |
| – | – | – | – | – | – | – | – |
| – | – | – | – | – | – | – | – |
| – | – | – | – | – | – | – | – |
| – | – | – | – | – | – | – | – |
| – | – | – | – | – | – | – | – |
| – | – | – | – | – | – | – | – |
| – | – | – | – | – | – | – | – |
| – | – | – | – | – | – | – | – |
| – | – | – | – | – | – | – | – |
| – | – | – | – | – | – | – | – |

## 第16表　保健所が実施した訪問による栄養指導の被指導延人員・医療機関

| | 総　　　数 | | | | | （再掲）医療機関等へ委託 | | | | |
| | 総　数 | 妊産婦 | 乳幼児 | 20歳未満（妊産婦・乳幼児を除く。） | 20歳以上（妊産婦を除く。） | 総　数 | 妊産婦 | 乳幼児 | 20歳未満（妊産婦・乳幼児を除く。） | 20歳以上（妊産婦を除く。） |
|---|---|---|---|---|---|---|---|---|---|---|
| 全　国 | 14 683 | 4 534 | 5 276 | 31 | 4 842 | 4 772 | 2 404 | 2 368 | … | … |
| 北海道 | 3 | - | - | - | 3 | - | - | - | - |
| 青森 | 5 | - | 5 | - | - | - | - | - | - |
| 岩手 | 5 | - | - | - | 5 | - | - | - | - |
| 宮城 | 664 | 4 | 651 | ・ | 9 | - | - | - | - |
| 秋田 | 7 | - | - | - | 7 | - | - | - | - |
| 山形 | - | - | - | - | - | - | - | - | - |
| 福島 | 228 | - | 6 | - | 222 | - | - | - | - |
| 茨城 | 182 | - | - | - | 182 | - | - | - | - |
| 栃木 | 1 | - | - | - | 1 | - | - | - | - |
| 群馬 | 48 | - | - | - | 48 | - | - | - | - |
| 埼玉 | 25 | - | - | - | 25 | - | - | - | - |
| 千葉 | 269 | 1 | 44 | 6 | 218 | - | - | - | - |
| 東京 | 90 | 2 | 35 | 2 | 51 | - | - | - | - |
| 神奈川 | 174 | 2 | 47 | - | 125 | - | - | - | - |
| 新潟 | 22 | - | - | - | 22 | - | - | - | - |
| 富山 | 168 | 4 | 53 | - | 111 | - | - | - | - |
| 石川 | 61 | - | - | - | 61 | - | - | - | - |
| 福井 | 112 | - | - | - | 112 | - | - | - | - |
| 山梨 | 2 | - | - | - | 2 | - | - | - | - |
| 長野 | 275 | - | - | 1 | 274 | - | - | - | - |
| 岐阜 | 854 | - | - | - | 854 | - | - | - | - |
| 静岡 | 2 | - | - | - | 2 | - | - | - | - |
| 愛知 | 167 | 2 | 72 | 3 | 90 | - | - | - | - |
| 三重 | 26 | - | 25 | 1 | - | - | - | - | - |
| 滋賀 | 1 | - | 1 | - | - | - | - | - | - |
| 京都 | 20 | - | 1 | - | 19 | - | - | - | - |
| 大阪 | 3 707 | 2 085 | 1 391 | … | 231 | … | … | … | … | … |
| 兵庫 | 26 | 1 | 20 | - | 5 | - | - | - | - |
| 奈良 | 25 | - | 25 | - | - | - | - | - | - |
| 和歌山 | - | - | - | - | - | - | - | - | - |
| 鳥取 | - | - | - | - | - | - | - | - | - |
| 島根 | - | - | - | - | - | - | - | - | - |
| 岡山 | 18 | 1 | 12 | - | 5 | - | - | - | - |
| 広島 | 22 | - | 21 | - | 1 | - | - | - | - |
| 山口 | - | - | - | - | - | - | - | - | - |
| 徳島 | - | - | - | - | - | - | - | - | - |
| 香川 | 5 228 | 2 430 | 2 798 | - | - | 4 772 | 2 404 | 2 368 | - |
| 愛媛 | 21 | - | 10 | - | 11 | - | - | - | - |
| 高知 | 2 | - | 2 | - | - | - | - | - | - |
| 福岡 | 2 | - | - | - | 2 | - | - | - | - |
| 佐賀 | 1 | - | - | 1 | - | - | - | - | - |
| 長崎 | 17 | - | - | - | 17 | - | - | - | - |
| 熊本 | - | - | - | - | - | - | - | - | - |
| 大分 | 70 | 2 | 30 | - | 38 | - | - | - | - |
| 宮崎 | 280 | - | 19 | 1 | 260 | - | - | - | - |
| 鹿児島 | 1 844 | - | - | 16 | 1 828 | - | - | - | - |
| 沖縄 | 9 | - | 8 | - | 1 | - | - | - | - |
| 指定都市・特別区（再掲） | | | | | | | | | |
| 東京都区部 | 87 | 2 | 35 | 2 | 48 | - | - | - | - |
| 札幌市 | - | - | - | - | - | - | - | - | - |
| 仙台市 | 664 | 4 | 651 | - | 9 | - | - | - | - |
| さいたま市 | - | - | - | - | - | - | - | - | - |
| 千葉市 | - | - | - | - | - | - | - | - | - |
| 横浜市 | 44 | - | 5 | - | 39 | - | - | - | - |
| 川崎市 | 52 | 2 | 40 | - | 10 | - | - | - | - |
| 相模原市 | - | - | - | - | - | - | - | - | - |
| 新潟市 | - | - | - | - | - | - | - | - | - |
| 静岡市 | - | - | - | - | - | - | - | - | - |
| 浜松市 | - | - | - | - | - | - | - | - | - |
| 名古屋市 | 70 | 2 | 41 | - | 27 | - | - | - | - |
| 京都市 | 20 | - | 1 | - | 19 | - | - | - | - |
| 大阪市 | - | - | - | - | - | - | - | - | - |
| 堺市 | - | - | - | - | - | - | - | - | - |
| 神戸市 | - | - | - | - | - | - | - | - | - |
| 岡山市 | 11 | 1 | 9 | - | 1 | - | - | - | - |
| 広島市 | - | - | - | - | - | - | - | - | - |
| 北九州市 | - | - | - | - | - | - | - | - | - |
| 福岡市 | - | - | - | - | - | - | - | - | - |
| 熊本市 | - | - | - | - | - | - | - | - | - |

## 等へ委託した被指導延人員，都道府県－指定都市・特別区－中核市－その他政令市、対象区分別

平成29年度

| | 総数 | | | | | （再掲）医療機関等へ委託 | | | | |
|---|---|---|---|---|---|---|---|---|---|---|
| | 総数 | 妊産婦 | 乳幼児 | 20歳未満（妊産婦・乳幼児を除く。） | 20歳以上（妊産婦を除く。） | 総数 | 妊産婦 | 乳幼児 | 20歳未満（妊産婦・乳幼児を除く。） | 20歳以上（妊産婦を除く。） |
| 中核市(再掲) | | | | | | | | | | |
| 旭川市 | 3 | － | － | － | 3 | － | － | － | － | － |
| 函館市 | － | － | － | － | － | － | － | － | － | － |
| 青森市 | － | － | － | － | － | － | － | － | － | － |
| 八戸市 | 5 | － | 5 | － | － | － | － | － | － | － |
| 盛岡市 | － | － | － | － | － | － | － | － | － | － |
| 秋田市 | － | － | － | － | － | － | － | － | － | － |
| 郡山市 | 4 | － | 4 | － | － | － | － | － | － | － |
| いわき市 | 102 | － | 2 | － | 100 | － | － | － | － | － |
| 宇都宮市 | － | － | － | － | － | － | － | － | － | － |
| 前橋市 | － | － | － | － | － | － | － | － | － | － |
| 高崎市 | － | － | － | － | － | － | － | － | － | － |
| 川越市 | － | － | － | － | － | － | － | － | － | － |
| 越谷市 | － | － | － | － | － | － | － | － | － | － |
| 船橋市 | 43 | 1 | 38 | － | 4 | － | － | － | － | － |
| 柏市 | － | － | － | － | － | － | － | － | － | － |
| 八王子市 | － | － | － | － | － | － | － | － | － | － |
| 横須賀市 | － | － | － | － | － | － | － | － | － | － |
| 富山市 | 57 | 4 | 44 | － | 9 | － | － | － | － | － |
| 金沢市 | － | － | － | － | － | － | － | － | － | － |
| 長野市 | 229 | － | － | 1 | 228 | － | － | － | － | － |
| 岐阜市 | － | － | － | － | － | － | － | － | － | － |
| 豊橋市 | 22 | － | 22 | － | － | － | － | － | － | － |
| 豊田市 | － | － | － | － | － | － | － | － | － | － |
| 岡崎市 | 9 | － | 9 | － | － | － | － | － | － | － |
| 大津市 | 1 | － | 1 | － | － | － | － | － | － | － |
| 高槻市 | － | － | － | － | － | － | － | － | － | － |
| 東大阪市 | － | － | － | － | － | － | － | － | － | － |
| 豊中市 | 3 473 | 2 085 | 1 388 | － | － | － | － | － | － | － |
| 枚方市 | 3 | － | 3 | － | － | － | － | － | － | － |
| 姫路市 | 4 | － | 3 | － | 1 | － | － | － | － | － |
| 西宮市 | 17 | 1 | 15 | － | 1 | － | － | － | － | － |
| 尼崎市 | 1 | － | 1 | － | － | － | － | － | － | － |
| 奈良市 | 25 | － | 25 | － | － | － | － | － | － | － |
| 和歌山市 | － | － | － | － | － | － | － | － | － | － |
| 倉敷市 | 6 | － | 3 | － | 3 | － | － | － | － | － |
| 福山市 | 8 | － | 7 | － | 1 | － | － | － | － | － |
| 呉市 | 14 | － | 14 | － | － | － | － | － | － | － |
| 下関市 | － | － | － | － | － | － | － | － | － | － |
| 高松市 | 5 228 | 2 430 | 2 798 | － | － | 4 772 | 2 404 | 2 368 | － | － |
| 松山市 | － | － | － | － | － | － | － | － | － | － |
| 高知市 | 2 | － | 2 | － | － | － | － | － | － | － |
| 久留米市 | － | － | － | － | － | － | － | － | － | － |
| 長崎市 | － | － | － | － | － | － | － | － | － | － |
| 佐世保市 | － | － | － | － | － | － | － | － | － | － |
| 大分市 | 70 | 2 | 30 | － | 38 | － | － | － | － | － |
| 宮崎市 | 279 | － | 19 | － | 260 | － | － | － | － | － |
| 鹿児島市 | 1 777 | － | － | － | 1 777 | － | － | － | － | － |
| 那覇市 | 9 | － | 8 | － | 1 | － | － | － | － | － |
| その他政令市(再掲) | | | | | | | | | | |
| 小樽市 | － | － | － | － | － | － | － | － | － | － |
| 町田市 | － | － | － | － | － | － | － | － | － | － |
| 藤沢市 | － | － | － | － | － | － | － | － | － | － |
| 茅ヶ崎市 | － | － | － | － | － | － | － | － | － | － |
| 四日市市 | 26 | － | 25 | 1 | － | － | － | － | － | － |
| 大牟田市 | － | － | － | － | － | － | － | － | － | － |

# 第17表（2－1）保健所が実施した運動指導の被指導延人員・医療機関等へ

| | 総 | | | | | | | 数 | | | | |
|---|---|---|---|---|---|---|---|---|---|---|---|---|
| | 総数 | | | | 個別 | | | | 集団 | | | |
| | 総数 | 妊産婦 | 20歳未満（妊産婦・乳幼児を除く。） | 20歳以上（妊産婦を除く。） | 総数 | 妊産婦 | 20歳未満（妊産婦・乳幼児を除く。） | 20歳以上（妊産婦を除く。） | 総数 | 妊産婦 | 20歳未満（妊産婦・乳幼児を除く。） | 20歳以上（妊産婦を除く。） |
| **全国** | **161 382** | **5 462** | **2 370** | **153 550** | **13 428** | **1 001** | **59** | **12 368** | **147 954** | **4 461** | **2 311** | **141 182** |
| 北海道 | 68 | – | – | 68 | 7 | – | – | 7 | 61 | – | – | 61 |
| 青森 | – | – | – | – | – | – | – | – | – | – | – | – |
| 岩手 | 462 | – | – | 462 | – | – | – | – | 462 | – | – | 462 |
| 宮城 | 2 308 | – | 295 | 2 013 | 36 | – | – | 36 | 2 272 | – | 295 | 1 977 |
| 秋田 | – | – | – | – | – | – | – | – | – | – | – | – |
| 山形 | 60 | – | – | 60 | – | – | – | – | 60 | – | – | 60 |
| 福島 | 375 | – | – | 375 | – | – | – | – | 375 | – | – | 375 |
| 茨城 | 3 | – | – | 3 | 3 | – | – | 3 | – | – | – | – |
| 栃木 | 213 | – | – | 213 | 4 | – | – | 4 | 209 | – | – | 209 |
| 群馬 | 417 | – | – | 417 | 1 | – | – | 1 | 416 | – | – | 416 |
| 埼玉 | 287 | – | – | 287 | 1 | – | – | 1 | 286 | – | – | 286 |
| 千葉 | 30 | – | – | 30 | – | – | – | – | 30 | – | – | 30 |
| 東京 | 47 610 | 4 678 | 558 | 42 374 | 2 856 | 985 | 3 | 1 868 | 44 754 | 3 693 | 555 | 40 506 |
| 神奈川 | 22 644 | 722 | 1 090 | 20 832 | 2 743 | – | 10 | 2 733 | 19 901 | 722 | 1 080 | 18 099 |
| 新潟 | 285 | – | – | 285 | 3 | – | – | 3 | 282 | – | – | 282 |
| 富山 | 594 | – | 214 | 380 | 55 | – | – | 55 | 539 | – | 214 | 325 |
| 石川 | 376 | – | – | 376 | 60 | – | – | 60 | 316 | – | – | 316 |
| 福井 | 622 | – | – | 622 | – | – | – | – | 622 | – | – | 622 |
| 山梨 | 104 | – | – | 104 | – | – | – | – | 104 | – | – | 104 |
| 長野 | 2 490 | – | – | 2 490 | 93 | – | – | 93 | 2 397 | – | – | 2 397 |
| 岐阜 | – | – | – | – | – | – | – | – | – | – | – | – |
| 静岡 | 430 | – | – | 430 | 10 | – | – | 10 | 420 | – | – | 420 |
| 愛知 | – | – | – | – | – | – | – | – | – | – | – | – |
| 三重 | – | – | – | – | – | – | – | – | – | – | – | – |
| 滋賀 | 252 | – | – | 252 | – | – | – | – | 252 | – | – | 252 |
| 京都 | 1 753 | – | – | 1 753 | 43 | – | – | 43 | 1 710 | – | – | 1 710 |
| 大阪 | 6 940 | 46 | 29 | 6 865 | … | … | … | … | 6 940 | 46 | 29 | 6 865 |
| 兵庫 | 1 067 | – | 39 | 1 028 | 90 | – | – | 90 | 977 | – | 39 | 938 |
| 奈良 | 1 713 | – | 46 | 1 667 | – | – | – | – | 1 713 | – | 46 | 1 667 |
| 和歌山 | 577 | – | – | 577 | – | – | – | – | 577 | – | – | 577 |
| 鳥取 | – | – | – | – | – | – | – | – | – | – | – | – |
| 島根 | 53 | – | – | 53 | – | – | – | – | 53 | – | – | 53 |
| 岡山 | 15 304 | – | 47 | 15 257 | 2 377 | – | – | 2 377 | 12 927 | – | 47 | 12 880 |
| 広島 | 30 210 | 10 | – | 30 200 | 10 | 10 | – | – | 30 200 | – | – | 30 200 |
| 山口 | 569 | – | – | 569 | 306 | – | – | 306 | 263 | – | – | 263 |
| 徳島 | 25 | – | – | 25 | – | – | – | – | 25 | – | – | 25 |
| 香川 | 1 260 | 6 | 36 | 1 218 | 210 | 6 | 36 | 168 | 1 050 | – | – | 1 050 |
| 愛媛 | 27 | – | – | 27 | – | – | – | – | 27 | – | – | 27 |
| 高知 | 459 | – | 6 | 453 | 207 | – | – | 207 | 252 | – | 6 | 246 |
| 福岡 | 3 919 | – | – | 3 919 | 818 | – | – | 818 | 3 101 | – | – | 3 101 |
| 佐賀 | 143 | – | 10 | 133 | 10 | – | 10 | – | 133 | – | – | 133 |
| 長崎 | 9 | – | – | 9 | – | – | – | – | 9 | – | – | 9 |
| 熊本 | 968 | – | – | 968 | – | – | – | – | 968 | – | – | 968 |
| 大分 | 865 | – | – | 865 | 1 | – | – | 1 | 864 | – | – | 864 |
| 宮崎 | 22 | – | – | 22 | – | – | – | – | 22 | – | – | 22 |
| 鹿児島 | 15 869 | – | – | 15 869 | 3 484 | – | – | 3 484 | 12 385 | – | – | 12 385 |
| 沖縄 | – | – | – | – | – | – | – | – | – | – | – | – |
| 指定都市・特別区（再掲） | | | | | | | | | | | | |
| 東京都区部 | 47 532 | 4 678 | 558 | 42 296 | 2 856 | 985 | 3 | 1 868 | 44 676 | 3 693 | 555 | 40 428 |
| 札幌市 | – | – | – | – | – | – | – | – | – | – | – | – |
| 仙台市 | 148 | – | – | 148 | – | – | – | – | 148 | – | – | 148 |
| さいたま市 | – | – | – | – | – | – | – | – | – | – | – | – |
| 千葉市 | – | – | – | – | – | – | – | – | – | – | – | – |
| 横浜市 | 15 678 | 722 | 128 | 14 828 | 2 485 | – | 10 | 2 475 | 13 193 | 722 | 118 | 12 353 |
| 川崎市 | 3 185 | – | 241 | 2 944 | 189 | – | – | 189 | 2 996 | – | 241 | 2 755 |
| 相模原市 | – | – | – | – | – | – | – | – | – | – | – | – |
| 新潟市 | 139 | – | – | 139 | – | – | – | – | 139 | – | – | 139 |
| 静岡市 | – | – | – | – | – | – | – | – | – | – | – | – |
| 浜松市 | – | – | – | | – | – | – | – | – | – | – | – |
| 名古屋市 | – | – | – | – | – | – | – | – | – | – | – | – |
| 京都市 | 987 | – | – | 987 | – | – | – | – | 987 | – | – | 987 |
| 大阪市 | 483 | – | – | 483 | – | – | – | – | 483 | – | – | 483 |
| 堺市 | – | – | – | – | – | – | – | – | – | – | – | – |
| 神戸市 | – | – | – | – | – | – | – | – | – | – | – | – |
| 岡山市 | 483 | – | 47 | 436 | – | – | – | – | 483 | – | 47 | 436 |
| 広島市 | – | – | – | – | – | – | – | – | – | – | – | – |
| 北九州市 | – | – | – | – | – | – | – | – | – | – | – | – |
| 福岡市 | 2 470 | – | – | 2 470 | 175 | – | – | 175 | 2 295 | – | – | 2 295 |
| 熊本市 | – | – | – | – | – | – | – | – | – | – | – | – |

# 委託した被指導延人員，都道府県－指定都市・特別区－中核市－その他政令市、個別－集団・対象区分別

平成29年度

| （再掲）医療機関等へ委託 | | | | | | | | | | | |
|---|---|---|---|---|---|---|---|---|---|---|---|
| 総数 | | | | 個別 | | | | 集団 | | | |
| 総数 | 妊産婦 | 20歳未満（妊産婦・乳幼児を除く。） | 20歳以上（妊産婦を除く。） | 総数 | 妊産婦 | 20歳未満（妊産婦・乳幼児を除く。） | 20歳以上（妊産婦を除く。） | 総数 | 妊産婦 | 20歳未満（妊産婦・乳幼児を除く。） | 20歳以上（妊産婦を除く。） |
| **4 803** | **…** | **…** | **4 803** | **137** | **…** | **…** | **137** | **4 666** | **…** | **…** | **4 666** |
| – | – | – | – | – | – | – | – | – | – | – | – |
| – | – | – | – | – | – | – | – | – | – | – | – |
| – | – | – | – | – | – | – | – | – | – | – | – |
| – | – | – | – | – | – | – | – | – | – | – | – |
| – | – | – | – | – | – | – | – | – | – | – | – |
| – | – | – | – | – | – | – | – | – | – | – | – |
| – | – | – | – | – | – | – | – | – | – | – | – |
| – | – | – | – | – | – | – | – | – | – | – | – |
| – | – | – | – | – | – | – | – | – | – | – | – |
| – | – | – | – | – | – | – | – | – | – | – | – |
| – | – | – | – | – | – | – | – | – | – | – | – |
| – | – | – | – | – | – | – | – | – | – | – | – |
| – | – | – | – | – | – | – | – | – | – | – | – |
| – | – | – | – | – | – | – | – | – | – | – | – |
| – | – | – | – | – | – | – | – | – | – | – | – |
| 8 | – | – | 8 | – | – | – | – | 8 | – | – | 8 |
| – | – | – | – | – | – | – | – | – | – | – | – |
| – | – | – | – | – | – | – | – | – | – | – | – |
| – | – | – | – | – | – | – | – | – | – | – | – |
| – | – | – | – | – | – | – | – | – | – | – | – |
| – | – | – | – | – | – | – | – | – | – | – | – |
| – | – | – | – | – | – | – | – | – | – | – | – |
| – | – | – | – | – | – | – | – | – | – | – | – |
| – | – | – | – | – | – | – | – | – | – | – | – |
| – | – | – | – | – | – | – | – | – | – | – | – |
| – | – | – | – | – | – | – | – | – | – | – | – |
| … | … | … | … | … | … | … | … | … | … | … | … |
| – | – | – | – | – | – | – | – | – | – | – | – |
| – | – | – | – | – | – | – | – | – | – | – | – |
| – | – | – | – | – | – | – | – | – | – | – | – |
| – | – | – | – | – | – | – | – | – | – | – | – |
| – | – | – | – | – | – | – | – | – | – | – | – |
| 4 097 | – | – | 4 097 | 136 | – | – | 136 | 3 961 | – | – | 3 961 |
| – | – | – | – | – | – | – | – | – | – | – | – |
| – | – | – | – | – | – | – | – | – | – | – | – |
| – | – | – | – | – | – | – | – | – | – | – | – |
| – | – | – | – | – | – | – | – | – | – | – | – |
| – | – | – | – | – | – | – | – | – | – | – | – |
| – | – | – | – | – | – | – | – | – | – | – | – |
| 148 | – | – | 148 | 1 | – | – | 1 | 147 | – | – | 147 |
| – | – | – | – | – | – | – | – | – | – | – | – |
| – | – | – | – | – | – | – | – | – | – | – | – |
| – | – | – | – | – | – | – | – | – | – | – | – |
| 550 | – | – | 550 | – | – | – | – | 550 | – | – | 550 |
| – | – | – | – | – | – | – | – | – | – | – | – |
| – | – | – | – | – | – | – | – | – | – | – | – |
| – | – | – | – | – | – | – | – | – | – | – | – |
| | | | | | | | | | | | |
| | | | | | | | | | | | |
| – | – | – | – | – | – | – | – | – | – | – | – |
| – | – | – | – | – | – | – | – | – | – | – | – |
| – | – | – | – | – | – | – | – | – | – | – | – |
| – | – | – | – | – | – | – | – | – | – | – | – |
| – | – | – | – | – | – | – | – | – | – | – | – |
| – | – | – | – | – | – | – | – | – | – | – | – |
| – | – | – | – | – | – | – | – | – | – | – | – |
| – | – | – | – | – | – | – | – | – | – | – | – |
| – | – | – | – | – | – | – | – | – | – | – | – |
| – | – | – | – | – | – | – | – | – | – | – | – |
| – | – | – | – | – | – | – | – | – | – | – | – |
| – | – | – | – | – | – | – | – | – | – | – | – |
| – | – | – | – | – | – | – | – | – | – | – | – |
| – | – | – | – | – | – | – | – | – | – | – | – |
| – | – | – | – | – | – | – | – | – | – | – | – |
| – | – | – | – | – | – | – | – | – | – | – | – |
| – | – | – | – | – | – | – | – | – | – | – | – |
| – | – | – | – | – | – | – | – | – | – | – | – |
| – | – | – | – | – | – | – | – | – | – | – | – |
| – | – | – | – | – | – | – | – | – | – | – | – |
| – | – | – | – | – | – | – | – | – | – | – | – |

## 第17表（2－2）保健所が実施した運動指導の被指導延人員・医療機関等へ

| | 総　　　数 | | | | | | | | | | | |
| | 総　　　　　数 | | | | 個　　　　　別 | | | | 集　　　　　団 | | | |
| | 総　数 | 妊産婦 | 20歳未満（妊産婦・乳幼児を除く。） | 20歳以上（妊産婦を除く。） | 総　数 | 妊産婦 | 20歳未満（妊産婦・乳幼児を除く。） | 20歳以上（妊産婦を除く。） | 総　数 | 妊産婦 | 20歳未満（妊産婦・乳幼児を除く。） | 20歳以上（妊産婦を除く。） |
|---|---|---|---|---|---|---|---|---|---|---|---|---|
| 中核市(再掲) | | | | | | | | | | | | |
| 旭川市 | - | - | - | - | - | - | - | - | - | - | - | - |
| 函館市 | - | - | - | - | - | - | - | - | - | - | - | - |
| 青森市 | - | - | - | - | - | - | - | - | - | - | - | - |
| 八戸市 | - | - | - | - | - | - | - | - | - | - | - | - |
| 盛岡市 | - | - | - | - | - | - | - | - | - | - | - | - |
| 秋田市 | - | - | - | - | - | - | - | - | - | - | - | - |
| 郡山市 | 14 | - | - | 14 | - | - | - | - | 14 | - | - | 14 |
| いわき市 | 30 | - | - | 30 | - | - | - | - | 30 | - | - | 30 |
| 宇都宮市 | 149 | - | - | 149 | 4 | - | - | 4 | 145 | - | - | 145 |
| 前橋市 | - | - | - | - | - | - | - | - | - | - | - | - |
| 高崎市 | 46 | - | - | 46 | - | - | - | - | 46 | - | - | 46 |
| 川越市 | 3 | - | - | 3 | - | - | - | - | 3 | - | - | 3 |
| 越谷市 | - | - | - | - | - | - | - | - | - | - | - | - |
| 船橋市 | - | - | - | - | - | - | - | - | - | - | - | - |
| 柏市 | - | - | - | - | - | - | - | - | - | - | - | - |
| 八王子市 | 22 | - | - | 22 | - | - | - | - | 22 | - | - | 22 |
| 横須賀市 | 3 757 | - | 721 | 3 036 | 69 | - | - | 69 | 3 688 | - | 721 | 2 967 |
| 富山市 | - | - | - | - | - | - | - | - | - | - | - | - |
| 金沢市 | - | - | - | - | - | - | - | - | - | - | - | - |
| 長野市 | 1 915 | - | - | 1 915 | 22 | - | - | 22 | 1 893 | - | - | 1 893 |
| 岐阜市 | - | - | - | - | - | - | - | - | - | - | - | - |
| 豊橋市 | - | - | - | - | - | - | - | - | - | - | - | - |
| 豊田市 | - | - | - | - | - | - | - | - | - | - | - | - |
| 岡崎市 | - | - | - | - | - | - | - | - | - | - | - | - |
| 大津市 | 252 | - | - | 252 | - | - | - | - | 252 | - | - | 252 |
| 高槻市 | - | - | - | - | - | - | - | - | - | - | - | - |
| 東大阪市 | 6 368 | 46 | - | 6 322 | - | - | - | - | 6 368 | 46 | - | 6 322 |
| 豊中市 | - | - | - | - | - | - | - | - | - | - | - | - |
| 枚方市 | 60 | - | - | 60 | - | - | - | - | 60 | - | - | 60 |
| 姫路市 | 65 | - | - | 65 | - | - | - | - | 65 | - | - | 65 |
| 西宮市 | 159 | - | - | 159 | - | - | - | - | 159 | - | - | 159 |
| 尼崎市 | 562 | - | - | 562 | - | - | - | - | 562 | - | - | 562 |
| 奈良市 | 1 713 | - | 46 | 1 667 | - | - | - | - | 1 713 | - | 46 | 1 667 |
| 和歌山市 | 75 | - | - | 75 | - | - | - | - | 75 | - | - | 75 |
| 倉敷市 | 14 784 | - | - | 14 784 | 2 377 | - | - | 2 377 | 12 407 | - | - | 12 407 |
| 福山市 | 28 113 | - | - | 28 113 | - | - | - | - | 28 113 | - | - | 28 113 |
| 呉市 | 2 097 | 10 | - | 2 087 | 10 | 10 | - | - | 2 087 | - | - | 2 087 |
| 下関市 | - | - | - | - | - | - | - | - | - | - | - | - |
| 高松市 | 1 007 | 6 | - | 1 001 | 7 | 6 | - | 1 | 1 000 | - | - | 1 000 |
| 松山市 | - | - | - | - | - | - | - | - | - | - | - | - |
| 高知市 | - | - | - | - | - | - | - | - | - | - | - | - |
| 久留米市 | - | - | - | - | - | - | - | - | - | - | - | - |
| 長崎市 | - | - | - | - | - | - | - | - | - | - | - | - |
| 佐世保市 | - | - | - | - | - | - | - | - | - | - | - | - |
| 大分市 | 28 | - | - | 28 | - | - | - | - | 28 | - | - | 28 |
| 宮崎市 | - | - | - | - | - | - | - | - | - | - | - | - |
| 鹿児島市 | 15 869 | - | - | 15 869 | 3 484 | - | - | 3 484 | 12 385 | - | - | 12 385 |
| 那覇市 | - | - | - | - | - | - | - | - | - | - | - | - |
| その他政令市(再掲) | | | | | | | | | | | | |
| 小樽市 | - | - | - | - | - | - | - | - | - | - | - | - |
| 町田市 | 56 | - | - | 56 | - | - | - | - | 56 | - | - | 56 |
| 藤沢市 | - | - | - | - | - | - | - | - | - | - | - | - |
| 茅ヶ崎市 | 24 | - | - | 24 | - | - | - | - | 24 | - | - | 24 |
| 四日市市 | - | - | - | - | - | - | - | - | - | - | - | - |
| 大牟田市 | - | - | - | - | - | - | - | - | - | - | - | - |

## 委託した被指導延人員，都道府県－指定都市・特別区－中核市－その他政令市、個別－集団・対象区分別

平成29年度

| （再掲）医療機関等へ委託 | | | | | | | | | | | |
|---|---|---|---|---|---|---|---|---|---|---|---|
| 総数 | | | | 個別 | | | | 集団 | | | |
| 総数 | 妊産婦 | 20歳未満（妊産婦・乳幼児を除く。） | 20歳以上（妊産婦を除く。） | 総数 | 妊産婦 | 20歳未満（妊産婦・乳幼児を除く。） | 20歳以上（妊産婦を除く。） | 総数 | 妊産婦 | 20歳未満（妊産婦・乳幼児を除く。） | 20歳以上（妊産婦を除く。） |
| － | － | － | － | － | － | － | － | － | － | － | － |
| － | － | － | － | － | － | － | － | － | － | － | － |
| － | － | － | － | － | － | － | － | － | － | － | － |
| － | － | － | － | － | － | － | － | － | － | － | － |
| － | － | － | － | － | － | － | － | － | － | － | － |
| － | － | － | － | － | － | － | － | － | － | － | － |
| － | － | － | － | － | － | － | － | － | － | － | － |
| － | － | － | － | － | － | － | － | － | － | － | － |
| － | － | － | － | － | － | － | － | － | － | － | － |
| － | － | － | － | － | － | － | － | － | － | － | － |
| － | － | － | － | － | － | － | － | － | － | － | － |
| － | － | － | － | － | － | － | － | － | － | － | － |
| － | － | － | － | － | － | － | － | － | － | － | － |
| － | － | － | － | － | － | － | － | － | － | － | － |
| － | － | － | － | － | － | － | － | － | － | － | － |
| － | － | － | － | － | － | － | － | － | － | － | － |
| － | － | － | － | － | － | － | － | － | － | － | － |
| － | － | － | － | － | － | － | － | － | － | － | － |
| － | － | － | － | － | － | － | － | － | － | － | － |
| － | － | － | － | － | － | － | － | － | － | － | － |
| － | － | － | － | － | － | － | － | － | － | － | － |
| － | － | － | － | － | － | － | － | － | － | － | － |
| － | － | － | － | － | － | － | － | － | － | － | － |
| － | － | － | － | － | － | － | － | － | － | － | － |
| － | － | － | － | － | － | － | － | － | － | － | － |
| － | － | － | － | － | － | － | － | － | － | － | － |
| － | － | － | － | － | － | － | － | － | － | － | － |
| － | － | － | － | － | － | － | － | － | － | － | － |
| － | － | － | － | － | － | － | － | － | － | － | － |
| － | － | － | － | － | － | － | － | － | － | － | － |
| － | － | － | － | － | － | － | － | － | － | － | － |
| － | － | － | － | － | － | － | － | － | － | － | － |
| － | － | － | － | － | － | － | － | － | － | － | － |
| － | － | － | － | － | － | － | － | － | － | － | － |
| 4 097 | － | － | 4 097 | 136 | － | － | 136 | 3 961 | － | － | 3 961 |
| － | － | － | － | － | － | － | － | － | － | － | － |
| － | － | － | － | － | － | － | － | － | － | － | － |
| － | － | － | － | － | － | － | － | － | － | － | － |
| － | － | － | － | － | － | － | － | － | － | － | － |
| － | － | － | － | － | － | － | － | － | － | － | － |
| － | － | － | － | － | － | － | － | － | － | － | － |
| － | － | － | － | － | － | － | － | － | － | － | － |
| － | － | － | － | － | － | － | － | － | － | － | － |
| － | － | － | － | － | － | － | － | － | － | － | － |
| － | － | － | － | － | － | － | － | － | － | － | － |
| － | － | － | － | － | － | － | － | － | － | － | － |
| － | － | － | － | － | － | － | － | － | － | － | － |
| － | － | － | － | － | － | － | － | － | － | － | － |
| － | － | － | － | － | － | － | － | － | － | － | － |
| － | － | － | － | － | － | － | － | － | － | － | － |
| － | － | － | － | － | － | － | － | － | － | － | － |
| － | － | － | － | － | － | － | － | － | － | － | － |
| － | － | － | － | － | － | － | － | － | － | － | － |
| － | － | － | － | － | － | － | － | － | － | － | － |

## 第18表（2－1） 保健所が実施した病態別運動指導の被指導延人員・医療機関等

| | 総数 | | | | | | | | | | | |
| | 総　数 | | | | 個　別 | | | | 集　団 | | | |
| | 総数 | 妊産婦 | 20歳未満（妊産婦・乳幼児を除く。） | 20歳以上（妊産婦を除く。） | 総数 | 妊産婦 | 20歳未満（妊産婦・乳幼児を除く。） | 20歳以上（妊産婦を除く。） | 総数 | 妊産婦 | 20歳未満（妊産婦・乳幼児を除く。） | 20歳以上（妊産婦を除く。） |
|---|---|---|---|---|---|---|---|---|---|---|---|---|
| 全　国 | 4 560 | 83 | 2 | 4 475 | 508 | 16 | 2 | 490 | 4 052 | 67 | … | 3 985 |
| 北　海　道 | 3 | – | – | 3 | 2 | – | – | 2 | 1 | – | – | 1 |
| 青森 | – | – | – | – | – | – | – | – | – | – | – | – |
| 岩手 | – | – | – | – | – | – | – | – | – | – | – | – |
| 宮城 | – | – | – | – | – | – | – | – | – | – | – | – |
| 秋田 | – | – | – | – | – | – | – | – | – | – | – | – |
| 山形 | – | – | – | – | – | – | – | – | – | – | – | – |
| 福島 | – | – | – | – | – | – | – | – | – | – | – | – |
| 茨城 | 2 | – | – | 2 | 2 | – | – | 2 | – | – | – | – |
| 栃木 | 146 | – | – | 146 | 1 | – | – | 1 | 145 | – | – | 145 |
| 群馬 | – | – | – | – | – | – | – | – | – | – | – | – |
| 埼玉 | 1 | – | – | 1 | 1 | – | – | 1 | – | – | – | – |
| 千葉 | – | – | – | – | – | – | – | – | – | – | – | – |
| 東京 | 1 575 | 83 | 2 | 1 490 | 368 | 16 | 2 | 350 | 1 207 | 67 | – | 1 140 |
| 神奈川 | 1 653 | – | – | 1 653 | 115 | – | – | 115 | 1 538 | – | – | 1 538 |
| 新潟 | – | – | – | – | – | – | – | – | – | – | – | – |
| 富山 | 15 | – | – | 15 | 7 | – | – | 7 | 8 | – | – | 8 |
| 石川 | – | – | – | – | – | – | – | – | – | – | – | – |
| 福井 | – | – | – | – | – | – | – | – | – | – | – | – |
| 山梨 | – | – | – | – | – | – | – | – | – | – | – | – |
| 長野 | 187 | – | – | 187 | – | – | – | – | 187 | – | – | 187 |
| 岐阜 | – | – | – | – | – | – | – | – | – | – | – | – |
| 静岡 | 10 | – | – | 10 | 10 | – | – | 10 | – | – | – | – |
| 愛知 | – | – | – | – | – | – | – | – | – | – | – | – |
| 三重 | – | – | – | – | – | – | – | – | – | – | – | – |
| 滋賀 | – | – | – | – | – | – | – | – | – | – | – | – |
| 京都 | 136 | – | … | 136 | – | – | … | – | 136 | – | … | 136 |
| 大阪 | 78 | – | … | 78 | – | – | … | – | 78 | – | … | 78 |
| 兵庫 | 1 | – | – | 1 | 1 | – | – | 1 | – | – | – | – |
| 奈良 | 273 | – | – | 273 | – | – | – | – | 273 | – | – | 273 |
| 和歌山 | – | – | – | – | – | – | – | – | – | – | – | – |
| 鳥取 | – | – | – | – | – | – | – | – | – | – | – | – |
| 島根 | – | – | – | – | – | – | – | – | – | – | – | – |
| 岡山 | 352 | – | – | 352 | – | – | – | – | 352 | – | – | 352 |
| 広島 | 61 | – | – | 61 | – | – | – | – | 61 | – | – | 61 |
| 山口 | – | – | – | – | – | – | – | – | – | – | – | – |
| 徳島 | – | – | – | – | – | – | – | – | – | – | – | – |
| 香川 | – | – | – | – | – | – | – | – | – | – | – | – |
| 愛媛 | – | – | – | – | – | – | – | – | – | – | – | – |
| 高知 | – | – | – | – | – | – | – | – | – | – | – | – |
| 福岡 | – | – | – | – | – | – | – | – | – | – | – | – |
| 佐賀 | – | – | – | – | – | – | – | – | – | – | – | – |
| 長崎 | – | – | – | – | – | – | – | – | – | – | – | – |
| 熊本 | 66 | – | – | 66 | – | – | – | – | 66 | – | – | 66 |
| 大分 | 1 | – | – | 1 | 1 | – | – | 1 | – | – | – | – |
| 宮崎 | – | – | – | – | – | – | – | – | – | – | – | – |
| 鹿児島 | – | – | – | – | – | – | – | – | – | – | – | – |
| 沖縄 | – | – | – | – | – | – | – | – | – | – | – | – |
| 指定都市・特別区（再掲） | | | | | | | | | | | | |
| 東京都区部 | 1 547 | 83 | 2 | 1 462 | 368 | 16 | 2 | 350 | 1 179 | 67 | – | 1 112 |
| 札幌市 | – | – | – | – | – | – | – | – | – | – | – | – |
| 仙台市 | – | – | – | – | – | – | – | – | – | – | – | – |
| さいたま市 | – | – | – | – | – | – | – | – | – | – | – | – |
| 千葉市 | – | – | – | – | – | – | – | – | – | – | – | – |
| 横浜市 | 1 623 | – | – | 1 623 | 115 | – | – | 115 | 1 508 | – | – | 1 508 |
| 川崎市 | – | – | – | – | – | – | – | – | – | – | – | – |
| 相模原市 | – | – | – | – | – | – | – | – | – | – | – | – |
| 新潟市 | – | – | – | – | – | – | – | – | – | – | – | – |
| 静岡市 | – | – | – | – | – | – | – | – | – | – | – | – |
| 浜松市 | – | – | – | – | – | – | – | – | – | – | – | – |
| 名古屋市 | – | – | – | – | – | – | – | – | – | – | – | – |
| 京都市 | 136 | – | – | 136 | – | – | – | – | 136 | – | – | 136 |
| 大阪市 | – | – | – | – | – | – | – | – | – | – | – | – |
| 堺市 | – | – | – | – | – | – | – | – | – | – | – | – |
| 神戸市 | – | – | – | – | – | – | – | – | – | – | – | – |
| 岡山市 | 14 | – | – | 14 | – | – | – | – | 14 | – | – | 14 |
| 広島市 | – | – | – | – | – | – | – | – | – | – | – | – |
| 北九州市 | – | – | – | – | – | – | – | – | – | – | – | – |
| 福岡市 | – | – | – | – | – | – | – | – | – | – | – | – |
| 熊本市 | – | – | – | – | – | – | – | – | – | – | – | – |

## へ委託した被指導延人員，都道府県－指定都市・特別区－中核市－その他政令市、個別－集団・対象区分別

平成29年度

| （再掲）医療機関等へ委託 | | | | | | | | | | | |
|---|---|---|---|---|---|---|---|---|---|---|---|
| 総数 | | | | 個別 | | | | 集団 | | | |
| 総数 | 妊産婦 | 20歳未満（妊産婦・乳幼児を除く。） | 20歳以上（妊産婦を除く。） | 総数 | 妊産婦 | 20歳未満（妊産婦・乳幼児を除く。） | 20歳以上（妊産婦を除く。） | 総数 | 妊産婦 | 20歳未満（妊産婦・乳幼児を除く。） | 20歳以上（妊産婦を除く。） |
| 8 | … | … | 8 | … | … | … | … | 8 | … | … | 8 |
| － | － | － | － | － | － | － | － | － | － | － | － |
| － | － | － | － | － | － | － | － | － | － | － | － |
| － | － | － | － | － | － | － | － | － | － | － | － |
| － | － | － | － | － | － | － | － | － | － | － | － |
| － | － | － | － | － | － | － | － | － | － | － | － |
| － | － | － | － | － | － | － | － | － | － | － | － |
| － | － | － | － | － | － | － | － | － | － | － | － |
| － | － | － | － | － | － | － | － | － | － | － | － |
| － | － | － | － | － | － | － | － | － | － | － | － |
| － | － | － | － | － | － | － | － | － | － | － | － |
| － | － | － | － | － | － | － | － | － | － | － | － |
| － | － | － | － | － | － | － | － | － | － | － | － |
| － | － | － | － | － | － | － | － | － | － | － | － |
| － | － | － | － | － | － | － | － | － | － | － | － |
| － | － | － | － | － | － | － | － | － | － | － | － |
| 8 | － | － | 8 | － | － | － | － | 8 | － | － | 8 |
| － | － | － | － | － | － | － | － | － | － | － | － |
| － | － | － | － | － | － | － | － | － | － | － | － |
| － | － | － | － | － | － | － | － | － | － | － | － |
| － | － | － | － | － | － | － | － | － | － | － | － |
| － | － | － | － | － | － | － | － | － | － | － | － |
| － | － | － | － | － | － | － | － | － | － | － | － |
| － | － | － | － | － | － | － | － | － | － | － | － |
| － | － | － | － | － | － | － | － | － | － | － | － |
| － | － | － | － | － | － | － | － | － | － | － | － |
| － | － | － | － | － | － | － | － | － | － | － | － |
| … | … | … | … | … | … | … | … | … | … | … | … |
| － | － | － | － | － | － | － | － | － | － | － | － |
| － | － | － | － | － | － | － | － | － | － | － | － |
| － | － | － | － | － | － | － | － | － | － | － | － |
| － | － | － | － | － | － | － | － | － | － | － | － |
| － | － | － | － | － | － | － | － | － | － | － | － |
| － | － | － | － | － | － | － | － | － | － | － | － |
| － | － | － | － | － | － | － | － | － | － | － | － |
| － | － | － | － | － | － | － | － | － | － | － | － |
| － | － | － | － | － | － | － | － | － | － | － | － |
| － | － | － | － | － | － | － | － | － | － | － | － |
| － | － | － | － | － | － | － | － | － | － | － | － |
| － | － | － | － | － | － | － | － | － | － | － | － |
| － | － | － | － | － | － | － | － | － | － | － | － |
| － | － | － | － | － | － | － | － | － | － | － | － |
| － | － | － | － | － | － | － | － | － | － | － | － |
| － | － | － | － | － | － | － | － | － | － | － | － |
| － | － | － | － | － | － | － | － | － | － | － | － |
| － | － | － | － | － | － | － | － | － | － | － | － |
| － | － | － | － | － | － | － | － | － | － | － | － |
| － | － | － | － | － | － | － | － | － | － | － | － |
| － | － | － | － | － | － | － | － | － | － | － | － |
| － | － | － | － | － | － | － | － | － | － | － | － |
| － | － | － | － | － | － | － | － | － | － | － | － |
| － | － | － | － | － | － | － | － | － | － | － | － |
| － | － | － | － | － | － | － | － | － | － | － | － |
| － | － | － | － | － | － | － | － | － | － | － | － |
| － | － | － | － | － | － | － | － | － | － | － | － |
| － | － | － | － | － | － | － | － | － | － | － | － |
| － | － | － | － | － | － | － | － | － | － | － | － |
| － | － | － | － | － | － | － | － | － | － | － | － |
| － | － | － | － | － | － | － | － | － | － | － | － |
| － | － | － | － | － | － | － | － | － | － | － | － |
| － | － | － | － | － | － | － | － | － | － | － | － |
| － | － | － | － | － | － | － | － | － | － | － | － |
| － | － | － | － | － | － | － | － | － | － | － | － |
| － | － | － | － | － | － | － | － | － | － | － | － |
| － | － | － | － | － | － | － | － | － | － | － | － |
| － | － | － | － | － | － | － | － | － | － | － | － |
| － | － | － | － | － | － | － | － | － | － | － | － |
| － | － | － | － | － | － | － | － | － | － | － | － |
| － | － | － | － | － | － | － | － | － | － | － | － |

## 第18表（2－2）　保健所が実施した病態別運動指導の被指導延人員・医療機関等

| | 総数 | | | | 個別 | | | | 集団 | | | |
|---|---|---|---|---|---|---|---|---|---|---|---|---|
| | 総数 | 妊産婦 | 20歳未満（妊産婦・乳幼児を除く。） | 20歳以上（妊産婦を除く。） | 総数 | 妊産婦 | 20歳未満（妊産婦・乳幼児を除く。） | 20歳以上（妊産婦を除く。） | 総数 | 妊産婦 | 20歳未満（妊産婦・乳幼児を除く。） | 20歳以上（妊産婦を除く。） |
| 中核市（再掲） | | | | | | | | | | | | |
| 旭　川　市 | － | － | － | － | － | － | － | － | － | － | － | － |
| 函　館　市 | － | － | － | － | － | － | － | － | － | － | － | － |
| 青　森　市 | － | － | － | － | － | － | － | － | － | － | － | － |
| 八　戸　市 | － | － | － | － | － | － | － | － | － | － | － | － |
| 盛　岡　市 | － | － | － | － | － | － | － | － | － | － | － | － |
| 秋　田　市 | － | － | － | － | － | － | － | － | － | － | － | － |
| 郡　山　市 | － | － | － | － | － | － | － | － | － | － | － | － |
| い わ き 市 | － | － | － | － | － | － | － | － | － | － | － | － |
| 宇 都 宮 市 | 146 | － | － | 146 | 1 | － | － | 1 | 145 | － | － | 145 |
| 前　橋　市 | － | － | － | － | － | － | － | － | － | － | － | － |
| 高　崎　市 | － | － | － | － | － | － | － | － | － | － | － | － |
| 川　越　市 | － | － | － | － | － | － | － | － | － | － | － | － |
| 越　谷　市 | － | － | － | － | － | － | － | － | － | － | － | － |
| 船　橋　市 | － | － | － | － | － | － | － | － | － | － | － | － |
| 柏　　　市 | － | － | － | － | － | － | － | － | － | － | － | － |
| 八 王 子 市 | － | － | － | － | － | － | － | － | － | － | － | － |
| 横 須 賀 市 | 30 | － | － | 30 | － | － | － | － | 30 | － | － | 30 |
| 富　山　市 | － | － | － | － | － | － | － | － | － | － | － | － |
| 金　沢　市 | － | － | － | － | － | － | － | － | － | － | － | － |
| 長　野　市 | 187 | － | － | 187 | － | － | － | － | 187 | － | － | 187 |
| 岐　阜　市 | － | － | － | － | － | － | － | － | － | － | － | － |
| 豊　橋　市 | － | － | － | － | － | － | － | － | － | － | － | － |
| 豊　田　市 | － | － | － | － | － | － | － | － | － | － | － | － |
| 岡　崎　市 | － | － | － | － | － | － | － | － | － | － | － | － |
| 大　津　市 | － | － | － | － | － | － | － | － | － | － | － | － |
| 高　槻　市 | － | － | － | － | － | － | － | － | － | － | － | － |
| 東 大 阪 市 | 78 | － | － | 78 | － | － | － | － | 78 | － | － | 78 |
| 豊　中　市 | － | － | － | － | － | － | － | － | － | － | － | － |
| 枚　方　市 | － | － | － | － | － | － | － | － | － | － | － | － |
| 姫　路　市 | － | － | － | － | － | － | － | － | － | － | － | － |
| 西　宮　市 | － | － | － | － | － | － | － | － | － | － | － | － |
| 尼　崎　市 | － | － | － | － | － | － | － | － | － | － | － | － |
| 奈　良　市 | 273 | － | － | 273 | － | － | － | － | 273 | － | － | 273 |
| 和 歌 山 市 | － | － | － | － | － | － | － | － | － | － | － | － |
| 倉　敷　市 | 338 | － | － | 338 | － | － | － | － | 338 | － | － | 338 |
| 福　山　市 | － | － | － | － | － | － | － | － | － | － | － | － |
| 呉　　　市 | 61 | － | － | 61 | － | － | － | － | 61 | － | － | 61 |
| 下　関　市 | － | － | － | － | － | － | － | － | － | － | － | － |
| 高　松　市 | － | － | － | － | － | － | － | － | － | － | － | － |
| 松　山　市 | － | － | － | － | － | － | － | － | － | － | － | － |
| 高　知　市 | － | － | － | － | － | － | － | － | － | － | － | － |
| 久 留 米 市 | － | － | － | － | － | － | － | － | － | － | － | － |
| 長　崎　市 | － | － | － | － | － | － | － | － | － | － | － | － |
| 佐 世 保 市 | － | － | － | － | － | － | － | － | － | － | － | － |
| 大　分　市 | － | － | － | － | － | － | － | － | － | － | － | － |
| 宮　崎　市 | － | － | － | － | － | － | － | － | － | － | － | － |
| 鹿 児 島 市 | － | － | － | － | － | － | － | － | － | － | － | － |
| 那　覇　市 | － | － | － | － | － | － | － | － | － | － | － | － |
| その他政令市（再掲） | | | | | | | | | | | | |
| 小　樽　市 | － | － | － | － | － | － | － | － | － | － | － | － |
| 町　田　市 | 28 | － | － | 28 | － | － | － | － | 28 | － | － | 28 |
| 藤　沢　市 | － | － | － | － | － | － | － | － | － | － | － | － |
| 茅 ヶ 崎 市 | － | － | － | － | － | － | － | － | － | － | － | － |
| 四 日 市 市 | － | － | － | － | － | － | － | － | － | － | － | － |
| 大 牟 田 市 | － | － | － | － | － | － | － | － | － | － | － | － |

## へ委託した被指導延人員，都道府県－指定都市・特別区－中核市－その他政令市、個別－集団・対象区分別

平成29年度

| （再掲）医療機関等へ委託 | | | | | | | | | | | |
|---|---|---|---|---|---|---|---|---|---|---|---|
| 総数 | | | | 個別 | | | | 集団 | | | |
| 総数 | 妊産婦 | 20歳未満（妊産婦・乳幼児を除く。） | 20歳以上（妊産婦を除く。） | 総数 | 妊産婦 | 20歳未満（妊産婦・乳幼児を除く。） | 20歳以上（妊産婦を除く。） | 総数 | 妊産婦 | 20歳未満（妊産婦・乳幼児を除く。） | 20歳以上（妊産婦を除く。） |
| - | - | - | - | - | - | - | - | - | - | - | - |
| - | - | - | - | - | - | - | - | - | - | - | - |
| - | - | - | - | - | - | - | - | - | - | - | - |
| - | - | - | - | - | - | - | - | - | - | - | - |
| - | - | - | - | - | - | - | - | - | - | - | - |
| - | - | - | - | - | - | - | - | - | - | - | - |
| - | - | - | - | - | - | - | - | - | - | - | - |
| - | - | - | - | - | - | - | - | - | - | - | - |
| - | - | - | - | - | - | - | - | - | - | - | - |
| - | - | - | - | - | - | - | - | - | - | - | - |
| - | - | - | - | - | - | - | - | - | - | - | - |
| - | - | - | - | - | - | - | - | - | - | - | - |
| - | - | - | - | - | - | - | - | - | - | - | - |
| - | - | - | - | - | - | - | - | - | - | - | - |
| - | - | - | - | - | - | - | - | - | - | - | - |
| - | - | - | - | - | - | - | - | - | - | - | - |
| - | - | - | - | - | - | - | - | - | - | - | - |
| - | - | - | - | - | - | - | - | - | - | - | - |
| - | - | - | - | - | - | - | - | - | - | - | - |
| - | - | - | - | - | - | - | - | - | - | - | - |
| - | - | - | - | - | - | - | - | - | - | - | - |
| - | - | - | - | - | - | - | - | - | - | - | - |
| - | - | - | - | - | - | - | - | - | - | - | - |
| - | - | - | - | - | - | - | - | - | - | - | - |
| - | - | - | - | - | - | - | - | - | - | - | - |
| - | - | - | - | - | - | - | - | - | - | - | - |
| - | - | - | - | - | - | - | - | - | - | - | - |
| - | - | - | - | - | - | - | - | - | - | - | - |
| - | - | - | - | - | - | - | - | - | - | - | - |
| - | - | - | - | - | - | - | - | - | - | - | - |
| - | - | - | - | - | - | - | - | - | - | - | - |
| - | - | - | - | - | - | - | - | - | - | - | - |
| - | - | - | - | - | - | - | - | - | - | - | - |
| - | - | - | - | - | - | - | - | - | - | - | - |
| - | - | - | - | - | - | - | - | - | - | - | - |
| - | - | - | - | - | - | - | - | - | - | - | - |
| - | - | - | - | - | - | - | - | - | - | - | - |
| - | - | - | - | - | - | - | - | - | - | - | - |
| - | - | - | - | - | - | - | - | - | - | - | - |
| - | - | - | - | - | - | - | - | - | - | - | - |
| - | - | - | - | - | - | - | - | - | - | - | - |
| - | - | - | - | - | - | - | - | - | - | - | - |
| - | - | - | - | - | - | - | - | - | - | - | - |
| - | - | - | - | - | - | - | - | - | - | - | - |
| - | - | - | - | - | - | - | - | - | - | - | - |
| - | - | - | - | - | - | - | - | - | - | - | - |
| - | - | - | - | - | - | - | - | - | - | - | - |
| - | - | - | - | - | - | - | - | - | - | - | - |
| - | - | - | - | - | - | - | - | - | - | - | - |
| - | - | - | - | - | - | - | - | - | - | - | - |
| - | - | - | - | - | - | - | - | - | - | - | - |
| - | - | - | - | - | - | - | - | - | - | - | - |
| - | - | - | - | - | - | - | - | - | - | - | - |
| - | - | - | - | - | - | - | - | - | - | - | - |

# 第19表（2－1）保健所が実施した休養指導の被指導延人員・医療機関等へ委託

| | 総数 | | | | | | | | | | | |
|---|---|---|---|---|---|---|---|---|---|---|---|---|
| | 総数 | | | | 個別 | | | | 集団 | | | |
| | 総数 | 妊産婦 | 20歳未満（妊産婦・乳幼児を除く。） | 20歳以上（妊産婦を除く。） | 総数 | 妊産婦 | 20歳未満（妊産婦・乳幼児を除く。） | 20歳以上（妊産婦を除く。） | 総数 | 妊産婦 | 20歳未満（妊産婦・乳幼児を除く。） | 20歳以上（妊産婦を除く。） |
| **全国** | **31 991** | **7 086** | **1 438** | **23 467** | **8 805** | **3 347** | **14** | **5 444** | **23 186** | **3 739** | **1 424** | **18 023** |
| 北海道 | － | － | － | － | － | － | － | － | － | － | － | － |
| 青森 | － | － | － | － | － | － | － | － | － | － | － | － |
| 岩手 | 200 | － | － | 200 | － | － | － | － | 200 | － | － | 200 |
| 宮城 | － | － | － | － | － | － | － | － | － | － | － | － |
| 秋田 | － | － | － | － | － | － | － | － | － | － | － | － |
| 山形 | － | － | － | － | － | － | － | － | － | － | － | － |
| 福島 | 354 | － | 27 | 327 | － | － | － | － | 354 | － | 27 | 327 |
| 茨城 | 21 | － | － | 21 | － | － | － | － | 21 | － | － | 21 |
| 栃木 | 2 | － | － | 2 | 2 | － | － | 2 | － | － | － | － |
| 群馬 | 37 | － | － | 37 | － | － | － | － | 37 | － | － | 37 |
| 埼玉 | 225 | － | － | 225 | － | － | － | － | 225 | － | － | 225 |
| 千葉 | － | － | － | － | － | － | － | － | － | － | － | － |
| 東京 | 11 973 | 5 304 | 1 349 | 5 320 | 4 921 | 3 088 | 1 | 1 832 | 7 052 | 2 216 | 1 348 | 3 488 |
| 神奈川 | 4 217 | 174 | 14 | 4 029 | 473 | － | 13 | 460 | 3 744 | 174 | 1 | 3 569 |
| 新潟 | － | － | － | － | － | － | － | － | － | － | － | － |
| 富山 | 203 | － | － | 203 | － | － | － | － | 203 | － | － | 203 |
| 石川 | － | － | － | － | － | － | － | － | － | － | － | － |
| 福井 | 51 | － | － | 51 | － | － | － | － | 51 | － | － | 51 |
| 山梨 | － | － | － | － | － | － | － | － | － | － | － | － |
| 長野 | 11 | － | － | 11 | － | － | － | － | 11 | － | － | 11 |
| 岐阜 | － | － | － | － | － | － | － | － | － | － | － | － |
| 静岡 | 3 | － | － | 3 | 3 | － | － | 3 | － | － | － | － |
| 愛知 | － | － | － | － | － | － | － | － | － | － | － | － |
| 三重 | 382 | 362 | － | 20 | 45 | 25 | － | 20 | 337 | 337 | － | － |
| 滋賀 | － | － | － | － | － | － | － | － | － | － | － | － |
| 京都 | 10 | － | － | 10 | 10 | － | － | 10 | － | － | － | － |
| 大阪 | 1 093 | 1 012 | … | 81 | … | … | … | … | 1 093 | 1 012 | … | 81 |
| 兵庫 | 137 | － | 48 | 89 | 89 | － | － | 89 | 48 | － | 48 | － |
| 奈良 | － | － | － | － | － | － | － | － | － | － | － | － |
| 和歌山 | － | － | － | － | － | － | － | － | － | － | － | － |
| 鳥取 | － | － | － | － | － | － | － | － | － | － | － | － |
| 島根 | － | － | － | － | － | － | － | － | － | － | － | － |
| 岡山 | 9 505 | － | － | 9 505 | 351 | － | － | 351 | 9 154 | － | － | 9 154 |
| 広島 | 7 | 6 | － | 1 | 7 | 6 | － | 1 | － | － | － | － |
| 山口 | － | － | － | － | － | － | － | － | － | － | － | － |
| 徳島 | － | － | － | － | － | － | － | － | － | － | － | － |
| 香川 | 380 | 217 | － | 163 | 222 | 217 | － | 5 | 158 | － | － | 158 |
| 愛媛 | － | － | － | － | － | － | － | － | － | － | － | － |
| 高知 | － | － | － | － | － | － | － | － | － | － | － | － |
| 福岡 | 555 | 11 | － | 544 | 353 | 11 | － | 342 | 202 | － | － | 202 |
| 佐賀 | － | － | － | － | － | － | － | － | － | － | － | － |
| 長崎 | 94 | － | － | 94 | － | － | － | － | 94 | － | － | 94 |
| 熊本 | － | － | － | － | － | － | － | － | － | － | － | － |
| 大分 | － | － | － | － | － | － | － | － | － | － | － | － |
| 宮崎 | － | － | － | － | － | － | － | － | － | － | － | － |
| 鹿児島 | 2 531 | － | － | 2 531 | 2 329 | － | － | 2 329 | 202 | － | － | 202 |
| 沖縄 | － | － | － | － | － | － | － | － | － | － | － | － |
| 指定都市・特別区(再掲) | | | | | | | | | | | | |
| 東京都区部 | 11 973 | 5 304 | 1 349 | 5 320 | 4 921 | 3 088 | 1 | 1 832 | 7 052 | 2 216 | 1 348 | 3 488 |
| 札幌市 | － | － | － | － | － | － | － | － | － | － | － | － |
| 仙台市 | － | － | － | － | － | － | － | － | － | － | － | － |
| さいたま市 | － | － | － | － | － | － | － | － | － | － | － | － |
| 千葉市 | － | － | － | － | － | － | － | － | － | － | － | － |
| 横浜市 | 3 713 | 174 | 10 | 3 529 | 429 | － | 10 | 419 | 3 284 | 174 | － | 3 110 |
| 川崎市 | 421 | － | 3 | 418 | 43 | － | 3 | 40 | 378 | － | － | 378 |
| 相模原市 | － | － | － | － | － | － | － | － | － | － | － | － |
| 新潟市 | － | － | － | － | － | － | － | － | － | － | － | － |
| 静岡市 | － | － | － | － | － | － | － | － | － | － | － | － |
| 浜松市 | － | － | － | － | － | － | － | － | － | － | － | － |
| 名古屋市 | － | － | － | － | － | － | － | － | － | － | － | － |
| 京都市 | 10 | － | － | 10 | 10 | － | － | 10 | － | － | － | － |
| 大阪市 | － | － | － | － | － | － | － | － | － | － | － | － |
| 堺市 | － | － | － | － | － | － | － | － | － | － | － | － |
| 神戸市 | － | － | － | － | － | － | － | － | － | － | － | － |
| 岡山市 | － | － | － | － | － | － | － | － | － | － | － | － |
| 広島市 | － | － | － | － | － | － | － | － | － | － | － | － |
| 北九州市 | － | － | － | － | － | － | － | － | － | － | － | － |
| 福岡市 | 11 | 11 | － | － | 11 | 11 | － | － | － | － | － | － |
| 熊本市 | － | － | － | － | － | － | － | － | － | － | － | － |

## した被指導延人員，都道府県－指定都市・特別区－中核市－その他政令市、個別－集団・対象区分別

平成29年度

| （再掲）医療機関等へ委託 | | | | | | | | | | | |
|---|---|---|---|---|---|---|---|---|---|---|---|
| 総数 | | | | 個別 | | | | 集団 | | | |
| 総数 | 妊産婦 | 20歳未満（妊産婦・乳幼児を除く。） | 20歳以上（妊産婦を除く。） | 総数 | 妊産婦 | 20歳未満（妊産婦・乳幼児を除く。） | 20歳以上（妊産婦を除く。） | 総数 | 妊産婦 | 20歳未満（妊産婦・乳幼児を除く。） | 20歳以上（妊産婦を除く。） |
| 1 068 | … | … | 1 068 | 351 | … | … | 351 | 717 | … | … | 717 |
| – | – | – | – | – | – | – | – | – | – | – | – |
| – | – | – | – | – | – | – | – | – | – | – | – |
| – | – | – | – | – | – | – | – | – | – | – | – |
| – | – | – | – | – | – | – | – | – | – | – | – |
| – | – | – | – | – | – | – | – | – | – | – | – |
| – | – | – | – | – | – | – | – | – | – | – | – |
| – | – | – | – | – | – | – | – | – | – | – | – |
| – | – | – | – | – | – | – | – | – | – | – | – |
| – | – | – | – | – | – | – | – | – | – | – | – |
| – | – | – | – | – | – | – | – | – | – | – | – |
| – | – | – | – | – | – | – | – | – | – | – | – |
| – | – | – | – | – | – | – | – | – | – | – | – |
| – | – | – | – | – | – | – | – | – | – | – | – |
| – | – | – | – | – | – | – | – | – | – | – | – |
| – | – | – | – | – | – | – | – | – | – | – | – |
| – | – | – | – | – | – | – | – | – | – | – | – |
| – | – | – | – | – | – | – | – | – | – | – | – |
| – | – | – | – | – | – | – | – | – | – | – | – |
| – | – | – | – | – | – | – | – | – | – | – | – |
| – | – | – | – | – | – | – | – | – | – | – | – |
| – | – | – | – | – | – | – | – | – | – | – | – |
| – | – | – | – | – | – | – | – | – | – | – | – |
| – | – | – | – | – | – | – | – | – | – | – | – |
| – | – | – | – | – | – | – | – | – | – | – | – |
| – | – | – | – | – | – | – | – | – | – | – | – |
| – | – | – | – | – | – | – | – | – | – | – | – |
| … | … | … | … | … | … | … | … | … | … | … | … |
| – | – | – | – | – | – | – | – | – | – | – | – |
| – | – | – | – | – | – | – | – | – | – | – | – |
| – | – | – | – | – | – | – | – | – | – | – | – |
| – | – | – | – | – | – | – | – | – | – | – | – |
| – | – | – | – | – | – | – | – | – | – | – | – |
| 1 068 | – | – | 1 068 | 351 | – | – | 351 | 717 | – | – | 717 |
| – | – | – | – | – | – | – | – | – | – | – | – |
| – | – | – | – | – | – | – | – | – | – | – | – |
| – | – | – | – | – | – | – | – | – | – | – | – |
| – | – | – | – | – | – | – | – | – | – | – | – |
| – | – | – | – | – | – | – | – | – | – | – | – |
| – | – | – | – | – | – | – | – | – | – | – | – |
| – | – | – | – | – | – | – | – | – | – | – | – |
| – | – | – | – | – | – | – | – | – | – | – | – |
| – | – | – | – | – | – | – | – | – | – | – | – |
| – | – | – | – | – | – | – | – | – | – | – | – |
| – | – | – | – | – | – | – | – | – | – | – | – |
| – | – | – | – | – | – | – | – | – | – | – | – |
| – | – | – | – | – | – | – | – | – | – | – | – |
| – | – | – | – | – | – | – | – | – | – | – | – |
| – | – | – | – | – | – | – | – | – | – | – | – |
| – | – | – | – | – | – | – | – | – | – | – | – |
| – | – | – | – | – | – | – | – | – | – | – | – |
| – | – | – | – | – | – | – | – | – | – | – | – |
| – | – | – | – | – | – | – | – | – | – | – | – |
| – | – | – | – | – | – | – | – | – | – | – | – |
| – | – | – | – | – | – | – | – | – | – | – | – |
| – | – | – | – | – | – | – | – | – | – | – | – |
| – | – | – | – | – | – | – | – | – | – | – | – |
| – | – | – | – | – | – | – | – | – | – | – | – |
| – | – | – | – | – | – | – | – | – | – | – | – |
| – | – | – | – | – | – | – | – | – | – | – | – |
| – | – | – | – | – | – | – | – | – | – | – | – |
| – | – | – | – | – | – | – | – | – | – | – | – |
| – | – | – | – | – | – | – | – | – | – | – | – |
| – | – | – | – | – | – | – | – | – | – | – | – |
| – | – | – | – | – | – | – | – | – | – | – | – |
| – | – | – | – | – | – | – | – | – | – | – | – |

## 第19表（2－2）保健所が実施した休養指導の被指導延人員・医療機関等へ委託

| | 総数 | | | | | | | | | | | |
|---|---|---|---|---|---|---|---|---|---|---|---|---|
| | 総数 | | | | 個別 | | | | 集団 | | | |
| | 総数 | 妊産婦 | 20歳未満（妊産婦・乳幼児を除く。） | 20歳以上（妊産婦を除く。） | 総数 | 妊産婦 | 20歳未満（妊産婦・乳幼児を除く。） | 20歳以上（妊産婦を除く。） | 総数 | 妊産婦 | 20歳未満（妊産婦・乳幼児を除く。） | 20歳以上（妊産婦を除く。） |
| 中核市(再掲) | | | | | | | | | | | | |
| 旭川市 | – | – | – | – | – | – | – | – | – | – | – | – |
| 函館市 | – | – | – | – | – | – | – | – | – | – | – | – |
| 青森市 | – | – | – | – | – | – | – | – | – | – | – | – |
| 八戸市 | – | – | – | – | – | – | – | – | – | – | – | – |
| 盛岡市 | | | | | | | | | | | | |
| 秋田市 | – | – | – | – | – | – | – | – | – | – | – | – |
| 郡山市 | – | – | – | – | – | – | – | – | – | – | – | – |
| いわき市 | 354 | – | 27 | 327 | – | – | – | – | 354 | – | 27 | 327 |
| 宇都宮市 | 2 | – | – | 2 | 2 | – | – | 2 | – | – | – | – |
| 前橋市 | | | | | | | | | | | | |
| 高崎市 | – | – | – | – | – | – | – | – | – | – | – | – |
| 川越市 | – | – | – | – | – | – | – | – | – | – | – | – |
| 越谷市 | – | – | – | – | – | – | – | – | – | – | – | – |
| 船橋市 | – | – | – | – | – | – | – | – | – | – | – | – |
| 柏市 | | | | | | | | | | | | |
| 八王子市 | – | – | – | – | – | – | – | – | – | – | – | – |
| 横須賀市 | 6 | – | 1 | 5 | 1 | – | – | 1 | 5 | – | 1 | 4 |
| 富山市 | – | – | – | – | – | – | – | – | – | – | – | – |
| 金沢市 | – | – | – | – | – | – | – | – | – | – | – | – |
| 長野市 | | | | | | | | | | | | |
| 岐阜市 | – | – | – | – | – | – | – | – | – | – | – | – |
| 豊橋市 | – | – | – | – | – | – | – | – | – | – | – | – |
| 豊田市 | – | – | – | – | – | – | – | – | – | – | – | – |
| 岡崎市 | – | – | – | – | – | – | – | – | – | – | – | – |
| 大津市 | | | | | | | | | | | | |
| 高槻市 | – | – | – | – | – | – | – | – | – | – | – | – |
| 東大阪市 | 1 093 | 1 012 | – | 81 | – | – | – | – | 1 093 | 1 012 | – | 81 |
| 豊中市 | – | – | – | – | – | – | – | – | – | – | – | – |
| 枚方市 | – | – | – | – | – | – | – | – | – | – | – | – |
| 姫路市 | | | | | | | | | | | | |
| 西宮市 | – | – | – | – | – | – | – | – | – | – | – | – |
| 尼崎市 | – | – | – | – | – | – | – | – | – | – | – | – |
| 奈良市 | – | – | – | – | – | – | – | – | – | – | – | – |
| 和歌山市 | | | | | | | | | | | | |
| 倉敷市 | 9 468 | – | – | 9 468 | 351 | – | – | 351 | 9 117 | – | – | 9 117 |
| 福山市 | – | – | – | – | – | – | – | – | – | – | – | – |
| 呉市 | 7 | 6 | – | 1 | 7 | 6 | – | 1 | – | – | – | – |
| 下関市 | | | | | | | | | | | | |
| 高松市 | 320 | 217 | – | 103 | 222 | 217 | – | 5 | 98 | – | – | 98 |
| 松山市 | | | | | | | | | | | | |
| 高知市 | – | – | – | – | – | – | – | – | – | – | – | – |
| 久留米市 | – | – | – | – | – | – | – | – | – | – | – | – |
| 長崎市 | – | – | – | – | – | – | – | – | – | – | – | – |
| 佐世保市 | – | – | – | – | – | – | – | – | – | – | – | – |
| 大分市 | | | | | | | | | | | | |
| 宮崎市 | | | | | | | | | | | | |
| 鹿児島市 | 2 531 | – | – | 2 531 | 2 329 | – | – | 2 329 | 202 | – | – | 202 |
| 那覇市 | | | | | | | | | | | | |
| その他政令市(再掲) | | | | | | | | | | | | |
| 小樽市 | – | – | – | – | – | – | – | – | – | – | – | – |
| 町田市 | – | – | – | – | – | – | – | – | – | – | – | – |
| 藤沢市 | – | – | – | – | – | – | – | – | – | – | – | – |
| 茅ヶ崎市 | – | – | – | – | – | – | – | – | – | – | – | – |
| 四日市市 | 382 | 362 | – | 20 | 45 | 25 | – | 20 | 337 | 337 | – | – |
| 大牟田市 | | | | | | | | | | | | |

# した被指導延人員, 都道府県−指定都市・特別区−中核市−その他政令市、個別−集団・対象区分別

| (再掲) 医 療 機 関 等 へ 委 託 | | | | | | | | | | | |
| 総 | | | 数 | 個 | | | 別 | 集 | | | 団 |
| 総 数 | 妊 産 婦 | 20歳未満(妊産婦・乳幼児を除く。) | 20歳以上(妊産婦を除く。) | 総 数 | 妊 産 婦 | 20歳未満(妊産婦・乳幼児を除く。) | 20歳以上(妊産婦を除く。) | 総 数 | 妊 産 婦 | 20歳未満(妊産婦・乳幼児を除く。) | 20歳以上(妊産婦を除く。) |
|---|---|---|---|---|---|---|---|---|---|---|---|
| − | − | − | − | − | − | − | − | − | − | − | − |
| − | − | − | − | − | − | − | − | − | − | − | − |
| − | − | − | − | − | − | − | − | − | − | − | − |
| − | − | − | − | − | − | − | − | − | − | − | − |
| − | − | − | − | − | − | − | − | − | − | − | − |
| − | − | − | − | − | − | − | − | − | − | − | − |
| − | − | − | − | − | − | − | − | − | − | − | − |
| − | − | − | − | − | − | − | − | − | − | − | − |
| − | − | − | − | − | − | − | − | − | − | − | − |
| − | − | − | − | − | − | − | − | − | − | − | − |
| − | − | − | − | − | − | − | − | − | − | − | − |
| − | − | − | − | − | − | − | − | − | − | − | − |
| − | − | − | − | − | − | − | − | − | − | − | − |
| − | − | − | − | − | − | − | − | − | − | − | − |
| − | − | − | − | − | − | − | − | − | − | − | − |
| − | − | − | − | − | − | − | − | − | − | − | − |
| − | − | − | − | − | − | − | − | − | − | − | − |
| − | − | − | − | − | − | − | − | − | − | − | − |
| − | − | − | − | − | − | − | − | − | − | − | − |
| − | − | − | − | − | − | − | − | − | − | − | − |
| − | − | − | − | − | − | − | − | − | − | − | − |
| 1 068 | − | − | 1 068 | 351 | − | − | 351 | 717 | − | − | 717 |
| − | − | − | − | − | − | − | − | − | − | − | − |
| − | − | − | − | − | − | − | − | − | − | − | − |
| − | − | − | − | − | − | − | − | − | − | − | − |
| − | − | − | − | − | − | − | − | − | − | − | − |
| − | − | − | − | − | − | − | − | − | − | − | − |
| − | − | − | − | − | − | − | − | − | − | − | − |
| − | − | − | − | − | − | − | − | − | − | − | − |
| − | − | − | − | − | − | − | − | − | − | − | − |
| − | − | − | − | − | − | − | − | − | − | − | − |
| − | − | − | − | − | − | − | − | − | − | − | − |
| − | − | − | − | − | − | − | − | − | − | − | − |
| − | − | − | − | − | − | − | − | − | − | − | − |

# 第20表（2－1）保健所が実施した禁煙指導の被指導延人員・医療機関等へ

| | 総数 | | | | | | | | | | | |
|---|---|---|---|---|---|---|---|---|---|---|---|---|
| | 総数 | | | | 個別 | | | | 集団 | | | |
| | 総数 | 妊産婦 | 20歳未満（妊産婦・乳幼児を除く。） | 20歳以上（妊産婦を除く。） | 総数 | 妊産婦 | 20歳未満（妊産婦・乳幼児を除く。） | 20歳以上（妊産婦を除く。） | 総数 | 妊産婦 | 20歳未満（妊産婦・乳幼児を除く。） | 20歳以上（妊産婦を除く。） |
| **全国** | 110 021 | 20 091 | 33 096 | 56 834 | 14 285 | 4 606 | 161 | 9 518 | 95 736 | 15 485 | 32 935 | 47 316 |
| 北海道 | 1 112 | - | 1 001 | 111 | 10 | - | - | 10 | 1 102 | - | 1 001 | 101 |
| 青森 | 5 082 | 44 | 2 394 | 2 644 | 406 | - | - | 406 | 4 676 | 44 | 2 394 | 2 238 |
| 岩手 | 1 041 | - | 316 | 725 | - | - | - | - | 1 041 | - | 316 | 725 |
| 宮城 | 1 756 | 322 | 1 104 | 330 | 7 | - | - | 7 | 1 749 | 322 | 1 104 | 323 |
| 秋田 | - | - | - | - | - | - | - | - | - | - | - | - |
| 山形 | 462 | - | 150 | 312 | 15 | - | - | 15 | 447 | - | 150 | 297 |
| 福島 | 753 | - | 411 | 342 | 37 | - | - | 37 | 716 | - | 411 | 305 |
| 茨城 | 3 307 | - | 750 | 2 557 | 65 | - | - | 65 | 3 242 | - | 750 | 2 492 |
| 栃木 | 421 | - | 121 | 300 | 143 | - | - | 143 | 278 | - | 121 | 157 |
| 群馬 | 5 224 | - | 4 385 | 839 | 453 | - | 81 | 372 | 4 771 | - | 4 304 | 467 |
| 埼玉 | 2 121 | 124 | 44 | 1 953 | 241 | - | - | 241 | 1 880 | 124 | 44 | 1 712 |
| 千葉 | 3 607 | - | 54 | 3 553 | 227 | - | 54 | 173 | 3 380 | - | - | 3 380 |
| 東京 | 16 629 | 7 269 | 976 | 8 384 | 5 341 | 2 109 | 3 | 3 229 | 11 288 | 5 160 | 973 | 5 155 |
| 神奈川 | 19 084 | 1 494 | 5 119 | 12 471 | 1 370 | 9 | - | 1 361 | 17 714 | 1 485 | 5 119 | 11 110 |
| 新潟 | 460 | - | 450 | 10 | 10 | - | - | 10 | 450 | - | 450 | - |
| 富山 | 3 095 | 603 | 1 601 | 891 | 2 | - | - | 2 | 3 093 | 603 | 1 601 | 889 |
| 石川 | 187 | - | 101 | 86 | 18 | - | - | 18 | 169 | - | 101 | 68 |
| 福井 | 328 | - | 328 | - | - | - | - | - | 328 | - | 328 | - |
| 山梨 | 532 | - | 522 | 10 | - | - | - | - | 532 | - | 522 | 10 |
| 長野 | 3 227 | - | 655 | 2 572 | 762 | - | - | 762 | 2 465 | - | 655 | 1 810 |
| 岐阜 | 688 | - | 619 | 69 | - | - | - | - | 688 | - | 619 | 69 |
| 静岡 | 1 695 | - | 608 | 1 087 | 3 | - | - | 3 | 1 692 | - | 608 | 1 084 |
| 愛知 | 193 | - | - | 193 | 28 | - | - | 28 | 165 | - | - | 165 |
| 三重 | 695 | 362 | - | 333 | 45 | 25 | - | 20 | 650 | 337 | - | 313 |
| 滋賀 | 185 | - | 185 | - | - | - | - | - | 185 | - | 185 | - |
| 京都 | 833 | - | 770 | 63 | 62 | - | - | 62 | 771 | - | 770 | 1 |
| 大阪 | 2 839 | … | 603 | 2 236 | 930 | … | … | 930 | 1 909 | … | 603 | 1 306 |
| 兵庫 | 4 990 | 1 157 | 1 699 | 2 134 | 186 | 42 | - | 144 | 4 804 | 1 115 | 1 699 | 1 990 |
| 奈良 | 648 | 62 | 52 | 534 | 384 | 62 | 18 | 304 | 264 | - | 34 | 230 |
| 和歌山 | 6 683 | 158 | 2 590 | 3 935 | - | - | - | - | 6 683 | 158 | 2 590 | 3 935 |
| 鳥取 | 23 | - | - | 23 | 23 | - | - | 23 | - | - | - | - |
| 島根 | 70 | - | - | 70 | 1 | - | - | 1 | 69 | - | - | 69 |
| 岡山 | 4 857 | 72 | 793 | 3 992 | 72 | 72 | - | - | 4 785 | - | 793 | 3 992 |
| 広島 | 4 739 | 2 167 | 2 078 | 494 | 2 312 | 2 017 | - | 295 | 2 427 | 150 | 2 078 | 199 |
| 山口 | 167 | - | 25 | 142 | 136 | - | - | 136 | 31 | - | 25 | 6 |
| 徳島 | - | - | - | - | - | - | - | - | - | - | - | - |
| 香川 | 312 | 7 | - | 305 | 126 | 7 | - | 119 | 186 | - | - | 186 |
| 愛媛 | 169 | - | 61 | 108 | 67 | - | - | 67 | 102 | - | 61 | 41 |
| 高知 | 464 | - | 1 | 463 | 148 | - | 1 | 147 | 316 | - | - | 316 |
| 福岡 | 1 956 | 841 | 397 | 718 | 138 | 30 | 4 | 104 | 1 818 | 811 | 393 | 614 |
| 佐賀 | 751 | - | - | 751 | 180 | - | - | 180 | 571 | - | - | 571 |
| 長崎 | 233 | - | 16 | 217 | 5 | - | - | 5 | 228 | - | 16 | 212 |
| 熊本 | 60 | - | 38 | 22 | 2 | - | - | 2 | 58 | - | 38 | 20 |
| 大分 | 1 861 | 93 | 1 658 | 110 | 93 | 93 | - | - | 1 768 | - | 1 658 | 110 |
| 宮崎 | 66 | - | - | 66 | 1 | - | - | 1 | 65 | - | - | 65 |
| 鹿児島 | 6 331 | 5 316 | 421 | 594 | 151 | 140 | - | 11 | 6 180 | 5 176 | 421 | 583 |
| 沖縄 | 85 | - | - | 85 | 85 | - | - | 85 | - | - | - | - |
| 指定都市・特別区（再掲） | | | | | | | | | | | | |
| 東京都区部 | 15 785 | 7 269 | 976 | 7 540 | 5 341 | 2 109 | 3 | 3 229 | 10 444 | 5 160 | 973 | 4 311 |
| 札幌市 | - | - | - | - | - | - | - | - | - | - | - | - |
| 仙台市 | 1 071 | 322 | 702 | 47 | 7 | - | - | 7 | 1 064 | 322 | 702 | 40 |
| さいたま市 | - | - | - | - | - | - | - | - | - | - | - | - |
| 千葉市 | - | - | - | - | - | - | - | - | - | - | - | - |
| 横浜市 | 14 136 | 1 485 | 1 049 | 11 602 | 638 | - | - | 638 | 13 498 | 1 485 | 1 049 | 10 964 |
| 川崎市 | 2 624 | 9 | 2 600 | 15 | 24 | 9 | - | 15 | 2 600 | - | 2 600 | - |
| 相模原市 | - | - | - | - | - | - | - | - | - | - | - | - |
| 新潟市 | 450 | - | 450 | - | - | - | - | - | 450 | - | 450 | - |
| 静岡市 | - | - | - | - | - | - | - | - | - | - | - | - |
| 浜松市 | - | - | - | - | - | - | - | - | - | - | - | - |
| 名古屋市 | - | - | - | - | - | - | - | - | - | - | - | - |
| 京都市 | 12 | - | - | 12 | 11 | - | - | 11 | 1 | - | - | 1 |
| 大阪市 | - | - | - | - | - | - | - | - | - | - | - | - |
| 堺市 | - | - | - | - | - | - | - | - | - | - | - | - |
| 神戸市 | - | - | - | - | - | - | - | - | - | - | - | - |
| 岡山市 | 8 | - | - | 8 | - | - | - | - | 8 | - | - | 8 |
| 広島市 | - | - | - | - | - | - | - | - | - | - | - | - |
| 北九州市 | - | - | - | - | - | - | - | - | - | - | - | - |
| 福岡市 | 30 | 30 | - | - | 30 | 30 | - | - | - | - | - | - |
| 熊本市 | - | - | - | - | - | - | - | - | - | - | - | - |

# 委託した被指導延人員, 都道府県-指定都市・特別区-中核市-その他政令市、個別-集団・対象区分別

平成29年度

| (再掲) 医療機関等へ委託 | | | | | | | | | | | |
|---|---|---|---|---|---|---|---|---|---|---|---|
| 総　数 | | | | 個 | | | 別 | 集 | | | 団 |
| 総　数 | 妊産婦 | 20歳未満（妊産婦・乳幼児を除く。） | 20歳以上（妊産婦を除く。） | 総　数 | 妊産婦 | 20歳未満（妊産婦・乳幼児を除く。） | 20歳以上（妊産婦を除く。） | 総　数 | 妊産婦 | 20歳未満（妊産婦・乳幼児を除く。） | 20歳以上（妊産婦を除く。） |
| 310 | 12 | 252 | 46 | 1 | … | 1 | … | 309 | 12 | 251 | 46 |
| - | - | - | - | - | - | - | - | - | - | - | - |
| - | - | - | - | - | - | - | - | - | - | - | - |
| - | - | - | - | - | - | - | - | - | - | - | - |
| - | - | - | - | - | - | - | - | - | - | - | - |
| - | - | - | - | - | - | - | - | - | - | - | - |
| - | - | - | - | - | - | - | - | - | - | - | - |
| - | - | - | - | - | - | - | - | - | - | - | - |
| - | - | - | - | - | - | - | - | - | - | - | - |
| - | - | - | - | - | - | - | - | - | - | - | - |
| - | - | - | - | - | - | - | - | - | - | - | - |
| 251 | - | 251 | - | - | - | - | - | 251 | - | 251 | - |
| - | - | - | - | - | - | - | - | - | - | - | - |
| - | - | - | - | - | - | - | - | - | - | - | - |
| - | - | - | - | - | - | - | - | - | - | - | - |
| 46 | - | - | 46 | - | - | - | - | 46 | - | - | 46 |
| - | - | - | - | - | - | - | - | - | - | - | - |
| - | - | - | - | - | - | - | - | - | - | - | - |
| … | … | … | … | … | … | … | … | … | … | … | … |
| 1 | - | 1 | - | 1 | - | 1 | - | - | - | - | - |
| - | - | - | - | - | - | - | - | - | - | - | - |
| 12 | 12 | - | - | - | - | - | - | 12 | 12 | - | - |
| - | - | - | - | - | - | - | - | - | - | - | - |
| - | - | - | - | - | - | - | - | - | - | - | - |
| - | - | - | - | - | - | - | - | - | - | - | - |
| - | - | - | - | - | - | - | - | - | - | - | - |
| - | - | - | - | - | - | - | - | - | - | - | - |
| - | - | - | - | - | - | - | - | - | - | - | - |
| - | - | - | - | - | - | - | - | - | - | - | - |
| - | - | - | - | - | - | - | - | - | - | - | - |
| - | - | - | - | - | - | - | - | - | - | - | - |
| - | - | - | - | - | - | - | - | - | - | - | - |
| - | - | - | - | - | - | - | - | - | - | - | - |
| - | - | - | - | - | - | - | - | - | - | - | - |
| - | - | - | - | - | - | - | - | - | - | - | - |
| - | - | - | - | - | - | - | - | - | - | - | - |
| - | - | - | - | - | - | - | - | - | - | - | - |
| - | - | - | - | - | - | - | - | - | - | - | - |
| - | - | - | - | - | - | - | - | - | - | - | - |
| - | - | - | - | - | - | - | - | - | - | - | - |
| - | - | - | - | - | - | - | - | - | - | - | - |

# 第20表（2－2）保健所が実施した禁煙指導の被指導延人員・医療機関等へ

| | 総 | | | | | | 数 | | | | |
| | 総 | | 数 | | 個 | | 別 | | 集 | | 団 |
| | 総　数 | 妊　産　婦 | 20歳未満（妊産婦・乳幼児を除く。） | 20歳以上（妊産婦を除く。） | 総　数 | 妊　産　婦 | 20歳未満（妊産婦・乳幼児を除く。） | 20歳以上（妊産婦を除く。） | 総　数 | 妊　産　婦 | 20歳未満（妊産婦・乳幼児を除く。） | 20歳以上（妊産婦を除く。） |
|---|---|---|---|---|---|---|---|---|---|---|---|---|
| 中　核　市(再掲) | | | | | | | | | | | | |
| 旭　川　市 | – | – | – | – | – | – | – | – | – | – | – | – |
| 函　館　市 | – | – | – | – | – | – | – | – | – | – | – | – |
| 青　森　市 | 5 061 | 44 | 2 394 | 2 623 | 406 | – | – | 406 | 4 655 | 44 | 2 394 | 2 217 |
| 八　戸　市 | – | – | – | – | – | – | – | – | – | – | – | – |
| 盛　岡　市 | – | – | – | – | – | – | – | – | – | – | – | – |
| 秋　田　市 | – | – | – | – | – | – | – | – | – | – | – | – |
| 郡　山　市 | – | – | – | – | – | – | – | – | – | – | – | – |
| い　わ　き　市 | 424 | – | 411 | 13 | 6 | – | – | 6 | 418 | – | 411 | 7 |
| 宇　都　宮　市 | – | – | – | – | – | – | – | – | – | – | – | – |
| 前　橋　市 | – | – | – | – | – | – | – | – | – | – | – | – |
| 高　崎　市 | – | – | – | – | – | – | – | – | – | – | – | – |
| 川　越　市 | 246 | 124 | – | 122 | – | – | – | – | 246 | 124 | – | 122 |
| 越　谷　市 | – | – | – | – | – | – | – | – | – | – | – | – |
| 船　橋　市 | – | – | – | – | – | – | – | – | – | – | – | – |
| 柏　市 | – | – | – | – | – | – | – | – | – | – | – | – |
| 八　王　子　市 | 416 | – | – | 416 | – | – | – | – | 416 | – | – | 416 |
| 横　須　賀　市 | 371 | – | 322 | 49 | 14 | – | – | 14 | 357 | – | 322 | 35 |
| 富　山　市 | 1 193 | 603 | – | 590 | – | – | – | – | 1 193 | 603 | – | 590 |
| 金　沢　市 | – | – | – | – | – | – | – | – | – | – | – | – |
| 長　野　市 | – | – | – | – | – | – | – | – | – | – | – | – |
| 岐　阜　市 | – | – | – | – | – | – | – | – | – | – | – | – |
| 豊　橋　市 | 28 | – | – | 28 | 28 | – | – | 28 | – | – | – | – |
| 豊　田　市 | – | – | – | – | – | – | – | – | – | – | – | – |
| 岡　崎　市 | – | – | – | – | – | – | – | – | – | – | – | – |
| 大　津　市 | 185 | – | – | 185 | – | – | – | – | 185 | – | – | 185 |
| 高　槻　市 | – | – | – | – | – | – | – | – | – | – | – | – |
| 東　大　阪　市 | 1 292 | – | 129 | 1 163 | – | – | – | – | 1 292 | – | 129 | 1 163 |
| 豊　中　市 | – | – | – | – | – | – | – | – | – | – | – | – |
| 枚　方　市 | 886 | – | – | 886 | 828 | – | – | 828 | 58 | – | – | 58 |
| 姫　路　市 | – | – | – | – | – | – | – | – | – | – | – | – |
| 西　宮　市 | 1 375 | 1 157 | 180 | 38 | 80 | 42 | – | 38 | 1 295 | 1 115 | 180 | – |
| 尼　崎　市 | – | – | – | – | – | – | – | – | – | – | – | – |
| 奈　良　市 | 182 | 62 | – | 120 | 62 | 62 | – | – | 120 | – | – | 120 |
| 和　歌　山　市 | 2 233 | 158 | – | 2 075 | – | – | – | – | 2 233 | 158 | – | 2 075 |
| 倉　敷　市 | 4 009 | 72 | – | 3 937 | 72 | 72 | – | – | 3 937 | – | – | 3 937 |
| 福　山　市 | 4 087 | 1 762 | 2 078 | 247 | 1 859 | 1 612 | – | 247 | 2 228 | 150 | 2 078 | – |
| 呉　市 | 405 | 405 | – | – | 405 | 405 | – | – | – | – | – | – |
| 下　関　市 | – | – | – | – | – | – | – | – | – | – | – | – |
| 高　松　市 | 109 | 7 | – | 102 | 7 | 7 | – | – | 102 | – | – | 102 |
| 松　山　市 | – | – | – | – | – | – | – | – | – | – | – | – |
| 高　知　市 | 1 | – | – | 1 | 1 | – | – | 1 | – | – | – | – |
| 久　留　米　市 | 926 | 811 | 76 | 39 | 24 | – | 4 | 20 | 902 | 811 | 72 | 19 |
| 長　崎　市 | – | – | – | – | – | – | – | – | – | – | – | – |
| 佐　世　保　市 | – | – | – | – | – | – | – | – | – | – | – | – |
| 大　分　市 | 643 | 93 | 550 | – | 93 | 93 | – | – | 550 | – | 550 | – |
| 宮　崎　市 | – | – | – | – | – | – | – | – | – | – | – | – |
| 鹿　児　島　市 | 5 921 | 5 316 | 11 | 594 | 151 | 140 | – | 11 | 5 770 | 5 176 | 11 | 583 |
| 那　覇　市 | – | – | – | – | – | – | – | – | – | – | – | – |
| その他政令市(再掲) | | | | | | | | | | | | |
| 小　樽　市 | – | – | – | – | – | – | – | – | – | – | – | – |
| 町　田　市 | – | – | – | – | – | – | – | – | – | – | – | – |
| 藤　沢　市 | – | – | – | – | – | – | – | – | – | – | – | – |
| 茅　ヶ　崎　市 | 173 | – | – | 173 | 173 | – | – | 173 | – | – | – | – |
| 四　日　市　市 | 695 | 362 | – | 333 | 45 | 25 | – | 20 | 650 | 337 | – | 313 |
| 大　牟　田　市 | – | – | – | – | – | – | – | – | – | – | – | – |

# 委託した被指導延人員，都道府県－指定都市・特別区－中核市－その他政令市、個別－集団・対象区分別

平成29年度

| （再掲）医療機関等へ委託 | | | | | | | | | | | |
|---|---|---|---|---|---|---|---|---|---|---|---|
| 総数 | | | | 個別 | | | | 集団 | | | |
| 総数 | 妊産婦 | 20歳未満（妊産婦・乳幼児を除く。） | 20歳以上（妊産婦を除く。） | 総数 | 妊産婦 | 20歳未満（妊産婦・乳幼児を除く。） | 20歳以上（妊産婦を除く。） | 総数 | 妊産婦 | 20歳未満（妊産婦・乳幼児を除く。） | 20歳以上（妊産婦を除く。） |
| - | - | - | - | - | - | - | - | - | - | - | - |
| - | - | - | - | - | - | - | - | - | - | - | - |
| - | - | - | - | - | - | - | - | - | - | - | - |
| - | - | - | - | - | - | - | - | - | - | - | - |
| - | - | - | - | - | - | - | - | - | - | - | - |
| - | - | - | - | - | - | - | - | - | - | - | - |
| - | - | - | - | - | - | - | - | - | - | - | - |
| - | - | - | - | - | - | - | - | - | - | - | - |
| - | - | - | - | - | - | - | - | - | - | - | - |
| - | - | - | - | - | - | - | - | - | - | - | - |
| - | - | - | - | - | - | - | - | - | - | - | - |
| - | - | - | - | - | - | - | - | - | - | - | - |
| - | - | - | - | - | - | - | - | - | - | - | - |
| - | - | - | - | - | - | - | - | - | - | - | - |
| - | - | - | - | - | - | - | - | - | - | - | - |
| - | - | - | - | - | - | - | - | - | - | - | - |
| - | - | - | - | - | - | - | - | - | - | - | - |
| - | - | - | - | - | - | - | - | - | - | - | - |
| - | - | - | - | - | - | - | - | - | - | - | - |
| - | - | - | - | - | - | - | - | - | - | - | - |
| - | - | - | - | - | - | - | - | - | - | - | - |
| - | - | - | - | - | - | - | - | - | - | - | - |
| - | - | - | - | - | - | - | - | - | - | - | - |
| - | - | - | - | - | - | - | - | - | - | - | - |
| - | - | - | - | - | - | - | - | - | - | - | - |
| - | - | - | - | - | - | - | - | - | - | - | - |
| - | - | - | - | - | - | - | - | - | - | - | - |
| - | - | - | - | - | - | - | - | - | - | - | - |
| - | - | - | - | - | - | - | - | - | - | - | - |
| - | - | - | - | - | - | - | - | - | - | - | - |
| - | - | - | - | - | - | - | - | - | - | - | - |
| - | - | - | - | - | - | - | - | - | - | - | - |
| - | - | - | - | - | - | - | - | - | - | - | - |
| - | - | - | - | - | - | - | - | - | - | - | - |
| - | - | - | - | - | - | - | - | - | - | - | - |
| 12 | 12 | - | - | - | - | - | - | 12 | 12 | - | - |
| - | - | - | - | - | - | - | - | - | - | - | - |
| - | - | - | - | - | - | - | - | - | - | - | - |
| - | - | - | - | - | - | - | - | - | - | - | - |
| - | - | - | - | - | - | - | - | - | - | - | - |
| - | - | - | - | - | - | - | - | - | - | - | - |
| - | - | - | - | - | - | - | - | - | - | - | - |
| - | - | - | - | - | - | - | - | - | - | - | - |
| - | - | - | - | - | - | - | - | - | - | - | - |
| - | - | - | - | - | - | - | - | - | - | - | - |
| - | - | - | - | - | - | - | - | - | - | - | - |
| - | - | - | - | - | - | - | - | - | - | - | - |
| - | - | - | - | - | - | - | - | - | - | - | - |
| - | - | - | - | - | - | - | - | - | - | - | - |
| - | - | - | - | - | - | - | - | - | - | - | - |
| - | - | - | - | - | - | - | - | - | - | - | - |
| - | - | - | - | - | - | - | - | - | - | - | - |
| - | - | - | - | - | - | - | - | - | - | - | - |
| - | - | - | - | - | - | - | - | - | - | - | - |

## 第21表（4－1）保健所が実施したその他の栄養・運動等指導の被指導延人員・医療機関

| | 総 | | | | | | |
| --- | --- | --- | --- | --- | --- | --- | --- |
| | 総　数 | | | | | 個 | |
| | 総数 | 妊産婦 | 乳幼児 | 20歳未満（妊産婦・乳幼児を除く。） | 20歳以上（妊産婦を除く。） | 総数 | 妊産婦 |
| 全国 | 47 437 | 6 483 | 1 974 | 4 356 | 34 624 | 18 161 | 2 064 |
| 北海道 | 1 043 | – | – | – | 1 043 | 207 | – |
| 青森 | – | – | – | – | – | – | – |
| 岩手 | 319 | – | – | – | 319 | – | – |
| 宮城 | 1 251 | – | – | – | 1 251 | 52 | – |
| 秋田 | 2 | – | – | – | 2 | 2 | – |
| 山形 | 534 | – | – | – | 534 | 34 | – |
| 福島 | 1 237 | – | 19 | 223 | 995 | 869 | – |
| 茨城 | 120 | – | – | – | 120 | – | – |
| 栃木 | 449 | – | – | 90 | 359 | 32 | – |
| 群馬 | 802 | – | – | – | 802 | 525 | – |
| 埼玉 | 907 | – | – | – | 907 | 159 | – |
| 千葉 | 4 | – | – | – | 4 | – | – |
| 東京 | 2 097 | 799 | – | 49 | 1 249 | 56 | – |
| 神奈川 | 11 290 | 3 283 | – | 176 | 7 831 | 5 680 | – |
| 新潟 | 394 | – | – | – | 394 | 2 | – |
| 富山 | 2 615 | – | 2 | 1 190 | 1 423 | 3 | – |
| 石川 | 144 | – | – | – | 144 | 92 | – |
| 福井 | 2 632 | – | – | – | 2 632 | 39 | – |
| 山梨 | 551 | – | – | 410 | 141 | – | – |
| 長野 | 719 | – | – | 34 | 685 | 434 | – |
| 岐阜 | – | – | – | – | – | – | – |
| 静岡 | 100 | – | – | – | 100 | 30 | – |
| 愛知 | 681 | – | – | – | 681 | 193 | – |
| 三重 | 357 | 357 | – | – | – | 20 | 20 |
| 滋賀 | – | – | – | – | – | – | – |
| 京都 | 625 | – | – | 241 | 384 | 384 | – |
| 大阪 | 1 015 | … | 17 | … | 998 | 789 | … |
| 兵庫 | 787 | – | – | 561 | 226 | 15 | – |
| 奈良 | 1 839 | – | – | 613 | 1 226 | 955 | – |
| 和歌山 | 1 978 | – | – | 567 | 1 411 | 1 393 | – |
| 鳥取 | – | – | – | – | – | – | – |
| 島根 | 1 114 | – | – | – | 1 114 | – | – |
| 岡山 | – | – | – | – | – | – | – |
| 広島 | 292 | 3 | 40 | – | 249 | 259 | 3 |
| 山口 | 356 | – | – | – | 356 | 316 | – |
| 徳島 | 20 | – | – | – | 20 | 20 | – |
| 香川 | 1 879 | 862 | 841 | 39 | 137 | 1 730 | 862 |
| 愛媛 | 190 | – | – | – | 190 | 124 | – |
| 高知 | 215 | – | 1 | 3 | 211 | 127 | – |
| 福岡 | 2 973 | – | – | – | 2 973 | 568 | – |
| 佐賀 | 297 | – | – | – | 297 | – | – |
| 長崎 | 660 | – | – | – | 660 | – | – |
| 熊本 | 25 | – | – | – | 25 | – | – |
| 大分 | 542 | – | – | – | 542 | 167 | – |
| 宮崎 | 709 | – | – | 149 | 560 | 42 | – |
| 鹿児島 | 3 305 | 1 179 | 1 054 | 11 | 1 061 | 2 534 | 1 179 |
| 沖縄 | 368 | – | – | – | 368 | 309 | – |
| 指定都市・特別区（再掲） | | | | | | | |
| 東京都区部 | 1 870 | 799 | – | – | 1 071 | 52 | – |
| 札幌市 | – | – | – | – | – | – | – |
| 仙台市 | 1 251 | – | – | – | 1 251 | 52 | – |
| さいたま市 | – | – | – | – | – | – | – |
| 千葉市 | – | – | – | – | – | – | – |
| 横浜市 | 10 636 | 3 283 | – | – | 7 353 | 5 547 | – |
| 川崎市 | 176 | – | – | 176 | – | – | – |
| 相模原市 | – | – | – | – | – | – | – |
| 新潟市 | 392 | – | – | – | 392 | – | – |
| 静岡市 | – | – | – | – | – | – | – |
| 浜松市 | – | – | – | – | – | – | – |
| 名古屋市 | – | – | – | – | – | – | – |
| 京都市 | 23 | – | – | – | 23 | 23 | – |
| 大阪市 | – | – | – | – | – | – | – |
| 堺市 | – | – | – | – | – | – | – |
| 神戸市 | – | – | – | – | – | – | – |
| 岡山市 | – | – | – | – | – | – | – |
| 広島市 | – | – | – | – | – | – | – |
| 北九州市 | – | – | – | – | – | – | – |
| 福岡市 | – | – | – | – | – | – | – |
| 熊本市 | – | – | – | – | – | – | – |

## 等へ委託した被指導延人員，都道府県－指定都市・特別区－中核市－その他政令市、個別－集団・対象区分別

平成29年度

| | 数 | | | | | | | |
|---|---|---|---|---|---|---|---|---|
| | 別 | | | 集団 | | | | |
| | 乳幼児 | 20歳未満（妊産婦・乳幼児を除く。） | 20歳以上（妊産婦を除く。） | 総数 | 妊産婦 | 乳幼児 | 20歳未満（妊産婦・乳幼児を除く。） | 20歳以上（妊産婦を除く。） |
| | **1 904** | **263** | **13 930** | **29 276** | **4 419** | **70** | **4 093** | **20 694** |
| | － | － | 207 | 836 | － | － | － | 836 |
| | － | － | － | － | － | － | － | － |
| | － | － | － | 319 | － | － | － | 319 |
| | － | － | 52 | 1 199 | － | － | － | 1 199 |
| | － | － | 2 | － | － | － | － | － |
| | | | | | | | | |
| | － | － | 34 | 500 | － | － | － | 500 |
| | 19 | 223 | 627 | 368 | － | － | － | 368 |
| | － | － | － | 120 | － | － | － | 120 |
| | － | － | 32 | 417 | － | － | 90 | 327 |
| | － | － | 525 | 277 | － | － | － | 277 |
| | | | | | | | | |
| | － | － | 159 | 748 | － | － | － | 748 |
| | － | － | － | 4 | － | － | － | 4 |
| | － | － | 56 | 2 041 | 799 | － | 49 | 1 193 |
| | － | － | 5 680 | 5 610 | 3 283 | － | 176 | 2 151 |
| | － | － | 2 | 392 | － | － | － | 392 |
| | | | | | | | | |
| | 2 | － | 1 | 2 612 | － | － | 1 190 | 1 422 |
| | － | － | 92 | 52 | － | － | － | 52 |
| | － | － | 39 | 2 593 | － | － | － | 2 593 |
| | － | － | － | 551 | － | － | 410 | 141 |
| | － | 34 | 400 | 285 | － | － | － | 285 |
| | | | | | | | | |
| | － | － | － | － | － | － | － | － |
| | － | － | 30 | 70 | － | － | － | 70 |
| | － | － | 193 | 488 | － | － | － | 488 |
| | － | － | － | 337 | 337 | － | － | － |
| | － | － | － | － | － | － | － | － |
| | | | | | | | | |
| | － | － | 384 | 241 | － | － | 241 | － |
| | … | … | 789 | 226 | … | 17 | … | 209 |
| | － | － | 15 | 772 | － | － | 561 | 211 |
| | － | － | 955 | 884 | － | － | 613 | 271 |
| | － | － | 1 393 | 585 | － | － | 567 | 18 |
| | | | | | | | | |
| | － | － | － | － | － | － | － | － |
| | － | － | － | 1 114 | － | － | － | 1 114 |
| | － | － | － | － | － | － | － | － |
| | 7 | － | 249 | 33 | － | 33 | － | － |
| | － | － | 316 | 40 | － | － | － | 40 |
| | | | | | | | | |
| | － | － | 20 | － | － | － | － | － |
| | 821 | 3 | 44 | 149 | － | 20 | 36 | 93 |
| | － | － | 124 | 66 | － | － | － | 66 |
| | 1 | 3 | 123 | 88 | － | － | － | 88 |
| | － | － | 568 | 2 405 | － | － | － | 2 405 |
| | | | | | | | | |
| | － | － | － | 297 | － | － | － | 297 |
| | － | － | － | 660 | － | － | － | 660 |
| | － | － | － | 25 | － | － | － | 25 |
| | － | － | 167 | 375 | － | － | － | 375 |
| | － | － | 42 | 667 | － | － | 149 | 518 |
| | | | | | | | | |
| | 1 054 | － | 301 | 771 | － | － | 11 | 760 |
| | － | － | 309 | 59 | － | － | － | 59 |
| | | | | | | | | |
| | － | － | 52 | 1 818 | 799 | － | － | 1 019 |
| | | | | | | | | |
| | － | － | － | － | － | － | － | － |
| | － | － | 52 | 1 199 | － | － | － | 1 199 |
| | － | － | － | － | － | － | － | － |
| | － | － | － | － | － | － | － | － |
| | － | － | 5 547 | 5 089 | 3 283 | － | － | 1 806 |
| | | | | | | | | |
| | － | － | － | 176 | － | － | 176 | － |
| | － | － | － | － | － | － | － | － |
| | － | － | － | 392 | － | － | － | 392 |
| | － | － | － | － | － | － | － | － |
| | － | － | － | － | － | － | － | － |
| | | | | | | | | |
| | － | － | － | － | － | － | － | － |
| | － | － | 23 | － | － | － | － | － |
| | － | － | － | － | － | － | － | － |
| | － | － | － | － | － | － | － | － |
| | － | － | － | － | － | － | － | － |
| | | | | | | | | |
| | － | － | － | － | － | － | － | － |
| | － | － | － | － | － | － | － | － |
| | － | － | － | － | － | － | － | － |
| | － | － | － | － | － | － | － | － |
| | － | － | － | － | － | － | － | － |

# 第21表（4－2）保健所が実施したその他の栄養・運動等指導の被指導延人員・医療機関

| | 総 | | | | | | |
|---|---|---|---|---|---|---|---|
| | 総数 | | | | | 個 | |
| | 総数 | 妊産婦 | 乳幼児 | 20歳未満（妊産婦・乳幼児を除く。） | 20歳以上（妊産婦を除く。） | 総数 | 妊産婦 |
| 中核市(再掲) | | | | | | | |
| 旭川市 | - | - | - | - | - | - | - |
| 函館市 | - | - | - | - | - | - | - |
| 青森市 | - | - | - | - | - | - | - |
| 八戸市 | - | - | - | - | - | - | - |
| 盛岡市 | - | - | - | - | - | - | - |
| 秋田市 | - | - | - | - | - | - | - |
| 郡山市 | - | - | - | - | - | - | - |
| いわき市 | 1 029 | - | 19 | 222 | 788 | 858 | - |
| 宇都宮市 | 91 | - | - | - | 91 | 32 | - |
| 前橋市 | - | - | - | - | - | - | - |
| 高崎市 | - | - | - | - | - | - | - |
| 川越市 | - | - | - | - | - | - | - |
| 越谷市 | - | - | - | - | - | - | - |
| 船橋市 | - | - | - | - | - | - | - |
| 柏市 | - | - | - | - | - | - | - |
| 八王子市 | 117 | - | - | - | 117 | - | - |
| 横須賀市 | 84 | - | - | - | 84 | 20 | - |
| 富山市 | - | - | - | - | - | - | - |
| 金沢市 | - | - | - | - | - | - | - |
| 長野市 | - | - | - | - | - | - | - |
| 岐阜市 | - | - | - | - | - | - | - |
| 豊橋市 | 63 | - | - | - | 63 | 63 | - |
| 豊田市 | - | - | - | - | - | - | - |
| 岡崎市 | - | - | - | - | - | - | - |
| 大津市 | - | - | - | - | - | - | - |
| 高槻市 | - | - | - | - | - | - | - |
| 東大阪市 | 33 | - | 17 | - | 16 | - | - |
| 豊中市 | - | - | - | - | - | - | - |
| 枚方市 | 789 | - | - | - | 789 | 789 | - |
| 姫路市 | - | - | - | - | - | - | - |
| 西宮市 | - | - | - | - | - | - | - |
| 尼崎市 | - | - | - | - | - | - | - |
| 奈良市 | 1 824 | - | - | 613 | 1 211 | 940 | - |
| 和歌山市 | 1 393 | - | - | - | 1 393 | 1 393 | - |
| 倉敷市 | - | - | - | - | - | - | - |
| 福山市 | 92 | - | - | - | 92 | 92 | - |
| 呉市 | 45 | 3 | 40 | - | 2 | 12 | 3 |
| 下関市 | - | - | - | - | - | - | - |
| 高松市 | 1 750 | 862 | 841 | 3 | 44 | 1 730 | 862 |
| 松山市 | - | - | - | - | - | - | - |
| 高知市 | - | - | - | - | - | - | - |
| 久留米市 | 276 | - | - | - | 276 | 276 | - |
| 長崎市 | - | - | - | - | - | - | - |
| 佐世保市 | - | - | - | - | - | - | - |
| 大分市 | - | - | - | - | - | - | - |
| 宮崎市 | 149 | - | - | 149 | - | - | - |
| 鹿児島市 | 3 004 | 1 179 | 1 054 | 11 | 760 | 2 233 | 1 179 |
| 那覇市 | - | - | - | - | - | - | - |
| その他政令市(再掲) | | | | | | | |
| 小樽市 | - | - | - | - | - | - | - |
| 町田市 | 3 | - | - | - | 3 | 3 | - |
| 藤沢市 | - | - | - | - | - | - | - |
| 茅ヶ崎市 | 158 | - | - | - | 158 | - | - |
| 四日市市 | 357 | 357 | - | - | - | 20 | 20 |
| 大牟田市 | - | - | - | - | - | - | - |

## 等へ委託した被指導延人員，都道府県－指定都市・特別区－中核市－その他政令市、個別－集団・対象区分別

平成29年度

| 数 | | | | | | | |
|---|---|---|---|---|---|---|---|
| 別 | | | 集 | | 団 | | |
| 乳幼児 | 20歳未満（妊産婦・乳幼児を除く。） | 20歳以上（妊産婦を除く。） | 総数 | 妊産婦 | 乳幼児 | 20歳未満（妊産婦・乳幼児を除く。） | 20歳以上（妊産婦を除く。） |
| － | － | － | － | － | － | － | － |
| － | － | － | － | － | － | － | － |
| － | － | － | － | － | － | － | － |
| － | － | － | － | － | － | － | － |
| － | － | － | － | － | － | － | － |
| － | － | － | － | － | － | － | － |
| － | － | － | － | － | － | － | － |
| 19 | 222 | 617 | 171 | － | － | － | 171 |
| － | － | 32 | 59 | － | － | － | 59 |
| － | － | － | － | － | － | － | － |
| － | － | － | － | － | － | － | － |
| － | － | － | － | － | － | － | － |
| － | － | － | － | － | － | － | － |
| － | － | － | － | － | － | － | － |
| － | － | － | － | － | － | － | － |
| － | － | － | 117 | － | － | － | 117 |
| － | － | 20 | 64 | － | － | － | 64 |
| － | － | － | － | － | － | － | － |
| － | － | － | － | － | － | － | － |
| － | － | － | － | － | － | － | － |
| － | － | － | － | － | － | － | － |
| － | － | 63 | － | － | － | － | － |
| － | － | － | － | － | － | － | － |
| － | － | － | － | － | － | － | － |
| － | － | － | － | － | － | － | － |
| － | － | － | － | － | － | － | － |
| － | － | － | 33 | － | 17 | － | 16 |
| － | － | － | － | － | － | － | － |
| － | － | 789 | － | － | － | － | － |
| － | － | － | － | － | － | － | － |
| － | － | － | － | － | － | － | － |
| － | － | － | － | － | － | － | － |
| － | － | 940 | 884 | － | － | 613 | 271 |
| － | － | 1 393 | － | － | － | － | － |
| － | － | － | － | － | － | － | － |
| － | － | 92 | － | － | － | － | － |
| 7 | － | 2 | 33 | － | 33 | － | － |
| － | － | － | － | － | － | － | － |
| 821 | 3 | 44 | 20 | － | 20 | － | － |
| － | － | － | － | － | － | － | － |
| － | － | － | － | － | － | － | － |
| － | － | 276 | － | － | － | － | － |
| － | － | － | － | － | － | － | － |
| － | － | － | － | － | － | － | － |
| － | － | － | － | － | － | － | － |
| － | － | － | 149 | － | － | 149 | － |
| 1 054 | － | － | 771 | － | － | 11 | 760 |
| － | － | － | － | － | － | － | － |
| － | － | － | － | － | － | － | － |
| － | － | 3 | － | － | － | － | － |
| － | － | － | － | － | － | － | － |
| － | － | － | 158 | － | － | － | 158 |
| － | － | － | 337 | 337 | － | － | － |
| － | － | － | － | － | － | － | － |

# 第21表（4－3）保健所が実施したその他の栄養・運動等指導の被指導延人員・医療機関

| | 総数 総数 | 総数 妊産婦 | 総数 乳幼児 | 総数 20歳未満（妊産婦・乳幼児を除く。） | 総数 20歳以上（妊産婦を除く。） | （再掲）個 総数 | （再掲）個 妊産婦 |
|---|---|---|---|---|---|---|---|
| **全国** | 66 | 20 | … | … | 46 | 20 | 20 |
| 北海道 | － | － | － | － | － | － | － |
| 青森 | － | － | － | － | － | － | － |
| 岩手 | － | － | － | － | － | － | － |
| 宮城 | － | － | － | － | － | － | － |
| 秋田 | － | － | － | － | － | － | － |
| 山形 | － | － | － | － | － | － | － |
| 福島 | － | － | － | － | － | － | － |
| 茨城 | － | － | － | － | － | － | － |
| 栃木 | － | － | － | － | － | － | － |
| 群馬 | － | － | － | － | － | － | － |
| 埼玉 | － | － | － | － | － | － | － |
| 千葉 | － | － | － | － | － | － | － |
| 東京 | － | － | － | － | － | － | － |
| 神奈川 | － | － | － | － | － | － | － |
| 新潟 | － | － | － | － | － | － | － |
| 富山 | 46 | － | － | － | 46 | － | － |
| 石川 | － | － | － | － | － | － | － |
| 福井 | － | － | － | － | － | － | － |
| 山梨 | － | － | － | － | － | － | － |
| 長野 | － | － | － | － | － | － | － |
| 岐阜 | － | － | － | － | － | － | － |
| 静岡 | － | － | － | － | － | － | － |
| 愛知 | － | － | － | － | － | － | － |
| 三重 | 20 | 20 | － | － | － | 20 | 20 |
| 滋賀 | － | － | － | － | － | － | － |
| 京都 | － | － | － | － | － | － | － |
| 大阪 | … | … | … | … | … | … | … |
| 兵庫 | － | － | － | － | － | － | － |
| 奈良 | － | － | － | － | － | － | － |
| 和歌山 | － | － | － | － | － | － | － |
| 鳥取 | － | － | － | － | － | － | － |
| 島根 | － | － | － | － | － | － | － |
| 岡山 | － | － | － | － | － | － | － |
| 広島 | － | － | － | － | － | － | － |
| 山口 | － | － | － | － | － | － | － |
| 徳島 | － | － | － | － | － | － | － |
| 香川 | － | － | － | － | － | － | － |
| 愛媛 | － | － | － | － | － | － | － |
| 高知 | － | － | － | － | － | － | － |
| 福岡 | － | － | － | － | － | － | － |
| 佐賀 | － | － | － | － | － | － | － |
| 長崎 | － | － | － | － | － | － | － |
| 熊本 | － | － | － | － | － | － | － |
| 大分 | － | － | － | － | － | － | － |
| 宮崎 | － | － | － | － | － | － | － |
| 鹿児島 | － | － | － | － | － | － | － |
| 沖縄 | － | － | － | － | － | － | － |
| 指定都市・特別区（再掲） | | | | | | | |
| 東京都区部 | － | － | － | － | － | － | － |
| 札幌市 | － | － | － | － | － | － | － |
| 仙台市 | － | － | － | － | － | － | － |
| さいたま市 | － | － | － | － | － | － | － |
| 千葉市 | － | － | － | － | － | － | － |
| 横浜市 | － | － | － | － | － | － | － |
| 川崎市 | － | － | － | － | － | － | － |
| 相模原市 | － | － | － | － | － | － | － |
| 新潟市 | － | － | － | － | － | － | － |
| 静岡市 | － | － | － | － | － | － | － |
| 浜松市 | － | － | － | － | － | － | － |
| 名古屋市 | － | － | － | － | － | － | － |
| 京都市 | － | － | － | － | － | － | － |
| 大阪市 | － | － | － | － | － | － | － |
| 堺市 | － | － | － | － | － | － | － |
| 神戸市 | － | － | － | － | － | － | － |
| 岡山市 | － | － | － | － | － | － | － |
| 広島市 | － | － | － | － | － | － | － |
| 北九州市 | － | － | － | － | － | － | － |
| 福岡市 | － | － | － | － | － | － | － |
| 熊本市 | － | － | － | － | － | － | － |

## 等へ委託した被指導延人員，都道府県－指定都市・特別区－中核市－その他政令市、個別－集団・対象区分別

平成29年度

| 医療機関等へ委託 | | | | | | | | |
|---|---|---|---|---|---|---|---|---|
| 別 | | | 集団 | | | | | |
| 乳幼児 | 20歳未満（妊産婦・乳幼児を除く。） | 20歳以上（妊産婦を除く。） | 総数 | 妊産婦 | 乳幼児 | 20歳未満（妊産婦・乳幼児を除く。） | 20歳以上（妊産婦を除く。） | |
| … | … | … | **46** | … | … | … | **46** | |
| – | – | – | – | – | – | – | – | |
| – | – | – | – | – | – | – | – | |
| – | – | – | – | – | – | – | – | |
| – | – | – | – | – | – | – | – | |
| – | – | – | – | – | – | – | – | |
| – | – | – | – | – | – | – | – | |
| – | – | – | – | – | – | – | – | |
| – | – | – | – | – | – | – | – | |
| – | – | – | – | – | – | – | – | |
| – | – | – | – | – | – | – | – | |
| – | – | – | – | – | – | – | – | |
| – | – | – | – | – | – | – | – | |
| – | – | – | – | – | – | – | – | |
| – | – | – | – | – | – | – | – | |
| – | – | – | – | – | – | – | – | |
| – | – | – | 46 | – | – | – | 46 | |
| – | – | – | – | – | – | – | – | |
| – | – | – | – | – | – | – | – | |
| – | – | – | – | – | – | – | – | |
| – | – | – | – | – | – | – | – | |
| – | – | – | – | – | – | – | – | |
| – | – | – | – | – | – | – | – | |
| – | – | – | – | – | – | – | – | |
| – | – | – | – | – | – | – | – | |
| – | – | – | – | – | – | – | – | |
| – | – | – | – | – | – | – | – | |
| … | … | … | … | … | … | … | … | |
| – | – | – | – | – | – | – | – | |
| – | – | – | – | – | – | – | – | |
| – | – | – | – | – | – | – | – | |
| – | – | – | – | – | – | – | – | |
| – | – | – | – | – | – | – | – | |
| – | – | – | – | – | – | – | – | |
| – | – | – | – | – | – | – | – | |
| – | – | – | – | – | – | – | – | |
| – | – | – | – | – | – | – | – | |
| – | – | – | – | – | – | – | – | |
| – | – | – | – | – | – | – | – | |
| – | – | – | – | – | – | – | – | |
| – | – | – | – | – | – | – | – | |
| – | – | – | – | – | – | – | – | |
| – | – | – | – | – | – | – | – | |
| – | – | – | – | – | – | – | – | |
| – | – | – | – | – | – | – | – | |
| – | – | – | – | – | – | – | – | |
| – | – | – | – | – | – | – | – | |
| – | – | – | – | – | – | – | – | |
| – | – | – | – | – | – | – | – | |
| – | – | – | – | – | – | – | – | |
| – | – | – | – | – | – | – | – | |
| – | – | – | – | – | – | – | – | |
| – | – | – | – | – | – | – | – | |
| – | – | – | – | – | – | – | – | |
| – | – | – | – | – | – | – | – | |
| – | – | – | – | – | – | – | – | |
| – | – | – | – | – | – | – | – | |
| – | – | – | – | – | – | – | – | |
| – | – | – | – | – | – | – | – | |
| – | – | – | – | – | – | – | – | |
| – | – | – | – | – | – | – | – | |
| – | – | – | – | – | – | – | – | |
| – | – | – | – | – | – | – | – | |
| – | – | – | – | – | – | – | – | |
| – | – | – | – | – | – | – | – | |
| – | – | – | – | – | – | – | – | |
| – | – | – | – | – | – | – | – | |
| – | – | – | – | – | – | – | – | |
| – | – | – | – | – | – | – | – | |

# 第21表（4－4）保健所が実施したその他の栄養・運動等指導の被指導延人員・医療機関

| | 総 | | | 数 | | （再掲） | | 個 |
| --- | --- | --- | --- | --- | --- | --- | --- | --- |
| | 総　　数 | 妊　産　婦 | 乳　幼　児 | 20 歳 未 満（妊産婦・乳幼児を 除 く 。） | 20 歳 以 上（妊 産 婦を 除 く 。） | 総　　数 | | 妊　産　婦 |
| 中　核　市(再掲) | | | | | | | | |
| 旭　　川　　市 | - | - | - | - | - | - | | - |
| 函　　館　　市 | - | - | - | - | - | - | | - |
| 青　　森　　市 | - | - | - | - | - | - | | - |
| 八　　戸　　市 | - | - | - | - | - | - | | - |
| 盛　　岡　　市 | - | - | - | - | - | - | | - |
| 秋　　田　　市 | - | - | - | - | - | - | | - |
| 郡　　山　　市 | - | - | - | - | - | - | | - |
| い　わ　き　市 | - | - | - | - | - | - | | - |
| 宇　都　宮　市 | - | - | - | - | - | - | | - |
| 前　　橋　　市 | - | - | - | - | - | - | | - |
| 高　　崎　　市 | - | - | - | - | - | - | | - |
| 川　　越　　市 | - | - | - | - | - | - | | - |
| 越　　谷　　市 | - | - | - | - | - | - | | - |
| 船　　橋　　市 | - | - | - | - | - | - | | - |
| 柏　　　　市 | - | - | - | - | - | - | | - |
| 八　王　子　市 | - | - | - | - | - | - | | - |
| 横　須　賀　市 | - | - | - | - | - | - | | - |
| 富　　山　　市 | - | - | - | - | - | - | | - |
| 金　　沢　　市 | - | - | - | - | - | - | | - |
| 長　　野　　市 | - | - | - | - | - | - | | - |
| 岐　　阜　　市 | - | - | - | - | - | - | | - |
| 豊　　橋　　市 | - | - | - | - | - | - | | - |
| 豊　　田　　市 | - | - | - | - | - | - | | - |
| 岡　　崎　　市 | - | - | - | - | - | - | | - |
| 大　　津　　市 | - | - | - | - | - | - | | - |
| 高　　槻　　市 | - | - | - | - | - | - | | - |
| 東　大　阪　市 | - | - | - | - | - | - | | - |
| 豊　　中　　市 | - | - | - | - | - | - | | - |
| 枚　　方　　市 | - | - | - | - | - | - | | - |
| 姫　　路　　市 | - | - | - | - | - | - | | - |
| 西　　宮　　市 | - | - | - | - | - | - | | - |
| 尼　　崎　　市 | - | - | - | - | - | - | | - |
| 奈　　良　　市 | - | - | - | - | - | - | | - |
| 和　歌　山　市 | - | - | - | - | - | - | | - |
| 倉　　敷　　市 | - | - | - | - | - | - | | - |
| 福　　山　　市 | - | - | - | - | - | - | | - |
| 呉　　　　市 | - | - | - | - | - | - | | - |
| 下　　関　　市 | - | - | - | - | - | - | | - |
| 高　　松　　市 | - | - | - | - | - | - | | - |
| 松　　山　　市 | - | - | - | - | - | - | | - |
| 高　　知　　市 | - | - | - | - | - | - | | - |
| 久　留　米　市 | - | - | - | - | - | - | | - |
| 長　　崎　　市 | - | - | - | - | - | - | | - |
| 佐　世　保　市 | - | - | - | - | - | - | | - |
| 大　　分　　市 | - | - | - | - | - | - | | - |
| 宮　　崎　　市 | - | - | - | - | - | - | | - |
| 鹿　児　島　市 | - | - | - | - | - | - | | - |
| 那　　覇　　市 | - | - | - | - | - | - | | - |
| その他政令市(再掲) | | | | | | | | |
| 小　　樽　　市 | - | - | - | - | - | - | | - |
| 町　　田　　市 | - | - | - | - | - | - | | - |
| 藤　　沢　　市 | - | - | - | - | - | - | | - |
| 茅　ヶ　崎　市 | - | - | - | - | - | - | | - |
| 四　日　市　市 | 20 | 20 | - | - | - | 20 | | 20 |
| 大　牟　田　市 | - | - | - | - | - | - | | - |

## 等へ委託した被指導延人員，都道府県－指定都市・特別区－中核市－その他政令市、個別－集団・対象区分別

平成29年度

| 医療機関等へ委託 | | | | | | | |
|---|---|---|---|---|---|---|---|
| 別 | | | 集団 | | | | |
| 乳幼児 | 20歳未満（妊産婦・乳幼児を除く。） | 20歳以上（妊産婦を除く。） | 総数 | 妊産婦 | 乳幼児 | 20歳未満（妊産婦・乳幼児を除く。） | 20歳以上（妊産婦を除く。） |
| – | – | – | – | – | – | – | – |
| – | – | – | – | – | – | – | – |
| – | – | – | – | – | – | – | – |
| – | – | – | – | – | – | – | – |
| – | – | – | – | – | – | – | – |
| – | – | – | – | – | – | – | – |
| – | – | – | – | – | – | – | – |
| – | – | – | – | – | – | – | – |
| – | – | – | – | – | – | – | – |
| – | – | – | – | – | – | – | – |
| – | – | – | – | – | – | – | – |
| – | – | – | – | – | – | – | – |
| – | – | – | – | – | – | – | – |
| – | – | – | – | – | – | – | – |
| – | – | – | – | – | – | – | – |
| – | – | – | – | – | – | – | – |
| – | – | – | – | – | – | – | – |
| – | – | – | – | – | – | – | – |
| – | – | – | – | – | – | – | – |
| – | – | – | – | – | – | – | – |
| – | – | – | – | – | – | – | – |
| – | – | – | – | – | – | – | – |
| – | – | – | – | – | – | – | – |
| – | – | – | – | – | – | – | – |
| – | – | – | – | – | – | – | – |
| – | – | – | – | – | – | – | – |
| – | – | – | – | – | – | – | – |
| – | – | – | – | – | – | – | – |
| – | – | – | – | – | – | – | – |
| – | – | – | – | – | – | – | – |
| – | – | – | – | – | – | – | – |
| – | – | – | – | – | – | – | – |
| – | – | – | – | – | – | – | – |
| – | – | – | – | – | – | – | – |
| – | – | – | – | – | – | – | – |
| – | – | – | – | – | – | – | – |
| – | – | – | – | – | – | – | – |
| – | – | – | – | – | – | – | – |
| – | – | – | – | – | – | – | – |
| – | – | – | – | – | – | – | – |
| – | – | – | – | – | – | – | – |
| – | – | – | – | – | – | – | – |
| – | – | – | – | – | – | – | – |
| – | – | – | – | – | – | – | – |
| – | – | – | – | – | – | – | – |
| – | – | – | – | – | – | – | – |
| – | – | – | – | – | – | – | – |
| – | – | – | – | – | – | – | – |
| – | – | – | – | – | – | – | – |
| – | – | – | – | – | – | – | – |
| – | – | – | – | – | – | – | – |
| – | – | – | – | – | – | – | – |
| – | – | – | – | – | – | – | – |
| – | – | – | – | – | – | – | – |

# 第22表　保健所が実施した栄養管理指導の被指導延施設数・栄養及び運動

| | 栄養管理指導を受けた延施設数 | | | | 栄養・運動指導を受けた延人員 | | | |
|---|---|---|---|---|---|---|---|---|
| | 総数 | 特定給食施設 1回100食以上又は1日250食以上 | 特定給食施設 1回300食以上又は1日750食以上 | その他の給食施設 | 総数 | 特定給食施設 1回100食以上又は1日250食以上 | 特定給食施設 1回300食以上又は1日750食以上 | その他の給食施設 |
| **全国** | **105 809** | **47 405** | **13 803** | **44 601** | **27 513** | **16 101** | **7 309** | **4 103** |
| 北海道 | 3 236 | 1 396 | 392 | 1 448 | 52 | 16 | 8 | 28 |
| 青森 | 582 | 160 | 43 | 379 | 1 | 1 | - | - |
| 岩手 | 684 | 250 | 119 | 315 | 85 | 30 | 55 | - |
| 宮城 | 1 194 | 451 | 188 | 555 | - | - | - | - |
| 秋田 | 196 | 107 | 20 | 69 | - | - | - | - |
| 山形 | 460 | 242 | 17 | 201 | - | - | - | - |
| 福島 | 1 165 | 538 | 126 | 501 | 65 | 65 | - | - |
| 茨城 | 1 377 | 604 | 195 | 578 | - | - | - | - |
| 栃木 | 913 | 500 | 123 | 290 | - | - | - | - |
| 群馬 | 2 065 | 1 284 | 147 | 634 | 94 | 94 | - | - |
| 埼玉 | 4 111 | 1 748 | 596 | 1 767 | 807 | 353 | 394 | 60 |
| 千葉 | 6 432 | 3 295 | 1 268 | 1 869 | - | - | - | - |
| 東京 | 22 821 | 10 238 | 3 112 | 9 471 | 10 | 10 | - | - |
| 神奈川 | 6 800 | 2 742 | 992 | 3 066 | 2 237 | 565 | 1 431 | 241 |
| 新潟 | 766 | 361 | 91 | 314 | 104 | 69 | - | 35 |
| 富山 | 618 | 355 | 86 | 177 | 313 | 70 | 243 | - |
| 石川 | 571 | 250 | 105 | 216 | 631 | - | 631 | - |
| 福井 | 665 | 326 | 53 | 286 | - | - | - | - |
| 山梨 | 235 | 109 | 12 | 114 | - | - | - | - |
| 長野 | 1 131 | 486 | 171 | 474 | - | - | - | - |
| 岐阜 | 1 701 | 715 | 206 | 780 | 1 175 | 443 | 600 | 132 |
| 静岡 | 1 916 | 1 027 | 248 | 641 | 1 315 | 461 | 841 | 13 |
| 愛知 | 4 687 | 1 876 | 737 | 2 074 | 14 095 | 11 178 | 513 | 2 404 |
| 三重 | 709 | 294 | 88 | 327 | - | - | - | - |
| 滋賀 | 399 | 191 | 53 | 155 | - | - | - | - |
| 京都 | 1 398 | 615 | 167 | 616 | 4 255 | 2 110 | 1 440 | 705 |
| 大阪 | 7 991 | 4 419 | 1 423 | 2 149 | 1 524 | 399 | 1 095 | 30 |
| 兵庫 | 7 458 | 3 556 | 736 | 3 166 | 385 | 116 | 30 | 239 |
| 奈良 | 809 | 342 | 122 | 345 | - | - | - | - |
| 和歌山 | 597 | 241 | 46 | 310 | - | - | - | - |
| 鳥取 | 85 | 53 | 12 | 20 | - | - | - | - |
| 島根 | 122 | 69 | 16 | 37 | - | - | - | - |
| 岡山 | 569 | 296 | 73 | 200 | 1 | - | - | 1 |
| 広島 | 2 165 | 915 | 276 | 974 | 27 | 12 | 5 | 10 |
| 山口 | 1 246 | 479 | 161 | 606 | - | - | - | - |
| 徳島 | 2 098 | 840 | 420 | 838 | 67 | - | - | 67 |
| 香川 | 798 | 401 | 109 | 288 | 96 | 58 | 13 | 25 |
| 愛媛 | 632 | 178 | 45 | 409 | - | - | - | - |
| 高知 | 88 | 48 | 7 | 33 | … | … | … | … |
| 福岡 | 4 592 | 2 266 | 384 | 1 942 | - | - | - | - |
| 佐賀 | 853 | 423 | 46 | 384 | - | - | - | - |
| 長崎 | 1 547 | 414 | 76 | 1 057 | 174 | 51 | 10 | 113 |
| 熊本 | 976 | 391 | 72 | 513 | - | - | - | - |
| 大分 | 2 546 | 648 | 84 | 1 814 | - | - | - | - |
| 宮崎 | 2 413 | 755 | 223 | 1 435 | - | - | - | - |
| 鹿児島 | 402 | 158 | 32 | 212 | - | - | - | - |
| 沖縄 | 990 | 353 | 85 | 552 | - | - | - | - |
| 指定都市・特別区(再掲) | | | | | | | | |
| 東京都区部 | 12 977 | 4 991 | 1 934 | 6 052 | - | - | - | - |
| 札幌市 | 795 | 386 | 85 | 324 | - | - | - | - |
| 仙台市 | 900 | 304 | 145 | 451 | - | - | - | - |
| さいたま市 | 82 | 34 | 6 | 42 | - | - | - | - |
| 千葉市 | 236 | 75 | 65 | 96 | - | - | - | - |
| 横浜市 | 2 270 | 896 | 204 | 1 170 | - | - | - | - |
| 川崎市 | 1 628 | 685 | 202 | 741 | - | - | - | - |
| 相模原市 | 262 | 101 | 50 | 111 | - | - | - | - |
| 新潟市 | 172 | 86 | 21 | 65 | - | - | - | - |
| 静岡市 | 576 | 267 | 60 | 249 | - | - | - | - |
| 浜松市 | 132 | 76 | 35 | 21 | - | - | - | - |
| 名古屋市 | 2 462 | 1 137 | 231 | 1 094 | 14 049 | 11 178 | 467 | 2 404 |
| 京都市 | 1 167 | 514 | 131 | 522 | - | - | - | - |
| 大阪市 | 1 737 | 781 | 238 | 718 | 72 | 29 | 32 | 11 |
| 堺市 | 579 | 293 | 90 | 196 | - | - | - | - |
| 神戸市 | 1 228 | 679 | 169 | 380 | - | - | - | - |
| 岡山市 | 60 | 55 | 2 | 3 | - | - | - | - |
| 広島市 | 510 | 265 | 83 | 162 | - | - | - | - |
| 北九州市 | 158 | 49 | 20 | 89 | - | - | - | - |
| 福岡市 | 954 | 482 | 138 | 334 | - | - | - | - |
| 熊本市 | 335 | 126 | 33 | 176 | - | - | - | - |

# 指導の被指導延人員, 都道府県−指定都市・特別区−中核市−その他政令市、施設の種類別

平成29年度

| | 栄養管理指導を受けた延施設数 | | | | 栄養・運動指導を受けた延人員 | | | |
| --- | --- | --- | --- | --- | --- | --- | --- | --- |
| | 総数 | 特定給食施設 | | その他の給食施設 | 総数 | 特定給食施設 | | その他の給食施設 |
| | | 1回100食以上又は1日250食以上 | 1回300食以上又は1日750食以上 | | | 1回100食以上又は1日250食以上 | 1回300食以上又は1日750食以上 | |
| 中核市(再掲) | | | | | | | | |
| 旭川市 | 189 | 85 | 59 | 45 | − | − | − | − |
| 函館市 | 24 | 8 | − | 16 | − | − | − | − |
| 青森市 | 207 | 58 | 19 | 130 | − | − | − | − |
| 八戸市 | 60 | 18 | 1 | 41 | − | − | − | − |
| 盛岡市 | 272 | 128 | 29 | 115 | − | − | − | − |
| 秋田市 | − | − | − | − | − | − | − | − |
| 郡山市 | 80 | 17 | 19 | 44 | − | − | − | − |
| いわき市 | 345 | 144 | 42 | 159 | − | − | − | − |
| 宇都宮市 | 275 | 138 | 51 | 86 | − | − | − | − |
| 前橋市 | 174 | 100 | 42 | 32 | − | − | − | − |
| 高崎市 | 167 | 78 | 46 | 43 | − | − | − | − |
| 川越市 | 479 | 150 | 47 | 282 | − | − | − | − |
| 越谷市 | 63 | 20 | 8 | 35 | − | − | − | − |
| 船橋市 | 567 | 246 | 67 | 254 | − | − | − | − |
| 柏市 | 127 | 70 | 35 | 22 | − | − | − | − |
| 八王子市 | 881 | 536 | 90 | 255 | − | − | − | − |
| 横須賀市 | 56 | 25 | 5 | 26 | − | − | − | − |
| 富山市 | 71 | 37 | 18 | 16 | − | − | − | − |
| 金沢市 | 250 | 126 | 49 | 75 | 631 | − | 631 | − |
| 長野市 | 55 | 14 | 6 | 35 | − | − | − | − |
| 岐阜市 | 52 | 25 | 4 | 23 | − | − | − | − |
| 豊橋市 | 41 | 21 | 8 | 12 | − | − | − | − |
| 豊田市 | 9 | 5 | 2 | 2 | − | − | − | − |
| 岡崎市 | 12 | 3 | 9 | − | − | − | − | − |
| 大津市 | 228 | 113 | 37 | 78 | − | − | − | − |
| 高槻市 | 22 | 13 | 4 | 5 | − | − | − | − |
| 東大阪市 | 707 | 465 | 57 | 185 | 697 | 52 | 629 | 16 |
| 豊中市 | 162 | 83 | 23 | 56 | − | − | − | − |
| 枚方市 | 224 | 130 | 36 | 58 | − | − | − | − |
| 姫路市 | 383 | 166 | 43 | 174 | − | − | − | − |
| 西宮市 | 518 | 177 | 29 | 312 | − | − | − | − |
| 尼崎市 | 517 | 247 | 62 | 208 | − | − | − | − |
| 奈良市 | 40 | 14 | 8 | 18 | − | − | − | − |
| 和歌山市 | 21 | 15 | − | 6 | − | − | − | − |
| 倉敷市 | 221 | 120 | 23 | 78 | − | − | − | − |
| 福山市 | 696 | 233 | 72 | 391 | − | − | − | − |
| 呉市 | 27 | 12 | 5 | 10 | 27 | 12 | 5 | 10 |
| 下関市 | 84 | 29 | 17 | 38 | − | − | − | − |
| 高松市 | 295 | 152 | 71 | 72 | 96 | 58 | 13 | 25 |
| 松山市 | 136 | 42 | 7 | 87 | − | − | − | − |
| 高知市 | 15 | 8 | − | 7 | … | … | … | … |
| 久留米市 | 271 | 127 | 20 | 124 | − | − | − | − |
| 長崎市 | 275 | 83 | 16 | 176 | − | − | − | − |
| 佐世保市 | 116 | 30 | 9 | 77 | 174 | 51 | 10 | 113 |
| 大分市 | 274 | 75 | 19 | 180 | − | − | − | − |
| 宮崎市 | 407 | 127 | 120 | 160 | − | − | − | − |
| 鹿児島市 | 71 | 36 | 8 | 27 | − | − | − | − |
| 那覇市 | 287 | 138 | 34 | 115 | − | − | − | − |
| その他政令市(再掲) | | | | | | | | |
| 小樽市 | 271 | 100 | 17 | 154 | − | − | − | − |
| 町田市 | 1 193 | 711 | 141 | 341 | − | − | − | − |
| 藤沢市 | 481 | 197 | 118 | 166 | − | − | − | − |
| 茅ヶ崎市 | 398 | 161 | 95 | 142 | − | − | − | − |
| 四日市市 | 124 | 38 | 25 | 61 | − | − | − | − |
| 大牟田市 | 204 | 103 | 19 | 82 | − | − | − | − |

# 第23表（2－1）保健所が実施した精神保健福祉相談等の被指導

| | 相談、デイ・ケア、訪問指導実人員 | （再掲）相談 | | | | | | | | （再掲）デイ・ケア | | | （再掲） | | |
|---|---|---|---|---|---|---|---|---|---|---|---|---|---|---|---|
| | | 実人員 | 延人員 | （再掲） | | | | | | 実人員 | 延人員 | （再掲）ひきこもり | 実人員 | 延人員 | |
| | | | | ひきこもり | 自殺関連 | （再掲）自死遺族 | 犯罪被害 | 災害 | | | | | | | ひきこもり |
| 全国 | 213 070 | 161 247 | 463 129 | 17 991 | 14 873 | 1 003 | 262 | 367 | | 2 784 | 31 979 | 3 135 | 60 651 | 155 596 | 7 129 |
| 北海道 | 4 694 | 3 349 | 9 556 | 396 | 462 | 8 | 12 | – | | 80 | 283 | 70 | 1 460 | 3 566 | 235 |
| 青森 | 2 675 | 456 | 701 | 38 | 20 | – | – | – | | – | – | – | 2 250 | 2 589 | 29 |
| 岩手 | 1 006 | 547 | 1 098 | 193 | 91 | 14 | – | – | | 4 | 25 | – | 529 | 1 112 | 43 |
| 宮城 | 2 488 | 1 600 | 3 663 | 242 | 13 | – | 1 | 99 | | – | – | – | 1 252 | 4 680 | 93 |
| 秋田 | 744 | 615 | 1 871 | 71 | 28 | – | – | – | | 4 | 41 | – | 158 | 362 | 57 |
| 山形 | 613 | 414 | 894 | 284 | 17 | 5 | 1 | – | | – | – | – | 260 | 986 | 73 |
| 福島 | 1 403 | 1 199 | 3 306 | 219 | 73 | – | 10 | 5 | | 11 | 160 | – | 222 | 615 | 46 |
| 茨城 | 1 504 | 1 024 | 1 930 | 218 | 15 | – | – | – | | 10 | 196 | 196 | 470 | 953 | 60 |
| 栃木 | 1 864 | 1 160 | 2 194 | 129 | 30 | 13 | – | – | | 10 | 89 | – | 787 | 1 684 | 32 |
| 群馬 | 1 417 | 1 117 | 1 479 | 168 | 36 | 2 | – | – | | – | – | – | 328 | 712 | 67 |
| 埼玉 | 9 599 | 6 403 | 9 244 | 563 | 199 | 11 | 4 | – | | 12 | 313 | 24 | 3 694 | 8 511 | 219 |
| 千葉 | 6 099 | 4 679 | 8 342 | 248 | 68 | 4 | 2 | 5 | | 120 | 612 | – | 2 063 | 5 452 | 42 |
| 東京 | 40 354 | 28 525 | 68 066 | 4 353 | 720 | 45 | 54 | 11 | | 624 | 14 159 | 2 462 | 13 547 | 33 726 | 1 820 |
| 神奈川 | 26 364 | 20 629 | 117 863 | 2 550 | 5 683 | 407 | 100 | 26 | | 1 446 | 11 687 | 272 | 4 694 | 11 743 | 547 |
| 新潟 | 3 225 | 2 730 | 11 221 | 363 | 494 | 73 | 13 | 3 | | – | – | – | 731 | 1 915 | 75 |
| 富山 | 1 784 | 947 | 1 710 | 131 | 46 | 5 | 10 | 2 | | 21 | 238 | – | 877 | 1 897 | 56 |
| 石川 | 449 | 352 | 766 | 230 | 67 | 1 | 1 | – | | 5 | 21 | 21 | 197 | 656 | 126 |
| 福井 | 840 | 657 | 1 946 | 73 | 15 | 2 | – | 1 | | – | – | – | 228 | 887 | 20 |
| 山梨 | 945 | 547 | 1 014 | 72 | 8 | – | – | – | | – | – | – | 445 | 1 711 | 314 |
| 長野 | 1 627 | 1 021 | 1 426 | 118 | 105 | 24 | 1 | 6 | | 17 | 329 | – | 795 | 1 687 | 88 |
| 岐阜 | 704 | 537 | 708 | 48 | 25 | 1 | 1 | – | | – | – | – | 173 | 352 | 2 |
| 静岡 | 2 770 | 1 731 | 3 559 | 635 | 33 | – | – | – | | 55 | 458 | – | 1 060 | 2 440 | 81 |
| 愛知 | 12 028 | 9 703 | 20 864 | 633 | 87 | 36 | 14 | – | | – | – | – | 3 281 | 9 599 | 223 |
| 三重 | 871 | 609 | 1 136 | 103 | 50 | 12 | 2 | – | | – | – | – | 326 | 1 069 | 100 |
| 滋賀 | 1 677 | 1 071 | 2 284 | 419 | 518 | 1 | – | – | | – | – | – | 712 | 1 203 | 137 |
| 京都 | 5 526 | 3 686 | 7 014 | 249 | 37 | 3 | 2 | – | | 94 | 709 | – | 2 075 | 4 120 | 162 |
| 大阪 | 6 785 | 6 394 | 43 190 | 2 419 | 4 763 | 265 | 12 | 25 | | – | – | – | 1 907 | 5 844 | 497 |
| 兵庫 | 11 080 | 7 658 | 23 501 | 506 | 204 | 4 | 2 | 1 | | 102 | 1 088 | 8 | 3 903 | 11 737 | 307 |
| 奈良 | 705 | 510 | 1 446 | 28 | 5 | – | – | – | | – | – | – | 243 | 1 030 | 19 |
| 和歌山 | 1 537 | 732 | 1 997 | 78 | 10 | – | – | – | | 11 | 52 | – | 909 | 2 028 | 135 |
| 鳥取 | 299 | 146 | 369 | 100 | 9 | 1 | – | – | | – | – | – | 154 | 423 | 30 |
| 島根 | 853 | 646 | 2 219 | 69 | 24 | 1 | – | – | | – | – | – | 284 | 1 145 | 44 |
| 岡山 | 7 213 | 5 942 | 10 969 | 414 | 110 | 9 | – | 2 | | 10 | 51 | – | 1 295 | 3 946 | 287 |
| 広島 | 12 751 | 12 254 | 17 032 | 204 | 42 | 1 | 11 | 3 | | 14 | 188 | – | 1 302 | 2 660 | 164 |
| 山口 | 1 636 | 1 345 | 9 871 | 435 | 46 | 5 | 2 | – | | – | – | – | 440 | 1 106 | 89 |
| 徳島 | 830 | 491 | 1 186 | 61 | 84 | 1 | – | – | | – | – | – | 364 | 1 191 | 30 |
| 香川 | 1 189 | 546 | 1 454 | 75 | 22 | 2 | – | – | | 21 | 451 | – | 622 | 3 176 | 136 |
| 愛媛 | 1 181 | 465 | 877 | 59 | 55 | 7 | 1 | 25 | | 18 | 158 | 11 | 781 | 1 576 | 117 |
| 高知 | 586 | 339 | 802 | 23 | 13 | – | – | – | | – | – | – | 281 | 817 | 7 |
| 福岡 | 22 450 | 21 379 | 50 007 | 144 | 151 | 28 | – | 145 | | – | – | – | 1 372 | 4 019 | 119 |
| 佐賀 | 442 | 189 | 478 | 37 | 6 | 3 | 1 | – | | – | – | – | 257 | 1 121 | 91 |
| 長崎 | 3 242 | 1 542 | 2 943 | 198 | 39 | 4 | – | – | | 30 | 208 | 71 | 1 756 | 3 587 | 129 |
| 熊本 | 519 | 389 | 746 | 36 | 16 | 1 | – | 5 | | – | – | – | 170 | 329 | 12 |
| 大分 | 1 023 | 681 | 1 842 | 171 | 49 | 1 | – | 3 | | – | – | – | 429 | 1 503 | 50 |
| 宮崎 | 1 147 | 726 | 1 583 | 69 | 86 | 1 | 3 | – | | – | – | – | 501 | 1 398 | 42 |
| 鹿児島 | 2 955 | 2 368 | 3 215 | 72 | 96 | – | 1 | – | | 65 | 463 | – | 632 | 1 367 | 47 |
| 沖縄 | 1 377 | 1 197 | 3 547 | 47 | 103 | 2 | 1 | – | | – | – | – | 435 | 1 366 | 30 |
| 指定都市・特別区(再掲) | | | | | | | | | | | | | | | |
| 東京都区部 | 34 457 | 24 321 | 45 941 | 932 | 383 | 33 | 22 | 7 | | 550 | 13 243 | 1 986 | 11 562 | 26 235 | 552 |
| 札幌市 | – | – | – | – | – | – | – | – | | – | – | – | – | – | – |
| 仙台市 | 1 783 | 1 144 | 2 749 | 51 | 1 | – | 1 | 99 | | – | – | – | 956 | 3 660 | 70 |
| さいたま市 | 2 041 | 466 | 575 | 13 | 4 | – | – | – | | – | – | – | 1 575 | 2 490 | 13 |
| 千葉市 | 3 088 | 2 846 | 4 302 | 116 | 25 | 1 | 2 | 2 | | – | – | – | 806 | 806 | – |
| 横浜市 | 17 077 | 13 048 | 80 362 | 754 | 324 | 324 | 78 | 17 | | 1 258 | 9 167 | – | 2 771 | 6 904 | 129 |
| 川崎市 | 3 860 | 2 750 | 16 097 | 889 | 264 | 22 | 4 | – | | 132 | 1 255 | 170 | 978 | 2 005 | 251 |
| 相模原市 | – | – | – | – | – | – | – | – | | – | – | – | – | – | – |
| 新潟市 | 319 | 211 | 398 | 2 | 2 | – | – | – | | – | – | – | 108 | 244 | – |
| 静岡市 | 297 | 165 | 174 | – | – | – | – | – | | – | – | – | 132 | 210 | – |
| 浜松市 | 520 | 242 | 561 | 8 | – | – | – | – | | 4 | 55 | – | 274 | 1 164 | 3 |
| 名古屋市 | 8 023 | 7 194 | 14 811 | 83 | 16 | 6 | 3 | – | | – | – | – | 1 785 | 4 022 | 31 |
| 京都市 | 4 634 | 3 005 | 5 039 | 128 | 7 | 3 | 2 | – | | 87 | 674 | – | 1 766 | 3 210 | 68 |
| 大阪市 | – | – | – | – | – | – | – | – | | – | – | – | – | – | – |
| 堺市 | – | – | – | – | – | – | – | – | | – | – | – | – | – | – |
| 神戸市 | 5 845 | 5 153 | 18 014 | 213 | 36 | – | 2 | – | | – | – | – | 692 | 1 082 | 34 |
| 岡山市 | 4 619 | 4 083 | 4 097 | 7 | 9 | 6 | – | – | | – | – | – | 536 | 1 511 | 64 |
| 広島市 | 11 450 | 11 450 | 15 611 | 87 | 12 | – | 10 | 2 | | – | – | – | 776 | 1 195 | 52 |
| 北九州市 | 11 | – | – | – | – | – | – | – | | – | – | – | 11 | 11 | – |
| 福岡市 | 19 575 | 19 358 | 44 903 | 17 | 7 | – | – | 3 | | – | – | – | 332 | 654 | – |
| 熊本市 | 54 | 31 | 46 | – | 1 | 1 | – | – | | – | – | – | 26 | 43 | – |

# 実人員－延人員，都道府県－指定都市・特別区－中核市－その他政令市、相談等の種類別

平成29年度

| 訪問指導 | | | | 電話相談等延人員 | | | | | | | | | | | |
|---|---|---|---|---|---|---|---|---|---|---|---|---|---|---|---|
| （再掲） | | | | 電話による相談延人員 | （再掲） | | | | | 電子メールによる相談延人員 | （再掲） | | | | |
| 自殺関連 | （再掲）自死遺族 | 犯罪被害 | 災害 | | ひきこもり | 自殺関連 | （再掲）自死遺族 | 犯罪被害 | 災害 | | ひきこもり | 自殺関連 | （再掲）自死遺族 | 犯罪被害 | 災害 |
| **3 825** | **285** | **82** | **490** | **868 986** | **20 753** | **20 281** | **1 274** | **522** | **163** | **6 363** | **879** | **265** | **57** | **6** | **4** |
| 189 | 2 | － | 15 | 14 043 | 349 | 461 | 12 | 40 | － | 195 | 8 | 46 | 1 | － | － |
| 33 | － | － | － | 1 838 | 23 | 267 | 1 | － | － | － | － | － | － | － | － |
| 143 | 47 | － | － | 5 303 | 149 | 281 | 42 | － | － | 9 | － | 2 | － | － | － |
| 19 | － | － | 274 | 8 705 | 110 | 45 | 1 | － | 28 | 10 | 2 | － | － | － | 4 |
| 24 | － | － | － | 3 878 | 42 | 88 | 1 | － | － | 2 | － | － | － | － | － |
| 55 | 2 | － | － | 9 440 | 644 | 135 | 14 | 1 | 1 | 12 | 2 | 1 | － | － | － |
| 1 | 1 | － | 15 | 7 871 | 241 | 153 | 3 | 10 | 5 | 117 | － | － | － | 2 | － |
| 5 | － | － | － | 8 375 | 363 | 57 | 1 | － | － | 47 | 12 | － | － | － | － |
| 49 | 17 | － | － | 17 061 | 275 | 293 | 121 | 1 | － | 202 | － | － | － | － | － |
| 19 | － | － | 3 | 7 994 | 280 | 220 | 55 | 4 | 2 | 44 | 4 | 10 | － | － | － |
| 77 | 5 | 1 | － | 41 399 | 1 182 | 394 | 24 | 5 | － | 199 | 24 | 4 | － | － | － |
| 40 | 1 | － | － | 48 338 | 503 | 307 | 19 | 9 | 10 | 179 | 16 | 6 | － | － | － |
| 448 | 29 | 25 | 140 | 171 466 | 6 099 | 1 843 | 134 | 188 | 46 | 1 643 | 122 | － | － | － | － |
| 358 | 5 | 4 | － | 99 485 | 2 221 | 5 289 | 357 | 96 | 18 | 623 | 52 | 33 | 2 | 2 | － |
| 129 | 28 | － | － | 13 592 | 409 | 894 | 41 | 13 | 3 | 418 | 3 | 14 | － | － | － |
| 50 | 7 | 6 | － | 9 003 | 262 | 711 | 150 | 4 | 2 | 129 | － | 62 | 54 | － | － |
| 78 | 4 | － | － | 6 082 | 721 | 603 | 28 | 5 | － | 56 | 22 | － | － | － | － |
| 55 | － | － | － | 3 378 | 34 | 28 | 3 | 1 | 1 | 6 | － | 1 | － | － | － |
| 32 | － | － | － | 4 925 | 346 | 61 | － | － | － | 15 | － | － | － | － | － |
| 32 | － | 1 | 4 | 6 087 | 158 | 163 | 20 | 1 | － | 21 | － | 2 | － | － | － |
| 2 | － | － | － | 2 446 | 17 | 27 | 1 | 2 | － | 43 | － | － | － | － | － |
| 14 | － | － | － | 8 432 | 141 | 41 | － | － | － | 18 | － | － | － | － | － |
| 83 | 11 | 7 | 1 | 49 953 | 565 | 458 | 29 | 10 | 3 | 13 | － | － | － | 1 | － |
| 23 | 3 | 3 | － | 6 726 | 245 | 151 | 1 | 61 | － | 1 | － | － | － | － | － |
| 145 | 1 | － | － | 10 474 | 826 | 1 878 | 24 | 2 | － | 326 | 19 | 79 | － | 1 | － |
| 12 | － | － | － | 17 670 | 290 | 44 | 1 | － | － | 1 396 | 409 | － | － | － | － |
| 513 | 48 | 1 | － | 10 882 | 225 | 575 | 22 | 3 | 1 | 87 | 2 | － | － | － | － |
| 272 | 7 | － | 2 | 41 101 | 523 | 627 | 4 | 1 | 2 | 11 | － | － | － | － | － |
| 1 | － | － | － | 1 400 | 18 | 15 | － | － | － | － | － | － | － | － | － |
| 18 | － | － | － | 12 718 | 126 | 86 | 3 | － | － | 5 | － | － | － | － | － |
| 43 | 1 | － | － | 1 908 | 79 | 34 | 2 | － | － | 155 | 155 | － | － | － | － |
| 19 | － | － | － | 8 175 | 137 | 191 | － | 1 | － | 51 | － | 1 | － | － | － |
| 49 | 3 | － | － | 16 946 | 219 | 103 | 12 | 2 | 1 | 13 | 10 | － | － | － | － |
| 44 | － | 3 | 1 | 22 990 | 196 | 128 | 10 | 6 | 5 | 9 | － | － | － | － | － |
| 6 | － | 2 | － | 17 167 | 496 | 136 | － | 2 | － | 120 | 15 | － | － | － | － |
| 80 | 8 | － | － | 7 586 | 105 | 328 | 8 | 1 | － | － | － | － | － | － | － |
| 24 | 17 | － | － | 6 268 | 96 | 25 | 11 | － | － | 23 | 1 | － | － | － | － |
| 115 | 8 | 1 | － | 10 640 | 338 | 522 | 59 | 17 | 4 | 15 | － | 4 | － | － | － |
| 32 | － | － | － | 4 197 | 41 | 55 | － | － | － | 8 | 1 | － | － | － | － |
| 54 | 5 | 1 | 24 | 62 574 | 325 | 378 | 29 | 2 | 18 | 88 | － | － | － | － | － |
| 48 | 15 | － | － | 2 844 | 68 | 18 | 1 | 1 | 7 | － | － | － | － | － | － |
| 59 | － | － | － | 13 055 | 394 | 218 | 19 | － | － | 20 | － | － | － | － | － |
| 10 | 6 | － | 11 | 2 939 | 60 | 56 | 3 | － | 1 | 4 | － | － | － | － | － |
| 59 | 2 | － | － | 10 730 | 203 | 459 | 4 | － | 4 | 11 | － | － | － | － | － |
| 149 | 1 | － | － | 8 699 | 212 | 507 | － | 3 | 1 | 3 | － | － | － | － | － |
| 81 | － | 23 | － | 14 267 | 210 | 490 | 2 | 4 | － | 7 | － | － | － | － | － |
| 34 | 1 | 4 | － | 7 936 | 187 | 438 | 2 | 26 | － | 9 | － | － | － | － | － |
| 303 | 24 | 10 | 136 | 136 993 | 1 330 | 1 175 | 101 | 45 | 29 | 1 310 | 54 | － | － | － | － |
| － | － | － | － | － | － | － | － | － | － | － | － | － | － | － | － |
| 1 | － | － | 243 | 5 666 | 51 | 7 | 1 | － | 17 | 5 | － | － | － | － | 4 |
| 15 | 1 | － | － | 8 188 | 24 | 36 | 6 | － | － | 119 | 24 | 1 | － | － | － |
| 7 | － | － | － | 6 019 | 128 | 48 | － | 5 | 8 | 10 | － | － | － | － | － |
| 23 | 1 | － | － | 63 335 | 516 | 294 | 294 | 71 | 9 | 399 | 4 | － | － | － | － |
| 43 | 2 | 4 | － | 12 467 | 750 | 165 | 5 | 2 | － | 23 | 3 | 1 | 1 | 2 | － |
| － | － | － | － | － | － | － | － | － | － | － | － | － | － | － | － |
| － | － | － | － | 305 | 2 | 2 | － | － | － | － | － | － | － | － | － |
| － | － | － | － | 1 643 | － | － | － | － | － | － | － | － | － | － | － |
| 2 | － | － | － | 3 340 | － | － | － | － | － | 8 | － | － | － | － | － |
| 5 | 2 | 7 | － | 29 373 | 119 | 80 | 4 | 2 | 2 | － | － | － | － | － | － |
| 7 | － | － | － | 12 999 | 105 | 18 | 1 | － | － | － | － | － | － | － | － |
| － | － | － | － | － | － | － | － | － | － | － | － | － | － | － | － |
| － | － | － | － | － | － | － | － | － | － | － | － | － | － | － | － |
| 1 | － | － | － | 9 348 | 99 | 20 | － | 1 | － | － | － | － | － | － | － |
| － | － | － | － | 6 304 | 17 | 40 | 10 | 2 | － | － | － | － | － | － | － |
| 2 | － | 2 | － | 17 323 | 57 | 21 | － | 4 | 3 | 8 | － | － | － | － | － |
| － | － | － | － | － | － | － | － | － | － | － | － | － | － | － | － |
| － | － | － | － | 49 030 | 37 | 11 | 1 | 2 | 5 | 36 | － | － | － | － | － |
| 5 | 5 | － | 6 | 316 | － | 1 | 1 | － | 1 | 4 | － | － | － | － | － |

# 第23表（２－２）保健所が実施した精神保健福祉相談等の被指導

| | 相談、デイ・ケア、訪問指導実人員 | （再掲）相談 実人員 | 延人員 | （再掲）ひきこもり | 自殺関連 | （再掲）自死遺族 | 犯罪被害 | 災害 | （再掲）デイ・ケア 実人員 | 延人員 | （再掲）ひきこもり | （再掲） 実人員 | 延人員 | （再掲）ひきこもり |
|---|---|---|---|---|---|---|---|---|---|---|---|---|---|---|
| 中核市(再掲) | | | | | | | | | | | | | | |
| 旭川市 | 251 | 181 | 388 | 18 | 8 | 7 | – | – | – | – | – | 84 | 183 | 18 |
| 函館市 | 995 | 748 | 843 | 10 | 6 | – | 2 | – | – | – | – | 247 | 338 | 14 |
| 青森市 | 141 | 120 | 162 | 11 | 10 | – | – | – | – | – | – | 50 | 160 | 21 |
| 八戸市 | 2 257 | 189 | 333 | 13 | 3 | – | – | – | – | – | – | 2 068 | 2 184 | 5 |
| 盛岡市 | 165 | 95 | 209 | 32 | 5 | – | – | – | – | – | – | 94 | 213 | 6 |
| 秋田市 | 141 | 118 | 203 | 3 | 4 | – | – | – | – | – | – | 23 | 44 | – |
| 郡山市 | 232 | 189 | 294 | 9 | 1 | – | – | – | – | – | – | 43 | 61 | 1 |
| いわき市 | 227 | 167 | 219 | 35 | – | – | – | – | 11 | 160 | – | 49 | 126 | 1 |
| 宇都宮市 | 453 | 269 | 552 | 8 | 9 | 1 | – | – | – | – | – | 184 | 431 | 15 |
| 前橋市 | 360 | 237 | 341 | 65 | 10 | 2 | – | – | – | – | – | 123 | 281 | 34 |
| 高崎市 | 577 | 524 | 642 | 71 | 7 | – | – | – | – | – | – | 53 | 118 | 12 |
| 川越市 | 369 | 369 | 909 | 104 | 5 | 1 | – | – | 12 | 313 | 24 | 157 | 1 416 | 32 |
| 越谷市 | 3 499 | 3 499 | 3 499 | 112 | 152 | 5 | 4 | – | – | – | – | 297 | 297 | 8 |
| 船橋市 | 441 | 240 | 390 | 21 | 11 | – | – | 3 | 13 | 162 | – | 188 | 668 | – |
| 柏市 | 556 | 418 | 985 | 30 | 8 | – | – | – | – | – | – | 280 | 880 | 12 |
| 八王子市 | 850 | 484 | 1 445 | 350 | 35 | 2 | – | – | 8 | 203 | 61 | 358 | 1 087 | 90 |
| 横須賀市 | 455 | 203 | 346 | 61 | 3 | – | – | – | 56 | 1 265 | 102 | 196 | 461 | 33 |
| 富山市 | 616 | 225 | 239 | 24 | 26 | 5 | 1 | – | – | – | – | 414 | 443 | 23 |
| 金沢市 | – | – | – | – | – | – | – | – | – | – | – | – | – | – |
| 長野市 | 152 | 147 | 158 | 13 | 4 | – | – | – | – | – | – | 5 | 12 | – |
| 岐阜市 | 76 | 56 | 74 | 4 | 1 | – | 1 | – | – | – | – | 20 | 20 | – |
| 豊橋市 | 1 036 | 463 | 756 | 30 | 14 | 1 | 1 | – | – | – | – | 573 | 2 027 | 37 |
| 豊田市 | 1 092 | 691 | 1 479 | 11 | 4 | – | 1 | – | – | – | – | 401 | 1 047 | 16 |
| 岡崎市 | 607 | 496 | 1 214 | 39 | 11 | 11 | 2 | – | – | – | – | 111 | 600 | 44 |
| 大津市 | 919 | 487 | 1 130 | 27 | 452 | – | – | – | – | – | – | 432 | 651 | 33 |
| 高槻市 | 330 | 284 | 701 | 60 | 149 | 4 | – | – | – | – | – | 97 | 281 | 15 |
| 東大阪市 | 947 | 947 | 5 929 | 66 | 119 | – | – | – | – | – | – | 223 | 678 | 51 |
| 豊中市 | 596 | 596 | 3 068 | 145 | 197 | 24 | – | – | – | – | – | 165 | 441 | 32 |
| 枚方市 | 486 | 484 | 2 549 | 110 | 557 | 26 | 1 | – | – | – | – | 202 | 797 | 68 |
| 姫路市 | 859 | 415 | 679 | 45 | 19 | – | – | – | – | – | – | 444 | 1 829 | 53 |
| 西宮市 | 604 | 335 | 574 | 121 | 5 | 3 | – | 1 | – | – | – | 269 | 966 | 29 |
| 尼崎市 | 827 | 627 | 2 212 | 45 | 35 | – | – | – | 102 | 1 088 | 8 | 557 | 1 420 | 37 |
| 奈良市 | 189 | 115 | 148 | 7 | 4 | – | – | – | – | – | – | 92 | 370 | 4 |
| 和歌山市 | 949 | 403 | 1 407 | 24 | 6 | – | – | – | – | – | – | 546 | 1 102 | 53 |
| 倉敷市 | 1 703 | 1 244 | 4 853 | 223 | 77 | 3 | – | 2 | – | – | – | 459 | 1 144 | 44 |
| 福山市 | 494 | 267 | 432 | 32 | 13 | – | – | – | – | – | – | 227 | 584 | 15 |
| 呉市 | 384 | 195 | 338 | 21 | 11 | 1 | – | – | 14 | 188 | – | 203 | 652 | 76 |
| 下関市 | 336 | 254 | 535 | 59 | 5 | 5 | – | – | – | – | – | 160 | 468 | 17 |
| 高松市 | 450 | 204 | 517 | 44 | 19 | – | – | – | 21 | 451 | – | 225 | 857 | 78 |
| 松山市 | 332 | 195 | 276 | 15 | 25 | 1 | – | – | 12 | 147 | – | 176 | 273 | 5 |
| 高知市 | 260 | 153 | 267 | 10 | 1 | – | – | – | – | – | – | 131 | 425 | 1 |
| 久留米市 | 547 | 520 | 2 749 | 50 | 100 | 26 | – | 2 | – | – | – | 94 | 342 | 16 |
| 長崎市 | 604 | 368 | 599 | 32 | 15 | 3 | – | – | – | – | – | 236 | 594 | 6 |
| 佐世保市 | 2 104 | 776 | 1 565 | 51 | 12 | 1 | – | – | 20 | 123 | – | 1 308 | 2 284 | 86 |
| 大分市 | 522 | 286 | 487 | 87 | 24 | – | – | – | – | – | – | 236 | 942 | 31 |
| 宮崎市 | 403 | 232 | 706 | 23 | 15 | – | 1 | – | – | – | – | 171 | 585 | 37 |
| 鹿児島市 | 2 113 | 1 690 | 2 143 | 36 | 20 | – | 1 | – | 52 | 408 | – | 371 | 890 | 24 |
| 那覇市 | 283 | 254 | 449 | 19 | 19 | 1 | – | – | – | – | – | 54 | 120 | 27 |
| その他政令市(再掲) | | | | | | | | | | | | | | |
| 小樽市 | 138 | 83 | 112 | 13 | 2 | – | – | – | 10 | 60 | 31 | 45 | 69 | 8 |
| 町田市 | 1 519 | 1 145 | 8 344 | 810 | 74 | 8 | – | – | 6 | 169 | 169 | 368 | 1 246 | 215 |
| 藤沢市 | 1 133 | 1 133 | 6 316 | 410 | 4 605 | 51 | – | – | – | – | – | 84 | 324 | 53 |
| 茅ヶ崎市 | 572 | 552 | 1 941 | 70 | 23 | 6 | – | – | – | – | – | 57 | 246 | 10 |
| 四日市市 | 277 | 236 | 531 | 39 | 25 | 1 | – | – | – | – | – | 85 | 338 | 22 |
| 大牟田市 | 243 | 194 | 367 | 6 | 4 | – | – | – | – | – | – | 106 | 267 | 1 |

## 実人員－延人員，都道府県－指定都市・特別区－中核市－その他政令市、相談等の種類別

平成29年度

| 訪問指導 (再掲) | | | | 電話相談等延人員 | | | | | | | | | | | |
| 自殺関連 | (再掲)自死遺族 | 犯罪被害 | 災害 | 電話による相談延人員 | ひきこもり | 自殺関連 | (再掲)自死遺族 | 犯罪被害 | 災害 | 電子メールによる相談延人員 | ひきこもり | 自殺関連 | (再掲)自死遺族 | 犯罪被害 | 災害 |
|---|---|---|---|---|---|---|---|---|---|---|---|---|---|---|---|
| 1 | 1 | - | 15 | 2 118 | 26 | 24 | 12 | 1 | - | - | - | - | - | - | - |
| 3 | - | - | - | 2 915 | 24 | 105 | - | 22 | - | 37 | - | 2 | 1 | - | - |
| 25 | - | - | - | 479 | 6 | 189 | - | - | - | - | - | - | - | - | - |
| - | - | - | - | 276 | 2 | 7 | - | - | - | - | - | - | - | - | - |
| 15 | - | - | - | 2 451 | 27 | 17 | 2 | - | - | - | - | - | - | - | - |
| 1 | - | - | - | 1 911 | 6 | 52 | - | - | - | 1 | - | - | - | - | - |
| - | - | - | - | 2 041 | 17 | 21 | 1 | - | - | 3 | - | - | - | - | - |
| - | - | - | - | 989 | 40 | 41 | 2 | 2 | - | 9 | - | - | - | - | - |
| 17 | 9 | - | - | 3 939 | 40 | 24 | 5 | - | - | 152 | - | - | - | - | - |
| 2 | - | - | - | 1 916 | 205 | 43 | 8 | 4 | - | 3 | - | 1 | - | - | - |
| 3 | - | - | - | 2 105 | - | - | - | - | - | 28 | - | - | - | - | - |
| 3 | - | - | - | 6 594 | 194 | 30 | - | - | - | 15 | - | 3 | - | - | - |
| 9 | - | - | - | 2 417 | 54 | 95 | 4 | 2 | - | - | - | - | - | - | - |
| 13 | - | - | - | 2 772 | 23 | 27 | - | 1 | - | 1 | - | - | - | - | - |
| 4 | 1 | - | - | 8 181 | 78 | 31 | 1 | - | 1 | 54 | 3 | - | - | - | - |
| 5 | - | - | - | 6 925 | 350 | 35 | 2 | 7 | - | - | - | - | - | - | - |
| 58 | - | - | - | 5 787 | 266 | 310 | - | - | - | 58 | 35 | 4 | - | - | - |
| 44 | 7 | 6 | - | 4 211 | 153 | 632 | 150 | - | - | 126 | - | 62 | 54 | - | - |
| - | - | - | - | - | - | - | - | - | - | - | - | - | - | - | - |
| - | - | - | - | 1 214 | 16 | 61 | 2 | - | - | - | - | - | - | - | - |
| 1 | - | - | - | 324 | 2 | 4 | - | - | - | 19 | - | - | - | - | - |
| 24 | - | - | - | 5 681 | 92 | 134 | 2 | 4 | - | - | - | - | - | - | - |
| 3 | - | - | 1 | 3 444 | 21 | 26 | 1 | - | - | - | - | - | - | - | - |
| 11 | 8 | - | - | 699 | 15 | 28 | 11 | 1 | - | 5 | - | - | - | 1 | - |
| 84 | - | - | - | 4 444 | 160 | 1 049 | - | - | - | 220 | 11 | 68 | - | - | - |
| 36 | 1 | - | - | 2 883 | 113 | 425 | 12 | - | - | 15 | 1 | - | - | - | - |
| 6 | - | - | - | 557 | 8 | 7 | 1 | - | - | 16 | 1 | - | - | - | - |
| 19 | - | - | - | 1 807 | 29 | 26 | 1 | 1 | 1 | 52 | - | - | - | - | - |
| 81 | 1 | - | - | 1 375 | 21 | 14 | - | - | - | 1 | - | - | - | - | - |
| 38 | - | - | - | 2 314 | 46 | 54 | - | - | - | 4 | - | - | - | - | - |
| 8 | - | - | - | 7 576 | 153 | 92 | - | - | 2 | - | - | - | - | - | - |
| 26 | - | - | 2 | 4 711 | 67 | 11 | - | - | - | - | - | - | - | - | - |
| - | - | - | - | 293 | 11 | 15 | - | - | - | - | - | - | - | - | - |
| 3 | - | - | - | 9 466 | 63 | 47 | 3 | - | - | - | - | - | - | - | - |
| 17 | - | - | - | 3 619 | 101 | 35 | 2 | - | 1 | 13 | 10 | - | - | - | - |
| 10 | - | 1 | - | 2 116 | 28 | 22 | - | - | - | 1 | - | - | - | - | - |
| 8 | - | - | 1 | 932 | 28 | 30 | 9 | - | 1 | - | - | - | - | - | - |
| 1 | - | - | - | 2 905 | 68 | 1 | - | - | - | 119 | 15 | - | - | - | - |
| 15 | 15 | - | - | 3 841 | 49 | 16 | 11 | - | - | - | - | - | - | - | - |
| 11 | 2 | - | - | 4 012 | 51 | 118 | 6 | - | - | 9 | - | - | - | - | - |
| 1 | - | - | - | 3 036 | 28 | 48 | - | - | - | 6 | 1 | - | - | - | - |
| 3 | - | - | - | 2 389 | 31 | 78 | 25 | - | 2 | - | - | - | - | - | - |
| 10 | - | - | - | 4 026 | 57 | 75 | 10 | - | - | - | - | - | - | - | - |
| 43 | - | - | - | 3 762 | 87 | 56 | - | - | - | - | - | - | - | - | - |
| 17 | - | - | - | 5 035 | 136 | 257 | 3 | - | 1 | - | - | - | - | - | - |
| 17 | 1 | - | - | 3 944 | 131 | 62 | - | 1 | - | - | - | - | - | - | - |
| 48 | - | - | - | 8 842 | 74 | 166 | 2 | 4 | - | - | - | - | - | - | - |
| 7 | - | 4 | - | 2 948 | 161 | 273 | - | 21 | - | 2 | - | - | - | - | - |
| 3 | - | - | - | 384 | 24 | 12 | - | 8 | - | - | - | - | - | - | - |
| 14 | 3 | - | - | 3 386 | 255 | 21 | - | 2 | - | 44 | 2 | - | - | - | - |
| 167 | 1 | - | - | 5 410 | 338 | 4 088 | 50 | 6 | - | 30 | 1 | 23 | 1 | - | - |
| 1 | 1 | - | - | 1 593 | 56 | 22 | 4 | - | - | 2 | - | - | - | - | - |
| 19 | - | - | - | 1 868 | 100 | 95 | - | - | - | 1 | - | - | - | - | - |
| 10 | - | - | - | 1 205 | 11 | 35 | - | - | - | - | - | - | - | - | - |

# 第24表　保健所が実施した精神保健福祉相談等の新規被指導

| | 新　規　者　の　受　付　経　路 | | | |
|---|---|---|---|---|
| | 総　　数 | 市　町　村 | 医　療　機　関 | そ　の　他 |
| **全　　国** | 92 467 | 6 314 | 8 056 | 78 097 |
| 北海道 | 1 665 | 170 | 114 | 1 381 |
| 青森 | 421 | 25 | 34 | 362 |
| 岩手 | 682 | 51 | 25 | 606 |
| 宮城 | 601 | 123 | 47 | 431 |
| 秋田 | 523 | 78 | 38 | 407 |
| 山形 | 324 | 26 | 44 | 254 |
| 福島 | 818 | 83 | 45 | 690 |
| 茨城 | 1 266 | 172 | 154 | 940 |
| 栃木 | 1 335 | 47 | 73 | 1 215 |
| 群馬 | 912 | 84 | 63 | 765 |
| 埼玉 | 4 178 | 299 | 298 | 3 581 |
| 千葉 | 4 221 | 112 | 384 | 3 725 |
| 東京 | 18 477 | 782 | 2 529 | 15 166 |
| 神奈川 | 14 463 | 330 | 975 | 13 158 |
| 新潟 | 2 802 | 489 | 269 | 2 044 |
| 富山 | 621 | 56 | 132 | 433 |
| 石川 | 267 | 61 | 26 | 180 |
| 福井 | 415 | 63 | 81 | 271 |
| 山梨 | 823 | 493 | 45 | 285 |
| 長野 | 1 058 | 156 | 49 | 853 |
| 岐阜 | 674 | 146 | 39 | 489 |
| 静岡 | 1 813 | 80 | 133 | 1 600 |
| 愛知 | 4 946 | 92 | 270 | 4 584 |
| 三重 | 424 | 40 | 24 | 360 |
| 滋賀 | 1 390 | 86 | 88 | 1 216 |
| 京都 | 1 538 | 76 | 158 | 1 304 |
| 大阪 | 3 496 | 457 | 330 | 2 709 |
| 兵庫 | 2 214 | 245 | 277 | 1 692 |
| 奈良 | 705 | 71 | 75 | 559 |
| 和歌山 | 261 | 23 | 23 | 215 |
| 鳥取 | 148 | 17 | 30 | 101 |
| 島根 | 615 | 77 | 40 | 498 |
| 岡山 | 1 125 | 241 | 104 | 780 |
| 広島 | 3 500 | 109 | 156 | 3 235 |
| 山口 | 560 | 95 | 57 | 408 |
| 徳島 | 380 | 68 | 45 | 267 |
| 香川 | 704 | 16 | 34 | 654 |
| 愛媛 | 608 | 41 | 58 | 509 |
| 高知 | 206 | 38 | 7 | 161 |
| 福岡 | 5 002 | 164 | 253 | 4 585 |
| 佐賀 | 191 | 26 | 16 | 149 |
| 長崎 | 848 | 20 | 69 | 759 |
| 熊本 | 364 | 40 | 35 | 289 |
| 大分 | 429 | 43 | 10 | 376 |
| 宮崎 | 721 | 39 | 89 | 593 |
| 鹿児島 | 2 686 | 185 | 140 | 2 361 |
| 沖縄 | 1 047 | 79 | 71 | 897 |
| 指定都市・特別区（再掲） | | | | |
| 東京都区部 | 14 108 | ・ | 2 255 | 11 853 |
| 札幌市 | － | ・ | － | － |
| 仙台市 | 129 | ・ | 9 | 120 |
| さいたま市 | 560 | ・ | 20 | 540 |
| 千葉市 | 2 235 | ・ | 57 | 2 178 |
| 横浜市 | 6 359 | ・ | 378 | 5 981 |
| 川崎市 | 2 708 | ・ | 154 | 2 554 |
| 相模原市 | － | ・ | － | － |
| 新潟市 | 69 | ・ | 24 | 45 |
| 静岡市 | 297 | ・ | 39 | 258 |
| 浜松市 | 520 | ・ | 38 | 482 |
| 名古屋市 | 2 696 | ・ | 201 | 2 495 |
| 京都市 | 1 232 | ・ | 124 | 1 108 |
| 大阪市 | － | ・ | － | － |
| 堺市 | － | ・ | － | － |
| 神戸市 | 32 | ・ | 32 | － |
| 岡山市 | 211 | ・ | 14 | 197 |
| 広島市 | 2 492 | ・ | 113 | 2 379 |
| 北九州市 | 11 | ・ | － | 11 |
| 福岡市 | 3 042 | ・ | 146 | 2 896 |
| 熊本市 | 28 | ・ | 2 | 26 |

# 実人員，都道府県－指定都市・特別区－中核市－その他政令市、新規者の受付経路別

平成29年度

| | 新規者の受付経路 | | | |
|---|---|---|---|---|
| | 総数 | 市町村 | 医療機関 | その他 |
| 中核市(再掲) | | | | |
| 旭川市 | 154 | ・ | 1 | 153 |
| 函館市 | 242 | ・ | 3 | 239 |
| 青森市 | 100 | ・ | 9 | 91 |
| 八戸市 | 90 | ・ | 9 | 81 |
| 盛岡市 | 48 | ・ | - | 48 |
| 秋田市 | 7 | ・ | 1 | 6 |
| 郡山市 | 153 | ・ | 15 | 138 |
| いわき市 | 162 | ・ | 2 | 160 |
| 宇都宮市 | 229 | ・ | 28 | 201 |
| 前橋市 | 134 | ・ | 2 | 132 |
| 高崎市 | 417 | ・ | 17 | 400 |
| 川越市 | 129 | ・ | 9 | 120 |
| 越谷市 | 710 | ・ | 29 | 681 |
| 船橋市 | 199 | ・ | 37 | 162 |
| 柏市 | 354 | ・ | 211 | 143 |
| 八王子市 | 403 | ・ | 25 | 378 |
| 横須賀市 | 455 | ・ | 65 | 390 |
| 富山市 | 204 | ・ | 81 | 123 |
| 金沢市 | - | ・ | - | - |
| 長野市 | 55 | ・ | 7 | 48 |
| 岐阜市 | 76 | ・ | - | 76 |
| 豊橋市 | 103 | ・ | 8 | 95 |
| 豊田市 | 1 092 | ・ | 1 | 1 091 |
| 岡崎市 | 267 | ・ | 17 | 250 |
| 大津市 | 913 | ・ | 38 | 875 |
| 高槻市 | 330 | ・ | 26 | 304 |
| 東大阪市 | 402 | ・ | 34 | 368 |
| 豊中市 | 294 | ・ | 26 | 268 |
| 枚方市 | 365 | ・ | 52 | 313 |
| 姫路市 | 372 | ・ | 53 | 319 |
| 西宮市 | 399 | ・ | 53 | 346 |
| 尼崎市 | 158 | ・ | 38 | 120 |
| 奈良市 | 189 | ・ | 8 | 181 |
| 和歌山市 | 142 | ・ | 16 | 126 |
| 倉敷市 | 212 | ・ | 25 | 187 |
| 福山市 | 494 | ・ | 19 | 475 |
| 呉市 | 164 | ・ | 3 | 161 |
| 下関市 | 79 | ・ | 11 | 68 |
| 高松市 | 450 | ・ | 30 | 420 |
| 松山市 | 171 | ・ | 11 | 160 |
| 高知市 | 71 | ・ | - | 71 |
| 久留米市 | 437 | ・ | 10 | 427 |
| 長崎市 | 74 | ・ | 15 | 59 |
| 佐世保市 | 613 | ・ | 40 | 573 |
| 大分市 | 210 | ・ | - | 210 |
| 宮崎市 | 309 | ・ | 34 | 275 |
| 鹿児島市 | 2 113 | ・ | 42 | 2 071 |
| 那覇市 | 155 | ・ | 4 | 151 |
| その他政令市(再掲) | | | | |
| 小樽市 | 68 | ・ | 1 | 67 |
| 町田市 | 1 519 | ・ | 15 | 1 504 |
| 藤沢市 | 1 133 | ・ | 108 | 1 025 |
| 茅ヶ崎市 | 572 | ・ | 26 | 546 |
| 四日市市 | 68 | ・ | - | 68 |
| 大牟田市 | 136 | ・ | 19 | 117 |

# 第25表　保健所が実施した精神保健福祉相談の被指導

| | 実人員 | 延人員 総数 | 老人精神保健 | 社会復帰 | アルコール | 薬物 | ギャンブル | 思春期 | 心の健康づくり | 摂食障害 | てんかん | その他 |
|---|---|---|---|---|---|---|---|---|---|---|---|---|
| **全国** | **161 247** | **463 129** | **12 407** | **147 265** | **16 349** | **3 152** | **1 473** | **9 365** | **55 101** | **1 363** | **2 121** | **214 533** |
| 北海道 | 3 349 | 9 556 | 369 | 2 104 | 470 | 92 | 99 | 264 | 1 652 | 14 | 21 | 4 471 |
| 青森 | 456 | 701 | 41 | 23 | 49 | 3 | 4 | 14 | 98 | 6 | 1 | 462 |
| 岩手 | 547 | 1 098 | 13 | 125 | 43 | - | 3 | 11 | 82 | 2 | - | 819 |
| 宮城 | 1 600 | 3 663 | 110 | 695 | 217 | 16 | 12 | 56 | 637 | 13 | 32 | 1 875 |
| 秋田 | 615 | 1 871 | 317 | 17 | 76 | - | 2 | 7 | 246 | - | - | 1 206 |
| 山形 | 414 | 894 | 13 | 118 | 26 | - | 3 | 46 | 120 | 8 | 4 | 556 |
| 福島 | 1 199 | 3 306 | 56 | 573 | 137 | 16 | 22 | 16 | 160 | 9 | 2 | 2 315 |
| 茨城 | 1 024 | 1 930 | 99 | 352 | 76 | 44 | - | 21 | 683 | 1 | - | 654 |
| 栃木 | 1 160 | 2 194 | 79 | 829 | 167 | 28 | 11 | 121 | 319 | 10 | 2 | 628 |
| 群馬 | 1 117 | 1 479 | 44 | 118 | 23 | 6 | 6 | 49 | 167 | 5 | 2 | 1 059 |
| 埼玉 | 6 403 | 9 244 | 233 | 530 | 456 | 84 | 38 | 264 | 1 370 | 17 | 19 | 6 233 |
| 千葉 | 4 679 | 8 342 | 389 | 1 473 | 451 | 96 | 36 | 337 | 718 | 8 | 9 | 4 825 |
| 東京 | 28 525 | 68 066 | 1 475 | 8 679 | 2 949 | 533 | 383 | 3 974 | 7 176 | 343 | 362 | 42 192 |
| 神奈川 | 20 629 | 117 863 | 3 458 | 31 923 | 2 883 | 690 | 240 | 798 | 13 664 | 286 | 815 | 63 106 |
| 新潟 | 2 730 | 11 221 | 606 | 988 | 604 | 44 | 29 | 239 | 1 075 | 151 | 107 | 7 378 |
| 富山 | 947 | 1 710 | 82 | 565 | 140 | 4 | 2 | 28 | 284 | 1 | 1 | 603 |
| 石川 | 352 | 766 | 31 | 370 | 46 | - | 3 | 58 | 175 | 16 | 4 | 63 |
| 福井 | 657 | 1 946 | 62 | 115 | 42 | 1 | 9 | 23 | 275 | 5 | 2 | 1 412 |
| 山梨 | 547 | 1 014 | 151 | 307 | 91 | 14 | 1 | 23 | 202 | 1 | - | 224 |
| 長野 | 1 021 | 1 426 | 60 | 269 | 61 | 6 | 22 | 159 | 344 | 1 | 4 | 500 |
| 岐阜 | 537 | 708 | 35 | 41 | 32 | - | 7 | 6 | 131 | 4 | 4 | 448 |
| 静岡 | 1 731 | 3 559 | 131 | 103 | 104 | 5 | 4 | 12 | 577 | 2 | - | 2 621 |
| 愛知 | 9 703 | 20 864 | 734 | 11 827 | 413 | 79 | 43 | 379 | 2 733 | 62 | 68 | 4 526 |
| 三重 | 609 | 1 136 | 22 | 278 | 53 | 5 | - | 75 | 82 | - | 1 | 620 |
| 滋賀 | 1 071 | 2 284 | 39 | 43 | 81 | 19 | 10 | 99 | 939 | 9 | 2 | 1 043 |
| 京都 | 3 686 | 7 014 | 270 | 1 999 | 213 | 96 | 11 | 85 | 1 021 | 51 | 40 | 3 228 |
| 大阪 | 6 394 | 43 190 | 1 001 | 6 571 | 3 026 | 969 | 232 | 1 047 | 3 571 | 209 | 147 | 26 417 |
| 兵庫 | 7 658 | 23 501 | 727 | 14 330 | 625 | 55 | 29 | 193 | 2 128 | 18 | 87 | 5 309 |
| 奈良 | 510 | 1 446 | 42 | 829 | 57 | 4 | 5 | 8 | 47 | 1 | 4 | 449 |
| 和歌山 | 732 | 1 997 | 26 | 1 342 | 27 | 3 | 1 | 20 | 84 | 16 | 5 | 473 |
| 鳥取 | 146 | 369 | - | - | 39 | 3 | 38 | - | 62 | 5 | - | 222 |
| 島根 | 646 | 2 219 | 79 | 85 | 288 | 1 | 4 | 125 | 761 | 1 | 7 | 868 |
| 岡山 | 5 942 | 10 969 | 168 | 2 561 | 231 | 19 | 3 | 261 | 3 365 | 14 | - | 4 347 |
| 広島 | 12 254 | 17 032 | 185 | 7 884 | 149 | 40 | 19 | 120 | 3 335 | 11 | 24 | 5 265 |
| 山口 | 1 345 | 9 871 | 344 | 1 531 | 288 | 61 | 10 | 26 | 1 982 | 6 | 234 | 5 389 |
| 徳島 | 491 | 1 186 | 53 | 745 | 93 | 11 | 3 | 9 | 155 | 2 | 10 | 105 |
| 香川 | 546 | 1 454 | 14 | 728 | 71 | 15 | 8 | 48 | 382 | 18 | 2 | 168 |
| 愛媛 | 465 | 877 | 14 | 347 | 14 | 7 | 9 | 24 | 74 | 1 | 3 | 384 |
| 高知 | 339 | 802 | 15 | 37 | 32 | 8 | 2 | 4 | 166 | - | - | 538 |
| 福岡 | 21 379 | 50 007 | 165 | 44 640 | 562 | 27 | 15 | 112 | 2 089 | 13 | 44 | 2 340 |
| 佐賀 | 189 | 478 | 9 | 36 | 28 | 4 | 3 | - | 73 | - | - | 325 |
| 長崎 | 1 542 | 2 943 | 222 | 178 | 140 | 23 | 41 | 58 | 621 | 7 | 22 | 1 631 |
| 熊本 | 389 | 746 | 27 | 63 | 39 | - | 5 | 1 | 86 | 3 | 1 | 521 |
| 大分 | 681 | 1 842 | 111 | 443 | 65 | - | 5 | 37 | 292 | 2 | 20 | 867 |
| 宮崎 | 726 | 1 583 | 88 | 87 | 111 | 7 | 4 | 31 | 217 | 7 | 2 | 1 029 |
| 鹿児島 | 2 368 | 3 215 | 129 | 303 | 92 | 4 | 10 | 51 | 442 | - | - | 2 184 |
| 沖縄 | 1 197 | 3 547 | 69 | 61 | 469 | 10 | 27 | 26 | 239 | 4 | 7 | 2 635 |
| 指定都市・特別区(再掲) | | | | | | | | | | | | |
| 東京都区部 | 24 321 | 45 941 | 1 014 | 8 070 | 1 782 | 283 | 182 | 1 401 | 6 035 | 246 | 315 | 26 613 |
| 札幌市 | - | - | - | - | - | - | - | - | - | - | - | - |
| 仙台市 | 1 144 | 2 749 | 86 | 456 | 101 | 9 | 2 | 7 | 433 | 12 | 30 | 1 613 |
| さいたま市 | 466 | 575 | 4 | 26 | 19 | - | 1 | 5 | 32 | - | - | 488 |
| 千葉市 | 2 846 | 4 302 | 222 | 1 302 | 159 | 43 | 21 | 221 | 502 | 4 | - | 1 828 |
| 横浜市 | 13 048 | 80 362 | 1 222 | 29 409 | 1 467 | 275 | 135 | 324 | 10 184 | 116 | 442 | 36 788 |
| 川崎市 | 2 750 | 16 097 | 267 | 2 220 | 393 | 154 | 29 | 17 | 2 161 | 22 | 282 | 10 552 |
| 相模原市 | - | - | - | - | - | - | - | - | - | - | - | - |
| 新潟市 | 211 | 398 | 1 | 26 | 11 | - | - | 4 | 39 | - | - | 317 |
| 静岡市 | 165 | 174 | 6 | 11 | 9 | 3 | - | - | 22 | - | - | 123 |
| 浜松市 | 242 | 561 | 13 | 5 | 16 | - | 1 | 4 | 356 | 1 | - | 165 |
| 名古屋市 | 7 194 | 14 811 | 668 | 11 289 | 183 | 41 | 24 | 283 | 1 368 | 26 | 56 | 873 |
| 京都市 | 3 005 | 5 039 | 166 | 1 864 | 136 | 80 | 7 | 37 | 730 | 37 | 38 | 1 944 |
| 大阪市 | - | - | - | - | - | - | - | - | - | - | - | - |
| 堺市 | - | - | - | - | - | - | - | - | - | - | - | - |
| 神戸市 | 5 153 | 18 014 | 440 | 12 866 | 182 | 42 | 11 | 18 | 1 090 | 9 | 51 | 3 305 |
| 岡山市 | 4 083 | 4 097 | 16 | 330 | 12 | - | - | 94 | 1 299 | - | - | 2 346 |
| 広島市 | 11 450 | 15 611 | 140 | 7 749 | 113 | 6 | 7 | 63 | 2 991 | 7 | 5 | 4 530 |
| 北九州市 | - | - | - | - | - | - | - | - | - | - | - | - |
| 福岡市 | 19 358 | 44 903 | 31 | 42 780 | 158 | 7 | 2 | 10 | 547 | 1 | 2 | 1 365 |
| 熊本市 | 31 | 46 | 10 | 18 | - | - | - | - | 10 | - | - | 8 |

# 実人員－延人員，都道府県－指定都市・特別区－中核市－その他政令市、相談内容別

平成29年度

| | 実人員 | 延人員 総数 | 老人精神保健 | 社会復帰 | アルコール | 薬物 | ギャンブル | 思春期 | 心の健康づくり | 摂食障害 | てんかん | その他 |
|---|---|---|---|---|---|---|---|---|---|---|---|---|
| 中核市(再掲) | | | | | | | | | | | | |
| 旭川市 | 181 | 388 | 26 | 6 | 22 | 7 | 10 | 5 | 100 | － | 1 | 211 |
| 函館市 | 748 | 843 | 5 | 456 | 12 | 2 | － | 1 | 39 | 1 | 5 | 322 |
| 青森市 | 120 | 162 | 26 | 4 | 11 | － | － | 8 | 29 | 5 | 1 | 78 |
| 八戸市 | 189 | 333 | 11 | 18 | 17 | 3 | 4 | 5 | 52 | 1 | － | 222 |
| 盛岡市 | 95 | 209 | 1 | 25 | 12 | － | 1 | － | 49 | 2 | － | 119 |
| 秋田市 | 118 | 203 | 3 | 2 | 6 | － | － | 1 | 27 | － | － | 164 |
| 郡山市 | 189 | 294 | 11 | 96 | 7 | － | 3 | 8 | 99 | 1 | － | 69 |
| いわき市 | 167 | 219 | － | 33 | 8 | 1 | － | 1 | 13 | － | － | 163 |
| 宇都宮市 | 269 | 552 | 21 | 307 | 25 | 2 | 1 | 12 | 122 | － | － | 62 |
| 前橋市 | 237 | 341 | 16 | 26 | 1 | 1 | － | 11 | 84 | 1 | 1 | 200 |
| 高崎市 | 524 | 642 | 6 | 68 | 7 | － | 4 | 23 | 39 | 1 | 1 | 493 |
| 川越市 | 369 | 909 | 9 | 230 | 40 | 15 | 1 | 30 | 67 | 1 | 1 | 515 |
| 越谷市 | 3 499 | 3 499 | 89 | 19 | 151 | 19 | 7 | 114 | 723 | 4 | 6 | 2 367 |
| 船橋市 | 240 | 390 | 4 | 18 | 15 | 3 | 1 | 9 | 55 | 1 | 5 | 279 |
| 柏市 | 418 | 985 | 46 | 16 | 140 | 24 | 8 | 19 | 13 | － | － | 719 |
| 八王子市 | 484 | 1 445 | 21 | 94 | 50 | 14 | 13 | 132 | 305 | 23 | 4 | 789 |
| 横須賀市 | 203 | 346 | 13 | 37 | 8 | 5 | － | 7 | 232 | 2 | － | 42 |
| 富山市 | 225 | 239 | 10 | 72 | 7 | 1 | － | 10 | 91 | 1 | － | 47 |
| 金沢市 | － | － | － | － | － | － | － | － | － | － | － | － |
| 長野市 | 147 | 158 | 2 | 76 | 5 | 1 | － | － | 67 | － | － | 7 |
| 岐阜市 | 56 | 74 | － | 16 | － | － | － | 1 | 33 | － | － | 24 |
| 豊橋市 | 463 | 756 | 1 | 14 | 16 | 2 | 1 | 46 | 215 | 2 | 1 | 458 |
| 豊田市 | 691 | 1 479 | 3 | 144 | 10 | 13 | － | 4 | 516 | 2 | － | 787 |
| 岡崎市 | 496 | 1 214 | 5 | 54 | 16 | 5 | 7 | 3 | 80 | 7 | 5 | 1 032 |
| 大津市 | 487 | 1 130 | 2 | 6 | 17 | 8 | － | 31 | 812 | － | 1 | 253 |
| 高槻市 | 284 | 701 | 31 | 8 | 14 | 6 | 2 | 30 | 114 | 9 | － | 487 |
| 東大阪市 | 947 | 5 929 | 139 | 2 875 | 287 | 154 | 19 | 41 | 121 | 33 | 67 | 2 193 |
| 豊中市 | 596 | 3 068 | 140 | 283 | 159 | 107 | 10 | 198 | 399 | 1 | 4 | 1 767 |
| 枚方市 | 484 | 2 549 | 143 | 127 | 270 | 24 | 41 | 37 | 737 | 29 | － | 1 141 |
| 姫路市 | 415 | 679 | 25 | 14 | 45 | － | 4 | 21 | 565 | 4 | － | 1 |
| 西宮市 | 335 | 574 | 48 | 73 | 22 | － | 6 | － | 51 | － | 3 | 371 |
| 尼崎市 | 627 | 2 212 | 165 | 1 265 | 97 | 7 | 7 | 35 | 230 | 4 | 33 | 369 |
| 奈良市 | 115 | 148 | 5 | 77 | 16 | 2 | － | 1 | 4 | － | － | 43 |
| 和歌山市 | 403 | 1 407 | 10 | 1 304 | 1 | 1 | － | 5 | 32 | － | 3 | 51 |
| 倉敷市 | 1 244 | 4 853 | 127 | 1 117 | 173 | 18 | 3 | 80 | 1 961 | 7 | － | 1 367 |
| 福山市 | 267 | 432 | 7 | 37 | 19 | － | 3 | 23 | 95 | 3 | 7 | 238 |
| 呉市 | 195 | 338 | 8 | 13 | 2 | － | 2 | 7 | 98 | 1 | － | 207 |
| 下関市 | 254 | 535 | 30 | 18 | 16 | 7 | 2 | 1 | 15 | － | 17 | 429 |
| 高松市 | 204 | 517 | 6 | 205 | 9 | － | － | 5 | 257 | 16 | 2 | 17 |
| 松山市 | 195 | 276 | 5 | 24 | 5 | 4 | 2 | 2 | 30 | 1 | 3 | 200 |
| 高知市 | 153 | 267 | 2 | 1 | 7 | － | 1 | 3 | 18 | － | － | 235 |
| 久留米市 | 520 | 2 749 | 57 | 1 320 | 51 | 3 | 5 | 25 | 1 119 | 5 | 2 | 162 |
| 長崎市 | 368 | 599 | 27 | 7 | 36 | 17 | 5 | 9 | 10 | 5 | 5 | 478 |
| 佐世保市 | 776 | 1 565 | 180 | 59 | 71 | 3 | 21 | 21 | 597 | 2 | 15 | 596 |
| 大分市 | 286 | 487 | 47 | 52 | 13 | － | 1 | 2 | 126 | － | 20 | 226 |
| 宮崎市 | 232 | 706 | 39 | 19 | 40 | 2 | 3 | 3 | 95 | 1 | 1 | 503 |
| 鹿児島市 | 1 690 | 2 143 | 57 | 211 | 22 | － | 10 | 24 | 342 | － | － | 1 477 |
| 那覇市 | 254 | 449 | 19 | 9 | 83 | 1 | 4 | 12 | 140 | 2 | 1 | 178 |
| その他政令市(再掲) | | | | | | | | | | | | |
| 小樽市 | 83 | 112 | 6 | 21 | 6 | － | 2 | 5 | 1 | － | － | 71 |
| 町田市 | 1 145 | 8 344 | 120 | 174 | 212 | 35 | 7 | 1 052 | 429 | 42 | － | 6 273 |
| 藤沢市 | 1 133 | 6 316 | 739 | 19 | 166 | 12 | 3 | 80 | 669 | 7 | － | 4 621 |
| 茅ヶ崎市 | 552 | 1 941 | 31 | － | 38 | 3 | 4 | 24 | 3 | 5 | 5 | 1 828 |
| 四日市市 | 236 | 531 | 2 | － | 37 | － | － | 65 | － | － | 1 | 426 |
| 大牟田市 | 194 | 367 | 31 | 126 | 20 | 1 | － | 5 | 59 | － | 12 | 113 |

# 第26表　保健所が実施した精神保健福祉訪問指導の被指導

| | 実人員 | 延人員 | | | | | | | | | | |
|---|---|---|---|---|---|---|---|---|---|---|---|---|
| | | 総数 | 老人精神保健 | 社会復帰 | アルコール | 薬物 | ギャンブル | 思春期 | 心の健康づくり | 摂食障害 | てんかん | その他 |
| 全　　　国 | 60 651 | 155 596 | 6 161 | 29 852 | 6 453 | 1 112 | 185 | 2 552 | 23 275 | 428 | 780 | 84 798 |
| 北海道 | 1 460 | 3 566 | 160 | 1 277 | 224 | 50 | 14 | 47 | 507 | – | 15 | 1 272 |
| 青森 | 2 250 | 2 589 | 42 | 14 | 17 | – | – | 22 | 2 114 | – | – | 380 |
| 岩手 | 529 | 1 112 | 30 | 73 | 167 | 3 | 1 | 5 | 63 | – | 2 | 768 |
| 宮城 | 1 252 | 4 680 | 243 | 1 252 | 170 | 27 | 2 | 13 | 679 | 12 | 12 | 2 270 |
| 秋田 | 158 | 362 | 29 | 25 | 21 | 3 | – | 3 | 51 | – | – | 230 |
| 山形 | 260 | 986 | 20 | 238 | 64 | – | – | 19 | 61 | – | – | 584 |
| 福島 | 222 | 615 | 26 | 230 | 30 | 8 | – | – | 20 | – | 6 | 295 |
| 茨城 | 470 | 953 | 56 | 156 | 59 | 16 | – | 10 | 168 | – | – | 488 |
| 栃木 | 787 | 1 684 | 50 | 800 | 39 | 11 | – | 45 | 144 | 2 | 2 | 591 |
| 群馬 | 328 | 712 | 52 | 41 | 13 | – | – | 3 | 70 | 2 | 2 | 529 |
| 埼玉 | 3 694 | 8 511 | 226 | 927 | 369 | 64 | – | 77 | 811 | – | 5 | 6 032 |
| 千葉 | 2 063 | 5 452 | 279 | 290 | 138 | 31 | 2 | 43 | 83 | 4 | – | 4 582 |
| 東京 | 13 547 | 33 726 | 1 131 | 2 150 | 1 229 | 265 | 72 | 1 167 | 3 726 | 169 | 300 | 23 517 |
| 神奈川 | 4 694 | 11 743 | 456 | 2 942 | 316 | 74 | 24 | 126 | 1 958 | 61 | 88 | 5 698 |
| 新潟 | 731 | 1 915 | 53 | 492 | 156 | 18 | 3 | 28 | 115 | 32 | – | 1 018 |
| 富山 | 877 | 1 897 | 154 | 1 307 | 39 | 3 | – | 13 | 194 | 4 | 17 | 166 |
| 石川 | 197 | 656 | 21 | 431 | 33 | 1 | – | 32 | 88 | 1 | – | 49 |
| 福井 | 228 | 887 | 11 | 51 | 19 | 4 | – | 1 | 68 | – | – | 733 |
| 山梨 | 445 | 1 711 | 287 | 349 | 133 | 13 | – | 107 | 415 | – | 1 | 406 |
| 長野 | 795 | 1 687 | 66 | 470 | 85 | 18 | 7 | 31 | 140 | 2 | 1 | 867 |
| 岐阜 | 173 | 352 | 29 | 54 | 14 | – | – | – | 12 | 1 | – | 242 |
| 静岡 | 1 060 | 2 440 | 57 | 96 | 36 | 5 | 3 | 3 | 553 | 3 | – | 1 684 |
| 愛知 | 3 281 | 9 599 | 239 | 2 193 | 217 | 55 | 10 | 95 | 2 075 | 22 | 92 | 4 601 |
| 三重 | 326 | 1 069 | 10 | 444 | 44 | 1 | – | 24 | 114 | – | 1 | 431 |
| 滋賀 | 712 | 1 203 | 13 | 31 | 61 | 5 | – | 33 | 405 | – | – | 655 |
| 京都 | 2 075 | 4 120 | 162 | 1 128 | 95 | 26 | 3 | 12 | 491 | 15 | 16 | 2 172 |
| 大阪 | 1 907 | 5 844 | 210 | 833 | 443 | 116 | 7 | 79 | 376 | 25 | 15 | 3 740 |
| 兵庫 | 3 903 | 11 737 | 565 | 2 107 | 519 | 67 | 5 | 127 | 3 532 | 10 | 49 | 4 756 |
| 奈良 | 243 | 1 030 | 12 | 745 | 72 | 25 | 3 | 2 | 15 | – | – | 156 |
| 和歌山 | 909 | 2 028 | 41 | 974 | 83 | 10 | – | 8 | 103 | 3 | 10 | 796 |
| 鳥取 | 154 | 423 | – | – | 44 | 4 | – | – | 17 | 4 | – | 354 |
| 島根 | 284 | 1 145 | 27 | 126 | 95 | 1 | – | 24 | 153 | – | 5 | 714 |
| 岡山 | 1 295 | 3 946 | 70 | 531 | 178 | 13 | 14 | 57 | 1 042 | 2 | – | 2 039 |
| 広島 | 1 302 | 2 660 | 79 | 742 | 77 | 7 | 5 | 61 | 544 | 13 | 17 | 1 115 |
| 山口 | 440 | 1 106 | 53 | 172 | 44 | 8 | – | 2 | 207 | – | 32 | 588 |
| 徳島 | 364 | 1 191 | 54 | 873 | 93 | 6 | 2 | – | 90 | 1 | 2 | 70 |
| 香川 | 622 | 3 176 | 55 | 2 003 | 168 | 10 | 2 | 23 | 488 | 3 | – | 424 |
| 愛媛 | 781 | 1 576 | 40 | 543 | 61 | 12 | 1 | 35 | 70 | 2 | 4 | 808 |
| 高知 | 281 | 817 | 33 | 18 | 23 | – | – | 1 | 177 | 11 | 8 | 546 |
| 福岡 | 1 372 | 4 019 | 126 | 1 656 | 143 | 53 | – | 24 | 370 | 4 | 14 | 1 629 |
| 佐賀 | 257 | 1 121 | 27 | 271 | 35 | 14 | – | 2 | 209 | 5 | 3 | 555 |
| 長崎 | 1 756 | 3 587 | 516 | 285 | 143 | 29 | 1 | 11 | 166 | 10 | 44 | 2 382 |
| 熊本 | 170 | 329 | 1 | 27 | 38 | 2 | – | 1 | 80 | – | – | 180 |
| 大分 | 429 | 1 503 | 131 | 341 | 124 | – | – | 9 | 163 | 2 | 9 | 724 |
| 宮崎 | 501 | 1 398 | 76 | 32 | 158 | 22 | 2 | 12 | 115 | – | 6 | 975 |
| 鹿児島 | 632 | 1 367 | 120 | 39 | 25 | 6 | – | 114 | 152 | – | – | 911 |
| 沖縄 | 435 | 1 366 | 23 | 73 | 99 | 6 | 2 | 1 | 81 | 3 | 2 | 1 076 |
| 指定都市・特別区（再掲）<br>東京都区部 | 11 562 | 26 235 | 781 | 2 051 | 726 | 180 | 59 | 554 | 3 331 | 132 | 267 | 18 154 |
| 札幌市 | – | – | – | – | – | – | – | – | – | – | – | – |
| 仙台市 | 956 | 3 660 | 215 | 713 | 100 | 13 | 2 | 6 | 539 | 12 | 9 | 2 051 |
| さいたま市 | 1 575 | 2 490 | 33 | 129 | 49 | 2 | – | 14 | 121 | – | – | 2 142 |
| 千葉市 | 806 | 806 | 29 | 40 | 10 | – | – | 2 | – | – | – | 725 |
| 横浜市 | 2 771 | 6 904 | 135 | 2 600 | 113 | 27 | 19 | 55 | 1 371 | 38 | 48 | 2 498 |
| 川崎市 | 978 | 2 005 | 55 | 262 | 62 | 14 | – | 2 | 224 | 1 | 24 | 1 361 |
| 相模原市 | – | – | – | – | – | – | – | – | – | – | – | – |
| 新潟市 | 108 | 244 | 2 | 40 | 3 | – | – | 8 | 7 | – | – | 184 |
| 静岡市 | 132 | 210 | 1 | 5 | 3 | 1 | – | 1 | 13 | 1 | – | 185 |
| 浜松市 | 274 | 1 164 | 29 | 47 | 18 | 1 | 3 | 1 | 499 | 2 | – | 564 |
| 名古屋市 | 1 785 | 4 022 | 168 | 1 431 | 94 | 39 | 8 | 79 | 1 038 | 12 | 83 | 1 070 |
| 京都市 | 1 766 | 3 210 | 137 | 1 087 | 68 | 25 | 2 | 11 | 437 | 15 | 16 | 1 412 |
| 大阪市 | – | – | – | – | – | – | – | – | – | – | – | – |
| 堺市 | – | – | – | – | – | – | – | – | – | – | – | – |
| 神戸市 | 692 | 1 082 | 49 | 694 | 17 | 4 | – | 3 | 43 | 2 | 20 | 250 |
| 岡山市 | 536 | 1 511 | 7 | 11 | 24 | 7 | – | 1 | 429 | – | – | 1 032 |
| 広島市 | 776 | 1 195 | 26 | 573 | 24 | 5 | – | 24 | 267 | 9 | 6 | 261 |
| 北九州市 | 11 | 11 | – | – | – | – | – | – | – | – | – | 11 |
| 福岡市 | 332 | 654 | 33 | 515 | 23 | 8 | – | – | – | – | – | 75 |
| 熊本市 | 26 | 43 | – | 11 | 2 | – | – | – | 22 | – | – | 8 |

# 実人員－延人員，都道府県－指定都市・特別区－中核市－その他政令市、指導内容別

平成29年度

| | 実人員 | 延人員 総数 | 老人精神保健 | 社会復帰 | アルコール | 薬物 | ギャンブル | 思春期 | 心の健康づくり | 摂食障害 | てんかん | その他 |
|---|---|---|---|---|---|---|---|---|---|---|---|---|
| 中核市(再掲) | | | | | | | | | | | | |
| 旭川市 | 84 | 183 | 12 | - | 12 | 11 | - | - | 49 | - | - | 99 |
| 函館市 | 247 | 338 | 10 | 189 | 2 | 1 | - | - | 13 | - | - | 123 |
| 青森市 | 50 | 160 | 27 | 2 | 5 | - | - | 22 | 1 | - | - | 103 |
| 八戸市 | 2 068 | 2 184 | 11 | 3 | 7 | - | - | - | 2 112 | - | - | 51 |
| 盛岡市 | 94 | 213 | - | 33 | 5 | - | 1 | - | 25 | - | - | 149 |
| 秋田市 | 23 | 44 | - | - | 1 | 3 | - | 1 | 2 | - | - | 37 |
| 郡山市 | 43 | 61 | 5 | 32 | - | - | - | - | 13 | - | 1 | 10 |
| いわき市 | 49 | 126 | - | 10 | 2 | 3 | - | - | - | - | - | 111 |
| 宇都宮市 | 184 | 431 | 16 | 278 | 16 | 2 | - | 6 | 69 | - | - | 44 |
| 前橋市 | 123 | 281 | 34 | 18 | 8 | - | - | 1 | 53 | 1 | 1 | 165 |
| 高崎市 | 53 | 118 | 2 | 13 | 2 | - | - | - | 13 | - | 1 | 87 |
| 川越市 | 157 | 1 416 | 22 | 338 | 42 | 21 | - | 17 | 31 | - | - | 945 |
| 越谷市 | 297 | 297 | 18 | 2 | 16 | 1 | - | 7 | 73 | - | 1 | 179 |
| 船橋市 | 188 | 668 | 1 | 30 | 8 | 5 | - | - | 32 | - | - | 592 |
| 柏市 | 280 | 880 | 50 | 43 | 51 | 6 | 2 | 26 | 9 | - | - | 693 |
| 八王子市 | 358 | 1 087 | 40 | 21 | 37 | 3 | 1 | 27 | 203 | 9 | 7 | 739 |
| 横須賀市 | 196 | 461 | 25 | 33 | 14 | 2 | - | 15 | 297 | - | - | 75 |
| 富山市 | 414 | 443 | 15 | 193 | 11 | 2 | - | 4 | 114 | 3 | 9 | 92 |
| 金沢市 | - | - | - | - | - | - | - | - | - | - | - | - |
| 長野市 | 5 | 12 | - | 4 | - | - | - | - | 2 | - | - | 6 |
| 岐阜市 | 20 | 20 | - | 1 | - | - | - | - | 1 | 1 | - | 17 |
| 豊橋市 | 573 | 2 027 | 8 | 73 | 37 | 8 | - | 9 | 239 | 2 | 3 | 1 648 |
| 豊田市 | 401 | 1 047 | 16 | 155 | 23 | 1 | 2 | - | 372 | 1 | - | 477 |
| 岡崎市 | 111 | 600 | 4 | 62 | 14 | 1 | - | - | 28 | 3 | 1 | 487 |
| 大津市 | 432 | 651 | 1 | 1 | 26 | 2 | - | 17 | 308 | - | - | 296 |
| 高槻市 | 97 | 281 | 14 | 20 | 20 | 7 | - | 3 | 37 | 1 | - | 179 |
| 東大阪市 | 223 | 678 | 44 | 234 | 37 | 13 | 1 | 6 | 9 | 7 | 9 | 318 |
| 豊中市 | 165 | 441 | 31 | 41 | 11 | 10 | - | 29 | 41 | - | - | 278 |
| 枚方市 | 202 | 797 | 42 | 82 | 57 | 8 | 1 | 2 | 140 | 5 | - | 460 |
| 姫路市 | 444 | 1 829 | 121 | 71 | 89 | 8 | - | 19 | 1 517 | - | - | 4 |
| 西宮市 | 269 | 966 | 80 | 402 | 32 | 5 | 1 | 6 | 124 | 3 | 1 | 312 |
| 尼崎市 | 557 | 1 420 | 168 | 556 | 94 | 8 | 4 | 20 | 220 | - | 22 | 328 |
| 奈良市 | 92 | 370 | 1 | 246 | 53 | 21 | - | 1 | 2 | - | - | 46 |
| 和歌山市 | 546 | 1 102 | 9 | 848 | 22 | 1 | - | 6 | 22 | - | 9 | 185 |
| 倉敷市 | 459 | 1 144 | 25 | 243 | 71 | 4 | - | 28 | 356 | - | - | 417 |
| 福山市 | 227 | 584 | 32 | 28 | 27 | 2 | 3 | 4 | 98 | 3 | 6 | 381 |
| 呉市 | 203 | 652 | 13 | 43 | 13 | - | 2 | 10 | 158 | 1 | - | 412 |
| 下関市 | 160 | 468 | 40 | 14 | 17 | 3 | - | - | 4 | - | 7 | 383 |
| 高松市 | 225 | 857 | 22 | 381 | 27 | 1 | 2 | 6 | 377 | - | - | 41 |
| 松山市 | 176 | 273 | 11 | 33 | 1 | - | - | - | 3 | 2 | 4 | 219 |
| 高知市 | 131 | 425 | 27 | - | 5 | - | - | 1 | 18 | - | - | 374 |
| 久留米市 | 94 | 342 | 2 | 148 | 14 | 4 | - | - | 162 | - | - | 12 |
| 長崎市 | 236 | 594 | 56 | - | 39 | 18 | - | 1 | - | 7 | - | 473 |
| 佐世保市 | 1 308 | 2 284 | 437 | 71 | 68 | 3 | 1 | 10 | 161 | 3 | 41 | 1 489 |
| 大分市 | 236 | 942 | 65 | 3 | 99 | - | - | 8 | 121 | - | 9 | 637 |
| 宮崎市 | 171 | 585 | 39 | 25 | 80 | 6 | 2 | 10 | 88 | - | 6 | 329 |
| 鹿児島市 | 371 | 890 | 72 | 14 | 5 | 2 | - | 107 | 111 | - | - | 579 |
| 那覇市 | 54 | 120 | 16 | 3 | 9 | 6 | 2 | - | 26 | 3 | - | 55 |
| その他政令市(再掲) | | | | | | | | | | | | |
| 小樽市 | 45 | 69 | 4 | 6 | 12 | - | - | - | - | - | - | 47 |
| 町田市 | 368 | 1 246 | 23 | 5 | 66 | 13 | - | 147 | 85 | 11 | - | 896 |
| 藤沢市 | 84 | 324 | 58 | 4 | 15 | - | - | 1 | 40 | - | - | 206 |
| 茅ヶ崎市 | 57 | 246 | 9 | - | 4 | - | - | - | - | - | - | 233 |
| 四日市市 | 85 | 338 | - | - | 20 | - | - | 16 | - | - | 1 | 301 |
| 大牟田市 | 106 | 267 | 35 | 63 | 13 | 1 | - | 5 | 26 | - | - | 124 |

# 第27表（２－１）保健所が実施した精神保健福祉電話相談等の

| | 電話による相談延人員 | | | | | | | | | | |
|---|---|---|---|---|---|---|---|---|---|---|---|
| | 総数 | 老人精神保健 | 社会復帰 | アルコール | 薬物 | ギャンブル | 思春期 | 心の健康づくり | 摂食障害 | てんかん | その他 |
| **全国** | **868 986** | **24 269** | **198 892** | **27 947** | **5 217** | **1 854** | **14 305** | **115 089** | **1 995** | **4 127** | **475 291** |
| 北海道 | 14 043 | 459 | 1 935 | 530 | 66 | 90 | 235 | 2 008 | 18 | 47 | 8 655 |
| 青森 | 1 838 | 52 | 9 | 57 | 2 | 1 | 36 | 339 | 9 | 2 | 1 331 |
| 岩手 | 5 303 | 94 | 268 | 414 | 3 | 163 | 30 | 211 | 3 | 1 | 4 116 |
| 宮城 | 8 705 | 169 | 2 237 | 410 | 15 | 12 | 51 | 1 419 | 18 | 30 | 4 344 |
| 秋田 | 3 878 | 360 | 8 | 120 | 27 | 5 | 31 | 495 | 1 | － | 2 831 |
| 山形 | 9 440 | 308 | 1 681 | 303 | 31 | 6 | 192 | 514 | 16 | 26 | 6 363 |
| 福島 | 7 871 | 210 | 1 978 | 333 | 42 | 29 | 38 | 1 737 | 13 | 7 | 3 484 |
| 茨城 | 8 375 | 306 | 1 845 | 459 | 117 | 4 | 122 | 1 306 | 2 | 7 | 4 207 |
| 栃木 | 17 061 | 1 150 | 5 310 | 422 | 138 | 23 | 656 | 2 549 | 43 | 206 | 6 564 |
| 群馬 | 7 994 | 302 | 880 | 193 | 37 | 12 | 205 | 596 | 12 | 13 | 5 744 |
| 埼玉 | 41 399 | 1 117 | 2 589 | 1 783 | 502 | 107 | 688 | 3 979 | 75 | 51 | 30 508 |
| 千葉 | 48 338 | 2 460 | 2 876 | 1 712 | 301 | 37 | 568 | 2 325 | 53 | 12 | 37 994 |
| 東京 | 171 466 | 3 009 | 12 923 | 5 494 | 1 410 | 500 | 5 359 | 16 984 | 665 | 911 | 124 211 |
| 神奈川 | 99 485 | 2 973 | 23 837 | 2 539 | 604 | 168 | 789 | 14 375 | 266 | 590 | 53 344 |
| 新潟 | 13 592 | 581 | 2 787 | 580 | 47 | 26 | 289 | 1 979 | 137 | 104 | 7 062 |
| 富山 | 9 003 | 337 | 4 858 | 237 | 40 | 2 | 127 | 1 560 | 6 | 52 | 1 784 |
| 石川 | 6 082 | 190 | 3 668 | 320 | 9 | 14 | 163 | 845 | 22 | 14 | 837 |
| 福井 | 3 378 | 72 | 403 | 80 | 5 | 2 | 18 | 281 | 3 | 1 | 2 513 |
| 山梨 | 4 925 | 594 | 600 | 463 | 38 | 1 | 176 | 1 430 | － | 12 | 1 611 |
| 長野 | 6 087 | 204 | 1 866 | 201 | 28 | 24 | 190 | 1 243 | 7 | 14 | 2 310 |
| 岐阜 | 2 446 | 68 | 262 | 143 | 3 | 8 | 17 | 295 | 4 | 9 | 1 637 |
| 静岡 | 8 432 | 96 | 185 | 173 | 50 | 27 | 36 | 1 632 | 22 | 12 | 6 199 |
| 愛知 | 49 953 | 1 410 | 22 008 | 1 203 | 342 | 69 | 501 | 6 196 | 84 | 286 | 17 854 |
| 三重 | 6 726 | 100 | 2 402 | 282 | 41 | 10 | 333 | 318 | 2 | 14 | 3 224 |
| 滋賀 | 10 474 | 180 | 627 | 369 | 56 | 53 | 503 | 4 388 | 30 | 13 | 4 255 |
| 京都 | 17 670 | 533 | 4 276 | 342 | 128 | 22 | 113 | 3 809 | 84 | 57 | 8 306 |
| 大阪 | 10 882 | 437 | 529 | 466 | 106 | 69 | 396 | 4 209 | 44 | 14 | 4 612 |
| 兵庫 | 41 101 | 1 686 | 9 949 | 1 287 | 104 | 32 | 389 | 5 312 | 51 | 71 | 22 220 |
| 奈良 | 1 400 | 33 | 729 | 51 | 9 | 10 | 8 | 43 | 1 | 3 | 513 |
| 和歌山 | 12 718 | 151 | 8 382 | 174 | 48 | 8 | 19 | 266 | 14 | － | 3 656 |
| 鳥取 | 1 908 | － | 1 | 119 | 6 | 15 | 1 | 53 | 5 | － | 1 708 |
| 島根 | 8 175 | 145 | 402 | 775 | 3 | 4 | 303 | 1 568 | 9 | 28 | 4 938 |
| 岡山 | 16 946 | 156 | 3 300 | 298 | 158 | 9 | 357 | 6 466 | 13 | － | 6 189 |
| 広島 | 22 990 | 226 | 10 970 | 229 | 21 | 38 | 151 | 3 627 | 23 | 19 | 7 686 |
| 山口 | 17 167 | 455 | 2 815 | 751 | 52 | 24 | 46 | 2 466 | 6 | 1 005 | 9 547 |
| 徳島 | 7 586 | 140 | 6 375 | 246 | 21 | 10 | 52 | 427 | 4 | 38 | 273 |
| 香川 | 6 268 | 58 | 3 347 | 197 | 16 | 3 | 45 | 2 068 | 3 | 1 | 530 |
| 愛媛 | 10 640 | 152 | 2 880 | 273 | 39 | 25 | 132 | 1 760 | 15 | 15 | 5 349 |
| 高知 | 4 197 | 54 | 27 | 101 | 14 | 6 | 18 | 411 | 5 | 141 | 3 420 |
| 福岡 | 62 574 | 506 | 42 009 | 785 | 197 | 40 | 234 | 6 905 | 29 | 135 | 11 734 |
| 佐賀 | 2 844 | 64 | 648 | 101 | 16 | 3 | 19 | 446 | 3 | 1 | 1 543 |
| 長崎 | 13 055 | 656 | 621 | 496 | 138 | 41 | 190 | 1 246 | 100 | 67 | 9 500 |
| 熊本 | 2 939 | 69 | 118 | 144 | 5 | 6 | 11 | 361 | 4 | 2 | 2 219 |
| 大分 | 10 730 | 776 | 1 985 | 329 | 15 | 14 | 148 | 2 098 | 12 | 77 | 5 276 |
| 宮崎 | 8 699 | 428 | 506 | 793 | 81 | 15 | 83 | 833 | 36 | 8 | 5 916 |
| 鹿児島 | 14 267 | 550 | 766 | 302 | 45 | 27 | 177 | 811 | － | 4 | 11 585 |
| 沖縄 | 7 936 | 193 | 215 | 868 | 41 | 40 | 60 | 900 | 23 | 7 | 5 589 |
| 指定都市・特別区(再掲) | | | | | | | | | | | |
| 東京都区部 | 136 993 | 2 062 | 12 210 | 3 244 | 947 | 306 | 2 321 | 13 798 | 501 | 819 | 100 785 |
| 札幌市 | － | － | － | － | － | － | － | － | － | － | － |
| 仙台市 | 5 666 | 102 | 862 | 268 | 5 | 4 | 9 | 838 | 13 | 18 | 3 547 |
| さいたま市 | 8 188 | 54 | 98 | 83 | 1 | 5 | 71 | 246 | 3 | 3 | 7 624 |
| 千葉市 | 6 019 | 316 | 1 735 | 77 | 17 | 5 | 62 | 1 010 | － | － | 2 797 |
| 横浜市 | 63 335 | 1 061 | 21 950 | 1 177 | 235 | 104 | 287 | 8 006 | 110 | 357 | 30 048 |
| 川崎市 | 12 467 | 196 | 1 583 | 341 | 132 | 20 | 12 | 1 600 | 24 | 152 | 8 407 |
| 相模原市 | － | － | － | － | － | － | － | － | － | － | － |
| 新潟市 | 305 | 1 | 5 | 10 | － | － | 2 | 29 | － | － | 258 |
| 静岡市 | 1 643 | 16 | 65 | 41 | 7 | 4 | 5 | 91 | 10 | 8 | 1 396 |
| 浜松市 | 3 340 | 20 | 51 | 54 | 13 | 2 | 4 | 1 480 | 8 | － | 1 708 |
| 名古屋市 | 29 373 | 1 069 | 20 451 | 436 | 176 | 43 | 312 | 2 925 | 47 | 215 | 3 699 |
| 京都市 | 12 999 | 370 | 4 109 | 190 | 101 | 6 | 41 | 3 100 | 61 | 54 | 4 967 |
| 大阪市 | － | － | － | － | － | － | － | － | － | － | － |
| 堺市 | － | － | － | － | － | － | － | － | － | － | － |
| 神戸市 | 9 348 | 238 | 6 725 | 71 | 14 | 7 | 17 | 538 | 4 | 36 | 1 698 |
| 岡山市 | 6 304 | 35 | 161 | 83 | 136 | － | 215 | 2 398 | － | － | 3 276 |
| 広島市 | 17 323 | 131 | 9 588 | 70 | 14 | 6 | 41 | 2 978 | 6 | 2 | 4 487 |
| 北九州市 | － | － | － | － | － | － | － | － | － | － | － |
| 福岡市 | 49 030 | 66 | 37 926 | 112 | 27 | 14 | 27 | 4 633 | 7 | 6 | 6 212 |
| 熊本市 | 316 | 25 | 61 | 6 | 4 | 2 | 1 | 37 | － | 1 | 179 |

## 被指導延人員，都道府県－指定都市・特別区－中核市－その他政令市、相談内容別

平成29年度

| 電子メールによる相談延人員 | | | | | | | | | | |
|---|---|---|---|---|---|---|---|---|---|---|
| 総数 | 老人精神保健 | 社会復帰 | アルコール | 薬物 | ギャンブル | 思春期 | 心の健康づくり | 摂食障害 | てんかん | その他 |
| 6 363 | 203 | 729 | 318 | 119 | 44 | 375 | 994 | 9 | 12 | 3 560 |
| 195 | 2 | 79 | 2 | 1 | – | 41 | 17 | 4 | – | 49 |
| – | – | – | – | – | – | – | – | – | – | – |
| 9 | 1 | – | – | – | – | 1 | – | – | – | 7 |
| 10 | – | 4 | – | – | – | – | 4 | – | – | 2 |
| 2 | – | – | – | – | – | – | 2 | – | – | – |
| 12 | – | – | 2 | – | – | – | – | – | – | 10 |
| 117 | 11 | 64 | 1 | – | – | – | – | – | – | 41 |
| 47 | – | 10 | 27 | – | – | – | – | – | – | 10 |
| 202 | – | 171 | – | – | – | 4 | 7 | – | – | 20 |
| 44 | 1 | 4 | 2 | – | – | – | 12 | 1 | – | 24 |
| 199 | 5 | 23 | 22 | – | 1 | 1 | 13 | – | – | 134 |
| 179 | 12 | 23 | 6 | – | 1 | 1 | 5 | – | – | 131 |
| 1 643 | 30 | 99 | 17 | 95 | 3 | 221 | 152 | 2 | 1 | 1 023 |
| 623 | 8 | 115 | 5 | 7 | 24 | 18 | 117 | 1 | – | 328 |
| 418 | 65 | 12 | 59 | – | – | 9 | 1 | – | – | 272 |
| 129 | – | 3 | 1 | – | – | – | 93 | – | – | 32 |
| 56 | 1 | 15 | 14 | – | – | 5 | 20 | – | – | 1 |
| 6 | – | 1 | – | – | – | – | 5 | – | – | – |
| 15 | – | – | – | – | – | – | 1 | 1 | – | 13 |
| 21 | – | 4 | – | – | – | – | 12 | – | – | 5 |
| 43 | – | 4 | – | – | – | – | – | – | – | 39 |
| 18 | – | – | – | – | – | – | 8 | – | – | 10 |
| 13 | – | 1 | – | – | – | 1 | 1 | – | – | 10 |
| 1 | – | – | 1 | – | – | – | – | – | – | – |
| 326 | 10 | 8 | 5 | – | – | 13 | 214 | – | 3 | 73 |
| 1 396 | 50 | 26 | 139 | – | 15 | 50 | 263 | – | – | 853 |
| 87 | 3 | 2 | 8 | – | – | 4 | 8 | – | – | 62 |
| 11 | – | – | – | – | – | 1 | 4 | – | – | 6 |
| – | – | – | – | – | – | – | – | – | – | – |
| 5 | – | – | – | – | – | – | 1 | – | – | 4 |
| 155 | – | – | – | – | – | – | – | – | – | 155 |
| 51 | 3 | 25 | 1 | – | – | – | – | – | – | 22 |
| 13 | – | 1 | – | – | – | 2 | 8 | – | – | 2 |
| 9 | – | 7 | – | – | – | – | 2 | – | – | – |
| 120 | 1 | – | – | – | – | – | – | – | – | 119 |
| – | – | – | – | – | – | – | – | – | – | – |
| 23 | – | 15 | – | – | – | – | 8 | – | – | – |
| 15 | – | 1 | – | – | – | 3 | – | – | – | 11 |
| 8 | – | – | 2 | – | – | – | 3 | – | – | 3 |
| 88 | – | 2 | 1 | 16 | – | – | 6 | – | 8 | 55 |
| – | – | – | – | – | – | – | – | – | – | – |
| 20 | – | – | – | – | – | – | – | – | – | 20 |
| 4 | – | – | – | – | – | – | 4 | – | – | – |
| 11 | – | 10 | 1 | – | – | – | – | – | – | – |
| 3 | – | – | – | – | – | – | – | – | – | 3 |
| 7 | – | – | – | – | – | – | – | – | – | 7 |
| 9 | – | – | 2 | – | – | – | 3 | – | – | 4 |
| 1 310 | 27 | 95 | 12 | 2 | 3 | 164 | 143 | 2 | – | 862 |
| – | – | – | – | – | – | – | – | – | – | – |
| 5 | – | 1 | – | – | – | – | 3 | – | – | 1 |
| 119 | – | 5 | – | – | – | – | 11 | – | – | 103 |
| 10 | 2 | 1 | – | – | 1 | – | 3 | – | – | 3 |
| 399 | 3 | 103 | – | 2 | – | – | 58 | – | – | 233 |
| 23 | – | 1 | – | – | 6 | – | – | 1 | – | 15 |
| – | – | – | – | – | – | – | – | – | – | – |
| – | – | – | – | – | – | – | – | – | – | – |
| – | – | – | – | – | – | – | – | – | – | – |
| 8 | – | – | – | – | – | – | 8 | – | – | – |
| – | – | – | – | – | – | – | – | – | – | – |
| – | – | – | – | – | – | – | – | – | – | – |
| – | – | – | – | – | – | – | – | – | – | – |
| – | – | – | – | – | – | – | – | – | – | – |
| – | – | – | – | – | – | – | – | – | – | – |
| – | – | – | – | – | – | – | – | – | – | – |
| 8 | – | 7 | – | – | – | – | 1 | – | – | – |
| – | – | – | – | – | – | – | – | – | – | – |
| 36 | – | 2 | 1 | 16 | – | – | – | – | 8 | 9 |
| 4 | – | – | – | – | – | – | 4 | – | – | – |

# 第27表（２－２）保健所が実施した精神保健福祉電話相談等の

| | 電話による相談延人員 | | | | | | | | | | |
|---|---|---|---|---|---|---|---|---|---|---|---|
| | 総数 | 老人精神保健 | 社会復帰 | アルコール | 薬物 | ギャンブル | 思春期 | 心の健康づくり | 摂食障害 | てんかん | その他 |
| 中核市(再掲) | | | | | | | | | | | |
| 旭川市 | 2 118 | 98 | 10 | 63 | 18 | 13 | 23 | 320 | 1 | 1 | 1 571 |
| 函館市 | 2 915 | 16 | 576 | 40 | 3 | 1 | - | 119 | - | 25 | 2 135 |
| 青森市 | 479 | 24 | 1 | 12 | 1 | - | 5 | 167 | 3 | 1 | 265 |
| 八戸市 | 276 | 8 | 8 | 12 | - | 1 | 17 | 67 | 5 | - | 158 |
| 盛岡市 | 2 451 | 6 | 208 | 24 | 3 | 3 | 5 | 116 | 3 | - | 2 083 |
| 秋田市 | 1 911 | 35 | 3 | 36 | 27 | - | 23 | 190 | - | - | 1 597 |
| 郡山市 | 2 041 | 35 | 347 | 45 | 2 | 7 | 21 | 1 148 | - | 4 | 432 |
| いわき市 | 989 | 33 | 163 | 44 | 11 | 2 | 13 | 154 | - | - | 569 |
| 宇都宮市 | 3 939 | 61 | 2 383 | 44 | 5 | 1 | 65 | 923 | 9 | - | 448 |
| 前橋市 | 1 916 | 155 | 159 | 95 | 9 | 1 | 35 | 303 | 3 | 5 | 1 151 |
| 高崎市 | 2 105 | 62 | 186 | 40 | 10 | 7 | 75 | 186 | 3 | 2 | 1 534 |
| 川越市 | 6 594 | 113 | 1 081 | 243 | 104 | 9 | 154 | 295 | 3 | 3 | 4 589 |
| 越谷市 | 2 417 | 57 | 15 | 94 | 13 | 4 | 81 | 501 | 4 | 4 | 1 644 |
| 船橋市 | 2 772 | 44 | 74 | 85 | 19 | 7 | 29 | 521 | 8 | 9 | 1 976 |
| 柏市 | 8 181 | 328 | 302 | 627 | 41 | 7 | 239 | 98 | 2 | - | 6 537 |
| 八王子市 | 6 925 | 240 | 227 | 160 | 23 | 3 | 241 | 1 866 | 25 | 25 | 4 115 |
| 横須賀市 | 5 787 | 201 | 122 | 151 | 36 | 3 | 121 | 3 868 | 6 | - | 1 279 |
| 富山市 | 4 211 | 133 | 1 589 | 72 | 19 | - | 85 | 1 212 | 4 | 41 | 1 056 |
| 金沢市 | - | - | - | - | - | - | - | - | - | - | - |
| 長野市 | 1 214 | 19 | 524 | 77 | 2 | 3 | 6 | 571 | 2 | 2 | 8 |
| 岐阜市 | 324 | - | 71 | 3 | - | 1 | 1 | 129 | - | 3 | 116 |
| 豊橋市 | 5 681 | 36 | 180 | 175 | 30 | 4 | 65 | 779 | 2 | 7 | 4 403 |
| 豊田市 | 3 444 | 9 | 260 | 47 | 19 | - | 7 | 812 | 2 | - | 2 288 |
| 岡崎市 | 699 | 5 | 27 | 9 | 4 | - | - | 71 | 6 | 10 | 567 |
| 大津市 | 4 444 | 18 | 305 | 140 | 11 | 2 | 91 | 3 550 | - | 7 | 320 |
| 高槻市 | 2 883 | 88 | 23 | 105 | 27 | 11 | 105 | 1 350 | 22 | 2 | 1 150 |
| 東大阪市 | 557 | 42 | 92 | 34 | 6 | 5 | 15 | 46 | 1 | 1 | 315 |
| 豊中市 | 1 807 | 48 | 15 | 64 | 12 | 15 | 41 | 1 037 | 5 | 2 | 568 |
| 枚方市 | 1 375 | 51 | 10 | 38 | 1 | 2 | 23 | 1 024 | 7 | - | 219 |
| 姫路市 | 2 314 | 77 | 9 | 82 | 3 | 5 | 26 | 1 856 | 5 | - | 251 |
| 西宮市 | 7 576 | 350 | 1 077 | 284 | 13 | 9 | 14 | 1 341 | 13 | 4 | 4 471 |
| 尼崎市 | 4 711 | 341 | 1 945 | 177 | 17 | 10 | 53 | 385 | 2 | 24 | 1 757 |
| 奈良市 | 293 | 9 | 91 | 24 | 6 | 1 | 4 | 17 | - | - | 141 |
| 和歌山市 | 9 466 | 75 | 8 129 | 57 | 32 | - | 1 | 77 | 6 | - | 1 089 |
| 倉敷市 | 3 619 | 91 | 745 | 126 | 17 | 3 | 49 | 1 588 | 6 | - | 994 |
| 福山市 | 2 116 | 35 | 134 | 55 | - | 7 | 26 | 274 | 7 | 14 | 1 564 |
| 呉市 | 932 | 19 | 90 | 9 | - | 2 | 10 | 185 | 7 | - | 610 |
| 下関市 | 2 905 | 73 | 42 | 59 | 12 | 6 | 3 | 79 | 1 | 15 | 2 615 |
| 高松市 | 3 841 | 34 | 1 788 | 43 | 3 | 1 | 8 | 1 739 | 3 | - | 222 |
| 松山市 | 4 012 | 46 | 379 | 43 | 3 | - | 5 | 1 266 | 6 | 13 | 2 251 |
| 高知市 | 3 036 | 41 | 3 | 56 | 8 | 3 | 17 | 160 | 1 | - | 2 747 |
| 久留米市 | 2 389 | 44 | 1 194 | 41 | 2 | 3 | 19 | 948 | 5 | 2 | 131 |
| 長崎市 | 4 026 | 168 | 9 | 130 | 103 | 8 | 72 | 9 | 58 | 7 | 3 462 |
| 佐世保市 | 3 762 | 299 | 138 | 84 | 1 | 14 | 44 | 1 202 | 39 | 25 | 1 916 |
| 大分市 | 5 035 | 417 | 4 | 100 | 7 | 5 | 79 | 898 | - | 72 | 3 453 |
| 宮崎市 | 3 944 | 207 | 332 | 379 | 18 | 12 | 32 | 419 | 3 | 2 | 2 540 |
| 鹿児島市 | 8 842 | 295 | 572 | 93 | 1 | 25 | 128 | 539 | - | 3 | 7 186 |
| 那覇市 | 2 948 | 129 | 142 | 360 | 26 | 13 | 40 | 714 | 22 | 1 | 1 501 |
| その他政令市(再掲) | | | | | | | | | | | |
| 小樽市 | 384 | 31 | 21 | 46 | 3 | - | 7 | 2 | 1 | 1 | 272 |
| 町田市 | 3 386 | 32 | 91 | 66 | 15 | 5 | 338 | 207 | 16 | - | 2 616 |
| 藤沢市 | 5 410 | 592 | 11 | 150 | 10 | 2 | 72 | 568 | 6 | - | 3 999 |
| 茅ヶ崎市 | 1 593 | 30 | - | 33 | 3 | 3 | 21 | 2 | 4 | 4 | 1 493 |
| 四日市市 | 1 868 | 5 | 1 | 163 | 3 | 3 | 215 | - | 1 | 5 | 1 472 |
| 大牟田市 | 1 205 | 137 | 287 | 83 | 1 | - | 16 | 64 | - | - | 617 |

## 被指導延人員，都道府県－指定都市・特別区－中核市－その他政令市、相談内容別

平成29年度

| 電子メールによる相談延人員 | | | | | | | | | | |
|---|---|---|---|---|---|---|---|---|---|---|
| 総数 | 老人精神保健 | 社会復帰 | アルコール | 薬物 | ギャンブル | 思春期 | 心の健康づくり | 摂食障害 | てんかん | その他 |
| – | – | – | – | – | – | – | – | – | – | – |
| 37 | – | 25 | 2 | – | – | – | 4 | 4 | – | 2 |
| – | – | – | – | – | – | – | – | – | – | – |
| – | – | – | – | – | – | – | – | – | – | – |
| – | – | – | – | – | – | – | – | – | – | – |
| 1 | – | – | – | – | – | – | 1 | – | – | – |
| 3 | – | – | – | – | – | – | – | – | – | 3 |
| 9 | – | – | – | – | – | – | – | – | – | 9 |
| 152 | – | 152 | – | – | – | – | – | – | – | – |
| 3 | – | 1 | – | – | – | – | – | – | – | 2 |
| 28 | 1 | 3 | 2 | – | – | – | 12 | 1 | – | 9 |
| 15 | – | 1 | 3 | – | – | – | 1 | – | – | 10 |
| – | – | – | – | – | – | – | – | – | – | – |
| 1 | – | – | – | – | – | – | – | – | – | 1 |
| 54 | 2 | 6 | 5 | – | – | 1 | – | – | – | 40 |
| – | – | – | – | – | – | – | – | – | – | – |
| 58 | 1 | 1 | – | 1 | – | – | 50 | – | – | 5 |
| 126 | – | 2 | – | – | – | – | 92 | – | – | 32 |
| – | – | – | – | – | – | – | – | – | – | – |
| – | – | – | – | – | – | – | – | – | – | – |
| 19 | – | 4 | – | – | – | – | – | – | – | 15 |
| – | – | – | – | – | – | – | – | – | – | – |
| – | – | – | – | – | – | – | – | – | – | – |
| 5 | – | – | – | – | – | – | – | – | – | 5 |
| 220 | – | – | 2 | – | – | 5 | 212 | – | 1 | – |
| 15 | 3 | – | 2 | – | – | – | – | – | – | 10 |
| 16 | – | 2 | 1 | – | – | 1 | 7 | – | – | 5 |
| 52 | – | – | 5 | – | – | 3 | – | – | – | 44 |
| 1 | – | – | – | – | – | – | 1 | – | – | – |
| 4 | – | – | – | – | – | – | 4 | – | – | – |
| – | – | – | – | – | – | – | – | – | – | – |
| – | – | – | – | – | – | – | – | – | – | – |
| – | – | – | – | – | – | – | – | – | – | – |
| – | – | – | – | – | – | – | – | – | – | – |
| 13 | – | 1 | – | – | – | 2 | 8 | – | – | 2 |
| 1 | – | – | – | – | – | – | 1 | – | – | – |
| – | – | – | – | – | – | – | – | – | – | – |
| 119 | – | – | – | – | – | – | – | – | – | 119 |
| – | – | – | – | – | – | – | – | – | – | – |
| 9 | – | – | – | – | – | 3 | – | – | – | 6 |
| 6 | – | – | 1 | – | – | – | 3 | – | – | 2 |
| – | – | – | – | – | – | – | – | – | – | – |
| – | – | – | – | – | – | – | – | – | – | – |
| – | – | – | – | – | – | – | – | – | – | – |
| – | – | – | – | – | – | – | – | – | – | – |
| – | – | – | – | – | – | – | – | – | – | – |
| 2 | – | – | – | – | – | – | 2 | – | – | – |
| – | – | – | – | – | – | – | – | – | – | – |
| 44 | – | 1 | – | 2 | – | 5 | 1 | – | – | 35 |
| 30 | 1 | – | – | – | – | – | 7 | – | – | 22 |
| 2 | – | – | – | – | – | – | – | – | – | 2 |
| 1 | – | – | 1 | – | – | – | – | – | – | – |
| – | – | – | – | – | – | – | – | – | – | – |

# 第28表　保健所が実施した精神保健福祉普及啓発のための教室等の

| | 精神障害者（家族）に対する教室等 | | （再掲）うつ病に関する教室等 | | 地域住民と精神障害者との地域交流会 | |
|---|---|---|---|---|---|---|
| | 開催回数 | 参加延人員 | 開催回数 | 参加延人員 | 開催回数 | 参加延人員 |
| **全国** | **4 384** | **52 376** | **301** | **7 558** | **2 748** | **29 878** |
| 北海道 | 58 | 778 | - | - | 5 | 421 |
| 青森 | - | - | - | - | - | - |
| 岩手 | 48 | 290 | - | - | - | - |
| 宮城 | 128 | 843 | - | - | 11 | 202 |
| 秋田 | 12 | 251 | - | - | 10 | 178 |
| 山形 | 12 | 190 | 5 | 75 | - | - |
| 福島 | 75 | 694 | 25 | 173 | 1 | 80 |
| 茨城 | 92 | 1 757 | - | - | - | - |
| 栃木 | 77 | 693 | - | - | 5 | 380 |
| 群馬 | 63 | 498 | - | - | 2 | 34 |
| 埼玉 | 77 | 1 561 | 12 | 259 | 7 | 406 |
| 千葉 | 49 | 896 | 11 | 128 | 3 | 899 |
| 東京 | 643 | 5 786 | 39 | 824 | 60 | 3 191 |
| 神奈川 | 1 077 | 12 132 | 12 | 431 | 19 | 708 |
| 新潟 | 23 | 693 | 11 | 474 | 7 | 373 |
| 富山 | 138 | 1 070 | 19 | 273 | 2 418 | 3 812 |
| 石川 | 43 | 264 | 7 | 90 | - | - |
| 福井 | - | - | - | - | - | - |
| 山梨 | 15 | 395 | 8 | 346 | - | - |
| 長野 | 58 | 459 | 3 | 50 | 4 | 596 |
| 岐阜 | 9 | 200 | 4 | 34 | - | - |
| 静岡 | 53 | 763 | - | - | - | - |
| 愛知 | 530 | 4 632 | 38 | 555 | 5 | 291 |
| 三重 | 27 | 328 | 2 | 137 | 4 | 138 |
| 滋賀 | 20 | 255 | - | - | 1 | 42 |
| 京都 | 85 | 876 | 9 | 12 | 53 | 4 428 |
| 大阪 | 118 | 1 179 | 1 | 22 | 1 | 500 |
| 兵庫 | 227 | 4 176 | 20 | 1 264 | 3 | 230 |
| 奈良 | 5 | 77 | - | - | - | - |
| 和歌山 | 38 | 635 | - | - | 4 | 484 |
| 鳥取 | 52 | 178 | - | - | 15 | 791 |
| 島根 | 13 | 195 | - | - | - | - |
| 岡山 | 25 | 335 | 2 | 27 | 23 | 1 370 |
| 広島 | 90 | 1 048 | 10 | 553 | 13 | 348 |
| 山口 | 23 | 167 | - | - | 1 | 500 |
| 徳島 | 20 | 458 | 16 | 446 | 4 | 341 |
| 香川 | 75 | 821 | 4 | 37 | 3 | 267 |
| 愛媛 | 28 | 1 400 | - | - | 9 | 1 818 |
| 高知 | - | - | - | - | - | - |
| 福岡 | 100 | 3 005 | 30 | 1 174 | 14 | 1 867 |
| 佐賀 | 4 | 56 | 4 | 56 | 7 | 37 |
| 長崎 | 52 | 321 | 5 | 14 | 6 | 838 |
| 熊本 | 7 | 165 | - | - | 8 | 1 122 |
| 大分 | 9 | 74 | - | - | 4 | 226 |
| 宮崎 | 27 | 392 | 4 | 104 | 5 | 814 |
| 鹿児島 | 47 | 1 308 | - | - | 13 | 2 146 |
| 沖縄 | 12 | 82 | - | - | - | - |
| 指定都市・特別区(再掲) | | | | | | |
| 東京都区部 | 531 | 4 932 | 34 | 695 | 57 | 2 342 |
| 札幌市 | - | - | - | - | - | - |
| 仙台市 | 68 | 606 | - | - | 11 | 202 |
| さいたま市 | 6 | 315 | - | - | - | - |
| 千葉市 | - | - | - | - | - | - |
| 横浜市 | 950 | 10 379 | - | - | 14 | 241 |
| 川崎市 | 23 | 417 | 2 | 6 | 4 | 312 |
| 相模原市 | - | - | - | - | - | - |
| 新潟市 | - | - | - | - | - | - |
| 静岡市 | - | - | - | - | - | - |
| 浜松市 | 2 | 98 | - | - | - | - |
| 名古屋市 | 139 | 1 488 | - | - | - | - |
| 京都市 | 62 | 673 | 9 | 12 | 41 | 4 115 |
| 大阪市 | - | - | - | - | - | - |
| 堺市 | - | - | - | - | - | - |
| 神戸市 | - | - | - | - | - | - |
| 岡山市 | 10 | 103 | - | - | 5 | 138 |
| 広島市 | 69 | 806 | 10 | 553 | 13 | 348 |
| 北九州市 | - | - | - | - | - | - |
| 福岡市 | 66 | 1 452 | 15 | 371 | 6 | 911 |
| 熊本市 | 6 | 152 | - | - | - | - |

## 開催回数・参加延人員，都道府県－指定都市・特別区－中核市－その他政令市、開催内容別

平成29年度

| | 精神障害者（家族）に対する教室等 | | （再掲）うつ病に関する教室等 | | 地域住民と精神障害者との地域交流会 | |
|---|---|---|---|---|---|---|
| | 開催回数 | 参加延人員 | 開催回数 | 参加延人員 | 開催回数 | 参加延人員 |
| 中核市(再掲) | | | | | | |
| 旭川市 | 1 | 28 | - | - | - | - |
| 函館市 | 16 | 345 | - | - | 2 | 197 |
| 青森市 | - | - | - | - | - | - |
| 八戸市 | - | - | - | - | - | - |
| 盛岡市 | 4 | 69 | - | - | - | - |
| 秋田市 | - | - | - | - | - | - |
| 郡山市 | 15 | 183 | 5 | 17 | - | - |
| いわき市 | 4 | 91 | - | - | - | - |
| 宇都宮市 | 3 | 51 | - | - | - | - |
| 前橋市 | - | - | - | - | - | - |
| 高崎市 | 54 | 396 | - | - | - | - |
| 川越市 | 10 | 174 | 2 | 24 | - | - |
| 越谷市 | 3 | 66 | - | - | - | - |
| 船橋市 | 12 | 343 | 1 | 86 | 1 | 232 |
| 柏市 | 12 | 110 | - | - | - | - |
| 八王子市 | 9 | 305 | 5 | 129 | 1 | 838 |
| 横須賀市 | 6 | 53 | - | - | - | - |
| 富山市 | 6 | 87 | 4 | 54 | 2 396 | 2 680 |
| 金沢市 | - | - | - | - | - | - |
| 長野市 | 18 | 190 | 3 | 50 | - | - |
| 岐阜市 | - | - | - | - | - | - |
| 豊橋市 | 3 | 62 | 3 | 62 | - | - |
| 豊田市 | 237 | 1 453 | 1 | 163 | 4 | 189 |
| 岡崎市 | 25 | 288 | - | - | - | - |
| 大津市 | 9 | 179 | - | - | - | - |
| 高槻市 | 29 | 145 | - | - | - | - |
| 東大阪市 | - | - | - | - | - | - |
| 豊中市 | 18 | 50 | - | - | - | - |
| 枚方市 | 38 | 300 | - | - | - | - |
| 姫路市 | 22 | 134 | - | - | - | - |
| 西宮市 | 35 | 597 | 11 | 321 | 1 | 15 |
| 尼崎市 | 50 | 348 | - | - | - | - |
| 奈良市 | 5 | 77 | - | - | - | - |
| 和歌山市 | 23 | 261 | - | - | 3 | 412 |
| 倉敷市 | 5 | 32 | 1 | 26 | 9 | 690 |
| 福山市 | 6 | 75 | - | - | - | - |
| 呉市 | 5 | 108 | - | - | - | - |
| 下関市 | 5 | 53 | - | - | - | - |
| 高松市 | 32 | 336 | 4 | 37 | - | - |
| 松山市 | 8 | 213 | - | - | 3 | 390 |
| 高知市 | - | - | - | - | - | - |
| 久留米市 | - | - | - | - | - | - |
| 長崎市 | 34 | 226 | - | - | - | - |
| 佐世保市 | 2 | 35 | - | - | 2 | 500 |
| 大分市 | 1 | 10 | - | - | - | - |
| 宮崎市 | 8 | 178 | 4 | 104 | - | - |
| 鹿児島市 | 13 | 151 | - | - | 8 | 1 963 |
| 那覇市 | - | - | - | - | - | - |
| その他政令市(再掲) | | | | | | |
| 小樽市 | 6 | 62 | - | - | - | - |
| 町田市 | - | - | - | - | - | - |
| 藤沢市 | 47 | 692 | 7 | 402 | - | - |
| 茅ヶ崎市 | 10 | 96 | - | - | - | - |
| 四日市市 | - | - | - | - | 1 | 59 |
| 大牟田市 | - | - | - | - | - | - |

## 第29表　保健所が実施した精神保健福祉の組織育成支援件数，

| | 総　数 | 患　者　会 | 家　族　会 | 依存症の自助団体・回復施設 | 職　親　会 | そ　の　他 |
|---|---:|---:|---:|---:|---:|---:|
| 全　　　　国 | 11 222 | 2 364 | 4 478 | 2 095 | 30 | 2 255 |
| 北　海　道 | 404 | 175 | 132 | 34 | … | 63 |
| 青　　　森 | 258 | 40 | 214 | 1 | - | 3 |
| 岩　　　手 | 107 | 31 | 22 | 15 | - | 39 |
| 宮　　　城 | 74 | 23 | 38 | 1 | - | 12 |
| 秋　　　田 | 108 | 16 | 11 | 19 | - | 62 |
| 山　　　形 | 26 | - | 18 | 3 | - | 5 |
| 福　　　島 | 85 | - | 59 | 13 | 3 | 10 |
| 茨　　　城 | 68 | - | 65 | 1 | - | 2 |
| 栃　　　木 | 384 | 134 | 150 | 80 | - | 20 |
| 群　　　馬 | 124 | - | 49 | 23 | - | 52 |
| 埼　　　玉 | 165 | 22 | 55 | 40 | - | 48 |
| 千　　　葉 | 331 | 74 | 146 | 64 | - | 47 |
| 東　　　京 | 1 717 | 573 | 840 | 39 | 2 | 263 |
| 神　奈　川 | 1 563 | 487 | 615 | 203 | - | 258 |
| 新　　　潟 | 181 | 51 | 65 | 12 | - | 53 |
| 富　　　山 | 276 | 36 | 99 | 24 | - | 117 |
| 石　　　川 | 87 | 3 | 29 | 30 | - | 25 |
| 福　　　井 | 49 | 13 | 16 | - | - | 20 |
| 山　　　梨 | 33 | 4 | 13 | 3 | 1 | 12 |
| 長　　　野 | 135 | 42 | 40 | 37 | - | 16 |
| 岐　　　阜 | 66 | - | 50 | 16 | - | - |
| 静　　　岡 | 179 | - | 83 | 88 | - | 8 |
| 愛　　　知 | 187 | - | 94 | 40 | - | 53 |
| 三　　　重 | 82 | 10 | 52 | 14 | - | 6 |
| 滋　　　賀 | 51 | 1 | 20 | 30 | - | - |
| 京　　　都 | 466 | 50 | 63 | 145 | 8 | 200 |
| 大　　　阪 | 772 | 14 | 44 | 475 | - | 239 |
| 兵　　　庫 | 672 | 103 | 322 | 113 | 16 | 118 |
| 奈　　　良 | 5 | 1 | 4 | - | - | - |
| 和　歌　山 | 42 | 2 | 35 | 5 | - | - |
| 鳥　　　取 | 23 | - | 15 | - | - | 8 |
| 島　　　根 | 78 | 9 | 21 | 28 | - | 20 |
| 岡　　　山 | 578 | 241 | 198 | 69 | - | 70 |
| 広　　　島 | 256 | - | 181 | 34 | - | 41 |
| 山　　　口 | 185 | 36 | 118 | 19 | - | 12 |
| 徳　　　島 | 174 | - | 49 | 80 | - | 45 |
| 香　　　川 | 100 | 24 | 29 | 23 | - | 24 |
| 愛　　　媛 | 136 | - | 44 | 16 | - | 76 |
| 高　　　知 | 24 | - | 20 | 4 | - | - |
| 福　　　岡 | 295 | 18 | 120 | 95 | - | 62 |
| 佐　　　賀 | 113 | 10 | 20 | 61 | - | 22 |
| 長　　　崎 | 239 | 74 | 58 | 31 | - | 76 |
| 熊　　　本 | 81 | 9 | 49 | 8 | - | 15 |
| 大　　　分 | 69 | 1 | 42 | 26 | - | - |
| 宮　　　崎 | 74 | 17 | 26 | 13 | - | 18 |
| 鹿　児　島 | 54 | 20 | 19 | - | - | 15 |
| 沖　　　縄 | 46 | - | 26 | 20 | - | - |
| 指定都市・特別区(再掲) | | | | | | |
| 東京都区部 | 1 641 | 573 | 795 | 15 | - | 258 |
| 札　幌　市 | 3 | - | - | 1 | - | 2 |
| 仙　台　市 | 34 | 23 | 11 | - | - | - |
| さいたま市 | 24 | - | - | 12 | - | 12 |
| 千　葉　市 | 32 | - | - | - | - | 32 |
| 横　浜　市 | 884 | 474 | 194 | 34 | - | 182 |
| 川　崎　市 | 140 | 2 | 41 | 77 | - | 20 |
| 相模原市 | 18 | 1 | 10 | 1 | - | 6 |
| 新　潟　市 | 6 | - | 3 | - | - | 3 |
| 静　岡　市 | 16 | - | 2 | 12 | - | 2 |
| 浜　松　市 | 1 | - | 1 | - | - | - |
| 名古屋市 | 62 | - | 28 | 11 | - | 23 |
| 京　都　市 | 407 | 43 | 41 | 139 | 8 | 176 |
| 大　阪　市 | 193 | 1 | 19 | 47 | - | 126 |
| 堺　　　市 | 368 | 1 | - | 356 | - | 11 |
| 神　戸　市 | 40 | - | 2 | 23 | - | 15 |
| 岡　山　市 | 186 | 66 | 120 | - | - | - |
| 広　島　市 | 111 | - | 81 | 2 | - | 28 |
| 北九州市 | 54 | 18 | 6 | 22 | - | 8 |
| 福　岡　市 | 91 | - | 60 | 7 | - | 24 |
| 熊　本　市 | 6 | - | 6 | - | - | - |

## 都道府県－指定都市・特別区－中核市－その他政令市、組織の種類別

平成29年度

| | 総数 | 患者会 | 家族会 | 依存症の自助団体・回復施設 | 職親会 | その他 |
|---|---|---|---|---|---|---|
| 中核市(再掲) | | | | | | |
| 旭川市 | 20 | … | 19 | 1 | … | … |
| 函館市 | 15 | - | 1 | - | - | 14 |
| 青森市 | - | - | - | - | - | - |
| 八戸市 | 12 | 1 | 9 | 1 | - | 1 |
| 盛岡市 | 12 | - | 1 | - | - | 11 |
| 秋田市 | - | - | - | - | - | - |
| 郡山市 | 21 | - | 10 | 11 | - | - |
| いわき市 | 22 | - | 11 | 1 | 2 | 8 |
| 宇都宮市 | 263 | 123 | 62 | 78 | - | - |
| 前橋市 | 53 | - | 18 | 16 | - | 19 |
| 高崎市 | 7 | - | - | 7 | - | - |
| 川越市 | 3 | - | 1 | 2 | - | - |
| 越谷市 | 20 | - | - | 5 | - | 15 |
| 船橋市 | 10 | - | 10 | - | - | - |
| 柏市 | 28 | - | 1 | 20 | - | 7 |
| 八王子市 | 26 | - | 26 | - | - | - |
| 横須賀市 | 53 | - | 10 | 36 | - | 7 |
| 富山市 | 27 | - | 10 | 6 | - | 11 |
| 金沢市 | 14 | - | 9 | - | - | 5 |
| 長野市 | 28 | 8 | 18 | 2 | - | - |
| 岐阜市 | 22 | - | 22 | - | - | - |
| 豊橋市 | 21 | - | 18 | 3 | - | - |
| 豊田市 | 23 | - | 17 | 6 | - | - |
| 岡崎市 | 24 | - | 12 | - | - | 12 |
| 大津市 | 1 | - | - | 1 | - | - |
| 高槻市 | 30 | - | 1 | 1 | - | 28 |
| 東大阪市 | 18 | - | - | 18 | - | - |
| 豊中市 | 31 | 11 | 1 | 2 | - | 17 |
| 枚方市 | 39 | - | 12 | 27 | - | - |
| 姫路市 | 66 | - | 17 | 49 | - | - |
| 西宮市 | 45 | - | 24 | - | - | 21 |
| 尼崎市 | 10 | - | 4 | 6 | - | - |
| 奈良市 | 1 | - | 1 | - | - | - |
| 和歌山市 | 13 | 1 | 10 | 2 | - | - |
| 倉敷市 | 106 | 30 | 19 | - | - | 57 |
| 福山市 | 26 | - | - | 14 | - | 12 |
| 呉市 | 28 | - | 24 | 4 | - | - |
| 下関市 | 10 | - | 10 | - | - | - |
| 高松市 | 9 | - | 9 | - | - | - |
| 松山市 | 3 | - | 3 | - | - | - |
| 高知市 | 5 | - | 1 | 4 | - | - |
| 久留米市 | 25 | - | 1 | 5 | - | 19 |
| 長崎市 | 33 | 1 | - | - | - | 32 |
| 佐世保市 | 95 | 23 | 28 | 26 | - | 18 |
| 大分市 | 28 | - | 11 | 17 | - | - |
| 宮崎市 | 1 | - | 1 | - | - | - |
| 鹿児島市 | 21 | 14 | 2 | - | - | 5 |
| 那覇市 | 16 | - | 8 | 8 | - | - |
| その他政令市(再掲) | | | | | | |
| 小樽市 | 12 | - | 6 | - | - | 6 |
| 町田市 | 20 | - | 1 | 12 | 2 | 5 |
| 藤沢市 | 60 | - | 25 | 13 | - | 22 |
| 茅ヶ崎市 | 36 | - | 24 | 12 | - | - |
| 四日市市 | 7 | - | 5 | - | - | 2 |
| 大牟田市 | - | - | - | - | - | - |

# 第30表　保健所が実施した難病相談等の被指導実人員

| | 相談、機能訓練、訪問指導 実人員 | (再掲) 相談 | | (再掲) 機能訓練 | | (再掲) 訪問指導 | | 電話相談 延人員 |
|---|---|---|---|---|---|---|---|---|
| | | 実人員 | 延人員 | 実人員 | 延人員 | 実人員 | 延人員 | |
| 全国 | 517 386 | 505 425 | 716 972 | 1 246 | 2 958 | 18 236 | 41 623 | 368 465 |
| 北海道 | 1 696 | 1 030 | 1 590 | 8 | 11 | 856 | 1 946 | 1 187 |
| 青森 | 1 691 | 1 247 | 2 163 | - | - | 468 | 773 | 297 |
| 岩手 | 9 361 | 9 350 | 10 002 | - | - | 64 | 133 | 4 318 |
| 宮城 | 2 107 | 2 016 | 2 624 | 5 | 9 | 194 | 477 | 1 265 |
| 秋田 | 4 137 | 4 122 | 4 759 | 7 | 10 | 27 | 33 | 3 177 |
| 山形 | 4 769 | 4 718 | 5 762 | 56 | 56 | 161 | 292 | 9 717 |
| 福島 | 15 642 | 15 539 | 20 135 | 6 | 6 | 235 | 336 | 10 057 |
| 茨城 | 13 737 | 13 708 | 16 957 | - | - | 79 | 151 | 10 247 |
| 栃木 | 11 560 | 11 538 | 18 079 | 40 | 42 | 373 | 829 | 5 257 |
| 群馬 | 14 971 | 14 857 | 21 071 | 33 | 115 | 222 | 763 | 9 933 |
| 埼玉 | 50 815 | 50 704 | 80 429 | - | - | 385 | 897 | 41 588 |
| 千葉 | 6 513 | 6 012 | 6 809 | - | - | 600 | 1 111 | 7 393 |
| 東京 | 14 187 | 13 007 | 22 003 | 360 | 1 414 | 1 490 | 5 188 | 12 162 |
| 神奈川 | 35 609 | 34 323 | 46 258 | 64 | 219 | 1 393 | 2 092 | 13 575 |
| 新潟 | 19 027 | 18 553 | 27 883 | 55 | 81 | 1 020 | 1 776 | 9 726 |
| 富山 | 6 690 | 6 635 | 9 922 | 47 | 59 | 252 | 554 | 1 082 |
| 石川 | 6 007 | 6 006 | 13 229 | - | - | 48 | 145 | 2 481 |
| 福井 | 6 243 | 6 233 | 12 594 | 11 | 11 | 126 | 496 | 5 524 |
| 山梨 | 3 009 | 2 887 | 5 047 | - | - | 201 | 375 | 1 660 |
| 長野 | 1 391 | 1 135 | 1 720 | - | - | 310 | 615 | 1 422 |
| 岐阜 | 9 507 | 9 462 | 12 642 | - | - | 104 | 198 | 6 807 |
| 静岡 | 17 425 | 17 227 | 20 082 | 5 | 9 | 498 | 986 | 12 654 |
| 愛知 | 6 313 | 4 752 | 5 184 | - | - | 1 877 | 3 174 | 3 173 |
| 三重 | 2 118 | 2 077 | 2 624 | 11 | 11 | 72 | 196 | 1 716 |
| 滋賀 | 4 248 | 4 145 | 5 943 | 50 | 121 | 148 | 285 | 1 842 |
| 京都 | 11 545 | 10 923 | 13 744 | 69 | 115 | 604 | 1 220 | 4 033 |
| 大阪 | 24 155 | 22 571 | 23 569 | 172 | 303 | 2 208 | 7 007 | 21 666 |
| 兵庫 | 22 012 | 21 726 | 27 762 | 49 | 56 | 611 | 1 652 | 15 909 |
| 奈良 | 4 397 | 4 235 | 7 564 | 14 | 14 | 150 | 377 | 6 989 |
| 和歌山 | 9 238 | 9 166 | 11 878 | 8 | 8 | 413 | 496 | 4 554 |
| 鳥取 | 2 272 | 2 252 | 2 437 | - | - | 20 | 43 | 131 |
| 島根 | 5 909 | 5 800 | 8 738 | 4 | 5 | 148 | 461 | 2 394 |
| 岡山 | 17 739 | 17 501 | 20 532 | 26 | 29 | 309 | 736 | 7 000 |
| 広島 | 15 986 | 15 966 | 19 197 | - | - | 43 | 82 | 9 600 |
| 山口 | 13 144 | 12 995 | 18 569 | 2 | 3 | 491 | 832 | 8 793 |
| 徳島 | 6 833 | 6 825 | 9 735 | - | - | 97 | 255 | 8 628 |
| 香川 | 1 043 | 846 | 1 870 | - | - | 214 | 634 | 868 |
| 愛媛 | 7 976 | 7 891 | 11 493 | - | - | 111 | 192 | 9 919 |
| 高知 | 1 517 | 1 393 | 1 788 | - | - | 139 | 385 | 2 915 |
| 福岡 | 33 182 | 33 121 | 54 017 | - | - | 136 | 348 | 26 434 |
| 佐賀 | 8 506 | 8 434 | 16 147 | 6 | 18 | 88 | 282 | 7 963 |
| 長崎 | 6 832 | 6 575 | 9 010 | 89 | 184 | 325 | 708 | 7 964 |
| 熊本 | 9 725 | 9 710 | 13 482 | - | - | 77 | 141 | 6 617 |
| 大分 | 6 918 | 6 756 | 13 579 | - | - | 233 | 470 | 5 831 |
| 宮崎 | 11 786 | 11 655 | 15 530 | 44 | 44 | 190 | 472 | 7 583 |
| 鹿児島 | 18 573 | 18 492 | 29 748 | - | - | 180 | 332 | 16 557 |
| 沖縄 | 9 325 | 9 309 | 11 072 | 5 | 5 | 246 | 677 | 7 857 |
| 指定都市・特別区(再掲) 東京都区部 | 12 779 | 12 294 | 13 014 | 235 | 1 272 | 622 | 2 106 | 4 754 |
| 札幌市 | - | - | - | - | | - | - | - |
| 仙台市 | 295 | 227 | 302 | - | | 102 | 179 | 341 |
| さいたま市 | 7 474 | 7 474 | 14 968 | - | | 27 | 50 | 2 815 |
| 千葉市 | - | - | - | | | - | - | - |
| 横浜市 | 18 387 | 17 626 | 20 402 | | | 761 | 884 | 2 842 |
| 川崎市 | 3 462 | 3 458 | 3 484 | | | 9 | 16 | 561 |
| 相模原市 | 3 498 | 3 177 | 6 062 | | | 321 | 460 | 1 823 |
| 新潟市 | 7 908 | 7 568 | 12 418 | | | 340 | 542 | 2 575 |
| 静岡市 | 2 623 | 2 505 | 2 696 | | | 118 | 147 | 2 044 |
| 浜松市 | 1 643 | 1 627 | 1 897 | | | 34 | 64 | 2 843 |
| 名古屋市 | 3 661 | 2 382 | 2 525 | | | 1 279 | 1 526 | 1 289 |
| 京都市 | 3 066 | 2 920 | 3 306 | | | 160 | 280 | 1 263 |
| 大阪市 | 400 | 400 | 400 | | | - | - | 263 |
| 堺市 | 357 | 225 | 230 | | | 132 | 559 | 979 |
| 神戸市 | 5 600 | 5 596 | 6 259 | | | 30 | 39 | 89 |
| 岡山市 | 12 540 | 12 493 | 13 632 | | | 47 | 149 | 4 833 |
| 広島市 | 10 723 | 10 715 | 10 850 | | | 11 | 17 | 3 257 |
| 北九州市 | - | - | - | | | - | - | - |
| 福岡市 | 12 661 | 12 659 | 23 931 | | | 6 | 15 | 4 602 |
| 熊本市 | 16 | 13 | 13 | | | 3 | 3 | 13 |

## －延人員，都道府県－指定都市・特別区－中核市－その他政令市、相談等の種類別

平成29年度

| | 相談、機能訓練、訪問指導実人員 | （再掲）相談 | | （再掲）機能訓練 | | （再掲）訪問指導 | | 電話相談延人員 |
|---|---|---|---|---|---|---|---|---|
| | | 実人員 | 延人員 | 実人員 | 延人員 | 実人員 | 延人員 | |
| 中核市(再掲) | | | | | | | | |
| 旭川市 | 78 | 74 | 74 | － | － | 4 | 10 | 3 |
| 函館市 | 120 | 64 | 66 | － | － | 56 | 142 | 232 |
| 青森市 | 179 | 134 | 144 | － | － | 45 | 117 | 137 |
| 八戸市 | 169 | 140 | 140 | － | － | 29 | 48 | 63 |
| 盛岡市 | 4 | 4 | 6 | － | － | 4 | 12 | 24 |
| 秋田市 | 355 | 349 | 349 | － | － | 6 | 9 | 2 436 |
| 郡山市 | 2 798 | 2 795 | 2 996 | － | － | 16 | 16 | 1 625 |
| いわき市 | 2 491 | 2 491 | 2 491 | － | － | 12 | 24 | 626 |
| 宇都宮市 | 328 | 306 | 615 | 5 | 5 | 96 | 289 | 328 |
| 前橋市 | 2 902 | 2 902 | 3 105 | － | － | 46 | 95 | 1 168 |
| 高崎市 | 2 091 | 2 040 | 2 040 | － | － | 51 | 243 | 50 |
| 川越市 | 2 796 | 2 796 | 4 032 | － | － | 17 | 60 | 1 571 |
| 越谷市 | 3 370 | 3 348 | 3 371 | － | － | 28 | 69 | 635 |
| 船橋市 | 305 | 63 | 77 | － | － | 273 | 447 | 859 |
| 柏市 | 366 | 354 | 378 | － | － | 35 | 54 | 457 |
| 八王子市 | 182 | 39 | 912 | 34 | 34 | 109 | 348 | 299 |
| 横須賀市 | 192 | 173 | 3 890 | － | － | 19 | 62 | 3 717 |
| 富山市 | 2 976 | 2 976 | 2 976 | － | － | 49 | 111 | － |
| 金沢市 | － | － | － | － | － | － | － | － |
| 長野市 | 687 | 685 | 1 196 | － | － | 2 | 4 | 935 |
| 岐阜市 | 841 | 830 | 886 | － | － | 11 | 25 | 350 |
| 豊橋市 | 543 | 514 | 570 | － | － | 92 | 270 | 606 |
| 豊田市 | 73 | 73 | 91 | － | － | 24 | 35 | 19 |
| 岡崎市 | 388 | 315 | 315 | － | － | 73 | 141 | 11 |
| 大津市 | 2 765 | 2 728 | 3 693 | － | － | 37 | 65 | 351 |
| 高槻市 | 1 073 | 740 | 740 | 52 | 169 | 281 | 1 387 | 6 740 |
| 東大阪市 | 4 375 | 4 152 | 4 302 | － | － | 258 | 660 | 906 |
| 豊中市 | 1 510 | 1 329 | 1 599 | 16 | 16 | 165 | 423 | 2 124 |
| 枚方市 | 1 235 | 1 106 | 1 106 | － | － | 192 | 381 | 1 442 |
| 姫路市 | 193 | 107 | 110 | 9 | 9 | 77 | 135 | 132 |
| 西宮市 | 446 | 406 | 443 | 18 | 25 | 51 | 130 | 2 568 |
| 尼崎市 | 256 | 245 | 266 | － | － | 20 | 38 | 567 |
| 奈良市 | 566 | 528 | 538 | － | － | 38 | 149 | 1 736 |
| 和歌山市 | 3 657 | 3 657 | 4 739 | － | － | 57 | 73 | 1 013 |
| 倉敷市 | 1 708 | 1 655 | 1 731 | － | － | 53 | 143 | 202 |
| 福山市 | 4 | 4 | 4 | － | － | － | － | 14 |
| 呉市 | 1 813 | 1 813 | 2 411 | － | － | 5 | 23 | 1 527 |
| 下関市 | 757 | 728 | 793 | － | － | 29 | 58 | 709 |
| 高松市 | 82 | 9 | 10 | － | － | 73 | 254 | 364 |
| 松山市 | 76 | 13 | 14 | － | － | 63 | 88 | 2 709 |
| 高知市 | 310 | 289 | 394 | － | － | 32 | 75 | 1 265 |
| 久留米市 | 787 | 770 | 770 | － | － | 17 | 21 | 2 011 |
| 長崎市 | 610 | 571 | 575 | 62 | 119 | 41 | 56 | 894 |
| 佐世保市 | 437 | 367 | 572 | 7 | 45 | 94 | 251 | 138 |
| 大分市 | 552 | 416 | 476 | － | － | 136 | 270 | 227 |
| 宮崎市 | 5 211 | 5 127 | 5 988 | － | － | 84 | 164 | 3 074 |
| 鹿児島市 | 7 090 | 7 059 | 8 824 | － | － | 31 | 32 | 10 595 |
| 那覇市 | 1 010 | 994 | 1 363 | － | － | 16 | 34 | 1 723 |
| その他政令市(再掲) | | | | | | | | |
| 小樽市 | 47 | 44 | 48 | － | － | 3 | 5 | 47 |
| 町田市 | 99 | 10 | 22 | 4 | 4 | 89 | 268 | 312 |
| 藤沢市 | 4 758 | 4 758 | 4 758 | 3 | 40 | 56 | 175 | 2 480 |
| 茅ヶ崎市 | 217 | 199 | 248 | － | － | 20 | 70 | 70 |
| 四日市市 | 60 | 60 | 60 | － | － | 9 | 13 | 12 |
| 大牟田市 | － | － | － | － | － | － | － | 100 |

# 第31表　保健所が実施した難病相談等の新規被指導実人員・医療受給者証所持者（指定難病患者）

| | 新規者の受付経路 | | | | 医療受給者証所持者（指定難病患者） | 特定疾患医療受給者証所持者 |
|---|---|---|---|---|---|---|
| | 総数 | 市町村 | 医療機関 | その他 | | |
| **全国** | **111 569** | **1 381** | **86 167** | **24 021** | **434 846** | **3 808** |
| 北海道 | 651 | 16 | 155 | 480 | 1 376 | 147 |
| 青森 | 996 | - | 695 | 301 | 1 548 | - |
| 岩手 | 1 361 | - | 373 | 988 | 9 234 | 150 |
| 宮城 | 576 | 5 | 494 | 77 | 1 968 | 6 |
| 秋田 | 879 | 2 | 600 | 277 | 3 885 | 7 |
| 山形 | 762 | - | 746 | 16 | 4 097 | 10 |
| 福島 | 1 645 | - | 1 624 | 21 | 13 928 | 9 |
| 茨城 | 2 528 | 19 | 2 358 | 151 | 12 637 | 21 |
| 栃木 | 1 471 | - | 1 411 | 60 | 10 339 | 15 |
| 群馬 | 6 040 | 275 | 4 642 | 1 123 | 14 114 | 5 |
| 埼玉 | 14 531 | 366 | 13 798 | 367 | 46 927 | 110 |
| 千葉 | 1 927 | 6 | 1 823 | 98 | 4 650 | 3 |
| 東京 | 2 232 | 167 | 1 365 | 700 | 8 962 | 788 |
| 神奈川 | 12 975 | 4 | 8 603 | 4 368 | 24 152 | 1 001 |
| 新潟 | 2 441 | 10 | 2 429 | 2 | 18 297 | 34 |
| 富山 | 1 103 | - | 509 | 594 | 6 238 | 38 |
| 石川 | 807 | - | 586 | 221 | 5 264 | 3 |
| 福井 | 1 149 | - | 1 146 | 3 | 6 036 | 7 |
| 山梨 | 784 | - | 784 | - | 2 558 | 5 |
| 長野 | 884 | 3 | 140 | 741 | 1 255 | 29 |
| 岐阜 | 1 500 | 1 | 1 056 | 443 | 7 191 | 23 |
| 静岡 | 2 866 | 14 | 2 481 | 371 | 15 688 | 583 |
| 愛知 | 1 491 | 4 | 1 279 | 208 | 5 672 | 55 |
| 三重 | 391 | 7 | 238 | 146 | 1 855 | 13 |
| 滋賀 | 3 199 | 12 | 342 | 2 845 | 4 181 | 12 |
| 京都 | 3 354 | 16 | 1 437 | 1 901 | 9 127 | 470 |
| 大阪 | 6 367 | 18 | 5 428 | 921 | 21 752 | 3 |
| 兵庫 | 3 749 | 40 | 3 309 | 400 | 18 926 | 23 |
| 奈良 | 1 436 | - | 1 307 | 129 | 4 102 | 15 |
| 和歌山 | 1 217 | 13 | 929 | 275 | 7 780 | 12 |
| 鳥取 | 576 | 11 | 528 | 37 | 2 268 | 2 |
| 島根 | 853 | 7 | 765 | 81 | 5 827 | 13 |
| 岡山 | 2 792 | 96 | 2 363 | 333 | 10 043 | 67 |
| 広島 | 1 845 | 4 | 1 785 | 56 | 11 266 | 30 |
| 山口 | 1 415 | 27 | 1 215 | 173 | 10 391 | 10 |
| 徳島 | 819 | - | 246 | 573 | 6 381 | 3 |
| 香川 | 115 | 3 | 69 | 43 | 925 | 1 |
| 愛媛 | 1 119 | 41 | 948 | 130 | 7 235 | - |
| 高知 | 649 | 7 | 548 | 94 | 902 | 2 |
| 福岡 | 6 415 | 62 | 5 786 | 567 | 25 734 | 45 |
| 佐賀 | 1 145 | - | 1 142 | 3 | 7 328 | 3 |
| 長崎 | 3 447 | 89 | 672 | 2 686 | 5 956 | 2 |
| 熊本 | 2 212 | 1 | 2 179 | 32 | 8 765 | 3 |
| 大分 | 1 272 | 6 | 1 242 | 24 | 6 495 | 7 |
| 宮崎 | 1 444 | 8 | 1 405 | 31 | 8 993 | 10 |
| 鹿児島 | 2 396 | 17 | 1 564 | 815 | 14 320 | 13 |
| 沖縄 | 1 743 | 4 | 1 623 | 116 | 8 278 | - |
| 指定都市・特別区(再掲) | | | | | | |
| 東京都区部 | 1 563 | ・ | 1 202 | 361 | 8 200 | 689 |
| 札幌市 | - | ・ | - | - | - | - |
| 仙台市 | 45 | ・ | 2 | 43 | 278 | - |
| さいたま市 | 7 474 | ・ | 7 474 | - | 7 468 | 6 |
| 千葉市 | - | ・ | - | - | - | - |
| 横浜市 | 3 673 | ・ | 3 308 | 365 | 11 239 | 966 |
| 川崎市 | 21 | ・ | 4 | 17 | 1 222 | 25 |
| 相模原市 | 508 | ・ | - | 508 | 1 540 | 6 |
| 新潟市 | 929 | ・ | 929 | - | 7 868 | 19 |
| 静岡市 | 623 | ・ | 623 | - | 2 623 | 65 |
| 浜松市 | 419 | ・ | 365 | 54 | 1 496 | 147 |
| 名古屋市 | 779 | ・ | 718 | 61 | 3 351 | - |
| 京都市 | 1 934 | ・ | 53 | 1 881 | 1 805 | 463 |
| 大阪市 | - | ・ | - | - | 400 | - |
| 堺市 | 24 | ・ | 24 | - | 161 | - |
| 神戸市 | 230 | ・ | 217 | 13 | 3 882 | 18 |
| 岡山市 | 934 | ・ | 887 | 47 | 5 677 | 32 |
| 広島市 | 1 011 | ・ | 984 | 27 | 6 620 | 15 |
| 北九州市 | - | ・ | - | - | - | - |
| 福岡市 | 1 725 | ・ | 1 571 | 154 | 9 578 | 24 |
| 熊本市 | 16 | ・ | - | 16 | 11 | - |

数・特定疾患医療受給者証所持者数，都道府県－指定都市・特別区－中核市－その他政令市、新規者の受付経路別

平成29年度

| | 新規者の受付経路 | | | | 医療受給者証所持者（指定難病患者） | 特定疾患医療受給者証所持者 |
|---|---|---|---|---|---|---|
| | 総数 | 市町村 | 医療機関 | その他 | | |
| 中核市(再掲) | | | | | | |
| 旭川市 | 78 | ・ | － | 78 | 78 | － |
| 函館市 | 52 | ・ | － | 52 | 62 | － |
| 青森市 | 104 | ・ | 3 | 101 | 135 | － |
| 八戸市 | 169 | ・ | － | 169 | 140 | － |
| 盛岡市 | － | ・ | － | － | 4 | － |
| 秋田市 | 349 | ・ | 333 | 16 | 349 | 3 |
| 郡山市 | 340 | ・ | 340 | － | 2 260 | 3 |
| いわき市 | 287 | ・ | 287 | － | 2 166 | 2 |
| 宇都宮市 | 164 | ・ | 105 | 59 | 322 | 1 |
| 前橋市 | 2 902 | ・ | 2 902 | － | 2 901 | 1 |
| 高崎市 | 398 | ・ | 398 | － | 1 938 | － |
| 川越市 | 369 | ・ | 363 | 6 | 2 232 | 4 |
| 越谷市 | 20 | ・ | 4 | 16 | 3 337 | － |
| 船橋市 | 67 | ・ | 67 | － | 284 | － |
| 柏市 | 366 | ・ | 348 | 18 | 24 | － |
| 八王子市 | 54 | ・ | 4 | 50 | － | － |
| 横須賀市 | 22 | ・ | 22 | － | 151 | 3 |
| 富山市 | 413 | ・ | － | 413 | 2 948 | 28 |
| 金沢市 | － | ・ | － | － | － | － |
| 長野市 | 687 | ・ | 68 | 619 | 684 | 3 |
| 岐阜市 | 104 | ・ | － | 104 | － | 3 |
| 豊橋市 | 30 | ・ | 12 | 18 | 537 | 2 |
| 豊田市 | 30 | ・ | 19 | 11 | 73 | － |
| 岡崎市 | 255 | ・ | 238 | 17 | 272 | 1 |
| 大津市 | 2 765 | ・ | 3 | 2 762 | 2 759 | 6 |
| 高槻市 | 486 | ・ | 486 | － | 1 072 | 1 |
| 東大阪市 | 667 | ・ | 34 | 633 | 3 570 | － |
| 豊中市 | 504 | ・ | 500 | 4 | 1 505 | － |
| 枚方市 | 185 | ・ | 176 | 9 | 185 | － |
| 姫路市 | 118 | ・ | 10 | 108 | 113 | － |
| 西宮市 | 264 | ・ | 200 | 64 | 440 | － |
| 尼崎市 | 123 | ・ | 90 | 33 | 250 | － |
| 奈良市 | 129 | ・ | － | 129 | 560 | 6 |
| 和歌山市 | 477 | ・ | 477 | － | 2 937 | 1 |
| 倉敷市 | 502 | ・ | 502 | － | 1 611 | － |
| 福山市 | 3 | ・ | － | 3 | 1 | － |
| 呉市 | － | ・ | － | － | 1 753 | 11 |
| 下関市 | 320 | ・ | 320 | － | 739 | － |
| 高松市 | 38 | ・ | 4 | 34 | － | － |
| 松山市 | 76 | ・ | － | 76 | 64 | － |
| 高知市 | 286 | ・ | 252 | 34 | 15 | － |
| 久留米市 | 335 | ・ | 335 | － | 452 | － |
| 長崎市 | 330 | ・ | － | 330 | 62 | － |
| 佐世保市 | 194 | ・ | 76 | 118 | 283 | － |
| 大分市 | 433 | ・ | 432 | 1 | 541 | 1 |
| 宮崎市 | 521 | ・ | 521 | － | 2 933 | 4 |
| 鹿児島市 | 772 | ・ | 18 | 754 | 4 868 | 5 |
| 那覇市 | 455 | ・ | 407 | 48 | 889 | － |
| その他政令市(再掲) | | | | | | |
| 小樽市 | 47 | ・ | － | 47 | 45 | － |
| 町田市 | 99 | ・ | 99 | － | － | 99 |
| 藤沢市 | 4 758 | ・ | 3 787 | 971 | 4 758 | － |
| 茅ヶ崎市 | 217 | ・ | － | 217 | 216 | － |
| 四日市市 | 16 | ・ | － | 16 | 57 | 2 |
| 大牟田市 | － | ・ | － | － | － | － |

# 第32表　保健所が実施した難病相談の被指導実人員

| | 実人員 | 延人員 | | | | | | | | | |
|---|---|---|---|---|---|---|---|---|---|---|---|
| | | 総数 | 申請等の相談 | 医療 | 家庭看護 | 福祉制度 | 就労 | 就学 | 食事・栄養 | 歯科 | その他 |
| **全国** | **505 425** | **716 972** | **588 436** | **48 545** | **25 484** | **22 094** | **2 284** | **143** | **3 773** | **460** | **25 753** |
| 北海道 | 1 030 | 1 590 | 476 | 239 | 331 | 159 | 4 | 1 | 5 | 1 | 374 |
| 青森 | 1 247 | 2 163 | 1 057 | 182 | 284 | 164 | 50 | 3 | 58 | 7 | 358 |
| 岩手 | 9 350 | 10 002 | 9 023 | 126 | 106 | 27 | 41 | - | 15 | 2 | 662 |
| 宮城 | 2 016 | 2 624 | 1 629 | 118 | 111 | 185 | 17 | 3 | 10 | - | 551 |
| 秋田 | 4 122 | 4 759 | 4 693 | 19 | 14 | 8 | 2 | - | 1 | - | 22 |
| 山形 | 4 718 | 5 762 | 5 576 | 64 | 25 | 27 | 7 | - | 19 | - | 44 |
| 福島 | 15 539 | 20 135 | 19 845 | 46 | 37 | 39 | 6 | - | 2 | 3 | 157 |
| 茨城 | 13 708 | 16 957 | 15 538 | 744 | 130 | 435 | 35 | 9 | 12 | - | 54 |
| 栃木 | 11 538 | 18 079 | 13 934 | 1 595 | 739 | 445 | 48 | 2 | 240 | 4 | 1 072 |
| 群馬 | 14 857 | 21 071 | 20 097 | 350 | 181 | 260 | 30 | - | 37 | 2 | 114 |
| 埼玉 | 50 704 | 80 429 | 67 326 | 2 985 | 2 000 | 5 394 | 65 | 12 | 1 358 | 41 | 1 248 |
| 千葉 | 6 012 | 6 809 | 5 580 | 322 | 472 | 164 | 24 | 3 | 14 | 1 | 229 |
| 東京 | 13 007 | 22 003 | 12 148 | 2 326 | 3 418 | 1 001 | 70 | 6 | 79 | 6 | 2 949 |
| 神奈川 | 34 323 | 46 258 | 32 443 | 3 388 | 3 818 | 2 692 | 142 | 9 | 130 | 39 | 3 597 |
| 新潟 | 18 553 | 27 883 | 23 574 | 2 147 | 775 | 751 | 22 | 5 | 91 | 17 | 501 |
| 富山 | 6 635 | 9 922 | 7 583 | 1 099 | 539 | 227 | 24 | 1 | 257 | 2 | 190 |
| 石川 | 6 006 | 13 229 | 10 236 | 498 | 910 | 281 | 93 | - | 233 | 1 | 977 |
| 福井 | 6 233 | 12 594 | 11 726 | 185 | 342 | 95 | 17 | 1 | 8 | 3 | 217 |
| 山梨 | 2 887 | 5 047 | 4 367 | 230 | 106 | 144 | 3 | - | 12 | - | 185 |
| 長野 | 1 135 | 1 720 | 980 | 277 | 328 | 34 | 15 | 2 | 24 | - | 60 |
| 岐阜 | 9 462 | 12 642 | 12 232 | 310 | 48 | 42 | 3 | - | - | - | 7 |
| 静岡 | 17 227 | 20 082 | 16 438 | 1 353 | 1 120 | 835 | 52 | - | 82 | 5 | 197 |
| 愛知 | 4 752 | 5 184 | 1 550 | 556 | 1 596 | 371 | 125 | 8 | 88 | 22 | 868 |
| 三重 | 2 077 | 2 624 | 2 055 | 142 | 89 | 51 | 9 | 3 | 30 | 3 | 242 |
| 滋賀 | 4 145 | 5 943 | 3 348 | 501 | 507 | 470 | 121 | 3 | 126 | 21 | 846 |
| 京都 | 10 923 | 13 744 | 11 143 | 906 | 693 | 649 | 108 | 9 | 66 | 27 | 143 |
| 大阪 | 22 571 | 23 569 | 8 018 | 11 486 | 433 | 2 118 | 232 | 9 | 250 | 21 | 1 002 |
| 兵庫 | 21 726 | 27 762 | 21 744 | 2 276 | 1 448 | 1 279 | 105 | 2 | 65 | 58 | 785 |
| 奈良 | 4 235 | 7 564 | 5 539 | 398 | 958 | 128 | 18 | - | - | 14 | 509 |
| 和歌山 | 9 166 | 11 878 | 10 341 | 713 | 156 | 183 | 26 | 4 | 20 | 4 | 431 |
| 鳥取 | 2 252 | 2 437 | 2 369 | 41 | 13 | 4 | 1 | - | - | - | 9 |
| 島根 | 5 800 | 8 738 | 7 376 | 175 | 185 | 42 | 10 | 1 | 2 | 3 | 944 |
| 岡山 | 17 501 | 20 532 | 18 393 | 609 | 511 | 557 | 91 | 4 | 49 | 13 | 305 |
| 広島 | 15 966 | 19 197 | 16 731 | 749 | 705 | 787 | 40 | 6 | 27 | 1 | 151 |
| 山口 | 12 995 | 18 569 | 17 317 | 522 | 247 | 199 | 99 | 2 | 13 | 12 | 158 |
| 徳島 | 6 825 | 9 735 | 9 041 | 342 | 110 | 110 | 16 | 5 | 16 | 6 | 89 |
| 香川 | 846 | 1 870 | 415 | 362 | 378 | 231 | 21 | 3 | 91 | 4 | 365 |
| 愛媛 | 7 891 | 11 493 | 9 065 | 1 515 | 431 | 427 | 18 | 10 | 18 | 1 | 8 |
| 高知 | 1 393 | 1 788 | 1 422 | 59 | 9 | 32 | 6 | - | - | - | 260 |
| 福岡 | 33 121 | 54 017 | 51 067 | 1 018 | 569 | 384 | 78 | 7 | 68 | 68 | 758 |
| 佐賀 | 8 434 | 16 147 | 10 595 | 5 211 | 33 | 41 | 14 | - | 1 | - | 252 |
| 長崎 | 6 575 | 9 010 | 7 780 | 429 | 189 | 202 | 19 | 1 | 24 | 4 | 362 |
| 熊本 | 9 710 | 13 482 | 12 424 | 532 | 84 | 43 | 54 | 1 | 80 | 9 | 255 |
| 大分 | 6 756 | 13 579 | 12 529 | 516 | 120 | 71 | 26 | - | 15 | - | 302 |
| 宮崎 | 11 655 | 15 530 | 13 978 | 263 | 21 | 36 | 1 | - | 1 | - | 1 230 |
| 鹿児島 | 18 492 | 29 748 | 27 227 | 489 | 108 | 217 | 58 | 3 | 32 | 35 | 1 579 |
| 沖縄 | 9 309 | 11 072 | 10 468 | 132 | 57 | 53 | 218 | 5 | 4 | - | 135 |
| 指定都市・特別区(再掲) | | | | | | | | | | | |
| 東京都区部 | 12 294 | 13 014 | 11 668 | 471 | 336 | 206 | 17 | 5 | 21 | 5 | 285 |
| 札幌市 | - | - | - | - | - | - | - | - | - | - | - |
| 仙台市 | 227 | 302 | 137 | 29 | 37 | 38 | 13 | - | 4 | - | 44 |
| さいたま市 | 7 474 | 14 968 | 14 948 | 2 | 3 | 4 | 3 | - | 1 | - | 7 |
| 千葉市 | - | - | - | - | - | - | - | - | - | - | - |
| 横浜市 | 17 626 | 20 402 | 16 720 | 862 | 688 | 976 | 83 | 7 | 82 | 10 | 974 |
| 川崎市 | 3 458 | 3 484 | 3 404 | 22 | 26 | 8 | 1 | - | 1 | - | 22 |
| 相模原市 | 3 177 | 6 062 | 3 859 | 57 | 39 | 198 | 4 | - | 8 | 1 | 1 896 |
| 新潟市 | 7 568 | 12 418 | 10 982 | 588 | 320 | 270 | 4 | 4 | 2 | - | 248 |
| 静岡市 | 2 505 | 2 696 | 2 203 | 274 | 11 | 43 | 10 | - | - | - | 155 |
| 浜松市 | 1 627 | 1 897 | 1 374 | 154 | 178 | 176 | - | - | 13 | - | 2 |
| 名古屋市 | 2 382 | 2 525 | 933 | 295 | 651 | 159 | 77 | 8 | 35 | 6 | 361 |
| 京都市 | 2 920 | 3 306 | 2 961 | 79 | 41 | 100 | 9 | 1 | 2 | - | 113 |
| 大阪市 | 400 | 400 | - | 178 | 5 | 7 | 6 | - | 6 | - | 198 |
| 堺市 | 225 | 230 | 73 | 13 | 67 | 5 | 53 | - | - | - | 19 |
| 神戸市 | 5 596 | 6 259 | 6 166 | 6 | 20 | 33 | - | - | - | - | 34 |
| 岡山市 | 12 493 | 13 632 | 13 073 | 108 | 39 | 301 | 36 | 3 | - | - | 72 |
| 広島市 | 10 715 | 10 850 | 10 617 | 65 | 11 | 106 | 18 | - | 8 | - | 25 |
| 北九州市 | - | - | - | - | - | - | - | - | - | - | - |
| 福岡市 | 12 659 | 23 931 | 23 477 | 161 | 42 | 73 | 21 | 3 | 2 | 4 | 148 |
| 熊本市 | 13 | 13 | - | 10 | - | 1 | - | - | - | - | 2 |

## －延人員，都道府県－指定都市・特別区－中核市－その他政令市、相談内容別

平成29年度

| | 実人員 | 延人員 総数 | 申請等の相談 | 医療 | 家庭看護 | 福祉制度 | 就労 | 就学 | 食事・栄養 | 歯科 | その他 |
|---|---|---|---|---|---|---|---|---|---|---|---|
| 中核市(再掲) | | | | | | | | | | | |
| 旭川市 | 74 | 74 | 25 | 19 | 30 | － | － | － | － | － | － |
| 函館市 | 64 | 66 | 52 | － | － | 13 | 1 | － | － | － | － |
| 青森市 | 134 | 144 | 48 | 41 | 13 | 16 | 4 | 1 | 2 | － | 19 |
| 八戸市 | 140 | 140 | 78 | 16 | 11 | 14 | 4 | － | 1 | － | 16 |
| 盛岡市 | 4 | 6 | 1 | － | － | 1 | － | － | － | － | 4 |
| 秋田市 | 349 | 349 | 349 | － | － | － | － | － | － | － | － |
| 郡山市 | 2 795 | 2 996 | 2 968 | 11 | 5 | 11 | 1 | － | － | － | － |
| いわき市 | 2 491 | 2 491 | 2 484 | 2 | 1 | 2 | － | － | － | － | 2 |
| 宇都宮市 | 306 | 615 | 127 | 212 | 88 | 154 | 10 | 1 | 17 | 1 | 5 |
| 前橋市 | 2 902 | 3 105 | 3 001 | 18 | 34 | 33 | 4 | － | － | － | 15 |
| 高崎市 | 2 040 | 2 040 | 2 016 | 15 | 1 | 7 | 1 | － | － | － | － |
| 川越市 | 2 796 | 4 032 | 3 880 | 46 | 52 | 44 | － | － | 1 | － | 9 |
| 越谷市 | 3 348 | 3 371 | 3 322 | 6 | 17 | 14 | 3 | － | 5 | 3 | 1 |
| 船橋市 | 63 | 77 | 3 | 23 | 4 | 12 | 4 | 1 | 1 | － | 29 |
| 柏市 | 354 | 378 | 289 | 16 | 38 | 16 | 11 | － | 2 | － | 6 |
| 八王子市 | 39 | 912 | 74 | 153 | 301 | 153 | 8 | 1 | 1 | 1 | 220 |
| 横須賀市 | 173 | 3 890 | 38 | 1 915 | 1 278 | 639 | － | － | 13 | 7 | － |
| 富山市 | 2 976 | 2 976 | 2 976 | － | － | － | － | － | － | － | － |
| 金沢市 | － | － | － | － | － | － | － | － | － | － | － |
| 長野市 | 685 | 1 196 | 613 | 250 | 285 | 22 | 4 | 2 | 10 | － | 10 |
| 岐阜市 | 830 | 886 | 830 | 14 | 28 | 5 | 2 | － | － | － | 7 |
| 豊橋市 | 514 | 570 | 34 | 54 | 83 | 78 | 24 | － | 32 | 6 | 259 |
| 豊田市 | 73 | 91 | 1 | 9 | 12 | 10 | － | － | 2 | － | 57 |
| 岡崎市 | 315 | 315 | 8 | 11 | 272 | 11 | 8 | － | 1 | － | 4 |
| 大津市 | 2 728 | 3 693 | 2 595 | 117 | 169 | 217 | 8 | － | 47 | 1 | 539 |
| 高槻市 | 740 | 740 | 493 | 61 | 63 | 18 | 5 | 1 | 18 | 2 | 79 |
| 東大阪市 | 4 152 | 4 302 | 3 969 | 72 | 108 | 68 | 10 | 1 | 10 | － | 64 |
| 豊中市 | 1 329 | 1 599 | 6 | 1 280 | 9 | 136 | 18 | － | 15 | 4 | 131 |
| 枚方市 | 1 106 | 1 106 | 53 | 999 | 13 | 13 | － | － | 1 | － | 27 |
| 姫路市 | 107 | 110 | 83 | 9 | 6 | 3 | 2 | － | － | － | 7 |
| 西宮市 | 406 | 443 | － | 167 | 43 | 102 | 9 | － | 7 | 1 | 114 |
| 尼崎市 | 245 | 266 | 183 | 33 | 18 | 9 | 1 | 1 | 2 | － | 19 |
| 奈良市 | 528 | 538 | 507 | 9 | 1 | 7 | － | － | － | － | 14 |
| 和歌山市 | 3 657 | 4 739 | 4 739 | － | － | － | － | － | － | － | － |
| 倉敷市 | 1 655 | 1 731 | 1 022 | 121 | 244 | 119 | 33 | 1 | 36 | 1 | 154 |
| 福山市 | 4 | 4 | － | － | 1 | 3 | － | － | － | － | － |
| 呉市 | 1 813 | 2 411 | 2 406 | － | － | － | － | － | － | － | 5 |
| 下関市 | 728 | 793 | 556 | 119 | 66 | 14 | 8 | 2 | 2 | － | 26 |
| 高松市 | 9 | 10 | 3 | 3 | 1 | 2 | 1 | － | － | － | － |
| 松山市 | 13 | 14 | 14 | － | － | － | － | － | － | － | － |
| 高知市 | 289 | 394 | 105 | 34 | － | 17 | 1 | － | － | － | 237 |
| 久留米市 | 770 | 770 | 708 | 22 | 4 | 30 | 1 | 1 | － | － | 4 |
| 長崎市 | 571 | 575 | 28 | 290 | 35 | 148 | － | － | 6 | － | 68 |
| 佐世保市 | 367 | 572 | 333 | 71 | 59 | 38 | 9 | － | 15 | 3 | 44 |
| 大分市 | 416 | 476 | 5 | 360 | 54 | 16 | 14 | － | 1 | － | 26 |
| 宮崎市 | 5 127 | 5 988 | 5 127 | 61 | － | 10 | － | － | － | － | 790 |
| 鹿児島市 | 7 059 | 8 824 | 7 657 | 304 | 83 | 122 | 38 | 2 | 26 | 20 | 572 |
| 那覇市 | 994 | 1 363 | 1 057 | 40 | 16 | 24 | 194 | 2 | 3 | － | 27 |
| その他政令市(再掲) | | | | | | | | | | | |
| 小樽市 | 44 | 48 | 1 | － | 33 | － | － | － | － | － | 14 |
| 町田市 | 10 | 22 | 10 | 8 | － | 4 | － | － | － | － | － |
| 藤沢市 | 4 758 | 4 758 | 3 546 | 42 | 999 | 107 | 9 | － | 9 | 2 | 44 |
| 茅ヶ崎市 | 199 | 248 | 157 | 8 | 32 | 2 | 4 | － | 2 | － | 43 |
| 四日市市 | 60 | 60 | 45 | 1 | 1 | 1 | － | － | － | － | 12 |
| 大牟田市 | － | － | － | － | － | － | － | － | － | － | － |

# 第33表 保健所が実施した難病患者及び家族に対する学習会の

| | 開催回数 | 参加延人員 |
|---|---|---|
| **全国** | 1 861 | 31 635 |
| 北海道 | 28 | 573 |
| 青森 | 14 | 328 |
| 岩手 | 20 | 409 |
| 宮城 | 9 | 222 |
| 秋田 | 14 | 229 |
| 山形 | 4 | 131 |
| 福島 | 26 | 426 |
| 茨城 | 15 | 444 |
| 栃木 | 40 | 839 |
| 群馬 | 37 | 706 |
| 埼玉 | 120 | 1 918 |
| 千葉 | 29 | 939 |
| 東京 | 97 | 1 980 |
| 神奈川 | 275 | 3 995 |
| 新潟 | 70 | 975 |
| 富山 | 78 | 872 |
| 石川 | 11 | 169 |
| 福井 | 22 | 276 |
| 山梨 | 7 | 43 |
| 長野 | 60 | 852 |
| 岐阜 | 10 | 202 |
| 静岡 | 20 | 727 |
| 愛知 | 163 | 2 621 |
| 三重 | 2 | 67 |
| 滋賀 | 24 | 570 |
| 京都 | 24 | 356 |
| 大阪 | 80 | 2 025 |
| 兵庫 | 44 | 1 109 |
| 奈良 | 8 | 98 |
| 和歌山 | 24 | 434 |
| 鳥取 | 11 | 169 |
| 島根 | 59 | 944 |
| 岡山 | 56 | 812 |
| 広島 | 16 | 376 |
| 山口 | 57 | 824 |
| 徳島 | 11 | 154 |
| 香川 | 23 | 401 |
| 愛媛 | 10 | 197 |
| 高知 | 5 | 57 |
| 福岡 | 34 | 1 051 |
| 佐賀 | 8 | 57 |
| 長崎 | 84 | 378 |
| 熊本 | 21 | 324 |
| 大分 | 21 | 343 |
| 宮崎 | 22 | 279 |
| 鹿児島 | 42 | 647 |
| 沖縄 | 6 | 87 |
| 指定都市・特別区(再掲) | | |
| 東京都区部 | 64 | 1 378 |
| 札幌市 | - | - |
| 仙台市 | 5 | 177 |
| さいたま市 | 22 | 179 |
| 千葉市 | - | - |
| 横浜市 | 189 | 2 817 |
| 川崎市 | 1 | 7 |
| 相模原市 | 15 | 158 |
| 新潟市 | 4 | 21 |
| 静岡市 | 3 | 29 |
| 浜松市 | 4 | 45 |
| 名古屋市 | 83 | 939 |
| 京都市 | - | - |
| 大阪市 | 14 | 503 |
| 堺市 | - | - |
| 神戸市 | - | - |
| 岡山市 | 18 | 296 |
| 広島市 | 6 | 248 |
| 北九州市 | - | - |
| 福岡市 | 14 | 578 |
| 熊本市 | 10 | 221 |

# 開催回数・参加延人員，都道府県－指定都市・特別区－中核市－その他政令市別

平成29年度

| | 開催回数 | 参加延人員 |
|---|---|---|
| 中核市(再掲) | | |
| 旭川市 | - | - |
| 函館市 | 5 | 248 |
| 青森市 | 3 | 75 |
| 八戸市 | 1 | 44 |
| 盛岡市 | 3 | 110 |
| 秋田市 | 3 | 47 |
| 郡山市 | 4 | 77 |
| いわき市 | 3 | 33 |
| 宇都宮市 | 25 | 449 |
| 前橋市 | 6 | 312 |
| 高崎市 | 7 | 143 |
| 川越市 | 2 | 137 |
| 越谷市 | 2 | 129 |
| 船橋市 | 3 | 174 |
| 柏市 | 2 | 178 |
| 八王子市 | 23 | 373 |
| 横須賀市 | 16 | 206 |
| 富山市 | 3 | 17 |
| 金沢市 | - | - |
| 長野市 | 30 | 447 |
| 岐阜市 | 4 | 109 |
| 豊橋市 | 12 | 247 |
| 豊田市 | 8 | 347 |
| 岡崎市 | 4 | 109 |
| 大津市 | 3 | 198 |
| 高槻市 | 18 | 294 |
| 東大阪市 | 4 | 139 |
| 豊中市 | 7 | 87 |
| 枚方市 | 2 | 124 |
| 姫路市 | 2 | 85 |
| 西宮市 | 9 | 539 |
| 尼崎市 | - | - |
| 奈良市 | 2 | 12 |
| 和歌山市 | 1 | 67 |
| 倉敷市 | 7 | 171 |
| 福山市 | 2 | 31 |
| 呉市 | 1 | 8 |
| 下関市 | 5 | 130 |
| 高松市 | 3 | 68 |
| 松山市 | 6 | 160 |
| 高知市 | 1 | 13 |
| 久留米市 | 6 | 146 |
| 長崎市 | 62 | 119 |
| 佐世保市 | 9 | 137 |
| 大分市 | 2 | 129 |
| 宮崎市 | 10 | 66 |
| 鹿児島市 | 3 | 120 |
| 那覇市 | 2 | 31 |
| その他政令市(再掲) | | |
| 小樽市 | - | - |
| 町田市 | 1 | 11 |
| 藤沢市 | 15 | 184 |
| 茅ヶ崎市 | 3 | 81 |
| 四日市市 | - | - |
| 大牟田市 | - | - |

# 第34表　保健所が実施したエイズ相談件数・訪問指導・採血件数・陽

| | 相談件数 | | | | 訪問指導 | | HIV抗体検査のための採血件数 | | 陽性件数 |
|---|---|---|---|---|---|---|---|---|---|
| | 総数 | 電話 | 来所 | （再掲）医療社会事業員が関与した件数 | 実人員 | 延人員 | スクリーニング検査 | 確認検査1) | |
| **全国** | **102 498** | **37 340** | **65 158** | **143** | **86** | **215** | **94 533** | **573** | **250** |
| 北海道 | 1 374 | 1 124 | 250 | 7 | – | – | 1 761 | 11 | 7 |
| 青森 | 106 | 94 | 12 | – | – | – | 472 | 3 | 2 |
| 岩手 | 268 | 85 | 183 | – | – | – | 447 | – | – |
| 宮城 | 403 | 227 | 176 | – | 2 | 2 | 2 079 | 7 | 5 |
| 秋田 | 516 | 235 | 281 | – | – | – | 321 | 1 | – |
| 山形 | 73 | 60 | 13 | – | – | – | 458 | 1 | – |
| 福島 | 1 571 | 634 | 937 | – | – | – | 872 | 5 | 2 |
| 茨城 | 420 | 362 | 58 | 1 | – | – | 1 543 | 13 | 5 |
| 栃木 | 1 388 | 536 | 852 | – | – | – | 1 745 | 12 | 5 |
| 群馬 | 460 | 180 | 280 | – | – | – | 1 296 | 19 | 1 |
| 埼玉 | 9 319 | 4 086 | 5 233 | 7 | 2 | 5 | 4 641 | 17 | 14 |
| 千葉 | 4 097 | 1 227 | 2 870 | – | 1 | 1 | 4 343 | 22 | 9 |
| 東京 | 22 994 | 7 109 | 15 885 | 11 | 11 | 36 | 14 141 | 87 | 58 |
| 神奈川 | 7 869 | 1 733 | 6 136 | 108 | 4 | 24 | 5 207 | 28 | 16 |
| 新潟 | 1 671 | 748 | 923 | – | 2 | 2 | 1 249 | 4 | – |
| 富山 | 638 | 191 | 447 | – | – | – | 521 | 3 | 3 |
| 石川 | 888 | 108 | 780 | – | – | – | 773 | 7 | – |
| 福井 | 706 | 298 | 408 | – | – | – | 395 | 14 | 1 |
| 山梨 | 38 | 35 | 3 | – | – | – | 456 | 9 | 1 |
| 長野 | 2 473 | 955 | 1 518 | – | 3 | 12 | 1 452 | 16 | 3 |
| 岐阜 | 851 | 415 | 436 | – | – | – | 672 | 6 | 1 |
| 静岡 | 507 | 350 | 157 | – | – | – | 2 509 | 13 | 3 |
| 愛知 | 5 936 | 1 998 | 3 938 | – | 27 | 27 | 7 072 | 87 | 21 |
| 三重 | 425 | 240 | 185 | – | – | – | 1 478 | 1 | 1 |
| 滋賀 | 933 | 524 | 409 | – | 7 | 28 | 751 | 3 | – |
| 京都 | 4 231 | 221 | 4 010 | – | – | – | 4 165 | 6 | 4 |
| 大阪 | 8 374 | 3 103 | 5 271 | – | 15 | 52 | 9 694 | 55 | 31 |
| 兵庫 | 1 648 | 522 | 1 126 | 3 | 7 | 20 | 4 415 | 22 | 6 |
| 奈良 | 560 | 193 | 367 | – | – | – | 545 | 1 | – |
| 和歌山 | 89 | 74 | 15 | – | 2 | 2 | 388 | 3 | 2 |
| 鳥取 | 47 | 46 | 1 | – | – | – | 512 | 1 | 1 |
| 島根 | 291 | 41 | 250 | – | – | – | 250 | 2 | 1 |
| 岡山 | 2 458 | 1 880 | 578 | 6 | – | – | 947 | 3 | 1 |
| 広島 | 3 447 | 1 062 | 2 385 | – | – | – | 1 794 | 5 | 3 |
| 山口 | 759 | 463 | 296 | – | – | – | 766 | 2 | 1 |
| 徳島 | 841 | 255 | 586 | – | 1 | 1 | 574 | 4 | – |
| 香川 | 408 | 253 | 155 | – | – | – | 292 | – | – |
| 愛媛 | 1 363 | 479 | 884 | – | – | – | 947 | 6 | 1 |
| 高知 | 301 | 53 | 248 | – | – | – | 284 | 1 | 1 |
| 福岡 | 4 332 | 2 029 | 2 303 | – | – | – | 4 684 | 24 | 16 |
| 佐賀 | 735 | 216 | 519 | – | – | – | 609 | 6 | 1 |
| 長崎 | 1 146 | 603 | 543 | – | 2 | 3 | 703 | 6 | 4 |
| 熊本 | 1 692 | 196 | 1 496 | – | – | – | 1 632 | 9 | 4 |
| 大分 | 1 621 | 1 413 | 208 | – | – | – | 646 | 5 | 1 |
| 宮崎 | 611 | 399 | 212 | – | – | – | 545 | 5 | 1 |
| 鹿児島 | 1 396 | 196 | 1 200 | – | – | – | 1 231 | 4 | 3 |
| 沖縄 | 224 | 89 | 135 | – | – | – | 2 256 | 14 | 10 |
| 指定都市・特別区（再掲） | | | | | | | | | |
| 東京都区部 | 16 510 | 6 090 | 10 420 | 11 | 9 | 25 | 10 244 | 66 | 48 |
| 札幌市 | 65 | 65 | – | – | – | – | 864 | 7 | 5 |
| 仙台市 | 182 | 111 | 71 | – | 2 | 2 | 1 923 | 7 | 5 |
| さいたま市 | 2 266 | 434 | 1 832 | – | – | – | 1 791 | 5 | 5 |
| 千葉市 | 271 | 88 | 183 | – | – | – | 658 | 2 | 1 |
| 横浜市 | 3 935 | 698 | 3 237 | 108 | 2 | 6 | 2 944 | 10 | 6 |
| 川崎市 | 375 | 364 | 11 | – | – | – | 579 | 8 | 2 |
| 相模原市 | 923 | 4 | 919 | – | – | – | 491 | 3 | 3 |
| 新潟市 | 1 148 | 279 | 869 | – | – | – | 838 | – | – |
| 静岡市 | 92 | 74 | 18 | – | – | – | 560 | – | – |
| 浜松市 | 223 | 99 | 124 | – | – | – | 737 | 5 | 2 |
| 名古屋市 | 5 086 | 1 313 | 3 773 | – | 27 | 27 | 2 867 | 50 | 9 |
| 京都市 | 3 978 | 129 | 3 849 | – | – | – | 3 787 | 6 | 4 |
| 大阪市 | 1 513 | 1 407 | 106 | – | 7 | 19 | 5 376 | 34 | 23 |
| 堺市 | 1 516 | 54 | 1 462 | – | – | – | 731 | 5 | 1 |
| 神戸市 | 118 | 101 | 17 | – | 4 | 16 | 2 773 | 14 | 5 |
| 岡山市 | 1 286 | 855 | 431 | – | – | – | 431 | 1 | – |
| 広島市 | 2 774 | 704 | 2 070 | – | – | – | 1 310 | 3 | 3 |
| 北九州市 | 397 | 205 | 192 | – | – | – | 192 | 4 | 1 |
| 福岡市 | 1 365 | 1 302 | 63 | – | – | – | 2 716 | 15 | 13 |
| 熊本市 | 1 308 | 35 | 1 273 | – | – | – | 1 271 | 6 | 2 |

# 性件数，都道府県－指定都市・特別区－中核市－その他政令市、相談方法・検査内容別

平成29年度

| | 相談件数 総数 | 相談件数 電話 | 相談件数 来所 | 相談件数 （再掲）医療社会事業員が関与した件数 | 訪問指導 実人員 | 訪問指導 延人員 | HIV抗体検査のための採血件数 スクリーニング検査 | HIV抗体検査のための採血件数 確認検査[1] | 陽性件数 |
|---|---|---|---|---|---|---|---|---|---|
| 中核市(再掲) | | | | | | | | | |
| 旭川市 | 213 | 204 | 9 | - | - | - | 188 | 1 | 1 |
| 函館市 | 7 | 7 | - | - | - | - | 155 | - | - |
| 青森市 | 13 | 13 | - | - | - | - | 164 | - | - |
| 八戸市 | 2 | 1 | 1 | - | - | - | 74 | 1 | 1 |
| 盛岡市 | 191 | 48 | 143 | - | - | - | 244 | - | - |
| 秋田市 | 344 | 148 | 196 | - | - | - | 195 | - | - |
| 郡山市 | 728 | 323 | 405 | - | - | - | 421 | 3 | - |
| いわき市 | 275 | 30 | 245 | - | - | - | 213 | 1 | 1 |
| 宇都宮市 | 667 | 70 | 597 | - | - | - | 591 | 2 | 1 |
| 前橋市 | 21 | 21 | - | - | - | - | 247 | 5 | - |
| 高崎市 | 2 | 2 | - | - | - | - | 232 | 3 | - |
| 川越市 | 558 | 139 | 419 | - | - | - | 406 | 1 | - |
| 越谷市 | 470 | 74 | 396 | - | - | - | 197 | - | - |
| 船橋市 | 251 | 85 | 166 | - | - | - | 628 | 3 | 2 |
| 柏市 | 998 | 410 | 588 | - | - | - | 574 | 2 | 2 |
| 八王子市 | 2 730 | 420 | 2 310 | - | - | - | 1 269 | 7 | 3 |
| 横須賀市 | 195 | 24 | 171 | - | - | - | 171 | 1 | 1 |
| 富山市 | 356 | 114 | 242 | - | - | - | 234 | 3 | 3 |
| 金沢市 | 477 | 53 | 424 | - | - | - | 422 | 4 | - |
| 長野市 | 787 | 314 | 473 | - | - | - | 473 | 2 | - |
| 岐阜市 | 59 | 59 | - | - | - | - | 245 | 3 | - |
| 豊橋市 | 109 | 108 | 1 | - | - | - | 813 | 10 | 2 |
| 豊田市 | 50 | 1 | 49 | - | - | - | 649 | 8 | 2 |
| 岡崎市 | 114 | 114 | - | - | - | - | 645 | 10 | 2 |
| 大津市 | 216 | 10 | 206 | - | 7 | 28 | 206 | 1 | - |
| 高槻市 | 318 | 82 | 236 | - | - | - | 261 | 2 | 2 |
| 東大阪市 | 76 | 68 | 8 | - | - | - | 302 | 1 | - |
| 豊中市 | 774 | 225 | 549 | - | - | - | 267 | 1 | - |
| 枚方市 | 110 | 62 | 48 | - | 1 | 9 | 447 | - | - |
| 姫路市 | 68 | 66 | 2 | - | - | - | 291 | 1 | - |
| 西宮市 | 195 | 18 | 177 | - | - | - | 176 | 1 | 1 |
| 尼崎市 | 1 055 | 167 | 888 | - | - | - | 444 | 3 | - |
| 奈良市 | 214 | 33 | 181 | - | - | - | 181 | - | - |
| 和歌山市 | 30 | 29 | 1 | - | - | - | 208 | 1 | 1 |
| 倉敷市 | 538 | 526 | 12 | - | - | - | 255 | 2 | 1 |
| 福山市 | 137 | 89 | 48 | - | - | - | 209 | - | - |
| 呉市 | 23 | 21 | 2 | - | - | - | 32 | 1 | - |
| 下関市 | 141 | 12 | 129 | - | - | - | 129 | - | - |
| 高松市 | 68 | 64 | 4 | - | - | - | 113 | - | - |
| 松山市 | 332 | 31 | 301 | - | - | - | 306 | 2 | - |
| 高知市 | 270 | 23 | 247 | - | - | - | 247 | 1 | 1 |
| 久留米市 | 755 | 103 | 652 | - | - | - | 333 | - | - |
| 長崎市 | 528 | 206 | 322 | - | - | - | 322 | - | - |
| 佐世保市 | 202 | 196 | 6 | - | 2 | 3 | 163 | 5 | 3 |
| 大分市 | 821 | 807 | 14 | - | - | - | 401 | 3 | - |
| 宮崎市 | 59 | 54 | 5 | - | - | - | 265 | 2 | - |
| 鹿児島市 | 1 089 | 30 | 1 059 | - | - | - | 1 056 | 3 | 3 |
| 那覇市 | 25 | 25 | - | - | - | - | 1 191 | 7 | 5 |
| その他政令市(再掲) | | | | | | | | | |
| 小樽市 | 132 | 16 | 116 | - | - | - | 116 | - | - |
| 町田市 | 461 | 101 | 360 | - | 1 | 2 | 341 | 1 | 1 |
| 藤沢市 | 818 | 91 | 727 | - | - | - | 354 | 2 | 2 |
| 茅ヶ崎市 | 61 | 6 | 55 | - | - | - | 55 | - | - |
| 四日市市 | 155 | 144 | 11 | - | - | - | 403 | 1 | 1 |
| 大牟田市 | 16 | 16 | - | - | - | - | 109 | 2 | - |

注：1）「確認検査」とは、スクリーニング検査でＨＩＶ抗体反応が陽性・疑陽性であった者に対して行う検査である。

# 第35表（４－１）保健所が実施した衛生教育の開催回数・

| | 開催 | | | | | | | | | |
|---|---|---|---|---|---|---|---|---|---|---|
| | 総数 | 感染症 | （再掲） | | 精神 | 難病 | 母子 | | | |
| | | | 結核 | エイズ | | | | 思春期・未婚女性学級 | 婚前・新婚学級 | 両（母）親学級 |
| **全国** | **114 224** | **7 814** | **2 906** | **1 684** | **6 847** | **1 284** | **25 402** | **1 635** | **91** | **4 937** |
| 北海道 | 1 563 | 122 | 18 | 38 | 93 | 10 | 114 | 66 | - | 12 |
| 青森 | 1 349 | 38 | 7 | 15 | 61 | 7 | 402 | 75 | - | 32 |
| 岩手 | 1 326 | 112 | 22 | 6 | 176 | 8 | 22 | 17 | - | - |
| 宮城 | 2 226 | 100 | 32 | 12 | 92 | 10 | 816 | 25 | - | 161 |
| 秋田 | 1 257 | 97 | 29 | 5 | 50 | 7 | 3 | 1 | - | - |
| 山形 | 824 | 54 | 17 | 5 | 71 | 9 | 24 | 7 | - | - |
| 福島 | 1 398 | 160 | 80 | 25 | 69 | 11 | 37 | 28 | - | - |
| 茨城 | 650 | 98 | 29 | 21 | 104 | 15 | 16 | 2 | - | - |
| 栃木 | 571 | 63 | 9 | 19 | 103 | 23 | 41 | 15 | - | - |
| 群馬 | 698 | 153 | 22 | 26 | 93 | 10 | 4 | - | - | - |
| 埼玉 | 1 394 | 211 | 84 | 24 | 82 | 66 | 112 | 1 | - | 11 |
| 千葉 | 2 366 | 150 | 39 | 60 | 93 | 45 | 483 | 42 | - | 176 |
| 東京 | 18 337 | 598 | 191 | 171 | 926 | 132 | 7 312 | 32 | 48 | 1 874 |
| 神奈川 | 14 316 | 610 | 239 | 133 | 215 | 150 | 4 060 | 222 | - | 1 064 |
| 新潟 | 1 703 | 97 | 4 | 51 | 141 | 44 | 26 | 21 | - | - |
| 富山 | 2 164 | 98 | 22 | 60 | 157 | 38 | 373 | 82 | - | 24 |
| 石川 | 662 | 128 | 30 | 11 | 72 | 12 | 62 | 7 | - | 5 |
| 福井 | 580 | 74 | 16 | 6 | 29 | 12 | 38 | - | - | - |
| 山梨 | 360 | 87 | 17 | 31 | 29 | 1 | 5 | 3 | - | - |
| 長野 | 897 | 97 | 14 | 44 | 90 | 6 | 30 | 25 | - | - |
| 岐阜 | 895 | 42 | 17 | 21 | 28 | 7 | 18 | 17 | - | - |
| 静岡 | 1 035 | 78 | 23 | 28 | 69 | 22 | 12 | 9 | - | - |
| 愛知 | 13 908 | 931 | 306 | 175 | 388 | 110 | 3 344 | 338 | 23 | 574 |
| 三重 | 969 | 109 | 30 | 18 | 26 | 6 | 67 | 7 | - | 17 |
| 滋賀 | 1 302 | 41 | 12 | 3 | 24 | 6 | 270 | 3 | - | 28 |
| 京都 | 2 239 | 136 | 33 | 40 | 229 | 23 | 512 | 53 | - | 133 |
| 大阪 | 3 977 | 484 | 341 | 97 | 294 | 83 | 790 | 21 | - | 90 |
| 兵庫 | 5 214 | 284 | 145 | 82 | 344 | 121 | 944 | 99 | 1 | 242 |
| 奈良 | 417 | 33 | 12 | 6 | 4 | 14 | 109 | 2 | - | 24 |
| 和歌山 | 946 | 63 | 15 | 29 | 35 | 11 | 278 | 29 | - | 46 |
| 鳥取 | 427 | 72 | 29 | 13 | 43 | 9 | 6 | 1 | - | - |
| 島根 | 711 | 75 | 18 | 12 | 67 | 38 | 15 | 3 | - | - |
| 岡山 | 3 295 | 648 | 168 | 133 | 381 | 25 | 1 039 | 92 | - | 13 |
| 広島 | 1 613 | 199 | 94 | 41 | 421 | 15 | 130 | 15 | - | 40 |
| 山口 | 509 | 71 | 8 | 25 | 55 | 13 | 2 | - | - | - |
| 徳島 | 690 | 31 | 4 | 11 | 147 | 16 | 39 | 24 | - | - |
| 香川 | 1 480 | 67 | 40 | 6 | 183 | 28 | 374 | 3 | 19 | 30 |
| 愛媛 | 1 738 | 68 | 12 | 18 | 49 | 4 | 86 | 12 | - | 17 |
| 高知 | 730 | 31 | 16 | 7 | 39 | 4 | 58 | 7 | - | 12 |
| 福岡 | 5 978 | 478 | 400 | 15 | 389 | 34 | 1 557 | 4 | - | 227 |
| 佐賀 | 441 | 106 | 13 | 69 | 30 | 13 | 56 | 12 | - | - |
| 長崎 | 1 333 | 115 | 60 | 18 | 151 | 15 | 119 | 36 | - | 52 |
| 熊本 | 1 565 | 118 | 29 | 22 | 29 | 8 | 44 | 31 | - | - |
| 大分 | 1 858 | 89 | 40 | 6 | 80 | 15 | 473 | 58 | - | - |
| 宮崎 | 1 030 | 63 | 14 | 11 | 39 | 4 | 210 | 33 | - | 15 |
| 鹿児島 | 4 654 | 212 | 93 | 14 | 534 | 22 | 833 | 24 | - | 18 |
| 沖縄 | 629 | 23 | 13 | 1 | 23 | 2 | 37 | 31 | - | - |
| 指定都市・特別区（再掲） | | | | | | | | | | |
| 東京都区部 | 17 175 | 506 | 160 | 154 | 890 | 111 | 7 250 | 32 | 48 | 1 838 |
| 札幌市 | 283 | 17 | 2 | 11 | - | - | - | - | - | - |
| 仙台市 | 1 621 | 37 | 14 | 10 | 75 | 5 | 805 | 16 | - | 161 |
| さいたま市 | 104 | 2 | 2 | - | 13 | 7 | 6 | - | - | - |
| 千葉市 | 153 | 7 | 4 | 2 | 40 | - | - | - | - | - |
| 横浜市 | 9 463 | 165 | 127 | 3 | 57 | 63 | 3 382 | 126 | - | 854 |
| 川崎市 | 1 533 | 144 | 45 | 13 | 1 | - | 393 | 22 | - | 154 |
| 相模原市 | 969 | 40 | 6 | 28 | - | 5 | - | - | - | - |
| 新潟市 | 599 | 6 | 2 | 4 | 11 | 3 | - | - | - | - |
| 静岡市 | 221 | 21 | 2 | 18 | - | 3 | - | - | - | - |
| 浜松市 | 60 | 10 | - | 3 | 2 | - | - | - | - | - |
| 名古屋市 | 11 723 | 717 | 222 | 126 | 105 | 46 | 3 148 | 282 | - | 552 |
| 京都市 | 1 652 | 85 | 21 | 26 | 165 | 2 | 455 | 41 | - | 133 |
| 大阪市 | 1 008 | 290 | 258 | 32 | - | - | - | - | - | - |
| 堺市 | 89 | 10 | 3 | 7 | - | 6 | - | - | - | - |
| 神戸市 | - | - | - | - | - | - | - | - | - | - |
| 岡山市 | 1 713 | 257 | 33 | 81 | 67 | 2 | 814 | 78 | - | - |
| 広島市 | 334 | 52 | 15 | 17 | 125 | - | - | - | - | - |
| 北九州市 | 153 | 13 | 4 | - | - | - | - | - | - | - |
| 福岡市 | 4 696 | 377 | 352 | 10 | 193 | 16 | 1 319 | 4 | - | 190 |
| 熊本市 | 962 | 28 | 2 | 15 | - | - | - | - | - | - |

# 参加延人員，都道府県－指定都市・特別区－中核市－その他政令市、教育内容別

平成29年度

| 回数 育児学級 | 回数 その他 | 回数 成人・老人 | 回数 栄養・健康増進 | 回数 歯科 | 回数 医事・薬事 | 回数 食品 | 回数 環境 | 回数 その他 | （再掲） 地区組織活動 | （再掲） 健康危機管理 |
|---|---|---|---|---|---|---|---|---|---|---|
| 12 313 | 6 426 | 18 047 | 15 980 | 10 748 | 3 097 | 19 877 | 2 511 | 2 617 | 15 377 | 2 557 |
| 5 | 31 | 28 | 126 | 85 | 156 | 750 | 40 | 39 | 13 | 181 |
| 114 | 181 | 331 | 188 | 91 | 19 | 166 | 19 | 27 | 114 | 1 |
| - | 5 | 300 | 354 | 68 | 14 | 242 | 19 | 11 | 121 | 16 |
| 359 | 271 | 469 | 115 | 8 | 142 | 328 | 69 | 77 | 281 | 10 |
| - | 2 | 211 | 306 | 299 | 6 | 240 | 8 | 30 | 19 | 24 |
| - | 17 | 6 | 126 | 2 | 76 | 329 | 38 | 89 | - | 124 |
| - | 9 | 137 | 172 | 78 | 250 | 397 | 42 | 45 | 13 | 28 |
| - | 14 | 4 | 70 | 11 | 41 | 259 | 28 | 4 | 4 | 1 |
| 4 | 22 | - | 181 | 25 | 4 | 96 | 6 | 29 | 5 | 5 |
| - | 4 | - | 111 | 54 | 58 | 190 | 11 | 14 | 34 | 3 |
| 46 | 54 | 239 | 94 | 110 | 16 | 335 | 41 | 88 | 17 | 79 |
| 127 | 138 | 63 | 76 | 848 | 58 | 458 | 68 | 24 | 41 | 13 |
| 2 710 | 2 648 | 1 451 | 1 954 | 3 405 | 113 | 1 714 | 388 | 344 | 3 175 | 117 |
| 2 690 | 84 | 3 867 | 2 200 | 1 419 | 65 | 1 497 | 97 | 136 | 4 362 | 53 |
| - | 5 | 78 | 463 | 41 | 58 | 635 | 93 | 27 | 41 | 37 |
| 261 | 6 | 705 | 379 | 35 | 35 | 309 | 9 | 26 | 31 | 2 |
| 25 | 25 | 13 | 112 | 15 | 18 | 175 | 11 | 44 | 17 | 1 |
| 10 | 28 | 18 | 116 | 28 | 30 | 195 | 26 | 14 | 23 | 1 |
| - | 2 | 13 | 70 | - | 35 | 95 | 21 | 4 | 12 | 4 |
| 1 | 4 | 20 | 196 | 2 | 112 | 310 | 25 | 9 | 64 | 6 |
| - | 1 | 10 | 220 | - | 42 | 501 | 23 | 4 | 44 | - |
| - | 3 | 1 | 95 | 3 | 56 | 599 | 76 | 24 | 12 | 235 |
| 2 032 | 377 | 3 449 | 1 695 | 1 892 | 159 | 1 118 | 609 | 213 | 3 241 | 631 |
| 30 | 13 | 1 | 59 | 99 | 177 | 375 | 36 | 14 | 17 | 1 |
| 236 | 3 | 391 | 62 | 48 | 6 | 355 | 16 | 83 | 10 | 211 |
| 212 | 114 | 492 | 498 | 80 | 69 | 159 | 20 | 21 | 220 | 69 |
| 606 | 73 | 260 | 610 | 80 | 181 | 1 029 | 140 | 26 | 237 | 104 |
| 389 | 213 | 845 | 1 631 | 351 | 103 | 485 | 37 | 69 | 582 | 29 |
| 79 | 4 | 10 | 62 | 90 | - | 86 | 4 | 5 | 11 | 15 |
| 120 | 83 | 65 | 69 | 59 | 85 | 211 | 8 | 62 | 60 | 10 |
| 5 | - | 37 | 59 | 26 | 14 | 139 | 10 | 12 | 5 | 2 |
| - | 12 | 37 | 88 | 18 | 46 | 303 | 6 | 18 | 24 | 3 |
| 229 | 705 | 20 | 661 | 176 | 25 | 217 | 26 | 77 | 308 | 75 |
| 42 | 33 | 154 | 100 | 48 | 28 | 493 | 18 | 7 | 323 | 69 |
| - | 2 | 1 | 29 | - | 33 | 247 | 49 | 9 | 6 | - |
| 8 | 7 | 7 | 137 | 64 | 65 | 142 | 5 | 37 | 29 | 15 |
| 311 | 11 | 239 | 44 | 90 | 21 | 104 | 8 | 322 | 31 | 19 |
| 26 | 31 | 617 | 251 | 190 | 125 | 316 | 30 | 2 | 99 | 2 |
| 21 | 18 | 52 | 117 | 69 | 25 | 320 | 5 | 10 | 33 | 53 |
| 1 016 | 310 | 1 561 | 569 | 70 | 45 | 936 | 92 | 247 | 1 290 | 13 |
| 7 | 37 | 12 | 40 | 13 | - | 147 | 17 | 7 | 21 | - |
| - | 31 | 227 | 191 | 67 | 52 | 352 | 33 | 11 | 106 | 15 |
| 7 | 6 | 2 | 59 | 30 | 111 | 1 128 | 12 | 24 | 18 | 60 |
| 404 | 11 | 158 | 423 | 14 | 125 | 345 | 23 | 113 | 141 | 11 |
| 144 | 18 | 40 | 72 | 104 | 62 | 365 | 58 | 13 | 12 | 2 |
| 36 | 755 | 1 392 | 642 | 413 | 133 | 342 | 29 | 102 | 106 | 140 |
| 1 | 5 | 14 | 88 | 30 | 3 | 343 | 62 | 4 | 4 | 67 |
| 2 691 | 2 641 | 1 449 | 1 824 | 3 167 | 85 | 1 264 | 311 | 318 | 3 160 | 97 |
| - | - | - | 16 | - | 99 | 130 | 21 | - | 3 | 21 |
| 359 | 269 | 452 | 9 | 7 | - | 140 | 21 | 70 | 276 | 10 |
| - | 6 | - | 12 | 2 | - | 57 | 5 | - | 5 | 57 |
| - | - | - | - | - | - | 87 | 19 | - | - | - |
| 2 402 | - | 3 589 | 746 | 442 | 4 | 918 | 27 | 70 | 3 830 | 15 |
| 185 | 32 | 51 | 414 | 347 | 24 | 129 | 30 | - | 294 | 18 |
| - | - | 92 | 623 | 94 | 7 | 101 | 7 | - | 38 | - |
| - | - | 24 | 320 | 13 | 13 | 154 | 55 | - | 6 | - |
| - | - | - | 4 | - | 37 | 138 | 18 | - | - | 142 |
| - | - | - | - | - | 1 | 37 | 10 | - | - | 1 |
| 2 032 | 282 | 3 444 | 1 218 | 1 698 | 65 | 601 | 493 | 188 | 3 082 | 336 |
| 195 | 86 | 455 | 398 | 72 | - | 16 | - | 4 | 212 | 63 |
| - | - | - | - | - | - | 648 | 68 | 2 | - | 83 |
| - | - | - | - | - | 18 | 47 | 8 | - | - | - |
| - | - | - | - | - | - | - | - | - | - | - |
| 119 | 617 | - | 389 | 132 | - | 48 | 4 | - | 248 | - |
| - | - | - | - | - | 3 | 144 | 10 | - | - | - |
| - | - | - | - | - | 17 | 109 | 14 | - | 5 | 9 |
| 911 | 214 | 1 512 | 407 | 39 | 5 | 576 | 68 | 184 | 1 183 | - |
| - | - | - | 2 | - | 60 | 869 | 3 | - | - | - |

# 第35表（4－2）保健所が実施した衛生教育の開催回数・

| | 開催 | | | | | | | | | |
|---|---|---|---|---|---|---|---|---|---|---|
| | 総数 | 感染症 | （再掲）結核 | （再掲）エイズ | 精神 | 難病 | 母子 | 思春期・未婚女性学級 | 婚前・新婚学級 | 両（母）親学級 |
| 中核市(再掲) | | | | | | | | | | |
| 旭川市 | 106 | 18 | － | 16 | 31 | 4 | 6 | － | － | － |
| 函館市 | 54 | － | － | － | － | － | － | － | － | － |
| 青森市 | 528 | 19 | 2 | 13 | 11 | － | 228 | 44 | － | 20 |
| 八戸市 | 479 | 6 | 1 | 1 | 22 | 3 | 173 | 31 | － | 12 |
| 盛岡市 | 385 | 17 | 1 | 2 | 38 | 3 | － | － | － | － |
| 秋田市 | 523 | 27 | 2 | 2 | 21 | 1 | － | － | － | － |
| 郡山市 | 65 | 14 | 4 | 7 | － | － | 11 | 11 | － | － |
| いわき市 | 339 | 45 | 32 | 8 | 25 | 4 | － | － | － | － |
| 宇都宮市 | 180 | 31 | 1 | 18 | 48 | 3 | － | － | － | － |
| 前橋市 | 92 | 10 | 1 | － | 28 | 3 | － | － | － | － |
| 高崎市 | 60 | 29 | 11 | 2 | 13 | 1 | － | － | － | － |
| 川越市 | 636 | 33 | － | 16 | 8 | 31 | 80 | － | － | 11 |
| 越谷市 | 29 | 11 | 3 | － | － | 1 | － | － | － | － |
| 船橋市 | 891 | 17 | 8 | 4 | 12 | 5 | 350 | 7 | － | 138 |
| 柏市 | 573 | 10 | 4 | 3 | 23 | 8 | 66 | － | － | 38 |
| 八王子市 | 96 | 11 | 3 | 4 | 9 | 4 | － | － | － | － |
| 横須賀市 | 467 | 9 | 2 | 3 | 33 | 26 | － | － | － | － |
| 富山市 | 1 395 | 47 | － | 47 | 38 | － | 284 | － | － | 24 |
| 金沢市 | 129 | 35 | 10 | 3 | － | － | － | － | － | － |
| 長野市 | 200 | 48 | 1 | 24 | 47 | 1 | － | － | － | － |
| 岐阜市 | 128 | 3 | 2 | － | 14 | － | － | － | － | － |
| 豊橋市 | 329 | 18 | 11 | 7 | 17 | 3 | 139 | 30 | 23 | 10 |
| 豊田市 | 91 | 9 | 3 | － | 43 | … | － | － | － | － |
| 岡崎市 | 521 | 38 | 9 | 13 | 37 | 3 | 28 | 11 | － | 12 |
| 大津市 | 1 016 | 23 | 5 | 3 | 13 | 3 | 267 | 3 | － | 28 |
| 高槻市 | 85 | 12 | 4 | 3 | 16 | 1 | － | － | － | － |
| 東大阪市 | 990 | 9 | 4 | － | 7 | － | 409 | 11 | － | 33 |
| 豊中市 | 489 | 30 | 13 | 5 | 55 | 5 | 163 | 10 | － | 30 |
| 枚方市 | 485 | 21 | 8 | 11 | 64 | 17 | 165 | － | － | 27 |
| 姫路市 | 1 974 | 22 | 2 | 7 | 27 | 3 | 188 | 85 | － | － |
| 西宮市 | 496 | 7 | － | 3 | 62 | 47 | 231 | 8 | － | 38 |
| 尼崎市 | 994 | 13 | 2 | 1 | 55 | － | 489 | 1 | － | 204 |
| 奈良市 | 252 | 8 | 2 | 4 | 4 | 3 | 107 | － | － | 24 |
| 和歌山市 | 424 | 20 | 2 | 11 | 16 | 1 | 229 | － | － | 46 |
| 倉敷市 | 1 059 | 317 | 124 | 18 | 285 | 5 | 187 | － | － | 8 |
| 福山市 | 245 | 13 | 3 | 7 | 21 | － | 47 | 4 | － | 12 |
| 呉市 | 655 | 69 | 56 | 1 | 231 | 1 | 81 | 11 | － | 28 |
| 下関市 | 73 | 6 | 1 | 2 | 17 | 2 | － | － | － | － |
| 高松市 | 1 029 | 31 | 15 | 3 | 145 | 3 | 363 | 3 | 19 | 30 |
| 松山市 | 1 056 | 8 | 2 | 3 | 5 | 1 | 77 | 8 | － | 17 |
| 高知市 | 227 | 8 | 8 | 7 | 11 | 3 | 35 | 4 | － | 12 |
| 久留米市 | 268 | 16 | 6 | 2 | 48 | 3 | 131 | － | － | 31 |
| 長崎市 | 113 | 18 | 2 | 4 | 34 | － | － | － | － | － |
| 佐世保市 | 550 | 18 | 9 | 4 | 49 | 9 | 52 | － | － | 52 |
| 大分市 | 859 | 15 | 11 | 1 | 17 | － | 446 | 42 | － | － |
| 宮崎市 | 436 | 22 | 6 | 11 | 8 | － | 196 | 31 | － | 15 |
| 鹿児島市 | 3 835 | 144 | 71 | 1 | 480 | 7 | 795 | － | － | 18 |
| 那覇市 | 139 | 5 | 4 | － | 16 | － | 33 | 31 | － | － |
| その他政令市(再掲) | | | | | | | | | | |
| 小樽市 | 168 | 21 | 10 | 2 | 5 | － | 46 | 24 | － | 12 |
| 町田市 | 351 | 12 | 4 | 3 | 5 | 2 | 58 | － | － | 36 |
| 藤沢市 | 291 | 102 | 23 | 5 | 21 | 9 | － | － | － | － |
| 茅ヶ崎市 | 320 | 17 | 2 | 9 | 19 | － | 179 | 8 | － | 56 |
| 四日市市 | 343 | 72 | 12 | 5 | 16 | 1 | 61 | 2 | － | 17 |
| 大牟田市 | 77 | － | － | － | 6 | － | 32 | － | － | 6 |

## 参加延人員，都道府県－指定都市・特別区－中核市－その他政令市、教育内容別

平成29年度

| 回数 | | | | | | | | | （再掲） | |
|---|---|---|---|---|---|---|---|---|---|---|
| 育児学級 | その他 | 成人・老人 | 栄養・健康増進 | 歯科 | 医事・薬事 | 食品 | 環境 | その他 | 地区組織活動 | 健康危機管理 |
| – | 6 | – | – | – | 2 | 39 | 4 | 2 | – | – |
| – | – | – | – | – | – | 54 | – | – | – | – |
| 114 | 50 | 123 | 80 | 10 | 1 | 33 | 2 | 21 | 4 | – |
| – | 130 | 207 | 27 | 5 | – | 34 | 2 | – | 97 | – |
| – | – | 293 | 30 | 3 | 1 | – | – | – | 92 | – |
| – | – | 188 | 255 | 25 | – | 6 | – | – | – | – |
| – | – | – | – | – | 40 | – | – | – | – | – |
| – | – | 94 | 47 | 39 | 17 | 55 | 2 | 11 | – | – |
| – | – | – | 54 | 20 | – | – | – | 24 | – | – |
| – | – | – | – | – | 2 | 48 | 1 | – | – | – |
| – | – | – | – | – | 17 | – | – | – | – | – |
| 46 | 23 | 239 | 32 | 107 | – | 23 | 4 | 79 | – | – |
| – | – | – | – | – | – | 16 | 1 | – | – | – |
| 127 | 78 | – | 9 | 425 | 25 | 42 | 3 | 3 | – | 2 |
| – | 28 | 19 | – | 420 | 2 | 23 | 2 | – | – | – |
| – | – | – | 10 | – | 2 | 52 | 8 | – | – | – |
| – | – | 2 | 44 | 272 | 4 | 50 | 1 | 26 | 9 | – |
| 260 | – | 686 | 234 | 32 | 4 | 54 | – | 16 | – | – |
| – | – | 3 | 22 | – | – | 65 | 4 | – | 12 | – |
| – | – | – | 3 | – | 36 | 58 | 7 | – | – | – |
| – | – | – | – | – | – | 109 | 2 | – | – | – |
| – | 76 | – | 9 | 53 | 17 | 69 | 4 | – | 17 | 18 |
| – | – | – | – | – | – | 35 | 4 | – | – | – |
| – | 5 | – | 239 | 44 | 22 | 105 | 5 | – | 7 | 3 |
| 236 | – | 389 | 29 | 21 | 6 | 188 | 5 | 72 | – | 193 |
| – | – | – | 3 | – | 10 | 38 | 5 | – | – | – |
| 345 | 20 | 134 | 316 | – | 79 | 33 | 3 | – | 135 | 1 |
| 123 | – | 60 | 23 | 80 | 30 | 35 | 8 | – | – | – |
| 138 | – | 64 | 121 | – | 9 | 22 | 2 | – | 102 | 5 |
| 35 | 68 | 810 | 783 | 11 | 2 | 124 | 4 | – | 104 | – |
| 111 | 74 | 20 | 78 | 16 | 9 | 23 | 2 | 1 | 27 | – |
| 243 | 41 | 11 | 171 | 223 | – | 30 | 2 | – | 187 | – |
| 79 | 4 | 8 | 22 | 83 | – | 17 | – | – | 8 | – |
| 120 | 63 | 55 | 2 | 59 | 2 | 40 | – | – | 38 | – |
| 109 | 70 | – | 134 | 30 | – | 39 | 5 | 57 | – | 57 |
| – | 31 | 8 | 31 | 21 | – | 99 | 5 | – | – | – |
| 42 | – | 140 | 49 | 26 | – | 55 | 3 | – | 307 | 12 |
| – | – | – | – | – | 10 | 33 | 5 | – | – | – |
| 311 | – | 239 | – | 90 | 9 | 33 | 1 | 115 | 13 | 19 |
| 26 | 26 | 608 | 152 | 12 | 84 | 106 | 3 | – | 90 | – |
| 16 | 3 | 14 | 22 | 18 | 2 | 111 | 3 | – | 18 | – |
| 59 | 41 | 5 | 31 | – | 2 | 32 | – | – | 31 | – |
| – | – | – | – | – | – | 54 | 7 | – | – | – |
| – | – | 207 | 81 | 64 | 2 | 63 | 5 | – | 81 | 12 |
| 404 | – | 133 | 192 | – | – | 56 | – | – | 130 | – |
| 143 | 7 | 31 | – | 97 | 2 | 78 | – | 2 | – | – |
| 36 | 741 | 1 365 | 601 | 357 | – | 84 | 2 | – | 78 | 131 |
| 1 | 1 | 8 | 3 | – | – | 74 | – | – | – | – |
| 5 | 5 | 7 | 26 | 44 | 2 | 17 | – | – | – | – |
| 19 | 3 | – | 20 | 204 | 2 | 44 | 4 | – | 4 | – |
| – | – | – | 16 | 81 | – | 54 | 8 | – | 19 | – |
| 101 | 14 | 19 | 32 | 13 | 7 | 21 | 3 | 10 | 6 | – |
| 30 | 12 | – | – | 90 | 48 | 49 | 6 | – | – | – |
| 25 | 1 | – | – | – | 1 | 38 | – | – | – | 1 |

# 第35表（4－3）保健所が実施した衛生教育の開催回数・

| | 参加 | | | | | | | | | |
|---|---|---|---|---|---|---|---|---|---|---|
| | 総数 | 感染症 | （再掲）結核 | （再掲）エイズ | 精神 | 難病 | 母子 | 思春期・未婚女性学級 | 婚前・新婚学級 | 両（母）親学級 |
| **全国** | **4 252 311** | **408 270** | **94 465** | **200 482** | **260 662** | **34 775** | **745 144** | **172 704** | **2 509** | **119 316** |
| 北海道 | 81 075 | 8 118 | 845 | 3 377 | 2 766 | 163 | 5 409 | 4 359 | – | 151 |
| 青森 | 62 233 | 2 947 | 233 | 2 064 | 3 575 | 293 | 22 091 | 9 463 | – | 1 181 |
| 岩手 | 43 831 | 4 629 | 578 | 438 | 7 304 | 219 | 1 093 | 883 | – | – |
| 宮城 | 81 926 | 6 164 | 2 594 | 1 167 | 2 293 | 929 | 20 660 | 2 141 | – | 2 960 |
| 秋田 | 38 890 | 2 713 | 715 | 134 | 1 755 | 110 | 146 | 46 | – | – |
| 山形 | 35 889 | 2 588 | 567 | 228 | 2 890 | 375 | 791 | 527 | – | – |
| 福島 | 60 549 | 6 035 | 3 094 | 1 295 | 2 704 | 453 | 3 224 | 3 089 | – | – |
| 茨城 | 41 300 | 5 265 | 1 448 | 2 102 | 6 930 | 505 | 649 | 310 | – | – |
| 栃木 | 33 330 | 5 371 | 355 | 3 303 | 4 235 | 843 | 3 323 | 2 327 | – | – |
| 群馬 | 42 477 | 8 382 | 566 | 3 674 | 8 933 | 341 | 106 | – | – | – |
| 埼玉 | 48 069 | 6 464 | 1 832 | 2 258 | 3 667 | 1 460 | 2 069 | 6 | – | 264 |
| 千葉 | 161 459 | 16 907 | 2 399 | 10 260 | 3 091 | 1 359 | 18 149 | 4 710 | – | 5 081 |
| 東京 | 528 888 | 30 452 | 4 327 | 19 806 | 16 850 | 3 082 | 171 282 | 1 417 | 818 | 55 712 |
| 神奈川 | 495 209 | 37 636 | 4 156 | 22 563 | 15 460 | 2 920 | 131 451 | 22 901 | – | 26 302 |
| 新潟 | 82 094 | 10 422 | 393 | 8 642 | 7 608 | 823 | 3 069 | 2 780 | – | – |
| 富山 | 80 588 | 7 565 | 843 | 6 210 | 4 882 | 488 | 13 388 | 8 256 | – | 1 193 |
| 石川 | 35 374 | 6 802 | 1 535 | 3 248 | 3 096 | 174 | 1 390 | 768 | – | 13 |
| 福井 | 26 907 | 2 602 | 442 | 900 | 1 002 | 186 | 191 | – | – | – |
| 山梨 | 22 522 | 5 463 | 557 | 3 325 | 851 | 4 | 77 | 68 | – | – |
| 長野 | 54 231 | 7 820 | 1 049 | 5 246 | 4 416 | 348 | 1 736 | 1 191 | – | – |
| 岐阜 | 64 458 | 3 108 | 1 050 | 1 746 | 1 384 | 148 | 1 267 | 1 207 | – | – |
| 静岡 | 52 911 | 2 401 | 577 | 670 | 3 190 | 838 | 640 | 85 | – | – |
| 愛知 | 442 814 | 27 992 | 7 335 | 7 344 | 9 652 | 2 255 | 88 295 | 32 600 | 1 254 | 8 536 |
| 三重 | 38 236 | 4 577 | 1 038 | 1 361 | 1 893 | 274 | 2 510 | 350 | – | 664 |
| 滋賀 | 34 470 | 1 978 | 492 | 711 | 855 | 291 | 5 249 | 711 | – | 483 |
| 京都 | 97 751 | 8 817 | 1 418 | 4 431 | 7 399 | 524 | 17 578 | 5 580 | – | 2 100 |
| 大阪 | 178 757 | 20 082 | 9 416 | 9 364 | 15 604 | 2 615 | 19 530 | 3 219 | – | 2 531 |
| 兵庫 | 175 643 | 19 536 | 8 204 | 9 890 | 11 920 | 3 081 | 33 083 | 12 247 | 5 | 2 431 |
| 奈良 | 14 375 | 1 404 | 381 | 573 | 197 | 461 | 2 320 | 52 | – | 634 |
| 和歌山 | 34 110 | 3 395 | 685 | 1 870 | 1 031 | 217 | 4 391 | 1 675 | – | 287 |
| 鳥取 | 21 855 | 5 355 | 1 777 | 1 327 | 2 148 | 158 | 53 | 18 | – | – |
| 島根 | 32 179 | 3 395 | 601 | 1 618 | 5 329 | 907 | 642 | 307 | – | – |
| 岡山 | 142 029 | 35 138 | 6 235 | 18 389 | 14 665 | 373 | 49 513 | 15 543 | – | 571 |
| 広島 | 63 581 | 13 104 | 2 868 | 7 403 | 11 847 | 535 | 3 222 | 1 032 | – | 1 102 |
| 山口 | 19 064 | 3 608 | 528 | 1 867 | 1 640 | 433 | 50 | – | – | – |
| 徳島 | 32 986 | 2 156 | 102 | 1 425 | 4 928 | 367 | 2 115 | 1 352 | – | – |
| 香川 | 49 810 | 2 312 | 932 | 589 | 12 099 | 752 | 6 391 | 68 | 432 | 965 |
| 愛媛 | 62 062 | 6 952 | 950 | 4 297 | 1 776 | 202 | 4 112 | 1 204 | – | 961 |
| 高知 | 25 333 | 1 709 | 1 152 | 827 | 1 291 | 208 | 1 256 | 185 | – | 333 |
| 福岡 | 182 846 | 14 340 | 10 411 | 1 861 | 14 593 | 1 227 | 35 400 | 1 049 | – | 3 277 |
| 佐賀 | 33 631 | 10 382 | 221 | 9 417 | 1 364 | 514 | 3 007 | 948 | – | – |
| 長崎 | 57 169 | 5 875 | 2 962 | 2 635 | 6 420 | 414 | 4 421 | 3 069 | – | 1 102 |
| 熊本 | 54 150 | 8 339 | 911 | 4 974 | 1 201 | 166 | 6 639 | 6 440 | – | – |
| 大分 | 80 002 | 4 509 | 1 698 | 1 034 | 5 572 | 202 | 13 676 | 3 301 | – | – |
| 宮崎 | 43 322 | 2 812 | 724 | 556 | 1 455 | 160 | 7 543 | 4 525 | – | 75 |
| 鹿児島 | 136 201 | 9 652 | 2 793 | 3 963 | 16 183 | 2 335 | 25 974 | 4 804 | – | 407 |
| 沖縄 | 25 725 | 997 | 476 | 100 | 718 | 43 | 5 973 | 5 891 | – | – |
| 指定都市・特別区(再掲) | | | | | | | | | | |
| 東京都区部 | 472 538 | 26 717 | 3 450 | 19 031 | 15 742 | 2 252 | 167 028 | 1 417 | 818 | 54 579 |
| 札幌市 | 32 986 | 1 913 | 325 | 974 | – | – | – | – | – | – |
| 仙台市 | 47 454 | 2 529 | 1 447 | 936 | 1 013 | 180 | 19 958 | 1 545 | – | 2 960 |
| さいたま市 | 5 479 | 72 | 72 | – | 471 | 172 | 268 | – | – | – |
| 千葉市 | 6 694 | 930 | 160 | 467 | 952 | – | – | – | – | – |
| 横浜市 | 289 894 | 3 805 | 2 236 | 517 | 9 348 | 990 | 102 846 | 9 939 | – | 19 224 |
| 川崎市 | 52 022 | 7 552 | 626 | 3 599 | 6 | – | 13 751 | 3 104 | – | 6 095 |
| 相模原市 | 23 838 | 5 586 | 267 | 3 058 | – | 294 | – | – | – | – |
| 新潟市 | 25 736 | 807 | 373 | 434 | 457 | 177 | – | – | – | – |
| 静岡市 | 9 834 | 665 | 91 | 514 | – | 42 | – | – | – | – |
| 浜松市 | 4 568 | 359 | – | 52 | 183 | – | – | – | – | – |
| 名古屋市 | 298 023 | 17 369 | 4 318 | 2 819 | 1 434 | 702 | 75 517 | 26 985 | – | 7 337 |
| 京都市 | 68 502 | 6 031 | 608 | 3 156 | 4 189 | 152 | 15 897 | 4 613 | – | 2 100 |
| 大阪市 | 33 366 | 8 020 | 4 904 | 3 116 | – | – | – | – | – | – |
| 堺市 | 6 540 | 1 254 | 213 | 1 041 | – | 115 | – | – | – | – |
| 神戸市 | – | – | – | – | – | – | – | – | – | – |
| 岡山市 | 79 533 | 17 971 | 1 086 | 14 240 | 2 077 | 38 | 40 629 | 13 788 | – | – |
| 広島市 | 14 772 | 4 963 | 428 | 3 924 | 2 191 | – | – | – | – | – |
| 北九州市 | 8 449 | 432 | 123 | – | – | – | – | – | – | – |
| 福岡市 | 117 969 | 10 066 | 8 229 | 1 210 | 4 850 | 710 | 29 645 | 1 049 | – | 2 309 |
| 熊本市 | 15 396 | 3 924 | 45 | 3 200 | – | – | – | – | – | – |

# 参加延人員，都道府県－指定都市・特別区－中核市－その他政令市、教育内容別

平成29年度

| 延人員 | | | | | | | | | （再掲） | |
|---|---|---|---|---|---|---|---|---|---|---|
| 育児学級 | その他 | 成人・老人 | 栄養・健康増進 | 歯科 | 医事・薬事 | 食品 | 環境 | その他 | 地区組織活動 | 健康危機管理 |
| 283 883 | 166 732 | 437 012 | 604 464 | 394 830 | 267 077 | 892 451 | 94 158 | 113 468 | 335 212 | 111 145 |
| 57 | 842 | 889 | 21 979 | 2 403 | 9 568 | 26 441 | 1 752 | 1 587 | 854 | 5 642 |
| 3 805 | 7 642 | 8 758 | 6 008 | 4 952 | 3 106 | 7 436 | 779 | 2 288 | 3 311 | 100 |
| – | 210 | 3 870 | 15 528 | 2 492 | 636 | 7 012 | 588 | 460 | 2 208 | 463 |
| 9 284 | 6 275 | 10 027 | 5 782 | 782 | 10 811 | 11 754 | 2 994 | 9 730 | 7 088 | 766 |
| – | 100 | 4 079 | 7 665 | 11 843 | 367 | 8 371 | 316 | 1 525 | 755 | 500 |
| – | 264 | 1 156 | 5 591 | 460 | 3 803 | 12 247 | 1 753 | 4 235 | – | 1 791 |
| – | 135 | 4 747 | 6 556 | 1 667 | 18 518 | 14 407 | 1 406 | 832 | 209 | 346 |
| – | 339 | 189 | 4 862 | 401 | 7 302 | 13 151 | 1 804 | 242 | 51 | 25 |
| 106 | 890 | – | 10 733 | 1 234 | 724 | 3 285 | 191 | 3 391 | 231 | 180 |
| – | 106 | – | 3 473 | 2 601 | 7 312 | 10 280 | 731 | 318 | 932 | 103 |
| 1 131 | 668 | 4 684 | 5 902 | 2 026 | 544 | 17 017 | 2 442 | 1 794 | 373 | 4 011 |
| 2 849 | 5 509 | 9 403 | 6 398 | 60 353 | 4 665 | 36 001 | 3 971 | 1 162 | 2 190 | 477 |
| 62 269 | 51 066 | 34 983 | 59 402 | 105 384 | 5 182 | 73 552 | 13 625 | 15 094 | 59 155 | 3 619 |
| 80 331 | 1 917 | 78 425 | 70 840 | 58 899 | 10 954 | 72 958 | 3 568 | 12 098 | 88 462 | 4 324 |
| – | 289 | 3 601 | 16 639 | 1 219 | 5 656 | 27 284 | 5 027 | 746 | 1 799 | 1 403 |
| 3 813 | 126 | 22 147 | 14 041 | 1 837 | 2 198 | 12 136 | 381 | 1 525 | 667 | 30 |
| 240 | 369 | 1 851 | 4 166 | 591 | 1 173 | 14 633 | 528 | 970 | 519 | 30 |
| 35 | 156 | 947 | 6 105 | 59 | 3 654 | 10 989 | 994 | 178 | 791 | 51 |
| – | 9 | 479 | 3 612 | – | 4 687 | 6 545 | 695 | 109 | 378 | 102 |
| 25 | 520 | 954 | 8 389 | 103 | 9 073 | 19 859 | 1 146 | 387 | 1 607 | 364 |
| – | 60 | 535 | 17 947 | – | 4 922 | 34 083 | 958 | 106 | 1 529 | – |
| – | 555 | 30 | 4 515 | 185 | 3 934 | 31 469 | 3 366 | 2 343 | 568 | 12 813 |
| 31 715 | 14 190 | 84 162 | 60 077 | 58 460 | 18 874 | 59 177 | 14 538 | 19 332 | 78 337 | 36 048 |
| 843 | 653 | 31 | 2 830 | 2 694 | 8 519 | 12 482 | 1 728 | 698 | 732 | 30 |
| 3 977 | 78 | 8 449 | 1 641 | 979 | 94 | 12 962 | 828 | 1 144 | 532 | 8 463 |
| 5 450 | 4 448 | 16 946 | 31 737 | 2 283 | 4 608 | 5 904 | 578 | 1 377 | 7 445 | 5 065 |
| 11 742 | 2 038 | 11 477 | 24 244 | 1 451 | 23 824 | 50 548 | 8 625 | 757 | 3 854 | 1 290 |
| 12 437 | 5 963 | 19 076 | 34 903 | 14 390 | 11 248 | 23 998 | 2 565 | 1 843 | 10 447 | 1 674 |
| 1 526 | 108 | 371 | 2 374 | 2 511 | – | 4 504 | 135 | 98 | 231 | 547 |
| 1 373 | 1 056 | 1 160 | 1 815 | 3 797 | 7 915 | 7 663 | 251 | 2 475 | 1 606 | 212 |
| 35 | – | 2 190 | 3 517 | 659 | 444 | 5 757 | 377 | 1 197 | 153 | 30 |
| – | 335 | 2 071 | 7 748 | 1 245 | 1 804 | 8 114 | 216 | 708 | 833 | 108 |
| 5 978 | 27 421 | 1 350 | 17 712 | 6 425 | 3 167 | 9 544 | 1 167 | 2 975 | 7 649 | 2 751 |
| 547 | 541 | 5 463 | 4 211 | 1 031 | 2 653 | 20 415 | 893 | 207 | 12 685 | 2 580 |
| – | 50 | 38 | 1 095 | – | 2 587 | 7 999 | 1 385 | 229 | 230 | – |
| 118 | 645 | 290 | 8 893 | 2 208 | 3 664 | 5 804 | 170 | 2 391 | 744 | 906 |
| 4 622 | 304 | 8 624 | 2 877 | 5 185 | 5 528 | 3 550 | 404 | 2 088 | 663 | 3 189 |
| 489 | 1 458 | 9 450 | 8 933 | 6 039 | 8 643 | 14 678 | 1 121 | 156 | 4 584 | 48 |
| 237 | 501 | 1 578 | 4 430 | 1 642 | 1 542 | 10 749 | 315 | 613 | 1 006 | 1 320 |
| 25 152 | 5 922 | 31 540 | 20 508 | 2 192 | 6 733 | 49 287 | 2 451 | 4 575 | 16 713 | 423 |
| 63 | 1 996 | 715 | 3 104 | 322 | – | 13 360 | 610 | 253 | 956 | – |
| – | 250 | 5 172 | 7 800 | 1 845 | 3 736 | 20 148 | 1 023 | 315 | 3 095 | 1 769 |
| 49 | 150 | 174 | 3 647 | 945 | 7 780 | 23 369 | 409 | 1 481 | 357 | 1 953 |
| 9 938 | 437 | 5 311 | 22 721 | 317 | 10 751 | 12 169 | 655 | 4 119 | 3 156 | 158 |
| 2 517 | 426 | 1 218 | 2 511 | 4 437 | 7 090 | 13 208 | 2 121 | 767 | 386 | 78 |
| 1 123 | 19 640 | 27 653 | 17 093 | 13 285 | 6 974 | 13 624 | 949 | 2 479 | 5 090 | 3 258 |
| 7 | 75 | 749 | 1 910 | 997 | 110 | 12 528 | 1 629 | 71 | 51 | 2 105 |
| 59 541 | 50 673 | 34 955 | 49 825 | 96 235 | 2 829 | 52 759 | 9 869 | 14 327 | 58 629 | 2 606 |
| – | – | – | 18 337 | – | 6 319 | 5 280 | 1 137 | – | 625 | 1 137 |
| 9 284 | 6 169 | 8 576 | 68 | 132 | – | 4 682 | 1 127 | 9 189 | 6 770 | 766 |
| – | 268 | – | 652 | 104 | – | 3 393 | 347 | – | 286 | 3 393 |
| – | – | – | – | – | – | 3 980 | 832 | – | – | – |
| 73 683 | – | 70 674 | 34 737 | 17 701 | 117 | 41 925 | 841 | 6 910 | 77 119 | 2 183 |
| 3 810 | 742 | 2 358 | 9 633 | 5 699 | 5 800 | 6 273 | 950 | – | 6 292 | 900 |
| – | – | 1 094 | 9 020 | 1 463 | 607 | 5 439 | 335 | – | 746 | – |
| – | – | 1 477 | 8 768 | 301 | 2 910 | 7 765 | 3 074 | – | 531 | – |
| – | – | – | 365 | – | 1 168 | 6 613 | 981 | – | – | 6 978 |
| – | – | – | – | – | 1 400 | 2 038 | 588 | – | – | 112 |
| 31 715 | 9 480 | 83 870 | 21 017 | 45 501 | 3 818 | 21 068 | 9 381 | 18 346 | 67 780 | 11 879 |
| 5 310 | 3 874 | 15 260 | 24 162 | 1 965 | – | 293 | – | 553 | 7 141 | 4 715 |
| – | – | – | – | – | – | 20 925 | 4 355 | 66 | – | 698 |
| – | – | – | – | – | 1 352 | 2 991 | 828 | – | – | – |
| – | – | – | – | – | – | – | – | – | – | – |
| 4 739 | 22 102 | – | 10 848 | 4 274 | – | 3 259 | 437 | – | 4 729 | – |
| – | – | – | – | – | 188 | 6 911 | 519 | – | – | – |
| – | – | – | – | – | 1 350 | 5 647 | 1 020 | – | 729 | 291 |
| 23 531 | 2 756 | 28 894 | 13 076 | 919 | 294 | 26 789 | 1 112 | 1 614 | 12 759 | – |
| – | – | – | 222 | – | 1 944 | 9 183 | 123 | – | – | – |

# 第35表（4－4）保健所が実施した衛生教育の開催回数・

| | 参 | | | | | | 加 | | | |
|---|---|---|---|---|---|---|---|---|---|---|
| | 総数 | 感染症 | (再掲) 結核 | (再掲) エイズ | 精神 | 難病 | 母子 | 思春期・未婚女性学級 | 婚前・新婚学級 | 両（母）親学級 |
| 中核市(再掲) | | | | | | | | | | |
| 旭川市 | 4 986 | 1 586 | - | 1 395 | 1 086 | 55 | 322 | - | - | - |
| 函館市 | 2 317 | - | - | - | - | - | - | - | - | - |
| 青森市 | 25 225 | 2 208 | 87 | 2 009 | 184 | - | 15 296 | 7 067 | - | 639 |
| 八戸市 | 17 246 | 299 | 10 | 31 | 1 029 | 144 | 6 787 | 2 396 | - | 542 |
| 盛岡市 | 7 252 | 1 231 | 51 | 148 | 1 949 | 110 | - | - | - | - |
| 秋田市 | 10 944 | 616 | 66 | 11 | 845 | 7 | - | - | - | - |
| 郡山市 | 4 025 | 484 | 122 | 241 | - | - | 1 147 | 1 147 | - | - |
| いわき市 | 11 626 | 1 600 | 881 | 574 | 688 | 161 | - | - | - | - |
| 宇都宮市 | 11 421 | 3 630 | 35 | 2 921 | 2 743 | 69 | - | - | - | - |
| 前橋市 | 8 958 | 379 | 46 | - | 4 813 | 111 | - | - | - | - |
| 高崎市 | 6 286 | 1 267 | 149 | 231 | 1 384 | 77 | - | - | - | - |
| 川越市 | 17 546 | 2 823 | - | 2 095 | 595 | 398 | 1 480 | - | - | 264 |
| 越谷市 | 1 401 | 422 | 73 | - | - | 47 | - | - | - | - |
| 船橋市 | 51 768 | 1 750 | 331 | 1 181 | 343 | 153 | 9 942 | 850 | - | 3 807 |
| 柏市 | 38 410 | 1 714 | 715 | 119 | 919 | 291 | 2 091 | - | - | 1 274 |
| 八王子市 | 5 635 | 1 116 | 60 | 459 | 305 | 169 | - | - | - | - |
| 横須賀市 | 38 041 | 912 | 73 | 535 | 1 344 | 491 | - | - | - | - |
| 富山市 | 47 925 | 5 000 | - | 5 000 | 1 836 | - | 4 998 | - | - | 1 193 |
| 金沢市 | 9 289 | 3 772 | 126 | 2 490 | - | - | - | - | - | - |
| 長野市 | 15 559 | 4 248 | 83 | 3 496 | 2 559 | 107 | - | - | - | - |
| 岐阜市 | 8 907 | 82 | 37 | - | 535 | - | - | - | - | - |
| 豊橋市 | 22 200 | 1 330 | 530 | 800 | 820 | 226 | 6 740 | 1 473 | 1 254 | 146 |
| 豊田市 | 5 099 | 472 | 284 | - | 897 | … | - | - | - | - |
| 岡崎市 | 29 587 | 2 802 | 204 | 2 159 | 1 918 | 137 | 3 725 | 2 460 | - | 1 053 |
| 大津市 | 25 181 | 1 387 | 200 | 711 | 500 | 176 | 5 171 | 711 | - | 483 |
| 高槻市 | 10 755 | 879 | 306 | 243 | 555 | 62 | - | - | - | - |
| 東大阪市 | 35 912 | 1 395 | 1 200 | - | 276 | - | 7 782 | 1 494 | - | 290 |
| 豊中市 | 23 337 | 1 533 | 404 | 741 | 4 033 | 354 | 6 241 | 1 725 | - | 1 400 |
| 枚方市 | 14 864 | 1 764 | 93 | 1 517 | 2 088 | 357 | 4 622 | - | - | 841 |
| 姫路市 | 54 741 | 1 457 | 92 | 479 | 1 691 | 152 | 13 236 | 10 856 | - | - |
| 西宮市 | 16 085 | 727 | - | 630 | 2 546 | 1 392 | 4 664 | 681 | - | 1 467 |
| 尼崎市 | 29 143 | 425 | 148 | 53 | 399 | - | 13 750 | 60 | - | 964 |
| 奈良市 | 7 134 | 624 | 73 | 528 | 197 | 193 | 2 268 | - | - | 634 |
| 和歌山市 | 10 478 | 1 251 | 81 | 895 | 394 | 67 | 2 302 | - | - | 287 |
| 倉敷市 | 38 014 | 12 194 | 4 599 | 813 | 11 470 | 144 | 5 749 | - | - | 449 |
| 福山市 | 10 454 | 2 217 | 113 | 1 899 | 1 180 | - | 1 501 | 555 | - | 497 |
| 呉市 | 21 717 | 1 850 | 1 371 | 97 | 7 066 | 8 | 1 629 | 477 | - | 605 |
| 下関市 | 3 415 | 577 | 20 | 430 | 691 | 33 | - | - | - | - |
| 高松市 | 37 550 | 1 372 | 493 | 325 | 10 827 | 81 | 6 087 | 68 | 432 | 965 |
| 松山市 | 29 669 | 2 307 | 455 | 1 281 | 132 | 86 | 3 833 | 997 | - | 961 |
| 高知市 | 10 031 | 847 | 827 | 827 | 390 | 146 | 745 | 122 | - | 333 |
| 久留米市 | 13 914 | 836 | 185 | 516 | 2 365 | 85 | 4 373 | - | - | 849 |
| 長崎市 | 5 754 | 959 | 600 | 695 | 1 304 | - | - | - | - | - |
| 佐世保市 | 18 366 | 1 449 | 323 | 894 | 1 605 | 279 | 1 102 | - | - | 1 102 |
| 大分市 | 29 196 | 796 | 475 | 11 | 3 281 | - | 12 212 | 2 274 | - | - |
| 宮崎市 | 16 288 | 1 076 | 248 | 556 | 178 | - | 7 055 | 4 292 | - | 75 |
| 鹿児島市 | 92 949 | 3 195 | 1 863 | 485 | 13 122 | 764 | 20 579 | - | - | 407 |
| 那覇市 | 10 693 | 110 | 95 | - | 509 | - | 5 910 | 5 891 | - | - |
| その他政令市(再掲) | | | | | | | | | | |
| 小樽市 | 5 982 | 682 | 356 | 197 | 162 | - | 2 062 | 1 715 | - | 151 |
| 町田市 | 17 542 | 635 | 361 | 91 | 156 | 111 | 4 034 | - | - | 1 133 |
| 藤沢市 | 13 082 | 4 698 | 233 | 1 273 | 1 572 | 189 | - | - | - | - |
| 茅ヶ崎市 | 11 529 | 2 039 | 16 | 2 023 | 513 | - | 4 863 | 830 | - | 983 |
| 四日市市 | 16 095 | 3 248 | 569 | 812 | 1 119 | 140 | 2 115 | 23 | - | 664 |
| 大牟田市 | 1 760 | - | - | - | 43 | - | 719 | - | - | 119 |

# 参加延人員，都道府県－指定都市・特別区－中核市－その他政令市、教育内容別

平成29年度

| 延 | 人 | | | | | | 員 | | （再　掲） | |
|---|---|---|---|---|---|---|---|---|---|---|
| 育児学級 | その他 | 成人・老人 | 栄養・健康増進 | 歯科 | 医事・薬事 | 食品 | 環境 | その他 | 地区組織活動 | 健康危機管理 |
| - | 322 | - | - | - | 68 | 1 639 | 169 | 61 | - | - |
| - | - | - | - | - | - | 2 317 | - | - | - | - |
| 3 805 | 3 785 | 2 624 | 1 290 | 132 | 10 | 1 386 | 103 | 1 992 | 275 | - |
| - | 3 849 | 6 070 | 880 | 120 | - | 1 750 | 167 | - | 2 477 | - |
| - | - | 3 594 | 300 | 57 | 11 | - | - | - | 1 180 | - |
| - | - | 3 057 | 5 536 | 533 | - | 350 | - | - | - | - |
| - | - | - | - | - | 2 394 | - | - | - | - | - |
| - | - | 3 805 | 1 679 | 687 | 311 | 2 353 | 183 | 159 | - | - |
| - | - | - | 1 568 | 628 | - | - | - | 2 783 | - | - |
| - | - | - | - | - | 950 | 2 605 | 100 | - | - | - |
| - | - | - | - | - | 3 558 | - | - | - | - | - |
| 1 131 | 85 | 4 684 | 2 978 | 1 894 | - | 1 182 | 113 | 1 399 | - | - |
| - | - | - | - | - | - | 881 | 51 | - | - | - |
| 2 849 | 2 436 | - | 289 | 34 719 | 1 796 | 2 335 | 356 | 85 | - | 10 |
| - | 817 | 6 084 | - | 25 571 | 50 | 1 479 | 211 | - | - | - |
| - | - | - | 760 | - | 118 | 2 516 | 651 | - | - | - |
| - | - | 228 | 2 139 | 27 455 | 644 | 3 453 | 20 | 1 355 | 242 | - |
| 3 805 | - | 21 150 | 9 761 | 1 489 | 153 | 2 447 | - | 1 091 | - | - |
| - | - | 297 | 501 | - | - | 4 490 | 229 | - | 215 | - |
| - | - | - | 296 | - | 5 452 | 2 661 | 236 | - | - | - |
| - | - | - | - | - | - | 8 233 | 57 | - | - | - |
| - | 3 867 | - | 144 | 4 699 | 4 975 | 2 975 | 291 | - | 283 | 1 330 |
| - | - | - | - | - | - | 3 463 | 267 | - | - | - |
| - | 212 | - | 10 743 | 2 734 | 2 774 | 4 352 | 402 | - | 407 | 174 |
| 3 977 | - | 8 364 | 537 | 505 | 94 | 7 607 | 441 | 399 | - | 8 048 |
| - | - | - | 3 100 | - | 4 126 | 1 862 | 171 | - | - | - |
| 4 845 | 1 153 | 8 525 | 8 138 | - | 7 229 | 2 277 | 290 | - | 1 214 | 107 |
| 3 116 | - | 1 379 | 456 | 1 451 | 6 368 | 1 038 | 484 | - | - | - |
| 3 781 | - | 1 555 | 3 046 | - | 284 | 1 063 | 85 | - | 2 640 | 122 |
| 225 | 2 155 | 18 074 | 13 017 | 543 | 147 | 6 244 | 180 | - | 2 198 | - |
| 2 140 | 376 | 551 | 1 923 | 565 | 2 376 | 1 248 | 83 | 10 | 943 | - |
| 10 072 | 2 654 | 228 | 3 711 | 9 333 | - | 1 186 | 111 | - | 3 541 | - |
| 1 526 | 108 | 109 | 484 | 2 277 | - | 982 | - | - | 113 | - |
| 1 373 | 642 | 952 | 21 | 3 797 | 225 | 1 469 | - | - | 964 | - |
| 1 231 | 4 069 | - | 2 603 | 1 636 | - | 1 872 | 183 | 2 163 | - | 2 163 |
| - | 449 | 278 | 300 | 201 | - | 4 515 | 262 | - | - | - |
| 547 | - | 4 835 | 3 168 | 760 | - | 2 289 | 112 | - | 12 429 | 382 |
| - | - | - | - | - | 882 | 1 096 | 136 | - | - | - |
| 4 622 | - | 8 624 | - | 5 185 | 2 840 | 1 599 | 90 | 845 | 386 | 3 189 |
| 489 | 1 386 | 9 040 | 5 478 | 394 | 3 108 | 5 069 | 222 | - | 4 197 | - |
| 201 | 89 | 657 | 549 | 604 | 121 | 5 698 | 274 | - | 429 | - |
| 899 | 2 625 | 491 | 675 | - | 1 478 | 3 611 | - | - | 675 | - |
| - | - | - | - | - | - | 3 262 | 229 | - | - | - |
| - | - | 4 157 | 3 258 | 1 755 | 216 | 4 385 | 160 | - | 1 647 | 1 696 |
| 9 938 | - | 3 975 | 5 710 | - | - | 3 222 | - | - | 2 840 | - |
| 2 516 | 172 | 974 | - | 4 176 | 99 | 2 638 | - | 92 | - | - |
| 1 123 | 19 049 | 25 962 | 14 511 | 11 127 | - | 3 595 | 94 | - | 1 861 | 2 466 |
| 7 | 12 | 202 | 36 | - | - | 3 926 | - | - | - | - |
| 57 | 139 | 535 | 496 | 1 259 | 89 | 697 | - | - | - | - |
| 2 728 | 173 | - | 2 406 | 7 570 | 216 | 2 263 | 151 | - | 180 | - |
| - | - | - | 624 | 2 990 | - | 2 757 | 252 | - | 194 | - |
| 2 794 | 256 | 200 | 711 | 243 | 1 484 | 1 027 | 138 | 311 | 80 | - |
| 843 | 585 | - | - | 2 424 | 4 356 | 2 168 | 525 | - | - | - |
| 586 | 14 | - | - | - | 44 | 954 | - | - | - | 44 |

# 第36表 保健所が実施した結核健康診断受診者数・集団

| | ツベルクリン反応検査 | | | | 集団健康診断 実施件数 | 健康診断 受診者数 |
|---|---|---|---|---|---|---|
| | 被注射者数 | 被判定者数 | 陰性者数 | 陽性者数 | | |
| 総　　　　数 | 3 244 | 3 239 | 2 029 | 1 210 | ・ | 14 408 090 |
| 定　　　　期 | ・ | ・ | ・ | ・ | ・ | 14 279 195 |
| 事　業　者 | ・ | ・ | ・ | ・ | ・ | 4 781 843 |
| 学　校　長 | ・ | ・ | ・ | ・ | ・ | 2 137 956 |
| 施　設　の　長 | ・ | ・ | ・ | ・ | ・ | 713 060 |
| 刑　事　施　設 | ・ | ・ | ・ | ・ | ・ | 52 184 |
| 社会福祉施設 | ・ | ・ | ・ | ・ | ・ | 660 876 |
| 市町村・特別区の長 | ・ | ・ | ・ | ・ | ・ | 6 646 336 |
| 65　歳　以　上 | ・ | ・ | ・ | ・ | ・ | 6 326 073 |
| そ　の　他 | ・ | ・ | ・ | ・ | ・ | 320 263 |
| 接　触　者　健　診 | 3 244 | 3 239 | 2 029 | 1 210 | ・ | 128 895 |
| 患　者　家　族 | 1 109 | 1 104 | 686 | 418 | ・ | 29 746 |
| そ　の　他 | 2 135 | 2 135 | 1 343 | 792 | ・ | 99 149 |
| 実　施　件　数 | ・ | ・ | ・ | ・ | 18 873 | ・ |

# 健康診断実施件数・被発見者数, 定期−接触者健診・対象者の区分別

平成29年度

| 間接撮影者数 | 直接撮影者数 | 喀痰検査者数 | IGRA検査者数 | 被発見者数 | | |
| --- | --- | --- | --- | --- | --- | --- |
| | | | | 結核患者 | 潜在性結核感染者 | 結核発病のおそれがあると診断された者 |
| 5 081 660 | 9 290 325 | 63 434 | 94 299 | 832 | 3 634 | 11 281 |
| 5 081 444 | 9 234 587 | 62 618 | · | 425 | 99 | 7 887 |
| 1 203 069 | 3 593 733 | 9 829 | · | 76 | 64 | 367 |
| 1 246 902 | 900 221 | 290 | · | 58 | 8 | 41 |
| 218 728 | 499 861 | 2 394 | · | 51 | 20 | 101 |
| 28 506 | 29 275 | 63 | · | 6 | 7 | 6 |
| 190 222 | 470 586 | 2 331 | · | 45 | 13 | 95 |
| 2 412 745 | 4 240 772 | 50 105 | · | 240 | 7 | 7 378 |
| 2 278 179 | 4 055 044 | 47 028 | · | 164 | 7 | 7 249 |
| 134 566 | 185 728 | 3 077 | · | 76 | − | 129 |
| 216 | 55 738 | 816 | 94 299 | 407 | 3 535 | 3 394 |
| 60 | 15 240 | 305 | 19 567 | 185 | 1 171 | 754 |
| 156 | 40 498 | 511 | 74 732 | 222 | 2 364 | 2 640 |
| · | · | · | · | · | · | · |

# 第37表(14－1) 保健所が実施した結核健康診断受診者数・集団健康診断

| | 総 | | | | | | |
|---|---|---|---|---|---|---|---|
| | ツベルクリン反応検査 | | | | 健康診断受診者数 | 間接撮影者数 | 直接撮影者数 |
| | 被注射者数 | 被判定者数 | 陰性者数 | 陽性者数 | | | |
| **全国** | **3 244** | **3 239** | **2 029** | **1 210** | **14 408 090** | **5 081 660** | **9 290 325** |
| 北海道 | 40 | 37 | 22 | 15 | 429 976 | 245 300 | 192 204 |
| 青森 | 23 | 23 | 15 | 8 | 172 064 | 125 052 | 46 485 |
| 岩手 | 28 | 28 | 15 | 13 | 176 540 | 121 095 | 53 979 |
| 宮城 | 68 | 68 | 37 | 31 | 378 887 | 193 308 | 183 307 |
| 秋田 | 17 | 17 | 17 | － | 132 782 | 89 647 | 42 653 |
| 山形 | 9 | 9 | 9 | － | 201 705 | 113 976 | 87 091 |
| 福島 | 8 | 8 | 7 | 1 | 279 589 | 127 661 | 150 589 |
| 茨城 | 31 | 31 | 25 | 6 | 383 294 | 268 739 | 113 126 |
| 栃木 | 15 | 15 | 12 | 3 | 238 458 | 101 303 | 136 816 |
| 群馬 | 6 | 6 | 1 | 5 | 271 615 | 138 870 | 132 335 |
| 埼玉 | 92 | 92 | 54 | 38 | 661 450 | 128 698 | 527 611 |
| 千葉 | 238 | 238 | 83 | 155 | 685 879 | 170 282 | 510 267 |
| 東京 | 301 | 301 | 214 | 87 | 1 886 882 | 608 191 | 1 285 079 |
| 神奈川 | 269 | 269 | 212 | 57 | 498 507 | 107 195 | 384 448 |
| 新潟 | 91 | 90 | 85 | 5 | 332 714 | 213 008 | 118 270 |
| 富山 | 19 | 19 | 17 | 2 | 153 213 | 31 637 | 120 581 |
| 石川 | 24 | 24 | 20 | 4 | 187 915 | 73 123 | 115 167 |
| 福井 | 24 | 24 | 24 | － | 87 590 | 44 128 | 42 672 |
| 山梨 | 11 | 11 | 11 | － | 128 058 | 82 265 | 45 292 |
| 長野 | 21 | 21 | 15 | 6 | 237 460 | 147 006 | 89 510 |
| 岐阜 | 44 | 43 | 20 | 23 | 258 513 | 68 581 | 188 791 |
| 静岡 | 33 | 33 | 19 | 14 | 498 675 | 156 617 | 341 303 |
| 愛知 | 258 | 257 | 187 | 70 | 876 662 | 132 852 | 745 282 |
| 三重 | 20 | 20 | 14 | 6 | 229 298 | 47 526 | 180 935 |
| 滋賀 | 9 | 9 | 8 | 1 | 150 856 | 72 473 | 79 599 |
| 京都 | 39 | 39 | 25 | 14 | 247 901 | 53 916 | 192 508 |
| 大阪 | 240 | 242 | 126 | 116 | 712 647 | 166 078 | 538 679 |
| 兵庫 | 57 | 57 | 40 | 17 | 480 204 | 198 480 | 287 022 |
| 奈良 | 4 | 4 | 3 | 1 | 118 535 | 32 837 | 85 017 |
| 和歌山 | 13 | 13 | 5 | 8 | 97 230 | 16 885 | 79 836 |
| 鳥取 | 5 | 5 | 5 | － | 74 247 | 35 206 | 32 087 |
| 島根 | 7 | 7 | 7 | － | 109 158 | 40 450 | 68 132 |
| 岡山 | 35 | 35 | 22 | 13 | 270 261 | 86 108 | 182 448 |
| 広島 | 27 | 27 | 22 | 5 | 263 559 | 34 366 | 227 523 |
| 山口 | 11 | 11 | 9 | 2 | 147 978 | 62 168 | 85 106 |
| 徳島 | 12 | 12 | 2 | 10 | 80 672 | 27 201 | 53 314 |
| 香川 | 13 | 13 | 6 | 7 | 143 463 | 113 961 | 29 984 |
| 愛媛 | 8 | 8 | 5 | 3 | 146 414 | 19 781 | 126 157 |
| 高知 | 3 | 3 | 3 | － | 115 215 | 9 104 | 105 735 |
| 福岡 | 757 | 756 | 355 | 401 | 417 486 | 180 080 | 235 834 |
| 佐賀 | 10 | 10 | 4 | 6 | 101 957 | 58 820 | 42 456 |
| 長崎 | 9 | 9 | 9 | － | 187 203 | 42 273 | 144 127 |
| 熊本 | 166 | 166 | 149 | 17 | 243 412 | 63 620 | 180 963 |
| 大分 | 51 | 51 | 25 | 26 | 291 648 | 49 823 | 239 081 |
| 宮崎 | 15 | 15 | 14 | 1 | 164 715 | 15 030 | 153 767 |
| 鹿児島 | 23 | 23 | 17 | 6 | 292 141 | 94 346 | 196 991 |
| 沖縄 | 40 | 40 | 33 | 7 | 163 462 | 72 594 | 90 166 |
| 指定都市・特別区(再掲) | | | | | | | |
| 東京都区部 | 280 | 280 | 194 | 86 | 1 345 836 | 413 440 | 942 401 |
| 札幌市 | 16 | 14 | 6 | 8 | 107 572 | 64 365 | 42 456 |
| 仙台市 | 43 | 43 | 19 | 24 | 165 132 | 61 706 | 102 065 |
| さいたま市 | 10 | 10 | 7 | 3 | 149 103 | 22 775 | 126 092 |
| 千葉市 | 13 | 13 | 13 | － | 143 298 | 25 812 | 115 286 |
| 横浜市 | 191 | 191 | 171 | 20 | 180 596 | 53 377 | 123 458 |
| 川崎市 | 27 | 27 | 22 | 5 | 61 692 | 15 695 | 45 038 |
| 相模原市 | 10 | 10 | 3 | 7 | 23 341 | 7 937 | 15 134 |
| 新潟市 | 71 | 71 | 66 | 5 | 92 871 | 28 918 | 63 267 |
| 静岡市 | 7 | 7 | 5 | 2 | 93 537 | 27 496 | 65 773 |
| 浜松市 | 9 | 9 | 7 | 2 | 129 279 | 22 459 | 106 874 |
| 名古屋市 | 136 | 136 | 130 | 6 | 267 818 | 54 291 | 212 545 |
| 京都市 | 21 | 21 | 13 | 8 | 143 700 | 20 858 | 122 217 |
| 大阪市 | 131 | 131 | 46 | 85 | 120 475 | 19 083 | 100 040 |
| 堺市 | 19 | 19 | 12 | 7 | 57 736 | 15 248 | 42 156 |
| 神戸市 | 10 | 10 | 7 | 3 | 96 472 | 11 846 | 85 112 |
| 岡山市 | 10 | 10 | 6 | 4 | 97 467 | 2 997 | 94 400 |
| 広島市 | 13 | 13 | 10 | 3 | 101 934 | 8 968 | 92 661 |
| 北九州市 | 18 | 18 | 18 | － | 68 884 | 25 597 | 42 618 |
| 福岡市 | 679 | 678 | 302 | 376 | 135 400 | 58 507 | 76 319 |
| 熊本市 | 43 | 43 | 37 | 6 | 74 484 | 15 728 | 61 184 |

# 実施件数・被発見者数, 都道府県－指定都市・特別区－中核市－その他政令市、定期－接触者健診別

平成29年度

| | | 数 | | | 定 | | 期 | 総数 |
| --- | --- | --- | --- | --- | --- | --- | --- | --- |
| 喀痰検査者数 | IGRA検査者数 | 被発見者数 結核患者 | 被発見者数 潜在性結核感染者 | 被発見者数 結核発病のおそれがあると診断された者 | 健康診断受診者数 | 間接撮影者数 | 直接撮影者数 | 喀痰検査者数 |
| 63 434 | 94 299 | 832 | 3 634 | 11 281 | 14 279 195 | 5 081 444 | 9 234 587 | 62 618 |
| 292 | 3 190 | 15 | 87 | 193 | 425 285 | 245 283 | 190 332 | 258 |
| 177 | 989 | 7 | 72 | 16 | 170 916 | 125 052 | 45 824 | 177 |
| 589 | 906 | 6 | 54 | 71 | 175 483 | 121 084 | 53 736 | 579 |
| 5 725 | 2 381 | 24 | 113 | 4 546 | 375 961 | 193 302 | 182 571 | 5 712 |
| 165 | 773 | 7 | 16 | 13 | 131 618 | 89 647 | 42 102 | 150 |
| 142 | 695 | – | 21 | 42 | 200 963 | 113 976 | 86 987 | 135 |
| 429 | 1 383 | 10 | 18 | 73 | 277 968 | 127 661 | 150 284 | 402 |
| 934 | 1 605 | 11 | 64 | 19 | 381 035 | 268 739 | 112 421 | 903 |
| 76 | 422 | 7 | 23 | 17 | 237 404 | 101 289 | 136 115 | 61 |
| 2 531 | 645 | 8 | 26 | 29 | 270 543 | 138 870 | 131 529 | 2 523 |
| 9 927 | 6 548 | 44 | 269 | 2 484 | 653 165 | 128 698 | 524 292 | 9 920 |
| 3 664 | 5 980 | 46 | 206 | 151 | 677 702 | 170 274 | 506 521 | 3 601 |
| 5 069 | 14 364 | 189 | 578 | 818 | 1 867 183 | 608 189 | 1 275 141 | 5 016 |
| 2 267 | 6 646 | 42 | 274 | 187 | 489 865 | 107 193 | 381 707 | 2 246 |
| 1 163 | 1 570 | 6 | 38 | 8 | 330 839 | 213 008 | 117 925 | 1 163 |
| 38 | 825 | 11 | 49 | 34 | 152 024 | 31 637 | 120 154 | 17 |
| 462 | 1 111 | 5 | 31 | 40 | 186 634 | 73 123 | 114 877 | 456 |
| 88 | 791 | 4 | 33 | 19 | 86 703 | 44 128 | 42 574 | 87 |
| 888 | 410 | 1 | 20 | 10 | 127 497 | 82 265 | 45 119 | 830 |
| 1 855 | 1 159 | 8 | 42 | 25 | 236 164 | 147 006 | 89 369 | 1 855 |
| 539 | 1 705 | 31 | 62 | 30 | 256 554 | 68 581 | 187 991 | 539 |
| 11 280 | 1 362 | 16 | 54 | 47 | 496 921 | 156 616 | 340 379 | 11 256 |
| 3 653 | 4 837 | 59 | 194 | 154 | 871 165 | 132 852 | 743 787 | 3 590 |
| 30 | 1 079 | 14 | 42 | 65 | 228 052 | 47 526 | 180 526 | 30 |
| 9 | 936 | 8 | 24 | 47 | 149 758 | 72 451 | 79 415 | 9 |
| 458 | 1 914 | 11 | 38 | 112 | 245 146 | 53 916 | 191 169 | 458 |
| 522 | 4 998 | 77 | 418 | 546 | 701 605 | 166 078 | 531 307 | 394 |
| 1 517 | 1 805 | 23 | 77 | 422 | 477 747 | 198 480 | 285 204 | 1 491 |
| 30 | 673 | 8 | 42 | 4 | 117 322 | 32 837 | 84 447 | 30 |
| 71 | 704 | 6 | 21 | – | 96 325 | 16 885 | 79 440 | 61 |
| 338 | 472 | 2 | 6 | 6 | 73 695 | 35 206 | 31 992 | 336 |
| 25 | 647 | 3 | 17 | 7 | 108 222 | 40 416 | 67 876 | 21 |
| 1 099 | 1 842 | 7 | 57 | 66 | 267 943 | 86 094 | 180 792 | 1 081 |
| 884 | 1 561 | 9 | 46 | 61 | 261 323 | 34 347 | 226 675 | 863 |
| 647 | 667 | 4 | 13 | 17 | 147 122 | 62 168 | 84 855 | 640 |
| 208 | 467 | 7 | 11 | 32 | 80 000 | 27 201 | 52 798 | 207 |
| 74 | 703 | 5 | 7 | 36 | 141 819 | 113 961 | 29 025 | 68 |
| 228 | 576 | 5 | 30 | 7 | 145 575 | 19 781 | 125 825 | 226 |
| 19 | 424 | 4 | 9 | 3 | 114 541 | 9 104 | 105 474 | 15 |
| 420 | 4 886 | 26 | 157 | 142 | 411 798 | 180 080 | 232 656 | 420 |
| 328 | 918 | 5 | 20 | 16 | 100 910 | 58 820 | 42 272 | 327 |
| 1 205 | 1 308 | 7 | 44 | 25 | 185 027 | 42 207 | 143 237 | 1 205 |
| 481 | 2 458 | 12 | 44 | 10 | 240 675 | 63 620 | 180 541 | 442 |
| 757 | 2 771 | 9 | 68 | 367 | 288 276 | 49 823 | 237 987 | 751 |
| 604 | 885 | 1 | 33 | 67 | 163 363 | 15 030 | 153 265 | 598 |
| 883 | 638 | 11 | 29 | 38 | 290 884 | 94 346 | 196 287 | 833 |
| 644 | 670 | 11 | 37 | 159 | 162 475 | 72 594 | 89 785 | 636 |
| 2 055 | 12 146 | 149 | 522 | 740 | 1 329 601 | 413 440 | 934 021 | 2 023 |
| 20 | 747 | 6 | 35 | 50 | 106 091 | 64 364 | 41 727 | 16 |
| 689 | 1 473 | 21 | 91 | 31 | 163 286 | 61 706 | 101 580 | 676 |
| 2 523 | 1 309 | 15 | 12 | 2 243 | 147 045 | 22 775 | 124 274 | 2 523 |
| 1 322 | 1 416 | 12 | 22 | 36 | 141 052 | 25 812 | 114 309 | 1 321 |
| 491 | 2 967 | 27 | 94 | 84 | 176 346 | 53 376 | 122 077 | 491 |
| 246 | 1 299 | 7 | 52 | 2 | 59 848 | 15 695 | 44 226 | 230 |
| 63 | 373 | 3 | 13 | 35 | 22 929 | 7 937 | 14 992 | 63 |
| 9 | 686 | – | – | – | 91 947 | 28 918 | 63 029 | 9 |
| 54 | 281 | 3 | 6 | 4 | 93 235 | 27 496 | 65 739 | 47 |
| 1 243 | 203 | 3 | 7 | 13 | 128 938 | 22 459 | 106 559 | 1 235 |
| 315 | 1 819 | 32 | 41 | 17 | 265 760 | 54 291 | 212 034 | 308 |
| 76 | 962 | 6 | 3 | 49 | 142 204 | 20 858 | 121 346 | 76 |
| 111 | 1 452 | 40 | 195 | 23 | 116 064 | 19 083 | 97 143 | 49 |
| 32 | 323 | 5 | 40 | 53 | 57 095 | 15 248 | 41 847 | 22 |
| 40 | 333 | 10 | 21 | 388 | 95 944 | 11 846 | 84 584 | 31 |
| 20 | 937 | 1 | 31 | 40 | 96 470 | 2 997 | 93 463 | 10 |
| 63 | 280 | 4 | 17 | 9 | 101 287 | 8 949 | 92 307 | 59 |
| 97 | 797 | 6 | 38 | 20 | 67 957 | 25 597 | 42 360 | 97 |
| – | 2 535 | 15 | 50 | 59 | 132 408 | 58 507 | 74 037 | – |
| 12 | 1 114 | 5 | 13 | 2 | 73 221 | 15 728 | 61 015 | 11 |

## 第37表(14－2) 保健所が実施した結核健康診断受診者数・集団健康診断

| | 総 | | | | | | |
| --- | --- | --- | --- | --- | --- | --- | --- |
| | ツ ベ ル ク リ ン 反 応 検 査 | | | | 健 康 診 断 受 診 者 数 | 間 接 撮 影 者 数 | 直 接 撮 影 者 数 |
| | 被注射者数 | 被判定者数 | 陰性者数 | 陽性者数 | | | |
| **中 核 市(再掲)** | | | | | | | |
| 旭 川 市 | - | - | - | - | 32 325 | 18 013 | 14 203 |
| 函 館 市 | - | - | - | - | 30 120 | 7 055 | 23 054 |
| 青 森 市 | 1 | 1 | 1 | - | 31 109 | 21 152 | 9 910 |
| 八 戸 市 | 10 | 10 | 7 | 3 | 28 165 | 21 232 | 6 856 |
| 盛 岡 市 | 1 | 1 | - | 1 | 28 686 | 18 091 | 10 498 |
| 秋 田 市 | 7 | 7 | 7 | - | 34 006 | 21 737 | 12 147 |
| 郡 山 市 | - | - | - | - | 48 483 | 8 758 | 39 268 |
| い わ き 市 | 1 | 1 | 1 | - | 41 419 | 9 197 | 32 065 |
| 宇 都 宮 市 | 7 | 7 | 4 | 3 | 67 217 | 14 026 | 53 031 |
| 前 橋 市 | - | - | - | - | 63 929 | 18 766 | 45 079 |
| 高 崎 市 | 1 | 1 | 1 | - | 45 473 | 33 960 | 11 376 |
| 川 越 市 | 4 | 4 | 4 | - | 27 350 | 9 322 | 17 182 |
| 越 谷 市 | 5 | 5 | 3 | 2 | 33 829 | 2 819 | 30 932 |
| 船 橋 市 | 98 | 98 | 19 | 79 | 29 688 | 13 438 | 15 917 |
| 柏 市 | 6 | 6 | - | 6 | 29 342 | 18 788 | 10 134 |
| 八 王 子 市 | 6 | 6 | 6 | - | 120 399 | 107 473 | 12 427 |
| 横 須 賀 市 | 4 | 4 | 1 | 3 | 39 063 | 3 714 | 34 626 |
| 富 山 市 | 13 | 13 | 13 | - | 49 794 | 10 647 | 38 516 |
| 金 沢 市 | 15 | 15 | 15 | - | 80 723 | 15 914 | 64 609 |
| 長 野 市 | 2 | 2 | 2 | - | 34 336 | 21 156 | 12 938 |
| 岐 阜 市 | 2 | 2 | - | 2 | 45 574 | 10 816 | 34 587 |
| 豊 橋 市 | 7 | 7 | 3 | 4 | 45 460 | 8 965 | 36 221 |
| 豊 田 市 | 10 | 10 | 1 | 9 | 50 767 | 2 082 | 48 457 |
| 岡 崎 市 | 21 | 21 | 8 | 13 | 68 960 | 429 | 68 514 |
| 大 津 市 | 2 | 2 | 2 | - | 23 303 | 12 226 | 10 713 |
| 高 槻 市 | 7 | 7 | 4 | 3 | 54 674 | 10 361 | 44 289 |
| 東 大 阪 市 | 5 | 5 | 2 | 3 | 47 012 | 5 084 | 41 572 |
| 豊 中 市 | 9 | 11 | 9 | 2 | 18 847 | 3 294 | 15 444 |
| 枚 方 市 | - | - | - | - | 26 065 | 7 176 | 14 090 |
| 姫 路 市 | 6 | 6 | 4 | 2 | 34 207 | 28 640 | 5 567 |
| 西 宮 市 | 4 | 4 | 4 | - | 44 280 | 11 456 | 32 694 |
| 尼 崎 市 | 7 | 7 | 4 | 3 | 18 220 | 4 551 | 13 546 |
| 奈 良 市 | 2 | 2 | 2 | - | 28 871 | 11 621 | 16 947 |
| 和 歌 山 市 | 7 | 7 | 3 | 4 | 24 550 | 6 418 | 17 820 |
| 倉 敷 市 | 11 | 11 | 11 | - | 55 729 | 27 727 | 27 345 |
| 福 山 市 | 4 | 4 | 3 | 1 | 38 719 | 4 703 | 33 491 |
| 呉 市 | - | - | - | - | 21 352 | 1 588 | 19 609 |
| 下 関 市 | - | - | - | - | 22 694 | 7 322 | 15 344 |
| 高 松 市 | 8 | 8 | 1 | 7 | 46 671 | 26 291 | 20 456 |
| 松 山 市 | 3 | 3 | 1 | 2 | 47 803 | 6 493 | 41 053 |
| 高 知 市 | - | - | - | - | 39 653 | 2 209 | 37 135 |
| 久 留 米 市 | 18 | 18 | 18 | - | 21 806 | 7 774 | 13 892 |
| 長 崎 市 | 1 | 1 | 1 | - | 46 834 | 16 387 | 29 951 |
| 佐 世 保 市 | - | - | - | - | 37 432 | 7 263 | 30 208 |
| 大 分 市 | 22 | 22 | 16 | 6 | 179 788 | 14 094 | 165 144 |
| 宮 崎 市 | 8 | 8 | 8 | - | 60 717 | 3 217 | 57 187 |
| 鹿 児 島 市 | 8 | 8 | 8 | - | 59 195 | 27 182 | 31 835 |
| 那 覇 市 | 19 | 19 | 18 | 1 | 33 207 | 11 236 | 21 768 |
| **その他政令市(再掲)** | | | | | | | |
| 小 樽 市 | - | - | - | - | 11 523 | 5 184 | 5 879 |
| 町 田 市 | 13 | 13 | 13 | - | 74 573 | 21 350 | 51 484 |
| 藤 沢 市 | 4 | 4 | 3 | 1 | 69 560 | 6 264 | 63 118 |
| 茅 ヶ 崎 市 | 2 | 2 | 1 | 1 | 37 530 | 2 025 | 35 540 |
| 四 日 市 市 | 10 | 10 | 9 | 1 | 29 451 | 3 260 | 26 117 |
| 大 牟 田 市 | 2 | 2 | - | 2 | 13 881 | 3 660 | 10 143 |

## 実施件数・被発見者数，都道府県－指定都市・特別区－中核市－その他政令市、定期－接触者健診別

平成29年度

| 数 | | | | | 定期 | | | |
|---|---|---|---|---|---|---|---|---|
| | | 被発見者数 | | | 総数 | | | |
| 喀痰検査者数 | IGRA検査者数 | 結核患者 | 潜在性結核感染者 | 結核発病のおそれがあると診断された者 | 健康診断受診者数 | 間接撮影者数 | 直接撮影者数 | 喀痰検査者数 |
| 14 | 174 | - | 5 | 20 | 32 155 | 18 013 | 14 142 | - |
| 55 | 26 | 1 | - | 22 | 30 060 | 7 055 | 23 005 | 55 |
| 82 | 382 | 2 | 23 | 2 | 30 627 | 21 152 | 9 468 | 82 |
| 10 | 116 | 2 | 5 | 1 | 28 046 | 21 232 | 6 804 | 10 |
| 1 | 101 | - | 3 | 2 | 28 576 | 18 091 | 10 485 | 1 |
| 13 | 127 | - | 6 | 6 | 33 796 | 21 737 | 12 059 | - |
| 62 | 457 | 4 | 6 | 14 | 47 969 | 8 758 | 39 211 | 60 |
| 12 | 188 | 1 | - | 22 | 41 215 | 9 197 | 32 019 | 12 |
| 13 | 169 | 2 | 10 | 5 | 66 971 | 14 026 | 52 945 | - |
| 2 376 | 84 | 4 | 1 | 9 | 63 790 | 18 766 | 45 024 | 2 372 |
| 127 | 154 | 1 | 7 | 18 | 45 296 | 33 960 | 11 336 | 127 |
| 334 | 846 | 1 | 10 | 16 | 26 284 | 9 322 | 16 962 | 334 |
| - | 145 | 1 | 17 | - | 33 684 | 2 819 | 30 865 | - |
| 12 | 693 | 3 | 23 | 8 | 28 711 | 13 438 | 15 273 | 3 |
| 554 | 524 | 9 | 21 | 8 | 28 708 | 18 788 | 9 899 | 554 |
| 2 207 | 467 | 3 | 28 | 32 | 119 663 | 107 473 | 12 091 | 2 201 |
| 453 | 278 | 1 | 18 | 20 | 38 716 | 3 714 | 34 557 | 453 |
| 11 | 426 | 5 | 26 | 15 | 49 249 | 10 647 | 38 369 | 9 |
| 13 | 274 | 1 | 12 | 31 | 80 431 | 15 914 | 64 512 | 13 |
| 469 | 242 | - | 13 | - | 34 087 | 21 156 | 12 931 | 469 |
| - | 229 | 9 | 11 | 2 | 45 319 | 10 816 | 34 503 | - |
| 59 | 277 | - | 33 | 12 | 45 149 | 8 965 | 36 184 | 58 |
| 2 901 | 255 | 3 | 17 | - | 50 464 | 2 082 | 48 382 | 2 901 |
| 9 | 219 | 1 | 8 | 4 | 68 574 | 429 | 68 145 | 7 |
| 5 | 364 | 1 | 6 | 12 | 22 891 | 12 226 | 10 665 | 5 |
| - | 131 | 1 | 3 | 8 | 54 417 | 10 361 | 44 056 | - |
| 1 | 466 | 2 | 29 | - | 46 391 | 5 084 | 41 307 | - |
| 4 | 109 | 1 | 8 | 14 | 18 527 | 3 294 | 15 233 | 4 |
| 11 | 393 | - | 11 | - | 25 407 | 7 176 | 13 809 | 11 |
| 1 | 310 | - | 4 | 7 | 33 920 | 28 640 | 5 280 | - |
| 324 | 130 | - | 7 | 2 | 43 967 | 11 456 | 32 511 | 324 |
| 10 | 189 | 3 | 8 | 18 | 17 989 | 4 551 | 13 438 | 3 |
| 2 | 303 | 4 | 28 | 2 | 28 333 | 11 621 | 16 712 | 2 |
| 3 | 357 | 1 | 5 | - | 24 145 | 6 418 | 17 727 | 3 |
| 574 | 328 | 2 | 8 | 8 | 55 213 | 27 727 | 26 916 | 570 |
| 228 | 524 | 2 | 6 | 39 | 38 115 | 4 703 | 33 316 | 223 |
| 113 | 89 | 1 | 2 | 6 | 21 238 | 1 588 | 19 583 | 113 |
| - | 28 | - | - | - | 22 637 | 7 322 | 15 315 | - |
| 9 | 316 | 4 | 5 | 23 | 46 152 | 26 291 | 20 250 | 9 |
| 10 | 266 | 2 | 11 | 4 | 47 523 | 6 493 | 41 030 | 9 |
| 2 | 310 | 1 | 3 | - | 39 304 | 2 209 | 37 095 | 1 |
| 3 | 232 | - | 9 | 13 | 21 565 | 7 774 | 13 791 | 3 |
| 200 | 547 | - | 26 | - | 46 273 | 16 387 | 29 886 | 200 |
| 52 | 261 | 2 | 2 | 8 | 36 772 | 7 263 | 29 809 | 52 |
| - | 988 | 4 | 27 | 156 | 178 926 | 14 094 | 164 832 | - |
| 462 | 245 | - | 10 | 15 | 60 354 | 3 217 | 57 069 | 462 |
| 572 | 206 | 6 | 14 | 35 | 58 827 | 27 182 | 31 645 | 555 |
| 303 | 197 | 3 | 5 | 4 | 32 962 | 11 236 | 21 720 | 298 |
| 117 | 599 | 5 | 11 | 33 | 10 773 | 5 184 | 5 589 | 104 |
| 34 | 224 | 3 | 5 | 15 | 74 217 | 21 350 | 51 354 | 34 |
| 24 | 342 | 2 | 20 | 2 | 69 206 | 6 264 | 63 013 | 24 |
| 583 | 131 | - | 15 | 11 | 37 363 | 2 025 | 35 501 | 583 |
| - | 74 | 3 | 2 | - | 29 356 | 3 260 | 26 096 | - |
| - | 85 | - | 8 | 1 | 13 796 | 3 660 | 10 136 | - |

# 第37表(14－3) 保健所が実施した結核健康診断受診者数・集団健康診断

| | 定 | | | | | | | |
|---|---|---|---|---|---|---|---|---|
| | 総　数 | | | 事　業 | | | | |
| | 被発見者数 | | | 健康診断受診者数 | 間接撮影者数 | 直接撮影者数 | 喀痰検査者数 | 被 |
| | 結核患者 | 潜在性結核感染者 | 結核発病のおそれがあると診断された者 | | | | | 結核患者 |
| **全国** | **425** | **99** | **7 887** | **4 781 843** | **1 203 069** | **3 593 733** | **9 829** | **76** |
| 北海道 | 4 | 13 | 12 | 187 286 | 62 681 | 134 621 | 164 | 3 |
| 青森 | 4 | - | 1 | 59 437 | 25 882 | 33 534 | 152 | - |
| 岩手 | 5 | - | 14 | 55 250 | 20 703 | 34 498 | 162 | - |
| 宮城 | 13 | 2 | 4 499 | 99 070 | 37 079 | 61 980 | 678 | - |
| 秋田 | 2 | 3 | 4 | 53 275 | 21 543 | 31 758 | 18 | 1 |
| 山形 | - | 2 | 34 | 51 720 | 26 522 | 25 198 | 93 | - |
| 福島 | 4 | - | 23 | 72 481 | 19 702 | 52 772 | 78 | 1 |
| 茨城 | 4 | 2 | 19 | 102 535 | 28 373 | 74 218 | 173 | - |
| 栃木 | 2 | - | 7 | 81 243 | 25 894 | 55 349 | 11 | 1 |
| 群馬 | 4 | 1 | 9 | 68 603 | 27 725 | 40 735 | 298 | 1 |
| 埼玉 | 28 | - | 2 346 | 158 807 | 29 545 | 129 262 | 448 | 6 |
| 千葉 | 23 | 2 | 17 | 201 707 | 51 153 | 149 585 | 1 542 | 5 |
| 東京 | 94 | 25 | 172 | 424 403 | 118 749 | 314 030 | 2 600 | 4 |
| 神奈川 | 14 | 1 | 60 | 194 969 | 43 806 | 150 347 | 813 | 3 |
| 新潟 | 6 | - | 3 | 102 774 | 43 229 | 59 534 | 88 | - |
| 富山 | 3 | - | - | 41 463 | 7 280 | 34 183 | 17 | 3 |
| 石川 | 3 | - | 28 | 72 143 | 28 982 | 43 189 | 208 | 1 |
| 福井 | - | - | 3 | 34 105 | 6 894 | 27 211 | 26 | - |
| 山梨 | 1 | - | 1 | 27 071 | 10 404 | 16 657 | 64 | 1 |
| 長野 | 5 | - | 6 | 77 738 | 24 310 | 53 430 | 23 | - |
| 岐阜 | 22 | 3 | 12 | 88 902 | 20 967 | 68 014 | 144 | 5 |
| 静岡 | 9 | - | 13 | 143 462 | 45 338 | 98 107 | 278 | 3 |
| 愛知 | 31 | 5 | 34 | 204 062 | 32 641 | 171 295 | 395 | 4 |
| 三重 | 8 | - | 19 | 80 944 | 13 565 | 67 379 | 6 | 1 |
| 滋賀 | 5 | - | 26 | 56 013 | 23 210 | 32 801 | - | - |
| 京都 | 7 | - | 15 | 96 196 | 11 493 | 84 731 | 93 | 3 |
| 大阪 | 44 | 4 | 135 | 301 012 | 52 927 | 247 913 | 51 | 5 |
| 兵庫 | 11 | 2 | 233 | 172 754 | 67 967 | 105 183 | 286 | 1 |
| 奈良 | 4 | - | - | 55 816 | 11 023 | 44 748 | 10 | 2 |
| 和歌山 | 3 | - | - | 39 877 | 5 338 | 34 539 | 13 | 1 |
| 鳥取 | 1 | 1 | - | 32 703 | 13 727 | 17 418 | 56 | 1 |
| 島根 | 2 | - | - | 40 538 | 8 983 | 31 568 | 4 | - |
| 岡山 | 5 | 1 | 10 | 102 190 | 10 175 | 91 983 | 37 | - |
| 広島 | 5 | 2 | 9 | 115 615 | 11 905 | 103 587 | 208 | 5 |
| 山口 | 1 | - | 4 | 54 754 | 14 507 | 40 241 | 6 | - |
| 徳島 | 4 | - | 12 | 39 834 | 9 070 | 30 763 | 13 | 1 |
| 香川 | 4 | - | 2 | 52 419 | 29 553 | 22 948 | 7 | - |
| 愛媛 | 3 | 1 | - | 70 489 | 9 529 | 60 955 | 220 | 3 |
| 高知 | 4 | 2 | 2 | 49 129 | 4 378 | 44 788 | 15 | 1 |
| 福岡 | 10 | 8 | 25 | 196 668 | 47 938 | 148 730 | 30 | 2 |
| 佐賀 | - | - | 2 | 48 634 | 13 452 | 35 363 | 4 | - |
| 長崎 | 1 | - | 5 | 76 799 | 15 562 | 61 255 | 109 | - |
| 熊本 | 8 | 1 | 6 | 94 550 | 16 519 | 78 044 | 26 | 3 |
| 大分 | 5 | 7 | 1 | 189 173 | 13 482 | 175 445 | 32 | 2 |
| 宮崎 | 1 | - | 47 | 55 065 | 4 607 | 50 444 | 34 | - |
| 鹿児島 | 4 | 1 | 3 | 89 327 | 16 312 | 73 013 | 45 | 2 |
| 沖縄 | 4 | 10 | 14 | 68 838 | 18 445 | 50 387 | 51 | 1 |
| 指定都市・特別区(再掲) | | | | | | | | |
| 東京都区部 | 71 | 24 | 147 | 320 558 | 80 327 | 248 889 | 1 819 | - |
| 札幌市 | 2 | - | 9 | 57 303 | 20 318 | 36 985 | 1 | 1 |
| 仙台市 | 13 | 2 | 8 | 52 685 | 19 797 | 32 888 | 518 | - |
| さいたま市 | 13 | - | 2 241 | 30 139 | 6 431 | 23 708 | 192 | 1 |
| 千葉市 | 7 | 1 | 1 | 39 413 | 10 818 | 27 664 | 1 313 | 1 |
| 横浜市 | 7 | - | 22 | 95 021 | 22 950 | 71 280 | 284 | - |
| 川崎市 | 3 | - | 2 | 38 938 | 7 071 | 31 823 | 230 | 1 |
| 相模原市 | - | - | 18 | 10 719 | 2 233 | 8 486 | 63 | - |
| 新潟市 | - | - | - | 37 663 | 9 065 | 28 598 | 6 | - |
| 静岡市 | 2 | - | 1 | 30 549 | 11 136 | 19 413 | 41 | 1 |
| 浜松市 | 3 | - | 4 | 33 718 | 9 879 | 23 829 | 34 | - |
| 名古屋市 | 23 | - | 4 | 94 368 | 19 958 | 74 426 | 276 | 2 |
| 京都市 | 4 | - | 3 | 59 046 | 4 885 | 54 161 | 74 | 3 |
| 大阪市 | 25 | - | 14 | 72 136 | 5 334 | 66 802 | 26 | 2 |
| 堺市 | 2 | - | 50 | 34 876 | 6 118 | 28 758 | 1 | - |
| 神戸市 | 4 | - | 233 | 13 596 | 2 608 | 11 476 | 28 | - |
| 岡山市 | - | - | 1 | 40 193 | 2 626 | 37 557 | 10 | - |
| 広島市 | 4 | 2 | 2 | 45 648 | 3 014 | 42 577 | 58 | 4 |
| 北九州市 | 1 | 6 | 6 | 34 257 | 9 491 | 24 766 | 8 | - |
| 福岡市 | 7 | 2 | 7 | 67 190 | 19 569 | 47 621 | - | 2 |
| 熊本市 | 5 | - | 2 | 37 087 | 6 976 | 30 111 | 10 | 2 |

# 実施件数・被発見者数，都道府県－指定都市・特別区－中核市－その他政令市、定期－接触者健診別

平成29年度

| 期 | | | | | | | | |
|---|---|---|---|---|---|---|---|---|
| 者 | | 学校長 | | | | | | |
| 発見者数 | | | | | | 被発見者数 | | |
| 潜在性結核感染者 | 結核発病のおそれがあると診断された者 | 健康診断受診者数 | 間接撮影者数 | 直接撮影者数 | 喀痰検査者数 | 結核患者 | 潜在性結核感染者 | 結核発病のおそれがあると診断された者 |
| 64 | 367 | 2 137 956 | 1 246 902 | 900 221 | 290 | 58 | 8 | 41 |
| 6 | 6 | 75 324 | 68 519 | 6 805 | − | − | − | − |
| − | 1 | 18 849 | 16 421 | 2 428 | − | − | − | − |
| − | 3 | 18 822 | 18 557 | 266 | − | − | − | − |
| − | 91 | 66 604 | 54 361 | 12 252 | 7 | 5 | 1 | 7 |
| 3 | 2 | 12 495 | 11 128 | 1 369 | − | − | − | − |
| 2 | 33 | 15 334 | 14 696 | 638 | 1 | − | − | − |
| − | 1 | 30 598 | 27 149 | 3 451 | 9 | 1 | − | 1 |
| 2 | 8 | 43 581 | 34 596 | 8 993 | − | − | − | − |
| − | 3 | 28 870 | 14 397 | 14 473 | − | − | − | − |
| − | 1 | 29 361 | 26 474 | 2 887 | − | − | 1 | − |
| − | 20 | 94 546 | 52 959 | 41 557 | 3 | − | − | 1 |
| 1 | − | 102 641 | 60 611 | 42 048 | 5 | 3 | 1 | 3 |
| 23 | 96 | 317 165 | 159 210 | 164 701 | 152 | 16 | 2 | − |
| 1 | 6 | 128 980 | 52 869 | 76 125 | 2 | 4 | − | 6 |
| − | 2 | 37 796 | 29 857 | 7 939 | − | − | − | − |
| − | − | 12 816 | 3 436 | 9 380 | − | − | − | − |
| − | 2 | 19 992 | 9 879 | 11 451 | 1 | 1 | − | 2 |
| − | − | 10 285 | 6 441 | 3 844 | 3 | − | − | − |
| − | − | 17 381 | 15 816 | 1 565 | − | − | − | − |
| − | − | 31 310 | 30 019 | 1 309 | − | − | − | − |
| 2 | 10 | 29 535 | 18 878 | 10 657 | − | 1 | − | 1 |
| − | 8 | 54 882 | 47 330 | 7 552 | − | − | − | − |
| 2 | 6 | 144 866 | 70 239 | 75 120 | 11 | 7 | − | − |
| − | 2 | 23 420 | 7 567 | 15 853 | 1 | 2 | − | − |
| − | 4 | 25 268 | 16 207 | 9 061 | 2 | 2 | − | 1 |
| − | 8 | 63 254 | 22 318 | 40 936 | − | − | − | 3 |
| 1 | 33 | 126 656 | 60 658 | 61 788 | 62 | 1 | − | − |
| 2 | − | 81 759 | 44 260 | 37 500 | 7 | 4 | − | 7 |
| − | − | 25 867 | 15 221 | 10 646 | − | − | − | − |
| − | − | 13 298 | 5 068 | 8 230 | − | 1 | − | − |
| − | − | 6 463 | 4 803 | 1 564 | − | − | 1 | − |
| − | − | 11 168 | 4 847 | 6 326 | 1 | − | − | − |
| − | 1 | 26 274 | 9 392 | 16 882 | − | − | − | − |
| 2 | 4 | 58 412 | 7 895 | 50 544 | − | − | − | − |
| − | 3 | 26 398 | 19 272 | 7 144 | 9 | − | − | − |
| − | 2 | 11 633 | 9 638 | 1 995 | − | − | − | − |
| − | − | 15 295 | 12 958 | 2 711 | 3 | 3 | − | − |
| − | − | 20 969 | 6 764 | 14 205 | 1 | − | 1 | − |
| − | 1 | 11 157 | 1 577 | 9 580 | − | − | − | − |
| 2 | − | 95 882 | 73 201 | 23 434 | 1 | 6 | − | 6 |
| − | − | 11 866 | 10 076 | 1 791 | − | − | − | − |
| − | − | 22 072 | 6 186 | 16 201 | − | − | − | − |
| − | 5 | 26 343 | 11 870 | 17 997 | 4 | − | − | − |
| 5 | − | 17 984 | 14 293 | 3 521 | − | − | − | − |
| − | − | 20 564 | 3 333 | 17 237 | − | − | − | 1 |
| 1 | 1 | 24 518 | 8 914 | 15 604 | − | 1 | − | − |
| 9 | 4 | 29 403 | 26 742 | 2 661 | 5 | − | 1 | 2 |
| 23 | 94 | 241 887 | 104 255 | 145 889 | 149 | 14 | 1 | − |
| − | 6 | 29 807 | 29 008 | 799 | − | − | − | − |
| − | 8 | 51 403 | 40 370 | 11 033 | 1 | 5 | 1 | − |
| − | 9 | 18 091 | 14 747 | 3 344 | − | − | − | 1 |
| 1 | − | 21 592 | 13 850 | 7 742 | − | − | − | − |
| − | 5 | 61 545 | 27 214 | 34 344 | 2 | 2 | − | 1 |
| − | − | 17 033 | 7 535 | 9 499 | − | 2 | − | 2 |
| − | 1 | 8 921 | 5 343 | 3 578 | − | − | − | − |
| − | − | 19 381 | 12 187 | 7 194 | − | − | − | − |
| − | − | 15 488 | 14 369 | 1 119 | − | − | − | − |
| − | 1 | 15 115 | 11 552 | 3 563 | − | − | − | − |
| − | 3 | 66 658 | 32 650 | 34 501 | 1 | 6 | − | − |
| − | 3 | 47 657 | 14 282 | 33 375 | − | − | − | − |
| − | − | 22 634 | 12 758 | 9 876 | 1 | − | − | − |
| − | − | 10 853 | 6 427 | 4 426 | − | − | − | − |
| − | − | 27 407 | 9 141 | 18 266 | − | 1 | − | 7 |
| − | 1 | 11 276 | 232 | 11 044 | − | − | − | − |
| 2 | − | 33 949 | 4 532 | 29 444 | − | − | − | − |
| − | − | 18 242 | 15 087 | 3 155 | − | 1 | − | 2 |
| 2 | − | 48 625 | 34 845 | 13 781 | − | 5 | − | 4 |
| − | 2 | 17 029 | 7 811 | 12 740 | 1 | − | − | − |

# 第37表(14－4) 保健所が実施した結核健康診断受診者数・集団健康診断

| | 定<br>総数<br>被発見者数<br>結核患者 | 潜在性結核感染者 | 結核発病のおそれがあると診断された者 | 事業<br>健康診断受診者数 | 間接撮影者数 | 直接撮影者数 | 喀痰検査者数 | 被<br>結核患者 |
|---|---|---|---|---|---|---|---|---|
| 中核市(再掲) | | | | | | | | |
| 旭川市 | - | - | - | 18 025 | 5 582 | 12 443 | - | - |
| 函館市 | - | - | - | 17 120 | 3 009 | 14 111 | 55 | - |
| 青森市 | 1 | - | - | 14 421 | 6 975 | 7 439 | 82 | - |
| 八戸市 | - | - | - | 9 964 | 4 109 | 5 845 | 10 | - |
| 盛岡市 | - | - | 1 | 16 549 | 7 013 | 9 536 | 1 | - |
| 秋田市 | - | - | - | 18 271 | 9 030 | 9 241 | - | - |
| 郡山市 | 1 | - | - | 16 600 | 2 310 | 14 290 | 53 | - |
| いわき市 | 1 | - | 1 | 11 097 | 1 939 | 9 158 | 11 | 1 |
| 宇都宮市 | 1 | - | - | 21 759 | 7 568 | 14 191 | - | - |
| 前橋市 | 3 | - | 6 | 16 845 | 6 790 | 10 055 | 155 | 1 |
| 高崎市 | - | 1 | 1 | 15 987 | 9 020 | 6 967 | 127 | - |
| 川越市 | - | - | - | 13 987 | 2 453 | 11 534 | 15 | - |
| 越谷市 | - | - | - | 8 135 | 945 | 7 190 | - | - |
| 船橋市 | - | - | - | 17 599 | 4 653 | 12 946 | 2 | - |
| 柏市 | 1 | - | 4 | 8 876 | 1 780 | 7 076 | 2 | - |
| 八王子市 | 1 | - | 12 | 22 124 | 9 934 | 12 091 | 318 | - |
| 横須賀市 | - | 1 | 5 | 11 782 | 2 350 | 9 266 | 166 | - |
| 富山市 | 2 | - | - | 12 281 | 1 259 | 11 022 | 9 | 2 |
| 金沢市 | 1 | - | 27 | 22 508 | 5 424 | 17 079 | 13 | - |
| 長野市 | - | - | - | 15 147 | 4 757 | 10 390 | - | - |
| 岐阜市 | 5 | 1 | 1 | 22 974 | 4 124 | 18 850 | - | - |
| 豊橋市 | - | - | 1 | 13 633 | 2 811 | 10 822 | 49 | - |
| 豊田市 | 1 | 3 | - | 11 220 | 960 | 10 260 | 18 | 1 |
| 岡崎市 | 1 | - | 1 | 12 802 | 204 | 12 598 | 7 | 1 |
| 大津市 | - | - | - | 13 664 | 6 420 | 7 244 | - | - |
| 高槻市 | 1 | - | 1 | 16 945 | 4 222 | 12 723 | - | - |
| 東大阪市 | 1 | - | - | 16 278 | 1 660 | 14 618 | - | - |
| 豊中市 | - | - | 1 | 11 379 | 2 208 | 9 171 | 1 | - |
| 枚方市 | - | - | - | 16 881 | 5 459 | 11 210 | 8 | - |
| 姫路市 | - | - | - | 18 907 | 18 907 | - | - | - |
| 西宮市 | - | - | - | 17 749 | 4 146 | 13 603 | - | - |
| 尼崎市 | 1 | - | - | 7 256 | 2 451 | 4 805 | 1 | - |
| 奈良市 | 2 | - | - | 13 640 | 2 352 | 11 288 | 1 | 1 |
| 和歌山市 | - | - | - | 13 173 | 2 103 | 11 070 | 2 | - |
| 倉敷市 | 1 | - | - | 24 157 | 1 196 | 22 960 | 1 | - |
| 福山市 | - | - | - | 13 731 | 2 843 | 10 881 | 7 | - |
| 呉市 | - | - | 6 | 12 350 | 1 327 | 11 005 | 64 | - |
| 下関市 | - | - | - | 10 408 | 1 495 | 8 913 | - | - |
| 高松市 | 3 | - | - | 21 364 | 5 203 | 16 182 | 5 | - |
| 松山市 | - | 1 | - | 22 334 | 3 488 | 18 846 | 6 | - |
| 高知市 | 1 | - | - | 25 817 | 1 306 | 24 511 | 1 | 1 |
| 久留米市 | - | - | 10 | 13 738 | 3 051 | 10 687 | 1 | - |
| 長崎市 | - | - | - | 23 523 | 2 939 | 20 584 | 2 | - |
| 佐世保市 | - | - | - | 15 929 | 4 867 | 11 062 | - | - |
| 大分市 | 3 | - | - | 147 048 | 5 304 | 141 744 | - | 2 |
| 宮崎市 | - | - | - | 23 178 | 1 578 | 21 591 | 9 | - |
| 鹿児島市 | - | - | 2 | 25 996 | 4 240 | 21 756 | 43 | - |
| 那覇市 | 1 | 2 | 4 | 12 573 | 4 061 | 8 506 | 6 | - |
| その他政令市(再掲) | | | | | | | | |
| 小樽市 | 1 | 5 | - | 5 806 | 1 071 | 4 735 | 104 | 1 |
| 町田市 | 2 | - | 5 | 8 490 | 8 380 | - | 32 | 1 |
| 藤沢市 | 2 | - | 2 | 7 026 | 1 209 | 5 821 | 24 | 2 |
| 茅ヶ崎市 | - | - | 10 | 5 392 | 557 | 4 951 | 24 | - |
| 四日市市 | 3 | - | - | 13 331 | 873 | 12 458 | - | - |
| 大牟田市 | - | - | - | 9 435 | 1 394 | 8 041 | - | - |

# 実施件数・被発見者数，都道府県－指定都市・特別区－中核市－その他政令市、定期－接触者健診別

平成29年度

| 期 | | | | | | | | |
|---|---|---|---|---|---|---|---|---|
| 者 | | 学 | | 校 | | 長 | | |
| 発見者数 | | 健康診断受診者数 | 間接撮影者数 | 直接撮影者数 | 喀痰検査者数 | 被発見者数 | | |
| 潜在性結核感染者 | 結核発病のおそれがあると診断された者 | | | | | 結核患者 | 潜在性結核感染者 | 結核発病のおそれがあると診断された者 |
| − | − | 5 248 | 4 391 | 857 | − | − | − | − |
| − | − | 4 078 | 2 887 | 1 191 | − | − | − | − |
| − | − | 4 760 | 4 629 | 131 | − | − | − | − |
| − | − | 4 209 | 3 739 | 470 | − | − | − | − |
| − | 1 | 8 008 | 8 000 | 8 | − | − | − | − |
| − | − | 6 302 | 5 007 | 1 295 | − | − | − | − |
| − | − | 7 676 | 6 395 | 1 281 | 7 | 1 | − | − |
| − | − | 8 138 | 6 733 | 1 405 | − | − | − | 1 |
| − | − | 10 118 | 5 508 | 4 610 | − | − | − | − |
| − | 1 | 8 561 | 7 766 | 795 | − | − | − | − |
| − | − | 8 456 | 6 902 | 1 554 | − | − | 1 | − |
| − | − | 9 286 | 5 751 | 3 535 | − | − | − | − |
| − | − | 5 633 | 1 768 | 3 865 | − | − | − | − |
| − | − | 9 098 | 8 352 | 746 | − | − | − | − |
| − | − | 5 354 | 3 708 | 1 641 | 1 | 1 | − | − |
| − | − | 27 779 | 27 779 | − | − | − | − | − |
| 1 | − | 4 561 | 1 005 | 3 556 | − | − | − | − |
| − | − | 4 730 | 749 | 3 981 | − | − | − | − |
| − | 2 | 11 325 | 7 758 | 3 567 | − | − | − | 1 |
| − | − | 6 507 | 6 167 | 340 | − | − | − | − |
| 1 | − | 10 990 | 5 812 | 5 178 | − | − | − | 1 |
| − | − | 7 520 | 3 408 | 4 112 | 8 | − | − | − |
| − | − | 7 173 | 882 | 6 291 | − | − | − | − |
| − | − | 5 901 | − | 5 901 | − | − | − | − |
| − | − | 7 297 | 4 634 | 2 663 | − | − | − | − |
| − | 1 | 5 273 | 2 343 | 2 930 | − | − | − | − |
| − | − | 13 135 | 3 284 | 9 851 | − | 1 | − | − |
| − | 1 | 3 939 | 854 | 3 085 | − | − | − | − |
| − | − | 7 234 | 1 526 | 1 498 | − | − | − | − |
| − | − | 7 082 | 7 082 | − | − | − | − | − |
| − | − | 13 801 | 5 820 | 7 981 | − | − | − | − |
| − | − | 2 693 | 2 051 | 642 | 2 | 1 | − | − |
| − | − | 12 600 | 9 061 | 3 539 | − | − | − | − |
| − | − | 7 322 | 3 865 | 3 457 | − | − | − | − |
| − | − | 6 729 | 3 695 | 3 034 | − | − | − | − |
| − | − | 6 823 | 1 556 | 5 267 | − | − | − | − |
| − | 4 | 2 493 | 84 | 2 409 | − | − | − | − |
| − | − | 5 080 | 2 881 | 2 199 | − | − | − | − |
| − | − | 7 996 | 6 902 | 1 463 | 3 | 3 | − | − |
| − | − | 12 005 | 2 354 | 9 651 | 1 | − | 1 | − |
| − | − | 7 274 | 589 | 6 685 | − | − | − | − |
| − | − | 5 447 | 3 383 | 2 064 | 1 | − | − | − |
| − | − | 9 443 | 2 626 | 6 817 | − | − | − | − |
| − | − | 4 424 | 728 | 3 996 | − | − | − | − |
| − | − | 9 054 | 7 983 | 1 071 | − | − | − | − |
| − | − | 13 350 | 1 373 | 11 983 | − | − | − | − |
| − | − | 13 369 | 7 030 | 6 339 | − | − | − | − |
| 1 | 2 | 7 948 | 6 511 | 1 437 | − | − | 1 | 2 |
| 5 | − | 2 274 | 2 125 | 149 | − | − | − | − |
| − | 2 | 13 097 | 11 703 | − | 1 | 1 | − | − |
| − | − | 7 683 | 4 920 | 2 763 | − | − | − | 2 |
| − | − | 3 108 | 1 233 | 1 875 | − | − | − | − |
| − | − | 4 833 | 2 068 | 2 765 | − | 1 | − | − |
| − | − | 2 250 | 2 002 | 248 | − | − | − | − |

# 第37表(14－5) 保健所が実施した結核健康診断受診者数・集団健康診断

| | 定施設総数 | | | | | | |
|---|---|---|---|---|---|---|---|
| | 健康診断受診者数 | 間接撮影者数 | 直接撮影者数 | 喀痰検査者数 | 被発見者数 | | |
| | | | | | 結核患者 | 潜在性結核感染者 | 結核発病のおそれがあると診断された者 |
| **全国** | **713 060** | **218 728** | **499 861** | **2 394** | **51** | **20** | **101** |
| 北海道 | 35 022 | 13 436 | 21 592 | 15 | 1 | 7 | 3 |
| 青森 | 9 395 | 5 216 | 4 182 | 3 | 1 | － | － |
| 岩手 | 11 078 | 4 657 | 6 450 | 5 | － | － | 1 |
| 宮城 | 14 113 | 3 192 | 10 899 | 166 | 1 | 1 | 8 |
| 秋田 | 9 834 | 2 918 | 6 916 | 1 | 1 | － | － |
| 山形 | 11 265 | 3 749 | 7 516 | － | － | － | － |
| 福島 | 18 513 | 3 957 | 14 556 | 4 | 2 | － | 2 |
| 茨城 | 17 481 | 5 265 | 12 172 | 67 | 2 | － | － |
| 栃木 | 16 485 | 5 105 | 11 380 | 48 | 1 | － | － |
| 群馬 | 14 944 | 6 368 | 8 575 | － | － | － | 5 |
| 埼玉 | 28 295 | 7 735 | 20 540 | 65 | 1 | － | 2 |
| 千葉 | 27 131 | 7 531 | 19 644 | 88 | 1 | － | － |
| 東京 | 40 953 | 17 307 | 24 669 | 85 | 3 | － | 17 |
| 神奈川 | 27 022 | 5 728 | 21 135 | 493 | 1 | － | 1 |
| 新潟 | 19 511 | 8 551 | 11 065 | 37 | 2 | － | 1 |
| 富山 | 7 463 | 2 296 | 4 934 | － | － | － | － |
| 石川 | 9 497 | 3 192 | 6 305 | － | － | － | － |
| 福井 | 6 064 | 3 042 | 3 021 | 1 | － | － | － |
| 山梨 | 6 715 | 2 194 | 4 501 | 20 | － | － | 1 |
| 長野 | 15 821 | 4 326 | 11 488 | 29 | 4 | － | 3 |
| 岐阜 | 13 267 | 3 698 | 9 508 | 73 | 1 | － | － |
| 静岡 | 21 571 | 4 920 | 16 741 | 13 | 3 | － | 1 |
| 愛知 | 18 963 | 4 596 | 14 423 | 72 | 3 | 3 | 2 |
| 三重 | 14 607 | 4 813 | 9 794 | 14 | － | － | 17 |
| 滋賀 | 8 687 | 4 774 | 3 913 | 6 | 1 | － | － |
| 京都 | 14 292 | 2 934 | 11 358 | 4 | 2 | － | － |
| 大阪 | 31 351 | 7 072 | 24 279 | 61 | 2 | － | － |
| 兵庫 | 29 621 | 9 684 | 25 433 | 159 | 1 | － | 3 |
| 奈良 | 7 927 | 1 705 | 6 229 | 10 | 2 | － | － |
| 和歌山 | 7 201 | 920 | 6 281 | 1 | 1 | － | － |
| 鳥取 | 5 146 | 2 624 | 2 199 | 4 | － | － | － |
| 島根 | 9 517 | 6 110 | 3 417 | 15 | － | － | － |
| 岡山 | 14 393 | 3 322 | 10 912 | 159 | 2 | － | － |
| 広島 | 18 216 | 3 597 | 14 444 | 314 | － | － | 3 |
| 山口 | 18 385 | 4 575 | 13 810 | － | － | － | － |
| 徳島 | 8 027 | 3 056 | 4 971 | 2 | 3 | － | 10 |
| 香川 | 9 649 | 6 994 | 2 714 | 52 | － | － | 2 |
| 愛媛 | 10 646 | 1 767 | 8 915 | 4 | － | － | － |
| 高知 | 6 640 | 748 | 5 892 | － | － | － | － |
| 福岡 | 28 556 | 7 428 | 21 178 | 2 | 2 | 6 | 13 |
| 佐賀 | 5 314 | 1 602 | 3 712 | 1 | － | － | 1 |
| 長崎 | 12 566 | 4 606 | 7 961 | 12 | － | － | － |
| 熊本 | 12 810 | 3 386 | 9 373 | 83 | 4 | 1 | 1 |
| 大分 | 7 775 | 1 664 | 6 062 | 4 | 1 | 2 | － |
| 宮崎 | 9 543 | 1 504 | 7 942 | 97 | － | － | 1 |
| 鹿児島 | 14 618 | 2 507 | 12 047 | 100 | － | － | － |
| 沖縄 | 7 170 | 2 357 | 4 813 | 5 | 2 | － | 3 |
| 指定都市・特別区(再掲) | | | | | | | |
| 東京都区部 | 22 790 | 5 495 | 18 238 | 55 | 1 | － | 6 |
| 札幌市 | 6 686 | 2 743 | 3 943 | 15 | 1 | － | 3 |
| 仙台市 | 5 722 | 1 539 | 4 183 | 118 | 1 | 1 | － |
| さいたま市 | 5 183 | 1 597 | 3 590 | 40 | － | － | － |
| 千葉市 | 3 462 | 1 144 | 2 318 | 4 | 1 | － | － |
| 横浜市 | 13 799 | 2 898 | 10 788 | 205 | － | － | － |
| 川崎市 | 3 836 | 1 089 | 2 863 | － | － | － | － |
| 相模原市 | 1 584 | 360 | 1 224 | － | － | － | － |
| 新潟市 | 5 044 | 1 707 | 3 337 | 3 | － | － | － |
| 静岡市 | 4 499 | 1 398 | 3 101 | 6 | － | － | 1 |
| 浜松市 | 5 263 | 1 028 | 4 325 | 6 | 3 | － | － |
| 名古屋市 | 6 123 | 1 230 | 4 949 | 31 | 2 | － | － |
| 京都市 | 8 073 | 1 691 | 6 382 | 2 | 1 | － | － |
| 大阪市 | 4 227 | 829 | 3 398 | 22 | － | － | － |
| 堺市 | 5 164 | 2 703 | 2 461 | 21 | － | － | － |
| 神戸市 | 3 470 | 97 | 3 371 | 3 | － | － | 3 |
| 岡山市 | 4 325 | 139 | 4 186 | － | － | － | － |
| 広島市 | 7 985 | 1 403 | 6 581 | 1 | － | － | 1 |
| 北九州市 | 4 551 | 1 019 | 3 532 | 1 | － | 6 | － |
| 福岡市 | 6 925 | 1 343 | 5 582 | － | － | － | 2 |
| 熊本市 | 3 478 | 941 | 2 537 | － | 2 | － | － |

## 実施件数・被発見者数, 都道府県−指定都市・特別区−中核市−その他政令市、定期−接触者健診別

平成29年度

期 の 長

| 刑 事 施 設 | | | | | | | 社 会 福 祉 施 設 | |
| 健康診断受診者数 | 間接撮影者数 | 直接撮影者数 | 喀痰検査者数 | 被発見者数 結核患者 | 潜在性結核感染者 | 結核発病のおそれがあると診断された者 | 健康診断受診者数 | 間接撮影者数 |
|---:|---:|---:|---:|---:|---:|---:|---:|---:|
| 52 184 | 28 506 | 29 275 | 63 | 6 | 7 | 6 | 660 876 | 190 222 |
| 5 410 | 3 735 | 1 681 | 15 | 1 | 7 | 3 | 29 612 | 9 701 |
| 390 | 390 | – | – | – | – | – | 9 005 | 4 826 |
| 187 | 187 | – | – | – | – | – | 10 891 | 4 470 |
| 1 193 | 542 | 651 | 1 | 1 | – | – | 12 920 | 2 650 |
| 403 | 398 | 5 | – | – | – | – | 9 431 | 2 520 |
| 967 | 967 | – | – | – | – | – | 10 298 | 2 782 |
| 1 595 | 1 467 | 128 | – | – | – | – | 16 918 | 2 490 |
| 583 | 243 | 340 | – | – | – | – | 16 898 | 5 022 |
| 3 537 | 577 | 2 960 | – | – | – | – | 12 948 | 4 528 |
| 624 | 618 | 6 | – | – | – | – | 14 320 | 5 750 |
| 762 | 729 | 33 | – | – | – | – | 27 533 | 7 006 |
| 292 | – | 292 | – | – | – | – | 26 839 | 7 531 |
| 3 747 | – | 3 747 | 12 | 1 | – | – | 37 206 | 17 307 |
| 1 473 | 81 | 1 391 | 1 | – | – | – | 25 549 | 5 647 |
| 522 | 522 | – | – | – | – | – | 18 989 | 8 029 |
| 352 | – | 352 | – | – | – | – | 7 111 | 2 296 |
| 476 | – | 476 | – | – | – | – | 9 021 | 3 192 |
| 277 | 276 | 1 | – | – | – | – | 5 787 | 2 766 |
| 361 | 361 | – | – | – | – | – | 6 354 | 1 833 |
| 1 194 | 1 154 | 42 | 1 | – | – | – | 14 627 | 3 172 |
| 1 090 | 26 | 1 064 | – | 1 | – | – | 12 177 | 3 672 |
| 653 | 652 | 1 | – | – | – | – | 20 918 | 4 268 |
| 1 669 | 1 622 | 47 | – | – | – | – | 17 294 | 2 974 |
| 557 | 553 | 4 | – | – | – | – | 14 050 | 4 260 |
| 498 | 498 | – | – | – | – | – | 8 189 | 4 276 |
| 1 755 | 955 | 800 | – | – | – | – | 12 537 | 1 979 |
| 2 079 | 1 799 | 280 | 19 | – | – | – | 29 272 | 5 273 |
| 2 583 | 1 953 | 6 220 | 3 | – | – | – | 27 038 | 7 731 |
| – | – | – | – | – | – | – | 7 927 | 1 705 |
| 480 | 12 | 468 | – | – | – | – | 6 721 | 908 |
| – | – | – | – | – | – | – | 5 146 | 2 624 |
| 2 426 | 2 426 | – | 8 | – | – | – | 7 091 | 3 684 |
| 655 | 11 | 644 | – | – | – | – | 13 738 | 3 311 |
| 1 449 | 210 | 1 239 | – | – | – | – | 16 767 | 3 387 |
| 1 547 | 686 | 861 | – | – | – | – | 16 838 | 3 889 |
| 851 | 567 | 284 | – | – | – | – | 7 176 | 2 489 |
| 882 | – | 882 | – | – | – | – | 8 767 | 6 994 |
| 741 | 5 | 736 | – | – | – | – | 9 905 | 1 762 |
| 347 | – | 347 | – | – | – | – | 6 293 | 748 |
| 3 245 | 996 | 2 249 | – | – | – | – | 25 311 | 6 432 |
| 856 | 430 | 426 | – | – | – | – | 4 458 | 1 172 |
| 957 | 957 | – | – | – | – | – | 11 609 | 3 649 |
| 426 | 408 | 18 | – | – | – | – | 12 384 | 2 978 |
| 867 | 807 | 60 | – | – | – | – | 6 908 | 857 |
| 280 | – | 280 | – | – | – | – | 9 263 | 1 504 |
| 441 | 441 | – | – | – | – | – | 14 177 | 2 066 |
| 505 | 245 | 260 | 3 | 2 | – | 3 | 6 665 | 2 112 |
| 1 702 | – | 1 702 | – | – | – | – | 21 088 | 5 495 |
| 2 605 | 971 | 1 634 | 15 | 1 | – | 3 | 4 081 | 1 772 |
| 1 193 | 542 | 651 | 1 | 1 | – | – | 4 529 | 997 |
| 79 | 46 | 33 | – | – | – | – | 5 104 | 1 551 |
| – | – | – | – | – | – | – | 3 462 | 1 144 |
| 1 303 | – | 1 303 | – | – | – | – | 12 496 | 2 898 |
| – | – | – | – | – | – | – | 3 836 | 1 089 |
| 15 | 15 | – | – | – | – | – | 1 569 | 345 |
| 522 | 522 | – | – | – | – | – | 4 522 | 1 185 |
| 653 | 652 | 1 | – | – | – | – | 3 846 | 746 |
| – | – | – | – | – | – | – | 5 263 | 1 028 |
| 40 | – | 40 | – | – | – | – | 6 083 | 1 230 |
| 1 748 | 948 | 800 | – | – | – | – | 6 325 | 743 |
| 208 | – | 208 | – | – | – | – | 4 019 | 829 |
| 1 871 | 1 799 | 72 | 19 | – | – | – | 3 293 | 904 |
| – | – | – | – | – | – | – | 3 470 | 97 |
| 644 | – | 644 | – | – | – | – | 3 681 | 139 |
| 1 233 | – | 1 233 | – | – | – | – | 6 752 | 1 403 |
| 25 | – | 25 | – | – | – | – | 4 526 | 1 019 |
| 1 687 | – | 1 687 | – | – | – | – | 5 238 | 1 343 |
| 423 | 408 | 15 | – | – | – | – | 3 055 | 533 |

# 第37表(14－6) 保健所が実施した結核健康診断受診者数・集団健康診断

| | 定施設 総数 健康診断受診者数 | 定施設 総数 間接撮影者数 | 定施設 総数 直接撮影者数 | 定施設 総数 喀痰検査者数 | 定施設 総数 被発見者数 結核患者 | 定施設 総数 被発見者数 潜在性結核感染者 | 定施設 総数 被発見者数 結核発病のおそれがあると診断された者 |
|---|---|---|---|---|---|---|---|
| 中核市(再掲) | | | | | | | |
| 旭川市 | 2 428 | 1 586 | 842 | - | - | - | - |
| 函館市 | 2 358 | 899 | 1 459 | - | - | - | - |
| 青森市 | 2 430 | 1 469 | 961 | - | - | - | - |
| 八戸市 | 742 | 253 | 489 | - | - | - | - |
| 盛岡市 | 1 639 | 698 | 941 | - | - | - | - |
| 秋田市 | 2 476 | 953 | 1 523 | - | - | - | - |
| 郡山市 | 1 645 | 53 | 1 592 | - | - | - | - |
| いわき市 | 1 965 | 525 | 1 441 | 1 | - | - | - |
| 宇都宮市 | 2 158 | 950 | 1 208 | - | 1 | - | - |
| 前橋市 | 2 808 | 1 716 | 1 092 | - | - | - | 5 |
| 高崎市 | 2 423 | 1 710 | 713 | - | - | - | - |
| 川越市 | 1 658 | 1 118 | 540 | - | - | - | - |
| 越谷市 | 433 | 106 | 327 | - | - | - | - |
| 船橋市 | 1 889 | 433 | 1 456 | 1 | - | - | - |
| 柏市 | 1 446 | 268 | 1 182 | 24 | - | - | - |
| 八王子市 | 2 669 | 2 669 | - | - | - | - | - |
| 横須賀市 | 2 947 | 359 | 2 309 | 287 | - | - | - |
| 富山市 | 2 739 | 885 | 1 621 | - | - | - | - |
| 金沢市 | 2 833 | 1 014 | 1 819 | - | - | - | - |
| 長野市 | 2 560 | 359 | 2 201 | - | - | - | - |
| 岐阜市 | 2 454 | 880 | 1 574 | - | 1 | - | - |
| 豊橋市 | 833 | 264 | 569 | 1 | - | - | 1 |
| 豊田市 | 1 476 | 240 | 1 236 | - | - | 3 | - |
| 岡崎市 | 1 177 | 225 | 952 | - | - | - | - |
| 大津市 | 1 930 | 1 172 | 758 | 5 | - | - | - |
| 高槻市 | 2 048 | 186 | 1 862 | - | 1 | - | - |
| 東大阪市 | 2 472 | 140 | 2 332 | - | - | - | - |
| 豊中市 | 1 232 | 232 | 1 000 | 3 | - | - | - |
| 枚方市 | 1 292 | 191 | 1 101 | 3 | - | - | - |
| 姫路市 | 2 651 | 2 651 | - | - | - | - | - |
| 西宮市 | 1 936 | 436 | 1 500 | - | - | - | - |
| 尼崎市 | 1 148 | 49 | 1 099 | - | - | - | - |
| 奈良市 | 1 990 | 208 | 1 782 | 1 | 1 | - | - |
| 和歌山市 | 2 641 | 450 | 2 191 | 1 | - | - | - |
| 倉敷市 | 1 480 | 558 | 922 | - | - | - | - |
| 福山市 | 1 765 | 304 | 1 372 | 89 | - | - | - |
| 呉市 | 1 417 | 177 | 1 191 | 49 | - | - | 2 |
| 下関市 | 3 880 | 814 | 3 066 | - | - | - | - |
| 高松市 | 3 188 | 582 | 2 605 | 1 | - | - | - |
| 松山市 | 2 122 | 651 | 1 471 | 2 | - | - | - |
| 高知市 | 2 129 | 314 | 1 815 | - | - | - | - |
| 久留米市 | 1 174 | 134 | 1 040 | 1 | - | - | 10 |
| 長崎市 | 2 613 | 460 | 2 153 | 1 | - | - | - |
| 佐世保市 | 2 362 | 1 668 | 694 | 2 | - | - | - |
| 大分市 | 2 191 | 807 | 1 384 | - | 1 | - | - |
| 宮崎市 | 2 621 | 266 | 2 290 | 65 | - | - | - |
| 鹿児島市 | 3 022 | 412 | 2 610 | 9 | - | - | - |
| 那覇市 | 842 | 344 | 498 | - | - | - | - |
| その他政令市(再掲) | | | | | | | |
| 小樽市 | 1 004 | 299 | 705 | - | - | - | - |
| 町田市 | 1 276 | 1 267 | - | 1 | - | - | 3 |
| 藤沢市 | 335 | 135 | 267 | - | - | - | - |
| 茅ヶ崎市 | 810 | 235 | 622 | 1 | - | - | 1 |
| 四日市市 | 1 694 | 319 | 1 375 | - | - | - | - |
| 大牟田市 | 1 072 | 264 | 808 | - | - | - | - |

# 実施件数・被発見者数，都道府県－指定都市・特別区－中核市－その他政令市、定期－接触者健診別

平成29年度

| 期 | | | | | | | | |
|---|---|---|---|---|---|---|---|---|
| の | | | | | | 長 | | |
| 刑 | | 事 | | 施 | | 設 | 社会福祉施設 | |
| 健康診断受診者数 | 間接撮影者数 | 直接撮影者数 | 喀痰検査者数 | 被発見者数 結核患者 | 被発見者数 潜在性結核感染者 | 被発見者数 結核発病のおそれがあると診断された者 | 健康診断受診者数 | 間接撮影者数 |
| 211 | 211 | － | － | － | － | － | 2 217 | 1 375 |
| 631 | 631 | － | － | － | － | － | 1 727 | 268 |
| 387 | 387 | － | － | － | － | － | 2 043 | 1 082 |
| 3 | 3 | － | － | － | － | － | 739 | 250 |
| 177 | 177 | － | － | － | － | － | 1 462 | 521 |
| 394 | 391 | 3 | － | － | － | － | 2 082 | 562 |
| － | － | － | － | － | － | － | 1 645 | 53 |
| － | － | － | － | － | － | － | 1 965 | 525 |
| 127 | － | 127 | － | － | － | － | 2 031 | 950 |
| 624 | 618 | 6 | － | － | － | － | 2 184 | 1 098 |
| － | － | － | － | － | － | － | 2 423 | 1 710 |
| 653 | 653 | － | － | － | － | － | 1 005 | 465 |
| － | － | － | － | － | － | － | 433 | 106 |
| － | － | － | － | － | － | － | 1 889 | 433 |
| － | － | － | － | － | － | － | 1 446 | 268 |
| － | － | － | － | － | － | － | 2 669 | 2 669 |
| 67 | 66 | － | 1 | － | － | － | 2 880 | 293 |
| 352 | － | 352 | － | － | － | － | 2 387 | 885 |
| 476 | － | 476 | － | － | － | － | 2 357 | 1 014 |
| － | － | － | － | － | － | － | 2 560 | 359 |
| 626 | 26 | 600 | － | 1 | － | － | 1 828 | 854 |
| 30 | 30 | － | － | － | － | － | 803 | 234 |
| － | － | － | － | － | － | － | 1 476 | 240 |
| 140 | 139 | 1 | － | － | － | － | 1 037 | 86 |
| 498 | 498 | － | － | － | － | － | 1 432 | 674 |
| － | － | － | － | － | － | － | 2 048 | 186 |
| － | － | － | － | － | － | － | 2 472 | 140 |
| － | － | － | － | － | － | － | 1 232 | 232 |
| － | － | － | － | － | － | － | 1 292 | 191 |
| 143 | 143 | － | － | － | － | － | 2 508 | 2 508 |
| － | － | － | － | － | － | － | 1 936 | 436 |
| － | － | － | － | － | － | － | 1 148 | 49 |
| － | － | － | － | － | － | － | 1 990 | 208 |
| 480 | 12 | 468 | － | － | － | － | 2 161 | 438 |
| － | － | － | － | － | － | － | 1 480 | 558 |
| － | － | － | － | － | － | － | 1 765 | 304 |
| 6 | － | 6 | － | － | － | － | 1 411 | 177 |
| － | － | － | － | － | － | － | 3 880 | 814 |
| 882 | － | 882 | － | － | － | － | 2 306 | 582 |
| － | － | － | － | － | － | － | 2 122 | 651 |
| 347 | － | 347 | － | － | － | － | 1 782 | 314 |
| － | － | － | － | － | － | － | 1 174 | 134 |
| － | － | － | － | － | － | － | 2 613 | 460 |
| 435 | 435 | － | － | － | － | － | 1 927 | 1 233 |
| 867 | 807 | 60 | － | － | － | － | 1 324 | － |
| 280 | － | 280 | － | － | － | － | 2 341 | 266 |
| － | － | － | － | － | － | － | 3 022 | 412 |
| － | － | － | － | － | － | － | 842 | 344 |
| － | － | － | － | － | － | － | 1 004 | 299 |
| － | － | － | － | － | － | － | 1 276 | 1 267 |
| － | － | － | － | － | － | － | 335 | 135 |
| － | － | － | － | － | － | － | 810 | 235 |
| 4 | － | 4 | － | － | － | － | 1 690 | 319 |
| － | － | － | － | － | － | － | 1 072 | 264 |

# 第37表(14－7) 保健所が実施した結核健康診断受診者数・集団健康診断

| | 定 | | | | | | |
|---|---|---|---|---|---|---|---|
| | 施設の長 | | | | | 市 | |
| | 社会福祉施設 | | | | | 総 | |
| | 直接撮影者数 | 喀痰検査者数 | 被発見者数 結核患者 | 被発見者数 潜在性結核感染者 | 被発見者数 結核発病のおそれがあると診断された者 | 健康診断受診者数 | 間接撮影者数 |
| **全国** | **470 586** | **2 331** | **45** | **13** | **95** | **6 646 336** | **2 412 745** |
| 北海道 | 19 911 | - | - | - | - | 127 653 | 100 647 |
| 青森 | 4 182 | 3 | 1 | - | - | 83 235 | 77 533 |
| 岩手 | 6 450 | 5 | - | - | 1 | 90 333 | 77 167 |
| 宮城 | 10 248 | 165 | - | 1 | 8 | 196 174 | 98 670 |
| 秋田 | 6 911 | 1 | 1 | - | - | 56 014 | 54 058 |
| 山形 | 7 516 | - | - | - | - | 122 644 | 69 009 |
| 福島 | 14 428 | 4 | 2 | - | 2 | 156 376 | 76 853 |
| 茨城 | 11 832 | 67 | 2 | - | - | 217 438 | 200 505 |
| 栃木 | 8 420 | 48 | 1 | - | - | 110 806 | 55 893 |
| 群馬 | 8 569 | - | - | - | 5 | 157 635 | 78 303 |
| 埼玉 | 20 507 | 65 | 1 | - | 2 | 371 517 | 38 459 |
| 千葉 | 19 352 | 88 | 1 | - | - | 346 223 | 50 979 |
| 東京 | 20 922 | 73 | 2 | - | 17 | 1 084 662 | 312 923 |
| 神奈川 | 19 744 | 492 | 1 | - | 1 | 138 894 | 4 790 |
| 新潟 | 11 065 | 37 | 2 | - | 1 | 170 758 | 131 371 |
| 富山 | 4 582 | - | - | - | - | 90 282 | 18 625 |
| 石川 | 5 829 | - | - | - | - | 85 002 | 31 070 |
| 福井 | 3 020 | 1 | - | - | - | 36 249 | 27 751 |
| 山梨 | 4 501 | 20 | - | - | 1 | 76 330 | 53 851 |
| 長野 | 11 446 | 28 | 4 | - | 3 | 111 295 | 88 351 |
| 岐阜 | 8 444 | 73 | - | - | - | 124 850 | 25 038 |
| 静岡 | 16 740 | 13 | 3 | - | 1 | 277 006 | 59 028 |
| 愛知 | 14 376 | 72 | 3 | 3 | 2 | 503 274 | 25 376 |
| 三重 | 9 790 | 14 | - | - | 17 | 109 081 | 21 581 |
| 滋賀 | 3 913 | 6 | 1 | - | - | 59 790 | 28 260 |
| 京都 | 10 558 | 4 | 2 | - | - | 71 404 | 17 171 |
| 大阪 | 23 999 | 42 | 2 | - | - | 242 586 | 45 421 |
| 兵庫 | 19 213 | 156 | 1 | - | 3 | 193 613 | 76 569 |
| 奈良 | 6 229 | 10 | 2 | - | - | 27 712 | 4 888 |
| 和歌山 | 5 813 | 1 | 1 | - | - | 35 949 | 5 559 |
| 鳥取 | 2 199 | 4 | - | - | - | 29 383 | 14 052 |
| 島根 | 3 417 | 7 | - | - | - | 46 999 | 20 476 |
| 岡山 | 10 268 | 159 | 2 | - | - | 125 086 | 63 205 |
| 広島 | 13 205 | 314 | - | - | 3 | 69 080 | 10 950 |
| 山口 | 12 949 | - | - | - | - | 47 585 | 23 814 |
| 徳島 | 4 687 | 2 | 3 | - | 10 | 20 506 | 5 437 |
| 香川 | 1 832 | 52 | - | - | 2 | 64 456 | 64 456 |
| 愛媛 | 8 179 | 4 | - | - | - | 43 471 | 1 721 |
| 高知 | 5 545 | - | - | - | - | 47 615 | 2 401 |
| 福岡 | 18 929 | 2 | 2 | 6 | 13 | 90 692 | 51 513 |
| 佐賀 | 3 286 | 1 | - | - | 1 | 35 096 | 33 690 |
| 長崎 | 7 961 | 12 | - | - | - | 73 590 | 15 853 |
| 熊本 | 9 355 | 83 | 4 | 1 | 1 | 106 972 | 31 845 |
| 大分 | 6 002 | 4 | 1 | 2 | - | 73 344 | 20 384 |
| 宮崎 | 7 662 | 97 | - | - | 1 | 78 191 | 5 586 |
| 鹿児島 | 12 047 | 100 | - | - | - | 162 421 | 66 613 |
| 沖縄 | 4 553 | 2 | - | - | - | 57 064 | 25 050 |
| 指定都市・特別区(再掲) | | | | | | | |
| 東京都区部 | 16 536 | 55 | 1 | - | 6 | 744 366 | 223 363 |
| 札幌市 | 2 309 | - | - | - | - | 12 295 | 12 295 |
| 仙台市 | 3 532 | 117 | - | 1 | - | 53 476 | - |
| さいたま市 | 3 557 | 40 | - | - | - | 93 632 | - |
| 千葉市 | 2 318 | 4 | 1 | - | - | 76 585 | - |
| 横浜市 | 9 485 | 205 | - | - | - | 5 981 | 314 |
| 川崎市 | 2 863 | - | - | - | - | 41 | - |
| 相模原市 | 1 224 | - | - | - | - | 1 705 | 1 |
| 新潟市 | 3 337 | 3 | - | - | - | 29 859 | 5 959 |
| 静岡市 | 3 100 | 6 | - | - | 1 | 42 699 | 593 |
| 浜松市 | 4 325 | 6 | 3 | - | - | 74 842 | - |
| 名古屋市 | 4 909 | 31 | 2 | - | - | 98 611 | 453 |
| 京都市 | 5 582 | 2 | 1 | - | - | 27 428 | - |
| 大阪市 | 3 190 | 22 | - | - | - | 17 067 | 162 |
| 堺市 | 2 389 | 2 | - | - | - | 6 202 | - |
| 神戸市 | 3 371 | 3 | - | - | 3 | 51 471 | - |
| 岡山市 | 3 542 | - | - | - | - | 40 676 | - |
| 広島市 | 5 348 | 1 | - | - | 1 | 13 705 | - |
| 北九州市 | 3 507 | 1 | - | 6 | - | 10 907 | - |
| 福岡市 | 3 895 | - | - | - | 2 | 9 668 | 2 750 |
| 熊本市 | 2 522 | - | 2 | - | - | 15 627 | - |

# 実施件数・被発見者数，都道府県－指定都市・特別区－中核市－その他政令市、定期－接触者健診別

平成29年度

| 期<br>町村長又は特別区の区長<br>数 | | | | | 65歳以上 | | | |
|---|---|---|---|---|---|---|---|---|
| 直接撮影者数 | 喀痰検査者数 | 被発見者数<br>結核患者 | 被発見者数<br>潜在性結核感染者 | 被発見者数<br>結核発病のおそれがあると診断された者 | 健康診断受診者数 | 間接撮影者数 | 直接撮影者数 | 喀痰検査者数 |
| **4 240 772** | **50 105** | **240** | **7** | **7 378** | **6 326 073** | **2 278 179** | **4 055 044** | **47 028** |
| 27 314 | 79 | － | － | 3 | 125 508 | 98 588 | 27 205 | 74 |
| 5 680 | 22 | 3 | － | － | 79 920 | 74 429 | 5 469 | 22 |
| 12 522 | 412 | 5 | － | 10 | 90 313 | 77 147 | 12 522 | 412 |
| 97 440 | 4 861 | 7 | － | 4 393 | 195 229 | 98 670 | 96 495 | 4 861 |
| 2 059 | 131 | － | － | 2 | 56 014 | 54 058 | 2 059 | 131 |
| 53 635 | 41 | － | － | 1 | 111 785 | 60 545 | 51 240 | 10 |
| 79 505 | 311 | － | － | 19 | 155 582 | 76 059 | 79 505 | 297 |
| 17 038 | 663 | 2 | － | 11 | 177 808 | 160 875 | 17 030 | 589 |
| 54 913 | 2 | － | － | 4 | 110 806 | 55 893 | 54 913 | 2 |
| 79 332 | 2 225 | 3 | － | 3 | 148 811 | 73 545 | 75 266 | 2 225 |
| 332 933 | 9 404 | 21 | － | 2 323 | 371 517 | 38 459 | 332 933 | 9 404 |
| 295 244 | 1 966 | 14 | － | 14 | 345 192 | 50 920 | 294 272 | 1 962 |
| 771 741 | 2 179 | 71 | － | 59 | 1 012 692 | 274 968 | 737 724 | 2 100 |
| 134 100 | 938 | 6 | － | 47 | 122 304 | 4 082 | 118 218 | 854 |
| 39 387 | 1 038 | 4 | － | － | 165 868 | 129 021 | 36 847 | 1 001 |
| 71 657 | － | － | － | － | 90 282 | 18 625 | 71 657 | － |
| 53 932 | 247 | 1 | － | 24 | 83 996 | 30 064 | 53 932 | 247 |
| 8 498 | 57 | － | － | 3 | 36 249 | 27 751 | 8 498 | 57 |
| 22 396 | 746 | － | － | － | 63 506 | 42 984 | 20 460 | 662 |
| 23 142 | 1 803 | 1 | － | 3 | 111 142 | 88 198 | 23 142 | 1 803 |
| 99 812 | 322 | 15 | 1 | 1 | 112 987 | 24 405 | 88 582 | 304 |
| 217 979 | 10 965 | 3 | － | 4 | 253 015 | 57 727 | 195 289 | 8 610 |
| 482 949 | 3 112 | 17 | － | 26 | 495 419 | 23 688 | 476 782 | 3 112 |
| 87 500 | 9 | 5 | － | － | 105 035 | 18 967 | 86 068 | 6 |
| 33 640 | 1 | 2 | － | 21 | 58 150 | 28 071 | 32 189 | 1 |
| 54 144 | 361 | 2 | － | 4 | 59 919 | 17 171 | 42 659 | 361 |
| 197 327 | 220 | 36 | 3 | 102 | 207 749 | 40 234 | 167 677 | 215 |
| 117 088 | 1 039 | 5 | － | 223 | 166 159 | 71 850 | 94 353 | 900 |
| 22 824 | 10 | － | － | － | 25 644 | 4 574 | 21 070 | 9 |
| 30 390 | 47 | － | － | － | 35 937 | 5 559 | 30 378 | 47 |
| 10 811 | 276 | － | － | － | 29 383 | 14 052 | 10 811 | 276 |
| 26 565 | 1 | 2 | － | － | 46 885 | 20 364 | 26 563 | 1 |
| 61 015 | 885 | 3 | 1 | 9 | 125 086 | 63 205 | 61 015 | 885 |
| 58 100 | 341 | － | － | 2 | 67 071 | 10 950 | 56 091 | 340 |
| 23 660 | 625 | 1 | － | 1 | 47 181 | 23 410 | 23 660 | 625 |
| 15 069 | 192 | － | － | － | 20 506 | 5 437 | 15 069 | 192 |
| 652 | 6 | 1 | － | － | 64 456 | 64 456 | 652 | 6 |
| 41 750 | 1 | － | － | － | 43 471 | 1 721 | 41 750 | 1 |
| 45 214 | － | 3 | 2 | 1 | 47 615 | 2 401 | 45 214 | － |
| 39 314 | 387 | － | － | 6 | 79 610 | 46 712 | 33 014 | 313 |
| 1 406 | 322 | － | － | 1 | 35 095 | 33 690 | 1 405 | 322 |
| 57 820 | 1 084 | 1 | － | 5 | 73 590 | 15 853 | 57 820 | 1 084 |
| 75 127 | 329 | 1 | － | － | 106 295 | 31 168 | 75 127 | 329 |
| 52 959 | 715 | 2 | － | 1 | 73 344 | 20 384 | 52 959 | 715 |
| 77 642 | 467 | 1 | － | 45 | 72 462 | 5 586 | 71 913 | 398 |
| 95 623 | 688 | 1 | － | 2 | 162 421 | 66 613 | 95 623 | 688 |
| 31 924 | 575 | 1 | － | 5 | 57 064 | 25 050 | 31 924 | 575 |
| 521 005 | － | 56 | － | 47 | 679 767 | 185 916 | 493 851 | － |
| － | － | － | － | － | 12 082 | 12 082 | － | － |
| 53 476 | 39 | 7 | － | － | 52 531 | － | 52 531 | 39 |
| 93 632 | 2 291 | 12 | － | 2 231 | 93 632 | － | 93 632 | 2 291 |
| 76 585 | 4 | 5 | － | 1 | 75 839 | － | 75 839 | － |
| 5 665 | － | 5 | － | 16 | 3 758 | 178 | 3 577 | － |
| 41 | － | － | － | － | － | － | － | － |
| 1 704 | － | － | － | 17 | 1 704 | － | 1 704 | － |
| 23 900 | － | － | － | － | 29 569 | 5 767 | 23 802 | － |
| 42 106 | － | 1 | － | － | 42 699 | 593 | 42 106 | － |
| 74 842 | 1 195 | － | － | 3 | 57 122 | － | 57 122 | 1 047 |
| 98 158 | － | 13 | － | 1 | 98 055 | － | 98 055 | － |
| 27 428 | － | － | － | － | 19 438 | － | 19 438 | － |
| 17 067 | － | 23 | － | 14 | 7 029 | 162 | 7 029 | － |
| 6 202 | － | 2 | － | 50 | 4 402 | － | 4 402 | － |
| 51 471 | － | 3 | － | 223 | 33 020 | － | 33 020 | － |
| 40 676 | － | － | － | － | 40 676 | － | 40 676 | － |
| 13 705 | － | － | － | 1 | 13 705 | － | 13 705 | － |
| 10 907 | 88 | － | － | 4 | 7 114 | － | 7 114 | 44 |
| 7 053 | － | － | － | 1 | 8 026 | 2 457 | 5 685 | － |
| 15 627 | － | 1 | － | － | 15 627 | － | 15 627 | － |

# 第37表(14－8) 保健所が実施した結核健康診断受診者数・集団健康診断

| | 定 | | | | | | |
|---|---|---|---|---|---|---|---|
| | 施設の長 | | | | | 市 | |
| | 社会福祉施設 | | | | | | 総 |
| | 直接撮影者数 | 喀痰検査者数 | 被発見者数 | | | 健康診断受診者数 | 間接撮影者数 |
| | | | 結核患者 | 潜在性結核感染者 | 結核発病のおそれがあると診断された者 | | |
| 中核市(再掲) | | | | | | | |
| 旭川市 | 842 | - | - | - | - | 6 454 | 6 454 |
| 函館市 | 1 459 | - | - | - | - | 6 504 | 260 |
| 青森市 | 961 | - | - | - | - | 9 016 | 8 079 |
| 八戸市 | 489 | - | - | - | - | 13 131 | 13 131 |
| 盛岡市 | 941 | - | - | - | - | 2 380 | 2 380 |
| 秋田市 | 1 520 | - | - | - | - | 6 747 | 6 747 |
| 郡山市 | 1 592 | - | - | - | - | 22 048 | - |
| いわき市 | 1 441 | 1 | - | - | - | 20 015 | - |
| 宇都宮市 | 1 081 | - | 1 | - | - | 32 936 | - |
| 前橋市 | 1 086 | - | - | - | 5 | 35 576 | 2 494 |
| 高崎市 | 713 | - | - | - | - | 18 430 | 16 328 |
| 川越市 | 540 | - | - | - | - | 1 353 | - |
| 越谷市 | 327 | - | - | - | - | 19 483 | - |
| 船橋市 | 1 456 | 1 | - | - | - | 125 | - |
| 柏市 | 1 182 | 24 | - | - | - | 13 032 | 13 032 |
| 八王子市 | - | - | - | - | - | 67 091 | 67 091 |
| 横須賀市 | 2 309 | 286 | - | - | - | 19 426 | - |
| 富山市 | 1 269 | - | - | - | - | 29 499 | 7 754 |
| 金沢市 | 1 343 | - | - | - | - | 43 765 | 1 718 |
| 長野市 | 2 201 | - | - | - | - | 9 873 | 9 873 |
| 岐阜市 | 974 | - | - | - | - | 8 901 | - |
| 豊橋市 | 569 | 1 | - | - | 1 | 23 163 | 2 482 |
| 豊田市 | 1 236 | - | - | 3 | - | 30 595 | - |
| 岡崎市 | 951 | - | - | - | - | 48 694 | - |
| 大津市 | 758 | 5 | - | - | - | - | - |
| 高槻市 | 1 862 | - | 1 | - | - | 30 151 | 3 610 |
| 東大阪市 | 2 332 | - | - | - | - | 14 506 | - |
| 豊中市 | 1 000 | 3 | - | - | - | 1 977 | - |
| 枚方市 | 1 101 | 3 | - | - | - | - | - |
| 姫路市 | - | - | - | - | - | 5 280 | - |
| 西宮市 | 1 500 | - | - | - | - | 10 481 | 1 054 |
| 尼崎市 | 1 099 | - | - | - | - | 6 892 | - |
| 奈良市 | 1 782 | 1 | 1 | - | - | 103 | - |
| 和歌山市 | 1 723 | 1 | - | - | - | 1 009 | - |
| 倉敷市 | 922 | - | - | - | - | 22 847 | 22 278 |
| 福山市 | 1 372 | 89 | - | - | - | 15 796 | - |
| 呉市 | 1 185 | 49 | - | - | 2 | 4 978 | - |
| 下関市 | 3 066 | - | - | - | - | 3 269 | 2 132 |
| 高松市 | 1 723 | 1 | - | - | - | 13 604 | 13 604 |
| 松山市 | 1 471 | 2 | - | - | - | 11 062 | - |
| 高知市 | 1 468 | - | - | - | - | 4 084 | - |
| 久留米市 | 1 040 | 1 | - | - | 10 | 1 206 | 1 206 |
| 長崎市 | 2 153 | 1 | - | - | - | 10 694 | 10 362 |
| 佐世保市 | 694 | 2 | - | - | - | 14 057 | - |
| 大分市 | 1 324 | - | 1 | - | - | 20 633 | - |
| 宮崎市 | 2 010 | 65 | - | - | - | 21 205 | - |
| 鹿児島市 | 2 610 | 9 | - | - | - | 16 440 | 15 500 |
| 那覇市 | 498 | - | - | - | - | 11 599 | 320 |
| その他政令市(再掲) | | | | | | | |
| 小樽市 | 705 | - | - | - | - | 1 689 | 1 689 |
| 町田市 | - | 1 | - | - | 3 | 51 354 | - |
| 藤沢市 | 267 | - | - | - | - | 54 162 | - |
| 茅ヶ崎市 | 622 | 1 | - | - | 1 | 28 053 | - |
| 四日市市 | 1 371 | - | - | - | - | 9 498 | - |
| 大牟田市 | 808 | - | - | - | - | 1 039 | - |

## 実施件数・被発見者数，都道府県－指定都市・特別区－中核市－その他政令市、定期－接触者健診別

平成29年度

| 期 | | | | | | | | |
|---|---|---|---|---|---|---|---|---|
| 町村長又は特別区の区長 | | | | | | | | |
| 数 | | | | | 65歳以上 | | | |
| 直接撮影者数 | 喀痰検査者数 | 被発見者数 結核患者 | 被発見者数 潜在性結核感染者 | 被発見者数 結核発病のおそれがあると診断された者 | 健康診断受診者数 | 間接撮影者数 | 直接撮影者数 | 喀痰検査者数 |
| - | - | - | - | - | 6 454 | 6 454 | - | - |
| 6 244 | - | - | - | - | 6 504 | 260 | 6 244 | - |
| 937 | - | 1 | - | - | 5 880 | 5 151 | 729 | - |
| - | - | - | - | - | 13 131 | 13 131 | - | - |
| - | - | - | - | - | 2 380 | 2 380 | - | - |
| - | - | - | - | - | 6 747 | 6 747 | - | - |
| 22 048 | - | - | - | - | 22 048 | - | 22 048 | - |
| 20 015 | - | - | - | - | 20 015 | - | 20 015 | - |
| 32 936 | - | - | - | - | 32 936 | - | 32 936 | - |
| 33 082 | 2 217 | 2 | - | - | 35 576 | 2 494 | 33 082 | 2 217 |
| 2 102 | - | - | - | 1 | 18 430 | 16 328 | 2 102 | - |
| 1 353 | 319 | - | - | - | 1 353 | - | 1 353 | 319 |
| 19 483 | - | - | - | - | 19 483 | - | 19 483 | - |
| 125 | - | - | - | - | 68 | - | 68 | - |
| - | 527 | - | - | 4 | 13 032 | 13 032 | - | 527 |
| - | 1 883 | 1 | - | 12 | 67 091 | 67 091 | - | 1 883 |
| 19 426 | - | - | - | 5 | 19 415 | - | 19 415 | - |
| 21 745 | - | - | - | - | 29 499 | 7 754 | 21 745 | - |
| 42 047 | - | 1 | - | 24 | 43 765 | 1 718 | 42 047 | - |
| - | 469 | - | - | - | 9 873 | 9 873 | - | 469 |
| 8 901 | - | 4 | - | - | 5 813 | - | 5 813 | - |
| 20 681 | - | - | - | - | 15 923 | 1 247 | 14 676 | - |
| 30 595 | 2 883 | - | - | - | 30 595 | - | 30 595 | 2 883 |
| 48 694 | - | - | - | 1 | 48 694 | - | 48 694 | - |
| - | - | - | - | - | - | - | - | - |
| 26 541 | - | - | - | - | 30 151 | 3 610 | 26 541 | - |
| 14 506 | - | - | - | - | 14 506 | - | 14 506 | - |
| 1 977 | - | - | - | - | 1 977 | - | 1 977 | - |
| - | - | - | - | - | - | - | - | - |
| 5 280 | - | - | - | - | 5 280 | - | 5 280 | - |
| 9 427 | 324 | - | - | - | 6 959 | 809 | 6 150 | 235 |
| 6 892 | - | - | - | - | 6 790 | - | 6 790 | - |
| 103 | - | - | - | - | 103 | - | 103 | - |
| 1 009 | - | - | - | - | 997 | - | 997 | - |
| - | 569 | 1 | - | - | 22 847 | 22 278 | - | 569 |
| 15 796 | 127 | - | - | - | 15 796 | - | 15 796 | 127 |
| 4 978 | - | - | - | - | 4 978 | - | 4 978 | - |
| 1 137 | - | - | - | - | 3 269 | 2 132 | 1 137 | - |
| - | - | - | - | - | 13 604 | 13 604 | - | - |
| 11 062 | - | - | - | - | 11 062 | - | 11 062 | - |
| 4 084 | - | - | - | - | 4 084 | - | 4 084 | - |
| - | - | - | - | - | 1 206 | 1 206 | - | - |
| 332 | 197 | - | - | - | 10 694 | 10 362 | 332 | 197 |
| 14 057 | 50 | - | - | - | 14 057 | - | 14 057 | 50 |
| 20 633 | - | - | - | - | 20 633 | - | 20 633 | - |
| 21 205 | 388 | - | - | - | 15 562 | - | 15 562 | 320 |
| 940 | 503 | - | - | 2 | 16 440 | 15 500 | 940 | 503 |
| 11 279 | 292 | 1 | - | - | 11 599 | 320 | 11 279 | 292 |
| - | - | - | - | - | 1 689 | 1 689 | - | - |
| 51 354 | - | - | - | - | 51 354 | - | 51 354 | - |
| 54 162 | - | - | - | - | 43 970 | - | 43 970 | - |
| 28 053 | 558 | - | - | 9 | 28 053 | - | 28 053 | 558 |
| 9 498 | - | 2 | - | - | 9 498 | - | 9 498 | - |
| 1 039 | - | - | - | - | 1 039 | - | 1 039 | - |

# 第37表(14－9) 保健所が実施した結核健康診断受診者数・集団健康診断

| | 定 | | | | | | |
|---|---|---|---|---|---|---|---|
| | 市町村長又は特別区の | | | | | | |
| | 65歳以上 | | | その | | | の |
| | 被発見者数 | | | 健康診断受診者数 | 間接撮影者数 | 直接撮影者数 | 喀痰検査者数 |
| | 結核患者 | 潜在性結核感染者 | 結核発病のおそれがあると診断された者 | | | | |
| **全国** | **164** | **7** | **7 249** | **320 263** | **134 566** | **185 728** | **3 077** |
| 北海道 | - | - | 3 | 2 145 | 2 059 | 109 | 5 |
| 青森 | 3 | - | - | 3 315 | 3 104 | 211 | - |
| 岩手 | 5 | - | 10 | 20 | 20 | - | - |
| 宮城 | 1 | - | 4 393 | 945 | - | 945 | - |
| 秋田 | - | - | 2 | - | - | - | - |
| 山形 | - | - | 1 | 10 859 | 8 464 | 2 395 | 31 |
| 福島 | - | - | 19 | 794 | 794 | - | 14 |
| 茨城 | 2 | - | 11 | 39 630 | 39 630 | 8 | 74 |
| 栃木 | - | - | 4 | - | - | - | - |
| 群馬 | 3 | - | 3 | 8 824 | 4 758 | 4 066 | - |
| 埼玉 | 21 | - | 2 323 | - | - | - | - |
| 千葉 | 14 | - | 13 | 1 031 | 59 | 972 | 4 |
| 東京 | 24 | - | 12 | 71 970 | 37 955 | 34 017 | 79 |
| 神奈川 | 4 | - | 40 | 16 590 | 708 | 15 882 | 84 |
| 新潟 | 4 | - | - | 4 890 | 2 350 | 2 540 | 37 |
| 富山 | - | - | - | - | - | - | - |
| 石川 | 1 | - | 24 | 1 006 | 1 006 | - | - |
| 福井 | - | - | 3 | - | - | - | - |
| 山梨 | - | - | - | 12 824 | 10 867 | 1 936 | 84 |
| 長野 | 1 | - | 3 | 153 | 153 | - | - |
| 岐阜 | 11 | 1 | 1 | 11 863 | 633 | 11 230 | 18 |
| 静岡 | 3 | - | 4 | 23 991 | 1 301 | 22 690 | 2 355 |
| 愛知 | 17 | - | 25 | 7 855 | 1 688 | 6 167 | - |
| 三重 | 5 | - | - | 4 046 | 2 614 | 1 432 | 3 |
| 滋賀 | 2 | - | 21 | 1 640 | 189 | 1 451 | - |
| 京都 | 1 | - | 4 | 11 485 | - | 11 485 | - |
| 大阪 | 21 | 3 | 74 | 34 837 | 5 187 | 29 650 | 5 |
| 兵庫 | 4 | - | 181 | 27 454 | 4 719 | 22 735 | 139 |
| 奈良 | - | - | - | 2 068 | 314 | 1 754 | 1 |
| 和歌山 | - | - | - | 12 | - | 12 | - |
| 鳥取 | - | - | - | - | - | - | - |
| 島根 | 2 | - | - | 114 | 112 | 2 | - |
| 岡山 | 3 | 1 | 9 | - | - | - | - |
| 広島 | - | - | 2 | 2 009 | - | 2 009 | 1 |
| 山口 | 1 | - | 1 | 404 | 404 | - | - |
| 徳島 | - | - | - | - | - | - | - |
| 香川 | 1 | - | - | - | - | - | - |
| 愛媛 | - | - | - | - | - | - | - |
| 高知 | 3 | 2 | 1 | - | - | - | - |
| 福岡 | - | - | 3 | 11 082 | 4 801 | 6 300 | 74 |
| 佐賀 | - | - | 1 | 1 | - | 1 | - |
| 長崎 | 1 | - | 5 | - | - | - | - |
| 熊本 | 1 | - | - | 677 | 677 | - | - |
| 大分 | 2 | - | 1 | - | - | - | - |
| 宮崎 | 1 | - | 45 | 5 729 | - | 5 729 | 69 |
| 鹿児島 | 1 | - | 2 | - | - | - | - |
| 沖縄 | 1 | - | 5 | - | - | - | - |
| 指定都市・特別区(再掲) | | | | | | | |
| 東京都区部 | 9 | - | - | 64 599 | 37 447 | 27 154 | - |
| 札幌市 | - | - | - | 213 | 213 | - | - |
| 仙台市 | 1 | - | - | 945 | - | 945 | - |
| さいたま市 | 12 | - | 2 231 | - | - | - | - |
| 千葉市 | 5 | - | - | 746 | - | 746 | 4 |
| 横浜市 | 3 | - | 9 | 2 223 | 136 | 2 088 | - |
| 川崎市 | - | - | - | 41 | - | 41 | - |
| 相模原市 | - | - | 17 | 1 | 1 | - | - |
| 新潟市 | - | - | - | 290 | 192 | 98 | - |
| 静岡市 | 1 | - | - | - | - | - | - |
| 浜松市 | - | - | 3 | 17 720 | - | 17 720 | 148 |
| 名古屋市 | 13 | - | - | 556 | 453 | 103 | - |
| 京都市 | - | - | - | 7 990 | - | 7 990 | - |
| 大阪市 | 11 | - | 2 | 10 038 | - | 10 038 | - |
| 堺市 | 2 | - | 38 | 1 800 | - | 1 800 | - |
| 神戸市 | 2 | - | 181 | 18 451 | - | 18 451 | - |
| 岡山市 | - | - | - | - | - | - | - |
| 広島市 | - | - | 1 | - | - | - | - |
| 北九州市 | - | - | 1 | 3 793 | - | 3 793 | 44 |
| 福岡市 | - | - | 1 | 1 642 | 293 | 1 368 | - |
| 熊本市 | 1 | - | - | - | - | - | - |

## 実施件数・被発見者数，都道府県－指定都市・特別区－中核市－その他政令市、定期－接触者健診別

平成29年度

| 期 | | | 接触者健診 | | | | | |
|---|---|---|---|---|---|---|---|---|
| 区長 | | | 総数 | | | | | |
| 他 | | | ツベルクリン反応検査 | | | | 集団健康診断実施件数 | 健康診断受診者数 |
| 被発見者数 | | | | | | | | |
| 結核患者 | 潜在性結核感染者 | 結核発病のおそれがあると診断された者 | 被注射者数 | 被判定者数 | 陰性者数 | 陽性者数 | | |
| **76** | **－** | **129** | **3 244** | **3 239** | **2 029** | **1 210** | **18 873** | **128 895** |
| － | － | － | 40 | 37 | 22 | 15 | 774 | 4 691 |
| － | － | － | 23 | 23 | 15 | 8 | 148 | 1 148 |
| － | － | － | 28 | 28 | 15 | 13 | 76 | 1 057 |
| 6 | － | － | 68 | 68 | 37 | 31 | 340 | 2 926 |
| － | － | － | 17 | 17 | 17 | － | 112 | 1 164 |
| － | － | － | 9 | 9 | 9 | － | 121 | 742 |
| － | － | － | 8 | 8 | 7 | 1 | 103 | 1 621 |
| － | － | － | 31 | 31 | 25 | 6 | 380 | 2 259 |
| － | － | － | 15 | 15 | 12 | 3 | 261 | 1 054 |
| － | － | － | 6 | 6 | 1 | 5 | 237 | 1 072 |
| － | － | － | 92 | 92 | 54 | 38 | 679 | 8 285 |
| － | － | 1 | 238 | 238 | 83 | 155 | 905 | 8 177 |
| 47 | － | 47 | 301 | 301 | 214 | 87 | 2 401 | 19 699 |
| 2 | － | 7 | 269 | 269 | 212 | 57 | 3 105 | 8 642 |
| － | － | － | 91 | 90 | 85 | 5 | 214 | 1 875 |
| － | － | － | 19 | 19 | 17 | 2 | 162 | 1 189 |
| － | － | － | 24 | 24 | 20 | 4 | 92 | 1 281 |
| － | － | － | 24 | 24 | 24 | － | 129 | 887 |
| － | － | － | 11 | 11 | 11 | － | 43 | 561 |
| － | － | － | 21 | 21 | 15 | 6 | 202 | 1 296 |
| 4 | － | － | 44 | 43 | 20 | 23 | 260 | 1 959 |
| － | － | － | 33 | 33 | 19 | 14 | 205 | 1 754 |
| － | － | 1 | 258 | 257 | 187 | 70 | 1 190 | 5 497 |
| － | － | － | 20 | 20 | 14 | 6 | 269 | 1 246 |
| － | － | － | 9 | 9 | 8 | 1 | 29 | 1 098 |
| 1 | － | － | 39 | 39 | 25 | 14 | 290 | 2 755 |
| 15 | － | 28 | 240 | 242 | 126 | 116 | 1 404 | 11 042 |
| 1 | － | 42 | 57 | 57 | 40 | 17 | 757 | 2 457 |
| － | － | － | 4 | 4 | 3 | 1 | 160 | 1 213 |
| － | － | － | 13 | 13 | 5 | 8 | 93 | 905 |
| － | － | － | 5 | 5 | 5 | － | 68 | 552 |
| － | － | － | 7 | 7 | 7 | － | 70 | 936 |
| － | － | － | 35 | 35 | 22 | 13 | 180 | 2 318 |
| － | － | － | 27 | 27 | 22 | 5 | 340 | 2 236 |
| － | － | － | 11 | 11 | 9 | 2 | 119 | 856 |
| － | － | － | 12 | 12 | 2 | 10 | 131 | 672 |
| － | － | － | 13 | 13 | 6 | 7 | 275 | 1 644 |
| － | － | － | 8 | 8 | 5 | 3 | 130 | 839 |
| － | － | － | 3 | 3 | 3 | － | 92 | 674 |
| － | － | 3 | 757 | 756 | 355 | 401 | 963 | 5 688 |
| － | － | － | 10 | 10 | 4 | 6 | 144 | 1 047 |
| － | － | － | 9 | 9 | 9 | － | 132 | 2 176 |
| － | － | － | 166 | 166 | 149 | 17 | 356 | 2 737 |
| － | － | － | 51 | 51 | 25 | 26 | 273 | 3 372 |
| － | － | － | 15 | 15 | 14 | 1 | 120 | 1 352 |
| － | － | － | 23 | 23 | 17 | 6 | 240 | 1 257 |
| － | － | － | 40 | 40 | 33 | 7 | 99 | 987 |
| 47 | － | 47 | 280 | 280 | 194 | 86 | 1 848 | 16 235 |
| － | － | － | 16 | 14 | 6 | 8 | 362 | 1 481 |
| 6 | － | － | 43 | 43 | 19 | 24 | 218 | 1 846 |
| － | － | － | 10 | 10 | 7 | 3 | 98 | 2 058 |
| － | － | 1 | 13 | 13 | 13 | － | 276 | 2 246 |
| 2 | － | 7 | 191 | 191 | 171 | 20 | 1 780 | 4 250 |
| － | － | － | 27 | 27 | 22 | 5 | 575 | 1 844 |
| － | － | － | 10 | 10 | 3 | 7 | 95 | 412 |
| － | － | － | 71 | 71 | 66 | 5 | 89 | 924 |
| － | － | － | 7 | 7 | 5 | 2 | 30 | 302 |
| － | － | － | 9 | 9 | 7 | 2 | 6 | 341 |
| － | － | 1 | 136 | 136 | 130 | 6 | 542 | 2 058 |
| － | － | － | 21 | 21 | 13 | 8 | 2 | 1 496 |
| 12 | － | 12 | 131 | 131 | 46 | 85 | 327 | 4 411 |
| － | － | 12 | 19 | 19 | 12 | 7 | 166 | 641 |
| 1 | － | 42 | 10 | 10 | 7 | 3 | 146 | 528 |
| － | － | － | 10 | 10 | 6 | 4 | 46 | 997 |
| － | － | － | 13 | 13 | 10 | 3 | 129 | 647 |
| － | － | 3 | 18 | 18 | 18 | － | 224 | 927 |
| － | － | － | 679 | 678 | 302 | 376 | 324 | 2 992 |
| － | － | － | 43 | 43 | 37 | 6 | 87 | 1 263 |

# 第37表(14−10)　保健所が実施した結核健康診断受診者数・集団健康診断

| | 定 | | | | | | |
|---|---|---|---|---|---|---|---|
| | 市町村長又は特別区の | | | | | | |
| | 65歳以上 | | | その | | | |
| | 被発見者数 | | | 健康診断受診者数 | 間接撮影者数 | 直接撮影者数 | 喀痰検査者数 |
| | 結核患者 | 潜在性結核感染者 | 結核発病のおそれがあると診断された者 | | | | |
| 中核市(再掲) | | | | | | | |
| 旭川市 | − | − | − | − | − | − | − |
| 函館市 | − | − | − | − | − | − | − |
| 青森市 | 1 | − | − | 3 136 | 2 928 | 208 | − |
| 八戸市 | − | − | − | − | − | − | − |
| 盛岡市 | − | − | − | − | − | − | − |
| 秋田市 | − | − | − | − | − | − | − |
| 郡山市 | − | − | − | − | − | − | − |
| いわき市 | − | − | − | − | − | − | − |
| 宇都宮市 | − | − | − | − | − | − | − |
| 前橋市 | 2 | − | − | − | − | − | − |
| 高崎市 | − | − | 1 | − | − | − | − |
| 川越市 | − | − | − | − | − | − | − |
| 越谷市 | − | − | − | − | − | − | − |
| 船橋市 | − | − | − | 57 | − | 57 | − |
| 柏市 | − | − | 4 | − | − | − | − |
| 八王子市 | 1 | − | 12 | − | − | − | − |
| 横須賀市 | − | − | 5 | 11 | − | 11 | − |
| 富山市 | − | − | − | − | − | − | − |
| 金沢市 | 1 | − | 24 | − | − | − | − |
| 長野市 | − | − | − | − | − | − | − |
| 岐阜市 | − | − | − | 3 088 | − | 3 088 | − |
| 豊橋市 | − | − | − | 7 240 | 1 235 | 6 005 | − |
| 豊田市 | − | − | − | − | − | − | − |
| 岡崎市 | − | − | 1 | − | − | − | − |
| 大津市 | − | − | − | − | − | − | − |
| 高槻市 | − | − | − | − | − | − | − |
| 東大阪市 | − | − | − | − | − | − | − |
| 豊中市 | − | − | − | − | − | − | − |
| 枚方市 | − | − | − | − | − | − | − |
| 姫路市 | − | − | − | − | − | − | − |
| 西宮市 | − | − | − | 3 522 | 245 | 3 277 | 89 |
| 尼崎市 | − | − | − | 102 | − | 102 | − |
| 奈良市 | − | − | − | − | − | − | − |
| 和歌山市 | − | − | − | 12 | − | 12 | − |
| 倉敷市 | 1 | − | − | − | − | − | − |
| 福山市 | − | − | − | − | − | − | − |
| 呉市 | − | − | − | − | − | − | − |
| 下関市 | − | − | − | − | − | − | − |
| 高松市 | − | − | − | − | − | − | − |
| 松山市 | − | − | − | − | − | − | − |
| 高知市 | − | − | − | − | − | − | − |
| 久留米市 | − | − | − | − | − | − | − |
| 長崎市 | − | − | − | − | − | − | − |
| 佐世保市 | − | − | − | − | − | − | − |
| 大分市 | − | − | − | − | − | − | − |
| 宮崎市 | − | − | − | 5 643 | − | 5 643 | 68 |
| 鹿児島市 | − | − | 2 | − | − | − | − |
| 那覇市 | 1 | − | − | − | − | − | − |
| その他政令市(再掲) | | | | | | | |
| 小樽市 | − | − | − | − | − | − | − |
| 町田市 | − | − | − | − | − | − | − |
| 藤沢市 | − | − | − | 10 192 | − | 10 192 | − |
| 茅ヶ崎市 | − | − | 9 | − | − | − | − |
| 四日市市 | 2 | − | − | − | − | − | − |
| 大牟田市 | − | − | − | − | − | − | − |

# 実施件数・被発見者数, 都道府県－指定都市・特別区－中核市－その他政令市、定期－接触者健診別

平成29年度

| 期 | | | 接触者健診 | | | | | |
|---|---|---|---|---|---|---|---|---|
| 区長 | | | 総数 | | | | | |
| 他 | | | ツベルクリン反応検査 | | | | 集団健康診断実施件数 | 健康診断受診者数 |
| 被発見者数 | | | | | | | | |
| 結核患者 | 潜在性結核感染者 | 結核発病のおそれがあると診断された者 | 被注射者数 | 被判定者数 | 陰性者数 | 陽性者数 | | |
| － | － | － | － | － | － | － | 31 | 170 |
| － | － | － | － | － | － | － | 23 | 60 |
| － | － | － | 1 | 1 | 1 | － | 6 | 482 |
| － | － | － | 10 | 10 | 7 | 3 | 20 | 119 |
| － | － | － | 1 | 1 | － | 1 | 17 | 110 |
| － | － | － | 7 | 7 | 7 | － | 24 | 210 |
| － | － | － | － | － | － | － | 46 | 514 |
| － | － | － | 1 | 1 | 1 | － | 10 | 204 |
| － | － | － | 7 | 7 | 4 | 3 | 85 | 246 |
| － | － | － | － | － | － | － | 48 | 139 |
| － | － | － | 1 | 1 | 1 | － | 20 | 177 |
| － | － | － | 4 | 4 | 4 | － | 83 | 1 066 |
| － | － | － | 5 | 5 | 3 | 2 | 82 | 145 |
| － | － | － | 98 | 98 | 19 | 79 | 75 | 977 |
| － | － | － | 6 | 6 | － | 6 | 23 | 634 |
| － | － | － | 6 | 6 | 6 | － | 174 | 736 |
| － | － | － | 4 | 4 | 1 | 3 | 83 | 347 |
| － | － | － | 13 | 13 | 13 | － | 126 | 545 |
| － | － | － | 15 | 15 | 15 | － | 40 | 292 |
| － | － | － | 2 | 2 | 2 | － | 37 | 249 |
| 4 | － | － | 2 | 2 | － | 2 | 62 | 255 |
| － | － | － | 7 | 7 | 3 | 4 | 33 | 311 |
| － | － | － | 10 | 10 | 1 | 9 | 20 | 303 |
| － | － | － | 21 | 21 | 8 | 13 | 67 | 386 |
| － | － | － | 2 | 2 | 2 | － | 5 | 412 |
| － | － | － | 7 | 7 | 4 | 3 | 65 | 257 |
| － | － | － | 5 | 5 | 2 | 3 | 39 | 621 |
| － | － | － | 9 | 11 | 9 | 2 | 75 | 320 |
| － | － | － | － | － | － | － | 22 | 658 |
| － | － | － | 6 | 6 | 4 | 2 | 33 | 287 |
| － | － | － | 4 | 4 | 4 | － | 50 | 313 |
| － | － | － | 7 | 7 | 4 | 3 | 97 | 231 |
| － | － | － | 2 | 2 | 2 | － | 107 | 538 |
| － | － | － | 7 | 7 | 3 | 4 | 52 | 405 |
| － | － | － | 11 | 11 | 11 | － | 53 | 516 |
| － | － | － | 4 | 4 | 3 | 1 | 46 | 604 |
| － | － | － | － | － | － | － | 20 | 114 |
| － | － | － | － | － | － | － | 17 | 57 |
| － | － | － | 8 | 8 | 1 | 7 | 28 | 519 |
| － | － | － | 3 | 3 | 1 | 2 | 49 | 280 |
| － | － | － | － | － | － | － | 6 | 349 |
| － | － | － | 18 | 18 | 18 | － | 74 | 241 |
| － | － | － | 1 | 1 | 1 | － | 16 | 561 |
| － | － | － | － | － | － | － | 12 | 660 |
| － | － | － | 22 | 22 | 16 | 6 | 101 | 862 |
| － | － | － | 8 | 8 | 8 | － | 52 | 363 |
| － | － | － | 8 | 8 | 8 | － | 22 | 368 |
| － | － | － | 19 | 19 | 18 | 1 | 28 | 245 |
| － | － | － | － | － | － | － | 44 | 750 |
| － | － | － | 13 | 13 | 13 | － | 14 | 356 |
| － | － | － | 4 | 4 | 3 | 1 | 17 | 354 |
| － | － | － | 2 | 2 | 1 | 1 | 39 | 167 |
| － | － | － | 10 | 10 | 9 | 1 | 53 | 95 |
| － | － | － | 2 | 2 | － | 2 | 17 | 85 |

# 第37表(14－11) 保健所が実施した結核健康診断受診者数・集団健康診断

| | 接触 | | | | | | |
|---|---|---|---|---|---|---|---|
| | 総数 | | | | | | |
| | | | | | 被発見者数 | | |
| | 間接撮影者数 | 直接撮影者数 | 喀痰検査者数 | IGRA検査者数 | 結核患者 | 潜在性結核感染者 | 結核発病のおそれがあると診断された者 |
| **全国** | **216** | **55 738** | **816** | **94 299** | **407** | **3 535** | **3 394** |
| 北海道 | 17 | 1 872 | 34 | 3 190 | 11 | 74 | 181 |
| 青森 | - | 661 | - | 989 | 3 | 72 | 15 |
| 岩手 | 11 | 243 | 10 | 906 | 1 | 54 | 57 |
| 宮城 | 6 | 736 | 13 | 2 381 | 11 | 111 | 47 |
| 秋田 | - | 551 | 15 | 773 | 5 | 13 | 9 |
| 山形 | - | 104 | 7 | 695 | - | 19 | 8 |
| 福島 | - | 305 | 27 | 1 383 | 6 | 18 | 50 |
| 茨城 | - | 705 | 31 | 1 605 | 7 | 62 | - |
| 栃木 | 14 | 701 | 15 | 422 | 5 | 23 | 10 |
| 群馬 | - | 806 | 8 | 645 | 4 | 25 | 20 |
| 埼玉 | - | 3 319 | 7 | 6 548 | 16 | 269 | 138 |
| 千葉 | 8 | 3 746 | 63 | 5 980 | 23 | 204 | 134 |
| 東京 | 2 | 9 938 | 53 | 14 364 | 95 | 553 | 646 |
| 神奈川 | 2 | 2 741 | 21 | 6 646 | 28 | 273 | 127 |
| 新潟 | - | 345 | - | 1 570 | - | 38 | 5 |
| 富山 | - | 427 | 21 | 825 | 8 | 49 | 34 |
| 石川 | - | 290 | 6 | 1 111 | 2 | 31 | 12 |
| 福井 | - | 98 | 1 | 791 | 4 | 33 | 16 |
| 山梨 | - | 173 | 58 | 410 | - | 20 | 9 |
| 長野 | - | 141 | - | 1 159 | 3 | 42 | 19 |
| 岐阜 | - | 800 | - | 1 705 | 9 | 59 | 18 |
| 静岡 | 1 | 924 | 24 | 1 362 | 7 | 54 | 34 |
| 愛知 | - | 1 495 | 63 | 4 837 | 28 | 189 | 120 |
| 三重 | - | 409 | - | 1 079 | 6 | 42 | 46 |
| 滋賀 | 22 | 184 | - | 936 | 3 | 24 | 21 |
| 京都 | - | 1 339 | - | 1 914 | 4 | 38 | 97 |
| 大阪 | - | 7 372 | 128 | 4 998 | 33 | 414 | 411 |
| 兵庫 | - | 1 818 | 26 | 1 805 | 12 | 75 | 189 |
| 奈良 | - | 570 | - | 673 | 4 | 42 | 4 |
| 和歌山 | - | 396 | 10 | 704 | 3 | 21 | - |
| 鳥取 | - | 95 | 2 | 472 | 1 | 5 | 6 |
| 島根 | 34 | 256 | 4 | 647 | 1 | 17 | 7 |
| 岡山 | 14 | 1 656 | 18 | 1 842 | 2 | 56 | 56 |
| 広島 | 19 | 848 | 21 | 1 561 | 4 | 44 | 52 |
| 山口 | - | 251 | 7 | 667 | 3 | 13 | 13 |
| 徳島 | - | 516 | 1 | 467 | 3 | 11 | 20 |
| 香川 | - | 959 | 6 | 703 | 1 | 7 | 34 |
| 愛媛 | - | 332 | 2 | 576 | 2 | 29 | 7 |
| 高知 | - | 261 | 4 | 424 | - | 7 | 1 |
| 福岡 | - | 3 178 | - | 4 886 | 16 | 149 | 117 |
| 佐賀 | - | 184 | 1 | 918 | 5 | 20 | 14 |
| 長崎 | 66 | 890 | - | 1 308 | 6 | 44 | 20 |
| 熊本 | - | 422 | 39 | 2 458 | 4 | 43 | 4 |
| 大分 | - | 1 094 | 6 | 2 771 | 4 | 61 | 366 |
| 宮崎 | - | 502 | 6 | 885 | - | 33 | 20 |
| 鹿児島 | - | 704 | 50 | 638 | 7 | 28 | 35 |
| 沖縄 | - | 381 | 8 | 670 | 7 | 27 | 145 |
| 指定都市・特別区(再掲) | | | | | | | |
| 東京都区部 | - | 8 380 | 32 | 12 146 | 78 | 498 | 593 |
| 札幌市 | 1 | 729 | 4 | 747 | 4 | 35 | 41 |
| 仙台市 | - | 485 | 13 | 1 473 | 8 | 89 | 23 |
| さいたま市 | - | 1 818 | - | 1 309 | 2 | 12 | 2 |
| 千葉市 | - | 977 | 1 | 1 416 | 5 | 21 | 35 |
| 横浜市 | 1 | 1 381 | - | 2 967 | 20 | 94 | 62 |
| 川崎市 | - | 812 | 16 | 1 299 | 4 | 52 | - |
| 相模原市 | - | 142 | - | 373 | 3 | 13 | 17 |
| 新潟市 | - | 238 | - | 686 | - | - | - |
| 静岡市 | - | 34 | 7 | 281 | 1 | 6 | 3 |
| 浜松市 | - | 315 | 8 | 203 | - | 7 | 9 |
| 名古屋市 | - | 511 | 7 | 1 819 | 9 | 41 | 13 |
| 京都市 | - | 871 | - | 962 | 2 | 3 | 46 |
| 大阪市 | - | 2 897 | 62 | 1 452 | 15 | 195 | 9 |
| 堺市 | - | 309 | 10 | 323 | 3 | 40 | 3 |
| 神戸市 | - | 528 | 9 | 333 | 6 | 21 | 155 |
| 岡山市 | - | 937 | 10 | 937 | 1 | 31 | 39 |
| 広島市 | 19 | 354 | 4 | 280 | - | 15 | 7 |
| 北九州市 | - | 258 | - | 797 | 5 | 32 | 14 |
| 福岡市 | - | 2 282 | - | 2 535 | 8 | 48 | 52 |
| 熊本市 | - | 169 | 1 | 1 114 | - | 13 | - |

# 実施件数・被発見者数，都道府県－指定都市・特別区－中核市－その他政令市、定期－接触者健診別

平成29年度

| 者 | 健 | | | | 診 | | | |
|---|---|---|---|---|---|---|---|---|
| 実施件数 | 患 | 者 | | | 家 | 族 | | |
| 集団健康診断実施件数 | ツベルクリン反応検査 被注射者数 | 被判定者数 | 陰性者数 | 陽性者数 | 健康診断受診者数 | 間接撮影者数 | 直接撮影者数 | 喀痰検査者数 |
| 18 873 | 1 109 | 1 104 | 686 | 418 | 29 746 | 60 | 15 240 | 305 |
| 774 | 17 | 14 | 7 | 7 | 781 | 10 | 393 | 4 |
| 148 | 21 | 21 | 13 | 8 | 290 | - | 161 | - |
| 76 | 28 | 28 | 15 | 13 | 268 | 6 | 69 | 7 |
| 340 | 25 | 25 | 16 | 9 | 414 | 4 | 74 | 4 |
| 112 | 16 | 16 | 16 | - | 296 | - | 138 | 9 |
| 121 | 9 | 9 | 9 | - | 207 | - | 42 | 3 |
| 103 | 8 | 8 | 7 | 1 | 467 | - | 103 | 13 |
| 380 | 21 | 21 | 15 | 6 | 587 | - | 127 | 2 |
| 261 | 6 | 6 | 6 | - | 367 | 12 | 284 | 6 |
| 237 | 1 | 1 | 1 | - | 433 | - | 386 | 6 |
| 679 | 75 | 75 | 43 | 32 | 1 654 | - | 798 | - |
| 905 | 60 | 60 | 25 | 35 | 1 235 | 1 | 860 | 6 |
| 2 401 | 43 | 43 | 32 | 11 | 2 550 | 2 | 1 527 | 13 |
| 3 105 | 78 | 78 | 49 | 29 | 1 841 | 1 | 733 | 12 |
| 214 | 13 | 12 | 7 | 5 | 557 | - | 257 | - |
| 162 | 16 | 16 | 14 | 2 | 329 | - | 196 | 8 |
| 92 | 17 | 17 | 16 | 1 | 349 | - | 90 | 1 |
| 129 | 19 | 19 | 19 | - | 272 | - | 38 | 1 |
| 43 | 11 | 11 | 11 | - | 209 | - | 113 | 18 |
| 202 | 13 | 13 | 11 | 2 | 472 | - | 35 | - |
| 260 | 33 | 32 | 14 | 18 | 529 | - | 283 | - |
| 205 | 31 | 31 | 17 | 14 | 627 | 1 | 208 | 14 |
| 1 190 | 110 | 109 | 48 | 61 | 1 651 | - | 648 | 22 |
| 269 | 13 | 13 | 8 | 5 | 389 | - | 186 | - |
| 29 | 5 | 5 | 4 | 1 | 280 | - | 69 | - |
| 290 | 32 | 32 | 21 | 11 | 845 | - | 507 | - |
| 1 404 | 105 | 106 | 31 | 75 | 3 909 | - | 2 910 | 91 |
| 757 | 37 | 37 | 26 | 11 | 1 417 | - | 1 131 | 13 |
| 160 | 3 | 3 | 2 | 1 | 413 | - | 237 | - |
| 93 | 12 | 12 | 4 | 8 | 327 | - | 158 | 5 |
| 68 | 5 | 5 | 5 | - | 210 | - | 45 | 2 |
| 70 | 6 | 6 | 6 | - | 183 | - | 57 | - |
| 180 | 16 | 16 | 9 | 7 | 262 | 4 | 92 | 1 |
| 340 | 21 | 21 | 19 | 2 | 661 | 19 | 252 | 3 |
| 119 | 9 | 9 | 9 | - | 309 | - | 116 | 3 |
| 131 | 12 | 12 | 2 | 10 | 285 | - | 235 | 1 |
| 275 | 12 | 12 | 5 | 7 | 312 | - | 147 | 3 |
| 130 | 5 | 5 | 4 | 1 | 155 | - | 64 | - |
| 92 | 3 | 3 | 3 | - | 224 | - | 119 | 3 |
| 963 | 36 | 36 | 31 | 5 | 700 | - | 457 | - |
| 144 | 7 | 7 | 4 | 3 | 242 | - | 61 | 1 |
| 132 | 6 | 6 | 6 | - | 392 | - | 147 | - |
| 356 | 32 | 32 | 25 | 7 | 548 | - | 121 | 5 |
| 273 | 3 | 3 | 1 | 2 | 275 | - | 99 | 2 |
| 120 | 13 | 13 | 12 | 1 | 326 | - | 98 | - |
| 240 | 22 | 22 | 16 | 6 | 439 | - | 237 | 21 |
| 99 | 23 | 23 | 22 | 1 | 258 | - | 132 | 2 |
| 1 848 | 43 | 43 | 32 | 11 | 1 871 | - | 1 154 | 9 |
| 362 | 5 | 3 | - | 3 | 285 | - | 167 | 1 |
| 218 | 10 | 10 | 5 | 5 | 259 | - | 52 | 4 |
| 98 | 8 | 8 | 5 | 3 | 318 | - | 311 | - |
| 276 | 5 | 5 | 5 | - | 334 | - | 281 | - |
| 1 780 | 45 | 45 | 33 | 12 | 918 | - | 394 | - |
| 575 | 10 | 10 | 8 | 2 | 368 | - | 212 | 9 |
| 95 | 6 | 6 | 3 | 3 | 86 | - | 33 | - |
| 89 | 9 | 9 | 4 | 5 | 305 | - | 203 | - |
| 30 | 7 | 7 | 5 | 2 | 116 | - | 16 | 4 |
| 6 | 9 | 9 | 7 | 2 | 147 | - | 82 | 5 |
| 542 | 7 | 7 | 6 | 1 | 451 | - | 223 | 5 |
| 2 | 16 | 16 | 9 | 7 | 560 | - | 377 | - |
| 327 | 85 | 85 | 20 | 65 | 1 956 | - | 1 326 | 61 |
| 166 | 5 | 5 | 4 | 1 | 256 | - | 211 | 5 |
| 146 | 4 | 4 | 3 | 1 | 331 | - | 331 | 3 |
| 46 | - | - | - | - | - | - | - | - |
| 129 | 11 | 11 | 10 | 1 | 255 | 19 | 122 | 1 |
| 224 | 2 | 2 | 2 | - | 168 | - | 72 | - |
| 324 | - | - | - | - | 166 | - | 180 | - |
| 87 | 6 | 6 | - | 6 | 179 | - | 49 | 1 |

# 第37表(14－12) 保健所が実施した結核健康診断受診者数・集団健康診断

| | 接触 | | | | | | |
|---|---|---|---|---|---|---|---|
| | 総数 | | | | | | |
| | | | | | 被発見者数 | | |
| | 間接撮影者数 | 直接撮影者数 | 喀痰検査者数 | IGRA検査者数 | 結核患者 | 潜在性結核感染者 | 結核発病のおそれがあると診断された者 |
| 中核市(再掲) | | | | | | | |
| 旭川市 | － | 61 | 14 | 174 | － | 5 | 20 |
| 函館市 | － | 49 | － | 26 | 1 | － | 22 |
| 青森市 | － | 442 | － | 382 | 1 | 23 | 2 |
| 八戸市 | － | 52 | － | 116 | 2 | 5 | 1 |
| 盛岡市 | － | 13 | － | 101 | － | 3 | 1 |
| 秋田市 | － | 88 | 13 | 127 | － | 6 | 6 |
| 郡山市 | － | 57 | 2 | 457 | 3 | 6 | 14 |
| いわき市 | － | 46 | － | 188 | － | － | 21 |
| 宇都宮市 | － | 86 | 13 | 169 | 1 | 10 | 5 |
| 前橋市 | － | 55 | 4 | 84 | 1 | 1 | 3 |
| 高崎市 | － | 40 | － | 154 | 1 | 6 | 17 |
| 川越市 | － | 220 | － | 846 | 1 | 10 | 16 |
| 越谷市 | － | 67 | － | 145 | 1 | 17 | － |
| 船橋市 | － | 644 | 9 | 693 | 3 | 23 | 8 |
| 柏市 | － | 235 | － | 524 | 8 | 21 | 4 |
| 八王子市 | － | 336 | 6 | 467 | 2 | 28 | 20 |
| 横須賀市 | － | 69 | － | 278 | 1 | 17 | 15 |
| 富山市 | － | 147 | 2 | 426 | 3 | 26 | 15 |
| 金沢市 | － | 97 | － | 274 | － | 12 | 4 |
| 長野市 | － | 7 | － | 242 | － | 13 | － |
| 岐阜市 | － | 84 | － | 229 | 4 | 10 | 1 |
| 豊橋市 | － | 37 | 1 | 277 | － | 33 | 11 |
| 豊田市 | － | 75 | － | 255 | 2 | 14 | － |
| 岡崎市 | － | 369 | 2 | 219 | － | 8 | 3 |
| 大津市 | － | 48 | － | 364 | 1 | 6 | 12 |
| 高槻市 | － | 233 | － | 131 | － | 3 | 7 |
| 東大阪市 | － | 265 | 1 | 466 | 1 | 29 | － |
| 豊中市 | － | 211 | － | 109 | 1 | 8 | 13 |
| 枚方市 | － | 281 | － | 393 | － | 11 | － |
| 姫路市 | － | 287 | 1 | 310 | － | 4 | 7 |
| 西宮市 | － | 183 | － | 130 | － | 7 | 2 |
| 尼崎市 | － | 108 | 7 | 189 | 2 | 8 | 18 |
| 奈良市 | － | 235 | － | 303 | 2 | 28 | 2 |
| 和歌山市 | － | 93 | － | 357 | 1 | 5 | － |
| 倉敷市 | － | 429 | 4 | 328 | 1 | 8 | 8 |
| 福山市 | － | 175 | 5 | 524 | 2 | 6 | 39 |
| 呉市 | － | 26 | － | 89 | 1 | 2 | － |
| 下関市 | － | 29 | － | 28 | － | － | － |
| 高松市 | － | 206 | － | 316 | 1 | 5 | 23 |
| 松山市 | － | 23 | 1 | 266 | 2 | 10 | 4 |
| 高知市 | － | 40 | 1 | 310 | － | 3 | － |
| 久留米市 | － | 101 | － | 232 | － | 9 | 3 |
| 長崎市 | － | 65 | － | 547 | － | 26 | － |
| 佐世保市 | － | 399 | － | 261 | 2 | 2 | 8 |
| 大分市 | － | 312 | － | 988 | 1 | 27 | 156 |
| 宮崎市 | － | 118 | － | 245 | － | 10 | 15 |
| 鹿児島市 | － | 190 | 17 | 206 | 6 | 14 | 33 |
| 那覇市 | － | 48 | 5 | 197 | 2 | 3 | － |
| その他政令市(再掲) | | | | | | | |
| 小樽市 | － | 290 | 13 | 599 | 4 | 6 | 33 |
| 町田市 | － | 130 | － | 224 | 1 | 5 | 10 |
| 藤沢市 | － | 105 | － | 342 | － | 20 | － |
| 茅ヶ崎市 | － | 39 | － | 131 | － | 15 | 1 |
| 四日市市 | － | 21 | － | 74 | － | 2 | － |
| 大牟田市 | － | 7 | － | 85 | － | 8 | 1 |

## 実施件数・被発見者数，都道府県－指定都市・特別区－中核市－その他政令市、定期－接触者健診別

平成29年度

| 者健診<br>実施件数<br>集団健康診断実施件数 | 患者家族<br>ツベルクリン反応検査<br>被注射者数 | 被判定者数 | 陰性者数 | 陽性者数 | 健康診断受診者数 | 間接撮影者数 | 直接撮影者数 | 喀痰検査者数 |
|---|---|---|---|---|---|---|---|---|
| 31 | － | － | － | － | 60 | － | 26 | 2 |
| 23 | － | － | － | － | 40 | － | 37 | － |
| 6 | 1 | 1 | 1 | － | 90 | － | 84 | － |
| 20 | 9 | 9 | 6 | 3 | 59 | － | 16 | － |
| 17 | 1 | 1 | － | 1 | 18 | － | 4 | － |
| 24 | 7 | 7 | 7 | － | 60 | － | 14 | 8 |
| 46 | － | － | － | － | 65 | － | 12 | 1 |
| 10 | 1 | 1 | 1 | － | 39 | － | 30 | － |
| 85 | 2 | 2 | 2 | － | 81 | － | 51 | 4 |
| 48 | － | － | － | － | 58 | － | 36 | 2 |
| 20 | 1 | 1 | 1 | － | 68 | － | 29 | － |
| 83 | 3 | 3 | 3 | － | 114 | － | 40 | － |
| 82 | 5 | 5 | 3 | 2 | 43 | － | 14 | － |
| 75 | 16 | 16 | 7 | 9 | 236 | － | 156 | 4 |
| 23 | 6 | 6 | － | 6 | 53 | － | 37 | － |
| 174 | － | － | － | － | 84 | － | 35 | － |
| 83 | 1 | 1 | － | 1 | 53 | － | 13 | － |
| 126 | 10 | 10 | 10 | － | 113 | － | 55 | 1 |
| 40 | 11 | 11 | 11 | － | 63 | － | 29 | － |
| 37 | 2 | 2 | 2 | － | 174 | － | 7 | － |
| 62 | 2 | 2 | － | 2 | 91 | － | 53 | － |
| 33 | 7 | 7 | 3 | 4 | 84 | － | 11 | 1 |
| 20 | 10 | 10 | 1 | 9 | 77 | － | 22 | － |
| 67 | 17 | 17 | 6 | 11 | 176 | － | 166 | 2 |
| 5 | － | － | － | － | 89 | － | 25 | － |
| 65 | 2 | 2 | 1 | 1 | 90 | － | 85 | － |
| 39 | 3 | 3 | 1 | 2 | 177 | － | 105 | 1 |
| 75 | 1 | 2 | 1 | 1 | 97 | － | 81 | － |
| 22 | － | － | － | － | 92 | － | 75 | － |
| 33 | 4 | 4 | 2 | 2 | 136 | － | 136 | 1 |
| 50 | 4 | 4 | 4 | － | 167 | － | 104 | － |
| 97 | 4 | 4 | 2 | 2 | 133 | － | 66 | 7 |
| 107 | 1 | 1 | 1 | － | 128 | － | 84 | － |
| 52 | 7 | 7 | 3 | 4 | 149 | － | 38 | － |
| 53 | 5 | 5 | 5 | － | 65 | － | 19 | － |
| 46 | － | － | － | － | 73 | － | 30 | － |
| 20 | － | － | － | － | 33 | － | 9 | － |
| 17 | － | － | － | － | 17 | － | 6 | － |
| 28 | 8 | 8 | 1 | 7 | 150 | － | 78 | － |
| 49 | － | － | － | － | 59 | － | 8 | － |
| 6 | － | － | － | － | 81 | － | 29 | － |
| 74 | 17 | 17 | 17 | － | 79 | － | 61 | － |
| 16 | 1 | 1 | 1 | － | 100 | － | 42 | － |
| 12 | － | － | － | － | 111 | － | 45 | － |
| 101 | － | － | － | － | 41 | － | 16 | － |
| 52 | 6 | 6 | 6 | － | 128 | － | 39 | － |
| 22 | 8 | 8 | 8 | － | 142 | － | 91 | 8 |
| 28 | 9 | 9 | 9 | － | 82 | － | 31 | － |
| 44 | － | － | － | － | 24 | － | 11 | － |
| 14 | － | － | － | － | 55 | － | 18 | － |
| 17 | － | － | － | － | 11 | － | 16 | － |
| 39 | 2 | 2 | 1 | 1 | 57 | － | 14 | － |
| 53 | 3 | 3 | 3 | － | 30 | － | 8 | － |
| 17 | 1 | 1 | － | 1 | 23 | － | 5 | － |

# 第37表(14−13) 保健所が実施した結核健康診断受診者数・集団健康診断

| | 接触 | | | | | | |
|---|---|---|---|---|---|---|---|
| | 患者家族 | | | | そ | | |
| | IGRA検査者数 | 被発見者数 | | | ツベルクリン反応検 | | |
| | | 結核患者 | 潜在性結核感染者 | 結核発病のおそれがあると診断された者 | 被注射者数 | 被判定者数 | 陰性者数 |
| **全国** | **19 567** | **185** | **1 171** | **754** | **2 135** | **2 135** | **1 343** |
| 北海道 | 468 | 4 | 26 | 32 | 23 | 23 | 15 |
| 青森 | 273 | 1 | 22 | 5 | 2 | 2 | 2 |
| 岩手 | 243 | 1 | 17 | 13 | − | − | − |
| 宮城 | 366 | 2 | 14 | 2 | 43 | 43 | 21 |
| 秋田 | 227 | 1 | 4 | 4 | 1 | 1 | 1 |
| 山形 | 183 | − | 3 | 6 | − | − | − |
| 福島 | 285 | 2 | 11 | 9 | − | − | − |
| 茨城 | 467 | 5 | 28 | − | 10 | 10 | 10 |
| 栃木 | 132 | 4 | 11 | 1 | 9 | 9 | 6 |
| 群馬 | 211 | 2 | 10 | 11 | 5 | 5 | − |
| 埼玉 | 1 151 | 10 | 99 | 39 | 17 | 17 | 11 |
| 千葉 | 755 | 7 | 53 | 23 | 178 | 178 | 58 |
| 東京 | 1 662 | 31 | 116 | 104 | 258 | 258 | 182 |
| 神奈川 | 1 408 | 17 | 89 | 29 | 191 | 191 | 163 |
| 新潟 | 319 | − | 11 | 1 | 78 | 78 | 78 |
| 富山 | 188 | 3 | 18 | 17 | 3 | 3 | 3 |
| 石川 | 307 | − | 9 | 2 | 7 | 7 | 4 |
| 福井 | 236 | − | 12 | 2 | 5 | 5 | 5 |
| 山梨 | 98 | − | 14 | 6 | − | − | − |
| 長野 | 441 | 2 | 8 | 10 | 8 | 8 | 4 |
| 岐阜 | 464 | 7 | 23 | 2 | 11 | 11 | 6 |
| 静岡 | 498 | 6 | 28 | 10 | 2 | 2 | 2 |
| 愛知 | 1 389 | 14 | 70 | 40 | 148 | 148 | 139 |
| 三重 | 307 | 4 | 14 | 15 | 7 | 7 | 6 |
| 滋賀 | 244 | 1 | 13 | 8 | 4 | 4 | 4 |
| 京都 | 505 | 1 | 11 | 40 | 7 | 7 | 4 |
| 大阪 | 1 234 | 15 | 165 | 73 | 135 | 136 | 95 |
| 兵庫 | 896 | 8 | 40 | 108 | 20 | 20 | 14 |
| 奈良 | 176 | 3 | 18 | 1 | 1 | 1 | 1 |
| 和歌山 | 218 | 2 | 11 | − | 1 | 1 | 1 |
| 鳥取 | 176 | 1 | 2 | 5 | − | − | − |
| 島根 | 127 | 1 | 5 | 3 | 1 | 1 | 1 |
| 岡山 | 200 | − | 9 | 6 | 19 | 19 | 13 |
| 広島 | 437 | 1 | 22 | 12 | 6 | 6 | 3 |
| 山口 | 237 | 1 | 5 | 4 | 2 | 2 | − |
| 徳島 | 195 | 3 | 8 | 11 | − | − | − |
| 香川 | 176 | 1 | 5 | 6 | 1 | 1 | 1 |
| 愛媛 | 111 | 2 | 10 | 2 | 3 | 3 | 1 |
| 高知 | 115 | − | 5 | 1 | − | − | − |
| 福岡 | 584 | 8 | 38 | 15 | 721 | 720 | 324 |
| 佐賀 | 202 | 3 | 8 | 3 | 3 | 3 | − |
| 長崎 | 292 | 3 | 17 | 1 | 3 | 3 | 3 |
| 熊本 | 465 | 3 | 17 | 1 | 134 | 134 | 124 |
| 大分 | 249 | − | 15 | 16 | 48 | 48 | 24 |
| 宮崎 | 243 | − | 14 | 7 | 2 | 2 | 2 |
| 鹿児島 | 262 | 2 | 16 | 8 | 1 | 1 | 1 |
| 沖縄 | 145 | 3 | 7 | 40 | 17 | 17 | 11 |
| 指定都市・特別区(再掲) | | | | | | | |
| 東京都区部 | 1 256 | 23 | 104 | 97 | 237 | 237 | 162 |
| 札幌市 | 117 | 1 | 11 | 2 | 11 | 11 | 6 |
| 仙台市 | 227 | 1 | 11 | − | 33 | 33 | 14 |
| さいたま市 | 160 | 1 | 4 | 1 | 2 | 2 | 2 |
| 千葉市 | 136 | 3 | 4 | 8 | 8 | 8 | 8 |
| 横浜市 | 609 | 11 | 31 | 15 | 146 | 146 | 138 |
| 川崎市 | 230 | 2 | 17 | − | 17 | 17 | 14 |
| 相模原市 | 85 | 3 | 5 | 4 | 4 | 4 | − |
| 新潟市 | 102 | − | − | − | 62 | 62 | 62 |
| 静岡市 | 108 | 1 | 5 | − | − | − | − |
| 浜松市 | 75 | − | 4 | 3 | − | − | − |
| 名古屋市 | 351 | 2 | 15 | 3 | 129 | 129 | 124 |
| 京都市 | 298 | 1 | 1 | 21 | 5 | 5 | 4 |
| 大阪市 | 569 | 8 | 86 | 9 | 46 | 46 | 26 |
| 堺市 | 41 | − | 15 | − | 14 | 14 | 8 |
| 神戸市 | 147 | 4 | 8 | 92 | 6 | 6 | 4 |
| 岡山市 | − | − | − | − | 10 | 10 | 6 |
| 広島市 | 113 | − | 8 | 5 | 2 | 2 | − |
| 北九州市 | 140 | 4 | 9 | 2 | 16 | 16 | 16 |
| 福岡市 | 107 | 4 | 6 | 8 | 679 | 678 | 302 |
| 熊本市 | 132 | − | 3 | − | 37 | 37 | 37 |

# 実施件数・被発見者数, 都道府県－指定都市・特別区－中核市－その他政令市、定期－接触者健診別

平成29年度

| 者 | 健 | | 診 | | | | | |
|---|---|---|---|---|---|---|---|---|
| | の | | | | 他 | | | |
| 査 | | | | | | 被発見者数 | | |
| 陽性者数 | 健康診断受診者数 | 間接撮影者数 | 直接撮影者数 | 喀痰検査者数 | IGRA検査者数 | 結核患者 | 潜在性結核感染者 | 結核発病のおそれがあると診断された者 |
| **792** | **99 149** | **156** | **40 498** | **511** | **74 732** | **222** | **2 364** | **2 640** |
| 8 | 3 910 | 7 | 1 479 | 30 | 2 722 | 7 | 48 | 149 |
| – | 858 | – | 500 | – | 716 | 2 | 50 | 10 |
| – | 789 | 5 | 174 | 3 | 663 | – | 37 | 44 |
| 22 | 2 512 | 2 | 662 | 9 | 2 015 | 9 | 97 | 45 |
| – | 868 | – | 413 | 6 | 546 | 4 | 9 | 5 |
| – | 535 | – | 62 | 4 | 512 | – | 16 | 2 |
| – | 1 154 | – | 202 | 14 | 1 098 | 4 | 7 | 41 |
| – | 1 672 | – | 578 | 29 | 1 138 | 2 | 34 | – |
| 3 | 687 | 2 | 417 | 9 | 290 | 1 | 12 | 9 |
| 5 | 639 | – | 420 | 2 | 434 | 2 | 15 | 9 |
| 6 | 6 631 | – | 2 521 | 7 | 5 397 | 6 | 170 | 99 |
| 120 | 6 942 | 7 | 2 886 | 57 | 5 225 | 16 | 151 | 111 |
| 76 | 17 149 | – | 8 411 | 40 | 12 702 | 64 | 437 | 542 |
| 28 | 6 801 | 1 | 2 008 | 9 | 5 238 | 11 | 184 | 98 |
| – | 1 318 | – | 88 | – | 1 251 | – | 27 | 4 |
| – | 860 | – | 231 | 13 | 637 | 5 | 31 | 17 |
| 3 | 932 | – | 200 | 5 | 804 | 2 | 22 | 10 |
| – | 615 | – | 60 | – | 555 | 4 | 21 | 14 |
| – | 352 | – | 60 | 40 | 312 | – | 6 | 3 |
| 4 | 824 | – | 106 | – | 718 | 1 | 34 | 9 |
| 5 | 1 430 | – | 517 | – | 1 241 | 2 | 36 | 16 |
| – | 1 127 | – | 716 | 10 | 864 | 1 | 26 | 24 |
| 9 | 3 846 | – | 847 | 41 | 3 448 | 14 | 119 | 80 |
| 1 | 857 | – | 223 | – | 772 | 2 | 28 | 31 |
| – | 818 | 22 | 115 | – | 692 | 2 | 11 | 13 |
| 3 | 1 910 | – | 832 | – | 1 409 | 3 | 27 | 57 |
| 41 | 7 133 | – | 4 462 | 37 | 3 764 | 18 | 249 | 338 |
| 6 | 1 040 | – | 687 | 13 | 909 | 4 | 35 | 81 |
| – | 800 | – | 333 | – | 497 | 1 | 24 | 3 |
| – | 578 | – | 238 | 5 | 486 | 1 | 10 | – |
| – | 342 | – | 50 | – | 296 | – | 3 | 1 |
| – | 753 | 34 | 199 | 4 | 520 | – | 12 | 4 |
| 6 | 2 056 | 10 | 1 564 | 17 | 1 642 | 2 | 47 | 50 |
| 3 | 1 575 | – | 596 | 18 | 1 124 | 3 | 22 | 40 |
| 2 | 547 | – | 135 | 4 | 430 | 2 | 8 | 9 |
| – | 387 | – | 281 | – | 272 | – | 3 | 9 |
| – | 1 332 | – | 812 | 3 | 527 | – | 2 | 28 |
| 2 | 684 | – | 268 | 2 | 465 | – | 19 | 5 |
| – | 450 | – | 142 | 1 | 309 | – | 2 | – |
| 396 | 4 988 | – | 2 721 | – | 4 302 | 8 | 111 | 102 |
| 3 | 805 | – | 123 | – | 716 | 2 | 12 | 11 |
| – | 1 784 | 66 | 743 | – | 1 016 | 3 | 27 | 19 |
| 10 | 2 189 | – | 301 | 34 | 1 993 | 1 | 26 | 3 |
| 24 | 3 097 | – | 995 | 4 | 2 522 | 4 | 46 | 350 |
| – | 1 026 | – | 404 | 6 | 642 | – | 19 | 13 |
| – | 818 | – | 467 | 29 | 376 | 5 | 12 | 27 |
| 6 | 729 | – | 249 | 6 | 525 | 4 | 20 | 105 |
| 75 | 14 364 | – | 7 226 | 23 | 10 890 | 55 | 394 | 496 |
| 5 | 1 196 | 1 | 562 | 3 | 630 | 3 | 24 | 39 |
| 19 | 1 587 | – | 433 | 9 | 1 246 | 7 | 78 | 23 |
| – | 1 740 | – | 1 507 | – | 1 149 | 1 | 8 | 1 |
| – | 1 912 | – | 696 | 1 | 1 280 | 2 | 17 | 27 |
| 8 | 3 332 | 1 | 987 | – | 2 358 | 9 | 63 | 47 |
| 3 | 1 476 | – | 600 | 7 | 1 069 | 2 | 35 | – |
| 4 | 326 | – | 109 | – | 288 | – | 8 | 13 |
| – | 619 | – | 35 | – | 584 | – | – | – |
| – | 186 | – | 18 | 3 | 173 | – | 1 | 3 |
| – | 194 | – | 233 | 3 | 128 | – | 3 | 6 |
| 5 | 1 607 | – | 288 | 2 | 1 468 | 7 | 26 | 10 |
| 1 | 936 | – | 494 | – | 664 | 1 | 2 | 25 |
| 20 | 2 455 | – | 1 571 | 1 | 883 | 7 | 109 | – |
| 6 | 385 | – | 98 | 5 | 282 | 3 | 25 | 3 |
| 2 | 197 | – | 197 | 6 | 186 | 2 | 13 | 63 |
| 4 | 997 | – | 937 | 10 | 937 | 1 | 31 | 39 |
| 2 | 392 | – | 232 | 3 | 167 | – | 7 | 2 |
| – | 759 | – | 186 | – | 657 | 1 | 23 | 12 |
| 376 | 2 826 | – | 2 102 | – | 2 428 | 4 | 42 | 44 |
| – | 1 084 | – | 120 | – | 982 | – | 10 | – |

# 第37表(14－14) 保健所が実施した結核健康診断受診者数・集団健康診断

| | 接触 | | | | | | |
|---|---|---|---|---|---|---|---|
| | 患者家族 | | | | その | | |
| | IGRA検査者数 | 被発見者数 | | | ツベルクリン反応検 | | |
| | | 結核患者 | 潜在性結核感染者 | 結核発病のおそれがあると診断された者 | 被注射者数 | 被判定者数 | 陰性者数 |
| 中核市(再掲) | | | | | | | |
| 旭川市 | 64 | － | 3 | 7 | － | － | － |
| 函館市 | 15 | 1 | － | 17 | － | － | － |
| 青森市 | 77 | － | 3 | 1 | － | － | － |
| 八戸市 | 75 | 1 | 4 | － | 1 | 1 | 1 |
| 盛岡市 | 17 | － | 1 | － | － | － | － |
| 秋田市 | 50 | － | 1 | 2 | － | － | － |
| 郡山市 | 53 | 1 | 2 | 4 | － | － | － |
| いわき市 | 37 | － | － | 4 | － | － | － |
| 宇都宮市 | 41 | － | 5 | － | 5 | 5 | 2 |
| 前橋市 | 22 | 1 | 1 | － | － | － | － |
| 高崎市 | 47 | 1 | 1 | 11 | － | － | － |
| 川越市 | 74 | 1 | 3 | 1 | 1 | 1 | 1 |
| 越谷市 | 43 | 1 | 7 | － | － | － | － |
| 船橋市 | 162 | 1 | 8 | 3 | 82 | 82 | 12 |
| 柏市 | 44 | － | 2 | － | － | － | － |
| 八王子市 | 63 | 2 | 5 | 1 | 6 | 6 | 6 |
| 横須賀市 | 40 | 1 | 4 | 1 | 3 | 3 | 1 |
| 富山市 | 87 | 2 | 12 | 5 | 3 | 3 | 3 |
| 金沢市 | 67 | － | 4 | 1 | 4 | 4 | 4 |
| 長野市 | 167 | － | － | － | － | － | － |
| 岐阜市 | 83 | 4 | 5 | － | － | － | － |
| 豊橋市 | 73 | － | 6 | 4 | － | － | － |
| 豊田市 | 74 | － | 1 | － | － | － | － |
| 岡崎市 | 92 | － | 7 | 2 | 4 | 4 | 2 |
| 大津市 | 64 | 1 | 5 | 3 | 2 | 2 | 2 |
| 高槻市 | 39 | － | 3 | 4 | 5 | 5 | 3 |
| 東大阪市 | 77 | 1 | 5 | － | 2 | 2 | 1 |
| 豊中市 | 16 | 1 | 5 | 2 | 8 | 9 | 8 |
| 枚方市 | 38 | － | 5 | － | － | － | － |
| 姫路市 | 103 | － | 2 | 2 | 2 | 2 | 2 |
| 西宮市 | 63 | － | 3 | 1 | － | － | － |
| 尼崎市 | 109 | 1 | 5 | 11 | 3 | 3 | 2 |
| 奈良市 | 44 | 1 | 11 | － | 1 | 1 | 1 |
| 和歌山市 | 108 | 1 | 1 | － | － | － | － |
| 倉敷市 | 46 | － | 2 | 1 | 6 | 6 | 6 |
| 福山市 | 55 | － | 1 | 5 | 4 | 4 | 3 |
| 呉市 | 25 | 1 | 2 | － | － | － | － |
| 下関市 | 11 | － | － | － | － | － | － |
| 高松市 | 75 | 1 | 4 | 4 | － | － | － |
| 松山市 | 55 | 2 | 5 | 1 | 3 | 3 | 1 |
| 高知市 | 52 | － | 2 | － | － | － | － |
| 久留米市 | 88 | － | 2 | － | 1 | 1 | 1 |
| 長崎市 | 99 | － | 10 | － | － | － | － |
| 佐世保市 | 66 | － | － | 1 | － | － | － |
| 大分市 | 53 | － | 5 | 5 | 22 | 22 | 16 |
| 宮崎市 | 89 | － | 6 | 5 | 2 | 2 | 2 |
| 鹿児島市 | 75 | 1 | 7 | 7 | － | － | － |
| 那覇市 | 51 | 1 | － | － | 10 | 10 | 9 |
| その他政令市(再掲) | | | | | | | |
| 小樽市 | 15 | － | － | － | － | － | － |
| 町田市 | 42 | 1 | － | 3 | 13 | 13 | 13 |
| 藤沢市 | 33 | － | 1 | － | 4 | 4 | 3 |
| 茅ヶ崎市 | 46 | － | 5 | － | － | － | － |
| 四日市市 | 22 | － | － | － | 7 | 7 | 6 |
| 大牟田市 | 23 | － | 4 | 1 | 1 | 1 | － |

# 実施件数・被発見者数，都道府県－指定都市・特別区－中核市－その他政令市、定期－接触者健診別

平成29年度

| 者 | 健 | | | 診 | | | | |
|---|---|---|---|---|---|---|---|---|
| | の | | | | 他 | | | |
| 査 | | | | | | 被発見者数 | | |
| 陽性者数 | 健康診断受診者数 | 間接撮影者数 | 直接撮影者数 | 喀痰検査者数 | IGRA検査者数 | 結核患者 | 潜在性結核感染者 | 結核発病のおそれがあると診断された者 |
| － | 110 | － | 35 | 12 | 110 | － | 2 | 13 |
| － | 20 | － | 12 | － | 11 | － | － | 5 |
| － | 392 | － | 358 | － | 305 | 1 | 20 | 1 |
| － | 60 | － | 36 | － | 41 | 1 | 1 | 1 |
| － | 92 | － | 9 | － | 84 | － | 2 | 1 |
| － | 150 | － | 74 | 5 | 77 | － | 5 | 4 |
| － | 449 | － | 45 | 1 | 404 | 2 | 4 | 10 |
| － | 165 | － | 16 | － | 151 | － | － | 17 |
| 3 | 165 | － | 35 | 9 | 128 | 1 | 5 | 5 |
| － | 81 | － | 19 | 2 | 62 | － | － | 3 |
| － | 109 | － | 11 | － | 107 | － | 5 | 6 |
| － | 952 | － | 180 | － | 772 | － | 7 | 15 |
| － | 102 | － | 53 | － | 102 | － | 10 | － |
| 70 | 741 | － | 488 | 5 | 531 | 2 | 15 | 5 |
| － | 581 | － | 198 | － | 480 | 8 | 19 | 4 |
| － | 652 | － | 301 | 6 | 404 | － | 23 | 19 |
| 2 | 294 | － | 56 | － | 238 | － | 13 | 14 |
| － | 432 | － | 92 | 1 | 339 | 1 | 14 | 10 |
| － | 229 | － | 68 | － | 207 | － | 8 | 3 |
| － | 75 | － | － | － | 75 | － | 13 | － |
| － | 164 | － | 31 | － | 146 | － | 5 | 1 |
| － | 227 | － | 26 | － | 204 | － | 27 | 7 |
| － | 226 | － | 53 | － | 181 | 2 | 13 | － |
| 2 | 210 | － | 203 | － | 127 | － | 1 | 1 |
| － | 323 | － | 23 | － | 300 | － | 1 | 9 |
| 2 | 167 | － | 148 | － | 92 | － | － | 3 |
| 1 | 444 | － | 160 | － | 389 | － | 24 | － |
| 1 | 223 | － | 130 | － | 93 | － | 3 | 11 |
| － | 566 | － | 206 | － | 355 | － | 6 | － |
| － | 151 | － | 151 | － | 207 | － | 2 | 5 |
| － | 146 | － | 79 | － | 67 | － | 4 | 1 |
| 1 | 98 | － | 42 | － | 80 | 1 | 3 | 7 |
| － | 410 | － | 151 | － | 259 | 1 | 17 | 2 |
| － | 256 | － | 55 | － | 249 | － | 4 | － |
| － | 451 | － | 410 | 4 | 282 | 1 | 6 | 7 |
| 1 | 531 | － | 145 | 5 | 469 | 2 | 5 | 34 |
| － | 81 | － | 17 | － | 64 | － | － | － |
| － | 40 | － | 23 | － | 17 | － | － | － |
| － | 369 | － | 128 | － | 241 | － | 1 | 19 |
| 2 | 221 | － | 15 | 1 | 211 | － | 5 | 3 |
| － | 268 | － | 11 | 1 | 258 | － | 1 | － |
| － | 162 | － | 40 | － | 144 | － | 7 | 3 |
| － | 461 | － | 23 | － | 448 | － | 16 | － |
| － | 549 | － | 354 | － | 195 | 2 | 2 | 7 |
| 6 | 821 | － | 296 | － | 935 | 1 | 22 | 151 |
| － | 235 | － | 79 | － | 156 | － | 4 | 10 |
| － | 226 | － | 99 | 9 | 131 | 5 | 7 | 26 |
| 1 | 163 | － | 17 | 5 | 146 | 1 | 3 | － |
| － | 726 | － | 279 | 13 | 584 | 4 | 6 | 33 |
| － | 301 | － | 112 | － | 182 | － | 5 | 7 |
| 1 | 343 | － | 89 | － | 309 | － | 19 | － |
| － | 110 | － | 25 | － | 85 | － | 10 | 1 |
| 1 | 65 | － | 13 | － | 52 | － | 2 | － |
| 1 | 62 | － | 2 | － | 62 | － | 4 | － |

## 第38表　保健所が実施した結核予防の被相談電話延人員－来所延人員・被訪問

| | 相　談 | | 訪　問 | | 指　導 | |
|---|---|---|---|---|---|---|
| | 電話延人員 | 来所延人員 | 実　人　員 | （再掲）DOTS | 延　人　員 | （再掲）DOTS |
| **全　　国** | 292 733 | 59 932 | 30 694 | 19 419 | 100 653 | 74 022 |
| 北海道 | 2 593 | 384 | 830 | 386 | 2 726 | 1 902 |
| 青森 | 767 | 87 | 231 | 152 | 734 | 554 |
| 岩手 | 599 | 103 | 233 | 198 | 637 | 576 |
| 宮城 | 3 385 | 435 | 537 | 412 | 1 956 | 1 600 |
| 秋田 | 1 141 | 52 | 168 | 123 | 853 | 586 |
| 山形 | 1 264 | 344 | 175 | 154 | 1 154 | 679 |
| 福島 | 1 938 | 143 | 253 | 214 | 771 | 703 |
| 茨城 | 3 968 | 890 | 531 | 332 | 1 474 | 1 047 |
| 栃木 | 4 085 | 722 | 401 | 325 | 1 674 | 1 094 |
| 群馬 | 2 797 | 728 | 437 | 320 | 1 820 | 1 561 |
| 埼玉 | 22 523 | 2 439 | 1 575 | 1 122 | 5 326 | 4 350 |
| 千葉 | 16 627 | 3 141 | 1 230 | 813 | 3 593 | 2 929 |
| 東京 | 57 543 | 13 775 | 3 334 | 1 905 | 7 834 | 5 037 |
| 神奈川 | 38 265 | 9 736 | 1 678 | 1 226 | 6 208 | 4 360 |
| 新潟 | 1 645 | 138 | 466 | 246 | 844 | 508 |
| 富山 | 1 115 | 929 | 222 | 127 | 582 | 416 |
| 石川 | 5 567 | 1 048 | 311 | 147 | 899 | 478 |
| 福井 | 634 | 400 | 172 | 169 | 1 072 | 946 |
| 山梨 | 963 | 215 | 210 | 134 | 773 | 669 |
| 長野 | 3 611 | 472 | 449 | 232 | 1 158 | 766 |
| 岐阜 | 1 701 | 278 | 380 | 238 | 1 248 | 860 |
| 静岡 | 3 732 | 547 | 703 | 594 | 2 563 | 2 287 |
| 愛知 | 14 852 | 2 177 | 2 383 | 1 685 | 9 374 | 7 600 |
| 三重 | 1 456 | 499 | 297 | 193 | 1 304 | 897 |
| 滋賀 | 1 952 | 210 | 226 | 132 | 490 | 295 |
| 京都 | 4 122 | 829 | 800 | 512 | 2 199 | 1 810 |
| 大阪 | 18 031 | 5 129 | 2 985 | 1 087 | 10 486 | 6 285 |
| 兵庫 | 13 007 | 3 601 | 1 410 | 924 | 5 924 | 4 330 |
| 奈良 | 3 511 | 172 | 277 | 204 | 1 088 | 813 |
| 和歌山 | 1 486 | 170 | 278 | 209 | 1 043 | 930 |
| 鳥取 | 435 | 65 | 100 | 25 | 353 | 217 |
| 島根 | 1 826 | 395 | 169 | 111 | 711 | 464 |
| 岡山 | 3 594 | 591 | 399 | 285 | 1 413 | 1 103 |
| 広島 | 7 107 | 345 | 833 | 572 | 2 161 | 1 734 |
| 山口 | 3 500 | 412 | 258 | 197 | 880 | 648 |
| 徳島 | 1 576 | 355 | 180 | 140 | 648 | 449 |
| 香川 | 1 445 | 158 | 316 | 274 | 823 | 733 |
| 愛媛 | 2 260 | 151 | 256 | 207 | 753 | 667 |
| 高知 | 1 853 | 192 | 201 | 104 | 756 | 471 |
| 福岡 | 12 132 | 4 452 | 1 592 | 934 | 4 130 | 3 036 |
| 佐賀 | 534 | 164 | 176 | 124 | 757 | 598 |
| 長崎 | 2 728 | 91 | 457 | 364 | 1 594 | 1 222 |
| 熊本 | 1 353 | 83 | 337 | 283 | 1 022 | 839 |
| 大分 | 4 199 | 1 158 | 938 | 279 | 2 234 | 1 393 |
| 宮崎 | 2 412 | 312 | 198 | 157 | 903 | 556 |
| 鹿児島 | 8 592 | 574 | 610 | 401 | 1 647 | 1 215 |
| 沖縄 | 2 307 | 641 | 492 | 447 | 2 061 | 1 809 |
| 指定都市・特別区（再掲） | | | | | | |
| 東京都区部 | 39 273 | 12 089 | 2 408 | 1 453 | 5 696 | 3 768 |
| 札幌市 | 375 | 29 | 287 | 25 | 923 | 493 |
| 仙台市 | 2 215 | 207 | 364 | 275 | 1 488 | 1 194 |
| さいたま市 | 5 897 | 113 | 293 | 125 | 828 | 775 |
| 千葉市 | 6 050 | 81 | 432 | 261 | 1 168 | 977 |
| 横浜市 | 13 617 | 4 180 | 654 | 504 | 2 011 | 1 484 |
| 川崎市 | 12 441 | 3 454 | 360 | 320 | 1 792 | 1 578 |
| 相模原市 | 2 923 | 146 | 47 | 34 | 163 | 136 |
| 新潟市 | 936 | 33 | 202 | 42 | 313 | 87 |
| 静岡市 | 868 | 131 | 141 | 116 | 492 | 443 |
| 浜松市 | 461 | 69 | 151 | 120 | 537 | 479 |
| 名古屋市 | 5 172 | 993 | 1 085 | 643 | 3 673 | 2 782 |
| 京都市 | 2 458 | 496 | 434 | 245 | 1 300 | 1 094 |
| 大阪市 | 2 162 | 1 202 | 890 | － | 1 030 | － |
| 堺市 | 1 165 | 210 | 294 | 139 | 1 326 | 943 |
| 神戸市 | 3 384 | 1 390 | 477 | 274 | 1 847 | 1 271 |
| 岡山市 | 1 513 | 250 | 121 | 94 | 254 | 148 |
| 広島市 | 2 284 | 181 | 349 | 198 | 542 | 333 |
| 北九州市 | 2 560 | 124 | 257 | 31 | 653 | 302 |
| 福岡市 | 4 859 | 3 593 | 531 | 302 | 1 275 | 860 |
| 熊本市 | 560 | 13 | 79 | 78 | 149 | 147 |

# 指導実人員－延人員，都道府県−指定都市・特別区−中核市−その他政令市、相談等の種類別

平成29年度

| | 相　　談 | | 訪　　問　　指　　導 | | | |
|---|---|---|---|---|---|---|
| | 電話延人員 | 来所延人員 | 実　人　員 | （再掲）DOTS | 延　人　員 | （再掲）DOTS |
| **中　核　市（再掲）** | | | | | | |
| 旭　川　市 | 186 | 2 | 32 | 32 | 55 | 55 |
| 函　館　市 | 331 | 29 | 58 | 20 | 188 | 135 |
| 青　森　市 | 524 | 31 | 58 | 47 | 170 | 127 |
| 八　戸　市 | 176 | 15 | 32 | 32 | 223 | 201 |
| 盛　岡　市 | 243 | - | 47 | 42 | 145 | 144 |
| 秋　田　市 | 886 | 11 | 36 | 36 | 160 | 89 |
| 郡　山　市 | 71 | 62 | 31 | 13 | 148 | 125 |
| い　わ　き　市 | 41 | 8 | 56 | 56 | 108 | 108 |
| 宇　都　宮　市 | 1 004 | 150 | 83 | 37 | 341 | 232 |
| 前　橋　市 | 172 | 61 | 106 | 55 | 381 | 283 |
| 高　崎　市 | 1 269 | 58 | 78 | 66 | 352 | 341 |
| 川　越　市 | 1 739 | 32 | 67 | 18 | 225 | 109 |
| 越　谷　市 | 1 245 | 137 | 47 | 43 | 283 | 258 |
| 船　橋　市 | 656 | 186 | 67 | 52 | 175 | 130 |
| 柏　　市 | 1 242 | 520 | 72 | 56 | 221 | 205 |
| 八　王　子　市 | 5 237 | 529 | 192 | 186 | 385 | 202 |
| 横　須　賀　市 | 1 980 | 164 | 99 | 71 | 658 | 233 |
| 富　山　市 | 314 | 436 | 90 | 21 | 130 | 36 |
| 金　沢　市 | 1 176 | 382 | 130 | 60 | 386 | 207 |
| 長　野　市 | 113 | 23 | 43 | 19 | 165 | 122 |
| 岐　阜　市 | 390 | 201 | 64 | 49 | 227 | 212 |
| 豊　橋　市 | 1 223 | 98 | 112 | 80 | 305 | 222 |
| 豊　田　市 | 475 | 47 | 62 | 62 | 379 | 321 |
| 岡　崎　市 | 221 | 107 | 77 | 68 | 387 | 337 |
| 大　津　市 | 241 | 28 | 53 | 8 | 76 | 34 |
| 高　槻　市 | 51 | 125 | 73 | 45 | 216 | 188 |
| 東　大　阪　市 | 591 | 270 | 78 | 68 | 416 | 397 |
| 豊　中　市 | 1 396 | 204 | 143 | 110 | 779 | 502 |
| 枚　方　市 | 686 | 169 | 130 | 33 | 513 | 124 |
| 姫　路　市 | 443 | 438 | 58 | 52 | 172 | 163 |
| 西　宮　市 | 932 | 230 | 130 | 68 | 616 | 443 |
| 尼　崎　市 | 3 003 | 537 | 109 | 36 | 396 | 130 |
| 奈　良　市 | 1 120 | 38 | 130 | 91 | 520 | 307 |
| 和　歌　山　市 | 728 | 33 | 109 | 80 | 326 | 281 |
| 倉　敷　市 | 703 | 88 | 86 | 72 | 313 | 278 |
| 福　山　市 | 6 | 1 | 100 | 60 | 486 | 394 |
| 呉　　市 | 325 | 46 | 86 | 78 | 134 | 118 |
| 下　関　市 | 197 | 7 | 33 | 10 | 60 | 36 |
| 高　松　市 | 561 | 15 | 166 | 154 | 290 | 246 |
| 松　山　市 | 916 | 77 | 67 | 39 | 120 | 80 |
| 高　知　市 | 373 | 133 | 83 | 24 | 191 | 85 |
| 久　留　米　市 | 249 | 39 | 162 | 96 | 300 | 255 |
| 長　崎　市 | 885 | 20 | 198 | 180 | 322 | 258 |
| 佐　世　保　市 | 756 | 6 | 47 | 33 | 302 | 260 |
| 大　分　市 | 1 634 | 325 | 147 | 102 | 716 | 581 |
| 宮　崎　市 | 290 | 72 | 89 | 89 | 408 | 282 |
| 鹿　児　島　市 | 4 730 | 184 | 340 | 229 | 906 | 690 |
| 那　覇　市 | 355 | 188 | 127 | 126 | 456 | 450 |
| **その他政令市（再掲）** | | | | | | |
| 小　樽　市 | 183 | 45 | 50 | 41 | 188 | 159 |
| 町　田　市 | 1 025 | 199 | 132 | 52 | 295 | 175 |
| 藤　沢　市 | 1 276 | 658 | 59 | 45 | 176 | 162 |
| 茅　ヶ　崎　市 | 396 | 153 | 50 | 38 | 149 | 114 |
| 四　日　市　市 | 331 | 71 | 44 | 33 | 262 | 204 |
| 大　牟　田　市 | 88 | 128 | 33 | 25 | 223 | 190 |

# 第39表（3－1）保健所の環境衛生監視員等による調査及び監視指導

| | 総数 | 営業関係施設 | | | | | | | |
|---|---|---|---|---|---|---|---|---|---|
| | | 総数 | 旅館等 | 興行場 | 公衆浴場 | 理容所 | 美容所 | クリーニング所 | 無店舗取次店 |
| **全国** | 215 626 | 148 770 | 38 277 | 2 640 | 17 602 | 23 078 | 51 698 | 15 361 | 114 |
| 北海道 | 8 389 | 4 979 | 1 651 | 40 | 869 | 623 | 1 349 | 431 | 16 |
| 青森 | 2 834 | 2 566 | 455 | 20 | 240 | 594 | 951 | 306 | – |
| 岩手 | 1 960 | 1 456 | 558 | 17 | 183 | 245 | 328 | 125 | – |
| 宮城 | 5 134 | 3 303 | 802 | 78 | 429 | 637 | 1 111 | 245 | 1 |
| 秋田 | 1 169 | 755 | 289 | 3 | 203 | 78 | 165 | 17 | – |
| 山形 | 1 262 | 1 010 | 507 | 12 | 89 | 142 | 182 | 78 | – |
| 福島 | 5 583 | 3 926 | 1 523 | 84 | 379 | 701 | 1 008 | 231 | – |
| 茨城 | 3 484 | 3 055 | 1 052 | 21 | 451 | 383 | 788 | 360 | – |
| 栃木 | 2 178 | 1 927 | 446 | 11 | 212 | 363 | 676 | 219 | – |
| 群馬 | 1 565 | 1 327 | 694 | 4 | 144 | 117 | 333 | 34 | 1 |
| 埼玉 | 4 611 | 4 016 | 282 | 38 | 371 | 871 | 1 731 | 723 | – |
| 千葉 | 11 561 | 9 311 | 1 835 | 136 | 843 | 1 749 | 3 531 | 1 213 | 4 |
| 東京 | 28 897 | 19 872 | 3 495 | 796 | 2 761 | 2 783 | 7 491 | 2 539 | 7 |
| 神奈川 | 16 136 | 9 851 | 1 328 | 156 | 1 057 | 1 710 | 4 071 | 1 527 | 2 |
| 新潟 | 2 896 | 2 450 | 948 | 20 | 207 | 525 | 695 | 55 | – |
| 富山 | 1 744 | 1 348 | 364 | 11 | 212 | 215 | 379 | 165 | 2 |
| 石川 | 1 641 | 939 | 428 | 11 | 99 | 177 | 179 | 45 | – |
| 福井 | 1 809 | 1 448 | 692 | 8 | 55 | 230 | 406 | 56 | 1 |
| 山梨 | 804 | 677 | 464 | 5 | 73 | 11 | 106 | 14 | 4 |
| 長野 | 4 690 | 4 401 | 1 644 | 16 | 493 | 612 | 1 279 | 332 | 25 |
| 岐阜 | 2 530 | 1 917 | 360 | 14 | 254 | 416 | 710 | 161 | 2 |
| 静岡 | 6 113 | 4 692 | 2 158 | 35 | 649 | 448 | 1 034 | 367 | 1 |
| 愛知 | 16 034 | 7 177 | 773 | 218 | 675 | 1 389 | 3 006 | 1 116 | – |
| 三重 | 1 490 | 1 484 | 526 | 22 | 130 | 275 | 468 | 63 | – |
| 滋賀 | 816 | 553 | 115 | 1 | 39 | 70 | 306 | 22 | – |
| 京都 | 3 409 | 3 022 | 1 669 | 19 | 173 | 190 | 693 | 276 | 2 |
| 大阪 | 26 889 | 17 468 | 4 886 | 276 | 1 578 | 2 526 | 6 837 | 1 358 | 7 |
| 兵庫 | 9 760 | 7 592 | 2 178 | 107 | 1 170 | 1 019 | 2 400 | 715 | 3 |
| 奈良 | 1 597 | 1 157 | 277 | 11 | 137 | 149 | 438 | 145 | – |
| 和歌山 | 2 229 | 875 | 285 | 11 | 119 | 90 | 332 | 38 | – |
| 鳥取 | 384 | 305 | 138 | 1 | 42 | 28 | 79 | 16 | 1 |
| 島根 | 503 | 415 | 96 | 9 | 29 | 102 | 146 | 33 | – |
| 岡山 | 3 539 | 2 912 | 422 | 10 | 312 | 564 | 1 280 | 324 | – |
| 広島 | 2 408 | 1 283 | 204 | 9 | 212 | 221 | 551 | 85 | 1 |
| 山口 | 1 047 | 615 | 130 | 1 | 154 | 92 | 186 | 52 | – |
| 徳島 | 1 226 | 1 007 | 280 | 2 | 94 | 194 | 353 | 84 | – |
| 香川 | 1 481 | 966 | 301 | 17 | 126 | 67 | 287 | 163 | 5 |
| 愛媛 | 2 514 | 1 947 | 643 | 29 | 259 | 310 | 531 | 175 | – |
| 高知 | 1 224 | 830 | 126 | 4 | 93 | 142 | 384 | 73 | 8 |
| 福岡 | 8 622 | 4 863 | 542 | 271 | 622 | 865 | 2 125 | 423 | 15 |
| 佐賀 | 943 | 543 | 148 | 6 | 141 | 74 | 133 | 41 | – |
| 長崎 | 2 473 | 1 761 | 436 | 12 | 245 | 291 | 452 | 325 | – |
| 熊本 | 3 044 | 2 247 | 491 | 44 | 264 | 375 | 889 | 179 | 5 |
| 大分 | 1 690 | 577 | 254 | 3 | 69 | 44 | 177 | 30 | – |
| 宮崎 | 1 646 | 1 351 | 274 | 7 | 118 | 187 | 558 | 206 | 1 |
| 鹿児島 | 2 179 | 1 568 | 440 | 6 | 504 | 119 | 382 | 117 | – |
| 沖縄 | 1 489 | 1 026 | 668 | 8 | 24 | 65 | 202 | 59 | – |
| 指定都市・特別区（再掲） | | | | | | | | | |
| 東京都区部 | 17 868 | 12 038 | 2 173 | 397 | 1 974 | 1 576 | 4 583 | 1 329 | 6 |
| 札幌市 | 2 143 | 1 312 | 295 | 23 | 216 | 167 | 569 | 41 | 1 |
| 仙台市 | 3 133 | 1 712 | 333 | 56 | 214 | 330 | 677 | 102 | – |
| さいたま市 | 512 | 361 | 23 | 6 | 36 | 37 | 203 | 56 | – |
| 千葉市 | 849 | 479 | 41 | 16 | 117 | 75 | 119 | 111 | – |
| 横浜市 | 5 928 | 3 297 | 325 | 76 | 341 | 608 | 1 440 | 507 | – |
| 川崎市 | 3 864 | 2 231 | 155 | 33 | 343 | 381 | 893 | 424 | 2 |
| 相模原市 | 649 | 393 | 63 | 1 | 37 | 87 | 163 | 42 | – |
| 新潟市 | 598 | 414 | 77 | 14 | 117 | 67 | 120 | 19 | – |
| 静岡市 | 957 | 654 | 93 | 9 | 52 | 127 | 265 | 108 | – |
| 浜松市 | 564 | 304 | 88 | 2 | 61 | 22 | 116 | 14 | 1 |
| 名古屋市 | 11 237 | 4 471 | 364 | 151 | 361 | 894 | 1 984 | 717 | – |
| 京都市 | 2 858 | 2 628 | 1 483 | 19 | 124 | 157 | 600 | 243 | 2 |
| 大阪市 | 7 848 | 6 634 | 3 133 | 132 | 280 | 901 | 2 047 | 141 | – |
| 堺市 | 956 | 571 | 108 | 15 | 177 | 77 | 134 | 60 | – |
| 神戸市 | 2 263 | 1 088 | 319 | 21 | 201 | 145 | 318 | 81 | 3 |
| 岡山市 | 1 713 | 1 412 | 71 | 2 | 160 | 281 | 733 | 165 | – |
| 広島市 | 1 066 | 512 | 82 | 3 | 77 | 89 | 244 | 17 | – |
| 北九州市 | 2 614 | 1 032 | 102 | 218 | 189 | 121 | 336 | 66 | – |
| 福岡市 | 3 655 | 1 816 | 289 | 20 | 144 | 261 | 999 | 102 | 1 |
| 熊本市 | 1 089 | 832 | 16 | 11 | 65 | 130 | 482 | 128 | – |

## の被指導延施設数，都道府県－指定都市・特別区－中核市－その他政令市、施設の種類別

平成29年度

| 飲 | 料 | | 水 | | 施 | | 設 |
|---|---|---|---|---|---|---|---|
| 総数 | 水道事業（簡易水道事業を除く。） | 簡易水道事業 | 水道用水供給事業 | 専用水道 | 簡易専用水道 | その他の水道 | 井戸等 |
| **21 953** | **1 179** | **1 991** | **65** | **2 824** | **8 426** | **5 791** | **1 677** |
| 1 482 | 118 | 211 | 6 | 211 | 777 | 47 | 112 |
| 126 | － | － | － | 4 | 42 | 60 | 20 |
| 296 | 35 | 83 | － | 40 | 72 | 22 | 44 |
| 759 | 24 | 13 | － | 73 | 286 | 355 | 8 |
| 193 | 3 | 55 | － | 18 | 42 | 57 | 18 |
| 70 | 20 | 25 | 1 | 4 | － | 20 | － |
| 574 | 49 | 87 | 1 | 91 | 160 | 184 | 2 |
| 114 | 4 | 44 | － | 10 | － | 36 | 20 |
| 138 | 2 | － | － | 54 | 51 | 31 | － |
| 136 | 3 | 46 | － | 22 | 12 | 37 | 16 |
| 73 | 1 | － | － | 27 | 36 | 9 | － |
| 617 | 11 | 2 | － | 236 | 205 | 158 | 5 |
| 3 588 | 4 | 8 | － | 319 | 1 227 | 1 829 | 201 |
| 2 002 | － | － | － | 260 | 1 188 | 508 | 46 |
| 67 | 9 | 22 | － | 2 | 14 | 8 | 12 |
| 151 | 8 | 40 | － | 35 | 30 | 5 | 33 |
| 219 | 5 | 25 | － | 39 | 61 | － | 89 |
| 169 | 13 | 92 | 4 | 3 | 13 | 42 | 2 |
| 58 | 20 | 7 | 2 | 7 | 20 | － | 2 |
| 64 | － | － | － | 10 | 20 | 32 | 2 |
| 405 | 187 | 152 | － | 49 | 2 | 14 | 1 |
| 496 | 33 | 153 | － | 125 | 165 | 16 | 4 |
| 2 390 | 26 | 19 | － | 158 | 1 042 | 1 016 | 129 |
| － | － | － | － | － | － | － | － |
| 89 | 12 | 32 | 18 | 14 | 13 | － | － |
| 58 | 7 | 24 | … | 1 | 1 | … | 25 |
| 2 196 | 222 | 5 | 3 | 370 | 822 | 591 | 183 |
| 642 | 39 | 9 | 1 | 83 | 247 | 182 | 81 |
| 245 | 27 | 94 | 28 | 25 | 50 | 21 | － |
| 1 040 | 38 | 162 | － | 3 | 834 | － | 3 |
| 66 | 6 | 59 | － | 1 | － | － | － |
| 73 | 9 | 61 | － | 1 | － | 2 | － |
| 147 | 9 | 27 | － | 13 | 96 | 2 | － |
| 109 | 24 | 2 | － | 14 | 26 | 6 | 37 |
| 41 | 5 | 34 | － | 1 | 1 | － | － |
| 5 | 3 | 2 | － | － | － | － | － |
| 60 | 2 | － | － | 4 | 50 | 1 | 3 |
| 192 | 54 | 51 | 1 | 8 | 60 | 17 | 1 |
| 209 | 15 | 82 | … | 23 | 21 | 1 | 67 |
| 1 227 | － | － | － | 229 | 550 | 354 | 94 |
| 94 | 13 | 29 | － | 28 | 15 | 9 | － |
| 427 | 59 | 36 | － | 127 | 76 | 101 | 28 |
| 472 | 23 | 63 | － | 74 | 37 | － | 275 |
| 129 | － | 1 | － | 2 | 13 | 9 | 104 |
| 157 | 17 | 120 | － | 5 | － | 5 | 10 |
| 45 | 20 | 14 | － | － | 7 | 4 | － |
| 43 | － | － | － | 1 | 42 | － | － |
| 2 550 | － | － | － | 87 | 1 142 | 1 263 | 58 |
| 328 | － | － | － | 83 | 163 | 18 | 64 |
| 632 | － | － | － | 67 | 240 | 325 | － |
| 35 | － | － | － | 20 | 15 | － | － |
| 201 | － | － | － | 98 | 56 | 47 | － |
| 985 | － | － | － | 130 | 637 | 218 | － |
| 565 | － | － | － | 40 | 337 | 182 | 6 |
| 59 | － | － | － | 23 | 8 | 28 | － |
| 12 | － | － | － | 1 | 11 | － | － |
| 124 | － | 18 | － | 25 | 68 | 12 | 1 |
| 127 | － | － | － | 58 | 69 | － | － |
| 2 074 | － | － | － | 120 | 867 | 984 | 103 |
| … | … | … | … | … | … | … | … |
| 753 | － | － | － | 11 | 298 | 444 | － |
| 150 | － | － | － | 98 | 39 | 7 | 6 |
| 311 | － | － | － | 41 | 104 | 118 | 48 |
| 100 | － | － | － | 12 | 87 | 1 | － |
| 43 | － | － | － | 1 | 10 | － | 32 |
| 451 | － | － | － | 88 | 261 | 38 | 64 |
| 664 | － | － | － | 87 | 249 | 298 | 30 |
| 41 | － | － | － | 12 | 29 | － | － |

# 第39表(３－２) 保健所の環境衛生監視員等による調査及び監視指導

| | 総数 | 営業関係施設 | | | | | | | |
|---|---|---|---|---|---|---|---|---|---|
| | | 総数 | 旅館等 | 興行場 | 公衆浴場 | 理容所 | 美容所 | クリーニング所 | 無店舗取次店 |
| 中核市(再掲) | | | | | | | | | |
| 旭川市 | 370 | 220 | 48 | 2 | 53 | 30 | 70 | 17 | - |
| 函館市 | 310 | 178 | 35 | 3 | 22 | 40 | 74 | 4 | - |
| 青森市 | 409 | 372 | 21 | 1 | 29 | 82 | 182 | 57 | - |
| 八戸市 | 376 | 345 | 17 | 4 | 16 | 107 | 148 | 53 | - |
| 盛岡市 | 257 | 125 | 51 | 2 | 27 | 7 | 31 | 7 | - |
| 秋田市 | 534 | 335 | 53 | 2 | 33 | 75 | 155 | 17 | - |
| 郡山市 | 861 | 463 | 135 | 11 | 57 | 73 | 155 | 32 | - |
| いわき市 | 762 | 610 | 81 | 13 | 64 | 141 | 237 | 74 | - |
| 宇都宮市 | 595 | 450 | 45 | 3 | 40 | 107 | 206 | 49 | - |
| 前橋市 | 220 | 203 | 43 | 2 | 6 | 32 | 110 | 10 | - |
| 高崎市 | 284 | 256 | 30 | 1 | 57 | 44 | 108 | 16 | - |
| 川越市 | 203 | 174 | 7 | - | 31 | 24 | 75 | 37 | - |
| 越谷市 | 226 | 220 | 4 | - | 9 | 47 | 111 | 49 | - |
| 船橋市 | 832 | 632 | 59 | 6 | 61 | 104 | 301 | 101 | - |
| 柏市 | 491 | 308 | 41 | 8 | 16 | 71 | 137 | 35 | - |
| 八王子市 | 679 | 452 | 76 | 17 | 51 | 86 | 190 | 32 | - |
| 横須賀市 | 405 | 271 | 42 | 3 | 58 | 42 | 89 | 37 | - |
| 富山市 | 457 | 352 | 108 | 3 | 51 | 46 | 99 | 45 | - |
| 金沢市 | 869 | 470 | 246 | 7 | 52 | 62 | 91 | 12 | - |
| 長野市 | 657 | 554 | 100 | 1 | 41 | 123 | 271 | 18 | - |
| 岐阜市 | 540 | 473 | 58 | 11 | 126 | 59 | 169 | 50 | - |
| 豊橋市 | 626 | 441 | 17 | 1 | 6 | 179 | 217 | 21 | - |
| 豊田市 | 492 | 367 | 63 | 9 | 53 | 71 | 136 | 35 | - |
| 岡崎市 | 400 | 280 | 15 | 4 | 19 | 70 | 154 | 18 | - |
| 大津市 | 392 | 287 | 34 | 1 | 17 | 49 | 183 | 3 | - |
| 高槻市 | 699 | 472 | 23 | 4 | 66 | 51 | 293 | 35 | - |
| 東大阪市 | 704 | 257 | 51 | 7 | 82 | 34 | 66 | 17 | - |
| 豊中市 | 2 052 | 1 216 | 155 | 20 | 74 | 174 | 687 | 104 | 2 |
| 枚方市 | 834 | 426 | 98 | 7 | 51 | 28 | 213 | 29 | - |
| 姫路市 | 889 | 577 | 257 | 3 | 133 | 14 | 134 | 36 | - |
| 西宮市 | 798 | 608 | 35 | 13 | 60 | 79 | 321 | 100 | - |
| 尼崎市 | 677 | 543 | 62 | 12 | 205 | 76 | 186 | 2 | - |
| 奈良市 | 438 | 343 | 70 | 4 | 36 | 41 | 103 | 89 | - |
| 和歌山市 | 1 051 | 351 | 36 | 4 | 21 | 26 | 240 | 24 | - |
| 倉敷市 | 357 | 330 | 26 | 1 | 32 | 59 | 175 | 37 | - |
| 福山市 | 839 | 441 | 79 | 6 | 76 | 73 | 162 | 44 | 1 |
| 呉市 | 415 | 286 | 33 | - | 50 | 56 | 123 | 24 | - |
| 下関市 | 265 | 159 | 21 | - | 43 | 18 | 56 | 21 | - |
| 高松市 | 616 | 528 | 105 | 11 | 61 | 47 | 199 | 105 | - |
| 松山市 | 653 | 313 | 104 | 9 | 79 | 26 | 55 | 40 | - |
| 高知市 | 522 | 433 | 32 | 3 | 20 | 85 | 246 | 47 | - |
| 久留米市 | 176 | 128 | 19 | 15 | 31 | 4 | 44 | 1 | 14 |
| 長崎市 | 912 | 605 | 74 | 9 | 82 | 46 | 129 | 265 | - |
| 佐世保市 | 262 | 132 | 34 | - | 43 | 13 | 38 | 4 | - |
| 大分市 | 238 | 179 | 48 | - | 32 | 7 | 86 | 6 | - |
| 宮崎市 | 645 | 600 | 45 | 3 | 36 | 112 | 288 | 116 | - |
| 鹿児島市 | 841 | 608 | 36 | 3 | 201 | 58 | 235 | 75 | - |
| 那覇市 | 667 | 272 | 73 | 4 | 20 | 43 | 87 | 45 | - |
| その他政令市(再掲) | | | | | | | | | |
| 小樽市 | 585 | 223 | 64 | 2 | 37 | 34 | 63 | 22 | 1 |
| 町田市 | 544 | 414 | 34 | 3 | 60 | 66 | 179 | 72 | - |
| 藤沢市 | 1 073 | 491 | 32 | 2 | 35 | 81 | 248 | 93 | - |
| 茅ヶ崎市 | 498 | 259 | 8 | 1 | 20 | 49 | 145 | 36 | - |
| 四日市市 | 204 | 202 | 20 | 2 | 19 | 55 | 92 | 14 | - |
| 大牟田市 | 43 | 21 | - | - | 12 | - | 9 | - | - |

## の被指導延施設数，都道府県－指定都市・特別区－中核市－その他政令市、施設の種類別

平成29年度

| 飲料水施設 | | | | | | | |
|---|---|---|---|---|---|---|---|
| 総数 | 水道事業（簡易水道事業を除く。） | 簡易水道事業 | 水道用水供給事業 | 専用水道 | 簡易専用水道 | その他の水道 | 井戸等 |
| 51 | - | - | - | 27 | 22 | - | 2 |
| 5 | - | - | - | 3 | 2 | - | - |
| - | - | - | - | - | - | - | - |
| 12 | - | - | - | 3 | 9 | - | - |
| 27 | - | - | - | 4 | 12 | 11 | - |
| 61 | - | - | - | 17 | 41 | 3 | - |
| 97 | - | - | - | 7 | 66 | 24 | - |
| 69 | - | - | - | 8 | 21 | 40 | - |
| 92 | - | - | - | 51 | 21 | 20 | - |
| 10 | - | - | - | 1 | 7 | 2 | - |
| 13 | - | - | - | 4 | - | 9 | - |
| 12 | - | - | - | 3 | 8 | 1 | - |
| - | - | - | - | - | - | - | - |
| 97 | - | - | - | 30 | 44 | 23 | - |
| 93 | - | - | - | 66 | 14 | 13 | - |
| 89 | - | - | - | 36 | 18 | 13 | 22 |
| 19 | - | - | - | 1 | 16 | 2 | - |
| 38 | - | - | - | 8 | 30 | - | - |
| 71 | - | 2 | - | 33 | 36 | - | - |
| 64 | - | - | - | 10 | 20 | 32 | 2 |
| 18 | - | - | - | 15 | 2 | - | 1 |
| 57 | - | - | - | 15 | 42 | - | - |
| 39 | - | - | - | 11 | 28 | - | - |
| 13 | - | - | - | 3 | 10 | - | - |
| 27 | - | - | - | 14 | 13 | - | - |
| 92 | - | - | - | 48 | 34 | 10 | - |
| 243 | - | - | - | 5 | 189 | 45 | 4 |
| 272 | - | - | - | 49 | 172 | 26 | 25 |
| 155 | - | - | - | 73 | 55 | 22 | 5 |
| 119 | - | - | - | 12 | 32 | 46 | 29 |
| 88 | - | - | - | 21 | 54 | 9 | 4 |
| 60 | - | - | - | 4 | 51 | 5 | - |
| 34 | - | - | - | 16 | 18 | - | - |
| 561 | - | - | - | 3 | 558 | - | - |
| 5 | - | - | - | - | 5 | - | - |
| 38 | - | - | - | 11 | 16 | 6 | 5 |
| - | - | - | - | - | - | - | - |
| 2 | - | - | - | 1 | 1 | - | - |
| 54 | - | - | - | 4 | 49 | 1 | - |
| 84 | - | - | - | 7 | 60 | 16 | 1 |
| 25 | … | … | … | 19 | 6 | - | - |
| 23 | - | - | - | 11 | 12 | - | - |
| 182 | - | - | - | 77 | 27 | 50 | 28 |
| 30 | - | - | - | 29 | 1 | - | - |
| 19 | - | - | - | 2 | 7 | 9 | 1 |
| 3 | - | - | - | - | - | - | 3 |
| - | - | - | - | - | - | - | - |
| 42 | - | - | - | 1 | 41 | - | - |
| 177 | - | - | - | 9 | 129 | 14 | 25 |
| 52 | - | - | - | 18 | 17 | 15 | 2 |
| 91 | - | - | - | 16 | 58 | 17 | - |
| 78 | - | - | - | 10 | 41 | 27 | - |
| - | - | - | - | - | - | - | - |
| 6 | - | - | - | 3 | 3 | - | - |

# 第39表（3－3）保健所の環境衛生監視員等による調査及び監視指導

| | その他の施設 | | | | | | | その他 |
|---|---|---|---|---|---|---|---|---|
| | 総数 | 化製場（準ずる施設を含む。） | 畜舎・家きん舎 | 火葬場 | 墓地・納骨堂 | 特定建築物 | 一般プール | |
| **全国** | **24 175** | **1 081** | **1 511** | **136** | **1 905** | **12 151** | **7 391** | **20 728** |
| 北海道 | 1 199 | 95 | 3 | 15 | 21 | 715 | 350 | 729 |
| 青森 | 134 | 4 | 1 | - | - | 90 | 39 | 8 |
| 岩手 | 195 | 30 | - | 1 | 82 | 74 | 8 | 13 |
| 宮城 | 397 | 22 | 122 | - | 9 | 161 | 83 | 675 |
| 秋田 | 140 | 18 | 46 | - | - | 57 | 19 | 81 |
| 山形 | 76 | - | - | - | - | 50 | 26 | 106 |
| 福島 | 649 | 7 | 3 | 7 | 20 | 468 | 144 | 434 |
| 茨城 | 297 | 3 | 3 | - | - | 151 | 140 | 18 |
| 栃木 | 111 | - | - | - | - | 63 | 48 | 2 |
| 群馬 | 102 | 1 | - | - | 17 | 83 | 1 | - |
| 埼玉 | 430 | - | 1 | - | 146 | 24 | 259 | 92 |
| 千葉 | 1 300 | 20 | 283 | 1 | 22 | 566 | 408 | 333 |
| 東京 | 2 249 | 97 | 19 | 11 | 135 | 775 | 1 212 | 3 188 |
| 神奈川 | 1 620 | 2 | 174 | 5 | 100 | 706 | 633 | 2 663 |
| 新潟 | 174 | 7 | 14 | - | 10 | 31 | 112 | 205 |
| 富山 | 245 | 5 | - | - | - | 195 | 45 | - |
| 石川 | 173 | - | 40 | - | - | 90 | 43 | 310 |
| 福井 | 133 | - | - | - | - | 76 | 57 | 59 |
| 山梨 | 63 | - | - | - | - | 28 | 35 | 6 |
| 長野 | 225 | - | - | - | - | 125 | 100 | - |
| 岐阜 | 208 | 1 | 5 | - | 3 | 85 | 114 | - |
| 静岡 | 586 | 8 | 7 | 3 | 31 | 393 | 144 | 339 |
| 愛知 | 2 785 | 167 | 367 | - | 38 | 1 615 | 598 | 3 682 |
| 三重 | 6 | 2 | 1 | 1 | 2 | - | - | - |
| 滋賀 | 139 | - | - | - | - | 59 | 80 | 35 |
| 京都 | 281 | - | 1 | - | 74 | 119 | 87 | 48 |
| 大阪 | 3 769 | 17 | 100 | 23 | 232 | 2 180 | 1 217 | 3 456 |
| 兵庫 | 1 303 | 52 | 97 | 4 | 57 | 833 | 260 | 223 |
| 奈良 | 146 | 4 | 17 | - | - | 70 | 55 | 49 |
| 和歌山 | 314 | - | - | - | 2 | 232 | 80 | - |
| 鳥取 | 13 | 7 | 1 | - | - | 5 | - | - |
| 島根 | 15 | 4 | - | - | - | 1 | 10 | - |
| 岡山 | 273 | 4 | 17 | 2 | 52 | 97 | 101 | 207 |
| 広島 | 870 | - | 6 | 44 | 267 | 514 | 39 | 146 |
| 山口 | 298 | 1 | 1 | - | 10 | 224 | 62 | 93 |
| 徳島 | 207 | 192 | - | 1 | - | 5 | 9 | 7 |
| 香川 | 90 | 2 | 1 | - | - | 49 | 38 | 365 |
| 愛媛 | 249 | 1 | - | - | - | 163 | 85 | 126 |
| 高知 | 149 | 3 | 1 | … | 72 | 28 | 45 | 36 |
| 福岡 | 1 290 | 8 | 59 | - | 312 | 569 | 342 | 1 242 |
| 佐賀 | 88 | 4 | 2 | - | - | 36 | 46 | 218 |
| 長崎 | 266 | 1 | 12 | 18 | 104 | 82 | 49 | 19 |
| 熊本 | 233 | 2 | 2 | - | 78 | 79 | 72 | 92 |
| 大分 | 71 | 2 | 8 | - | 5 | 45 | 11 | 913 |
| 宮崎 | 133 | 3 | - | - | 4 | 80 | 46 | 5 |
| 鹿児島 | 423 | 285 | 47 | - | - | 52 | 39 | 143 |
| 沖縄 | 58 | - | 50 | - | - | 8 | - | 362 |
| 指定都市・特別区（再掲） | | | | | | | | |
| 東京都区部 | 1 454 | 46 | 19 | 2 | 104 | 603 | 680 | 1 826 |
| 札幌市 | 284 | 1 | - | 12 | 15 | 215 | 41 | 219 |
| 仙台市 | 189 | - | 56 | - | 9 | 67 | 57 | 600 |
| さいたま市 | 52 | - | - | - | 6 | 21 | 25 | 64 |
| 千葉市 | 169 | - | 38 | 1 | 22 | 71 | 37 | - |
| 横浜市 | 798 | 1 | 109 | - | 65 | 459 | 164 | 848 |
| 川崎市 | 293 | - | 61 | 3 | 13 | 47 | 169 | 775 |
| 相模原市 | 18 | - | 2 | - | - | 5 | 11 | 179 |
| 新潟市 | 56 | 4 | 14 | - | 10 | 15 | 13 | 116 |
| 静岡市 | 83 | 1 | 7 | 2 | 9 | 41 | 23 | 96 |
| 浜松市 | 101 | - | - | 1 | 22 | 54 | 24 | 32 |
| 名古屋市 | 1 590 | 1 | 71 | - | 27 | 1 300 | 191 | 3 102 |
| 京都市 | 182 | - | 1 | - | 74 | 63 | 44 | 48 |
| 大阪市 | 389 | 7 | 15 | 9 | 48 | 125 | 185 | 72 |
| 堺市 | 235 | - | 10 | 12 | 62 | 69 | 82 | - |
| 神戸市 | 719 | 3 | 41 | 4 | 40 | 592 | 39 | 145 |
| 岡山市 | 150 | - | 9 | 2 | 52 | 51 | 36 | 51 |
| 広島市 | 407 | - | 3 | 44 | 222 | 122 | 16 | 104 |
| 北九州市 | 696 | 6 | 44 | - | 101 | 380 | 165 | 435 |
| 福岡市 | 389 | - | 15 | - | 206 | 102 | 66 | 786 |
| 熊本市 | 124 | 1 | 2 | - | 70 | 37 | 14 | 92 |

## の被指導延施設数，都道府県－指定都市・特別区－中核市－その他政令市、施設の種類別

平成29年度

| | その他の施設 | | | | | | | その他 |
|---|---|---|---|---|---|---|---|---|
| | 総数 | 化製場（準ずる施設を含む。） | 畜舎・家きん舎 | 火葬場 | 墓地・納骨堂 | 特定建築物 | 一般プール | |
| 中核市(再掲) | | | | | | | | |
| 旭川市 | 42 | 1 | 2 | 1 | 2 | 24 | 12 | 57 |
| 函館市 | 127 | 2 | - | - | 1 | 118 | 6 | - |
| 青森市 | 37 | - | - | - | - | 28 | 9 | - |
| 八戸市 | 13 | - | 1 | - | - | 9 | 3 | 6 |
| 盛岡市 | 99 | 8 | - | 1 | 82 | 7 | 1 | 6 |
| 秋田市 | 57 | 2 | 10 | - | - | 34 | 11 | 81 |
| 郡山市 | 124 | 1 | - | - | 5 | 101 | 17 | 177 |
| いわき市 | 62 | - | 2 | 2 | 1 | 34 | 23 | 21 |
| 宇都宮市 | 53 | - | - | - | - | 28 | 25 | - |
| 前橋市 | 7 | 1 | - | - | 2 | 4 | - | - |
| 高崎市 | 15 | - | - | - | - | 15 | - | - |
| 川越市 | 17 | - | - | - | - | - | 17 | - |
| 越谷市 | 6 | - | - | - | - | - | 6 | - |
| 船橋市 | 103 | - | 49 | - | - | 22 | 32 | - |
| 柏市 | 74 | - | 21 | - | - | 29 | 24 | 16 |
| 八王子市 | 90 | - | - | - | 16 | 20 | 54 | 48 |
| 横須賀市 | 76 | - | 2 | - | 4 | 6 | 64 | 39 |
| 富山市 | 67 | - | - | - | - | 61 | 6 | - |
| 金沢市 | 64 | - | 26 | - | - | 18 | 20 | 264 |
| 長野市 | 39 | - | - | - | - | 15 | 24 | - |
| 岐阜市 | 49 | - | 5 | - | 3 | 17 | 24 | - |
| 豊橋市 | 44 | 4 | 1 | - | 4 | 19 | 16 | 84 |
| 豊田市 | 86 | - | 4 | - | - | 21 | 61 | - |
| 岡崎市 | 42 | - | 8 | - | 7 | 14 | 13 | 65 |
| 大津市 | 50 | - | - | - | - | 1 | 49 | 28 |
| 高槻市 | 99 | - | 3 | 1 | 5 | 50 | 40 | 36 |
| 東大阪市 | 178 | - | 3 | - | 8 | 139 | 28 | 26 |
| 豊中市 | 448 | - | - | - | 100 | 263 | 85 | 116 |
| 枚方市 | 202 | 3 | 6 | - | 5 | 127 | 61 | 51 |
| 姫路市 | 122 | 17 | 8 | - | 16 | 20 | 61 | 71 |
| 西宮市 | 102 | - | 39 | - | - | 47 | 16 | - |
| 尼崎市 | 71 | - | - | - | 1 | 34 | 36 | 3 |
| 奈良市 | 43 | - | 11 | - | - | 10 | 22 | 18 |
| 和歌山市 | 139 | - | - | - | 2 | 120 | 17 | - |
| 倉敷市 | 22 | - | 7 | - | - | 4 | 11 | - |
| 福山市 | 331 | - | 2 | - | 20 | 308 | 1 | 29 |
| 呉市 | 116 | - | 1 | - | 10 | 83 | 22 | 13 |
| 下関市 | 11 | - | 1 | - | 8 | 2 | - | 93 |
| 高松市 | 34 | 1 | - | - | - | 22 | 11 | - |
| 松山市 | 130 | - | - | - | - | 107 | 23 | 126 |
| 高知市 | 32 | 1 | - | … | … | 25 | 6 | 32 |
| 久留米市 | 25 | 2 | - | - | - | 7 | 16 | - |
| 長崎市 | 106 | - | 1 | 1 | 54 | 31 | 19 | 19 |
| 佐世保市 | 100 | - | - | 17 | 50 | 16 | 17 | - |
| 大分市 | 40 | 2 | 2 | - | 5 | 23 | 8 | - |
| 宮崎市 | 37 | - | - | - | 3 | 22 | 12 | 5 |
| 鹿児島市 | 90 | 5 | 40 | - | - | 7 | 38 | 143 |
| 那覇市 | 7 | - | - | - | - | 7 | - | 346 |
| その他政令市(再掲) | | | | | | | | |
| 小樽市 | 52 | - | 1 | - | 2 | 40 | 9 | 133 |
| 町田市 | 78 | - | - | 1 | 14 | 23 | 40 | - |
| 藤沢市 | 70 | - | - | 1 | 3 | 30 | 36 | 421 |
| 茅ヶ崎市 | 38 | - | - | - | - | 6 | 32 | 123 |
| 四日市市 | 2 | - | - | - | 2 | - | - | - |
| 大牟田市 | 10 | - | - | - | 1 | - | 9 | 6 |

# 第40表（6－1）保健所が実施した試験検査件数,

| | 総数 | 細菌学的検査 | | | | | |
|---|---|---|---|---|---|---|---|
| | | 総数 | 赤痢 | コレラ | チフス | 結核 | その他 |
| **全国** | **2 024 053** | **1 338 918** | **382 092** | **301** | **352 758** | **1 245** | **602 522** |
| 北海道 | 43 142 | 25 977 | 7 986 | 45 | 6 263 | 1 | 11 682 |
| 青森 | 1 747 | 321 | 14 | 2 | - | - | 305 |
| 岩手 | 1 198 | 148 | 4 | 3 | - | - | 141 |
| 宮城 | 3 596 | 63 | - | - | - | - | 63 |
| 秋田 | 858 | 39 | - | - | - | - | 39 |
| 山形 | 21 758 | 16 196 | 5 234 | 1 | 625 | - | 10 336 |
| 福島 | 11 893 | 5 573 | 1 852 | - | 1 852 | - | 1 869 |
| 茨城 | 1 075 | - | - | - | - | - | - |
| 栃木 | 26 601 | 17 340 | 4 204 | - | 3 083 | - | 10 053 |
| 群馬 | 36 259 | 24 066 | 6 846 | - | 6 839 | 6 | 10 375 |
| 埼玉 | 7 650 | 418 | - | - | 7 | 12 | 399 |
| 千葉 | 126 303 | 95 442 | 25 525 | - | 25 471 | 68 | 44 378 |
| 東京 | 934 828 | 747 979 | 202 269 | 4 | 203 614 | 313 | 341 779 |
| 神奈川 | 21 897 | 10 876 | 3 227 | - | 350 | 270 | 7 029 |
| 新潟 | 8 921 | 2 543 | 1 125 | - | 39 | - | 1 379 |
| 富山 | 65 581 | 56 633 | 14 543 | - | 14 531 | - | 27 559 |
| 石川 | 7 643 | 2 885 | 1 004 | - | 968 | - | 913 |
| 福井 | 425 | - | - | - | - | - | - |
| 山梨 | 133 | - | - | - | - | - | - |
| 長野 | 28 553 | 6 916 | 1 839 | 1 | 1 839 | - | 3 237 |
| 岐阜 | 9 112 | 6 080 | 1 860 | - | 1 872 | - | 2 348 |
| 静岡 | 11 895 | 866 | 208 | - | 220 | 10 | 428 |
| 愛知 | 208 603 | 145 762 | 46 718 | 8 | 46 522 | 8 | 52 506 |
| 三重 | 9 592 | 293 | 5 | - | - | - | 288 |
| 滋賀 | 3 408 | 20 | - | - | - | - | 20 |
| 京都 | 28 165 | 6 636 | 6 597 | - | - | - | 39 |
| 大阪 | 57 272 | 21 855 | 5 303 | 31 | 5 307 | 399 | 10 815 |
| 兵庫 | 70 018 | 35 971 | 10 355 | - | 7 387 | 51 | 18 178 |
| 奈良 | 2 988 | 14 | - | - | - | - | 14 |
| 和歌山 | 5 614 | 1 533 | 478 | - | 310 | - | 745 |
| 鳥取 | 1 277 | - | - | - | - | - | - |
| 島根 | 1 091 | 118 | - | - | - | - | 118 |
| 岡山 | 9 322 | 337 | 68 | - | 3 | - | 266 |
| 広島 | 6 193 | 925 | 10 | - | 1 | - | 914 |
| 山口 | 9 117 | 965 | 399 | - | 9 | - | 557 |
| 徳島 | 4 353 | 23 | - | - | - | - | 23 |
| 香川 | 4 605 | 1 456 | 326 | 167 | 213 | - | 750 |
| 愛媛 | 35 100 | 20 456 | 6 398 | 24 | 6 339 | - | 7 695 |
| 高知 | 2 025 | 57 | 26 | 15 | - | - | 16 |
| 福岡 | 55 232 | 4 048 | 1 519 | - | 1 504 | 42 | 983 |
| 佐賀 | 2 449 | - | - | - | - | - | - |
| 長崎 | 32 251 | 17 502 | 5 363 | - | 5 362 | 23 | 6 754 |
| 熊本 | 4 787 | 4 | 4 | - | - | - | - |
| 大分 | 48 613 | 36 898 | 10 945 | - | 10 945 | 12 | 14 996 |
| 宮崎 | 2 254 | 25 | - | - | - | - | 25 |
| 鹿児島 | 38 159 | 23 549 | 9 838 | - | 1 283 | - | 12 428 |
| 沖縄 | 10 497 | 110 | - | - | - | 30 | 80 |
| 指定都市・特別区(再掲) | | | | | | | |
| 東京都区部 | 872 344 | 741 980 | 200 062 | 4 | 201 407 | 313 | 340 194 |
| 札幌市 | 619 | - | - | - | - | - | - |
| 仙台市 | 3 004 | 63 | - | - | - | - | 63 |
| さいたま市 | - | - | - | - | - | - | - |
| 千葉市 | - | - | - | - | - | - | - |
| 横浜市 | 5 533 | 288 | 7 | - | - | 1 | 280 |
| 川崎市 | 1 165 | - | - | - | - | - | - |
| 相模原市 | 3 717 | 325 | - | - | - | 269 | 56 |
| 新潟市 | 342 | - | - | - | - | - | - |
| 静岡市 | 1 890 | - | - | - | - | - | - |
| 浜松市 | - | - | - | - | - | - | - |
| 名古屋市 | 35 768 | 45 | 5 | - | - | - | 40 |
| 京都市 | 22 985 | 6 597 | 6 597 | - | - | - | - |
| 大阪市 | 10 865 | 62 | - | - | - | 62 | - |
| 堺市 | - | - | - | - | - | - | - |
| 神戸市 | - | - | - | - | - | - | - |
| 岡山市 | 3 442 | 187 | 47 | - | - | - | 140 |
| 広島市 | 86 | - | - | - | - | - | - |
| 北九州市 | 2 597 | - | - | - | - | - | - |
| 福岡市 | 38 254 | 106 | 9 | - | - | 42 | 55 |
| 熊本市 | 3 385 | 4 | 4 | - | - | - | - |

## 都道府県－指定都市・特別区－中核市－その他政令市、検査の種類別

平成29年度

| 食品衛生関係検査 | | | | | | |
|---|---|---|---|---|---|---|
| 総数 | 食中毒 | | | 食品等検査 | | |
| | 微生物学的検査 | 理化学的検査 | その他 | 微生物学的検査 | 理化学的検査 | その他 |
| 180 909 | 25 335 | 68 | 3 052 | 95 871 | 32 785 | 23 798 |
| 7 329 | 1 503 | - | 204 | 3 548 | 1 984 | 90 |
| 769 | 451 | - | - | 230 | 88 | - |
| 174 | 10 | - | 25 | 129 | 10 | - |
| 1 776 | 27 | - | - | 1 253 | 313 | 183 |
| 519 | 132 | - | - | 267 | 120 | - |
| | | | | | | |
| 4 684 | 242 | - | - | 4 157 | 258 | 27 |
| 1 306 | 387 | 2 | - | 721 | 196 | - |
| 957 | 30 | - | 100 | 35 | 52 | 740 |
| 5 624 | 1 590 | - | - | 3 130 | 870 | 34 |
| 884 | 116 | - | 33 | 499 | 231 | 5 |
| | | | | | | |
| 1 639 | 215 | 12 | 152 | 510 | 537 | 213 |
| 9 177 | 1 574 | - | 1 048 | 2 328 | 2 200 | 2 027 |
| 48 330 | 7 250 | - | 15 | 29 132 | 2 412 | 9 521 |
| 2 560 | 437 | 16 | 1 | 912 | 1 135 | 59 |
| 1 607 | 508 | - | - | 798 | 301 | - |
| | | | | | | |
| 1 458 | 203 | - | - | 818 | 377 | 60 |
| 2 189 | 297 | - | 70 | 1 278 | 325 | 219 |
| 213 | - | - | - | 159 | 54 | - |
| - | - | - | - | - | - | - |
| 3 156 | 564 | - | - | 1 042 | 1 550 | - |
| | | | | | | |
| 1 093 | 283 | 4 | 81 | 244 | 98 | 383 |
| 5 744 | 579 | 3 | - | 2 192 | 2 970 | - |
| 16 250 | 2 657 | 3 | 86 | 4 289 | 2 360 | 6 855 |
| 2 464 | 262 | - | 239 | 1 963 | - | - |
| 485 | 188 | - | 57 | 105 | 101 | 34 |
| | | | | | | |
| 2 895 | 795 | - | 120 | 1 084 | 239 | 657 |
| 7 440 | 127 | … | 115 | 4 444 | 2 020 | 734 |
| 5 522 | 1 336 | - | 69 | 2 570 | 1 470 | 77 |
| 336 | 54 | - | 18 | 201 | 56 | 7 |
| 316 | 57 | - | - | 184 | 17 | 58 |
| | | | | | | |
| - | - | - | - | - | - | - |
| 138 | 48 | - | - | 90 | - | - |
| 5 774 | 506 | 1 | 62 | 3 456 | 1 734 | 15 |
| 3 366 | 355 | 15 | 18 | 1 923 | 1 045 | 10 |
| 4 591 | 430 | 10 | - | 3 309 | 842 | - |
| | | | | | | |
| 2 754 | 33 | - | - | 2 432 | 280 | 9 |
| 2 155 | 84 | - | - | 1 293 | 778 | - |
| 3 008 | 474 | - | 132 | 1 547 | 796 | 59 |
| 1 566 | 467 | 1 | 69 | 867 | 131 | 31 |
| 5 976 | 255 | - | 6 | 3 245 | 2 000 | 470 |
| | | | | | | |
| 825 | - | - | - | - | 21 | 804 |
| 5 411 | 357 | - | 62 | 3 719 | 1 227 | 46 |
| 1 608 | - | - | - | 1 070 | 538 | - |
| 1 786 | 26 | 1 | 40 | 1 609 | 95 | 15 |
| 874 | 92 | - | 162 | 333 | 244 | 43 |
| | | | | | | |
| 3 063 | 160 | - | 68 | 1 902 | 621 | 312 |
| 1 118 | 174 | - | - | 854 | 89 | 1 |
| | | | | | | |
| 26 171 | 102 | - | 15 | 14 389 | 2 144 | 9 521 |
| | | | | | | |
| 619 | - | - | - | 273 | 346 | - |
| 1 229 | - | - | - | 945 | 101 | 183 |
| - | - | - | - | - | - | - |
| - | - | - | - | - | - | - |
| 1 012 | 133 | 16 | - | 85 | 727 | 51 |
| | | | | | | |
| - | - | - | - | - | - | - |
| 952 | 150 | - | 1 | 565 | 236 | - |
| 320 | - | - | - | 200 | 120 | - |
| 1 890 | - | - | - | 1 096 | 794 | - |
| - | - | - | - | - | - | - |
| | | | | | | |
| 8 854 | 2 007 | - | - | 118 | - | 6 729 |
| - | - | - | - | - | - | - |
| 4 080 | - | - | - | 3 194 | 886 | - |
| - | - | - | - | - | - | - |
| - | - | - | - | - | - | - |
| | | | | | | |
| 976 | 35 | - | 28 | 574 | 324 | 15 |
| - | - | - | - | - | - | - |
| 1 434 | - | - | - | 162 | 808 | 464 |
| 580 | 173 | - | - | 288 | 119 | - |
| 616 | - | - | - | 390 | 226 | - |

# 第40表（6－2）保健所が実施した試験検査件数，

| | 総数 | 細菌学的検査 | | | | | |
|---|---|---|---|---|---|---|---|
| | | 総数 | 赤痢 | コレラ | チフス | 結核 | その他 |
| 中核市(再掲) | | | | | | | |
| 旭川市 | 3 909 | 1 818 | 641 | 22 | 463 | - | 692 |
| 函館市 | 6 448 | 5 853 | 2 039 | - | 2 039 | - | 1 775 |
| 青森市 | 350 | 170 | 4 | - | - | - | 166 |
| 八戸市 | 74 | - | - | - | - | - | - |
| 盛岡市 | 950 | 148 | 4 | 3 | - | - | 141 |
| 秋田市 | 858 | 39 | - | - | - | - | 39 |
| 郡山市 | 6 567 | 3 167 | 1 050 | - | 1 050 | - | 1 067 |
| いわき市 | 5 298 | 2 406 | 802 | - | 802 | - | 802 |
| 宇都宮市 | 153 | - | - | - | - | - | - |
| 前橋市 | 6 050 | 4 742 | 1 536 | - | 1 536 | - | 1 670 |
| 高崎市 | 1 184 | 48 | 13 | - | 6 | 1 | 28 |
| 川越市 | 3 425 | 72 | - | - | - | - | 72 |
| 越谷市 | 1 161 | 118 | - | - | 7 | - | 111 |
| 船橋市 | 13 246 | 10 065 | 2 097 | - | 2 085 | 4 | 5 879 |
| 柏市 | 13 042 | 6 476 | 1 465 | - | 1 461 | 1 | 3 549 |
| 八王子市 | 3 547 | - | - | - | - | - | - |
| 横須賀市 | - | - | - | - | - | - | - |
| 富山市 | 48 182 | 41 720 | 10 451 | - | 10 451 | - | 20 818 |
| 金沢市 | 3 519 | 311 | 107 | - | 73 | - | 131 |
| 長野市 | 11 737 | 5 626 | 1 839 | - | 1 839 | - | 1 948 |
| 岐阜市 | 348 | - | - | - | - | - | - |
| 豊橋市 | 29 724 | 21 444 | 6 187 | 2 | 6 187 | 1 | 9 067 |
| 豊田市 | 26 507 | 24 579 | 9 986 | - | 9 985 | - | 4 608 |
| 岡崎市 | 17 118 | 13 777 | 5 268 | - | 5 256 | 7 | 3 246 |
| 大津市 | 1 098 | 20 | - | - | - | - | 20 |
| 高槻市 | 1 762 | 960 | 291 | 1 | 304 | 10 | 354 |
| 東大阪市 | 121 | - | - | - | - | - | - |
| 豊中市 | 976 | 112 | 7 | 7 | 7 | - | 91 |
| 枚方市 | 4 409 | 1 046 | 339 | - | 336 | - | 371 |
| 姫路市 | 413 | - | - | - | - | - | - |
| 西宮市 | 8 293 | 6 454 | 1 824 | - | 1 821 | - | 2 809 |
| 尼崎市 | 10 925 | 25 | - | - | - | - | 25 |
| 奈良市 | 2 988 | 14 | - | - | - | - | 14 |
| 和歌山市 | 2 329 | - | - | - | - | - | - |
| 倉敷市 | 1 514 | 25 | - | - | 3 | - | 22 |
| 福山市 | 1 820 | 200 | 5 | - | - | - | 195 |
| 呉市 | 753 | 3 | 3 | - | - | - | - |
| 下関市 | 3 382 | 889 | 388 | - | - | - | 501 |
| 高松市 | 2 420 | 1 349 | 326 | 167 | 213 | - | 643 |
| 松山市 | 5 141 | 2 671 | 171 | - | 590 | - | 1 910 |
| 高知市 | 930 | 6 | - | - | - | - | 6 |
| 久留米市 | 1 331 | 28 | 1 | - | - | - | 27 |
| 長崎市 | 16 279 | 13 962 | 4 636 | - | 4 636 | 23 | 4 667 |
| 佐世保市 | 8 642 | 2 178 | 726 | - | 726 | - | 726 |
| 大分市 | 34 202 | 26 811 | 6 950 | - | 6 950 | - | 12 911 |
| 宮崎市 | 1 372 | 25 | - | - | - | - | 25 |
| 鹿児島市 | 30 150 | 17 612 | 8 547 | - | - | - | 9 065 |
| 那覇市 | 4 635 | 23 | - | - | - | 12 | 11 |
| その他政令市(再掲) | | | | | | | |
| 小樽市 | 4 903 | 3 367 | 1 067 | - | 1 067 | - | 1 233 |
| 町田市 | 1 761 | - | - | - | - | - | - |
| 藤沢市 | 11 442 | 10 263 | 3 220 | - | 350 | - | 6 693 |
| 茅ヶ崎市 | - | - | - | - | - | - | - |
| 四日市市 | 1 558 | 21 | - | - | - | - | 21 |
| 大牟田市 | 4 187 | 3 691 | 1 496 | - | 1 496 | - | 699 |

## 都道府県－指定都市・特別区－中核市－その他政令市、検査の種類別

平成29年度

| 食品衛生関係検査 | | | | | | |
|---|---|---|---|---|---|---|
| 総数 | 食中毒 | | | 食品等検査 | | |
| | 微生物学的検査 | 理化学的検査 | その他 | 微生物学的検査 | 理化学的検査 | その他 |
| 624 | 50 | － | 146 | 204 | 164 | 60 |
| 593 | － | － | － | 325 | 268 | － |
| 180 | 96 | － | － | 49 | 35 | － |
| － | － | － | － | － | － | － |
| 174 | 10 | － | 25 | 129 | 10 | － |
| 519 | 132 | － | － | 267 | 120 | － |
| 685 | 215 | 2 | － | 369 | 99 | － |
| 621 | 172 | － | － | 352 | 97 | － |
| － | － | － | － | － | － | － |
| 442 | 54 | － | 13 | 239 | 131 | 5 |
| 442 | 62 | － | 20 | 260 | 100 | － |
| 704 | 173 | 8 | 119 | 265 | 139 | － |
| 259 | 42 | － | 33 | 63 | 121 | － |
| 377 | 85 | － | － | 233 | 59 | － |
| 416 | 238 | － | － | 140 | 38 | － |
| 7 | － | － | － | 7 | － | － |
| － | － | － | － | － | － | － |
| 82 | 82 | － | － | － | － | － |
| 1 463 | 84 | － | 70 | 765 | 325 | 219 |
| 563 | 145 | － | － | 263 | 155 | － |
| － | － | － | － | － | － | － |
| 1 815 | 26 | － | 27 | 1 271 | 376 | 115 |
| 504 | 207 | 3 | － | 186 | 108 | － |
| 1 158 | 93 | － | 59 | 684 | 322 | － |
| 485 | 188 | － | 57 | 105 | 101 | 34 |
| 346 | 20 | － | － | 262 | 64 | － |
| 121 | － | － | － | 121 | － | － |
| 137 | 26 | － | 22 | 83 | 6 | － |
| 235 | 28 | － | 86 | 102 | 19 | － |
| 413 | － | － | － | 251 | 162 | － |
| 1 015 | 68 | － | 69 | 594 | 207 | 77 |
| 119 | 6 | － | － | 111 | 2 | － |
| 336 | 54 | － | 18 | 201 | 56 | 7 |
| － | － | － | － | － | － | － |
| 1 255 | 37 | － | 34 | 817 | 367 | － |
| 1 194 | 50 | － | 18 | 609 | 507 | 10 |
| 656 | 67 | 15 | － | 422 | 152 | － |
| 994 | 129 | 10 | － | 696 | 159 | － |
| 775 | 84 | － | － | 566 | 125 | － |
| 1 008 | 344 | － | 132 | 325 | 207 | － |
| 791 | 145 | － | 69 | 504 | 42 | 31 |
| 309 | 43 | － | 6 | 195 | 65 | － |
| 1 351 | 168 | － | － | 743 | 439 | 1 |
| 863 | 81 | － | 62 | 593 | 104 | 23 |
| 656 | 26 | 1 | 40 | 479 | 95 | 15 |
| 781 | 92 | － | 162 | 299 | 187 | 41 |
| 1 409 | 67 | － | 67 | 1 010 | 178 | 87 |
| 217 | 154 | － | － | 51 | 11 | 1 |
| 545 | 49 | － | 58 | 282 | 126 | 30 |
| 1 256 | － | － | － | 1 256 | － | － |
| 596 | 154 | － | － | 262 | 172 | 8 |
| － | － | － | － | － | － | － |
| 338 | 48 | － | 29 | 261 | － | － |
| 228 | 39 | － | － | 150 | 39 | － |

# 第40表（6－3）保健所が実施した試験検査件数,

| | 臨 | | | | 床 | | | 学 | |
|---|---|---|---|---|---|---|---|---|---|
| | | | 血清等検査 | | | 生化学検査 | | 尿検査 | |
| | 総数 | 血液一般検査 | HBs抗原、抗体検査 | 梅毒血清検査 | その他 | 生化学検査 | 先天性代謝異常検査 | 尿一般等 | 神経芽細胞腫 |
| 全国 | 344 965 | 9 105 | 15 243 | 27 983 | 71 899 | 11 090 | … | 96 677 | … |
| 北海道 | 2 257 | – | 468 | 94 | 864 | – | – | – | – |
| 青森 | 657 | – | – | – | 657 | – | – | – | – |
| 岩手 | 330 | – | 27 | 14 | 289 | – | – | – | – |
| 宮城 | – | – | – | – | – | – | – | – | – |
| 秋田 | 195 | – | – | – | 195 | – | – | – | – |
| 山形 | 464 | – | – | – | 464 | – | – | – | – |
| 福島 | 408 | – | – | 203 | 205 | – | – | – | – |
| 茨城 | 118 | – | – | – | – | – | – | – | – |
| 栃木 | 2 820 | – | – | 1 100 | 1 151 | – | – | – | – |
| 群馬 | 11 299 | – | 1 158 | 1 150 | 2 257 | – | – | – | – |
| 埼玉 | 5 200 | – | 832 | 841 | 1 837 | – | – | – | – |
| 千葉 | 18 223 | – | 2 961 | 3 457 | 6 287 | – | – | 3 808 | – |
| 東京 | 105 293 | 7 807 | 1 045 | 1 692 | 5 567 | 9 917 | – | 28 088 | – |
| 神奈川 | 5 986 | – | 31 | 538 | 1 844 | – | – | 29 | – |
| 新潟 | 2 128 | – | 395 | 232 | 1 382 | – | – | 25 | – |
| 富山 | 2 620 | – | – | 96 | 1 125 | – | – | 921 | – |
| 石川 | 991 | – | – | – | 814 | – | – | 7 | – |
| 福井 | 29 | – | – | – | 25 | – | – | 4 | – |
| 山梨 | 133 | – | – | – | 133 | – | – | – | – |
| 長野 | 5 235 | – | 12 | 1 341 | 2 862 | – | – | 560 | – |
| 岐阜 | 489 | – | – | 150 | 205 | – | – | 84 | – |
| 静岡 | 5 001 | – | 1 295 | 1 843 | 1 851 | – | – | – | – |
| 愛知 | 30 553 | 645 | 946 | 3 528 | 7 222 | – | – | 15 090 | – |
| 三重 | 6 789 | – | 1 400 | 1 383 | 3 616 | – | – | – | – |
| 滋賀 | 2 310 | 414 | 501 | 489 | 601 | – | – | – | – |
| 京都 | 16 934 | – | 111 | – | 196 | – | – | 9 115 | – |
| 大阪 | 17 668 | … | 552 | 1 115 | 7 598 | … | … | 3 357 | … |
| 兵庫 | 12 674 | – | 169 | 646 | 886 | – | – | 7 205 | – |
| 奈良 | 257 | – | 119 | – | 119 | – | – | – | – |
| 和歌山 | 3 765 | 120 | 12 | 10 | 100 | 87 | – | 2 634 | – |
| 鳥取 | 238 | – | – | – | 238 | – | – | – | – |
| 島根 | 282 | – | – | – | 250 | – | – | – | – |
| 岡山 | 1 092 | – | – | 430 | 662 | – | – | – | – |
| 広島 | 23 | – | – | – | 23 | – | – | – | – |
| 山口 | 1 144 | – | 1 | – | 637 | – | – | 341 | – |
| 徳島 | 1 378 | – | 45 | 2 | 620 | – | – | 22 | – |
| 香川 | 594 | – | – | – | 154 | – | – | – | – |
| 愛媛 | 2 765 | – | 742 | 726 | 1 237 | – | – | – | – |
| 高知 | … | … | … | … | … | … | … | … | … |
| 福岡 | 39 377 | – | 173 | 2 674 | 3 658 | – | – | 12 797 | – |
| 佐賀 | 1 232 | – | – | 578 | 603 | – | – | – | – |
| 長崎 | 4 246 | – | 208 | 87 | 1 805 | – | – | 1 995 | – |
| 熊本 | 2 723 | – | – | – | 2 515 | – | – | – | – |
| 大分 | 9 757 | – | 556 | 479 | 3 773 | – | – | 3 827 | – |
| 宮崎 | 584 | – | 9 | 261 | 291 | – | – | 16 | – |
| 鹿児島 | 10 110 | 119 | 987 | 664 | 2 182 | 642 | – | 5 505 | – |
| 沖縄 | 8 594 | – | 488 | 2 160 | 2 899 | 444 | – | 1 247 | – |
| 指定都市・特別区(再掲) | | | | | | | | | |
| 東京都区部 | 80 755 | 5 025 | 1 042 | 1 692 | 5 565 | 7 352 | – | 23 152 | – |
| 札幌市 | – | – | – | – | – | – | – | – | – |
| 仙台市 | – | – | – | – | – | – | – | – | – |
| さいたま市 | – | – | – | – | – | – | – | – | – |
| 千葉市 | – | – | – | – | – | – | – | – | – |
| 横浜市 | 2 717 | – | – | 43 | 152 | – | – | – | – |
| 川崎市 | 1 165 | – | – | – | 368 | – | – | 29 | – |
| 相模原市 | 1 606 | – | – | 454 | 939 | – | – | – | – |
| 新潟市 | – | – | – | – | – | – | – | – | – |
| 静岡市 | – | – | – | – | – | – | – | – | – |
| 浜松市 | – | – | – | – | – | – | – | – | – |
| 名古屋市 | 18 098 | – | – | 2 196 | 1 888 | – | – | 12 295 | – |
| 京都市 | 16 388 | – | – | – | – | – | – | 9 101 | – |
| 大阪市 | 5 242 | – | 491 | 154 | 3 841 | – | – | 756 | – |
| 堺市 | – | – | – | – | – | – | – | – | – |
| 神戸市 | – | – | – | – | – | – | – | – | – |
| 岡山市 | 861 | – | – | 430 | 431 | – | – | – | – |
| 広島市 | – | – | – | – | – | – | – | – | – |
| 北九州市 | 192 | – | – | – | 192 | – | – | – | – |
| 福岡市 | 35 507 | – | 173 | 1 137 | 1 423 | – | – | 12 797 | – |
| 熊本市 | 2 593 | – | – | – | 2 385 | – | – | – | – |

## 都道府県－指定都市・特別区－中核市－その他政令市、検査の種類別

平成29年度

| 的 | | | 検 | | 査 | | | |
|---|---|---|---|---|---|---|---|---|
| 糞便検査 | | | 生理学的検査 | | 胸部X線検査 | | | その他 |
| 潜血反応 | 寄生虫卵 | その他 | 心電図 | 眼底 | 間接撮影 | 直接撮影 | 断層撮影 | |
| **13 592** | **1 380** | **1 215** | **6 017** | **200** | **3 126** | **59 882** | **20** | **27 536** |
| – | 395 | 260 | – | – | – | 133 | – | 43 |
| – | – | – | – | – | – | – | – | – |
| – | – | – | – | – | – | – | – | – |
| – | – | – | – | – | – | – | – | – |
| – | – | – | – | – | – | – | – | – |
| – | – | – | – | – | – | – | – | – |
| – | – | – | – | – | – | – | – | – |
| – | – | – | – | – | – | 118 | – | – |
| – | – | – | – | – | – | 549 | 20 | – |
| – | – | – | – | – | – | 6 713 | – | 21 |
| – | – | 26 | – | – | – | 685 | – | 979 |
| – | 12 | – | – | – | – | 1 698 | – | – |
| 13 592 | 287 | 255 | 3 163 | – | – | 17 736 | – | 16 144 |
| – | 1 | 20 | – | – | 538 | 2 726 | – | 259 |
| – | – | – | – | – | – | 73 | – | 21 |
| – | 3 | 123 | – | – | – | 352 | – | – |
| – | – | – | – | – | – | 170 | – | – |
| – | – | – | – | – | – | – | – | – |
| – | – | – | – | – | – | – | – | – |
| – | – | – | – | – | – | – | – | 460 |
| – | – | – | – | – | – | 16 | – | 34 |
| – | – | 12 | – | – | – | – | – | – |
| – | 557 | – | – | – | – | 1 014 | – | 1 551 |
| – | – | – | – | – | – | 335 | – | 55 |
| – | – | – | – | – | – | 144 | – | 161 |
| – | – | – | – | – | – | 7 490 | – | 22 |
| … | 54 | 114 | … | … | … | 4 735 | … | 143 |
| – | 5 | – | 2 703 | 200 | – | 736 | – | 124 |
| – | – | 19 | – | – | – | – | – | – |
| – | 1 | – | 151 | – | – | 650 | – | – |
| – | – | – | – | – | – | – | – | – |
| – | – | – | – | – | – | 32 | – | – |
| – | – | – | – | – | – | – | – | – |
| – | – | – | – | – | – | – | – | – |
| – | – | – | – | – | – | – | – | 165 |
| – | – | – | – | – | – | 310 | – | 379 |
| – | 54 | – | – | – | – | 386 | – | – |
| – | – | – | – | – | – | 60 | – | – |
| … | … | … | … | … | … | … | … | … |
| – | – | 348 | – | – | 2 588 | 11 198 | – | 5 941 |
| – | – | – | – | – | – | 51 | – | – |
| – | – | – | – | – | – | 127 | – | 24 |
| – | – | – | – | – | – | 208 | – | – |
| – | – | 31 | – | – | – | 819 | – | 272 |
| – | – | 7 | – | – | – | – | – | – |
| – | 11 | – | – | – | – | – | – | – |
| – | – | – | – | – | – | 618 | – | 738 |
| 13 592 | 189 | 255 | 604 | – | – | 8 465 | – | 13 822 |
| – | – | – | – | – | – | – | – | – |
| – | – | – | – | – | – | – | – | – |
| – | – | – | – | – | – | – | – | – |
| – | – | – | – | – | – | – | – | – |
| – | – | – | – | – | 538 | 1 918 | – | 66 |
| – | – | – | – | – | – | 768 | – | – |
| – | – | 20 | – | – | – | – | – | 193 |
| – | – | – | – | – | – | – | – | – |
| – | – | – | – | – | – | – | – | – |
| – | – | – | – | – | – | – | – | – |
| – | – | – | – | – | – | 168 | – | 1 551 |
| – | – | – | – | – | – | 7 287 | – | – |
| – | – | – | – | – | – | – | – | – |
| – | – | – | – | – | – | – | – | – |
| – | – | – | – | – | – | – | – | – |
| – | – | – | – | – | – | – | – | – |
| – | – | – | – | – | – | – | – | – |
| – | – | – | – | – | – | – | – | – |
| – | – | 348 | – | – | 2 588 | 11 100 | – | 5 941 |
| – | – | – | – | – | – | 208 | – | – |

# 第40表（6－4）保健所が実施した試験検査件数,

| | 臨床学 | | | | | | | | |
|---|---|---|---|---|---|---|---|---|---|
| | | | 血清等検査 | | | 生化学検査 | | 尿検査 | |
| | 総数 | 血液一般検査 | HBs抗原、抗体検査 | 梅毒血清検査 | その他 | 生化学検査 | 先天性代謝異常検査 | 尿一般等 | 神経芽細胞腫 |
| 中核市(再掲) | | | | | | | | | |
| 旭川市 | 295 | – | – | 94 | 187 | – | – | – | – |
| 函館市 | – | – | – | – | – | – | – | – | – |
| 青森市 | – | – | – | – | – | – | – | – | – |
| 八戸市 | 74 | – | – | – | 74 | – | – | – | – |
| 盛岡市 | 244 | – | – | – | 244 | – | – | – | – |
| 秋田市 | 195 | – | – | – | 195 | – | – | – | – |
| 郡山市 | – | – | – | – | – | – | – | – | – |
| いわき市 | 408 | – | – | 203 | 205 | – | – | – | – |
| 宇都宮市 | 153 | – | – | – | – | – | – | – | – |
| 前橋市 | 856 | – | 201 | 208 | 447 | – | – | – | – |
| 高崎市 | 694 | – | 156 | 150 | 388 | – | – | – | – |
| 川越市 | 2 380 | – | 283 | 292 | 961 | – | – | – | – |
| 越谷市 | 744 | – | 192 | 194 | 197 | – | – | – | – |
| 船橋市 | 2 723 | – | – | 541 | 1 542 | – | – | 26 | – |
| 柏市 | 5 621 | – | 557 | 560 | 771 | – | – | 3 488 | – |
| 八王子市 | 2 420 | 566 | – | – | – | 570 | – | 584 | – |
| 横須賀市 | – | – | – | – | – | – | – | – | – |
| 富山市 | 1 812 | – | – | 96 | 603 | – | – | 893 | – |
| 金沢市 | 854 | – | – | – | 684 | – | – | – | – |
| 長野市 | 2 439 | – | – | 448 | 1 093 | – | – | 560 | – |
| 岐阜市 | 82 | – | – | – | – | – | – | 32 | – |
| 豊橋市 | 5 853 | – | 304 | 582 | 1 686 | – | – | 2 795 | – |
| 豊田市 | 1 323 | – | – | 333 | 979 | – | – | – | – |
| 岡崎市 | 1 046 | 645 | – | – | – | – | – | – | – |
| 大津市 | – | – | – | – | – | – | – | – | – |
| 高槻市 | 298 | – | – | – | – | – | – | – | – |
| 東大阪市 | – | – | – | – | – | – | – | – | – |
| 豊中市 | 725 | – | – | 23 | 267 | – | – | – | – |
| 枚方市 | 2 878 | – | 47 | – | – | – | – | 2 601 | – |
| 姫路市 | – | – | – | – | – | – | – | – | – |
| 西宮市 | 520 | – | 115 | – | 292 | – | – | – | – |
| 尼崎市 | 10 124 | – | – | – | 16 | – | – | 7 205 | – |
| 奈良市 | 257 | – | 119 | – | 119 | – | – | – | – |
| 和歌山市 | 2 329 | – | – | – | – | – | – | 2 329 | – |
| 倉敷市 | 142 | – | – | – | 142 | – | – | – | – |
| 福山市 | – | – | – | – | – | – | – | – | – |
| 呉市 | – | – | – | – | – | – | – | – | – |
| 下関市 | 506 | – | – | – | – | – | – | 341 | – |
| 高松市 | 54 | – | – | – | – | – | – | – | – |
| 松山市 | 337 | – | – | – | 306 | – | – | – | – |
| 高知市 | … | … | … | … | … | … | … | … | … |
| 久留米市 | 842 | – | – | 255 | 587 | – | – | – | – |
| 長崎市 | 396 | – | – | – | 372 | – | – | – | – |
| 佐世保市 | 2 158 | – | – | – | 163 | – | – | 1 995 | – |
| 大分市 | 6 608 | – | 357 | 307 | 1 633 | – | – | 3 827 | – |
| 宮崎市 | 525 | – | – | 253 | 265 | – | – | – | – |
| 鹿児島市 | 9 692 | 119 | 850 | 664 | 1 901 | 642 | – | 5 505 | – |
| 那覇市 | 4 395 | – | 162 | 1 148 | 1 191 | 444 | – | 992 | – |
| その他政令市(再掲) | | | | | | | | | |
| 小樽市 | – | – | – | – | – | – | – | – | – |
| 町田市 | 216 | – | – | – | – | – | – | – | – |
| 藤沢市 | 458 | – | 31 | 41 | 385 | – | – | – | – |
| 茅ヶ崎市 | – | – | – | – | – | – | – | – | – |
| 四日市市 | 1 199 | – | 395 | 401 | 403 | – | – | – | – |
| 大牟田市 | 184 | – | – | 75 | 109 | – | – | – | – |

## 都道府県－指定都市・特別区－中核市－その他政令市、検査の種類別

平成29年度

| 的 | | | 検 | | 査 | | | |
|---|---|---|---|---|---|---|---|---|
| 糞便検査 | | | 生理学的検査 | | 胸部X線検査 | | | その他 |
| 潜血反応 | 寄生虫卵 | その他 | 心電図 | 眼底 | 間接撮影 | 直接撮影 | 断層撮影 | |
| － | 14 | － | － | － | － | － | － | － |
| － | － | － | － | － | － | － | － | － |
| － | － | － | － | － | － | － | － | － |
| － | － | － | － | － | － | － | － | － |
| － | － | － | － | － | － | － | － | － |
| － | － | － | － | － | － | － | － | － |
| － | － | － | － | － | － | － | － | － |
| － | － | － | － | － | － | － | － | － |
| － | － | － | － | － | － | 133 | 20 | － |
| － | － | － | － | － | － | － | － | － |
| － | － | － | － | － | － | － | － | － |
| － | － | － | － | － | － | － | － | 844 |
| － | － | 26 | － | － | － | － | － | 135 |
| － | － | － | － | － | － | 614 | － | － |
| － | － | － | － | － | － | 245 | － | － |
| － | － | － | 98 | － | － | 602 | － | － |
| － | － | － | － | － | － | － | － | － |
| － | 3 | 118 | － | － | － | 99 | － | － |
| － | － | － | － | － | － | 170 | － | － |
| － | － | － | － | － | － | － | － | 338 |
| － | － | － | － | － | － | 16 | － | 34 |
| － | 39 | － | － | － | － | 447 | － | － |
| － | 11 | － | － | － | － | － | － | － |
| － | 2 | － | － | － | － | 399 | － | － |
| － | － | － | － | － | － | － | － | － |
| － | 4 | － | － | － | － | 291 | － | 3 |
| － | － | － | － | － | － | － | － | － |
| － | － | 114 | － | － | － | 321 | － | － |
| － | － | － | － | － | － | 230 | － | － |
| － | － | － | － | － | － | － | － | － |
| － | － | － | － | － | － | 113 | － | － |
| － | － | － | 2 703 | 200 | － | － | － | － |
| － | － | 19 | － | － | － | － | － | － |
| － | － | － | － | － | － | － | － | － |
| － | － | － | － | － | － | － | － | － |
| － | － | － | － | － | － | － | － | － |
| － | － | － | － | － | － | － | － | － |
| － | － | － | － | － | － | － | － | 165 |
| － | 54 | － | － | － | － | － | － | － |
| － | － | － | － | － | － | 31 | － | － |
| … | … | … | … | … | … | … | … | … |
| － | － | － | － | － | － | － | － | － |
| － | － | － | － | － | － | － | － | 24 |
| － | － | － | － | － | － | － | － | － |
| － | － | 31 | － | － | － | 181 | － | 272 |
| － | － | 7 | － | － | － | － | － | － |
| － | 11 | － | － | － | － | － | － | － |
| － | － | － | － | － | － | 225 | － | 233 |
| － | － | － | － | － | － | － | － | － |
| － | － | － | － | － | － | 216 | － | － |
| － | 1 | － | － | － | － | － | － | － |
| － | － | － | － | － | － | － | － | － |
| － | － | － | － | － | － | － | － | － |
| － | － | － | － | － | － | － | － | － |

# 第40表（6－5）保健所が実施した試験検査件数，

| | 水質検査 | | | | | | | |
|---|---|---|---|---|---|---|---|---|
| | 総数 | 水道原水 | | | 飲用水 | | 利用水等（プール水等を含む。） | |
| | | 細菌学的検査 | 理化学的検査 | 生物学的検査 | 細菌学的検査 | 理化学的検査 | 細菌学的検査 | 理化学的検査 |
| **全国** | **87 345** | **1 101** | **464** | **29** | **14 910** | **23 520** | **21 700** | **25 621** |
| 北海道 | 5 705 | 322 | 37 | － | 2 205 | 2 272 | 456 | 413 |
| 青森 | － | － | － | － | － | － | － | － |
| 岩手 | 323 | － | － | － | 165 | 158 | － | － |
| 宮城 | 28 | － | － | － | 1 | 1 | 14 | 12 |
| 秋田 | 22 | － | － | － | － | － | 11 | 11 |
| 山形 | 255 | － | － | － | 1 | － | 254 | － |
| 福島 | 1 024 | 40 | 5 | － | 382 | 374 | 147 | 76 |
| 茨城 | － | － | － | － | － | － | － | － |
| 栃木 | － | － | － | － | － | － | － | － |
| 群馬 | － | － | － | － | － | － | － | － |
| 埼玉 | 375 | － | － | － | 139 | 154 | 59 | 23 |
| 千葉 | 3 219 | － | － | － | 233 | 1 958 | 74 | 954 |
| 東京 | 18 800 | 25 | 18 | 5 | 444 | 1 648 | 7 143 | 9 517 |
| 神奈川 | 1 994 | － | － | － | 98 | 819 | 192 | 885 |
| 新潟 | 93 | － | － | － | 33 | 19 | 41 | － |
| 富山 | 1 121 | － | － | － | 416 | 435 | 265 | 5 |
| 石川 | 714 | － | － | － | 106 | 78 | 273 | 257 |
| 福井 | 60 | － | － | － | 24 | － | 18 | 18 |
| 山梨 | － | － | － | － | － | － | － | － |
| 長野 | 499 | － | － | － | 6 | 6 | 431 | 56 |
| 岐阜 | 704 | － | 111 | － | 14 | 103 | 212 | 264 |
| 静岡 | － | － | － | － | － | － | － | － |
| 愛知 | 14 541 | 18 | 4 | － | 1 437 | 4 007 | 4 320 | 4 755 |
| 三重 | 20 | － | － | － | － | － | 20 | － |
| 滋賀 | 16 | － | － | － | － | － | 9 | 7 |
| 京都 | 29 | － | － | － | 2 | 13 | － | 14 |
| 大阪 | 8 457 | 224 | 175 | 24 | 1 008 | 1 860 | 2 352 | 2 814 |
| 兵庫 | 10 961 | 403 | 111 | － | 4 458 | 4 511 | 930 | 548 |
| 奈良 | 320 | － | － | － | 98 | 98 | 68 | 56 |
| 和歌山 | － | － | － | － | － | － | － | － |
| 鳥取 | － | － | － | － | － | － | － | － |
| 島根 | 56 | － | － | － | － | － | 56 | － |
| 岡山 | 2 017 | － | － | － | － | － | 1 232 | 785 |
| 広島 | 121 | － | － | － | 10 | 10 | 43 | 58 |
| 山口 | 1 075 | － | － | － | 71 | 111 | 484 | 409 |
| 徳島 | 1 | － | － | － | － | － | 1 | － |
| 香川 | 200 | － | － | － | 85 | 89 | 13 | 13 |
| 愛媛 | 7 030 | 58 | － | － | 2 581 | 2 680 | 896 | 815 |
| 高知 | 162 | … | … | … | … | … | 74 | 88 |
| 福岡 | 3 372 | － | － | － | 181 | 1 130 | 667 | 1 394 |
| 佐賀 | 389 | － | － | － | － | 89 | － | 300 |
| 長崎 | 2 438 | 11 | 3 | － | 383 | 513 | 779 | 749 |
| 熊本 | 452 | － | － | － | 140 | 140 | － | 172 |
| 大分 | 162 | － | － | － | － | 54 | 54 | 54 |
| 宮崎 | － | － | － | － | － | － | － | － |
| 鹿児島 | 589 | － | － | － | 189 | 189 | 112 | 99 |
| 沖縄 | 1 | － | － | － | － | 1 | － | － |
| 指定都市・特別区（再掲） | | | | | | | | |
| 東京都区部 | 13 609 | － | － | － | 335 | 851 | 6 306 | 6 117 |
| 札幌市 | － | － | － | － | － | － | － | － |
| 仙台市 | 2 | － | － | － | 1 | 1 | － | － |
| さいたま市 | － | － | － | － | － | － | － | － |
| 千葉市 | － | － | － | － | － | － | － | － |
| 横浜市 | 1 493 | － | － | － | － | 733 | 17 | 743 |
| 川崎市 | － | － | － | － | － | － | － | － |
| 相模原市 | 423 | － | － | － | 98 | 86 | 138 | 101 |
| 新潟市 | － | － | － | － | － | － | － | － |
| 静岡市 | － | － | － | － | － | － | － | － |
| 浜松市 | － | － | － | － | － | － | － | － |
| 名古屋市 | 7 501 | － | － | － | 57 | 2 601 | 2 265 | 2 578 |
| 京都市 | － | － | － | － | － | － | － | － |
| 大阪市 | 819 | 5 | － | － | 14 | 15 | 420 | 365 |
| 堺市 | － | － | － | － | － | － | － | － |
| 神戸市 | － | － | － | － | － | － | － | － |
| 岡山市 | 1 376 | － | － | － | － | － | 909 | 467 |
| 広島市 | 23 | － | － | － | － | － | － | 23 |
| 北九州市 | 766 | － | － | － | － | 87 | 287 | 392 |
| 福岡市 | 1 960 | － | － | － | 181 | 1 043 | 74 | 662 |
| 熊本市 | 172 | － | － | － | － | － | － | 172 |

# 都道府県－指定都市・特別区－中核市－その他政令市、検査の種類別

平成29年度

| 廃棄物関係検査 | 環境・公害関係検査 | | | | | | | その他 |
|---|---|---|---|---|---|---|---|---|
| | 総数 | 大気検査 | 水質検査 | 騒音・振動 | 悪臭検査 | 土壌・底質検査 | その他 | |
| **1 211** | **44 652** | **16 223** | **25 023** | **762** | **42** | **93** | **2 509** | **26 053** |
| − | 1 123 | 171 | 520 | − | − | − | 432 | 751 |
| − | − | − | − | − | − | − | − | − |
| − | − | − | − | − | − | − | − | 223 |
| − | 23 | 1 | 18 | 4 | − | − | − | 1 706 |
| 32 | 16 | − | 16 | − | − | − | − | 35 |
| − | 21 | − | 2 | − | − | 19 | − | 138 |
| − | 35 | − | 35 | − | − | − | − | 3 547 |
| − | − | − | − | − | − | − | − | − |
| − | 817 | − | 817 | − | − | − | − | − |
| − | − | − | − | − | − | − | − | 10 |
| − | − | − | − | − | − | − | − | 18 |
| − | − | − | − | − | − | − | − | 242 |
| − | 1 795 | 93 | 113 | − | − | − | 1 589 | 12 631 |
| − | 54 | 23 | 19 | − | − | − | 12 | 427 |
| 34 | 2 490 | 74 | 2 323 | − | − | 63 | 30 | 26 |
| 32 | 3 691 | 3 285 | 312 | − | − | − | 94 | 26 |
| 84 | 777 | 94 | 663 | 2 | 18 | − | − | 3 |
| 123 | − | − | − | − | − | − | − | − |
| − | − | − | − | − | − | − | − | − |
| 24 | 11 352 | 9 362 | 1 887 | 92 | 5 | 3 | 3 | 1 371 |
| 101 | 645 | − | 645 | − | − | − | − | − |
| − | − | − | − | − | − | − | − | 284 |
| − | 107 | 3 | 5 | 93 | 2 | − | 4 | 1 390 |
| − | − | − | − | − | − | − | − | 26 |
| − | 528 | 1 | 527 | − | − | − | − | 49 |
| 71 | 1 600 | 2 | 1 592 | 6 | − | − | − | − |
| 2 | 228 | … | 208 | … | … | … | 20 | 1 622 |
| 1 | 4 472 | − | 4 461 | 11 | − | − | − | 417 |
| − | 2 061 | 1 762 | 287 | 4 | 2 | 6 | − | − |
| − | − | − | − | − | − | − | − | − |
| − | 1 039 | 22 | 532 | 485 | − | − | − | − |
| − | 419 | 60 | 359 | − | − | − | − | 78 |
| − | − | − | − | − | − | − | − | 102 |
| 270 | 1 223 | 68 | 939 | − | − | − | 216 | 265 |
| 48 | 1 290 | 150 | 1 118 | 17 | 3 | 2 | − | 4 |
| − | 197 | 52 | 137 | − | − | − | 8 | − |
| − | − | − | − | − | − | − | − | 200 |
| − | 1 773 | − | 1 773 | − | − | − | − | 68 |
| … | 159 | … | 159 | … | … | … | … | 81 |
| − | 2 234 | − | 2 133 | − | − | − | 101 | 225 |
| − | 3 | − | 3 | − | − | − | − | − |
| 335 | 2 241 | 51 | 2 130 | 48 | 12 | − | − | 78 |
| − | − | − | − | − | − | − | − | − |
| − | − | − | − | − | − | − | − | 10 |
| − | 771 | 730 | 41 | − | − | − | − | − |
| − | 848 | 219 | 629 | − | − | − | − | − |
| 54 | 620 | − | 620 | − | − | − | − | − |
| − | 421 | 37 | 113 | − | − | − | 271 | 9 408 |
| − | − | − | − | − | − | − | − | − |
| − | 4 | − | − | 4 | − | − | − | 1 706 |
| − | − | − | − | − | − | − | − | − |
| − | − | − | − | − | − | − | − | − |
| − | 23 | 23 | − | − | − | − | − | − |
| − | − | − | − | − | − | − | − | − |
| − | 19 | − | 19 | − | − | − | − | 392 |
| − | − | − | − | − | − | − | − | 22 |
| − | − | − | − | − | − | − | − | − |
| − | − | − | − | − | − | − | − | − |
| − | 107 | 3 | 5 | 93 | 2 | − | 4 | 1 163 |
| − | − | − | − | − | − | − | − | − |
| − | − | − | − | − | − | − | − | 662 |
| − | − | − | − | − | − | − | − | − |
| − | − | − | − | − | − | − | − | − |
| − | − | − | − | − | − | − | − | 42 |
| − | − | − | − | − | − | − | − | 63 |
| − | − | − | − | − | − | − | − | 205 |
| − | 101 | − | − | − | − | − | 101 | − |
| − | − | − | − | − | − | − | − | − |

# 第40表（6－6）保健所が実施した試験検査件数，

| | 水質検査 | | | | | | | |
|---|---|---|---|---|---|---|---|---|
| | 総数 | 水道原水 | | | 飲用水 | | 利用水等（プール水等を含む。） | |
| | | 細菌学的検査 | 理化学的検査 | 生物学的検査 | 細菌学的検査 | 理化学的検査 | 細菌学的検査 | 理化学的検査 |
| 中核市(再掲) | | | | | | | | |
| 旭川市 | 950 | 14 | - | - | 377 | 378 | 102 | 79 |
| 函館市 | 2 | - | - | - | - | - | 2 | - |
| 青森市 | - | - | - | - | - | - | - | - |
| 八戸市 | - | - | - | - | - | - | - | - |
| 盛岡市 | 161 | - | - | - | 85 | 76 | - | - |
| 秋田市 | 22 | - | - | - | - | - | 11 | 11 |
| 郡山市 | 401 | 40 | 4 | - | 143 | 137 | 67 | 10 |
| いわき市 | 623 | - | 1 | - | 239 | 237 | 80 | 66 |
| 宇都宮市 | - | - | - | - | - | - | - | - |
| 前橋市 | - | - | - | - | - | - | - | - |
| 高崎市 | - | - | - | - | - | - | - | - |
| 川越市 | 269 | - | - | - | 92 | 95 | 59 | 23 |
| 越谷市 | 22 | - | - | - | 11 | 11 | - | - |
| 船橋市 | 33 | - | - | - | - | - | 21 | 12 |
| 柏市 | 529 | - | - | - | 233 | 231 | 38 | 27 |
| 八王子市 | 429 | - | - | - | - | 142 | - | 287 |
| 横須賀市 | - | - | - | - | - | - | - | - |
| 富山市 | 845 | - | - | - | 342 | 416 | 82 | 5 |
| 金沢市 | 74 | - | - | - | - | - | 45 | 29 |
| 長野市 | 124 | - | - | - | 6 | 6 | 56 | 56 |
| 岐阜市 | 266 | - | - | - | 14 | 14 | 119 | 119 |
| 豊橋市 | 586 | - | - | - | 155 | 162 | 152 | 117 |
| 豊田市 | 101 | - | - | - | 32 | 30 | 23 | 16 |
| 岡崎市 | 956 | - | - | - | 315 | 315 | 137 | 189 |
| 大津市 | 16 | - | - | - | - | - | 9 | 7 |
| 高槻市 | 105 | 23 | - | - | - | - | 82 | - |
| 東大阪市 | - | - | - | - | - | - | - | - |
| 豊中市 | 2 | - | - | - | - | - | 2 | - |
| 枚方市 | 198 | - | - | - | - | 136 | 12 | 50 |
| 姫路市 | - | - | - | - | - | - | - | - |
| 西宮市 | 294 | - | - | - | - | - | 151 | 143 |
| 尼崎市 | 480 | - | - | - | 43 | 51 | 251 | 135 |
| 奈良市 | 320 | - | - | - | 98 | 98 | 68 | 56 |
| 和歌山市 | - | - | - | - | - | - | - | - |
| 倉敷市 | 62 | - | - | - | - | - | 31 | 31 |
| 福山市 | 4 | - | - | - | - | - | 4 | - |
| 呉市 | 94 | - | - | - | 10 | 10 | 39 | 35 |
| 下関市 | 457 | - | - | - | 71 | 111 | 160 | 115 |
| 高松市 | 200 | - | - | - | 85 | 89 | 13 | 13 |
| 松山市 | 1 125 | - | - | - | 468 | 487 | 110 | 60 |
| 高知市 | 52 | … | … | … | … | … | 26 | 26 |
| 久留米市 | 132 | - | - | - | - | - | 66 | 66 |
| 長崎市 | 520 | - | - | - | 46 | 45 | 260 | 169 |
| 佐世保市 | 1 788 | 11 | - | - | 337 | 357 | 519 | 564 |
| 大分市 | 117 | - | - | - | - | 54 | 9 | 54 |
| 宮崎市 | - | - | - | - | - | - | - | - |
| 鹿児島市 | 589 | - | - | - | 189 | 189 | 112 | 99 |
| 那覇市 | - | - | - | - | - | - | - | - |
| その他政令市(再掲) | | | | | | | | |
| 小樽市 | 326 | - | - | - | 75 | 92 | 72 | 87 |
| 町田市 | 279 | - | - | - | - | 50 | - | 229 |
| 藤沢市 | 78 | - | - | - | - | - | 37 | 41 |
| 茅ヶ崎市 | - | - | - | - | - | - | - | - |
| 四日市市 | - | - | - | - | - | - | - | - |
| 大牟田市 | 36 | - | - | - | - | - | 24 | 12 |

都道府県－指定都市・特別区－中核市－その他政令市、検査の種類別

平成29年度

| 廃棄物関係検査 | 環境・公害関係検査 | | | | | | | その他 |
|---|---|---|---|---|---|---|---|---|
| | 総数 | 大気検査 | 水質検査 | 騒音・振動 | 悪臭検査 | 土壌・底質検査 | その他 | |
| – | 222 | – | – | – | – | – | 222 | – |
| – | – | – | – | – | – | – | – | – |
| – | – | – | – | – | – | – | – | – |
| – | – | – | – | – | – | – | – | – |
| – | – | – | – | – | – | – | – | 223 |
| 32 | 16 | – | 16 | – | – | – | – | 35 |
| – | 12 | – | 12 | – | – | – | – | 2 302 |
| – | 23 | – | 23 | – | – | – | – | 1 217 |
| – | – | – | – | – | – | – | – | – |
| – | – | – | – | – | – | – | – | 10 |
| – | – | – | – | – | – | – | – | – |
| – | – | – | – | – | – | – | – | – |
| – | – | – | – | – | – | – | – | 18 |
| – | – | – | – | – | – | – | – | 48 |
| – | – | – | – | – | – | – | – | – |
| – | 181 | – | – | – | – | – | 181 | 510 |
| – | – | – | – | – | – | – | – | – |
| 32 | 3 691 | 3 285 | 312 | – | – | – | 94 | – |
| 84 | 733 | 92 | 623 | – | 18 | – | – | – |
| 23 | 2 772 | 2 190 | 571 | – | 5 | 3 | 3 | 190 |
| – | – | – | – | – | – | – | – | – |
| – | – | – | – | – | – | – | – | 26 |
| – | – | – | – | – | – | – | – | – |
| – | – | – | – | – | – | – | – | 181 |
| – | 528 | 1 | 527 | – | – | – | – | 49 |
| – | – | – | – | – | – | – | – | 53 |
| – | – | – | – | – | – | – | – | – |
| – | – | – | – | – | – | – | – | – |
| – | – | – | – | – | – | – | – | 52 |
| – | – | – | – | – | – | – | – | – |
| – | – | – | – | – | – | – | – | 10 |
| – | 135 | – | 124 | 11 | – | – | – | 42 |
| – | 2 061 | 1 762 | 287 | 4 | 2 | 6 | – | – |
| – | – | – | – | – | – | – | – | – |
| – | – | – | – | – | – | – | – | 30 |
| 66 | 336 | 56 | 280 | – | – | – | – | 20 |
| – | – | – | – | – | – | – | – | – |
| – | 532 | 52 | 467 | 10 | 3 | – | – | 4 |
| – | – | – | – | – | – | – | – | 42 |
| – | – | – | – | – | – | – | – | – |
| … | … | … | … | … | … | … | … | 81 |
| – | – | – | – | – | – | – | – | 20 |
| – | – | – | – | – | – | – | – | 50 |
| 334 | 1 293 | 51 | 1 182 | 48 | 12 | – | – | 28 |
| – | – | – | – | – | – | – | – | 10 |
| – | 41 | – | 41 | – | – | – | – | – |
| – | 848 | 219 | 629 | – | – | – | – | – |
| – | – | – | – | – | – | – | – | – |
| – | 552 | 158 | 369 | – | – | – | 25 | 113 |
| – | – | – | – | – | – | – | – | 10 |
| – | 12 | – | – | – | – | – | 12 | 35 |
| – | – | – | – | – | – | – | – | – |
| – | – | – | – | – | – | – | – | – |
| – | 48 | – | 48 | – | – | – | – | – |

# 第41表　保健所における連絡調整会議の開催

| | | 開催回数 | 参加機関・団体数（延件数） | （再掲）福祉関係機関 | 総数 |
|---|---|---|---|---|---|
| 保健所主催 | 保健所運営協議会 | 346 | 5 061 | 585 | ・ |
| | 保健所保健事業連絡協議会 | 449 | 3 062 | 506 | ・ |
| | 母子保健推進協議会 | 494 | 3 307 | 430 | ・ |
| | 保健所保健福祉サービス調整推進会議 | 3 372 | 19 351 | 6 328 | ・ |
| | 地域保健医療協議会等 | 1 475 | 21 284 | 2 640 | ・ |
| | 地域・職域連携推進協議会 | 778 | 8 832 | 1 223 | ・ |
| | 健康危機管理関連会議等 | 949 | 8 793 | 364 | ・ |
| | 難病対策地域協議会 | 386 | 5 339 | 1 390 | ・ |
| | その他 | 21 685 | 123 853 | 23 839 | ・ |
| 参加 | 都道府県主催の会議への参加 | 23 760 | ・ | ・ | 45 529 |
| | 市町村主催の会議への参加 | 24 842 | ・ | ・ | 50 237 |
| | その他関係機関・団体主催の会議への参加 | 32 344 | ・ | ・ | 55 491 |
| | (再掲)介護保険関連の会議 | 5 416 | ・ | ・ | 11 451 |

## 回数・参加機関団体数, 会議の種類、議事内容別

平成29年度

| 議事内容（延件数） | | | | |
|---|---|---|---|---|
| 基本的実施方針に関する事項 | 実施体制の確保に関する事項 | サービス提供の指針に関する事項 | 事業評価に関する事項 | その他 |
| · | · | · | · | · |
| · | · | · | · | · |
| · | · | · | · | · |
| · | · | · | · | · |
| · | · | · | · | · |
| · | · | · | · | · |
| · | · | · | · | · |
| · | · | · | · | · |
| · | · | · | · | · |
| 16 876 | 10 660 | 5 857 | 5 696 | 6 440 |
| 14 243 | 10 931 | 10 182 | 6 839 | 8 042 |
| 15 309 | 10 743 | 11 074 | 4 917 | 13 448 |
| 3 078 | 2 762 | 2 692 | 1 548 | 1 371 |

# 第42表（2－1）保健所が実施した市町村職員に対する研修

| | 総 | 数 | 保 健 計 画 の 策 定 ・<br>地 域 診 断 | | 母 子 保 健 | |
|---|---|---|---|---|---|---|
| | 実 施 回 数 | 参 加 延 人 員 | 実 施 回 数 | 参 加 延 人 員 | 実 施 回 数 | 参 加 延 人 員 |
| 全　　　　国 | 8 271 | 134 828 | 374 | 4 585 | 1 283 | 23 014 |
| 北　海　道 | 558 | 11 758 | 9 | 134 | 66 | 1 511 |
| 青　　　森 | 72 | 1 328 | 4 | 39 | 4 | 37 |
| 岩　　　手 | 129 | 1 638 | － | － | 22 | 459 |
| 宮　　　城 | 126 | 3 205 | 5 | 74 | 17 | 582 |
| 秋　　　田 | 32 | 677 | 3 | 99 | － | － |
| 山　　　形 | 111 | 2 734 | － | － | 41 | 1 007 |
| 福　　　島 | 199 | 4 412 | 16 | 318 | 24 | 876 |
| 茨　　　城 | 90 | 2 717 | － | － | 15 | 151 |
| 栃　　　木 | 222 | 3 684 | － | － | 39 | 631 |
| 群　　　馬 | 203 | 2 166 | 8 | 63 | 19 | 323 |
| 埼　　　玉 | 301 | 6 893 | 22 | 379 | 67 | 1 671 |
| 千　　　葉 | 188 | 4 486 | 10 | 149 | 24 | 759 |
| 東　　　京 | 120 | 2 362 | 7 | 63 | 5 | 121 |
| 神　奈　川 | 197 | 2 649 | 2 | 36 | 45 | 752 |
| 新　　　潟 | 199 | 4 316 | 10 | 77 | 18 | 323 |
| 富　　　山 | 271 | 1 829 | 27 | 132 | 70 | 497 |
| 石　　　川 | 409 | 5 878 | 24 | 386 | 167 | 1 581 |
| 福　　　井 | 157 | 1 866 | 2 | 56 | 13 | 319 |
| 山　　　梨 | 86 | 1 610 | 8 | 115 | 9 | 179 |
| 長　　　野 | 310 | 8 907 | 6 | 221 | 71 | 2 045 |
| 岐　　　阜 | 134 | 1 523 | － | － | 15 | 191 |
| 静　　　岡 | 224 | 2 853 | 16 | 88 | 20 | 400 |
| 愛　　　知 | 146 | 3 689 | － | － | 21 | 400 |
| 三　　　重 | 61 | 1 177 | 6 | 24 | 4 | 53 |
| 滋　　　賀 | 74 | 1 389 | － | － | 3 | 77 |
| 京　　　都 | 173 | 5 345 | 4 | 55 | 70 | 3 116 |
| 大　　　阪 | 190 | 3 086 | 4 | 140 | 49 | 506 |
| 兵　　　庫 | 1 173 | 8 867 | 34 | 352 | 138 | 1 245 |
| 奈　　　良 | 293 | 1 901 | 50 | 360 | 23 | 113 |
| 和　歌　山 | 55 | 1 065 | 13 | 179 | 6 | 121 |
| 鳥　　　取 | 41 | 870 | 3 | 42 | 3 | 112 |
| 島　　　根 | 70 | 2 071 | 4 | 76 | 3 | 87 |
| 岡　　　山 | 106 | 1 892 | 18 | 190 | 13 | 273 |
| 広　　　島 | 131 | 1 914 | 4 | 25 | 5 | 65 |
| 山　　　口 | 15 | 267 | － | － | 6 | 82 |
| 徳　　　島 | 75 | 1 239 | 5 | 11 | 19 | 233 |
| 香　　　川 | 53 | 1 053 | 5 | 102 | 8 | 160 |
| 愛　　　媛 | 105 | 3 062 | 5 | 139 | 10 | 241 |
| 高　　　知 | 94 | 1 464 | － | － | 16 | 420 |
| 福　　　岡 | 165 | 1 870 | 9 | 86 | 21 | 227 |
| 佐　　　賀 | 75 | 836 | － | － | 36 | 304 |
| 長　　　崎 | 124 | 1 752 | － | － | 8 | 56 |
| 熊　　　本 | 188 | 3 246 | 5 | 16 | 13 | 147 |
| 大　　　分 | 146 | 2 192 | 12 | 167 | 8 | 123 |
| 宮　　　崎 | 161 | 1 092 | 3 | 30 | 12 | 104 |
| 鹿　児　島 | 173 | 2 495 | 9 | 126 | 10 | 198 |
| 沖　　　縄 | 46 | 1 503 | 2 | 36 | 7 | 136 |

（指導）の実施回数・参加延人員，都道府県、研修（指導）内容別

平成29年度

| 健康増進 | | 介護予防・生活支援 | | 歯科保健 | | 感染症 | |
|---|---|---|---|---|---|---|---|
| 実施回数 | 参加延人員 | 実施回数 | 参加延人員 | 実施回数 | 参加延人員 | 実施回数 | 参加延人員 |
| 1 381 | 14 743 | 205 | 6 019 | 399 | 5 067 | 699 | 12 113 |
| 71 | 796 | 4 | 390 | 16 | 72 | 38 | 1 394 |
| 16 | 200 | - | - | 2 | 12 | 2 | 41 |
| 17 | 86 | 7 | 75 | 8 | 106 | 9 | 139 |
| 13 | 251 | 4 | 199 | - | - | 10 | 360 |
| 9 | 328 | - | - | - | - | - | - |
| 17 | 415 | - | - | - | - | 10 | 368 |
| 36 | 382 | 36 | 607 | 15 | 359 | 1 | 51 |
| 5 | 47 | 4 | 198 | 3 | 23 | 22 | 573 |
| 16 | 324 | - | - | - | - | 6 | 242 |
| 26 | 193 | - | - | 7 | 33 | 25 | 780 |
| 54 | 905 | - | - | 10 | 173 | 22 | 531 |
| 27 | 297 | 1 | 30 | - | - | 28 | 807 |
| 7 | 203 | - | - | 7 | 89 | 15 | 336 |
| 41 | 297 | 2 | 63 | 51 | 382 | 4 | 72 |
| 18 | 289 | 15 | 675 | 3 | 89 | 14 | 459 |
| 33 | 310 | 3 | 47 | 1 | 30 | 1 | 9 |
| 71 | 912 | 15 | 291 | 3 | 31 | 7 | 464 |
| 17 | 152 | 4 | 11 | 68 | 239 | 11 | 182 |
| 14 | 87 | 2 | 22 | - | - | 8 | 258 |
| 90 | 1 509 | 12 | 430 | - | - | 8 | 563 |
| 89 | 798 | - | - | - | - | 5 | 119 |
| 88 | 681 | 4 | 167 | 5 | 24 | 8 | 367 |
| 3 | 113 | - | - | 19 | 702 | 12 | 212 |
| 18 | 82 | - | - | - | - | 1 | 81 |
| 20 | 134 | 3 | 22 | 20 | 197 | 1 | 33 |
| 25 | 528 | 5 | 133 | 2 | 41 | 6 | 243 |
| 39 | 253 | 1 | 2 | - | - | 15 | 397 |
| 52 | 890 | 24 | 430 | 28 | 371 | 285 | 895 |
| 142 | 353 | - | - | 23 | 198 | 33 | 407 |
| 5 | 41 | 1 | 90 | - | - | 4 | 69 |
| 4 | 180 | - | - | 1 | 21 | 1 | 9 |
| 6 | 160 | 7 | 477 | 2 | 47 | 4 | 92 |
| 25 | 290 | - | - | 2 | 28 | 8 | 260 |
| 33 | 252 | 3 | 7 | - | - | 16 | 440 |
| 4 | 36 | - | - | - | - | 1 | 33 |
| 11 | 154 | - | - | 2 | 46 | 1 | 5 |
| 7 | 51 | 1 | 35 | - | - | 4 | 47 |
| 13 | 141 | 7 | 346 | 2 | 90 | 6 | 206 |
| 12 | 212 | 6 | 246 | 19 | 156 | 1 | 15 |
| 40 | 351 | 1 | 70 | 9 | 208 | 15 | 58 |
| 2 | 56 | - | - | 4 | 86 | 5 | 32 |
| 8 | 47 | 8 | 208 | 2 | 12 | 2 | 24 |
| 18 | 64 | 23 | 636 | 7 | 118 | 4 | 45 |
| 34 | 234 | 1 | 9 | 3 | 78 | 6 | 163 |
| 66 | 167 | - | - | 31 | 67 | 9 | 178 |
| 7 | 203 | 1 | 103 | 12 | 364 | 5 | 54 |
| 12 | 289 | - | - | 12 | 575 | - | - |

# 第42表（２－２）保健所が実施した市町村職員に対する研修

| | 感染症 | | | | 精神保健福祉 | | | |
|---|---|---|---|---|---|---|---|---|
| | （再掲）結核 | | （再掲）エイズ | | | | （再掲）ヘルパー養成 | |
| | 実施回数 | 参加延人員 | 実施回数 | 参加延人員 | 実施回数 | 参加延人員 | 実施回数 | 参加延人員 |
| **全国** | **301** | **2 990** | **38** | **790** | **1 562** | **25 993** | **7** | **155** |
| 北海道 | 2 | 30 | – | – | 41 | 932 | – | – |
| 青森 | – | – | – | – | 8 | 183 | – | – |
| 岩手 | 3 | 22 | – | – | 43 | 416 | – | – |
| 宮城 | 3 | 103 | – | – | 22 | 739 | – | – |
| 秋田 | – | – | – | – | 13 | 142 | – | – |
| 山形 | 4 | 157 | – | – | 14 | 219 | – | – |
| 福島 | – | – | – | – | 9 | 296 | – | – |
| 茨城 | 3 | 172 | – | – | 23 | 421 | – | – |
| 栃木 | – | – | – | – | 105 | 1 868 | – | – |
| 群馬 | 1 | 24 | 2 | 230 | 32 | 429 | – | – |
| 埼玉 | 5 | 180 | 2 | 22 | 66 | 1 614 | – | – |
| 千葉 | 4 | 36 | 6 | 229 | 31 | 294 | – | – |
| 東京 | 3 | 88 | 1 | 9 | 14 | 475 | – | – |
| 神奈川 | – | – | – | – | 10 | 285 | – | – |
| 新潟 | – | – | 1 | 16 | 46 | 961 | 1 | 38 |
| 富山 | – | – | – | – | 100 | 540 | – | – |
| 石川 | 2 | 44 | – | – | 70 | 989 | – | – |
| 福井 | 3 | 42 | 1 | 28 | 12 | 234 | – | – |
| 山梨 | 2 | 50 | – | – | 7 | 131 | – | – |
| 長野 | 3 | 196 | – | – | 75 | 2 791 | 4 | 86 |
| 岐阜 | 1 | 11 | – | – | 14 | 257 | – | – |
| 静岡 | 4 | 321 | 1 | 30 | 29 | 389 | – | – |
| 愛知 | 1 | 30 | – | – | 29 | 926 | – | – |
| 三重 | – | – | – | – | 13 | 306 | – | – |
| 滋賀 | – | – | – | – | 11 | 397 | – | – |
| 京都 | 2 | 128 | – | – | 21 | 367 | – | – |
| 大阪 | 7 | 150 | 7 | 172 | 49 | 1 299 | 1 | 30 |
| 兵庫 | 196 | 456 | 15 | 23 | 385 | 3 100 | – | – |
| 奈良 | 22 | 103 | – | – | 3 | 88 | – | – |
| 和歌山 | 1 | 16 | 1 | 16 | 1 | 23 | – | – |
| 鳥取 | 1 | 9 | – | – | 5 | 31 | – | – |
| 島根 | 3 | 89 | – | – | 6 | 237 | – | – |
| 岡山 | 2 | 91 | – | – | 18 | 454 | – | – |
| 広島 | 3 | 48 | – | – | 49 | 895 | – | – |
| 山口 | – | – | – | – | 4 | 116 | – | – |
| 徳島 | – | – | – | – | 15 | 523 | – | – |
| 香川 | 2 | 14 | – | – | 12 | 294 | – | – |
| 愛媛 | 4 | 150 | – | – | 16 | 544 | – | – |
| 高知 | – | – | 1 | 15 | 14 | 143 | – | – |
| 福岡 | 2 | 12 | – | – | 33 | 450 | – | – |
| 佐賀 | 1 | 11 | – | – | 7 | 47 | – | – |
| 長崎 | 2 | 24 | – | – | 17 | 128 | – | – |
| 熊本 | 2 | 22 | – | – | 8 | 107 | – | – |
| 大分 | 1 | 85 | – | – | 19 | 296 | 1 | 1 |
| 宮崎 | 2 | 47 | – | – | 10 | 72 | – | – |
| 鹿児島 | 4 | 29 | – | – | 27 | 390 | – | – |
| 沖縄 | – | – | – | – | 6 | 155 | – | – |

## （指導）の実施回数・参加延人員，都道府県、研修（指導）内容別

平成29年度

| 難病 | | 介護保険 | | 健康危機管理 | | その他 | |
|---|---|---|---|---|---|---|---|
| 実施回数 | 参加延人員 | 実施回数 | 参加延人員 | 実施回数 | 参加延人員 | 実施回数 | 参加延人員 |
| **238** | **4 769** | **516** | **10 722** | **362** | **7 079** | **1 252** | **20 724** |
| 13 | 605 | 154 | 3 920 | 15 | 286 | 131 | 1 718 |
| 8 | 387 | － | － | － | － | 28 | 429 |
| 1 | 61 | － | － | 4 | 74 | 18 | 222 |
| 4 | 87 | 17 | 326 | 3 | 88 | 31 | 499 |
| － | － | － | － | 2 | 40 | 5 | 68 |
| 2 | 9 | － | － | 9 | 447 | 18 | 269 |
| 1 | 97 | 25 | 605 | 3 | 75 | 33 | 746 |
| 1 | 3 | 8 | 1 016 | 4 | 75 | 5 | 210 |
| 11 | 139 | 35 | 243 | 2 | 40 | 8 | 197 |
| 2 | 29 | 1 | 16 | 6 | 143 | 77 | 157 |
| 30 | 634 | － | － | 6 | 175 | 24 | 811 |
| 2 | 122 | － | － | 4 | 97 | 61 | 1 931 |
| 5 | 191 | － | － | 33 | 588 | 27 | 296 |
| － | － | － | － | 11 | 199 | 31 | 563 |
| 6 | 36 | 18 | 172 | 2 | 37 | 49 | 1 198 |
| 10 | 70 | 8 | 27 | 5 | 22 | 13 | 145 |
| 1 | 3 | 27 | 646 | 9 | 234 | 15 | 341 |
| 3 | 59 | － | － | 9 | 252 | 18 | 362 |
| － | － | － | － | 6 | 69 | 32 | 749 |
| 12 | 627 | 6 | 114 | 9 | 143 | 21 | 464 |
| 1 | 25 | － | － | 2 | 22 | 8 | 111 |
| 11 | 143 | － | － | 19 | 344 | 24 | 250 |
| 7 | 109 | － | － | 13 | 512 | 42 | 715 |
| 1 | 13 | － | － | 4 | 84 | 14 | 534 |
| 4 | 59 | － | － | － | － | 12 | 470 |
| 2 | 33 | 25 | 520 | 3 | 68 | 10 | 241 |
| 11 | 70 | － | － | 17 | 313 | 5 | 106 |
| 34 | 318 | 1 | 4 | 35 | 313 | 157 | 949 |
| 1 | 54 | － | － | 4 | 174 | 14 | 154 |
| 2 | 20 | － | － | 10 | 278 | 13 | 244 |
| 1 | 35 | 3 | 141 | 3 | 21 | 17 | 278 |
| 16 | 177 | 2 | 74 | 8 | 153 | 12 | 491 |
| 1 | 31 | － | － | 8 | 88 | 13 | 278 |
| 2 | 12 | 1 | 20 | 10 | 180 | 8 | 18 |
| － | － | － | － | － | － | － | － |
| 1 | 2 | 1 | 42 | 18 | 217 | 2 | 6 |
| 2 | 73 | － | － | 2 | 47 | 12 | 244 |
| 1 | 65 | － | － | 16 | 500 | 29 | 790 |
| 4 | 77 | － | － | － | － | 22 | 195 |
| 4 | 68 | 1 | 9 | 15 | 118 | 17 | 225 |
| 5 | 8 | － | － | 5 | 119 | 11 | 184 |
| 6 | 31 | 12 | 596 | 4 | 60 | 57 | 590 |
| 1 | 9 | 57 | 812 | 10 | 149 | 42 | 1 143 |
| － | － | 24 | 426 | 6 | 103 | 33 | 593 |
| 3 | 4 | 15 | 305 | 2 | 41 | 10 | 124 |
| 1 | 19 | 75 | 688 | 6 | 91 | 20 | 259 |
| 4 | 155 | － | － | － | － | 3 | 157 |

# 第43表（２－１）保健所における調査及び研究数,

| | 総数 | 全般 (再掲)健康危機管理 | 全般 地域診断 | 全般 情報システム | 対人 総数 | 対人 母子保健 | 対人 健康増進 | 対人 歯科保健 | 対人 感染症 | 対人 (再掲) 結核 |
|---|---|---|---|---|---|---|---|---|---|---|
| **全国** | **1 667** | **45** | **88** | **6** | **1 088** | **132** | **260** | **105** | **231** | **104** |
| 北海道 | 68 | − | 4 | − | 53 | − | 12 | 24 | 3 | 3 |
| 青森 | 17 | − | − | − | 17 | 3 | 5 | − | − | − |
| 岩手 | 18 | − | − | − | 16 | 1 | 7 | 3 | 1 | 1 |
| 宮城 | 33 | − | 1 | − | 25 | 5 | 9 | − | 4 | 3 |
| 秋田 | 15 | − | − | − | 10 | − | 2 | − | 4 | 2 |
| 山形 | 9 | − | − | − | 9 | 1 | 1 | − | 2 | 2 |
| 福島 | 41 | − | − | − | 28 | 7 | 9 | 1 | 2 | 1 |
| 茨城 | 6 | − | − | − | 5 | − | 1 | − | 3 | 1 |
| 栃木 | 15 | − | − | − | 12 | 1 | 5 | − | 1 | − |
| 群馬 | 14 | − | − | − | 14 | − | 2 | 6 | 6 | 3 |
| 埼玉 | 55 | 1 | − | − | 45 | 7 | 5 | 2 | 5 | 3 |
| 千葉 | 81 | 4 | − | − | 45 | 10 | 7 | 1 | 12 | 9 |
| 東京 | 98 | 4 | 15 | − | 51 | 9 | 4 | 13 | 17 | 8 |
| 神奈川 | 54 | − | 8 | − | 34 | 9 | 12 | 5 | 3 | 3 |
| 新潟 | 25 | 1 | − | − | 12 | − | 4 | − | 1 | 1 |
| 富山 | 26 | − | 11 | − | 14 | 2 | 4 | − | − | − |
| 石川 | 8 | − | 1 | − | 7 | 1 | − | − | 5 | 1 |
| 福井 | 18 | − | − | − | 18 | 3 | 7 | 1 | 3 | 2 |
| 山梨 | 48 | − | 4 | − | 39 | 2 | − | − | 29 | 3 |
| 長野 | 20 | 1 | − | − | 16 | 1 | 9 | − | 4 | 4 |
| 岐阜 | 14 | − | − | − | 4 | 1 | 1 | − | 1 | − |
| 静岡 | 31 | 2 | 1 | − | 20 | 2 | 7 | − | 5 | 3 |
| 愛知 | 154 | 10 | 2 | − | 56 | 8 | 4 | 8 | 19 | 9 |
| 三重 | 4 | − | − | − | 4 | − | 2 | − | 1 | 1 |
| 滋賀 | 37 | 3 | 1 | 2 | 26 | − | 6 | 3 | 2 | 1 |
| 京都 | 49 | − | 5 | − | 31 | 7 | 16 | − | 2 | 1 |
| 大阪 | 97 | 1 | 8 | … | 74 | 10 | 19 | 1 | 17 | 12 |
| 兵庫 | 40 | 2 | − | − | 37 | 1 | 10 | 6 | 6 | 2 |
| 奈良 | 44 | 1 | 13 | 2 | 24 | 4 | 5 | 3 | 3 | 3 |
| 和歌山 | 15 | 2 | − | − | 13 | 3 | 3 | − | 2 | 1 |
| 鳥取 | 14 | − | − | − | 5 | − | − | − | 1 | 1 |
| 島根 | 13 | − | − | − | 3 | − | − | − | − | − |
| 岡山 | 39 | 1 | 5 | − | 25 | 5 | 4 | 1 | 5 | 1 |
| 広島 | 63 | 2 | − | 2 | 13 | − | 1 | 5 | 4 | 3 |
| 山口 | 30 | − | − | − | 4 | − | 2 | − | 2 | − |
| 徳島 | 12 | − | − | − | 9 | 2 | 3 | − | 1 | − |
| 香川 | 28 | 1 | − | − | 20 | 2 | 11 | − | 3 | 1 |
| 愛媛 | 23 | 2 | 1 | − | 16 | 2 | 2 | 1 | 2 | 2 |
| 高知 | 17 | − | 1 | − | 14 | 1 | 3 | 6 | 1 | 1 |
| 福岡 | 86 | − | − | − | 77 | 6 | 11 | − | 30 | 4 |
| 佐賀 | 11 | − | − | − | 10 | 5 | − | 1 | 2 | 1 |
| 長崎 | 33 | − | 1 | − | 26 | 1 | 8 | 1 | 4 | 2 |
| 熊本 | 13 | 3 | 1 | − | 9 | − | 2 | 2 | 3 | 1 |
| 大分 | 49 | 3 | 3 | − | 38 | 1 | 19 | 2 | 6 | 3 |
| 宮崎 | 32 | − | − | − | 21 | 3 | 4 | 1 | 4 | 1 |
| 鹿児島 | 35 | 1 | 2 | − | 29 | 5 | 10 | 3 | − | − |
| 沖縄 | 15 | − | − | − | 10 | 1 | 2 | 5 | − | − |
| 指定都市・特別区(再掲) | | | | | | | | | | |
| 東京都区部 | 49 | 3 | 14 | − | 26 | 9 | 2 | 2 | 11 | 5 |
| 札幌市 | 6 | − | − | − | − | − | − | − | − | − |
| 仙台市 | 21 | − | 1 | − | 13 | 2 | 1 | − | 4 | 3 |
| さいたま市 | 4 | 1 | − | − | 3 | 2 | − | − | − | − |
| 千葉市 | 4 | − | − | − | − | − | − | − | − | − |
| 横浜市 | 16 | − | 8 | − | 6 | 3 | 2 | − | − | − |
| 川崎市 | 3 | − | − | − | 1 | − | − | − | − | − |
| 相模原市 | 3 | − | − | − | 1 | − | − | − | 1 | 1 |
| 新潟市 | 11 | − | − | − | 5 | − | 2 | − | − | − |
| 静岡市 | 2 | 1 | − | − | 1 | − | − | − | − | − |
| 浜松市 | − | − | − | − | − | − | − | − | − | − |
| 名古屋市 | 30 | − | 2 | − | 14 | 5 | 3 | 1 | 2 | − |
| 京都市 | 17 | − | 4 | − | 10 | 4 | 3 | − | − | − |
| 大阪市 | 13 | − | − | − | 7 | − | − | − | 7 | 5 |
| 堺市 | 2 | − | − | − | 2 | − | − | − | 2 | 2 |
| 神戸市 | − | − | − | − | − | − | − | − | − | − |
| 岡山市 | 6 | − | − | − | 2 | − | − | − | − | − |
| 広島市 | 32 | − | − | − | 3 | − | − | − | 2 | 1 |
| 北九州市 | 3 | − | − | − | − | − | − | − | − | − |
| 福岡市 | 25 | − | − | − | 22 | − | 2 | − | 20 | 1 |
| 熊本市 | 2 | − | − | − | − | − | − | − | − | − |

## 都道府県－指定都市・特別区－中核市－その他政令市、調査及び研究内容別

平成29年度

| 保 | 健 | | | | 対物保健 | | | | |
|---|---|---|---|---|---|---|---|---|---|
| 掲）エイズ | 精神保健福祉 | 難病 | 介護保険 | その他 | 総数 | 医事・薬事 | 食品衛生 | 環境衛生 | その他 |
| 17 | 163 | 88 | 23 | 86 | 485 | 23 | 311 | 111 | 40 |
| － | 4 | 3 | 6 | 1 | 11 | 1 | 8 | 2 | － |
| － | 4 | 3 | － | 2 | － | － | － | － | － |
| － | 1 | 3 | － | － | 2 | 1 | 1 | － | － |
| － | 1 | － | － | 6 | 7 | － | 2 | 5 | － |
| － | 2 | － | － | 2 | 5 | － | 3 | 2 | － |
| － | 3 | 1 | － | 1 | － | － | － | － | － |
| － | 3 | 1 | 1 | 4 | 13 | － | 6 | 7 | － |
| － | 1 | － | － | － | 1 | 1 | － | － | － |
| 1 | 2 | 1 | － | 2 | 3 | － | 3 | － | － |
| － | － | － | － | － | － | － | － | － | － |
| 1 | 20 | 5 | － | 1 | 10 | 2 | 5 | 3 | － |
| 1 | 3 | 6 | － | 6 | 36 | 2 | 23 | 8 | 3 |
| 4 | 6 | 1 | － | 1 | 32 | 1 | 13 | 17 | 1 |
| 1 | 4 | － | 1 | － | 12 | － | 4 | 8 | － |
| － | 3 | 4 | － | － | 13 | － | 9 | 2 | 2 |
| － | 2 | 2 | 1 | 3 | 1 | － | 1 | － | － |
| － | － | － | － | 1 | － | － | － | － | － |
| 1 | － | 2 | 1 | 1 | － | － | － | － | － |
| － | 1 | 3 | － | 4 | 5 | 1 | 3 | 1 | － |
| － | 2 | － | － | － | 4 | － | 3 | － | 1 |
| － | － | 1 | － | － | 10 | － | 10 | － | － |
| － | 3 | 3 | － | － | 10 | 2 | 3 | 3 | 2 |
| － | 11 | 4 | － | 2 | 96 | 2 | 59 | 20 | 15 |
| － | － | 1 | － | － | － | － | － | － | － |
| － | 2 | 2 | 1 | 10 | 8 | － | 6 | 2 | － |
| － | 1 | 3 | － | 2 | 13 | － | 12 | 1 | － |
| 4 | 15 | 11 | … | 1 | 15 | … | 9 | 4 | 2 |
| － | 4 | 6 | － | 4 | 3 | － | 1 | － | 2 |
| － | 1 | 2 | 5 | 1 | 5 | － | 4 | 1 | － |
| 1 | 2 | 2 | 1 | － | 2 | － | 1 | 1 | － |
| － | 2 | 1 | － | 1 | 9 | － | 8 | 1 | － |
| － | 3 | － | － | － | 10 | － | 8 | 1 | 1 |
| 1 | 4 | 2 | － | 4 | 9 | － | 6 | 2 | 1 |
| － | 2 | － | － | 1 | 48 | 5 | 36 | 5 | 2 |
| 1 | － | － | － | － | 26 | － | 15 | 8 | 3 |
| － | 1 | 1 | － | 1 | 3 | － | 3 | － | － |
| － | 3 | 1 | － | － | 8 | － | 7 | 1 | － |
| － | 6 | 1 | － | 2 | 6 | 2 | 3 | － | 1 |
| － | 3 | － | － | － | 2 | － | 2 | － | － |
| － | 18 | 5 | 1 | 6 | 9 | － | 8 | 1 | － |
| 1 | － | 1 | － | 1 | 1 | － | 1 | － | － |
| － | 9 | 1 | － | 2 | 6 | － | 6 | － | － |
| － | － | 2 | － | － | 3 | － | 3 | － | － |
| － | 2 | 1 | － | 7 | 8 | 1 | 3 | 4 | － |
| － | 4 | 1 | 2 | 2 | 11 | 2 | 7 | 1 | 1 |
| － | 3 | 1 | 3 | 4 | 4 | － | 1 | － | 3 |
| － | 2 | － | － | － | 5 | － | 5 | － | － |
| 3 | 2 | － | － | － | 9 | － | 4 | 4 | 1 |
| － | － | － | － | － | 6 | 1 | 5 | － | － |
| － | － | － | － | 6 | 7 | － | 2 | 5 | － |
| － | － | － | － | 1 | 1 | － | 1 | － | － |
| － | － | － | － | － | 4 | － | 4 | － | － |
| － | － | － | 1 | － | 2 | － | － | 2 | － |
| － | 1 | － | － | － | 2 | － | － | 2 | － |
| － | － | － | － | － | 2 | － | － | 2 | － |
| － | － | 3 | － | － | 6 | － | 4 | 2 | － |
| － | － | 1 | － | － | 1 | － | 1 | － | － |
| － | － | － | － | － | － | － | － | － | － |
| － | － | 2 | － | 1 | 14 | － | 10 | 3 | 1 |
| － | 1 | 1 | － | 1 | 3 | － | 3 | － | － |
| 2 | － | － | － | － | 6 | － | 6 | － | － |
| － | － | － | － | － | － | － | － | － | － |
| － | － | － | － | － | － | － | － | － | － |
| － | 2 | － | － | － | 4 | － | 2 | 2 | － |
| － | 1 | － | － | － | 29 | － | 28 | 1 | － |
| － | － | － | － | － | 3 | － | 2 | 1 | － |
| － | － | － | － | － | 3 | － | 3 | － | － |
| － | － | － | － | － | 2 | － | 2 | － | － |

# 第43表（2－2）保健所における調査及び研究数,

| | 総数 | 全般 | | | 対人 | | | | | |
|---|---|---|---|---|---|---|---|---|---|---|
| | | (再掲)健康危機管理 | 地域診断 | 情報システム | 総数 | 母子保健 | 健康増進 | 歯科保健 | 感染症 | (再掲)結核 |
| 中核市(再掲) | | | | | | | | | | |
| 旭川市 | 4 | – | – | – | 2 | – | 1 | 1 | – | – |
| 函館市 | – | – | – | – | – | – | – | – | – | – |
| 青森市 | – | – | – | – | – | – | – | – | – | – |
| 八戸市 | 2 | – | – | – | 2 | – | – | – | – | – |
| 盛岡市 | 1 | – | – | – | 1 | – | 1 | – | – | – |
| 秋田市 | 1 | – | – | – | 1 | – | 1 | – | – | – |
| 郡山市 | – | – | – | – | – | – | – | – | – | – |
| いわき市 | 11 | – | – | – | 11 | 6 | 1 | – | – | – |
| 宇都宮市 | – | – | – | – | – | – | – | – | – | – |
| 前橋市 | – | – | – | – | – | – | – | – | – | – |
| 高崎市 | – | – | – | – | – | – | – | – | – | – |
| 川越市 | 8 | – | – | – | 8 | – | – | – | – | – |
| 越谷市 | 3 | – | – | – | – | – | – | – | – | – |
| 船橋市 | 13 | – | – | – | 10 | 4 | – | 1 | 3 | 3 |
| 柏市 | 9 | – | – | – | 9 | 2 | 3 | – | 1 | 1 |
| 八王子市 | 3 | – | – | – | 2 | – | – | – | – | – |
| 横須賀市 | 3 | – | – | – | 2 | – | 1 | 1 | – | – |
| 富山市 | – | – | – | – | – | – | – | – | – | – |
| 金沢市 | 3 | – | – | – | 3 | – | – | – | 3 | 1 |
| 長野市 | 3 | – | – | – | 3 | – | 3 | – | – | – |
| 岐阜市 | 1 | – | – | – | – | – | – | – | – | – |
| 豊橋市 | 13 | – | – | – | – | – | – | – | – | – |
| 豊田市 | 9 | 9 | – | – | 3 | – | – | – | 3 | – |
| 岡崎市 | 10 | – | – | – | 4 | – | 1 | 1 | – | – |
| 大津市 | 4 | – | – | – | 3 | – | 2 | – | 1 | 1 |
| 高槻市 | – | – | – | – | – | – | – | – | – | – |
| 東大阪市 | 14 | – | – | – | 12 | 3 | 8 | – | 1 | 1 |
| 豊中市 | 7 | – | 1 | – | 5 | – | – | – | 1 | 1 |
| 枚方市 | 10 | – | – | – | 10 | – | 1 | 1 | – | – |
| 姫路市 | 5 | – | – | – | 5 | 1 | 3 | – | 1 | – |
| 西宮市 | 3 | – | – | – | 3 | – | 1 | – | – | – |
| 尼崎市 | – | – | – | – | – | – | – | – | – | – |
| 奈良市 | 3 | – | – | – | 3 | 1 | 1 | – | – | – |
| 和歌山市 | 5 | – | – | – | 5 | 1 | 2 | – | 1 | – |
| 倉敷市 | 12 | – | – | – | 8 | 1 | – | – | 2 | 1 |
| 福山市 | 12 | – | – | 2 | 4 | – | – | 4 | – | – |
| 呉市 | 2 | – | – | – | 1 | – | 1 | – | – | – |
| 下関市 | – | – | – | – | – | – | – | – | – | – |
| 高松市 | 4 | – | – | – | – | – | – | – | – | – |
| 松山市 | 3 | – | – | – | 1 | – | – | – | – | – |
| 高知市 | 2 | – | – | – | 2 | – | – | 1 | 1 | 1 |
| 久留米市 | 3 | – | – | – | 3 | 3 | – | – | – | – |
| 長崎市 | 2 | – | – | – | 1 | – | – | – | – | – |
| 佐世保市 | 1 | – | – | – | – | – | – | – | – | – |
| 大分市 | 4 | – | – | – | 3 | 1 | 1 | – | – | – |
| 宮崎市 | – | – | – | – | – | – | – | – | – | – |
| 鹿児島市 | 13 | – | 1 | – | 12 | 3 | 7 | – | – | – |
| 那覇市 | 3 | – | – | – | 1 | – | – | – | – | – |
| その他政令市(再掲) | | | | | | | | | | |
| 小樽市 | – | – | – | – | – | – | – | – | – | – |
| 町田市 | 5 | – | – | – | 3 | – | 1 | – | – | – |
| 藤沢市 | 3 | – | – | – | 3 | – | 3 | – | – | – |
| 茅ヶ崎市 | 2 | – | – | – | 2 | 1 | 1 | – | – | – |
| 四日市市 | – | – | – | – | – | – | – | – | – | – |
| 大牟田市 | – | – | – | – | – | – | – | – | – | – |

都道府県－指定都市・特別区－中核市－その他政令市、調査及び研究内容別

平成29年度

| 保 | 健 | | | | 対物保健 | | | | |
|---|---|---|---|---|---|---|---|---|---|
| 掲) エイズ | 精神保健福祉 | 難病 | 介護保険 | その他 | 総数 | 医事・薬事 | 食品衛生 | 環境衛生 | その他 |
| － | － | － | － | － | 2 | － | 1 | 1 | － |
| － | － | － | － | － | － | － | － | － | － |
| － | － | － | － | － | － | － | － | － | － |
| － | － | 2 | － | － | － | － | － | － | － |
| － | － | － | － | － | － | － | － | － | － |
| － | － | － | － | － | － | － | － | － | － |
| － | － | － | － | － | － | － | － | － | － |
| － | 2 | － | － | 2 | － | － | － | － | － |
| － | － | － | － | － | － | － | － | － | － |
| － | － | － | － | － | － | － | － | － | － |
| － | － | － | － | － | － | － | － | － | － |
| － | 8 | － | － | － | － | － | － | － | － |
| － | － | － | － | － | 3 | － | 3 | － | － |
| － | － | 2 | － | － | 3 | － | 1 | 2 | － |
| － | 2 | － | － | 1 | － | － | － | － | － |
| － | 1 | 1 | － | － | 1 | － | － | 1 | － |
| － | － | － | － | － | 1 | － | － | 1 | － |
| － | － | － | － | － | － | － | － | － | － |
| － | － | － | － | － | － | － | － | － | － |
| － | － | － | － | － | － | － | － | － | － |
| － | － | － | － | － | 1 | － | 1 | － | － |
| － | － | － | － | － | 13 | 1 | 12 | － | － |
| － | － | － | － | － | 6 | － | 6 | － | － |
| － | 2 | － | － | － | 6 | － | 3 | 3 | － |
| － | － | － | － | － | 1 | － | 1 | － | － |
| － | － | － | － | － | － | － | － | － | － |
| － | － | － | － | － | 2 | － | － | － | 2 |
| － | 3 | 1 | － | － | 1 | － | － | 1 | － |
| － | 2 | 6 | － | － | － | － | － | － | － |
| － | － | － | － | － | － | － | － | － | － |
| － | － | 2 | － | － | － | － | － | － | － |
| － | － | － | － | － | － | － | － | － | － |
| － | 1 | － | － | － | － | － | － | － | － |
| 1 | 1 | － | － | － | － | － | － | － | － |
| － | 1 | 1 | － | 3 | 4 | － | 3 | － | 1 |
| － | － | － | － | － | 6 | － | 2 | 4 | － |
| － | － | － | － | － | 1 | － | 1 | － | － |
| － | － | － | － | － | － | － | － | － | － |
| － | － | － | － | － | 4 | － | 4 | － | － |
| － | － | 1 | － | － | 2 | 1 | 1 | － | － |
| － | － | － | － | － | － | － | － | － | － |
| － | － | － | － | － | － | － | － | － | － |
| － | 1 | － | － | － | 1 | － | 1 | － | － |
| － | － | － | － | － | 1 | － | 1 | － | － |
| － | 1 | － | － | － | 1 | － | 1 | － | － |
| － | － | － | － | － | － | － | － | － | － |
| － | 1 | － | － | 1 | － | － | － | － | － |
| － | 1 | － | － | － | 2 | － | 2 | － | － |
| － | － | － | － | － | － | － | － | － | － |
| － | 2 | － | － | － | 2 | － | － | 2 | － |
| － | － | － | － | － | － | － | － | － | － |
| － | － | － | － | － | － | － | － | － | － |
| － | － | － | － | － | － | － | － | － | － |
| － | － | － | － | － | － | － | － | － | － |

# 第44表（3－1）保健所の常勤職員数，都道府県

| | 総数 | 医師 | 歯科医師 | 獣医師 | 薬剤師 | 保健師 | （再掲）市町村駐在 | （再掲）交流 | 助産師 | 看護師 |
|---|---|---|---|---|---|---|---|---|---|---|
| **全国** | **27 902** | **730** | **78** | **2 226** | **2 905** | **8 326** | **1** | **24** | **48** | **145** |
| 北海道 | 1 392 | 27 | 12 | 189 | 69 | 302 | － | － | － | 7 |
| 青森 | 332 | 9 | 2 | 37 | 37 | 122 | － | 2 | － | － |
| 岩手 | 332 | 8 | 1 | 25 | 18 | 72 | － | － | － | 2 |
| 宮城 | 689 | 12 | 3 | 41 | 43 | 201 | － | － | 1 | 14 |
| 秋田 | 258 | 9 | － | 17 | 24 | 87 | － | － | － | 1 |
| 山形 | 243 | 4 | － | 12 | 35 | 50 | － | － | － | 1 |
| 福島 | 461 | 7 | － | 36 | 41 | 130 | － | － | － | 7 |
| 茨城 | 292 | 11 | － | 36 | 39 | 83 | － | 4 | － | － |
| 栃木 | 304 | 7 | － | 31 | 58 | 104 | － | － | － | － |
| 群馬 | 370 | 13 | － | 29 | 49 | 134 | － | － | 1 | 2 |
| 埼玉 | 735 | 18 | 1 | 116 | 107 | 197 | － | 2 | － | 3 |
| 千葉 | 996 | 22 | 1 | 114 | 119 | 275 | － | － | － | 9 |
| 東京 | 3 504 | 95 | 12 | 55 | 171 | 1 014 | － | － | － | 1 |
| 神奈川 | 2 637 | 56 | 13 | 174 | 189 | 695 | － | － | 17 | 6 |
| 新潟 | 447 | 9 | 5 | 38 | 51 | 90 | － | － | － | 3 |
| 富山 | 319 | 10 | 2 | 28 | 52 | 125 | － | － | － | 6 |
| 石川 | 195 | 7 | － | 28 | 36 | 51 | － | － | － | 2 |
| 福井 | 177 | 6 | － | 10 | 42 | 55 | － | 3 | － | － |
| 山梨 | 138 | 5 | － | 11 | 34 | 36 | － | 2 | － | － |
| 長野 | 376 | 13 | － | 58 | 43 | 90 | － | － | － | － |
| 岐阜 | 278 | 8 | － | 60 | 40 | 68 | － | 1 | － | 1 |
| 静岡 | 519 | 10 | 1 | 71 | 138 | 93 | － | － | － | － |
| 愛知 | 1 652 | 42 | 5 | 140 | 188 | 485 | － | 1 | 2 | 13 |
| 三重 | 272 | 8 | 2 | 31 | 35 | 84 | － | － | 2 | 3 |
| 滋賀 | 257 | 8 | － | 12 | 29 | 102 | － | 1 | － | 1 |
| 京都 | 793 | 21 | 2 | 49 | 146 | 344 | － | － | － | 1 |
| 大阪 | 1 526 | 51 | 2 | 124 | 288 | 435 | － | － | － | 6 |
| 兵庫 | 1 258 | 30 | 1 | 120 | 73 | 472 | － | － | － | 5 |
| 奈良 | 227 | 8 | － | 16 | 34 | 93 | － | － | － | 5 |
| 和歌山 | 353 | 11 | － | 25 | 27 | 105 | － | － | － | 1 |
| 鳥取 | 178 | 3 | － | 12 | 12 | 33 | － | － | － | － |
| 島根 | 248 | 10 | 1 | 14 | 14 | 64 | － | 3 | － | － |
| 岡山 | 620 | 13 | 1 | 24 | 51 | 285 | － | 1 | 6 | 8 |
| 広島 | 584 | 8 | － | 48 | 49 | 181 | － | － | － | － |
| 山口 | 317 | 7 | － | 34 | 24 | 63 | － | － | － | － |
| 徳島 | 154 | 6 | － | 9 | 28 | 62 | － | － | － | － |
| 香川 | 270 | 6 | － | 24 | 38 | 100 | － | － | － | 1 |
| 愛媛 | 389 | 13 | 1 | 31 | 59 | 113 | － | 1 | － | 2 |
| 高知 | 278 | 7 | 1 | 19 | 32 | 104 | － | － | － | 3 |
| 福岡 | 1 051 | 39 | 2 | 75 | 118 | 331 | － | － | 18 | 14 |
| 佐賀 | 181 | 4 | － | 20 | 18 | 47 | － | － | － | 3 |
| 長崎 | 423 | 12 | 1 | 30 | 46 | 125 | － | － | － | 2 |
| 熊本 | 312 | 10 | 2 | 35 | 38 | 71 | 1 | － | － | 8 |
| 大分 | 350 | 9 | － | 29 | 34 | 150 | － | 1 | － | － |
| 宮崎 | 341 | 11 | － | 25 | 47 | 124 | － | 1 | － | 1 |
| 鹿児島 | 559 | 16 | 1 | 48 | 27 | 166 | － | － | 1 | 3 |
| 沖縄 | 315 | 11 | 3 | 16 | 15 | 113 | － | 1 | － | － |
| 指定都市・特別区（再掲） | | | | | | | | | | |
| 東京都区部 | 2 828 | 68 | 6 | 23 | 129 | 806 | ・ | － | － | 1 |
| 札幌市 | 195 | 2 | 1 | － | 2 | 20 | ・ | － | － | － |
| 仙台市 | 309 | 6 | 3 | 10 | 8 | 136 | ・ | － | 1 | 6 |
| さいたま市 | 120 | 2 | － | 21 | 11 | 28 | ・ | － | － | 2 |
| 千葉市 | 98 | 3 | － | 24 | 25 | 5 | ・ | － | － | 1 |
| 横浜市 | 1 497 | 20 | 1 | － | 23 | 378 | ・ | － | 13 | 1 |
| 川崎市 | 369 | 15 | 3 | 80 | 62 | 140 | ・ | － | 4 | 1 |
| 相模原市 | 148 | 2 | 2 | 21 | 27 | 39 | ・ | － | － | － |
| 新潟市 | 84 | 2 | 1 | 18 | 12 | 12 | ・ | － | － | 3 |
| 静岡市 | 52 | 2 | － | 11 | 22 | 8 | ・ | － | － | － |
| 浜松市 | 60 | 1 | － | 7 | 18 | 9 | ・ | － | － | － |
| 名古屋市 | 795 | 22 | 3 | 17 | 56 | 222 | ・ | － | 1 | 10 |
| 京都市 | 450 | 12 | 1 | 25 | 100 | 267 | ・ | － | － | 1 |
| 大阪市 | 347 | 22 | － | 43 | 84 | 24 | ・ | － | － | － |
| 堺市 | 87 | 2 | － | 15 | 27 | 12 | ・ | － | － | － |
| 神戸市 | 383 | 8 | 1 | 29 | 8 | 152 | ・ | － | － | － |
| 岡山市 | 235 | 4 | 1 | 9 | 9 | 122 | ・ | － | 6 | 8 |
| 広島市 | 41 | 2 | － | 2 | 11 | 5 | ・ | － | － | － |
| 北九州市 | 91 | 3 | 1 | 8 | 24 | 5 | ・ | － | － | 1 |
| 福岡市 | 309 | 13 | － | 13 | 17 | 152 | ・ | － | 8 | 3 |
| 熊本市 | 85 | 1 | － | 7 | 16 | 5 | ・ | － | － | 8 |

## －指定都市・特別区－中核市－その他政令市、職種別

平成29年度末現在

| 准看護師 | 理学療法士 | 作業療法士 | 歯科衛生士 | 診療放射線技師 | 診療エックス線技師 | 臨床検査技師 | 衛生検査技師 | 管理栄養士 | 栄養士 | その他 |
|---|---|---|---|---|---|---|---|---|---|---|
| 5 | 51 | 32 | 323 | 443 | 2 | 665 | 49 | 1 223 | 56 | 10 595 |
| 3 | 7 | 6 | 29 | 20 | － | 79 | － | 82 | 10 | 550 |
| － | － | － | － | 4 | － | 5 | － | 12 | － | 104 |
| － | － | － | 2 | 1 | － | － | － | 14 | － | 189 |
| － | 8 | 5 | 10 | 5 | － | 6 | － | 35 | － | 305 |
| － | － | － | 1 | 5 | － | 1 | － | 15 | － | 98 |
| － | － | － | － | － | － | 15 | － | 12 | － | 114 |
| － | 1 | 2 | 10 | 5 | － | 6 | － | 20 | － | 196 |
| － | － | － | 1 | 3 | － | － | 1 | 12 | 1 | 105 |
| － | － | － | 1 | 5 | － | 14 | － | 13 | － | 71 |
| － | － | － | 2 | 11 | － | 18 | － | 24 | 2 | 85 |
| － | － | － | 2 | 9 | － | 5 | － | 27 | － | 250 |
| 1 | 1 | 2 | 10 | 16 | － | 75 | 2 | 64 | 1 | 284 |
| － | 5 | 4 | 78 | 43 | 1 | 37 | 35 | 137 | 12 | 1 804 |
| 1 | － | － | 35 | 19 | － | 7 | － | 88 | 3 | 1 334 |
| － | 1 | － | 2 | 6 | － | 10 | － | 28 | － | 204 |
| － | － | － | － | 12 | － | 18 | － | 17 | 3 | 46 |
| － | － | － | － | 4 | － | 9 | － | 12 | － | 46 |
| － | － | － | 1 | 4 | － | 2 | － | 8 | － | 49 |
| － | 1 | － | － | － | － | 6 | － | 6 | 3 | 36 |
| － | 1 | － | 2 | 7 | － | 22 | － | 23 | － | 117 |
| － | － | － | － | 8 | － | 13 | 1 | 14 | － | 65 |
| － | － | 1 | 1 | 2 | － | 8 | － | 22 | － | 172 |
| － | － | － | 32 | 15 | － | 30 | － | 58 | 4 | 638 |
| － | 2 | － | 1 | 10 | － | 19 | － | 18 | － | 57 |
| － | 1 | － | 7 | 5 | － | 1 | － | 10 | － | 81 |
| － | 1 | － | 7 | 22 | － | 2 | － | 30 | 1 | 167 |
| － | 4 | 1 | 3 | 48 | － | 31 | － | 53 | － | 480 |
| － | 2 | － | 19 | 27 | － | 36 | 5 | 60 | 4 | 404 |
| － | 1 | － | 8 | 2 | － | － | － | 8 | － | 52 |
| － | － | － | 3 | 11 | 1 | 8 | － | 11 | 2 | 148 |
| － | － | － | 3 | 1 | － | 2 | － | 4 | － | 108 |
| － | － | － | 3 | 5 | － | 11 | － | 12 | － | 114 |
| － | － | － | 8 | 7 | － | 12 | － | 30 | － | 175 |
| － | － | － | 4 | 7 | － | 4 | － | 31 | 4 | 248 |
| － | － | － | － | 3 | － | 11 | － | 20 | － | 155 |
| － | － | － | － | 2 | － | 6 | － | 10 | － | 31 |
| － | － | － | 1 | 4 | － | 2 | － | 18 | － | 76 |
| － | 4 | － | 9 | 6 | － | 22 | － | 11 | 2 | 116 |
| － | 5 | 3 | 7 | 2 | － | 1 | － | 14 | 3 | 77 |
| － | 2 | － | 3 | 38 | － | 32 | － | 33 | － | 346 |
| － | － | － | － | 5 | － | 5 | － | 12 | － | 67 |
| － | 2 | 7 | 4 | 12 | － | 23 | － | 18 | － | 141 |
| － | － | 1 | 1 | 3 | － | 13 | 1 | 16 | 1 | 112 |
| － | － | － | － | 4 | － | 10 | － | 19 | － | 95 |
| － | 2 | － | － | 3 | － | 2 | － | 15 | － | 111 |
| － | － | － | 10 | 8 | － | 19 | 4 | 16 | － | 240 |
| － | － | － | 3 | 4 | － | 7 | － | 11 | － | 132 |
| － | 5 | 4 | 69 | 34 | 1 | 32 | 35 | 103 | 11 | 1 501 |
| － | － | － | 8 | － | － | － | － | － | 6 | 156 |
| － | 1 | － | 10 | 4 | － | 4 | － | 17 | － | 103 |
| － | － | － | 1 | 1 | － | － | － | 3 | － | 51 |
| 1 | － | － | － | 1 | － | 2 | 1 | 4 | － | 31 |
| － | － | － | 8 | － | － | － | － | 35 | 2 | 1 016 |
| － | － | － | 8 | 5 | － | － | － | 16 | － | 35 |
| － | － | － | 2 | 1 | － | 3 | － | 7 | － | 44 |
| － | 1 | － | 1 | 1 | － | 1 | － | 5 | － | 27 |
| － | － | － | － | － | － | － | － | 2 | － | 7 |
| － | － | － | － | － | － | － | － | 4 | － | 21 |
| － | － | － | 18 | 12 | － | 12 | － | 39 | － | 383 |
| － | 1 | － | 7 | 14 | － | － | － | 22 | － | － |
| － | － | － | － | 23 | － | 6 | － | 11 | － | 134 |
| － | 1 | － | － | 1 | － | － | － | － | － | 29 |
| － | － | － | 6 | 2 | － | 2 | － | 11 | 4 | 160 |
| － | － | － | 4 | 1 | － | 2 | － | 13 | － | 56 |
| － | － | － | 1 | － | － | 1 | － | － | 2 | 17 |
| － | － | － | － | 6 | － | 5 | － | － | － | 38 |
| － | － | － | － | 5 | － | － | － | 8 | － | 90 |
| － | － | 1 | － | 2 | － | 2 | － | 5 | － | 38 |

# 第44表（３－２）保健所の常勤職員数，都道府県

| | 総数 | 医師 | 歯科医師 | 獣医師 | 薬剤師 | 保健師 | （再掲）市町村駐在 | （再掲）交流 | 助産師 | 看護師 |
|---|---|---|---|---|---|---|---|---|---|---|
| 中核市(再掲) | | | | | | | | | | |
| 旭川市 | 116 | 3 | 1 | 28 | 7 | 30 | ・ | - | - | - |
| 函館市 | 56 | 1 | - | 11 | 3 | 15 | ・ | - | - | 1 |
| 青森市 | 66 | 1 | - | 3 | 3 | 32 | ・ | - | - | - |
| 八戸市 | 81 | 1 | - | 7 | 5 | 36 | ・ | 1 | - | - |
| 盛岡市 | 65 | 1 | - | 5 | 4 | 18 | ・ | - | - | 2 |
| 秋田市 | 84 | 1 | - | 2 | 3 | 26 | ・ | - | - | 1 |
| 郡山市 | 101 | 1 | - | 18 | 6 | 25 | ・ | - | - | 1 |
| いわき市 | 74 | 1 | - | 5 | 7 | 16 | ・ | - | - | 2 |
| 宇都宮市 | 78 | 1 | - | 6 | 18 | 26 | ・ | - | - | - |
| 前橋市 | 96 | 1 | - | 6 | 12 | 29 | ・ | - | - | - |
| 高崎市 | 129 | 1 | - | 5 | 15 | 67 | ・ | - | 1 | 2 |
| 川越市 | 106 | 2 | - | 7 | 14 | 43 | ・ | - | - | 1 |
| 越谷市 | 60 | 1 | - | 22 | 12 | 9 | ・ | - | - | - |
| 船橋市 | 193 | 3 | - | 18 | 18 | 77 | ・ | - | - | - |
| 柏市 | 118 | 2 | - | 15 | 9 | 51 | ・ | - | - | - |
| 八王子市 | 80 | 3 | - | 6 | 8 | 24 | ・ | - | - | - |
| 横須賀市 | 85 | 3 | 1 | 11 | 13 | 15 | ・ | - | - | 4 |
| 富山市 | 127 | 3 | 1 | 6 | 13 | 69 | ・ | - | - | 4 |
| 金沢市 | 62 | 3 | - | 19 | 17 | 6 | ・ | - | - | - |
| 長野市 | 75 | 1 | - | 9 | 6 | 16 | ・ | - | - | - |
| 岐阜市 | 62 | 1 | - | 18 | 20 | 6 | ・ | - | - | - |
| 豊橋市 | 131 | 2 | - | 24 | 14 | 56 | ・ | 1 | 1 | 1 |
| 豊田市 | 95 | 2 | - | 22 | 7 | 45 | ・ | - | - | - |
| 岡崎市 | 136 | 1 | - | 14 | 10 | 45 | ・ | - | - | 2 |
| 大津市 | 115 | 1 | - | 4 | 13 | 54 | ・ | - | - | 1 |
| 高槻市 | 95 | 1 | - | 11 | 12 | 31 | ・ | - | - | - |
| 東大阪市 | 172 | 4 | 1 | 15 | 25 | 57 | ・ | - | - | 1 |
| 豊中市 | 95 | 2 | - | 9 | 13 | 37 | ・ | - | - | 3 |
| 枚方市 | 126 | 2 | 1 | 6 | 15 | 58 | ・ | - | - | 1 |
| 姫路市 | 168 | 3 | - | 22 | - | 61 | ・ | - | - | 1 |
| 西宮市 | 147 | 1 | - | 17 | 13 | 62 | ・ | - | - | 2 |
| 尼崎市 | 166 | 4 | - | 2 | - | 64 | ・ | - | - | 2 |
| 奈良市 | 107 | 3 | - | 6 | 9 | 42 | ・ | - | - | 3 |
| 和歌山市 | 112 | 2 | - | 8 | 10 | 50 | ・ | - | - | 1 |
| 倉敷市 | 160 | 2 | - | 7 | 9 | 81 | ・ | - | - | - |
| 福山市 | 165 | 2 | - | 19 | 16 | 80 | ・ | - | - | - |
| 呉市 | 87 | 1 | - | 1 | - | 39 | ・ | - | - | - |
| 下関市 | 50 | 1 | - | - | 3 | 8 | ・ | - | - | - |
| 高松市 | 128 | 2 | - | 13 | 14 | 63 | ・ | - | - | 1 |
| 松山市 | 146 | 2 | - | 6 | 10 | 49 | ・ | - | - | 2 |
| 高知市 | 97 | 2 | 1 | 13 | 10 | 40 | ・ | - | - | 2 |
| 久留米市 | 89 | 2 | - | 8 | 9 | 41 | ・ | - | - | - |
| 長崎市 | 72 | 1 | 1 | 1 | 10 | 12 | ・ | - | - | 1 |
| 佐世保市 | 138 | 5 | - | 7 | 11 | 41 | ・ | - | - | 1 |
| 大分市 | 127 | 3 | - | 7 | 9 | 76 | ・ | - | - | - |
| 宮崎市 | 136 | 1 | - | 7 | 8 | 52 | ・ | 1 | - | 1 |
| 鹿児島市 | 203 | 5 | 1 | 27 | 9 | 72 | ・ | - | 1 | 3 |
| 那覇市 | 86 | 3 | 1 | 2 | 4 | 32 | ・ | - | - | - |
| その他政令市(再掲) | | | | | | | | | | |
| 小樽市 | 67 | 1 | 1 | - | - | 16 | ・ | - | - | - |
| 町田市 | 97 | 3 | - | 8 | 5 | 38 | ・ | - | - | - |
| 藤沢市 | 78 | 2 | 1 | 8 | 8 | 15 | ・ | - | - | - |
| 茅ヶ崎市 | 66 | 1 | - | 6 | 6 | 29 | ・ | - | - | - |
| 四日市市 | 77 | 1 | - | 4 | 6 | 32 | ・ | - | 1 | 1 |
| 大牟田市 | 37 | 1 | - | 2 | 5 | 6 | ・ | - | - | 1 |

## －指定都市・特別区－中核市－その他政令市、職種別

平成29年度末現在

| 准看護師 | 理学療法士 | 作業療法士 | 歯科衛生士 | 診療放射線技師 | 診療エックス線技師 | 臨床検査技師 | 衛生検査技師 | 管理栄養士 | 栄養士 | その他 |
|---|---|---|---|---|---|---|---|---|---|---|
| － | － | － | 2 | － | － | 5 | － | 5 | － | 35 |
| － | － | － | － | － | － | － | － | － | － | 25 |
| － | － | － | － | － | － | 2 | － | 3 | － | 22 |
| － | － | － | － | － | － | － | － | 3 | － | 29 |
| － | － | － | － | － | － | － | － | 4 | － | 31 |
| － | － | － | 1 | 1 | － | － | － | 5 | － | 44 |
| － | － | － | 3 | 3 | － | 3 | － | 4 | － | 37 |
| － | － | － | 1 | － | － | 3 | － | 4 | － | 35 |
| － | － | － | 1 | － | － | － | － | 3 | － | 23 |
| － | － | － | 1 | － | － | 3 | － | 7 | － | 37 |
| － | － | － | － | － | － | 2 | － | 8 | 2 | 26 |
| － | － | － | 1 | 3 | － | 3 | － | 3 | － | 29 |
| － | － | － | － | － | － | － | － | － | － | 16 |
| － | 1 | 1 | 7 | 2 | － | 3 | － | 14 | － | 49 |
| － | － | － | 3 | 2 | － | 4 | － | 4 | － | 28 |
| － | － | － | － | － | － | － | － | 5 | － | 34 |
| 1 | － | － | 7 | 9 | － | 1 | － | 3 | － | 17 |
| － | － | － | － | 3 | － | 5 | － | 10 | 2 | 11 |
| － | － | － | － | 3 | － | 4 | － | 5 | － | 5 |
| － | 1 | － | 2 | 1 | － | 3 | － | 4 | － | 32 |
| － | － | － | － | 1 | － | － | 1 | － | － | 15 |
| － | － | － | 2 | 1 | － | 2 | － | 4 | － | 24 |
| － | － | － | － | － | － | － | － | 3 | － | 16 |
| － | － | － | 2 | 2 | － | 4 | － | 3 | － | 53 |
| － | 1 | － | 1 | 1 | － | － | － | 3 | － | 36 |
| － | － | － | － | 1 | － | 1 | － | 5 | － | 33 |
| － | 1 | － | － | 3 | － | 2 | － | 7 | － | 56 |
| － | － | － | 2 | 1 | － | 2 | － | 2 | － | 24 |
| － | 2 | 1 | 1 | 3 | － | 1 | － | 5 | － | 30 |
| － | 1 | － | 2 | 3 | － | 5 | － | 5 | － | 65 |
| － | － | － | 2 | 2 | － | 2 | － | 10 | － | 36 |
| － | 1 | － | 2 | 2 | － | 1 | － | 7 | － | 81 |
| － | 1 | － | 3 | 1 | － | － | － | 4 | － | 35 |
| － | － | － | 3 | 3 | － | － | － | 4 | － | 31 |
| － | － | － | 3 | 1 | － | 2 | － | 8 | － | 47 |
| － | － | － | － | － | － | － | － | 8 | － | 40 |
| － | － | － | 1 | 1 | － | － | － | 5 | － | 39 |
| － | － | － | － | 2 | － | 4 | － | 3 | － | 29 |
| － | － | － | 1 | 1 | － | 1 | － | 6 | － | 26 |
| － | 4 | － | 3 | 2 | － | 3 | － | 3 | 1 | 61 |
| － | － | － | 2 | － | － | － | － | 4 | － | 23 |
| － | － | － | － | 2 | － | － | － | 3 | － | 24 |
| － | 1 | － | 2 | － | － | 3 | － | 2 | － | 38 |
| － | 1 | 1 | 2 | 3 | － | 4 | － | 4 | － | 58 |
| － | － | － | － | － | － | 2 | － | 9 | － | 21 |
| － | 2 | － | － | 3 | － | 2 | － | 6 | － | 54 |
| － | － | － | 3 | 3 | － | 4 | － | 7 | － | 68 |
| － | － | － | － | 1 | － | 2 | － | 3 | － | 38 |
| 1 | － | － | 1 | － | － | 5 | － | 2 | － | 40 |
| － | － | － | 4 | － | － | － | － | 6 | － | 33 |
| － | － | － | 2 | 1 | － | 3 | － | 4 | － | 34 |
| － | － | － | － | － | － | － | － | 4 | 1 | 19 |
| － | 2 | － | 1 | － | － | 5 | － | 4 | － | 20 |
| － | － | － | 1 | 2 | － | 2 | － | 4 | － | 13 |

# 第44表（３－３）保健所の常勤職員数，都道府県

| | その他 | （再掲） | | | | | |
|---|---|---|---|---|---|---|---|
| | （再掲）医療社会事業員 | 精神保健福祉士 | 精神保健福祉相談員 | 栄養指導員 | 食品衛生監視員 | 環境衛生監視員 | 医療監視員 |
| 全国 | 46 | 606 | 1 068 | 974 | 5 268 | 4 768 | 8 725 |
| 北海道 | - | 11 | 49 | 49 | 302 | 292 | 240 |
| 青森 | - | 12 | 34 | 9 | 58 | 55 | 80 |
| 岩手 | - | 7 | 12 | 13 | 58 | 96 | 174 |
| 宮城 | 6 | 2 | 8 | 17 | 117 | 95 | 240 |
| 秋田 | - | - | 11 | 16 | 40 | 56 | 171 |
| 山形 | - | - | 12 | 9 | 39 | 43 | 50 |
| 福島 | - | 1 | 18 | 15 | 95 | 94 | 117 |
| 茨城 | - | 3 | 3 | 15 | 72 | 86 | 206 |
| 栃木 | 1 | 5 | 2 | 13 | 64 | 66 | 119 |
| 群馬 | - | 10 | - | 13 | 89 | 54 | 99 |
| 埼玉 | 3 | 47 | 68 | 39 | 215 | 146 | 552 |
| 千葉 | - | 24 | 45 | 35 | 205 | 160 | 470 |
| 東京 | - | 34 | 63 | 88 | 481 | 312 | 246 |
| 神奈川 | 7 | 67 | 80 | 50 | 380 | 332 | 336 |
| 新潟 | - | 6 | 26 | 32 | 100 | 68 | 63 |
| 富山 | - | 5 | 25 | 18 | 83 | 85 | 230 |
| 石川 | - | 14 | 25 | 10 | 65 | 69 | 132 |
| 福井 | - | 24 | 31 | 12 | 51 | 61 | 107 |
| 山梨 | - | 10 | 7 | 4 | 24 | 24 | 59 |
| 長野 | - | 10 | 3 | 27 | 97 | 107 | 181 |
| 岐阜 | - | 2 | 6 | 13 | 94 | 71 | 155 |
| 静岡 | - | 18 | 6 | 24 | 143 | 135 | 117 |
| 愛知 | 21 | 27 | 50 | 54 | 309 | 324 | 512 |
| 三重 | - | 12 | 14 | 14 | 72 | 57 | 37 |
| 滋賀 | - | - | 18 | 10 | 56 | 59 | 155 |
| 京都 | - | 4 | 34 | 37 | 192 | 190 | 325 |
| 大阪 | … | 40 | 55 | 40 | 238 | 233 | 274 |
| 兵庫 | - | 53 | 58 | 41 | 245 | 223 | 335 |
| 奈良 | - | - | 6 | 3 | 35 | 37 | 97 |
| 和歌山 | - | 14 | 6 | 11 | 51 | 48 | 183 |
| 鳥取 | - | 1 | - | 5 | 28 | 33 | 34 |
| 島根 | - | 8 | 23 | 14 | 51 | 73 | 180 |
| 岡山 | 3 | 15 | 25 | 18 | 86 | 80 | 134 |
| 広島 | - | 33 | 66 | 19 | 105 | 58 | 261 |
| 山口 | 1 | 10 | 8 | 12 | 58 | 39 | 83 |
| 徳島 | - | 10 | 11 | 8 | 44 | 36 | 85 |
| 香川 | - | 12 | 8 | 23 | 69 | 65 | 62 |
| 愛媛 | - | 3 | 1 | 19 | 63 | 57 | 186 |
| 高知 | 1 | 5 | 3 | 9 | 60 | 53 | 74 |
| 福岡 | - | 18 | 23 | 23 | 176 | 102 | 301 |
| 佐賀 | - | 3 | 11 | 10 | 34 | 34 | 120 |
| 長崎 | - | 1 | - | 16 | 68 | 75 | 204 |
| 熊本 | - | 1 | 20 | 15 | 75 | 78 | 176 |
| 大分 | - | 11 | 10 | 18 | 68 | 63 | 233 |
| 宮崎 | - | - | 2 | 6 | 62 | 81 | 206 |
| 鹿児島 | - | 13 | 37 | 19 | 93 | 84 | 214 |
| 沖縄 | 3 | - | 45 | 9 | 58 | 79 | 110 |
| 指定都市・特別区（再掲） | | | | | | | |
| 東京都区部 | - | 22 | 53 | 38 | 343 | 225 | 129 |
| 札幌市 | - | - | - | 6 | 34 | 23 | 29 |
| 仙台市 | 6 | 2 | 8 | 6 | 48 | 30 | 27 |
| さいたま市 | - | 16 | - | 3 | 23 | 7 | 72 |
| 千葉市 | - | 1 | 14 | 4 | 51 | 20 | 27 |
| 横浜市 | 5 | 37 | 66 | - | 114 | 121 | 156 |
| 川崎市 | - | 6 | 2 | 16 | 103 | 79 | 73 |
| 相模原市 | - | 6 | - | 11 | 35 | 34 | 22 |
| 新潟市 | - | - | - | 5 | 26 | 15 | 28 |
| 静岡市 | - | 4 | - | 2 | 19 | 9 | 21 |
| 浜松市 | - | 9 | - | 2 | 25 | 21 | 11 |
| 名古屋市 | 16 | 12 | 23 | 34 | 104 | 110 | 44 |
| 京都市 | - | - | 20 | 23 | 123 | 122 | 94 |
| 大阪市 | - | - | - | 11 | 85 | 101 | 19 |
| 堺市 | - | - | - | - | 21 | 24 | 8 |
| 神戸市 | - | 11 | 15 | 1 | 102 | 101 | 1 |
| 岡山市 | - | 7 | - | 12 | 16 | 6 | 22 |
| 広島市 | - | - | 16 | - | 5 | 15 | 15 |
| 北九州市 | - | - | - | - | 37 | 10 | 29 |
| 福岡市 | - | 7 | 6 | 6 | 57 | 29 | 82 |
| 熊本市 | - | - | - | 6 | 22 | 14 | 19 |

## －指定都市・特別区－中核市－その他政令市、職種別

平成29年度末現在

| | その他 | （再 | | | 掲） | | |
|---|---|---|---|---|---|---|---|
| | （再掲）医療社会事業員 | 精神保健福祉士 | 精神保健福祉相談員 | 栄養指導員 | 食品衛生監視員 | 環境衛生監視員 | 医療監視員 |
| 中核市(再掲) | | | | | | | |
| 旭川市 | － | － | － | 5 | 31 | 29 | 14 |
| 函館市 | － | － | － | － | 12 | 16 | 7 |
| 青森市 | － | 4 | 4 | － | 12 | 7 | 8 |
| 八戸市 | － | 1 | － | 3 | 7 | 10 | 17 |
| 盛岡市 | － | － | － | 5 | 16 | 25 | 39 |
| 秋田市 | － | － | － | 7 | 12 | 5 | 21 |
| 郡山市 | － | － | 7 | 4 | 25 | 14 | 21 |
| いわき市 | － | － | － | 4 | 12 | 19 | 24 |
| 宇都宮市 | － | 1 | 1 | 3 | 17 | 19 | 9 |
| 前橋市 | － | 4 | － | 2 | 19 | 11 | 24 |
| 高崎市 | － | － | － | － | 36 | 11 | 39 |
| 川越市 | － | 3 | 16 | 5 | 15 | 15 | 46 |
| 越谷市 | － | 3 | 6 | 1 | 27 | 17 | 42 |
| 船橋市 | － | 2 | － | 6 | 23 | 23 | 40 |
| 柏市 | － | 4 | － | － | 11 | 4 | 70 |
| 八王子市 | － | － | － | 5 | 10 | 8 | 8 |
| 横須賀市 | － | － | 6 | － | 22 | 22 | 13 |
| 富山市 | － | 2 | 3 | 12 | 26 | 29 | 85 |
| 金沢市 | － | － | － | － | 25 | 25 | 29 |
| 長野市 | － | － | － | － | 11 | 16 | 25 |
| 岐阜市 | － | － | － | 1 | 26 | 10 | 14 |
| 豊橋市 | － | － | － | 6 | 41 | 31 | 35 |
| 豊田市 | － | 1 | － | 3 | 24 | 13 | 28 |
| 岡崎市 | － | 4 | － | 2 | 19 | 24 | 36 |
| 大津市 | － | － | － | － | 21 | 24 | 46 |
| 高槻市 | － | 1 | 14 | 3 | 24 | 24 | 8 |
| 東大阪市 | － | 9 | 1 | 7 | 16 | 9 | 5 |
| 豊中市 | － | 3 | － | 1 | 1 | 6 | 55 |
| 枚方市 | － | 2 | － | 2 | 21 | 23 | 54 |
| 姫路市 | － | 6 | － | － | 14 | 4 | 42 |
| 西宮市 | － | － | － | 3 | 10 | 8 | 39 |
| 尼崎市 | － | 3 | 8 | 8 | 26 | 24 | 36 |
| 奈良市 | － | － | － | 3 | 13 | 17 | 14 |
| 和歌山市 | － | 7 | 2 | 2 | 17 | 10 | 28 |
| 倉敷市 | － | 2 | － | － | 19 | 20 | 30 |
| 福山市 | － | 7 | 1 | 6 | 28 | 17 | 40 |
| 呉市 | － | 7 | 15 | 5 | 10 | 4 | 8 |
| 下関市 | 1 | 6 | 6 | 2 | 10 | 7 | 19 |
| 高松市 | － | 2 | 1 | 7 | 31 | 31 | － |
| 松山市 | － | 1 | － | 5 | 10 | 14 | 26 |
| 高知市 | － | 1 | － | － | 22 | 18 | 16 |
| 久留米市 | － | 1 | － | 3 | 5 | 5 | 23 |
| 長崎市 | － | － | － | － | 15 | 11 | 23 |
| 佐世保市 | － | － | － | － | 17 | 20 | 58 |
| 大分市 | － | － | － | － | 16 | 19 | 31 |
| 宮崎市 | － | － | － | － | 14 | 27 | 10 |
| 鹿児島市 | － | － | 5 | 2 | 18 | 20 | 23 |
| 那覇市 | 3 | － | 8 | － | 13 | 13 | 13 |
| その他政令市(再掲) | | | | | | | |
| 小樽市 | － | － | 1 | 2 | 14 | 12 | 29 |
| 町田市 | － | － | － | 6 | 20 | 10 | 8 |
| 藤沢市 | － | 1 | － | － | 8 | 6 | － |
| 茅ヶ崎市 | － | 3 | － | 2 | 7 | 6 | 7 |
| 四日市市 | － | － | － | 2 | 15 | 14 | 16 |
| 大牟田市 | － | － | － | 2 | 7 | 6 | 7 |

# 第45表（３－１）保健所で年度中に活動した非常勤職員延数，

| | 総数 | 医師 | 歯科医師 | 獣医師 | 薬剤師 | 保健師 | 助産師 | 看護師 |
|---|---|---|---|---|---|---|---|---|
| **全国** | **710 658** | **16 999** | **5 942** | **10 152** | **5 456** | **80 761** | **29 745** | **92 701** |
| 北海道 | 23 526 | 123 | 1 | 1 639 | 23 | 2 163 | 442 | 405 |
| 青森 | 15 990 | 63 | 29 | 183 | 2 | 635 | 406 | 4 339 |
| 岩手 | 6 037 | 219 | - | - | - | 1 555 | - | 486 |
| 宮城 | 35 007 | 573 | 36 | - | - | 3 950 | 1 892 | 4 703 |
| 秋田 | 5 116 | 27 | 1 | - | 1 | 189 | - | 190 |
| 山形 | 6 932 | 73 | - | 207 | - | 99 | - | 1 |
| 福島 | 17 874 | 124 | - | 2 | - | 320 | - | 4 317 |
| 茨城 | 5 882 | 161 | - | 313 | - | 120 | - | 2 |
| 栃木 | 8 095 | 246 | - | 237 | - | 1 745 | 1 | 2 361 |
| 群馬 | 8 700 | 354 | - | - | 163 | 1 598 | 45 | 673 |
| 埼玉 | 12 806 | 306 | 149 | 296 | 60 | 652 | 263 | 1 831 |
| 千葉 | 33 929 | 377 | 132 | 471 | 366 | 4 093 | 1 209 | 4 331 |
| 東京 | 118 456 | 5 031 | 2 199 | - | 384 | 14 773 | 3 774 | 18 013 |
| 神奈川 | 46 514 | 3 005 | 1 662 | 202 | 189 | 6 688 | 3 493 | 6 940 |
| 新潟 | 9 158 | 116 | 243 | - | 160 | 229 | 365 | 390 |
| 富山 | 3 051 | 4 | - | - | 1 | - | - | 1 023 |
| 石川 | 4 110 | 8 | - | 180 | 210 | 2 | - | 11 |
| 福井 | 37 | 37 | - | - | - | - | - | - |
| 山梨 | 664 | 6 | - | - | - | - | - | - |
| 長野 | 6 705 | 130 | 1 | 17 | - | 705 | - | 939 |
| 岐阜 | 7 125 | 124 | - | 727 | 219 | 588 | - | 127 |
| 静岡 | 6 365 | 244 | - | 259 | - | 365 | - | 752 |
| 愛知 | 59 504 | 671 | 157 | 584 | 1 151 | 5 112 | 3 627 | 4 529 |
| 三重 | 3 223 | 1 | 92 | 229 | - | 316 | - | 501 |
| 滋賀 | 8 545 | 277 | 7 | - | - | 1 649 | 532 | 1 409 |
| 京都 | 18 437 | 947 | 418 | - | - | 894 | 3 688 | 3 081 |
| 大阪 | 33 635 | 1 065 | 198 | - | 13 | 4 019 | 2 002 | 2 820 |
| 兵庫 | 36 368 | 334 | 23 | 1 198 | 1 | 4 850 | 440 | 4 436 |
| 奈良 | 5 349 | - | - | 196 | - | 959 | 617 | 1 314 |
| 和歌山 | 7 616 | 37 | - | - | 206 | 200 | 324 | 843 |
| 鳥取 | 219 | - | - | - | - | - | - | 204 |
| 島根 | 3 274 | 73 | - | - | - | 505 | - | - |
| 岡山 | 9 301 | 644 | 279 | 186 | 197 | 752 | 221 | 2 033 |
| 広島 | 6 492 | 383 | 114 | 334 | - | 219 | 4 | 198 |
| 山口 | 7 199 | 104 | 4 | 613 | 198 | 631 | - | 346 |
| 徳島 | 4 491 | 94 | 22 | - | - | 143 | - | 1 378 |
| 香川 | 13 106 | 31 | - | 286 | - | 2 839 | 535 | 2 628 |
| 愛媛 | 5 101 | 3 | 7 | 355 | - | 566 | - | 1 380 |
| 高知 | 6 907 | 16 | - | 276 | - | 553 | - | 176 |
| 福岡 | 27 142 | 131 | - | 128 | 1 725 | 5 663 | 3 281 | 1 998 |
| 佐賀 | 2 645 | 65 | - | - | - | 1 | - | - |
| 長崎 | 12 960 | 360 | - | 1 | - | 719 | 504 | 760 |
| 熊本 | 5 286 | 101 | - | - | 184 | 299 | - | 927 |
| 大分 | 10 945 | 35 | 168 | 428 | 3 | 1 255 | - | 2 221 |
| 宮崎 | 17 974 | 194 | - | - | - | 3 682 | 543 | 3 946 |
| 鹿児島 | 18 393 | 82 | - | 427 | - | 3 368 | 1 537 | 3 557 |
| 沖縄 | 4 467 | - | - | 178 | - | 1 098 | - | 182 |
| 指定都市・特別区(再掲) | | | | | | | | |
| 東京都区部 | 91 957 | 4 471 | 2 152 | - | - | 9 603 | 3 555 | 14 394 |
| 札幌市 | 7 310 | - | - | - | - | - | 442 | - |
| 仙台市 | 27 113 | 230 | 36 | - | - | 3 950 | 1 892 | 4 703 |
| さいたま市 | 5 814 | - | 72 | - | - | 105 | - | 272 |
| 千葉市 | 3 292 | - | - | - | - | - | - | 1 289 |
| 横浜市 | 21 584 | 2 471 | 1 132 | - | - | 4 723 | 2 541 | 4 580 |
| 川崎市 | 7 045 | - | - | - | - | 746 | 835 | 1 927 |
| 相模原市 | 972 | - | - | 198 | - | 170 | - | 53 |
| 新潟市 | 6 756 | - | 243 | - | 160 | 229 | 93 | 390 |
| 静岡市 | 1 035 | - | - | 259 | - | 31 | - | 304 |
| 浜松市 | 2 329 | 53 | - | - | - | 174 | - | 201 |
| 名古屋市 | 31 934 | 579 | 155 | 1 | 1 | 2 129 | 2 355 | 1 696 |
| 京都市 | 10 003 | 861 | 418 | - | - | 882 | 3 688 | 2 873 |
| 大阪市 | - | - | - | - | - | - | - | - |
| 堺市 | 672 | 160 | - | - | 13 | - | - | 437 |
| 神戸市 | 4 287 | 146 | 23 | - | 1 | 833 | 7 | 140 |
| 岡山市 | 3 501 | 502 | 191 | - | - | 563 | 221 | 1 048 |
| 広島市 | - | - | - | - | - | - | - | - |
| 北九州市 | - | - | - | - | - | - | - | - |
| 福岡市 | 19 634 | 114 | - | - | 1 628 | 3 644 | 3 072 | 1 347 |
| 熊本市 | 2 838 | - | - | - | 164 | 178 | - | 334 |

# 都道府県－指定都市・特別区－中核市－その他政令市、職種別

平成29年度

| 准看護師 | 理学療法士 | 作業療法士 | 歯科衛生士 | 診療放射線技師 | 診療エックス線技師 | 臨床検査技師 | 衛生検査技師 | 管理栄養士 | 栄養士 | その他 |
|---|---|---|---|---|---|---|---|---|---|---|
| 1 741 | 61 | 324 | 31 280 | 4 769 | 387 | 9 842 | 1 793 | 24 782 | 10 999 | 382 924 |
| 70 | － | － | 777 | 2 | － | 5 | － | 325 | 1 135 | 16 416 |
| － | － | － | 239 | － | － | 145 | － | 461 | 263 | 9 225 |
| 43 | － | 189 | － | 3 | － | － | － | － | － | 3 542 |
| － | － | － | 339 | － | － | － | － | 1 750 | 577 | 21 187 |
| － | － | － | 347 | 189 | － | 168 | － | － | 179 | 3 825 |
| － | － | － | － | 244 | － | 318 | － | 14 | 9 | 5 967 |
| － | － | － | 623 | 239 | － | 435 | － | 410 | 636 | 10 768 |
| － | － | － | 146 | － | － | － | － | 54 | 144 | 4 942 |
| － | 1 | 11 | － | － | － | 105 | － | 250 | 1 | 3 137 |
| － | 1 | 9 | 443 | 159 | － | 133 | － | 1 187 | 169 | 3 766 |
| － | － | － | 309 | 124 | － | 19 | － | 83 | 20 | 8 694 |
| － | － | 1 | 1 324 | 273 | － | 189 | 151 | 664 | 249 | 20 099 |
| 153 | 29 | 20 | 10 343 | 1 659 | 186 | 2 483 | 1 642 | 6 132 | 2 018 | 49 617 |
| 803 | － | － | 5 619 | 222 | － | 543 | － | 1 658 | 995 | 14 495 |
| － | － | － | 177 | 12 | － | 36 | － | 85 | 276 | 7 069 |
| － | － | － | 184 | － | － | 108 | － | 171 | 181 | 1 379 |
| － | － | － | － | 199 | － | 397 | － | 730 | 60 | 2 313 |
| － | － | － | － | － | － | － | － | － | － | － |
| － | － | － | － | － | － | － | － | － | － | 658 |
| － | － | － | 269 | － | － | 235 | － | 5 | 3 | 4 401 |
| － | － | － | － | 65 | － | 190 | － | 687 | 2 | 4 396 |
| － | 7 | 13 | － | － | － | － | － | 177 | 5 | 4 543 |
| － | － | 1 | 473 | 198 | 189 | 768 | － | 1 067 | 386 | 40 591 |
| 36 | － | － | － | 115 | － | 229 | － | 241 | － | 1 463 |
| 20 | 1 | － | 433 | 8 | － | 60 | － | 172 | 288 | 3 689 |
| － | － | 4 | 532 | 67 | － | 364 | － | 90 | 78 | 8 274 |
| 81 | 8 | 14 | 1 124 | － | － | 12 | － | 1 017 | 248 | 21 014 |
| 180 | － | － | 2 766 | － | － | 367 | － | 1 449 | 524 | 19 800 |
| 14 | － | － | 36 | － | － | － | － | 621 | 96 | 1 496 |
| － | － | － | 138 | 2 | － | － | － | 211 | － | 5 655 |
| － | － | － | － | － | － | － | － | － | － | 15 |
| － | － | － | － | 17 | － | － | － | － | － | 2 679 |
| 6 | 6 | 3 | 642 | － | － | 480 | － | 215 | 556 | 3 081 |
| 8 | 4 | 2 | 187 | 1 | － | 1 | － | 1 | 205 | 4 831 |
| － | － | － | － | － | － | 8 | － | 198 | 330 | 4 767 |
| － | － | － | 662 | 82 | － | 814 | － | 660 | － | 636 |
| － | － | － | 159 | 3 | － | 164 | － | 536 | － | 5 925 |
| 1 | － | － | 137 | － | － | － | － | 260 | 186 | 2 206 |
| － | － | － | 176 | － | － | 244 | － | － | 91 | 5 375 |
| － | 1 | － | 243 | 58 | － | － | － | 407 | 102 | 13 405 |
| － | 3 | － | 8 | － | － | － | － | 193 | 9 | 2 366 |
| 209 | － | 57 | 431 | 146 | － | － | － | 1 011 | － | 8 762 |
| － | － | － | － | － | － | 163 | － | － | － | 3 612 |
| － | － | － | 702 | 379 | － | 247 | － | 256 | 729 | 4 522 |
| 117 | － | － | 399 | － | － | 21 | － | 441 | 3 | 8 628 |
| － | － | － | 893 | － | － | 390 | － | 555 | 122 | 7 462 |
| － | － | － | － | 303 | 12 | 1 | － | 338 | 124 | 2 231 |
| － | 29 | 20 | 8 431 | 1 073 | 186 | 2 063 | 1 642 | 5 873 | 1 548 | 36 917 |
| － | － | － | 440 | － | － | － | － | － | 263 | 6 165 |
| － | － | － | 339 | － | － | － | － | 1 750 | 577 | 13 636 |
| － | － | － | 167 | － | － | － | － | 30 | － | 5 168 |
| － | － | － | － | － | － | － | － | 82 | － | 1 921 |
| 550 | － | － | 3 630 | － | － | － | － | 734 | 470 | 753 |
| 245 | － | － | 652 | 200 | － | 538 | － | 413 | 418 | 1 071 |
| － | － | － | 110 | － | － | － | － | 42 | 54 | 345 |
| － | － | － | 177 | － | － | 36 | － | 85 | 276 | 5 067 |
| － | － | － | － | － | － | － | － | － | － | 441 |
| － | － | － | － | － | － | － | － | 165 | － | 1 736 |
| － | － | 1 | 207 | 6 | － | － | － | 335 | 117 | 24 352 |
| － | － | 4 | 532 | － | － | － | － | 90 | 77 | 578 |
| － | － | － | － | － | － | － | － | － | － | － |
| － | 4 | － | － | － | － | 12 | － | － | － | 46 |
| － | － | － | 1 676 | － | － | 23 | － | 398 | 65 | 975 |
| 6 | 6 | － | 307 | － | － | 73 | － | － | 218 | 366 |
| － | － | － | － | － | － | － | － | － | － | － |
| － | － | － | － | － | － | － | － | － | － | － |
| － | 1 | － | 85 | － | － | － | － | 265 | 94 | 9 384 |
| － | － | － | － | － | － | 162 | － | － | － | 2 000 |

# 第45表（3－2）保健所で年度中に活動した非常勤職員延数，

| | 総　数 | 医　師 | 歯科医師 | 獣医師 | 薬剤師 | 保健師 | 助産師 | 看護師 |
|---|---|---|---|---|---|---|---|---|
| 中核市(再掲) | | | | | | | | |
| 旭　川　市 | 8 990 | - | - | 874 | 20 | 1 817 | - | 186 |
| 函　館　市 | 2 822 | - | - | 533 | - | - | - | - |
| 青　森　市 | 6 079 | 12 | 28 | - | 1 | 487 | 406 | 1 174 |
| 八　戸　市 | 6 396 | - | - | 183 | - | - | - | 3 117 |
| 盛　岡　市 | 3 528 | - | - | - | - | 1 555 | - | 378 |
| 秋　田　市 | 875 | - | - | - | - | - | - | - |
| 郡　山　市 | 4 551 | - | - | - | - | 148 | - | 1 013 |
| い　わ　き　市 | 7 907 | - | - | - | - | - | - | 2 080 |
| 宇　都　宮　市 | 5 313 | 26 | - | - | - | 726 | - | 1 758 |
| 前　橋　市 | 2 853 | 7 | - | - | 163 | 343 | - | - |
| 高　崎　市 | 1 875 | 63 | - | - | - | 674 | 45 | 641 |
| 川　越　市 | 3 756 | 208 | 77 | - | - | 501 | 263 | 1 210 |
| 越　谷　市 | 952 | - | - | 295 | - | 34 | - | 78 |
| 船　橋　市 | 14 916 | 21 | 131 | - | 2 | 2 837 | 954 | 2 448 |
| 柏　市 | 5 132 | - | - | 280 | - | 1 051 | 246 | 540 |
| 八　王　子　市 | 6 666 | - | 47 | - | - | 1 155 | - | 544 |
| 横　須　賀　市 | 1 707 | 14 | 65 | - | - | 243 | - | - |
| 富　山　市 | 1 783 | - | - | - | 1 | - | - | 1 023 |
| 金　沢　市 | 1 373 | - | - | 180 | 210 | - | - | 10 |
| 長　野　市 | 4 443 | - | - | - | - | 705 | - | 939 |
| 岐　阜　市 | 2 081 | 14 | - | 500 | 219 | - | - | - |
| 豊　橋　市 | 7 588 | 33 | 2 | - | - | 1 100 | 605 | 682 |
| 豊　田　市 | 953 | - | - | - | - | 40 | - | 225 |
| 岡　崎　市 | 8 134 | 3 | - | 405 | - | 1 013 | 647 | 1 869 |
| 大　津　市 | 8 031 | 250 | 3 | - | - | 1 609 | 506 | 1 329 |
| 高　槻　市 | 4 222 | - | - | - | - | 1 524 | 539 | 360 |
| 東　大　阪　市 | 51 | - | - | - | - | - | - | - |
| 豊　中　市 | 10 377 | 151 | 93 | - | - | 1 230 | 1 461 | 503 |
| 枚　方　市 | 7 986 | 140 | 105 | - | - | 823 | - | 537 |
| 姫　路　市 | 9 510 | - | - | 634 | - | 561 | 433 | 3 245 |
| 西　宮　市 | 5 333 | - | - | 233 | - | 900 | - | 225 |
| 尼　崎　市 | 8 696 | 129 | - | - | - | 2 031 | - | 825 |
| 奈　良　市 | 5 348 | - | - | 196 | - | 959 | 617 | 1 314 |
| 和　歌　山　市 | 6 267 | 36 | - | - | 206 | 200 | 324 | 843 |
| 倉　敷　市 | 4 825 | 108 | 88 | - | - | 68 | - | 985 |
| 福　山　市 | 2 096 | 249 | 109 | 331 | - | 28 | 4 | 85 |
| 呉　市 | 317 | 39 | 5 | 2 | - | - | - | 113 |
| 下　関　市 | 1 898 | - | - | - | - | 181 | - | 183 |
| 高　松　市 | 11 805 | - | - | 286 | - | 2 543 | 535 | 2 628 |
| 松　山　市 | 4 461 | - | - | 355 | - | 563 | - | 1 373 |
| 高　知　市 | 3 273 | 16 | - | 276 | - | 553 | - | 176 |
| 久　留　米　市 | 5 558 | - | - | 128 | - | 2 019 | 200 | 505 |
| 長　崎　市 | 2 482 | 102 | - | - | - | 455 | - | 182 |
| 佐　世　保　市 | 5 133 | 36 | - | - | - | 264 | 504 | 578 |
| 大　分　市 | 7 851 | 35 | 168 | 211 | - | 1 072 | - | 2 220 |
| 宮　崎　市 | 14 351 | - | - | - | - | 3 318 | 536 | 3 927 |
| 鹿　児　島　市 | 14 836 | 37 | - | 40 | - | 2 978 | 1 537 | 3 216 |
| 那　覇　市 | 3 167 | - | - | - | - | 973 | - | 182 |
| その他政令市(再掲) | | | | | | | | |
| 小　樽　市 | 1 027 | - | - | - | - | 219 | - | 98 |
| 町　田　市 | 8 516 | - | - | - | 192 | 2 510 | 219 | 1 028 |
| 藤　沢　市 | 1 803 | - | - | - | - | - | - | 28 |
| 茅　ヶ　崎　市 | 2 156 | - | 175 | - | - | 483 | 117 | 114 |
| 四　日　市　市 | 953 | - | 92 | 229 | - | 202 | - | 220 |
| 大　牟　田　市 | 1 220 | - | - | - | - | - | 9 | 146 |

# 都道府県－指定都市・特別区－中核市－その他政令市、職種別

平成29年度

| 准看護師 | 理学療法士 | 作業療法士 | 歯科衛生士 | 診療放射線技師 | 診療エックス線技師 | 臨床検査技師 | 衛生検査技師 | 管理栄養士 | 栄養士 | その他 |
|---|---|---|---|---|---|---|---|---|---|---|
| – | – | – | – | – | – | – | – | 204 | 566 | 5 323 |
| – | – | – | – | – | – | – | – | – | – | 2 289 |
| – | – | – | 65 | – | – | 27 | – | 461 | 81 | 3 337 |
| – | – | – | – | – | – | – | – | – | 181 | 2 915 |
| – | – | – | 189 | – | – | – | – | – | – | 1 406 |
| – | – | – | 8 | – | – | 168 | – | – | 178 | 521 |
| – | – | – | 148 | – | – | 211 | – | – | 526 | 2 505 |
| – | – | – | 260 | 239 | – | 224 | – | 130 | 110 | 4 864 |
| – | – | – | – | – | – | – | – | 250 | – | 2 553 |
| – | – | – | – | 159 | – | 133 | – | 292 | – | 1 756 |
| – | – | – | – | – | – | – | – | 191 | 48 | 213 |
| – | – | – | 142 | 101 | – | – | – | 53 | 15 | 1 186 |
| – | – | – | – | – | – | – | – | – | – | 545 |
| – | – | – | 777 | – | – | – | 151 | 400 | 52 | 7 143 |
| – | – | – | 547 | – | – | – | – | 156 | 161 | 2 151 |
| 10 | – | – | 360 | 227 | – | 36 | – | – | – | 4 287 |
| – | 684 | – | – | – | – | 5 | – | 5 | – | 691 |
| – | – | – | 184 | – | – | 1 | – | 75 | 105 | 394 |
| – | – | – | – | 198 | – | 180 | – | 515 | 60 | 20 |
| – | – | – | 269 | – | – | 235 | – | – | – | 2 295 |
| – | – | – | – | – | – | – | – | – | – | 1 348 |
| – | – | – | 155 | 2 | – | 188 | – | 76 | 44 | 4 701 |
| – | – | – | – | – | – | 12 | – | – | – | 676 |
| – | – | – | 64 | – | – | – | – | 446 | 206 | 3 481 |
| – | – | – | 405 | – | – | 13 | – | 172 | 288 | 3 456 |
| – | – | – | – | – | – | – | – | 476 | – | 1 323 |
| – | – | – | – | – | – | – | – | – | – | 51 |
| – | – | 6 | 520 | – | – | – | – | – | 119 | 6 294 |
| 57 | – | – | 604 | – | – | – | – | 361 | – | 5 359 |
| – | – | – | 181 | – | – | 158 | – | 41 | 459 | 3 798 |
| 180 | – | – | – | – | – | 180 | – | 360 | – | 3 255 |
| – | – | – | 547 | – | – | – | – | 222 | – | 4 942 |
| 14 | – | – | 36 | – | – | – | – | 621 | 96 | 1 495 |
| – | – | – | 138 | – | – | – | – | 210 | – | 4 310 |
| – | – | 3 | 335 | – | – | 33 | – | 203 | 338 | 2 664 |
| 8 | 4 | 2 | 184 | – | – | – | – | 1 | 199 | 892 |
| – | – | – | 3 | – | – | – | – | – | 6 | 149 |
| – | – | – | – | – | – | – | – | 198 | 198 | 1 138 |
| – | – | – | 159 | – | – | 164 | – | 536 | – | 4 954 |
| – | – | – | 101 | – | – | – | – | 249 | 186 | 1 634 |
| – | – | – | 176 | – | – | 244 | – | – | – | 1 832 |
| – | – | – | 34 | – | – | – | – | 58 | – | 2 614 |
| – | – | – | 244 | 146 | – | – | – | 378 | – | 975 |
| 209 | – | 12 | 187 | – | – | – | – | 633 | – | 2 710 |
| – | – | – | 702 | – | – | 211 | – | 178 | 729 | 2 325 |
| 108 | – | – | 399 | – | – | – | – | 435 | – | 5 628 |
| – | – | – | 893 | – | – | 390 | – | 555 | 122 | 5 068 |
| – | – | – | – | – | – | – | – | 338 | – | 1 674 |
| 70 | – | – | 334 | – | – | – | – | – | 306 | – |
| 83 | – | – | 1 377 | 186 | – | – | – | 208 | 450 | 2 263 |
| – | – | – | – | 20 | – | – | – | 7 | – | 1 748 |
| – | – | – | 333 | 2 | – | – | – | 205 | 15 | 712 |
| 36 | – | – | – | – | – | – | – | 13 | – | 161 |
| – | – | – | 124 | – | – | – | – | 22 | 8 | 911 |

# 第45表（3－3）保健所で年度中に活動した非常勤職員延数，

| | その他 | （再掲） | | | |
|---|---|---|---|---|---|
| | （再掲）医療社会事業員 | 精神保健福祉士 | 食品衛生監視員 | 環境衛生監視員 | 医療監視員 |
| **全国** | **2 122** | **12 818** | **10 883** | **8 209** | **8 487** |
| 北海道 | - | 114 | 104 | 105 | 7 |
| 青森 | - | 113 | 148 | 190 | - |
| 岩手 | - | - | - | - | - |
| 宮城 | 803 | 293 | 329 | - | 182 |
| 秋田 | - | - | - | 189 | - |
| 山形 | - | - | - | - | 244 |
| 福島 | - | 19 | 1 | 1 | - |
| 茨城 | - | - | 458 | 460 | 315 |
| 栃木 | - | 478 | 1 | - | - |
| 群馬 | 282 | - | 286 | 3 | 9 |
| 埼玉 | 5 | - | 52 | 1 | 4 |
| 千葉 | - | 2 720 | 557 | 552 | 352 |
| 東京 | - | 1 867 | 1 367 | 680 | 1 230 |
| 神奈川 | - | 799 | 806 | 333 | 567 |
| 新潟 | - | 133 | 601 | 361 | 66 |
| 富山 | - | - | - | - | - |
| 石川 | - | - | 210 | 210 | 3 |
| 福井 | - | - | - | - | - |
| 山梨 | - | - | - | - | - |
| 長野 | - | - | - | - | - |
| 岐阜 | - | 174 | 1 143 | - | 173 |
| 静岡 | - | 31 | 434 | 175 | - |
| 愛知 | 547 | 190 | 202 | 964 | 1 309 |
| 三重 | - | 161 | 229 | 229 | 406 |
| 滋賀 | - | - | - | - | 1 |
| 京都 | - | - | 185 | 8 | 1 |
| 大阪 | 116 | 455 | 179 | 177 | 1 |
| 兵庫 | - | 599 | 932 | 196 | 199 |
| 奈良 | - | - | - | - | - |
| 和歌山 | - | 447 | - | 2 | - |
| 鳥取 | - | - | - | - | - |
| 島根 | - | - | - | - | 25 |
| 岡山 | - | 585 | 742 | - | 183 |
| 広島 | - | 190 | 350 | 350 | 970 |
| 山口 | 180 | - | 397 | 1 | 1 |
| 徳島 | - | - | - | - | - |
| 香川 | - | 576 | 392 | - | 237 |
| 愛媛 | - | 465 | - | - | - |
| 高知 | 189 | - | 92 | - | - |
| 福岡 | - | 1 921 | 283 | 276 | 1 446 |
| 佐賀 | - | - | - | - | 11 |
| 長崎 | - | - | 179 | 169 | 327 |
| 熊本 | - | - | 1 | 1 760 | - |
| 大分 | - | - | 222 | 816 | 26 |
| 宮崎 | - | - | - | - | 191 |
| 鹿児島 | - | 488 | 1 | 1 | 1 |
| 沖縄 | - | - | - | - | - |
| 指定都市・特別区(再掲) | | | | | |
| 東京都区部 | - | 1 811 | 1 367 | 493 | 479 |
| 札幌市 | - | - | - | - | - |
| 仙台市 | 803 | 293 | 329 | - | 182 |
| さいたま市 | - | - | - | - | - |
| 千葉市 | - | 1 074 | - | - | - |
| 横浜市 | - | - | - | - | - |
| 川崎市 | - | - | - | - | 378 |
| 相模原市 | - | - | 198 | 198 | - |
| 新潟市 | - | 120 | 588 | 348 | 28 |
| 静岡市 | - | 1 | 259 | - | - |
| 浜松市 | - | - | 175 | 175 | - |
| 名古屋市 | 547 | 189 | - | 1 | - |
| 京都市 | - | - | - | - | - |
| 大阪市 | - | - | - | - | - |
| 堺市 | - | - | 1 | - | 1 |
| 神戸市 | - | - | - | - | - |
| 岡山市 | - | - | - | - | - |
| 広島市 | - | - | - | - | - |
| 北九州市 | - | - | - | - | - |
| 福岡市 | - | 1 921 | 155 | 148 | 1 446 |
| 熊本市 | - | - | 1 | 1 760 | - |

## 都道府県－指定都市・特別区－中核市－その他政令市、職種別

平成29年度

| | その他 | （再掲） | | | |
|---|---|---|---|---|---|
| | （再掲）医療社会事業員 | 精神保健福祉士 | 食品衛生監視員 | 環境衛生監視員 | 医療監視員 |
| 中核市(再掲) | | | | | |
| 旭川市 | - | - | - | - | - |
| 函館市 | - | - | 88 | 89 | - |
| 青森市 | - | - | - | 190 | - |
| 八戸市 | - | - | 148 | - | - |
| 盛岡市 | - | - | - | - | - |
| 秋田市 | - | - | - | - | - |
| 郡山市 | - | - | - | - | - |
| いわき市 | - | 19 | - | - | - |
| 宇都宮市 | - | 326 | 1 | - | - |
| 前橋市 | 282 | - | 282 | - | - |
| 高崎市 | - | - | - | - | - |
| 川越市 | - | - | - | - | - |
| 越谷市 | - | - | 49 | - | - |
| 船橋市 | - | 1 638 | - | - | 151 |
| 柏市 | - | - | - | - | - |
| 八王子市 | - | - | - | 187 | 367 |
| 横須賀市 | - | 333 | - | - | - |
| 富山市 | - | - | - | - | - |
| 金沢市 | - | - | 210 | 210 | 3 |
| 長野市 | - | - | - | - | - |
| 岐阜市 | - | - | - | - | - |
| 豊橋市 | - | - | - | - | 558 |
| 豊田市 | - | - | - | - | - |
| 岡崎市 | - | - | 200 | 200 | - |
| 大津市 | - | - | - | - | - |
| 高槻市 | - | - | - | - | - |
| 東大阪市 | - | - | - | - | - |
| 豊中市 | - | 315 | - | - | - |
| 枚方市 | - | 140 | - | - | - |
| 姫路市 | - | 115 | 308 | - | - |
| 西宮市 | - | 150 | - | - | - |
| 尼崎市 | - | - | 428 | - | - |
| 奈良市 | - | - | - | - | - |
| 和歌山市 | - | 447 | - | - | - |
| 倉敷市 | - | 585 | 406 | - | 183 |
| 福山市 | - | - | - | - | - |
| 呉市 | - | - | - | - | - |
| 下関市 | 180 | - | 396 | - | - |
| 高松市 | - | 457 | 392 | - | - |
| 松山市 | - | 465 | - | - | - |
| 高知市 | 189 | - | - | - | - |
| 久留米市 | - | - | 128 | 128 | - |
| 長崎市 | - | - | 179 | 169 | 327 |
| 佐世保市 | - | - | - | - | - |
| 大分市 | - | - | 220 | 816 | - |
| 宮崎市 | - | - | - | - | 170 |
| 鹿児島市 | - | 488 | 1 | 1 | 1 |
| 那覇市 | - | - | - | - | - |
| その他政令市(再掲) | | | | | |
| 小樽市 | - | - | - | - | - |
| 町田市 | - | - | - | - | 384 |
| 藤沢市 | - | 411 | 153 | 135 | - |
| 茅ヶ崎市 | - | - | - | - | - |
| 四日市市 | - | 161 | 229 | 229 | - |
| 大牟田市 | - | - | - | - | - |

# 第46表　市町村に援助活動した

| | 総数 | 医師 | 歯科医師 | 保健師 | 助産師 | 看護師（准看護師を含む。） |
|---|---|---|---|---|---|---|
| **全国** | **14 824** | **449** | **160** | **9 842** | **24** | **155** |
| 北海道 | 1 170 | 2 | 59 | 843 | - | - |
| 青森 | 255 | 31 | 17 | 190 | - | - |
| 岩手 | 55 | - | - | 51 | - | - |
| 宮城 | 465 | - | - | 218 | - | - |
| 秋田 | 193 | - | - | - | - | - |
| 山形 | 69 | 6 | - | 18 | - | 2 |
| 福島 | 813 | 2 | - | 589 | - | 91 |
| 茨城 | 120 | 2 | - | 106 | - | - |
| 栃木 | 83 | 6 | - | 70 | - | - |
| 群馬 | 25 | - | - | 1 | - | - |
| 埼玉 | 944 | 5 | - | 676 | - | - |
| 千葉 | 592 | 32 | - | 54 | - | 21 |
| 東京 | 1 479 | 63 | 24 | 1 347 | - | - |
| 神奈川 | 120 | - | 7 | 41 | - | - |
| 新潟 | 66 | - | - | 31 | - | - |
| 富山 | 457 | 22 | 42 | 358 | 1 | 8 |
| 石川 | 893 | 51 | - | 691 | - | - |
| 福井 | 6 | 1 | - | 2 | - | - |
| 山梨 | 811 | 16 | - | 99 | - | - |
| 長野 | 80 | - | - | 80 | - | - |
| 岐阜 | 3 | - | - | - | - | - |
| 静岡 | 195 | 4 | - | 129 | - | - |
| 愛知 | 649 | 9 | - | 269 | - | - |
| 三重 | 13 | - | - | 7 | - | - |
| 滋賀 | 224 | 5 | - | 192 | - | - |
| 京都 | 66 | - | 2 | 59 | - | - |
| 大阪 | 560 | 24 | - | 383 | - | - |
| 兵庫 | 1 293 | - | - | 1 170 | 1 | 33 |
| 奈良 | 260 | 11 | - | 170 | - | - |
| 和歌山 | 91 | 6 | - | 81 | - | - |
| 鳥取 | 2 | - | - | 2 | - | - |
| 島根 | 183 | 6 | - | 141 | - | - |
| 岡山 | 166 | - | - | 114 | - | - |
| 広島 | 177 | - | - | 140 | - | - |
| 山口 | 47 | - | - | 40 | - | - |
| 徳島 | 14 | - | - | 9 | - | - |
| 香川 | 14 | 2 | - | 5 | - | - |
| 愛媛 | 96 | 1 | - | 75 | - | - |
| 高知 | 265 | 4 | - | 94 | - | - |
| 福岡 | 225 | 9 | - | 161 | 22 | - |
| 佐賀 | 9 | - | - | 9 | - | - |
| 長崎 | 467 | 18 | - | 276 | - | - |
| 熊本 | 200 | 29 | 1 | 162 | - | - |
| 大分 | 735 | 82 | - | 603 | - | - |
| 宮崎 | - | - | - | - | - | - |
| 鹿児島 | 111 | - | - | 63 | - | - |
| 沖縄 | 63 | - | 8 | 23 | - | - |

# 保健所職員延数，都道府県、職種別

平成29年度

| 理学療法士 | 作業療法士 | 歯科衛生士 | 管理栄養士 | 栄養士 | その他 | （再掲）医療社会事業員 |
|---|---|---|---|---|---|---|
| **126** | **276** | **465** | **877** | **24** | **2 426** | **74** |
| 7 | 6 | 48 | 150 | 11 | 44 | - |
| - | - | 1 | 11 | 3 | 2 | - |
| - | - | - | 4 | - | - | - |
| 105 | 98 | - | 25 | - | 19 | - |
| - | - | 184 | 9 | - | - | - |
| - | - | - | 27 | 2 | 14 | - |
| - | - | 15 | 98 | - | 18 | - |
| - | - | 1 | 4 | - | 7 | - |
| - | - | - | 7 | - | - | - |
| - | - | 24 | - | - | - | - |
| - | - | - | 35 | - | 228 | 70 |
| - | - | - | 15 | - | 470 | - |
| - | - | 7 | 37 | - | 1 | - |
| - | - | 18 | 35 | - | 19 | 4 |
| - | - | - | 5 | - | 30 | - |
| - | - | - | 17 | 2 | 7 | - |
| - | - | - | 38 | - | 113 | - |
| - | - | - | 2 | - | 1 | - |
| 10 | - | - | 25 | 1 | 660 | - |
| - | - | - | - | - | - | - |
| - | - | - | 3 | - | - | - |
| - | - | - | 45 | - | 17 | - |
| - | - | 63 | 47 | - | 261 | - |
| - | - | - | 4 | - | 2 | - |
| - | 6 | 9 | 8 | - | 4 | - |
| - | - | - | 5 | - | - | - |
| - | - | - | - | - | 153 | - |
| - | - | - | 2 | - | 87 | - |
| - | - | 36 | 6 | - | 37 | - |
| - | - | - | - | - | 4 | - |
| - | - | - | - | - | - | - |
| - | - | - | 21 | - | 15 | - |
| - | - | - | 52 | - | - | - |
| - | - | 4 | 7 | - | 26 | - |
| - | - | - | 7 | - | - | - |
| - | - | 5 | - | - | - | - |
| - | - | - | 5 | - | 2 | - |
| - | - | 8 | 11 | - | 1 | - |
| 4 | 103 | 33 | 7 | - | 20 | - |
| - | - | - | 25 | - | 8 | - |
| - | - | - | - | - | - | - |
| - | 63 | - | 2 | - | 108 | - |
| - | - | 2 | - | - | 6 | - |
| - | - | - | 43 | - | 7 | - |
| - | - | - | - | - | - | - |
| - | - | 7 | 6 | - | 35 | - |
| - | - | - | 27 | 5 | - | - |

# 第３章　市区町村編

## 利用上の注意

（１）「政令市」とは保健所を設置する市、「特別区」とは東京都区部である。

（２）「第３章　市区町村編」においては、政令市及び特別区は保健所活動分を含む。

（３）表章記号の規約

| | |
|---|---|
| 計数のない場合 | － |
| 計数不明又は計数を表章することが不適当な場合 | … |
| 統計項目がありえない場合 | ・ |

# 第1表(4－1)　市区町村が実施した健康診断受診延人員・事業所からの受託による受診延人員

| | 総 | | | | | | | |
|---|---|---|---|---|---|---|---|---|
| | 総　数 | (再掲)[2] 事業所からの受託 | 結核[1] | | | 精　神[2] | 療　育[2] | |
| | | | 総　数 | 定　期 | 接触者健診 | | | 総　数 |
| **全国** | **10 823 439** | **1 177** | **6 521 350** | **2 884 359** | **73 070** | **1 335** | **1 982** | **4 109 899** |
| 北海道 | 199 007 | － | 116 900 | 52 643 | 2 510 | 19 | 12 | 67 116 |
| 青森 | 138 084 | － | 80 504 | 22 147 | 650 | － | － | 55 999 |
| 岩手 | 125 600 | － | 53 491 | 2 380 | 110 | － | － | 70 799 |
| 宮城 | 380 845 | － | 293 228 | 163 286 | 1 846 | － | － | 83 636 |
| 秋田 | 131 410 | － | 79 276 | 33 796 | 210 | － | － | 52 125 |
| 山形 | 163 155 | · | 119 822 | · | · | · | · | 41 256 |
| 福島 | 285 825 | － | 150 674 | 41 215 | 718 | － | － | 131 330 |
| 茨城 | 344 202 | · | 187 862 | · | · | · | · | 150 854 |
| 栃木 | 151 203 | － | 35 980 | － | 368 | － | － | 110 955 |
| 群馬 | 317 737 | － | 199 831 | 80 872 | 334 | 19 | － | 115 375 |
| 埼玉 | 376 190 | － | 197 011 | 42 602 | 2 631 | － | － | 177 259 |
| 千葉 | 506 397 | － | 359 757 | 158 441 | 3 857 | － | － | 134 994 |
| 東京 | 1 472 638 | 1 177 | 1 207 617 | 1 008 458 | 19 099 | 971 | － | 251 156 |
| 神奈川 | 220 325 | － | 116 724 | 96 231 | 7 854 | － | 922 | 93 148 |
| 新潟 | 291 180 | － | 232 777 | 91 947 | 986 | － | － | 57 296 |
| 富山 | 112 412 | … | 98 696 | 39 955 | 545 | … | … | 13 473 |
| 石川 | 110 507 | － | 79 183 | 43 765 | 366 | 17 | 55 | 30 001 |
| 福井 | 53 056 | · | 23 551 | · | · | · | · | 29 433 |
| 山梨 | 334 670 | · | 83 348 | · | · | · | · | 248 374 |
| 長野 | 198 396 | － | 72 550 | － | 271 | － | － | 124 748 |
| 岐阜 | 145 516 | － | 89 672 | 8 901 | 255 | － | － | 54 456 |
| 静岡 | 446 284 | － | 292 925 | 179 468 | 868 | － | － | 150 536 |
| 愛知 | 776 493 | － | 447 530 | 144 863 | 2 849 | － | … | 326 626 |
| 三重 | 145 943 | － | 64 536 | － | 105 | － | － | 81 053 |
| 滋賀 | 68 277 | － | 62 785 | － | 382 | － | － | 5 408 |
| 京都 | 114 339 | － | 68 563 | 27 428 | 1 496 | － | － | 42 574 |
| 大阪 | 322 405 | － | 187 552 | 70 160 | 6 500 | 93 | 993 | 127 998 |
| 兵庫 | 641 454 | － | 203 876 | 80 363 | 1 578 | － | － | 424 968 |
| 奈良 | 43 532 | － | 30 513 | 103 | 702 | － | － | 12 791 |
| 和歌山 | 46 485 | － | 28 057 | 7 244 | 410 | 89 | － | 15 891 |
| 鳥取 | 36 898 | · | 24 290 | · | · | · | · | 12 572 |
| 島根 | 56 995 | · | 36 759 | · | · | · | · | 20 236 |
| 岡山 | 132 114 | － | 87 849 | 40 676 | 1 402 | 18 | － | 41 162 |
| 広島 | 182 071 | － | 143 143 | 104 084 | 1 232 | － | － | 38 733 |
| 山口 | 50 761 | － | 33 754 | － | － | － | － | 17 007 |
| 徳島 | 41 165 | · | 17 862 | · | · | · | · | 21 673 |
| 香川 | 103 654 | － | 62 773 | 13 604 | 519 | － | － | 40 385 |
| 愛媛 | 111 741 | － | 37 021 | 11 062 | 280 | － | － | 66 533 |
| 高知 | 42 538 | － | 34 546 | 4 084 | 349 | － | － | 4 992 |
| 福岡 | 238 114 | － | 135 918 | 56 076 | 6 841 | 16 | － | 92 684 |
| 佐賀 | 64 983 | · | 33 858 | · | · | · | · | 30 240 |
| 長崎 | 116 185 | － | 75 520 | 35 579 | 1 221 | 23 | － | 33 577 |
| 熊本 | 294 741 | － | 99 388 | 15 627 | 1 306 | 70 | － | 178 399 |
| 大分 | 252 168 | － | 220 165 | 179 260 | 1 371 | － | － | 31 428 |
| 宮崎 | 112 489 | － | 56 111 | － | 371 | － | － | 56 075 |
| 鹿児島 | 222 908 | － | 96 640 | 16 440 | 302 | － | － | 120 071 |
| 沖縄 | 100 347 | － | 60 962 | 11 599 | 376 | － | － | 22 504 |
| 指定都市・特別区(再掲) | | | | | | | | |
| 東京都区部 | 928 255 | 1 177 | 803 360 | 785 398 | 17 962 | 971 | － | 111 098 |
| 札幌市 | 13 815 | － | 13 792 | 12 295 | 1 497 | － | － | － |
| 仙台市 | 169 122 | － | 165 132 | 163 286 | 1 846 | － | － | 3 813 |
| さいたま市 | 50 906 | － | 2 058 | － | 2 058 | － | － | 48 848 |
| 千葉市 | 167 648 | － | 143 298 | 141 052 | 2 246 | － | － | 15 401 |
| 横浜市 | 12 006 | － | 10 609 | 5 917 | 4 692 | － | 922 | － |
| 川崎市 | 2 226 | － | 1 932 | 89 | 1 843 | － | － | － |
| 相模原市 | 2 276 | － | 2 116 | 1 704 | 412 | － | － | － |
| 新潟市 | 98 526 | － | 92 933 | 91 947 | 986 | － | － | 5 556 |
| 静岡市 | 89 083 | － | 50 866 | 50 500 | 366 | － | － | 38 217 |
| 浜松市 | 158 118 | － | 129 470 | 128 968 | 502 | － | － | 28 644 |
| 名古屋市 | 79 620 | － | 2 405 | 556 | 1 849 | － | － | 77 215 |
| 京都市 | 31 836 | － | 28 924 | 27 428 | 1 496 | － | － | － |
| 大阪市 | 21 172 | － | 21 157 | 17 067 | 4 090 | － | 15 | － |
| 堺市 | 6 678 | － | 6 508 | 6 202 | 306 | － | － | － |
| 神戸市 | 287 584 | － | 75 286 | 74 751 | 535 | － | － | 212 298 |
| 岡山市 | 41 673 | － | 41 673 | 40 676 | 997 | － | － | － |
| 広島市 | 99 342 | － | 99 342 | 98 876 | 466 | － | － | － |
| 北九州市 | 29 936 | － | 11 834 | 10 907 | 927 | － | － | 18 102 |
| 福岡市 | 30 851 | － | 15 306 | 9 809 | 5 497 | － | － | 6 471 |
| 熊本市 | 23 673 | － | 16 933 | 15 627 | 1 306 | 70 | － | － |

## ・医療機関等へ委託した受診延人員，都道府県－指定都市・特別区－中核市－その他政令市、健康診断の種類別

平成29年度

| 数 | | | | | | | | |
|---|---|---|---|---|---|---|---|---|
| 生活習慣病 | | | | | | | 一般[2) ] | その他 |
| 悪性新生物 | （再掲） | | 循環器疾患 | その他 | （再掲） | | | |
| | 肝臓がん | 前立腺がん | | | 骨粗鬆症 | | | |
| 2 873 269 | 296 202 | 1 602 038 | 426 029 | 810 601 | 402 767 | 18 382 | 170 491 |
| 41 182 | 575 | 23 302 | 13 541 | 12 393 | 6 866 | – | 14 960 |
| 45 338 | 12 280 | 30 832 | 5 488 | 5 173 | 4 233 | – | 1 581 |
| 53 116 | 9 979 | 36 329 | 4 439 | 13 244 | 9 242 | – | 1 310 |
| 61 246 | 67 | 42 744 | 10 342 | 12 048 | 7 136 | – | 3 981 |
| 41 595 | – | 29 399 | 2 664 | 7 866 | 5 261 | – | 9 |
| 26 171 | 7 366 | 17 291 | 2 502 | 12 583 | 4 104 | ・ | 2 077 |
| 65 216 | 618 | 42 846 | 23 843 | 42 271 | 11 250 | 1 638 | 2 183 |
| 104 269 | 4 588 | 58 480 | 26 233 | 20 352 | 11 372 | ・ | 5 486 |
| 80 565 | 529 | 60 242 | 13 277 | 17 113 | 14 395 | – | 4 268 |
| 80 776 | 573 | 70 085 | 6 314 | 28 285 | 3 381 | – | 2 512 |
| 130 422 | 265 | 103 347 | 2 378 | 44 459 | 40 280 | – | 1 920 |
| 111 851 | 2 398 | 54 108 | 2 437 | 20 706 | 5 519 | – | 11 646 |
| 129 655 | 204 | 60 719 | 30 401 | 91 100 | 12 440 | 6 123 | 6 771 |
| 85 580 | – | 60 717 | 747 | 6 821 | 2 122 | 160 | 9 371 |
| 40 824 | 59 | 35 426 | 11 592 | 4 880 | 3 754 | – | 1 107 |
| 10 258 | 259 | 7 326 | 1 236 | 1 979 | 1 744 | … | 243 |
| 17 425 | – | 15 844 | 3 112 | 9 464 | 2 728 | – | 1 251 |
| 23 304 | 149 | 8 211 | 3 619 | 2 510 | 1 535 | ・ | 72 |
| 156 011 | 103 065 | 25 598 | 48 146 | 44 217 | 15 866 | ・ | 2 948 |
| 85 386 | 1 559 | 29 134 | 27 313 | 12 049 | 6 322 | – | 1 098 |
| 29 824 | 343 | 21 155 | 9 607 | 15 025 | 5 574 | – | 1 388 |
| 124 374 | 1 890 | 100 289 | 480 | 25 682 | 24 247 | – | 2 823 |
| 239 945 | 3 612 | 166 627 | 25 111 | 61 570 | 51 892 | – | 2 337 |
| 73 186 | 66 | 23 369 | 1 802 | 6 065 | 3 986 | – | 354 |
| 2 001 | – | 2 001 | 1 326 | 2 081 | 717 | – | 84 |
| 32 525 | 1 832 | 27 314 | 3 565 | 6 484 | 3 779 | – | 3 202 |
| 74 867 | 585 | 67 419 | 9 659 | 43 472 | 16 403 | – | 5 769 |
| 308 816 | 16 185 | 60 939 | 48 365 | 67 787 | 41 836 | 2 758 | 9 852 |
| 10 926 | 271 | 9 932 | 344 | 1 521 | 1 299 | – | 228 |
| 11 807 | 36 | 5 064 | 1 475 | 2 609 | 1 488 | – | 2 448 |
| 9 201 | 1 639 | 6 938 | 1 403 | 1 968 | 1 671 | ・ | 36 |
| 15 846 | 42 | 9 771 | 3 584 | 806 | 291 | ・ | … |
| 35 254 | 1 353 | 21 193 | 1 457 | 4 451 | 1 984 | 2 663 | 422 |
| 25 348 | 1 234 | 16 948 | 5 305 | 8 080 | 6 579 | – | 195 |
| 14 557 | 2 469 | 11 621 | 565 | 1 885 | 664 | – | – |
| 15 670 | 184 | 11 771 | 1 390 | 4 613 | 1 930 | ・ | 1 630 |
| 38 453 | 2 495 | 35 189 | 455 | 1 477 | 1 208 | – | 496 |
| 48 036 | 12 963 | 20 999 | 12 222 | 6 275 | 4 895 | – | 8 187 |
| 4 411 | – | 4 370 | 156 | 425 | – | – | 3 000 |
| 62 198 | 6 955 | 50 100 | 8 181 | 22 305 | 12 469 | 5 040 | 4 456 |
| 23 733 | 167 | 16 295 | 2 974 | 3 533 | 2 680 | ・ | 885 |
| 20 421 | 367 | 19 006 | 3 877 | 9 279 | 337 | – | 7 065 |
| 126 619 | 62 411 | 22 804 | 22 570 | 29 210 | 12 366 | – | 16 884 |
| 17 288 | 1 182 | 11 220 | 2 288 | 11 852 | 4 984 | – | 575 |
| 45 024 | 409 | 20 929 | 7 497 | 3 554 | 3 239 | – | 303 |
| 62 476 | 32 974 | 24 505 | 5 586 | 52 009 | 21 473 | – | 6 197 |
| 10 273 | 5 | 2 290 | 5 161 | 7 070 | 5 226 | – | 16 881 |
| 85 030 | – | 38 924 | 14 762 | 11 306 | 6 748 | 6 123 | 6 703 |
| – | – | – | – | – | – | – | 23 |
| 1 471 | – | 1 471 | – | 2 342 | 2 342 | – | 177 |
| 20 534 | – | 20 255 | – | 28 314 | 28 314 | – | – |
| 15 401 | – | 8 560 | – | – | – | – | 8 949 |
| – | – | – | – | – | – | – | 475 |
| – | – | – | – | – | – | – | 294 |
| – | – | – | – | – | – | 160 | – |
| 5 556 | – | 5 556 | – | – | – | – | 37 |
| 18 913 | – | 18 584 | – | 19 304 | 18 441 | – | – |
| 25 292 | – | 25 292 | – | 3 352 | 3 352 | – | 4 |
| 56 467 | – | 56 467 | – | 20 748 | 20 748 | – | – |
| – | – | – | – | – | – | – | 2 912 |
| – | – | – | – | – | – | – | – |
| – | – | – | – | – | – | – | 170 |
| 195 026 | – | 12 459 | – | 17 272 | 17 272 | – | – |
| – | – | – | – | – | – | – | – |
| – | – | – | – | – | – | – | – |
| 11 980 | – | 11 872 | 1 318 | 4 804 | 4 804 | – | – |
| – | – | – | – | 6 471 | – | 5 040 | 4 034 |
| – | – | – | – | – | – | – | 6 670 |

# 第1表(4－2)　市区町村が実施した健康診断受診延人員・事業所からの受託による受診延人員

| | 総 | | | | | | | |
|---|---|---|---|---|---|---|---|---|
| | 総数 | （再掲）[2] 事業所からの受託 | 結核[1] | | | 精神[2] | 療育[2] | 総数 |
| | | | 総数 | 定期 | 接触者健診 | | | |
| 中核市(再掲) | | | | | | | | |
| 旭川市 | 32 344 | - | 32 325 | 32 155 | 170 | 19 | - | - |
| 函館市 | 7 043 | - | 6 597 | 6 504 | 93 | - | 12 | - |
| 青森市 | 9 981 | - | 9 498 | 9 016 | 482 | - | - | 483 |
| 八戸市 | 28 313 | - | 13 299 | 13 131 | 168 | - | - | 14 182 |
| 盛岡市 | 2 490 | - | 2 490 | 2 380 | 110 | - | - | - |
| 秋田市 | 38 788 | - | 34 006 | 33 796 | 210 | - | - | 4 782 |
| 郡山市 | 4 492 | - | 514 | - | 514 | - | - | 3 978 |
| いわき市 | 49 493 | - | 41 419 | 41 215 | 204 | - | - | 6 436 |
| 宇都宮市 | 15 943 | - | 368 | - | 368 | - | - | 15 575 |
| 前橋市 | 56 725 | - | 35 715 | 35 576 | 139 | 19 | - | 20 910 |
| 高崎市 | 54 657 | - | 45 491 | 45 296 | 195 | - | - | 9 037 |
| 川越市 | 12 240 | - | 259 | - | 259 | - | - | 11 981 |
| 越谷市 | 50 995 | - | 42 916 | 42 602 | 314 | - | - | 8 079 |
| 船橋市 | 1 238 | - | 1 102 | 125 | 977 | - | - | - |
| 柏市 | 23 103 | - | 17 898 | 17 264 | 634 | - | - | 5 045 |
| 八王子市 | 173 477 | - | 172 445 | 171 709 | 736 | - | - | 1 032 |
| 横須賀市 | 19 847 | - | 19 701 | 19 315 | 386 | - | - | - |
| 富山市 | 41 344 | … | 40 500 | 39 955 | 545 | … | … | 697 |
| 金沢市 | 59 781 | - | 44 131 | 43 765 | 366 | 17 | 55 | 14 565 |
| 長野市 | 271 | - | 271 | - | 271 | - | - | - |
| 岐阜市 | 9 190 | - | 9 156 | 8 901 | 255 | - | - | - |
| 豊橋市 | 46 595 | - | 45 460 | 45 149 | 311 | - | - | 1 135 |
| 豊田市 | 63 150 | - | 50 767 | 50 464 | 303 | - | … | 12 383 |
| 岡崎市 | 70 218 | - | 49 080 | 48 694 | 386 | - | - | 21 074 |
| 大津市 | 382 | - | 382 | - | 382 | - | - | - |
| 高槻市 | 16 972 | - | 254 | - | 254 | - | 891 | 15 496 |
| 東大阪市 | 47 465 | - | 47 417 | 46 891 | 526 | 48 | - | - |
| 豊中市 | 11 357 | - | 586 | - | 586 | 45 | - | 10 726 |
| 枚方市 | 14 109 | - | 738 | - | 738 | - | 87 | 13 103 |
| 姫路市 | 10 983 | - | 5 692 | 5 280 | 412 | - | - | 5 291 |
| 西宮市 | 4 520 | - | 547 | 230 | 317 | - | - | 3 806 |
| 尼崎市 | 3 677 | - | 416 | 102 | 314 | - | - | - |
| 奈良市 | 805 | - | 805 | 103 | 702 | - | - | - |
| 和歌山市 | 8 521 | - | 7 654 | 7 244 | 410 | 89 | - | - |
| 倉敷市 | 11 245 | - | 405 | - | 405 | 18 | - | 8 159 |
| 福山市 | 881 | - | 881 | 230 | 651 | - | - | - |
| 呉市 | 7 796 | - | 5 093 | 4 978 | 115 | - | - | 2 619 |
| 下関市 | 2 799 | - | - | - | - | - | - | 2 799 |
| 高松市 | 30 052 | - | 14 123 | 13 604 | 519 | - | - | 15 929 |
| 松山市 | 15 741 | - | 11 342 | 11 062 | 280 | - | - | 4 300 |
| 高知市 | 7 623 | - | 4 433 | 4 084 | 349 | - | - | 260 |
| 久留米市 | 31 329 | - | 21 849 | 21 564 | 285 | - | - | 9 480 |
| 長崎市 | 36 169 | - | 36 140 | 35 579 | 561 | 23 | - | - |
| 佐世保市 | 8 334 | - | 660 | - | 660 | - | - | 7 492 |
| 大分市 | 180 631 | - | 180 631 | 179 260 | 1 371 | - | - | - |
| 宮崎市 | 16 768 | - | 371 | - | 371 | - | - | 16 397 |
| 鹿児島市 | 16 742 | - | 16 742 | 16 440 | 302 | - | - | - |
| 那覇市 | 11 975 | - | 11 975 | 11 599 | 376 | - | - | - |
| その他政令市(再掲) | | | | | | | | |
| 小樽市 | 2 527 | - | 2 439 | 1 689 | 750 | - | - | - |
| 町田市 | 57 279 | - | 51 752 | 51 351 | 401 | - | - | 5 527 |
| 藤沢市 | 84 302 | - | 69 560 | 69 206 | 354 | - | - | 14 742 |
| 茅ヶ崎市 | 974 | - | 167 | - | 167 | - | - | 807 |
| 四日市市 | 2 201 | - | 105 | - | 105 | - | - | 2 096 |
| 大牟田市 | 14 037 | - | 13 928 | 13 796 | 132 | 16 | - | 93 |

注：1）「結核」の「定期」・「接触者健診」については政令市及び特別区の報告表の項目であり、それ以外の市町村については「総数」のみ把握している。
　　2）「（再掲）事業所からの受託」・「精神」・「療育」・「一般」については、政令市及び特別区の報告表の項目である。

## ・医療機関等へ委託した受診延人員，都道府県－指定都市・特別区－中核市－その他政令市、健康診断の種類別

平成29年度

| 数 | | | | | | | |
|---|---|---|---|---|---|---|---|
| 生活習慣病 | | | | | | 一般[2] | その他 |
| 悪性新生物 | (再掲) | | 循環器疾患 | その他 | (再掲) | | |
| | 肝臓がん | 前立腺がん | | | 骨粗鬆症 | | |
| - | - | - | - | - | - | - | - |
| - | - | - | - | - | - | - | 434 |
| 94 | - | 94 | 389 | - | - | - | - |
| 13 936 | 11 054 | 6 329 | 172 | 74 | 74 | - | 832 |
| - | - | - | - | - | - | - | - |
| 4 782 | - | 4 782 | - | - | - | - | - |
| 3 978 | - | 3 978 | - | - | - | - | - |
| 4 903 | - | 4 461 | - | 1 533 | 1 533 | 1 638 | - |
| 15 575 | - | 15 575 | - | - | - | - | - |
| 19 638 | - | 17 190 | 1 272 | - | - | - | 81 |
| 9 037 | - | 9 037 | - | - | - | - | 129 |
| 9 609 | - | 9 609 | - | 2 372 | 2 372 | - | - |
| 6 729 | - | 2 545 | - | 1 350 | 1 350 | - | - |
| - | - | - | - | - | - | - | 136 |
| - | - | - | - | 5 045 | - | - | 160 |
| - | - | - | - | 1 032 | - | - | - |
| - | - | - | - | - | - | - | 146 |
| 318 | - | 318 | … | 379 | 379 | … | 147 |
| 6 100 | - | 6 100 | 1 683 | 6 782 | 99 | - | 1 013 |
| - | - | - | - | - | - | - | - |
| - | - | - | - | - | - | - | 34 |
| 1 135 | - | 1 135 | - | - | - | - | - |
| 12 038 | - | 6 110 | 210 | 135 | 135 | - | - |
| 7 640 | - | 7 610 | 1 011 | 12 423 | 12 423 | - | 64 |
| - | - | - | - | - | - | - | - |
| 12 016 | - | 12 016 | - | 3 480 | 3 480 | - | 331 |
| - | - | - | - | - | - | - | - |
| 9 360 | - | 7 925 | - | 1 366 | 1 366 | - | - |
| 8 698 | - | 8 600 | 487 | 3 918 | - | - | 181 |
| 503 | - | - | - | 4 788 | 2 087 | - | - |
| 2 058 | - | 2 058 | - | 1 748 | 1 748 | 6 | 161 |
| - | - | - | - | - | - | 2 752 | 509 |
| - | - | - | - | - | - | - | - |
| - | - | - | - | - | - | - | 778 |
| 8 159 | - | 8 159 | - | - | - | 2 663 | - |
| - | - | - | - | - | - | - | - |
| 2 325 | - | 2 325 | 294 | - | - | - | 84 |
| 2 290 | - | 2 286 | 356 | 153 | 153 | - | - |
| 15 929 | 1 089 | 14 844 | - | - | - | - | - |
| 4 300 | - | 4 300 | - | - | - | - | 99 |
| - | - | - | - | 260 | - | - | 2 930 |
| 6 431 | 1 171 | 6 431 | 1 250 | 1 799 | 1 799 | - | - |
| - | - | - | - | - | - | - | 6 |
| 7 386 | - | 7 386 | - | 106 | - | - | 182 |
| - | - | - | - | - | - | - | - |
| 15 201 | - | 10 004 | - | 1 196 | 1 196 | - | - |
| - | - | - | - | - | - | - | - |
| - | - | - | - | - | - | - | - |
| - | - | - | - | - | - | - | 88 |
| 3 061 | - | 3 061 | - | 2 466 | - | - | - |
| 14 742 | - | 14 742 | - | - | - | - | - |
| - | - | - | - | 807 | - | - | - |
| 2 096 | - | - | - | - | - | - | - |
| 93 | - | 93 | - | - | - | - | - |

# 第1表(4－3) 市区町村が実施した健康診断受診延人員・事業所からの受託による受診延人員

| | 総数 | (再掲)[2] 事業所からの受託 | (再掲) 医療 結核[1] 総数 | 結核[1] 定期 | 結核[1] 接触者健診 | 精神[2] | 療育[2] | 総数 |
|---|---|---|---|---|---|---|---|---|
| 全国 | 7 044 224 | … | 4 194 651 | 2 108 869 | 16 957 | … | 15 | 2 746 028 |
| 北海道 | 122 176 | － | 73 234 | 26 942 | 1 743 | － | － | 41 833 |
| 青森 | 96 374 | － | 54 519 | 22 147 | 475 | － | － | 40 926 |
| 岩手 | 32 729 | － | 12 129 | 2 380 | 29 | － | － | 20 327 |
| 宮城 | 281 244 | － | 228 901 | 163 286 | 1 846 | － | － | 48 724 |
| 秋田 | 47 038 | － | 20 428 | － | － | － | － | 26 601 |
| 山形 | 139 681 | · | 110 252 | · | · | · | · | 27 617 |
| 福島 | 127 710 | － | 87 067 | 41 215 | 98 | － | － | 40 175 |
| 茨城 | 164 889 | · | 89 132 | · | · | · | · | 74 930 |
| 栃木 | 83 860 | － | 28 125 | － | 29 | － | － | 54 848 |
| 群馬 | 188 722 | － | 104 733 | 62 442 | 110 | － | － | 82 606 |
| 埼玉 | 312 388 | － | 159 812 | 42 602 | 93 | － | － | 150 787 |
| 千葉 | 354 664 | － | 253 449 | 141 052 | 2 467 | － | － | 89 714 |
| 東京 | 1 179 215 | － | 941 749 | 765 698 | 3 128 | － | － | 234 323 |
| 神奈川 | 127 871 | － | 30 275 | 21 019 | 1 036 | － | － | 88 852 |
| 新潟 | 30 766 | － | 10 896 | － | 83 | － | － | 19 112 |
| 富山 | 73 391 | … | 64 204 | 39 955 | 145 | … | … | 9 076 |
| 石川 | 82 195 | － | 59 544 | 43 765 | － | － | － | 21 707 |
| 福井 | 21 908 | · | 8 063 | · | · | · | · | 13 845 |
| 山梨 | 209 092 | · | 54 651 | · | · | · | · | 154 207 |
| 長野 | 105 125 | － | 27 058 | － | 203 | － | － | 76 996 |
| 岐阜 | 74 483 | － | 38 804 | 8 811 | 28 | － | － | 34 704 |
| 静岡 | 410 927 | － | 278 785 | 179 468 | 561 | － | － | 129 439 |
| 愛知 | 680 120 | － | 392 306 | 144 307 | 29 | － | … | 285 956 |
| 三重 | 87 872 | － | 36 048 | － | 10 | － | － | 51 484 |
| 滋賀 | 39 589 | － | 36 029 | － | 10 | － | － | 3 476 |
| 京都 | 28 743 | － | 7 383 | － | － | － | － | 21 070 |
| 大阪 | 251 634 | － | 140 415 | 53 128 | 1 403 | － | 15 | 106 324 |
| 兵庫 | 377 598 | － | 85 078 | 28 892 | 201 | － | － | 290 490 |
| 奈良 | 21 767 | － | 13 711 | － | － | － | － | 8 037 |
| 和歌山 | 24 830 | － | 16 032 | 5 883 | 162 | － | － | 6 666 |
| 鳥取 | 15 921 | · | 9 716 | · | · | · | · | 6 169 |
| 島根 | 34 664 | · | 20 115 | · | · | · | · | 14 549 |
| 岡山 | 80 118 | － | 56 257 | 33 798 | 1 402 | － | － | 20 981 |
| 広島 | 57 260 | － | 34 183 | 18 592 | 371 | － | － | 22 882 |
| 山口 | 38 686 | － | 24 566 | － | － | － | － | 14 120 |
| 徳島 | 25 091 | · | 8 997 | · | · | · | · | 15 837 |
| 香川 | 52 724 | － | 15 147 | － | 15 | － | － | 37 359 |
| 愛媛 | 27 979 | － | 16 772 | 11 062 | 181 | － | － | 11 127 |
| 高知 | 9 980 | － | 6 598 | 4 084 | 3 | － | － | 551 |
| 福岡 | 119 467 | － | 63 583 | 31 397 | 285 | － | － | 55 597 |
| 佐賀 | 13 245 | · | 5 730 | · | · | · | · | 6 872 |
| 長崎 | 63 359 | － | 30 385 | － | 20 | － | － | 26 535 |
| 熊本 | 209 280 | － | 71 341 | 15 627 | 139 | － | － | 127 604 |
| 大分 | 225 208 | － | 206 148 | 179 260 | 390 | － | － | 18 523 |
| 宮崎 | 105 057 | － | 55 716 | － | － | － | － | 49 116 |
| 鹿児島 | 92 608 | － | 49 001 | 10 458 | 262 | － | － | 42 843 |
| 沖縄 | 94 976 | － | 57 584 | 11 599 | － | － | － | 20 511 |
| 指定都市・特別区(再掲) | | | | | | | | |
| 東京都区部 | 701 905 | － | 598 227 | 595 210 | 3 017 | － | － | 100 603 |
| 札幌市 | 13 815 | － | 13 792 | 12 295 | 1 497 | － | － | － |
| 仙台市 | 169 122 | － | 165 132 | 163 286 | 1 846 | － | － | 3 813 |
| さいたま市 | 48 864 | － | 16 | － | 16 | － | － | 48 848 |
| 千葉市 | 167 521 | － | 143 171 | 141 052 | 2 119 | － | － | 15 401 |
| 横浜市 | 568 | － | 442 | － | 442 | － | － | － |
| 川崎市 | 508 | － | 448 | － | 448 | － | － | － |
| 相模原市 | 1 771 | － | 1 771 | 1 704 | 67 | － | － | － |
| 新潟市 | 5 639 | － | 83 | － | 83 | － | － | 5 556 |
| 静岡市 | 75 072 | － | 50 559 | 50 500 | 59 | － | － | 24 513 |
| 浜松市 | 158 118 | － | 129 470 | 128 968 | 502 | － | － | 28 644 |
| 名古屋市 | 77 215 | － | － | － | － | － | － | 77 215 |
| 京都市 | － | － | － | － | － | － | － | － |
| 大阪市 | 1 636 | － | 1 621 | 1 180 | 441 | － | 15 | － |
| 堺市 | 6 678 | － | 6 508 | 6 202 | 306 | － | － | － |
| 神戸市 | 235 585 | － | 23 287 | 23 280 | 7 | － | － | 212 298 |
| 岡山市 | 34 795 | － | 34 795 | 33 798 | 997 | － | － | － |
| 広島市 | 13 987 | － | 13 987 | 13 705 | 282 | － | － | － |
| 北九州市 | 29 009 | － | 10 907 | 10 907 | － | － | － | 18 102 |
| 福岡市 | 707 | － | 131 | 131 | － | － | － | 576 |
| 熊本市 | 20 974 | － | 15 766 | 15 627 | 139 | － | － | － |

## ・医療機関等へ委託した受診延人員，都道府県－指定都市・特別区－中核市－その他政令市、健康診断の種類別

平成29年度

| 機関等へ委託 | | | | | | | |
|---|---|---|---|---|---|---|---|
| 生活習慣病 | | | | | | 一般[2)] | その他 |
| 悪性新生物 | (再掲) | | 循環器疾患 | その他 | (再掲) | | |
| | 肝臓がん | 前立腺がん | | | 骨粗鬆症 | | |
| **2 028 604** | **174 544** | **1 159 603** | **248 940** | **468 484** | **234 867** | **3 883** | **99 647** |
| 28 325 | 265 | 15 853 | 8 017 | 5 491 | 3 968 | - | 7 109 |
| 33 812 | 12 137 | 21 393 | 3 806 | 3 308 | 2 565 | - | 929 |
| 13 630 | 477 | 11 945 | 1 217 | 5 480 | 4 341 | - | 273 |
| 36 609 | 67 | 26 198 | 6 734 | 5 381 | 4 706 | - | 3 619 |
| 22 303 | - | 16 179 | 780 | 3 518 | 1 657 | - | 9 |
| 20 083 | 6 108 | 13 092 | 1 602 | 5 932 | 2 420 | ・ | 1 812 |
| 26 626 | 441 | 19 352 | 6 672 | 6 877 | 3 735 | - | 468 |
| 51 607 | 2 438 | 29 233 | 16 757 | 6 566 | 5 468 | ・ | 827 |
| 38 162 | 347 | 31 725 | 9 501 | 7 185 | 4 510 | - | 887 |
| 63 051 | 559 | 54 968 | 3 843 | 15 712 | 912 | - | 1 383 |
| 115 114 | 265 | 94 047 | 1 588 | 34 085 | 32 073 | - | 1 789 |
| 79 843 | - | 39 198 | 1 240 | 8 631 | 1 277 | - | 11 501 |
| 128 259 | 204 | 60 399 | 29 754 | 76 310 | 4 063 | 1 220 | 1 923 |
| 83 193 | - | 59 596 | 506 | 5 153 | 1 554 | - | 8 744 |
| 14 212 | 29 | 11 129 | 4 510 | 390 | 27 | - | 758 |
| 7 151 | 259 | 5 103 | 611 | 1 314 | 1 084 | … | 111 |
| 12 694 | - | 11 985 | 1 999 | 7 014 | 331 | - | 944 |
| 11 675 | 59 | 3 135 | 1 611 | 559 | 242 | ・ | - |
| 93 003 | 61 312 | 15 000 | 26 504 | 34 700 | 10 123 | ・ | 234 |
| 50 461 | 1 079 | 19 139 | 17 978 | 8 557 | 3 208 | - | 1 071 |
| 20 309 | 343 | 16 287 | 6 142 | 8 253 | 3 843 | - | 975 |
| 110 599 | 1 844 | 90 537 | 280 | 18 560 | 17 427 | - | 2 703 |
| 210 938 | 3 612 | 154 934 | 24 047 | 50 971 | 43 633 | - | 1 858 |
| 47 055 | 52 | 18 787 | 1 556 | 2 873 | 2 566 | - | 340 |
| 2 001 | - | 2 001 | 507 | 968 | 27 | - | 84 |
| 17 336 | 1 632 | 14 104 | 1 098 | 2 636 | 1 199 | - | 290 |
| 66 019 | - | 61 256 | 6 797 | 33 508 | 10 106 | - | 4 880 |
| 240 622 | 2 441 | 34 320 | 15 448 | 34 420 | 27 740 | - | 2 030 |
| 7 248 | 271 | 6 873 | 252 | 537 | 399 | - | 19 |
| 4 293 | - | 1 775 | 1 285 | 1 088 | 10 | - | 2 132 |
| 4 976 | 1 389 | 3 454 | 962 | 231 | 49 | ・ | 36 |
| 11 298 | - | 8 256 | 2 982 | 269 | 99 | ・ | - |
| 20 268 | - | 13 843 | 137 | 576 | 71 | 2 663 | 217 |
| 18 439 | 988 | 8 157 | 1 203 | 3 240 | 2 166 | - | 195 |
| 12 722 | 2 469 | 10 053 | 135 | 1 263 | 419 | - | - |
| 12 488 | - | 8 776 | 569 | 2 780 | 642 | ・ | 257 |
| 36 047 | 2 495 | 32 920 | 268 | 1 044 | 1 032 | - | 218 |
| 8 230 | 436 | 7 714 | 642 | 2 255 | 1 891 | - | 80 |
| 551 | - | 551 | - | - | - | - | 2 831 |
| 39 808 | 3 528 | 32 430 | 4 488 | 11 301 | 8 611 | - | 287 |
| 5 454 | 23 | 3 260 | 507 | 911 | 643 | ・ | 643 |
| 16 556 | 367 | 15 622 | 3 710 | 6 269 | 146 | - | 6 439 |
| 97 474 | 48 968 | 15 450 | 16 901 | 13 229 | 7 276 | - | 10 335 |
| 10 564 | 941 | 8 222 | 1 713 | 6 246 | 2 584 | - | 537 |
| 38 868 | 331 | 17 333 | 7 473 | 2 775 | 2 523 | - | 225 |
| 29 415 | 16 363 | 11 998 | - | 13 428 | 6 301 | - | 764 |
| 9 213 | 5 | 2 021 | 4 608 | 6 690 | 5 200 | - | 16 881 |
| 85 030 | - | 38 924 | 14 115 | 1 458 | 1 458 | 1 220 | 1 855 |
| - | - | - | - | - | - | - | 23 |
| 1 471 | - | 1 471 | - | 2 342 | 2 342 | - | 177 |
| 20 534 | - | 20 255 | - | 28 314 | 28 314 | - | - |
| 15 401 | - | 8 560 | - | - | - | - | 8 949 |
| - | - | - | - | - | - | - | 126 |
| - | - | - | - | - | - | - | 60 |
| - | - | - | - | - | - | - | - |
| 5 556 | - | 5 556 | - | - | - | - | - |
| 11 794 | - | 11 681 | - | 12 719 | 11 988 | - | - |
| 25 292 | - | 25 292 | - | 3 352 | 3 352 | - | 4 |
| 56 467 | - | 56 467 | - | 20 748 | 20 748 | - | - |
| - | - | - | - | - | - | - | - |
| - | - | - | - | - | - | - | - |
| - | - | - | - | - | - | - | 170 |
| 195 026 | - | 12 459 | - | 17 272 | 17 272 | - | - |
| - | - | - | - | - | - | - | - |
| - | - | - | - | - | - | - | - |
| 11 980 | - | 11 872 | 1 318 | 4 804 | 4 804 | - | - |
| - | - | - | - | 576 | - | - | - |
| - | - | - | - | - | - | - | 5 208 |

# 第1表(4－4) 市区町村が実施した健康診断受診延人員・事業所からの受託による受診延人員

| | 総数 | (再掲)[2] 事業所からの受託 | 結核[1] 総数 | 結核[1] 定期 | 結核[1] 接触者健診 | (再掲) 精神[2] | 療育[2] | 医療 総数 |
|---|---|---|---|---|---|---|---|---|
| 中核市(再掲) | | | | | | | | |
| 旭川市 | 6 624 | - | 6 624 | 6 454 | 170 | - | - | - |
| 函館市 | 7 014 | - | 6 580 | 6 504 | 76 | - | - | - |
| 青森市 | 9 767 | - | 9 323 | 9 016 | 307 | - | - | 444 |
| 八戸市 | 28 188 | - | 13 299 | 13 131 | 168 | - | - | 14 182 |
| 盛岡市 | 2 409 | - | 2 409 | 2 380 | 29 | - | - | - |
| 秋田市 | 4 782 | - | - | - | - | - | - | 4 782 |
| 郡山市 | 3 978 | - | - | - | - | - | - | 3 978 |
| いわき市 | 47 749 | - | 41 313 | 41 215 | 98 | - | - | 6 436 |
| 宇都宮市 | 9 305 | - | 29 | - | 29 | - | - | 9 276 |
| 前橋市 | 56 643 | - | 35 652 | 35 576 | 76 | - | - | 20 910 |
| 高崎市 | 36 030 | - | 26 900 | 26 866 | 34 | - | - | 9 037 |
| 川越市 | 8 748 | - | 28 | - | 28 | - | - | 8 720 |
| 越谷市 | 50 730 | - | 42 651 | 42 602 | 49 | - | - | 8 079 |
| 船橋市 | 433 | - | 323 | - | 323 | - | - | - |
| 柏市 | 5 111 | - | 25 | - | 25 | - | - | 5 045 |
| 八王子市 | 120 235 | - | 119 203 | 119 137 | 66 | - | - | 1 032 |
| 横須賀市 | 19 450 | - | 19 348 | 19 315 | 33 | - | - | - |
| 富山市 | 40 908 | … | 40 100 | 39 955 | 145 | … | … | 697 |
| 金沢市 | 59 036 | - | 43 765 | 43 765 | - | - | - | 14 565 |
| 長野市 | 203 | - | 203 | - | 203 | - | - | - |
| 岐阜市 | 8 839 | - | 8 839 | 8 811 | 28 | - | - | - |
| 豊橋市 | 46 292 | - | 45 157 | 45 149 | 8 | - | - | 1 135 |
| 豊田市 | 62 868 | - | 50 485 | 50 464 | 21 | - | … | 12 383 |
| 岡崎市 | 69 768 | - | 48 694 | 48 694 | - | - | - | 21 074 |
| 大津市 | 10 | - | 10 | - | 10 | - | - | - |
| 高槻市 | 15 520 | - | 22 | - | 22 | - | - | 15 496 |
| 東大阪市 | 45 928 | - | 45 928 | 45 746 | 182 | - | - | - |
| 豊中市 | 10 754 | - | 28 | - | 28 | - | - | 10 726 |
| 枚方市 | 13 547 | - | 424 | - | 424 | - | - | 13 103 |
| 姫路市 | 10 604 | - | 5 313 | 5 280 | 33 | - | - | 5 291 |
| 西宮市 | 4 220 | - | 391 | 230 | 161 | - | - | 3 806 |
| 尼崎市 | 112 | - | 102 | 102 | - | - | - | - |
| 奈良市 | - | - | - | - | - | - | - | - |
| 和歌山市 | 6 592 | - | 6 045 | 5 883 | 162 | - | - | - |
| 倉敷市 | 11 227 | - | 405 | - | 405 | - | - | 8 159 |
| 福山市 | - | - | - | - | - | - | - | - |
| 呉市 | 7 679 | - | 4 976 | 4 887 | 89 | - | - | 2 619 |
| 下関市 | 2 286 | - | - | - | - | - | - | 2 286 |
| 高松市 | 15 944 | - | 15 | - | 15 | - | - | 15 929 |
| 松山市 | 15 623 | - | 11 243 | 11 062 | 181 | - | - | 4 300 |
| 高知市 | 6 918 | - | 4 087 | 4 084 | 3 | - | - | - |
| 久留米市 | 29 515 | - | 20 644 | 20 359 | 285 | - | - | 8 871 |
| 長崎市 | 17 | - | 17 | - | 17 | - | - | - |
| 佐世保市 | 7 389 | - | 3 | - | 3 | - | - | 7 386 |
| 大分市 | 179 650 | - | 179 650 | 179 260 | 390 | - | - | - |
| 宮崎市 | 10 436 | - | - | - | - | - | - | 10 436 |
| 鹿児島市 | 10 720 | - | 10 720 | 10 458 | 262 | - | - | - |
| 那覇市 | 11 599 | - | 11 599 | 11 599 | - | - | - | - |
| その他政令市(再掲) | | | | | | | | |
| 小樽市 | 1 689 | - | 1 689 | 1 689 | - | - | - | - |
| 町田市 | 56 923 | - | 51 396 | 51 351 | 45 | - | - | 5 527 |
| 藤沢市 | 14 742 | - | - | - | - | - | - | 14 742 |
| 茅ヶ崎市 | 853 | - | 46 | - | 46 | - | - | 807 |
| 四日市市 | 984 | - | 10 | - | 10 | - | - | 974 |
| 大牟田市 | - | - | - | - | - | - | - | - |

注：1）「結核」の「定期」・「接触者健診」については政令市及び特別区の報告表の項目であり、それ以外の市町村については「総数」のみ把握している。
　　2）「（再掲）事業所からの受託」・「精神」・「療育」・「一般」については、政令市及び特別区の報告表の項目である。

## ・医療機関等へ委託した受診延人員，都道府県－指定都市・特別区－中核市－その他政令市、健康診断の種類別

平成29年度

| 機関等へ委託 | | | | | | | |
|---|---|---|---|---|---|---|---|
| 生活習慣病 | | | | | | 一般[2) ] | その他 |
| 悪性新生物 | （再掲）肝臓がん | （再掲）前立腺がん | 循環器疾患 | その他 | （再掲）骨粗鬆症 | | |
| － | － | － | － | － | － | － | － |
| － | － | － | － | － | － | － | 434 |
| 61 | － | 61 | 383 | － | － | － | － |
| 13 936 | 11 054 | 6 329 | 172 | 74 | 74 | － | 707 |
| － | － | － | － | － | － | － | － |
| | | | | | | | |
| 4 782 | － | 4 782 | － | － | － | － | － |
| 3 978 | － | 3 978 | － | － | － | － | － |
| 4 903 | － | 4 461 | － | 1 533 | 1 533 | － | － |
| 9 276 | － | 9 276 | － | － | － | － | － |
| 19 638 | － | 17 190 | 1 272 | － | － | － | 81 |
| | | | | | | | |
| 9 037 | － | 9 037 | － | － | － | － | 93 |
| 8 720 | － | 8 720 | － | － | － | － | － |
| 6 729 | － | 2 545 | － | 1 350 | 1 350 | － | － |
| － | － | － | － | － | － | － | 110 |
| － | － | － | － | 5 045 | － | － | 41 |
| | | | | | | | |
| － | － | － | － | 1 032 | － | － | － |
| － | － | － | － | － | － | － | 102 |
| 318 | … | 318 | … | 379 | 379 | … | 111 |
| 6 100 | － | 6 100 | 1 683 | 6 782 | 99 | － | 706 |
| － | － | － | － | － | － | － | － |
| | | | | | | | |
| － | － | － | － | － | － | － | － |
| 1 135 | － | 1 135 | － | － | － | － | － |
| 12 038 | － | 6 110 | 210 | 135 | 135 | － | － |
| 7 640 | － | 7 610 | 1 011 | 12 423 | 12 423 | － | － |
| － | － | － | － | － | － | － | － |
| | | | | | | | |
| 12 016 | － | 12 016 | － | 3 480 | 3 480 | － | 2 |
| － | － | － | － | － | － | － | － |
| 9 360 | － | 7 925 | － | 1 366 | 1 366 | － | － |
| 8 698 | － | 8 600 | 487 | 3 918 | － | － | 20 |
| 503 | － | － | － | 4 788 | 2 087 | － | － |
| | | | | | | | |
| 2 058 | － | 2 058 | － | 1 748 | 1 748 | － | 23 |
| － | － | － | － | － | － | － | 10 |
| － | － | － | － | － | － | － | － |
| － | － | － | － | － | － | － | 547 |
| 8 159 | － | 8 159 | － | － | － | 2 663 | － |
| | | | | | | | |
| － | － | － | － | － | － | － | － |
| 2 325 | － | 2 325 | 294 | － | － | － | 84 |
| 2 286 | － | 2 286 | － | － | － | － | － |
| 15 929 | 1 089 | 14 844 | － | － | － | － | － |
| 4 300 | － | 4 300 | － | － | － | － | 80 |
| | | | | | | | |
| － | － | － | － | － | － | － | 2 831 |
| 6 431 | － | 6 431 | 1 159 | 1 281 | 1 281 | － | － |
| － | － | － | － | － | － | － | － |
| 7 386 | － | 7 386 | － | － | － | － | － |
| － | － | － | － | － | － | － | － |
| | | | | | | | |
| 9 595 | － | 6 541 | － | 841 | 841 | － | － |
| － | － | － | － | － | － | － | － |
| － | － | － | － | － | － | － | － |
| | | | | | | | |
| － | － | － | － | － | － | － | － |
| 3 061 | － | 3 061 | － | 2 466 | － | － | － |
| 14 742 | － | 14 742 | － | － | － | － | － |
| － | － | － | － | 807 | － | － | － |
| 974 | － | － | － | － | － | － | － |
| | | | | | | | |
| － | － | － | － | － | － | － | － |

# 第２表　市区町村への妊娠届出者数,

| | 総数 | 妊娠週（月）数 | | | | | |
|---|---|---|---|---|---|---|---|
| | | 満 11 週 以 内（第３月以内） | 満12週～19週（第４月～第５月） | 満20週～27週（第６月～第７月） | 満28週～分娩まで（第８月～分娩まで） | 分娩後 | 不詳 |
| **全国** | **986 003** | **916 723** | **52 823** | **7 138** | **3 852** | **2 115** | **3 352** |
| 北海道 | 34 298 | 32 304 | 1 508 | 276 | 157 | 39 | 14 |
| 青森 | 7 974 | 7 283 | 586 | 57 | 29 | 14 | 5 |
| 岩手 | 7 791 | 7 103 | 586 | 64 | 29 | 9 | – |
| 宮城 | 16 859 | 15 542 | 1 107 | 102 | 74 | 14 | 20 |
| 秋田 | 5 211 | 4 921 | 234 | 34 | 15 | 6 | 1 |
| 山形 | 7 093 | 6 398 | 623 | 33 | 24 | 15 | – |
| 福島 | 12 972 | 11 654 | 1 060 | 132 | 95 | 28 | 3 |
| 茨城 | 21 138 | 19 785 | 963 | 212 | 116 | 44 | 18 |
| 栃木 | 14 486 | 13 613 | 635 | 127 | 76 | 13 | 22 |
| 群馬 | 13 845 | 12 740 | 903 | 102 | 75 | 22 | 3 |
| 埼玉 | 55 492 | 51 452 | 2 743 | 429 | 232 | 168 | 468 |
| 千葉 | 46 753 | 43 921 | 2 189 | 314 | 176 | 53 | 100 |
| 東京 | 121 726 | 113 204 | 5 740 | 838 | 503 | 528 | 913 |
| 神奈川 | 74 038 | 69 036 | 2 675 | 462 | 232 | 407 | 1 226 |
| 新潟 | 15 011 | 14 220 | 661 | 75 | 42 | 12 | 1 |
| 富山 | 7 184 | 6 712 | 411 | 38 | 12 | 1 | 10 |
| 石川 | 8 654 | 8 175 | 392 | 55 | 27 | 5 | – |
| 福井 | 6 043 | 5 668 | 298 | 37 | 21 | – | 19 |
| 山梨 | 5 912 | 5 347 | 432 | 53 | 35 | 32 | 13 |
| 長野 | 14 748 | 14 106 | 473 | 90 | 56 | 8 | 15 |
| 岐阜 | 14 559 | 13 508 | 870 | 118 | 53 | 10 | – |
| 静岡 | 26 789 | 24 870 | 1 575 | 216 | 91 | 31 | 6 |
| 愛知 | 66 387 | 62 375 | 2 971 | 447 | 252 | 340 | 2 |
| 三重 | 12 975 | 12 126 | 667 | 93 | 31 | 5 | 53 |
| 滋賀 | 12 083 | 11 427 | 498 | 83 | 59 | 5 | 11 |
| 京都 | 19 344 | 17 974 | 870 | 244 | 200 | 6 | 50 |
| 大阪 | 71 014 | 67 250 | 2 944 | 444 | 219 | 80 | 77 |
| 兵庫 | 42 871 | 40 089 | 2 309 | 276 | 109 | 57 | 31 |
| 奈良 | 9 496 | 9 053 | 304 | 65 | 26 | 7 | 41 |
| 和歌山 | 6 419 | 6 133 | 218 | 40 | 21 | 5 | 2 |
| 鳥取 | 4 345 | 3 905 | 391 | 33 | 13 | 1 | 2 |
| 島根 | 4 989 | 4 404 | 520 | 30 | 12 | 2 | 21 |
| 岡山 | 15 424 | 14 601 | 665 | 100 | 43 | 13 | 2 |
| 広島 | 22 659 | 21 457 | 944 | 150 | 67 | 16 | 25 |
| 山口 | 9 401 | 8 916 | 398 | 57 | 26 | 3 | 1 |
| 徳島 | 5 202 | 4 890 | 238 | 38 | 20 | 2 | 14 |
| 香川 | 7 380 | 6 743 | 564 | 47 | 21 | 2 | 3 |
| 愛媛 | 9 494 | 8 500 | 893 | 64 | 32 | 5 | – |
| 高知 | 4 736 | 4 421 | 260 | 29 | 22 | 3 | 1 |
| 福岡 | 43 958 | 39 060 | 4 245 | 358 | 212 | 21 | 62 |
| 佐賀 | 6 643 | 5 627 | 924 | 58 | 27 | 7 | – |
| 長崎 | 10 674 | 9 730 | 782 | 82 | 29 | 5 | 46 |
| 熊本 | 14 992 | 14 079 | 741 | 110 | 49 | 12 | 1 |
| 大分 | 8 573 | 7 918 | 552 | 67 | 27 | 5 | 4 |
| 宮崎 | 8 647 | 7 874 | 635 | 88 | 34 | 12 | 4 |
| 鹿児島 | 13 282 | 12 039 | 1 060 | 110 | 64 | 9 | – |
| 沖縄 | 16 439 | 14 570 | 1 566 | 161 | 67 | 33 | 42 |
| 指定都市・特別区（再掲） | | | | | | | |
| 東京都区部 | 90 357 | 83 888 | 4 266 | 635 | 397 | 479 | 692 |
| 札幌市 | 14 114 | 13 574 | 379 | 92 | 55 | 14 | – |
| 仙台市 | 8 884 | 8 274 | 545 | 31 | 25 | 6 | 3 |
| さいたま市 | 10 786 | 10 164 | 412 | 70 | 16 | 88 | 36 |
| 千葉市 | 7 067 | 6 611 | 335 | 46 | 31 | 9 | 35 |
| 横浜市 | 30 951 | 28 679 | 780 | 184 | 90 | 347 | 871 |
| 川崎市 | 15 061 | 14 253 | 533 | 70 | 51 | 14 | 140 |
| 相模原市 | 5 491 | 5 223 | 215 | 34 | 7 | 11 | 1 |
| 新潟市 | 5 798 | 5 540 | 226 | 15 | 12 | 5 | – |
| 静岡市 | 4 843 | 4 536 | 265 | 27 | 11 | 4 | – |
| 浜松市 | 6 406 | 5 787 | 545 | 51 | 16 | 7 | – |
| 名古屋市 | 21 109 | 19 419 | 1 088 | 162 | 123 | 317 | – |
| 京都市 | 10 993 | 10 232 | 504 | 126 | 102 | 4 | 25 |
| 大阪市 | 23 946 | 22 590 | 1 073 | 162 | 82 | 37 | 2 |
| 堺市 | 6 706 | 6 367 | 277 | 35 | 23 | 4 | – |
| 神戸市 | 12 022 | 11 462 | 436 | 83 | 35 | 4 | 2 |
| 岡山市 | 6 486 | 6 167 | 262 | 30 | 18 | 9 | – |
| 広島市 | 10 603 | 10 079 | 416 | 60 | 36 | 9 | 3 |
| 北九州市 | 7 544 | 6 917 | 535 | 60 | 27 | 5 | – |
| 福岡市 | 15 270 | 13 772 | 1 329 | 100 | 62 | 7 | – |
| 熊本市 | 7 146 | 6 777 | 295 | 43 | 23 | 8 | – |

## 都道府県－指定都市・特別区－中核市－その他政令市、妊娠週（月）数別

平成29年度

| | 総数 | 妊娠週（月）数 | | | | | |
|---|---|---|---|---|---|---|---|
| | | 満11週以内（第3月以内） | 満12週～19週（第4月～第5月） | 満20週～27週（第6月～第7月） | 満28週～分娩まで（第8月～分娩まで） | 分娩後 | 不詳 |
| 中核市(再掲) | | | | | | | |
| 旭川市 | 2 173 | 2 033 | 111 | 11 | 9 | 4 | 5 |
| 函館市 | 1 492 | 1 398 | 70 | 16 | 4 | 4 | － |
| 青森市 | 1 782 | 1 611 | 146 | 16 | 8 | 1 | － |
| 八戸市 | 1 680 | 1 570 | 85 | 11 | 10 | 4 | － |
| 盛岡市 | 2 197 | 2 031 | 138 | 16 | 9 | 3 | － |
| 秋田市 | 1 991 | 1 933 | 43 | 9 | 5 | － | 1 |
| 郡山市 | 2 585 | 2 325 | 211 | 20 | 15 | 14 | － |
| いわき市 | 2 254 | 2 054 | 169 | 17 | 10 | 4 | － |
| 宇都宮市 | 4 738 | 4 505 | 150 | 31 | 31 | 6 | 15 |
| 前橋市 | 2 452 | 2 253 | 169 | 19 | 10 | 1 | － |
| 高崎市 | 2 856 | 2 677 | 152 | 15 | 7 | 5 | － |
| 川越市 | 2 628 | 2 401 | 178 | 14 | 8 | 17 | 10 |
| 越谷市 | 2 842 | 2 675 | 109 | 18 | 15 | 1 | 24 |
| 船橋市 | 5 239 | 5 018 | 184 | 24 | 11 | 2 | － |
| 柏市 | 3 303 | 3 122 | 141 | 23 | 9 | － | 8 |
| 八王子市 | 3 564 | 3 277 | 183 | 21 | 20 | 23 | 40 |
| 横須賀市 | 2 461 | 2 348 | 79 | 22 | 9 | 3 | － |
| 富山市 | 3 164 | 2 925 | 215 | 13 | 1 | － | 10 |
| 金沢市 | 3 938 | 3 728 | 170 | 26 | 14 | － | － |
| 長野市 | 2 854 | 2 756 | 74 | 15 | 9 | － | － |
| 岐阜市 | 3 065 | 2 902 | 120 | 35 | 6 | 2 | － |
| 豊橋市 | 3 102 | 2 942 | 114 | 28 | 16 | 2 | － |
| 豊田市 | 3 788 | 3 562 | 200 | 18 | 8 | － | － |
| 岡崎市 | 3 610 | 3 420 | 148 | 28 | 11 | 3 | － |
| 大津市 | 2 689 | 2 546 | 114 | 18 | 10 | － | 1 |
| 高槻市 | 2 766 | 2 561 | 164 | 23 | 9 | 1 | 8 |
| 東大阪市 | 3 646 | 3 419 | 174 | 17 | 19 | 3 | 14 |
| 豊中市 | 3 652 | 3 546 | 88 | 14 | 4 | － | － |
| 枚方市 | 2 878 | 2 730 | 109 | 23 | 10 | 3 | 3 |
| 姫路市 | 4 432 | 4 199 | 164 | 28 | 12 | 28 | 1 |
| 西宮市 | 4 237 | 4 085 | 117 | 28 | 5 | 2 | － |
| 尼崎市 | 4 062 | 3 891 | 140 | 16 | 11 | 4 | － |
| 奈良市 | 2 413 | 2 297 | 98 | 8 | 6 | 4 | － |
| 和歌山市 | 2 751 | 2 636 | 91 | 14 | 6 | 4 | － |
| 倉敷市 | 4 296 | 4 068 | 185 | 36 | 6 | 1 | － |
| 福山市 | 3 955 | 3 782 | 130 | 27 | 10 | 2 | 4 |
| 呉市 | 1 426 | 1 343 | 71 | 8 | 3 | 1 | － |
| 下関市 | 1 703 | 1 638 | 46 | 10 | 8 | 1 | － |
| 高松市 | 3 582 | 3 315 | 237 | 21 | 9 | － | － |
| 松山市 | 4 123 | 3 756 | 324 | 25 | 16 | 2 | － |
| 高知市 | 2 528 | 2 394 | 106 | 15 | 13 | － | － |
| 久留米市 | 2 859 | 2 509 | 289 | 27 | 12 | － | 22 |
| 長崎市 | 3 147 | 2 985 | 131 | 16 | 15 | － | － |
| 佐世保市 | 2 020 | 1 875 | 132 | 9 | 1 | 1 | 2 |
| 大分市 | 4 148 | 3 891 | 214 | 31 | 10 | 2 | － |
| 宮崎市 | 3 464 | 3 276 | 132 | 34 | 16 | 4 | 2 |
| 鹿児島市 | 5 479 | 5 006 | 405 | 32 | 34 | 2 | － |
| 那覇市 | 3 192 | 2 847 | 280 | 26 | 16 | 5 | 18 |
| その他政令市(再掲) | | | | | | | |
| 小樽市 | 546 | 509 | 23 | 8 | 3 | 3 | － |
| 町田市 | 2 787 | 2 637 | 90 | 21 | 12 | － | 27 |
| 藤沢市 | 3 643 | 3 434 | 116 | 22 | 7 | － | 64 |
| 茅ヶ崎市 | 1 830 | 1 732 | 54 | 18 | 5 | 20 | 1 |
| 四日市市 | 2 483 | 2 345 | 62 | 19 | 7 | － | 50 |
| 大牟田市 | 751 | 650 | 86 | 6 | 9 | － | － |

# 第3表(8－1) 市区町村が実施した妊産婦及び乳幼児の健康診査受診実人員－延人員・

| | 一般健康診 | | | | | | | | | |
|---|---|---|---|---|---|---|---|---|---|---|
| | 妊婦 | | 産婦 | | 乳児1～2か月 | | | 乳児3～5か月 | | |
| | 受診実人員 | 受診延人員 | 受診実人員 | 受診延人員 | 対象人員 | 受診実人員 | 受診延人員 | 対象人員 | 受診実人員 | 受診延人員 |
| **全国** | **1 202 301** | **11 982 651** | **168 023** | **226 562** | **283 207** | **244 765** | **245 084** | **995 272** | **949 973** | **956 123** |
| 北海道 | 42 215 | 411 147 | 926 | 1 165 | 240 | 191 | 191 | 33 577 | 32 951 | 34 443 |
| 青森 | 9 496 | 105 165 | 173 | 173 | 6 210 | 5 113 | 5 114 | 8 284 | 7 816 | 7 907 |
| 岩手 | 9 594 | 99 778 | 588 | 762 | 8 163 | 7 570 | 7 590 | 8 262 | 8 052 | 8 132 |
| 宮城 | 19 698 | 188 217 | 123 | 123 | 17 289 | 16 129 | 16 129 | 17 048 | 16 297 | 16 343 |
| 秋田 | 6 591 | 66 428 | 5 241 | 5 355 | 154 | 152 | 152 | 5 417 | 5 325 | 5 343 |
| 山形 | 10 569 | 95 835 | 116 | 116 | 116 | 116 | 116 | 7 274 | 7 186 | 7 220 |
| 福島 | 18 556 | 158 517 | 12 470 | 12 478 | 90 | 90 | 90 | 13 076 | 12 754 | 12 781 |
| 茨城 | 26 438 | 248 313 | 1 496 | 1 803 | 427 | 348 | 348 | 22 132 | 20 123 | 20 850 |
| 栃木 | 19 399 | 172 207 | 6 784 | 8 624 | 1 196 | 1 080 | 1 080 | 16 229 | 15 685 | 15 775 |
| 群馬 | 16 805 | 162 821 | - | - | 3 372 | 3 220 | 3 220 | 16 181 | 15 724 | 15 791 |
| 埼玉 | 61 371 | 694 881 | 3 167 | 3 167 | … | … | … | 55 101 | 52 891 | 52 991 |
| 千葉 | 52 924 | 550 205 | 1 439 | 2 079 | - | - | - | 54 126 | 47 176 | 47 283 |
| 東京 | 115 878 | 1 265 654 | 22 366 | 22 370 | 14 | 14 | 14 | 112 888 | 108 009 | 108 163 |
| 神奈川 | 75 314 | 856 327 | 29 430 | 30 140 | 23 996 | 18 766 | 18 766 | 65 410 | 63 413 | 63 948 |
| 新潟 | 18 462 | 177 429 | 239 | 239 | 567 | 534 | 534 | 15 052 | 14 755 | 14 755 |
| 富山 | 9 777 | 87 048 | 2 055 | 2 056 | 171 | 1 | 1 | 7 286 | 7 156 | 7 180 |
| 石川 | 10 914 | 107 366 | 8 239 | 8 239 | 8 693 | 8 087 | 8 106 | 7 857 | 7 752 | 7 752 |
| 福井 | 8 959 | 70 621 | 298 | 329 | 5 913 | 5 714 | 5 714 | 6 065 | 5 919 | 5 919 |
| 山梨 | 9 016 | 72 517 | 1 304 | 1 900 | 3 509 | 2 493 | 2 500 | 7 461 | 7 074 | 7 099 |
| 長野 | 17 467 | 205 953 | 109 | 109 | 1 377 | 1 279 | 1 279 | 15 516 | 15 251 | 15 423 |
| 岐阜 | 19 716 | 173 331 | 743 | 913 | - | - | - | 14 469 | 14 307 | 14 318 |
| 静岡 | 31 985 | 328 968 | - | - | - | - | - | 27 376 | 26 297 | 26 297 |
| 愛知 | 81 035 | 795 246 | 26 949 | 58 446 | 65 471 | 58 827 | 58 828 | 64 806 | 63 495 | 63 724 |
| 三重 | 17 564 | 158 865 | 1 840 | 2 886 | 145 | 128 | 128 | 13 242 | 12 778 | 12 779 |
| 滋賀 | 18 305 | 138 952 | 355 | 509 | 51 | 47 | 47 | 11 726 | 11 493 | 11 590 |
| 京都 | 22 191 | 395 112 | 8 956 | 14 410 | - | - | - | 18 958 | 18 571 | 19 103 |
| 大阪 | 80 300 | 818 290 | 13 753 | 19 471 | 64 601 | 56 102 | 56 104 | 67 686 | 65 769 | 65 807 |
| 兵庫 | 66 067 | 514 062 | 677 | 837 | 545 | 532 | 532 | 42 451 | 41 629 | 41 775 |
| 奈良 | 13 640 | 111 435 | 128 | 128 | 13 | 11 | 11 | 9 004 | 8 775 | 8 804 |
| 和歌山 | 8 418 | 98 483 | 894 | 894 | - | - | - | 6 482 | 6 375 | 6 562 |
| 鳥取 | 6 852 | 56 041 | 260 | 260 | 268 | 206 | 206 | 4 362 | 4 201 | 4 208 |
| 島根 | 5 534 | 58 896 | 39 | 51 | 5 101 | 4 797 | 4 797 | 5 164 | 5 089 | 5 196 |
| 岡山 | 17 477 | 177 494 | - | - | 9 414 | 8 018 | 8 021 | 15 172 | 14 307 | 14 418 |
| 広島 | 27 951 | 289 270 | 3 164 | 4 485 | 23 266 | 18 601 | 18 640 | 24 392 | 21 783 | 21 850 |
| 山口 | 10 926 | 118 953 | 2 526 | 4 244 | 9 456 | 9 104 | 9 104 | 9 563 | 9 362 | 9 362 |
| 徳島 | 8 130 | 61 047 | 280 | 487 | 5 203 | 4 730 | 4 843 | 5 230 | 4 688 | 4 841 |
| 香川 | 7 908 | 87 305 | - | - | 7 560 | 5 831 | 5 831 | 8 961 | 5 978 | 5 986 |
| 愛媛 | 14 373 | 112 845 | - | - | - | - | - | 9 837 | 9 326 | 9 349 |
| 高知 | 5 726 | 54 952 | - | - | 4 849 | 4 065 | 4 171 | 4 921 | 3 896 | 3 990 |
| 福岡 | 66 097 | 686 131 | 1 132 | 1 980 | 45 | 43 | 43 | 56 549 | 55 090 | 55 369 |
| 佐賀 | 10 225 | 80 338 | 1 054 | 1 054 | 1 886 | 72 | 72 | 6 820 | 6 478 | 6 523 |
| 長崎 | 12 377 | 131 243 | 1 572 | 2 808 | 3 215 | 2 271 | 2 273 | 11 068 | 10 361 | 10 409 |
| 熊本 | 23 033 | 176 359 | 287 | 296 | 272 | 272 | 278 | 14 709 | 14 422 | 14 485 |
| 大分 | 12 791 | 104 532 | - | - | - | - | - | 9 215 | 8 482 | 8 518 |
| 宮崎 | 11 993 | 103 051 | 2 876 | 5 201 | 329 | 199 | 199 | 9 524 | 8 358 | 8 406 |
| 鹿児島 | 17 684 | 162 394 | 3 959 | 5 959 | - | - | - | 13 115 | 12 864 | 12 866 |
| 沖縄 | 24 560 | 192 627 | 16 | 16 | 20 | 12 | 12 | 16 228 | 14 490 | 14 490 |
| 指定都市・特別区(再掲) | | | | | | | | | | |
| 東京都区部 | 84 859 | 915 383 | 4 677 | 4 677 | 10 | 10 | 10 | 81 546 | 77 472 | 77 560 |
| 札幌市 | 13 787 | 164 852 | - | - | - | - | - | 13 888 | 13 701 | 14 859 |
| 仙台市 | 9 743 | 94 536 | - | - | 8 673 | 8 381 | 8 381 | 8 666 | 8 287 | 8 287 |
| さいたま市 | 10 442 | 129 100 | 3 161 | 3 161 | - | - | - | 10 958 | 10 341 | 10 341 |
| 千葉市 | 6 853 | 83 083 | - | - | - | - | - | 13 894 | 11 874 | 11 874 |
| 横浜市 | 30 603 | 347 850 | 24 568 | 24 568 | 23 996 | 18 766 | 18 766 | 23 996 | 23 191 | 23 191 |
| 川崎市 | 15 037 | 176 494 | 726 | 912 | - | - | - | 14 223 | 13 663 | 13 663 |
| 相模原市 | 5 480 | 66 013 | - | - | - | - | - | 5 120 | 5 083 | 5 392 |
| 新潟市 | 5 761 | 67 132 | - | - | - | - | - | 5 724 | 5 575 | 5 575 |
| 静岡市 | 4 795 | 58 078 | - | - | - | - | - | 5 013 | 4 889 | 4 889 |
| 浜松市 | 6 349 | 77 933 | - | - | - | - | - | 6 433 | 6 298 | 6 298 |
| 名古屋市 | 20 410 | 235 000 | … | 30 272 | 19 880 | 16 693 | 16 693 | 19 880 | 19 487 | 19 487 |
| 京都市 | 11 232 | 278 842 | 8 956 | 14 410 | - | - | - | 10 666 | 10 430 | 10 816 |
| 大阪市 | 23 457 | 277 826 | 6 014 | 10 425 | 22 099 | 18 617 | 18 617 | 21 835 | 21 155 | 21 155 |
| 堺市 | 6 472 | 76 629 | - | - | 6 480 | 5 543 | 5 543 | 6 480 | 6 361 | 6 361 |
| 神戸市 | 18 659 | 142 137 | - | - | - | - | - | 11 546 | 11 371 | 11 371 |
| 岡山市 | 6 336 | 75 021 | - | - | 6 180 | 5 811 | 5 811 | 6 154 | 5 687 | 5 687 |
| 広島市 | 10 475 | 125 471 | 9 | 9 | 10 243 | 8 903 | 8 903 | 11 041 | 10 469 | 10 469 |
| 北九州市 | 7 490 | 90 094 | - | - | - | - | - | 7 468 | 7 231 | 7 231 |
| 福岡市 | 27 595 | 340 385 | - | - | - | - | - | 27 278 | 26 605 | 26 605 |
| 熊本市 | 10 986 | 83 691 | - | - | - | - | - | 6 758 | 6 594 | 6 594 |

# 医療機関等へ委託した受診実人員－延人員，都道府県－指定都市・特別区－中核市－その他政令市、対象区分別

平成29年度

査　受　診　人　員

| 乳児6～8か月 | | | 乳児9～12か月 | | | 幼児1歳6か月 | | | 幼児3歳 | | |
|---|---|---|---|---|---|---|---|---|---|---|---|
| 対象人員 | 受診実人員 | 受診延人員 | 対象人員 | 受診実人員 | 受診延人員 | 対象人員 | 受診実人員 | 受診延人員 | 対象人員 | 受診実人員 | 受診延人員 |
| **418 344** | **351 519** | **353 069** | **820 588** | **704 262** | **708 766** | **1 017 475** | **978 831** | **987 744** | **1 033 612** | **984 233** | **988 038** |
| 3 991 | 3 778 | 3 851 | 15 508 | 27 831 | 29 470 | 36 519 | 35 357 | 37 271 | 37 404 | 35 909 | 36 932 |
| 5 901 | 4 250 | 4 251 | 5 425 | 3 612 | 3 682 | 8 708 | 8 547 | 8 567 | 9 123 | 8 891 | 8 905 |
| 7 835 | 7 434 | 7 470 | 9 121 | 8 333 | 8 512 | 8 559 | 8 235 | 8 239 | 8 978 | 8 594 | 8 611 |
| 14 144 | 12 794 | 12 794 | 3 259 | 2 658 | 2 658 | 17 876 | 17 432 | 17 432 | 18 190 | 17 317 | 17 339 |
| 4 366 | 4 232 | 4 249 | 5 212 | 5 006 | 5 023 | 5 802 | 5 683 | 5 684 | 6 147 | 5 972 | 5 977 |
| 901 | 895 | 923 | 3 242 | 3 167 | 3 179 | 7 802 | 7 700 | 7 701 | 8 123 | 8 004 | 8 004 |
| 140 | 138 | 138 | 12 069 | 11 470 | 11 502 | 13 705 | 13 296 | 13 380 | 14 506 | 13 889 | 13 910 |
| 8 449 | 6 014 | 6 014 | 22 464 | 16 842 | 16 943 | 21 788 | 21 005 | 21 005 | 22 781 | 21 779 | 21 779 |
| 1 884 | 1 833 | 1 846 | 11 255 | 10 898 | 11 033 | 15 233 | 14 848 | 14 874 | 15 896 | 15 347 | 15 360 |
| 1 973 | 1 917 | 1 957 | 11 009 | 10 522 | 10 576 | 14 108 | 13 607 | 13 638 | 15 201 | 14 598 | 14 602 |
| 394 | 381 | 381 | 35 168 | 33 234 | 33 276 | 58 317 | 55 888 | 55 893 | 59 141 | 55 580 | 55 626 |
| 9 610 | 8 759 | 8 769 | 44 606 | 35 713 | 35 865 | 48 829 | 47 054 | 51 472 | 49 736 | 46 698 | 47 278 |
| 112 660 | 104 359 | 104 368 | 112 681 | 102 259 | 102 273 | 114 569 | 106 019 | 106 034 | 112 709 | 105 545 | 105 591 |
| 48 160 | 42 374 | 42 374 | 62 258 | 42 876 | 42 884 | 68 271 | 65 502 | 65 548 | 69 282 | 65 803 | 65 922 |
| 5 937 | 5 737 | 5 737 | 13 012 | 12 129 | 12 129 | 16 087 | 15 857 | 15 857 | 16 730 | 16 374 | 16 374 |
| 6 164 | 5 007 | 5 021 | 6 987 | 5 255 | 5 256 | 7 614 | 7 511 | 7 511 | 7 684 | 7 517 | 7 517 |
| 3 784 | 3 544 | 3 544 | 4 917 | 3 890 | 3 893 | 8 945 | 8 785 | 8 785 | 7 763 | 7 583 | 7 585 |
| 451 | 441 | 441 | 6 159 | 5 804 | 5 804 | 6 188 | 6 048 | 6 051 | 6 396 | 6 291 | 6 291 |
| 5 148 | 4 405 | 4 413 | 6 954 | 5 924 | 6 100 | 6 022 | 5 811 | 5 813 | 6 008 | 5 671 | 5 671 |
| 8 328 | 6 629 | 6 653 | 12 555 | 11 901 | 11 918 | 15 583 | 15 137 | 15 138 | 16 240 | 15 787 | 15 787 |
| 35 | 35 | 35 | 9 159 | 8 915 | 8 961 | 15 629 | 15 107 | 15 144 | 15 897 | 15 439 | 15 447 |
| 803 | 766 | 766 | 28 220 | 26 337 | 26 337 | 28 683 | 28 087 | 28 087 | 29 253 | 28 298 | 28 298 |
| 22 651 | 9 430 | 9 430 | 58 229 | 38 775 | 38 787 | 66 912 | 65 339 | 65 341 | 66 783 | 64 974 | 65 430 |
| 48 | 46 | 46 | 13 703 | 12 780 | 12 782 | 13 915 | 13 586 | 13 586 | 14 099 | 13 619 | 13 619 |
| 192 | 186 | 186 | 12 156 | 11 927 | 12 001 | 12 667 | 12 313 | 12 323 | 13 052 | 12 328 | 12 340 |
| 11 290 | 11 023 | 11 892 | 6 187 | 5 989 | 6 125 | 20 050 | 19 487 | 20 824 | 20 207 | 19 368 | 20 205 |
| 1 267 | 148 | 175 | 66 812 | 60 567 | 60 557 | 69 832 | 67 461 | 67 441 | 70 076 | 65 495 | 65 714 |
| 915 | 908 | 908 | 37 454 | 35 734 | 35 963 | 44 335 | 43 269 | 43 805 | 45 020 | 43 569 | 43 619 |
| 1 548 | 1 500 | 1 500 | 7 380 | 7 052 | 7 096 | 9 842 | 9 369 | 9 374 | 10 020 | 9 266 | 9 267 |
| 1 580 | 1 557 | 1 558 | 5 216 | 5 100 | 5 424 | 6 896 | 6 768 | 6 836 | 7 096 | 6 767 | 6 802 |
| 4 314 | 4 243 | 4 256 | 4 621 | 4 171 | 4 181 | 4 559 | 4 466 | 4 501 | 4 664 | 4 603 | 4 653 |
| 1 349 | 826 | 826 | 4 826 | 3 846 | 3 879 | 5 511 | 5 366 | 5 553 | 5 325 | 5 176 | 5 253 |
| 12 990 | 9 924 | 9 925 | 14 573 | 10 750 | 10 786 | 15 710 | 15 001 | 15 009 | 16 122 | 15 252 | 15 258 |
| 18 080 | 10 122 | 10 127 | 18 169 | 8 374 | 8 433 | 23 146 | 21 997 | 21 997 | 24 221 | 22 505 | 22 520 |
| 9 624 | 9 297 | 9 297 | 181 | 140 | 140 | 10 075 | 9 787 | 9 787 | 10 398 | 9 933 | 9 933 |
| 3 106 | 1 664 | 1 684 | 5 611 | 4 726 | 4 949 | 5 473 | 5 269 | 5 269 | 5 448 | 5 219 | 5 219 |
| 6 679 | 2 481 | 2 481 | 7 177 | 2 376 | 2 376 | 7 666 | 7 326 | 7 347 | 8 059 | 7 576 | 7 617 |
| 3 226 | 2 809 | 2 810 | 10 120 | 7 843 | 7 855 | 10 022 | 9 496 | 9 496 | 10 594 | 9 953 | 9 953 |
| 4 723 | 1 688 | 1 715 | 4 907 | 2 006 | 2 108 | 4 877 | 4 724 | 4 733 | 5 021 | 4 733 | 4 734 |
| 14 802 | 14 153 | 14 298 | 42 733 | 39 383 | 39 662 | 58 521 | 56 339 | 56 437 | 59 188 | 56 762 | 56 819 |
| 4 316 | 3 852 | 3 867 | 6 183 | 5 388 | 5 454 | 7 071 | 6 936 | 6 936 | 7 248 | 7 064 | 7 064 |
| 4 529 | 3 756 | 3 761 | 10 643 | 8 153 | 8 162 | 11 023 | 10 652 | 10 652 | 11 494 | 11 023 | 11 023 |
| 13 941 | 13 536 | 13 606 | 993 | 969 | 969 | 15 229 | 14 828 | 14 832 | 15 698 | 15 218 | 15 219 |
| 7 654 | 6 602 | 6 648 | 8 599 | 6 628 | 6 674 | 9 185 | 8 876 | 8 878 | 9 383 | 8 916 | 8 916 |
| 8 400 | 6 318 | 6 350 | 8 788 | 6 419 | 6 538 | 9 029 | 8 687 | 8 690 | 9 782 | 9 339 | 9 366 |
| 9 282 | 8 978 | 8 978 | 7 629 | 6 337 | 6 337 | 13 880 | 13 397 | 13 397 | 14 572 | 13 877 | 13 877 |
| 780 | 750 | 750 | 16 458 | 14 253 | 14 254 | 17 212 | 15 576 | 15 576 | 16 854 | 14 812 | 14 812 |
| 81 452 | 74 633 | 74 642 | 81 452 | 72 788 | 72 800 | 80 934 | 73 832 | 73 841 | 78 019 | 72 517 | 72 533 |
| – | – | – | … | 13 386 | 14 739 | 14 516 | 14 055 | 15 452 | 14 689 | 13 992 | 14 490 |
| 8 667 | 8 221 | 8 221 | – | – | – | 8 959 | 8 795 | 8 795 | 8 865 | 8 292 | 8 299 |
| – | – | – | 10 938 | 10 340 | 10 340 | 11 201 | 10 881 | 10 881 | 10 949 | 10 576 | 10 576 |
| – | – | – | 6 947 | 5 171 | 5 171 | 7 562 | 7 215 | 7 215 | 7 712 | 7 324 | 7 324 |
| 23 996 | 19 064 | 19 064 | 23 996 | 18 411 | 18 411 | 24 705 | 23 583 | 23 583 | 25 515 | 24 526 | 24 526 |
| 14 278 | 13 671 | 13 671 | 14 278 | 1 426 | 1 426 | 14 224 | 13 806 | 13 806 | 13 402 | 12 831 | 12 831 |
| 5 176 | 5 052 | 5 052 | 5 184 | 5 072 | 5 072 | 5 433 | 5 143 | 5 143 | 5 728 | 5 218 | 5 301 |
| – | – | – | 5 936 | 5 253 | 5 253 | 6 022 | 5 955 | 5 955 | 6 350 | 6 201 | 6 201 |
| – | – | – | 5 011 | 4 766 | 4 766 | 5 276 | 5 131 | 5 131 | 5 410 | 5 239 | 5 239 |
| – | – | – | 6 615 | 6 304 | 6 304 | 6 804 | 6 708 | 6 708 | 6 742 | 6 335 | 6 335 |
| – | – | – | 19 880 | 13 199 | 13 199 | 19 977 | 19 351 | 19 351 | 19 622 | 18 926 | 18 926 |
| 10 718 | 10 470 | 11 310 | – | – | – | 11 114 | 10 809 | 12 088 | 10 733 | 10 362 | 11 062 |
| – | – | – | 21 155 | 18 510 | 18 510 | 21 615 | 20 690 | 20 690 | 20 530 | 19 280 | 19 280 |
| – | – | – | 6 480 | 6 176 | 6 176 | 6 829 | 6 697 | 6 697 | 6 846 | 6 557 | 6 557 |
| – | – | – | 11 767 | 11 131 | 11 131 | 12 043 | 11 824 | 11 824 | 12 177 | 11 860 | 11 860 |
| 6 198 | 4 501 | 4 501 | 6 180 | 4 185 | 4 185 | 6 314 | 6 014 | 6 014 | 6 328 | 5 996 | 5 996 |
| 5 438 | 3 417 | 3 417 | 5 798 | 3 640 | 3 640 | 10 672 | 10 078 | 10 078 | 10 886 | 9 823 | 9 823 |
| 7 588 | 7 272 | 7 272 | – | – | – | 8 026 | 7 481 | 7 481 | 7 841 | 7 367 | 7 367 |
| – | – | – | 27 191 | 24 450 | 24 450 | 27 552 | 26 824 | 26 824 | 27 542 | 26 643 | 26 643 |
| 6 602 | 6 365 | 6 365 | – | – | – | 6 820 | 6 631 | 6 631 | 6 826 | 6 638 | 6 638 |

# 第3表(8－2) 市区町村が実施した妊産婦及び乳幼児の健康診査受診実人員－延人員・

| | 一般健康診 | | | | | | | | | |
|---|---|---|---|---|---|---|---|---|---|---|
| | 妊婦 | | 産婦 | | 乳児１～２か月 | | | 乳児３～５か月 | | |
| | 受診実人員 | 受診延人員 | 受診実人員 | 受診延人員 | 対象人員 | 受診実人員 | 受診延人員 | 対象人員 | 受診実人員 | 受診延人員 |
| 中核市(再掲) | | | | | | | | | | |
| 旭川市 | 2 245 | 25 587 | - | - | - | - | - | 2 092 | 2 063 | 2 164 |
| 函館市 | 2 275 | 16 851 | 734 | 955 | - | - | - | 1 420 | 1 387 | 1 387 |
| 青森市 | 1 768 | 21 918 | - | - | - | - | - | 1 824 | 1 765 | 1 765 |
| 八戸市 | 1 722 | 20 128 | - | - | 1 611 | 834 | 834 | 1 611 | 1 449 | 1 449 |
| 盛岡市 | 2 167 | 29 477 | - | - | 2 214 | 2 035 | 2 035 | 2 213 | 2 195 | 2 195 |
| 秋田市 | 1 955 | 23 605 | 1 936 | 1 936 | - | - | - | 2 001 | 1 949 | 1 949 |
| 郡山市 | 4 052 | 31 278 | 2 541 | 2 541 | - | - | - | 2 617 | 2 559 | 2 559 |
| いわき市 | 2 237 | 28 433 | 2 264 | 2 264 | - | - | - | 2 365 | 2 302 | 2 302 |
| 宇都宮市 | 6 535 | 56 314 | 1 989 | 3 190 | - | - | - | 4 755 | 4 464 | 4 464 |
| 前橋市 | 3 770 | 28 878 | - | - | - | - | - | 4 758 | 4 566 | 4 566 |
| 高崎市 | 2 869 | 36 087 | - | - | 3 024 | 2 904 | 2 904 | 3 024 | 2 935 | 2 935 |
| 川越市 | 2 557 | 32 091 | - | - | - | - | - | 2 668 | 2 563 | 2 563 |
| 越谷市 | 2 795 | 33 841 | - | - | - | - | - | 2 746 | 2 650 | 2 650 |
| 船橋市 | 5 079 | 60 321 | - | - | - | - | - | 5 161 | 4 591 | 4 591 |
| 柏市 | 5 179 | 39 438 | - | - | - | - | - | 4 326 | 2 986 | 2 986 |
| 八王子市 | 3 282 | 37 918 | 3 310 | 3 310 | - | - | - | 3 456 | 3 332 | 3 332 |
| 横須賀市 | 2 389 | 32 186 | 2 666 | 2 666 | - | - | - | 2 463 | 2 432 | 2 649 |
| 富山市 | 3 834 | 36 727 | 933 | 933 | - | - | - | 3 159 | 3 070 | 3 070 |
| 金沢市 | 3 938 | 47 757 | 3 535 | 3 535 | 3 857 | 3 484 | 3 484 | 3 751 | 3 703 | 3 703 |
| 長野市 | 2 839 | 35 967 | - | - | - | - | - | 2 841 | 2 788 | 2 788 |
| 岐阜市 | 3 016 | 36 411 | - | - | - | - | - | 2 998 | 2 954 | 2 954 |
| 豊橋市 | 4 784 | 36 772 | - | - | 3 045 | 2 931 | 2 931 | 3 045 | 2 965 | 2 965 |
| 豊田市 | 6 181 | 48 829 | 3 652 | 3 652 | 3 824 | 3 691 | 3 691 | 3 802 | 3 655 | 3 765 |
| 岡崎市 | 3 916 | 45 124 | - | - | 3 933 | 3 546 | 3 546 | 3 575 | 3 518 | 3 518 |
| 大津市 | 4 163 | 31 805 | - | - | - | - | - | 2 757 | 2 707 | 2 707 |
| 高槻市 | 2 561 | 31 319 | - | - | 2 588 | 2 209 | 2 209 | 2 615 | 2 565 | 2 565 |
| 東大阪市 | 3 456 | 30 857 | 2 863 | 2 863 | 3 371 | 3 371 | 3 371 | 3 355 | 3 302 | 3 302 |
| 豊中市 | 3 501 | 40 286 | 1 319 | 1 914 | 3 534 | 2 911 | 2 911 | 3 593 | 3 479 | 3 479 |
| 枚方市 | 2 878 | 33 567 | 1 141 | 1 836 | 2 729 | 2 298 | 2 298 | 2 795 | 2 706 | 2 706 |
| 姫路市 | 6 739 | 53 573 | - | - | - | - | - | 4 399 | 4 295 | 4 295 |
| 西宮市 | 6 475 | 51 341 | - | - | - | - | - | 4 126 | 4 032 | 4 032 |
| 尼崎市 | 6 193 | 47 494 | - | - | - | - | - | 3 828 | 3 720 | 3 826 |
| 奈良市 | 3 715 | 28 665 | - | - | - | - | - | 2 298 | 2 241 | 2 241 |
| 和歌山市 | 2 708 | 33 235 | 849 | 849 | - | - | - | 2 721 | 2 677 | 2 829 |
| 倉敷市 | 4 270 | 49 963 | - | - | - | - | - | 4 307 | 4 107 | 4 107 |
| 福山市 | 6 166 | 59 597 | - | - | 4 516 | 2 613 | 2 616 | 4 956 | 3 849 | 3 849 |
| 呉市 | 1 405 | 21 978 | - | - | 1 416 | 1 367 | 1 367 | 1 422 | 1 394 | 1 394 |
| 下関市 | 1 686 | 20 941 | - | - | 1 629 | 1 540 | 1 540 | 1 656 | 1 638 | 1 638 |
| 高松市 | 3 394 | 42 205 | - | - | 3 983 | 2 601 | 2 601 | 3 983 | 2 186 | 2 186 |
| 松山市 | 6 290 | 48 850 | - | - | - | - | - | 4 107 | 3 991 | 3 991 |
| 高知市 | 2 511 | 30 587 | - | - | 2 609 | 2 186 | 2 186 | 2 604 | 1 795 | 1 795 |
| 久留米市 | 4 375 | 33 410 | 1 111 | 1 948 | - | - | - | 2 783 | 2 716 | 2 716 |
| 長崎市 | 3 147 | 40 264 | 1 572 | 2 808 | - | - | - | 3 126 | 3 056 | 3 056 |
| 佐世保市 | 2 019 | 25 250 | - | - | 2 089 | 1 684 | 1 684 | 2 089 | 2 041 | 2 041 |
| 大分市 | 6 426 | 50 208 | - | - | - | - | - | 4 216 | 4 043 | 4 043 |
| 宮崎市 | 5 351 | 41 466 | 2 795 | 5 077 | - | - | - | 3 457 | 3 443 | 3 443 |
| 鹿児島市 | 5 477 | 65 637 | - | - | - | - | - | 5 166 | 5 119 | 5 119 |
| 那覇市 | 5 327 | 35 822 | - | - | - | - | - | 3 017 | 2 766 | 2 766 |
| その他政令市(再掲) | | | | | | | | | | |
| 小樽市 | 810 | 6 030 | - | - | - | - | - | 534 | 507 | 507 |
| 町田市 | 2 614 | 35 609 | 19 | 19 | - | - | - | 2 763 | 2 707 | 2 707 |
| 藤沢市 | 3 643 | 42 844 | - | - | - | - | - | 3 373 | 3 285 | 3 285 |
| 茅ヶ崎市 | 1 975 | 21 598 | - | - | - | - | - | 1 786 | 1 757 | 1 757 |
| 四日市市 | 2 477 | 29 698 | 596 | 596 | - | - | - | 2 494 | 2 379 | 2 379 |
| 大牟田市 | 745 | 9 712 | - | - | - | - | - | 782 | 729 | 729 |

注：1）「幼児４～６歳」及び「幼児その他」は法定外の健康診査である。

## 医療機関等へ委託した受診実人員－延人員，都道府県－指定都市・特別区－中核市－その他政令市、対象区分別

平成29年度

| 査 受 診 人 員 | | | | | | | | | | | |
|---|---|---|---|---|---|---|---|---|---|---|---|
| 乳児6～8か月 | | | 乳児9～12か月 | | | 幼児1歳6か月 | | | 幼児3歳 | | |
| 対象人員 | 受診実人員 | 受診延人員 | 対象人員 | 受診実人員 | 受診延人員 | 対象人員 | 受診実人員 | 受診延人員 | 対象人員 | 受診実人員 | 受診延人員 |
| - | - | - | - | - | - | 2 341 | 2 291 | 2 298 | 2 309 | 2 232 | 2 276 |
| - | - | - | 1 597 | 1 291 | 1 291 | 1 568 | 1 487 | 1 487 | 1 581 | 1 468 | 1 468 |
| 1 807 | 1 792 | 1 792 | - | - | - | 1 966 | 1 932 | 1 932 | 2 021 | 1 971 | 1 971 |
| 1 611 | 615 | 615 | 1 611 | 645 | 645 | 1 727 | 1 703 | 1 703 | 1 819 | 1 782 | 1 782 |
| 2 149 | 2 110 | 2 110 | 2 171 | 2 086 | 2 086 | 2 342 | 2 139 | 2 139 | 2 297 | 2 078 | 2 078 |
| 2 008 | 1 944 | 1 944 | 1 958 | 1 880 | 1 880 | 2 062 | 2 001 | 2 001 | 2 234 | 2 150 | 2 150 |
| - | - | - | 2 623 | 2 509 | 2 509 | 2 649 | 2 590 | 2 590 | 2 709 | 2 595 | 2 595 |
| - | - | - | 2 375 | 2 310 | 2 310 | 2 437 | 2 355 | 2 355 | 2 598 | 2 465 | 2 465 |
| - | - | - | 4 662 | 4 441 | 4 441 | 4 769 | 4 624 | 4 624 | 4 814 | 4 631 | 4 631 |
| - | - | - | 2 437 | 2 261 | 2 261 | 2 541 | 2 468 | 2 468 | 2 605 | 2 515 | 2 515 |
| - | - | - | 2 988 | 2 882 | 2 882 | 2 719 | 2 660 | 2 660 | 3 166 | 3 077 | 3 077 |
| - | - | - | - | - | - | 2 781 | 2 648 | 2 648 | 2 864 | 2 649 | 2 649 |
| - | - | - | 2 837 | 2 650 | 2 650 | 2 903 | 2 814 | 2 814 | 2 910 | 2 745 | 2 745 |
| - | - | - | 5 161 | 4 359 | 4 359 | 5 391 | 5 149 | 5 149 | 5 526 | 5 150 | 5 150 |
| - | - | - | 4 892 | 2 819 | 2 819 | 3 686 | 3 391 | 3 391 | 3 535 | 3 227 | 3 227 |
| 3 456 | 3 221 | 3 221 | 3 456 | 3 214 | 3 214 | 3 836 | 3 640 | 3 640 | 4 063 | 3 780 | 3 780 |
| - | - | - | 2 555 | 2 379 | 2 379 | 2 708 | 2 655 | 2 701 | 2 785 | 2 662 | 2 690 |
| 3 569 | 2 827 | 2 827 | 3 569 | 2 528 | 2 528 | 3 262 | 3 194 | 3 194 | 3 219 | 3 106 | 3 106 |
| 3 751 | 3 511 | 3 511 | - | - | - | 3 749 | 3 706 | 3 706 | 2 430 | 2 377 | 2 377 |
| 3 384 | 2 605 | 2 605 | 2 901 | 2 494 | 2 494 | 2 899 | 2 786 | 2 786 | 2 913 | 2 821 | 2 821 |
| - | - | - | 3 163 | 3 080 | 3 080 | 3 206 | 2 933 | 2 933 | 3 177 | 3 014 | 3 014 |
| - | - | - | 3 045 | 2 826 | 2 826 | 3 221 | 3 116 | 3 116 | 3 227 | 3 098 | 3 098 |
| - | - | - | 5 192 | 2 384 | 2 384 | 3 857 | 3 724 | 3 724 | 3 859 | 3 735 | 4 191 |
| - | - | - | 4 102 | 3 052 | 3 052 | 3 849 | 3 815 | 3 815 | 3 686 | 3 620 | 3 620 |
| - | - | - | 2 862 | 2 803 | 2 803 | 3 020 | 2 827 | 2 827 | 3 036 | 2 731 | 2 731 |
| - | - | - | 2 588 | 2 234 | 2 234 | 2 802 | 2 759 | 2 759 | 2 920 | 2 787 | 2 787 |
| - | - | - | 3 355 | 2 992 | 2 992 | 3 478 | 3 394 | 3 394 | 3 493 | 3 293 | 3 293 |
| - | - | - | 3 593 | 3 109 | 3 109 | 3 764 | 3 676 | 3 676 | 3 818 | 3 587 | 3 587 |
| - | - | - | 2 814 | 2 622 | 2 622 | 2 939 | 2 827 | 2 827 | 3 154 | 2 781 | 2 781 |
| - | - | - | 4 436 | 4 193 | 4 193 | 4 549 | 4 418 | 4 418 | 4 642 | 4 552 | 4 552 |
| - | - | - | 4 267 | 4 155 | 4 155 | 4 305 | 4 183 | 4 183 | 4 405 | 4 156 | 4 156 |
| - | - | - | 3 740 | 3 551 | 3 756 | 3 676 | 3 512 | 4 042 | 3 526 | 3 340 | 3 390 |
| - | - | - | 2 435 | 2 341 | 2 341 | 2 564 | 2 465 | 2 465 | 2 637 | 2 434 | 2 434 |
| - | - | - | 2 740 | 2 661 | 2 954 | 2 970 | 2 892 | 2 937 | 2 863 | 2 677 | 2 683 |
| 4 329 | 4 139 | 4 139 | 4 367 | 3 751 | 3 751 | 4 324 | 4 153 | 4 153 | 4 453 | 4 159 | 4 159 |
| 5 054 | 2 543 | 2 544 | 5 361 | 1 401 | 1 419 | 3 931 | 3 758 | 3 758 | 4 142 | 3 959 | 3 959 |
| 1 422 | 1 384 | 1 384 | - | - | - | 1 507 | 1 473 | 1 473 | 1 540 | 1 496 | 1 496 |
| 1 678 | 1 641 | 1 641 | - | - | - | 1 812 | 1 809 | 1 809 | 1 913 | 1 813 | 1 813 |
| 3 983 | 822 | 822 | 3 983 | 602 | 602 | 3 620 | 3 373 | 3 373 | 3 829 | 3 477 | 3 477 |
| - | - | - | 4 221 | 2 979 | 2 979 | 4 220 | 3 895 | 3 895 | 4 343 | 3 985 | 3 985 |
| 2 601 | 424 | 424 | 2 582 | 168 | 168 | 2 572 | 2 515 | 2 515 | 2 580 | 2 413 | 2 413 |
| - | - | - | 2 715 | 2 567 | 2 567 | 2 836 | 2 759 | 2 759 | 2 976 | 2 766 | 2 766 |
| 3 103 | 2 853 | 2 853 | 3 070 | 2 820 | 2 820 | 3 182 | 3 098 | 3 098 | 3 318 | 3 235 | 3 235 |
| - | - | - | 2 089 | 1 321 | 1 321 | 2 165 | 2 069 | 2 069 | 2 298 | 2 108 | 2 108 |
| 4 217 | 3 994 | 3 994 | 4 250 | 3 995 | 3 995 | 4 375 | 4 219 | 4 219 | 4 358 | 4 153 | 4 153 |
| 3 512 | 3 363 | 3 363 | 3 563 | 3 310 | 3 310 | 3 537 | 3 455 | 3 455 | 3 716 | 3 620 | 3 620 |
| 5 290 | 5 096 | 5 096 | - | - | - | 5 419 | 5 223 | 5 223 | 5 581 | 5 349 | 5 349 |
| - | 61 | 61 | 3 058 | 2 729 | 2 729 | 3 286 | 2 884 | 2 884 | 3 308 | 2 875 | 2 875 |
| - | - | - | 515 | 497 | 497 | 545 | 526 | 526 | 616 | 597 | 597 |
| 2 763 | 2 647 | 2 647 | 2 763 | 2 675 | 2 675 | 3 062 | 2 921 | 2 921 | 3 303 | 3 045 | 3 045 |
| - | - | - | 3 447 | 3 393 | 3 393 | 3 762 | 3 632 | 3 632 | 3 764 | 3 458 | 3 458 |
| - | - | - | 1 851 | 1 809 | 1 809 | 1 978 | 1 878 | 1 878 | 2 017 | 1 885 | 1 885 |
| - | - | - | 2 558 | 2 386 | 2 386 | 2 516 | 2 444 | 2 444 | 2 538 | 2 425 | 2 425 |
| - | - | - | 791 | 714 | 714 | 807 | 706 | 706 | 818 | 698 | 698 |

# 第3表(8－3) 市区町村が実施した妊産婦及び乳幼児の健康診査受診実人員－延人員・

| | 一般健康診査受診人員 | | | | | | （再掲） | | | |
|---|---|---|---|---|---|---|---|---|---|---|
| | 幼児4～6歳[1] | | | 幼児その他[1] | | | 妊婦 | | 産婦 | |
| | 対象人員 | 受診実人員 | 受診延人員 | 対象人員 | 受診実人員 | 受診延人員 | 受診実人員 | 受診延人員 | 受診実人員 | 受診延人員 |
| **全国** | **51 618** | **42 710** | **42 834** | **64 950** | **57 819** | **59 194** | **1 167 885** | **11 665 966** | **141 198** | **197 509** |
| 北海道 | 1 210 | 1 804 | 1 813 | 1 573 | 1 499 | 1 591 | 41 277 | 402 845 | 926 | 1 165 |
| 青森 | 248 | 191 | 191 | 1 359 | 1 282 | 1 282 | 9 482 | 104 616 | 173 | 173 |
| 岩手 | 438 | 427 | 517 | 7 390 | 6 693 | 6 704 | 7 427 | 70 301 | 588 | 762 |
| 宮城 | － | － | － | 1 914 | 1 849 | 1 849 | 19 696 | 188 203 | 123 | 123 |
| 秋田 | 542 | 536 | 536 | 21 | 18 | 18 | 6 591 | 66 428 | 5 241 | 5 355 |
| 山形 | 302 | 298 | 298 | 293 | 258 | 258 | 10 451 | 94 815 | 116 | 116 |
| 福島 | 38 | 37 | 37 | 277 | 268 | 272 | 18 556 | 158 443 | 12 393 | 12 393 |
| 茨城 | 576 | 545 | 545 | 753 | 743 | 765 | 26 426 | 248 227 | 1 496 | 1 803 |
| 栃木 | 1 111 | 1 081 | 1 081 | 880 | 836 | 836 | 19 330 | 171 862 | 6 784 | 8 624 |
| 群馬 | 2 764 | 2 739 | 2 739 | 862 | 816 | 817 | 16 770 | 162 542 | － | － |
| 埼玉 | 804 | 663 | 663 | 2 017 | 1 900 | 1 900 | 59 601 | 676 803 | 2 906 | 2 906 |
| 千葉 | 1 535 | 309 | 309 | 149 | 133 | 133 | 52 622 | 550 177 | 1 439 | 2 079 |
| 東京 | 3 868 | 2 762 | 2 762 | 1 845 | 1 321 | 1 726 | 115 845 | 1 263 603 | 2 023 | 2 025 |
| 神奈川 | 13 237 | 10 861 | 10 861 | 876 | 665 | 772 | 73 283 | 832 939 | 28 379 | 28 879 |
| 新潟 | － | － | － | 5 905 | 5 586 | 5 586 | 18 462 | 177 429 | 239 | 239 |
| 富山 | 31 | 31 | 31 | － | － | － | 9 777 | 87 048 | 2 055 | 2 056 |
| 石川 | 220 | 215 | 215 | 7 790 | 5 233 | 5 233 | 10 914 | 107 363 | 8 239 | 8 239 |
| 福井 | 190 | 180 | 180 | 62 | 56 | 56 | 8 959 | 70 621 | 298 | 329 |
| 山梨 | 1 299 | 1 255 | 1 255 | 2 036 | 1 938 | 1 941 | 9 016 | 72 517 | 1 304 | 1 900 |
| 長野 | 583 | 539 | 539 | 1 491 | 1 455 | 1 524 | 16 271 | 185 275 | 109 | 109 |
| 岐阜 | 3 624 | 2 303 | 2 303 | 290 | 285 | 285 | 19 716 | 173 331 | 743 | 913 |
| 静岡 | 143 | 143 | 143 | 990 | 1 002 | 1 019 | 27 190 | 270 391 | － | － |
| 愛知 | 821 | 810 | 810 | 795 | 728 | 729 | 81 035 | 795 246 | 26 949 | 58 446 |
| 三重 | － | － | － | － | － | － | 17 564 | 158 865 | 1 840 | 2 886 |
| 滋賀 | － | － | － | 8 370 | 8 176 | 8 188 | 18 305 | 138 952 | 231 | 385 |
| 京都 | 866 | 845 | 845 | 327 | 294 | 294 | 22 191 | 394 245 | 8 956 | 14 410 |
| 大阪 | 2 085 | 1 520 | 1 522 | 2 438 | 1 865 | 2 112 | 79 403 | 812 583 | 12 595 | 18 305 |
| 兵庫 | 1 120 | 1 089 | 1 089 | － | － | － | 46 591 | 371 092 | 677 | 837 |
| 奈良 | － | － | － | 55 | 48 | 49 | 13 561 | 110 914 | 128 | 128 |
| 和歌山 | 665 | 629 | 629 | 900 | 898 | 903 | 8 417 | 98 423 | 894 | 894 |
| 鳥取 | 1 755 | 1 128 | 1 138 | 406 | 242 | 259 | 6 852 | 56 041 | 260 | 260 |
| 島根 | 280 | 276 | 276 | 143 | 137 | 137 | 5 534 | 58 896 | 39 | 51 |
| 岡山 | 37 | 37 | 39 | 772 | 742 | 754 | 17 464 | 177 402 | － | － |
| 広島 | － | － | － | 49 | 45 | 45 | 27 951 | 289 250 | 3 164 | 4 485 |
| 山口 | 2 235 | 2 070 | 2 070 | － | － | － | 10 926 | 118 953 | 2 526 | 4 244 |
| 徳島 | 473 | 302 | 304 | 1 054 | 888 | 890 | 8 130 | 61 045 | 280 | 487 |
| 香川 | 968 | 960 | 960 | 22 | 22 | 22 | 7 908 | 87 305 | － | － |
| 愛媛 | 838 | 370 | 370 | － | － | － | 14 373 | 112 845 | － | － |
| 高知 | － | － | － | 562 | 515 | 525 | 5 726 | 54 952 | － | － |
| 福岡 | 145 | 133 | 133 | 596 | 554 | 597 | 65 755 | 683 398 | 1 132 | 1 980 |
| 佐賀 | － | － | － | 2 107 | 1 852 | 1 852 | 10 225 | 80 338 | 1 054 | 1 054 |
| 長崎 | 2 511 | 2 463 | 2 463 | 38 | 9 | 19 | 12 317 | 131 243 | 1 572 | 2 808 |
| 熊本 | 741 | 718 | 722 | 1 065 | 1 062 | 1 323 | 23 033 | 176 330 | 287 | 296 |
| 大分 | 2 116 | 1 348 | 1 348 | 15 | 15 | 15 | 12 768 | 104 397 | － | － |
| 宮崎 | 524 | 501 | 502 | 179 | 158 | 158 | 11 993 | 103 051 | 2 876 | 5 201 |
| 鹿児島 | 655 | 578 | 578 | 5 818 | 5 402 | 5 402 | 17 684 | 162 394 | 148 | 148 |
| 沖縄 | 20 | 14 | 18 | 466 | 331 | 354 | 24 517 | 192 027 | 16 | 16 |
| 指定都市・特別区(再掲) | | | | | | | | | | |
| 東京都区部 | 3 016 | 2 041 | 2 041 | 948 | 660 | 814 | 84 859 | 915 383 | 1 930 | 1 930 |
| 札幌市 | … | 725 | 734 | － | － | － | 13 787 | 164 852 | － | － |
| 仙台市 | － | － | － | － | － | － | 9 743 | 94 536 | － | － |
| さいたま市 | － | － | － | － | － | － | 10 375 | 124 963 | 2 900 | 2 900 |
| 千葉市 | － | － | － | － | － | － | 6 853 | 83 083 | － | － |
| 横浜市 | － | － | － | － | － | － | 30 603 | 347 850 | 24 568 | 24 568 |
| 川崎市 | 13 237 | 10 861 | 10 861 | － | － | － | 15 037 | 176 494 | － | － |
| 相模原市 | － | － | － | 97 | 89 | 90 | 5 480 | 66 013 | － | － |
| 新潟市 | － | － | － | 5 875 | 5 564 | 5 564 | 5 761 | 67 132 | － | － |
| 静岡市 | － | － | － | － | － | － | － | － | － | － |
| 浜松市 | － | － | － | － | － | － | 6 349 | 77 933 | － | － |
| 名古屋市 | － | － | － | － | － | － | 20 410 | 235 000 | … | 30 272 |
| 京都市 | － | － | － | － | － | － | 11 232 | 278 842 | 8 956 | 14 410 |
| 大阪市 | － | － | － | － | － | － | 23 457 | 277 826 | 6 014 | 10 425 |
| 堺市 | － | － | － | － | － | － | 6 472 | 76 629 | － | － |
| 神戸市 | － | － | － | － | － | － | － | － | － | － |
| 岡山市 | － | － | － | － | － | － | 6 336 | 75 021 | － | － |
| 広島市 | － | － | － | － | － | － | 10 475 | 125 471 | 9 | 9 |
| 北九州市 | － | － | － | － | － | － | 7 490 | 90 094 | － | － |
| 福岡市 | － | － | － | － | － | － | 27 595 | 340 385 | － | － |
| 熊本市 | － | － | － | 437 | 437 | 683 | 10 986 | 83 691 | － | － |

# 医療機関等へ委託した受診実人員－延人員，都道府県－指定都市・特別区－中核市－その他政令市、対象区分別

平成29年度

| 医療機関等へ委託 | | | | | | | | | | | |
|---|---|---|---|---|---|---|---|---|---|---|---|
| 乳児1～2か月 | | | 乳児3～5か月 | | | 乳児6～8か月 | | | 乳児9～12か月 | | |
| 対象人員 | 受診実人員 | 受診延人員 | 対象人員 | 受診実人員 | 受診延人員 | 対象人員 | 受診実人員 | 受診延人員 | 対象人員 | 受診実人員 | 受診延人員 |
| **278 117** | **239 818** | **239 988** | **340 230** | **302 634** | **302 791** | **351 933** | **288 014** | **288 047** | **678 947** | **552 544** | **552 928** |
| 80 | 73 | 73 | 3 051 | 2 871 | 2 871 | 246 | 231 | 231 | 5 407 | 5 155 | 5 155 |
| 6 209 | 5 112 | 5 113 | 4 148 | 3 837 | 3 917 | 5 457 | 3 816 | 3 816 | 3 815 | 2 014 | 2 014 |
| 8 117 | 7 529 | 7 529 | 4 691 | 4 512 | 4 512 | 6 130 | 5 750 | 5 751 | 7 105 | 6 385 | 6 534 |
| 17 289 | 16 129 | 16 129 | 9 046 | 8 638 | 8 657 | 14 056 | 12 726 | 12 726 | 3 212 | 2 612 | 2 612 |
| 153 | 151 | 151 | 2 437 | 2 385 | 2 385 | 2 575 | 2 486 | 2 486 | 3 756 | 3 567 | 3 567 |
| 116 | 116 | 116 | 2 640 | 2 602 | 2 602 | – | – | – | 1 907 | 1 850 | 1 850 |
| 87 | 87 | 87 | 2 944 | 2 884 | 2 884 | – | – | – | 6 471 | 6 097 | 6 125 |
| 427 | 348 | 348 | 11 621 | 10 047 | 10 047 | 8 035 | 5 614 | 5 614 | 21 872 | 16 373 | 16 373 |
| 1 196 | 1 080 | 1 080 | 6 038 | 5 713 | 5 713 | – | – | – | 4 662 | 4 441 | 4 441 |
| – | – | – | 7 784 | 7 503 | 7 503 | – | – | – | 7 241 | 6 841 | 6 841 |
| … | … | … | 23 250 | 21 994 | 21 994 | … | … | … | 19 009 | 17 777 | 17 777 |
| – | – | – | 42 232 | 35 456 | 35 462 | 9 187 | 8 333 | 8 337 | 43 792 | 34 859 | 34 951 |
| 14 | 14 | 14 | 4 165 | 3 839 | 3 839 | 112 536 | 104 266 | 104 275 | 112 594 | 102 165 | 102 177 |
| 23 996 | 18 766 | 18 766 | 22 336 | 21 439 | 21 439 | 47 090 | 41 329 | 41 329 | 59 192 | 39 915 | 39 915 |
| 567 | 534 | 534 | 7 675 | 7 510 | 7 510 | 5 069 | 4 884 | 4 884 | 10 173 | 9 340 | 9 340 |
| 171 | 1 | 1 | 4 | 4 | 4 | 6 020 | 4 867 | 4 873 | 6 615 | 4 887 | 4 888 |
| 8 693 | 8 087 | 8 106 | 29 | 29 | 29 | 3 751 | 3 511 | 3 511 | 4 917 | 3 890 | 3 893 |
| 5 913 | 5 704 | 5 704 | 5 978 | 5 833 | 5 833 | – | – | – | 6 159 | 5 804 | 5 804 |
| 2 996 | 2 218 | 2 222 | 2 219 | 1 274 | 1 274 | 3 860 | 2 985 | 2 985 | 5 157 | 3 215 | 3 216 |
| 1 366 | 1 238 | 1 238 | 894 | 869 | 869 | 7 001 | 5 361 | 5 361 | 4 375 | 3 913 | 3 913 |
| – | – | – | 31 | 31 | 31 | – | – | – | 28 | 26 | 26 |
| – | – | – | 26 360 | 25 312 | 25 312 | – | – | – | 27 201 | 25 376 | 25 376 |
| 65 470 | 58 826 | 58 827 | 8 189 | 3 572 | 3 572 | 22 210 | 8 999 | 8 999 | 55 918 | 36 384 | 36 386 |
| 104 | 88 | 88 | 13 068 | 12 609 | 12 609 | – | – | – | 13 522 | 12 607 | 12 607 |
| – | – | – | 3 978 | 3 897 | 3 897 | – | – | – | – | – | – |
| – | – | – | – | – | – | – | – | – | 1 284 | 1 224 | 1 224 |
| 64 553 | 55 524 | 55 524 | 3 215 | 3 190 | 3 190 | 17 | 17 | 17 | 66 807 | 60 431 | 60 418 |
| 285 | 285 | 285 | 4 902 | 4 789 | 4 789 | 30 | 30 | 30 | 28 743 | 27 341 | 27 341 |
| – | – | – | 4 777 | 4 646 | 4 646 | 1 455 | 1 413 | 1 413 | 4 576 | 4 367 | 4 367 |
| – | – | – | – | – | – | – | – | – | – | – | – |
| 245 | 193 | 193 | 4 236 | 4 008 | 4 008 | – | – | – | 4 257 | 3 740 | 3 740 |
| 5 100 | 4 796 | 4 796 | 423 | 29 | 29 | 1 057 | 537 | 537 | 4 068 | 3 097 | 3 097 |
| 9 414 | 8 018 | 8 021 | 12 299 | 10 518 | 10 542 | 12 756 | 9 735 | 9 736 | 13 297 | 9 477 | 9 483 |
| 23 235 | 18 601 | 18 636 | 9 805 | 5 961 | 5 961 | 16 293 | 8 474 | 8 476 | 17 804 | 7 642 | 7 673 |
| 9 456 | 9 104 | 9 104 | 9 563 | 9 362 | 9 362 | 9 624 | 9 297 | 9 297 | 181 | 140 | 140 |
| 5 149 | 4 689 | 4 695 | 3 754 | 2 230 | 2 230 | 2 701 | 1 064 | 1 064 | 3 701 | 2 143 | 2 146 |
| 7 511 | 5 826 | 5 826 | 5 453 | 2 561 | 2 561 | 6 317 | 2 356 | 2 356 | 6 182 | 1 772 | 1 772 |
| – | – | – | 7 442 | 6 961 | 6 968 | 2 425 | 2 074 | 2 074 | 10 116 | 7 827 | 7 827 |
| 4 802 | 4 030 | 4 125 | 3 804 | 1 923 | 1 923 | 4 109 | 780 | 780 | 4 185 | 490 | 493 |
| – | – | – | 14 612 | 14 203 | 14 203 | 9 106 | 8 757 | 8 757 | 36 034 | 32 909 | 32 909 |
| 1 886 | 72 | 72 | 4 392 | 4 085 | 4 104 | 3 505 | 3 069 | 3 078 | 5 497 | 4 782 | 4 846 |
| 3 201 | 2 263 | 2 263 | 3 860 | 3 077 | 3 077 | 4 083 | 3 321 | 3 321 | 9 776 | 7 320 | 7 320 |
| 272 | 272 | 278 | 7 990 | 7 824 | 7 824 | 6 675 | 6 433 | 6 433 | 432 | 419 | 419 |
| – | – | – | 5 680 | 5 145 | 5 145 | 5 984 | 5 147 | 5 147 | 7 741 | 5 926 | 5 926 |
| 39 | 39 | 39 | 7 809 | 6 713 | 6 715 | 6 867 | 4 933 | 4 934 | 7 990 | 5 748 | 5 749 |
| – | – | – | 6 517 | 6 424 | 6 424 | 5 290 | 5 096 | 5 096 | 7 369 | 6 084 | 6 084 |
| 5 | 5 | 5 | 4 889 | 4 325 | 4 325 | 416 | 323 | 323 | 4 807 | 4 172 | 4 173 |
| 10 | 10 | 10 | 3 606 | 3 280 | 3 280 | 81 452 | 74 633 | 74 642 | 81 452 | 72 788 | 72 800 |
| – | – | – | – | – | – | – | – | – | – | – | – |
| 8 673 | 8 381 | 8 381 | 8 666 | 8 287 | 8 287 | 8 667 | 8 221 | 8 221 | – | – | – |
| – | – | – | 10 958 | 10 341 | 10 341 | – | – | – | 10 938 | 10 340 | 10 340 |
| – | – | – | 6 947 | 5 170 | 5 170 | – | – | – | 6 947 | 5 171 | 5 171 |
| 23 996 | 18 766 | 18 766 | – | – | – | 23 996 | 19 064 | 19 064 | 23 996 | 18 411 | 18 411 |
| – | – | – | 14 223 | 13 663 | 13 663 | 14 278 | 13 671 | 13 671 | 14 278 | 1 426 | 1 426 |
| – | – | – | – | – | – | 5 176 | 5 052 | 5 052 | 5 184 | 5 072 | 5 072 |
| – | – | – | 5 724 | 5 575 | 5 575 | – | – | – | 5 936 | 5 253 | 5 253 |
| – | – | – | 5 013 | 4 889 | 4 889 | – | – | – | 5 011 | 4 766 | 4 766 |
| – | – | – | 6 433 | 6 298 | 6 298 | – | – | – | 6 615 | 6 304 | 6 304 |
| 19 880 | 16 693 | 16 693 | – | – | – | – | – | – | 19 880 | 13 199 | 13 199 |
| – | – | – | – | – | – | – | – | – | – | – | – |
| 22 099 | 18 617 | 18 617 | – | – | – | – | – | – | 21 155 | 18 510 | 18 510 |
| 6 480 | 5 543 | 5 543 | – | – | – | – | – | – | 6 480 | 6 176 | 6 176 |
| – | – | – | – | – | – | – | – | – | 11 767 | 11 131 | 11 131 |
| 6 180 | 5 811 | 5 811 | 6 154 | 5 687 | 5 687 | 6 198 | 4 501 | 4 501 | 6 180 | 4 185 | 4 185 |
| 10 243 | 8 903 | 8 903 | 759 | 661 | 661 | 5 438 | 3 417 | 3 417 | 5 798 | 3 640 | 3 640 |
| – | – | – | 7 468 | 7 231 | 7 231 | 7 588 | 7 272 | 7 272 | – | – | – |
| – | – | – | – | – | – | – | – | – | 27 191 | 24 450 | 24 450 |
| – | – | – | 6 758 | 6 594 | 6 594 | 6 602 | 6 365 | 6 365 | – | – | – |

## 第3表(8-4) 市区町村が実施した妊産婦及び乳幼児の健康診査受診実人員-延人員・

| | 一般健康診査受診人員 | | | | | | (再掲) | | | |
| | 幼児4～6歳[1] | | | 幼児その他[1] | | | 妊　婦 | | 産　婦 | |
| | 対象人員 | 受診実人員 | 受診延人員 | 対象人員 | 受診実人員 | 受診延人員 | 受診実人員 | 受診延人員 | 受診実人員 | 受診延人員 |
|---|---|---|---|---|---|---|---|---|---|---|
| 中核市(再掲) | | | | | | | | | | |
| 旭　川　市 | - | - | - | - | - | - | 2 245 | 25 587 | - | - |
| 函　館　市 | - | - | - | - | - | - | 2 275 | 16 851 | 734 | 955 |
| 青　森　市 | - | - | - | - | - | - | 1 768 | 21 918 | - | - |
| 八　戸　市 | - | - | - | - | - | - | 1 718 | 19 641 | - | - |
| 盛　岡　市 | - | - | - | 4 630 | 4 222 | 4 222 | - | - | - | - |
| 秋　田　市 | - | - | - | - | - | - | 1 955 | 23 605 | 1 936 | 1 936 |
| 郡　山　市 | - | - | - | - | - | - | 4 052 | 31 278 | 2 541 | 2 541 |
| い　わ　き　市 | - | - | - | - | - | - | 2 237 | 28 433 | 2 264 | 2 264 |
| 宇　都　宮　市 | - | - | - | 345 | 328 | 328 | 6 535 | 56 314 | 1 989 | 3 190 |
| 前　橋　市 | 2 597 | 2 581 | 2 581 | - | - | - | 3 770 | 28 878 | - | - |
| 高　崎　市 | - | - | - | - | - | - | 2 869 | 36 087 | - | - |
| 川　越　市 | - | - | - | - | - | - | 2 557 | 32 091 | - | - |
| 越　谷　市 | - | - | - | - | - | - | 2 795 | 33 841 | - | - |
| 船　橋　市 | - | - | - | - | - | - | 5 079 | 60 321 | - | - |
| 柏　市 | - | - | - | - | - | - | 5 179 | 39 438 | - | - |
| 八　王　子　市 | - | - | - | - | - | - | 3 282 | 37 918 | - | - |
| 横　須　賀　市 | - | - | - | - | - | - | 2 357 | 31 231 | 2 479 | 2 479 |
| 富　山　市 | - | - | - | - | - | - | 3 834 | 36 727 | 933 | 933 |
| 金　沢　市 | - | - | - | 7 669 | 5 113 | 5 113 | 3 938 | 47 757 | 3 535 | 3 535 |
| 長　野　市 | - | - | - | - | - | - | 2 839 | 35 967 | - | - |
| 岐　阜　市 | 3 372 | 2 057 | 2 057 | - | - | - | 3 016 | 36 411 | - | - |
| 豊　橋　市 | - | - | - | - | - | - | 4 784 | 36 772 | - | - |
| 豊　田　市 | - | - | - | - | - | - | 6 181 | 48 829 | 3 652 | 3 652 |
| 岡　崎　市 | - | - | - | - | - | - | 3 916 | 45 124 | - | - |
| 大　津　市 | - | - | - | - | - | - | 4 163 | 31 805 | - | - |
| 高　槻　市 | - | - | - | - | - | - | 2 561 | 31 319 | - | - |
| 東　大　阪　市 | - | - | - | - | - | - | 3 456 | 30 857 | 2 863 | 2 863 |
| 豊　中　市 | - | - | - | - | - | - | 3 501 | 40 286 | 1 319 | 1 914 |
| 枚　方　市 | - | - | - | - | - | - | 2 878 | 33 567 | 1 141 | 1 836 |
| 姫　路　市 | - | - | - | - | - | - | 6 739 | 53 573 | - | - |
| 西　宮　市 | - | - | - | - | - | - | 6 475 | 51 341 | - | - |
| 尼　崎　市 | - | - | - | - | - | - | 6 193 | 47 494 | - | - |
| 奈　良　市 | - | - | - | - | - | - | 3 715 | 28 665 | - | - |
| 和　歌　山　市 | - | - | - | - | - | - | 2 708 | 33 235 | 849 | 849 |
| 倉　敷　市 | - | - | - | - | - | - | 4 270 | 49 963 | - | - |
| 福　山　市 | - | - | - | - | - | - | 6 166 | 59 597 | - | - |
| 呉　市 | - | - | - | - | - | - | 1 405 | 21 978 | - | - |
| 下　関　市 | - | - | - | - | - | - | 1 686 | 20 941 | - | - |
| 高　松　市 | - | - | - | - | - | - | 3 394 | 42 205 | - | - |
| 松　山　市 | - | - | - | - | - | - | 6 290 | 48 850 | - | - |
| 高　知　市 | - | - | - | - | - | - | 2 511 | 30 587 | - | - |
| 久　留　米　市 | - | - | - | - | - | - | 4 375 | 33 410 | 1 111 | 1 948 |
| 長　崎　市 | - | - | - | - | - | - | 3 147 | 40 264 | 1 572 | 2 808 |
| 佐　世　保　市 | - | - | - | - | - | - | 2 019 | 25 250 | - | - |
| 大　分　市 | - | - | - | - | - | - | 6 426 | 50 208 | - | - |
| 宮　崎　市 | - | - | - | - | - | - | 5 351 | 41 466 | 2 795 | 5 077 |
| 鹿　児　島　市 | - | - | - | 5 388 | 4 994 | 4 994 | 5 477 | 65 637 | - | - |
| 那　覇　市 | - | - | - | - | - | - | 5 327 | 35 822 | - | - |
| その他政令市(再掲) | | | | | | | | | | |
| 小　樽　市 | - | - | - | - | - | - | 810 | 6 030 | - | - |
| 町　田　市 | - | - | - | - | - | - | 2 614 | 35 609 | 19 | 19 |
| 藤　沢　市 | - | - | - | - | - | - | 3 643 | 42 844 | - | - |
| 茅　ヶ　崎　市 | - | - | - | - | - | - | - | - | - | - |
| 四　日　市　市 | - | - | - | - | - | - | 2 477 | 29 698 | 596 | 596 |
| 大　牟　田　市 | - | - | - | 58 | 58 | 101 | 745 | 9 712 | - | - |

注：1）　「幼児4～6歳」及び「幼児その他」は法定外の健康診査である。

# 医療機関等へ委託した受診実人員－延人員, 都道府県－指定都市・特別区－中核市－その他政令市、対象区分別

平成29年度

| 医 療 機 関 等 へ 委 託 | | | | | | | | | | | |
| 乳 児 1 ～ 2 か 月 | | | 乳 児 3 ～ 5 か 月 | | | 乳 児 6 ～ 8 か 月 | | | 乳 児 9 ～ 12 か 月 | | |
| 対象人員 | 受診実人員 | 受診延人員 | 対象人員 | 受診実人員 | 受診延人員 | 対象人員 | 受診実人員 | 受診延人員 | 対象人員 | 受診実人員 | 受診延人員 |
|---|---|---|---|---|---|---|---|---|---|---|---|
| - | - | - | - | - | - | - | - | - | - | - | - |
| - | - | - | - | - | - | 1 807 | 1 792 | 1 792 | - | - | - |
| 1 611 | 834 | 834 | 1 611 | 1 449 | 1 449 | 1 611 | 615 | 615 | 1 611 | 645 | 645 |
| 2 214 | 2 035 | 2 035 | 2 213 | 2 195 | 2 195 | 2 149 | 2 110 | 2 110 | 2 171 | 2 086 | 2 086 |
| - | - | - | 2 001 | 1 949 | 1 949 | 2 008 | 1 944 | 1 944 | 1 958 | 1 880 | 1 880 |
| - | - | - | 2 617 | 2 559 | 2 559 | - | - | - | 2 623 | 2 509 | 2 509 |
| - | - | - | 4 755 | 4 464 | 4 464 | - | - | - | 4 662 | 4 441 | 4 441 |
| - | - | - | 4 758 | 4 566 | 4 566 | | - | - | 2 437 | 2 261 | 2 261 |
| - | - | - | 3 024 | 2 935 | 2 935 | | | | 2 988 | 2 882 | 2 882 |
| - | - | - | 2 746 | 2 650 | 2 650 | - | - | - | 2 837 | 2 650 | 2 650 |
| - | - | - | 5 161 | 4 591 | 4 591 | - | - | - | 5 161 | 4 359 | 4 359 |
| - | - | - | 4 326 | 2 986 | 2 986 | - | - | - | 4 892 | 2 819 | 2 819 |
| | | | - | - | - | 3 456 | 3 221 | 3 221 | 3 456 | 3 214 | 3 214 |
| | | | - | - | - | | | | 2 555 | 2 379 | 2 379 |
| | | | - | - | - | 3 569 | 2 827 | 2 827 | 3 569 | 2 528 | 2 528 |
| 3 857 | 3 484 | 3 484 | - | - | - | 3 751 | 3 511 | 3 511 | - | - | - |
| - | - | - | - | - | - | 3 384 | 2 605 | 2 605 | 2 901 | 2 494 | 2 494 |
| 3 045 | 2 931 | 2 931 | - | - | - | | - | - | 3 045 | 2 826 | 2 826 |
| 3 824 | 3 691 | 3 691 | - | - | - | - | - | - | 5 192 | 2 384 | 2 384 |
| 3 933 | 3 546 | 3 546 | 3 575 | 3 518 | 3 518 | - | - | - | 4 102 | 3 052 | 3 052 |
| | | | 2 757 | 2 707 | 2 707 | - | - | - | | | |
| 2 588 | 2 209 | 2 209 | - | - | - | - | - | - | 2 588 | 2 234 | 2 234 |
| 3 371 | 3 371 | 3 371 | - | - | - | - | - | - | 3 355 | 2 992 | 2 992 |
| 3 534 | 2 911 | 2 911 | - | - | - | - | - | - | 3 593 | 3 109 | 3 109 |
| 2 729 | 2 298 | 2 298 | - | - | - | | | | 2 814 | 2 622 | 2 622 |
| - | - | - | 4 399 | 4 295 | 4 295 | | | | 4 436 | 4 193 | 4 193 |
| | | | | | | - | - | - | 4 267 | 4 155 | 4 155 |
| - | - | - | - | - | - | - | - | - | - | - | - |
| - | - | - | 2 298 | 2 241 | 2 241 | - | - | - | 2 435 | 2 341 | 2 341 |
| - | - | - | 4 307 | 4 107 | 4 107 | 4 329 | 4 139 | 4 139 | 4 367 | 3 751 | 3 751 |
| 4 516 | 2 613 | 2 616 | 4 956 | 3 849 | 3 849 | 5 054 | 2 543 | 2 544 | 5 361 | 1 401 | 1 419 |
| 1 416 | 1 367 | 1 367 | - | - | - | 1 422 | 1 384 | 1 384 | - | - | - |
| 1 629 | 1 540 | 1 540 | 1 656 | 1 638 | 1 638 | 1 678 | 1 641 | 1 641 | - | - | - |
| 3 983 | 2 601 | 2 601 | 3 983 | 2 186 | 2 186 | 3 983 | 822 | 822 | 3 983 | 602 | 602 |
| - | - | - | 4 107 | 3 991 | 3 991 | | | | 4 221 | 2 979 | 2 979 |
| 2 609 | 2 186 | 2 186 | 2 604 | 1 795 | 1 795 | 2 601 | 424 | 424 | 2 582 | 168 | 168 |
| - | - | - | 2 783 | 2 716 | 2 716 | - | - | - | 2 715 | 2 567 | 2 567 |
| | | | - | - | - | 3 103 | 2 851 | 2 851 | 3 070 | 2 815 | 2 815 |
| 2 089 | 1 684 | 1 684 | - | - | - | | | | 2 089 | 1 321 | 1 321 |
| - | - | - | 4 216 | 4 043 | 4 043 | 4 217 | 3 994 | 3 994 | 4 250 | 3 995 | 3 995 |
| | | | 3 457 | 3 443 | 3 443 | 3 512 | 3 363 | 3 363 | 3 563 | 3 310 | 3 310 |
| | | | 5 166 | 5 119 | 5 119 | 5 290 | 5 096 | 5 096 | - | - | - |
| | | | | | | - | - | - | | | |
| - | - | - | 534 | 423 | 423 | | | | | | |
| - | - | - | - | - | - | 2 763 | 2 647 | 2 647 | 2 763 | 2 675 | 2 675 |
| - | - | - | 3 373 | 3 285 | 3 285 | | | | 3 447 | 3 393 | 3 393 |
| - | - | - | 2 494 | 2 379 | 2 379 | - | - | - | 2 558 | 2 386 | 2 386 |
| | | | 782 | 729 | 729 | | | | 791 | 714 | 714 |

# 第3表（8－5）市区町村が実施した妊産婦及び乳幼児の健康診査受診実人員－延人員・

| | （再掲）医療機関等へ委託 | | | | | | | | | |
|---|---|---|---|---|---|---|---|---|---|---|
| | 幼児1歳6か月 | | | 幼児3歳 | | | 幼児4～6歳[1] | | | 幼児 |
| | 対象人員 | 受診実人員 | 受診延人員 | 対象人員 | 受診実人員 | 受診延人員 | 対象人員 | 受診実人員 | 受診延人員 | 対象人員 |
| **全国** | **167 035** | **147 309** | **150 969** | **67 691** | **56 532** | **56 574** | **19 076** | **14 706** | **14 706** | **22 852** |
| 北海道 | 150 | 143 | 143 | 189 | 183 | 184 | 27 | 25 | 25 | 105 |
| 青森 | 1 | 1 | 1 | 1 | 1 | 1 | － | － | － | 55 |
| 岩手 | 2 558 | 2 333 | 2 333 | 2 541 | 2 295 | 2 295 | － | － | － | 6 661 |
| 宮城 | 40 | 39 | 39 | 33 | 32 | 32 | － | － | － | 363 |
| 秋田 | 46 | 41 | 41 | 48 | 43 | 43 | 3 | 3 | 3 | － |
| 山形 | 238 | 240 | 240 | 213 | 213 | 213 | － | － | － | － |
| 福島 | … | … | … | … | … | … | － | － | － | － |
| 茨城 | 318 | 310 | 310 | 363 | 349 | 349 | － | － | － | － |
| 栃木 | － | － | － | － | － | － | － | － | － | － |
| 群馬 | － | － | － | － | － | － | － | － | － | － |
| 埼玉 | 16 561 | 15 761 | 15 761 | 10 966 | 10 593 | 10 593 | … | … | … | … |
| 千葉 | 20 565 | 16 323 | 19 953 | 16 464 | 10 112 | 10 112 | 14 | 3 | 3 | － |
| 東京 | 77 939 | 68 634 | 68 643 | 1 104 | 1 100 | 1 100 | 2 128 | 1 467 | 1 467 | 3 |
| 神奈川 | 10 257 | 9 631 | 9 631 | － | － | － | 13 237 | 10 861 | 10 861 | 228 |
| 新潟 | － | － | － | 1 | 1 | 1 | － | － | － | － |
| 富山 | － | － | － | － | － | － | － | － | － | － |
| 石川 | － | － | － | 10 | － | － | － | － | － | 7 669 |
| 福井 | － | － | － | 20 | 20 | 20 | － | － | － | 15 |
| 山梨 | 10 | 10 | 10 | 18 | 17 | 17 | － | － | － | － |
| 長野 | 5 | 5 | 5 | 2 | 2 | 2 | － | － | － | 7 |
| 岐阜 | 3 238 | 2 964 | 2 964 | 36 | 36 | 36 | 3 372 | 2 057 | 2 057 | － |
| 静岡 | 160 | 154 | 154 | 5 786 | 5 380 | 5 380 | － | － | － | － |
| 愛知 | 1 | 1 | 1 | 1 163 | 1 062 | 1 062 | － | － | － | － |
| 三重 | 222 | 224 | 224 | 303 | 272 | 272 | － | － | － | － |
| 滋賀 | － | － | － | － | － | － | － | － | － | － |
| 京都 | － | － | － | － | － | － | － | － | － | － |
| 大阪 | 3 477 | 1 045 | 1 045 | 3 605 | 1 969 | 1 969 | － | － | － | 63 |
| 兵庫 | － | － | － | 9 | 9 | 9 | － | － | － | － |
| 奈良 | 972 | 897 | 897 | 2 007 | 1 779 | 1 779 | － | － | － | － |
| 和歌山 | － | － | － | － | － | － | － | － | － | － |
| 鳥取 | 4 | 3 | 3 | 21 | 18 | 18 | － | － | － | － |
| 島根 | － | － | － | － | － | － | － | － | － | － |
| 岡山 | － | － | － | － | － | － | － | － | － | － |
| 広島 | 1 | 1 | 1 | 46 | 33 | 33 | － | － | － | － |
| 山口 | 6 144 | 5 942 | 5 942 | 4 956 | 4 664 | 4 664 | － | － | － | － |
| 徳島 | － | － | － | － | － | － | － | － | － | － |
| 香川 | 322 | 323 | 344 | 365 | 362 | 403 | 278 | 277 | 277 | － |
| 愛媛 | 4 220 | 3 895 | 3 895 | － | － | － | － | － | － | － |
| 高知 | － | － | － | 1 | 1 | 1 | － | － | － | － |
| 福岡 | 15 930 | 15 120 | 15 120 | 12 303 | 11 484 | 11 484 | － | － | － | － |
| 佐賀 | － | － | － | － | － | － | － | － | － | 1 886 |
| 長崎 | － | － | － | － | － | － | － | － | － | － |
| 熊本 | 12 | 12 | 12 | 20 | 20 | 20 | － | － | － | － |
| 大分 | － | 1 | 1 | － | 7 | 7 | 5 | 5 | 5 | － |
| 宮崎 | 26 | 26 | 26 | 41 | 41 | 41 | － | － | － | 156 |
| 鹿児島 | 1 | 1 | 1 | 2 | 2 | 2 | － | － | － | 5 388 |
| 沖縄 | 3 617 | 3 229 | 3 229 | 5 054 | 4 432 | 4 432 | 12 | 8 | 8 | 253 |
| 指定都市・特別区（再掲） | | | | | | | | | | |
| 東京都区部 | 68 914 | 60 088 | 60 097 | 459 | 459 | 459 | 2 128 | 1 467 | 1 467 | － |
| 札幌市 | － | － | － | － | － | － | － | － | － | － |
| 仙台市 | － | － | － | － | － | － | － | － | － | － |
| さいたま市 | 11 201 | 10 881 | 10 881 | 10 949 | 10 576 | 10 576 | － | － | － | － |
| 千葉市 | 7 562 | 5 046 | 5 046 | 7 712 | 4 399 | 4 399 | － | － | － | － |
| 横浜市 | － | － | － | － | － | － | － | － | － | － |
| 川崎市 | － | － | － | － | － | － | 13 237 | 10 861 | 10 861 | － |
| 相模原市 | 5 433 | 5 143 | 5 143 | － | － | － | － | － | － | － |
| 新潟市 | － | － | － | － | － | － | － | － | － | － |
| 静岡市 | － | － | － | － | － | － | － | － | － | － |
| 浜松市 | － | － | － | 5 630 | 5 225 | 5 225 | － | － | － | － |
| 名古屋市 | － | － | － | － | － | － | － | － | － | － |
| 京都市 | － | － | － | － | － | － | － | － | － | － |
| 大阪市 | － | － | － | － | － | － | － | － | － | － |
| 堺市 | － | － | － | － | － | － | － | － | － | － |
| 神戸市 | － | － | － | － | － | － | － | － | － | － |
| 岡山市 | － | － | － | － | － | － | － | － | － | － |
| 広島市 | － | － | － | － | － | － | － | － | － | － |
| 北九州市 | 8 026 | 7 481 | 7 481 | 7 841 | 7 367 | 7 367 | － | － | － | － |
| 福岡市 | － | － | － | － | － | － | － | － | － | － |
| 熊本市 | － | － | － | － | － | － | － | － | － | － |

## 医療機関等へ委託した受診実人員－延人員，都道府県－指定都市・特別区－中核市－その他政令市、対象区分別

平成29年度

| その他[1)] 受診実人員 | その他[1)] 受診延人員 | 精密健康診査受診実人員 妊婦 | 産婦 | 乳児 1～2か月 | 乳児 3～5か月 | 乳児 6～8か月 | 乳児 9～12か月 | 幼児 1歳6か月 | 幼児 3歳 | 幼児 4～6歳[1)] | 幼児 その他[1)] |
|---|---|---|---|---|---|---|---|---|---|---|---|
| **18 704** | **18 717** | **11 322** | **35** | **1 278** | **23 784** | **1 415** | **4 856** | **15 445** | **63 144** | **2 219** | **1 016** |
| 106 | 106 | 281 | … | 4 | 2 127 | 39 | 454 | 716 | 1 615 | 93 | 41 |
| 27 | 27 | 15 | － | 6 | 254 | 71 | 78 | 218 | 2 131 | 12 | 6 |
| 5 967 | 5 972 | 112 | － | 13 | 130 | 15 | 42 | 109 | 564 | 22 | 3 |
| 356 | 356 | 73 | － | 497 | 317 | 37 | 9 | 213 | 3 049 | － | 5 |
| － | － | 370 | 1 | － | 46 | 11 | 16 | 118 | 720 | 6 | － |
| － | － | 9 | － | － | 176 | 13 | 2 | 141 | 1 075 | 4 | － |
| － | － | 3 | － | － | 365 | 2 | 93 | 174 | 1 323 | － | － |
| － | － | 1 234 | 1 | 1 | 337 | 46 | 60 | 156 | 414 | 2 | 32 |
| － | － | 77 | 2 | 51 | 346 | 38 | 91 | 194 | 1 036 | 18 | 16 |
| － | － | 42 | － | 154 | 777 | 21 | 110 | 470 | 1 211 | 313 | 2 |
| … | … | 72 | － | … | 844 | … | 370 | 505 | 2 047 | 3 | 10 |
| － | － | 28 | － | － | 187 | 3 | 7 | 681 | 3 553 | 10 | － |
| 3 | 3 | 122 | 8 | … | 3 191 | 2 | 6 | 598 | 5 421 | 52 | 15 |
| 113 | 113 | － | － | － | 524 | 60 | 86 | 618 | 1 745 | 916 | 67 |
| － | － | 33 | － | 11 | 381 | 26 | 105 | 351 | 1 225 | － | 158 |
| － | － | 283 | 1 | － | 194 | 1 | 20 | 129 | 618 | － | － |
| 5 113 | 5 113 | 570 | 1 | 52 | 283 | － | 4 | 200 | 774 | － | 3 |
| 13 | 13 | 40 | － | 10 | 7 | 2 | 1 | 78 | 816 | 1 | 3 |
| － | － | 174 | － | 14 | 249 | 27 | 46 | 188 | 365 | 31 | 7 |
| 7 | 7 | 36 | － | 7 | 1 622 | 13 | 122 | 265 | 1 339 | 16 | 9 |
| － | － | 105 | 4 | － | 421 | 2 | 192 | 255 | 420 | 3 | 2 |
| － | － | 127 | － | － | 479 | － | 160 | 336 | 2 586 | 4 | － |
| － | － | 445 | 3 | 89 | 1 502 | 9 | 100 | 743 | 3 468 | 5 | 29 |
| － | － | 57 | － | － | 4 | － | － | 98 | 1 447 | － | － |
| － | － | 25 | 8 | － | 632 | 1 | 217 | 283 | 1 109 | － | 280 |
| － | － | 141 | － | － | 516 | 131 | 148 | 551 | 1 420 | 72 | － |
| 54 | 54 | 3 320 | … | 95 | 1 803 | 14 | 45 | 1 063 | 1 814 | 5 | 52 |
| － | － | － | － | 17 | 1 313 | 18 | 307 | 609 | 2 530 | 62 | － |
| － | － | … | … | － | 310 | 19 | 115 | 298 | 1 176 | － | 1 |
| － | － | 126 | － | － | 160 | 40 | 107 | 216 | 641 | 75 | 5 |
| － | － | 52 | － | 1 | 30 | 84 | 37 | 129 | 395 | 87 | 24 |
| － | － | 56 | － | 16 | 417 | 4 | 32 | 149 | 538 | 10 | 6 |
| － | － | 125 | － | 16 | 73 | 5 | 18 | 253 | 1 054 | － | 1 |
| － | － | 12 | － | 44 | 427 | 25 | 27 | 971 | 1 599 | － | 5 |
| － | － | － | － | 91 | 58 | 39 | － | 115 | 689 | 7 | － |
| － | － | 24 | － | 40 | 31 | 6 | 12 | 270 | 593 | 1 | 1 |
| － | － | 74 | － | 27 | 125 | 8 | 3 | 196 | 934 | 36 | － |
| － | － | 518 | － | － | 70 | 18 | 30 | 69 | 912 | 7 | － |
| － | － | 228 | － | 9 | 38 | 17 | 15 | 105 | 327 | － | 6 |
| － | － | 114 | － | 1 | 766 | 54 | 330 | 721 | 2 284 | 3 | 67 |
| 1 646 | 1 646 | 36 | － | － | 89 | 7 | 21 | 199 | 539 | － | － |
| － | － | 94 | － | 7 | 399 | 27 | 76 | 250 | 781 | 187 | － |
| － | － | 1 833 | 3 | 4 | 457 | 224 | 19 | 247 | 1 483 | 10 | 151 |
| － | － | 51 | － | － | 159 | 41 | 35 | 189 | 1 188 | 62 | － |
| 142 | 142 | 156 | － | 1 | 57 | 55 | 11 | 192 | 800 | 65 | － |
| 4 994 | 4 994 | 1 | 3 | － | 256 | 106 | 58 | 374 | 603 | 19 | 4 |
| 163 | 171 | 28 | － | － | 835 | 34 | 1 019 | 442 | 773 | － | 5 |
| － | － | 1 | … | … | 2 576 | … | … | 129 | 3 917 | 50 | … |
| － | － | － | － | － | 1 553 | － | 357 | 431 | 799 | 58 | － |
| － | － | 1 | － | 457 | 105 | 22 | － | 162 | 1 996 | － | － |
| － | － | － | － | － | 187 | － | 143 | 166 | 654 | － | － |
| － | － | － | － | － | 64 | － | － | 62 | 374 | － | － |
| － | － | － | － | － | － | － | － | 379 | 508 | － | － |
| － | － | － | － | － | － | － | － | － | － | 916 | － |
| － | － | － | － | － | 140 | 33 | 24 | 40 | 405 | － | 35 |
| － | － | － | － | － | 1 | － | － | 101 | 525 | － | 158 |
| － | － | － | － | － | － | － | － | 90 | 1 030 | － | － |
| － | － | － | － | － | 458 | － | 148 | 143 | 460 | － | － |
| － | － | － | － | － | － | － | － | － | － | － | － |
| － | － | － | － | － | 244 | 117 | － | 252 | 539 | － | － |
| － | － | － | － | － | 873 | － | － | 429 | 525 | － | － |
| － | － | － | － | － | － | － | － | － | － | － | － |
| － | － | － | － | － | － | － | － | － | － | － | － |
| － | － | － | － | － | － | － | － | 126 | 410 | － | － |
| － | － | 6 | － | 39 | 125 | 9 | 13 | 328 | 609 | － | － |
| － | － | 54 | － | － | 30 | 15 | － | 30 | 17 | － | － |
| － | － | － | － | － | 396 | － | 215 | 516 | 1 482 | － | － |
| － | － | 1 491 | － | － | － | － | － | 139 | 925 | － | － |

# 第3表(8－6) 市区町村が実施した妊産婦及び乳幼児の健康診査受診実人員－延人員・

| | （再掲）医療機関等へ委託 | | | | | | | | | |
|---|---|---|---|---|---|---|---|---|---|---|
| | 幼児1歳6か月 | | | 幼児3歳 | | | 幼児4～6歳[1] | | | 幼児 |
| | 対象人員 | 受診実人員 | 受診延人員 | 対象人員 | 受診実人員 | 受診延人員 | 対象人員 | 受診実人員 | 受診延人員 | 対象人員 |
| 中核市(再掲) | | | | | | | | | | |
| 旭川市 | - | - | - | - | - | - | - | - | - | - |
| 函館市 | - | - | - | - | - | - | - | - | - | - |
| 青森市 | - | - | - | - | - | - | - | - | - | - |
| 八戸市 | - | - | - | - | - | - | - | - | - | - |
| 盛岡市 | 2 342 | 2 139 | 2 139 | 2 297 | 2 078 | 2 078 | - | - | - | 4 630 |
| 秋田市 | - | - | - | - | - | - | - | - | - | - |
| 郡山市 | - | - | - | - | - | - | - | - | - | - |
| いわき市 | - | - | - | - | - | - | - | - | - | - |
| 宇都宮市 | - | - | - | - | - | - | - | - | - | - |
| 前橋市 | - | - | - | - | - | - | - | - | - | - |
| 高崎市 | - | - | - | - | - | - | - | - | - | - |
| 川越市 | - | - | - | - | - | - | - | - | - | - |
| 越谷市 | - | - | - | - | - | - | - | - | - | - |
| 船橋市 | 5 391 | 4 328 | 4 328 | 5 526 | 3 386 | 3 386 | - | - | - | - |
| 柏市 | - | - | - | - | - | - | - | - | - | - |
| 八王子市 | - | - | - | - | - | - | - | - | - | - |
| 横須賀市 | - | - | - | - | - | - | - | - | - | - |
| 富山市 | - | - | - | - | - | - | - | - | - | - |
| 金沢市 | - | - | - | - | - | - | - | - | - | 7 669 |
| 長野市 | - | - | - | - | - | - | - | - | - | - |
| 岐阜市 | 3 206 | 2 933 | 2 933 | - | - | - | 3 372 | 2 057 | 2 057 | - |
| 豊橋市 | - | - | - | - | - | - | - | - | - | - |
| 豊田市 | - | - | - | - | - | - | - | - | - | - |
| 岡崎市 | - | - | - | - | - | - | - | - | - | - |
| 大津市 | - | - | - | - | - | - | - | - | - | - |
| 高槻市 | - | - | - | - | - | - | - | - | - | - |
| 東大阪市 | - | - | - | - | - | - | - | - | - | - |
| 豊中市 | - | - | - | - | - | - | - | - | - | - |
| 枚方市 | - | - | - | - | - | - | - | - | - | - |
| 姫路市 | - | - | - | - | - | - | - | - | - | - |
| 西宮市 | - | - | - | - | - | - | - | - | - | - |
| 尼崎市 | - | - | - | - | - | - | - | - | - | - |
| 奈良市 | - | - | - | - | - | - | - | - | - | - |
| 和歌山市 | - | - | - | - | - | - | - | - | - | - |
| 倉敷市 | - | - | - | - | - | - | - | - | - | - |
| 福山市 | - | - | - | - | - | - | - | - | - | - |
| 呉市 | - | - | - | - | - | - | - | - | - | - |
| 下関市 | - | - | - | 1 702 | 1 593 | 1 593 | - | - | - | - |
| 高松市 | - | - | - | - | - | - | - | - | - | - |
| 松山市 | 4 220 | 3 895 | 3 895 | - | - | - | - | - | - | - |
| 高知市 | - | - | - | - | - | - | - | - | - | - |
| 久留米市 | 2 836 | 2 759 | 2 759 | 2 976 | 2 766 | 2 766 | - | - | - | - |
| 長崎市 | - | - | - | - | - | - | - | - | - | - |
| 佐世保市 | - | - | - | - | - | - | - | - | - | - |
| 大分市 | - | - | - | - | - | - | - | - | - | - |
| 宮崎市 | - | - | - | - | - | - | - | - | - | - |
| 鹿児島市 | - | - | - | - | - | - | - | - | - | 5 388 |
| 那覇市 | - | - | - | - | - | - | - | - | - | - |
| その他政令市(再掲) | | | | | | | | | | |
| 小樽市 | - | - | - | - | - | - | - | - | - | - |
| 町田市 | 3 062 | 2 921 | 2 921 | - | - | - | - | - | - | - |
| 藤沢市 | - | - | - | - | - | - | - | - | - | - |
| 茅ヶ崎市 | - | - | - | - | - | - | - | - | - | - |
| 四日市市 | - | - | - | - | - | - | - | - | - | - |
| 大牟田市 | 807 | 706 | 706 | 818 | 698 | 698 | - | - | - | - |

注：1）「幼児4～6歳」及び「幼児その他」は法定外の健康診査である。

# 医療機関等へ委託した受診実人員－延人員，都道府県－指定都市・特別区－中核市－その他政令市、対象区分別

平成29年度

| その他[1)] | | 精密健康診査受診実人員 | | | | | | | | | |
|---|---|---|---|---|---|---|---|---|---|---|---|
| | | | | 乳児 | | | | 幼児 | | | |
| 受診実人員 | 受診延人員 | 妊婦 | 産婦 | 1～2か月 | 3～5か月 | 6～8か月 | 9～12か月 | 1歳6か月 | 3歳 | 4～6歳[1)] | その他[1)] |
| - | - | - | - | - | - | - | - | - | - | - | - |
| - | - | - | - | - | 5 | - | 1 | 1 | 84 | - | - |
| - | - | - | - | - | 165 | 55 | - | 50 | 175 | - | - |
| - | - | - | - | 1 | 19 | 4 | 2 | 40 | 476 | - | - |
| 4 222 | 4 222 | - | - | - | - | - | - | 4 | 47 | - | - |
| - | - | 41 | - | - | - | - | - | 77 | 325 | - | - |
| - | - | - | - | - | 33 | - | 6 | 45 | 81 | - | - |
| - | - | 1 | - | - | 172 | - | 15 | 63 | 162 | - | - |
| - | - | - | - | - | 6 | - | 17 | 73 | 286 | - | 3 |
| - | - | - | - | - | 45 | - | 18 | 291 | 349 | 313 | - |
| - | - | - | - | 152 | 27 | - | 17 | 28 | 516 | - | - |
| - | - | - | - | - | 15 | - | - | 9 | 26 | - | - |
| - | - | 8 | - | - | 32 | - | 27 | 13 | 19 | - | - |
| - | - | - | - | - | - | - | - | 18 | 176 | - | - |
| - | - | - | - | - | - | - | - | 11 | 244 | - | - |
| - | - | - | - | - | 48 | - | - | 52 | 70 | - | - |
| - | - | - | - | - | 49 | - | - | 17 | 35 | - | - |
| - | - | 157 | - | - | 65 | - | - | 45 | 278 | - | - |
| 5 113 | 5 113 | 303 | - | 23 | 64 | - | - | 56 | 338 | - | - |
| - | - | - | - | - | 876 | - | - | 114 | 390 | - | - |
| - | - | - | - | - | 64 | - | 77 | - | 127 | - | - |
| - | - | 246 | - | - | 252 | - | - | 152 | 360 | - | - |
| - | - | - | - | - | 146 | - | - | 80 | 577 | - | - |
| - | - | - | - | - | 53 | - | - | 67 | 358 | - | - |
| - | - | 3 | - | - | 44 | - | 36 | 42 | 134 | - | - |
| - | - | - | - | - | - | - | - | - | - | - | - |
| - | - | - | - | 16 | 196 | - | 16 | 257 | 405 | - | - |
| - | - | - | - | - | 76 | - | - | 53 | 74 | - | - |
| - | - | - | - | - | 54 | - | - | 20 | 62 | - | - |
| - | - | - | - | - | 1 | - | 13 | 70 | 886 | - | - |
| - | - | - | - | - | 81 | - | 21 | 28 | 48 | - | - |
| - | - | - | - | - | 83 | - | 58 | 57 | 292 | - | - |
| - | - | - | - | - | 69 | - | 28 | 58 | 465 | - | - |
| - | - | - | - | - | 65 | - | 64 | 82 | 151 | - | - |
| - | - | - | - | - | - | - | - | 78 | 392 | - | - |
| - | - | - | - | - | 33 | - | - | 370 | 358 | - | - |
| - | - | - | - | - | 62 | 12 | - | 34 | 68 | - | - |
| - | - | - | - | 4 | 5 | - | - | 14 | 74 | - | - |
| - | - | 68 | - | 18 | 21 | 5 | 1 | 77 | 459 | - | - |
| - | - | 194 | - | - | 23 | - | 12 | 21 | 764 | - | - |
| - | - | 159 | - | - | - | - | - | 58 | 196 | - | - |
| - | - | 15 | - | - | 32 | - | 7 | 16 | 85 | - | - |
| - | - | - | - | - | 205 | 11 | 23 | 39 | 273 | - | - |
| - | - | - | - | 6 | 39 | - | 15 | 32 | 116 | - | - |
| - | - | 51 | - | - | 20 | 10 | 7 | 100 | 635 | - | - |
| - | - | - | - | - | - | - | - | 59 | 349 | - | - |
| 4 994 | 4 994 | - | - | - | 6 | 22 | - | 115 | 160 | - | 4 |
| - | - | - | - | - | 173 | - | 191 | 97 | 113 | - | - |
| - | - | - | - | - | - | - | 2 | 18 | 33 | - | - |
| - | - | - | 8 | - | - | 2 | 2 | - | - | - | - |
| - | - | - | - | - | 54 | - | 14 | 37 | 110 | - | - |
| - | - | - | - | - | 11 | - | 14 | 24 | 150 | - | - |
| - | - | - | - | - | - | - | - | - | 238 | - | - |
| - | - | - | - | - | 6 | - | 12 | 4 | 12 | - | 58 |

# 第3表（8－7）市区町村が実施した妊産婦及び乳幼児の健康診査受診実人員－延人員・

| | （再掲）医療機関等へ委 | | | | | | | |
|---|---|---|---|---|---|---|---|---|
| | 妊婦 | 産婦 | 乳児 | | | | 幼 | |
| | | | 1～2か月 | 3～5か月 | 6～8か月 | 9～12か月 | 1歳6か月 | 3歳 |
| **全国** | **10 531** | **19** | **1 107** | **9 784** | **602** | **2 571** | **6 743** | **27 914** |
| 北海道 | 238 | … | 1 | 116 | 1 | 375 | 477 | 997 |
| 青森 | 15 | - | 4 | 69 | 69 | 65 | 136 | 1 711 |
| 岩手 | 112 | - | 13 | 62 | 6 | 33 | 48 | 400 |
| 宮城 | 73 | - | 493 | 137 | 37 | 1 | - | 21 |
| 秋田 | 370 | 1 | - | 16 | 2 | 1 | 89 | 534 |
| 山形 | 9 | - | - | 54 | - | - | 64 | 618 |
| 福島 | 3 | - | - | 224 | - | 41 | 71 | 168 |
| 茨城 | 939 | 1 | 1 | 60 | 38 | 48 | 20 | 101 |
| 栃木 | 77 | 2 | 51 | 57 | 6 | 55 | 111 | 473 |
| 群馬 | 42 | - | - | 95 | - | 74 | 4 | 37 |
| 埼玉 | 68 | - | … | 378 | … | 199 | 251 | 893 |
| 千葉 | 28 | - | - | 35 | - | - | 358 | 1 574 |
| 東京 | 122 | … | … | 1 993 | 2 | 3 | 362 | 2 753 |
| 神奈川 | - | - | - | 265 | 60 | 51 | 482 | 1 158 |
| 新潟 | 33 | - | 11 | 361 | 26 | 85 | 349 | 1 219 |
| 富山 | 283 | 1 | - | 138 | 1 | 11 | 83 | 481 |
| 石川 | 570 | 1 | 52 | 126 | - | 3 | 91 | 244 |
| 福井 | 40 | - | 10 | 6 | - | 1 | 52 | 633 |
| 山梨 | 167 | - | 14 | 40 | 4 | 17 | 23 | 25 |
| 長野 | 35 | - | 7 | 922 | 1 | 6 | 118 | 393 |
| 岐阜 | 104 | 4 | - | 6 | - | 5 | 7 | 5 |
| 静岡 | 127 | - | - | 472 | - | 155 | 175 | 875 |
| 愛知 | 199 | 3 | 86 | 671 | 4 | 91 | 260 | 2 098 |
| 三重 | 54 | - | - | 4 | - | - | - | 544 |
| 滋賀 | 25 | - | - | 54 | - | - | - | - |
| 京都 | 141 | - | - | - | - | 10 | - | - |
| 大阪 | 3 320 | … | 95 | 928 | - | 45 | 446 | 608 |
| 兵庫 | - | - | 17 | 261 | 9 | 153 | 210 | 666 |
| 奈良 | … | … | - | 138 | 18 | 47 | 118 | 601 |
| 和歌山 | 126 | - | - | 5 | - | 2 | 1 | 9 |
| 鳥取 | 52 | - | - | 27 | - | 29 | 7 | 30 |
| 島根 | 56 | - | 16 | 335 | - | 14 | 114 | 380 |
| 岡山 | 117 | - | 16 | 10 | 5 | 4 | 128 | 414 |
| 広島 | 12 | - | 44 | 328 | 23 | 24 | 329 | 863 |
| 山口 | - | - | 91 | 58 | 39 | - | 88 | 488 |
| 徳島 | 24 | - | 39 | 6 | 2 | - | 215 | 425 |
| 香川 | 74 | - | 26 | 36 | 5 | 1 | 145 | 589 |
| 愛媛 | 499 | - | - | 32 | 10 | 26 | 24 | 804 |
| 高知 | 228 | - | 8 | 6 | 9 | 4 | 67 | 227 |
| 福岡 | 114 | - | - | 103 | 25 | 69 | 89 | 182 |
| 佐賀 | 36 | - | - | 25 | 3 | 16 | 98 | 278 |
| 長崎 | 94 | - | 7 | 144 | 25 | 72 | 127 | 274 |
| 熊本 | 1 669 | 3 | 4 | 87 | 21 | 12 | 161 | 1 080 |
| 大分 | 51 | - | - | 120 | 35 | 26 | 75 | 898 |
| 宮崎 | 156 | - | 1 | 34 | 9 | 3 | 81 | 183 |
| 鹿児島 | 1 | 3 | - | 185 | 84 | 49 | 264 | 425 |
| 沖縄 | 28 | - | - | 555 | 23 | 645 | 325 | 535 |
| 指定都市・特別区（再掲） | | | | | | | | |
| 東京都区部 | 1 | … | … | 1 618 | … | … | 55 | 1 913 |
| 札幌市 | - | - | - | - | - | 357 | 431 | 799 |
| 仙台市 | 1 | - | 457 | 105 | 22 | - | - | - |
| さいたま市 | - | - | - | 187 | - | 143 | 166 | 654 |
| 千葉市 | - | - | - | - | - | - | 9 | 6 |
| 横浜市 | - | - | - | - | - | - | 379 | 508 |
| 川崎市 | - | - | - | - | - | - | - | - |
| 相模原市 | - | - | - | 140 | 33 | 24 | 40 | 405 |
| 新潟市 | - | - | - | 1 | - | - | 101 | 525 |
| 静岡市 | - | - | - | - | - | - | - | - |
| 浜松市 | - | - | - | 458 | - | 148 | 143 | 460 |
| 名古屋市 | - | - | - | - | - | - | - | - |
| 京都市 | - | - | - | - | - | - | - | - |
| 大阪市 | - | - | - | 873 | - | - | 405 | 454 |
| 堺市 | - | - | - | - | - | - | - | - |
| 神戸市 | - | - | - | - | - | - | - | - |
| 岡山市 | - | - | - | - | - | - | 126 | 410 |
| 広島市 | 6 | - | 39 | 125 | 9 | 13 | 132 | 424 |
| 北九州市 | 54 | - | - | 30 | 15 | - | 30 | 17 |
| 福岡市 | - | - | - | - | - | - | - | - |
| 熊本市 | 1 491 | - | - | - | - | - | 139 | 925 |

## 医療機関等へ委託した受診実人員－延人員，都道府県－指定都市・特別区－中核市－その他政令市、対象区分別

平成29年度

| 託 | | 妊婦B型肝炎検査実人員 | | | （再掲）医療機関等へ委託 | | |
|---|---|---|---|---|---|---|---|
| 児 | | B型肝炎検査 | 事後指導 | | B型肝炎検査 | 事後指導 | |
| 4～6歳[1)] | その他[1)] | | 妊婦 | 乳児 | | 妊婦 | 乳児 |
| **1 075** | **131** | **793 143** | **220** | **45** | **785 252** | **182** | **26** |
| 66 | 14 | 31 417 | 7 | … | 30 902 | 5 | … |
| 3 | 6 | 7 949 | 15 | － | 7 942 | 15 | － |
| － | － | 7 729 | － | － | 7 729 | － | － |
| － | － | 16 581 | … | … | 16 580 | … | … |
| 2 | － | 5 143 | － | － | 5 143 | － | － |
| － | － | 7 069 | － | － | 7 066 | － | － |
| － | － | 12 601 | 7 | 7 | 12 598 | 7 | 7 |
| － | － | 20 184 | 8 | 1 | 20 184 | 4 | 1 |
| 1 | 16 | 13 914 | 1 | － | 13 904 | 1 | － |
| － | － | 13 643 | 6 | 4 | 13 622 | 2 | － |
| … | … | 53 682 | 14 | 2 | 52 774 | 14 | 2 |
| － | － | 41 083 | … | … | 41 082 | … | … |
| － | 12 | 77 006 | 1 | 1 | 76 976 | 1 | 1 |
| 916 | 60 | 13 870 | … | … | 12 902 | … | … |
| － | － | 14 686 | 4 | － | 14 686 | 4 | － |
| － | － | 7 108 | － | － | 7 108 | － | － |
| － | 3 | 8 573 | 8 | 8 | 8 565 | 1 | － |
| 1 | － | 5 943 | 2 | － | 5 943 | 2 | － |
| － | 1 | 2 406 | － | － | 2 406 | － | － |
| － | － | 13 888 | 1 | － | 13 701 | 1 | － |
| － | － | 14 114 | 8 | － | 14 114 | 8 | － |
| － | － | 25 174 | － | － | 20 379 | － | － |
| － | － | 66 438 | 9 | … | 66 416 | 9 | … |
| － | － | 13 311 | － | － | 13 311 | － | － |
| － | － | 11 424 | 1 | － | 11 424 | 1 | － |
| － | － | 18 591 | 2 | － | 18 567 | 2 | － |
| － | － | 68 351 | 29 | 3 | 68 023 | 24 | 1 |
| － | － | 5 037 | 15 | － | 5 037 | 15 | － |
| － | － | 1 804 | … | … | 1 804 | … | … |
| － | － | 6 243 | 2 | 1 | 6 209 | 2 | 1 |
| 4 | 10 | 4 083 | 2 | － | 4 083 | 2 | － |
| － | － | 4 936 | － | － | 4 936 | － | － |
| － | － | 15 120 | 3 | － | 15 114 | 3 | － |
| － | － | 22 293 | 11 | 1 | 22 275 | 11 | 1 |
| 1 | － | 9 296 | 6 | 4 | 9 296 | 6 | 4 |
| － | － | 5 095 | 1 | － | 5 095 | － | － |
| － | － | 7 143 | 3 | － | 7 143 | 3 | － |
| － | － | 9 392 | 7 | 1 | 9 392 | 7 | 1 |
| － | － | 4 580 | － | － | 4 578 | － | － |
| － | － | 28 650 | 1 | 2 | 28 650 | 1 | － |
| － | － | 6 619 | 5 | 5 | 6 619 | 4 | 4 |
| 75 | － | 10 369 | 2 | － | 10 369 | 2 | － |
| － | － | 14 604 | 8 | 1 | 14 604 | 8 | 1 |
| 5 | － | 8 404 | － | － | 8 404 | － | － |
| － | － | 8 535 | 14 | － | 8 535 | 2 | － |
| 1 | 4 | 13 213 | 12 | － | 13 213 | 12 | － |
| － | 5 | 15 849 | 5 | 4 | 15 849 | 3 | 2 |
| － | － | 54 636 | … | … | 54 636 | … | … |
| 58 | － | 13 771 | － | － | 13 771 | － | － |
| － | － | 8 700 | － | － | 8 700 | － | － |
| － | － | 10 435 | － | － | 10 368 | － | － |
| － | － | 6 853 | － | － | 6 853 | － | － |
| － | － | － | － | － | － | － | － |
| 916 | － | － | － | － | － | － | － |
| － | 35 | 4 730 | － | － | 4 730 | － | － |
| － | － | 5 697 | － | － | 5 697 | － | － |
| － | － | 4 795 | － | － | － | － | － |
| － | － | 6 349 | － | － | 6 349 | － | － |
| － | － | 20 390 | － | － | 20 390 | － | － |
| － | － | 10 733 | － | － | 10 733 | － | － |
| － | － | 23 457 | 4 | 2 | 23 457 | － | － |
| － | － | 6 472 | 4 | － | 6 472 | 4 | － |
| － | － | － | － | － | － | － | － |
| － | － | 6 336 | － | － | 6 336 | － | － |
| － | － | 10 475 | － | － | 10 475 | － | － |
| － | － | 7 490 | － | － | 7 490 | － | － |
| － | － | － | － | － | － | － | － |
| － | － | 7 093 | － | － | 7 093 | － | － |

# 第3表（8－8） 市区町村が実施した妊産婦及び乳幼児の健康診査受診実人員－延人員・

| | （再掲）医療機関等へ委 | | | | | | | |
|---|---|---|---|---|---|---|---|---|
| | 妊婦 | 産婦 | 乳児 | | | | 幼 | |
| | | | 1～2か月 | 3～5か月 | 6～8か月 | 9～12か月 | 1歳6か月 | 3歳 |
| 中核市(再掲) | | | | | | | | |
| 旭川市 | - | - | - | - | - | - | - | - |
| 函館市 | - | - | - | 5 | - | 1 | 1 | 84 |
| 青森市 | - | - | - | - | 55 | - | - | - |
| 八戸市 | - | - | 1 | 19 | 4 | 2 | 40 | 476 |
| 盛岡市 | - | - | - | - | - | - | 4 | 47 |
| 秋田市 | 41 | - | - | - | - | - | 77 | 325 |
| 郡山市 | - | - | - | 33 | - | 6 | - | - |
| いわき市 | 1 | - | - | 172 | - | 15 | 63 | 150 |
| 宇都宮市 | - | - | - | - | - | 17 | 73 | 286 |
| 前橋市 | - | - | - | 45 | - | 18 | - | - |
| 高崎市 | - | - | - | 27 | - | 17 | - | - |
| 川越市 | - | - | - | - | - | - | - | - |
| 越谷市 | 8 | - | - | 32 | - | 27 | - | - |
| 船橋市 | - | - | - | - | - | - | 18 | 17 |
| 柏市 | - | - | - | - | - | - | 11 | 244 |
| 八王子市 | - | - | - | 48 | - | - | 52 | 70 |
| 横須賀市 | - | - | - | - | - | - | - | - |
| 富山市 | 157 | - | - | 65 | - | - | 45 | 278 |
| 金沢市 | 303 | - | 23 | - | - | - | - | - |
| 長野市 | - | - | - | 876 | - | - | 114 | 390 |
| 岐阜市 | - | - | - | - | - | - | - | - |
| 豊橋市 | - | - | - | - | - | - | - | - |
| 豊田市 | - | - | - | 146 | - | - | 80 | 577 |
| 岡崎市 | - | - | - | 53 | - | - | 67 | 358 |
| 大津市 | 3 | - | - | 44 | - | - | - | - |
| 高槻市 | - | - | - | - | - | - | - | - |
| 東大阪市 | - | - | 16 | - | - | 16 | - | - |
| 豊中市 | - | - | - | - | - | - | - | - |
| 枚方市 | - | - | - | - | - | - | - | - |
| 姫路市 | - | - | - | 1 | - | 13 | - | - |
| 西宮市 | - | - | - | - | - | 21 | - | - |
| 尼崎市 | - | - | - | 83 | - | 58 | 57 | 292 |
| 奈良市 | - | - | - | 69 | - | 28 | 58 | 465 |
| 和歌山市 | - | - | - | - | - | - | - | - |
| 倉敷市 | - | - | - | - | - | - | - | - |
| 福山市 | - | - | - | 33 | - | - | - | - |
| 呉市 | - | - | - | - | 12 | - | - | - |
| 下関市 | - | - | 4 | 5 | - | - | 14 | 74 |
| 高松市 | 68 | - | 18 | 21 | 5 | 1 | 77 | 459 |
| 松山市 | 194 | - | - | 23 | - | 12 | 21 | 764 |
| 高知市 | 159 | - | - | - | - | - | 58 | 196 |
| 久留米市 | 15 | - | - | 32 | - | 7 | 16 | 85 |
| 長崎市 | - | - | - | - | 11 | 23 | - | - |
| 佐世保市 | - | - | 6 | - | - | 15 | - | - |
| 大分市 | 51 | - | - | 20 | 10 | 7 | 29 | 553 |
| 宮崎市 | - | - | - | - | - | - | - | - |
| 鹿児島市 | - | - | - | 6 | 22 | - | 115 | 160 |
| 那覇市 | - | - | - | 173 | - | 191 | 97 | 113 |
| その他政令市(再掲) | | | | | | | | |
| 小樽市 | - | - | - | - | - | - | - | - |
| 町田市 | - | - | - | - | 2 | 2 | - | - |
| 藤沢市 | - | - | - | - | - | - | - | - |
| 茅ヶ崎市 | - | - | - | - | - | - | - | - |
| 四日市市 | - | - | - | - | - | - | - | 238 |
| 大牟田市 | - | - | - | 6 | - | 12 | 4 | 12 |

注：1）「幼児4～6歳」及び「幼児その他」は法定外の健康診査である。

# 医療機関等へ委託した受診実人員－延人員，都道府県－指定都市・特別区－中核市－その他政令市、対象区分別

平成29年度

| 託 | | 妊婦Ｂ型肝炎検査実人員 | | | （再掲）医療機関等へ委託 | | |
|---|---|---|---|---|---|---|---|
| 児 | | Ｂ型肝炎検査 | 事後指導 | | Ｂ型肝炎検査 | 事後指導 | |
| ４～６歳[1)] | その他[1)] | | 妊婦 | 乳児 | | 妊婦 | 乳児 |
| － | － | 2 149 | 5 | － | 2 149 | 5 | － |
| － | － | 1 441 | － | － | 1 441 | － | － |
| － | － | 1 768 | － | － | 1 768 | － | － |
| － | － | 1 658 | － | － | 1 652 | － | － |
| － | － | 2 167 | － | － | 2 167 | － | － |
| － | － | 1 950 | － | － | 1 950 | － | － |
| － | － | 2 535 | － | － | 2 535 | － | － |
| － | － | 2 218 | 3 | 3 | 2 218 | 3 | 3 |
| － | 3 | 4 485 | － | － | 4 485 | － | － |
| － | － | 2 437 | － | － | 2 437 | － | － |
| － | － | 2 836 | 2 | － | 2 836 | 2 | － |
| － | － | 2 556 | － | － | 2 556 | － | － |
| － | － | 2 793 | － | － | 2 793 | － | － |
| － | － | 5 079 | － | － | 5 079 | － | － |
| － | － | 3 554 | － | － | 3 554 | － | － |
| － | － | 3 282 | 1 | － | 3 282 | 1 | － |
| － | － | 2 389 | － | － | 2 357 | － | － |
| － | － | 3 096 | － | － | 3 096 | － | － |
| － | － | 3 884 | 7 | 6 | 3 884 | － | － |
| － | － | 2 839 | － | － | 2 829 | － | － |
| － | － | 3 012 | 8 | － | 3 012 | 8 | － |
| － | － | 3 084 | 7 | － | 3 084 | 7 | － |
| － | － | 3 836 | － | － | 3 836 | － | － |
| － | － | 3 561 | － | － | 3 561 | － | － |
| － | － | 2 588 | － | － | 2 588 | － | － |
| － | － | 2 656 | 1 | － | 2 656 | 1 | － |
| － | － | 3 456 | － | － | 3 456 | － | － |
| － | － | 3 343 | 4 | － | 3 343 | 4 | － |
| － | － | 2 780 | － | － | 2 780 | － | － |
| － | － | － | － | － | － | － | － |
| － | － | － | － | － | － | － | － |
| － | － | 3 560 | 15 | － | 3 560 | 15 | － |
| － | － | － | － | － | － | － | － |
| － | － | 2 708 | － | － | 2 708 | － | － |
| － | － | 4 270 | － | － | 4 270 | － | － |
| － | － | 3 930 | － | － | 3 930 | － | － |
| － | － | 1 405 | 4 | － | 1 405 | 4 | － |
| － | － | 1 686 | 4 | 4 | 1 686 | 4 | 4 |
| － | － | 3 412 | － | － | 3 412 | － | － |
| － | － | 4 077 | 2 | 1 | 4 077 | 2 | 1 |
| － | － | 2 493 | － | － | 2 493 | － | － |
| － | － | 2 837 | － | － | 2 837 | － | － |
| － | － | 3 107 | － | － | 3 107 | － | － |
| － | － | 2 037 | － | － | 2 037 | － | － |
| － | － | 4 135 | － | － | 4 135 | － | － |
| － | － | 3 418 | 12 | － | 3 418 | － | － |
| － | 4 | 5 443 | 10 | － | 5 443 | 10 | － |
| － | － | 3 120 | － | － | 3 120 | － | － |
| － | － | 530 | － | － | 530 | － | － |
| － | － | － | － | － | － | － | － |
| － | － | － | － | － | － | － | － |
| － | － | 2 477 | － | － | 2 477 | － | － |
| － | － | 745 | － | － | 745 | － | － |

# 第４－１表(４－１)　市区町村が実施した乳児の健康診査受診結果別人員・医療機関等へ委託した

| | 乳児　1～ | | | | | | | | | | | | |
|---|---|---|---|---|---|---|---|---|---|---|---|---|---|
| | 一般健康診査受診実人員 | 受診結果[1)] | | | | | | | (再掲)医療機関等へ委託 | 受診 | | | |
| | | 異常なし | 既医療 | 要経過観察 | 要治療 | (再掲)精神面 | (再掲)身体面 | 要精密 | | 異常なし | 既医療 | 要経過観察 | 要治療 |
| **全国** | **244 765** | **225 261** | **2 096** | **10 461** | **3 250** | **5** | **3 243** | **3 125** | **239 818** | **221 266** | **1 885** | **9 958** | **3 242** |
| 北海道 | 191 | 150 | 14 | 23 | － | － | － | 4 | 73 | 62 | 8 | 2 | － |
| 青森 | 5 113 | 4 947 | 35 | 82 | 41 | － | 41 | 8 | 5 112 | 4 946 | 35 | 82 | 41 |
| 岩手 | 7 570 | 6 940 | 135 | 397 | 29 | － | 29 | 64 | 7 529 | 6 904 | 134 | 393 | 29 |
| 宮城 | 16 129 | 13 646 | 395 | 846 | 502 | － | 502 | 732 | 16 129 | 13 646 | 395 | 846 | 502 |
| 秋田 | 152 | 147 | 1 | 3 | 1 | － | 1 | － | 151 | 146 | 1 | 3 | 1 |
| 山形 | 116 | 114 | 2 | － | － | － | － | － | 116 | 114 | 2 | － | － |
| 福島 | 90 | 85 | 3 | 2 | － | － | － | － | 87 | 83 | 3 | 1 | － |
| 茨城 | 348 | 325 | － | 18 | 2 | － | 2 | 3 | 348 | 325 | － | 18 | 2 |
| 栃木 | 1 080 | 1 019 | － | 8 | 2 | － | 2 | 51 | 1 080 | 1 019 | － | 8 | 2 |
| 群馬 | 3 220 | 2 557 | 169 | 338 | 1 | － | 1 | 155 | － | － | － | － | － |
| 埼玉 | … | … | … | … | … | … | … | … | … | … | … | … | … |
| 千葉 | － | － | － | － | － | － | － | － | － | － | － | － | － |
| 東京 | 14 | 12 | … | … | … | … | … | … | 14 | 12 | … | … | … |
| 神奈川 | 18 766 | 18 766 | － | － | － | － | － | － | 18 766 | 18 766 | － | － | － |
| 新潟 | 534 | 488 | 1 | 22 | 5 | － | 5 | 18 | 534 | 488 | 1 | 22 | 5 |
| 富山 | 1 | 1 | － | － | － | － | － | － | 1 | 1 | － | － | － |
| 石川 | 8 087 | 7 247 | 90 | 475 | 58 | － | 58 | 217 | 8 087 | 7 247 | 90 | 475 | 58 |
| 福井 | 5 714 | 5 144 | 66 | 381 | 61 | － | 61 | 62 | 5 704 | 5 133 | 65 | 381 | 59 |
| 山梨 | 2 493 | 2 365 | 2 | 42 | 55 | － | 55 | 27 | 2 218 | 2 104 | 1 | 35 | 52 |
| 長野 | 1 279 | 1 105 | 2 | 78 | 36 | － | 36 | 19 | 1 238 | 1 098 | 2 | 79 | 38 |
| 岐阜 | － | － | － | － | － | － | － | － | － | － | － | － | － |
| 静岡 | － | － | － | － | － | － | － | － | － | － | － | － | － |
| 愛知 | 58 827 | 56 188 | 250 | 1 691 | 503 | 2 | 501 | 175 | 58 826 | 56 187 | 250 | 1 691 | 503 |
| 三重 | 128 | 117 | 1 | 10 | － | － | － | － | 88 | 87 | － | 1 | － |
| 滋賀 | 47 | 40 | 2 | 5 | － | － | － | － | － | － | － | － | － |
| 京都 | － | － | － | － | － | － | － | － | － | － | － | － | － |
| 大阪 | 56 102 | 50 193 | 409 | 3 313 | 1 094 | － | 1 092 | 905 | 55 524 | 49 669 | 407 | 3 273 | 1 092 |
| 兵庫 | 532 | 182 | 17 | 31 | － | － | － | 17 | 285 | － | － | － | － |
| 奈良 | 11 | 11 | － | － | － | － | － | － | － | － | － | － | － |
| 和歌山 | － | － | － | － | － | － | － | － | － | － | － | － | － |
| 鳥取 | 206 | 183 | － | 21 | 1 | － | 1 | 1 | 193 | 172 | － | 20 | 1 |
| 島根 | 4 797 | 4 187 | 48 | 322 | 148 | － | 148 | 92 | 4 796 | 4 186 | 48 | 322 | 148 |
| 岡山 | 8 018 | 7 493 | 5 | 292 | 143 | － | 143 | 85 | 8 018 | 7 493 | 5 | 292 | 143 |
| 広島 | 18 601 | 17 550 | 74 | 640 | 239 | 3 | 236 | 98 | 18 601 | 17 550 | 74 | 640 | 239 |
| 山口 | 9 104 | 8 062 | 238 | 562 | 71 | － | 71 | 149 | 9 104 | 8 062 | 238 | 562 | 71 |
| 徳島 | 4 730 | 4 280 | － | 306 | 44 | － | 44 | 100 | 4 689 | 4 271 | － | 280 | 43 |
| 香川 | 5 831 | 5 338 | 117 | 195 | 113 | － | 113 | 68 | 5 826 | 5 338 | 117 | 191 | 113 |
| 愛媛 | － | － | － | － | － | － | － | － | － | － | － | － | － |
| 高知 | 4 065 | 3 790 | 5 | 163 | 57 | － | 57 | 49 | 4 030 | 3 756 | 4 | 163 | 56 |
| 福岡 | 43 | 41 | 1 | － | － | － | － | 1 | － | － | － | － | － |
| 佐賀 | 72 | 53 | 3 | 10 | 4 | － | 4 | 2 | 72 | 53 | 3 | 10 | 4 |
| 長崎 | 2 271 | 2 053 | 2 | 165 | 34 | － | 34 | 17 | 2 263 | 2 046 | 2 | 164 | 34 |
| 熊本 | 272 | 260 | － | 3 | 5 | － | 5 | 4 | 272 | 260 | － | 3 | 5 |
| 大分 | － | － | － | － | － | － | － | － | － | － | － | － | － |
| 宮崎 | 199 | 172 | 9 | 16 | 1 | － | 1 | 1 | 39 | 37 | － | 1 | 1 |
| 鹿児島 | － | － | － | － | － | － | － | － | － | － | － | － | － |
| 沖縄 | 12 | 10 | － | 1 | － | － | － | 1 | 5 | 5 | － | － | － |
| 指定都市・特別区(再掲) | | | | | | | | | | | | | |
| 東京都区部 | 10 | 8 | … | … | … | … | … | … | 10 | 8 | … | … | … |
| 札幌市 | － | － | － | － | － | － | － | － | － | － | － | － | － |
| 仙台市 | 8 381 | 6 913 | 242 | 475 | 276 | － | 276 | 475 | 8 381 | 6 913 | 242 | 475 | 276 |
| さいたま市 | － | － | － | － | － | － | － | － | － | － | － | － | － |
| 千葉市 | － | － | － | － | － | － | － | － | － | － | － | － | － |
| 横浜市 | 18 766 | 18 766 | － | － | － | － | － | － | 18 766 | 18 766 | － | － | － |
| 川崎市 | － | － | － | － | － | － | － | － | － | － | － | － | － |
| 相模原市 | － | － | － | － | － | － | － | － | － | － | － | － | － |
| 新潟市 | － | － | － | － | － | － | － | － | － | － | － | － | － |
| 静岡市 | － | － | － | － | － | － | － | － | － | － | － | － | － |
| 浜松市 | － | － | － | － | － | － | － | － | － | － | － | － | － |
| 名古屋市 | 16 693 | 16 404 | － | 289 | － | － | － | － | 16 693 | 16 404 | － | 289 | － |
| 京都市 | － | － | － | － | － | － | － | － | － | － | － | － | － |
| 大阪市 | 18 617 | 16 750 | 114 | 1 217 | 268 | － | 268 | 268 | 18 617 | 16 750 | 114 | 1 217 | 268 |
| 堺市 | 5 543 | 5 037 | 47 | 239 | 126 | － | 126 | 94 | 5 543 | 5 037 | 47 | 239 | 126 |
| 神戸市 | － | － | － | － | － | － | － | － | － | － | － | － | － |
| 岡山市 | 5 811 | 5 370 | － | 270 | 115 | － | 115 | 56 | 5 811 | 5 370 | － | 270 | 115 |
| 広島市 | 8 903 | 8 599 | 74 | 163 | 28 | － | 28 | 39 | 8 903 | 8 599 | 74 | 163 | 28 |
| 北九州市 | － | － | － | － | － | － | － | － | － | － | － | － | － |
| 福岡市 | － | － | － | － | － | － | － | － | － | － | － | － | － |
| 熊本市 | － | － | － | － | － | － | － | － | － | － | － | － | － |

# 受診結果別人員，都道府県－指定都市・特別区－中核市－その他政令市、対象区分別（乳児１～２か月・乳児３～５か月）

平成29年度

| 2か月 結果[1] (再掲) 精神面 | 身体面 | 要精密 | 精密健康診査受診実人員 | 受診結果[1] 異常なし | 要経過観察 | 要治療 | (再掲) 精神面 | 身体面 | (再掲)医療機関等へ委託 | 受診結果[1] 異常なし | 要経過観察 | 要治療 | (再掲) 精神面 | 身体面 |
|---|---|---|---|---|---|---|---|---|---|---|---|---|---|---|
| 5 | 3 234 | 2 922 | 1 278 | 511 | 654 | 113 | 1 | 112 | 1 107 | 418 | 587 | 101 | … | 100 |
| − | − | 1 | 4 | 2 | 1 | 1 | − | − | 1 | − | − | 1 | − | − |
| − | 41 | 8 | 6 | 4 | − | 2 | − | 2 | 4 | 3 | − | 1 | − | 1 |
| − | 29 | 64 | 13 | 3 | 8 | 2 | − | 2 | 13 | 3 | 8 | 2 | … | 2 |
| − | 502 | 732 | 497 | 206 | 274 | 17 | − | 17 | 493 | 206 | 272 | 15 | − | 15 |
| − | 1 | − | − | − | − | − | − | − | − | − | − | − | − | − |
| − | − | − | − | − | − | − | − | − | − | − | − | − | − | − |
| − | − | − | − | − | − | − | − | − | − | − | − | − | − | − |
| − | 2 | 3 | 1 | − | 1 | − | − | − | 1 | − | 1 | − | − | − |
| − | 2 | 51 | 51 | 26 | 23 | 2 | − | 2 | 51 | 26 | 23 | 2 | − | 2 |
| − | − | − | 154 | 87 | 59 | 8 | − | 8 | − | − | − | − | − | − |
| … | … | … | … | … | … | … | … | … | … | … | … | … | … | … |
| − | − | − | − | − | − | − | − | − | − | − | − | − | − | − |
| … | … | … | … | … | … | … | … | … | … | … | … | … | … | … |
| − | − | − | − | − | − | − | − | − | − | − | − | − | − | − |
| − | 5 | 18 | 11 | 3 | 7 | 1 | − | 1 | 11 | 3 | 7 | 1 | − | 1 |
| − | − | − | − | − | − | − | − | − | − | − | − | − | − | − |
| − | 58 | 217 | 52 | 17 | 32 | 3 | − | 3 | 52 | 17 | 32 | 3 | − | 3 |
| − | 59 | 58 | 10 | 3 | 7 | − | − | − | 10 | 3 | 7 | − | − | − |
| − | 52 | 21 | 14 | 5 | 9 | − | − | − | 14 | 5 | 9 | − | − | − |
| − | 38 | 21 | 7 | 1 | 6 | − | − | − | 7 | 1 | 5 | 1 | − | 1 |
| − | − | − | − | − | − | − | − | − | − | − | − | − | − | − |
| − | − | − | − | − | − | − | − | − | − | − | − | − | − | − |
| 2 | 501 | 175 | 89 | 35 | 20 | 34 | … | 34 | 86 | 34 | 18 | 33 | … | 33 |
| − | − | − | − | − | − | − | − | − | − | − | − | − | − | − |
| − | − | − | − | − | − | − | − | − | − | − | − | − | − | − |
| − | − | − | − | − | − | − | − | − | − | − | − | − | − | − |
| − | 1 090 | 895 | 95 | 39 | 45 | 11 | … | 11 | 95 | 39 | 45 | 11 | … | 11 |
| − | − | − | 17 | 13 | 4 | − | − | − | 17 | 13 | 4 | − | − | − |
| − | − | − | − | − | − | − | − | − | − | − | − | − | − | − |
| − | − | − | − | − | − | − | − | − | − | − | − | − | − | − |
| − | 1 | − | 1 | 1 | − | − | − | − | − | − | − | − | − | − |
| − | 148 | 92 | 16 | 1 | 10 | 5 | − | 5 | 16 | 1 | 10 | 5 | − | 5 |
| − | 143 | 85 | 16 | 6 | 7 | 3 | − | 3 | 16 | 6 | 7 | 3 | − | 3 |
| 3 | 236 | 98 | 44 | 14 | 28 | 2 | − | 2 | 44 | 14 | 28 | 2 | − | 2 |
| − | 71 | 149 | 91 | 13 | 64 | 14 | − | 14 | 91 | 13 | 64 | 14 | − | 14 |
| − | 43 | 95 | 40 | 17 | 22 | 1 | − | 1 | 39 | 16 | 22 | 1 | − | 1 |
| − | 113 | 67 | 27 | 11 | 13 | 3 | − | 3 | 26 | 11 | 12 | 3 | − | 3 |
| − | − | − | − | − | − | − | − | − | − | − | − | − | − | − |
| − | 55 | 49 | 9 | 2 | 7 | − | − | − | 8 | 2 | 6 | − | − | − |
| − | − | − | 1 | − | − | 1 | 1 | 1 | − | − | − | − | − | − |
| − | 4 | 2 | − | − | − | − | − | − | − | − | − | − | − | − |
| − | 34 | 17 | 7 | 1 | 4 | 2 | − | 2 | 7 | 1 | 4 | 2 | − | 2 |
| − | 5 | 4 | 4 | − | 3 | 1 | − | 1 | 4 | − | 3 | 1 | − | 1 |
| − | − | − | − | − | − | − | − | − | − | − | − | − | − | − |
| − | 1 | − | 1 | 1 | − | − | − | − | 1 | 1 | − | − | − | − |
| − | − | − | − | − | − | − | − | − | − | − | − | − | − | − |
| − | − | − | − | − | − | − | − | − | − | − | − | − | − | − |
| … | … | … | … | … | … | … | … | … | … | … | … | … | … | … |
| − | − | − | − | − | − | − | − | − | − | − | − | − | − | − |
| − | 276 | 475 | 457 | 179 | 266 | 12 | − | 12 | 457 | 179 | 266 | 12 | − | 12 |
| − | − | − | − | − | − | − | − | − | − | − | − | − | − | − |
| − | − | − | − | − | − | − | − | − | − | − | − | − | − | − |
| − | − | − | − | − | − | − | − | − | − | − | − | − | − | − |
| − | − | − | − | − | − | − | − | − | − | − | − | − | − | − |
| − | − | − | − | − | − | − | − | − | − | − | − | − | − | − |
| − | − | − | − | − | − | − | − | − | − | − | − | − | − | − |
| − | − | − | − | − | − | − | − | − | − | − | − | − | − | − |
| − | − | − | − | − | − | − | − | − | − | − | − | − | − | − |
| − | − | − | − | − | − | − | − | − | − | − | − | − | − | − |
| − | − | − | − | − | − | − | − | − | − | − | − | − | − | − |
| − | 268 | 268 | − | − | − | − | − | − | − | − | − | − | − | − |
| − | 126 | 94 | − | − | − | − | − | − | − | − | − | − | − | − |
| − | − | − | − | − | − | − | − | − | − | − | − | − | − | − |
| − | 115 | 56 | − | − | − | − | − | − | − | − | − | − | − | − |
| − | 28 | 39 | 39 | 11 | 26 | 2 | − | 2 | 39 | 11 | 26 | 2 | − | 2 |
| − | − | − | − | − | − | − | − | − | − | − | − | − | − | − |
| − | − | − | − | − | − | − | − | − | − | − | − | − | − | − |
| − | − | − | − | − | − | − | − | − | − | − | − | − | − | − |

# 第4−1表（4−2）市区町村が実施した乳児の健康診査受診結果別人員・医療機関等へ委託した

| | 一般健康診査受診実人員 | 乳　　児　受診結果[1] 異常なし | 既医療 | 要経過観察 | 要治療 | （再掲）精神面 | （再掲）身体面 | 要精密 | （再掲）医療機関等へ委託 | 1　～　受診 異常なし | 既医療 | 要経過観察 | 要治療 |
|---|---|---|---|---|---|---|---|---|---|---|---|---|---|
| 中　核　市(再掲) | | | | | | | | | | | | | |
| 旭　川　市 | － | － | － | － | － | － | － | － | － | － | － | － | － |
| 函　館　市 | － | － | － | － | － | － | － | － | － | － | － | － | － |
| 青　森　市 | － | － | － | － | － | － | － | － | － | － | － | － | － |
| 八　戸　市 | 834 | 809 | 1 | 18 | 5 | － | 5 | 1 | 834 | 809 | 1 | 18 | 5 |
| 盛　岡　市 | 2 035 | 1 852 | 42 | 112 | 14 | － | 14 | 15 | 2 035 | 1 852 | 42 | 112 | 14 |
| 秋　田　市 | － | － | － | － | － | － | － | － | － | － | － | － | － |
| 郡　山　市 | － | － | － | － | － | － | － | － | － | － | － | － | － |
| い　わ　き　市 | － | － | － | － | － | － | － | － | － | － | － | － | － |
| 宇　都　宮　市 | － | － | － | － | － | － | － | － | － | － | － | － | － |
| 前　橋　市 | － | － | － | － | － | － | － | － | － | － | － | － | － |
| 高　崎　市 | 2 904 | 2 299 | 169 | 282 | 1 | － | 1 | 153 | － | － | － | － | － |
| 川　越　市 | － | － | － | － | － | － | － | － | － | － | － | － | － |
| 越　谷　市 | － | － | － | － | － | － | － | － | － | － | － | － | － |
| 船　橋　市 | － | － | － | － | － | － | － | － | － | － | － | － | － |
| 柏　　　市 | － | － | － | － | － | － | － | － | － | － | － | － | － |
| 八　王　子　市 | － | － | － | － | － | － | － | － | － | － | － | － | － |
| 横　須　賀　市 | － | － | － | － | － | － | － | － | － | － | － | － | － |
| 富　山　市 | － | － | － | － | － | － | － | － | － | － | － | － | － |
| 金　沢　市 | 3 484 | 3 136 | 45 | 218 | 18 | － | 18 | 67 | 3 484 | 3 136 | 45 | 218 | 18 |
| 長　野　市 | － | － | － | － | － | － | － | － | － | － | － | － | － |
| 岐　阜　市 | － | － | － | － | － | － | － | － | － | － | － | － | － |
| 豊　橋　市 | 2 931 | 2 699 | 50 | 112 | 56 | 2 | 54 | 14 | 2 931 | 2 699 | 50 | 112 | 56 |
| 豊　田　市 | 3 691 | 3 468 | 36 | 112 | 75 | － | 75 | － | 3 691 | 3 468 | 36 | 112 | 75 |
| 岡　崎　市 | 3 546 | 3 397 | 16 | 94 | 39 | － | 39 | － | 3 546 | 3 397 | 16 | 94 | 39 |
| 大　津　市 | － | － | － | － | － | － | － | － | － | － | － | － | － |
| 高　槻　市 | 2 209 | 2 010 | 10 | 119 | 21 | － | 21 | 49 | 2 209 | 2 010 | 10 | 119 | 21 |
| 東　大　阪　市 | 3 371 | 3 186 | 9 | 127 | 33 | － | 33 | 16 | 3 371 | 3 186 | 9 | 127 | 33 |
| 豊　中　市 | 2 911 | 2 572 | 31 | 135 | 36 | － | 36 | 18 | 2 911 | 2 572 | 31 | 135 | 36 |
| 枚　方　市 | 2 298 | 2 056 | 19 | 107 | 48 | － | 48 | 68 | 2 298 | 2 056 | 19 | 107 | 48 |
| 姫　路　市 | － | － | － | － | － | － | － | － | － | － | － | － | － |
| 西　宮　市 | － | － | － | － | － | － | － | － | － | － | － | － | － |
| 尼　崎　市 | － | － | － | － | － | － | － | － | － | － | － | － | － |
| 奈　良　市 | － | － | － | － | － | － | － | － | － | － | － | － | － |
| 和　歌　山　市 | － | － | － | － | － | － | － | － | － | － | － | － | － |
| 倉　敷　市 | － | － | － | － | － | － | － | － | － | － | － | － | － |
| 福　山　市 | 2 613 | 2 431 | － | 78 | 93 | － | 93 | 11 | 2 613 | 2 431 | － | 78 | 93 |
| 呉　　　市 | 1 367 | 1 224 | － | 105 | 17 | － | 17 | 21 | 1 367 | 1 224 | － | 105 | 17 |
| 下　関　市 | 1 540 | 1 403 | 25 | 78 | 9 | － | 9 | 25 | 1 540 | 1 403 | 25 | 78 | 9 |
| 高　松　市 | 2 601 | 2 359 | 36 | 115 | 66 | － | 66 | 25 | 2 601 | 2 359 | 36 | 115 | 66 |
| 松　山　市 | － | － | － | － | － | － | － | － | － | － | － | － | － |
| 高　知　市 | 2 186 | 2 048 | － | 78 | 29 | － | 29 | 31 | 2 186 | 2 048 | － | 78 | 29 |
| 久　留　米　市 | － | － | － | － | － | － | － | － | － | － | － | － | － |
| 長　崎　市 | － | － | － | － | － | － | － | － | － | － | － | － | － |
| 佐　世　保　市 | 1 684 | 1 531 | － | 125 | 21 | － | 21 | 7 | 1 684 | 1 531 | － | 125 | 21 |
| 大　分　市 | － | － | － | － | － | － | － | － | － | － | － | － | － |
| 宮　崎　市 | － | － | － | － | － | － | － | － | － | － | － | － | － |
| 鹿　児　島　市 | － | － | － | － | － | － | － | － | － | － | － | － | － |
| 那　覇　市 | － | － | － | － | － | － | － | － | － | － | － | － | － |
| その他政令市(再掲) | | | | | | | | | | | | | |
| 小　樽　市 | － | － | － | － | － | － | － | － | － | － | － | － | － |
| 町　田　市 | － | － | － | － | － | － | － | － | － | － | － | － | － |
| 藤　沢　市 | － | － | － | － | － | － | － | － | － | － | － | － | － |
| 茅　ヶ　崎　市 | － | － | － | － | － | － | － | － | － | － | － | － | － |
| 四　日　市　市 | － | － | － | － | － | － | － | － | － | － | － | － | － |
| 大　牟　田　市 | － | － | － | － | － | － | － | － | － | － | － | － | － |

注：1）受診結果は計数不詳な市区町村があるため、受診実人員と受診結果の計が一致しない場合がある。

## 受診結果別人員，都道府県－指定都市・特別区－中核市－その他政令市、対象区分別（乳児1～2か月・乳児3～5か月）

平成29年度

| 2か月 結果[1)] （再掲） 精神面 | 2か月 結果[1)] （再掲） 身体面 | 2か月 要精密 | 2か月 精密健康診査受診実人員 | 2か月 受診結果[1)] 異常なし | 2か月 受診結果[1)] 要経過観察 | 2か月 受診結果[1)] 要治療 | 2か月 受診結果[1)] （再掲） 精神面 | 2か月 受診結果[1)] （再掲） 身体面 | 2か月 （再掲）医療機関等へ委託 | 2か月 受診結果[1)] 異常なし | 2か月 受診結果[1)] 要経過観察 | 2か月 受診結果[1)] 要治療 | 2か月 受診結果[1)] （再掲） 精神面 | 2か月 受診結果[1)] （再掲） 身体面 |
|---|---|---|---|---|---|---|---|---|---|---|---|---|---|---|
| – | – | – | – | – | – | – | – | – | – | – | – | – | – | – |
| – | – | – | – | – | – | – | – | – | – | – | – | – | – | – |
| – | – | – | – | – | – | – | – | – | – | – | – | – | – | – |
| – | 5 | 1 | 1 | 1 | – | – | – | – | 1 | 1 | – | – | – | – |
| – | 14 | 15 | – | – | – | – | – | – | – | – | – | – | – | – |
| – | – | – | – | – | – | – | – | – | – | – | – | – | – | – |
| – | – | – | – | – | – | – | – | – | – | – | – | – | – | – |
| – | – | – | – | – | – | – | – | – | – | – | – | – | – | – |
| – | – | – | – | – | – | – | – | – | – | – | – | – | – | – |
| – | – | – | – | – | – | – | – | – | – | – | – | – | – | – |
| – | – | – | 152 | 86 | 58 | 8 | – | 8 | – | – | – | – | – | – |
| – | – | – | – | – | – | – | – | – | – | – | – | – | – | – |
| – | – | – | – | – | – | – | – | – | – | – | – | – | – | – |
| – | – | – | – | – | – | – | – | – | – | – | – | – | – | – |
| – | – | – | – | – | – | – | – | – | – | – | – | – | – | – |
| – | – | – | – | – | – | – | – | – | – | – | – | – | – | – |
| – | – | – | – | – | – | – | – | – | – | – | – | – | – | – |
| – | – | – | – | – | – | – | – | – | – | – | – | – | – | – |
| – | 18 | 67 | 23 | 6 | 16 | 1 | – | 1 | 23 | 6 | 16 | 1 | – | 1 |
| – | – | – | – | – | – | – | – | – | – | – | – | – | – | – |
| – | – | – | – | – | – | – | – | – | – | – | – | – | – | – |
| 2 | 54 | 14 | – | – | – | – | – | – | – | – | – | – | – | – |
| – | 75 | – | – | – | – | – | – | – | – | – | – | – | – | – |
| – | 39 | – | – | – | – | – | – | – | – | – | – | – | – | – |
| – | – | – | – | – | – | – | – | – | – | – | – | – | – | – |
| – | 21 | 49 | – | – | – | – | – | – | – | – | – | – | – | – |
| – | 33 | 16 | 16 | 9 | 6 | 1 | – | 1 | 16 | 9 | 6 | 1 | – | 1 |
| – | 36 | 18 | – | – | – | – | – | – | – | – | – | – | – | – |
| – | 48 | 68 | – | – | – | – | – | – | – | – | – | – | – | – |
| – | – | – | – | – | – | – | – | – | – | – | – | – | – | – |
| – | – | – | – | – | – | – | – | – | – | – | – | – | – | – |
| – | – | – | – | – | – | – | – | – | – | – | – | – | – | – |
| – | – | – | – | – | – | – | – | – | – | – | – | – | – | – |
| – | – | – | – | – | – | – | – | – | – | – | – | – | – | – |
| – | – | – | – | – | – | – | – | – | – | – | – | – | – | – |
| – | 93 | 11 | – | – | – | – | – | – | – | – | – | – | – | – |
| – | 17 | 21 | – | – | – | – | – | – | – | – | – | – | – | – |
| – | 9 | 25 | 4 | – | 4 | – | – | – | 4 | – | 4 | – | – | – |
| – | 66 | 25 | 18 | 11 | 7 | – | – | – | 18 | 11 | 7 | – | – | – |
| – | – | – | – | – | – | – | – | – | – | – | – | – | – | – |
| – | 29 | 31 | – | – | – | – | – | – | – | – | – | – | – | – |
| – | – | – | – | – | – | – | – | – | – | – | – | – | – | – |
| – | – | – | – | – | – | – | – | – | – | – | – | – | – | – |
| – | 21 | 7 | 6 | – | 4 | 2 | – | 2 | 6 | – | 4 | 2 | – | 2 |
| – | – | – | – | – | – | – | – | – | – | – | – | – | – | – |
| – | – | – | – | – | – | – | – | – | – | – | – | – | – | – |
| – | – | – | – | – | – | – | – | – | – | – | – | – | – | – |
| – | – | – | – | – | – | – | – | – | – | – | – | – | – | – |
| – | – | – | – | – | – | – | – | – | – | – | – | – | – | – |
| – | – | – | – | – | – | – | – | – | – | – | – | – | – | – |
| – | – | – | – | – | – | – | – | – | – | – | – | – | – | – |
| – | – | – | – | – | – | – | – | – | – | – | – | – | – | – |
| – | – | – | – | – | – | – | – | – | – | – | – | – | – | – |
| – | – | – | – | – | – | – | – | – | – | – | – | – | – | – |

# 第4－1表(4－3) 市区町村が実施した乳児の健康診査受診結果別人員・医療機関等へ委託した

| | 乳児3～ | | | | | | | | | | | | |
|---|---|---|---|---|---|---|---|---|---|---|---|---|---|
| | 一般健康診査受診実人員 | 受診結果[1)] 異常なし | 既医療 | 要経過観察 | 要治療 | (再掲) 精神面 | (再掲) 身体面 | 要精密 | (再掲) 医療機関等へ委託 | 受診 異常なし | 既医療 | 要経過観察 | 要治療 |
| **全国** | **949 973** | **736 856** | **55 528** | **105 621** | **15 220** | **138** | **14 824** | **30 609** | **302 634** | **263 528** | **8 910** | **18 671** | **3 658** |
| 北海道 | 32 951 | 26 015 | 1 221 | 3 283 | 96 | 2 | 89 | 2 352 | 2 871 | 2 590 | 5 | 136 | 17 |
| 青森 | 7 816 | 6 870 | 229 | 308 | 86 | − | 86 | 323 | 3 837 | 3 617 | 12 | 117 | 48 |
| 岩手 | 8 052 | 6 614 | 281 | 884 | 106 | − | 106 | 167 | 4 512 | 4 158 | 92 | 190 | 31 |
| 宮城 | 16 297 | 13 376 | 712 | 1 185 | 509 | − | 509 | 498 | 8 638 | 7 611 | 389 | 336 | 215 |
| 秋田 | 5 325 | 4 221 | 388 | 551 | 76 | − | 76 | 89 | 2 385 | 1 838 | 199 | 276 | 35 |
| 山形 | 7 186 | 5 180 | 656 | 837 | 255 | 8 | 247 | 258 | 2 602 | 1 999 | 222 | 184 | 126 |
| 福島 | 12 754 | 9 753 | 928 | 1 442 | 175 | 11 | 163 | 417 | 2 884 | 2 495 | 102 | 194 | 47 |
| 茨城 | 20 123 | 16 522 | 873 | 1 812 | 435 | − | 435 | 481 | 10 047 | 9 391 | 118 | 321 | 90 |
| 栃木 | 15 685 | 12 636 | 566 | 2 058 | 49 | − | 49 | 376 | 5 713 | 5 376 | 16 | 200 | 6 |
| 群馬 | 15 724 | 12 151 | 673 | 1 913 | 120 | 5 | 115 | 857 | 7 503 | 6 549 | 278 | 522 | 75 |
| 埼玉 | 52 891 | 41 213 | 2 798 | 6 882 | 952 | 18 | 917 | 1 045 | 21 994 | 18 991 | 798 | 1 465 | 334 |
| 千葉 | 47 176 | 39 504 | 1 472 | 2 485 | 1 007 | … | 1 023 | 227 | 35 456 | 31 333 | 160 | 1 232 | 233 |
| 東京 | 108 009 | 72 628 | 12 183 | 11 357 | 4 097 | 41 | 4 005 | 3 800 | 3 839 | 2 867 | 108 | 68 | 21 |
| 神奈川 | 63 413 | 52 207 | 3 358 | 5 828 | 771 | 1 | 770 | 1 661 | 21 439 | 18 473 | 841 | 1 618 | 240 |
| 新潟 | 14 755 | 12 863 | 453 | 767 | 229 | − | 229 | 443 | 7 510 | 7 090 | 167 | 126 | 22 |
| 富山 | 7 156 | 4 649 | 450 | 1 754 | 80 | − | 80 | 223 | 4 | 4 | − | − | − |
| 石川 | 7 752 | 4 836 | 596 | 1 969 | 49 | − | 49 | 302 | 29 | 28 | 1 | − | − |
| 福井 | 5 919 | 5 172 | 148 | 457 | 90 | − | 90 | 48 | 5 833 | 5 153 | 148 | 395 | 90 |
| 山梨 | 7 074 | 4 753 | 202 | 1 731 | 94 | − | 94 | 288 | 1 274 | 1 110 | 28 | 73 | 30 |
| 長野 | 15 251 | 10 263 | 864 | 1 767 | 538 | − | 538 | 1 822 | 869 | 784 | 1 | 6 | 3 |
| 岐阜 | 14 307 | 10 427 | 1 236 | 1 973 | 144 | − | 143 | 527 | 31 | 24 | − | 7 | − |
| 静岡 | 26 297 | 22 663 | 930 | 1 861 | 132 | 1 | 131 | 711 | 25 312 | 21 813 | 890 | 1 781 | 129 |
| 愛知 | 63 495 | 49 216 | 3 573 | 8 317 | 437 | 5 | 430 | 1 952 | 3 572 | 3 159 | 151 | 190 | 2 |
| 三重 | 12 778 | 11 724 | 241 | 646 | 74 | 3 | 71 | 93 | 12 609 | 11 589 | 230 | 626 | 72 |
| 滋賀 | 11 493 | 7 904 | 1 114 | 1 661 | 119 | − | 119 | 695 | 3 897 | 2 986 | 268 | 543 | 4 |
| 京都 | 18 571 | 14 275 | 1 624 | 1 925 | 226 | 18 | 208 | 521 | − | − | − | − | − |
| 大阪 | 65 769 | 47 255 | 3 446 | 11 800 | 930 | 3 | 927 | 2 336 | 3 190 | 2 842 | 112 | 166 | 42 |
| 兵庫 | 41 629 | 31 641 | 3 093 | 4 716 | 338 | 6 | 336 | 1 837 | 4 789 | 4 426 | 33 | 320 | 6 |
| 奈良 | 8 775 | 6 382 | 480 | 1 304 | 254 | − | 254 | 355 | 4 646 | 3 360 | 161 | 811 | 160 |
| 和歌山 | 6 375 | 5 045 | 393 | 734 | 18 | − | 18 | 185 | − | − | − | − | − |
| 鳥取 | 4 201 | 3 480 | 188 | 347 | 100 | − | 100 | 86 | 4 008 | 3 314 | 180 | 333 | 98 |
| 島根 | 5 089 | 3 634 | 304 | 671 | 50 | 1 | 49 | 430 | 29 | 25 | 3 | 1 | − |
| 岡山 | 14 307 | 12 686 | 201 | 859 | 347 | 5 | 344 | 214 | 10 518 | 9 750 | 6 | 394 | 237 |
| 広島 | 21 783 | 18 609 | 736 | 1 689 | 289 | − | 289 | 460 | 5 961 | 5 311 | 149 | 362 | 93 |
| 山口 | 9 362 | 8 436 | 261 | 498 | 50 | − | 50 | 117 | 9 362 | 8 436 | 261 | 498 | 50 |
| 徳島 | 4 688 | 3 769 | 113 | 662 | 78 | − | 78 | 66 | 2 230 | 1 834 | 56 | 247 | 60 |
| 香川 | 5 978 | 5 027 | 234 | 457 | 115 | − | 115 | 145 | 2 561 | 2 199 | 130 | 139 | 67 |
| 愛媛 | 9 326 | 7 623 | 685 | 709 | 223 | 8 | 103 | 86 | 6 961 | 5 651 | 568 | 511 | 185 |
| 高知 | 3 896 | 3 462 | 125 | 188 | 72 | − | 72 | 49 | 1 923 | 1 838 | 1 | 41 | 32 |
| 福岡 | 55 090 | 41 868 | 3 604 | 8 367 | 302 | 1 | 210 | 949 | 14 203 | 11 786 | 823 | 1 288 | 124 |
| 佐賀 | 6 478 | 5 270 | 174 | 822 | 57 | − | 57 | 155 | 4 085 | 3 600 | 60 | 336 | 29 |
| 長崎 | 10 361 | 7 835 | 873 | 998 | 131 | − | 131 | 494 | 3 077 | 2 589 | 45 | 273 | 55 |
| 熊本 | 14 422 | 10 047 | 996 | 2 125 | 527 | 1 | 526 | 726 | 7 824 | 5 546 | 489 | 1 154 | 340 |
| 大分 | 8 482 | 6 944 | 416 | 724 | 170 | − | 170 | 198 | 5 145 | 4 516 | 129 | 305 | 147 |
| 宮崎 | 8 358 | 7 140 | 431 | 644 | 27 | − | 27 | 116 | 6 713 | 5 882 | 284 | 468 | 17 |
| 鹿児島 | 12 864 | 10 870 | 488 | 1 016 | 153 | − | 153 | 337 | 6 424 | 5 911 | 45 | 261 | 33 |
| 沖縄 | 14 490 | 12 198 | 518 | 638 | 43 | − | 43 | 1 092 | 4 325 | 3 684 | 151 | 157 | 13 |
| 指定都市・特別区(再掲) | | | | | | | | | | | | | |
| 東京都区部 | 77 472 | 50 018 | 9 501 | 8 790 | 2 772 | 7 | 2 714 | 3 103 | 3 280 | 2 526 | − | − | − |
| 札幌市 | 13 701 | 10 397 | 752 | 980 | 3 | … | … | 1 569 | − | − | − | − | − |
| 仙台市 | 8 287 | 7 342 | 370 | 281 | 214 | − | 214 | 80 | 8 287 | 7 342 | 370 | 281 | 214 |
| さいたま市 | 10 341 | 9 084 | 443 | 536 | 67 | − | 67 | 211 | 10 341 | 9 084 | 443 | 536 | 67 |
| 千葉市 | 11 874 | 9 538 | 816 | 670 | 764 | − | 764 | 81 | 5 170 | 4 837 | 76 | 181 | 76 |
| 横浜市 | 23 191 | 18 462 | 1 560 | 2 450 | 303 | 1 | 302 | 828 | − | − | − | − | − |
| 川崎市 | 13 663 | 11 720 | 506 | 1 215 | 122 | − | 122 | 100 | 13 663 | 11 720 | 506 | 1 215 | 122 |
| 相模原市 | 5 083 | 4 124 | 241 | 488 | 46 | − | 46 | 184 | − | − | − | − | − |
| 新潟市 | 5 575 | 5 293 | 167 | 79 | 16 | − | 16 | 20 | 5 575 | 5 293 | 167 | 79 | 16 |
| 静岡市 | 4 889 | 4 337 | 201 | 286 | 14 | − | 14 | 51 | 4 889 | 4 337 | 201 | 286 | 14 |
| 浜松市 | 6 298 | 5 024 | 252 | 550 | 33 | − | 33 | 439 | 6 298 | 5 024 | 252 | 550 | 33 |
| 名古屋市 | 19 487 | 14 985 | 270 | 3 950 | 76 | 5 | 71 | 206 | − | − | − | − | − |
| 京都市 | 10 430 | 8 951 | 684 | 453 | 126 | 15 | 111 | 216 | − | − | − | − | − |
| 大阪市 | 21 155 | 14 584 | 1 001 | 4 340 | 297 | − | 297 | 933 | − | − | − | − | − |
| 堺市 | 6 361 | 5 023 | 398 | 618 | 96 | − | 96 | 226 | − | − | − | − | − |
| 神戸市 | 11 371 | 8 835 | 488 | 1 553 | 88 | 6 | 86 | 403 | − | − | − | − | − |
| 岡山市 | 5 687 | 5 100 | − | 371 | 127 | − | 127 | 89 | 5 687 | 5 100 | − | 371 | 127 |
| 広島市 | 10 469 | 9 442 | 286 | 524 | 79 | − | 79 | 138 | 661 | 649 | 4 | 8 | − |
| 北九州市 | 7 231 | 5 957 | 402 | 762 | 40 | 1 | 39 | 70 | 7 231 | 5 957 | 402 | 762 | 40 |
| 福岡市 | 26 605 | 18 696 | 1 933 | 5 469 | 88 | − | − | 419 | − | − | − | − | − |
| 熊本市 | 6 594 | 4 479 | 453 | 1 101 | 331 | − | 331 | 230 | 6 594 | 4 479 | 453 | 1 101 | 331 |

## 受診結果別人員，都道府県－指定都市・特別区－中核市－その他政令市、対象区分別（乳児１～２か月・乳児３～５か月）

平成29年度

| 5か月 | | | | | | | | | | | | | | |
|---|---|---|---|---|---|---|---|---|---|---|---|---|---|---|
| 結果[1) |  |  | 精密健康診査受診実人員 | 受診結果[1) |  |  |  |  | (再掲)医療機関等へ委託 | 受診結果[1) |  |  |  |  |
| (再掲) |  | 要精密 |  | 異常なし | 要経過観察 | 要治療 | (再掲) |  |  | 異常なし | 要経過観察 | 要治療 | (再掲) |  |
| 精神面 | 身体面 |  |  |  |  |  | 精神面 | 身体面 |  |  |  |  | 精神面 | 身体面 |
| 14 | 3 510 | 5 087 | 23 784 | 12 744 | 8 610 | 2 309 | 24 | 2 135 | 9 784 | 5 013 | 3 652 | 1 016 | 5 | 1 006 |
| 1 | 13 | 123 | 2 127 | 1 486 | 488 | 153 | 1 | 48 | 116 | 78 | 29 | 9 | 1 | 9 |
| - | 48 | 43 | 254 | 123 | 87 | 36 | - | 36 | 69 | 20 | 23 | 25 | - | 25 |
| - | 31 | 41 | 130 | 70 | 49 | 11 | 2 | 9 | 62 | 32 | 25 | 5 | 2 | 3 |
| - | 215 | 87 | 317 | 207 | 76 | 29 | - | 29 | 137 | 90 | 40 | 7 | - | 7 |
| - | 35 | 37 | 46 | 21 | 21 | 4 | … | 4 | 16 | 10 | 6 | … | … | … |
| - | 126 | 71 | 176 | 138 | 34 | 4 | - | 4 | 54 | 39 | 13 | 2 | - | 2 |
| … | 47 | 46 | 365 | 227 | 106 | 32 | … | 32 | 224 | 137 | 69 | 18 | … | 18 |
| - | 90 | 127 | 337 | 221 | 95 | 21 | - | 21 | 60 | 30 | 22 | 8 | - | 8 |
| - | 6 | 115 | 346 | 215 | 109 | 22 | - | 22 | 57 | 26 | 21 | 10 | - | 10 |
| - | 75 | 79 | 777 | 540 | 186 | 49 | 7 | 42 | 95 | 50 | 37 | 8 | - | 8 |
| … | 315 | 406 | 844 | 406 | 334 | 104 | - | 104 | 378 | 165 | 168 | 45 | … | 45 |
| … | 233 | 19 | 187 | 66 | 97 | 24 | - | 25 | 35 | 16 | 16 | 3 | - | 3 |
| - | 21 | 520 | 3 191 | 1 154 | 1 646 | 303 | … | 300 | 1 993 | 739 | 997 | 169 | … | 166 |
| - | 240 | 267 | 524 | 170 | 268 | 86 | - | 86 | 265 | 74 | 128 | 63 | - | 63 |
| - | 22 | 105 | 381 | 220 | 117 | 39 | - | 39 | 361 | 202 | 116 | 38 | - | 38 |
| - | - | - | 194 | 133 | 55 | 6 | - | 6 | 138 | 91 | 41 | 6 | - | 6 |
| - | - | - | 283 | 188 | 73 | 22 | - | 22 | 126 | 92 | 28 | 6 | - | 6 |
| - | 90 | 47 | 7 | - | 6 | 1 | - | 1 | 6 | - | 5 | 1 | - | 1 |
| - | 30 | 29 | 249 | 121 | 110 | 18 | 1 | 17 | 40 | 18 | 20 | 2 | - | 2 |
| - | 3 | 41 | 1 622 | 1 174 | 397 | 51 | - | 51 | 922 | 701 | 197 | 24 | - | 24 |
| - | - | - | 421 | 207 | 167 | 47 | - | 43 | 6 | 4 | 1 | 1 | - | - |
| 1 | 128 | 694 | 479 | 326 | 124 | 29 | 1 | 28 | 472 | 319 | 124 | 29 | 1 | 28 |
| - | 2 | 70 | 1 502 | 787 | 500 | 215 | 2 | 214 | 671 | 305 | 228 | 138 | 1 | 138 |
| 3 | 69 | 92 | 4 | - | 2 | 2 | - | 2 | 4 | - | 2 | 2 | - | 2 |
| - | 4 | 96 | 632 | 444 | 56 | 132 | - | 132 | 54 | 25 | 16 | 13 | - | 13 |
| - | - | - | 516 | 163 | 299 | 54 | 5 | 49 | - | - | - | - | - | - |
| - | 42 | 28 | 1 803 | 827 | 738 | 232 | - | 234 | 928 | 466 | 335 | 127 | - | 127 |
| - | 6 | 4 | 1 313 | 761 | 425 | 127 | - | 127 | 261 | 110 | 109 | 42 | - | 42 |
| - | 160 | 154 | 310 | 101 | 165 | 44 | 1 | 43 | 138 | 55 | 62 | 21 | - | 21 |
| - | - | - | 160 | 61 | 81 | 18 | 2 | 16 | 5 | 2 | 3 | - | - | - |
| - | 98 | 83 | 30 | 20 | 10 | - | - | - | 27 | 19 | 8 | - | - | - |
| - | - | - | 417 | 248 | 145 | 24 | - | 24 | 335 | 208 | 108 | 19 | - | 19 |
| - | 237 | 131 | 73 | 36 | 33 | 4 | - | 4 | 10 | 6 | 4 | - | - | - |
| - | 93 | 46 | 427 | 212 | 189 | 26 | - | 26 | 328 | 173 | 133 | 22 | - | 22 |
| - | 50 | 117 | 58 | 14 | 33 | 11 | - | 11 | 58 | 14 | 33 | 11 | - | 11 |
| - | 60 | 33 | 31 | 16 | 7 | 8 | - | 8 | 6 | 5 | 1 | - | - | - |
| - | 67 | 26 | 125 | 51 | 56 | 18 | - | 18 | 36 | 12 | 20 | 4 | - | 4 |
| 8 | 65 | 46 | 70 | 38 | 25 | 7 | - | 5 | 32 | 13 | 17 | 2 | - | - |
| - | 32 | 11 | 38 | 9 | 21 | 8 | - | 8 | 6 | 1 | 3 | 2 | - | 2 |
| 1 | 123 | 182 | 766 | 251 | 426 | 89 | 1 | 47 | 103 | 39 | 39 | 25 | - | 25 |
| - | 29 | 60 | 89 | 31 | 48 | 10 | - | 10 | 25 | 12 | 11 | 2 | - | 2 |
| - | 55 | 112 | 399 | 158 | 192 | 40 | - | 40 | 144 | 13 | 110 | 12 | - | 12 |
| - | 340 | 295 | 457 | 310 | 123 | 24 | - | 24 | 87 | 53 | 31 | 3 | - | 3 |
| - | 147 | 48 | 159 | 80 | 75 | 10 | … | 10 | 120 | 55 | 59 | 6 | … | 5 |
| - | 17 | 62 | 57 | 19 | 34 | 4 | - | 4 | 34 | 11 | 22 | 1 | - | 1 |
| - | 33 | 174 | 256 | 123 | 80 | 53 | - | 53 | 185 | 94 | 44 | 47 | - | 47 |
| - | 13 | 320 | 835 | 571 | 202 | 58 | 1 | 57 | 555 | 389 | 128 | 38 | - | 38 |
| - | - | 499 | 2 576 | 1 031 | 1 222 | 235 | … | 232 | 1 618 | 661 | 746 | 123 | … | 120 |
| - | - | - | 1 553 | 1 136 | 312 | 105 | … | … | - | - | - | - | - | - |
| - | 214 | 80 | 105 | 64 | 39 | 2 | - | 2 | 105 | 64 | 39 | 2 | - | 2 |
| - | 67 | 211 | 187 | 78 | 87 | 22 | - | 22 | 187 | 78 | 87 | 22 | - | 22 |
| - | 76 | - | 64 | 25 | 35 | 4 | - | 4 | - | - | - | - | - | - |
| - | - | - | - | - | - | - | - | - | - | - | - | - | - | - |
| - | 122 | 100 | - | - | - | - | - | - | - | - | - | - | - | - |
| - | - | - | 140 | 40 | 75 | 25 | - | 25 | 140 | 40 | 75 | 25 | - | 25 |
| - | 16 | 20 | 1 | - | 1 | - | - | - | 1 | - | 1 | - | - | - |
| - | 14 | 51 | - | - | - | - | - | - | - | - | - | - | - | - |
| - | 33 | 439 | 458 | 312 | 120 | 26 | 1 | 25 | 458 | 312 | 120 | 26 | 1 | 25 |
| - | - | - | - | - | - | - | - | - | - | - | - | - | - | - |
| - | - | - | 244 | 90 | 124 | 30 | 5 | 25 | - | - | - | - | - | - |
| - | - | - | 873 | 444 | 312 | 117 | - | 117 | 873 | 444 | 312 | 117 | - | 117 |
| - | - | - | - | - | - | - | - | - | - | - | - | - | - | - |
| - | - | - | - | - | - | - | - | - | - | - | - | - | - | - |
| - | 127 | 89 | - | - | - | - | - | - | - | - | - | - | - | - |
| - | - | - | 125 | 29 | 81 | 15 | - | 15 | 125 | 29 | 81 | 15 | - | 15 |
| 1 | 39 | 70 | 30 | 7 | 13 | 10 | - | 10 | 30 | 7 | 13 | 10 | - | 10 |
| - | - | - | 396 | 112 | 243 | 41 | - | - | - | - | - | - | - | - |
| - | 331 | 230 | - | - | - | - | - | - | - | - | - | - | - | - |

# 第４－１表(４－４) 市区町村が実施した乳児の健康診査受診結果別人員・医療機関等へ委託した

| | 乳児 3～ | | | | | | | | | | | | |
|---|---|---|---|---|---|---|---|---|---|---|---|---|---|
| | 一般健康診査受診実人員 | 受診結果[1] | | | | | | | (再掲)医療機関等へ委託 | 受診 | | | |
| | | 異常なし | 既医療 | 要経過観察 | 要治療 | (再掲) | | 要精密 | | 異常なし | 既医療 | 要経過観察 | 要治療 |
| | | | | | | 精神面 | 身体面 | | | | | | |
| 中核市(再掲) | | | | | | | | | | | | | |
| 旭川市 | 2 063 | 1 764 | 42 | 145 | - | - | - | 112 | - | - | - | - | - |
| 函館市 | 1 387 | 1 336 | - | 46 | - | - | - | 5 | - | - | - | - | - |
| 青森市 | 1 765 | 1 439 | 70 | 21 | 8 | - | 8 | 227 | - | - | - | - | - |
| 八戸市 | 1 449 | 1 381 | - | 24 | 25 | - | 25 | 19 | 1 449 | 1 381 | - | 24 | 25 |
| 盛岡 | 2 195 | 2 003 | 56 | 84 | 27 | - | 27 | 25 | 2 195 | 2 003 | 56 | 84 | 27 |
| 秋田市 | 1 949 | 1 480 | 172 | 246 | 31 | - | 31 | 20 | 1 949 | 1 480 | 172 | 246 | 31 |
| 郡山市 | 2 559 | 2 200 | 97 | 176 | 44 | - | 44 | 42 | 2 559 | 2 200 | 97 | 176 | 44 |
| いわき市 | 2 302 | 1 618 | 281 | 192 | 25 | - | 25 | 186 | - | - | - | - | - |
| 宇都宮市 | 4 464 | 4 246 | 16 | 192 | 2 | - | 2 | 8 | 4 464 | 4 246 | 16 | 192 | 2 |
| 前橋市 | 4 566 | 4 113 | 104 | 277 | 22 | - | 22 | 50 | 4 566 | 4 113 | 104 | 277 | 22 |
| 高崎市 | 2 935 | 2 434 | 174 | 245 | 53 | - | 53 | 29 | 2 935 | 2 434 | 174 | 245 | 53 |
| 川越市 | 2 563 | 1 811 | 229 | 333 | 168 | - | 168 | 22 | - | - | - | - | - |
| 越谷市 | 2 650 | 2 308 | 51 | 167 | 74 | - | 74 | 50 | 2 650 | 2 308 | 51 | 167 | 74 |
| 船橋市 | 4 591 | 4 413 | 45 | 96 | 37 | - | 37 | - | 4 591 | 4 413 | 45 | 96 | 37 |
| 柏市 | 2 986 | 2 943 | - | 40 | 2 | - | 2 | 1 | 2 986 | 2 943 | - | 40 | 2 |
| 八王子市 | 3 332 | 2 490 | 317 | 230 | 219 | 7 | 212 | 76 | - | - | - | - | - |
| 横須賀市 | 2 432 | 2 045 | - | 323 | 4 | - | 4 | 60 | - | - | - | - | - |
| 富山市 | 3 070 | 1 876 | 76 | 1 026 | 12 | - | 12 | 80 | - | - | - | - | - |
| 金沢市 | 3 703 | 2 169 | 252 | 1 213 | 4 | - | 4 | 65 | - | - | - | - | - |
| 長野市 | 2 788 | 1 224 | - | 499 | 143 | - | 143 | 922 | - | - | - | - | - |
| 岐阜市 | 2 954 | 2 359 | 224 | 296 | 6 | - | 6 | 69 | - | - | - | - | - |
| 豊橋市 | 2 965 | 2 118 | 174 | 406 | 10 | - | 10 | 257 | - | - | - | - | - |
| 豊田市 | 3 655 | 3 066 | 219 | 212 | - | - | - | 158 | - | - | - | - | - |
| 岡崎市 | 3 518 | 3 112 | 147 | 188 | 2 | - | 2 | 69 | 3 518 | 3 112 | 147 | 188 | 2 |
| 大津市 | 2 707 | 2 123 | 208 | 299 | - | - | - | 77 | 2 707 | 2 123 | 208 | 299 | - |
| 高槻市 | 2 565 | 1 959 | 22 | 270 | 167 | - | 167 | 147 | - | - | - | - | - |
| 東大阪市 | 3 302 | 1 948 | 283 | 828 | 40 | 2 | 38 | 203 | - | - | - | - | - |
| 豊中市 | 3 479 | 2 671 | 194 | 524 | 2 | - | 2 | 88 | - | - | - | - | - |
| 枚方市 | 2 706 | 2 049 | 13 | 581 | - | - | - | 63 | - | - | - | - | - |
| 姫路市 | 4 295 | 4 017 | - | 277 | - | - | - | 1 | 4 295 | 4 017 | - | 277 | - |
| 西宮市 | 4 032 | 3 010 | 397 | 479 | 58 | - | 58 | 88 | - | - | - | - | - |
| 尼崎市 | 3 720 | 3 063 | 421 | 119 | 13 | - | 13 | 104 | - | - | - | - | - |
| 奈良市 | 2 241 | 1 608 | 103 | 423 | 38 | - | 38 | 69 | 2 241 | 1 608 | 103 | 423 | 38 |
| 和歌山市 | 2 677 | 2 112 | 217 | 281 | - | - | - | 67 | - | - | - | - | - |
| 倉敷市 | 4 107 | 3 982 | - | - | 95 | - | 95 | 30 | 4 107 | 3 982 | - | - | 95 |
| 福山市 | 3 849 | 3 385 | 143 | 207 | 81 | - | 81 | 33 | 3 849 | 3 385 | 143 | 207 | 81 |
| 呉市 | 1 394 | 933 | 132 | 230 | 36 | - | 36 | 63 | - | - | - | - | - |
| 下関市 | 1 638 | 1 425 | 28 | 147 | 12 | - | 12 | 26 | 1 638 | 1 425 | 28 | 147 | 12 |
| 高松市 | 2 186 | 1 875 | 105 | 118 | 66 | - | 66 | 22 | 2 186 | 1 875 | 105 | 118 | 66 |
| 松山市 | 3 991 | 3 127 | 393 | 336 | 112 | - | - | 23 | 3 991 | 3 127 | 393 | 336 | 112 |
| 高知市 | 1 795 | 1 733 | - | 33 | 20 | - | 20 | 9 | 1 795 | 1 733 | - | 33 | 20 |
| 久留米市 | 2 716 | 2 201 | 150 | 247 | 55 | - | 55 | 63 | 2 716 | 2 201 | 150 | 247 | 55 |
| 長崎市 | 3 056 | 2 165 | 493 | 149 | 1 | - | 1 | 248 | - | - | - | - | - |
| 佐世保市 | 2 041 | 1 509 | 223 | 221 | 20 | - | 20 | 68 | - | - | - | - | - |
| 大分市 | 4 043 | 3 591 | 93 | 219 | 96 | - | 96 | 44 | 4 043 | 3 591 | 93 | 219 | 96 |
| 宮崎市 | 3 443 | 2 992 | 111 | 302 | 8 | - | 8 | 30 | 3 443 | 2 992 | 111 | 302 | 8 |
| 鹿児島市 | 5 119 | 4 886 | - | 165 | 19 | - | 19 | 49 | 5 119 | 4 886 | - | 165 | 19 |
| 那覇市 | 2 766 | 2 282 | 116 | 135 | 10 | - | 10 | 223 | - | - | - | - | - |
| その他政令市(再掲) | | | | | | | | | | | | | |
| 小樽市 | 507 | 426 | - | 29 | 2 | - | 2 | 50 | 423 | 357 | - | 16 | 2. |
| 町田市 | 2 707 | 2 051 | … | … | … | … | … | … | - | - | - | - | - |
| 藤沢市 | 3 285 | 2 871 | 114 | 165 | 3 | - | 3 | 132 | 3 285 | 2 871 | 114 | 165 | 3 |
| 茅ヶ崎市 | 1 757 | 1 531 | 83 | 116 | 16 | - | 16 | 11 | - | - | - | - | - |
| 四日市市 | 2 379 | 2 234 | 34 | 86 | 7 | - | 7 | 18 | 2 379 | 2 234 | 34 | 86 | 7 |
| 大牟田市 | 729 | 642 | 28 | 50 | 3 | - | 3 | 6 | 729 | 642 | 28 | 50 | 3 |

注：1）受診結果は計数不詳な市区町村があるため、受診実人員と受診結果の計が一致しない場合がある。

## 受診結果別人員，都道府県－指定都市・特別区－中核市－その他政令市、対象区分別（乳児１～２か月・乳児３～５か月）

平成29年度

| 5か月 | | | | | | | | | | | | | | |
|---|---|---|---|---|---|---|---|---|---|---|---|---|---|---|
| 結果[1)] | | | 精密健康診査受診実人員 | 受診結果[1)] | | | | | (再掲)医療機関等へ委託 | 受診結果[1)] | | | | |
| (再掲) | | 要精密 | | 異常なし | 要経過観察 | 要治療 | (再掲) | | | 異常なし | 要経過観察 | 要治療 | (再掲) | |
| 精神面 | 身体面 | | | | | | 精神面 | 身体面 | | | | | 精神面 | 身体面 |
| － | － | － | － | － | － | － | － | － | － | － | － | － | － | － |
| － | － | － | 5 | 1 | 4 | － | － | － | 5 | 1 | 4 | － | － | － |
| － | － | － | 165 | 95 | 53 | 10 | － | 10 | － | － | － | － | － | － |
| － | 25 | 19 | 19 | 4 | 2 | 13 | － | 13 | 19 | 4 | 2 | 13 | － | 13 |
| － | 27 | 25 | － | － | － | － | － | － | － | － | － | － | － | － |
| | | | | | | | | | | | | | | |
| － | 31 | 20 | － | － | － | － | － | － | － | － | － | － | － | － |
| － | 44 | 42 | 33 | 12 | 14 | 7 | － | 7 | 33 | 12 | 14 | 7 | － | 7 |
| － | － | － | 172 | 110 | 52 | 10 | － | 10 | 172 | 110 | 52 | 10 | － | 10 |
| － | 2 | 8 | 6 | 4 | 2 | － | － | － | － | － | － | － | － | － |
| － | 22 | 50 | 45 | 36 | 8 | 1 | － | 1 | 45 | 36 | 8 | 1 | － | 1 |
| | | | | | | | | | | | | | | |
| － | 53 | 29 | 27 | 6 | 15 | 6 | － | 6 | 27 | 6 | 15 | 6 | － | 6 |
| － | － | － | 15 | 8 | 7 | － | － | － | － | － | － | － | － | － |
| － | 74 | 50 | 32 | 16 | 12 | 4 | － | 4 | 32 | 16 | 12 | 4 | － | 4 |
| － | 37 | － | － | － | － | － | － | － | － | － | － | － | － | － |
| － | 2 | 1 | － | － | － | － | － | － | － | － | － | － | － | － |
| | | | | | | | | | | | | | | |
| － | － | － | 48 | 9 | 26 | 13 | － | 13 | 48 | 9 | 26 | 13 | － | 13 |
| － | － | － | 49 | 13 | 36 | － | － | － | － | － | － | － | － | － |
| － | － | － | 65 | 40 | 22 | 3 | － | 3 | 65 | 40 | 22 | 3 | － | 3 |
| － | － | － | 64 | 32 | 23 | 9 | － | 9 | － | － | － | － | － | － |
| － | － | － | 876 | 658 | 194 | 24 | － | 24 | 876 | 658 | 194 | 24 | － | 24 |
| | | | | | | | | | | | | | | |
| － | － | － | 64 | 22 | 40 | 2 | － | 2 | － | － | － | － | － | － |
| － | － | － | 252 | 163 | 83 | 6 | － | 6 | － | － | － | － | － | － |
| － | － | － | 146 | 32 | 4 | 110 | 1 | 110 | 146 | 32 | 4 | 110 | 1 | 110 |
| － | 2 | 69 | 53 | 25 | 21 | 7 | － | 7 | 53 | 25 | 21 | 7 | － | 7 |
| － | － | 77 | 44 | 22 | 16 | 6 | － | 6 | 44 | 22 | 16 | 6 | － | 6 |
| | | | | | | | | | | | | | | |
| － | － | － | － | － | － | － | － | － | － | － | － | － | － | － |
| － | － | － | 196 | 92 | 101 | 3 | － | 3 | － | － | － | － | － | － |
| － | － | － | 76 | 35 | 32 | 9 | － | 9 | － | － | － | － | － | － |
| － | － | － | 54 | 31 | 23 | － | － | － | － | － | － | － | － | － |
| － | － | 1 | 1 | － | 1 | － | － | － | 1 | － | 1 | － | － | － |
| | | | | | | | | | | | | | | |
| － | － | － | 81 | 21 | 49 | 11 | － | 11 | － | － | － | － | － | － |
| － | － | － | 83 | 24 | 32 | 27 | － | 27 | 83 | 24 | 32 | 27 | － | 27 |
| － | 38 | 69 | 69 | 25 | 37 | 7 | － | 7 | 69 | 25 | 37 | 7 | － | 7 |
| － | － | － | 65 | 34 | 24 | 7 | － | 7 | － | － | － | － | － | － |
| － | 95 | 30 | － | － | － | － | － | － | － | － | － | － | － | － |
| | | | | | | | | | | | | | | |
| － | 81 | 33 | 33 | 17 | 14 | 2 | － | 2 | 33 | 17 | 14 | 2 | － | 2 |
| － | － | － | 62 | 24 | 38 | － | － | － | － | － | － | － | － | － |
| － | 12 | 26 | 5 | 4 | 1 | － | － | － | 5 | 4 | 1 | － | － | － |
| － | 66 | 22 | 21 | 6 | 12 | 3 | － | 3 | 21 | 6 | 12 | 3 | － | 3 |
| － | － | 23 | 23 | 8 | 13 | 2 | － | － | 23 | 8 | 13 | 2 | － | － |
| | | | | | | | | | | | | | | |
| － | 20 | 9 | － | － | － | － | － | － | － | － | － | － | － | － |
| － | 55 | 63 | 32 | 16 | 8 | 8 | － | 8 | 32 | 16 | 8 | 8 | － | 8 |
| － | － | － | 205 | 133 | 56 | 16 | － | 16 | － | － | － | － | － | － |
| － | － | － | 39 | 8 | 21 | 10 | － | 10 | － | － | － | － | － | － |
| － | 96 | 44 | 20 | 14 | 6 | － | － | － | 20 | 14 | 6 | － | － | － |
| | | | | | | | | | | | | | | |
| － | 8 | 30 | － | － | － | － | － | － | － | － | － | － | － | － |
| － | 19 | 49 | 6 | 2 | 4 | － | － | － | 6 | 2 | 4 | － | － | － |
| － | － | － | 173 | 114 | 49 | 10 | － | 10 | 173 | 114 | 49 | 10 | － | 10 |
| | | | | | | | | | | | | | | |
| － | 2 | 48 | － | － | － | － | － | － | － | － | － | － | － | － |
| － | － | － | － | － | － | － | － | － | － | － | － | － | － | － |
| － | 3 | 132 | 54 | 26 | 26 | 2 | － | 2 | － | － | － | － | － | － |
| － | － | － | 11 | 1 | 9 | 1 | － | 1 | － | － | － | － | － | － |
| － | 7 | 18 | － | － | － | － | － | － | － | － | － | － | － | － |
| | | | | | | | | | | | | | | |
| － | 3 | 6 | 6 | 2 | 3 | 1 | － | 1 | 6 | 2 | 3 | 1 | － | 1 |

# 第4－2表(4－1) 市区町村が実施した乳児の健康診査受診結果別人員・医療機関等へ委託した

| | 乳児6～ | | | | | | | | | | | | |
|---|---|---|---|---|---|---|---|---|---|---|---|---|---|
| | 一般健康診査受診実人員 | 受診結果[1) ] 異常なし | 既医療 | 要経過観察 | 要治療 | (再掲) 精神面 | (再掲) 身体面 | 要精密 | (再掲)医療機関等へ委託 | 受診 異常なし | 既医療 | 要経過観察 | 要治療 |
| **全国** | **351 519** | **288 508** | **7 818** | **29 056** | **3 774** | **28** | **3 619** | **2 568** | **288 014** | **240 387** | **4 472** | **18 786** | **3 122** |
| 北海道 | 3 778 | 2 700 | 97 | 900 | 30 | 2 | 30 | 49 | 231 | 213 | 3 | 15 | – |
| 青森 | 4 250 | 3 924 | 73 | 141 | 23 | – | 23 | 89 | 3 816 | 3 531 | 55 | 120 | 23 |
| 岩手 | 7 434 | 6 532 | 220 | 595 | 33 | – | 33 | 54 | 5 750 | 5 238 | 159 | 285 | 27 |
| 宮城 | 12 794 | 11 503 | 349 | 677 | 155 | – | 155 | 110 | 12 726 | 11 440 | 349 | 673 | 155 |
| 秋田 | 4 232 | 3 114 | 363 | 669 | 48 | – | 48 | 38 | 2 486 | 1 752 | 224 | 461 | 29 |
| 山形 | 895 | 709 | 56 | 90 | 26 | – | 26 | 14 | – | – | – | – | – |
| 福島 | 138 | 102 | 8 | 25 | 1 | – | 1 | 2 | – | – | – | – | – |
| 茨城 | 6 014 | 5 363 | 149 | 325 | 88 | – | 88 | 89 | 5 614 | 5 130 | 93 | 234 | 77 |
| 栃木 | 1 833 | 1 511 | 65 | 207 | 11 | – | 11 | 39 | – | – | – | – | – |
| 群馬 | 1 917 | 1 374 | 113 | 391 | 14 | – | 14 | 25 | – | – | – | – | – |
| 埼玉 | 381 | 242 | 27 | 108 | 1 | … | 1 | 3 | … | … | … | … | … |
| 千葉 | 8 759 | 6 571 | 57 | 312 | 32 | – | 32 | 4 | 8 333 | 6 227 | – | 284 | 31 |
| 東京 | 104 359 | 77 653 | 1 021 | 6 309 | 1 320 | 7 | 1 315 | 111 | 104 266 | 77 563 | 1 020 | 6 308 | 1 319 |
| 神奈川 | 42 374 | 38 293 | 832 | 2 930 | 155 | – | 155 | 164 | 41 329 | 37 551 | 678 | 2 805 | 151 |
| 新潟 | 5 737 | 5 076 | 59 | 387 | 144 | – | 144 | 71 | 4 884 | 4 484 | 24 | 208 | 126 |
| 富山 | 5 007 | 4 663 | 8 | 281 | 38 | – | 38 | 17 | 4 867 | 4 577 | 8 | 228 | 37 |
| 石川 | 3 544 | 3 329 | 43 | 148 | 8 | – | 8 | 16 | 3 511 | 3 302 | 39 | 147 | 8 |
| 福井 | 441 | 301 | 10 | 120 | 7 | – | 7 | 3 | – | – | – | – | – |
| 山梨 | 4 405 | 3 568 | 111 | 622 | 54 | – | 54 | 49 | 2 985 | 2 792 | 19 | 123 | 26 |
| 長野 | 6 629 | 5 518 | 53 | 800 | 175 | … | 45 | 83 | 5 361 | 4 553 | 4 | 574 | 164 |
| 岐阜 | 35 | 26 | 1 | 5 | 1 | – | 1 | 2 | – | – | – | – | – |
| 静岡 | 766 | 727 | 15 | 17 | 2 | – | 2 | 5 | – | – | – | – | – |
| 愛知 | 9 430 | 8 929 | 89 | 274 | 86 | … | 86 | 36 | 8 999 | 8 577 | 61 | 232 | 85 |
| 三重 | 46 | 38 | 1 | 6 | 1 | – | 1 | – | – | – | – | – | – |
| 滋賀 | 186 | 43 | 11 | 131 | – | – | – | 1 | – | – | – | – | – |
| 京都 | 11 023 | 9 029 | 562 | 1 262 | 97 | 7 | 90 | 73 | – | – | – | – | – |
| 大阪 | 148 | 98 | 1 | 32 | 2 | – | 2 | 15 | 17 | 15 | – | – | 2 |
| 兵庫 | 908 | 582 | 137 | 123 | 17 | – | 17 | 19 | 30 | – | – | – | – |
| 奈良 | 1 500 | 973 | 25 | 382 | 88 | – | 88 | 32 | 1 413 | 899 | 17 | 380 | 86 |
| 和歌山 | 1 557 | 1 142 | 19 | 345 | 1 | – | 1 | 50 | – | – | – | – | – |
| 鳥取 | 4 243 | 3 187 | 247 | 635 | 81 | 5 | 76 | 93 | – | – | – | – | – |
| 島根 | 826 | 713 | 11 | 47 | 39 | – | 39 | 16 | 537 | 467 | – | 21 | 38 |
| 岡山 | 9 924 | 9 183 | 13 | 452 | 206 | 2 | 204 | 70 | 9 735 | 9 004 | 13 | 445 | 204 |
| 広島 | 10 122 | 8 992 | 62 | 939 | 93 | – | 93 | 36 | 8 474 | 7 826 | 52 | 470 | 91 |
| 山口 | 9 297 | 8 361 | 230 | 606 | 27 | – | 27 | 73 | 9 297 | 8 361 | 230 | 606 | 27 |
| 徳島 | 1 664 | 1 479 | 17 | 148 | 13 | – | 13 | 7 | 1 064 | 1 004 | – | 49 | 9 |
| 香川 | 2 481 | 2 195 | 119 | 137 | 14 | – | 14 | 16 | 2 356 | 2 092 | 115 | 122 | 14 |
| 愛媛 | 2 809 | 2 235 | 218 | 261 | 71 | 2 | 69 | 24 | 2 074 | 1 774 | 115 | 117 | 53 |
| 高知 | 1 688 | 1 424 | 42 | 159 | 39 | – | 39 | 24 | 780 | 727 | 1 | 32 | 16 |
| 福岡 | 14 153 | 11 023 | 555 | 2 387 | 65 | – | 64 | 123 | 8 757 | 6 774 | 373 | 1 491 | 40 |
| 佐賀 | 3 852 | 3 110 | 104 | 539 | 39 | – | 39 | 60 | 3 069 | 2 586 | 51 | 342 | 36 |
| 長崎 | 3 756 | 3 338 | 57 | 295 | 31 | – | 31 | 35 | 3 321 | 3 076 | 44 | 150 | 22 |
| 熊本 | 13 536 | 9 989 | 814 | 2 117 | 240 | 1 | 239 | 378 | 6 433 | 4 820 | 445 | 906 | 135 |
| 大分 | 6 602 | 5 643 | 241 | 577 | 60 | – | 60 | 61 | 5 147 | 4 562 | 101 | 394 | 60 |
| 宮崎 | 6 318 | 5 455 | 257 | 483 | 18 | – | 18 | 105 | 4 933 | 4 354 | 174 | 344 | 9 |
| 鹿児島 | 8 978 | 7 953 | 229 | 594 | 76 | 2 | 74 | 126 | 5 096 | 4 849 | – | 194 | 20 |
| 沖縄 | 750 | 595 | 27 | 66 | 4 | – | 4 | 58 | 323 | 267 | 5 | 26 | 2 |
| 指定都市・特別区(再掲) | | | | | | | | | | | | | |
| 東京都区部 | 74 633 | 50 671 | 671 | 4 816 | 869 | 6 | 865 | 41 | 74 633 | 50 671 | 671 | 4 816 | 869 |
| 札幌市 | – | – | – | – | – | – | – | – | – | – | – | – | – |
| 仙台市 | 8 221 | 7 305 | 252 | 465 | 117 | – | 117 | 82 | 8 221 | 7 305 | 252 | 465 | 117 |
| さいたま市 | – | – | – | – | – | – | – | – | – | – | – | – | – |
| 千葉市 | – | – | – | – | – | – | – | – | – | – | – | – | – |
| 横浜市 | 19 064 | 19 064 | – | – | – | – | – | – | 19 064 | 19 064 | – | – | – |
| 川崎市 | 13 671 | 11 054 | 426 | 2 062 | 74 | – | 74 | 55 | 13 671 | 11 054 | 426 | 2 062 | 74 |
| 相模原市 | 5 052 | 4 388 | 131 | 425 | 42 | – | 42 | 66 | 5 052 | 4 388 | 131 | 425 | 42 |
| 新潟市 | – | – | – | – | – | – | – | – | – | – | – | – | – |
| 静岡市 | – | – | – | – | – | – | – | – | – | – | – | – | – |
| 浜松市 | – | – | – | – | – | – | – | – | – | – | – | – | – |
| 名古屋市 | – | – | – | – | – | – | – | – | – | – | – | – | – |
| 京都市 | 10 470 | 8 633 | 502 | 1 186 | 91 | 7 | 84 | 58 | – | – | – | – | – |
| 大阪市 | – | – | – | – | – | – | – | – | – | – | – | – | – |
| 堺市 | – | – | – | – | – | – | – | – | – | – | – | – | – |
| 神戸市 | – | – | – | – | – | – | – | – | – | – | – | – | – |
| 岡山市 | 4 501 | 3 935 | – | 430 | 108 | – | 108 | 28 | 4 501 | 3 935 | – | 430 | 108 |
| 広島市 | 3 417 | 3 281 | 16 | 106 | 5 | – | 5 | 9 | 3 417 | 3 281 | 16 | 106 | 5 |
| 北九州市 | 7 272 | 5 481 | 355 | 1 331 | 39 | – | 39 | 66 | 7 272 | 5 481 | 355 | 1 331 | 39 |
| 福岡市 | – | – | – | – | – | – | – | – | – | – | – | – | – |
| 熊本市 | 6 365 | 4 758 | 443 | 906 | 135 | – | 135 | 123 | 6 365 | 4 758 | 443 | 906 | 135 |

# 受診結果別人員，都道府県－指定都市・特別区－中核市－その他政令市、対象区分別（乳児６～８か月・乳児９～12か月）

平成29年度

| 8 | | | か | | | | 月 | | | | | | | |
|---|---|---|---|---|---|---|---|---|---|---|---|---|---|---|
| 結果[1] | | | 精密健康診査受診実人員 | 受診結果[1] | | | | | (再掲)医療機関等へ委託 | 受診結果[1] | | | | |
| (再掲) | | 要精密* | | 異常なし | 要経過観察 | 要治療 | (再掲) | | | 異常なし | 要経過観察 | 要治療 | (再掲) | |
| 精神面 | 身体面 | | | | | | 精神面 | 身体面 | | | | | 精神面 | 身体面 |
| **9** | **2 985** | **1 465** | **1 415** | **508** | **705** | **199** | **12** | **186** | **602** | **224** | **300** | **74** | **1** | **74** |
| － | － | － | 39 | 10 | 25 | 4 | － | 4 | 1 | 1 | － | － | － | － |
| － | 23 | 87 | 71 | 33 | 28 | 8 | － | 8 | 69 | 32 | 27 | 8 | － | 8 |
| － | 27 | 41 | 15 | 3 | 6 | 6 | － | 6 | 6 | 1 | 3 | 2 | － | 2 |
| － | 155 | 109 | 37 | 23 | 13 | 1 | － | 1 | 37 | 23 | 13 | 1 | － | 1 |
| － | 29 | 20 | 11 | 5 | 3 | 3 | … | 3 | 2 | 1 | 1 | … | … | … |
| － | － | － | 13 | 9 | 3 | 1 | － | 1 | － | － | － | － | － | － |
| － | － | － | 2 | － | 2 | － | － | － | － | － | － | － | － | － |
| － | 77 | 80 | 46 | 31 | 13 | 2 | － | 2 | 38 | 25 | 11 | 2 | － | 2 |
| － | － | － | 38 | 8 | 26 | 4 | － | 4 | 6 | 2 | 4 | － | － | － |
| － | － | － | 21 | 7 | 9 | 5 | － | 5 | － | － | － | － | － | － |
| … | … | … | … | … | … | … | … | … | … | … | … | … | … | … |
| － | 31 | － | 3 | 1 | 2 | － | － | － | － | － | － | － | － | － |
| 7 | 1 314 | 111 | 2 | 1 | 1 | … | … | … | 2 | 1 | 1 | … | … | … |
| － | 151 | 144 | 60 | 18 | 32 | 10 | － | 10 | 60 | 18 | 32 | 10 | － | 10 |
| － | 126 | 42 | 26 | 14 | 11 | 1 | － | 1 | 26 | 14 | 11 | 1 | － | 1 |
| － | 37 | 17 | 1 | 1 | － | － | － | － | 1 | 1 | － | － | － | － |
| － | 8 | 15 | － | － | － | － | － | － | － | － | － | － | － | － |
| － | － | － | 2 | － | 1 | 1 | － | 1 | － | － | － | － | － | － |
| － | 26 | 25 | 27 | 9 | 14 | 4 | － | 4 | 4 | 3 | 1 | － | － | － |
| … | 34 | 66 | 13 | 7 | 6 | － | － | － | 1 | 1 | － | － | － | － |
| － | － | － | 2 | 1 | 1 | － | － | － | － | － | － | － | － | － |
| － | － | － | － | － | － | － | － | － | － | － | － | － | － | － |
| … | 85 | 28 | 9 | 3 | 5 | 1 | … | 1 | 4 | 1 | 2 | 1 | … | 1 |
| － | － | － | － | － | － | － | － | － | － | － | － | － | － | － |
| － | － | － | 1 | 1 | － | － | － | － | － | － | － | － | － | － |
| － | － | － | 131 | 17 | 89 | 25 | 10 | 15 | － | － | － | － | － | － |
| － | 2 | － | 14 | 6 | 7 | 1 | － | 1 | － | － | － | － | － | － |
| － | － | － | 18 | 5 | 11 | 1 | － | 1 | 9 | － | 7 | 1 | － | 1 |
| － | 86 | 31 | 19 | 6 | 12 | 1 | － | 1 | 18 | 6 | 11 | 1 | － | 1 |
| － | － | － | 40 | 14 | 21 | 5 | － | 3 | － | － | － | － | － | － |
| － | － | － | 84 | 28 | 48 | 8 | － | 8 | － | － | － | － | － | － |
| － | 38 | 11 | 4 | 2 | 2 | － | － | － | － | － | － | － | － | － |
| － | 204 | 69 | 5 | 1 | 2 | 2 | － | 2 | 5 | 1 | 2 | 2 | － | 2 |
| － | 91 | 35 | 25 | 7 | 17 | 1 | － | 1 | 23 | 5 | 17 | 1 | － | 1 |
| － | 27 | 73 | 39 | 6 | 21 | 12 | 1 | 11 | 39 | 6 | 21 | 12 | 1 | 11 |
| － | 9 | 2 | 6 | 3 | 2 | 1 | － | 1 | 2 | 1 | 1 | － | － | － |
| － | 14 | 13 | 8 | 4 | 3 | 1 | － | 1 | 5 | 2 | 3 | － | － | － |
| 2 | 51 | 15 | 18 | 11 | 5 | 2 | － | 2 | 10 | 7 | 3 | － | － | － |
| － | 16 | 4 | 17 | 3 | 7 | 7 | － | 7 | 9 | 1 | 5 | 3 | － | 3 |
| － | 40 | 79 | 54 | 14 | 32 | 8 | 1 | 7 | 25 | 8 | 13 | 4 | － | 4 |
| － | 36 | 54 | 7 | 5 | 1 | 1 | － | 1 | 3 | 1 | － | 1 | － | 1 |
| － | 22 | 29 | 27 | 4 | 19 | 4 | － | 4 | 25 | 3 | 18 | 4 | － | 4 |
| － | 135 | 127 | 224 | 104 | 80 | 40 | － | 40 | 21 | 7 | 12 | 2 | － | 2 |
| － | 60 | 30 | 41 | 22 | 16 | 3 | － | 3 | 35 | 18 | 16 | 1 | － | 1 |
| － | 9 | 52 | 55 | 18 | 33 | 4 | － | 4 | 9 | 5 | 2 | 2 | － | 2 |
| － | 20 | 33 | 106 | 25 | 65 | 16 | － | 16 | 84 | 16 | 57 | 11 | － | 11 |
| － | 2 | 23 | 34 | 18 | 11 | 5 | － | 6 | 23 | 13 | 6 | 4 | － | 5 |
| 6 | 865 | 41 | … | … | … | … | … | … | … | … | … | … | … | … |
| － | － | － | － | － | － | － | － | － | － | － | － | － | － | － |
| － | 117 | 82 | 22 | 19 | 3 | － | － | － | 22 | 19 | 3 | － | － | － |
| － | － | － | － | － | － | － | － | － | － | － | － | － | － | － |
| － | － | － | － | － | － | － | － | － | － | － | － | － | － | － |
| － | － | － | － | － | － | － | － | － | － | － | － | － | － | － |
| － | 74 | 55 | － | － | － | － | － | － | － | － | － | － | － | － |
| － | 42 | 66 | 33 | 11 | 21 | 1 | － | 1 | 33 | 11 | 21 | 1 | － | 1 |
| － | － | － | － | － | － | － | － | － | － | － | － | － | － | － |
| － | － | － | － | － | － | － | － | － | － | － | － | － | － | － |
| － | － | － | － | － | － | － | － | － | － | － | － | － | － | － |
| － | － | － | － | － | － | － | － | － | － | － | － | － | － | － |
| － | － | － | 117 | 15 | 79 | 23 | 10 | 13 | － | － | － | － | － | － |
| － | － | － | － | － | － | － | － | － | － | － | － | － | － | － |
| － | － | － | － | － | － | － | － | － | － | － | － | － | － | － |
| － | － | － | － | － | － | － | － | － | － | － | － | － | － | － |
| － | 108 | 28 | － | － | － | － | － | － | － | － | － | － | － | － |
| － | 5 | 9 | 9 | 3 | 6 | － | － | － | 9 | 3 | 6 | － | － | － |
| － | 39 | 66 | 15 | 5 | 6 | 4 | － | 4 | 15 | 5 | 6 | 4 | － | 4 |
| － | － | － | － | － | － | － | － | － | － | － | － | － | － | － |
| － | 135 | 123 | － | － | － | － | － | － | － | － | － | － | － | － |

# 第4－2表(4－2) 市区町村が実施した乳児の健康診査受診結果別人員・医療機関等へ委託した

| | 乳児　6～ | | | | | | | | | | | | |
|---|---|---|---|---|---|---|---|---|---|---|---|---|---|
| | 一般健康診査受診実人員 | 受診結果[1] | | | | | | | (再掲)医療機関等へ委託 | 受診 | | | |
| | | 異常なし | 既医療 | 要経過観察 | 要治療 | (再掲)精神面 | (再掲)身体面 | 要精密 | | 異常なし | 既医療 | 要経過観察 | 要治療 |
| 中核市(再掲) | | | | | | | | | | | | | |
| 旭川市 | - | - | - | - | - | - | - | - | - | - | - | - | - |
| 函館市 | - | - | - | - | - | - | - | - | - | - | - | - | - |
| 青森市 | 1 792 | 1 653 | 50 | 15 | 1 | - | 1 | 73 | 1 792 | 1 653 | 50 | 15 | 1 |
| 八戸市 | 615 | 600 | 1 | 7 | 3 | - | 3 | 4 | 615 | 600 | 1 | 7 | 3 |
| 盛岡市 | 2 110 | 1 942 | 64 | 74 | 12 | - | 12 | 18 | 2 110 | 1 942 | 64 | 74 | 12 |
| 秋田市 | 1 944 | 1 352 | 192 | 360 | 26 | - | 26 | 14 | 1 944 | 1 352 | 192 | 360 | 26 |
| 郡山市 | - | - | - | - | - | - | - | - | - | - | - | - | - |
| いわき市 | - | - | - | - | - | - | - | - | - | - | - | - | - |
| 宇都宮市 | - | - | - | - | - | - | - | - | - | - | - | - | - |
| 前橋市 | - | - | - | - | - | - | - | - | - | - | - | - | - |
| 高崎市 | - | - | - | - | - | - | - | - | - | - | - | - | - |
| 川越市 | - | - | - | - | - | - | - | - | - | - | - | - | - |
| 越谷市 | - | - | - | - | - | - | - | - | - | - | - | - | - |
| 船橋市 | - | - | - | - | - | - | - | - | - | - | - | - | - |
| 柏市 | - | - | - | - | - | - | - | - | - | - | - | - | - |
| 八王子市 | 3 221 | 3 077 | - | - | - | - | - | - | 3 221 | 3 077 | - | - | - |
| 横須賀市 | - | - | - | - | - | - | - | - | - | - | - | - | - |
| 富山市 | 2 827 | 2 685 | - | 118 | 16 | - | 16 | 8 | 2 827 | 2 685 | - | 118 | 16 |
| 金沢市 | 3 511 | 3 302 | 39 | 147 | 8 | - | 8 | 15 | 3 511 | 3 302 | 39 | 147 | 8 |
| 長野市 | 2 605 | 2 358 | - | 150 | 77 | … | … | 20 | 2 605 | 2 358 | - | 150 | 77 |
| 岐阜市 | - | - | - | - | - | - | - | - | - | - | - | - | - |
| 豊橋市 | - | - | - | - | - | - | - | - | - | - | - | - | - |
| 豊田市 | - | - | - | - | - | - | - | - | - | - | - | - | - |
| 岡崎市 | - | - | - | - | - | - | - | - | - | - | - | - | - |
| 大津市 | - | - | - | - | - | - | - | - | - | - | - | - | - |
| 高槻市 | - | - | - | - | - | - | - | - | - | - | - | - | - |
| 東大阪市 | - | - | - | - | - | - | - | - | - | - | - | - | - |
| 豊中市 | - | - | - | - | - | - | - | - | - | - | - | - | - |
| 枚方市 | - | - | - | - | - | - | - | - | - | - | - | - | - |
| 姫路市 | - | - | - | - | - | - | - | - | - | - | - | - | - |
| 西宮市 | - | - | - | - | - | - | - | - | - | - | - | - | - |
| 尼崎市 | - | - | - | - | - | - | - | - | - | - | - | - | - |
| 奈良市 | - | - | - | - | - | - | - | - | - | - | - | - | - |
| 和歌山市 | - | - | - | - | - | - | - | - | - | - | - | - | - |
| 倉敷市 | 4 139 | 4 041 | - | - | 71 | - | 71 | 27 | 4 139 | 4 041 | - | - | 71 |
| 福山市 | 2 543 | 2 348 | - | 120 | 68 | - | 68 | 7 | 2 543 | 2 348 | - | 120 | 68 |
| 呉市 | 1 384 | 1 125 | 35 | 196 | 15 | - | 15 | 13 | 1 384 | 1 125 | 35 | 196 | 15 |
| 下関市 | 1 641 | 1 391 | 31 | 200 | 6 | - | 6 | 13 | 1 641 | 1 391 | 31 | 200 | 6 |
| 高松市 | 822 | 716 | 49 | 41 | 7 | - | 7 | 9 | 822 | 716 | 49 | 41 | 7 |
| 松山市 | - | - | - | - | - | - | - | - | - | - | - | - | - |
| 高知市 | 424 | 406 | - | 12 | 4 | - | 4 | 2 | 424 | 406 | - | 12 | 4 |
| 久留米市 | - | - | - | - | - | - | - | - | - | - | - | - | - |
| 長崎市 | 2 853 | 2 638 | 44 | 130 | 19 | - | 19 | 22 | 2 851 | 2 636 | 44 | 130 | 19 |
| 佐世保市 | - | - | - | - | - | - | - | - | - | - | - | - | - |
| 大分市 | 3 994 | 3 533 | 71 | 318 | 50 | - | 50 | 22 | 3 994 | 3 533 | 71 | 318 | 50 |
| 宮崎市 | 3 363 | 2 974 | 110 | 241 | 7 | - | 7 | 31 | 3 363 | 2 974 | 110 | 241 | 7 |
| 鹿児島市 | 5 096 | 4 849 | - | 194 | 20 | - | 20 | 33 | 5 096 | 4 849 | - | 194 | 20 |
| 那覇市 | 61 | 42 | - | 12 | - | - | - | 7 | - | - | - | - | - |
| その他政令市(再掲) | | | | | | | | | | | | | |
| 小樽市 | - | - | - | - | - | - | - | - | - | - | - | - | - |
| 町田市 | 2 647 | 2 408 | - | 234 | 3 | 1 | 2 | 2 | 2 647 | 2 408 | - | 234 | 3 |
| 藤沢市 | - | - | - | - | - | - | - | - | - | - | - | - | - |
| 茅ヶ崎市 | - | - | - | - | - | - | - | - | - | - | - | - | - |
| 四日市市 | - | - | - | - | - | - | - | - | - | - | - | - | - |
| 大牟田市 | - | - | - | - | - | - | - | - | - | - | - | - | - |

注：1）受診結果は計数不詳な市区町村があるため、受診実人員と受診結果の計が一致しない場合がある。

## 受診結果別人員，都道府県－指定都市・特別区－中核市－その他政令市、対象区分別（乳児６～８か月・乳児９～12か月）

平成29年度

| 8か月 結果[1) (再掲) 精神面 | 8か月 結果[1) (再掲) 身体面 | 8か月 結果[1) 要精密 | 精密健康診査受診実人員 | 受診結果[1) 異常なし | 受診結果[1) 要経過観察 | 受診結果[1) 要治療 | 受診結果[1) (再掲) 精神面 | 受診結果[1) (再掲) 身体面 | (再掲)医療機関等へ委託 | 受診結果[1) 異常なし | 受診結果[1) 要経過観察 | 受診結果[1) 要治療 | 受診結果[1) (再掲) 精神面 | 受診結果[1) (再掲) 身体面 |
|---|---|---|---|---|---|---|---|---|---|---|---|---|---|---|
| － | － | － | － | － | － | － | － | － | － | － | － | － | － | － |
| － | － | － | － | － | － | － | － | － | － | － | － | － | － | － |
| － | 1 | 73 | 55 | 27 | 25 | 1 | － | 1 | 55 | 27 | 25 | 1 | － | 1 |
| － | 3 | 4 | 4 | 1 | 1 | 2 | － | 2 | 4 | 1 | 1 | 2 | － | 2 |
| － | 12 | 18 | － | － | － | － | － | － | － | － | － | － | － | － |
| － | 26 | 14 | － | － | － | － | － | － | － | － | － | － | － | － |
| － | － | － | － | － | － | － | － | － | － | － | － | － | － | － |
| － | － | － | － | － | － | － | － | － | － | － | － | － | － | － |
| － | － | － | － | － | － | － | － | － | － | － | － | － | － | － |
| － | － | － | － | － | － | － | － | － | － | － | － | － | － | － |
| － | － | － | － | － | － | － | － | － | － | － | － | － | － | － |
| － | － | － | － | － | － | － | － | － | － | － | － | － | － | － |
| － | － | － | － | － | － | － | － | － | － | － | － | － | － | － |
| － | － | － | － | － | － | － | － | － | － | － | － | － | － | － |
| － | － | － | － | － | － | － | － | － | － | － | － | － | － | － |
| － | － | － | － | － | － | － | － | － | － | － | － | － | － | － |
| － | － | － | － | － | － | － | － | － | － | － | － | － | － | － |
| － | 16 | 8 | － | － | － | － | － | － | － | － | － | － | － | － |
| － | 8 | 15 | － | － | － | － | － | － | － | － | － | － | － | － |
| … | … | 20 | － | － | － | － | － | － | － | － | － | － | － | － |
| － | － | － | － | － | － | － | － | － | － | － | － | － | － | － |
| － | － | － | － | － | － | － | － | － | － | － | － | － | － | － |
| － | － | － | － | － | － | － | － | － | － | － | － | － | － | － |
| － | － | － | － | － | － | － | － | － | － | － | － | － | － | － |
| － | － | － | － | － | － | － | － | － | － | － | － | － | － | － |
| － | － | － | － | － | － | － | － | － | － | － | － | － | － | － |
| － | － | － | － | － | － | － | － | － | － | － | － | － | － | － |
| － | － | － | － | － | － | － | － | － | － | － | － | － | － | － |
| － | － | － | － | － | － | － | － | － | － | － | － | － | － | － |
| － | － | － | － | － | － | － | － | － | － | － | － | － | － | － |
| － | － | － | － | － | － | － | － | － | － | － | － | － | － | － |
| － | － | － | － | － | － | － | － | － | － | － | － | － | － | － |
| － | － | － | － | － | － | － | － | － | － | － | － | － | － | － |
| － | － | － | － | － | － | － | － | － | － | － | － | － | － | － |
| － | 71 | 27 | － | － | － | － | － | － | － | － | － | － | － | － |
| － | 68 | 7 | － | － | － | － | － | － | － | － | － | － | － | － |
| － | 15 | 13 | 12 | 2 | 9 | 1 | － | 1 | 12 | 2 | 9 | 1 | － | 1 |
| － | 6 | 13 | － | － | － | － | － | － | － | － | － | － | － | － |
| － | 7 | 9 | 5 | 2 | 3 | － | － | － | 5 | 2 | 3 | － | － | － |
| － | － | － | － | － | － | － | － | － | － | － | － | － | － | － |
| － | 4 | 2 | － | － | － | － | － | － | － | － | － | － | － | － |
| － | － | － | － | － | － | － | － | － | － | － | － | － | － | － |
| － | 19 | 22 | 11 | 3 | 6 | 2 | － | 2 | 11 | 3 | 6 | 2 | － | 2 |
| － | － | － | － | － | － | － | － | － | － | － | － | － | － | － |
| － | 50 | 22 | 10 | 1 | 9 | － | － | － | 10 | 1 | 9 | － | － | － |
| － | 7 | 31 | － | － | － | － | － | － | － | － | － | － | － | － |
| － | 20 | 33 | 22 | 2 | 17 | 3 | － | 3 | 22 | 2 | 17 | 3 | － | 3 |
| － | － | － | － | － | － | － | － | － | － | － | － | － | － | － |
| － | － | － | － | － | － | － | － | － | － | － | － | － | － | － |
| 1 | 2 | 2 | 2 | 1 | 1 | － | － | － | 2 | 1 | 1 | － | － | － |
| － | － | － | － | － | － | － | － | － | － | － | － | － | － | － |
| － | － | － | － | － | － | － | － | － | － | － | － | － | － | － |
| － | － | － | － | － | － | － | － | － | － | － | － | － | － | － |
| － | － | － | － | － | － | － | － | － | － | － | － | － | － | － |

# 第4－2表(4－3)　市区町村が実施した乳児の健康診査受診結果別人員・医療機関等へ委託した

| | 乳児　9～ | | | | | | | | | | | | |
|---|---|---|---|---|---|---|---|---|---|---|---|---|---|
| | 一般健康診査受診実人員 | 受診結果[1)] 異常なし | 受診結果[1)] 既医療 | 受診結果[1)] 要経過観察 | 受診結果[1)] 要治療 | 受診結果[1)] (再掲) 精神面 | 受診結果[1)] (再掲) 身体面 | 受診結果[1)] 要精密 | (再掲) 医療機関等へ委託 | 受診 異常なし | 受診 既医療 | 受診 要経過観察 | 受診 要治療 |
| **全国** | **704 262** | **576 055** | **20 310** | **72 460** | **5 772** | **52** | **5 505** | **7 775** | **552 544** | **466 015** | **10 556** | **45 404** | **4 622** |
| 北海道 | 27 831 | 22 575 | 918 | 3 817 | 37 | - | 37 | 504 | 5 155 | 4 451 | 224 | 444 | 5 |
| 青森 | 3 612 | 3 311 | 41 | 151 | 26 | - | 26 | 82 | 2 014 | 1 912 | 1 | 54 | 10 |
| 岩手 | 8 333 | 7 173 | 328 | 714 | 43 | - | 44 | 75 | 6 385 | 5 828 | 167 | 314 | 29 |
| 宮城 | 2 658 | 2 362 | 80 | 146 | 46 | - | 46 | 23 | 2 612 | 2 343 | 72 | 130 | 46 |
| 秋田 | 5 006 | 4 070 | 316 | 531 | 46 | - | 46 | 43 | 3 567 | 2 846 | 245 | 417 | 34 |
| 山形 | 3 167 | 2 533 | 228 | 338 | 49 | - | 49 | 19 | 1 850 | 1 531 | 127 | 161 | 21 |
| 福島 | 11 470 | 8 705 | 712 | 1 815 | 106 | 2 | 104 | 124 | 6 097 | 4 957 | 191 | 827 | 77 |
| 茨城 | 16 842 | 15 458 | 233 | 821 | 172 | - | 172 | 156 | 16 373 | 15 171 | 165 | 746 | 143 |
| 栃木 | 10 898 | 8 766 | 356 | 1 638 | 36 | - | 36 | 102 | 4 441 | 4 090 | 21 | 306 | 5 |
| 群馬 | 10 522 | 8 102 | 391 | 1 753 | 58 | 1 | 57 | 143 | 6 841 | 5 742 | 211 | 681 | 39 |
| 埼玉 | 33 234 | 26 038 | 1 776 | 4 501 | 416 | 8 | 409 | 503 | 17 777 | 15 138 | 530 | 1 670 | 184 |
| 千葉 | 35 713 | 30 340 | 132 | 947 | 106 | … | 110 | 10 | 34 859 | 29 666 | 66 | 849 | 89 |
| 東京 | 102 259 | 76 629 | 921 | 5 956 | 1 099 | 9 | 1 092 | 96 | 102 165 | 76 537 | 921 | 5 954 | 1 099 |
| 神奈川 | 42 876 | 39 497 | 808 | 2 184 | 185 | - | 185 | 202 | 39 915 | 36 979 | 635 | 1 954 | 167 |
| 新潟 | 12 129 | 10 860 | 345 | 659 | 127 | - | 127 | 138 | 9 340 | 8 630 | 168 | 370 | 106 |
| 富山 | 5 255 | 4 821 | 17 | 350 | 24 | - | 24 | 43 | 4 887 | 4 561 | 6 | 264 | 22 |
| 石川 | 3 890 | 3 532 | 48 | 243 | 33 | - | 33 | 34 | 3 890 | 3 532 | 48 | 243 | 33 |
| 福井 | 5 804 | 5 071 | 106 | 484 | 118 | - | 118 | 25 | 5 804 | 5 071 | 106 | 484 | 118 |
| 山梨 | 5 924 | 4 360 | 136 | 1 291 | 60 | - | 60 | 77 | 3 215 | 3 025 | 13 | 130 | 15 |
| 長野 | 11 901 | 9 272 | 534 | 1 671 | 230 | 6 | 167 | 190 | 3 913 | 3 433 | 29 | 344 | 81 |
| 岐阜 | 8 915 | 6 482 | 526 | 1 612 | 47 | - | 46 | 248 | 26 | 23 | - | 3 | - |
| 静岡 | 26 337 | 22 595 | 696 | 2 570 | 129 | 8 | 121 | 347 | 25 376 | 21 763 | 675 | 2 480 | 129 |
| 愛知 | 38 775 | 36 378 | 535 | 1 463 | 242 | 1 | 241 | 157 | 36 384 | 34 611 | 257 | 1 184 | 226 |
| 三重 | 12 780 | 11 323 | 184 | 1 169 | 40 | 1 | 40 | 64 | 12 607 | 11 188 | 173 | 1 146 | 39 |
| 滋賀 | 11 927 | 6 568 | 1 090 | 3 929 | 91 | 1 | 90 | 249 | - | - | - | - | - |
| 京都 | 5 989 | 4 077 | 654 | 1 054 | 25 | - | 25 | 179 | 1 224 | 895 | 51 | 261 | 2 |
| 大阪 | 60 567 | 51 244 | 1 025 | 7 282 | 548 | - | 548 | 437 | 60 431 | 51 137 | 1 024 | 7 260 | 548 |
| 兵庫 | 35 734 | 28 167 | 1 933 | 4 914 | 149 | 1 | 125 | 525 | 27 341 | 21 965 | 1 007 | 3 879 | 119 |
| 奈良 | 7 052 | 5 106 | 336 | 1 377 | 100 | - | 100 | 133 | 4 367 | 3 070 | 129 | 1 026 | 88 |
| 和歌山 | 5 100 | 3 854 | 287 | 828 | 13 | - | 13 | 118 | - | - | - | - | - |
| 鳥取 | 4 171 | 3 362 | 167 | 478 | 73 | - | 73 | 91 | 3 740 | 3 000 | 148 | 440 | 69 |
| 島根 | 3 846 | 3 014 | 177 | 413 | 152 | 1 | 151 | 90 | 3 097 | 2 529 | 92 | 283 | 135 |
| 岡山 | 10 750 | 10 005 | 67 | 378 | 201 | 1 | 200 | 99 | 9 477 | 8 986 | 28 | 220 | 168 |
| 広島 | 8 374 | 7 673 | 24 | 545 | 76 | 4 | 72 | 56 | 7 642 | 7 134 | 14 | 390 | 60 |
| 山口 | 140 | 127 | 2 | 6 | 5 | - | 5 | - | 140 | 127 | 2 | 6 | 5 |
| 徳島 | 4 726 | 3 866 | 36 | 694 | 88 | - | 88 | 42 | 2 143 | 1 859 | 1 | 208 | 53 |
| 香川 | 2 376 | 2 097 | 70 | 185 | 14 | - | 14 | 10 | 1 772 | 1 603 | 60 | 92 | 10 |
| 愛媛 | 7 843 | 6 322 | 558 | 772 | 145 | 1 | 93 | 42 | 7 827 | 6 306 | 558 | 772 | 145 |
| 高知 | 2 006 | 1 685 | 85 | 183 | 33 | - | 31 | 20 | 490 | 437 | 3 | 32 | 15 |
| 福岡 | 39 383 | 29 188 | 1 912 | 7 549 | 183 | 1 | 92 | 551 | 32 909 | 24 158 | 1 518 | 6 637 | 145 |
| 佐賀 | 5 388 | 4 359 | 124 | 662 | 154 | - | 154 | 89 | 4 782 | 3 892 | 112 | 550 | 148 |
| 長崎 | 8 153 | 7 226 | 150 | 590 | 73 | - | 73 | 112 | 7 320 | 6 637 | 69 | 446 | 64 |
| 熊本 | 969 | 665 | 64 | 200 | 18 | - | 18 | 22 | 419 | 394 | 6 | 5 | 1 |
| 大分 | 6 628 | 5 828 | 222 | 434 | 88 | 1 | 87 | 56 | 5 926 | 5 314 | 141 | 356 | 77 |
| 宮崎 | 6 419 | 5 614 | 302 | 457 | 9 | 2 | 7 | 37 | 5 748 | 5 111 | 241 | 362 | 9 |
| 鹿児島 | 6 337 | 5 668 | 154 | 367 | 35 | 3 | 32 | 113 | 6 084 | 5 462 | 146 | 336 | 34 |
| 沖縄 | 14 253 | 10 087 | 504 | 2 339 | 24 | - | 24 | 1 299 | 4 172 | 2 971 | 155 | 688 | 10 |
| 指定都市・特別区(再掲) | | | | | | | | | | | | | |
| 東京都区部 | 72 788 | 49 716 | 592 | 4 537 | 716 | 2 | 716 | 37 | 72 788 | 49 716 | 592 | 4 537 | 716 |
| 札幌市 | 13 386 | 11 044 | 553 | 1 411 | - | - | - | 378 | - | - | - | - | - |
| 仙台市 | - | - | - | - | - | - | - | - | - | - | - | - | - |
| さいたま市 | 10 340 | 8 872 | 372 | 885 | 56 | 2 | 54 | 155 | 10 340 | 8 872 | 372 | 885 | 56 |
| 千葉市 | 5 171 | 4 994 | 37 | 104 | 36 | - | 36 | - | 5 171 | 4 994 | 37 | 104 | 36 |
| 横浜市 | 18 411 | 18 411 | - | - | - | - | - | - | 18 411 | 18 411 | - | - | - |
| 川崎市 | 1 426 | 900 | 70 | 434 | 4 | - | 4 | 18 | 1 426 | 900 | 70 | 434 | 4 |
| 相模原市 | 5 072 | 4 440 | 156 | 393 | 27 | - | 27 | 56 | 5 072 | 4 440 | 156 | 393 | 27 |
| 新潟市 | 5 253 | 4 988 | 157 | 86 | 12 | - | 12 | 10 | 5 253 | 4 988 | 157 | 86 | 12 |
| 静岡市 | 4 766 | 4 105 | 154 | 480 | 7 | - | 7 | 20 | 4 766 | 4 105 | 154 | 480 | 7 |
| 浜松市 | 6 304 | 5 267 | 177 | 654 | 39 | 1 | 38 | 167 | 6 304 | 5 267 | 177 | 654 | 39 |
| 名古屋市 | 13 199 | 13 087 | - | 112 | - | - | - | - | 13 199 | 13 087 | - | 112 | - |
| 京都市 | - | - | - | - | - | - | - | - | - | - | - | - | - |
| 大阪市 | 18 510 | 15 791 | 408 | 1 889 | 250 | - | 250 | 172 | 18 510 | 15 791 | 408 | 1 889 | 250 |
| 堺市 | 6 176 | 5 162 | 81 | 832 | 73 | - | 73 | 28 | 6 176 | 5 162 | 81 | 832 | 73 |
| 神戸市 | 11 131 | 8 957 | 219 | 1 811 | 23 | - | - | 119 | 11 131 | 8 957 | 219 | 1 811 | 23 |
| 岡山市 | 4 185 | 3 917 | - | 181 | 63 | - | 63 | 24 | 4 185 | 3 917 | - | 181 | 63 |
| 広島市 | 3 640 | 3 527 | 12 | 88 | - | - | - | 13 | 3 640 | 3 527 | 12 | 88 | - |
| 北九州市 | - | - | - | - | - | - | - | - | - | - | - | - | - |
| 福岡市 | 24 450 | 17 334 | 1 049 | 5 626 | 90 | - | - | 351 | 24 450 | 17 334 | 1 049 | 5 626 | 90 |
| 熊本市 | - | - | - | - | - | - | - | - | - | - | - | - | - |

## 受診結果別人員，都道府県－指定都市・特別区－中核市－その他政令市、対象区分別（乳児6～8か月・乳児9～12か月）

平成29年度

| 12か月 | | | | | | | | | | | | | | |
|---|---|---|---|---|---|---|---|---|---|---|---|---|---|---|
| 結果[1] | | | 精密健康診査受診実人員 | 受診結果[1] | | | | | (再掲)医療機関等へ委託 | 受診結果[1] | | | | |
| (再掲) | | 要精密 | | 異常なし | 要経過観察 | 要治療 | (再掲) | | | 異常なし | 要経過観察 | 要治療 | (再掲) | |
| 精神面 | 身体面 | | | | | | 精神面 | 身体面 | | | | | 精神面 | 身体面 |
| **33** | **4 367** | **4 026** | **4 856** | **1 286** | **2 472** | **1 075** | **18** | **947** | **2 571** | **649** | **1 306** | **606** | **4** | **520** |
| – | 5 | 31 | 454 | 122 | 234 | 98 | … | 17 | 375 | 102 | 192 | 81 | … | 1 |
| – | 10 | 37 | 78 | 6 | 56 | 16 | – | 16 | 65 | 5 | 48 | 12 | – | 12 |
| – | 29 | 47 | 42 | 11 | 15 | 16 | 1 | 15 | 33 | 10 | 13 | 10 | 1 | 9 |
| – | 46 | 20 | 9 | 3 | 1 | – | – | – | 1 | – | 1 | – | – | – |
| – | 34 | 25 | 16 | 3 | 8 | 5 | … | 5 | 1 | … | … | 1 | … | 1 |
| – | 21 | 10 | 2 | 1 | – | 1 | 1 | – | – | – | – | – | – | – |
| … | 77 | 39 | 93 | 22 | 56 | 15 | … | 15 | 41 | 4 | 29 | 8 | … | 8 |
| – | 143 | 146 | 60 | 9 | 37 | 14 | – | 14 | 48 | 9 | 28 | 11 | – | 11 |
| – | 5 | 19 | 91 | 22 | 61 | 8 | – | 8 | 55 | 8 | 42 | 5 | – | 5 |
| 1 | 38 | 93 | 110 | 24 | 68 | 17 | 3 | 14 | 74 | 19 | 48 | 7 | – | 7 |
| 2 | 182 | 255 | 370 | 71 | 231 | 66 | 5 | 61 | 199 | 43 | 117 | 39 | … | 39 |
| … | 89 | … | 7 | 2 | 4 | 1 | – | 1 | – | – | – | – | – | – |
| 9 | 1 092 | 96 | 6 | 3 | 3 | … | … | … | 3 | 2 | 1 | … | … | … |
| – | 167 | 180 | 86 | 28 | 52 | 6 | 1 | 5 | 51 | 19 | 27 | 5 | 1 | 4 |
| – | 106 | 66 | 105 | 27 | 57 | 17 | – | 17 | 85 | 21 | 43 | 17 | – | 17 |
| – | 22 | 34 | 20 | 6 | 11 | 3 | – | 3 | 11 | 2 | 6 | 3 | – | 3 |
| – | 33 | 34 | 4 | 4 | – | – | – | – | 3 | 3 | – | – | – | – |
| – | 118 | 25 | 1 | – | 1 | – | – | – | 1 | – | 1 | – | – | – |
| – | 15 | 25 | 46 | 10 | 30 | 6 | – | 6 | 17 | 6 | 9 | 2 | – | 2 |
| … | 22 | 26 | 122 | 43 | 69 | 10 | – | 10 | 6 | 1 | 5 | – | – | – |
| – | – | – | 192 | 58 | 106 | 28 | – | 27 | 5 | – | 4 | 1 | – | – |
| 8 | 121 | 329 | 160 | 42 | 96 | 22 | 1 | 21 | 155 | 41 | 93 | 21 | 1 | 20 |
| 1 | 225 | 106 | 100 | 28 | 50 | 22 | 1 | 21 | 91 | 28 | 44 | 19 | 1 | 18 |
| 1 | 39 | 61 | – | – | – | – | – | – | – | – | – | – | – | – |
| – | – | – | 217 | 67 | 65 | 84 | 2 | 83 | – | – | – | – | – | – |
| – | 2 | 15 | 148 | 39 | 95 | 14 | – | 13 | 10 | 6 | 4 | – | – | – |
| – | 548 | 431 | 45 | 14 | 30 | 1 | … | 1 | 45 | 14 | 30 | 1 | … | 1 |
| 1 | 95 | 325 | 307 | 78 | 167 | 62 | – | 62 | 153 | 32 | 84 | 37 | – | 37 |
| – | 88 | 54 | 115 | 30 | 61 | 20 | – | 20 | 47 | 10 | 23 | 10 | – | 10 |
| – | – | – | 107 | 32 | 55 | 19 | 1 | 18 | 2 | 1 | – | 1 | – | 1 |
| – | 69 | 83 | 37 | 26 | 11 | – | – | – | 29 | 23 | 6 | – | – | – |
| – | 135 | 58 | 32 | 9 | 22 | 1 | – | 1 | 14 | 2 | 12 | – | – | – |
| 1 | 167 | 75 | 18 | 5 | 11 | 2 | – | 2 | 4 | – | 3 | 1 | – | 1 |
| 4 | 56 | 44 | 27 | 8 | 15 | 4 | – | 4 | 24 | 7 | 13 | 4 | – | 4 |
| – | 5 | – | – | – | – | – | – | – | – | – | – | – | – | – |
| – | 53 | 22 | 12 | 7 | 2 | 3 | – | 3 | – | – | – | – | – | – |
| – | 10 | 7 | 3 | – | 3 | – | – | – | 1 | – | 1 | – | – | – |
| 1 | 93 | 42 | 30 | 11 | 14 | 4 | – | 3 | 26 | 10 | 11 | 4 | – | 3 |
| – | 13 | 3 | 15 | 1 | 8 | 6 | – | 6 | 4 | – | 2 | 2 | – | 2 |
| – | 55 | 451 | 330 | 74 | 194 | 62 | 1 | 34 | 69 | 12 | 34 | 23 | – | 23 |
| – | 148 | 80 | 21 | 11 | 6 | 4 | – | 4 | 16 | 8 | 4 | 4 | – | 4 |
| – | 64 | 102 | 76 | 13 | 43 | 20 | – | 20 | 72 | 12 | 41 | 19 | – | 19 |
| – | 1 | 13 | 19 | 4 | 3 | 12 | – | 12 | 12 | 1 | – | 11 | – | 11 |
| – | 77 | 38 | 35 | 12 | 16 | 7 | – | 7 | 26 | 10 | 12 | 4 | – | 4 |
| 2 | 7 | 25 | 11 | 4 | 6 | 1 | – | 1 | 3 | 1 | 2 | – | – | – |
| 2 | 32 | 106 | 58 | 8 | 39 | 11 | – | 11 | 49 | 7 | 34 | 8 | – | 8 |
| – | 10 | 348 | 1 019 | 288 | 360 | 367 | 1 | 366 | 645 | 170 | 239 | 235 | – | 235 |
| 2 | 716 | 37 | … | … | … | … | … | … | … | … | … | … | … | … |
| – | – | – | 357 | 96 | 183 | 78 | … | … | 357 | 96 | 183 | 78 | … | … |
| – | – | – | – | – | – | – | – | – | – | – | – | – | – | – |
| 2 | 54 | 155 | 143 | 33 | 87 | 23 | – | 23 | 143 | 33 | 87 | 23 | – | 23 |
| – | 36 | – | – | – | – | – | – | – | – | – | – | – | – | – |
| – | – | – | – | – | – | – | – | – | – | – | – | – | – | – |
| – | 4 | 18 | – | – | – | – | – | – | – | – | – | – | – | – |
| – | 27 | 56 | 24 | 7 | 14 | 3 | – | 3 | 24 | 7 | 14 | 3 | – | 3 |
| – | 12 | 10 | – | – | – | – | – | – | – | – | – | – | – | – |
| – | 7 | 20 | – | – | – | – | – | – | – | – | – | – | – | – |
| 1 | 38 | 167 | 148 | 38 | 90 | 20 | 1 | 19 | 148 | 38 | 90 | 20 | 1 | 19 |
| – | – | – | – | – | – | – | – | – | – | – | – | – | – | – |
| – | – | – | – | – | – | – | – | – | – | – | – | – | – | – |
| – | 250 | 172 | – | – | – | – | – | – | – | – | – | – | – | – |
| – | 73 | 28 | – | – | – | – | – | – | – | – | – | – | – | – |
| – | – | 119 | – | – | – | – | – | – | – | – | – | – | – | – |
| – | 63 | 24 | – | – | – | – | – | – | – | – | – | – | – | – |
| – | – | 13 | 13 | 5 | 8 | – | – | – | 13 | 5 | 8 | – | – | – |
| – | – | – | – | – | – | – | – | – | – | – | – | – | – | – |
| – | – | 351 | 215 | 53 | 134 | 28 | – | – | – | – | – | – | – | – |
| – | – | – | – | – | – | – | – | – | – | – | – | – | – | – |

# 第4－2表(4－4) 市区町村が実施した乳児の健康診査受診結果別人員・医療機関等へ委託した

| | 乳児 9～ | | | | | | | | | | | | |
|---|---|---|---|---|---|---|---|---|---|---|---|---|---|
| | 一般健康診査受診実人員 | 受診結果[1] | | | | | | | (再掲)医療機関等へ委託 | 受診 | | | |
| | | 異常なし | 既医療 | 要経過観察 | 要治療 | (再掲) 精神面 | (再掲) 身体面 | 要精密 | | 異常なし | 既医療 | 要経過観察 | 要治療 |
| 中核市(再掲) | | | | | | | | | | | | | |
| 旭川市 | - | - | - | - | - | - | - | - | - | - | - | - | - |
| 函館市 | 1 291 | 1 168 | - | 122 | - | - | - | 1 | - | - | - | - | - |
| 青森市 | - | - | - | - | - | - | - | - | - | - | - | - | - |
| 八戸市 | 645 | 627 | 1 | 8 | 7 | - | 7 | 2 | 645 | 627 | 1 | 8 | 7 |
| 盛岡市 | 2 086 | 1 905 | 56 | 102 | 11 | - | 11 | 12 | 2 086 | 1 905 | 56 | 102 | 11 |
| 秋田市 | 1 880 | 1 428 | 140 | 269 | 24 | - | 24 | 19 | 1 880 | 1 428 | 140 | 269 | 24 |
| 郡山市 | 2 509 | 2 175 | 85 | 212 | 20 | - | 20 | 17 | 2 509 | 2 175 | 85 | 212 | 20 |
| いわき市 | 2 310 | 1 640 | 230 | 404 | 11 | - | 11 | 25 | - | - | - | - | - |
| 宇都宮市 | 4 441 | 4 090 | 21 | 306 | 5 | - | 5 | 19 | 4 441 | 4 090 | 21 | 306 | 5 |
| 前橋市 | 2 261 | 1 969 | 65 | 193 | 10 | - | 10 | 24 | 2 261 | 1 969 | 65 | 193 | 10 |
| 高崎市 | 2 882 | 2 356 | 123 | 348 | 26 | 1 | 25 | 29 | 2 882 | 2 356 | 123 | 348 | 26 |
| 川越市 | - | - | - | - | - | - | - | - | - | - | - | - | - |
| 越谷市 | 2 650 | 2 258 | 37 | 253 | 60 | - | 60 | 42 | 2 650 | 2 258 | 37 | 253 | 60 |
| 船橋市 | 4 359 | 4 182 | 25 | 128 | 24 | - | 24 | - | 4 359 | 4 182 | 25 | 128 | 24 |
| 柏市 | 2 819 | 2 781 | - | 37 | 1 | - | 1 | - | 2 819 | 2 781 | - | 37 | 1 |
| 八王子市 | 3 214 | 3 076 | - | - | - | - | - | - | 3 214 | 3 076 | - | - | - |
| 横須賀市 | 2 379 | 2 247 | - | 94 | 24 | - | 24 | 14 | 2 379 | 2 247 | - | 94 | 24 |
| 富山市 | 2 528 | 2 390 | - | 111 | 11 | - | 11 | 16 | 2 528 | 2 390 | - | 111 | 11 |
| 金沢市 | - | - | - | - | - | - | - | - | - | - | - | - | - |
| 長野市 | 2 494 | 2 206 | - | 213 | 59 | … | … | 16 | 2 494 | 2 206 | - | 213 | 59 |
| 岐阜市 | 3 080 | 2 470 | 166 | 361 | 1 | - | 1 | 82 | - | - | - | - | - |
| 豊橋市 | 2 826 | 2 587 | 65 | 125 | 28 | - | 28 | 21 | 2 826 | 2 587 | 65 | 125 | 28 |
| 豊田市 | 2 384 | 2 234 | 33 | 75 | 41 | - | 41 | 1 | 2 384 | 2 234 | 33 | 75 | 41 |
| 岡崎市 | 3 052 | 2 778 | 38 | 197 | 39 | 1 | 38 | - | 3 052 | 2 778 | 38 | 197 | 39 |
| 大津市 | 2 803 | 1 268 | 78 | 1 408 | - | - | - | 49 | - | - | - | - | - |
| 高槻市 | 2 234 | 1 955 | 36 | 216 | 13 | - | 13 | 14 | 2 234 | 1 955 | 36 | 216 | 13 |
| 東大阪市 | 2 992 | 2 725 | 57 | 174 | 20 | - | 20 | 16 | 2 992 | 2 725 | 57 | 174 | 20 |
| 豊中市 | 3 109 | 2 680 | 66 | 308 | 21 | - | 21 | 3 | 3 109 | 2 680 | 66 | 308 | 21 |
| 枚方市 | 2 622 | 1 493 | - | 1 129 | - | - | - | - | 2 622 | 1 493 | - | 1 129 | - |
| 姫路市 | 4 193 | 3 924 | - | 256 | - | - | - | 13 | 4 193 | 3 924 | - | 256 | - |
| 西宮市 | 4 155 | 3 162 | 259 | 655 | 47 | - | 47 | 32 | 4 155 | 3 162 | 259 | 655 | 47 |
| 尼崎市 | 3 551 | 2 850 | 352 | 259 | 17 | - | 17 | 73 | - | - | - | - | - |
| 奈良市 | 2 341 | 1 641 | 91 | 549 | 32 | - | 32 | 28 | 2 341 | 1 641 | 91 | 549 | 32 |
| 和歌山市 | 2 661 | 1 967 | 207 | 415 | - | - | - | 72 | - | - | - | - | - |
| 倉敷市 | 3 751 | 3 643 | - | - | 89 | - | 89 | 19 | 3 751 | 3 643 | - | - | 89 |
| 福山市 | 1 401 | 1 286 | - | 68 | 40 | - | 40 | 7 | 1 401 | 1 286 | - | 68 | 40 |
| 呉市 | - | - | - | - | - | - | - | - | - | - | - | - | - |
| 下関市 | - | - | - | - | - | - | - | - | - | - | - | - | - |
| 高松市 | 602 | 519 | 36 | 38 | 7 | - | 7 | 2 | 602 | 519 | 36 | 38 | 7 |
| 松山市 | 2 979 | 2 165 | 329 | 422 | 51 | - | - | 12 | 2 979 | 2 165 | 329 | 422 | 51 |
| 高知市 | 168 | 156 | - | 7 | 4 | - | 4 | 1 | 168 | 156 | - | 7 | 4 |
| 久留米市 | 2 567 | 2 078 | 127 | 313 | 29 | - | 29 | 20 | 2 567 | 2 078 | 127 | 313 | 29 |
| 長崎市 | 2 820 | 2 592 | 44 | 131 | 18 | - | 18 | 35 | 2 815 | 2 587 | 44 | 131 | 18 |
| 佐世保市 | 1 321 | 1 198 | - | 91 | 16 | - | 16 | 16 | 1 321 | 1 198 | - | 91 | 16 |
| 大分市 | 3 995 | 3 619 | 75 | 228 | 52 | - | 52 | 21 | 3 995 | 3 619 | 75 | 228 | 52 |
| 宮崎市 | 3 310 | 2 965 | 127 | 203 | 4 | - | 4 | 11 | 3 310 | 2 965 | 127 | 203 | 4 |
| 鹿児島市 | - | - | - | - | - | - | - | - | - | - | - | - | - |
| 那覇市 | 2 729 | 1 816 | 110 | 528 | 4 | - | 4 | 271 | - | - | - | - | - |
| その他政令市(再掲) | | | | | | | | | | | | | |
| 小樽市 | 497 | 402 | 30 | 62 | - | - | - | 3 | - | - | - | - | - |
| 町田市 | 2 675 | 2 473 | - | 191 | 9 | 6 | 3 | 2 | 2 675 | 2 473 | - | 191 | 9 |
| 藤沢市 | 3 393 | 2 903 | 76 | 378 | 6 | - | 6 | 30 | 3 393 | 2 903 | 76 | 378 | 6 |
| 茅ヶ崎市 | 1 809 | 1 601 | 68 | 110 | 16 | - | 16 | 14 | - | - | - | - | - |
| 四日市市 | 2 386 | 2 162 | 37 | 174 | 4 | - | 4 | 9 | 2 386 | 2 162 | 37 | 174 | 4 |
| 大牟田市 | 714 | 631 | 15 | 44 | 12 | - | 12 | 12 | 714 | 631 | 15 | 44 | 12 |

注：1）受診結果は計数不詳な市区町村があるため、受診実人員と受診結果の計が一致しない場合がある。

# 受診結果別人員，都道府県－指定都市・特別区－中核市－その他政令市、対象区分別（乳児６～８か月・乳児９～12か月）

平成29年度

| 12 | か | 月 | | | | | | | | | | | | |
|---|---|---|---|---|---|---|---|---|---|---|---|---|---|---|
| 結果[1)] | | | 精密健康診査受診実人員 | 受診結果[1)] | | | | | （再掲）医療機関等へ委託 | 受診結果[1)] | | | | |
| （再掲） | | 要精密 | | 異常なし | 要経過観察 | 要治療 | （再掲） | | | 異常なし | 要経過観察 | 要治療 | （再掲） | |
| 精神面 | 身体面 | | | | | | 精神面 | 身体面 | | | | | 精神面 | 身体面 |
| － | － | － | － | － | － | － | － | － | － | － | － | － | － | － |
| － | － | － | 1 | － | 1 | － | － | － | 1 | － | 1 | － | － | － |
| － | － | － | － | － | － | － | － | － | － | － | － | － | － | － |
| － | 7 | 2 | 2 | 1 | 1 | － | － | － | 2 | 1 | 1 | － | － | － |
| － | 11 | 12 | － | － | － | － | － | － | － | － | － | － | － | － |
| － | 24 | 19 | － | － | － | － | － | － | － | － | － | － | － | － |
| － | 20 | 17 | 6 | 1 | 5 | － | － | － | 6 | 1 | 5 | － | － | － |
| － | － | － | 15 | － | 11 | 4 | － | 4 | 15 | － | 11 | 4 | － | 4 |
| － | 5 | 19 | 17 | 6 | 10 | 1 | － | 1 | 17 | 6 | 10 | 1 | － | 1 |
| － | 10 | 24 | 18 | 5 | 11 | 2 | － | 2 | 18 | 5 | 11 | 2 | － | 2 |
| 1 | 25 | 29 | 17 | 2 | 12 | 3 | － | 3 | 17 | 2 | 12 | 3 | － | 3 |
| － | － | － | － | － | － | － | － | － | － | － | － | － | － | － |
| － | 60 | 42 | 27 | 6 | 10 | 11 | － | 11 | 27 | 6 | 10 | 11 | － | 11 |
| － | 24 | － | － | － | － | － | － | － | － | － | － | － | － | － |
| － | 1 | － | － | － | － | － | － | － | － | － | － | － | － | － |
| － | － | － | － | － | － | － | － | － | － | － | － | － | － | － |
| － | 24 | 14 | － | － | － | － | － | － | － | － | － | － | － | － |
| － | 11 | 16 | － | － | － | － | － | － | － | － | － | － | － | － |
| － | － | － | － | － | － | － | － | － | － | － | － | － | － | － |
| … | … | 16 | － | － | － | － | － | － | － | － | － | － | － | － |
| － | － | － | 77 | 27 | 44 | 6 | － | 6 | － | － | － | － | － | － |
| － | 28 | 21 | － | － | － | － | － | － | － | － | － | － | － | － |
| － | 41 | 1 | － | － | － | － | － | － | － | － | － | － | － | － |
| 1 | 38 | － | － | － | － | － | － | － | － | － | － | － | － | － |
| － | － | － | 36 | 7 | 15 | 14 | － | 14 | － | － | － | － | － | － |
| － | 13 | 14 | － | － | － | － | － | － | － | － | － | － | － | － |
| － | 20 | 16 | 16 | 6 | 9 | 1 | － | 1 | 16 | 6 | 9 | 1 | － | 1 |
| － | 21 | 3 | － | － | － | － | － | － | － | － | － | － | － | － |
| － | － | － | － | － | － | － | － | － | － | － | － | － | － | － |
| － | － | 13 | 13 | － | 12 | 1 | － | 1 | 13 | － | 12 | 1 | － | 1 |
| － | 47 | 32 | 21 | 6 | 5 | 10 | － | 10 | 21 | 6 | 5 | 10 | － | 10 |
| － | － | － | 58 | 9 | 30 | 19 | － | 19 | 58 | 9 | 30 | 19 | － | 19 |
| － | 32 | 28 | 28 | 4 | 17 | 3 | － | 3 | 28 | 4 | 17 | 3 | － | 3 |
| － | － | － | 64 | 16 | 38 | 10 | － | 10 | － | － | － | － | － | － |
| － | 89 | 19 | － | － | － | － | － | － | － | － | － | － | － | － |
| － | 40 | 7 | － | － | － | － | － | － | － | － | － | － | － | － |
| － | － | － | － | － | － | － | － | － | － | － | － | － | － | － |
| － | － | － | － | － | － | － | － | － | － | － | － | － | － | － |
| － | 7 | 2 | 1 | － | 1 | － | － | － | 1 | － | 1 | － | － | － |
| － | － | 12 | 12 | 3 | 8 | 1 | － | － | 12 | 3 | 8 | 1 | － | － |
| － | 4 | 1 | － | － | － | － | － | － | － | － | － | － | － | － |
| － | 29 | 20 | 7 | 1 | 4 | 2 | － | 2 | 7 | 1 | 4 | 2 | － | 2 |
| － | 18 | 35 | 23 | 6 | 14 | 3 | － | 3 | 23 | 6 | 14 | 3 | － | 3 |
| － | 16 | 16 | 15 | 3 | 3 | 9 | － | 9 | 15 | 3 | 3 | 9 | － | 9 |
| － | 52 | 21 | 7 | 3 | 4 | － | － | － | 7 | 3 | 4 | － | － | － |
| － | 4 | 11 | － | － | － | － | － | － | － | － | － | － | － | － |
| － | － | － | － | － | － | － | － | － | － | － | － | － | － | － |
| － | － | － | 191 | 49 | 76 | 66 | － | 66 | 191 | 49 | 76 | 66 | － | 66 |
| － | － | － | 2 | － | 1 | 1 | － | － | － | － | － | － | － | － |
| 6 | 3 | 2 | 2 | 2 | － | － | － | － | 2 | 2 | － | － | － | － |
| － | 6 | 30 | 14 | 2 | 11 | 1 | － | 1 | － | － | － | － | － | － |
| － | － | － | 14 | 3 | 11 | － | － | － | － | － | － | － | － | － |
| － | 4 | 9 | － | － | － | － | － | － | － | － | － | － | － | － |
| － | 12 | 12 | 12 | 6 | 4 | 2 | － | 2 | 12 | 6 | 4 | 2 | － | 2 |

# 第4－3表（4－1）市区町村が実施した幼児の健康診査受診結果別人員・医療機関等へ委託した

| | 幼児1歳 | | | | | | | | | | | | |
|---|---|---|---|---|---|---|---|---|---|---|---|---|---|
| | 一般健康診査受診実人員 | 受診結果[1)] | | | | | | | （再掲）医療機関等へ委託 | 受診 | | | |
| | | 異常なし | 既医療 | 要経過観察 | 要治療 | （再掲）精神面 | （再掲）身体面 | 要精密 | | 異常なし | 既医療 | 要経過観察 | 要治療 |
| 全国 | 978 831 | 679 702 | 49 083 | 209 367 | 8 146 | 417 | 7 705 | 22 097 | 147 309 | 118 558 | 3 669 | 12 188 | 1 326 |
| 北海道 | 35 357 | 26 785 | 1 187 | 6 481 | 35 | 3 | 30 | 910 | 143 | 101 | 1 | 34 | － |
| 青森 | 8 547 | 7 286 | 272 | 667 | 64 | － | 64 | 255 | 1 | 1 | － | － | － |
| 岩手 | 8 235 | 5 861 | 420 | 1 764 | 49 | 1 | 48 | 139 | 2 333 | 2 139 | 78 | 97 | 7 |
| 宮城 | 17 432 | 10 309 | 1 731 | 4 763 | 334 | 5 | 329 | 379 | 39 | 34 | － | 5 | － |
| 秋田 | 5 683 | 4 143 | 356 | 977 | 49 | 1 | 48 | 158 | 41 | 40 | － | 1 | － |
| 山形 | 7 700 | 5 381 | 598 | 1 496 | 65 | － | 65 | 160 | 240 | 136 | 3 | 90 | 1 |
| 福島 | 13 296 | 7 992 | 1 287 | 3 694 | 68 | 4 | 64 | 243 | … | … | … | … | … |
| 茨城 | 21 005 | 14 665 | 2 071 | 3 696 | 325 | 17 | 309 | 248 | 310 | 133 | 16 | 156 | 5 |
| 栃木 | 14 848 | 10 252 | 488 | 3 822 | 37 | 3 | 36 | 249 | － | － | － | － | － |
| 群馬 | 13 607 | 8 804 | 537 | 3 626 | 70 | 3 | 69 | 570 | － | － | － | － | － |
| 埼玉 | 55 888 | 41 313 | 2 585 | 10 552 | 682 | 23 | 670 | 750 | 15 761 | 13 514 | 508 | 1 392 | 58 |
| 千葉 | 47 054 | 31 320 | 4 168 | 9 619 | 908 | 19 | 903 | 1 020 | 16 323 | 13 135 | 665 | 1 750 | 574 |
| 東京 | 106 019 | 81 166 | 3 893 | 8 347 | 1 440 | 52 | 1 389 | 1 110 | 68 634 | 53 792 | 649 | 3 375 | 481 |
| 神奈川 | 65 502 | 51 211 | 3 214 | 10 286 | 333 | 9 | 329 | 1 069 | 9 631 | 8 423 | 357 | 690 | 52 |
| 新潟 | 15 857 | 10 723 | 945 | 3 630 | 153 | 11 | 138 | 406 | － | － | － | － | － |
| 富山 | 7 511 | 4 574 | 281 | 2 448 | 47 | 1 | 46 | 161 | － | － | － | － | － |
| 石川 | 8 785 | 5 326 | 549 | 2 601 | 79 | － | 79 | 230 | － | － | － | － | － |
| 福井 | 6 048 | 3 822 | 149 | 1 948 | 26 | 1 | 25 | 103 | － | － | － | － | － |
| 山梨 | 5 811 | 2 768 | 222 | 2 510 | 97 | 2 | 95 | 214 | 10 | 3 | － | － | － |
| 長野 | 15 137 | 10 526 | 598 | 3 464 | 200 | 9 | 192 | 348 | 5 | 4 | － | 1 | － |
| 岐阜 | 15 107 | 9 054 | 763 | 4 776 | 87 | 4 | 83 | 427 | 2 964 | 2 470 | 61 | 378 | 10 |
| 静岡 | 28 087 | 18 859 | 720 | 7 716 | 264 | 22 | 244 | 528 | 154 | 89 | 5 | 60 | － |
| 愛知 | 65 339 | 45 604 | 3 157 | 15 267 | 272 | 25 | 248 | 1 039 | 1 | 1 | － | － | － |
| 三重 | 13 586 | 9 550 | 411 | 3 376 | 57 | 6 | 52 | 186 | 224 | 140 | － | 78 | 3 |
| 滋賀 | 12 313 | 6 237 | 895 | 4 769 | 67 | 1 | 66 | 345 | － | － | － | － | － |
| 京都 | 19 487 | 13 207 | 1 412 | 4 114 | 144 | 4 | 140 | 610 | － | － | － | － | － |
| 大阪 | 67 461 | 38 939 | 2 535 | 23 214 | 434 | 25 | 410 | 1 379 | 1 045 | 923 | 33 | 69 | 7 |
| 兵庫 | 43 269 | 31 644 | 2 318 | 7 877 | 205 | 19 | 189 | 1 209 | － | － | － | － | － |
| 奈良 | 9 369 | 6 711 | 305 | 1 924 | 75 | 3 | 72 | 354 | 897 | 738 | 34 | 75 | 5 |
| 和歌山 | 6 768 | 4 964 | 374 | 1 163 | 7 | 1 | 6 | 260 | － | － | － | － | － |
| 鳥取 | 4 466 | 3 218 | 177 | 888 | 45 | 1 | 44 | 138 | 3 | － | － | － | － |
| 島根 | 5 366 | 4 008 | 311 | 841 | 22 | 1 | 21 | 184 | － | － | － | － | － |
| 岡山 | 15 001 | 11 206 | 564 | 2 554 | 262 | 24 | 249 | 415 | － | － | － | － | － |
| 広島 | 21 997 | 14 713 | 583 | 5 284 | 184 | 52 | 132 | 1 233 | 1 | － | － | － | － |
| 山口 | 9 787 | 7 863 | 495 | 1 235 | 7 | － | 7 | 187 | 5 942 | 5 054 | 263 | 548 | 4 |
| 徳島 | 5 269 | 3 052 | 200 | 1 583 | 62 | 1 | 62 | 372 | － | － | － | － | － |
| 香川 | 7 326 | 4 760 | 366 | 1 880 | 48 | 10 | 40 | 272 | 323 | 218 | 46 | 33 | 8 |
| 愛媛 | 9 496 | 7 814 | 274 | 1 198 | 102 | 15 | 88 | 108 | 3 895 | 3 134 | 129 | 604 | 4 |
| 高知 | 4 724 | 3 779 | 179 | 654 | 11 | － | 11 | 97 | － | － | － | － | － |
| 福岡 | 56 339 | 39 995 | 2 984 | 11 722 | 229 | 13 | 139 | 1 399 | 15 120 | 12 270 | 686 | 1 874 | 74 |
| 佐賀 | 6 936 | 2 499 | 389 | 3 776 | 28 | 3 | 25 | 244 | － | － | － | － | － |
| 長崎 | 10 652 | 6 372 | 983 | 2 913 | 62 | 5 | 57 | 286 | － | － | － | － | － |
| 熊本 | 14 828 | 8 870 | 833 | 4 629 | 161 | 12 | 149 | 335 | 12 | 8 | － | 1 | － |
| 大分 | 8 876 | 6 162 | 595 | 1 785 | 17 | 2 | 15 | 289 | 1 | － | － | － | － |
| 宮崎 | 8 687 | 5 050 | 572 | 2 791 | 32 | － | 32 | 242 | 26 | 15 | 2 | 5 | － |
| 鹿児島 | 13 397 | 10 559 | 478 | 1 760 | 128 | 1 | 127 | 466 | 1 | － | － | － | － |
| 沖縄 | 15 576 | 10 786 | 659 | 3 287 | 73 | 3 | 69 | 771 | 3 229 | 2 043 | 133 | 872 | 33 |
| 指定都市・特別区(再掲) | | | | | | | | | | | | | |
| 東京都区部 | 73 832 | 55 004 | 1 946 | 5 595 | 815 | 37 | 779 | 588 | 60 088 | 46 075 | 505 | 2 938 | 438 |
| 札幌市 | 14 055 | 11 835 | 618 | 1 115 | 2 | … | … | 485 | － | － | － | － | － |
| 仙台市 | 8 795 | 3 600 | 1 489 | 3 369 | 184 | 4 | 180 | 242 | － | － | － | － | － |
| さいたま市 | 10 881 | 9 483 | 385 | 793 | 33 | 2 | 31 | 187 | 10 881 | 9 483 | 385 | 793 | 33 |
| 千葉市 | 7 215 | 5 181 | 941 | 965 | 20 | － | 20 | 108 | 5 046 | 4 744 | 235 | 35 | 20 |
| 横浜市 | 23 583 | 15 563 | 1 247 | 6 664 | 104 | 2 | 102 | 616 | － | － | － | － | － |
| 川崎市 | 13 806 | 11 837 | 474 | 1 324 | 86 | － | 86 | 85 | － | － | － | － | － |
| 相模原市 | 5 143 | 4 428 | 137 | 463 | 37 | － | 37 | 78 | 5 143 | 4 428 | 137 | 463 | 37 |
| 新潟市 | 5 955 | 3 381 | 639 | 1 810 | 5 | － | 5 | 120 | － | － | － | － | － |
| 静岡市 | 5 131 | 3 442 | 123 | 1 400 | 14 | 4 | 10 | 152 | － | － | － | － | － |
| 浜松市 | 6 708 | 5 909 | 196 | 382 | 51 | － | 51 | 170 | － | － | － | － | － |
| 名古屋市 | 19 351 | 11 843 | 205 | 7 177 | 52 | 9 | 43 | 74 | － | － | － | － | － |
| 京都市 | 10 809 | 8 185 | 712 | 1 720 | 104 | 3 | 101 | 88 | － | － | － | － | － |
| 大阪市 | 20 690 | 14 142 | 797 | 5 149 | 162 | － | 162 | 440 | － | － | － | － | － |
| 堺市 | 6 697 | 3 923 | 154 | 2 415 | 66 | 4 | 62 | 139 | － | － | － | － | － |
| 神戸市 | 11 824 | 9 553 | 422 | 1 407 | 62 | 11 | 54 | 365 | － | － | － | － | － |
| 岡山市 | 6 014 | 4 265 | － | 1 372 | 137 | 17 | 130 | 240 | － | － | － | － | － |
| 広島市 | 10 078 | 7 423 | 258 | 1 901 | 139 | 52 | 87 | 357 | － | － | － | － | － |
| 北九州市 | 7 481 | 5 819 | 351 | 1 129 | 39 | 9 | 30 | 143 | 7 481 | 5 819 | 351 | 1 129 | 39 |
| 福岡市 | 26 824 | 16 705 | 1 657 | 7 406 | 70 | － | － | 986 | － | － | － | － | － |
| 熊本市 | 6 631 | 3 069 | 438 | 2 886 | 57 | － | 57 | 181 | － | － | － | － | － |

# 受診結果別人員，都道府県－指定都市・特別区－中核市－その他政令市、対象区分別（幼児１歳６か月・幼児３歳）

平成29年度

| 6か月 結果 1) (再掲) 精神面 | 6か月 結果 1) (再掲) 身体面 | 要精密 | 精密健康診査受診実人員 | 受診結果 1) 異常なし | 受診結果 1) 要経過観察 | 受診結果 1) 要治療 | 受診結果 1) (再掲) 精神面 | 受診結果 1) (再掲) 身体面 | (再掲) 医療機関等へ委託 | 受診結果 1) 異常なし | 受診結果 1) 要経過観察 | 受診結果 1) 要治療 | 受診結果 1) (再掲) 精神面 | 受診結果 1) (再掲) 身体面 |
|---|---|---|---|---|---|---|---|---|---|---|---|---|---|---|
| 60 | 1 269 | 1 542 | 15 445 | 4 279 | 8 600 | 2 516 | 485 | 1 776 | 6 743 | 1 869 | 3 710 | 1 148 | 155 | 905 |
| – | – | 7 | 716 | 178 | 417 | 121 | 6 | 38 | 477 | 112 | 278 | 87 | 1 | 5 |
| – | – | – | 218 | 52 | 132 | 29 | 3 | 26 | 136 | 32 | 83 | 21 | 3 | 18 |
| – | 7 | 12 | 109 | 37 | 66 | 6 | – | 6 | 48 | 19 | 27 | 2 | – | 2 |
| – | – | – | 213 | 117 | 71 | 20 | 3 | 19 | – | – | – | – | – | – |
| – | – | – | 118 | 38 | 50 | 30 | 1 | 29 | 89 | 28 | 37 | 24 | – | 24 |
| – | 1 | 10 | 141 | 28 | 92 | 21 | 6 | 15 | 64 | 7 | 51 | 6 | – | 6 |
| … | … | … | 174 | 39 | 111 | 24 | 2 | 23 | 71 | 10 | 52 | 9 | … | 9 |
| – | 5 | – | 156 | 54 | 86 | 16 | 2 | 14 | 20 | 2 | 14 | 4 | 1 | 3 |
| – | – | – | 194 | 48 | 123 | 23 | 2 | 21 | 111 | 29 | 70 | 12 | 1 | 11 |
| – | – | – | 470 | 124 | 293 | 53 | 7 | 46 | 4 | 3 | 1 | – | – | – |
| 3 | 56 | 289 | 505 | 118 | 300 | 87 | 11 | 76 | 251 | 45 | 166 | 40 | 9 | 31 |
| – | 574 | 199 | 681 | 185 | 392 | 104 | 12 | 92 | 358 | 90 | 211 | 57 | 6 | 51 |
| 33 | 449 | 274 | 598 | 82 | 456 | 60 | 8 | 52 | 362 | 47 | 279 | 36 | 2 | 34 |
| – | 52 | 109 | 618 | 159 | 313 | 144 | 40 | 102 | 482 | 125 | 233 | 122 | 40 | 82 |
| – | – | – | 351 | 105 | 208 | 36 | 6 | 30 | 349 | 105 | 206 | 36 | 6 | 30 |
| – | – | – | 129 | 35 | 85 | 9 | – | 9 | 83 | 28 | 49 | 6 | – | 6 |
| – | – | – | 200 | 54 | 110 | 36 | 3 | 34 | 91 | 30 | 50 | 11 | 2 | 9 |
| – | – | – | 78 | 20 | 49 | 9 | 3 | 6 | 52 | 11 | 34 | 7 | 3 | 4 |
| – | – | 7 | 188 | 50 | 125 | 13 | 1 | 12 | 23 | 8 | 10 | 5 | – | 5 |
| – | – | – | 265 | 68 | 152 | 45 | 3 | 42 | 118 | 33 | 73 | 12 | 1 | 11 |
| 3 | 7 | 45 | 255 | 66 | 136 | 53 | 12 | 39 | 7 | 4 | 1 | 2 | – | – |
| – | – | – | 336 | 81 | 212 | 43 | 7 | 36 | 175 | 41 | 106 | 28 | 5 | 23 |
| – | – | – | 743 | 276 | 307 | 160 | 13 | 150 | 260 | 62 | 108 | 90 | 10 | 83 |
| – | 3 | – | 98 | 3 | 95 | – | – | – | – | – | – | – | – | – |
| – | – | – | 283 | 62 | 171 | 50 | 4 | 46 | – | – | – | – | – | – |
| – | – | – | 551 | 121 | 323 | 107 | 78 | 29 | – | – | – | – | – | – |
| – | 7 | 13 | 1 063 | 411 | 543 | 105 | 5 | 100 | 446 | 184 | 219 | 43 | – | 43 |
| – | – | – | 609 | 118 | 407 | 83 | 38 | 42 | 210 | 62 | 124 | 23 | – | 19 |
| – | 5 | 45 | 298 | 107 | 131 | 53 | 3 | 50 | 118 | 33 | 42 | 36 | 2 | 34 |
| – | – | – | 216 | 101 | 93 | 21 | 1 | 19 | 1 | 1 | – | – | – | – |
| – | – | 3 | 129 | 35 | 80 | 14 | 1 | 13 | 7 | 2 | 5 | – | – | – |
| – | – | – | 149 | 49 | 84 | 16 | 1 | 15 | 114 | 39 | 63 | 12 | – | 12 |
| – | – | – | 253 | 81 | 146 | 26 | 3 | 23 | 128 | 41 | 74 | 13 | – | 13 |
| – | – | 41 | 971 | 219 | 554 | 198 | 145 | 53 | 329 | 84 | 189 | 56 | 36 | 20 |
| – | 4 | 73 | 115 | 28 | 73 | 14 | 2 | 12 | 88 | 23 | 55 | 10 | 2 | 8 |
| – | – | – | 270 | 135 | 88 | 47 | 4 | 43 | 215 | 108 | 72 | 35 | – | 35 |
| 8 | 2 | 18 | 196 | 58 | 104 | 34 | 4 | 30 | 145 | 44 | 71 | 30 | 4 | 26 |
| – | 4 | 24 | 69 | 20 | 27 | 22 | 2 | 20 | 24 | 5 | 14 | 5 | – | 5 |
| – | – | – | 105 | 19 | 61 | 25 | 11 | 14 | 67 | 9 | 42 | 16 | 5 | 11 |
| 11 | 63 | 216 | 721 | 126 | 378 | 217 | 8 | 35 | 89 | 23 | 41 | 25 | 4 | 21 |
| – | – | – | 199 | 69 | 108 | 22 | 3 | 19 | 98 | 35 | 51 | 12 | 1 | 11 |
| – | – | – | 250 | 76 | 116 | 38 | 9 | 29 | 127 | 37 | 67 | 20 | 9 | 11 |
| – | – | 3 | 247 | 61 | 145 | 41 | – | 41 | 161 | 35 | 89 | 37 | 1 | 36 |
| – | – | 1 | 189 | 34 | 124 | 31 | 7 | 20 | 75 | 14 | 49 | 14 | – | 10 |
| – | – | 4 | 192 | 66 | 108 | 18 | 2 | 16 | 81 | 37 | 37 | 7 | – | 7 |
| – | – | 1 | 374 | 145 | 173 | 56 | 1 | 56 | 264 | 96 | 127 | 41 | – | 41 |
| 2 | 30 | 148 | 442 | 121 | 182 | 136 | 2 | 134 | 325 | 86 | 140 | 96 | 1 | 95 |
| 32 | 407 | 248 | 129 | 21 | 86 | 22 | 6 | 16 | 55 | 7 | 38 | 10 | … | 10 |
| – | – | – | 431 | 96 | 254 | 81 | … | … | 431 | 96 | 254 | 81 | … | … |
| – | – | – | 162 | 96 | 51 | 10 | – | 10 | – | – | – | – | – | – |
| 2 | 31 | 187 | 166 | 29 | 109 | 28 | 9 | 19 | 166 | 29 | 109 | 28 | 9 | 19 |
| – | 20 | 12 | 62 | 23 | 31 | 8 | 5 | 3 | 9 | 2 | 7 | – | – | – |
| – | – | – | 379 | 95 | 183 | 99 | 39 | 60 | 379 | 95 | 183 | 99 | 39 | 60 |
| – | – | – | – | – | – | – | – | – | – | – | – | – | – | – |
| – | 37 | 78 | 40 | 12 | 19 | 9 | – | 9 | 40 | 12 | 19 | 9 | – | 9 |
| – | – | – | 101 | 33 | 64 | 4 | – | 4 | 101 | 33 | 64 | 4 | – | 4 |
| – | – | – | 90 | 12 | 68 | 10 | 1 | 9 | – | – | – | – | – | – |
| – | – | – | 143 | 29 | 93 | 21 | 5 | 16 | 143 | 29 | 93 | 21 | 5 | 16 |
| – | – | – | – | – | – | – | – | – | – | – | – | – | – | – |
| – | – | – | 252 | 29 | 143 | 80 | 74 | 6 | – | – | – | – | – | – |
| – | – | – | 429 | 165 | 227 | 37 | – | 37 | 405 | 165 | 203 | 37 | – | 37 |
| – | – | – | – | – | – | – | – | – | – | – | – | – | – | – |
| – | – | – | – | – | – | – | – | – | – | – | – | – | – | – |
| – | – | – | 126 | 41 | 72 | 13 | – | 13 | 126 | 41 | 72 | 13 | – | 13 |
| – | – | – | 328 | 57 | 123 | 148 | 139 | 9 | 132 | 21 | 67 | 44 | 35 | 9 |
| 9 | 30 | 143 | 30 | 8 | 9 | 13 | 3 | 10 | 30 | 8 | 9 | 13 | 3 | 10 |
| – | – | – | 516 | 78 | 262 | 176 | – | – | – | – | – | – | – | – |
| – | – | – | 139 | 27 | 80 | 32 | – | 32 | 139 | 27 | 80 | 32 | – | 32 |

## 第4－3表（4－2） 市区町村が実施した幼児の健康診査受診結果別人員・医療機関等へ委託した

| | 一般健康診査受診実人員 | 受診結果[1] | | | | | | | (再掲)医療機関等へ委託 | 受診 | | | 診 |
|---|---|---|---|---|---|---|---|---|---|---|---|---|---|
| | | 異常なし | 既医療 | 要経過観察 | 要治療 | (再掲)精神面 | 身体面 | 要精密 | | 異常なし | 既医療 | 要経過観察 | 要治療 |
| **中核市(再掲)** | | | | | | | | | | | | | |
| 旭 川 市 | 2 291 | 1 641 | 43 | 530 | - | - | - | 77 | - | - | - | - | - |
| 函 館 市 | 1 487 | 1 290 | - | 195 | - | - | - | 2 | - | - | - | - | - |
| 青 森 市 | 1 932 | 1 697 | 104 | 52 | 12 | - | 12 | 64 | - | - | - | - | - |
| 八 戸 市 | 1 703 | 1 501 | 4 | 134 | 17 | - | 17 | 47 | - | - | - | - | - |
| 盛 岡 市 | 2 139 | 1 960 | 72 | 88 | 7 | - | 7 | 12 | 2 139 | 1 960 | 72 | 88 | 7 |
| 秋 田 市 | 2 001 | 1 325 | 109 | 439 | 22 | - | 22 | 106 | - | - | - | - | - |
| 郡 山 市 | 2 590 | 1 391 | 459 | 662 | 14 | - | 14 | 64 | - | - | - | - | - |
| い わ き 市 | 2 355 | 1 349 | 280 | 627 | 11 | - | 11 | 88 | - | - | - | - | - |
| 宇 都 宮 市 | 4 624 | 3 778 | 126 | 624 | 3 | 3 | 2 | 93 | - | - | - | - | - |
| 前 橋 市 | 2 468 | 1 726 | 38 | 335 | - | - | - | 369 | - | - | - | - | - |
| 高 崎 市 | 2 660 | 1 777 | 228 | 586 | 39 | - | 39 | 30 | - | - | - | - | - |
| 川 越 市 | 2 648 | 1 598 | 98 | 640 | 299 | - | 299 | 13 | - | - | - | - | - |
| 越 谷 市 | 2 814 | 2 501 | 74 | 205 | 19 | - | 19 | 15 | - | - | - | - | - |
| 船 橋 市 | 5 149 | 3 133 | 394 | 1 137 | 461 | - | 461 | 24 | 4 328 | 2 589 | 332 | 1 021 | 362 |
| 柏 市 | 3 391 | 3 017 | 14 | 305 | 44 | 1 | 43 | 11 | - | - | - | - | - |
| 八 王 子 市 | 3 640 | 2 931 | 195 | 348 | 96 | 4 | 92 | 70 | - | - | - | - | - |
| 横 須 賀 市 | 2 655 | 2 048 | - | 548 | 4 | 2 | 2 | 55 | - | - | - | - | - |
| 富 山 市 | 3 194 | 1 982 | 54 | 1 076 | 23 | - | 23 | 59 | - | - | - | - | - |
| 金 沢 市 | 3 706 | 2 183 | 177 | 1 223 | 62 | - | 62 | 61 | - | - | - | - | - |
| 長 野 市 | 2 786 | 1 396 | - | 1 188 | 54 | - | 54 | 148 | - | - | - | - | - |
| 岐 阜 市 | 2 933 | 2 441 | 61 | 376 | 10 | 3 | 7 | 45 | 2 933 | 2 441 | 61 | 376 | 10 |
| 豊 橋 市 | 3 116 | 2 196 | 201 | 525 | 7 | - | 7 | 187 | - | - | - | - | - |
| 豊 田 市 | 3 724 | 2 279 | 197 | 1 157 | - | - | - | 91 | - | - | - | - | - |
| 岡 崎 市 | 3 815 | 2 599 | 282 | 850 | 5 | - | 5 | 79 | - | - | - | - | - |
| 大 津 市 | 2 827 | 1 211 | 59 | 1 498 | 3 | - | 3 | 56 | - | - | - | - | - |
| 高 槻 市 | 2 759 | 936 | 185 | 1 540 | 29 | - | 29 | 69 | - | - | - | - | - |
| 東 大 阪 市 | 3 394 | 1 309 | 222 | 1 587 | 13 | 1 | 12 | 263 | - | - | - | - | - |
| 豊 中 市 | 3 676 | 1 196 | 201 | 1 259 | - | - | - | 61 | - | - | - | - | - |
| 枚 方 市 | 2 827 | 1 845 | 21 | 933 | - | - | - | 28 | - | - | - | - | - |
| 姫 路 市 | 4 418 | 3 825 | - | 523 | - | - | - | 70 | - | - | - | - | - |
| 西 宮 市 | 4 183 | 3 298 | 225 | 581 | 25 | 2 | 23 | 54 | - | - | - | - | - |
| 尼 崎 市 | 3 512 | 2 639 | 378 | 393 | 25 | - | 25 | 77 | - | - | - | - | - |
| 奈 良 市 | 2 465 | 1 675 | 90 | 595 | 47 | 3 | 44 | 58 | - | - | - | - | - |
| 和 歌 山 市 | 2 892 | 2 357 | 280 | 168 | - | - | - | 87 | - | - | - | - | - |
| 倉 敷 市 | 4 153 | 3 056 | 377 | 569 | 54 | 3 | 51 | 97 | - | - | - | - | - |
| 福 山 市 | 3 758 | 2 493 | 75 | 599 | 10 | - | 10 | 581 | - | - | - | - | - |
| 呉 市 | 1 473 | 699 | 81 | 632 | 22 | - | 22 | 39 | - | - | - | - | - |
| 下 関 市 | 1 809 | 1 182 | 85 | 515 | 2 | - | 2 | 25 | - | - | - | - | - |
| 高 松 市 | 3 373 | 2 438 | 195 | 588 | 20 | - | 20 | 132 | - | - | - | - | - |
| 松 山 市 | 3 895 | 3 134 | 129 | 604 | 4 | - | 4 | 24 | 3 895 | 3 134 | 129 | 604 | 4 |
| 高 知 市 | 2 515 | 2 047 | 90 | 333 | 8 | - | 8 | 37 | - | - | - | - | - |
| 久 留 米 市 | 2 759 | 2 318 | 118 | 273 | 18 | - | 18 | 32 | 2 759 | 2 318 | 118 | 273 | 18 |
| 長 崎 市 | 3 098 | 2 369 | 159 | 522 | - | - | - | 48 | - | - | - | - | - |
| 佐 世 保 市 | 2 069 | 1 498 | 143 | 371 | 10 | - | 10 | 47 | - | - | - | - | - |
| 大 分 市 | 4 219 | 3 145 | 241 | 684 | 2 | 1 | 1 | 147 | - | - | - | - | - |
| 宮 崎 市 | 3 455 | 1 857 | 203 | 1 319 | 1 | - | 1 | 75 | - | - | - | - | - |
| 鹿 児 島 市 | 5 223 | 3 965 | 157 | 878 | 78 | - | 78 | 145 | - | - | - | - | - |
| 那 覇 市 | 2 884 | 1 664 | 140 | 899 | 16 | 1 | 15 | 165 | - | - | - | - | - |
| **その他政令市(再掲)** | | | | | | | | | | | | | |
| 小 樽 市 | 526 | 374 | 25 | 108 | - | - | - | 19 | - | - | - | - | - |
| 町 田 市 | 2 921 | 2 742 | … | … | … | … | … | … | 2 921 | 2 742 | … | … | … |
| 藤 沢 市 | 3 632 | 3 275 | 188 | 123 | 3 | - | 3 | 43 | - | - | - | - | - |
| 茅 ヶ 崎 市 | 1 878 | 1 689 | 48 | 104 | 8 | - | 8 | 29 | - | - | - | - | - |
| 四 日 市 市 | 2 444 | 1 777 | 119 | 490 | 18 | - | 18 | 40 | - | - | - | - | - |
| 大 牟 田 市 | 706 | 632 | 16 | 44 | 10 | 2 | 8 | 4 | 706 | 632 | 16 | 44 | 10 |

注：1）受診結果は計数不詳な市区町村があるため、受診実人員と受診結果の計が一致しない場合がある。

# 受診結果別人員，都道府県－指定都市・特別区－中核市－その他政令市、対象区分別（幼児１歳６か月・幼児３歳）

平成29年度

| 6か月 | | | | | | | | | | | | | | |
|---|---|---|---|---|---|---|---|---|---|---|---|---|---|---|
| 結果[1] | | | 精密健康診査受診実人員 | 受診結果[1] | | | | | （再掲）医療機関等へ委託 | 受診結果[1] | | | | |
| （再掲） | | 要精密 | | 異常なし | 要経過観察 | 要治療 | （再掲） | | | 異常なし | 要経過観察 | 要治療 | （再掲） | |
| 精神面 | 身体面 | | | | | | 精神面 | 身体面 | | | | | 精神面 | 身体面 |
| － | － | － | － | － | － | － | － | － | － | － | － | － | － | － |
| － | － | － | 1 | － | 1 | － | － | － | 1 | － | 1 | － | － | － |
| － | － | － | 50 | 14 | 27 | 4 | － | 4 | － | － | － | － | － | － |
| － | － | － | 40 | 13 | 21 | 6 | － | 6 | 40 | 13 | 21 | 6 | － | 6 |
| － | 7 | 12 | 4 | 1 | 3 | － | － | － | 4 | 1 | 3 | － | － | － |
| － | － | － | 77 | 25 | 31 | 21 | － | 21 | 77 | 25 | 31 | 21 | － | 21 |
| － | － | － | 45 | 12 | 30 | 3 | － | 3 | － | － | － | － | － | － |
| － | － | － | 63 | 10 | 45 | 8 | － | 8 | 63 | 10 | 45 | 8 | － | 8 |
| － | － | － | 73 | 21 | 46 | 6 | － | 6 | 73 | 21 | 46 | 6 | － | 6 |
| － | － | － | 291 | 66 | 199 | 26 | 6 | 20 | － | － | － | － | － | － |
| － | － | － | 28 | 5 | 13 | 10 | － | 10 | － | － | － | － | － | － |
| － | － | － | 9 | 6 | 3 | － | － | － | － | － | － | － | － | － |
| － | － | － | 13 | 2 | 5 | 6 | － | 6 | － | － | － | － | － | － |
| － | 362 | 24 | 18 | 3 | 12 | 3 | － | 3 | 18 | 3 | 12 | 3 | － | 3 |
| － | － | － | 11 | － | 10 | 1 | － | 1 | 11 | － | 10 | 1 | － | 1 |
| － | － | － | 52 | 7 | 41 | 4 | － | 4 | 52 | 7 | 41 | 4 | － | 4 |
| － | － | － | 17 | 2 | 15 | － | － | － | － | － | － | － | － | － |
| － | － | － | 45 | 12 | 31 | 2 | － | 2 | 45 | 12 | 31 | 2 | － | 2 |
| － | － | － | 56 | 8 | 30 | 18 | － | 18 | － | － | － | － | － | － |
| － | － | － | 114 | 32 | 71 | 11 | － | 11 | 114 | 32 | 71 | 11 | － | 11 |
| 3 | 7 | 45 | － | － | － | － | － | － | － | － | － | － | － | － |
| － | － | － | 152 | 98 | 31 | 23 | 1 | 22 | － | － | － | － | － | － |
| － | － | － | 80 | 15 | 4 | 61 | 6 | 58 | 80 | 15 | 4 | 61 | 6 | 58 |
| － | － | － | 67 | 7 | 47 | 13 | 2 | 11 | 67 | 7 | 47 | 13 | 2 | 11 |
| － | － | － | 42 | 2 | 29 | 11 | － | 11 | － | － | － | － | － | － |
| － | － | － | － | － | － | － | － | － | － | － | － | － | － | － |
| － | － | － | 257 | 123 | 125 | 9 | － | 9 | － | － | － | － | － | － |
| － | － | － | 53 | 21 | 30 | 2 | － | 2 | － | － | － | － | － | － |
| － | － | － | 20 | 13 | 4 | 3 | － | 3 | － | － | － | － | － | － |
| － | － | － | 70 | 2 | 43 | 25 | 25 | － | － | － | － | － | － | － |
| － | － | － | 28 | 6 | 15 | 7 | 5 | 3 | － | － | － | － | － | － |
| － | － | － | 57 | 11 | 39 | 7 | － | 7 | 57 | 11 | 39 | 7 | － | 7 |
| － | － | － | 58 | 13 | 28 | 10 | 1 | 9 | 58 | 13 | 28 | 10 | 1 | 9 |
| － | － | － | 82 | 23 | 48 | 11 | － | 11 | － | － | － | － | － | － |
| － | － | － | 78 | 26 | 44 | 8 | 3 | 5 | － | － | － | － | － | － |
| － | － | － | 370 | 69 | 270 | 31 | － | 31 | － | － | － | － | － | － |
| － | － | － | 34 | 18 | 16 | － | － | － | － | － | － | － | － | － |
| － | － | － | 14 | 5 | 9 | － | － | － | 14 | 5 | 9 | － | － | － |
| － | － | － | 77 | 23 | 39 | 15 | 4 | 11 | 77 | 23 | 39 | 15 | 4 | 11 |
| － | 4 | 24 | 21 | 4 | 14 | 3 | － | 3 | 21 | 4 | 14 | 3 | － | 3 |
| － | － | － | 58 | 5 | 37 | 16 | 5 | 11 | 58 | 5 | 37 | 16 | 5 | 11 |
| － | 18 | 32 | 16 | 2 | 6 | 8 | 1 | 7 | 16 | 2 | 6 | 8 | 1 | 7 |
| － | － | － | 39 | 3 | 14 | 5 | － | 5 | － | － | － | － | － | － |
| － | － | － | 32 | 11 | 15 | 6 | － | 6 | － | － | － | － | － | － |
| － | － | － | 100 | 11 | 79 | 10 | 5 | 5 | 29 | 5 | 20 | 4 | － | 4 |
| － | － | － | 59 | 9 | 43 | 7 | 1 | 6 | － | － | － | － | － | － |
| － | － | － | 115 | 29 | 62 | 24 | － | 24 | 115 | 29 | 62 | 24 | － | 24 |
| － | － | － | 97 | 19 | 51 | 27 | － | 27 | 97 | 19 | 51 | 27 | － | 27 |
| － | － | － | 18 | 2 | 13 | 3 | 1 | 2 | － | － | － | － | － | － |
| … | … | … | － | － | － | － | － | － | － | － | － | － | － | － |
| － | － | － | 37 | 7 | 22 | 8 | － | 6 | － | － | － | － | － | － |
| － | － | － | 24 | 4 | 13 | 7 | － | 7 | － | － | － | － | － | － |
| － | － | － | － | － | － | － | － | － | － | － | － | － | － | － |
| 2 | 8 | 4 | 4 | － | 4 | － | － | － | 4 | － | 4 | － | － | － |

# 第4－3表(4－3) 市区町村が実施した幼児の健康診査受診結果別人員・医療機関等へ委託した

| | 幼 | | | | | | | | | 児 | | | | |
|---|---|---|---|---|---|---|---|---|---|---|---|---|---|---|
| | 一般健康診査受診実人員 | 受診結果[1) 異常なし | 既医療 | 要経過観察 | 要治療 | (再掲) 精神面 | (再掲) 身体面 | 要精密 | (再掲)医療機関等へ委託 | 受診 異常なし | 既医療 | 要経過観察 | 要治療 |
| 全国 | 984 233 | 651 195 | 58 361 | 165 202 | 16 940 | 939 | 15 940 | 89 001 | 56 532 | 41 855 | 2 871 | 6 829 | 647 |
| 北海道 | 35 909 | 26 206 | 1 217 | 6 135 | 118 | 18 | 99 | 2 260 | 183 | 119 | 3 | 39 | – |
| 青森 | 8 891 | 5 211 | 237 | 631 | 253 | 3 | 250 | 2 559 | 1 | – | – | – | – |
| 岩手 | 8 594 | 5 532 | 429 | 1 772 | 195 | 1 | 194 | 666 | 2 295 | 1 960 | 90 | 146 | 3 |
| 宮城 | 17 317 | 9 155 | 1 589 | 2 489 | 737 | 1 | 736 | 4 700 | 32 | 31 | – | 1 | – |
| 秋田 | 5 972 | 4 090 | 300 | 620 | 32 | 2 | 30 | 930 | 43 | 37 | – | 2 | – |
| 山形 | 8 004 | 4 216 | 493 | 1 619 | 465 | 3 | 462 | 1 211 | 213 | 101 | 4 | 89 | – |
| 福島 | 13 889 | 8 285 | 1 251 | 2 238 | 381 | 3 | 372 | 1 713 | … | … | … | … | … |
| 茨城 | 21 779 | 14 706 | 2 209 | 3 827 | 429 | 26 | 403 | 607 | 349 | 268 | 22 | 55 | 4 |
| 栃木 | 15 347 | 9 771 | 694 | 3 042 | 416 | 7 | 409 | 1 424 | – | – | – | – | – |
| 群馬 | 14 598 | 7 380 | 1 199 | 4 354 | 154 | 4 | 150 | 1 470 | – | – | – | – | – |
| 埼玉 | 55 580 | 37 388 | 3 232 | 10 753 | 1 167 | 91 | 1 103 | 3 040 | 10 593 | 8 078 | 499 | 1 188 | 49 |
| 千葉 | 46 698 | 27 365 | 4 616 | 7 946 | 1 574 | 31 | 1 562 | 5 208 | 10 112 | 7 125 | 813 | 1 144 | 284 |
| 東京 | 105 545 | 70 162 | 8 991 | 12 016 | 3 113 | 80 | 2 958 | 7 341 | 1 100 | 437 | 71 | 87 | 20 |
| 神奈川 | 65 803 | 52 953 | 3 718 | 6 639 | 449 | 23 | 427 | 2 543 | – | – | – | – | – |
| 新潟 | 16 374 | 11 477 | 1 093 | 2 116 | 270 | 25 | 245 | 1 418 | 1 | – | – | – | – |
| 富山 | 7 517 | 4 577 | 358 | 1 713 | 118 | 10 | 108 | 751 | – | – | – | – | – |
| 石川 | 7 583 | 4 901 | 488 | 1 071 | 42 | – | 42 | 1 081 | – | – | – | – | – |
| 福井 | 6 291 | 3 766 | 195 | 1 369 | 15 | 4 | 11 | 946 | 20 | – | – | – | – |
| 山梨 | 5 671 | 2 188 | 257 | 2 159 | 590 | 7 | 583 | 477 | 17 | 2 | – | – | – |
| 長野 | 15 787 | 10 755 | 615 | 2 412 | 217 | 15 | 202 | 1 782 | 2 | 2 | – | – | – |
| 岐阜 | 15 439 | 10 120 | 907 | 3 571 | 177 | 29 | 148 | 664 | 36 | 28 | – | 6 | 1 |
| 静岡 | 28 298 | 18 269 | 787 | 5 640 | 229 | 53 | 185 | 3 373 | 5 380 | 3 945 | 240 | 709 | 42 |
| 愛知 | 64 974 | 46 606 | 2 877 | 10 180 | 243 | 46 | 197 | 5 066 | 1 062 | 811 | 34 | 152 | 17 |
| 三重 | 13 619 | 8 217 | 585 | 2 389 | 384 | 6 | 379 | 2 042 | 272 | 103 | 4 | 49 | 15 |
| 滋賀 | 12 328 | 6 058 | 1 427 | 2 670 | 592 | 3 | 589 | 1 581 | – | – | – | – | – |
| 京都 | 19 368 | 13 207 | 1 353 | 2 453 | 250 | 12 | 239 | 2 102 | – | – | – | – | – |
| 大阪 | 65 495 | 41 195 | 2 367 | 16 605 | 1 194 | 27 | 1 167 | 2 871 | 1 969 | 1 782 | 42 | 128 | 5 |
| 兵庫 | 43 569 | 31 979 | 2 308 | 5 186 | 658 | 42 | 618 | 3 422 | 9 | – | – | – | – |
| 奈良 | 9 266 | 5 971 | 320 | 1 292 | 144 | 10 | 134 | 1 539 | 1 779 | 1 107 | 39 | 417 | 43 |
| 和歌山 | 6 767 | 4 287 | 339 | 1 144 | 11 | 2 | 9 | 986 | – | – | – | – | – |
| 鳥取 | 4 603 | 3 027 | 118 | 938 | 35 | 1 | 34 | 485 | 18 | – | – | – | – |
| 島根 | 5 176 | 3 655 | 209 | 628 | 26 | 6 | 20 | 658 | – | – | – | – | – |
| 岡山 | 15 252 | 10 311 | 592 | 2 306 | 237 | 48 | 193 | 1 806 | – | – | – | – | – |
| 広島 | 22 505 | 15 863 | 771 | 3 268 | 552 | 81 | 471 | 2 051 | 33 | 20 | – | 1 | 4 |
| 山口 | 9 933 | 7 424 | 470 | 1 063 | 74 | 37 | 37 | 896 | 4 664 | 3 731 | 158 | 462 | 65 |
| 徳島 | 5 219 | 2 671 | 396 | 1 393 | 46 | 7 | 38 | 713 | – | – | – | – | – |
| 香川 | 7 576 | 4 225 | 476 | 1 661 | 69 | 20 | 49 | 1 145 | 362 | 179 | 42 | 88 | – |
| 愛媛 | 9 953 | 6 514 | 443 | 1 293 | 157 | 20 | 137 | 1 544 | – | – | – | – | – |
| 高知 | 4 733 | 3 384 | 295 | 692 | 45 | 2 | 43 | 316 | 1 | – | 1 | – | – |
| 福岡 | 56 762 | 38 580 | 3 399 | 9 982 | 233 | 40 | 152 | 4 556 | 11 484 | 8 826 | 600 | 1 486 | 79 |
| 佐賀 | 7 064 | 2 041 | 639 | 3 280 | 399 | 9 | 388 | 705 | – | – | – | – | – |
| 長崎 | 11 023 | 6 116 | 1 121 | 2 527 | 103 | 43 | 59 | 1 116 | – | – | – | – | – |
| 熊本 | 15 218 | 9 150 | 646 | 3 108 | 150 | 20 | 130 | 2 164 | 20 | 2 | – | 2 | – |
| 大分 | 8 916 | 5 004 | 650 | 1 591 | 25 | 9 | 16 | 1 561 | 7 | – | – | – | – |
| 宮崎 | 9 339 | 5 395 | 526 | 2 332 | 22 | 1 | 21 | 1 063 | 41 | 22 | 7 | 7 | – |
| 鹿児島 | 13 877 | 10 910 | 482 | 1 517 | 120 | 8 | 114 | 848 | 2 | – | – | – | – |
| 沖縄 | 14 812 | 10 932 | 677 | 1 572 | 30 | 3 | 27 | 1 601 | 4 432 | 3 139 | 202 | 571 | 16 |
| 指定都市・特別区(再掲) | | | | | | | | | | | | | |
| 東京都区部 | 72 517 | 45 551 | 6 587 | 9 630 | 2 038 | 47 | 1 915 | 5 451 | 459 | – | – | – | – |
| 札幌市 | 13 992 | 11 214 | 666 | 1 192 | 3 | … | … | 917 | – | – | – | – | – |
| 仙台市 | 8 292 | 3 117 | 1 327 | 1 512 | 461 | – | 461 | 3 228 | – | – | – | – | – |
| さいたま市 | 10 576 | 8 078 | 499 | 1 188 | 49 | 5 | 44 | 762 | 10 576 | 8 078 | 499 | 1 188 | 49 |
| 千葉市 | 7 324 | 5 296 | 1 026 | 316 | 29 | – | 29 | 657 | 4 399 | 4 066 | 284 | 10 | 29 |
| 横浜市 | 24 526 | 18 332 | 1 671 | 4 252 | 139 | 20 | 120 | 631 | – | – | – | – | – |
| 川崎市 | 12 831 | 11 463 | 411 | 747 | 91 | – | 91 | 119 | – | – | – | – | – |
| 相模原市 | 5 218 | 4 203 | 244 | 140 | 41 | – | 41 | 590 | – | – | – | – | – |
| 新潟市 | 6 201 | 4 205 | 812 | 570 | 11 | 5 | 6 | 603 | – | – | – | – | – |
| 静岡市 | 5 239 | 2 861 | 109 | 867 | 11 | 6 | 5 | 1 391 | – | – | – | – | – |
| 浜松市 | 6 335 | 4 817 | 275 | 698 | 40 | 4 | 36 | 505 | 5 225 | 3 876 | 230 | 642 | 36 |
| 名古屋市 | 18 926 | 15 239 | 250 | 3 289 | 44 | 8 | 36 | 104 | – | – | – | – | – |
| 京都市 | 10 362 | 8 376 | 590 | 577 | 56 | 11 | 45 | 763 | – | – | – | – | – |
| 大阪市 | 19 280 | 12 288 | 657 | 5 504 | 297 | 1 | 296 | 534 | – | – | – | – | – |
| 堺市 | 6 557 | 5 009 | 174 | 912 | 197 | 4 | 193 | 265 | – | – | – | – | – |
| 神戸市 | 11 860 | 10 085 | 277 | 1 097 | 42 | 4 | 39 | 343 | – | – | – | – | – |
| 岡山市 | 5 996 | 3 776 | – | 1 251 | 110 | 28 | 85 | 859 | – | – | – | – | – |
| 広島市 | 9 823 | 7 697 | 312 | 597 | 474 | 74 | 400 | 743 | – | – | – | – | – |
| 北九州市 | 7 367 | 5 338 | 420 | 1 229 | 45 | 11 | 34 | 335 | 7 367 | 5 338 | 420 | 1 229 | 45 |
| 福岡市 | 26 643 | 17 022 | 1 748 | 5 089 | 37 | – | – | 2 747 | – | – | – | – | – |
| 熊本市 | 6 638 | 3 507 | 338 | 1 415 | 64 | 2 | 62 | 1 314 | – | – | – | – | – |

# 受診結果別人員，都道府県－指定都市・特別区－中核市－その他政令市、対象区分別（幼児１歳６か月・幼児３歳）

平成29年度

| 3　歳：結果[1)]（再掲）精神面 | 結果[1)]（再掲）身体面 | 結果[1)] 要精密 | 精密健康診査受診実人員 | 受診結果[1)] 異常なし | 受診結果[1)] 要経過観察 | 受診結果[1)] 要治療 | 受診結果[1)]（再掲）精神面 | 受診結果[1)]（再掲）身体面 | （再掲）医療機関等へ委託 | 受診結果[1)] 異常なし | 受診結果[1)] 要経過観察 | 受診結果[1)] 要治療 | 受診結果[1)]（再掲）精神面 | 受診結果[1)]（再掲）身体面 |
|---|---|---|---|---|---|---|---|---|---|---|---|---|---|---|
| 97 | 550 | 4 329 | 63 144 | 21 808 | 28 852 | 12 146 | 1 385 | 10 173 | 27 914 | 9 737 | 12 143 | 5 815 | 565 | 5 102 |
| – | – | 22 | 1 615 | 420 | 909 | 282 | 21 | 109 | 997 | 253 | 568 | 176 | … | 31 |
| – | – | 1 | 2 131 | 803 | 394 | 934 | 22 | 913 | 1 711 | 592 | 300 | 819 | 13 | 807 |
| – | 3 | 96 | 564 | 256 | 237 | 71 | 6 | 59 | 400 | 200 | 150 | 50 | 5 | 39 |
| – | – | – | 3 049 | 884 | 1 508 | 644 | 37 | 607 | 21 | 8 | 4 | 9 | – | 9 |
| – | – | 4 | 720 | 344 | 213 | 163 | 11 | 152 | 534 | 251 | 150 | 133 | 3 | 130 |
| – | – | 19 | 1 075 | 486 | 419 | 170 | 26 | 144 | 618 | 347 | 221 | 50 | 2 | 48 |
| … | … | … | 1 323 | 424 | 609 | 290 | 8 | 284 | 168 | 52 | 84 | 32 | … | 32 |
| – | 4 | – | 414 | 157 | 176 | 81 | 12 | 69 | 101 | 19 | 61 | 21 | – | 21 |
| – | – | – | 1 036 | 446 | 450 | 140 | 22 | 118 | 473 | 189 | 225 | 59 | 4 | 55 |
| – | – | – | 1 211 | 729 | 314 | 168 | 6 | 162 | 37 | 12 | 13 | 12 | – | 12 |
| 5 | 44 | 779 | 2 047 | 658 | 1 033 | 356 | 31 | 325 | 893 | 216 | 465 | 212 | 20 | 192 |
| 5 | 279 | 746 | 3 553 | 1 147 | 1 654 | 747 | 65 | 681 | 1 574 | 455 | 774 | 342 | 5 | 338 |
| – | 20 | 485 | 5 421 | 1 248 | 3 311 | 758 | 25 | 729 | 2 753 | 570 | 1 625 | 491 | 13 | 474 |
| – | – | – | 1 745 | 396 | 891 | 456 | 115 | 341 | 1 158 | 250 | 571 | 335 | 113 | 222 |
| – | – | 1 | 1 225 | 662 | 435 | 114 | 13 | 101 | 1 219 | 659 | 433 | 113 | 13 | 100 |
| – | – | – | 618 | 224 | 298 | 96 | 5 | 91 | 481 | 190 | 226 | 65 | 2 | 63 |
| – | – | – | 774 | 272 | 376 | 126 | 27 | 99 | 244 | 84 | 120 | 40 | 17 | 23 |
| – | – | 20 | 816 | 211 | 476 | 104 | 24 | 80 | 633 | 163 | 397 | 73 | 21 | 52 |
| – | – | 15 | 365 | 128 | 197 | 40 | 3 | 37 | 25 | 7 | 12 | 6 | – | 6 |
| – | – | – | 1 339 | 478 | 630 | 231 | 8 | 219 | 393 | 166 | 187 | 40 | – | 40 |
| – | 1 | 1 | 420 | 156 | 194 | 70 | 11 | 58 | 5 | 3 | 1 | 1 | – | – |
| 6 | 36 | 444 | 2 586 | 846 | 1 389 | 351 | 20 | 331 | 875 | 278 | 444 | 153 | 10 | 143 |
| 10 | 7 | 48 | 3 468 | 1 410 | 1 198 | 860 | 75 | 791 | 2 098 | 879 | 626 | 593 | 44 | 555 |
| – | 15 | 100 | 1 447 | 667 | 644 | 104 | 7 | 97 | 544 | 275 | 190 | 47 | – | 47 |
| – | – | – | 1 109 | 473 | 259 | 365 | 1 | 364 | – | – | – | – | – | – |
| – | – | – | 1 420 | 488 | 675 | 257 | 84 | 168 | – | – | – | – | – | – |
| – | 5 | 12 | 1 814 | 769 | 818 | 211 | 16 | 196 | 608 | 296 | 250 | 62 | 1 | 62 |
| – | – | 9 | 2 530 | 756 | 1 222 | 550 | 177 | 373 | 666 | 263 | 294 | 109 | 5 | 102 |
| 4 | 39 | 173 | 1 176 | 408 | 531 | 148 | 11 | 137 | 601 | 162 | 260 | 90 | 5 | 85 |
| – | – | – | 641 | 257 | 292 | 90 | 1 | 86 | 9 | 8 | 1 | – | – | – |
| – | – | 18 | 395 | 129 | 196 | 69 | 8 | 61 | 30 | 13 | 13 | 4 | 1 | 3 |
| – | – | – | 538 | 192 | 247 | 99 | 7 | 92 | 380 | 104 | 196 | 80 | 3 | 77 |
| – | – | – | 1 054 | 445 | 506 | 103 | 3 | 100 | 414 | 208 | 163 | 43 | – | 43 |
| – | 4 | 8 | 1 599 | 473 | 791 | 335 | 173 | 162 | 863 | 245 | 384 | 234 | 108 | 126 |
| 35 | 30 | 248 | 689 | 270 | 278 | 141 | 21 | 120 | 488 | 185 | 227 | 76 | 3 | 73 |
| – | – | – | 593 | 246 | 197 | 150 | 48 | 105 | 425 | 173 | 138 | 114 | 39 | 78 |
| – | – | 53 | 934 | 403 | 396 | 135 | 11 | 124 | 589 | 299 | 208 | 82 | 9 | 73 |
| – | – | – | 912 | 339 | 302 | 271 | 3 | 268 | 804 | 300 | 256 | 248 | – | 248 |
| – | – | – | 327 | 88 | 145 | 94 | 57 | 37 | 227 | 55 | 108 | 64 | 33 | 31 |
| 29 | 50 | 493 | 2 284 | 587 | 1 101 | 596 | 14 | 159 | 182 | 64 | 77 | 41 | 5 | 36 |
| – | – | – | 539 | 184 | 238 | 117 | 8 | 109 | 278 | 89 | 117 | 72 | 3 | 69 |
| – | – | – | 781 | 236 | 367 | 178 | 66 | 110 | 274 | 61 | 125 | 88 | 47 | 41 |
| – | – | 16 | 1 483 | 560 | 618 | 305 | 3 | 302 | 1 080 | 416 | 436 | 228 | 2 | 226 |
| – | – | 7 | 1 188 | 329 | 616 | 231 | 32 | 200 | 898 | 250 | 490 | 146 | 7 | 139 |
| – | – | 5 | 800 | 221 | 433 | 146 | 12 | 134 | 183 | 70 | 94 | 19 | – | 19 |
| – | – | 2 | 603 | 231 | 283 | 89 | 19 | 71 | 425 | 154 | 209 | 62 | 6 | 56 |
| 3 | 13 | 504 | 773 | 272 | 386 | 110 | 10 | 98 | 535 | 204 | 250 | 81 | 3 | 76 |
| – | – | 459 | 3 917 | 1 045 | 2 295 | 473 | 16 | 453 | 1 913 | 456 | 1 076 | 314 | 6 | 304 |
| – | – | – | 799 | 200 | 454 | 145 | … | … | 799 | 200 | 454 | 145 | … | … |
| – | – | – | 1 996 | 413 | 1 263 | 307 | 33 | 274 | – | – | – | – | – | – |
| 5 | 44 | 762 | 654 | 147 | 350 | 157 | 12 | 145 | 654 | 147 | 350 | 157 | 12 | 145 |
| – | 29 | 10 | 374 | 127 | 189 | 58 | 38 | 20 | 6 | 2 | 3 | 1 | – | 1 |
| – | – | – | 508 | 114 | 217 | 175 | 113 | 62 | 508 | 114 | 217 | 175 | 113 | 62 |
| – | – | – | – | – | – | – | – | – | – | – | – | – | – | – |
| – | – | – | 405 | 106 | 217 | 82 | – | 82 | 405 | 106 | 217 | 82 | – | 82 |
| – | – | – | 525 | 329 | 165 | 31 | 6 | 25 | 525 | 329 | 165 | 31 | 6 | 25 |
| – | – | – | 1 030 | 324 | 619 | 87 | 10 | 77 | – | – | – | – | – | – |
| 4 | 32 | 441 | 460 | 168 | 240 | 52 | 9 | 43 | 460 | 168 | 240 | 52 | 9 | 43 |
| – | – | – | – | – | – | – | – | – | – | – | – | – | – | – |
| – | – | – | 539 | 146 | 271 | 122 | 73 | 49 | – | – | – | – | – | – |
| – | – | – | 525 | 184 | 281 | 60 | – | 60 | 454 | 184 | 210 | 60 | – | 60 |
| – | – | – | – | – | – | – | – | – | – | – | – | – | – | – |
| – | – | – | – | – | – | – | – | – | – | – | – | – | – | – |
| – | – | – | 410 | 207 | 161 | 42 | – | 42 | 410 | 207 | 161 | 42 | – | 42 |
| – | – | – | 609 | 194 | 272 | 143 | 109 | 34 | 424 | 124 | 206 | 94 | 60 | 34 |
| 11 | 34 | 335 | 17 | 1 | 8 | 8 | 3 | 5 | 17 | 1 | 8 | 8 | 3 | 5 |
| – | – | – | 1 482 | 312 | 747 | 423 | – | – | – | – | – | – | – | – |
| – | – | – | 925 | 353 | 374 | 198 | – | 198 | 925 | 353 | 374 | 198 | – | 198 |

# 第4-3表(4-4) 市区町村が実施した幼児の健康診査受診結果別人員・医療機関等へ委託した

| | 一般健康診査受診実人員 | 幼児 受診結果[1] | | | | | | | 児 (再掲)医療機関等へ委託 | 受 | | | 診 |
|---|---|---|---|---|---|---|---|---|---|---|---|---|---|
| | | 異常なし | 既医療 | 要経過観察 | 要治療 | （再掲）精神面 | （再掲）身体面 | 要精密 | | 異常なし | 既医療 | 要経過観察 | 要治療 |
| **中核市(再掲)** | | | | | | | | | | | | | |
| 旭 川 市 | 2 232 | 1 668 | 59 | 156 | - | - | - | 349 | - | - | - | - | - |
| 函 館 市 | 1 468 | 1 175 | - | 200 | - | - | - | 93 | - | - | - | - | - |
| 青 森 市 | 1 971 | 1 612 | 86 | 30 | 1 | - | 1 | 242 | - | - | - | - | - |
| 八 戸 市 | 1 782 | 954 | 40 | 48 | 32 | 1 | 31 | 708 | - | - | - | - | - |
| 盛 岡 市 | 2 078 | 1 768 | 83 | 128 | 3 | - | 3 | 96 | 2 078 | 1 768 | 83 | 128 | 3 |
| 秋 田 市 | 2 150 | 1 382 | 75 | 253 | 12 | - | 12 | 428 | - | - | - | - | - |
| 郡 山 市 | 2 595 | 1 727 | 469 | 280 | 11 | 1 | 10 | 108 | - | - | - | - | - |
| い わ き 市 | 2 465 | 1 635 | 215 | 360 | 59 | - | 59 | 196 | - | - | - | - | - |
| 宇 都 宮 市 | 4 631 | 3 639 | 271 | 339 | - | - | - | 382 | - | - | - | - | - |
| 前 橋 市 | 2 515 | 990 | 8 | 1 129 | - | - | - | 388 | - | - | - | - | - |
| 高 崎 市 | 3 077 | 1 742 | 158 | 553 | 5 | - | 5 | 619 | - | - | - | - | - |
| 川 越 市 | 2 649 | 1 173 | 366 | 827 | 248 | - | 248 | 35 | - | - | - | - | - |
| 越 谷 市 | 2 745 | 2 401 | 76 | 230 | 12 | - | 12 | 26 | - | - | - | - | - |
| 船 橋 市 | 5 150 | 2 608 | 764 | 1 054 | 484 | 8 | 476 | 240 | 3 386 | 1 616 | 492 | 855 | 247 |
| 柏 市 | 3 227 | 1 627 | 15 | 910 | 368 | - | 368 | 307 | - | - | - | - | - |
| 八 王 子 市 | 3 780 | 3 043 | 206 | 229 | 107 | 5 | 102 | 195 | - | - | - | - | - |
| 横 須 賀 市 | 2 662 | 2 108 | - | 285 | 2 | 1 | 1 | 267 | - | - | - | - | - |
| 富 山 市 | 3 106 | 1 861 | 73 | 788 | 9 | - | 9 | 375 | - | - | - | - | - |
| 金 沢 市 | 2 377 | 1 365 | 138 | 345 | 20 | - | 20 | 509 | - | - | - | - | - |
| 長 野 市 | 2 821 | 1 687 | - | 541 | 72 | 2 | 70 | 521 | - | - | - | - | - |
| 岐 阜 市 | 3 014 | 2 219 | 200 | 435 | 2 | - | 2 | 158 | - | - | - | - | - |
| 豊 橋 市 | 3 098 | 2 218 | 121 | 298 | 17 | 7 | 10 | 444 | - | - | - | - | - |
| 豊 田 市 | 3 735 | 2 192 | 268 | 624 | 5 | 1 | 4 | 646 | - | - | - | - | - |
| 岡 崎 市 | 3 620 | 2 149 | 377 | 612 | 1 | 1 | - | 481 | - | - | - | - | - |
| 大 津 市 | 2 731 | 1 416 | 160 | 687 | 4 | - | 4 | 464 | - | - | - | - | - |
| 高 槻 市 | 2 787 | 1 046 | 151 | 1 390 | 96 | - | 96 | 104 | - | - | - | - | - |
| 東 大 阪 市 | 3 293 | 1 294 | 271 | 1 043 | 28 | 3 | 25 | 657 | - | - | - | - | - |
| 豊 中 市 | 3 587 | 1 416 | 162 | 652 | - | - | - | 94 | - | - | - | - | - |
| 枚 方 市 | 2 781 | 2 109 | - | 587 | 2 | - | 2 | 83 | - | - | - | - | - |
| 姫 路 市 | 4 552 | 3 358 | - | 308 | - | - | - | 886 | - | - | - | - | - |
| 西 宮 市 | 4 156 | 3 320 | 334 | 293 | 134 | 2 | 132 | 75 | - | - | - | - | - |
| 尼 崎 市 | 3 340 | 2 260 | 243 | 214 | 218 | - | 218 | 405 | - | - | - | - | - |
| 奈 良 市 | 2 434 | 1 623 | 83 | 224 | 39 | 5 | 34 | 465 | - | - | - | - | - |
| 和 歌 山 市 | 2 677 | 1 951 | 219 | 310 | 1 | - | 1 | 196 | - | - | - | - | - |
| 倉 敷 市 | 4 159 | 2 756 | 389 | 435 | 29 | 4 | 25 | 550 | - | - | - | - | - |
| 福 山 市 | 3 959 | 2 631 | 130 | 634 | 21 | 6 | 15 | 543 | - | - | - | - | - |
| 呉 市 | 1 496 | 732 | 62 | 589 | 26 | - | 26 | 87 | - | - | - | - | - |
| 下 関 市 | 1 813 | 1 310 | 30 | 277 | 62 | 37 | 25 | 134 | 1 593 | 1 134 | 21 | 249 | 59 |
| 高 松 市 | 3 477 | 2 195 | 249 | 420 | 23 | 2 | 21 | 590 | - | - | - | - | - |
| 松 山 市 | 3 985 | 1 994 | 164 | 615 | 8 | 1 | 7 | 1 204 | - | - | - | - | - |
| 高 知 市 | 2 413 | 1 718 | 156 | 385 | 8 | 1 | 7 | 146 | - | - | - | - | - |
| 久 留 米 市 | 2 766 | 2 233 | 163 | 218 | 11 | - | 11 | 141 | 2 766 | 2 233 | 163 | 218 | 11 |
| 長 崎 市 | 3 235 | 2 164 | 317 | 253 | 12 | 10 | 1 | 489 | - | - | - | - | - |
| 佐 世 保 市 | 2 108 | 1 495 | 149 | 284 | 12 | - | 12 | 168 | - | - | - | - | - |
| 大 分 市 | 4 153 | 2 603 | 318 | 434 | 4 | 4 | - | 794 | - | - | - | - | - |
| 宮 崎 市 | 3 620 | 1 952 | 196 | 1 023 | 2 | - | 2 | 447 | - | - | - | - | - |
| 鹿 児 島 市 | 5 349 | 4 267 | 152 | 629 | 88 | - | 88 | 213 | - | - | - | - | - |
| 那 覇 市 | 2 875 | 2 318 | 143 | 174 | 6 | - | 6 | 234 | - | - | - | - | - |
| **その他政令市(再掲)** | | | | | | | | | | | | | |
| 小 樽 市 | 597 | 411 | 65 | 71 | - | - | - | 38 | - | - | - | - | - |
| 町 田 市 | 3 045 | 2 383 | ... | ... | ... | ... | ... | ... | - | - | - | - | - |
| 藤 沢 市 | 3 458 | 3 168 | 179 | 83 | 5 | - | 5 | 23 | - | - | - | - | - |
| 茅 ヶ 崎 市 | 1 885 | 1 552 | 47 | 100 | 12 | - | 12 | 174 | - | - | - | - | - |
| 四 日 市 市 | 2 425 | 1 637 | 115 | 141 | 234 | - | 234 | 298 | - | - | - | - | - |
| 大 牟 田 市 | 698 | 609 | 16 | 39 | 22 | 18 | 4 | 12 | 698 | 609 | 16 | 39 | 22 |

注：1）受診結果は計数不詳な市区町村があるため、受診実人員と受診結果の計が一致しない場合がある。

# 受診結果別人員，都道府県－指定都市・特別区－中核市－その他政令市、対象区分別（幼児1歳6か月・幼児3歳）

平成29年度

3 歳

| 結果1)（再掲）精神面 | 身体面 | 要精密 | 精密健康診査受診実人員 | 受診結果1) 異常なし | 要経過観察 | 要治療 | （再掲）精神面 | 身体面 | （再掲）医療機関等へ委託 | 受診結果1) 異常なし | 要経過観察 | 要治療 | （再掲）精神面 | 身体面 |
|---|---|---|---|---|---|---|---|---|---|---|---|---|---|---|
| – | – | – | – | – | – | – | – | – | – | – | – | – | – | – |
| – | – | – | 84 | 26 | 51 | 7 | – | 7 | 84 | 26 | 51 | 7 | – | 7 |
| – | – | – | 175 | 124 | 43 | 8 | 6 | 2 | – | – | – | – | – | – |
| – | – | – | 476 | 183 | 84 | 209 | 8 | 201 | 476 | 183 | 84 | 209 | 8 | 201 |
| – | 3 | 96 | 47 | 36 | 8 | 3 | – | 3 | 47 | 36 | 8 | 3 | – | 3 |
| – | – | – | 325 | 138 | 101 | 86 | 3 | 83 | 325 | 138 | 101 | 86 | 3 | 83 |
| – | – | – | 81 | 21 | 46 | 14 | 1 | 14 | – | – | – | – | – | – |
| – | – | – | 162 | 47 | 87 | 28 | – | 28 | 150 | 47 | 75 | 28 | – | 28 |
| – | – | – | 286 | 120 | 138 | 28 | 1 | 27 | 286 | 120 | 138 | 28 | 1 | 27 |
| – | – | – | 349 | 214 | 106 | 29 | 5 | 24 | – | – | – | – | – | – |
| – | – | – | 516 | 372 | 70 | 74 | – | 74 | – | – | – | – | – | – |
| – | – | – | 26 | 13 | 8 | 5 | – | 5 | – | – | – | – | – | – |
| – | – | – | 19 | 5 | 9 | 5 | – | 5 | – | – | – | – | – | – |
| 5 | 242 | 176 | 176 | 22 | 74 | 80 | – | 80 | 17 | 10 | 6 | 1 | – | 1 |
| – | – | – | 244 | 46 | 141 | 57 | – | 57 | 244 | 46 | 141 | 57 | – | 57 |
| – | – | – | 70 | 12 | 48 | 10 | – | 10 | 70 | 12 | 48 | 10 | – | 10 |
| – | – | – | 35 | 3 | 32 | – | – | – | – | – | – | – | – | – |
| – | – | – | 278 | 130 | 120 | 28 | – | 28 | 278 | 130 | 120 | 28 | – | 28 |
| – | – | – | 338 | 115 | 169 | 54 | 5 | 49 | – | – | – | – | – | – |
| – | – | – | 390 | 166 | 186 | 38 | – | 38 | 390 | 166 | 186 | 38 | – | 38 |
| – | – | – | 127 | 40 | 78 | 9 | – | 9 | – | – | – | – | – | – |
| – | – | – | 360 | 77 | 160 | 123 | 15 | 108 | – | – | – | – | – | – |
| – | – | – | 577 | 179 | 14 | 384 | 32 | 358 | 577 | 179 | 14 | 384 | 32 | 358 |
| – | – | – | 358 | 135 | 169 | 54 | 1 | 53 | 358 | 135 | 169 | 54 | 1 | 53 |
| – | – | – | 134 | 51 | 54 | 29 | – | 29 | – | – | – | – | – | – |
| – | – | – | – | – | – | – | – | – | – | – | – | – | – | – |
| – | – | – | 405 | 162 | 179 | 64 | – | 64 | – | – | – | – | – | – |
| – | – | – | 74 | 40 | 29 | 5 | – | 5 | – | – | – | – | – | – |
| – | – | – | 62 | 29 | 32 | 1 | – | 1 | – | – | – | – | – | – |
| – | – | – | 886 | 179 | 452 | 255 | 78 | 177 | – | – | – | – | – | – |
| – | – | – | 48 | 15 | 17 | 16 | 13 | 3 | – | – | – | – | – | – |
| – | – | – | 292 | 149 | 116 | 27 | 3 | 24 | 292 | 149 | 116 | 27 | 3 | 24 |
| – | – | – | 465 | 125 | 205 | 46 | – | 46 | 465 | 125 | 205 | 46 | – | 46 |
| – | – | – | 151 | 41 | 89 | 21 | 1 | 20 | – | – | – | – | – | – |
| – | – | – | 392 | 142 | 226 | 24 | 3 | 21 | – | – | – | – | – | – |
| – | – | – | 358 | 87 | 247 | 24 | 3 | 21 | – | – | – | – | – | – |
| – | – | – | 68 | 32 | 23 | 13 | – | 13 | – | – | – | – | – | – |
| 35 | 24 | 130 | 74 | 21 | 39 | 14 | – | 14 | 74 | 21 | 39 | 14 | – | 14 |
| – | – | – | 459 | 251 | 152 | 56 | 2 | 54 | 459 | 251 | 152 | 56 | 2 | 54 |
| – | – | – | 764 | 288 | 243 | 233 | – | 233 | 764 | 288 | 243 | 233 | – | 233 |
| – | – | – | 196 | 42 | 101 | 53 | 24 | 29 | 196 | 42 | 101 | 53 | 24 | 29 |
| – | 11 | 141 | 85 | 32 | 37 | 16 | 1 | 15 | 85 | 32 | 37 | 16 | 1 | 15 |
| – | – | – | 273 | 92 | 124 | 57 | 17 | 38 | – | – | – | – | – | – |
| – | – | – | 116 | 43 | 57 | 16 | – | 16 | – | – | – | – | – | – |
| – | – | – | 635 | 149 | 354 | 132 | 15 | 117 | 553 | 142 | 309 | 102 | – | 102 |
| – | – | – | 349 | 69 | 196 | 84 | 6 | 78 | – | – | – | – | – | – |
| – | – | – | 160 | 45 | 90 | 25 | – | 25 | 160 | 45 | 90 | 25 | – | 25 |
| – | – | – | 113 | 35 | 55 | 23 | – | 23 | 113 | 35 | 55 | 23 | – | 23 |
| – | – | – | 33 | 4 | 18 | 11 | – | – | – | – | – | – | – | – |
| – | – | – | – | – | – | – | – | – | – | – | – | – | – | – |
| – | – | – | 110 | 20 | 46 | 44 | – | 44 | – | – | – | – | – | – |
| – | – | – | 150 | 22 | 88 | 40 | – | 40 | – | – | – | – | – | – |
| – | – | – | 238 | 146 | 77 | 15 | – | 15 | 238 | 146 | 77 | 15 | – | 15 |
| 18 | 4 | 12 | 12 | 3 | 8 | 1 | – | 1 | 12 | 3 | 8 | 1 | – | 1 |

# 第4－4表(4－1)　市区町村が実施した幼児の健康診査受診結果別人員・医療機関等へ委託した

| | 幼児 | | | | | | | | | | | | |
|---|---|---|---|---|---|---|---|---|---|---|---|---|---|
| | 一般健康診査受診実人員 | 受診結果[1)] 異常なし | 受診結果[1)] 既医療 | 受診結果[1)] 要経過観察 | 受診結果[1)] 要治療 | 受診結果[1)] (再掲) 精神面 | 受診結果[1)] (再掲) 身体面 | 受診結果[1)] 要精密 | (再掲) 医療機関等へ委託 | 受診 異常なし | 受診 既医療 | 受診 要経過観察 | 受診 要治療 |
| **全国** | **42 710** | **29 298** | **1 987** | **7 576** | **736** | **214** | **525** | **3 041** | **14 706** | **12 026** | **455** | **1 033** | **164** |
| 北海道 | 1 804 | 1 276 | 81 | 301 | 11 | 2 | 9 | 131 | 25 | 19 | - | 6 | - |
| 青森 | 191 | 64 | 3 | 29 | 83 | 83 | - | 12 | - | - | - | - | - |
| 岩手 | 427 | 245 | 25 | 117 | 17 | - | 17 | 23 | - | - | - | - | - |
| 宮城 | - | - | - | - | - | - | - | - | - | - | - | - | - |
| 秋田 | 536 | 356 | 13 | 152 | 6 | 1 | 5 | 9 | 3 | - | - | 1 | - |
| 山形 | 298 | 207 | 13 | 69 | - | - | - | 9 | - | - | - | - | - |
| 福島 | 37 | 25 | 3 | 9 | - | - | - | - | - | - | - | - | - |
| 茨城 | 545 | 279 | 9 | 232 | 20 | - | 20 | 5 | - | - | - | - | - |
| 栃木 | 1 081 | 806 | 83 | 162 | 1 | - | 1 | 29 | - | - | - | - | - |
| 群馬 | 2 739 | 2 090 | 1 | 31 | - | - | - | 617 | - | - | - | - | - |
| 埼玉 | 663 | 444 | 77 | 138 | 1 | 1 | … | 3 | … | … | … | … | … |
| 千葉 | 309 | 144 | 17 | 127 | 9 | - | 9 | 12 | 3 | 3 | - | - | - |
| 東京 | 2 762 | 2 323 | 152 | 165 | 42 | 1 | 41 | 80 | 1 467 | 1 316 | 32 | 82 | 30 |
| 神奈川 | 10 861 | 8 671 | 370 | 715 | 130 | - | 130 | 975 | 10 861 | 8 671 | 370 | 715 | 130 |
| 新潟 | - | - | - | - | - | - | - | - | - | - | - | - | - |
| 富山 | 31 | 20 | 1 | 5 | 5 | 5 | - | - | - | - | - | - | - |
| 石川 | 215 | 117 | 17 | 59 | 22 | 4 | 18 | - | - | - | - | - | - |
| 福井 | 180 | 88 | 9 | 81 | 1 | 1 | 1 | 1 | - | - | - | - | - |
| 山梨 | 1 255 | 488 | 99 | 420 | 210 | 2 | 209 | 38 | - | - | - | - | - |
| 長野 | 539 | 359 | 18 | 128 | 18 | - | 18 | 16 | - | - | - | - | - |
| 岐阜 | 2 303 | 1 924 | 66 | 259 | 10 | 2 | 8 | 44 | 2 057 | 1 781 | 53 | 180 | 4 |
| 静岡 | 143 | 56 | 2 | 77 | - | - | - | 8 | - | - | - | - | - |
| 愛知 | 810 | 637 | 71 | 72 | 3 | 2 | 1 | 8 | - | - | - | - | - |
| 三重 | - | - | - | - | - | - | - | - | - | - | - | - | - |
| 滋賀 | - | - | - | - | - | - | - | - | - | - | - | - | - |
| 京都 | 845 | 539 | 73 | 152 | 2 | 1 | 1 | 79 | - | - | - | - | - |
| 大阪 | 1 520 | 288 | 17 | 1 210 | - | - | - | 5 | - | - | - | - | - |
| 兵庫 | 1 089 | 725 | 112 | 175 | - | - | - | 77 | - | - | - | - | - |
| 奈良 | - | - | - | - | - | - | - | - | - | - | - | - | - |
| 和歌山 | 629 | 204 | 94 | 244 | 4 | 4 | - | 83 | - | - | - | - | - |
| 鳥取 | 1 128 | 642 | 42 | 330 | 5 | 4 | 1 | 109 | - | - | - | - | - |
| 島根 | 276 | 207 | 10 | 40 | 3 | 2 | 1 | 16 | - | - | - | - | - |
| 岡山 | 37 | 3 | - | 12 | - | - | - | 22 | - | - | - | - | - |
| 広島 | - | - | - | - | - | - | - | - | - | - | - | - | - |
| 山口 | 2 070 | 1 742 | 4 | 317 | - | - | - | 7 | - | - | - | - | - |
| 徳島 | 302 | 195 | 10 | 94 | 2 | 2 | - | 1 | - | - | - | - | - |
| 香川 | 960 | 636 | 48 | 207 | 22 | 19 | 3 | 47 | 277 | 228 | - | 49 | - |
| 愛媛 | 370 | 165 | 21 | 109 | 6 | 2 | 4 | 20 | - | - | - | - | - |
| 高知 | - | - | - | - | - | - | - | - | - | - | - | - | - |
| 福岡 | 133 | 56 | 2 | 69 | 1 | - | 1 | 5 | - | - | - | - | - |
| 佐賀 | - | - | - | - | - | - | - | - | - | - | - | - | - |
| 長崎 | 2 463 | 1 429 | 227 | 512 | 55 | 43 | 13 | 240 | - | - | - | - | - |
| 熊本 | 718 | 430 | 36 | 172 | 16 | 11 | 5 | 64 | - | - | - | - | - |
| 大分 | 1 348 | 904 | 91 | 243 | 23 | 20 | 3 | 87 | 5 | - | - | - | - |
| 宮崎 | 501 | 151 | 50 | 164 | 6 | 2 | 4 | 130 | - | - | - | - | - |
| 鹿児島 | 578 | 350 | 20 | 177 | 2 | - | 2 | 29 | - | - | - | - | - |
| 沖縄 | 14 | 13 | - | 1 | - | - | - | - | 8 | 8 | - | - | - |
| 指定都市・特別区(再掲) | | | | | | | | | | | | | |
| 東京都区部 | 2 041 | 1 680 | 107 | 142 | 37 | - | 37 | 75 | 1 467 | 1 316 | 32 | 82 | 30 |
| 札幌市 | 725 | 580 | 48 | 10 | - | - | - | 87 | - | - | - | - | - |
| 仙台市 | - | - | - | - | - | - | - | - | - | - | - | - | - |
| さいたま市 | - | - | - | - | - | - | - | - | - | - | - | - | - |
| 千葉市 | - | - | - | - | - | - | - | - | - | - | - | - | - |
| 横浜市 | - | - | - | - | - | - | - | - | - | - | - | - | - |
| 川崎市 | 10 861 | 8 671 | 370 | 715 | 130 | - | 130 | 975 | 10 861 | 8 671 | 370 | 715 | 130 |
| 相模原市 | - | - | - | - | - | - | - | - | - | - | - | - | - |
| 新潟市 | - | - | - | - | - | - | - | - | - | - | - | - | - |
| 静岡市 | - | - | - | - | - | - | - | - | - | - | - | - | - |
| 浜松市 | - | - | - | - | - | - | - | - | - | - | - | - | - |
| 名古屋市 | - | - | - | - | - | - | - | - | - | - | - | - | - |
| 京都市 | - | - | - | - | - | - | - | - | - | - | - | - | - |
| 大阪市 | - | - | - | - | - | - | - | - | - | - | - | - | - |
| 堺市 | - | - | - | - | - | - | - | - | - | - | - | - | - |
| 神戸市 | - | - | - | - | - | - | - | - | - | - | - | - | - |
| 岡山市 | - | - | - | - | - | - | - | - | - | - | - | - | - |
| 広島市 | - | - | - | - | - | - | - | - | - | - | - | - | - |
| 北九州市 | - | - | - | - | - | - | - | - | - | - | - | - | - |
| 福岡市 | - | - | - | - | - | - | - | - | - | - | - | - | - |
| 熊本市 | - | - | - | - | - | - | - | - | - | - | - | - | - |

# 受診結果別人員，都道府県－指定都市・特別区－中核市－その他政令市、対象区分別（幼児４～６歳・幼児その他）

平成29年度

| ４～６歳 結果[1)] (再掲) 精神面 | 身体面 | 要精密 | 精密健康診査受診実人員 | 受診結果[1)] 異常なし | 要経過観察 | 要治療 | (再掲) 精神面 | 身体面 | (再掲)医療機関等へ委託 | 受診結果[1)] 異常なし | 要経過観察 | 要治療 | (再掲) 精神面 | 身体面 |
|---|---|---|---|---|---|---|---|---|---|---|---|---|---|---|
| **2** | **162** | **1 028** | **2 219** | **989** | **852** | **368** | **215** | **137** | **1 075** | **769** | **171** | **135** | **27** | **92** |
| – | – | – | 93 | 27 | 42 | 24 | 1 | 7 | 66 | 16 | 33 | 17 | … | 1 |
| – | – | – | 12 | 2 | 10 | – | – | – | 3 | 2 | 1 | – | – | – |
| – | – | – | 22 | – | 22 | – | – | – | – | – | – | – | – | – |
| – | – | – | – | – | – | – | – | – | – | – | – | – | – | – |
| – | – | 2 | 6 | – | 1 | 5 | 4 | 1 | 2 | – | – | 2 | 2 | – |
| – | – | – | 4 | – | 2 | 2 | 2 | – | – | – | – | – | – | – |
| – | – | – | – | – | – | – | – | – | – | – | – | – | – | – |
| – | – | – | 2 | – | 2 | – | – | – | – | – | – | – | – | – |
| – | – | – | 18 | 2 | 3 | 13 | 12 | 1 | 1 | – | 1 | – | – | – |
| – | – | – | 313 | 85 | 228 | – | – | – | – | – | – | – | – | – |
| … | … | … | 3 | … | 2 | 1 | 1 | … | … | … | … | … | … | … |
| – | – | – | 10 | 7 | 1 | 2 | 1 | 1 | – | – | – | – | – | – |
| – | 30 | 7 | 52 | 7 | 33 | 12 | 5 | 7 | – | – | – | – | – | – |
| – | 130 | 975 | 916 | 734 | 104 | 78 | – | 78 | 916 | 734 | 104 | 78 | – | 78 |
| – | – | – | – | – | – | – | – | – | – | – | – | – | – | – |
| – | – | – | – | – | – | – | – | – | – | – | – | – | – | – |
| – | – | – | – | – | – | – | – | – | – | – | – | – | – | – |
| – | – | – | 1 | – | – | 1 | 1 | – | 1 | – | – | 1 | 1 | – |
| – | – | – | 31 | 19 | 11 | 1 | – | 1 | – | – | – | – | – | – |
| – | – | – | 16 | 1 | 15 | – | – | – | – | – | – | – | – | – |
| 2 | 2 | 39 | 3 | – | 2 | 1 | – | 1 | – | – | – | – | – | – |
| – | – | – | 4 | 1 | 1 | 2 | 1 | 1 | – | – | – | – | – | – |
| – | – | – | 5 | 1 | 3 | 1 | – | 1 | – | – | – | – | – | – |
| – | – | – | – | – | – | – | – | – | – | – | – | – | – | – |
| – | – | – | – | – | – | – | – | – | – | – | – | – | – | – |
| – | – | – | 72 | 11 | 51 | – | – | – | – | – | – | – | – | – |
| – | – | – | 5 | – | 4 | 1 | 1 | – | – | – | – | – | – | – |
| – | – | – | 62 | 7 | 30 | 25 | 25 | – | – | – | – | – | – | – |
| – | – | – | – | – | – | – | – | – | – | – | – | – | – | – |
| – | – | – | 75 | 24 | 33 | 18 | 7 | 11 | – | – | – | – | – | – |
| – | – | – | 87 | 7 | 47 | 33 | 27 | 6 | 4 | 2 | 2 | – | – | – |
| – | – | – | 10 | 3 | 6 | 1 | – | 1 | – | – | – | – | – | – |
| – | – | – | – | – | – | – | – | – | – | – | – | – | – | – |
| – | – | – | – | – | – | – | – | – | – | – | – | – | – | – |
| – | – | – | 7 | 2 | 3 | 2 | 2 | – | 1 | – | 1 | – | – | – |
| – | – | – | 1 | 1 | – | – | – | – | – | – | – | – | – | – |
| – | – | – | 36 | 12 | 14 | 10 | 5 | 5 | – | – | – | – | – | – |
| – | – | – | 7 | – | 5 | 2 | 2 | – | – | – | – | – | – | – |
| – | – | – | – | – | – | – | – | – | – | – | – | – | – | – |
| – | – | – | 3 | – | 2 | 1 | 1 | – | – | – | – | – | – | – |
| – | – | – | – | – | – | – | – | – | – | – | – | – | – | – |
| – | – | – | 187 | 13 | 68 | 106 | 93 | 13 | 75 | 12 | 26 | 37 | 24 | 13 |
| – | – | – | 10 | – | 5 | 5 | 5 | – | – | – | – | – | – | – |
| – | – | 5 | 62 | 4 | 55 | 3 | 2 | 1 | 5 | 2 | 3 | – | – | – |
| – | – | – | 65 | 16 | 40 | 9 | 8 | 1 | – | – | – | – | – | – |
| – | – | – | 19 | 3 | 7 | 9 | 9 | – | 1 | 1 | – | – | – | – |
| – | – | – | – | – | – | – | – | – | – | – | – | – | – | – |
| – | 30 | 7 | 50 | 7 | 31 | 12 | 5 | 7 | – | – | – | – | – | – |
| – | – | – | 58 | 15 | 27 | 16 | … | … | 58 | 15 | 27 | 16 | … | … |
| – | – | – | – | – | – | – | – | – | – | – | – | – | – | – |
| – | – | – | – | – | – | – | – | – | – | – | – | – | – | – |
| – | – | – | – | – | – | – | – | – | – | – | – | – | – | – |
| – | – | – | – | – | – | – | – | – | – | – | – | – | – | – |
| – | 130 | 975 | 916 | 734 | 104 | 78 | – | 78 | 916 | 734 | 104 | 78 | – | 78 |
| – | – | – | – | – | – | – | – | – | – | – | – | – | – | – |
| – | – | – | – | – | – | – | – | – | – | – | – | – | – | – |
| – | – | – | – | – | – | – | – | – | – | – | – | – | – | – |
| – | – | – | – | – | – | – | – | – | – | – | – | – | – | – |
| – | – | – | – | – | – | – | – | – | – | – | – | – | – | – |
| – | – | – | – | – | – | – | – | – | – | – | – | – | – | – |
| – | – | – | – | – | – | – | – | – | – | – | – | – | – | – |
| – | – | – | – | – | – | – | – | – | – | – | – | – | – | – |
| – | – | – | – | – | – | – | – | – | – | – | – | – | – | – |
| – | – | – | – | – | – | – | – | – | – | – | – | – | – | – |
| – | – | – | – | – | – | – | – | – | – | – | – | – | – | – |
| – | – | – | – | – | – | – | – | – | – | – | – | – | – | – |
| – | – | – | – | – | – | – | – | – | – | – | – | – | – | – |
| – | – | – | – | – | – | – | – | – | – | – | – | – | – | – |

## 第4－4表(4-2)　市区町村が実施した幼児の健康診査受診結果別人員・医療機関等へ委託した

| | 一般健康診査受診実人員 | 幼児 受診結果[1] 異常なし | 既医療 | 要経過観察 | 要治療 | (再掲) 精神面 | 身体面 | 要精密 | (再掲) 医療機関等へ委託 | 児 受診 異常なし | 既医療 | 要経過観察 | 要治療 |
|---|---|---|---|---|---|---|---|---|---|---|---|---|---|
| 中核市(再掲) | | | | | | | | | | | | | |
| 旭　川　市 | – | – | – | – | – | – | – | – | – | – | – | – | – |
| 函　館　市 | – | – | – | – | – | – | – | – | – | – | – | – | – |
| 青　森　市 | – | – | – | – | – | – | – | – | – | – | – | – | – |
| 八　戸　市 | – | – | – | – | – | – | – | – | – | – | – | – | – |
| 盛　岡　市 | – | – | – | – | – | – | – | – | – | – | – | – | – |
| 秋　田　市 | – | – | – | – | – | – | – | – | – | – | – | – | – |
| 郡　山　市 | – | – | – | – | – | – | – | – | – | – | – | – | – |
| い　わ　き　市 | – | – | – | – | – | – | – | – | – | – | – | – | – |
| 宇　都　宮　市 | – | – | – | – | – | – | – | – | – | – | – | – | – |
| 前　橋　市 | 2 581 | 1 964 | – | – | – | – | – | 617 | – | – | – | – | – |
| 高　崎　市 | – | – | – | – | – | – | – | – | – | – | – | – | – |
| 川　越　市 | – | – | – | – | – | – | – | – | – | – | – | – | – |
| 越　谷　市 | – | – | – | – | – | – | – | – | – | – | – | – | – |
| 船　橋　市 | – | – | – | – | – | – | – | – | – | – | – | – | – |
| 柏　　　市 | – | – | – | – | – | – | – | – | – | – | – | – | – |
| 八　王　子　市 | – | – | – | – | – | – | – | – | – | – | – | – | – |
| 横　須　賀　市 | – | – | – | – | – | – | – | – | – | – | – | – | – |
| 富　山　市 | – | – | – | – | – | – | – | – | – | – | – | – | – |
| 金　沢　市 | – | – | – | – | – | – | – | – | – | – | – | – | – |
| 長　野　市 | – | – | – | – | – | – | – | – | – | – | – | – | – |
| 岐　阜　市 | 2 057 | 1 781 | 53 | 180 | 4 | 2 | 2 | 39 | 2 057 | 1 781 | 53 | 180 | 4 |
| 豊　橋　市 | – | – | – | – | – | – | – | – | – | – | – | – | – |
| 豊　田　市 | – | – | – | – | – | – | – | – | – | – | – | – | – |
| 岡　崎　市 | – | – | – | – | – | – | – | – | – | – | – | – | – |
| 大　津　市 | – | – | – | – | – | – | – | – | – | – | – | – | – |
| 高　槻　市 | – | – | – | – | – | – | – | – | – | – | – | – | – |
| 東　大　阪　市 | – | – | – | – | – | – | – | – | – | – | – | – | – |
| 豊　中　市 | – | – | – | – | – | – | – | – | – | – | – | – | – |
| 枚　方　市 | – | – | – | – | – | – | – | – | – | – | – | – | – |
| 姫　路　市 | – | – | – | – | – | – | – | – | – | – | – | – | – |
| 西　宮　市 | – | – | – | – | – | – | – | – | – | – | – | – | – |
| 尼　崎　市 | – | – | – | – | – | – | – | – | – | – | – | – | – |
| 奈　良　市 | – | – | – | – | – | – | – | – | – | – | – | – | – |
| 和　歌　山　市 | – | – | – | – | – | – | – | – | – | – | – | – | – |
| 倉　敷　市 | – | – | – | – | – | – | – | – | – | – | – | – | – |
| 福　山　市 | – | – | – | – | – | – | – | – | – | – | – | – | – |
| 呉　　　市 | – | – | – | – | – | – | – | – | – | – | – | – | – |
| 下　関　市 | – | – | – | – | – | – | – | – | – | – | – | – | – |
| 高　松　市 | – | – | – | – | – | – | – | – | – | – | – | – | – |
| 松　山　市 | – | – | – | – | – | – | – | – | – | – | – | – | – |
| 高　知　市 | – | – | – | – | – | – | – | – | – | – | – | – | – |
| 久　留　米　市 | – | – | – | – | – | – | – | – | – | – | – | – | – |
| 長　崎　市 | – | – | – | – | – | – | – | – | – | – | – | – | – |
| 佐　世　保　市 | – | – | – | – | – | – | – | – | – | – | – | – | – |
| 大　分　市 | – | – | – | – | – | – | – | – | – | – | – | – | – |
| 宮　崎　市 | – | – | – | – | – | – | – | – | – | – | – | – | – |
| 鹿　児　島　市 | – | – | – | – | – | – | – | – | – | – | – | – | – |
| 那　覇　市 | – | – | – | – | – | – | – | – | – | – | – | – | – |
| その他政令市(再掲) | | | | | | | | | | | | | |
| 小　樽　市 | – | – | – | – | – | – | – | – | – | – | – | – | – |
| 町　田　市 | – | – | – | – | – | – | – | – | – | – | – | – | – |
| 藤　沢　市 | – | – | – | – | – | – | – | – | – | – | – | – | – |
| 茅　ヶ　崎　市 | – | – | – | – | – | – | – | – | – | – | – | – | – |
| 四　日　市　市 | – | – | – | – | – | – | – | – | – | – | – | – | – |
| 大　牟　田　市 | – | – | – | – | – | – | – | – | – | – | – | – | – |

注：「幼児4～6歳」及び「幼児その他」は法定外の健康診査である。
　　1）受診結果は計数不詳な市区町村があるため、受診実人員と受診結果の計が一致しない場合がある。

## 受診結果別人員，都道府県－指定都市・特別区－中核市－その他政令市、対象区分別（幼児4～6歳・幼児その他）

平成29年度

| 4～6歳 結果[1)] (再掲) 精神面 | 結果[1)] (再掲) 身体面 | 結果[1)] 要精密 | 精密健康診査受診実人員 | 受診結果[1)] 異常なし | 受診結果[1)] 要経過観察 | 受診結果[1)] 要治療 | 受診結果[1)] (再掲) 精神面 | 受診結果[1)] (再掲) 身体面 | (再掲) 医療機関等へ委託 | 受診結果[1)] 異常なし | 受診結果[1)] 要経過観察 | 受診結果[1)] 要治療 | 受診結果[1)] (再掲) 精神面 | 受診結果[1)] (再掲) 身体面 |
|---|---|---|---|---|---|---|---|---|---|---|---|---|---|---|
| - | - | - | - | - | - | - | - | - | - | - | - | - | - | - |
| - | - | - | - | - | - | - | - | - | - | - | - | - | - | - |
| - | - | - | - | - | - | - | - | - | - | - | - | - | - | - |
| - | - | - | - | - | - | - | - | - | - | - | - | - | - | - |
| - | - | - | - | - | - | - | - | - | - | - | - | - | - | - |
| - | - | - | - | - | - | - | - | - | - | - | - | - | - | - |
| - | - | - | - | - | - | - | - | - | - | - | - | - | - | - |
| - | - | - | - | - | - | - | - | - | - | - | - | - | - | - |
| - | - | - | - | - | - | - | - | - | - | - | - | - | - | - |
| - | - | - | 313 | 85 | 228 | - | - | - | - | - | - | - | - | - |
| - | - | - | - | - | - | - | - | - | - | - | - | - | - | - |
| - | - | - | - | - | - | - | - | - | - | - | - | - | - | - |
| - | - | - | - | - | - | - | - | - | - | - | - | - | - | - |
| - | - | - | - | - | - | - | - | - | - | - | - | - | - | - |
| - | - | - | - | - | - | - | - | - | - | - | - | - | - | - |
| - | - | - | - | - | - | - | - | - | - | - | - | - | - | - |
| - | - | - | - | - | - | - | - | - | - | - | - | - | - | - |
| - | - | - | - | - | - | - | - | - | - | - | - | - | - | - |
| - | - | - | - | - | - | - | - | - | - | - | - | - | - | - |
| - | - | - | - | - | - | - | - | - | - | - | - | - | - | - |
| 2 | 2 | 39 | - | - | - | - | - | - | - | - | - | - | - | - |
| - | - | - | - | - | - | - | - | - | - | - | - | - | - | - |
| - | - | - | - | - | - | - | - | - | - | - | - | - | - | - |
| - | - | - | - | - | - | - | - | - | - | - | - | - | - | - |
| - | - | - | - | - | - | - | - | - | - | - | - | - | - | - |
| - | - | - | - | - | - | - | - | - | - | - | - | - | - | - |
| - | - | - | - | - | - | - | - | - | - | - | - | - | - | - |
| - | - | - | - | - | - | - | - | - | - | - | - | - | - | - |
| - | - | - | - | - | - | - | - | - | - | - | - | - | - | - |
| - | - | - | - | - | - | - | - | - | - | - | - | - | - | - |
| - | - | - | - | - | - | - | - | - | - | - | - | - | - | - |
| - | - | - | - | - | - | - | - | - | - | - | - | - | - | - |
| - | - | - | - | - | - | - | - | - | - | - | - | - | - | - |
| - | - | - | - | - | - | - | - | - | - | - | - | - | - | - |
| - | - | - | - | - | - | - | - | - | - | - | - | - | - | - |
| - | - | - | - | - | - | - | - | - | - | - | - | - | - | - |
| - | - | - | - | - | - | - | - | - | - | - | - | - | - | - |
| - | - | - | - | - | - | - | - | - | - | - | - | - | - | - |
| - | - | - | - | - | - | - | - | - | - | - | - | - | - | - |
| - | - | - | - | - | - | - | - | - | - | - | - | - | - | - |
| - | - | - | - | - | - | - | - | - | - | - | - | - | - | - |
| - | - | - | - | - | - | - | - | - | - | - | - | - | - | - |
| - | - | - | - | - | - | - | - | - | - | - | - | - | - | - |
| - | - | - | - | - | - | - | - | - | - | - | - | - | - | - |
| - | - | - | - | - | - | - | - | - | - | - | - | - | - | - |
| - | - | - | - | - | - | - | - | - | - | - | - | - | - | - |
| - | - | - | - | - | - | - | - | - | - | - | - | - | - | - |
| - | - | - | - | - | - | - | - | - | - | - | - | - | - | - |
| - | - | - | - | - | - | - | - | - | - | - | - | - | - | - |
| - | - | - | - | - | - | - | - | - | - | - | - | - | - | - |
| - | - | - | - | - | - | - | - | - | - | - | - | - | - | - |
| - | - | - | - | - | - | - | - | - | - | - | - | - | - | - |
| - | - | - | - | - | - | - | - | - | - | - | - | - | - | - |
| - | - | - | - | - | - | - | - | - | - | - | - | - | - | - |

## 第4－4表(4－3)　市区町村が実施した幼児の健康診査受診結果別人員・医療機関等へ委託した

| | 一般健康診査受診実人員 | 幼児 受診結果[1] 異常なし | 既医療 | 要経過観察 | 要治療 | (再掲)精神面 | (再掲)身体面 | 要精密 | (再掲)医療機関等へ委託 | 受診 異常なし | 既医療 | 要経過観察 | 診 要治療 |
|---|---|---|---|---|---|---|---|---|---|---|---|---|---|
| 全　国 | 57 819 | 42 306 | 2 003 | 10 891 | 509 | 131 | 367 | 1 500 | 18 704 | 16 838 | 348 | 1 223 | 85 |
| 北海道 | 1 499 | 922 | 24 | 502 | 4 | 1 | 3 | 46 | 106 | 71 | 1 | 26 | 2 |
| 青森 | 1 282 | 1 105 | 11 | 141 | 19 | - | 19 | 6 | 27 | 22 | - | 2 | 3 |
| 岩手 | 6 693 | 5 880 | 229 | 515 | 29 | - | 29 | 40 | 5 967 | 5 390 | 196 | 319 | 26 |
| 宮城 | 1 849 | 1 459 | 62 | 268 | 51 | - | 51 | 9 | 356 | 244 | 30 | 81 | 1 |
| 秋田 | 18 | 18 | - | - | - | - | - | - | - | - | - | - | - |
| 山形 | 258 | 258 | - | - | - | - | - | - | - | - | - | - | - |
| 福島 | 268 | 193 | 14 | 57 | - | - | - | 2 | - | - | - | - | - |
| 茨城 | 743 | 546 | 45 | 82 | 5 | - | 5 | 65 | - | - | - | - | - |
| 栃木 | 836 | 357 | 21 | 421 | 15 | 1 | 14 | 22 | - | - | - | - | - |
| 群馬 | 816 | 587 | 40 | 183 | 3 | - | 3 | 3 | - | - | - | - | - |
| 埼玉 | 1 900 | 931 | 187 | 752 | 6 | 1 | 6 | 24 | ... | ... | ... | ... | ... |
| 千葉 | 133 | 72 | 21 | 40 | - | - | - | - | - | - | - | - | - |
| 東京 | 1 321 | 448 | 18 | 198 | 21 | 14 | 7 | 31 | 3 | - | - | - | - |
| 神奈川 | 665 | 381 | - | 179 | 11 | - | 11 | 94 | 113 | 85 | - | - | - |
| 新潟 | 5 586 | 5 412 | - | 16 | - | - | - | 158 | - | - | - | - | - |
| 富山 | - | - | - | - | - | - | - | - | - | - | - | - | - |
| 石川 | 5 233 | 4 728 | 70 | 374 | 19 | - | 19 | 42 | 5 113 | 4 629 | 63 | 363 | 19 |
| 福井 | 56 | 35 | - | 15 | 1 | - | 1 | 5 | 13 | 12 | - | 1 | - |
| 山梨 | 1 938 | 823 | 57 | 996 | 52 | - | 52 | 10 | - | - | - | - | - |
| 長野 | 1 455 | 1 243 | 23 | 176 | 2 | - | 2 | 10 | 7 | 7 | - | - | - |
| 岐阜 | 285 | 151 | 20 | 112 | - | - | - | 2 | - | - | - | - | - |
| 静岡 | 1 002 | 379 | - | 623 | - | - | - | - | - | - | - | - | - |
| 愛知 | 728 | 653 | 16 | 22 | - | - | - | 37 | - | - | - | - | - |
| 三重 | - | - | - | - | - | - | - | - | - | - | - | - | - |
| 滋賀 | 8 176 | 4 658 | 961 | 2 101 | 79 | 1 | 78 | 377 | | | | | |
| 京都 | 294 | 294 | - | - | - | - | - | - | - | - | - | - | - |
| 大阪 | 1 865 | 819 | 23 | 852 | 99 | 96 | 3 | 71 | 54 | 48 | - | 4 | 1 |
| 兵庫 | - | - | - | - | - | - | - | - | - | - | - | - | - |
| 奈良 | 48 | 35 | 2 | 10 | - | - | - | 1 | - | - | - | - | - |
| 和歌山 | 898 | 570 | 6 | 288 | - | - | - | 34 | - | - | - | - | - |
| 鳥取 | 242 | 131 | 10 | 76 | 9 | 9 | - | 16 | - | - | - | - | - |
| 島根 | 137 | 99 | 2 | 25 | 2 | - | 2 | 9 | - | - | - | - | - |
| 岡山 | 742 | 554 | 8 | 152 | 2 | - | 2 | 26 | - | - | - | - | - |
| 広島 | 45 | 32 | 1 | 7 | - | - | - | 5 | - | - | - | - | - |
| 山口 | - | - | - | - | - | - | - | - | - | - | - | - | - |
| 徳島 | 888 | 595 | 4 | 260 | 8 | 1 | 7 | 21 | - | - | - | - | - |
| 香川 | 22 | 19 | - | 3 | - | - | - | - | - | - | - | - | - |
| 愛媛 | - | - | - | - | - | - | - | - | - | - | - | - | - |
| 高知 | 515 | 374 | 38 | 85 | 7 | 1 | 6 | 11 | - | - | - | - | - |
| 福岡 | 554 | 322 | 4 | 154 | 6 | 4 | 2 | 68 | - | - | - | - | - |
| 佐賀 | 1 852 | 1 426 | 45 | 327 | 15 | 1 | 14 | 39 | 1 646 | 1 337 | 30 | 226 | 14 |
| 長崎 | 9 | 8 | - | 1 | - | - | - | - | - | - | - | - | - |
| 熊本 | 1 062 | 327 | 5 | 568 | 7 | - | 7 | 155 | - | - | - | - | - |
| 大分 | 15 | 15 | - | - | - | - | - | - | - | - | - | - | - |
| 宮崎 | 158 | 118 | 28 | 12 | - | - | - | - | 142 | 107 | 27 | 8 | - |
| 鹿児島 | 5 402 | 5 062 | 7 | 260 | 24 | - | 24 | 49 | 4 994 | 4 753 | - | 176 | 18 |
| 沖縄 | 331 | 267 | 1 | 38 | 13 | 1 | ... | 12 | 163 | 133 | 1 | 17 | 1 |
| 指定都市・特別区(再掲) | | | | | | | | | | | | | |
| 東京都区部 | 660 | 55 | ... | ... | ... | ... | ... | ... | | | | | |
| 札幌市 | - | - | - | - | - | - | - | - | - | - | - | - | - |
| 仙台市 | - | - | - | - | - | - | - | - | - | - | - | - | - |
| さいたま市 | - | - | - | - | - | - | - | - | - | - | - | - | - |
| 千葉市 | - | - | - | - | - | - | - | - | - | - | - | - | - |
| 横浜市 | - | - | - | - | - | - | - | - | - | - | - | - | - |
| 川崎市 | - | - | - | - | - | - | - | - | - | - | - | - | - |
| 相模原市 | 89 | 7 | - | 25 | 2 | - | 2 | 55 | - | - | - | - | - |
| 新潟市 | 5 564 | 5 406 | - | - | - | - | - | 158 | - | - | - | - | - |
| 静岡市 | - | - | - | - | - | - | - | - | - | - | - | - | - |
| 浜松市 | - | - | - | - | - | - | - | - | - | - | - | - | - |
| 名古屋市 | - | - | - | - | - | - | - | - | - | - | - | - | - |
| 京都市 | - | - | - | - | - | - | - | - | - | - | - | - | - |
| 大阪市 | - | - | - | - | - | - | - | - | - | - | - | - | - |
| 堺市 | - | - | - | - | - | - | - | - | - | - | - | - | - |
| 神戸市 | - | - | - | - | - | - | - | - | - | - | - | - | - |
| 岡山市 | - | - | - | - | - | - | - | - | - | - | - | - | - |
| 広島市 | - | - | - | - | - | - | - | - | - | - | - | - | - |
| 北九州市 | - | - | - | - | - | - | - | - | - | - | - | - | - |
| 福岡市 | - | - | - | - | - | - | - | - | - | - | - | - | - |
| 熊本市 | 437 | | - | 437 | | | | | | | | | |

## 受診結果別人員，都道府県－指定都市・特別区－中核市－その他政令市、対象区分別（幼児４～６歳・幼児その他）

平成29年度

| その他 | | | | | | | | | | | | | | |
|---|---|---|---|---|---|---|---|---|---|---|---|---|---|---|
| 結果[1)] | | | 精密健康診査受診実人員 | 受診結果[1)] | | | | | （再掲）医療機関等へ委託 | 受診結果[1)] | | | | |
| （再掲） | | | | | | | （再掲） | | | | | | （再掲） | |
| 精神面 | 身体面 | 要精密 | | 異常なし | 要経過観察 | 要治療 | 精神面 | 身体面 | | 異常なし | 要経過観察 | 要治療 | 精神面 | 身体面 |
| **2** | **83** | **209** | **1 016** | **280** | **524** | **212** | **112** | **103** | **131** | **31** | **66** | **34** | **12** | **22** |
| 1 | 1 | 6 | 41 | 6 | 22 | 13 | 11 | 2 | 14 | 4 | 9 | 1 | 1 | – |
| – | 3 | – | 6 | – | 3 | 3 | – | 3 | 6 | – | 3 | 3 | – | 3 |
| – | 26 | 36 | 3 | – | 3 | – | – | – | – | – | – | – | – | – |
| – | 1 | – | 5 | – | 5 | – | – | – | – | – | – | – | – | – |
| – | – | – | – | – | – | – | – | – | – | – | – | – | – | – |
| – | – | – | – | – | – | – | – | – | – | – | – | – | – | – |
| – | – | – | – | – | – | – | – | – | – | – | – | – | – | – |
| – | – | – | 32 | 8 | 10 | 14 | 3 | 11 | – | – | – | – | – | – |
| – | – | – | 16 | 11 | 3 | 2 | – | 2 | 16 | 11 | 3 | 2 | – | 2 |
| – | – | – | 2 | – | 2 | – | – | – | – | – | – | – | – | – |
| … | … | … | 10 | 1 | 1 | 8 | 5 | 3 | … | … | … | … | … | … |
| – | – | – | – | – | – | – | – | – | – | – | – | – | – | – |
| – | – | 3 | 15 | 6 | 6 | 3 | 2 | 3 | 12 | 6 | 5 | 1 | – | 1 |
| – | – | 28 | 67 | 7 | 46 | 14 | 2 | 12 | 60 | 7 | 40 | 13 | 2 | 11 |
| – | – | – | 158 | 64 | 83 | 11 | – | 11 | – | – | – | – | – | – |
| – | – | – | – | – | – | – | – | – | – | – | – | – | – | – |
| – | 19 | 39 | 3 | – | 3 | – | – | – | 3 | – | 3 | – | – | – |
| – | – | – | 3 | – | 1 | 2 | 2 | – | – | – | – | – | – | – |
| – | – | – | 7 | 1 | 4 | 2 | 1 | 1 | 1 | – | 1 | – | – | – |
| – | – | – | 9 | 8 | 1 | – | – | – | – | – | – | – | – | – |
| – | – | – | 2 | 1 | 1 | – | – | – | – | – | – | – | – | – |
| – | – | – | – | – | – | – | – | – | – | – | – | – | – | – |
| – | – | – | 29 | 5 | 19 | 5 | – | 5 | – | – | – | – | – | – |
| – | – | – | – | – | – | – | – | – | – | – | – | – | – | – |
| – | – | – | 280 | 79 | 187 | 14 | – | 14 | – | – | – | – | – | – |
| – | – | – | – | – | – | – | – | – | – | – | – | – | – | – |
| – | 1 | – | 52 | 6 | 36 | 10 | 1 | 9 | – | – | – | – | – | – |
| – | – | – | – | – | – | – | – | – | – | – | – | – | – | – |
| – | – | – | 1 | – | – | 1 | 1 | – | – | – | – | – | – | – |
| – | – | – | 5 | 1 | 3 | 1 | – | 1 | – | – | – | – | – | – |
| – | – | – | 24 | 3 | 8 | 13 | 12 | 1 | 10 | 1 | – | 9 | 9 | – |
| – | – | – | 6 | – | 3 | 3 | 2 | 1 | – | – | – | – | – | – |
| – | – | – | 1 | – | 1 | – | – | – | – | – | – | – | – | – |
| – | – | – | 5 | 1 | 4 | – | – | – | – | – | – | – | – | – |
| – | – | – | – | – | – | – | – | – | – | – | – | – | – | – |
| – | – | – | 1 | – | – | 1 | 1 | – | – | – | – | – | – | – |
| – | – | – | – | – | – | – | – | – | – | – | – | – | – | – |
| – | – | – | – | – | – | – | – | – | – | – | – | – | – | – |
| – | – | – | 6 | – | 4 | 2 | 1 | 1 | – | – | – | – | – | – |
| – | – | – | 67 | 20 | 23 | 24 | 8 | 17 | – | – | – | – | – | – |
| – | 14 | 39 | – | – | – | – | – | – | – | – | – | – | – | – |
| – | – | – | – | – | – | – | – | – | – | – | – | – | – | – |
| – | – | – | 151 | 50 | 40 | 61 | 60 | 1 | – | – | – | – | – | – |
| – | – | – | – | – | – | – | – | – | – | – | – | – | – | – |
| – | – | – | – | – | – | – | – | – | – | – | – | – | – | – |
| – | 18 | 47 | 4 | 1 | 1 | 2 | – | 2 | 4 | 1 | 1 | 2 | – | 2 |
| 1 | – | 11 | 5 | 1 | 1 | 3 | – | 3 | 5 | 1 | 1 | 3 | – | 3 |
| – | – | – | … | … | … | … | … | … | – | – | – | – | – | – |
| – | – | – | – | – | – | – | – | – | – | – | – | – | – | – |
| – | – | – | – | – | – | – | – | – | – | – | – | – | – | – |
| – | – | – | – | – | – | – | – | – | – | – | – | – | – | – |
| – | – | – | – | – | – | – | – | – | – | – | – | – | – | – |
| – | – | – | – | – | – | – | – | – | – | – | – | – | – | – |
| – | – | – | – | – | – | – | – | – | – | – | – | – | – | – |
| – | – | – | 35 | 3 | 27 | 5 | – | 5 | 35 | 3 | 27 | 5 | – | 5 |
| – | – | – | 158 | 64 | 83 | 11 | – | 11 | – | – | – | – | – | – |
| – | – | – | – | – | – | – | – | – | – | – | – | – | – | – |
| – | – | – | – | – | – | – | – | – | – | – | – | – | – | – |
| – | – | – | – | – | – | – | – | – | – | – | – | – | – | – |
| – | – | – | – | – | – | – | – | – | – | – | – | – | – | – |
| – | – | – | – | – | – | – | – | – | – | – | – | – | – | – |
| – | – | – | – | – | – | – | – | – | – | – | – | – | – | – |
| – | – | – | – | – | – | – | – | – | – | – | – | – | – | – |
| – | – | – | – | – | – | – | – | – | – | – | – | – | – | – |
| – | – | – | – | – | – | – | – | – | – | – | – | – | – | – |
| – | – | – | – | – | – | – | – | – | – | – | – | – | – | – |
| – | – | – | – | – | – | – | – | – | – | – | – | – | – | – |

## 第4－4表（4－4）　市区町村が実施した幼児の健康診査受診結果別人員・医療機関等へ委託した

| | 一般健康診査受診実人員 | 受診結果1) 異常なし | 既医療 | 要経過観察 | 要治療 | （再掲）精神面 | （再掲）身体面 | 要精密 | （再掲）医療機関等へ委託 | 受診 異常なし | 既医療 | 要経過観察 | 診 要治療 |
|---|---|---|---|---|---|---|---|---|---|---|---|---|---|
| 中核市(再掲) | | | | | | | | | | | | | |
| 旭　川　市 | － | － | － | － | － | － | － | － | － | － | － | － | － |
| 函　館　市 | － | － | － | － | － | － | － | － | － | － | － | － | － |
| 青　森　市 | － | － | － | － | － | － | － | － | － | － | － | － | － |
| 八　戸　市 | － | － | － | － | － | － | － | － | － | － | － | － | － |
| 盛　岡　市 | 4 222 | 3 851 | 144 | 188 | 16 | － | 16 | 23 | 4 222 | 3 851 | 144 | 188 | 16 |
| 秋　田　市 | － | － | － | － | － | － | － | － | － | － | － | － | － |
| 郡　山　市 | － | － | － | － | － | － | － | － | － | － | － | － | － |
| い わ き 市 | － | － | － | － | － | － | － | － | － | － | － | － | － |
| 宇　都　宮　市 | 328 | 148 | 13 | 161 | 1 | 1 | － | 5 | － | － | － | － | － |
| 前　橋　市 | － | － | － | － | － | － | － | － | － | － | － | － | － |
| 高　崎　市 | － | － | － | － | － | － | － | － | － | － | － | － | － |
| 川　越　市 | － | － | － | － | － | － | － | － | － | － | － | － | － |
| 越　谷　市 | － | － | － | － | － | － | － | － | － | － | － | － | － |
| 船　橋　市 | － | － | － | － | － | － | － | － | － | － | － | － | － |
| 柏　　　市 | － | － | － | － | － | － | － | － | － | － | － | － | － |
| 八　王　子　市 | － | － | － | － | － | － | － | － | － | － | － | － | － |
| 横　須　賀　市 | － | － | － | － | － | － | － | － | － | － | － | － | － |
| 富　山　市 | － | － | － | － | － | － | － | － | － | － | － | － | － |
| 金　沢　市 | 5 113 | 4 629 | 63 | 363 | 19 | － | 19 | 39 | 5 113 | 4 629 | 63 | 363 | 19 |
| 長　野　市 | － | － | － | － | － | － | － | － | － | － | － | － | － |
| 岐　阜　市 | － | － | － | － | － | － | － | － | － | － | － | － | － |
| 豊　橋　市 | － | － | － | － | － | － | － | － | － | － | － | － | － |
| 豊　田　市 | － | － | － | － | － | － | － | － | － | － | － | － | － |
| 岡　崎　市 | － | － | － | － | － | － | － | － | － | － | － | － | － |
| 大　津　市 | － | － | － | － | － | － | － | － | － | － | － | － | － |
| 高　槻　市 | － | － | － | － | － | － | － | － | － | － | － | － | － |
| 東　大　阪　市 | － | － | － | － | － | － | － | － | － | － | － | － | － |
| 豊　中　市 | － | － | － | － | － | － | － | － | － | － | － | － | － |
| 枚　方　市 | － | － | － | － | － | － | － | － | － | － | － | － | － |
| 姫　路　市 | － | － | － | － | － | － | － | － | － | － | － | － | － |
| 西　宮　市 | － | － | － | － | － | － | － | － | － | － | － | － | － |
| 尼　崎　市 | － | － | － | － | － | － | － | － | － | － | － | － | － |
| 奈　良　市 | － | － | － | － | － | － | － | － | － | － | － | － | － |
| 和　歌　山　市 | － | － | － | － | － | － | － | － | － | － | － | － | － |
| 倉　敷　市 | － | － | － | － | － | － | － | － | － | － | － | － | － |
| 福　山　市 | － | － | － | － | － | － | － | － | － | － | － | － | － |
| 呉　　　市 | － | － | － | － | － | － | － | － | － | － | － | － | － |
| 下　関　市 | － | － | － | － | － | － | － | － | － | － | － | － | － |
| 高　松　市 | － | － | － | － | － | － | － | － | － | － | － | － | － |
| 松　山　市 | － | － | － | － | － | － | － | － | － | － | － | － | － |
| 高　知　市 | － | － | － | － | － | － | － | － | － | － | － | － | － |
| 久　留　米　市 | － | － | － | － | － | － | － | － | － | － | － | － | － |
| 長　崎　市 | － | － | － | － | － | － | － | － | － | － | － | － | － |
| 佐　世　保　市 | － | － | － | － | － | － | － | － | － | － | － | － | － |
| 大　分　市 | － | － | － | － | － | － | － | － | － | － | － | － | － |
| 宮　崎　市 | － | － | － | － | － | － | － | － | － | － | － | － | － |
| 鹿　児　島　市 | 4 994 | 4 753 | － | 176 | 18 | － | 18 | 47 | 4 994 | 4 753 | － | 176 | 18 |
| 那　覇　市 | － | － | － | － | － | － | － | － | － | － | － | － | － |
| その他政令市(再掲) | | | | | | | | | | | | | |
| 小　樽　市 | － | － | － | － | － | － | － | － | － | － | － | － | － |
| 町　田　市 | － | － | － | － | － | － | － | － | － | － | － | － | － |
| 藤　沢　市 | － | － | － | － | － | － | － | － | － | － | － | － | － |
| 茅　ヶ　崎　市 | － | － | － | － | － | － | － | － | － | － | － | － | － |
| 四　日　市　市 | － | － | － | － | － | － | － | － | － | － | － | － | － |
| 大　牟　田　市 | 58 | － | － | － | － | － | － | 58 | － | － | － | － | － |

注：「幼児4～6歳」及び「幼児その他」は法定外の健康診査である。
　　1）受診結果は計数不詳な市区町村があるため、受診実人員と受診結果の計が一致しない場合がある。

## 受診結果別人員，都道府県－指定都市・特別区－中核市－その他政令市、対象区分別（幼児４～６歳・幼児その他）

平成29年度

| その他 | | | | | | | | | | | | | | |
|---|---|---|---|---|---|---|---|---|---|---|---|---|---|---|
| 結果[1] | | | 精密健康診査受診実人員 | 受診結果[1] | | | | | （再掲）医療機関等へ委託 | 受診結果[1] | | | | |
| （再掲） | | 要精密 | | 異常なし | 要経過観察 | 要治療 | （再掲） | | | 異常なし | 要経過観察 | 要治療 | （再掲） | |
| 精神面 | 身体面 | | | | | | 精神面 | 身体面 | | | | | 精神面 | 身体面 |
| – | – | – | – | – | – | – | – | – | – | – | – | – | – | – |
| – | – | – | – | – | – | – | – | – | – | – | – | – | – | – |
| – | – | – | – | – | – | – | – | – | – | – | – | – | – | – |
| – | – | – | – | – | – | – | – | – | – | – | – | – | – | – |
| – | 16 | 23 | – | – | – | – | – | – | – | – | – | – | – | – |
| – | – | – | – | – | – | – | – | – | – | – | – | – | – | – |
| – | – | – | – | – | – | – | – | – | – | – | – | – | – | – |
| – | – | – | – | – | – | – | – | – | – | – | – | – | – | – |
| – | – | – | 3 | – | 2 | 1 | – | 1 | 3 | – | 2 | 1 | – | 1 |
| – | – | – | – | – | – | – | – | – | – | – | – | – | – | – |
| – | – | – | – | – | – | – | – | – | – | – | – | – | – | – |
| – | – | – | – | – | – | – | – | – | – | – | – | – | – | – |
| – | – | – | – | – | – | – | – | – | – | – | – | – | – | – |
| – | – | – | – | – | – | – | – | – | – | – | – | – | – | – |
| – | – | – | – | – | – | – | – | – | – | – | – | – | – | – |
| – | – | – | – | – | – | – | – | – | – | – | – | – | – | – |
| – | – | – | – | – | – | – | – | – | – | – | – | – | – | – |
| – | – | – | – | – | – | – | – | – | – | – | – | – | – | – |
| – | 19 | 39 | – | – | – | – | – | – | – | – | – | – | – | – |
| – | – | – | – | – | – | – | – | – | – | – | – | – | – | – |
| – | – | – | – | – | – | – | – | – | – | – | – | – | – | – |
| – | – | – | – | – | – | – | – | – | – | – | – | – | – | – |
| – | – | – | – | – | – | – | – | – | – | – | – | – | – | – |
| – | – | – | – | – | – | – | – | – | – | – | – | – | – | – |
| – | – | – | – | – | – | – | – | – | – | – | – | – | – | – |
| – | – | – | – | – | – | – | – | – | – | – | – | – | – | – |
| – | – | – | – | – | – | – | – | – | – | – | – | – | – | – |
| – | – | – | – | – | – | – | – | – | – | – | – | – | – | – |
| – | – | – | – | – | – | – | – | – | – | – | – | – | – | – |
| – | – | – | – | – | – | – | – | – | – | – | – | – | – | – |
| – | – | – | – | – | – | – | – | – | – | – | – | – | – | – |
| – | – | – | – | – | – | – | – | – | – | – | – | – | – | – |
| – | – | – | – | – | – | – | – | – | – | – | – | – | – | – |
| – | – | – | – | – | – | – | – | – | – | – | – | – | – | – |
| – | – | – | – | – | – | – | – | – | – | – | – | – | – | – |
| – | – | – | – | – | – | – | – | – | – | – | – | – | – | – |
| – | – | – | – | – | – | – | – | – | – | – | – | – | – | – |
| – | – | – | – | – | – | – | – | – | – | – | – | – | – | – |
| – | – | – | – | – | – | – | – | – | – | – | – | – | – | – |
| – | – | – | – | – | – | – | – | – | – | – | – | – | – | – |
| – | – | – | – | – | – | – | – | – | – | – | – | – | – | – |
| – | – | – | – | – | – | – | – | – | – | – | – | – | – | – |
| – | – | – | – | – | – | – | – | – | – | – | – | – | – | – |
| – | – | – | – | – | – | – | – | – | – | – | – | – | – | – |
| – | 18 | 47 | 4 | 1 | 1 | 2 | – | 2 | 4 | 1 | 1 | 2 | – | 2 |
| – | – | – | – | – | – | – | – | – | – | – | – | – | – | – |
| – | – | – | – | – | – | – | – | – | – | – | – | – | – | – |
| – | – | – | – | – | – | – | – | – | – | – | – | – | – | – |
| – | – | – | – | – | – | – | – | – | – | – | – | – | – | – |
| – | – | – | – | – | – | – | – | – | – | – | – | – | – | – |
| – | – | – | – | – | – | – | – | – | – | – | – | – | – | – |
| – | – | – | 58 | 19 | 20 | 19 | 7 | 12 | – | – | – | – | – | – |

# 第5表（2－1）市区町村が実施した妊産婦及び乳幼児等保健指導の被指導実人員－延人員

| | 総数 | | | | | | | |
|---|---|---|---|---|---|---|---|---|
| | 妊婦 | | 産婦 | | 乳児 | | 幼児 | |
| | 実人員 | 延人員 | 実人員 | 延人員 | 実人員 | 延人員 | 実人員 | 延人員 |
| **全国** | **846 551** | **894 311** | **260 851** | **350 385** | **712 543** | **1 031 505** | **850 489** | **1 208 608** |
| 北海道 | 32 950 | 36 814 | 4 808 | 7 438 | 28 420 | 41 995 | 31 957 | 43 882 |
| 青森 | 8 501 | 9 335 | 2 498 | 2 765 | 4 543 | 5 712 | 6 114 | 9 495 |
| 岩手 | 8 152 | 8 396 | 3 671 | 4 020 | 6 296 | 8 207 | 11 225 | 13 827 |
| 宮城 | 18 219 | 18 691 | 7 729 | 8 617 | 14 377 | 17 202 | 22 516 | 29 670 |
| 秋田 | 4 441 | 4 583 | 969 | 1 077 | 4 021 | 5 035 | 6 815 | 7 474 |
| 山形 | 8 602 | 9 755 | 1 497 | 2 004 | 9 672 | 11 501 | 16 146 | 19 447 |
| 福島 | 13 739 | 14 264 | 3 717 | 5 193 | 6 866 | 9 643 | 12 235 | 18 622 |
| 茨城 | 13 515 | 14 230 | 6 940 | 10 677 | 15 568 | 23 790 | 16 554 | 22 514 |
| 栃木 | 11 319 | 11 660 | 3 603 | 4 207 | 10 340 | 14 473 | 17 779 | 22 314 |
| 群馬 | 14 906 | 15 676 | 4 227 | 6 343 | 15 446 | 21 047 | 11 680 | 17 871 |
| 埼玉 | 22 321 | 23 679 | 11 169 | 13 647 | 30 339 | 44 547 | 25 092 | 43 013 |
| 千葉 | 43 124 | 44 702 | 11 018 | 14 961 | 49 342 | 60 781 | 30 515 | 42 815 |
| 東京 | 88 747 | 93 845 | 24 642 | 29 450 | 70 417 | 91 325 | 102 013 | 120 580 |
| 神奈川 | 63 247 | 66 419 | 14 153 | 15 859 | 38 950 | 52 979 | 49 265 | 65 290 |
| 新潟 | 12 263 | 12 895 | 9 473 | 11 435 | 9 960 | 18 482 | 10 581 | 13 366 |
| 富山 | 6 073 | 6 944 | 1 447 | 1 707 | 5 476 | 11 397 | 5 267 | 8 177 |
| 石川 | 7 373 | 7 958 | 430 | 551 | 6 451 | 8 274 | 2 520 | 3 894 |
| 福井 | 3 170 | 3 373 | 925 | 1 252 | 6 236 | 7 429 | 4 526 | 5 269 |
| 山梨 | 6 394 | 7 910 | 2 469 | 3 802 | 4 543 | 7 308 | 7 511 | 9 717 |
| 長野 | 13 256 | 14 580 | 4 661 | 6 735 | 22 130 | 35 923 | 20 688 | 35 862 |
| 岐阜 | 12 379 | 13 464 | 2 504 | 3 706 | 15 424 | 25 108 | 17 172 | 31 487 |
| 静岡 | 28 866 | 30 312 | 7 286 | 9 597 | 31 967 | 52 668 | 32 164 | 50 128 |
| 愛知 | 44 518 | 47 687 | 19 684 | 28 176 | 41 800 | 62 856 | 56 899 | 92 526 |
| 三重 | 10 234 | 11 140 | 2 148 | 4 495 | 10 707 | 19 077 | 11 269 | 21 897 |
| 滋賀 | 9 880 | 10 114 | 482 | 606 | 2 872 | 11 786 | 6 482 | 13 516 |
| 京都 | 14 650 | 15 183 | 1 445 | 2 260 | 6 235 | 9 329 | 7 116 | 12 187 |
| 大阪 | 75 952 | 78 567 | 23 652 | 27 543 | 58 925 | 69 186 | 84 694 | 102 923 |
| 兵庫 | 42 745 | 44 465 | 5 466 | 8 347 | 25 461 | 35 171 | 31 031 | 45 748 |
| 奈良 | 7 039 | 7 370 | 2 983 | 4 225 | 6 614 | 9 973 | 7 407 | 12 756 |
| 和歌山 | 5 146 | 5 326 | 1 079 | 1 808 | 6 444 | 7 913 | 11 517 | 15 681 |
| 鳥取 | 4 388 | 4 757 | 911 | 1 059 | 2 808 | 4 590 | 2 741 | 4 341 |
| 島根 | 5 423 | 5 735 | 2 562 | 4 093 | 9 958 | 13 540 | 4 547 | 7 391 |
| 岡山 | 14 827 | 15 668 | 3 356 | 4 892 | 8 289 | 15 930 | 8 521 | 12 323 |
| 広島 | 24 653 | 25 698 | 9 611 | 13 755 | 19 143 | 28 230 | 21 387 | 33 086 |
| 山口 | 9 480 | 10 007 | 3 350 | 4 715 | 6 741 | 14 353 | 8 078 | 13 910 |
| 徳島 | 3 239 | 3 615 | 1 414 | 3 310 | 2 751 | 6 445 | 5 951 | 8 613 |
| 香川 | 7 619 | 8 043 | 2 452 | 2 816 | 7 185 | 11 107 | 4 574 | 7 299 |
| 愛媛 | 5 634 | 5 908 | 3 442 | 6 490 | 8 382 | 17 270 | 10 056 | 14 615 |
| 高知 | 3 158 | 3 898 | 1 724 | 3 170 | 2 013 | 5 080 | 2 457 | 3 835 |
| 福岡 | 44 610 | 46 861 | 24 816 | 32 712 | 35 606 | 47 993 | 36 743 | 54 981 |
| 佐賀 | 7 474 | 7 588 | 3 361 | 5 245 | 5 574 | 9 194 | 9 752 | 12 555 |
| 長崎 | 7 516 | 7 845 | 2 691 | 4 413 | 6 122 | 9 796 | 4 454 | 5 717 |
| 熊本 | 15 271 | 16 209 | 3 829 | 4 748 | 10 500 | 14 926 | 15 503 | 23 163 |
| 大分 | 9 411 | 9 979 | 1 602 | 2 316 | 4 107 | 5 139 | 8 760 | 11 202 |
| 宮崎 | 7 438 | 7 523 | 2 837 | 4 064 | 4 544 | 6 585 | 6 455 | 9 050 |
| 鹿児島 | 14 747 | 15 093 | 4 787 | 8 413 | 8 547 | 14 898 | 16 202 | 25 010 |
| 沖縄 | 9 942 | 10 547 | 1 331 | 1 671 | 4 431 | 6 312 | 7 558 | 9 569 |
| 指定都市・特別区（再掲） | | | | | | | | |
| 東京都区部 | 66 227 | 70 451 | 19 068 | 22 827 | 55 870 | 72 438 | 80 139 | 93 345 |
| 札幌市 | 14 114 | 14 114 | 617 | 617 | 14 763 | 19 806 | 15 061 | 16 547 |
| 仙台市 | 9 378 | 9 569 | 6 429 | 7 157 | 8 800 | 9 580 | 13 165 | 15 908 |
| さいたま市 | 8 874 | 8 874 | 640 | 640 | 8 193 | 12 758 | 6 489 | 10 222 |
| 千葉市 | 6 552 | 6 658 | 1 258 | 1 348 | 4 218 | 4 417 | 2 707 | 2 906 |
| 横浜市 | 30 472 | 30 489 | 2 403 | 2 498 | 926 | 1 173 | 372 | 428 |
| 川崎市 | 17 640 | 19 839 | 1 450 | 1 553 | 5 551 | 8 993 | 15 123 | 18 153 |
| 相模原市 | 744 | 1 301 | 711 | 1 415 | 1 781 | 3 910 | 3 141 | 7 458 |
| 新潟市 | 5 784 | 6 002 | 5 274 | 5 710 | 2 651 | 7 506 | 4 542 | 4 816 |
| 静岡市 | 4 877 | 4 954 | 258 | 258 | 7 222 | 9 655 | 3 308 | 4 220 |
| 浜松市 | 6 614 | 6 658 | 744 | 1 599 | 3 669 | 10 463 | 5 113 | 11 783 |
| 名古屋市 | 9 993 | 11 342 | 13 354 | 17 756 | 20 864 | 27 865 | 21 215 | 32 162 |
| 京都市 | 10 566 | 10 813 | 642 | 1 032 | 843 | 1 363 | 790 | 1 200 |
| 大阪市 | 28 938 | 28 938 | 5 237 | 5 237 | 27 524 | 27 524 | 34 729 | 34 729 |
| 堺市 | 6 473 | 6 564 | 194 | 284 | 801 | 1 173 | 1 822 | 2 874 |
| 神戸市 | 15 932 | 16 105 | 1 336 | 1 806 | 4 263 | 5 213 | 8 348 | 10 763 |
| 岡山市 | 6 069 | 6 100 | 283 | 316 | 2 660 | 7 479 | 627 | 662 |
| 広島市 | 11 943 | 12 150 | 4 266 | 5 162 | 7 724 | 11 787 | 9 301 | 14 091 |
| 北九州市 | 8 238 | 8 433 | 6 251 | 10 903 | 6 007 | 10 557 | 6 081 | 12 341 |
| 福岡市 | 18 317 | 19 127 | 11 596 | 11 926 | 15 813 | 16 454 | 12 925 | 13 717 |
| 熊本市 | 7 380 | 8 161 | 392 | 555 | 3 397 | 5 992 | 5 923 | 10 418 |

## ・健診の事後指導実人員・電話相談延人員，都道府県－指定都市・特別区－中核市－その他政令市、対象区分別

平成29年度

| その他 | | (再掲) 健診の事後指導 妊婦 | 産婦 | 乳児 | 幼児 | その他 | 電話相談延人員 |
|---|---|---|---|---|---|---|---|
| 実人員 | 延人員 | 実人員 | 実人員 | 実人員 | 実人員 | 実人員 | |
| 127 394 | 177 810 | 7 236 | 22 520 | 123 696 | 274 765 | 5 574 | 1 901 951 |
| 3 073 | 5 201 | 87 | 648 | 14 202 | 15 975 | 286 | 56 141 |
| 992 | 1 962 | 787 | 461 | 806 | 1 812 | 105 | 11 042 |
| 4 513 | 4 873 | 102 | 27 | 394 | 1 404 | 166 | 11 209 |
| 7 766 | 10 367 | 7 | 20 | 910 | 2 725 | 348 | 49 421 |
| 729 | 1 070 | 5 | − | 1 285 | 2 531 | 15 | 6 908 |
| 2 587 | 2 654 | 19 | 50 | 795 | 1 228 | 7 | 13 122 |
| 6 291 | 8 103 | 23 | 38 | 1 104 | 2 740 | 103 | 21 489 |
| 1 863 | 2 857 | 61 | 50 | 680 | 2 080 | 42 | 35 063 |
| 1 719 | 1 975 | 11 | 490 | 4 369 | 6 589 | 541 | 29 040 |
| 5 143 | 7 251 | 1 | 108 | 908 | 1 946 | 355 | 51 303 |
| 5 456 | 7 987 | 78 | 787 | 4 128 | 7 359 | 318 | 114 297 |
| 3 958 | 5 444 | 194 | 5 | 952 | 4 910 | 211 | 98 497 |
| 973 | 1 344 | 1 225 | 11 680 | 37 361 | 69 315 | 8 | 228 579 |
| 10 525 | 11 960 | 472 | 107 | 4 025 | 8 038 | 29 | 93 073 |
| 1 648 | 2 435 | − | − | 810 | 2 649 | 4 | 13 583 |
| 212 | 311 | 204 | 255 | 490 | 1 441 | 23 | 6 976 |
| 370 | 410 | 413 | 26 | 587 | 1 551 | − | 10 782 |
| 115 | 142 | 92 | 42 | 413 | 2 521 | 1 | 8 089 |
| 1 698 | 2 546 | 3 | 112 | 864 | 2 184 | 3 | 12 053 |
| 7 175 | 8 812 | 67 | 453 | 3 488 | 4 678 | 301 | 43 265 |
| 1 603 | 2 132 | 47 | 818 | 2 730 | 4 149 | 374 | 20 086 |
| 1 683 | 3 414 | 309 | 115 | 1 273 | 7 114 | 84 | 46 779 |
| 8 690 | 13 957 | 50 | 191 | 2 681 | 9 561 | 135 | 118 019 |
| 771 | 955 | 259 | 256 | 866 | 3 535 | 56 | 27 897 |
| 700 | 785 | 92 | 1 | 1 463 | 4 508 | 7 | 15 774 |
| 1 080 | 1 497 | 2 | 17 | 1 218 | 1 900 | 162 | 22 879 |
| 5 033 | 6 129 | 1 032 | 1 932 | 11 711 | 32 998 | 322 | 202 706 |
| 2 299 | 3 483 | − | 377 | 5 438 | 13 510 | 223 | 112 794 |
| 22 | 45 | 22 | 194 | 743 | 1 827 | − | 19 327 |
| 1 729 | 1 995 | 6 | 6 | 1 679 | 2 488 | 6 | 13 257 |
| 564 | 675 | 43 | 28 | 140 | 431 | 8 | 4 288 |
| 1 652 | 2 733 | 11 | 30 | 661 | 1 184 | 14 | 4 336 |
| 1 498 | 2 192 | 47 | 317 | 840 | 2 990 | 89 | 24 918 |
| 8 297 | 11 351 | 17 | 78 | 969 | 5 414 | 316 | 45 834 |
| 963 | 1 324 | 10 | 2 | 75 | 867 | … | 17 757 |
| 532 | 694 | 99 | 31 | 334 | 1 601 | 43 | 9 133 |
| 1 054 | 1 312 | 178 | 27 | 214 | 1 187 | 37 | 19 607 |
| 848 | 1 212 | 163 | 5 | 600 | 4 523 | 94 | 7 327 |
| 329 | 502 | 41 | 1 | 64 | 660 | 8 | 9 799 |
| 12 812 | 20 825 | 371 | 1 006 | 5 542 | 11 202 | 56 | 71 127 |
| 744 | 1 217 | 27 | 223 | 576 | 2 430 | 26 | 10 411 |
| 722 | 1 285 | 40 | − | 204 | 1 195 | 163 | 14 601 |
| 3 005 | 4 230 | 101 | 582 | 1 647 | 2 437 | 48 | 52 593 |
| 518 | 669 | 15 | 238 | 878 | 3 381 | 1 | 17 706 |
| 1 019 | 1 186 | 2 | 100 | 352 | 1 322 | 213 | 10 901 |
| 1 650 | 2 922 | 103 | 566 | 1 160 | 5 820 | 170 | 45 206 |
| 771 | 1 385 | 298 | 20 | 1 067 | 2 855 | 53 | 22 957 |
| 621 | 862 | 598 | 10 039 | 32 067 | 59 450 | − | 176 512 |
| − | − | − | 617 | 12 224 | 11 143 | − | 20 042 |
| 6 507 | 8 348 | 1 | 17 | 20 | 504 | 343 | 29 963 |
| 1 399 | 1 399 | − | 388 | 898 | 1 542 | − | 20 295 |
| 1 000 | 1 243 | 4 | 1 | 26 | 70 | − | 28 378 |
| 294 | 302 | − | − | 926 | 372 | − | 1 926 |
| 38 | 39 | 362 | 19 | 367 | 2 364 | − | 20 115 |
| 321 | 1 084 | − | − | − | − | − | 10 368 |
| 1 372 | 1 372 | − | − | − | 1 162 | − | 7 849 |
| 201 | 335 | 279 | 4 | − | 2 523 | − | 9 295 |
| 379 | 727 | 18 | 11 | 102 | 431 | 36 | 17 016 |
| 7 578 | 11 893 | − | − | − | − | − | 58 968 |
| 469 | 635 | − | − | 8 | 27 | − | 13 364 |
| 360 | 360 | − | − | 6 149 | 16 760 | − | 48 855 |
| 175 | 175 | − | − | − | − | − | 20 587 |
| 523 | 724 | − | − | 2 594 | 5 224 | − | 20 575 |
| 283 | 313 | 7 | 1 | 22 | 204 | − | 10 366 |
| 2 041 | 2 272 | 12 | 13 | 639 | 3 753 | − | 16 766 |
| 5 155 | 10 404 | 89 | 7 | 42 | 92 | − | 30 445 |
| 5 046 | 5 231 | 83 | − | 1 870 | 4 305 | − | 10 423 |
| 1 417 | 2 482 | − | − | 7 | 90 | − | 38 701 |

## 第5表(2-2) 市区町村が実施した妊産婦及び乳幼児等保健指導の被指導実人員-延人員

| | 総 | | | | | | | 数 |
|---|---|---|---|---|---|---|---|---|
| | 妊　婦 | | 産　婦 | | 乳　児 | | 幼　児 | |
| | 実 人 員 | 延 人 員 | 実 人 員 | 延 人 員 | 実 人 員 | 延 人 員 | 実 人 員 | 延 人 員 |
| 中　核　市(再掲) | | | | | | | | |
| 旭　川　市 | 1 518 | 1 518 | 31 | 31 | 358 | 642 | 709 | 1 022 |
| 函　館　市 | 1 011 | 1 037 | 20 | 31 | 144 | 205 | 315 | 486 |
| 青　森　市 | 1 782 | 2 024 | 96 | 96 | 738 | 781 | 1 066 | 1 066 |
| 八　戸　市 | 2 040 | 2 041 | 6 | 7 | 1 083 | 1 314 | 865 | 2 221 |
| 盛　岡　市 | 2 392 | 2 393 | 79 | 82 | 524 | 1 093 | 287 | 535 |
| 秋　田　市 | 1 519 | 1 522 | 165 | 180 | 847 | 862 | 735 | 810 |
| 郡　山　市 | 3 451 | 3 644 | 429 | 674 | 648 | 861 | 1 043 | 2 648 |
| い　わ　き　市 | 3 405 | 3 469 | 1 214 | 2 118 | 1 145 | 2 123 | 1 050 | 2 040 |
| 宇　都　宮　市 | 4 355 | 4 438 | 31 | 52 | 1 052 | 3 026 | 2 379 | 3 342 |
| 前　橋　市 | 2 462 | 2 462 | 1 775 | 2 901 | 1 795 | 2 922 | 1 361 | 2 630 |
| 高　崎　市 | 3 490 | 3 492 | 76 | 78 | 4 077 | 4 120 | 1 353 | 2 905 |
| 川　越　市 | 337 | 340 | 167 | 178 | 489 | 983 | 682 | 1 148 |
| 越　谷　市 | 459 | 941 | 362 | 551 | 520 | 970 | 437 | 752 |
| 船　橋　市 | 5 419 | 5 459 | 120 | 186 | 9 323 | 9 919 | 3 679 | 4 243 |
| 柏　　市 | 3 002 | 3 032 | 1 797 | 4 752 | 4 822 | 7 908 | 1 935 | 2 942 |
| 八　王　子　市 | 2 811 | 2 811 | 541 | 541 | 931 | 1 041 | 1 973 | 2 047 |
| 横　須　賀　市 | 2 244 | 2 301 | 140 | 168 | 836 | 1 007 | 376 | 413 |
| 富　山　市 | 1 822 | 1 822 | － | － | 1 158 | 2 960 | 484 | 1 073 |
| 金　沢　市 | 3 783 | 3 787 | 132 | 158 | 858 | 987 | 589 | 671 |
| 長　野　市 | 2 447 | 2 447 | 63 | 63 | 1 152 | 3 840 | 964 | 3 215 |
| 岐　阜　市 | 1 663 | 1 663 | 60 | 60 | 4 696 | 4 773 | 3 516 | 3 595 |
| 豊　橋　市 | 2 593 | 2 830 | 15 | 18 | 438 | 528 | 838 | 1 396 |
| 豊　田　市 | 92 | 92 | 1 | 1 | 888 | 1 983 | 896 | 2 815 |
| 岡　崎　市 | 3 858 | 3 886 | 78 | 94 | 1 180 | 1 206 | 335 | 412 |
| 大　津　市 | 2 689 | 2 689 | … | 30 | … | 5 841 | … | 3 662 |
| 高　槻　市 | 3 276 | 3 432 | 2 918 | 3 022 | 712 | 910 | 1 591 | 1 984 |
| 東　大　阪　市 | 2 461 | 2 585 | 105 | 146 | 1 024 | 2 144 | 711 | 1 934 |
| 豊　中　市 | 4 608 | 4 620 | 177 | 217 | 3 431 | 3 627 | 4 153 | 4 422 |
| 枚　方　市 | 3 110 | 3 119 | 880 | 951 | 2 200 | 4 242 | 5 843 | 7 933 |
| 姫　路　市 | 4 747 | 4 771 | 146 | 166 | 4 768 | 4 980 | 1 295 | 2 008 |
| 西　宮　市 | 2 986 | 2 986 | 70 | 110 | 1 698 | 4 110 | 842 | 1 769 |
| 尼　崎　市 | 4 769 | 4 908 | 306 | 331 | 1 441 | 1 741 | 2 894 | 3 864 |
| 奈　良　市 | 1 808 | 1 809 | 504 | 772 | 1 072 | 2 313 | 1 086 | 2 319 |
| 和　歌　山　市 | 2 883 | 2 938 | 419 | 988 | 2 216 | 2 764 | 4 643 | 5 744 |
| 倉　敷　市 | 4 295 | 4 354 | 258 | 339 | 994 | 1 220 | 1 124 | 1 758 |
| 福　山　市 | 3 473 | 3 473 | 96 | 96 | 1 978 | 1 996 | 669 | 1 373 |
| 呉　　市 | 1 538 | 1 632 | 240 | 308 | 1 592 | 2 401 | 2 398 | 4 015 |
| 下　関　市 | 1 451 | 1 453 | 969 | 987 | 987 | 2 044 | 1 804 | 2 739 |
| 高　松　市 | 4 218 | 4 370 | 776 | 812 | 4 176 | 5 089 | 1 261 | 1 619 |
| 松　山　市 | 15 | 15 | 5 | 5 | 1 983 | 5 623 | 951 | 1 674 |
| 高　知　市 | 1 060 | 1 081 | 514 | 677 | 447 | 618 | 1 166 | 1 208 |
| 久　留　米　市 | 3 353 | 3 353 | 906 | 1 605 | 949 | 1 620 | 2 287 | 2 806 |
| 長　崎　市 | 1 490 | 1 541 | 96 | 104 | 306 | 540 | 250 | 341 |
| 佐　世　保　市 | 2 019 | 2 117 | 52 | 60 | 996 | 1 048 | 612 | 690 |
| 大　分　市 | 4 705 | 4 740 | 124 | 134 | 1 061 | 1 117 | 2 404 | 2 808 |
| 宮　崎　市 | 3 750 | 3 791 | 607 | 1 128 | 906 | 1 044 | 1 140 | 1 690 |
| 鹿　児　島　市 | 5 721 | 5 787 | 1 040 | 2 479 | 963 | 2 332 | 3 176 | 4 869 |
| 那　覇　市 | 100 | 147 | 139 | 241 | 141 | 208 | 897 | 1 301 |
| その他政令市(再掲) | | | | | | | | |
| 小　樽　市 | 150 | 150 | － | － | 253 | 275 | 755 | 895 |
| 町　田　市 | 2 560 | 2 560 | 61 | 74 | 405 | 447 | 598 | 637 |
| 藤　沢　市 | 148 | 148 | 65 | 65 | 6 510 | 10 430 | 6 424 | 8 363 |
| 茅　ヶ　崎　市 | 1 187 | 1 187 | 225 | 239 | 2 749 | 2 763 | 2 877 | 2 968 |
| 四　日　市　市 | 1 760 | 1 760 | 6 | 20 | 3 593 | 3 593 | 1 608 | 2 007 |
| 大　牟　田　市 | 810 | 885 | 240 | 450 | 1 022 | 1 297 | 984 | 1 377 |

## ・健診の事後指導実人員・電話相談延人員，都道府県－指定都市・特別区－中核市－その他政令市、対象区分別

平成29年度

| その他 | | (再掲) 健診の事後指導 | | | | | 電話相談延人員 |
|---|---|---|---|---|---|---|---|
| | | 妊婦 | 産婦 | 乳児 | 幼児 | その他 | |
| 実人員 | 延人員 | 実人員 | 実人員 | 実人員 | 実人員 | 実人員 | |
| 6 | 6 | – | – | – | – | – | 667 |
| 39 | 49 | – | – | 7 | 88 | – | 694 |
| 38 | 38 | – | – | 78 | 600 | – | 453 |
| 285 | 285 | 220 | – | 26 | 204 | – | 1 442 |
| 4 | 6 | – | – | 1 | 12 | – | 1 918 |
| 5 | 5 | – | – | – | 150 | – | 479 |
| 2 417 | 2 417 | – | – | – | – | – | 2 350 |
| 1 103 | 2 119 | – | – | 385 | 324 | – | 2 561 |
| 192 | 217 | 11 | – | 6 | 417 | – | 9 349 |
| 473 | 953 | – | – | – | – | – | 19 652 |
| 1 237 | 2 266 | – | – | 2 | 6 | – | 7 306 |
| 168 | 176 | – | – | 319 | 436 | – | 3 669 |
| 243 | 334 | 1 | – | 8 | 198 | – | 1 341 |
| 134 | 166 | – | – | – | – | – | 15 118 |
| 1 653 | 2 430 | – | – | – | 6 | – | 3 271 |
| 27 | 27 | – | 293 | 343 | 601 | – | 9 917 |
| 3 464 | 3 806 | – | – | 80 | 204 | – | 24 543 |
| – | – | – | – | – | – | – | 3 449 |
| 40 | 40 | – | – | 180 | 156 | – | 6 529 |
| 17 | 17 | – | – | 103 | 18 | – | 749 |
| 404 | 597 | – | – | 1 177 | 897 | – | 4 758 |
| 15 | 23 | – | – | 371 | 818 | – | 3 519 |
| 1 | 1 | – | – | 98 | 235 | – | 341 |
| 253 | 288 | – | – | – | 127 | – | 3 723 |
| … | 46 | – | – | – | – | – | 1 322 |
| 212 | 232 | 15 | – | 12 | – | – | 11 867 |
| – | – | – | – | 144 | 21 | – | 5 211 |
| 84 | 87 | – | – | 213 | 161 | – | 11 616 |
| 35 | 40 | – | 594 | 992 | 1 017 | – | 11 123 |
| 9 | 9 | – | – | – | – | – | 6 460 |
| – | – | – | – | 288 | 416 | – | 19 085 |
| 45 | 59 | – | – | 452 | 1 249 | – | 14 406 |
| – | – | – | – | 96 | 95 | – | 3 522 |
| 368 | 406 | – | – | 954 | 931 | – | 5 688 |
| 429 | 610 | – | – | – | 433 | – | 6 570 |
| 91 | 91 | 4 | 4 | 6 | 14 | 1 | 3 414 |
| 167 | 204 | – | – | 64 | 174 | – | 10 299 |
| 18 | 23 | – | – | 52 | 336 | – | 4 198 |
| 568 | 714 | 170 | 2 | 1 | 222 | 36 | 9 604 |
| 6 | 8 | – | – | – | 743 | – | 503 |
| 26 | 35 | – | – | – | 206 | – | 5 521 |
| 1 466 | 3 198 | – | 426 | 426 | 1 278 | – | 1 383 |
| 37 | 51 | – | – | 2 | 6 | – | 5 682 |
| – | – | – | – | – | 189 | – | 726 |
| 118 | 130 | – | – | 2 | 463 | – | 8 611 |
| 111 | 149 | 1 | – | 8 | 131 | – | 6 716 |
| – | – | – | – | 45 | 3 176 | – | 31 325 |
| 68 | 98 | – | – | 29 | 622 | 12 | 9 144 |
| 15 | 15 | – | – | 95 | 338 | – | 1 417 |
| 6 | 7 | – | 1 | 303 | 534 | – | 3 680 |
| 776 | 1 028 | – | – | 397 | 1 102 | 2 | 9 874 |
| 1 094 | 1 094 | – | – | – | – | – | 788 |
| – | – | – | – | – | 466 | – | 12 314 |
| 119 | 223 | – | – | 73 | 108 | – | 1 606 |

## 第6表（4-1） 市区町村が実施した妊産婦及び乳幼児等訪問指導の被指導
## 乳児家庭全戸訪問事業を併せて実施した被指導実人員,

| | 総 | | | | | |
|---|---|---|---|---|---|---|
| | 妊　　　　婦 | | 産　　　　婦 | | 新生児（未熟児を除く。） | |
| | 実　人　員 | 延　人　員 | 実　人　員 | 延　人　員 | 実　人　員 | 延　人　員 |
| 全　　　　国 | 34 266 | 46 029 | 732 164 | 820 448 | 240 269 | 265 083 |
| 北　海　道 | 3 782 | 4 106 | 31 712 | 36 206 | 10 702 | 11 631 |
| 青　　森 | 761 | 891 | 7 707 | 9 218 | 4 175 | 4 649 |
| 岩　　手 | 541 | 659 | 6 265 | 6 925 | 1 033 | 1 141 |
| 宮　　城 | 232 | 407 | 13 547 | 16 032 | 10 653 | 11 383 |
| 秋　　田 | 66 | 74 | 3 259 | 3 444 | 523 | 538 |
| 山　　形 | 194 | 354 | 6 678 | 7 498 | 1 656 | 1 796 |
| 福　　島 | 499 | 655 | 9 273 | 10 755 | 835 | 1 001 |
| 茨　　城 | 513 | 731 | 19 559 | 21 401 | 2 462 | 2 721 |
| 栃　　木 | 1 087 | 1 373 | 11 817 | 13 350 | 1 241 | 1 424 |
| 群　　馬 | 740 | 850 | 10 396 | 11 585 | 2 597 | 2 771 |
| 埼　　玉 | 878 | 1 372 | 43 383 | 49 436 | 8 778 | 9 217 |
| 千　　葉 | 1 499 | 2 178 | 36 471 | 39 843 | 16 764 | 17 462 |
| 東　　京 | 2 622 | 3 810 | 88 942 | 95 626 | 57 049 | 66 802 |
| 神奈川 | 1 315 | 1 995 | 51 542 | 55 508 | 29 772 | 30 571 |
| 新　　潟 | 757 | 976 | 14 661 | 18 888 | 11 550 | 13 370 |
| 富　　山 | 152 | 191 | 6 575 | 7 791 | 3 852 | 4 361 |
| 石　　川 | 131 | 193 | 8 573 | 9 351 | 462 | 627 |
| 福　　井 | 132 | 172 | 4 678 | 5 098 | 510 | 529 |
| 山　　梨 | 298 | 456 | 5 567 | 6 114 | 1 250 | 1 479 |
| 長　　野 | 514 | 609 | 13 174 | 14 356 | 4 136 | 4 449 |
| 岐　　阜 | 449 | 566 | 8 199 | 8 892 | 997 | 1 212 |
| 静　　岡 | 971 | 1 599 | 26 618 | 29 949 | 5 750 | 6 104 |
| 愛　　知 | 2 556 | 3 333 | 45 203 | 50 368 | 9 341 | 10 158 |
| 三　　重 | 333 | 466 | 9 562 | 10 685 | 936 | 1 086 |
| 滋　　賀 | 250 | 365 | 5 885 | 6 280 | 2 443 | 2 526 |
| 京　　都 | 2 693 | 2 947 | 11 735 | 13 172 | 2 103 | 2 226 |
| 大　　阪 | 2 224 | 3 472 | 48 680 | 55 377 | 10 291 | 11 793 |
| 兵　　庫 | 1 139 | 1 593 | 31 080 | 34 453 | 7 275 | 7 771 |
| 奈　　良 | 334 | 459 | 6 129 | 6 774 | 1 109 | 1 193 |
| 和歌山 | 343 | 401 | 3 529 | 3 933 | 775 | 837 |
| 鳥　　取 | 146 | 185 | 4 440 | 4 672 | 453 | 491 |
| 島　　根 | 188 | 298 | 5 239 | 6 089 | 1 070 | 1 240 |
| 岡　　山 | 501 | 738 | 5 591 | 6 687 | 2 061 | 2 240 |
| 広　　島 | 474 | 680 | 10 493 | 12 110 | 1 867 | 2 049 |
| 山　　口 | 425 | 659 | 6 636 | 7 644 | 1 307 | 1 496 |
| 徳　　島 | 258 | 273 | 3 157 | 3 608 | 1 257 | 1 338 |
| 香　　川 | 229 | 307 | 7 275 | 7 969 | 3 496 | 3 544 |
| 愛　　媛 | 293 | 373 | 6 172 | 6 696 | 1 441 | 1 530 |
| 高　　知 | 566 | 799 | 4 777 | 6 002 | 1 633 | 2 012 |
| 福　　岡 | 870 | 1 171 | 33 739 | 37 371 | 1 835 | 2 129 |
| 佐　　賀 | 288 | 382 | 7 049 | 10 354 | 310 | 432 |
| 長　　崎 | 163 | 260 | 5 424 | 6 227 | 822 | 943 |
| 熊　　本 | 562 | 763 | 10 890 | 11 901 | 830 | 922 |
| 大　　分 | 156 | 261 | 8 414 | 9 205 | 568 | 672 |
| 宮　　崎 | 202 | 268 | 4 362 | 5 369 | 899 | 997 |
| 鹿児島 | 571 | 696 | 9 454 | 10 600 | 6 359 | 6 947 |
| 沖　　縄 | 369 | 663 | 8 653 | 9 636 | 3 041 | 3 273 |
| 指定都市・特別区（再掲） | | | | | | |
| 東京都区部 | 1 812 | 2 659 | 63 328 | 67 715 | 43 395 | 52 160 |
| 札　幌　市 | 2 605 | 2 654 | 13 680 | 15 695 | 3 476 | 3 878 |
| 仙　台　市 | 118 | 174 | 5 760 | 7 397 | 7 345 | 7 845 |
| さいたま市 | 217 | 348 | 7 640 | 8 838 | 959 | 1 012 |
| 千　葉　市 | 115 | 226 | 4 577 | 5 047 | 4 703 | 4 847 |
| 横　浜　市 | 460 | 583 | 15 863 | 16 713 | 14 053 | 14 193 |
| 川　崎　市 | 199 | 390 | 12 217 | 12 569 | 10 242 | 10 465 |
| 相模原市 | 52 | 115 | 4 492 | 4 882 | 1 019 | 1 106 |
| 新　潟　市 | 82 | 181 | 5 542 | 7 705 | 3 322 | 3 877 |
| 静　岡　市 | 302 | 525 | 4 663 | 5 860 | 1 146 | 1 217 |
| 浜　松　市 | 202 | 315 | 6 360 | 7 374 | 2 301 | 2 426 |
| 名古屋市 | 498 | 734 | 18 986 | 20 619 | 4 733 | 4 960 |
| 京　都　市 | 2 294 | 2 424 | 5 134 | 5 818 | 819 | 887 |
| 大　阪　市 | 513 | 728 | 20 016 | 21 219 | 3 560 | 3 823 |
| 堺　　市 | 215 | 420 | 3 693 | 4 213 | 515 | 637 |
| 神　戸　市 | 92 | 155 | 10 477 | 10 802 | 514 | 567 |
| 岡　山　市 | 197 | 302 | 1 189 | 1 661 | 883 | 951 |
| 広　島　市 | 73 | 79 | 1 158 | 1 256 | 566 | 591 |
| 北九州市 | 162 | 228 | 6 611 | 7 505 | 188 | 211 |
| 福　岡　市 | 307 | 422 | 11 736 | 13 398 | 303 | 366 |
| 熊　本　市 | 123 | 184 | 3 822 | 4 381 | 258 | 301 |

# 実人員－延人員・医療機関等へ委託した被指導実人員－延人員・
## 都道府県－指定都市・特別区－中核市－その他政令市、対象区分別

平成29年度

数

| 未熟児 実人員 | 未熟児 延人員 | 乳児（新生児・未熟児を除く。） 実人員 | 乳児（新生児・未熟児を除く。） 延人員 | 幼児 実人員 | 幼児 延人員 | その他 実人員 | その他 延人員 |
|---|---|---|---|---|---|---|---|
| 49 163 | 59 742 | 581 798 | 664 702 | 154 417 | 232 742 | 45 749 | 77 847 |
| 2 317 | 2 726 | 20 336 | 23 779 | 6 373 | 9 480 | 2 749 | 4 834 |
| 663 | 910 | 3 170 | 3 994 | 1 512 | 1 907 | 962 | 1 370 |
| 203 | 252 | 5 793 | 6 411 | 1 109 | 1 667 | 361 | 543 |
| 876 | 1 038 | 5 454 | 6 680 | 3 492 | 6 264 | 1 466 | 3 169 |
| 387 | 412 | 4 379 | 4 579 | 498 | 698 | 113 | 149 |
| 436 | 519 | 4 909 | 5 631 | 1 639 | 2 326 | 332 | 599 |
| 754 | 851 | 8 786 | 9 983 | 3 030 | 4 276 | 1 502 | 2 234 |
| 1 583 | 1 814 | 16 406 | 18 002 | 2 903 | 4 199 | 416 | 666 |
| 958 | 1 123 | 12 783 | 14 608 | 2 057 | 3 472 | 550 | 1 039 |
| 408 | 502 | 8 879 | 9 936 | 3 534 | 4 742 | 1 256 | 1 816 |
| 1 691 | 2 356 | 37 156 | 42 654 | 7 887 | 12 494 | 4 161 | 6 832 |
| 1 639 | 1 922 | 33 495 | 37 648 | 7 135 | 11 761 | 824 | 1 469 |
| 2 877 | 3 343 | 41 067 | 46 758 | 7 532 | 11 706 | 938 | 1 839 |
| 4 518 | 5 089 | 22 931 | 27 379 | 8 145 | 12 665 | 6 209 | 9 420 |
| 1 102 | 1 872 | 8 329 | 9 814 | 2 688 | 3 938 | 1 366 | 2 714 |
| 969 | 1 227 | 2 345 | 2 896 | 1 652 | 2 318 | 178 | 250 |
| 752 | 894 | 7 500 | 7 954 | 1 224 | 1 787 | 333 | 491 |
| 250 | 276 | 4 276 | 4 615 | 975 | 1 266 | 100 | 178 |
| 228 | 270 | 4 775 | 5 233 | 771 | 1 188 | 395 | 761 |
| 1 122 | 1 368 | 8 666 | 9 427 | 1 562 | 2 529 | 351 | 620 |
| 853 | 994 | 10 193 | 11 360 | 2 610 | 3 862 | 252 | 497 |
| 872 | 985 | 22 449 | 25 746 | 8 765 | 13 914 | 943 | 1 583 |
| 3 060 | 3 706 | 42 692 | 48 696 | 12 804 | 19 953 | 4 291 | 8 746 |
| 987 | 1 195 | 11 654 | 13 106 | 2 163 | 3 648 | 132 | 317 |
| 804 | 856 | 7 858 | 8 535 | 1 313 | 2 849 | 156 | 559 |
| 924 | 1 069 | 12 346 | 13 741 | 3 103 | 4 636 | 615 | 862 |
| 4 822 | 5 992 | 44 307 | 50 184 | 12 501 | 17 926 | 1 759 | 2 681 |
| 2 414 | 2 754 | 25 073 | 28 190 | 6 430 | 9 681 | 1 658 | 2 488 |
| 453 | 533 | 5 693 | 6 251 | 1 155 | 1 908 | 125 | 220 |
| 355 | 394 | 4 957 | 5 402 | 1 023 | 1 397 | 304 | 431 |
| 243 | 278 | 4 139 | 4 385 | 736 | 934 | 142 | 244 |
| 330 | 405 | 4 053 | 5 937 | 734 | 1 268 | 428 | 947 |
| 707 | 763 | 5 835 | 7 129 | 2 920 | 4 236 | 1 011 | 2 512 |
| 948 | 1 267 | 10 521 | 12 349 | 3 802 | 5 123 | 1 250 | 1 877 |
| 393 | 540 | 6 037 | 7 347 | 3 031 | 4 328 | 476 | 999 |
| 394 | 504 | 3 719 | 4 118 | 657 | 903 | 127 | 177 |
| 184 | 229 | 4 006 | 4 714 | 678 | 999 | 614 | 912 |
| 638 | 676 | 7 882 | 8 664 | 2 230 | 2 922 | 500 | 847 |
| 286 | 360 | 3 594 | 4 592 | 2 324 | 3 396 | 517 | 912 |
| 2 178 | 2 927 | 34 127 | 37 692 | 3 629 | 5 751 | 1 854 | 2 883 |
| 428 | 614 | 6 937 | 11 539 | 3 447 | 4 266 | 961 | 1 257 |
| 393 | 454 | 4 974 | 5 911 | 2 288 | 2 917 | 892 | 1 461 |
| 584 | 821 | 10 668 | 11 685 | 4 211 | 6 320 | 766 | 1 225 |
| 580 | 699 | 7 651 | 8 475 | 1 323 | 2 044 | 254 | 412 |
| 265 | 333 | 3 524 | 4 344 | 1 732 | 2 504 | 218 | 439 |
| 871 | 1 009 | 4 899 | 5 485 | 1 768 | 2 311 | 664 | 850 |
| 464 | 621 | 10 575 | 11 144 | 1 322 | 2 063 | 278 | 516 |
| 1 867 | 2 149 | 25 597 | 28 773 | 5 109 | 7 752 | 712 | 1 377 |
| 1 017 | 1 184 | 9 152 | 10 504 | 1 186 | 1 947 | 960 | 1 426 |
| 566 | 658 | 673 | 1 123 | 1 051 | 2 078 | 1 016 | 2 095 |
| 403 | 525 | 6 418 | 7 575 | 1 525 | 2 791 | 1 398 | 2 385 |
| 61 | 88 | 7 676 | 9 044 | 1 298 | 2 870 | 192 | 359 |
| 1 710 | 1 766 | 1 362 | 2 212 | 3 319 | 4 306 | 3 191 | 4 532 |
| 819 | 831 | 2 129 | 2 459 | 1 153 | 2 092 | 43 | 77 |
| 234 | 250 | 3 724 | 4 113 | 531 | 1 016 | 82 | 205 |
| 628 | 1 144 | 4 237 | 5 006 | 429 | 704 | 260 | 496 |
| 45 | 59 | 3 876 | 4 934 | 1 744 | 3 063 | 251 | 470 |
| 105 | 142 | 4 976 | 5 884 | 3 379 | 5 774 | 102 | 166 |
| 427 | 560 | 15 150 | 17 241 | 5 994 | 9 145 | 2 855 | 4 544 |
| 417 | 480 | 6 340 | 6 982 | 804 | 1 177 | 374 | 557 |
| 1 238 | 1 386 | 16 199 | 17 464 | 2 811 | 3 668 | 101 | 148 |
| 525 | 620 | 3 247 | 3 987 | 1 635 | 2 926 | 68 | 140 |
| 961 | 997 | 10 351 | 10 792 | 1 133 | 2 016 | 167 | 358 |
| 192 | 216 | 2 083 | 2 716 | 1 101 | 1 592 | 469 | 1 263 |
| 412 | 555 | 2 401 | 2 518 | 526 | 634 | 92 | 95 |
| 162 | 254 | 6 368 | 7 161 | 653 | 1 151 | 257 | 325 |
| 1 138 | 1 688 | 11 024 | 12 501 | 904 | 1 607 | 1 097 | 1 705 |
| 321 | 418 | 3 686 | 4 305 | 1 174 | 1 929 | 492 | 899 |

# 第６表（４－２）市区町村が実施した妊産婦及び乳幼児等訪問指導の被指導
# 乳児家庭全戸訪問事業を併せて実施した被指導実人員，

| | 総 | | | | | |
|---|---|---|---|---|---|---|
| | 妊婦 | | 産婦 | | 新生児（未熟児を除く。） | |
| | 実人員 | 延人員 | 実人員 | 延人員 | 実人員 | 延人員 |
| 中核市(再掲) | | | | | | |
| 旭川市 | 17 | 18 | 2 049 | 2 056 | 313 | 313 |
| 函館市 | 55 | 63 | 524 | 598 | 184 | 191 |
| 青森市 | 22 | 23 | 1 622 | 1 760 | 1 463 | 1 583 |
| 八戸市 | 52 | 124 | 1 667 | 2 079 | 745 | 808 |
| 盛岡市 | 110 | 141 | 2 216 | 2 309 | 62 | 66 |
| 秋田市 | 19 | 23 | 273 | 273 | 168 | 168 |
| 郡山市 | 18 | 20 | 335 | 378 | 51 | 53 |
| いわき市 | 23 | 37 | 2 200 | 2 308 | 203 | 213 |
| 宇都宮市 | 40 | 66 | 4 018 | 4 195 | 372 | 378 |
| 前橋市 | 49 | 68 | 1 614 | 1 880 | 209 | 226 |
| 高崎市 | 29 | 53 | 2 201 | 2 287 | 295 | 307 |
| 川越市 | 29 | 35 | 2 541 | 3 111 | 1 207 | 1 211 |
| 越谷市 | 5 | 15 | 2 577 | 2 682 | 275 | 281 |
| 船橋市 | 204 | 342 | 2 208 | 2 522 | 2 131 | 2 275 |
| 柏市 | 69 | 105 | 2 729 | 3 121 | 807 | 840 |
| 八王子市 | 78 | 115 | 3 453 | 3 857 | 3 323 | 3 565 |
| 横須賀市 | 72 | 123 | 2 335 | 2 583 | 807 | 892 |
| 富山市 | 39 | 68 | 2 092 | 2 705 | 1 629 | 1 861 |
| 金沢市 | 48 | 54 | 3 678 | 4 003 | 163 | 226 |
| 長野市 | 43 | 63 | 2 580 | 2 993 | 587 | 707 |
| 岐阜市 | 62 | 106 | 133 | 182 | 436 | 577 |
| 豊橋市 | 123 | 196 | 3 044 | 3 552 | 235 | 261 |
| 豊田市 | 23 | 50 | 625 | 869 | 72 | 77 |
| 岡崎市 | 202 | 268 | 896 | 1 060 | 225 | 246 |
| 大津市 | 32 | 44 | 24 | 36 | 652 | 652 |
| 高槻市 | 46 | 87 | 962 | 1 286 | 224 | 262 |
| 東大阪市 | 201 | 373 | 1 879 | 2 339 | 1 247 | 1 363 |
| 豊中市 | 72 | 111 | 1 773 | 2 085 | 414 | 460 |
| 枚方市 | 94 | 155 | 2 053 | 2 455 | 368 | 403 |
| 姫路市 | 106 | 224 | 4 293 | 4 616 | 1 496 | 1 549 |
| 西宮市 | 55 | 97 | 1 190 | 1 453 | 162 | 194 |
| 尼崎市 | 68 | 96 | 753 | 1 059 | 115 | 170 |
| 奈良市 | 36 | 48 | 702 | 831 | 66 | 75 |
| 和歌山市 | 41 | 59 | 350 | 523 | 546 | 570 |
| 倉敷市 | 92 | 139 | 411 | 502 | 245 | 274 |
| 福山市 | 56 | 114 | 1 994 | 2 317 | 168 | 183 |
| 呉市 | 116 | 173 | 1 254 | 1 409 | 306 | 338 |
| 下関市 | 19 | 23 | 1 613 | 1 626 | 124 | 135 |
| 高松市 | 83 | 110 | 3 488 | 3 927 | 2 483 | 2 496 |
| 松山市 | 53 | 56 | 1 114 | 1 238 | 165 | 168 |
| 高知市 | 80 | 148 | 2 694 | 2 944 | 116 | 126 |
| 久留米市 | 60 | 70 | 1 552 | 1 662 | 139 | 150 |
| 長崎市 | 19 | 26 | 624 | 874 | 282 | 301 |
| 佐世保市 | 60 | 116 | 465 | 661 | 41 | 50 |
| 大分市 | 48 | 86 | 3 948 | 4 278 | 294 | 359 |
| 宮崎市 | 36 | 57 | 1 600 | 2 156 | 287 | 339 |
| 鹿児島市 | 80 | 93 | 4 749 | 5 124 | 3 844 | 4 098 |
| 那覇市 | 77 | 104 | 1 213 | 1 434 | 192 | 213 |
| その他政令市(再掲) | | | | | | |
| 小樽市 | 42 | 52 | 528 | 683 | 343 | 356 |
| 町田市 | 47 | 85 | 2 268 | 2 298 | 2 187 | 2 207 |
| 藤沢市 | 27 | 41 | 3 310 | 3 685 | 393 | 393 |
| 茅ヶ崎市 | 16 | 35 | 1 781 | 1 853 | 315 | 337 |
| 四日市市 | 68 | 111 | 734 | 1 068 | 148 | 202 |
| 大牟田市 | 5 | 17 | 483 | 688 | 443 | 572 |

# 実人員－延人員・医療機関等へ委託した被指導実人員－延人員・
## 都道府県－指定都市・特別区－中核市－その他政令市、対象区分別

平成29年度

| 数 | | | | | | | |
|---|---|---|---|---|---|---|---|
| 未熟児 | | 乳児<br>（新生児・未熟児を除く。） | | 幼児 | | その他 | |
| 実人員 | 延人員 | 実人員 | 延人員 | 実人員 | 延人員 | 実人員 | 延人員 |
| 190 | 191 | 1 621 | 1 628 | 32 | 32 | 39 | 40 |
| 93 | 108 | 326 | 437 | 339 | 591 | 4 | 19 |
| 178 | 196 | 15 | 35 | 87 | 127 | 46 | 55 |
| 154 | 215 | 787 | 1 066 | 829 | 996 | 586 | 876 |
| 20 | 22 | 2 206 | 2 274 | 411 | 620 | 20 | 43 |
| | | | | | | | |
| 113 | 113 | 1 672 | 1 717 | 20 | 29 | - | - |
| 94 | 102 | 241 | 292 | 199 | 285 | 160 | 221 |
| 152 | 157 | 2 033 | 2 125 | 210 | 275 | - | - |
| 325 | 331 | 3 551 | 3 723 | 465 | 865 | 69 | 164 |
| 121 | 155 | 1 408 | 1 673 | 619 | 834 | 771 | 1 043 |
| | | | | | | | |
| 66 | 76 | 2 027 | 2 206 | 323 | 528 | 7 | 13 |
| 59 | 63 | 1 296 | 1 847 | 254 | 289 | 191 | 225 |
| 90 | 152 | 2 226 | 2 294 | 101 | 163 | 142 | 227 |
| 101 | 174 | 3 235 | 3 959 | 1 016 | 1 548 | 80 | 193 |
| 186 | 228 | 1 833 | 1 974 | 122 | 235 | 34 | 62 |
| | | | | | | | |
| 88 | 88 | 114 | 281 | 536 | 843 | 67 | 123 |
| 177 | 207 | 1 575 | 1 828 | 791 | 1 236 | 1 569 | 2 267 |
| 323 | 436 | 231 | 499 | 231 | 483 | 18 | 34 |
| 349 | 415 | 3 212 | 3 408 | 266 | 309 | 231 | 287 |
| 588 | 770 | 1 405 | 1 516 | 172 | 172 | 96 | 96 |
| | | | | | | | |
| 125 | 143 | 2 259 | 2 550 | 453 | 791 | 8 | 11 |
| 316 | 413 | 2 580 | 3 015 | 336 | 573 | 575 | 1 947 |
| 277 | 380 | 432 | 609 | 357 | 507 | - | - |
| 260 | 284 | 587 | 722 | 351 | 512 | 66 | 99 |
| 230 | 230 | 1 650 | 1 737 | … | 1 028 | … | 180 |
| | | | | | | | |
| 161 | 247 | 578 | 796 | 194 | 359 | 67 | 86 |
| 270 | 355 | 666 | 1 307 | 774 | 1 274 | - | - |
| 258 | 326 | 1 204 | 1 376 | 450 | 611 | 61 | 72 |
| 268 | 371 | 1 491 | 1 781 | 345 | 472 | 46 | 91 |
| 216 | 239 | 2 857 | 3 328 | 1 082 | 1 820 | 7 | 23 |
| | | | | | | | |
| 118 | 163 | 1 016 | 1 260 | 275 | 579 | 46 | 112 |
| 180 | 230 | 726 | 995 | 500 | 665 | 109 | 190 |
| 135 | 135 | 554 | 647 | 336 | 468 | - | - |
| 140 | 154 | 1 996 | 2 188 | 221 | 352 | 160 | 245 |
| 304 | 304 | 478 | 656 | 695 | 1 018 | 176 | 214 |
| | | | | | | | |
| 154 | 188 | 1 711 | 1 988 | 677 | 877 | 54 | 146 |
| 155 | 231 | 1 041 | 1 334 | 1 183 | 1 820 | 576 | 1 025 |
| 93 | 95 | 1 639 | 1 816 | 692 | 923 | 8 | 12 |
| 59 | 85 | 1 171 | 1 581 | 349 | 547 | 387 | 572 |
| 324 | 334 | 3 885 | 4 248 | 614 | 770 | 20 | 24 |
| | | | | | | | |
| 220 | 250 | 2 502 | 2 844 | 977 | 1 211 | 16 | 23 |
| 69 | 76 | 1 393 | 1 461 | 139 | 150 | 225 | 249 |
| 90 | 104 | 413 | 766 | 114 | 148 | 24 | 35 |
| 52 | 60 | 589 | 844 | 716 | 739 | 619 | 973 |
| 376 | 450 | 3 465 | 3 870 | 828 | 1 232 | 130 | 204 |
| | | | | | | | |
| 100 | 133 | 1 248 | 1 678 | 287 | 406 | 112 | 226 |
| 408 | 457 | 1 590 | 1 666 | 563 | 650 | 448 | 498 |
| 38 | 59 | 3 727 | 3 806 | 203 | 275 | 59 | 104 |
| | | | | | | | |
| 41 | 63 | 219 | 305 | 58 | 135 | 9 | 19 |
| 82 | 92 | 322 | 602 | 238 | 493 | 7 | 11 |
| 223 | 297 | 2 768 | 3 713 | 214 | 297 | - | - |
| 171 | 193 | 1 351 | 1 420 | 78 | 105 | 38 | 47 |
| 183 | 245 | 2 455 | 2 938 | 220 | 425 | 31 | 32 |
| | | | | | | | |
| 12 | 14 | 59 | 125 | 179 | 358 | 32 | 171 |

# 第６表（４－３）市区町村が実施した妊産婦及び乳幼児等訪問指導の被指導 乳児家庭全戸訪問事業を併せて実施した被指導実人員，

| | （再掲）医療機関 | | | | | | | |
|---|---|---|---|---|---|---|---|---|
| | 妊婦 | | 産婦 | | 新生児（未熟児を除く。） | | 未熟児 | |
| | 実人員 | 延人員 | 実人員 | 延人員 | 実人員 | 延人員 | 実人員 | 延人員 |
| 全国 | 3 590 | 3 618 | 125 091 | 129 678 | 49 515 | 51 522 | 3 202 | 3 509 |
| 北海道 | 2 485 | 2 500 | 12 680 | 14 091 | 3 558 | 3 856 | 897 | 1 005 |
| 青森 | - | - | 1 260 | 1 341 | 1 241 | 1 318 | 6 | 7 |
| 岩手 | 76 | 76 | 818 | 819 | 25 | 25 | 1 | 1 |
| 宮城 | - | - | 937 | 999 | 235 | 237 | 20 | 20 |
| 秋田 | - | - | - | - | - | - | - | - |
| 山形 | - | - | - | - | - | - | - | - |
| 福島 | 26 | 26 | 1 863 | 1 866 | 149 | 152 | 103 | 103 |
| 茨城 | - | - | 927 | 988 | 135 | 147 | 66 | 66 |
| 栃木 | - | - | 17 | 17 | 1 | 1 | - | - |
| 群馬 | 61 | 62 | 4 289 | 4 365 | 825 | 842 | 120 | 137 |
| 埼玉 | 1 | 2 | 14 979 | 15 058 | 2 609 | 2 622 | 100 | 105 |
| 千葉 | 7 | 7 | 2 270 | 2 397 | 997 | 1 008 | 71 | 97 |
| 東京 | 411 | 411 | 26 576 | 27 231 | 20 422 | 20 751 | 272 | 280 |
| 神奈川 | - | - | - | - | - | - | - | - |
| 新潟 | - | - | 158 | 167 | 158 | 166 | - | - |
| 富山 | 5 | 5 | 728 | 797 | 527 | 576 | 59 | 73 |
| 石川 | 1 | 1 | 240 | 250 | 95 | 97 | 17 | 17 |
| 福井 | - | - | 112 | 112 | 9 | 9 | - | - |
| 山梨 | - | - | 1 | 1 | 2 | 2 | - | - |
| 長野 | - | - | 115 | 115 | 115 | 115 | - | - |
| 岐阜 | - | - | 11 | 11 | 7 | 7 | 1 | 1 |
| 静岡 | 7 | 7 | 8 215 | 8 390 | 2 568 | 2 648 | - | - |
| 愛知 | 1 | 1 | 3 939 | 4 028 | 2 483 | 2 869 | 622 | 641 |
| 三重 | - | - | 207 | 221 | 100 | 100 | - | - |
| 滋賀 | - | - | 3 | 5 | - | - | - | - |
| 京都 | 83 | 84 | 575 | 666 | 94 | 96 | 25 | 31 |
| 大阪 | 12 | 12 | 21 363 | 22 153 | 3 696 | 3 994 | 247 | 316 |
| 兵庫 | 68 | 68 | 2 225 | 2 343 | 454 | 461 | 82 | 82 |
| 奈良 | 9 | 9 | 976 | 983 | 151 | 151 | 53 | 53 |
| 和歌山 | 129 | 129 | 661 | 668 | 14 | 14 | 40 | 40 |
| 鳥取 | - | - | 827 | 834 | 74 | 74 | - | - |
| 島根 | 1 | 1 | 198 | 199 | 8 | 9 | 7 | 7 |
| 岡山 | - | - | - | - | - | - | - | - |
| 広島 | - | - | - | - | - | - | - | - |
| 山口 | - | - | 18 | 41 | 2 | 2 | 6 | 22 |
| 徳島 | - | - | 544 | 565 | 302 | 307 | 37 | 38 |
| 香川 | 38 | 38 | 3 609 | 3 613 | 2 727 | 2 728 | 3 | 3 |
| 愛媛 | - | - | 15 | 15 | 4 | 4 | - | - |
| 高知 | 5 | 11 | 75 | 101 | 59 | 66 | 3 | 3 |
| 福岡 | - | - | 1 222 | 1 355 | 440 | 565 | 12 | 14 |
| 佐賀 | 10 | 12 | 1 647 | 1 734 | 73 | 75 | 135 | 145 |
| 長崎 | - | - | - | - | - | - | - | - |
| 熊本 | 100 | 100 | 2 354 | 2 354 | 53 | 53 | 20 | 20 |
| 大分 | - | - | 1 203 | 1 203 | 128 | 128 | 73 | 73 |
| 宮崎 | - | - | 31 | 39 | 6 | 8 | 1 | 1 |
| 鹿児島 | 46 | 47 | 4 345 | 4 644 | 4 010 | 4 273 | 72 | 76 |
| 沖縄 | 8 | 9 | 2 858 | 2 899 | 959 | 966 | 31 | 32 |
| 指定都市・特別区(再掲) | | | | | | | | |
| 東京都区部 | 362 | 362 | 20 846 | 21 297 | 16 938 | 17 150 | 131 | 134 |
| 札幌市 | 2 454 | 2 469 | 11 987 | 13 079 | 3 151 | 3 443 | 872 | 979 |
| 仙台市 | - | - | - | - | - | - | - | - |
| さいたま市 | - | - | 5 798 | 5 798 | 708 | 708 | 62 | 62 |
| 千葉市 | - | - | - | - | - | - | - | - |
| 横浜市 | - | - | - | - | - | - | - | - |
| 川崎市 | - | - | - | - | - | - | - | - |
| 相模原市 | - | - | - | - | - | - | - | - |
| 新潟市 | - | - | - | - | - | - | - | - |
| 静岡市 | - | - | 3 246 | 3 347 | 738 | 761 | - | - |
| 浜松市 | - | - | 4 769 | 4 843 | 1 730 | 1 787 | - | - |
| 名古屋市 | - | - | - | - | - | - | - | - |
| 京都市 | - | - | - | - | - | - | - | - |
| 大阪市 | - | - | 15 590 | 15 590 | 1 769 | 1 769 | - | - |
| 堺市 | - | - | - | - | - | - | - | - |
| 神戸市 | - | - | - | - | - | - | - | - |
| 岡山市 | - | - | - | - | - | - | - | - |
| 広島市 | - | - | - | - | - | - | - | - |
| 北九州市 | - | - | - | - | - | - | - | - |
| 福岡市 | - | - | - | - | - | - | - | - |
| 熊本市 | - | - | 2 008 | 2 008 | 53 | 53 | - | - |

# 実人員－延人員・医療機関等へ委託した被指導実人員－延人員・
## 都道府県－指定都市・特別区－中核市－その他政令市、対象区分別

平成29年度

| 等へ委託 | | | | | | （再掲）乳児家庭全戸訪問事業を併せて実施 | | |
|---|---|---|---|---|---|---|---|---|
| 乳児（新生児・未熟児を除く。） | | 幼児 | | その他 | | 新生児（未熟児を除く。） | 未熟児 | 乳児（新生児・未熟児を除く。） |
| 実人員 | 延人員 | 実人員 | 延人員 | 実人員 | 延人員 | 実人員 | 実人員 | 実人員 |
| **82 318** | **84 695** | **384** | **389** | **17** | **18** | **200 822** | **39 572** | **480 616** |
| 8 138 | 8 734 | 8 | 9 | – | – | 9 934 | 2 179 | 18 644 |
| 15 | 19 | – | – | – | – | 4 090 | 652 | 3 045 |
| 790 | 790 | – | – | – | – | 938 | 187 | 5 531 |
| 943 | 949 | – | – | – | – | 9 790 | 767 | 4 376 |
| – | – | 6 | 7 | – | – | 429 | 371 | 3 933 |
| – | – | – | – | – | – | 1 620 | 276 | 3 623 |
| 1 619 | 1 619 | – | – | – | – | 554 | 671 | 7 558 |
| 710 | 730 | – | – | – | – | 1 923 | 1 430 | 15 039 |
| 16 | 16 | – | – | – | – | 947 | 874 | 11 840 |
| 3 408 | 3 453 | – | – | 1 | 2 | 963 | 205 | 4 157 |
| 13 264 | 13 373 | 13 | 13 | 15 | 15 | 7 651 | 1 246 | 30 340 |
| 1 192 | 1 253 | – | – | – | – | 14 259 | 1 438 | 26 761 |
| 10 698 | 10 965 | 45 | 46 | – | – | 51 465 | 1 944 | 31 892 |
| – | – | – | – | – | – | 29 153 | 4 364 | 20 281 |
| – | – | – | – | – | – | 8 604 | 924 | 7 201 |
| 389 | 392 | – | – | – | – | 857 | 241 | 1 701 |
| 130 | 139 | – | – | – | – | 441 | 723 | 7 364 |
| 103 | 103 | – | – | – | – | 353 | 148 | 3 212 |
| – | – | 1 | 3 | – | – | 957 | 152 | 3 738 |
| – | – | – | – | – | – | 2 802 | 989 | 8 206 |
| 3 | 3 | – | – | – | – | 961 | 751 | 9 422 |
| 5 575 | 5 754 | – | – | – | – | 5 543 | 832 | 20 322 |
| 3 841 | 4 124 | – | – | – | – | 7 657 | 2 312 | 39 015 |
| 176 | 176 | 4 | 4 | – | – | 880 | 923 | 10 983 |
| 4 | 6 | 19 | 19 | – | – | 2 342 | 699 | 6 237 |
| 496 | 542 | – | – | – | – | 1 501 | 746 | 9 983 |
| 17 515 | 17 936 | – | – | – | – | 6 553 | 3 671 | 33 839 |
| 1 695 | 1 801 | 253 | 253 | – | – | 5 148 | 1 808 | 18 390 |
| 884 | 891 | – | – | – | – | 944 | 377 | 4 579 |
| 586 | 590 | 1 | 1 | – | – | 110 | 187 | 2 443 |
| 761 | 769 | – | – | – | – | 424 | 189 | 3 485 |
| 185 | 186 | 1 | 1 | 1 | 1 | 852 | 274 | 3 586 |
| – | – | – | – | – | – | 875 | 190 | 3 036 |
| – | – | – | – | – | – | 1 471 | 745 | 8 504 |
| 13 | 28 | – | – | – | – | 802 | 267 | 4 376 |
| 213 | 229 | – | – | – | – | 992 | 132 | 3 091 |
| 860 | 863 | – | – | – | – | 3 321 | 164 | 3 902 |
| 11 | 11 | – | – | – | – | 1 251 | 564 | 6 859 |
| 19 | 24 | – | – | – | – | 1 275 | 236 | 2 991 |
| 782 | 794 | – | – | – | – | 1 694 | 2 108 | 31 971 |
| 1 449 | 1 530 | – | – | – | – | 273 | 412 | 5 735 |
| – | – | – | – | – | – | 429 | 237 | 3 649 |
| 2 275 | 2 275 | 33 | 33 | – | – | 427 | 402 | 7 382 |
| 1 001 | 1 001 | – | – | – | – | 473 | 558 | 7 291 |
| 28 | 34 | – | – | – | – | 710 | 233 | 2 735 |
| 264 | 313 | – | – | – | – | 4 511 | 545 | 3 349 |
| 2 267 | 2 280 | – | – | – | – | 1 673 | 229 | 5 019 |
| 6 435 | 6 674 | – | – | – | – | 39 672 | 1 326 | 18 962 |
| 7 966 | 8 557 | – | – | – | – | 3 476 | 1 017 | 9 152 |
| – | – | – | – | – | – | 6 665 | 482 | 245 |
| 5 069 | 5 069 | – | – | – | – | 842 | 329 | 5 630 |
| – | – | – | – | – | – | 4 703 | 61 | 4 701 |
| – | – | – | – | – | – | 14 053 | 1 710 | 1 362 |
| – | – | – | – | – | – | 10 242 | 819 | 667 |
| – | – | – | – | – | – | 1 019 | 234 | 3 598 |
| – | – | – | – | – | – | 3 201 | 584 | 4 233 |
| 2 508 | 2 586 | – | – | – | – | 1 146 | 34 | 3 656 |
| 2 969 | 3 070 | – | – | – | – | 2 169 | 80 | 3 920 |
| – | – | – | – | – | – | 4 733 | 427 | 15 150 |
| – | – | – | – | – | – | 767 | 417 | 6 023 |
| 13 828 | 13 828 | – | – | – | – | 1 769 | 1 238 | 15 677 |
| – | – | – | – | – | – | 515 | 525 | 2 743 |
| – | – | – | – | – | – | 514 | 961 | 9 194 |
| – | – | – | – | – | – | – | – | – |
| – | – | – | – | – | – | 566 | 390 | 1 997 |
| – | – | – | – | – | – | 188 | 162 | 6 368 |
| – | – | – | – | – | – | 302 | 1 134 | 11 009 |
| 1 928 | 1 928 | – | – | – | – | 118 | 193 | 2 325 |

# 第６表（４－４）市区町村が実施した妊産婦及び乳幼児等訪問指導の被指導
# 乳児家庭全戸訪問事業を併せて実施した被指導実人員，

| | (再掲) 医療機関 | | | | | | | |
|---|---|---|---|---|---|---|---|---|
| | 妊婦 | | 産婦 | | 新生児（未熟児を除く。） | | 未熟児 | |
| | 実人員 | 延人員 | 実人員 | 延人員 | 実人員 | 延人員 | 実人員 | 延人員 |
| 中核市(再掲) | | | | | | | | |
| 旭川市 | - | - | - | - | - | - | - | - |
| 函館市 | - | - | - | - | - | - | - | - |
| 青森市 | - | - | 1 226 | 1 299 | 1 228 | 1 302 | - | - |
| 八戸市 | - | - | - | - | - | - | - | - |
| 盛岡市 | - | - | 798 | 798 | 10 | 10 | - | - |
| 秋田市 | - | - | - | - | - | - | - | - |
| 郡山市 | - | - | - | - | - | - | - | - |
| いわき市 | - | - | 1 751 | 1 751 | 130 | 130 | 97 | 97 |
| 宇都宮市 | - | - | - | - | - | - | - | - |
| 前橋市 | - | - | 927 | 946 | 117 | 118 | 28 | 34 |
| 高崎市 | - | - | 2 129 | 2 160 | 254 | 256 | 53 | 59 |
| 川越市 | - | - | - | - | - | - | - | - |
| 越谷市 | - | - | 2 368 | 2 368 | 259 | 259 | 24 | 24 |
| 船橋市 | - | - | - | - | - | - | - | - |
| 柏市 | - | - | - | - | - | - | - | - |
| 八王子市 | - | - | - | - | 1 319 | 1 330 | - | - |
| 横須賀市 | - | - | - | - | - | - | - | - |
| 富山市 | - | - | - | - | - | - | - | - |
| 金沢市 | - | - | - | - | - | - | - | - |
| 長野市 | - | - | - | - | - | - | - | - |
| 岐阜市 | - | - | - | - | - | - | - | - |
| 豊橋市 | - | - | 342 | 342 | 106 | 106 | 133 | 133 |
| 豊田市 | - | - | - | - | - | - | - | - |
| 岡崎市 | - | - | - | - | - | - | - | - |
| 大津市 | - | - | - | - | - | - | - | - |
| 高槻市 | - | - | - | - | - | - | - | - |
| 東大阪市 | 1 | 1 | 1 027 | 1 087 | 1 028 | 1 088 | - | - |
| 豊中市 | - | - | - | - | - | - | - | - |
| 枚方市 | 2 | 2 | 1 448 | 1 637 | 205 | 209 | 51 | 67 |
| 姫路市 | - | - | - | - | - | - | - | - |
| 西宮市 | - | - | 501 | 501 | 62 | 62 | 11 | 11 |
| 尼崎市 | - | - | - | - | - | - | - | - |
| 奈良市 | - | - | 201 | 203 | 11 | 11 | 49 | 49 |
| 和歌山市 | - | - | - | - | - | - | - | - |
| 倉敷市 | - | - | - | - | - | - | - | - |
| 福山市 | - | - | - | - | - | - | - | - |
| 呉市 | - | - | - | - | - | - | - | - |
| 下関市 | - | - | - | - | - | - | - | - |
| 高松市 | 37 | 37 | 2 366 | 2 367 | 2 368 | 2 368 | - | - |
| 松山市 | - | - | - | - | - | - | - | - |
| 高知市 | - | - | - | - | - | - | - | - |
| 久留米市 | - | - | - | - | - | - | - | - |
| 長崎市 | - | - | - | - | - | - | - | - |
| 佐世保市 | - | - | - | - | - | - | - | - |
| 大分市 | - | - | 1 184 | 1 184 | 109 | 109 | 73 | 73 |
| 宮崎市 | - | - | - | - | - | - | - | - |
| 鹿児島市 | 4 | 5 | 3 431 | 3 661 | 3 434 | 3 664 | - | - |
| 那覇市 | - | - | - | - | - | - | - | - |
| その他政令市(再掲) | | | | | | | | |
| 小樽市 | 26 | 26 | 481 | 481 | 300 | 303 | 20 | 20 |
| 町田市 | - | - | - | - | - | - | - | - |
| 藤沢市 | - | - | - | - | - | - | - | - |
| 茅ヶ崎市 | - | - | - | - | - | - | - | - |
| 四日市市 | - | - | 6 | 20 | - | - | - | - |
| 大牟田市 | - | - | 442 | 563 | 440 | 565 | 11 | 13 |

## 実人員－延人員・医療機関等へ委託した被指導実人員－延人員・
## 都道府県－指定都市・特別区－中核市－その他政令市、対象区分別

平成29年度

| 等へ委託 | | | | | | （再掲）乳児家庭全戸訪問事業を併せて実施 | | |
|---|---|---|---|---|---|---|---|---|
| 乳児（新生児・未熟児を除く。） | | 幼児 | | その他 | | 新生児（未熟児を除く。） | 未熟児 | 乳児（新生児・未熟児を除く。） |
| 実人員 | 延人員 | 実人員 | 延人員 | 実人員 | 延人員 | 実人員 | 実人員 | 実人員 |
| - | - | - | - | - | - | 305 | 164 | 1 559 |
| - | - | - | - | - | - | 184 | 93 | 206 |
| - | - | - | - | - | - | 1 463 | 178 | - |
| - | - | - | - | - | - | 745 | 154 | 787 |
| 788 | 788 | - | - | - | - | 54 | 17 | 2 114 |
| - | - | - | - | - | - | 104 | 113 | 1 626 |
| - | - | - | - | - | - | 42 | 88 | 148 |
| 1 532 | 1 532 | - | - | - | - | 130 | 97 | 1 532 |
| - | - | - | - | - | - | 333 | 323 | 3 341 |
| 798 | 811 | - | - | - | - | 2 | 93 | 520 |
| 1 853 | 1 878 | - | - | - | - | - | - | - |
| - | - | - | - | - | - | 1 207 | 59 | 1 275 |
| 2 105 | 2 105 | - | - | - | - | 259 | 25 | 2 105 |
| - | - | - | - | - | - | 2 131 | 101 | 3 235 |
| - | - | - | - | - | - | 697 | 133 | 1 585 |
| - | - | - | - | - | - | 3 317 | 88 | 114 |
| - | - | - | - | - | - | 807 | 177 | 1 575 |
| - | - | - | - | - | - | - | - | - |
| - | - | - | - | - | - | 163 | 338 | 3 158 |
| - | - | - | - | - | - | 587 | 588 | 1 405 |
| - | - | - | - | - | - | 436 | 125 | 2 259 |
| 121 | 121 | - | - | - | - | 163 | 282 | 2 364 |
| - | - | - | - | - | - | - | - | - |
| - | - | - | - | - | - | 225 | 260 | 587 |
| - | - | - | - | - | - | 652 | 230 | 1 650 |
| - | - | - | - | - | - | 224 | - | 418 |
| - | - | - | - | - | - | 1 247 | 270 | 666 |
| - | - | - | - | - | - | 414 | 258 | 1 204 |
| 1 214 | 1 373 | - | - | - | - | 225 | 160 | 412 |
| - | - | - | - | - | - | 1 479 | 209 | 2 638 |
| 429 | 429 | - | - | - | - | - | - | - |
| - | - | - | - | - | - | - | - | 2 |
| 149 | 150 | - | - | - | - | 56 | 127 | 488 |
| - | - | - | - | - | - | - | 22 | 240 |
| - | - | - | - | - | - | - | - | - |
| - | - | - | - | - | - | 168 | 154 | 1 711 |
| - | - | - | - | - | - | 59 | 30 | 200 |
| - | - | - | - | - | - | 74 | 90 | 1 317 |
| - | - | - | - | - | - | 2 483 | 59 | 1 171 |
| - | - | - | - | - | - | 105 | 297 | 3 448 |
| - | - | - | - | - | - | 72 | 194 | 2 225 |
| - | - | - | - | - | - | 139 | 69 | 342 |
| - | - | - | - | - | - | - | - | - |
| - | - | - | - | - | - | - | - | - |
| 1 001 | 1 001 | - | - | - | - | 286 | 365 | 3 288 |
| - | - | - | - | - | - | 241 | 99 | 1 109 |
| - | - | - | - | - | - | 3 844 | 408 | 1 590 |
| - | - | - | - | - | - | - | - | - |
| 164 | 169 | - | - | - | - | 343 | 37 | 177 |
| - | - | - | - | - | - | 2 187 | 82 | 322 |
| - | - | - | - | - | - | 393 | 223 | 2 768 |
| - | - | - | - | - | - | 311 | 154 | 1 313 |
| - | - | - | - | - | - | 148 | 183 | 2 151 |
| - | - | - | - | - | - | 440 | 11 | - |

# 第７表　政令市及び特別区が実施した長期療養児相談等の被指導実人員－延人員，指定都市・特別区－中核市－その他政令市、相談等の内容別

平成29年度

| | 相談、機能訓練、訪問指導実人員 | （再掲）相談 | | （再掲）機能訓練 | | （再掲）訪問指導 | | 電話相談延人員 |
|---|---|---|---|---|---|---|---|---|
| | | 実人員 | 延人員 | 実人員 | 延人員 | 実人員 | 延人員 | |
| 政令市 | 29 370 | 26 911 | 36 952 | 410 | 3 083 | 2 686 | 5 182 | 13 381 |
| 指定都市・特別区(再掲) | | | | | | | | |
| 東京都区部 | 1 308 | 964 | 1 935 | 5 | 5 | 454 | 1 019 | 2 025 |
| 札幌市 | 507 | 492 | 814 | – | – | 58 | 101 | 566 |
| 仙台市 | 2 997 | 2 731 | 3 244 | – | – | 278 | 840 | 196 |
| さいたま市 | 1 184 | 1 184 | 2 368 | – | – | 1 | 2 | 721 |
| 千葉市 | 794 | 794 | 843 | – | – | – | – | 26 |
| 横浜市 | – | – | – | – | – | – | – | – |
| 川崎市 | 359 | 359 | 585 | – | – | 13 | 21 | 38 |
| 相模原市 | 89 | 69 | 257 | – | – | 20 | 24 | 71 |
| 新潟市 | 687 | 687 | 936 | – | – | 44 | 87 | 89 |
| 静岡市 | 74 | 58 | 137 | – | – | 31 | 55 | 105 |
| 浜松市 | 13 | 4 | 6 | – | – | 9 | 29 | 70 |
| 名古屋市 | 433 | 271 | 510 | – | – | 225 | 358 | 635 |
| 京都市 | 144 | 121 | 173 | – | – | 57 | 102 | 140 |
| 大阪市 | 1 219 | 1 035 | 1 212 | – | – | 184 | 329 | 651 |
| 堺市 | 179 | 116 | 200 | – | – | 80 | 171 | 462 |
| 神戸市 | 702 | 691 | 851 | – | – | 37 | 52 | 151 |
| 岡山市 | 814 | 791 | 907 | – | – | 23 | 52 | 438 |
| 広島市 | 1 885 | 1 870 | 1 975 | – | – | 15 | 20 | 451 |
| 北九州市 | 868 | 861 | 863 | – | – | 10 | 19 | 41 |
| 福岡市 | 1 561 | 1 561 | 2 183 | – | – | 1 | 2 | 682 |
| 熊本市 | 842 | 842 | 1 052 | – | – | 9 | 11 | 87 |
| 中核市(再掲) | | | | | | | | |
| 旭川市 | – | – | – | – | – | – | – | – |
| 函館市 | 17 | 9 | 19 | – | – | 11 | 14 | 58 |
| 青森市 | 193 | 183 | 220 | – | – | 10 | 10 | 35 |
| 八戸市 | 344 | 344 | 805 | – | – | 12 | 12 | 23 |
| 盛岡市 | 415 | 406 | 570 | – | – | 11 | 15 | – |
| 秋田市 | 196 | 195 | 195 | – | – | 1 | 1 | – |
| 郡山市 | 3 | 3 | 3 | – | – | – | – | – |
| いわき市 | 373 | 347 | 357 | – | – | 27 | 47 | 166 |
| 宇都宮市 | 47 | 27 | 35 | 12 | 102 | 8 | 17 | 48 |
| 前橋市 | 312 | 307 | 317 | – | – | 6 | 15 | 74 |
| 高崎市 | 527 | 334 | 618 | 193 | 499 | – | – | – |
| 川越市 | 589 | 530 | 530 | – | – | 59 | 63 | 452 |
| 越谷市 | 461 | 358 | 360 | 43 | 144 | 60 | 123 | 107 |
| 船橋市 | 443 | 443 | 621 | – | – | 9 | 10 | 67 |
| 柏市 | 630 | 473 | 679 | 157 | 2 333 | – | – | – |
| 八王子市 | 95 | 50 | 845 | – | – | 45 | 131 | 267 |
| 横須賀市 | – | – | – | – | – | – | – | – |
| 富山市 | 323 | 323 | 323 | – | – | – | – | – |
| 金沢市 | 65 | 65 | 466 | – | – | 1 | 17 | 10 |
| 長野市 | 153 | 102 | 429 | – | – | 51 | 74 | 109 |
| 岐阜市 | 302 | 302 | 403 | – | – | – | – | 53 |
| 豊橋市 | 326 | 312 | 375 | – | – | 14 | 23 | 52 |
| 豊田市 | 389 | 389 | 389 | – | – | – | – | – |
| 岡崎市 | 394 | 349 | 353 | – | – | 67 | 114 | 108 |
| 大津市 | – | – | – | – | – | – | – | – |
| 高槻市 | 284 | 284 | 378 | – | – | 4 | 4 | 195 |
| 東大阪市 | 429 | 429 | 491 | – | – | 38 | 39 | 83 |
| 豊中市 | 292 | 163 | 163 | – | – | 129 | 195 | 326 |
| 枚方市 | 272 | 145 | 167 | – | – | 127 | 244 | 562 |
| 姫路市 | 115 | 65 | 79 | – | – | 50 | 86 | 97 |
| 西宮市 | 90 | 70 | 73 | – | – | 20 | 40 | 469 |
| 尼崎市 | 35 | 17 | 22 | – | – | 23 | 32 | 39 |
| 奈良市 | 51 | 40 | 107 | – | – | 46 | 61 | 56 |
| 和歌山市 | 377 | 371 | 371 | – | – | 30 | 40 | 517 |
| 倉敷市 | 30 | 22 | 44 | – | – | 8 | 17 | 51 |
| 福山市 | 838 | 838 | 838 | – | – | – | – | 309 |
| 呉市 | – | – | – | – | – | – | – | – |
| 下関市 | 19 | 19 | 24 | – | – | 1 | 1 | 34 |
| 高松市 | 413 | 411 | 418 | – | – | 2 | 3 | 442 |
| 松山市 | 20 | 15 | 17 | – | – | 9 | 17 | 35 |
| 高知市 | 12 | 2 | 4 | – | – | 10 | 13 | 6 |
| 久留米市 | 145 | 145 | 145 | – | – | – | – | 45 |
| 長崎市 | 10 | 1 | 3 | – | – | 10 | 18 | 36 |
| 佐世保市 | 97 | 48 | 50 | – | – | 49 | 67 | 79 |
| 大分市 | 2 | – | – | – | – | 2 | 8 | 1 |
| 宮崎市 | 740 | 740 | 740 | – | – | – | – | – |
| 鹿児島市 | 936 | 936 | 1 736 | – | – | 54 | 70 | 141 |
| 那覇市 | 614 | 588 | 865 | – | – | 26 | 59 | 311 |
| その他政令市(再掲) | | | | | | | | |
| 小樽市 | 9 | 9 | 9 | – | – | – | – | – |
| 町田市 | 39 | 2 | 4 | – | – | 37 | 94 | 156 |
| 藤沢市 | 119 | 73 | 114 | – | – | 60 | 82 | 112 |
| 茅ヶ崎市 | 20 | 20 | 21 | – | – | 10 | 12 | 5 |
| 四日市市 | – | – | – | – | – | – | – | – |
| 大牟田市 | 106 | 106 | 106 | – | – | – | – | – |

# 第8表　政令市及び特別区が実施した長期療養児相談等の新規被指導実人員・小児慢性特定疾患医療受給者証所持者数，指定都市・特別区－中核市－その他政令市、新規者の受付経路別

平成29年度

| | 新規者の受付経路 | | | 医療受給者証所持者 |
|---|---|---|---|---|
| | 総数 | 医療機関 | その他 | |
| 政令市 | 11 088 | 7 307 | 3 781 | 18 382 |
| 指定都市・特別区(再掲) | | | | |
| 東京都区部 | 423 | 258 | 165 | 402 |
| 札幌市 | 229 | 188 | 41 | 336 |
| 仙台市 | 934 | 138 | 796 | 757 |
| さいたま市 | 1 184 | 1 184 | - | 1 184 |
| 千葉市 | 794 | - | 794 | 794 |
| 横浜市 | - | - | - | - |
| 川崎市 | 355 | 338 | 17 | 346 |
| 相模原市 | 33 | 18 | 15 | 27 |
| 新潟市 | 108 | 103 | 5 | 672 |
| 静岡市 | 56 | 16 | 40 | 41 |
| 浜松市 | - | - | - | - |
| 名古屋市 | 183 | 68 | 115 | 56 |
| 京都市 | 67 | 17 | 50 | 102 |
| 大阪市 | 333 | 320 | 13 | 815 |
| 堺市 | 57 | 44 | 13 | 34 |
| 神戸市 | 203 | 183 | 20 | - |
| 岡山市 | 10 | 10 | - | 791 |
| 広島市 | 274 | 241 | 33 | 1 285 |
| 北九州市 | - | - | - | - |
| 福岡市 | 286 | 248 | 38 | 1 375 |
| 熊本市 | 842 | 842 | - | - |
| 中核市(再掲) | | | | |
| 旭川市 | - | - | - | - |
| 函館市 | 6 | 6 | - | 5 |
| 青森市 | 193 | 46 | 147 | 182 |
| 八戸市 | 62 | 28 | 34 | 291 |
| 盛岡市 | 71 | 61 | 10 | 406 |
| 秋田市 | - | - | - | 195 |
| 郡山市 | 3 | - | 3 | 2 |
| いわき市 | 59 | 59 | - | 319 |
| 宇都宮市 | 21 | 5 | 16 | 30 |
| 前橋市 | 45 | 42 | 3 | 255 |
| 高崎市 | 60 | 60 | - | 334 |
| 川越市 | 151 | 151 | - | 452 |
| 越谷市 | 178 | 116 | 62 | 277 |
| 船橋市 | 37 | 37 | - | - |
| 柏市 | 99 | 84 | 15 | 398 |
| 八王子市 | 95 | 76 | 19 | 66 |
| 横須賀市 | - | - | - | - |
| 富山市 | 33 | 33 | - | 323 |
| 金沢市 | 35 | - | 35 | 40 |
| 長野市 | 153 | - | 153 | - |
| 岐阜市 | 50 | - | 50 | 302 |
| 豊橋市 | 55 | 55 | - | 301 |
| 豊田市 | 79 | 79 | - | 310 |
| 岡崎市 | 112 | 107 | 5 | 346 |
| 大津市 | - | - | - | - |
| 高槻市 | - | - | - | 218 |
| 東大阪市 | 429 | 17 | 412 | 429 |
| 豊中市 | 292 | 163 | 129 | - |
| 枚方市 | 63 | 35 | 28 | 73 |
| 姫路市 | 43 | 15 | 28 | 41 |
| 西宮市 | 65 | 58 | 7 | 90 |
| 尼崎市 | 22 | 4 | 18 | 35 |
| 奈良市 | 8 | 5 | 3 | 48 |
| 和歌山市 | 50 | 50 | - | 373 |
| 倉敷市 | 30 | - | 30 | - |
| 福山市 | 142 | - | 142 | 763 |
| 呉市 | - | - | - | - |
| 下関市 | 6 | - | 6 | 18 |
| 高松市 | 412 | 411 | 1 | - |
| 松山市 | 16 | 2 | 14 | 12 |
| 高知市 | 1 | 1 | - | - |
| 久留米市 | 145 | 31 | 114 | - |
| 長崎市 | 2 | - | 2 | 2 |
| 佐世保市 | 97 | 97 | - | 40 |
| 大分市 | 2 | - | 2 | - |
| 宮崎市 | 108 | 108 | - | 740 |
| 鹿児島市 | 883 | 824 | 59 | 936 |
| 那覇市 | 97 | 97 | - | 614 |
| その他政令市(再掲) | | | | |
| 小樽市 | 9 | 9 | - | 9 |
| 町田市 | 39 | 32 | 7 | 7 |
| 藤沢市 | 59 | 11 | 48 | - |
| 茅ヶ崎市 | 5 | - | 5 | - |
| 四日市市 | - | - | - | - |
| 大牟田市 | 95 | 76 | 19 | 83 |

# 第９表　政令市及び特別区が実施した長期療養児相談の被指導実人員－延人員，指定都市・特別区－中核市－その他政令市、相談内容別

平成29年度

| | 実人員 | 延人員 総数 | 延人員 申請等の相談 | 延人員 医療 | 延人員 家庭看護 | 延人員 福祉制度 | 延人員 就学 | 延人員 食事・栄養 | 延人員 歯科 | 延人員 その他 |
|---|---|---|---|---|---|---|---|---|---|---|
| 政令市 | 26 911 | 36 952 | 23 858 | 2 575 | 3 473 | 2 334 | 1 168 | 354 | 413 | 2 777 |
| 指定都市・特別区(再掲) | | | | | | | | | | |
| 東京都区部 | 964 | 1 935 | 555 | 432 | 268 | 372 | 9 | 9 | 22 | 268 |
| 札幌市 | 492 | 814 | 284 | 88 | 162 | 101 | 6 | 13 | 1 | 159 |
| 仙台市 | 2 731 | 3 244 | 895 | 103 | 1 535 | 118 | 514 | 5 | 4 | 70 |
| さいたま市 | 1 184 | 2 368 | 2 368 | - | - | - | - | - | - | - |
| 千葉市 | 794 | 843 | 794 | 10 | 26 | 3 | 10 | - | - | - |
| 横浜市 | - | - | - | - | - | - | - | - | - | - |
| 川崎市 | 359 | 585 | 341 | 172 | 41 | 23 | 1 | 6 | - | 1 |
| 相模原市 | 69 | 257 | 26 | 28 | 51 | 25 | 6 | 12 | 5 | 104 |
| 新潟市 | 687 | 936 | 789 | 33 | 52 | 15 | 9 | 6 | - | 32 |
| 静岡市 | 58 | 137 | 33 | 4 | 13 | 7 | 42 | 8 | - | 30 |
| 浜松市 | 4 | 6 | - | 2 | 1 | 3 | - | - | - | - |
| 名古屋市 | 271 | 510 | 46 | 75 | 217 | 43 | 33 | 11 | - | 85 |
| 京都市 | 121 | 173 | 48 | 16 | 56 | 26 | 4 | - | - | 23 |
| 大阪市 | 1 035 | 1 212 | 828 | 34 | 115 | 60 | 15 | 5 | - | 155 |
| 堺市 | 116 | 200 | 37 | 20 | 79 | 17 | 5 | - | 2 | 40 |
| 神戸市 | 691 | 851 | 764 | 8 | 28 | 29 | 3 | 2 | - | 17 |
| 岡山市 | 791 | 907 | 798 | 84 | - | 5 | 8 | - | - | 12 |
| 広島市 | 1 870 | 1 975 | 1 623 | 296 | 12 | 17 | 5 | - | - | 22 |
| 北九州市 | 861 | 863 | 856 | - | 2 | - | - | - | - | 5 |
| 福岡市 | 1 561 | 2 183 | 2 057 | 34 | 4 | 22 | 10 | - | - | 56 |
| 熊本市 | 842 | 1 052 | 1 023 | - | - | 11 | 6 | - | - | 12 |
| 中核市(再掲) | | | | | | | | | | |
| 旭川市 | - | - | - | - | - | - | - | - | - | - |
| 函館市 | 9 | 19 | - | 2 | - | 1 | 10 | 3 | - | 3 |
| 青森市 | 183 | 220 | 149 | 18 | 2 | 1 | 6 | 8 | 1 | 35 |
| 八戸市 | 344 | 805 | 247 | 222 | 127 | 30 | 63 | 23 | 14 | 79 |
| 盛岡市 | 406 | 570 | 569 | - | - | - | - | - | - | 1 |
| 秋田市 | 195 | 195 | 185 | - | - | - | 10 | - | - | - |
| 郡山市 | 3 | 3 | - | 3 | - | - | - | - | - | - |
| いわき市 | 347 | 357 | 340 | 1 | 2 | 5 | 3 | 2 | - | 4 |
| 宇都宮市 | 27 | 35 | 3 | 1 | 1 | 20 | 3 | 3 | - | 4 |
| 前橋市 | 307 | 317 | 277 | 1 | 9 | 1 | 3 | 1 | - | 25 |
| 高崎市 | 334 | 618 | 317 | - | - | 301 | - | - | - | - |
| 川越市 | 530 | 530 | 452 | - | - | - | - | - | - | 78 |
| 越谷市 | 358 | 360 | 343 | 15 | - | - | - | 2 | - | - |
| 船橋市 | 443 | 621 | 303 | 39 | 22 | 68 | 21 | 48 | - | 120 |
| 柏市 | 473 | 679 | 319 | 111 | 37 | 26 | 7 | - | 171 | 8 |
| 八王子市 | 50 | 845 | 29 | 131 | 267 | 187 | - | - | - | 231 |
| 横須賀市 | - | - | - | - | - | - | - | - | - | - |
| 富山市 | 323 | 323 | 323 | - | - | - | - | - | - | - |
| 金沢市 | 65 | 466 | 20 | 43 | 48 | 2 | 15 | 18 | - | 320 |
| 長野市 | 102 | 429 | 15 | 104 | 74 | 27 | 9 | 111 | 89 | - |
| 岐阜市 | 302 | 403 | 302 | 56 | 13 | 30 | 2 | - | - | - |
| 豊橋市 | 312 | 375 | 164 | 73 | 21 | 8 | 51 | 21 | 9 | 28 |
| 豊田市 | 389 | 389 | 383 | - | - | 1 | 2 | - | - | 3 |
| 岡崎市 | 349 | 353 | 1 | 98 | 38 | 43 | 28 | 4 | 1 | 140 |
| 大津市 | - | - | - | - | - | - | - | - | - | - |
| 高槻市 | 284 | 378 | 328 | 9 | 27 | 10 | 4 | - | - | - |
| 東大阪市 | 429 | 491 | 429 | 11 | 15 | 5 | - | 2 | - | 29 |
| 豊中市 | 163 | 163 | 3 | - | - | - | - | - | - | 160 |
| 枚方市 | 145 | 167 | 96 | 9 | 11 | 5 | 3 | 3 | - | 40 |
| 姫路市 | 65 | 79 | 59 | 4 | 3 | 9 | - | - | - | 4 |
| 西宮市 | 70 | 73 | 10 | 10 | 10 | 27 | 6 | - | - | 10 |
| 尼崎市 | 17 | 22 | 4 | 7 | 1 | 1 | 2 | - | - | 7 |
| 奈良市 | 40 | 107 | 5 | 15 | 41 | 18 | 3 | 1 | - | 24 |
| 和歌山市 | 371 | 371 | 370 | - | - | - | - | - | - | 1 |
| 倉敷市 | 22 | 44 | 44 | - | - | - | - | - | - | - |
| 福山市 | 838 | 838 | 838 | - | - | - | - | - | - | - |
| 呉市 | - | - | - | - | - | - | - | - | - | - |
| 下関市 | 19 | 24 | 17 | 6 | 1 | - | - | - | - | - |
| 高松市 | 411 | 418 | 410 | - | - | - | 6 | 2 | - | - |
| 松山市 | 15 | 17 | 5 | 8 | 2 | - | - | - | - | 2 |
| 高知市 | 2 | 4 | - | - | - | - | - | 2 | 2 | - |
| 久留米市 | 145 | 145 | - | - | - | - | - | - | - | 145 |
| 長崎市 | 1 | 3 | 1 | 1 | - | - | - | - | 1 | - |
| 佐世保市 | 48 | 50 | 4 | 5 | 5 | 2 | 5 | 3 | - | 26 |
| 大分市 | - | - | - | - | - | - | - | - | - | - |
| 宮崎市 | 740 | 740 | 692 | 6 | 6 | 11 | 10 | 5 | - | 10 |
| 鹿児島市 | 936 | 1 736 | 948 | 20 | - | 552 | 158 | 8 | - | 50 |
| 那覇市 | 588 | 865 | 588 | 103 | 19 | 43 | 47 | 5 | 1 | 59 |
| その他政令市(再掲) | | | | | | | | | | |
| 小樽市 | 9 | 9 | 9 | - | - | - | - | - | - | - |
| 町田市 | 2 | 4 | 2 | - | - | 2 | - | - | - | - |
| 藤沢市 | 73 | 114 | - | 2 | 8 | 1 | 4 | 2 | 90 | 7 |
| 茅ヶ崎市 | 20 | 21 | 7 | 2 | 1 | - | 1 | - | - | 10 |
| 四日市市 | - | - | - | - | - | - | - | - | - | - |
| 大牟田市 | 106 | 106 | 83 | - | - | - | - | - | - | 23 |

# 第10表（4－1）市区町村が実施した歯科健診及び保健指導の受診延人員・医療機関

| | 延 | | | | | | |
|---|---|---|---|---|---|---|---|
| | 総数 | | | | | 個 | |
| | 総数 | 妊産婦 | 乳幼児 | その他 | (再掲)歯周疾患検診 | 総数 | 妊産婦 |
| **全国** | **4 953 142** | **307 401** | **3 735 807** | **909 934** | **342 541** | **1 347 952** | **233 178** |
| 北海道 | 143 141 | 3 549 | 128 359 | 11 233 | 3 138 | 34 786 | 1 564 |
| 青森 | 38 210 | 3 499 | 31 411 | 3 300 | 910 | 10 858 | 3 319 |
| 岩手 | 60 092 | 3 457 | 43 838 | 12 797 | 7 160 | 23 905 | 3 058 |
| 宮城 | 168 347 | 8 098 | 130 473 | 29 776 | 3 657 | 26 282 | 6 312 |
| 秋田 | 40 122 | 3 666 | 24 960 | 11 496 | 1 208 | 9 723 | 3 666 |
| 山形 | 34 404 | 1 232 | 28 836 | 4 336 | 914 | 5 930 | 654 |
| 福島 | 64 866 | 3 785 | 50 199 | 10 882 | 996 | 14 828 | 1 730 |
| 茨城 | 87 769 | 3 235 | 74 283 | 10 251 | 2 779 | 23 000 | 2 128 |
| 栃木 | 78 658 | 2 896 | 58 606 | 17 156 | 3 771 | 13 420 | 2 379 |
| 群馬 | 86 028 | 6 592 | 66 334 | 13 102 | 3 569 | 30 274 | 5 379 |
| 埼玉 | 196 254 | 5 432 | 163 738 | 27 084 | 21 824 | 57 957 | 2 396 |
| 千葉 | 328 198 | 13 293 | 206 670 | 108 235 | 14 771 | 72 723 | 9 097 |
| 東京 | 614 917 | 42 886 | 410 719 | 161 312 | 74 262 | 217 430 | 30 867 |
| 神奈川 | 301 982 | 21 727 | 251 517 | 28 738 | 8 187 | 71 730 | 15 334 |
| 新潟 | 101 663 | 5 788 | 77 984 | 17 891 | 7 556 | 23 173 | 2 536 |
| 富山 | 48 067 | 2 961 | 35 407 | 9 699 | 967 | 13 042 | 2 903 |
| 石川 | 29 162 | 3 052 | 22 569 | 3 541 | 1 428 | 6 909 | 2 789 |
| 福井 | 21 506 | 57 | 16 837 | 4 612 | 1 742 | 3 470 | 29 |
| 山梨 | 29 906 | 996 | 20 992 | 7 918 | 1 927 | 7 985 | 631 |
| 長野 | 137 212 | 6 353 | 101 337 | 29 522 | 7 606 | 40 795 | 3 338 |
| 岐阜 | 130 461 | 6 682 | 91 516 | 32 263 | 8 188 | 39 377 | 5 274 |
| 静岡 | 140 805 | 9 363 | 96 919 | 34 523 | 11 542 | 38 951 | 7 738 |
| 愛知 | 361 430 | 37 314 | 258 351 | 65 765 | 39 850 | 94 858 | 31 306 |
| 三重 | 64 559 | 2 263 | 43 938 | 18 358 | 6 251 | 12 157 | 1 315 |
| 滋賀 | 55 882 | 1 937 | 48 730 | 5 215 | 2 568 | 11 368 | 1 741 |
| 京都 | 68 145 | 3 401 | 60 322 | 4 422 | 829 | 10 297 | 2 428 |
| 大阪 | 294 100 | 13 732 | 216 745 | 63 623 | 49 131 | 115 088 | 11 544 |
| 兵庫 | 239 442 | 13 240 | 186 756 | 39 446 | 13 291 | 68 325 | 11 996 |
| 奈良 | 40 231 | 2 596 | 33 443 | 4 192 | 1 527 | 9 816 | 1 721 |
| 和歌山 | 28 072 | 960 | 25 189 | 1 923 | 672 | 5 090 | 704 |
| 鳥取 | 25 303 | 1 335 | 20 626 | 3 342 | 982 | 8 385 | 994 |
| 島根 | 29 731 | 2 884 | 18 503 | 8 344 | 1 301 | 6 597 | 2 405 |
| 岡山 | 55 221 | 4 765 | 44 198 | 6 258 | 1 154 | 10 884 | 4 419 |
| 広島 | 75 409 | 9 850 | 55 701 | 9 858 | 6 159 | 21 371 | 9 550 |
| 山口 | 37 787 | 2 316 | 30 666 | 4 805 | 964 | 11 242 | 1 855 |
| 徳島 | 22 401 | 1 475 | 17 400 | 3 526 | 509 | 5 427 | 774 |
| 香川 | 28 683 | 3 546 | 20 197 | 4 940 | 2 430 | 9 835 | 3 300 |
| 愛媛 | 43 065 | 4 317 | 28 117 | 10 631 | 5 224 | 13 750 | 4 095 |
| 高知 | 30 226 | 730 | 18 763 | 10 733 | 1 879 | 7 368 | 410 |
| 福岡 | 186 585 | 11 817 | 165 649 | 9 119 | 3 764 | 35 948 | 9 921 |
| 佐賀 | 35 517 | 2 197 | 26 986 | 6 334 | 2 395 | 6 736 | 1 438 |
| 長崎 | 47 761 | 4 024 | 37 209 | 6 528 | 2 374 | 16 449 | 3 309 |
| 熊本 | 89 145 | 9 372 | 61 607 | 18 166 | 2 325 | 23 753 | 6 826 |
| 大分 | 31 765 | 1 109 | 30 178 | 478 | 345 | 9 210 | 1 051 |
| 宮崎 | 33 663 | 1 400 | 28 644 | 3 619 | 3 116 | 8 707 | 1 397 |
| 鹿児島 | 100 992 | 12 134 | 78 867 | 9 991 | 5 194 | 36 689 | 5 548 |
| 沖縄 | 46 257 | 88 | 45 518 | 651 | 205 | 2 054 | 10 |
| 指定都市・特別区(再掲) | | | | | | | |
| 東京都区部 | 434 450 | 33 512 | 281 501 | 119 437 | 51 430 | 162 129 | 24 907 |
| 札幌市 | 29 105 | 744 | 28 361 | - | - | - | - |
| 仙台市 | 103 315 | 3 985 | 84 073 | 15 257 | - | 7 701 | 3 070 |
| さいたま市 | 51 127 | 945 | 40 874 | 9 308 | 9 290 | 32 392 | 26 |
| 千葉市 | 40 966 | 4 775 | 28 147 | 8 044 | - | 10 259 | 4 052 |
| 横浜市 | 146 032 | 14 040 | 118 952 | 13 040 | - | 39 791 | 10 492 |
| 川崎市 | 36 820 | 1 967 | 33 657 | 1 196 | - | 2 354 | 1 758 |
| 相模原市 | 19 600 | 997 | 15 253 | 3 350 | 3 295 | 3 458 | - |
| 新潟市 | 24 697 | 1 808 | 22 889 | - | - | 3 214 | - |
| 静岡市 | 17 067 | 2 257 | 14 773 | 37 | - | 4 594 | 2 257 |
| 浜松市 | 23 775 | 2 734 | 15 438 | 5 603 | 2 589 | 5 661 | 2 734 |
| 名古屋市 | 116 979 | 14 783 | 91 897 | 10 299 | 10 098 | 34 138 | 14 783 |
| 京都市 | 36 145 | 1 284 | 32 924 | 1 937 | 279 | 1 626 | 748 |
| 大阪市 | 50 781 | 2 845 | 47 936 | - | - | 10 821 | 2 845 |
| 堺市 | 37 762 | 850 | 30 206 | 6 706 | 1 764 | 20 148 | 395 |
| 神戸市 | 110 727 | 4 119 | 88 595 | 18 013 | 960 | 31 635 | 4 119 |
| 岡山市 | 17 322 | 1 791 | 13 046 | 2 485 | - | 2 636 | 1 791 |
| 広島市 | 27 804 | 4 574 | 20 370 | 2 860 | 2 860 | 7 434 | 4 574 |
| 北九州市 | 32 070 | 2 398 | 28 664 | 1 008 | 835 | 14 097 | 2 088 |
| 福岡市 | 83 222 | 4 699 | 78 116 | 407 | 405 | 5 094 | 4 699 |
| 熊本市 | 40 504 | 4 492 | 24 504 | 11 508 | 212 | 12 643 | 4 475 |

## 等へ委託した受診延人員，都道府県－指定都市・特別区－中核市－その他政令市、個別－集団・対象区分別

平成29年度

| 人 | | | 員 | | | | |
|---|---|---|---|---|---|---|---|
| 別 | | | 集 | | 団 | | |
| 乳幼児 | その他 | (再掲)歯周疾患検診 | 総数 | 妊産婦 | 乳幼児 | その他 | (再掲)歯周疾患検診 |
| **664 834** | **449 940** | **285 702** | **3 605 190** | **74 223** | **3 070 973** | **459 994** | **56 839** |
| 28 651 | 4 571 | 1 441 | 108 355 | 1 985 | 99 708 | 6 662 | 1 697 |
| 6 084 | 1 455 | 800 | 27 352 | 180 | 25 327 | 1 845 | 110 |
| 13 083 | 7 764 | 6 577 | 36 187 | 399 | 30 755 | 5 033 | 583 |
| 12 604 | 7 366 | 3 257 | 142 065 | 1 786 | 117 869 | 22 410 | 400 |
| 4 672 | 1 385 | 1 064 | 30 399 | - | 20 288 | 10 111 | 144 |
| 4 061 | 1 215 | 363 | 28 474 | 578 | 24 775 | 3 121 | 551 |
| 10 355 | 2 743 | 778 | 50 038 | 2 055 | 39 844 | 8 139 | 218 |
| 16 801 | 4 071 | 2 428 | 64 769 | 1 107 | 57 482 | 6 180 | 351 |
| 6 730 | 4 311 | 3 178 | 65 238 | 517 | 51 876 | 12 845 | 593 |
| 21 201 | 3 694 | 3 157 | 55 754 | 1 213 | 45 133 | 9 408 | 412 |
| 35 284 | 20 277 | 19 779 | 138 297 | 3 036 | 128 454 | 6 807 | 2 045 |
| 40 105 | 23 521 | 12 642 | 255 475 | 4 196 | 166 565 | 84 714 | 2 129 |
| 48 490 | 138 073 | 73 990 | 397 487 | 12 019 | 362 229 | 23 239 | 272 |
| 45 239 | 11 157 | 7 160 | 230 252 | 6 393 | 206 278 | 17 581 | 1 027 |
| 13 223 | 7 414 | 5 381 | 78 490 | 3 252 | 64 761 | 10 477 | 2 175 |
| 8 135 | 2 004 | 945 | 35 025 | 58 | 27 272 | 7 695 | 22 |
| 2 929 | 1 191 | 603 | 22 253 | 263 | 19 640 | 2 350 | 825 |
| 2 219 | 1 222 | 868 | 18 036 | 28 | 14 618 | 3 390 | 874 |
| 2 677 | 4 677 | 1 720 | 21 921 | 365 | 18 315 | 3 241 | 207 |
| 27 303 | 10 154 | 2 865 | 96 417 | 3 015 | 74 034 | 19 368 | 4 741 |
| 21 045 | 13 058 | 7 228 | 91 084 | 1 408 | 70 471 | 19 205 | 960 |
| 16 495 | 14 718 | 8 848 | 101 854 | 1 625 | 80 424 | 19 805 | 2 694 |
| 22 076 | 41 476 | 32 761 | 266 572 | 6 008 | 236 275 | 24 289 | 7 089 |
| 3 489 | 7 353 | 6 057 | 52 402 | 948 | 40 449 | 11 005 | 194 |
| 7 024 | 2 603 | 1 813 | 44 514 | 196 | 41 706 | 2 612 | 755 |
| 7 029 | 840 | 666 | 57 848 | 973 | 53 293 | 3 582 | 163 |
| 50 905 | 52 639 | 45 074 | 179 012 | 2 188 | 165 840 | 10 984 | 4 057 |
| 46 113 | 10 216 | 5 788 | 171 117 | 1 244 | 140 643 | 29 230 | 7 503 |
| 7 286 | 809 | 494 | 30 415 | 875 | 26 157 | 3 383 | 1 033 |
| 3 571 | 815 | 529 | 22 982 | 256 | 21 618 | 1 108 | 143 |
| 5 880 | 1 511 | 673 | 16 918 | 341 | 14 746 | 1 831 | 309 |
| 2 663 | 1 529 | 457 | 23 134 | 479 | 15 840 | 6 815 | 844 |
| 4 899 | 1 566 | 401 | 44 337 | 346 | 39 299 | 4 692 | 753 |
| 6 136 | 5 685 | 4 508 | 54 038 | 300 | 49 565 | 4 173 | 1 651 |
| 8 013 | 1 374 | 761 | 26 545 | 461 | 22 653 | 3 431 | 203 |
| 3 896 | 757 | 409 | 16 974 | 701 | 13 504 | 2 769 | 100 |
| 2 657 | 3 878 | 2 317 | 18 848 | 246 | 17 540 | 1 062 | 113 |
| 2 656 | 6 999 | 4 677 | 29 315 | 222 | 25 461 | 3 632 | 547 |
| 4 358 | 2 600 | 441 | 22 858 | 320 | 14 405 | 8 133 | 1 438 |
| 20 986 | 5 041 | 3 514 | 150 637 | 1 896 | 144 663 | 4 078 | 250 |
| 4 695 | 603 | 422 | 28 781 | 759 | 22 291 | 5 731 | 1 973 |
| 11 005 | 2 135 | 1 151 | 31 312 | 715 | 26 204 | 4 393 | 1 223 |
| 11 364 | 5 563 | 1 258 | 65 392 | 2 546 | 50 243 | 12 603 | 1 067 |
| 7 806 | 353 | 249 | 22 555 | 58 | 22 372 | 125 | 96 |
| 5 296 | 2 014 | 1 704 | 24 956 | 3 | 23 348 | 1 605 | 1 412 |
| 25 819 | 5 322 | 4 327 | 64 303 | 6 586 | 53 048 | 4 669 | 867 |
| 1 826 | 218 | 179 | 44 203 | 78 | 43 692 | 433 | 26 |
| 32 846 | 104 376 | 51 430 | 272 321 | 8 605 | 248 655 | 15 061 | - |
| - | - | - | 29 105 | 744 | 28 361 | - | - |
| 3 586 | 1 045 | - | 95 614 | 915 | 80 487 | 14 212 | - |
| 23 149 | 9 217 | 9 199 | 18 735 | 919 | 17 725 | 91 | 91 |
| 3 651 | 2 556 | - | 30 707 | 723 | 24 496 | 5 488 | - |
| 29 299 | - | - | 106 241 | 3 548 | 89 653 | 13 040 | - |
| 484 | 112 | - | 34 466 | 209 | 33 173 | 1 084 | - |
| 108 | 3 350 | 3 295 | 16 142 | 997 | 15 145 | - | - |
| 3 214 | - | - | 21 483 | 1 808 | 19 675 | - | - |
| 2 300 | 37 | - | 12 473 | - | 12 473 | - | - |
| 218 | 2 709 | 2 589 | 18 114 | - | 15 220 | 2 894 | - |
| 11 780 | 7 575 | 7 374 | 82 841 | - | 80 117 | 2 724 | 2 724 |
| 599 | 279 | 279 | 34 519 | 536 | 32 325 | 1 658 | - |
| 7 976 | - | - | 39 960 | - | 39 960 | - | - |
| 15 742 | 4 011 | 1 764 | 17 614 | 455 | 14 464 | 2 695 | - |
| 25 477 | 2 039 | 480 | 79 092 | - | 63 118 | 15 974 | 480 |
| - | 845 | - | 14 686 | - | 13 046 | 1 640 | - |
| - | 2 860 | 2 860 | 20 370 | - | 20 370 | - | - |
| 11 174 | 835 | 835 | 17 973 | 310 | 17 490 | 173 | - |
| 19 | 376 | 374 | 78 128 | - | 78 097 | 31 | 31 |
| 4 041 | 4 127 | 212 | 27 861 | 17 | 20 463 | 7 381 | - |

# 第10表（4－2）市区町村が実施した歯科健診及び保健指導の受診延人員・医療機関

| | 延 | | | | | | |
|---|---|---|---|---|---|---|---|
| | 総 数 | | | | | 個 | |
| | 総数 | 妊産婦 | 乳幼児 | その他 | (再掲)歯周疾患検診 | 総数 | 妊産婦 |
| 中核市(再掲) | | | | | | | |
| 旭川市 | 5 407 | 395 | 4 975 | 37 | 5 | 862 | 395 |
| 函館市 | 8 110 | 411 | 7 296 | 403 | 163 | 3 350 | 137 |
| 青森市 | 6 090 | 44 | 6 002 | 44 | - | 89 | - |
| 八戸市 | 4 441 | 614 | 3 827 | - | - | 805 | 614 |
| 盛岡市 | 15 171 | 680 | 11 269 | 3 222 | 3 222 | 10 550 | 680 |
| 秋田市 | 10 580 | 1 024 | 9 257 | 299 | - | 4 426 | 1 024 |
| 郡山市 | 7 250 | 158 | 7 015 | 77 | - | - | - |
| いわき市 | 8 506 | 205 | 7 594 | 707 | - | 836 | - |
| 宇都宮市 | 27 768 | 1 507 | 22 464 | 3 797 | 1 109 | 2 135 | 1 507 |
| 前橋市 | 17 526 | 1 770 | 11 834 | 3 922 | 2 165 | 5 352 | 1 565 |
| 高崎市 | 14 482 | 2 033 | 12 448 | 1 | - | 14 176 | 1 728 |
| 川越市 | 6 270 | 117 | 5 990 | 163 | 163 | 101 | - |
| 越谷市 | 8 430 | 805 | 6 599 | 1 026 | 813 | 1 274 | 561 |
| 船橋市 | 54 125 | 2 200 | 22 456 | 29 469 | 2 693 | 4 065 | 1 621 |
| 柏市 | 25 468 | 119 | 18 124 | 7 225 | 223 | 3 750 | 8 |
| 八王子市 | 11 535 | 257 | 10 306 | 972 | 245 | 384 | - |
| 横須賀市 | 10 295 | 60 | 7 816 | 2 419 | 1 419 | 3 605 | - |
| 富山市 | 17 874 | 922 | 13 860 | 3 092 | 388 | 4 404 | 922 |
| 金沢市 | 7 819 | 1 741 | 6 078 | - | - | 1 741 | 1 741 |
| 長野市 | 15 711 | 1 112 | 10 912 | 3 687 | 869 | 1 923 | 950 |
| 岐阜市 | 13 560 | 1 153 | 9 173 | 3 234 | 2 346 | 4 355 | 1 153 |
| 豊橋市 | 11 360 | 1 421 | 8 045 | 1 894 | 1 894 | 5 135 | 1 407 |
| 豊田市 | 13 332 | 2 176 | 9 801 | 1 355 | 1 355 | 5 873 | 2 176 |
| 岡崎市 | 14 116 | 1 797 | 10 679 | 1 640 | 1 640 | 3 371 | 1 797 |
| 大津市 | 12 501 | 455 | 11 366 | 680 | 680 | 1 350 | 455 |
| 高槻市 | 13 742 | 530 | 11 726 | 1 486 | - | 7 494 | 265 |
| 東大阪市 | 8 172 | 765 | 7 263 | 144 | 144 | 765 | 765 |
| 豊中市 | 13 651 | 25 | 8 484 | 5 142 | 4 945 | 5 167 | 25 |
| 枚方市 | 15 879 | 783 | 10 176 | 4 920 | 1 429 | 3 599 | 783 |
| 姫路市 | 13 869 | 287 | 13 582 | - | - | 287 | 287 |
| 西宮市 | 11 418 | 1 639 | 8 727 | 1 052 | - | 4 008 | 1 639 |
| 尼崎市 | 19 359 | 850 | 15 052 | 3 457 | 2 969 | 6 931 | 425 |
| 奈良市 | 6 429 | 225 | 6 204 | - | - | - | - |
| 和歌山市 | 11 492 | 449 | 10 994 | 49 | - | 729 | 340 |
| 倉敷市 | 13 281 | 1 684 | 11 597 | - | - | 1 684 | 1 684 |
| 福山市 | 11 205 | 1 565 | 9 640 | - | - | 3 325 | 1 565 |
| 呉市 | 4 517 | 596 | 3 921 | - | - | 659 | 536 |
| 下関市 | 7 777 | 112 | 6 256 | 1 409 | - | 1 554 | - |
| 高松市 | 10 518 | 1 704 | 8 814 | - | - | 3 673 | 1 704 |
| 松山市 | 16 193 | 1 910 | 9 766 | 4 517 | 4 517 | 6 314 | 1 910 |
| 高知市 | 8 961 | 55 | 6 823 | 2 083 | 253 | 1 871 | - |
| 久留米市 | 7 640 | 988 | 6 652 | - | - | 4 751 | 988 |
| 長崎市 | 9 919 | 1 764 | 8 104 | 51 | 51 | 2 381 | 1 217 |
| 佐世保市 | 11 869 | 1 209 | 8 739 | 1 921 | 1 130 | 7 433 | 1 060 |
| 大分市 | 10 825 | 154 | 10 607 | 64 | 64 | 1 231 | 154 |
| 宮崎市 | 11 155 | - | 9 805 | 1 350 | 1 184 | 4 106 | - |
| 鹿児島市 | 22 284 | 5 053 | 17 043 | 188 | - | 4 417 | - |
| 那覇市 | 5 756 | - | 5 756 | - | - | - | - |
| その他政令市(再掲) | | | | | | | |
| 小樽市 | 3 896 | - | 3 896 | - | - | 873 | - |
| 町田市 | 21 385 | 660 | 17 574 | 3 151 | 119 | 2 781 | 482 |
| 藤沢市 | 15 159 | 231 | 14 928 | - | - | 3 244 | 1 |
| 茅ヶ崎市 | 8 875 | 118 | 7 256 | 1 501 | 928 | 3 356 | 23 |
| 四日市市 | 7 287 | 90 | 5 574 | 1 623 | - | - | - |
| 大牟田市 | 4 134 | 618 | 2 022 | 1 494 | - | 176 | 109 |

## 等へ委託した受診延人員，都道府県－指定都市・特別区－中核市－その他政令市、個別－集団・対象区分別

平成29年度

| 人員 | | | | | | | |
|---|---|---|---|---|---|---|---|
| 別 | | | 集団 | | | | |
| 乳幼児 | その他 | （再掲）歯周疾患検診 | 総数 | 妊産婦 | 乳幼児 | その他 | （再掲）歯周疾患検診 |
| 430 | 37 | 5 | 4 545 | － | 4 545 | － | － |
| 3 050 | 163 | 163 | 4 760 | 274 | 4 246 | 240 | － |
| 89 | － | － | 6 001 | 44 | 5 913 | 44 | － |
| 191 | － | － | 3 636 | － | 3 636 | － | － |
| 6 648 | 3 222 | 3 222 | 4 621 | － | 4 621 | － | － |
| 3 103 | 299 | － | 6 154 | － | 6 154 | － | － |
| － | － | － | 7 250 | 158 | 7 015 | 77 | － |
| 509 | 327 | － | 7 670 | 205 | 7 085 | 380 | － |
| － | 628 | 628 | 25 633 | － | 22 464 | 3 169 | 481 |
| 1 622 | 2 165 | 2 165 | 12 174 | 205 | 10 212 | 1 757 | － |
| 12 448 | － | － | 306 | 305 | － | 1 | － |
| 101 | － | － | 6 169 | 117 | 5 889 | 163 | 163 |
| － | 713 | 713 | 7 156 | 244 | 6 599 | 313 | 100 |
| 1 316 | 1 128 | 1 128 | 50 060 | 579 | 21 140 | 28 341 | 1 565 |
| 3 394 | 348 | 223 | 21 718 | 111 | 14 730 | 6 877 | － |
| 50 | 334 | 245 | 11 151 | 257 | 10 256 | 638 | － |
| 2 209 | 1 396 | 396 | 6 690 | 60 | 5 607 | 1 023 | 1 023 |
| 2 035 | 1 447 | 388 | 13 470 | － | 11 825 | 1 645 | － |
| － | － | － | 6 078 | － | 6 078 | － | － |
| 973 | － | － | 13 788 | 162 | 9 939 | 3 687 | 869 |
| 39 | 3 163 | 2 346 | 9 205 | － | 9 134 | 71 | － |
| 1 834 | 1 894 | 1 894 | 6 225 | 14 | 6 211 | － | － |
| 2 342 | 1 355 | 1 355 | 7 459 | － | 7 459 | － | － |
| － | 1 574 | 1 574 | 10 745 | － | 10 679 | 66 | 66 |
| 215 | 680 | 680 | 11 151 | － | 11 151 | － | － |
| 5 863 | 1 366 | － | 6 248 | 265 | 5 863 | 120 | － |
| － | － | － | 7 407 | － | 7 263 | 144 | 144 |
| － | 5 142 | 4 945 | 8 484 | － | 8 484 | － | － |
| 473 | 2 343 | 1 429 | 12 280 | － | 9 703 | 2 577 | － |
| － | － | － | 13 582 | － | 13 582 | － | － |
| 1 655 | 714 | － | 7 410 | － | 7 072 | 338 | － |
| 5 656 | 850 | 850 | 12 428 | 425 | 9 396 | 2 607 | 2 119 |
| － | － | － | 6 429 | 225 | 6 204 | － | － |
| 377 | 12 | － | 10 763 | 109 | 10 617 | 37 | － |
| － | － | － | 11 597 | － | 11 597 | － | － |
| 1 760 | － | － | 7 880 | － | 7 880 | － | － |
| 123 | － | － | 3 858 | 60 | 3 798 | － | － |
| 1 547 | 7 | － | 6 223 | 112 | 4 709 | 1 402 | － |
| 1 969 | － | － | 6 845 | － | 6 845 | － | － |
| 147 | 4 257 | 4 257 | 9 879 | － | 9 619 | 260 | 260 |
| 1 424 | 447 | － | 7 090 | 55 | 5 399 | 1 636 | 253 |
| 3 763 | － | － | 2 889 | － | 2 889 | － | － |
| 1 113 | 51 | 51 | 7 538 | 547 | 6 991 | － | － |
| 4 889 | 1 484 | 732 | 4 436 | 149 | 3 850 | 437 | 398 |
| 1 013 | 64 | 64 | 9 594 | － | 9 594 | － | － |
| 2 756 | 1 350 | 1 184 | 7 049 | － | 7 049 | － | － |
| 4 417 | － | － | 17 867 | 5 053 | 12 626 | 188 | － |
| － | － | － | 5 756 | － | 5 756 | － | － |
| 873 | － | － | 3 023 | － | 3 023 | － | － |
| － | 2 299 | 119 | 18 604 | 178 | 17 574 | 852 | － |
| 3 243 | － | － | 11 915 | 230 | 11 685 | － | － |
| 2 328 | 1 005 | 928 | 5 519 | 95 | 4 928 | 496 | － |
| － | － | － | 7 287 | 90 | 5 574 | 1 623 | － |
| 61 | 6 | － | 3 958 | 509 | 1 961 | 1 488 | － |

## 第10表（4－3） 市区町村が実施した歯科健診及び保健指導の受診延人員・医療機関

| | 総　　　　数 | | | | | （再掲）個 | |
| --- | ---: | ---: | ---: | ---: | ---: | ---: | ---: |
| | 総　数 | 妊　産　婦 | 乳　幼　児 | そ　の　他 | （再掲）歯周疾患検診 | 総　数 | 妊　産　婦 |
| 全　　　国 | 831 671 | 195 920 | 299 158 | 336 593 | 243 640 | 660 024 | 193 679 |
| 北　海　道 | 22 198 | 895 | 17 999 | 3 304 | 1 356 | 15 096 | 871 |
| 青　森 | 3 423 | 1 442 | 1 182 | 799 | 771 | 3 423 | 1 442 |
| 岩　手 | 23 193 | 3 054 | 12 363 | 7 776 | 6 370 | 21 486 | 3 054 |
| 宮　城 | 7 789 | 4 129 | 726 | 2 934 | 2 849 | 7 670 | 4 129 |
| 秋　田 | 6 891 | 2 637 | 3 014 | 1 240 | 919 | 5 966 | 2 637 |
| 山　形 | 1 659 | 192 | 310 | 1 157 | 875 | 1 109 | 192 |
| 福　島 | 3 403 | 515 | 1 597 | 1 291 | 635 | 2 785 | 515 |
| 茨　城 | 5 224 | 1 353 | 1 471 | 2 400 | 2 250 | 4 974 | 1 353 |
| 栃　木 | 18 911 | 2 022 | 9 771 | 7 118 | 3 602 | 5 950 | 2 022 |
| 群　馬 | 9 830 | 3 993 | 2 497 | 3 340 | 3 180 | 9 603 | 3 993 |
| 埼　玉 | 52 560 | 2 514 | 30 099 | 19 947 | 19 734 | 45 182 | 2 270 |
| 千　葉 | 23 800 | 8 695 | 2 343 | 12 762 | 11 356 | 23 798 | 8 695 |
| 東　京 | 221 629 | 30 299 | 52 495 | 138 835 | 73 952 | 190 664 | 30 125 |
| 神奈川 | 23 933 | 14 505 | 2 221 | 7 207 | 7 123 | 23 633 | 14 302 |
| 新　潟 | 15 324 | 2 536 | 5 825 | 6 963 | 5 677 | 15 023 | 2 536 |
| 富　山 | 3 529 | 2 562 | － | 967 | 967 | 3 507 | 2 562 |
| 石　川 | 3 379 | 2 789 | － | 590 | 584 | 3 379 | 2 789 |
| 福　井 | 897 | 29 | － | 868 | 868 | 897 | 29 |
| 山　梨 | 2 601 | 528 | 1 | 2 072 | 1 557 | 2 601 | 528 |
| 長　野 | 7 210 | 3 487 | 346 | 3 377 | 2 736 | 6 692 | 3 042 |
| 岐　阜 | 12 839 | 4 685 | 1 662 | 6 492 | 6 293 | 12 282 | 4 685 |
| 静　岡 | 17 534 | 7 022 | 4 341 | 6 171 | 6 054 | 12 994 | 6 914 |
| 愛　知 | 68 727 | 30 716 | 8 632 | 29 379 | 26 159 | 62 721 | 30 716 |
| 三　重 | 10 580 | 1 189 | 2 625 | 6 766 | 5 670 | 10 082 | 1 189 |
| 滋　賀 | 2 430 | 969 | － | 1 461 | 1 461 | 2 412 | 969 |
| 京　都 | 2 822 | 1 542 | 893 | 387 | 387 | 2 822 | 1 542 |
| 大　阪 | 37 052 | 7 232 | 7 212 | 22 608 | 20 655 | 34 561 | 7 232 |
| 兵　庫 | 17 850 | 10 554 | 2 540 | 4 756 | 2 990 | 17 473 | 10 554 |
| 奈　良 | 1 244 | 966 | 21 | 257 | 254 | 1 244 | 966 |
| 和歌山 | 1 293 | 588 | 176 | 529 | 529 | 1 293 | 588 |
| 鳥　取 | 1 905 | 888 | 351 | 666 | 568 | 1 554 | 888 |
| 島　根 | 1 711 | 241 | 355 | 1 115 | 395 | 1 108 | 241 |
| 岡　山 | 5 408 | 4 001 | 135 | 1 272 | 427 | 5 355 | 4 001 |
| 広　島 | 14 248 | 9 550 | 355 | 4 343 | 4 222 | 14 139 | 9 550 |
| 山　口 | 3 942 | 1 855 | 1 320 | 767 | 756 | 3 937 | 1 855 |
| 徳　島 | 914 | 276 | 172 | 466 | 409 | 914 | 276 |
| 香　川 | 10 302 | 3 300 | 3 186 | 3 816 | 2 305 | 9 603 | 3 300 |
| 愛　媛 | 12 387 | 4 095 | 2 165 | 6 127 | 4 676 | 10 222 | 4 095 |
| 高　知 | 2 548 | 337 | 1 408 | 803 | 750 | 662 | 282 |
| 福　岡 | 107 014 | 9 790 | 92 468 | 4 756 | 3 578 | 32 065 | 9 361 |
| 佐　賀 | 1 052 | 691 | － | 361 | 359 | 1 052 | 691 |
| 長　崎 | 6 229 | 2 469 | 2 545 | 1 215 | 834 | 5 574 | 1 922 |
| 熊　本 | 5 018 | 2 064 | 1 086 | 1 868 | 1 634 | 3 519 | 2 061 |
| 大　分 | 718 | 113 | 420 | 185 | 185 | 718 | 113 |
| 宮　崎 | 6 522 | 341 | 4 293 | 1 888 | 1 693 | 5 683 | 338 |
| 鹿　児　島 | 10 703 | 2 254 | 5 572 | 2 877 | 2 857 | 10 598 | 2 254 |
| 沖　縄 | 11 296 | 16 | 10 965 | 315 | 179 | 1 999 | 10 |
| 指定都市・特別区（再掲）<br>東京都区部 | 173 529 | 24 332 | 43 993 | 105 204 | 51 392 | 150 312 | 24 332 |
| 札　幌　市 | － | － | － | － | － | － | － |
| 仙　台　市 | 3 060 | 3 060 | － | － | － | 3 060 | 3 060 |
| さいたま市 | 27 918 | － | 18 783 | 9 135 | 9 135 | 27 918 | － |
| 千　葉　市 | 4 052 | 4 052 | － | － | － | 4 052 | 4 052 |
| 横　浜　市 | 10 492 | 10 492 | | | | 10 492 | 10 492 |
| 川　崎　市 | 1 752 | 1 752 | － | － | － | 1 752 | 1 752 |
| 相　模　原　市 | 3 295 | － | － | 3 295 | 3 295 | 3 295 | － |
| 新　潟　市 | 3 214 | － | 3 214 | － | － | 3 214 | － |
| 静　岡　市 | 4 253 | 2 257 | 1 996 | － | － | 2 257 | 2 257 |
| 浜　松　市 | 2 734 | 2 734 | － | － | － | 2 734 | 2 734 |
| 名　古　屋　市 | 16 283 | 14 783 | － | 1 500 | 1 500 | 16 283 | 14 783 |
| 京　都　市 | － | － | － | － | － | － | － |
| 大　阪　市 | － | － | － | － | － | － | － |
| 堺　市 | 598 | － | － | 598 | 598 | 598 | － |
| 神　戸　市 | 5 389 | 4 119 | － | 1 270 | － | 5 389 | 4 119 |
| 岡　山　市 | 2 636 | 1 791 | － | 845 | － | 2 636 | 1 791 |
| 広　島　市 | 7 434 | 4 574 | － | 2 860 | 2 860 | 7 434 | 4 574 |
| 北　九　州　市 | 32 070 | 2 398 | 28 664 | 1 008 | 835 | 14 097 | 2 088 |
| 福　岡　市 | 55 057 | 4 699 | 49 951 | 407 | 405 | 5 094 | 4 699 |
| 熊　本　市 | 1 290 | 1 290 | － | － | － | 1 290 | 1 290 |

## 等へ委託した受診延人員，都道府県－指定都市・特別区－中核市－その他政令市、個別－集団・対象区分別

平成29年度

| 医療機関等へ委託 | | | | | | | |
|---|---|---|---|---|---|---|---|
| 別 | | | 集団 | | | | |
| 乳幼児 | その他 | (再掲) 歯周疾患検診 | 総数 | 妊産婦 | 乳幼児 | その他 | (再掲) 歯周疾患検診 |
| **145 262** | **321 083** | **238 888** | **171 647** | **2 241** | **153 896** | **15 510** | **4 752** |
| 11 443 | 2 782 | 1 328 | 7 102 | 24 | 6 556 | 522 | 28 |
| 1 182 | 799 | 771 | – | – | – | – | – |
| 11 533 | 6 899 | 6 067 | 1 707 | – | 830 | 877 | 303 |
| 612 | 2 929 | 2 844 | 119 | – | 114 | 5 | 5 |
| 2 089 | 1 240 | 919 | 925 | – | 925 | – | – |
| 310 | 607 | 325 | 550 | – | – | 550 | 550 |
| 1 436 | 834 | 635 | 618 | – | 161 | 457 | – |
| 1 371 | 2 250 | 2 250 | 250 | – | 100 | 150 | – |
| 247 | 3 681 | 3 121 | 12 961 | – | 9 524 | 3 437 | 481 |
| 2 497 | 3 113 | 2 953 | 227 | – | – | 227 | 227 |
| 23 278 | 19 634 | 19 634 | 7 378 | 244 | 6 821 | 313 | 100 |
| 2 341 | 12 762 | 11 356 | 2 | – | 2 | – | – |
| 24 811 | 135 728 | 73 952 | 30 965 | 174 | 27 684 | 3 107 | – |
| 2 124 | 7 207 | 7 123 | 300 | 203 | 97 | – | – |
| 5 825 | 6 662 | 5 376 | 301 | – | – | 301 | 301 |
| – | 945 | 945 | 22 | – | – | 22 | 22 |
| – | 590 | 584 | – | – | – | – | – |
| – | 868 | 868 | – | – | – | – | – |
| 1 | 2 072 | 1 557 | – | – | – | – | – |
| 273 | 3 377 | 2 736 | 518 | 445 | 73 | – | – |
| 1 196 | 6 401 | 6 293 | 557 | – | 466 | 91 | – |
| 32 | 6 048 | 5 949 | 4 540 | 108 | 4 309 | 123 | 105 |
| 4 297 | 27 708 | 26 093 | 6 006 | – | 4 335 | 1 671 | 66 |
| 2 178 | 6 715 | 5 619 | 498 | – | 447 | 51 | 51 |
| – | 1 443 | 1 443 | 18 | – | – | 18 | 18 |
| 893 | 387 | 387 | – | – | – | – | – |
| 5 191 | 22 138 | 20 185 | 2 491 | – | 2 021 | 470 | 470 |
| 2 333 | 4 586 | 2 820 | 377 | – | 207 | 170 | 170 |
| 21 | 257 | 254 | – | – | – | – | – |
| 176 | 529 | 529 | – | – | – | – | – |
| – | 666 | 568 | 351 | – | 351 | – | – |
| 265 | 602 | 395 | 603 | – | 90 | 513 | – |
| 108 | 1 246 | 401 | 53 | – | 27 | 26 | 26 |
| 257 | 4 332 | 4 222 | 109 | – | 98 | 11 | – |
| 1 320 | 762 | 751 | 5 | – | – | 5 | 5 |
| 172 | 466 | 409 | – | – | – | – | – |
| 2 600 | 3 703 | 2 192 | 699 | – | 586 | 113 | 113 |
| – | 6 127 | 4 676 | 2 165 | – | 2 165 | – | – |
| 63 | 317 | 317 | 1 886 | 55 | 1 345 | 486 | 433 |
| 18 202 | 4 502 | 3 508 | 74 949 | 429 | 74 266 | 254 | 70 |
| – | 361 | 359 | – | – | – | – | – |
| 2 545 | 1 107 | 726 | 655 | 547 | – | 108 | 108 |
| 562 | 896 | 839 | 1 499 | 3 | 524 | 972 | 795 |
| 420 | 185 | 185 | – | – | – | – | – |
| 3 727 | 1 618 | 1 481 | 839 | 3 | 566 | 270 | 212 |
| 5 560 | 2 784 | 2 764 | 105 | – | 12 | 93 | 93 |
| 1 771 | 218 | 179 | 9 297 | 6 | 9 194 | 97 | – |
| 22 619 | 103 361 | 51 392 | 23 217 | – | 21 374 | 1 843 | – |
| – | – | – | – | – | – | – | – |
| – | – | – | – | – | – | – | – |
| 18 783 | 9 135 | 9 135 | – | – | – | – | – |
| – | – | – | – | – | – | – | – |
| – | – | – | – | – | – | – | – |
| – | – | – | – | – | – | – | – |
| – | 3 295 | 3 295 | – | – | – | – | – |
| 3 214 | – | – | – | – | – | – | – |
| – | – | – | 1 996 | – | 1 996 | – | – |
| – | – | – | – | – | – | – | – |
| – | 1 500 | 1 500 | – | – | – | – | – |
| – | – | – | – | – | – | – | – |
| – | – | – | – | – | – | – | – |
| – | 598 | 598 | – | – | – | – | – |
| – | 1 270 | – | – | – | – | – | – |
| – | 845 | – | – | – | – | – | – |
| – | 2 860 | 2 860 | – | – | – | – | – |
| 11 174 | 835 | 835 | 17 973 | 310 | 17 490 | 173 | – |
| 19 | 376 | 374 | 49 963 | – | 49 932 | 31 | 31 |
| – | – | – | – | – | – | – | – |

## 第10表(4－4)　市区町村が実施した歯科健診及び保健指導の受診延人員・医療機関

| | 総　　　　　　　　数 | | | | | （再　掲）　個 | | |
| --- | --- | --- | --- | --- | --- | --- | --- | --- |
| | 総　数 | 妊　産　婦 | 乳　幼　児 | そ　の　他 | （再　掲）歯周疾患検診 | 総　数 | 妊　産　婦 |
| 中　核　市(再掲) | | | | | | | |
| 旭　川　市 | 400 | 395 | － | 5 | 5 | 400 | 395 |
| 函　館　市 | 7 836 | 137 | 7 296 | 403 | 163 | 3 350 | 137 |
| 青　森　市 | － | － | － | － | － | － | － |
| 八　戸　市 | 614 | 614 | | － | － | 614 | 614 |
| 盛　岡　市 | 10 550 | 680 | 6 648 | 3 222 | 3 222 | 10 550 | 680 |
| 秋　田　市 | 2 856 | 1 024 | 1 533 | 299 | － | 2 856 | 1 024 |
| 郡　山　市 | － | － | － | | － | － | － |
| い　わ　き　市 | | | | | | | |
| 宇　都　宮　市 | 14 828 | 1 507 | 9 524 | 3 797 | 1 109 | 2 135 | 1 507 |
| 前　橋　市 | 3 234 | 1 069 | － | 2 165 | 2 165 | 3 234 | 1 069 |
| 高　崎　市 | 4 018 | 1 714 | 2 304 | － | － | 4 018 | 1 714 |
| 川　越　市 | － | | | | | | |
| 越　谷　市 | 8 430 | 805 | 6 599 | 1 026 | 813 | 1 274 | 561 |
| 船　橋　市 | 1 621 | 1 621 | － | － | － | 1 621 | 1 621 |
| 柏　　　市 | 223 | － | | 223 | 223 | 223 | － |
| 八　王　子　市 | 283 | － | | 283 | 245 | 283 | － |
| 横　須　賀　市 | 2 292 | － | 1 896 | 396 | 396 | 2 292 | － |
| 富　山　市 | 1 310 | 922 | － | 388 | 388 | 1 310 | 922 |
| 金　沢　市 | 1 741 | 1 741 | － | － | － | 1 741 | 1 741 |
| 長　野　市 | 950 | 950 | － | － | － | 950 | 950 |
| 岐　阜　市 | 3 499 | 1 153 | － | 2 346 | 2 346 | 3 499 | 1 153 |
| 豊　橋　市 | 5 129 | 1 407 | 1 828 | 1 894 | 1 894 | 5 129 | 1 407 |
| 豊　田　市 | 5 593 | 2 176 | 2 062 | 1 355 | 1 355 | 5 593 | 2 176 |
| 岡　崎　市 | 6 681 | 1 797 | 3 244 | 1 640 | 1 640 | 3 371 | 1 797 |
| 大　津　市 | 1 135 | 455 | － | 680 | 680 | 1 135 | 455 |
| 高　槻　市 | 1 366 | － | | 1 366 | － | 1 366 | － |
| 東　大　阪　市 | 765 | 765 | － | － | － | 765 | 765 |
| 豊　中　市 | 4 945 | － | － | 4 945 | 4 945 | 4 945 | － |
| 枚　方　市 | 2 580 | 783 | － | 1 797 | 1 429 | 2 580 | 783 |
| 姫　路　市 | 287 | 287 | － | － | － | 287 | 287 |
| 西　宮　市 | 1 639 | 1 639 | | － | － | 1 639 | 1 639 |
| 尼　崎　市 | － | － | | | | － | － |
| 奈　良　市 | － | － | | | | － | － |
| 和　歌　山　市 | 340 | 340 | | | | 340 | 340 |
| 倉　敷　市 | 1 684 | 1 684 | | | | 1 684 | 1 684 |
| 福　山　市 | 1 565 | 1 565 | － | － | － | 1 565 | 1 565 |
| 呉　　　市 | 536 | 536 | － | － | － | 536 | 536 |
| 下　関　市 | － | － | | | | － | － |
| 高　松　市 | 3 673 | 1 704 | 1 969 | － | － | 3 673 | 1 704 |
| 松　山　市 | 6 167 | 1 910 | － | 4 257 | 4 257 | 6 167 | 1 910 |
| 高　知　市 | 361 | 55 | － | 306 | 253 | － | － |
| 久　留　米　市 | 7 640 | 988 | 6 652 | － | － | 4 751 | 988 |
| 長　崎　市 | 2 928 | 1 764 | 1 113 | 51 | 51 | 2 381 | 1 217 |
| 佐　世　保　市 | 898 | 225 | － | 673 | 307 | 898 | 225 |
| 大　分　市 | － | | | | | － | － |
| 宮　崎　市 | 3 756 | － | 2 572 | 1 184 | 1 184 | 3 756 | － |
| 鹿　児　島　市 | 3 918 | － | 3 918 | － | | 3 918 | － |
| 那　覇　市 | 139 | | 139 | － | | － | － |
| その他政令市(再掲) | | | | | | | |
| 小　樽　市 | － | － | | － | | － | － |
| 町　田　市 | 2 781 | 482 | － | 2 299 | 119 | 2 781 | 482 |
| 藤　沢　市 | － | － | | － | | － | － |
| 茅　ヶ　崎　市 | 928 | － | － | 928 | 928 | 928 | － |
| 四　日　市　市 | － | － | | － | | － | － |
| 大　牟　田　市 | － | | | | | | － |

## 等へ委託した受診延人員，都道府県－指定都市・特別区－中核市－その他政令市、個別－集団・対象区分別

平成29年度

| 医療機関等へ委託 | | | | | | | |
|---|---|---|---|---|---|---|---|
| 別 | | | 集団 | | | | |
| 乳幼児 | その他 | （再掲）歯周疾患検診 | 総数 | 妊産婦 | 乳幼児 | その他 | （再掲）歯周疾患検診 |
| | | | | | | | |
| - | 5 | 5 | - | - | - | - | - |
| 3 050 | 163 | 163 | 4 486 | - | 4 246 | 240 | - |
| - | - | - | - | - | - | - | - |
| - | - | - | - | - | - | - | - |
| 6 648 | 3 222 | 3 222 | - | - | - | - | - |
| | | | | | | | |
| 1 533 | 299 | - | - | - | - | - | - |
| - | - | - | - | - | - | - | - |
| - | - | - | - | - | - | - | - |
| - | 628 | 628 | 12 693 | - | 9 524 | 3 169 | 481 |
| - | 2 165 | 2 165 | - | - | - | - | - |
| | | | | | | | |
| 2 304 | - | - | - | - | - | - | - |
| - | - | - | - | - | - | - | - |
| - | 713 | 713 | 7 156 | 244 | 6 599 | 313 | 100 |
| - | - | - | - | - | - | - | - |
| - | 223 | 223 | - | - | - | - | - |
| | | | | | | | |
| - | 283 | 245 | - | - | - | - | - |
| 1 896 | 396 | 396 | - | - | - | - | - |
| - | 388 | 388 | - | - | - | - | - |
| - | - | - | - | - | - | - | - |
| - | - | - | - | - | - | - | - |
| | | | | | | | |
| - | 2 346 | 2 346 | - | - | - | - | - |
| 1 828 | 1 894 | 1 894 | - | - | - | - | - |
| 2 062 | 1 355 | 1 355 | - | - | - | - | - |
| - | 1 574 | 1 574 | 3 310 | - | 3 244 | 66 | 66 |
| - | 680 | 680 | - | - | - | - | - |
| | | | | | | | |
| - | 1 366 | - | - | - | - | - | - |
| - | - | - | - | - | - | - | - |
| - | 4 945 | 4 945 | - | - | - | - | - |
| - | 1 797 | 1 429 | - | - | - | - | - |
| - | - | - | - | - | - | - | - |
| | | | | | | | |
| - | - | - | - | - | - | - | - |
| - | - | - | - | - | - | - | - |
| - | - | - | - | - | - | - | - |
| - | - | - | - | - | - | - | - |
| - | - | - | - | - | - | - | - |
| | | | | | | | |
| - | - | - | - | - | - | - | - |
| - | - | - | - | - | - | - | - |
| - | - | - | - | - | - | - | - |
| 1 969 | - | - | - | - | - | - | - |
| - | 4 257 | 4 257 | - | - | - | - | - |
| | | | | | | | |
| - | - | - | 361 | 55 | - | 306 | 253 |
| 3 763 | - | - | 2 889 | - | 2 889 | - | - |
| 1 113 | 51 | 51 | 547 | 547 | - | - | - |
| - | 673 | 307 | - | - | - | - | - |
| - | - | - | - | - | - | - | - |
| | | | | | | | |
| 2 572 | 1 184 | 1 184 | - | - | - | - | - |
| 3 918 | - | - | - | - | - | - | - |
| - | - | - | 139 | - | 139 | - | - |
| | | | | | | | |
| - | - | - | - | - | - | - | - |
| - | 2 299 | 119 | - | - | - | - | - |
| - | - | - | - | - | - | - | - |
| - | 928 | 928 | - | - | - | - | - |
| - | - | - | - | - | - | - | - |
| | | | | | | | |
| - | - | - | - | - | - | - | - |

# 第11表　市区町村が実施した訪問による歯科健診及び保健指導の受診実人員－延人員・医療

| | 総数 | | （再掲）身体障害者（児）・知的障害者（児）・精神障害者 | | （再掲）医療機関等へ委託 | | （再掲）医療機関等へ委託（再掲）身体障害者（児）・知的障害者（児）・精神障害者 | |
|---|---|---|---|---|---|---|---|---|
| | 実人員 | 延人員 | 実人員 | 延人員 | 実人員 | 延人員 | 実人員 | 延人員 |
| **全国** | **16 609** | **23 612** | **7 880** | **9 391** | **3 712** | **5 728** | **1 556** | **1 586** |
| 北海道 | 227 | 542 | 95 | 207 | - | - | - | - |
| 青森 | 39 | 106 | 21 | 96 | 13 | 35 | 3 | 25 |
| 岩手 | 292 | 366 | 146 | 149 | 29 | 29 | 11 | 11 |
| 宮城 | 617 | 775 | 520 | 651 | - | - | - | - |
| 秋田 | - | - | - | - | - | - | - | - |
| 山形 | 75 | 184 | 3 | 6 | - | - | - | - |
| 福島 | 411 | 530 | 61 | 84 | - | - | - | - |
| 茨城 | 78 | 260 | 78 | 260 | - | - | - | - |
| 栃木 | 12 | 22 | - | - | 12 | 22 | - | - |
| 群馬 | 65 | 65 | - | - | - | - | - | - |
| 埼玉 | 4 752 | 4 845 | 893 | 973 | 330 | 339 | 4 | 4 |
| 千葉 | 988 | 1 601 | 563 | 711 | 12 | 207 | 3 | 3 |
| 東京 | 2 109 | 4 668 | 621 | 742 | 1 405 | 2 912 | 177 | 179 |
| 神奈川 | 115 | 122 | 90 | 93 | 11 | 11 | - | - |
| 新潟 | 24 | 25 | 14 | 15 | - | - | - | - |
| 富山 | - | - | - | - | - | - | - | - |
| 石川 | 155 | 155 | - | - | - | - | - | - |
| 福井 | 49 | 49 | 49 | 49 | - | - | - | - |
| 山梨 | 1 | 1 | 1 | 1 | - | - | - | - |
| 長野 | 553 | 1 475 | 181 | 322 | 84 | 84 | 4 | 4 |
| 岐阜 | 245 | 258 | 243 | 256 | - | - | - | - |
| 静岡 | 2 997 | 3 171 | 2 979 | 3 153 | 942 | 948 | 937 | 943 |
| 愛知 | 675 | 724 | 597 | 615 | 3 | 3 | - | - |
| 三重 | 36 | 38 | 2 | 3 | - | - | - | - |
| 滋賀 | 13 | 19 | 13 | 19 | - | - | - | - |
| 京都 | - | - | - | - | - | - | - | - |
| 大阪 | 685 | 771 | 399 | 485 | 300 | 300 | 266 | 266 |
| 兵庫 | 249 | 517 | 77 | 77 | - | - | - | - |
| 奈良 | - | - | - | - | - | - | - | - |
| 和歌山 | 4 | 4 | - | - | - | - | - | - |
| 鳥取 | - | - | - | - | - | - | - | - |
| 島根 | 1 | 1 | - | - | - | - | - | - |
| 岡山 | 153 | 153 | 150 | 150 | 150 | 150 | 150 | 150 |
| 広島 | 589 | 1 365 | 31 | 170 | 399 | 572 | - | - |
| 山口 | 6 | 13 | - | - | - | - | - | - |
| 徳島 | 3 | 3 | - | - | - | - | - | - |
| 香川 | - | - | - | - | - | - | - | - |
| 愛媛 | 4 | 4 | - | - | - | - | - | - |
| 高知 | 76 | 230 | 16 | 32 | 10 | 10 | - | - |
| 福岡 | - | - | - | - | - | - | - | - |
| 佐賀 | - | - | - | - | - | - | - | - |
| 長崎 | 25 | 47 | 25 | 47 | 1 | 1 | 1 | 1 |
| 熊本 | 193 | 199 | 4 | 10 | - | - | - | - |
| 大分 | 5 | 7 | 3 | 3 | - | - | - | - |
| 宮崎 | 26 | 220 | - | - | 11 | 105 | - | - |
| 鹿児島 | 62 | 77 | 5 | 12 | - | - | - | - |
| 沖縄 | - | - | - | - | - | - | - | - |
| 指定都市・特別区（再掲） | | | | | | | | |
| 東京都区部 | 1 558 | 3 251 | 267 | 316 | 1 399 | 2 906 | 175 | 177 |
| 札幌市 | - | - | - | - | - | - | - | - |
| 仙台市 | 494 | 586 | 446 | 526 | - | - | - | - |
| さいたま市 | 10 | 10 | - | - | 1 | 1 | - | - |
| 千葉市 | 29 | 31 | 9 | 11 | - | - | - | - |
| 横浜市 | - | - | - | - | - | - | - | - |
| 川崎市 | 8 | 8 | 4 | 4 | - | - | - | - |
| 相模原市 | 2 | 2 | - | - | - | - | - | - |
| 新潟市 | - | - | - | - | - | - | - | - |
| 静岡市 | 1 003 | 1 003 | 997 | 997 | 674 | 674 | 669 | 669 |
| 浜松市 | 1 797 | 1 964 | 1 797 | 1 964 | 89 | 89 | 89 | 89 |
| 名古屋市 | 572 | 572 | 568 | 568 | - | - | - | - |
| 京都市 | - | - | - | - | - | - | - | - |
| 大阪市 | - | - | - | - | - | - | - | - |
| 堺市 | - | - | - | - | - | - | - | - |
| 神戸市 | 28 | 184 | - | - | - | - | - | - |
| 岡山市 | - | - | - | - | - | - | - | - |
| 広島市 | 365 | 365 | - | - | 365 | 365 | - | - |
| 北九州市 | - | - | - | - | - | - | - | - |
| 福岡市 | - | - | - | - | - | - | - | - |
| 熊本市 | 3 | 3 | 3 | 3 | - | - | - | - |

## 機関等へ委託した受診実人員－延人員，都道府県－指定都市・特別区－中核市－その他政令市、対象区分別

平成29年度

| | 総数 | | (再掲) | | | | | |
|---|---|---|---|---|---|---|---|---|
| | | | 身体障害者（児）・知的障害者（児）・精神障害者 | | 医療機関等へ委託 | | | |
| | | | | | | | (再掲) 身体障害者（児）・知的障害者（児）・精神障害者 | |
| | 実人員 | 延人員 | 実人員 | 延人員 | 実人員 | 延人員 | 実人員 | 延人員 |
| 中核市(再掲) | | | | | | | | |
| 旭川市 | - | - | - | - | - | - | - | - |
| 函館市 | - | - | - | - | - | - | - | - |
| 青森市 | - | - | - | - | - | - | - | - |
| 八戸市 | - | - | - | - | - | - | - | - |
| 盛岡市 | - | - | - | - | - | - | - | - |
| 秋田市 | - | - | - | - | - | - | - | - |
| 郡山市 | - | - | - | - | - | - | - | - |
| いわき市 | 66 | 68 | - | - | - | - | - | - |
| 宇都宮市 | - | - | - | - | - | - | - | - |
| 前橋市 | - | - | - | - | - | - | - | - |
| 高崎市 | - | - | - | - | - | - | - | - |
| 川越市 | 650 | 660 | 650 | 660 | - | - | - | - |
| 越谷市 | 4 | 4 | 4 | 4 | 4 | 4 | 4 | 4 |
| 船橋市 | 231 | 287 | 218 | 270 | - | - | - | - |
| 柏市 | 290 | 543 | - | - | - | - | - | - |
| 八王子市 | - | - | - | - | - | - | - | - |
| 横須賀市 | 3 | 3 | 3 | 3 | - | - | - | - |
| 富山市 | - | - | - | - | - | - | - | - |
| 金沢市 | - | - | - | - | - | - | - | - |
| 長野市 | - | - | - | - | - | - | - | - |
| 岐阜市 | 13 | 26 | 13 | 26 | - | - | - | - |
| 豊橋市 | - | - | - | - | - | - | - | - |
| 豊田市 | - | - | - | - | - | - | - | - |
| 岡崎市 | - | - | - | - | - | - | - | - |
| 大津市 | 8 | 9 | 8 | 9 | - | - | - | - |
| 高槻市 | 4 | 4 | 4 | 4 | - | - | - | - |
| 東大阪市 | - | - | - | - | - | - | - | - |
| 豊中市 | 5 | 91 | 5 | 91 | 1 | 1 | 1 | 1 |
| 枚方市 | 266 | 266 | 266 | 266 | 262 | 262 | 262 | 262 |
| 姫路市 | - | - | - | - | - | - | - | - |
| 西宮市 | 77 | 77 | 77 | 77 | - | - | - | - |
| 尼崎市 | - | - | - | - | - | - | - | - |
| 奈良市 | - | - | - | - | - | - | - | - |
| 和歌山市 | 1 | 1 | - | - | - | - | - | - |
| 倉敷市 | 150 | 150 | 150 | 150 | 150 | 150 | 150 | 150 |
| 福山市 | - | - | - | - | - | - | - | - |
| 呉市 | - | - | - | - | - | - | - | - |
| 下関市 | - | - | - | - | - | - | - | - |
| 高松市 | - | - | - | - | - | - | - | - |
| 松山市 | - | - | - | - | - | - | - | - |
| 高知市 | 9 | 13 | 9 | 13 | - | - | - | - |
| 久留米市 | - | - | - | - | - | - | - | - |
| 長崎市 | 1 | 1 | 1 | 1 | 1 | 1 | 1 | 1 |
| 佐世保市 | - | - | - | - | - | - | - | - |
| 大分市 | - | - | - | - | - | - | - | - |
| 宮崎市 | 15 | 115 | - | - | - | - | - | - |
| 鹿児島市 | 1 | 1 | 1 | 1 | - | - | - | - |
| 那覇市 | - | - | - | - | - | - | - | - |
| その他政令市(再掲) | | | | | | | | |
| 小樽市 | 49 | 123 | 49 | 123 | - | - | - | - |
| 町田市 | 213 | 213 | 213 | 213 | - | - | - | - |
| 藤沢市 | 8 | 10 | 5 | 7 | - | - | - | - |
| 茅ヶ崎市 | 1 | 1 | - | - | - | - | - | - |
| 四日市市 | - | - | - | - | - | - | - | - |
| 大牟田市 | - | - | - | - | - | - | - | - |

# 第12表 市区町村が実施した歯科予防処置及び治療の受診延人員・医療機関

| | 総数 | | | | | (再掲)医療機関等へ委託 | | | | |
|---|---|---|---|---|---|---|---|---|---|---|
| | 予防処置 | | | | 治療 | 予防処置 | | | | 治療 |
| | 総数 | 妊産婦 | 乳幼児 | その他 | | 総数 | 妊産婦 | 乳幼児 | その他 | |
| **全国** | **2 073 611** | **1 606** | **1 475 745** | **596 260** | **13 285** | **211 214** | **1 339** | **191 110** | **18 765** | **5 681** |
| 北海道 | 73 021 | 25 | 67 781 | 5 215 | 2 446 | 19 444 | 18 | 19 097 | 329 | 2 416 |
| 青森 | 13 844 | - | 9 795 | 4 049 | 9 | 5 860 | - | 5 857 | 3 | 9 |
| 岩手 | 30 666 | 112 | 17 849 | 12 705 | - | 6 453 | 112 | 5 508 | 833 | - |
| 宮城 | 13 919 | - | 13 838 | 81 | - | 714 | - | 714 | - | - |
| 秋田 | 17 487 | - | 7 197 | 10 290 | 2 | 6 667 | - | 6 202 | 465 | 2 |
| 山形 | 18 837 | 2 | 16 417 | 2 418 | - | 672 | - | 671 | 1 | - |
| 福島 | 34 689 | 36 | 31 464 | 3 189 | 47 | 4 289 | 36 | 3 209 | 1 044 | 47 |
| 茨城 | 20 196 | 19 | 20 113 | 64 | - | - | - | - | - | - |
| 栃木 | 32 588 | - | 15 635 | 16 953 | - | 12 707 | - | 9 762 | 2 945 | - |
| 群馬 | 43 290 | - | 42 627 | 663 | - | 2 544 | - | 2 391 | 153 | - |
| 埼玉 | 47 656 | - | 47 047 | 609 | - | 22 967 | - | 22 967 | - | - |
| 千葉 | 241 203 | - | 127 059 | 114 144 | 72 | 3 398 | - | 3 398 | - | - |
| 東京 | 60 471 | 11 | 56 840 | 3 620 | 1 973 | 26 045 | 3 | 23 203 | 2 839 | 1 973 |
| 神奈川 | 14 157 | - | 14 135 | 22 | - | 84 | - | 83 | 1 | - |
| 新潟 | 56 225 | 18 | 55 877 | 330 | 30 | 10 829 | 17 | 10 812 | - | 29 |
| 富山 | 45 145 | - | 23 216 | 21 929 | - | - | - | - | - | - |
| 石川 | 3 475 | - | 2 607 | 868 | - | 173 | - | 173 | - | - |
| 福井 | 2 851 | - | 2 851 | - | - | - | - | - | - | - |
| 山梨 | 17 606 | - | 4 482 | 13 124 | - | 537 | - | 537 | - | - |
| 長野 | 188 091 | - | 94 111 | 93 980 | - | 21 | - | 21 | - | - |
| 岐阜 | 30 702 | 18 | 28 472 | 2 212 | - | 3 398 | 18 | 3 294 | 86 | - |
| 静岡 | 204 703 | - | 175 764 | 28 939 | 4 599 | 300 | - | 300 | - | - |
| 愛知 | 133 555 | 144 | 128 228 | 5 183 | 785 | 6 817 | 144 | 6 262 | 411 | 785 |
| 三重 | 9 320 | - | 9 076 | 244 | - | 2 622 | - | 2 389 | 233 | - |
| 滋賀 | 34 988 | 66 | 28 190 | 6 732 | 162 | 66 | 66 | - | - | 162 |
| 京都 | 6 273 | 66 | 5 724 | 483 | 51 | 949 | 66 | 883 | - | 51 |
| 大阪 | 81 329 | 660 | 79 025 | 1 644 | - | 2 791 | 660 | 2 131 | - | - |
| 兵庫 | 26 278 | - | 25 067 | 1 211 | 2 715 | 368 | - | 368 | - | - |
| 奈良 | 5 389 | 211 | 4 825 | 353 | 1 | - | - | - | - | 1 |
| 和歌山 | 18 985 | 2 | 4 955 | 14 028 | - | 2 | 2 | - | - | - |
| 鳥取 | 11 615 | - | 11 615 | - | - | 280 | - | 280 | - | - |
| 島根 | 52 227 | - | 34 585 | 17 642 | - | 521 | - | 521 | - | - |
| 岡山 | 10 141 | - | 10 100 | 41 | - | - | - | - | - | - |
| 広島 | 17 982 | 28 | 17 287 | 667 | 41 | 867 | 28 | 729 | 110 | 41 |
| 山口 | 926 | - | 915 | 11 | - | 229 | - | 229 | - | - |
| 徳島 | 4 734 | - | 4 607 | 127 | - | 663 | - | 663 | - | - |
| 香川 | 1 757 | 48 | 1 663 | 46 | - | 419 | 48 | 371 | - | - |
| 愛媛 | 2 557 | 64 | 2 415 | 78 | 73 | 404 | 64 | 281 | 59 | 70 |
| 高知 | 23 785 | - | 13 157 | 10 628 | - | 2 | - | 2 | - | - |
| 福岡 | 27 756 | 1 | 26 400 | 1 355 | - | 11 061 | - | 11 050 | 11 | - |
| 佐賀 | 26 741 | - | 25 300 | 1 441 | 184 | 645 | - | 645 | - | - |
| 長崎 | 20 809 | - | 20 809 | - | - | 2 122 | - | 2 122 | - | - |
| 熊本 | 110 527 | 10 | 38 891 | 71 626 | 15 | 2 869 | 10 | 2 705 | 154 | 15 |
| 大分 | 14 756 | - | 13 888 | 868 | - | 4 958 | - | 4 101 | 857 | - |
| 宮崎 | 44 747 | 18 | 32 392 | 12 337 | 10 | 23 858 | - | 15 987 | 7 871 | 10 |
| 鹿児島 | 155 512 | 37 | 41 674 | 113 801 | 70 | 13 133 | 37 | 13 046 | 50 | 70 |
| 沖縄 | 20 100 | 10 | 19 780 | 310 | - | 8 466 | 10 | 8 146 | 310 | - |
| 指定都市・特別区(再掲) | | | | | | | | | | |
| 東京都区部 | 41 447 | - | 38 595 | 2 852 | 689 | 23 784 | - | 21 550 | 2 234 | 689 |
| 札幌市 | - | - | - | - | - | - | - | - | - | - |
| 仙台市 | - | - | - | - | - | - | - | - | - | - |
| さいたま市 | 13 607 | - | 13 607 | - | - | 13 607 | - | 13 607 | - | - |
| 千葉市 | - | - | - | - | - | - | - | - | - | - |
| 横浜市 | 1 175 | - | 1 175 | - | - | - | - | - | - | - |
| 川崎市 | 1 976 | - | 1 976 | - | - | - | - | - | - | - |
| 相模原市 | 2 823 | - | 2 823 | - | - | - | - | - | - | - |
| 新潟市 | 18 123 | - | 18 123 | - | - | 3 214 | - | 3 214 | - | - |
| 静岡市 | 5 875 | - | 5 875 | - | 3 064 | - | - | - | - | - |
| 浜松市 | 5 744 | - | 5 744 | - | 1 535 | - | - | - | - | - |
| 名古屋市 | 22 206 | - | 22 182 | 24 | - | - | - | - | - | - |
| 京都市 | - | - | - | - | - | - | - | - | - | - |
| 大阪市 | 37 513 | - | 37 513 | - | - | - | - | - | - | - |
| 堺市 | 9 274 | - | 9 274 | - | - | - | - | - | - | - |
| 神戸市 | 16 685 | - | 16 685 | - | - | - | - | - | - | - |
| 岡山市 | 691 | - | 691 | - | - | - | - | - | - | - |
| 広島市 | 9 859 | - | 9 859 | - | - | - | - | - | - | - |
| 北九州市 | 7 346 | - | 7 346 | - | - | 7 346 | - | 7 346 | - | - |
| 福岡市 | - | - | - | - | - | - | - | - | - | - |
| 熊本市 | 62 255 | - | 6 838 | 55 417 | - | - | - | - | - | - |

## 等へ委託した受診延人員，都道府県－指定都市・特別区－中核市－その他政令市、対象区分別

平成29年度

| | 総数 | | | | | （再掲）医療機関等へ委託 | | | | |
|---|---|---|---|---|---|---|---|---|---|---|
| | 予防処置 | | | | 治療 | 予防処置 | | | | 治療 |
| | 総数 | 妊産婦 | 乳幼児 | その他 | | 総数 | 妊産婦 | 乳幼児 | その他 | |
| 中核市(再掲) | | | | | | | | | | |
| 旭川市 | 772 | - | 772 | - | 2 416 | - | - | - | - | 2 416 |
| 函館市 | 3 050 | - | 3 050 | - | - | 3 050 | - | 3 050 | - | - |
| 青森市 | 4 143 | - | 4 143 | - | - | 4 115 | - | 4 115 | - | - |
| 八戸市 | - | - | - | - | - | - | - | - | - | - |
| 盛岡市 | 937 | - | 937 | - | - | 937 | - | 937 | - | - |
| 秋田市 | 4 685 | - | 4 685 | - | - | 4 685 | - | 4 685 | - | - |
| 郡山市 | 4 050 | - | 4 050 | - | - | - | - | - | - | - |
| いわき市 | 4 390 | - | 4 390 | - | - | - | - | - | - | - |
| 宇都宮市 | 12 213 | - | 9 525 | 2 688 | - | 12 213 | - | 9 525 | 2 688 | - |
| 前橋市 | - | - | - | - | - | - | - | - | - | - |
| 高崎市 | 2 198 | - | 2 198 | - | - | 2 198 | - | 2 198 | - | - |
| 川越市 | 1 641 | - | 1 641 | - | - | 1 641 | - | 1 641 | - | - |
| 越谷市 | 355 | - | 355 | - | - | 355 | - | 355 | - | - |
| 船橋市 | 4 140 | - | 3 926 | 214 | - | - | - | - | - | - |
| 柏市 | 1 721 | - | 1 721 | - | - | 1 721 | - | 1 721 | - | - |
| 八王子市 | - | - | - | - | - | - | - | - | - | - |
| 横須賀市 | - | - | - | - | - | - | - | - | - | - |
| 富山市 | 7 341 | - | 1 752 | 5 589 | - | - | - | - | - | - |
| 金沢市 | - | - | - | - | - | - | - | - | - | - |
| 長野市 | 161 852 | - | 89 729 | 72 123 | - | - | - | - | - | - |
| 岐阜市 | 7 652 | - | 7 652 | - | - | - | - | - | - | - |
| 豊橋市 | 6 917 | - | 6 917 | - | - | 1 629 | - | 1 629 | - | - |
| 豊田市 | 3 364 | - | 3 364 | - | - | - | - | - | - | - |
| 岡崎市 | 3 065 | - | 3 065 | - | - | 3 065 | - | 3 065 | - | - |
| 大津市 | 8 563 | - | 8 563 | - | - | - | - | - | - | - |
| 高槻市 | - | - | - | - | - | - | - | - | - | - |
| 東大阪市 | - | - | - | - | - | - | - | - | - | - |
| 豊中市 | 609 | - | 609 | - | - | - | - | - | - | - |
| 枚方市 | 8 128 | - | 8 128 | - | - | - | - | - | - | - |
| 姫路市 | 459 | - | 459 | - | - | - | - | - | - | - |
| 西宮市 | 57 | - | 57 | - | - | - | - | - | - | - |
| 尼崎市 | 2 037 | - | 2 037 | - | - | - | - | - | - | - |
| 奈良市 | 1 112 | 210 | 902 | - | - | - | - | - | - | - |
| 和歌山市 | - | - | - | - | - | - | - | - | - | - |
| 倉敷市 | 2 719 | - | 2 719 | - | - | - | - | - | - | - |
| 福山市 | - | - | - | - | - | - | - | - | - | - |
| 呉市 | 1 423 | - | 1 423 | - | - | - | - | - | - | - |
| 下関市 | - | - | - | - | - | - | - | - | - | - |
| 高松市 | - | - | - | - | - | - | - | - | - | - |
| 松山市 | 1 165 | - | 1 165 | - | - | - | - | - | - | - |
| 高知市 | 2 556 | - | 2 556 | - | - | - | - | - | - | - |
| 久留米市 | 6 244 | - | 6 244 | - | - | 3 449 | - | 3 449 | - | - |
| 長崎市 | 4 743 | - | 4 743 | - | - | 1 114 | - | 1 114 | - | - |
| 佐世保市 | 9 | - | 9 | - | - | - | - | - | - | - |
| 大分市 | 5 194 | - | 5 194 | - | - | - | - | - | - | - |
| 宮崎市 | 11 511 | - | 11 420 | 91 | - | 4 880 | - | 4 880 | - | - |
| 鹿児島市 | 11 431 | - | 11 431 | - | - | 11 431 | - | 11 431 | - | - |
| 那覇市 | - | - | - | - | - | - | - | - | - | - |
| その他政令市(再掲) | | | | | | | | | | |
| 小樽市 | 2 149 | - | 2 149 | - | - | - | - | - | - | - |
| 町田市 | 4 759 | - | 4 759 | - | - | - | - | - | - | - |
| 藤沢市 | 306 | - | 306 | - | - | - | - | - | - | - |
| 茅ヶ崎市 | 296 | - | 289 | 7 | - | - | - | - | - | - |
| 四日市市 | 660 | - | 660 | - | - | - | - | - | - | - |
| 大牟田市 | 1 708 | - | 1 297 | 411 | - | - | - | - | - | - |

# 第13表　市区町村が実施した訪問による歯科予防処置及び治療の受診実人員－延人員・

| | 総数 | | （再掲）身体障害者（児）・知的障害者（児）・精神障害者 | | （再掲）医療機関等へ委託 | | （再掲）医療機関等へ委託（再掲）身体障害者（児）・知的障害者（児）・精神障害者 | |
|---|---|---|---|---|---|---|---|---|
| | 実人員 | 延人員 | 実人員 | 延人員 | 実人員 | 延人員 | 実人員 | 延人員 |
| **全国** | **2 356** | **8 344** | **1 074** | **2 474** | **1 243** | **3 323** | **731** | **1 570** |
| 北海道 | 99 | 222 | 47 | 123 | – | – | – | – |
| 青森 | – | – | – | – | – | – | – | – |
| 岩手 | 422 | 994 | 44 | 84 | 224 | 615 | 15 | 26 |
| 宮城 | 47 | 165 | 21 | 77 | 47 | 165 | 21 | 77 |
| 秋田 | – | – | – | – | – | – | – | – |
| 山形 | 54 | 98 | 3 | 6 | 27 | 39 | – | – |
| 福島 | – | – | – | – | – | – | – | – |
| 茨城 | 59 | 257 | 59 | 257 | – | – | – | – |
| 栃木 | 15 | 34 | – | – | 15 | 34 | – | – |
| 群馬 | – | – | – | – | – | – | – | – |
| 埼玉 | 45 | 183 | 6 | 57 | 36 | 121 | 1 | 8 |
| 千葉 | 183 | 334 | 154 | 228 | 18 | 95 | – | – |
| 東京 | 219 | 507 | 148 | 150 | 219 | 507 | 148 | 150 |
| 神奈川 | 28 | 29 | 3 | 3 | 11 | 11 | – | – |
| 新潟 | – | – | – | – | – | – | – | – |
| 富山 | – | – | – | – | – | – | – | – |
| 石川 | – | – | – | – | – | – | – | – |
| 福井 | – | – | – | – | – | – | – | – |
| 山梨 | – | – | – | – | – | – | – | – |
| 長野 | 69 | 236 | 24 | 125 | 37 | 114 | 5 | 19 |
| 岐阜 | 13 | 26 | 13 | 26 | – | – | – | – |
| 静岡 | 338 | 1 133 | 326 | 1 111 | 321 | 1 069 | 316 | 1 064 |
| 愛知 | 142 | 497 | – | – | – | – | – | – |
| 三重 | 102 | 102 | – | – | – | – | – | – |
| 滋賀 | 2 | 2 | 2 | 2 | 2 | 2 | 2 | 2 |
| 京都 | – | – | – | – | – | – | – | – |
| 大阪 | 222 | 222 | 222 | 222 | 222 | 222 | 222 | 222 |
| 兵庫 | 139 | 614 | – | – | 6 | 22 | – | – |
| 奈良 | 40 | 2 322 | – | – | 2 | 2 | – | – |
| 和歌山 | – | – | – | – | – | – | – | – |
| 鳥取 | – | – | – | – | – | – | – | – |
| 島根 | – | – | – | – | – | – | – | – |
| 岡山 | – | – | – | – | – | – | – | – |
| 広島 | 30 | 198 | – | – | 30 | 198 | – | – |
| 山口 | – | – | – | – | – | – | – | – |
| 徳島 | – | – | – | – | – | – | – | – |
| 香川 | – | – | – | – | – | – | – | – |
| 愛媛 | – | – | – | – | – | – | – | – |
| 高知 | 1 | 1 | 1 | 1 | – | – | – | – |
| 福岡 | – | – | – | – | – | – | – | – |
| 佐賀 | – | – | – | – | – | – | – | – |
| 長崎 | 26 | 107 | 1 | 2 | 26 | 107 | 1 | 2 |
| 熊本 | – | – | – | – | – | – | – | – |
| 大分 | – | – | – | – | – | – | – | – |
| 宮崎 | 61 | 61 | – | – | – | | – | – |
| 鹿児島 | – | – | – | – | – | – | – | – |
| 沖縄 | – | – | – | – | – | – | – | – |
| 指定都市・特別区（再掲） | | | | | | | | |
| 東京都区部 | 148 | 150 | 148 | 150 | 148 | 150 | 148 | 150 |
| 札幌市 | – | – | – | – | – | – | – | – |
| 仙台市 | – | – | – | – | – | – | – | – |
| さいたま市 | – | – | – | – | – | – | – | – |
| 千葉市 | – | – | – | – | – | – | – | – |
| 横浜市 | – | – | – | – | – | – | – | – |
| 川崎市 | – | – | – | – | – | – | – | – |
| 相模原市 | – | – | – | – | – | – | – | – |
| 新潟市 | – | – | – | – | – | – | – | – |
| 静岡市 | – | – | – | – | – | – | – | – |
| 浜松市 | – | – | – | – | – | – | – | – |
| 名古屋市 | – | – | – | – | – | – | – | – |
| 京都市 | – | – | – | – | – | – | – | – |
| 大阪市 | – | – | – | – | – | – | – | – |
| 堺市 | – | – | – | – | – | – | – | – |
| 神戸市 | 125 | 581 | – | – | – | – | – | – |
| 岡山市 | – | – | – | – | – | – | – | – |
| 広島市 | – | – | – | – | – | – | – | – |
| 北九州市 | – | – | – | – | – | – | – | – |
| 福岡市 | – | – | – | – | – | – | – | – |
| 熊本市 | – | – | – | – | – | – | – | – |

# 医療機関等へ委託した受診実人員－延人員，都道府県－指定都市・特別区－中核市－その他政令市、対象区分別

平成29年度

| | 総数 | | （再掲） | | | | | |
|---|---|---|---|---|---|---|---|---|
| | | | 身体障害者（児）・知的障害者（児）・精神障害者 | | 医療機関等へ委託 | | | |
| | | | | | | | （再掲）身体障害者（児）・知的障害者（児）・精神障害者 | |
| | 実人員 | 延人員 | 実人員 | 延人員 | 実人員 | 延人員 | 実人員 | 延人員 |
| 中核市(再掲) | | | | | | | | |
| 旭川市 | － | － | － | － | － | － | － | － |
| 函館市 | － | － | － | － | － | － | － | － |
| 青森市 | － | － | － | － | － | － | － | － |
| 八戸市 | － | － | － | － | － | － | － | － |
| 盛岡市 | － | － | － | － | － | － | － | － |
| 秋田市 | － | － | － | － | － | － | － | － |
| 郡山市 | － | － | － | － | － | － | － | － |
| いわき市 | － | － | － | － | － | － | － | － |
| 宇都宮市 | － | － | － | － | － | － | － | － |
| 前橋市 | － | － | － | － | － | － | － | － |
| 高崎市 | － | － | － | － | － | － | － | － |
| 川越市 | － | － | － | － | － | － | － | － |
| 越谷市 | － | － | － | － | － | － | － | － |
| 船橋市 | 120 | 170 | 120 | 170 | － | － | － | － |
| 柏市 | － | － | － | － | － | － | － | － |
| 八王子市 | － | － | － | － | － | － | － | － |
| 横須賀市 | － | － | － | － | － | － | － | － |
| 富山市 | － | － | － | － | － | － | － | － |
| 金沢市 | － | － | － | － | － | － | － | － |
| 長野市 | － | － | － | － | － | － | － | － |
| 岐阜市 | 13 | 26 | 13 | 26 | － | － | － | － |
| 豊橋市 | － | － | － | － | － | － | － | － |
| 豊田市 | － | － | － | － | － | － | － | － |
| 岡崎市 | － | － | － | － | － | － | － | － |
| 大津市 | 2 | 2 | 2 | 2 | 2 | 2 | 2 | 2 |
| 高槻市 | － | － | － | － | － | － | － | － |
| 東大阪市 | － | － | － | － | － | － | － | － |
| 豊中市 | － | － | － | － | － | － | － | － |
| 枚方市 | 222 | 222 | 222 | 222 | 222 | 222 | 222 | 222 |
| 姫路市 | － | － | － | － | － | － | － | － |
| 西宮市 | － | － | － | － | － | － | － | － |
| 尼崎市 | － | － | － | － | － | － | － | － |
| 奈良市 | － | － | － | － | － | － | － | － |
| 和歌山市 | － | － | － | － | － | － | － | － |
| 倉敷市 | － | － | － | － | － | － | － | － |
| 福山市 | － | － | － | － | － | － | － | － |
| 呉市 | － | － | － | － | － | － | － | － |
| 下関市 | － | － | － | － | － | － | － | － |
| 高松市 | － | － | － | － | － | － | － | － |
| 松山市 | － | － | － | － | － | － | － | － |
| 高知市 | 1 | 1 | 1 | 1 | － | － | － | － |
| 久留米市 | － | － | － | － | － | － | － | － |
| 長崎市 | － | － | － | － | － | － | － | － |
| 佐世保市 | － | － | － | － | － | － | － | － |
| 大分市 | － | － | － | － | － | － | － | － |
| 宮崎市 | 61 | 61 | － | － | － | － | － | － |
| 鹿児島市 | － | － | － | － | － | － | － | － |
| 那覇市 | － | － | － | － | － | － | － | － |
| その他政令市(再掲) | | | | | | | | |
| 小樽市 | 45 | 119 | 45 | 119 | － | － | － | － |
| 町田市 | － | － | － | － | － | － | － | － |
| 藤沢市 | 2 | 3 | 2 | 2 | － | － | － | － |
| 茅ヶ崎市 | 1 | 1 | － | － | － | － | － | － |
| 四日市市 | － | － | － | － | － | － | － | － |
| 大牟田市 | － | － | － | － | － | － | － | － |

# 第14表（4－1）市区町村が実施した幼児の歯科健診の受診実人員－受診結果別人員・医療

| | 対象人員 | 受診実人員 | むし歯の総本数 | 受診結果・むし歯のある人員 | 受診結果・軟組織異常のある人員 | 受診結果・咬合異常のある人員 | 受診結果・その他の異常のある人員 |
|---|---|---|---|---|---|---|---|
| | 総　　　　1　歳　6　か　月　児 | | | | | | |
| 全　　　　国 | 1 015 459 | 965 991 | 35 829 | 12 685 | 64 869 | 71 075 | 44 918 |
| 北　海　道 | 36 524 | 34 951 | 1 966 | 655 | 1 871 | 1 297 | 729 |
| 青　　　森 | 8 688 | 8 552 | 464 | 158 | 264 | 644 | 522 |
| 岩　　　手 | 8 555 | 8 404 | 357 | 126 | 447 | 457 | 76 |
| 宮　　　城 | 24 524 | 23 994 | 1 388 | 488 | 782 | 1 799 | 1 753 |
| 秋　　　田 | 5 795 | 5 682 | 210 | 85 | 274 | 469 | 204 |
| 山　　　形 | 7 802 | 7 698 | 198 | 75 | 398 | 493 | 160 |
| 福　　　島 | 13 495 | 13 271 | 594 | 211 | 1 213 | 1 123 | 383 |
| 茨　　　城 | 21 807 | 20 997 | 893 | 313 | 1 303 | 1 646 | 423 |
| 栃　　　木 | 15 228 | 14 842 | 522 | 189 | 972 | 1 073 | 614 |
| 群　　　馬 | 13 972 | 13 586 | 508 | 177 | 612 | 971 | 433 |
| 埼　　　玉 | 58 310 | 53 466 | 1 668 | 598 | 2 379 | 3 484 | 2 258 |
| 千　　　葉 | 48 841 | 45 875 | 1 525 | 560 | 2 017 | 2 772 | 2 155 |
| 東　　　京 | 114 377 | 101 313 | 3 544 | 1 297 | 7 686 | 6 908 | 7 999 |
| 神　奈　川 | 73 629 | 70 404 | 2 208 | 826 | 8 748 | 7 039 | 4 515 |
| 新　　　潟 | 16 109 | 15 838 | 362 | 135 | 236 | 518 | 310 |
| 富　　　山 | 7 614 | 7 510 | 228 | 70 | 447 | 516 | 366 |
| 石　　　川 | 8 943 | 8 783 | 329 | 114 | 291 | 499 | 230 |
| 福　　　井 | 6 176 | 6 041 | 159 | 70 | 116 | 357 | 220 |
| 山　　　梨 | 6 022 | 5 805 | 256 | 83 | 582 | 396 | 448 |
| 長　　　野 | 15 561 | 15 137 | 574 | 189 | 693 | 998 | 214 |
| 岐　　　阜 | 15 631 | 15 198 | 702 | 184 | 976 | 847 | 529 |
| 静　　　岡 | 28 651 | 28 085 | 850 | 266 | 1 497 | 2 290 | 1 295 |
| 愛　　　知 | 67 050 | 65 298 | 1 772 | 592 | 5 841 | 6 482 | 3 364 |
| 三　　　重 | 13 913 | 13 566 | 347 | 114 | 757 | 1 254 | 493 |
| 滋　　　賀 | 12 647 | 12 300 | 352 | 111 | 237 | 765 | 368 |
| 京　　　都 | 20 041 | 19 452 | 567 | 205 | 999 | 893 | 1 491 |
| 大　　　阪 | 69 801 | 67 395 | 2 431 | 841 | 6 853 | 4 917 | 2 751 |
| 兵　　　庫 | 44 189 | 43 263 | 1 203 | 488 | 3 863 | 3 770 | 2 365 |
| 奈　　　良 | 9 835 | 9 409 | 251 | 108 | 264 | 667 | 426 |
| 和　歌　山 | 6 896 | 6 760 | 263 | 89 | 266 | 419 | 27 |
| 鳥　　　取 | 4 545 | 4 447 | 124 | 49 | 384 | 687 | 840 |
| 島　　　根 | 5 510 | 5 371 | 200 | 75 | 315 | 449 | 503 |
| 岡　　　山 | 15 669 | 14 970 | 442 | 162 | 980 | 904 | 333 |
| 広　　　島 | 23 118 | 21 954 | 666 | 240 | 893 | 1 012 | 434 |
| 山　　　口 | 10 090 | 9 674 | 457 | 165 | 298 | 871 | 488 |
| 徳　　　島 | 5 232 | 5 269 | 204 | 67 | 780 | 1 013 | 155 |
| 香　　　川 | 7 644 | 7 318 | 177 | 70 | 324 | 408 | 277 |
| 愛　　　媛 | 10 022 | 9 667 | 290 | 118 | 264 | 751 | 353 |
| 高　　　知 | 4 873 | 4 718 | 211 | 79 | 422 | 792 | 286 |
| 福　　　岡 | 45 491 | 40 861 | 2 326 | 782 | 2 072 | 1 828 | 745 |
| 佐　　　賀 | 7 083 | 6 934 | 235 | 98 | 220 | 431 | 193 |
| 長　　　崎 | 11 018 | 10 670 | 461 | 181 | 747 | 1 138 | 531 |
| 熊　　　本 | 15 236 | 14 811 | 818 | 302 | 1 882 | 2 037 | 598 |
| 大　　　分 | 9 181 | 8 871 | 424 | 153 | 649 | 550 | 319 |
| 宮　　　崎 | 9 056 | 8 673 | 291 | 104 | 262 | 528 | 1 214 |
| 鹿　児　島 | 13 886 | 13 379 | 866 | 287 | 527 | 1 109 | 53 |
| 沖　　　縄 | 17 179 | 15 529 | 946 | 336 | 966 | 804 | 475 |
| 指定都市・特別区（再掲） | | | | | | | |
| 東京都区部 | 80 781 | 69 505 | 2 661 | 972 | 5 914 | 4 824 | 5 426 |
| 札　幌　市 | 14 516 | 13 911 | 812 | 257 | 613 | － | － |
| 仙　台　市 | 15 610 | 15 358 | 933 | 341 | 348 | 1 090 | 1 496 |
| さいたま市 | 11 201 | 9 605 | 496 | 158 | 666 | 890 | 484 |
| 千　葉　市 | 7 562 | 7 215 | 414 | 148 | 29 | 238 | 719 |
| 横　浜　市 | 30 019 | 28 722 | 830 | 313 | 5 015 | 2 359 | 2 723 |
| 川　崎　市 | 14 253 | 13 815 | 436 | 171 | 1 007 | 2 518 | 675 |
| 相模原市 | 5 430 | 4 974 | 267 | 88 | 19 | 379 | － |
| 新　潟　市 | 6 022 | 5 953 | 136 | 54 | 127 | 121 | 231 |
| 静　岡　市 | 5 276 | 5 131 | 140 | 46 | 640 | 518 | 198 |
| 浜　松　市 | 6 804 | 6 708 | 214 | 69 | 691 | 725 | 12 |
| 名古屋市 | 19 977 | 19 334 | 422 | 144 | 1 880 | 1 906 | 1 125 |
| 京　都　市 | 11 137 | 10 817 | 215 | 86 | 344 | 139 | 1 080 |
| 大　阪　市 | 21 615 | 20 695 | 882 | 306 | 1 609 | 1 205 | 914 |
| 堺　　　市 | 6 829 | 6 695 | 199 | 71 | 621 | 469 | 9 |
| 神　戸　市 | 12 043 | 11 822 | 341 | 148 | 1 558 | 1 752 | 1 181 |
| 岡　山　市 | 6 314 | 6 006 | 115 | 50 | 475 | 259 | 91 |
| 広　島　市 | 10 672 | 10 069 | 294 | 90 | 509 | 526 | 95 |
| 北九州市 | 8 026 | 5 336 | 506 | 173 | 406 | 158 | 152 |
| 福　岡　市 | 14 548 | 14 156 | 452 | 165 | 698 | 377 | 147 |
| 熊　本　市 | 6 820 | 6 629 | 425 | 151 | 1 598 | 1 398 | 460 |

# 機関等へ委託した受診実人員－受診結果別人員，都道府県－指定都市・特別区－中核市－その他政令市別

平成29年度

| 数 | | | | | | |
|---|---|---|---|---|---|---|
| 3 歳 児 | | | | | | |
| 対象人員 | 受診実人員 | むし歯の総本数 | 受診結果・むし歯のある人員 | 受診結果・軟組織異常のある人員 | 受診結果・咬合異常のある人員 | 受診結果・その他の異常のある人員 |
| **1 043 777** | **973 082** | **474 967** | **140 420** | **26 629** | **126 968** | **54 610** |
| 37 384 | 35 333 | 21 833 | 5 642 | 720 | 4 292 | 1 854 |
| 9 123 | 8 898 | 7 975 | 2 187 | 111 | 1 004 | 646 |
| 8 988 | 8 793 | 5 787 | 1 600 | 197 | 1 101 | 298 |
| 24 822 | 23 503 | 15 665 | 4 312 | 473 | 2 875 | 2 032 |
| 6 141 | 5 971 | 4 072 | 1 115 | 89 | 780 | 302 |
| 8 120 | 7 998 | 5 281 | 1 430 | 178 | 855 | 233 |
| 14 238 | 13 858 | 11 019 | 2 894 | 415 | 1 754 | 516 |
| 22 781 | 21 764 | 13 214 | 3 643 | 444 | 2 538 | 557 |
| 15 891 | 15 331 | 7 729 | 2 251 | 427 | 2 008 | 571 |
| 15 092 | 14 592 | 7 009 | 1 994 | 246 | 1 634 | 387 |
| 71 640 | 54 131 | 23 841 | 7 327 | 1 091 | 5 873 | 2 051 |
| 49 685 | 45 593 | 22 275 | 6 622 | 787 | 5 430 | 2 444 |
| 112 496 | 105 202 | 29 865 | 9 872 | 3 162 | 13 376 | 10 651 |
| 74 775 | 70 807 | 27 144 | 8 470 | 2 740 | 9 691 | 5 051 |
| 16 737 | 16 359 | 5 582 | 1 744 | 123 | 1 030 | 345 |
| 7 682 | 7 487 | 3 341 | 1 072 | 163 | 955 | 508 |
| 7 768 | 7 574 | 3 595 | 1 144 | 99 | 1 210 | 153 |
| 6 385 | 6 281 | 3 462 | 1 077 | 69 | 541 | 179 |
| 6 007 | 5 664 | 3 493 | 1 016 | 229 | 725 | 264 |
| 16 256 | 15 809 | 6 376 | 1 949 | 299 | 1 723 | 198 |
| 15 901 | 15 417 | 5 313 | 1 682 | 442 | 1 831 | 695 |
| 29 219 | 26 624 | 8 414 | 2 602 | 510 | 3 566 | 1 024 |
| 66 905 | 64 910 | 20 934 | 6 189 | 3 061 | 11 158 | 4 684 |
| 14 098 | 13 622 | 7 350 | 2 136 | 280 | 1 929 | 538 |
| 13 041 | 12 304 | 5 667 | 1 746 | 88 | 1 462 | 345 |
| 20 093 | 19 350 | 8 613 | 2 798 | 693 | 2 767 | 1 363 |
| 70 053 | 65 235 | 35 302 | 10 522 | 2 173 | 8 242 | 3 570 |
| 44 798 | 43 540 | 18 328 | 5 551 | 1 557 | 6 307 | 3 082 |
| 9 975 | 8 555 | 4 998 | 1 476 | 118 | 1 157 | 487 |
| 7 089 | 6 736 | 4 847 | 1 303 | 114 | 460 | 13 |
| 4 662 | 4 589 | 1 578 | 553 | 161 | 744 | 1 160 |
| 5 323 | 5 178 | 2 582 | 827 | 95 | 1 135 | 492 |
| 16 089 | 15 202 | 8 204 | 2 424 | 684 | 3 076 | 376 |
| 24 178 | 22 447 | 9 406 | 2 935 | 292 | 2 568 | 458 |
| 10 413 | 9 490 | 6 062 | 1 741 | 170 | 1 152 | 631 |
| 5 197 | 5 220 | 3 174 | 895 | 231 | 1 242 | 214 |
| 8 054 | 7 563 | 4 590 | 1 477 | 117 | 862 | 325 |
| 10 594 | 9 950 | 6 216 | 1 763 | 131 | 1 479 | 453 |
| 5 020 | 4 713 | 2 198 | 660 | 231 | 1 045 | 409 |
| 46 069 | 41 397 | 22 031 | 6 534 | 871 | 4 435 | 989 |
| 7 278 | 7 063 | 5 482 | 1 540 | 89 | 831 | 237 |
| 11 484 | 10 914 | 8 074 | 2 381 | 367 | 1 762 | 638 |
| 15 682 | 15 257 | 11 771 | 3 210 | 1 010 | 2 935 | 825 |
| 9 383 | 8 910 | 6 390 | 1 881 | 173 | 900 | 368 |
| 9 775 | 9 312 | 7 166 | 1 857 | 239 | 884 | 1 206 |
| 14 592 | 13 861 | 8 866 | 2 711 | 414 | 2 162 | 69 |
| 16 801 | 14 775 | 12 853 | 3 665 | 256 | 1 482 | 719 |
| 77 934 | 72 226 | 20 172 | 6 630 | 2 488 | 9 598 | 7 321 |
| 14 689 | 13 797 | 8 244 | 2 011 | 222 | 1 930 | 901 |
| 15 502 | 14 486 | 8 765 | 2 492 | 206 | 1 645 | 1 600 |
| 11 566 | 9 178 | 3 818 | 1 140 | 258 | 1 190 | 482 |
| 7 779 | 7 306 | 3 631 | 1 093 | 20 | 925 | 731 |
| 30 893 | 29 668 | 9 630 | 3 115 | 1 827 | 4 596 | 3 183 |
| 13 442 | 12 694 | 4 546 | 1 477 | 213 | 1 890 | 603 |
| 5 728 | 5 214 | 2 350 | 739 | 14 | 517 | － |
| 6 350 | 6 189 | 1 914 | 606 | 40 | 401 | 258 |
| 5 410 | 5 234 | 1 934 | 588 | 193 | 928 | 186 |
| 6 767 | 4 685 | 1 044 | 415 | 190 | 827 | 5 |
| 19 622 | 18 900 | 4 510 | 1 392 | 1 257 | 3 547 | 1 595 |
| 10 628 | 10 356 | 3 917 | 1 342 | 413 | 1 388 | 949 |
| 20 530 | 19 265 | 10 363 | 3 066 | 619 | 2 270 | 1 219 |
| 6 846 | 6 573 | 4 041 | 1 141 | 136 | 799 | 9 |
| 12 177 | 11 846 | 4 694 | 1 431 | 683 | 2 638 | 1 507 |
| 6 328 | 5 985 | 3 808 | 1 055 | 477 | 1 938 | 139 |
| 10 886 | 9 811 | 3 711 | 1 152 | 142 | 1 092 | 91 |
| 7 841 | 5 191 | 4 387 | 1 088 | 174 | 817 | 140 |
| 14 483 | 14 009 | 5 949 | 1 934 | 325 | 1 506 | 249 |
| 6 826 | 6 635 | 5 171 | 1 369 | 871 | 1 842 | 644 |

# 第14表(4－2) 市区町村が実施した幼児の歯科健診の受診実人員－受診結果別人員・医療

| | 総 | | | | | | |
|---|---|---|---|---|---|---|---|
| | 1歳6か月児 | | | | | | |
| | 対象人員 | 受診実人員 | むし歯の総本数 | 受診結果・むし歯のある人員 | 受診結果・軟組織異常のある人員 | 受診結果・咬合異常のある人員 | 受診結果・その他の異常のある人員 |
| 中核市(再掲) | | | | | | | |
| 旭川市 | 2 341 | 2 289 | 102 | 41 | 24 | 32 | 122 |
| 函館市 | 1 568 | 1 487 | 110 | 37 | 77 | 15 | 83 |
| 青森市 | 1 966 | 1 931 | 61 | 21 | 89 | 125 | 227 |
| 八戸市 | 1 727 | 1 703 | 51 | 19 | 74 | 104 | 87 |
| 盛岡市 | 2 342 | 2 325 | 60 | 24 | 78 | 82 | - |
| 秋田市 | 2 062 | 2 001 | 72 | 31 | 149 | 153 | 139 |
| 郡山市 | 2 649 | 2 590 | 142 | 46 | 499 | 350 | 144 |
| いわき市 | 2 355 | 2 355 | 105 | 45 | 81 | 122 | - |
| 宇都宮市 | 4 769 | 4 624 | 127 | 48 | 340 | 314 | 380 |
| 前橋市 | 2 541 | 2 468 | 102 | 38 | 158 | 220 | 217 |
| 高崎市 | 2 719 | 2 660 | 109 | 35 | 125 | 215 | 100 |
| 川越市 | 2 781 | 2 648 | 22 | 8 | 320 | 93 | 106 |
| 越谷市 | 2 903 | 2 814 | 50 | 14 | 176 | 131 | 7 |
| 船橋市 | 5 391 | 4 904 | 82 | 30 | 268 | 112 | 164 |
| 柏市 | 3 686 | 3 386 | 124 | 43 | 254 | 311 | 208 |
| 八王子市 | 3 837 | 3 641 | 128 | 49 | 24 | 303 | 215 |
| 横須賀市 | 2 724 | 2 650 | 127 | 45 | 1 124 | 581 | 142 |
| 富山市 | 3 262 | 3 194 | 92 | 21 | 124 | 214 | 167 |
| 金沢市 | 3 749 | 3 704 | 217 | 73 | 273 | 271 | 82 |
| 長野市 | 2 899 | 2 820 | 105 | 34 | 135 | 272 | 2 |
| 岐阜市 | 3 206 | 3 047 | 97 | 30 | 33 | 99 | 165 |
| 豊橋市 | 3 221 | 3 114 | 175 | 59 | 267 | 394 | 127 |
| 豊田市 | 3 857 | 3 724 | 108 | 34 | 448 | 330 | 167 |
| 岡崎市 | 3 849 | 3 815 | 166 | 60 | 318 | 472 | 233 |
| 大津市 | 3 000 | 2 827 | 138 | 35 | - | 140 | - |
| 高槻市 | 2 802 | 2 759 | 73 | 26 | 150 | 135 | 118 |
| 東大阪市 | 3 478 | 3 394 | 107 | 35 | 27 | 287 | 159 |
| 豊中市 | 3 752 | 3 674 | 121 | 41 | 571 | 375 | 218 |
| 枚方市 | 2 939 | 2 826 | 66 | 19 | 306 | 151 | 202 |
| 姫路市 | 4 549 | 4 418 | 181 | 76 | 615 | 525 | 222 |
| 西宮市 | 4 183 | 4 183 | 60 | 29 | 369 | 281 | 188 |
| 尼崎市 | 3 676 | 3 512 | 128 | 41 | 304 | 222 | 180 |
| 奈良市 | 2 564 | 2 462 | 61 | 25 | 34 | 190 | 150 |
| 和歌山市 | 2 970 | 2 891 | 69 | 28 | 122 | 166 | 5 |
| 倉敷市 | 4 324 | 4 152 | 176 | 54 | 365 | 450 | 156 |
| 福山市 | 3 931 | 3 757 | 100 | 37 | 44 | 69 | 170 |
| 呉市 | 1 507 | 1 474 | 43 | 17 | 74 | 75 | 6 |
| 下関市 | 1 812 | 1 809 | 101 | 32 | 24 | 413 | 187 |
| 高松市 | 3 620 | 3 373 | 73 | 31 | 236 | 226 | 192 |
| 松山市 | 4 220 | 4 064 | 84 | 41 | 59 | 299 | 145 |
| 高知市 | 2 572 | 2 515 | 119 | 44 | 360 | 693 | 270 |
| 久留米市 | 2 836 | 2 454 | 276 | 70 | 320 | 268 | 73 |
| 長崎市 | 3 182 | 3 083 | 212 | 84 | 303 | 631 | 324 |
| 佐世保市 | 2 165 | 2 109 | 51 | 18 | 233 | 196 | 75 |
| 大分市 | 4 375 | 4 219 | 197 | 70 | 526 | 270 | 260 |
| 宮崎市 | 3 567 | 3 446 | 116 | 35 | 171 | 356 | 1 130 |
| 鹿児島市 | 5 419 | 5 215 | 295 | 114 | 281 | 516 | - |
| 那覇市 | 3 286 | 2 883 | 122 | 51 | 102 | 51 | 19 |
| その他政令市(再掲) | | | | | | | |
| 小樽市 | 544 | 524 | 13 | 9 | 14 | 11 | 34 |
| 町田市 | 3 135 | 2 824 | 74 | 25 | 242 | 224 | 243 |
| 藤沢市 | 3 762 | 3 632 | 51 | 23 | 435 | 156 | 179 |
| 茅ヶ崎市 | 1 978 | 1 878 | 50 | 18 | 251 | 131 | 107 |
| 四日市市 | 2 516 | 2 438 | 45 | 13 | 59 | 240 | 21 |
| 大牟田市 | 801 | 689 | 24 | 10 | 56 | 28 | 88 |

## 機関等へ委託した受診実人員－受診結果別人員，都道府県－指定都市・特別区－中核市－その他政令市別

平成29年度

| 数 | | | | | | |
|---|---|---|---|---|---|---|
| 3　歳　児 | | | | | | |
| 対象人員 | 受診実人員 | むし歯の総本数 | 受診結果・むし歯のある人員 | 受診結果・軟組織異常のある人員 | 受診結果・咬合異常のある人員 | 受診結果・その他の異常のある人員 |
| 2 309 | 2 203 | 1 545 | 423 | 7 | 172 | 135 |
| 1 581 | 1 468 | 980 | 262 | 39 | 97 | 92 |
| 2 021 | 1 971 | 1 245 | 353 | 28 | 243 | 405 |
| 1 819 | 1 781 | 1 669 | 439 | 14 | 149 | 89 |
| 2 297 | 2 296 | 1 189 | 359 | 47 | 291 | 168 |
| 2 234 | 2 149 | 1 336 | 376 | 48 | 305 | 187 |
| 2 709 | 2 593 | 1 788 | 465 | 184 | 457 | 196 |
| 2 465 | 2 464 | 1 593 | 443 | 47 | 279 | － |
| 4 814 | 4 631 | 1 799 | 537 | 157 | 644 | 358 |
| 2 605 | 2 515 | 1 165 | 313 | 66 | 324 | 232 |
| 3 166 | 3 075 | 1 298 | 341 | 53 | 387 | 106 |
| 2 864 | 2 649 | 728 | 271 | 73 | 163 | 167 |
| 2 910 | 2 745 | 1 082 | 367 | 86 | 274 | 14 |
| 5 526 | 4 878 | 1 587 | 520 | 120 | 371 | 212 |
| 3 535 | 3 221 | 1 419 | 471 | 130 | 468 | 330 |
| 4 074 | 3 786 | 1 306 | 424 | 17 | 533 | 501 |
| 2 833 | 2 686 | 1 516 | 424 | 188 | 480 | 147 |
| 3 219 | 3 078 | 1 543 | 476 | 57 | 338 | 227 |
| 2 430 | 2 374 | 1 129 | 329 | 82 | 688 | 66 |
| 2 913 | 2 839 | 1 118 | 370 | 35 | 472 | － |
| 3 177 | 3 013 | 909 | 285 | 36 | 492 | 298 |
| 3 227 | 3 097 | 1 817 | 519 | 118 | 520 | 12 |
| 3 859 | 3 735 | 1 503 | 412 | 177 | 540 | 170 |
| 3 686 | 3 620 | 2 022 | 527 | 99 | 714 | 319 |
| 3 026 | 2 732 | 930 | 312 | － | 144 | － |
| 2 920 | 2 787 | 1 593 | 463 | 53 | 253 | 158 |
| 3 493 | 3 293 | 2 114 | 594 | 42 | 500 | 87 |
| 3 818 | 3 575 | 1 485 | 555 | 210 | 479 | 241 |
| 3 154 | 2 779 | 992 | 324 | 132 | 359 | 368 |
| 4 642 | 4 551 | 2 076 | 628 | 219 | 770 | 364 |
| 4 156 | 4 152 | 1 345 | 453 | 107 | 499 | 282 |
| 3 526 | 3 337 | 1 382 | 395 | 100 | 324 | 234 |
| 2 637 | 2 427 | 1 241 | 390 | 28 | 375 | 222 |
| 2 863 | 2 676 | 2 040 | 573 | 50 | 84 | 2 |
| 4 453 | 4 156 | 1 894 | 602 | 153 | 735 | 158 |
| 4 142 | 3 959 | 1 333 | 439 | 4 | 496 | 167 |
| 1 540 | 1 498 | 959 | 281 | 12 | 239 | 6 |
| 1 913 | 1 343 | 920 | 240 | 100 | 370 | 260 |
| 3 829 | 3 472 | 1 655 | 670 | 102 | 434 | 254 |
| 4 343 | 3 983 | 2 489 | 715 | 42 | 756 | 256 |
| 2 580 | 2 411 | 990 | 304 | 216 | 860 | 389 |
| 2 976 | 2 247 | 2 116 | 397 | 92 | 285 | 85 |
| 3 318 | 3 218 | 2 501 | 726 | 205 | 978 | 481 |
| 2 298 | 2 043 | 1 061 | 340 | 45 | 214 | 64 |
| 4 358 | 4 153 | 2 498 | 737 | 124 | 496 | 317 |
| 3 716 | 3 603 | 1 956 | 554 | 145 | 451 | 1 154 |
| 5 581 | 5 345 | 3 017 | 880 | 295 | 1 152 | － |
| 3 308 | 2 873 | 2 267 | 704 | 39 | 336 | 185 |
| 599 | 591 | 335 | 102 | 6 | 115 | 63 |
| 3 260 | 3 032 | 922 | 318 | 162 | 406 | 539 |
| 3 764 | 3 453 | 1 424 | 450 | 139 | 447 | 288 |
| 2 017 | 1 882 | 707 | 204 | 84 | 276 | 260 |
| 2 538 | 2 425 | 968 | 301 | 28 | 245 | 40 |
| 782 | 647 | 421 | 121 | 16 | 103 | 80 |

# 第14表（4－3）市区町村が実施した幼児の歯科健診の受診実人員－受診結果別人員・医療

| | （再掲） | | | | | | |
|---|---|---|---|---|---|---|---|
| | 1歳6か月児 | | | | | | |
| | 対象人員 | 受診実人員 | むし歯の総本数 | 受診結果・むし歯のある人員 | 受診結果・軟組織異常のある人員 | 受診結果・咬合異常のある人員 | 受診結果・その他の異常のある人員 |
| **全国** | **51 628** | **41 318** | **2 360** | **787** | **2 772** | **2 974** | **1 499** |
| 北海道 | 2 516 | 2 316 | 174 | 54 | 111 | 82 | 88 |
| 青森 | − | − | − | − | − | − | − |
| 岩手 | 533 | 476 | 36 | 15 | 51 | 80 | 5 |
| 宮城 | 382 | 39 | 3 | 2 | − | 2 | − |
| 秋田 | 57 | 55 | 2 | 1 | − | − | 2 |
| 山形 | − | − | − | − | − | − | − |
| 福島 | − | − | − | − | − | − | − |
| 茨城 | − | − | − | − | − | − | − |
| 栃木 | − | − | − | − | − | − | − |
| 群馬 | − | − | − | − | − | − | − |
| 埼玉 | 16 543 | 13 336 | 638 | 220 | 718 | 1 106 | 549 |
| 千葉 | − | − | − | − | − | − | − |
| 東京 | 8 877 | 7 170 | 107 | 48 | 756 | 472 | 340 |
| 神奈川 | 11 | 9 | 4 | 1 | 1 | 1 | − |
| 新潟 | 3 | 3 | 1 | 1 | − | − | − |
| 富山 | − | − | − | − | − | − | − |
| 石川 | − | − | − | − | − | − | − |
| 福井 | − | − | − | − | − | − | − |
| 山梨 | 2 | − | − | − | − | − | − |
| 長野 | 6 | 6 | − | − | − | − | − |
| 岐阜 | 92 | 90 | 10 | 5 | − | 3 | − |
| 静岡 | 1 172 | 1 162 | 7 | 4 | − | 64 | 7 |
| 愛知 | − | − | − | − | − | − | − |
| 三重 | − | − | − | − | − | − | − |
| 滋賀 | − | − | − | − | − | − | − |
| 京都 | − | − | − | − | − | − | − |
| 大阪 | 517 | 154 | − | − | − | − | − |
| 兵庫 | 88 | 88 | 16 | 4 | 26 | 7 | 3 |
| 奈良 | 6 | 6 | 1 | 1 | − | − | − |
| 和歌山 | − | − | − | − | − | − | − |
| 鳥取 | − | − | − | − | − | − | − |
| 島根 | 26 | 26 | − | − | − | − | − |
| 岡山 | − | − | − | − | − | − | − |
| 広島 | − | − | − | − | − | − | − |
| 山口 | 1 432 | 1 289 | 83 | 30 | 93 | 145 | 61 |
| 徳島 | − | − | − | − | − | − | − |
| 香川 | 320 | 318 | 6 | 2 | 9 | 16 | 17 |
| 愛媛 | 927 | 915 | 22 | 9 | 15 | 70 | 40 |
| 高知 | − | − | − | − | − | − | − |
| 福岡 | 15 259 | 11 302 | 1 065 | 330 | 885 | 810 | 327 |
| 佐賀 | − | − | − | − | − | − | − |
| 長崎 | − | − | − | − | − | − | − |
| 熊本 | 69 | 66 | 15 | 3 | − | 7 | 1 |
| 大分 | − | − | − | − | − | − | − |
| 宮崎 | 172 | 170 | − | − | 12 | 1 | − |
| 鹿児島 | 8 | 7 | 5 | 2 | − | − | − |
| 沖縄 | 2 610 | 2 315 | 165 | 55 | 95 | 108 | 59 |
| 指定都市・特別区（再掲） | | | | | | | |
| 東京都区部 | 5 048 | 3 813 | 68 | 28 | 355 | 245 | 169 |
| 札幌市 | − | − | − | − | − | − | − |
| 仙台市 | − | − | − | − | − | − | − |
| さいたま市 | 11 201 | 9 605 | 496 | 158 | 666 | 890 | 484 |
| 千葉市 | − | − | − | − | − | − | − |
| 横浜市 | − | − | − | − | − | − | − |
| 川崎市 | − | − | − | − | − | − | − |
| 相模原市 | − | − | − | − | − | − | − |
| 新潟市 | − | − | − | − | − | − | − |
| 静岡市 | − | − | − | − | − | − | − |
| 浜松市 | − | − | − | − | − | − | − |
| 名古屋市 | − | − | − | − | − | − | − |
| 京都市 | − | − | − | − | − | − | − |
| 大阪市 | − | − | − | − | − | − | − |
| 堺市 | − | − | − | − | − | − | − |
| 神戸市 | − | − | − | − | − | − | − |
| 岡山市 | − | − | − | − | − | − | − |
| 広島市 | − | − | − | − | − | − | − |
| 北九州市 | 8 026 | 5 336 | 506 | 173 | 406 | 158 | 152 |
| 福岡市 | − | − | − | − | − | − | − |
| 熊本市 | − | − | − | − | − | − | − |

## 機関等へ委託した受診実人員－受診結果別人員，都道府県－指定都市・特別区－中核市－その他政令市別

平成29年度

医療機関等へ委託

| 3歳児 | | | | | | |
|---|---|---|---|---|---|---|
| 対象人員 | 受診実人員 | むし歯の総本数 | 受診結果・むし歯のある人員 | 受診結果・軟組織異常のある人員 | 受診結果・咬合異常のある人員 | 受診結果・その他の異常のある人員 |
| **38 088** | **29 897** | **19 170** | **5 141** | **787** | **3 568** | **1 200** |
| 2 572 | 2 277 | 1 505 | 411 | 62 | 180 | 99 |
| － | － | － | － | － | － | － |
| 565 | 492 | 387 | 93 | 24 | 79 | 4 |
| 32 | 32 | 46 | 13 | － | 2 | － |
| 43 | 43 | 44 | 13 | － | 2 | － |
| － | － | － | － | － | － | － |
| － | － | － | － | － | － | － |
| － | － | － | － | － | － | － |
| － | － | － | － | － | － | － |
| － | － | － | － | － | － | － |
| 11 566 | 9 178 | 3 818 | 1 140 | 258 | 1 190 | 482 |
| 1 551 | 1 054 | 587 | 165 | 37 | 209 | － |
| 1 286 | 1 258 | 331 | 103 | 39 | 134 | 78 |
| 9 | 8 | 3 | 1 | － | － | － |
| 2 | 2 | － | － | － | － | － |
| － | － | － | － | － | － | － |
| － | － | － | － | － | － | － |
| － | － | － | － | － | － | － |
| 3 | 1 | － | － | － | － | － |
| 6 | 5 | － | － | － | 1 | － |
| 110 | 99 | 22 | 9 | － | 8 | － |
| 1 197 | 1 151 | 214 | 73 | － | 114 | 5 |
| － | － | － | － | － | － | － |
| － | － | － | － | － | － | － |
| － | － | － | － | － | － | － |
| － | － | － | － | － | － | － |
| － | － | － | － | － | － | － |
| 119 | 119 | 56 | 14 | 14 | 11 | 9 |
| 12 | 8 | 15 | 3 | － | － | － |
| － | － | － | － | － | － | － |
| － | － | － | － | － | － | － |
| 20 | 20 | － | － | － | 1 | － |
| － | － | － | － | － | － | － |
| － | － | － | － | － | － | － |
| 17 | 17 | 7 | 3 | － | 6 | 3 |
| － | － | － | － | － | － | － |
| 365 | 356 | 260 | 79 | 2 | 32 | 24 |
| 990 | 969 | 548 | 157 | 8 | 104 | 50 |
| 2 | 2 | － | － | － | － | 1 |
| 11 636 | 7 744 | 6 720 | 1 563 | 249 | 1 100 | 237 |
| － | － | － | － | － | － | － |
| － | － | － | － | － | － | － |
| 76 | 73 | 109 | 29 | － | 11 | 1 |
| － | － | － | － | － | － | － |
| 167 | 164 | 163 | 34 | 24 | 5 | 3 |
| 8 | 6 | － | － | － | － | － |
| 5 734 | 4 819 | 4 335 | 1 238 | 70 | 379 | 204 |
| － | － | － | － | － | － | － |
| － | － | － | － | － | － | － |
| － | － | － | － | － | － | － |
| 11 566 | 9 178 | 3 818 | 1 140 | 258 | 1 190 | 482 |
| － | － | － | － | － | － | － |
| － | － | － | － | － | － | － |
| － | － | － | － | － | － | － |
| － | － | － | － | － | － | － |
| － | － | － | － | － | － | － |
| － | － | － | － | － | － | － |
| － | － | － | － | － | － | － |
| － | － | － | － | － | － | － |
| － | － | － | － | － | － | － |
| － | － | － | － | － | － | － |
| － | － | － | － | － | － | － |
| － | － | － | － | － | － | － |
| － | － | － | － | － | － | － |
| － | － | － | － | － | － | － |
| 7 841 | 5 191 | 4 387 | 1 088 | 174 | 817 | 140 |
| － | － | － | － | － | － | － |
| － | － | － | － | － | － | － |

# 第14表（4－4）市区町村が実施した幼児の歯科健診の受診実人員－受診結果別人員・医療

| | （再掲） | | | | | | |
|---|---|---|---|---|---|---|---|
| | 1歳6か月児 | | | | | | |
| | 対象人員 | 受診実人員 | むし歯の総本数 | 受診結果・むし歯のある人員 | 受診結果・軟組織異常のある人員 | 受診結果・咬合異常のある人員 | 受診結果・その他の異常のある人員 |
| 中核市(再掲) | | | | | | | |
| 旭川市 | - | - | - | - | - | - | - |
| 函館市 | 1 568 | 1 487 | 110 | 37 | 77 | 15 | 83 |
| 青森市 | - | - | - | - | - | - | - |
| 八戸市 | - | - | - | - | - | - | - |
| 盛岡市 | - | - | - | - | - | - | - |
| 秋田市 | - | - | - | - | - | - | - |
| 郡山市 | - | - | - | - | - | - | - |
| いわき市 | - | - | - | - | - | - | - |
| 宇都宮市 | - | - | - | - | - | - | - |
| 前橋市 | - | - | - | - | - | - | - |
| 高崎市 | - | - | - | - | - | - | - |
| 川越市 | - | - | - | - | - | - | - |
| 越谷市 | - | - | - | - | - | - | - |
| 船橋市 | - | - | - | - | - | - | - |
| 柏市 | - | - | - | - | - | - | - |
| 八王子市 | - | - | - | - | - | - | - |
| 横須賀市 | - | - | - | - | - | - | - |
| 富山市 | - | - | - | - | - | - | - |
| 金沢市 | - | - | - | - | - | - | - |
| 長野市 | - | - | - | - | - | - | - |
| 岐阜市 | - | - | - | - | - | - | - |
| 豊橋市 | - | - | - | - | - | - | - |
| 豊田市 | - | - | - | - | - | - | - |
| 岡崎市 | - | - | - | - | - | - | - |
| 大津市 | - | - | - | - | - | - | - |
| 高槻市 | - | - | - | - | - | - | - |
| 東大阪市 | - | - | - | - | - | - | - |
| 豊中市 | - | - | - | - | - | - | - |
| 枚方市 | - | - | - | - | - | - | - |
| 姫路市 | - | - | - | - | - | - | - |
| 西宮市 | - | - | - | - | - | - | - |
| 尼崎市 | - | - | - | - | - | - | - |
| 奈良市 | - | - | - | - | - | - | - |
| 和歌山市 | - | - | - | - | - | - | - |
| 倉敷市 | - | - | - | - | - | - | - |
| 福山市 | - | - | - | - | - | - | - |
| 呉市 | - | - | - | - | - | - | - |
| 下関市 | - | - | - | - | - | - | - |
| 高松市 | - | - | - | - | - | - | - |
| 松山市 | - | - | - | - | - | - | - |
| 高知市 | - | - | - | - | - | - | - |
| 久留米市 | 2 836 | 1 988 | 237 | 58 | 250 | 257 | 68 |
| 長崎市 | - | - | - | - | - | - | - |
| 佐世保市 | - | - | - | - | - | - | - |
| 大分市 | - | - | - | - | - | - | - |
| 宮崎市 | - | - | - | - | - | - | - |
| 鹿児島市 | - | - | - | - | - | - | - |
| 那覇市 | 10 | 5 | 9 | 5 | - | - | - |
| その他政令市(再掲) | | | | | | | |
| 小樽市 | - | - | - | - | - | - | - |
| 町田市 | - | - | - | - | - | - | - |
| 藤沢市 | - | - | - | - | - | - | - |
| 茅ヶ崎市 | - | - | - | - | - | - | - |
| 四日市市 | - | - | - | - | - | - | - |
| 大牟田市 | - | - | - | - | - | - | - |

## 機関等へ委託した受診実人員－受診結果別人員，都道府県－指定都市・特別区－中核市－その他政令市別

平成29年度

| 医療機関等へ委託 | | | | | | |
|---|---|---|---|---|---|---|
| 3歳児 | | | | | | |
| 対象人員 | 受診実人員 | むし歯の総本数 | 受診結果・むし歯のある人員 | 受診結果・軟組織異常のある人員 | 受診結果・咬合異常のある人員 | 受診結果・その他の異常のある人員 |
| – | – | – | – | – | – | – |
| 1 581 | 1 468 | 980 | 262 | 39 | 97 | 92 |
| – | – | – | – | – | – | – |
| – | – | – | – | – | – | – |
| – | – | – | – | – | – | – |
| – | – | – | – | – | – | – |
| – | – | – | – | – | – | – |
| – | – | – | – | – | – | – |
| – | – | – | – | – | – | – |
| – | – | – | – | – | – | – |
| – | – | – | – | – | – | – |
| – | – | – | – | – | – | – |
| – | – | – | – | – | – | – |
| – | – | – | – | – | – | – |
| – | – | – | – | – | – | – |
| – | – | – | – | – | – | – |
| – | – | – | – | – | – | – |
| – | – | – | – | – | – | – |
| – | – | – | – | – | – | – |
| – | – | – | – | – | – | – |
| – | – | – | – | – | – | – |
| – | – | – | – | – | – | – |
| – | – | – | – | – | – | – |
| – | – | – | – | – | – | – |
| – | – | – | – | – | – | – |
| – | – | – | – | – | – | – |
| – | – | – | – | – | – | – |
| – | – | – | – | – | – | – |
| – | – | – | – | – | – | – |
| – | – | – | – | – | – | – |
| – | – | – | – | – | – | – |
| – | – | – | – | – | – | – |
| – | – | – | – | – | – | – |
| – | – | – | – | – | – | – |
| – | – | – | – | – | – | – |
| – | – | – | – | – | – | – |
| – | – | – | – | – | – | – |
| – | – | – | – | – | – | – |
| – | – | – | – | – | – | – |
| – | – | – | – | – | – | – |
| – | – | – | – | – | – | – |
| – | – | – | – | – | – | – |
| 2 976 | 1 775 | 1 924 | 340 | 71 | 239 | 77 |
| – | – | – | – | – | – | – |
| – | – | – | – | – | – | – |
| – | – | – | – | – | – | – |
| – | – | – | – | – | – | – |
| – | – | – | – | – | – | – |
| 413 | 134 | 347 | 128 | 5 | 3 | – |
| – | – | – | – | – | – | – |
| – | – | – | – | – | – | – |
| – | – | – | – | – | – | – |
| – | – | – | – | – | – | – |
| – | – | – | – | – | – | – |
| – | – | – | – | – | – | – |

# 第15表（4－1）市区町村が実施した栄養指導の被指導延人員・医療機関等へ委託

| | 総 | | | | | | |
|---|---|---|---|---|---|---|---|
| | 総数 | | | | | 個 | |
| | 総数 | 妊産婦 | 乳幼児 | 20歳未満（妊産婦・乳幼児を除く。） | 20歳以上（妊産婦を除く。） | 総数 | 妊産婦 |
| **全国** | **4 753 206** | **292 324** | **2 970 690** | **224 294** | **1 265 898** | **1 615 940** | **157 219** |
| 北海道 | 208 427 | 21 691 | 119 152 | 12 598 | 54 986 | 113 544 | 16 044 |
| 青森 | 65 027 | 4 790 | 34 869 | 5 563 | 19 805 | 17 299 | 3 897 |
| 岩手 | 55 747 | 4 025 | 26 468 | 5 288 | 19 966 | 17 832 | 2 264 |
| 宮城 | 125 311 | 8 273 | 71 628 | 7 626 | 37 784 | 47 701 | 3 686 |
| 秋田 | 37 717 | 1 850 | 23 670 | 2 127 | 10 070 | 14 662 | 1 448 |
| 山形 | 52 466 | 2 900 | 22 832 | 1 120 | 25 614 | 10 320 | 1 344 |
| 福島 | 74 520 | 12 246 | 43 502 | 3 947 | 14 825 | 35 911 | 11 357 |
| 茨城 | 104 444 | 5 406 | 56 895 | 3 471 | 38 672 | 38 641 | 3 003 |
| 栃木 | 68 050 | 5 200 | 45 807 | 1 630 | 15 413 | 25 952 | 4 452 |
| 群馬 | 95 531 | 4 932 | 59 742 | 5 798 | 25 059 | 33 402 | 3 176 |
| 埼玉 | 139 147 | 7 099 | 96 632 | 4 279 | 31 137 | 32 725 | 850 |
| 千葉 | 241 630 | 16 198 | 137 431 | 10 087 | 77 914 | 56 283 | 2 688 |
| 東京 | 505 684 | 32 484 | 378 386 | 7 779 | 87 035 | 155 759 | 15 562 |
| 神奈川 | 301 772 | 14 283 | 215 669 | 9 993 | 61 827 | 59 102 | 5 145 |
| 新潟 | 137 917 | 3 514 | 57 844 | 17 050 | 59 509 | 41 336 | 1 520 |
| 富山 | 31 402 | 1 465 | 18 334 | 308 | 11 295 | 10 495 | 1 034 |
| 石川 | 54 428 | 5 324 | 37 846 | 1 157 | 10 101 | 31 131 | 3 919 |
| 福井 | 32 229 | 945 | 17 802 | 1 579 | 11 903 | 8 763 | 685 |
| 山梨 | 42 540 | 2 886 | 22 622 | 1 817 | 15 215 | 20 056 | 1 797 |
| 長野 | 144 114 | 11 809 | 83 809 | 5 741 | 42 755 | 52 541 | 2 541 |
| 岐阜 | 122 136 | 3 920 | 85 733 | 3 185 | 29 298 | 38 339 | 1 353 |
| 静岡 | 148 108 | 6 141 | 98 125 | 9 405 | 34 437 | 51 887 | 3 415 |
| 愛知 | 187 619 | 9 641 | 155 711 | 3 878 | 18 389 | 76 718 | 2 555 |
| 三重 | 32 623 | 2 804 | 18 358 | 320 | 11 141 | 13 518 | 2 058 |
| 滋賀 | 63 801 | 1 976 | 45 041 | 2 415 | 14 369 | 22 161 | 1 146 |
| 京都 | 85 451 | 2 608 | 65 376 | 2 537 | 14 930 | 20 687 | 669 |
| 大阪 | 294 321 | 10 515 | 187 472 | 12 915 | 83 419 | 61 215 | 4 290 |
| 兵庫 | 207 279 | 6 152 | 136 404 | 12 457 | 52 266 | 67 069 | 2 878 |
| 奈良 | 32 958 | 3 063 | 23 012 | 1 679 | 5 204 | 13 245 | 1 356 |
| 和歌山 | 33 192 | 1 558 | 24 773 | 1 847 | 5 014 | 8 888 | 988 |
| 鳥取 | 30 535 | 789 | 21 148 | 1 424 | 7 174 | 11 147 | 448 |
| 島根 | 23 101 | 3 205 | 11 316 | 2 667 | 5 913 | 9 715 | 2 029 |
| 岡山 | 93 384 | 4 548 | 37 014 | 7 595 | 44 227 | 32 665 | 3 297 |
| 広島 | 134 590 | 3 578 | 68 913 | 2 462 | 59 637 | 31 509 | 2 186 |
| 山口 | 21 472 | 1 757 | 13 896 | 2 556 | 3 263 | 10 220 | 1 182 |
| 徳島 | 25 728 | 2 047 | 16 130 | 1 848 | 5 703 | 9 780 | 1 660 |
| 香川 | 38 913 | 6 532 | 23 044 | 1 237 | 8 100 | 19 779 | 5 743 |
| 愛媛 | 48 977 | 3 955 | 23 243 | 3 883 | 17 896 | 23 016 | 3 540 |
| 高知 | 21 940 | 1 520 | 10 476 | 3 136 | 6 808 | 9 651 | 910 |
| 福岡 | 190 075 | 14 089 | 100 442 | 22 403 | 53 141 | 63 967 | 8 311 |
| 佐賀 | 28 608 | 2 229 | 16 334 | 1 752 | 8 293 | 12 121 | 1 473 |
| 長崎 | 51 483 | 2 251 | 36 884 | 1 346 | 11 002 | 28 842 | 1 670 |
| 熊本 | 88 782 | 10 596 | 55 975 | 3 412 | 18 799 | 38 293 | 7 913 |
| 大分 | 31 497 | 1 440 | 15 088 | 1 137 | 13 832 | 11 519 | 1 154 |
| 宮崎 | 39 815 | 1 622 | 18 773 | 4 577 | 14 843 | 18 431 | 609 |
| 鹿児島 | 97 106 | 11 857 | 49 873 | 1 400 | 33 976 | 41 338 | 4 493 |
| 沖縄 | 61 609 | 4 611 | 41 196 | 1 863 | 13 939 | 46 765 | 3 481 |
| 指定都市・特別区（再掲） | | | | | | | |
| 東京都区部 | 373 176 | 25 213 | 273 555 | 6 134 | 68 274 | 120 445 | 13 050 |
| 札幌市 | 49 119 | 11 989 | 29 266 | 599 | 7 265 | 32 321 | 9 389 |
| 仙台市 | 18 367 | 2 581 | 11 923 | 1 050 | 2 813 | 9 811 | 169 |
| さいたま市 | 13 519 | 967 | 8 855 | 763 | 2 934 | 3 267 | 51 |
| 千葉市 | 71 286 | 1 467 | 26 329 | 4 257 | 39 233 | 7 962 | 89 |
| 横浜市 | 137 578 | 3 050 | 96 127 | 4 790 | 33 611 | 13 615 | 31 |
| 川崎市 | 55 644 | 3 237 | 40 312 | 790 | 11 305 | 11 987 | 206 |
| 相模原市 | 11 249 | 569 | 10 680 | - | - | 2 194 | 2 |
| 新潟市 | 8 154 | 5 | 3 782 | 283 | 4 084 | 183 | 5 |
| 静岡市 | 10 770 | 367 | 10 401 | 2 | - | 8 218 | - |
| 浜松市 | 19 750 | 51 | 17 554 | 386 | 1 759 | 6 152 | 51 |
| 名古屋市 | 85 443 | 4 306 | 76 865 | 1 120 | 3 152 | 57 314 | 1 799 |
| 京都市 | 38 933 | 653 | 30 798 | 687 | 6 795 | 7 552 | 11 |
| 大阪市 | 129 616 | 2 503 | 64 019 | 8 680 | 54 414 | 19 659 | 345 |
| 堺市 | 20 797 | 483 | 15 831 | 1 909 | 2 574 | 2 393 | 17 |
| 神戸市 | 32 455 | 352 | 28 430 | 2 249 | 1 424 | 8 950 | 3 |
| 岡山市 | 10 873 | 5 | 2 873 | 929 | 7 066 | 508 | 5 |
| 広島市 | 29 240 | 9 | 26 652 | 82 | 2 497 | 4 311 | 9 |
| 北九州市 | 46 198 | 572 | 11 239 | 17 452 | 16 935 | 6 144 | 78 |
| 福岡市 | 38 273 | 800 | 27 604 | 580 | 9 289 | 6 877 | 204 |
| 熊本市 | 27 253 | 3 694 | 18 702 | 295 | 4 562 | 13 795 | 3 694 |

## した被指導延人員, 都道府県−指定都市・特別区−中核市−その他政令市、個別−集団・対象区分別

| | | | 数 | | | | |
|---|---|---|---|---|---|---|---|
| 別 | | | 集 | | | 団 | |
| 乳 幼 児 | 20 歳 未 満 (妊産婦・乳幼児 を 除 く 。) | 20 歳 以 上 (妊 産 婦 を 除 く 。) | 総　　数 | 妊 産 婦 | 乳 幼 児 | 20 歳 未 満 (妊産婦・乳幼児 を 除 く 。) | 20 歳 以 上 (妊 産 婦 を 除 く 。) |
| **1 104 220** | **12 293** | **342 208** | **3 137 266** | **135 105** | **1 866 470** | **212 001** | **923 690** |
| 76 406 | 579 | 20 515 | 94 883 | 5 647 | 42 746 | 12 019 | 34 471 |
| 8 652 | 370 | 4 380 | 47 728 | 893 | 26 217 | 5 193 | 15 425 |
| 12 957 | 42 | 2 569 | 37 915 | 1 761 | 13 511 | 5 246 | 17 397 |
| 35 139 | 51 | 8 825 | 77 610 | 4 587 | 36 489 | 7 575 | 28 959 |
| 10 610 | 5 | 2 599 | 23 055 | 402 | 13 060 | 2 122 | 7 471 |
| 6 696 | 293 | 1 987 | 42 146 | 1 556 | 16 136 | 827 | 23 627 |
| 21 780 | 313 | 2 461 | 38 609 | 889 | 21 722 | 3 634 | 12 364 |
| 24 740 | 3 | 10 895 | 65 803 | 2 403 | 32 155 | 3 468 | 27 777 |
| 16 040 | 206 | 5 254 | 42 098 | 748 | 29 767 | 1 424 | 10 159 |
| 24 918 | 856 | 4 452 | 62 129 | 1 756 | 34 824 | 4 942 | 20 607 |
| 26 948 | 32 | 4 895 | 106 422 | 6 249 | 69 684 | 4 247 | 26 242 |
| 44 099 | 623 | 8 873 | 185 347 | 13 510 | 93 332 | 9 464 | 69 041 |
| 106 579 | 154 | 33 464 | 349 925 | 16 922 | 271 807 | 7 625 | 53 571 |
| 44 215 | 553 | 9 189 | 242 670 | 9 138 | 171 454 | 9 440 | 52 638 |
| 14 797 | 1 178 | 23 841 | 96 581 | 1 994 | 43 047 | 15 872 | 35 668 |
| 7 946 | 2 | 1 513 | 20 907 | 431 | 10 388 | 306 | 9 782 |
| 23 718 | 3 | 3 491 | 23 297 | 1 405 | 14 128 | 1 154 | 6 610 |
| 6 409 | 6 | 1 663 | 23 466 | 260 | 11 393 | 1 573 | 10 240 |
| 10 057 | 5 | 8 197 | 22 484 | 1 089 | 12 565 | 1 812 | 7 018 |
| 32 848 | 257 | 16 895 | 91 573 | 9 268 | 50 961 | 5 484 | 25 860 |
| 29 099 | 296 | 7 591 | 83 797 | 2 567 | 56 634 | 2 889 | 21 707 |
| 40 288 | 700 | 7 484 | 96 221 | 2 726 | 57 837 | 8 705 | 26 953 |
| 68 613 | 109 | 5 441 | 110 901 | 7 086 | 87 098 | 3 769 | 12 948 |
| 9 809 | 2 | 1 649 | 19 105 | 746 | 8 549 | 318 | 9 492 |
| 15 224 | 50 | 5 741 | 41 640 | 830 | 29 817 | 2 365 | 8 628 |
| 16 556 | 224 | 3 238 | 64 764 | 1 939 | 48 820 | 2 313 | 11 692 |
| 37 557 | 457 | 18 911 | 233 106 | 6 225 | 149 915 | 12 458 | 64 508 |
| 48 477 | 163 | 15 551 | 140 210 | 3 274 | 87 927 | 12 294 | 36 715 |
| 10 449 | 150 | 1 290 | 19 713 | 1 707 | 12 563 | 1 529 | 3 914 |
| 6 639 | 247 | 1 014 | 24 304 | 570 | 18 134 | 1 600 | 4 000 |
| 8 996 | 2 | 1 701 | 19 388 | 341 | 12 152 | 1 422 | 5 473 |
| 4 973 | 888 | 1 825 | 13 386 | 1 176 | 6 343 | 1 779 | 4 088 |
| 19 809 | 677 | 8 882 | 60 719 | 1 251 | 17 205 | 6 918 | 35 345 |
| 23 289 | 62 | 5 972 | 103 081 | 1 392 | 45 624 | 2 400 | 53 665 |
| 8 260 | 174 | 604 | 11 252 | 575 | 5 636 | 2 382 | 2 659 |
| 6 807 | 68 | 1 245 | 15 948 | 387 | 9 323 | 1 780 | 4 458 |
| 12 542 | 277 | 1 217 | 19 134 | 789 | 10 502 | 960 | 6 883 |
| 14 709 | 119 | 4 648 | 25 961 | 415 | 8 534 | 3 764 | 13 248 |
| 6 116 | 259 | 2 366 | 12 289 | 610 | 4 360 | 2 877 | 4 442 |
| 40 002 | 627 | 15 027 | 126 108 | 5 778 | 60 440 | 21 776 | 38 114 |
| 8 616 | – | 2 032 | 16 487 | 756 | 7 718 | 1 752 | 6 261 |
| 23 030 | 373 | 3 769 | 22 641 | 581 | 13 854 | 973 | 7 233 |
| 18 748 | 361 | 11 271 | 50 489 | 2 683 | 37 227 | 3 051 | 7 528 |
| 5 825 | 10 | 4 530 | 19 978 | 286 | 9 263 | 1 127 | 9 302 |
| 8 820 | 332 | 8 670 | 21 384 | 1 013 | 9 953 | 4 245 | 6 173 |
| 21 670 | 19 | 15 156 | 55 768 | 7 364 | 28 203 | 1 381 | 18 820 |
| 33 743 | 116 | 9 425 | 14 844 | 1 130 | 7 453 | 1 747 | 4 514 |
| 81 628 | 139 | 25 628 | 252 731 | 12 163 | 191 927 | 5 995 | 42 646 |
| 20 948 | 7 | 1 977 | 16 798 | 2 600 | 8 318 | 592 | 5 288 |
| 8 258 | 20 | 1 364 | 8 556 | 2 412 | 3 665 | 1 030 | 1 449 |
| 3 171 | 18 | 27 | 10 252 | 916 | 5 684 | 745 | 2 907 |
| 6 624 | 36 | 1 213 | 63 324 | 1 378 | 19 705 | 4 221 | 38 020 |
| 11 577 | 20 | 1 987 | 123 963 | 3 019 | 84 550 | 4 770 | 31 624 |
| 10 027 | 40 | 1 714 | 43 657 | 3 031 | 30 285 | 750 | 9 591 |
| 2 192 | – | – | 9 055 | 567 | 8 488 | – | |
| 98 | 1 | 79 | 7 971 | – | 3 684 | 282 | 4 005 |
| 8 216 | 2 | – | 2 552 | 367 | 2 185 | – | – |
| 6 059 | 10 | 32 | 13 598 | – | 11 495 | 376 | 1 727 |
| 52 535 | 53 | 2 927 | 28 129 | 2 507 | 24 330 | 1 067 | 225 |
| 6 481 | 61 | 999 | 31 381 | 642 | 24 317 | 626 | 5 796 |
| 9 384 | 197 | 9 733 | 109 957 | 2 158 | 54 635 | 8 483 | 44 681 |
| 1 881 | 6 | 489 | 18 404 | 466 | 13 950 | 1 903 | 2 085 |
| 8 331 | 65 | 551 | 23 505 | 349 | 20 099 | 2 184 | 873 |
| 86 | 3 | 414 | 10 365 | – | 2 787 | 926 | 6 652 |
| 4 005 | – | 297 | 24 929 | – | 22 647 | 82 | 2 200 |
| 2 207 | 583 | 3 276 | 40 054 | 494 | 9 032 | 16 869 | 13 659 |
| 6 318 | 34 | 321 | 31 396 | 596 | 21 286 | 546 | 8 968 |
| 5 317 | 279 | 4 505 | 13 458 | – | 13 385 | 16 | 57 |

## 第15表（4－2） 市区町村が実施した栄養指導の被指導延人員・医療機関等へ委託

| | 総 | | | | | | |
|---|---|---|---|---|---|---|---|
| | 総 | | | 数 | | 個 | |
| | 総 数 | 妊 産 婦 | 乳 幼 児 | 20 歳 未 満（妊産婦・乳幼児を 除 く 。） | 20 歳 以 上（妊 産 婦を 除 く 。） | 総 数 | 妊 産 婦 |
| 中 核 市（再掲） | | | | | | | |
| 旭 川 市 | 12 580 | 4 | 9 079 | 205 | 3 292 | 1 981 | 4 |
| 函 館 市 | 5 957 | - | 5 774 | - | 183 | 5 957 | - |
| 青 森 市 | 5 802 | 44 | 5 758 | - | - | 90 | - |
| 八 戸 市 | 6 995 | - | 6 613 | 15 | 367 | 830 | - |
| 盛 岡 市 | 1 646 | 436 | 1 188 | - | 22 | 799 | - |
| 秋 田 市 | 6 831 | 124 | 6 707 | - | - | 788 | 11 |
| 郡 山 市 | 3 886 | - | 2 255 | 24 | 1 607 | 945 | - |
| い わ き 市 | 5 638 | 67 | 5 056 | 51 | 464 | 5 075 | 50 |
| 宇 都 宮 市 | 6 762 | 1 844 | 3 705 | 42 | 1 171 | 5 852 | 1 813 |
| 前 橋 市 | 9 787 | 1 434 | 2 213 | 1 540 | 4 600 | 3 694 | 906 |
| 高 崎 市 | 17 412 | 390 | 14 047 | - | 2 975 | 9 558 | - |
| 川 越 市 | 7 697 | 141 | 4 421 | - | 3 135 | 852 | 1 |
| 越 谷 市 | 4 896 | 257 | 1 955 | - | 2 684 | 2 178 | 1 |
| 船 橋 市 | 25 292 | 4 739 | 3 937 | 450 | 16 166 | 3 805 | 15 |
| 柏 市 | 9 161 | 4 659 | - | 4 | 4 498 | 2 806 | 1 030 |
| 八 王 子 市 | 5 497 | 102 | 5 064 | 135 | 196 | 1 253 | 11 |
| 横 須 賀 市 | 8 875 | 142 | 7 075 | 424 | 1 234 | 922 | 15 |
| 富 山 市 | 13 712 | 22 | 4 394 | 124 | 9 172 | 3 414 | 22 |
| 金 沢 市 | 26 614 | 3 246 | 19 744 | 5 | 3 619 | 19 460 | 2 775 |
| 長 野 市 | 12 751 | 6 160 | 3 271 | 1 | 3 319 | 4 326 | 580 |
| 岐 阜 市 | 14 569 | 239 | 13 428 | 95 | 807 | 959 | 6 |
| 豊 橋 市 | 4 496 | 132 | 4 234 | 2 | 128 | 431 | 10 |
| 豊 田 市 | 8 251 | 312 | 6 544 | 387 | 1 008 | 169 | - |
| 岡 崎 市 | 6 104 | 512 | 4 921 | - | 671 | 1 045 | - |
| 大 津 市 | 4 340 | 36 | 2 316 | - | 1 988 | 779 | - |
| 高 槻 市 | 5 861 | 530 | 3 813 | 158 | 1 360 | 2 867 | 265 |
| 東 大 阪 市 | 14 380 | 48 | 5 940 | 211 | 8 181 | 2 738 | - |
| 豊 中 市 | 9 961 | 2 500 | 7 101 | 360 | - | 5 799 | 2 280 |
| 枚 方 市 | 9 600 | 317 | 8 127 | 102 | 1 054 | 2 577 | 6 |
| 姫 路 市 | 16 669 | 1 | 13 192 | 2 217 | 1 259 | 5 844 | 1 |
| 西 宮 市 | 13 298 | 425 | 8 957 | 543 | 3 373 | 6 027 | 7 |
| 尼 崎 市 | 22 573 | 466 | 18 702 | 723 | 2 682 | 2 829 | 141 |
| 奈 良 市 | 5 316 | 217 | 3 980 | 41 | 1 078 | 1 013 | 7 |
| 和 歌 山 市 | 11 243 | 408 | 9 903 | 132 | 800 | 1 669 | 275 |
| 倉 敷 市 | 8 931 | 1 | 4 412 | 86 | 4 432 | 4 042 | 1 |
| 福 山 市 | 42 859 | 112 | 11 487 | - | 31 260 | 2 672 | - |
| 呉 市 | 6 743 | 70 | 6 112 | 2 | 559 | 2 992 | 28 |
| 下 関 市 | 2 226 | 103 | 1 249 | 416 | 458 | 1 033 | 2 |
| 高 松 市 | 14 961 | 3 954 | 9 073 | - | 1 934 | 9 248 | 3 954 |
| 松 山 市 | 554 | 2 | 175 | 6 | 371 | 554 | 2 |
| 高 知 市 | 1 524 | 60 | 1 304 | 7 | 153 | 802 | 2 |
| 久 留 米 市 | 6 960 | - | 4 006 | 1 155 | 1 799 | 1 679 | - |
| 長 崎 市 | 4 861 | 259 | 4 598 | 1 | 3 | 3 625 | 18 |
| 佐 世 保 市 | 5 643 | 857 | 2 826 | 440 | 1 520 | 4 818 | 711 |
| 大 分 市 | 6 740 | 2 | 3 855 | 164 | 2 719 | 1 452 | 2 |
| 宮 崎 市 | 2 958 | - | 2 105 | - | 853 | 2 135 | - |
| 鹿 児 島 市 | 36 051 | 5 649 | 21 217 | 3 | 9 182 | 14 682 | 505 |
| 那 覇 市 | 12 202 | 20 | 9 865 | 241 | 2 076 | 9 227 | 17 |
| その他政令市（再掲） | | | | | | | |
| 小 樽 市 | 5 562 | 615 | 2 003 | 53 | 2 891 | 4 159 | 586 |
| 町 田 市 | 12 230 | 315 | 11 605 | 16 | 294 | 2 373 | 2 |
| 藤 沢 市 | 6 325 | 234 | 4 885 | 247 | 959 | 3 022 | 1 |
| 茅 ヶ 崎 市 | 5 100 | 161 | 4 254 | 12 | 673 | 1 315 | - |
| 四 日 市 市 | 1 116 | 3 | 1 000 | 1 | 112 | 161 | 3 |
| 大 牟 田 市 | 3 444 | 591 | 2 007 | 70 | 776 | 476 | 14 |

## した被指導延人員，都道府県－指定都市・特別区－中核市－その他政令市、個別－集団・対象区分別

平成29年度

| 数（別）乳幼児 | 20歳未満（妊産婦・乳幼児を除く。） | 20歳以上（妊産婦を除く。） | 集団 総数 | 集団 妊産婦 | 集団 乳幼児 | 集団 20歳未満（妊産婦・乳幼児を除く。） | 集団 20歳以上（妊産婦を除く。） |
|---|---|---|---|---|---|---|---|
| 1 388 | 4 | 585 | 10 599 | – | 7 691 | 201 | 2 707 |
| 5 774 | – | 183 | – | – | – | – | – |
| 90 | – | – | 5 712 | 44 | 5 668 | – | – |
| 829 | – | 1 | 6 165 | – | 5 784 | 15 | 366 |
| 799 | – | – | 847 | 436 | 389 | – | 22 |
| 777 | – | – | 6 043 | 113 | 5 930 | – | – |
| 506 | 24 | 415 | 2 941 | – | 1 749 | – | 1 192 |
| 4 695 | – | 330 | 563 | 17 | 361 | 51 | 134 |
| 3 642 | 22 | 375 | 910 | 31 | 63 | 20 | 796 |
| 1 143 | 49 | 1 596 | 6 093 | 528 | 1 070 | 1 491 | 3 004 |
| 9 558 | – | – | 7 854 | 390 | 4 489 | – | 2 975 |
| 851 | – | – | 6 845 | 140 | 3 570 | – | 3 135 |
| 947 | – | 1 230 | 2 718 | 256 | 1 008 | – | 1 454 |
| 2 924 | – | 866 | 21 487 | 4 724 | 1 013 | 450 | 15 300 |
| – | – | 1 776 | 6 355 | 3 629 | – | 4 | 2 722 |
| 1 165 | 2 | 75 | 4 244 | 91 | 3 899 | 133 | 121 |
| 821 | 18 | 68 | 7 953 | 127 | 6 254 | 406 | 1 166 |
| 2 412 | 2 | 978 | 10 298 | – | 1 982 | 122 | 8 194 |
| 15 166 | 3 | 1 516 | 7 154 | 471 | 4 578 | 2 | 2 103 |
| 809 | 1 | 2 936 | 8 425 | 5 580 | 2 462 | – | 383 |
| 928 | 1 | 24 | 13 610 | 233 | 12 500 | 94 | 783 |
| 394 | 2 | 25 | 4 065 | 122 | 3 840 | – | 103 |
| 169 | – | – | 8 082 | 312 | 6 375 | 387 | 1 008 |
| 968 | – | 77 | 5 059 | 512 | 3 953 | – | 594 |
| 778 | – | 1 | 3 561 | 36 | 1 538 | – | 1 987 |
| 1 084 | 158 | 1 360 | 2 994 | 265 | 2 729 | – | – |
| 1 442 | – | 1 296 | 11 642 | 48 | 4 498 | 211 | 6 885 |
| 3 519 | – | – | 4 162 | 220 | 3 582 | 360 | – |
| 1 765 | 2 | 804 | 7 023 | 311 | 6 362 | 100 | 250 |
| 5 481 | 6 | 356 | 10 825 | – | 7 711 | 2 211 | 903 |
| 4 407 | 10 | 1 603 | 7 271 | 418 | 4 550 | 533 | 1 770 |
| 2 352 | 1 | 335 | 19 744 | 325 | 16 350 | 722 | 2 347 |
| 793 | – | 213 | 4 303 | 210 | 3 187 | 41 | 865 |
| 1 312 | 3 | 79 | 9 574 | 133 | 8 591 | 129 | 721 |
| 3 256 | 9 | 776 | 4 889 | – | 1 156 | 77 | 3 656 |
| 2 621 | – | 51 | 40 187 | 112 | 8 866 | – | 31 209 |
| 2 746 | 2 | 216 | 3 751 | 42 | 3 366 | – | 343 |
| 688 | 168 | 175 | 1 193 | 101 | 561 | 248 | 283 |
| 5 294 | – | – | 5 713 | – | 3 779 | – | 1 934 |
| 175 | 6 | 371 | – | – | – | – | – |
| 760 | 7 | 33 | 722 | 58 | 544 | – | 120 |
| 1 001 | 2 | 676 | 5 281 | – | 3 005 | 1 153 | 1 123 |
| 3 603 | 1 | 3 | 1 236 | 241 | 995 | – | – |
| 2 726 | 350 | 1 031 | 825 | 146 | 100 | 90 | 489 |
| 1 182 | 3 | 265 | 5 288 | – | 2 673 | 161 | 2 454 |
| 1 458 | – | 677 | 823 | – | 647 | – | 176 |
| 10 359 | 3 | 3 815 | 21 369 | 5 144 | 10 858 | – | 5 367 |
| 8 949 | 1 | 260 | 2 975 | 3 | 916 | 240 | 1 816 |
| 1 920 | 23 | 1 630 | 1 403 | 29 | 83 | 30 | 1 261 |
| 2 191 | 2 | 178 | 9 857 | 313 | 9 414 | 14 | 116 |
| 2 436 | 178 | 407 | 3 303 | 233 | 2 449 | 69 | 552 |
| 1 315 | – | – | 3 785 | 161 | 2 939 | 12 | 673 |
| 157 | 1 | – | 955 | – | 843 | – | 112 |
| 405 | 1 | 56 | 2 968 | 577 | 1 602 | 69 | 720 |

# 第15表（4－3）市区町村が実施した栄養指導の被指導延人員・医療機関等へ委託

| | 総数 | | | | | （再掲）個 | |
|---|---|---|---|---|---|---|---|
| | 総数 | 妊産婦 | 乳幼児 | 20歳未満（妊産婦・乳幼児を除く。） | 20歳以上（妊産婦を除く。） | 総数 | 妊産婦 |
| 全国 | 46 302 | 15 311 | 24 358 | 623 | 6 010 | 34 571 | 14 850 |
| 北海道 | 47 | 1 | 14 | - | 32 | 19 | 1 |
| 青森 | 2 015 | - | 1 985 | - | 30 | 86 | - |
| 岩手 | 19 | 19 | - | - | - | 19 | 19 |
| 宮城 | 612 | - | 578 | - | 34 | 578 | - |
| 秋田 | 57 | - | 57 | - | - | 57 | - |
| 山形 | 538 | - | 538 | - | - | 538 | - |
| 福島 | 8 374 | 5 894 | 2 407 | - | 73 | 8 253 | 5 894 |
| 茨城 | - | - | - | - | - | - | - |
| 栃木 | 33 | - | - | - | 33 | 33 | - |
| 群馬 | 4 705 | - | 4 705 | - | - | 4 705 | - |
| 埼玉 | 1 048 | - | - | - | 1 048 | 34 | - |
| 千葉 | 46 | - | - | 46 | - | 46 | - |
| 東京 | 4 226 | 1 281 | 2 826 | 26 | 93 | 3 184 | 936 |
| 神奈川 | 2 171 | 1 947 | - | - | 224 | 1 947 | 1 947 |
| 新潟 | - | - | - | - | - | - | - |
| 富山 | - | - | - | - | - | - | - |
| 石川 | 689 | - | - | 80 | 609 | - | - |
| 福井 | 75 | - | - | - | 75 | - | - |
| 山梨 | 471 | - | - | 471 | - | - | - |
| 長野 | 68 | - | 22 | - | 46 | 46 | - |
| 岐阜 | 256 | - | - | - | 256 | 256 | - |
| 静岡 | - | - | - | - | - | - | - |
| 愛知 | 3 244 | - | 3 244 | - | - | - | - |
| 三重 | 667 | 564 | 103 | - | - | 667 | 564 |
| 滋賀 | 985 | - | 544 | - | 441 | 441 | - |
| 京都 | - | - | - | - | - | - | - |
| 大阪 | - | - | - | - | - | - | - |
| 兵庫 | 278 | - | - | - | 278 | 278 | - |
| 奈良 | 128 | 128 | - | - | - | 128 | 128 |
| 和歌山 | - | - | - | - | - | - | - |
| 鳥取 | - | - | - | - | - | - | - |
| 島根 | 1 045 | 1 040 | - | - | 5 | 1 045 | 1 040 |
| 岡山 | 1 316 | - | - | - | 1 316 | 475 | - |
| 広島 | - | - | - | - | - | - | - |
| 山口 | - | - | - | - | - | - | - |
| 徳島 | 67 | 67 | - | - | - | 67 | 67 |
| 香川 | 5 024 | 2 439 | 2 585 | - | - | 5 024 | 2 439 |
| 愛媛 | 2 173 | 1 348 | 825 | - | - | 2 173 | 1 348 |
| 高知 | 108 | 55 | - | - | 53 | - | - |
| 福岡 | 625 | 137 | 140 | - | 348 | 305 | 137 |
| 佐賀 | - | - | - | - | - | - | - |
| 長崎 | - | - | - | - | - | - | - |
| 熊本 | 580 | 85 | 234 | - | 261 | 371 | 85 |
| 大分 | 30 | 15 | 15 | - | - | 30 | 15 |
| 宮崎 | - | - | - | - | - | - | - |
| 鹿児島 | 1 163 | 208 | 200 | - | 755 | 408 | 208 |
| 沖縄 | 3 419 | 83 | 3 336 | - | - | 3 358 | 22 |
| 指定都市・特別区(再掲) | | | | | | | |
| 東京都区部 | 2 092 | 345 | 1 747 | - | - | 1 131 | - |
| 札幌市 | - | - | - | - | - | - | - |
| 仙台市 | - | - | - | - | - | - | - |
| さいたま市 | - | - | - | - | - | - | - |
| 千葉市 | - | - | - | - | - | - | - |
| 横浜市 | - | - | - | - | - | - | - |
| 川崎市 | 224 | - | - | - | 224 | - | - |
| 相模原市 | - | - | - | - | - | - | - |
| 新潟市 | - | - | - | - | - | - | - |
| 静岡市 | - | - | - | - | - | - | - |
| 浜松市 | - | - | - | - | - | - | - |
| 名古屋市 | - | - | - | - | - | - | - |
| 京都市 | - | - | - | - | - | - | - |
| 大阪市 | - | - | - | - | - | - | - |
| 堺市 | - | - | - | - | - | - | - |
| 神戸市 | - | - | - | - | - | - | - |
| 岡山市 | - | - | - | - | - | - | - |
| 広島市 | - | - | - | - | - | - | - |
| 北九州市 | - | - | - | - | - | - | - |
| 福岡市 | 348 | - | - | - | 348 | 28 | - |
| 熊本市 | - | - | - | - | - | - | - |

## した被指導延人員，都道府県－指定都市・特別区－中核市－その他政令市、個別－集団・対象区分別

平成29年度

| 医療機関等へ委託 | | | | | | | |
|---|---|---|---|---|---|---|---|
| 別 | | | 集団 | | | | |
| 乳幼児 | 20歳未満（妊産婦・乳幼児を除く。） | 20歳以上（妊産婦を除く。） | 総数 | 妊産婦 | 乳幼児 | 20歳未満（妊産婦・乳幼児を除く。） | 20歳以上（妊産婦を除く。） |
| **17 954** | **46** | **1 721** | **11 731** | **461** | **6 404** | **577** | **4 289** |
| － | － | 18 | 28 | － | 14 | － | 14 |
| 86 | － | － | 1 929 | － | 1 899 | － | 30 |
| － | － | － | － | － | － | － | － |
| 578 | － | － | 34 | － | － | － | 34 |
| 57 | － | － | － | － | － | － | － |
| 538 | － | － | － | － | － | － | － |
| 2 357 | － | 2 | 121 | － | 50 | － | 71 |
| － | － | － | － | － | － | － | － |
| － | － | 33 | － | － | － | － | － |
| 4 705 | － | － | － | － | － | － | － |
| － | － | 34 | 1 014 | － | － | － | 1 014 |
| － | 46 | － | － | － | － | － | － |
| 2 195 | － | 53 | 1 042 | 345 | 631 | 26 | 40 |
| － | － | － | 224 | － | － | － | 224 |
| － | － | － | － | － | － | － | － |
| － | － | － | － | － | － | － | － |
| － | － | － | 689 | － | － | 80 | 609 |
| － | － | － | 75 | － | － | － | 75 |
| － | － | － | 471 | － | － | 471 | － |
| － | － | 46 | 22 | － | 22 | － | － |
| － | － | 256 | － | － | － | － | － |
| － | － | － | － | － | － | － | － |
| － | － | － | 3 244 | － | 3 244 | － | － |
| 103 | － | － | － | － | － | － | － |
| － | － | 441 | 544 | － | 544 | － | － |
| － | － | － | － | － | － | － | － |
| － | － | － | － | － | － | － | － |
| － | － | 278 | － | － | － | － | － |
| － | － | － | － | － | － | － | － |
| － | － | － | － | － | － | － | － |
| － | － | － | － | － | － | － | － |
| － | － | 5 | － | － | － | － | － |
| － | － | 475 | 841 | － | － | － | 841 |
| － | － | － | － | － | － | － | － |
| － | － | － | － | － | － | － | － |
| － | － | － | － | － | － | － | － |
| 2 585 | － | － | － | － | － | － | － |
| 825 | － | － | － | － | － | － | － |
| － | － | － | 108 | 55 | － | － | 53 |
| 140 | － | 28 | 320 | － | － | － | 320 |
| － | － | － | － | － | － | － | － |
| － | － | － | － | － | － | － | － |
| 234 | － | 52 | 209 | － | － | － | 209 |
| 15 | － | － | － | － | － | － | － |
| － | － | － | － | － | － | － | － |
| 200 | － | － | 755 | － | － | － | 755 |
| 3 336 | － | － | 61 | 61 | － | － | － |
| 1 131 | － | － | 961 | 345 | 616 | － | － |
| － | － | － | － | － | － | － | － |
| － | － | － | － | － | － | － | － |
| － | － | － | － | － | － | － | － |
| － | － | － | － | － | － | － | － |
| － | － | － | － | － | － | － | － |
| － | － | － | 224 | － | － | － | 224 |
| － | － | － | － | － | － | － | － |
| － | － | － | － | － | － | － | － |
| － | － | － | － | － | － | － | － |
| － | － | － | － | － | － | － | － |
| － | － | － | － | － | － | － | － |
| － | － | － | － | － | － | － | － |
| － | － | － | － | － | － | － | － |
| － | － | － | － | － | － | － | － |
| － | － | － | － | － | － | － | － |
| － | － | － | － | － | － | － | － |
| － | － | － | － | － | － | － | － |
| － | － | － | － | － | － | － | － |
| － | － | 28 | 320 | － | － | － | 320 |
| － | － | － | － | － | － | － | － |

# 第15表（4-4） 市区町村が実施した栄養指導の被指導延人員・医療機関等へ委託

| | 総 | | 数 | | | （再掲） | |
| | | | | | | 個 | |
| | 総　　数 | 妊 産 婦 | 乳 幼 児 | 20 歳 未 満<br>（妊産婦・乳幼児<br>を 除 く 。） | 20 歳 以 上<br>（妊 産 婦<br>を 除 く 。） | 総　　数 | 妊 産 婦 |
|---|---|---|---|---|---|---|---|
| 中 核 市(再掲) | | | | | | | |
| 旭 川 市 | - | - | - | - | - | - | - |
| 函 館 市 | - | - | - | - | - | - | - |
| 青 森 市 | - | - | - | - | - | - | - |
| 八 戸 市 | 1 868 | - | 1 868 | - | - | 86 | - |
| 盛 岡 市 | - | - | - | - | - | - | - |
| 秋 田 市 | - | - | - | - | - | - | - |
| 郡 山 市 | - | - | - | - | - | - | - |
| い わ き 市 | - | - | - | - | - | - | - |
| 宇 都 宮 市 | - | - | - | - | - | - | - |
| 前 橋 市 | - | - | - | - | - | - | - |
| 高 崎 市 | 4 705 | - | 4 705 | - | - | 4 705 | - |
| 川 越 市 | - | - | - | - | - | - | - |
| 越 谷 市 | - | - | - | - | - | - | - |
| 船 橋 市 | - | - | - | - | - | - | - |
| 柏 市 | - | - | - | - | - | - | - |
| 八 王 子 市 | - | - | - | - | - | - | - |
| 横 須 賀 市 | - | - | - | - | - | - | - |
| 富 山 市 | - | - | - | - | - | - | - |
| 金 沢 市 | - | - | - | - | - | - | - |
| 長 野 市 | - | - | - | - | - | - | - |
| 岐 阜 市 | - | - | - | - | - | - | - |
| 豊 橋 市 | - | - | - | - | - | - | - |
| 豊 田 市 | - | - | - | - | - | - | - |
| 岡 崎 市 | 3 244 | - | 3 244 | - | - | - | - |
| 大 津 市 | - | - | - | - | - | - | - |
| 高 槻 市 | - | - | - | - | - | - | - |
| 東 大 阪 市 | - | - | - | - | - | - | - |
| 豊 中 市 | - | - | - | - | - | - | - |
| 枚 方 市 | - | - | - | - | - | - | - |
| 姫 路 市 | - | - | - | - | - | - | - |
| 西 宮 市 | - | - | - | - | - | - | - |
| 尼 崎 市 | - | - | - | - | - | - | - |
| 奈 良 市 | - | - | - | - | - | - | - |
| 和 歌 山 市 | - | - | - | - | - | - | - |
| 倉 敷 市 | 1 316 | - | - | - | 1 316 | 475 | - |
| 福 山 市 | - | - | - | - | - | - | - |
| 呉 市 | - | - | - | - | - | - | - |
| 下 関 市 | - | - | - | - | - | - | - |
| 高 松 市 | 4 772 | 2 404 | 2 368 | - | - | 4 772 | 2 404 |
| 松 山 市 | - | - | - | - | - | - | - |
| 高 知 市 | 108 | 55 | - | - | 53 | - | - |
| 久 留 米 市 | - | - | - | - | - | - | - |
| 長 崎 市 | - | - | - | - | - | - | - |
| 佐 世 保 市 | - | - | - | - | - | - | - |
| 大 分 市 | - | - | - | - | - | - | - |
| 宮 崎 市 | - | - | - | - | - | - | - |
| 鹿 児 島 市 | - | - | - | - | - | - | - |
| 那 覇 市 | - | - | - | - | - | - | - |
| その他政令市(再掲) | | | | | | | |
| 小 樽 市 | - | - | - | - | - | - | - |
| 町 田 市 | - | - | - | - | - | - | - |
| 藤 沢 市 | - | - | - | - | - | - | - |
| 茅 ヶ 崎 市 | - | - | - | - | - | - | - |
| 四 日 市 市 | - | - | - | - | - | - | - |
| 大 牟 田 市 | - | - | - | - | - | - | - |

## した被指導延人員，都道府県－指定都市・特別区－中核市－その他政令市、個別－集団・対象区分別

平成29年度

| 医療機関等へ委託 | | | | | | | |
|---|---|---|---|---|---|---|---|
| 別 | | | 集団 | | | | |
| 乳幼児 | 20歳未満（妊産婦・乳幼児を除く。） | 20歳以上（妊産婦を除く。） | 総数 | 妊産婦 | 乳幼児 | 20歳未満（妊産婦・乳幼児を除く。） | 20歳以上（妊産婦を除く。） |
| - | - | - | - | - | - | - | - |
| - | - | - | - | - | - | - | - |
| - | - | - | - | - | - | - | - |
| 86 | - | - | 1 782 | - | 1 782 | - | - |
| - | - | - | - | - | - | - | - |
| - | - | - | - | - | - | - | - |
| - | - | - | - | - | - | - | - |
| - | - | - | - | - | - | - | - |
| - | - | - | - | - | - | - | - |
| - | - | - | - | - | - | - | - |
| 4 705 | - | - | - | - | - | - | - |
| - | - | - | - | - | - | - | - |
| - | - | - | - | - | - | - | - |
| - | - | - | - | - | - | - | - |
| - | - | - | - | - | - | - | - |
| - | - | - | - | - | - | - | - |
| - | - | - | - | - | - | - | - |
| - | - | - | - | - | - | - | - |
| - | - | - | - | - | - | - | - |
| - | - | - | - | - | - | - | - |
| - | - | - | - | - | - | - | - |
| - | - | - | - | - | - | - | - |
| - | - | - | - | - | - | - | - |
| - | - | - | 3 244 | - | 3 244 | - | - |
| - | - | - | - | - | - | - | - |
| - | - | - | - | - | - | - | - |
| - | - | - | - | - | - | - | - |
| - | - | - | - | - | - | - | - |
| - | - | - | - | - | - | - | - |
| - | - | - | - | - | - | - | - |
| - | - | - | - | - | - | - | - |
| - | - | - | - | - | - | - | - |
| - | - | - | - | - | - | - | - |
| - | - | - | - | - | - | - | - |
| - | - | 475 | 841 | - | - | - | 841 |
| - | - | - | - | - | - | - | - |
| - | - | - | - | - | - | - | - |
| - | - | - | - | - | - | - | - |
| 2 368 | - | - | - | - | - | - | - |
| - | - | - | - | - | - | - | - |
| - | - | - | 108 | 55 | - | - | 53 |
| - | - | - | - | - | - | - | - |
| - | - | - | - | - | - | - | - |
| - | - | - | - | - | - | - | - |
| - | - | - | - | - | - | - | - |
| - | - | - | - | - | - | - | - |
| - | - | - | - | - | - | - | - |
| - | - | - | - | - | - | - | - |
| - | - | - | - | - | - | - | - |
| - | - | - | - | - | - | - | - |
| - | - | - | - | - | - | - | - |
| - | - | - | - | - | - | - | - |
| - | - | - | - | - | - | - | - |
| - | - | - | - | - | - | - | - |

## 第16表（4－1）市区町村が実施した病態別栄養指導の被指導延人員・医療機関等へ

| | 総 | | | | | | |
|---|---|---|---|---|---|---|---|
| | 総 | 数 | | | | 個 | |
| | 総　数 | 妊　産　婦 | 乳　幼　児 | 20 歳 未 満（妊産婦・乳幼児を除く。） | 20 歳 以 上（妊 産 婦を 除 く。） | 総　数 | 妊　産　婦 |
| 全　　　　国 | 370 003 | 13 497 | 69 648 | 7 933 | 278 925 | 161 046 | 6 613 |
| 北　海　道 | 15 468 | 459 | 2 451 | 130 | 12 428 | 9 885 | 278 |
| 青　　森 | 6 357 | 233 | 1 691 | 756 | 3 677 | 2 107 | 160 |
| 岩　　手 | 7 691 | 213 | 334 | 170 | 6 974 | 701 | 47 |
| 宮　　城 | 17 252 | 233 | 79 | 15 | 16 925 | 4 522 | 52 |
| 秋　　田 | 4 974 | 26 | 19 | 412 | 4 517 | 1 868 | - |
| 山　　形 | 2 252 | 1 | 25 | 4 | 2 222 | 366 | 1 |
| 福　　島 | 4 981 | 1 131 | 585 | 288 | 2 977 | 2 060 | 1 131 |
| 茨　　城 | 16 450 | 147 | 1 425 | 424 | 14 454 | 5 029 | 86 |
| 栃　　木 | 3 306 | - | 37 | 3 | 3 266 | 1 293 | - |
| 群　　馬 | 3 873 | 120 | 35 | 64 | 3 654 | 1 926 | 47 |
| 埼　　玉 | 4 829 | 58 | 202 | 2 | 4 567 | 2 725 | 20 |
| 千　　葉 | 6 350 | 146 | 1 376 | 581 | 4 247 | 3 252 | 73 |
| 東　　京 | 57 480 | 1 474 | 11 735 | 368 | 43 903 | 22 567 | 687 |
| 神　奈　川 | 27 322 | 1 872 | 15 420 | 786 | 9 244 | 5 168 | 59 |
| 新　　潟 | 16 377 | 3 | 519 | 175 | 15 680 | 9 813 | 3 |
| 富　　山 | 14 134 | 22 | 4 404 | 124 | 9 584 | 3 569 | 22 |
| 石　　川 | 4 245 | 1 049 | 1 434 | - | 1 762 | 2 949 | 531 |
| 福　　井 | 748 | 14 | 122 | 1 | 611 | 466 | 14 |
| 山　　梨 | 2 976 | 52 | - | 1 | 2 923 | 1 052 | 16 |
| 長　　野 | 7 504 | 148 | 115 | 53 | 7 188 | 5 426 | 107 |
| 岐　　阜 | 7 659 | 45 | 294 | 22 | 7 298 | 3 131 | 40 |
| 静　　岡 | 5 851 | 177 | 68 | 146 | 5 460 | 3 160 | 171 |
| 愛　　知 | 22 338 | 2 343 | 17 342 | 738 | 1 915 | 7 627 | 265 |
| 三　　重 | 2 030 | 23 | 198 | - | 1 809 | 588 | - |
| 滋　　賀 | 4 155 | 2 | 291 | 129 | 3 733 | 3 311 | 2 |
| 京　　都 | 5 501 | 48 | 586 | 120 | 4 747 | 1 699 | - |
| 大　　阪 | 10 069 | 132 | 799 | 15 | 9 123 | 4 934 | 17 |
| 兵　　庫 | 11 254 | 383 | 1 714 | 181 | 8 976 | 7 868 | 249 |
| 奈　　良 | 1 708 | 7 | 151 | - | 1 550 | 1 063 | 7 |
| 和　歌　山 | 1 422 | - | 15 | 4 | 1 403 | 597 | - |
| 鳥　　取 | 2 091 | - | - | 23 | 2 068 | 516 | - |
| 島　　根 | 1 421 | - | 2 | 319 | 1 100 | 273 | - |
| 岡　　山 | 6 767 | 2 | 550 | 6 | 6 209 | 2 433 | 2 |
| 広　　島 | 7 474 | 23 | 301 | - | 7 150 | 2 098 | 23 |
| 山　　口 | 798 | 3 | 3 | 260 | 532 | 426 | 3 |
| 徳　　島 | 1 567 | - | 170 | 448 | 949 | 697 | - |
| 香　　川 | 1 998 | 7 | 75 | 16 | 1 900 | 355 | - |
| 愛　　媛 | 1 950 | 47 | 145 | 97 | 1 661 | 1 539 | 47 |
| 高　　知 | 471 | - | 2 | 167 | 302 | 75 | - |
| 福　　岡 | 16 151 | 560 | 1 595 | 644 | 13 352 | 8 928 | 506 |
| 佐　　賀 | 1 928 | 18 | 1 | - | 1 909 | 836 | 18 |
| 長　　崎 | 2 780 | 12 | 303 | - | 2 465 | 2 078 | 12 |
| 熊　　本 | 5 806 | 1 374 | 1 422 | 96 | 2 914 | 5 254 | 1 226 |
| 大　　分 | 1 958 | 1 | 2 | - | 1 955 | 1 201 | 1 |
| 宮　　崎 | 5 920 | 260 | 479 | 48 | 5 133 | 4 065 | 91 |
| 鹿　児　島 | 8 318 | 202 | 224 | 35 | 7 857 | 4 030 | 197 |
| 沖　　縄 | 6 049 | 427 | 908 | 62 | 4 652 | 5 520 | 402 |
| 指定都市・特別区（再掲） | | | | | | | |
| 東 京 都 区 部 | 46 820 | 1 408 | 11 313 | 363 | 33 736 | 16 653 | 621 |
| 札　幌　市 | 619 | - | - | - | 619 | 233 | - |
| 仙　台　市 | 108 | 6 | 12 | - | 90 | 108 | 6 |
| さ い た ま 市 | 70 | - | 64 | 2 | 4 | 70 | - |
| 千　葉　市 | 1 013 | 5 | 716 | 9 | 283 | 767 | 5 |
| 横　浜　市 | 1 905 | - | - | - | 1 905 | 687 | - |
| 川　崎　市 | 18 836 | 1 844 | 15 203 | 40 | 1 749 | 2 489 | 31 |
| 相　模　原　市 | 21 | - | 21 | - | - | 21 | - |
| 新　潟　市 | 702 | - | - | - | 702 | 67 | - |
| 静　岡　市 | - | - | - | - | - | - | - |
| 浜　松　市 | 3 | 1 | - | - | 2 | 3 | 1 |
| 名　古　屋　市 | 20 025 | 2 265 | 16 950 | 724 | 86 | 6 578 | 264 |
| 京　都　市 | 1 822 | 48 | 464 | 120 | 1 190 | 662 | - |
| 大　阪　市 | 3 408 | 13 | 404 | 14 | 2 977 | 1 539 | 13 |
| 堺　　市 | 1 978 | 1 | 84 | 1 | 1 892 | 406 | 1 |
| 神　戸　市 | 663 | - | 253 | 1 | 409 | 663 | - |
| 岡　山　市 | 2 145 | 1 | - | - | 2 144 | 58 | 1 |
| 広　島　市 | 258 | 7 | 59 | - | 192 | 258 | 7 |
| 北　九　州　市 | 5 060 | 34 | 37 | 70 | 4 919 | 1 293 | 34 |
| 福　岡　市 | 464 | - | 2 | 16 | 446 | 144 | - |
| 熊　本　市 | 2 790 | 1 017 | 1 245 | 7 | 521 | 2 759 | 1 017 |

## 委託した被指導延人員，都道府県－指定都市・特別区－中核市－その他政令市、個別－集団・対象区分別

平成29年度

| 数 | | | | | | | |
|---|---|---|---|---|---|---|---|
| 別 | | | 集　団 | | | | |
| 乳　幼　児 | 20 歳 未 満（妊産婦・乳幼児を除く。） | 20 歳 以 上（妊 産 婦を 除 く 。） | 総　数 | 妊　産　婦 | 乳　幼　児 | 20 歳 未 満（妊産婦・乳幼児を除く。） | 20 歳 以 上（妊 産 婦を 除 く 。） |
| 31 618 | 1 353 | 121 462 | 208 957 | 6 884 | 38 030 | 6 580 | 157 463 |
| 1 642 | 114 | 7 851 | 5 583 | 181 | 809 | 16 | 4 577 |
| 719 | – | 1 228 | 4 250 | 73 | 972 | 756 | 2 449 |
| 213 | 2 | 439 | 6 990 | 166 | 121 | 168 | 6 535 |
| 79 | 15 | 4 376 | 12 730 | 181 | – | – | 12 549 |
| 19 | 2 | 1 847 | 3 106 | 26 | – | 410 | 2 670 |
| – | 4 | 361 | 1 886 | – | 25 | – | 1 861 |
| 171 | 39 | 719 | 2 921 | – | 414 | 249 | 2 258 |
| 1 163 | – | 3 780 | 11 421 | 61 | 262 | 424 | 10 674 |
| 37 | 3 | 1 253 | 2 013 | – | – | – | 2 013 |
| 35 | 64 | 1 780 | 1 947 | 73 | – | – | 1 874 |
| 202 | 2 | 2 501 | 2 104 | 38 | – | – | 2 066 |
| 1 213 | 259 | 1 707 | 3 098 | 73 | 163 | 322 | 2 540 |
| 4 080 | 26 | 17 774 | 34 913 | 787 | 7 655 | 342 | 26 129 |
| 2 360 | 177 | 2 572 | 22 154 | 1 813 | 13 060 | 609 | 6 672 |
| 519 | 76 | 9 215 | 6 564 | – | – | 99 | 6 465 |
| 2 422 | 2 | 1 123 | 10 565 | – | 1 982 | 122 | 8 461 |
| 1 290 | – | 1 128 | 1 296 | 518 | 144 | – | 634 |
| 122 | 1 | 329 | 282 | – | – | – | 282 |
| – | 1 | 1 035 | 1 924 | 36 | – | – | 1 888 |
| 65 | 53 | 5 201 | 2 078 | 41 | 50 | – | 1 987 |
| 294 | 13 | 2 784 | 4 528 | 5 | – | 9 | 4 514 |
| 62 | 58 | 2 869 | 2 691 | 6 | 6 | 88 | 2 591 |
| 6 653 | 16 | 693 | 14 711 | 2 078 | 10 689 | 722 | 1 222 |
| 86 | – | 502 | 1 442 | 23 | 112 | – | 1 307 |
| 284 | 2 | 3 023 | 844 | – | 7 | 127 | 710 |
| 185 | 1 | 1 513 | 3 802 | 48 | 401 | 119 | 3 234 |
| 754 | 15 | 4 148 | 5 135 | 115 | 45 | – | 4 975 |
| 1 415 | 2 | 6 202 | 3 386 | 134 | 299 | 179 | 2 774 |
| 115 | – | 941 | 645 | – | 36 | – | 609 |
| 9 | 4 | 584 | 825 | – | 6 | – | 819 |
| – | 1 | 515 | 1 575 | – | – | 22 | 1 553 |
| 2 | – | 271 | 1 148 | – | – | 319 | 829 |
| 484 | 6 | 1 941 | 4 334 | – | 66 | – | 4 268 |
| 292 | – | 1 783 | 5 376 | – | 9 | – | 5 367 |
| 3 | 168 | 252 | 372 | – | – | 92 | 280 |
| 47 | 3 | 647 | 870 | – | 123 | 445 | 302 |
| 75 | – | 280 | 1 643 | 7 | – | 16 | 1 620 |
| 145 | 62 | 1 285 | 411 | – | – | 35 | 376 |
| 2 | – | 73 | 396 | – | – | 167 | 229 |
| 1 372 | 35 | 7 015 | 7 223 | 54 | 223 | 609 | 6 337 |
| 1 | – | 817 | 1 092 | – | – | – | 1 092 |
| 224 | – | 1 842 | 702 | – | 79 | – | 623 |
| 1 419 | 36 | 2 573 | 552 | 148 | 3 | 60 | 341 |
| 2 | – | 1 198 | 757 | – | – | – | 757 |
| 292 | 26 | 3 656 | 1 855 | 169 | 187 | 22 | 1 477 |
| 187 | 3 | 3 643 | 4 288 | 5 | 37 | 32 | 4 214 |
| 863 | 62 | 4 193 | 529 | 25 | 45 | – | 459 |
| 3 733 | 24 | 12 275 | 30 167 | 787 | 7 580 | 339 | 21 461 |
| – | – | 233 | 386 | – | – | – | 386 |
| 12 | – | 90 | – | – | – | – | – |
| 64 | 2 | 4 | – | – | – | – | – |
| 716 | 9 | 37 | 246 | – | – | – | 246 |
| – | – | 687 | 1 218 | – | – | – | 1 218 |
| 2 143 | 4 | 311 | 16 347 | 1 813 | 13 060 | 36 | 1 438 |
| 21 | – | 67 | 635 | – | – | – | 635 |
| – | – | – | – | – | – | – | – |
| – | – | 2 | – | – | – | – | – |
| 6 261 | 9 | 44 | 13 447 | 2 001 | 10 689 | 715 | 42 |
| 184 | 1 | 477 | 1 160 | 48 | 280 | 119 | 713 |
| 360 | 14 | 1 152 | 1 869 | – | 44 | – | 1 825 |
| 83 | 1 | 321 | 1 572 | – | 1 | – | 1 571 |
| 253 | 1 | 409 | – | – | – | – | – |
| – | – | 57 | 2 087 | – | – | – | 2 087 |
| 59 | – | 192 | – | – | – | – | – |
| 37 | 18 | 1 204 | 3 767 | – | – | 52 | 3 715 |
| 2 | 16 | 126 | 320 | – | – | – | 320 |
| 1 242 | 7 | 493 | 31 | – | 3 | – | 28 |

# 第16表（4－2）市区町村が実施した病態別栄養指導の被指導延人員・医療機関等へ

| | 総 | | | | | | |
|---|---|---|---|---|---|---|---|
| | 総 | | | 数 | | 個 | |
| | 総　　数 | 妊 産 婦 | 乳 幼 児 | 20 歳 未 満（妊産婦・乳幼児を 除 く 。） | 20 歳 以 上（妊 産 婦を除く。） | 総　　数 | 妊 産 婦 |
| 中　核　市 (再掲) | | | | | | | |
| 旭　　川　　市 | － | － | － | － | － | － | － |
| 函　　館　　市 | 139 | － | － | － | 139 | 139 | － |
| 青　　森　　市 | － | － | － | － | － | － | － |
| 八　　戸　　市 | － | － | － | － | － | － | － |
| 盛　　岡　　市 | 17 | － | 17 | － | － | 17 | － |
| 秋　　田　　市 | － | － | － | － | － | － | － |
| 郡　　山　　市 | 289 | － | － | 24 | 265 | 48 | － |
| い　わ　き　市 | 199 | － | 176 | － | 23 | 23 | － |
| 宇　都　宮　市 | 228 | － | － | － | 228 | 176 | － |
| 前　　橋　　市 | 348 | － | － | － | 348 | － | － |
| 高　　崎　　市 | － | － | － | － | － | － | － |
| 川　　越　　市 | － | － | － | － | － | － | － |
| 越　　谷　　市 | 1 841 | － | － | － | 1 841 | 1 230 | － |
| 船　　橋　　市 | 179 | － | － | － | 179 | 46 | － |
| 柏　　　　　市 | 18 | － | － | － | 18 | 18 | － |
| 八　　王子　　市 | 96 | 1 | 31 | 3 | 61 | 90 | 1 |
| 横　須　賀　市 | 128 | － | － | － | 128 | 4 | － |
| 富　　山　　市 | 13 712 | 22 | 4 394 | 124 | 9 172 | 3 414 | 22 |
| 金　　沢　　市 | 2 468 | 952 | 1 389 | － | 127 | 1 878 | 481 |
| 長　　野　　市 | 248 | － | － | － | 248 | 52 | － |
| 岐　　阜　　市 | 195 | － | － | － | 195 | 17 | － |
| 豊　　橋　　市 | － | － | － | － | － | － | － |
| 豊　　田　　市 | － | － | － | － | － | － | － |
| 岡　　崎　　市 | 10 | － | － | － | 10 | 10 | － |
| 大　　津　　市 | 301 | － | 94 | － | 207 | 87 | － |
| 高　　槻　　市 | － | － | － | － | － | － | － |
| 東　大　阪　市 | 2 085 | － | 8 | － | 2 077 | 1 113 | － |
| 豊　　中　　市 | － | － | － | － | － | － | － |
| 枚　　方　　市 | 2 | － | － | － | 2 | 2 | － |
| 姫　　路　　市 | 83 | － | 18 | 1 | 64 | 83 | － |
| 西　　宮　　市 | 1 819 | － | 368 | 124 | 1 327 | 1 609 | － |
| 尼　　崎　　市 | 883 | 13 | 656 | － | 214 | 807 | 13 |
| 奈　　良　　市 | 463 | 1 | － | － | 462 | 176 | 1 |
| 和　歌　山　市 | 226 | － | － | 1 | 225 | 14 | － |
| 倉　　敷　　市 | 388 | － | 350 | － | 38 | 372 | － |
| 福　　山　　市 | 202 | － | 171 | － | 31 | 162 | － |
| 呉　　　　　市 | 193 | 2 | － | － | 191 | 157 | 2 |
| 下　　関　　市 | 410 | － | － | 260 | 150 | 318 | － |
| 高　　松　　市 | 288 | － | 75 | － | 213 | 75 | － |
| 松　　山　　市 | 195 | － | － | － | 195 | 195 | － |
| 高　　知　　市 | － | － | － | － | － | － | － |
| 久　留　米　市 | 86 | － | 2 | － | 84 | 23 | － |
| 長　　崎　　市 | 143 | － | 140 | － | 3 | 88 | － |
| 佐　世　保　市 | 112 | 6 | － | － | 106 | 6 | 6 |
| 大　　分　　市 | 340 | － | － | － | 340 | 86 | － |
| 宮　　崎　　市 | 618 | － | － | － | 618 | 584 | － |
| 鹿　児　島　市 | 3 948 | 196 | 186 | 3 | 3 563 | 1 405 | 196 |
| 那　　覇　　市 | － | － | － | － | － | － | － |
| その他政令市 (再掲) | | | | | | | |
| 小　　樽　　市 | 375 | － | － | － | 375 | 143 | － |
| 町　　田　　市 | 245 | － | 73 | 1 | 171 | 192 | － |
| 藤　　沢　　市 | 28 | － | － | － | 28 | 28 | － |
| 茅　ヶ　崎　市 | 154 | － | － | － | 154 | － | － |
| 四　日　市　市 | － | － | － | － | － | － | － |
| 大　牟　田　市 | 51 | － | 25 | 11 | 15 | 16 | － |

## 委託した被指導延人員，都道府県－指定都市・特別区－中核市－その他政令市、個別－集団・対象区分別

平成29年度

| 数 | | | | | | | |
|---|---|---|---|---|---|---|---|
| 別 | | | 集 | | 団 | | |
| 乳幼児 | 20歳未満（妊産婦・乳幼児を除く。） | 20歳以上（妊産婦を除く。） | 総数 | 妊産婦 | 乳幼児 | 20歳未満（妊産婦・乳幼児を除く。） | 20歳以上（妊産婦を除く。） |
| - | - | - | - | - | - | - | - |
| - | - | 139 | - | - | - | - | - |
| - | - | - | - | - | - | - | - |
| - | - | - | - | - | - | - | - |
| 17 | - | - | - | - | - | - | - |
| - | - | - | - | - | - | - | - |
| - | 24 | 24 | 241 | - | - | - | 241 |
| - | - | 23 | 176 | - | 176 | - | - |
| - | - | 176 | 52 | - | - | - | 52 |
| - | - | - | 348 | - | - | - | 348 |
| - | - | - | - | - | - | - | - |
| - | - | - | - | - | - | - | - |
| - | - | 1 230 | 611 | - | - | - | 611 |
| - | - | 46 | 133 | - | - | - | 133 |
| - | - | 18 | - | - | - | - | - |
| 31 | - | 58 | 6 | - | - | 3 | 3 |
| - | - | 4 | 124 | - | - | - | 124 |
| 2 412 | 2 | 978 | 10 298 | - | 1 982 | 122 | 8 194 |
| 1 270 | - | 127 | 590 | 471 | 119 | - | - |
| - | - | 52 | 196 | - | - | - | 196 |
| - | - | 17 | 178 | - | - | - | 178 |
| - | - | - | - | - | - | - | - |
| - | - | - | - | - | - | - | - |
| - | - | 10 | - | - | - | - | - |
| 87 | - | - | 214 | - | 7 | - | 207 |
| - | - | - | - | - | - | - | - |
| 8 | - | 1 105 | 972 | - | - | - | 972 |
| - | - | - | - | - | - | - | - |
| - | - | 2 | - | - | - | - | - |
| 18 | 1 | 64 | - | - | - | - | - |
| 350 | - | 1 259 | 210 | - | 18 | 124 | 68 |
| 580 | - | 214 | 76 | - | 76 | - | - |
| - | - | 175 | 287 | - | - | - | 287 |
| - | 1 | 13 | 212 | - | - | - | 212 |
| 342 | - | 30 | 16 | - | 8 | - | 8 |
| 162 | - | - | 40 | - | 9 | - | 31 |
| - | - | 155 | 36 | - | - | - | 36 |
| - | 168 | 150 | 92 | - | - | 92 | - |
| 75 | - | - | 213 | - | - | - | 213 |
| - | - | 195 | - | - | - | - | - |
| - | - | - | - | - | - | - | - |
| - | - | 23 | 63 | - | 2 | - | 61 |
| 85 | - | 3 | 55 | - | 55 | - | - |
| - | - | - | 106 | - | - | - | 106 |
| - | - | 86 | 254 | - | - | - | 254 |
| - | - | 584 | 34 | - | - | - | 34 |
| 186 | 3 | 1 020 | 2 543 | - | - | - | 2 543 |
| - | - | - | - | - | - | - | - |
| - | - | 143 | 232 | - | - | - | 232 |
| 64 | 1 | 127 | 53 | - | 9 | - | 44 |
| - | - | 28 | - | - | - | - | - |
| - | - | - | 154 | - | - | - | 154 |
| - | - | - | - | - | - | - | - |
| - | 1 | 15 | 35 | - | 25 | 10 | - |

# 第16表（4－3） 市区町村が実施した病態別栄養指導の被指導延人員・医療機関等へ

| | 総数 | | | | | （再掲）個 | |
|---|---|---|---|---|---|---|---|
| | 総数 | 妊産婦 | 乳幼児 | 20歳未満（妊産婦・乳幼児を除く。） | 20歳以上（妊産婦を除く。） | 総数 | 妊産婦 |
| **全国** | **2 755** | **1 045** | **164** | **24** | **1 522** | **1 417** | **1 045** |
| 北海道 | 1 | 1 | – | – | – | 1 | 1 |
| 青森 | 147 | – | 117 | – | 30 | – | – |
| 岩手 | 19 | 19 | – | – | – | 19 | 19 |
| 宮城 | 34 | – | – | – | 34 | – | – |
| 秋田 | – | – | – | – | – | – | – |
| 山形 | – | – | – | – | – | – | – |
| 福島 | 1 024 | 1 024 | – | – | – | 1 024 | 1 024 |
| 茨城 | – | – | – | – | – | – | – |
| 栃木 | 33 | – | – | – | 33 | 33 | – |
| 群馬 | – | – | – | – | – | – | – |
| 埼玉 | – | – | – | – | – | – | – |
| 千葉 | 24 | – | – | 24 | – | 24 | – |
| 東京 | 47 | – | 47 | – | – | 47 | – |
| 神奈川 | – | – | – | – | – | – | – |
| 新潟 | – | – | – | – | – | – | – |
| 富山 | – | – | – | – | – | – | – |
| 石川 | – | – | – | – | – | – | – |
| 福井 | 75 | – | – | – | 75 | – | – |
| 山梨 | – | – | – | – | – | – | – |
| 長野 | – | – | – | – | – | – | – |
| 岐阜 | 256 | – | – | – | 256 | 256 | – |
| 静岡 | – | – | – | – | – | – | – |
| 愛知 | – | – | – | – | – | – | – |
| 三重 | – | – | – | – | – | – | – |
| 滋賀 | 12 | – | – | – | 12 | 12 | – |
| 京都 | – | – | – | – | – | – | – |
| 大阪 | – | – | – | – | – | – | – |
| 兵庫 | – | – | – | – | – | – | – |
| 奈良 | – | – | – | – | – | – | – |
| 和歌山 | – | – | – | – | – | – | – |
| 鳥取 | – | – | – | – | – | – | – |
| 島根 | – | – | – | – | – | – | – |
| 岡山 | – | – | – | – | – | – | – |
| 広島 | – | – | – | – | – | – | – |
| 山口 | – | – | – | – | – | – | – |
| 徳島 | – | – | – | – | – | – | – |
| 香川 | – | – | – | – | – | – | – |
| 愛媛 | – | – | – | – | – | – | – |
| 高知 | – | – | – | – | – | – | – |
| 福岡 | 320 | – | – | – | 320 | – | – |
| 佐賀 | – | – | – | – | – | – | – |
| 長崎 | – | – | – | – | – | – | – |
| 熊本 | 8 | 1 | – | – | 7 | 1 | 1 |
| 大分 | – | – | – | – | – | – | – |
| 宮崎 | – | – | – | – | – | – | – |
| 鹿児島 | 755 | – | – | – | 755 | – | – |
| 沖縄 | – | – | – | – | – | – | – |
| 指定都市・特別区(再掲) | | | | | | | |
| 東京都区部 | – | – | – | – | – | – | – |
| 札幌市 | – | – | – | – | – | – | – |
| 仙台市 | – | – | – | – | – | – | – |
| さいたま市 | – | – | – | – | – | – | – |
| 千葉市 | – | – | – | – | – | – | – |
| 横浜市 | – | – | – | – | – | – | – |
| 川崎市 | – | – | – | – | – | – | – |
| 相模原市 | – | – | – | – | – | – | – |
| 新潟市 | – | – | – | – | – | – | – |
| 静岡市 | – | – | – | – | – | – | – |
| 浜松市 | – | – | – | – | – | – | – |
| 名古屋市 | – | – | – | – | – | – | – |
| 京都市 | – | – | – | – | – | – | – |
| 大阪市 | – | – | – | – | – | – | – |
| 堺市 | – | – | – | – | – | – | – |
| 神戸市 | – | – | – | – | – | – | – |
| 岡山市 | – | – | – | – | – | – | – |
| 広島市 | – | – | – | – | – | – | – |
| 北九州市 | – | – | – | – | – | – | – |
| 福岡市 | 320 | – | – | – | 320 | – | – |
| 熊本市 | – | – | – | – | – | – | – |

## 委託した被指導延人員，都道府県－指定都市・特別区－中核市－その他政令市、個別－集団・対象区分別

平成29年度

| 医療機関等へ委託 | | | | | | | |
|---|---|---|---|---|---|---|---|
| 別 | | | 集団 | | | | |
| 乳幼児 | 20歳未満（妊産婦・乳幼児を除く。） | 20歳以上（妊産婦を除く。） | 総数 | 妊産婦 | 乳幼児 | 20歳未満（妊産婦・乳幼児を除く。） | 20歳以上（妊産婦を除く。） |
| **47** | **24** | **301** | **1 338** | **-** | **117** | **-** | **1 221** |
| - | - | - | - | - | - | - | - |
| - | - | - | 147 | - | 117 | - | 30 |
| - | - | - | - | - | - | - | - |
| - | - | - | 34 | - | - | - | 34 |
| - | - | - | - | - | - | - | - |
| - | - | - | - | - | - | - | - |
| - | - | - | - | - | - | - | - |
| - | - | - | - | - | - | - | - |
| - | - | 33 | - | - | - | - | - |
| - | - | - | - | - | - | - | - |
| - | - | - | - | - | - | - | - |
| - | 24 | - | - | - | - | - | - |
| 47 | - | - | - | - | - | - | - |
| - | - | - | - | - | - | - | - |
| - | - | - | - | - | - | - | - |
| - | - | - | - | - | - | - | - |
| - | - | - | - | - | - | - | - |
| - | - | - | 75 | - | - | - | 75 |
| - | - | - | - | - | - | - | - |
| - | - | - | - | - | - | - | - |
| - | - | 256 | - | - | - | - | - |
| - | - | - | - | - | - | - | - |
| - | - | - | - | - | - | - | - |
| - | - | - | - | - | - | - | - |
| - | - | 12 | - | - | - | - | - |
| - | - | - | - | - | - | - | - |
| - | - | - | - | - | - | - | - |
| - | - | - | - | - | - | - | - |
| - | - | - | - | - | - | - | - |
| - | - | - | - | - | - | - | - |
| - | - | - | - | - | - | - | - |
| - | - | - | - | - | - | - | - |
| - | - | - | - | - | - | - | - |
| - | - | - | - | - | - | - | - |
| - | - | - | - | - | - | - | - |
| - | - | - | - | - | - | - | - |
| - | - | - | - | - | - | - | - |
| - | - | - | - | - | - | - | - |
| - | - | - | - | - | - | - | - |
| - | - | - | 320 | - | - | - | 320 |
| - | - | - | - | - | - | - | - |
| - | - | - | - | - | - | - | - |
| - | - | - | 7 | - | - | - | 7 |
| - | - | - | - | - | - | - | - |
| - | - | - | - | - | - | - | - |
| - | - | - | 755 | - | - | - | 755 |
| - | - | - | - | - | - | - | - |
| - | - | - | - | - | - | - | - |
| - | - | - | - | - | - | - | - |
| - | - | - | - | - | - | - | - |
| - | - | - | - | - | - | - | - |
| - | - | - | - | - | - | - | - |
| - | - | - | - | - | - | - | - |
| - | - | - | - | - | - | - | - |
| - | - | - | - | - | - | - | - |
| - | - | - | - | - | - | - | - |
| - | - | - | - | - | - | - | - |
| - | - | - | - | - | - | - | - |
| - | - | - | - | - | - | - | - |
| - | - | - | - | - | - | - | - |
| - | - | - | - | - | - | - | - |
| - | - | - | - | - | - | - | - |
| - | - | - | - | - | - | - | - |
| - | - | - | - | - | - | - | - |
| - | - | - | - | - | - | - | - |
| - | - | - | - | - | - | - | - |
| - | - | - | 320 | - | - | - | 320 |
| - | - | - | - | - | - | - | - |

# 第16表（4－4）市区町村が実施した病態別栄養指導の被指導延人員・医療機関等へ

| | （再掲） | | | | | | |
|---|---|---|---|---|---|---|---|
| | 総数 | | | | | 個 | |
| | 総数 | 妊産婦 | 乳幼児 | 20歳未満（妊産婦・乳幼児を除く。） | 20歳以上（妊産婦を除く。） | 総数 | 妊産婦 |
| 中核市(再掲) | | | | | | | |
| 旭川市 | － | － | － | － | － | － | － |
| 函館市 | － | － | － | － | － | － | － |
| 青森市 | － | － | － | － | － | － | － |
| 八戸市 | － | － | － | － | － | － | － |
| 盛岡市 | － | － | － | － | － | － | － |
| 秋田市 | － | － | － | － | － | － | － |
| 郡山市 | － | － | － | － | － | － | － |
| いわき市 | － | － | － | － | － | － | － |
| 宇都宮市 | － | － | － | － | － | － | － |
| 前橋市 | － | － | － | － | － | － | － |
| 高崎市 | － | － | － | － | － | － | － |
| 川越市 | － | － | － | － | － | － | － |
| 越谷市 | － | － | － | － | － | － | － |
| 船橋市 | － | － | － | － | － | － | － |
| 柏市 | － | － | － | － | － | － | － |
| 八王子市 | － | － | － | － | － | － | － |
| 横須賀市 | － | － | － | － | － | － | － |
| 富山市 | － | － | － | － | － | － | － |
| 金沢市 | － | － | － | － | － | － | － |
| 長野市 | － | － | － | － | － | － | － |
| 岐阜市 | － | － | － | － | － | － | － |
| 豊橋市 | － | － | － | － | － | － | － |
| 豊田市 | － | － | － | － | － | － | － |
| 岡崎市 | － | － | － | － | － | － | － |
| 大津市 | － | － | － | － | － | － | － |
| 高槻市 | － | － | － | － | － | － | － |
| 東大阪市 | － | － | － | － | － | － | － |
| 豊中市 | － | － | － | － | － | － | － |
| 枚方市 | － | － | － | － | － | － | － |
| 姫路市 | － | － | － | － | － | － | － |
| 西宮市 | － | － | － | － | － | － | － |
| 尼崎市 | － | － | － | － | － | － | － |
| 奈良市 | － | － | － | － | － | － | － |
| 和歌山市 | － | － | － | － | － | － | － |
| 倉敷市 | － | － | － | － | － | － | － |
| 福山市 | － | － | － | － | － | － | － |
| 呉市 | － | － | － | － | － | － | － |
| 下関市 | － | － | － | － | － | － | － |
| 高松市 | － | － | － | － | － | － | － |
| 松山市 | － | － | － | － | － | － | － |
| 高知市 | － | － | － | － | － | － | － |
| 久留米市 | － | － | － | － | － | － | － |
| 長崎市 | － | － | － | － | － | － | － |
| 佐世保市 | － | － | － | － | － | － | － |
| 大分市 | － | － | － | － | － | － | － |
| 宮崎市 | － | － | － | － | － | － | － |
| 鹿児島市 | － | － | － | － | － | － | － |
| 那覇市 | － | － | － | － | － | － | － |
| その他政令市(再掲) | | | | | | | |
| 小樽市 | － | － | － | － | － | － | － |
| 町田市 | － | － | － | － | － | － | － |
| 藤沢市 | － | － | － | － | － | － | － |
| 茅ヶ崎市 | － | － | － | － | － | － | － |
| 四日市市 | － | － | － | － | － | － | － |
| 大牟田市 | － | － | － | － | － | － | － |

## 委託した被指導延人員，都道府県－指定都市・特別区－中核市－その他政令市、個別－集団・対象区分別

平成29年度

| 医療機関等へ委託 | | | | | | | | |
|---|---|---|---|---|---|---|---|---|
| 別 | | | 集団 | | | | | |
| 乳幼児 | 20歳未満（妊産婦・乳幼児を除く。） | 20歳以上（妊産婦を除く。） | 総数 | 妊産婦 | 乳幼児 | 20歳未満（妊産婦・乳幼児を除く。） | 20歳以上（妊産婦を除く。） | |
| – | – | – | – | – | – | – | – | – |
| – | – | – | – | – | – | – | – | – |
| – | – | – | – | – | – | – | – | – |
| – | – | – | – | – | – | – | – | – |
| – | – | – | – | – | – | – | – | – |
| – | – | – | – | – | – | – | – | – |
| – | – | – | – | – | – | – | – | – |
| – | – | – | – | – | – | – | – | – |
| – | – | – | – | – | – | – | – | – |
| – | – | – | – | – | – | – | – | – |
| – | – | – | – | – | – | – | – | – |
| – | – | – | – | – | – | – | – | – |
| – | – | – | – | – | – | – | – | – |
| – | – | – | – | – | – | – | – | – |
| – | – | – | – | – | – | – | – | – |
| – | – | – | – | – | – | – | – | – |
| – | – | – | – | – | – | – | – | – |
| – | – | – | – | – | – | – | – | – |
| – | – | – | – | – | – | – | – | – |
| – | – | – | – | – | – | – | – | – |
| – | – | – | – | – | – | – | – | – |
| – | – | – | – | – | – | – | – | – |
| – | – | – | – | – | – | – | – | – |
| – | – | – | – | – | – | – | – | – |
| – | – | – | – | – | – | – | – | – |
| – | – | – | – | – | – | – | – | – |
| – | – | – | – | – | – | – | – | – |
| – | – | – | – | – | – | – | – | – |
| – | – | – | – | – | – | – | – | – |
| – | – | – | – | – | – | – | – | – |
| – | – | – | – | – | – | – | – | – |
| – | – | – | – | – | – | – | – | – |
| – | – | – | – | – | – | – | – | – |
| – | – | – | – | – | – | – | – | – |
| – | – | – | – | – | – | – | – | – |
| – | – | – | – | – | – | – | – | – |
| – | – | – | – | – | – | – | – | – |
| – | – | – | – | – | – | – | – | – |
| – | – | – | – | – | – | – | – | – |
| – | – | – | – | – | – | – | – | – |
| – | – | – | – | – | – | – | – | – |
| – | – | – | – | – | – | – | – | – |
| – | – | – | – | – | – | – | – | – |
| – | – | – | – | – | – | – | – | – |
| – | – | – | – | – | – | – | – | – |
| – | – | – | – | – | – | – | – | – |
| – | – | – | – | – | – | – | – | – |
| – | – | – | – | – | – | – | – | – |
| – | – | – | – | – | – | – | – | – |
| – | – | – | – | – | – | – | – | – |
| – | – | – | – | – | – | – | – | – |
| – | – | – | – | – | – | – | – | – |
| – | – | – | – | – | – | – | – | – |

# 第17表　市区町村が実施した訪問による栄養指導の被指導延人員・医療機関

| | 総数 | | | | | （再掲）医療機関等へ委託 | | | | |
|---|---|---|---|---|---|---|---|---|---|---|
| | 総数 | 妊産婦 | 乳幼児 | 20歳未満（妊産婦・乳幼児を除く。） | 20歳以上（妊産婦を除く。） | 総数 | 妊産婦 | 乳幼児 | 20歳未満（妊産婦・乳幼児を除く。） | 20歳以上（妊産婦を除く。） |
| **全国** | **76 471** | **18 047** | **27 968** | **140** | **30 316** | **5 251** | **2 583** | **2 651** | **–** | **17** |
| 北海道 | 4 219 | 461 | 692 | 27 | 3 039 | – | – | – | – | – |
| 青森 | 668 | 368 | 212 | – | 88 | – | – | – | – | – |
| 岩手 | 706 | 247 | 413 | 2 | 44 | – | – | – | – | – |
| 宮城 | 3 527 | 28 | 1 201 | 10 | 2 288 | – | – | – | – | – |
| 秋田 | 479 | 210 | 220 | – | 49 | – | – | – | – | – |
| 山形 | 304 | 59 | 60 | – | 185 | – | – | – | – | – |
| 福島 | 5 902 | 2 233 | 2 955 | 1 | 713 | 2 | – | – | – | 2 |
| 茨城 | 1 254 | 291 | 180 | – | 783 | – | – | – | – | – |
| 栃木 | 2 118 | 359 | 1 583 | 6 | 170 | – | – | – | – | – |
| 群馬 | 294 | 68 | 116 | – | 110 | – | – | – | – | – |
| 埼玉 | 450 | 89 | 349 | – | 12 | – | – | – | – | – |
| 千葉 | 661 | 194 | 335 | 1 | 131 | – | – | – | – | – |
| 東京 | 710 | 359 | 235 | 2 | 114 | 128 | – | 128 | – | – |
| 神奈川 | 2 662 | 294 | 735 | 17 | 1 616 | – | – | – | – | – |
| 新潟 | 5 270 | 857 | 661 | 1 | 3 751 | – | – | – | – | – |
| 富山 | 471 | 170 | 100 | – | 201 | – | – | – | – | – |
| 石川 | 4 228 | 101 | 4 009 | – | 118 | – | – | – | – | – |
| 福井 | 323 | 164 | 4 | – | 155 | – | – | – | – | – |
| 山梨 | 357 | 172 | 57 | 1 | 127 | – | – | – | – | – |
| 長野 | 3 119 | 105 | 573 | 2 | 2 439 | – | – | – | – | – |
| 岐阜 | 796 | 43 | 80 | – | 673 | – | – | – | – | – |
| 静岡 | 960 | 17 | 319 | 6 | 618 | – | – | – | – | – |
| 愛知 | 265 | 6 | 109 | – | 150 | – | – | – | – | – |
| 三重 | 82 | 2 | 65 | 1 | 14 | – | – | – | – | – |
| 滋賀 | 1 232 | 371 | 754 | 4 | 103 | – | – | – | – | – |
| 京都 | 210 | 2 | 57 | – | 151 | – | – | – | – | – |
| 大阪 | 4 052 | 2 094 | 1 502 | – | 456 | – | – | – | – | – |
| 兵庫 | 1 018 | 260 | 414 | – | 344 | – | – | – | – | – |
| 奈良 | 629 | 260 | 369 | – | – | – | – | – | – | – |
| 和歌山 | 1 026 | 460 | 518 | 2 | 46 | – | – | – | – | – |
| 鳥取 | 101 | 10 | 49 | 1 | 41 | – | – | – | – | – |
| 島根 | 456 | 100 | 73 | – | 283 | – | – | – | – | – |
| 岡山 | 3 851 | 1 539 | 1 494 | 5 | 813 | – | – | – | – | – |
| 広島 | 676 | 169 | 236 | – | 271 | – | – | – | – | – |
| 山口 | 2 176 | 728 | 1 400 | – | 48 | – | – | – | – | – |
| 徳島 | 447 | – | 56 | – | 391 | – | – | – | – | – |
| 香川 | 6 911 | 3 201 | 3 650 | 25 | 35 | 4 798 | 2 430 | 2 368 | – | – |
| 愛媛 | 592 | 159 | 361 | – | 72 | – | – | – | – | – |
| 高知 | 184 | 50 | 70 | – | 64 | – | – | – | – | – |
| 福岡 | 1 938 | 654 | 251 | – | 1 033 | 277 | 137 | 140 | – | – |
| 佐賀 | 704 | 57 | 101 | – | 546 | – | – | – | – | – |
| 長崎 | 700 | 21 | 43 | – | 636 | – | – | – | – | – |
| 熊本 | 1 932 | 290 | 393 | 6 | 1 243 | 16 | 1 | – | – | 15 |
| 大分 | 1 012 | 366 | 460 | 1 | 185 | 30 | 15 | 15 | – | – |
| 宮崎 | 2 568 | 98 | 197 | 16 | 2 257 | – | – | – | – | – |
| 鹿児島 | 2 454 | 77 | 19 | – | 2 358 | – | – | – | – | – |
| 沖縄 | 1 777 | 184 | 238 | 3 | 1 352 | – | – | – | – | – |
| 指定都市・特別区(再掲) | | | | | | | | | | |
| 東京都区部 | 259 | 2 | 182 | 2 | 73 | 128 | – | 128 | – | – |
| 札幌市 | 3 | – | – | – | 3 | – | – | – | – | – |
| 仙台市 | 1 111 | 7 | 1 087 | – | 17 | – | – | – | – | – |
| さいたま市 | 26 | 5 | 21 | – | – | – | – | – | – | – |
| 千葉市 | 37 | 1 | 35 | – | 1 | – | – | – | – | – |
| 横浜市 | 44 | – | 5 | – | 39 | – | – | – | – | – |
| 川崎市 | 52 | 2 | 40 | – | 10 | – | – | – | – | – |
| 相模原市 | 35 | 1 | 34 | – | – | – | – | – | – | – |
| 新潟市 | – | – | – | – | – | – | – | – | – | – |
| 静岡市 | 3 | – | 3 | – | – | – | – | – | – | – |
| 浜松市 | 99 | 2 | 91 | 6 | – | – | – | – | – | – |
| 名古屋市 | 70 | 2 | 41 | – | 27 | – | – | – | – | – |
| 京都市 | 20 | – | 1 | – | 19 | – | – | – | – | – |
| 大阪市 | 453 | – | 5 | – | 448 | – | – | – | – | – |
| 堺市 | 6 | – | 6 | – | – | – | – | – | – | – |
| 神戸市 | – | – | – | – | – | – | – | – | – | – |
| 岡山市 | 11 | 1 | 9 | – | 1 | – | – | – | – | – |
| 広島市 | – | – | – | – | – | – | – | – | – | – |
| 北九州市 | 1 | – | 1 | – | – | – | – | – | – | – |
| 福岡市 | – | – | – | – | – | – | – | – | – | – |
| 熊本市 | 31 | – | 13 | – | 18 | – | – | – | – | – |

## 等へ委託した被指導延人員，都道府県－指定都市・特別区－中核市－その他政令市、対象区分別

平成29年度

| | 総数 | | | | | （再掲）医療機関等へ委託 | | | | |
|---|---|---|---|---|---|---|---|---|---|---|
| | 総数 | 妊産婦 | 乳幼児 | 20歳未満（妊産婦・乳幼児を除く。） | 20歳以上（妊産婦を除く。） | 総数 | 妊産婦 | 乳幼児 | 20歳未満（妊産婦・乳幼児を除く。） | 20歳以上（妊産婦を除く。） |
| 中核市(再掲) | | | | | | | | | | |
| 旭川市 | 10 | - | 4 | 3 | 3 | - | - | - | - | - |
| 函館市 | - | - | - | - | - | - | - | - | - | - |
| 青森市 | - | - | - | - | - | - | - | - | - | - |
| 八戸市 | 5 | - | 5 | - | - | - | - | - | - | - |
| 盛岡市 | - | - | - | - | - | - | - | - | - | - |
| 秋田市 | 6 | - | 6 | - | - | - | - | - | - | - |
| 郡山市 | 4 | - | 4 | - | - | - | - | - | - | - |
| いわき市 | 102 | - | 2 | - | 100 | - | - | - | - | - |
| 宇都宮市 | 1 364 | 51 | 1 269 | 3 | 41 | - | - | - | - | - |
| 前橋市 | 60 | 22 | 23 | - | 15 | - | - | - | - | - |
| 高崎市 | - | - | - | - | - | - | - | - | - | - |
| 川越市 | - | - | - | - | - | - | - | - | - | - |
| 越谷市 | 2 | - | 2 | - | - | - | - | - | - | - |
| 船橋市 | 43 | 1 | 38 | - | 4 | - | - | - | - | - |
| 柏市 | - | - | - | - | - | - | - | - | - | - |
| 八王子市 | 2 | - | 2 | - | - | - | - | - | - | - |
| 横須賀市 | 32 | - | 16 | 16 | - | - | - | - | - | - |
| 富山市 | 57 | 4 | 44 | - | 9 | - | - | - | - | - |
| 金沢市 | 3 953 | 40 | 3 913 | - | - | - | - | - | - | - |
| 長野市 | 229 | - | - | 1 | 228 | - | - | - | - | - |
| 岐阜市 | - | - | - | - | - | - | - | - | - | - |
| 豊橋市 | 22 | - | 22 | - | - | - | - | - | - | - |
| 豊田市 | - | - | - | - | - | - | - | - | - | - |
| 岡崎市 | 9 | - | 9 | - | - | - | - | - | - | - |
| 大津市 | 1 | - | 1 | - | - | - | - | - | - | - |
| 高槻市 | 17 | - | 17 | - | - | - | - | - | - | - |
| 東大阪市 | - | - | - | - | - | - | - | - | - | - |
| 豊中市 | 3 473 | 2 085 | 1 388 | - | - | - | - | - | - | - |
| 枚方市 | 3 | - | 3 | - | - | - | - | - | - | - |
| 姫路市 | 4 | - | 3 | - | 1 | - | - | - | - | - |
| 西宮市 | 17 | 1 | 15 | - | 1 | - | - | - | - | - |
| 尼崎市 | 1 | - | 1 | - | - | - | - | - | - | - |
| 奈良市 | 25 | - | 25 | - | - | - | - | - | - | - |
| 和歌山市 | - | - | - | - | - | - | - | - | - | - |
| 倉敷市 | 6 | - | 3 | - | 3 | - | - | - | - | - |
| 福山市 | 8 | - | 7 | - | 1 | - | - | - | - | - |
| 呉市 | 14 | - | 14 | - | - | - | - | - | - | - |
| 下関市 | - | - | - | - | - | - | - | - | - | - |
| 高松市 | 5 228 | 2 430 | 2 798 | - | - | 4 772 | 2 404 | 2 368 | - | - |
| 松山市 | - | - | - | - | - | - | - | - | - | - |
| 高知市 | 2 | - | 2 | - | - | - | - | - | - | - |
| 久留米市 | - | - | - | - | - | - | - | - | - | - |
| 長崎市 | 3 | - | 3 | - | - | - | - | - | - | - |
| 佐世保市 | - | - | - | - | - | - | - | - | - | - |
| 大分市 | 70 | 2 | 30 | - | 38 | - | - | - | - | - |
| 宮崎市 | 279 | - | 19 | - | 260 | - | - | - | - | - |
| 鹿児島市 | 1 777 | - | - | - | 1 777 | - | - | - | - | - |
| 那覇市 | 9 | - | 8 | - | 1 | - | - | - | - | - |
| その他政令市(再掲) | | | | | | | | | | |
| 小樽市 | - | - | - | - | - | - | - | - | - | - |
| 町田市 | - | - | - | - | - | - | - | - | - | - |
| 藤沢市 | 19 | - | 19 | - | - | - | - | - | - | - |
| 茅ヶ崎市 | - | - | - | - | - | - | - | - | - | - |
| 四日市市 | 26 | - | 25 | 1 | - | - | - | - | - | - |
| 大牟田市 | - | - | - | - | - | - | - | - | - | - |

# 第18表（2－1）市区町村が実施した運動指導の被指導延人員・医療機関等へ

| | 総数 | | | | | | | | | | | |
|---|---|---|---|---|---|---|---|---|---|---|---|---|
| | 総数 | | | | 個別 | | | | 集団 | | | |
| | 総数 | 妊産婦 | 20歳未満（妊産婦・乳幼児を除く。） | 20歳以上（妊産婦を除く。） | 総数 | 妊産婦 | 20歳未満（妊産婦・乳幼児を除く。） | 20歳以上（妊産婦を除く。） | 総数 | 妊産婦 | 20歳未満（妊産婦・乳幼児を除く。） | 20歳以上（妊産婦を除く。） |
| **全国** | **1 646 774** | **39 608** | **29 943** | **1 577 223** | **322 013** | **14 742** | **4 531** | **302 740** | **1 324 761** | **24 866** | **25 412** | **1 274 483** |
| 北海道 | 132 438 | 1 421 | 1 844 | 129 173 | 21 989 | 946 | 527 | 20 516 | 110 449 | 475 | 1 317 | 108 657 |
| 青森 | 12 584 | 475 | 751 | 11 358 | 2 236 | 402 | 6 | 1 828 | 10 348 | 73 | 745 | 9 530 |
| 岩手 | 21 359 | 355 | 161 | 20 843 | 1 007 | 193 | 34 | 780 | 20 352 | 162 | 127 | 20 063 |
| 宮城 | 20 940 | 677 | 81 | 20 182 | 4 643 | 105 | - | 4 538 | 16 297 | 572 | 81 | 15 644 |
| 秋田 | 38 261 | 457 | 3 390 | 34 414 | 464 | 270 | 3 | 191 | 37 797 | 187 | 3 387 | 34 223 |
| 山形 | 17 178 | 548 | 67 | 16 563 | 2 205 | 194 | - | 2 011 | 14 973 | 354 | 67 | 14 552 |
| 福島 | 80 784 | 1 709 | 4 758 | 74 317 | 12 940 | 1 517 | 128 | 11 295 | 67 844 | 192 | 4 630 | 63 022 |
| 茨城 | 33 650 | 1 423 | 1 | 32 226 | 4 401 | 491 | 1 | 3 909 | 29 249 | 932 | - | 28 317 |
| 栃木 | 78 263 | 280 | 296 | 77 687 | 51 725 | 151 | 12 | 51 562 | 26 538 | 129 | 284 | 26 125 |
| 群馬 | 61 640 | 600 | 113 | 60 927 | 1 712 | 10 | 13 | 1 689 | 59 928 | 590 | 100 | 59 238 |
| 埼玉 | 50 240 | 1 293 | 628 | 48 319 | 2 297 | 38 | - | 2 259 | 47 943 | 1 255 | 628 | 46 060 |
| 千葉 | 46 730 | 1 998 | 463 | 44 269 | 29 763 | 335 | 177 | 29 251 | 16 967 | 1 663 | 286 | 15 018 |
| 東京 | 156 581 | 5 479 | 571 | 150 531 | 14 880 | 985 | 3 | 13 892 | 141 701 | 4 494 | 568 | 136 639 |
| 神奈川 | 49 314 | 6 382 | 1 705 | 41 227 | 8 919 | 3 894 | 175 | 4 850 | 40 395 | 2 488 | 1 530 | 36 377 |
| 新潟 | 71 087 | 148 | 701 | 70 238 | 18 427 | - | - | 18 427 | 52 660 | 148 | 701 | 51 811 |
| 富山 | 6 067 | 316 | - | 5 751 | 565 | 157 | - | 408 | 5 502 | 159 | - | 5 343 |
| 石川 | 2 464 | 198 | - | 2 266 | 318 | 9 | - | 309 | 2 146 | 189 | - | 1 957 |
| 福井 | 7 307 | 142 | 195 | 6 970 | 424 | 69 | - | 355 | 6 883 | 73 | 195 | 6 615 |
| 山梨 | 15 288 | 1 331 | 8 | 13 949 | 3 798 | 504 | - | 3 294 | 11 490 | 827 | 8 | 10 655 |
| 長野 | 64 360 | 388 | 5 259 | 58 713 | 11 360 | 127 | 97 | 11 136 | 53 000 | 261 | 5 162 | 47 577 |
| 岐阜 | 8 084 | 648 | - | 7 436 | 1 041 | - | - | 1 041 | 7 043 | 648 | - | 6 395 |
| 静岡 | 35 026 | 1 195 | 1 053 | 32 778 | 1 008 | 10 | 1 | 997 | 34 018 | 1 185 | 1 052 | 31 781 |
| 愛知 | 29 068 | 1 140 | 2 507 | 25 421 | 11 512 | - | 2 079 | 9 433 | 17 556 | 1 140 | 428 | 15 988 |
| 三重 | 19 393 | 263 | 1 | 19 129 | 1 300 | 165 | - | 1 135 | 18 093 | 98 | 1 | 17 994 |
| 滋賀 | 2 426 | 229 | 17 | 2 180 | 45 | - | - | 45 | 2 381 | 229 | 17 | 2 135 |
| 京都 | 3 876 | 446 | 306 | 3 124 | 220 | 86 | 5 | 129 | 3 656 | 360 | 301 | 2 995 |
| 大阪 | 26 188 | 514 | 9 | 25 665 | 631 | 19 | 1 | 611 | 25 557 | 495 | 8 | 25 054 |
| 兵庫 | 59 808 | 549 | 2 242 | 57 017 | 14 327 | 276 | 252 | 13 799 | 45 481 | 273 | 1 990 | 43 218 |
| 奈良 | 6 329 | 731 | 190 | 5 408 | 254 | 182 | - | 72 | 6 075 | 549 | 190 | 5 336 |
| 和歌山 | 16 090 | 145 | 429 | 15 516 | 10 674 | - | 311 | 10 363 | 5 416 | 145 | 118 | 5 153 |
| 鳥取 | 5 668 | 57 | 4 | 5 607 | 295 | 18 | - | 277 | 5 373 | 39 | 4 | 5 330 |
| 島根 | 14 041 | 34 | 18 | 13 989 | 9 721 | 27 | - | 9 694 | 4 320 | 7 | 18 | 4 295 |
| 岡山 | 42 670 | 235 | 382 | 42 053 | 3 200 | 206 | 45 | 2 949 | 39 470 | 29 | 337 | 39 104 |
| 広島 | 53 075 | 238 | 19 | 52 818 | 519 | 10 | 18 | 491 | 52 556 | 228 | 1 | 52 327 |
| 山口 | 17 351 | 188 | 235 | 16 928 | 9 997 | 174 | 231 | 9 592 | 7 354 | 14 | 4 | 7 336 |
| 徳島 | 1 629 | 59 | - | 1 570 | 50 | - | - | 50 | 1 579 | 59 | - | 1 520 |
| 香川 | 51 215 | 223 | 157 | 50 835 | 634 | 99 | 10 | 525 | 50 581 | 124 | 147 | 50 310 |
| 愛媛 | 35 351 | 534 | 500 | 34 317 | 3 630 | 62 | 93 | 3 475 | 31 721 | 472 | 407 | 30 842 |
| 高知 | 2 762 | 133 | 161 | 2 468 | 1 348 | 90 | 146 | 1 112 | 1 414 | 43 | 15 | 1 356 |
| 福岡 | 81 347 | 1 453 | 268 | 79 626 | 43 921 | 182 | 47 | 43 692 | 37 426 | 1 271 | 221 | 35 934 |
| 佐賀 | 59 300 | 1 011 | 141 | 58 148 | 1 710 | 465 | - | 1 245 | 57 590 | 546 | 141 | 56 903 |
| 長崎 | 4 111 | 6 | 38 | 4 067 | 163 | - | - | 163 | 3 948 | 6 | 38 | 3 904 |
| 熊本 | 59 019 | 1 909 | 114 | 56 996 | 3 034 | 1 294 | 15 | 1 725 | 55 985 | 615 | 99 | 55 271 |
| 大分 | 5 721 | 380 | 15 | 5 326 | 604 | 319 | - | 285 | 5 117 | 61 | 15 | 5 041 |
| 宮崎 | 767 | 263 | - | 504 | 123 | 96 | - | 27 | 644 | 167 | - | 477 |
| 鹿児島 | 31 549 | 1 018 | 44 | 30 487 | 7 330 | 560 | - | 6 770 | 24 219 | 458 | 44 | 23 717 |
| 沖縄 | 8 375 | 387 | 101 | 7 887 | 649 | 5 | 101 | 543 | 7 726 | 382 | - | 7 344 |
| 指定都市・特別区（再掲） | | | | | | | | | | | | |
| 東京都区部 | 53 657 | 4 678 | 571 | 48 408 | 5 232 | 985 | 3 | 4 244 | 48 425 | 3 693 | 568 | 44 164 |
| 札幌市 | 83 264 | - | - | 83 264 | 6 171 | - | - | 6 171 | 77 093 | - | - | 77 093 |
| 仙台市 | 296 | - | - | 296 | - | - | - | - | 296 | - | - | 296 |
| さいたま市 | 982 | - | 214 | 768 | 2 | - | - | 2 | 980 | - | 214 | 766 |
| 千葉市 | 4 322 | 723 | 29 | 3 570 | - | - | - | - | 4 322 | 723 | 29 | 3 570 |
| 横浜市 | 15 678 | 722 | 128 | 14 828 | 2 485 | - | 10 | 2 475 | 13 193 | 722 | 118 | 12 353 |
| 川崎市 | 3 185 | - | 241 | 2 944 | 189 | - | - | 189 | 2 996 | - | 241 | 2 755 |
| 相模原市 | - | - | - | - | - | - | - | - | - | - | - | - |
| 新潟市 | 296 | - | - | 296 | - | - | - | - | 296 | - | - | 296 |
| 静岡市 | - | - | - | - | - | - | - | - | - | - | - | - |
| 浜松市 | 11 | - | 1 | 10 | 11 | - | 1 | 10 | - | - | - | - |
| 名古屋市 | - | - | - | - | - | - | - | - | - | - | - | - |
| 京都市 | 987 | - | - | 987 | - | - | - | - | 987 | - | - | 987 |
| 大阪市 | 2 198 | 10 | 1 | 2 187 | 16 | 6 | - | 10 | 2 182 | 4 | 1 | 2 177 |
| 堺市 | 167 | - | - | 167 | - | - | - | - | 167 | - | - | 167 |
| 神戸市 | - | - | - | - | - | - | - | - | - | - | - | - |
| 岡山市 | 483 | - | 47 | 436 | - | - | - | - | 483 | - | 47 | 436 |
| 広島市 | 1 508 | - | - | 1 508 | 23 | - | - | 23 | 1 485 | - | - | 1 485 |
| 北九州市 | 760 | 650 | - | 110 | 71 | 71 | - | - | 689 | 579 | - | 110 |
| 福岡市 | 2 816 | 19 | - | 2 797 | 178 | - | - | 178 | 2 638 | 19 | - | 2 619 |
| 熊本市 | 45 | - | - | 45 | 30 | - | - | 30 | 15 | - | - | 15 |

## 委託した被指導延人員，都道府県－指定都市・特別区－中核市－その他政令市、個別－集団・対象区分別

平成29年度

| （再掲）医療機関等へ委託 | | | | | | | | | | | |
|---|---|---|---|---|---|---|---|---|---|---|---|
| 総数 | | | | 個別 | | | | 集団 | | | |
| 総数 | 妊産婦 | 20歳未満（妊産婦・乳幼児を除く。） | 20歳以上（妊産婦を除く。） | 総数 | 妊産婦 | 20歳未満（妊産婦・乳幼児を除く。） | 20歳以上（妊産婦を除く。） | 総数 | 妊産婦 | 20歳未満（妊産婦・乳幼児を除く。） | 20歳以上（妊産婦を除く。） |
| **146 535** | **2 509** | **4 440** | **139 586** | **62 080** | **2 159** | **189** | **59 732** | **84 455** | **350** | **4 251** | **79 854** |
| 121 | － | － | 121 | 4 | － | － | 4 | 117 | － | － | 117 |
| 99 | － | － | 99 | 69 | － | － | 69 | 30 | － | － | 30 |
| － | － | － | － | － | － | － | － | － | － | － | － |
| 56 | 56 | － | － | － | － | － | － | 56 | 56 | － | － |
| － | － | － | － | － | － | － | － | － | － | － | － |
| 2 057 | － | － | 2 057 | 1 411 | － | － | 1 411 | 646 | － | － | 646 |
| 5 798 | － | 4 251 | 1 547 | 151 | － | － | 151 | 5 647 | － | 4 251 | 1 396 |
| 15 | － | － | 15 | － | － | － | － | 15 | － | － | 15 |
| 47 021 | － | － | 47 021 | 46 759 | － | － | 46 759 | 262 | － | － | 262 |
| － | － | － | － | － | － | － | － | － | － | － | － |
| 2 011 | － | － | 2 011 | － | － | － | － | 2 011 | － | － | 2 011 |
| － | － | － | － | － | － | － | － | － | － | － | － |
| 7 340 | － | － | 7 340 | － | － | － | － | 7 340 | － | － | 7 340 |
| 1 947 | 1 947 | － | － | 1 947 | 1 947 | － | － | － | － | － | － |
| 450 | － | － | 450 | － | － | － | － | 450 | － | － | 450 |
| 4 766 | － | － | 4 766 | － | － | － | － | 4 766 | － | － | 4 766 |
| － | － | － | － | － | － | － | － | － | － | － | － |
| 60 | － | － | 60 | 14 | － | － | 14 | 46 | － | － | 46 |
| 178 | － | － | 178 | － | － | － | － | 178 | － | － | 178 |
| 38 | － | － | 38 | 38 | － | － | 38 | － | － | － | － |
| － | － | － | － | － | － | － | － | － | － | － | － |
| 1 908 | － | － | 1 908 | － | － | － | － | 1 908 | － | － | 1 908 |
| 344 | － | － | 344 | 137 | － | － | 137 | 207 | － | － | 207 |
| － | － | － | － | － | － | － | － | － | － | － | － |
| － | － | － | － | － | － | － | － | － | － | － | － |
| － | － | － | － | － | － | － | － | － | － | － | － |
| 119 | － | － | 119 | － | － | － | － | 119 | － | － | 119 |
| 12 715 | － | 189 | 12 526 | 9 314 | － | 189 | 9 125 | 3 401 | － | － | 3 401 |
| 128 | 128 | － | － | 128 | 128 | － | － | － | － | － | － |
| － | － | － | － | － | － | － | － | － | － | － | － |
| － | － | － | － | － | － | － | － | － | － | － | － |
| － | － | － | － | － | － | － | － | － | － | － | － |
| 4 331 | － | － | 4 331 | 136 | － | － | 136 | 4 195 | － | － | 4 195 |
| 14 693 | － | － | 14 693 | － | － | － | － | 14 693 | － | － | 14 693 |
| － | － | － | － | － | － | － | － | － | － | － | － |
| － | － | － | － | － | － | － | － | － | － | － | － |
| － | － | － | － | － | － | － | － | － | － | － | － |
| 7 017 | － | － | 7 017 | 133 | － | － | 133 | 6 884 | － | － | 6 884 |
| － | － | － | － | － | － | － | － | － | － | － | － |
| 1 856 | － | － | 1 856 | 193 | － | － | 193 | 1 663 | － | － | 1 663 |
| 29 631 | － | － | 29 631 | 887 | － | － | 887 | 28 744 | － | － | 28 744 |
| － | － | － | － | － | － | － | － | － | － | － | － |
| 1 542 | 84 | － | 1 458 | 759 | 84 | － | 675 | 783 | － | － | 783 |
| － | － | － | － | － | － | － | － | － | － | － | － |
| － | － | － | － | － | － | － | － | － | － | － | － |
| 18 | 18 | － | － | － | － | － | － | 18 | 18 | － | － |
| 276 | 276 | － | － | － | － | － | － | 276 | 276 | － | － |
| － | － | － | － | － | － | － | － | － | － | － | － |
| － | － | － | － | － | － | － | － | － | － | － | － |
| － | － | － | － | － | － | － | － | － | － | － | － |
| － | － | － | － | － | － | － | － | － | － | － | － |
| － | － | － | － | － | － | － | － | － | － | － | － |
| － | － | － | － | － | － | － | － | － | － | － | － |
| － | － | － | － | － | － | － | － | － | － | － | － |
| － | － | － | － | － | － | － | － | － | － | － | － |
| － | － | － | － | － | － | － | － | － | － | － | － |
| － | － | － | － | － | － | － | － | － | － | － | － |
| － | － | － | － | － | － | － | － | － | － | － | － |
| － | － | － | － | － | － | － | － | － | － | － | － |
| － | － | － | － | － | － | － | － | － | － | － | － |
| － | － | － | － | － | － | － | － | － | － | － | － |
| － | － | － | － | － | － | － | － | － | － | － | － |
| － | － | － | － | － | － | － | － | － | － | － | － |
| － | － | － | － | － | － | － | － | － | － | － | － |
| － | － | － | － | － | － | － | － | － | － | － | － |
| － | － | － | － | － | － | － | － | － | － | － | － |
| 127 | － | － | 127 | 3 | － | － | 3 | 124 | － | － | 124 |
| － | － | － | － | － | － | － | － | － | － | － | － |

## 第18表（2－2） 市区町村が実施した運動指導の被指導延人員・医療機関等へ

| | 総数 | | | | | | | | | | | |
| | 総　数 | | | | 個 | | 別 | | 集 | | 団 | |
| | 総　数 | 妊産婦 | 20歳未満（妊産婦・乳幼児を除く。） | 20歳以上（妊産婦を除く。） | 総　数 | 妊産婦 | 20歳未満（妊産婦・乳幼児を除く。） | 20歳以上（妊産婦を除く。） | 総　数 | 妊産婦 | 20歳未満（妊産婦・乳幼児を除く。） | 20歳以上（妊産婦を除く。） |
|---|---|---|---|---|---|---|---|---|---|---|---|---|
| 中核市(再掲) | | | | | | | | | | | | |
| 旭　川　市 | - | - | - | - | - | - | - | - | - | - | - | - |
| 函　館　市 | - | - | - | - | - | - | - | - | - | - | - | - |
| 青　森　市 | - | - | - | - | - | - | - | - | - | - | - | - |
| 八　戸　市 | - | - | - | - | - | - | - | - | - | - | - | - |
| 盛　岡　市 | - | - | - | - | - | - | - | - | - | - | - | - |
| 秋　田　市 | - | - | - | - | - | - | - | - | - | - | - | - |
| 郡　山　市 | 14 | - | - | 14 | - | - | - | - | 14 | - | - | 14 |
| い　わ　き　市 | 90 | - | 38 | 52 | - | - | - | - | 90 | - | 38 | 52 |
| 宇　都　宮　市 | 3 230 | 16 | 1 | 3 213 | 48 | 16 | 1 | 31 | 3 182 | - | - | 3 182 |
| 前　橋　市 | 7 477 | - | 113 | 7 364 | 1 249 | - | 13 | 1 236 | 6 228 | - | 100 | 6 128 |
| 高　崎　市 | 446 | 400 | - | 46 | - | - | - | - | 446 | 400 | - | 46 |
| 川　越　市 | 3 | - | - | 3 | - | - | - | - | 3 | - | - | 3 |
| 越　谷　市 | 3 910 | 244 | - | 3 666 | 143 | - | - | 143 | 3 767 | 244 | - | 3 523 |
| 船　橋　市 | - | - | - | - | - | - | - | - | - | - | - | - |
| 柏　市 | - | - | - | - | - | - | - | - | - | - | - | - |
| 八　王　子　市 | 43 | - | - | 43 | 21 | - | - | 21 | 22 | - | - | 22 |
| 横　須　賀　市 | 3 757 | - | 721 | 3 036 | 69 | - | - | 69 | 3 688 | - | 721 | 2 967 |
| 富　山　市 | - | - | - | - | - | - | - | - | - | - | - | - |
| 金　沢　市 | 128 | 1 | - | 127 | 128 | 1 | - | 127 | - | - | - | - |
| 長　野　市 | 1 915 | - | - | 1 915 | 22 | - | - | 22 | 1 893 | - | - | 1 893 |
| 岐　阜　市 | - | - | - | - | - | - | - | - | - | - | - | - |
| 豊　橋　市 | - | - | - | - | - | - | - | - | - | - | - | - |
| 豊　田　市 | 707 | 370 | - | 337 | - | - | - | - | 707 | 370 | - | 337 |
| 岡　崎　市 | - | - | - | - | - | - | - | - | - | - | - | - |
| 大　津　市 | 252 | - | - | 252 | - | - | - | - | 252 | - | - | 252 |
| 高　槻　市 | - | - | - | - | - | - | - | - | - | - | - | - |
| 東　大　阪　市 | 6 368 | 46 | - | 6 322 | - | - | - | - | 6 368 | 46 | - | 6 322 |
| 豊　中　市 | - | - | - | - | - | - | - | - | - | - | - | - |
| 枚　方　市 | 60 | - | - | 60 | - | - | - | - | 60 | - | - | 60 |
| 姫　路　市 | 68 | - | 3 | 65 | 3 | - | 3 | - | 65 | - | - | 65 |
| 西　宮　市 | 159 | - | - | 159 | - | - | - | - | 159 | - | - | 159 |
| 尼　崎　市 | 562 | - | - | 562 | - | - | - | - | 562 | - | - | 562 |
| 奈　良　市 | 1 713 | - | 46 | 1 667 | - | - | - | - | 1 713 | - | 46 | 1 667 |
| 和　歌　山　市 | 75 | - | - | 75 | - | - | - | - | 75 | - | - | 75 |
| 倉　敷　市 | 14 784 | - | - | 14 784 | 2 377 | - | - | 2 377 | 12 407 | - | - | 12 407 |
| 福　山　市 | 28 113 | - | - | 28 113 | - | - | - | - | 28 113 | - | - | 28 113 |
| 呉　市 | 2 097 | 10 | - | 2 087 | 10 | 10 | - | - | 2 087 | - | - | 2 087 |
| 下　関　市 | 12 447 | - | 231 | 12 216 | 9 792 | - | 231 | 9 561 | 2 655 | - | - | 2 655 |
| 高　松　市 | 1 007 | 6 | - | 1 001 | 7 | 6 | - | 1 | 1 000 | - | - | 1 000 |
| 松　山　市 | - | - | - | - | - | - | - | - | - | - | - | - |
| 高　知　市 | - | - | - | - | - | - | - | - | - | - | - | - |
| 久　留　米　市 | - | - | - | - | - | - | - | - | - | - | - | - |
| 長　崎　市 | - | - | - | - | - | - | - | - | - | - | - | - |
| 佐　世　保　市 | - | - | - | - | - | - | - | - | - | - | - | - |
| 大　分　市 | 28 | - | - | 28 | - | - | - | - | 28 | - | - | 28 |
| 宮　崎　市 | - | - | - | - | - | - | - | - | - | - | - | - |
| 鹿　児　島　市 | 15 869 | - | - | 15 869 | 3 484 | - | - | 3 484 | 12 385 | - | - | 12 385 |
| 那　覇　市 | - | - | - | - | - | - | - | - | - | - | - | - |
| その他政令市(再掲) | | | | | | | | | | | | |
| 小　樽　市 | - | - | - | - | - | - | - | - | - | - | - | - |
| 町　田　市 | 56 | - | - | 56 | - | - | - | - | 56 | - | - | 56 |
| 藤　沢　市 | 7 157 | - | 195 | 6 962 | 1 641 | - | 83 | 1 558 | 5 516 | - | 112 | 5 404 |
| 茅　ヶ　崎　市 | 24 | - | - | 24 | - | - | - | - | 24 | - | - | 24 |
| 四　日　市　市 | 1 548 | - | - | 1 548 | - | - | - | - | 1 548 | - | - | 1 548 |
| 大　牟　田　市 | - | - | - | - | - | - | - | - | - | - | - | - |

# 委託した被指導延人員，都道府県－指定都市・特別区－中核市－その他政令市、個別－集団・対象区分別

平成29年度

| (再掲) 医 療 機 関 等 へ 委 託 | | | | | | | | | | | |
| 総　数 | | | | 個　別 | | | | 集　団 | | | |
| 総　　数 | 妊　産　婦 | 20歳未満（妊産婦・乳幼児を除く。） | 20歳以上（妊産婦を除く。） | 総　　数 | 妊　産　婦 | 20歳未満（妊産婦・乳幼児を除く。） | 20歳以上（妊産婦を除く。） | 総　　数 | 妊　産　婦 | 20歳未満（妊産婦・乳幼児を除く。） | 20歳以上（妊産婦を除く。） |
|---|---|---|---|---|---|---|---|---|---|---|---|
| - | - | - | - | - | - | - | - | - | - | - | - |
| - | - | - | - | - | - | - | - | - | - | - | - |
| - | - | - | - | - | - | - | - | - | - | - | - |
| - | - | - | - | - | - | - | - | - | - | - | - |
| - | - | - | - | - | - | - | - | - | - | - | - |
| - | - | - | - | - | - | - | - | - | - | - | - |
| - | - | - | - | - | - | - | - | - | - | - | - |
| - | - | - | - | - | - | - | - | - | - | - | - |
| - | - | - | - | - | - | - | - | - | - | - | - |
| - | - | - | - | - | - | - | - | - | - | - | - |
| - | - | - | - | - | - | - | - | - | - | - | - |
| - | - | - | - | - | - | - | - | - | - | - | - |
| - | - | - | - | - | - | - | - | - | - | - | - |
| - | - | - | - | - | - | - | - | - | - | - | - |
| - | - | - | - | - | - | - | - | - | - | - | - |
| - | - | - | - | - | - | - | - | - | - | - | - |
| - | - | - | - | - | - | - | - | - | - | - | - |
| - | - | - | - | - | - | - | - | - | - | - | - |
| - | - | - | - | - | - | - | - | - | - | - | - |
| - | - | - | - | - | - | - | - | - | - | - | - |
| - | - | - | - | - | - | - | - | - | - | - | - |
| - | - | - | - | - | - | - | - | - | - | - | - |
| 4 097 | - | - | 4 097 | 136 | - | - | 136 | 3 961 | - | - | 3 961 |
| - | - | - | - | - | - | - | - | - | - | - | - |
| - | - | - | - | - | - | - | - | - | - | - | - |
| - | - | - | - | - | - | - | - | - | - | - | - |
| - | - | - | - | - | - | - | - | - | - | - | - |
| - | - | - | - | - | - | - | - | - | - | - | - |
| - | - | - | - | - | - | - | - | - | - | - | - |
| - | - | - | - | - | - | - | - | - | - | - | - |
| - | - | - | - | - | - | - | - | - | - | - | - |
| - | - | - | - | - | - | - | - | - | - | - | - |
| - | - | - | - | - | - | - | - | - | - | - | - |
| - | - | - | - | - | - | - | - | - | - | - | - |
| - | - | - | - | - | - | - | - | - | - | - | - |
| - | - | - | - | - | - | - | - | - | - | - | - |
| - | - | - | - | - | - | - | - | - | - | - | - |

# 第19表（2－1）市区町村が実施した病態別運動指導の被指導延人員・医療機関等へ

| | 総数 | | | | | | | | | | | |
|---|---|---|---|---|---|---|---|---|---|---|---|---|
| | 総数 | | | | 個別 | | | | 集団 | | | |
| | 総数 | 妊産婦 | 20歳未満（妊産婦・乳幼児を除く。） | 20歳以上（妊産婦を除く。） | 総数 | 妊産婦 | 20歳未満（妊産婦・乳幼児を除く。） | 20歳以上（妊産婦を除く。） | 総数 | 妊産婦 | 20歳未満（妊産婦・乳幼児を除く。） | 20歳以上（妊産婦を除く。） |
| **全国** | **61 936** | **867** | **344** | **60 725** | **25 363** | **411** | **57** | **24 895** | **36 573** | **456** | **287** | **35 830** |
| 北海道 | 2 569 | 69 | 6 | 2 494 | 1 523 | 14 | 6 | 1 503 | 1 046 | 55 | - | 991 |
| 青森 | 1 456 | 3 | - | 1 453 | 1 318 | 3 | - | 1 315 | 138 | - | - | 138 |
| 岩手 | 712 | - | - | 712 | 245 | - | - | 245 | 467 | - | - | 467 |
| 宮城 | 2 343 | - | - | 2 343 | 1 923 | - | - | 1 923 | 420 | - | - | 420 |
| 秋田 | 1 605 | - | - | 1 605 | 35 | - | - | 35 | 1 570 | - | - | 1 570 |
| 山形 | 1 621 | - | - | 1 621 | 369 | - | - | 369 | 1 252 | - | - | 1 252 |
| 福島 | 2 331 | - | - | 2 331 | 179 | - | - | 179 | 2 152 | - | - | 2 152 |
| 茨城 | 3 162 | 43 | - | 3 119 | 1 289 | - | - | 1 289 | 1 873 | 43 | - | 1 830 |
| 栃木 | 547 | - | - | 547 | 47 | - | - | 47 | 500 | - | - | 500 |
| 群馬 | 1 480 | 9 | - | 1 471 | 30 | - | - | 30 | 1 450 | 9 | - | 1 441 |
| 埼玉 | 1 989 | - | - | 1 989 | 335 | - | - | 335 | 1 654 | - | - | 1 654 |
| 千葉 | 393 | - | 35 | 358 | 125 | - | 35 | 90 | 268 | - | - | 268 |
| 東京 | 5 677 | 83 | 15 | 5 579 | 3 234 | 16 | 2 | 3 216 | 2 443 | 67 | 13 | 2 363 |
| 神奈川 | 2 683 | - | - | 2 683 | 938 | - | - | 938 | 1 745 | - | - | 1 745 |
| 新潟 | 671 | - | - | 671 | 43 | - | - | 43 | 628 | - | - | 628 |
| 富山 | 56 | - | - | 56 | 56 | - | - | 56 | - | - | - | - |
| 石川 | 303 | 8 | - | 295 | 17 | 8 | - | 9 | 286 | - | - | 286 |
| 福井 | 46 | - | - | 46 | - | - | - | - | 46 | - | - | 46 |
| 山梨 | 1 410 | 36 | - | 1 374 | 334 | - | - | 334 | 1 076 | 36 | - | 1 040 |
| 長野 | 4 890 | 44 | - | 4 846 | 3 494 | 44 | - | 3 450 | 1 396 | - | - | 1 396 |
| 岐阜 | 1 363 | 9 | - | 1 354 | 440 | - | - | 440 | 923 | 9 | - | 914 |
| 静岡 | 497 | - | 37 | 460 | 67 | - | - | 67 | 430 | - | 37 | 393 |
| 愛知 | 1 341 | - | - | 1 341 | 248 | - | - | 248 | 1 093 | - | - | 1 093 |
| 三重 | 330 | - | - | 330 | 33 | - | - | 33 | 297 | - | - | 297 |
| 滋賀 | 251 | - | - | 251 | - | - | - | - | 251 | - | - | 251 |
| 京都 | 488 | - | - | 488 | 65 | - | - | 65 | 423 | - | - | 423 |
| 大阪 | 884 | - | - | 884 | 94 | - | - | 94 | 790 | - | - | 790 |
| 兵庫 | 4 169 | - | - | 4 169 | 905 | - | - | 905 | 3 264 | - | - | 3 264 |
| 奈良 | 1 285 | - | - | 1 285 | - | - | - | - | 1 285 | - | - | 1 285 |
| 和歌山 | 151 | - | - | 151 | 29 | - | - | 29 | 122 | - | - | 122 |
| 鳥取 | 168 | - | - | 168 | 22 | - | - | 22 | 146 | - | - | 146 |
| 島根 | 34 | - | - | 34 | - | - | - | - | 34 | - | - | 34 |
| 岡山 | 857 | 1 | - | 856 | 144 | 1 | - | 143 | 713 | - | - | 713 |
| 広島 | 936 | - | - | 936 | 101 | - | - | 101 | 835 | - | - | 835 |
| 山口 | 112 | - | - | 112 | 7 | - | - | 7 | 105 | - | - | 105 |
| 徳島 | 429 | - | - | 429 | 30 | - | - | 30 | 399 | - | - | 399 |
| 香川 | 993 | - | 26 | 967 | 130 | - | 10 | 120 | 863 | - | 16 | 847 |
| 愛媛 | 1 180 | - | - | 1 180 | 919 | - | - | 919 | 261 | - | - | 261 |
| 高知 | 23 | - | - | 23 | - | - | - | - | 23 | - | - | 23 |
| 福岡 | 3 994 | - | 225 | 3 769 | 2 736 | - | 4 | 2 732 | 1 258 | - | 221 | 1 037 |
| 佐賀 | 1 685 | 231 | - | 1 454 | 1 281 | 231 | - | 1 050 | 404 | - | - | 404 |
| 長崎 | 77 | - | - | 77 | - | - | - | - | 77 | - | - | 77 |
| 熊本 | 581 | 1 | - | 580 | 450 | 1 | - | 449 | 131 | - | - | 131 |
| 大分 | 911 | - | - | 911 | 54 | - | - | 54 | 857 | - | - | 857 |
| 宮崎 | 372 | 260 | - | 112 | 94 | 93 | - | 1 | 278 | 167 | - | 111 |
| 鹿児島 | 2 649 | 70 | - | 2 579 | 1 894 | - | - | 1 894 | 755 | 70 | - | 685 |
| 沖縄 | 232 | - | - | 232 | 86 | - | - | 86 | 146 | - | - | 146 |
| 指定都市・特別区(再掲) | | | | | | | | | | | | |
| 東京都区部 | 1 734 | 83 | 15 | 1 636 | 382 | 16 | 2 | 364 | 1 352 | 67 | 13 | 1 272 |
| 札幌市 | - | - | - | - | - | - | - | - | - | - | - | - |
| 仙台市 | - | - | - | - | - | - | - | - | - | - | - | - |
| さいたま市 | - | - | - | - | - | - | - | - | - | - | - | - |
| 千葉市 | 12 | - | - | 12 | - | - | - | - | 12 | - | - | 12 |
| 横浜市 | 1 623 | - | - | 1 623 | 115 | - | - | 115 | 1 508 | - | - | 1 508 |
| 川崎市 | - | - | - | - | - | - | - | - | - | - | - | - |
| 相模原市 | - | - | - | - | - | - | - | - | - | - | - | - |
| 新潟市 | - | - | - | - | - | - | - | - | - | - | - | - |
| 静岡市 | - | - | - | - | - | - | - | - | - | - | - | - |
| 浜松市 | 2 | - | - | 2 | 2 | - | - | 2 | - | - | - | - |
| 名古屋市 | - | - | - | - | - | - | - | - | - | - | - | - |
| 京都市 | 136 | - | - | 136 | - | - | - | - | 136 | - | - | 136 |
| 大阪市 | - | - | - | - | - | - | - | - | - | - | - | - |
| 堺市 | - | - | - | - | - | - | - | - | - | - | - | - |
| 神戸市 | - | - | - | - | - | - | - | - | - | - | - | - |
| 岡山市 | 14 | - | - | 14 | - | - | - | - | 14 | - | - | 14 |
| 広島市 | - | - | - | - | - | - | - | - | - | - | - | - |
| 北九州市 | - | - | - | - | - | - | - | - | - | - | - | - |
| 福岡市 | 124 | - | - | 124 | - | - | - | - | 124 | - | - | 124 |
| 熊本市 | 45 | - | - | 45 | 30 | - | - | 30 | 15 | - | - | 15 |

## 委託した被指導延人員, 都道府県−指定都市・特別区−中核市−その他政令市、個別−集団・対象区分別

| (再掲) 医 療 機 関 等 へ 委 託 | | | | | | | | | | | |
| 総 | | 数 | | 個 | | | 別 | 集 | | | 団 |
| 総　数 | 妊産婦 | 20歳未満（妊産婦・乳幼児を除く。） | 20歳以上（妊産婦を除く。） | 総　数 | 妊産婦 | 20歳未満（妊産婦・乳幼児を除く。） | 20歳以上（妊産婦を除く。） | 総　数 | 妊産婦 | 20歳未満（妊産婦・乳幼児を除く。） | 20歳以上（妊産婦を除く。） |
|---|---|---|---|---|---|---|---|---|---|---|---|
| 1 739 | - | - | 1 739 | 1 020 | - | - | 1 020 | 719 | - | - | 719 |
| - | - | - | - | - | - | - | - | - | - | - | - |
| 30 | - | - | 30 | - | - | - | - | 30 | - | - | 30 |
| - | - | - | - | - | - | - | - | - | - | - | - |
| - | - | - | - | - | - | - | - | - | - | - | - |
| - | - | - | - | - | - | - | - | - | - | - | - |
| 33 | - | - | 33 | 33 | - | - | 33 | - | - | - | - |
| - | - | - | - | - | - | - | - | - | - | - | - |
| - | - | - | - | - | - | - | - | - | - | - | - |
| - | - | - | - | - | - | - | - | - | - | - | - |
| - | - | - | - | - | - | - | - | - | - | - | - |
| 46 | - | - | 46 | - | - | - | - | 46 | - | - | 46 |
| - | - | - | - | - | - | - | - | - | - | - | - |
| - | - | - | - | - | - | - | - | - | - | - | - |
| - | - | - | - | - | - | - | - | - | - | - | - |
| - | - | - | - | - | - | - | - | - | - | - | - |
| - | - | - | - | - | - | - | - | - | - | - | - |
| 275 | - | - | 275 | 100 | - | - | 100 | 175 | - | - | 175 |
| - | - | - | - | - | - | - | - | - | - | - | - |
| - | - | - | - | - | - | - | - | - | - | - | - |
| - | - | - | - | - | - | - | - | - | - | - | - |
| - | - | - | - | - | - | - | - | - | - | - | - |
| - | - | - | - | - | - | - | - | - | - | - | - |
| - | - | - | - | - | - | - | - | - | - | - | - |
| 468 | - | - | 468 | - | - | - | - | 468 | - | - | 468 |
| 887 | - | - | 887 | 887 | - | - | 887 | - | - | - | - |
| - | - | - | - | - | - | - | - | - | - | - | - |
| - | - | - | - | - | - | - | - | - | - | - | - |
| - | - | - | - | - | - | - | - | - | - | - | - |
| - | - | - | - | - | - | - | - | - | - | - | - |
| - | - | - | - | - | - | - | - | - | - | - | - |
| - | - | - | - | - | - | - | - | - | - | - | - |
| - | - | - | - | - | - | - | - | - | - | - | - |
| - | - | - | - | - | - | - | - | - | - | - | - |
| - | - | - | - | - | - | - | - | - | - | - | - |
| - | - | - | - | - | - | - | - | - | - | - | - |
| - | - | - | - | - | - | - | - | - | - | - | - |
| 124 | - | - | 124 | - | - | - | - | 124 | - | - | 124 |

# 第19表（2－2）市区町村が実施した病態別運動指導の被指導延人員・医療機関等へ

| | 総　数 | | | | | | | | | | | |
| | 総　　数 | | | | 個　　別 | | | | 集　　団 | | | |
| | 総　数 | 妊産婦 | 20歳未満（妊産婦・乳幼児を除く。） | 20歳以上（妊産婦を除く。） | 総　数 | 妊産婦 | 20歳未満（妊産婦・乳幼児を除く。） | 20歳以上（妊産婦を除く。） | 総　数 | 妊産婦 | 20歳未満（妊産婦・乳幼児を除く。） | 20歳以上（妊産婦を除く。） |
|---|---|---|---|---|---|---|---|---|---|---|---|---|
| 中核市(再掲) | | | | | | | | | | | | |
| 旭　川　市 | - | - | - | - | - | - | - | - | - | - | - | - |
| 函　館　市 | - | - | - | - | - | - | - | - | - | - | - | - |
| 青　森　市 | - | - | - | - | - | - | - | - | - | - | - | - |
| 八　戸　市 | - | - | - | - | - | - | - | - | - | - | - | - |
| 盛　岡　市 | - | - | - | - | - | - | - | - | - | - | - | - |
| 秋　田　市 | - | - | - | - | - | - | - | - | - | - | - | - |
| 郡　山　市 | - | - | - | - | - | - | - | - | - | - | - | - |
| い わ き 市 | - | - | - | - | - | - | - | - | - | - | - | - |
| 宇　都　宮　市 | 147 | - | - | 147 | 2 | - | - | 2 | 145 | - | - | 145 |
| 前　橋　市 | 1 076 | - | - | 1 076 | - | - | - | - | 1 076 | - | - | 1 076 |
| 高　崎　市 | - | - | - | - | - | - | - | - | - | - | - | - |
| 川　越　市 | - | - | - | - | - | - | - | - | - | - | - | - |
| 越　谷　市 | 696 | - | - | 696 | 143 | - | - | 143 | 553 | - | - | 553 |
| 船　橋　市 | - | - | - | - | - | - | - | - | - | - | - | - |
| 柏　　　市 | - | - | - | - | - | - | - | - | - | - | - | - |
| 八　王　子　市 | 21 | - | - | 21 | 21 | - | - | 21 | - | - | - | - |
| 横　須　賀　市 | 30 | - | - | 30 | - | - | - | - | 30 | - | - | 30 |
| 富　山　市 | - | - | - | - | - | - | - | - | - | - | - | - |
| 金　沢　市 | 8 | - | - | 8 | 8 | - | - | 8 | - | - | - | - |
| 長　野　市 | 187 | - | - | 187 | - | - | - | - | 187 | - | - | 187 |
| 岐　阜　市 | - | - | - | - | - | - | - | - | - | - | - | - |
| 豊　橋　市 | - | - | - | - | - | - | - | - | - | - | - | - |
| 豊　田　市 | - | - | - | - | - | - | - | - | - | - | - | - |
| 岡　崎　市 | - | - | - | - | - | - | - | - | - | - | - | - |
| 大　津　市 | - | - | - | - | - | - | - | - | - | - | - | - |
| 高　槻　市 | - | - | - | - | - | - | - | - | - | - | - | - |
| 東　大　阪　市 | 78 | - | - | 78 | - | - | - | - | 78 | - | - | 78 |
| 豊　中　市 | - | - | - | - | - | - | - | - | - | - | - | - |
| 枚　方　市 | - | - | - | - | - | - | - | - | - | - | - | - |
| 姫　路　市 | - | - | - | - | - | - | - | - | - | - | - | - |
| 西　宮　市 | - | - | - | - | - | - | - | - | - | - | - | - |
| 尼　崎　市 | - | - | - | - | - | - | - | - | - | - | - | - |
| 奈　良　市 | 273 | - | - | 273 | - | - | - | - | 273 | - | - | 273 |
| 和　歌　山　市 | - | - | - | - | - | - | - | - | - | - | - | - |
| 倉　敷　市 | 338 | - | - | 338 | - | - | - | - | 338 | - | - | 338 |
| 福　山　市 | - | - | - | - | - | - | - | - | - | - | - | - |
| 呉　　　市 | 61 | - | - | 61 | - | - | - | - | 61 | - | - | 61 |
| 下　関　市 | 2 | - | - | 2 | 2 | - | - | 2 | - | - | - | - |
| 高　松　市 | - | - | - | - | - | - | - | - | - | - | - | - |
| 松　山　市 | - | - | - | - | - | - | - | - | - | - | - | - |
| 高　知　市 | - | - | - | - | - | - | - | - | - | - | - | - |
| 久　留　米　市 | - | - | - | - | - | - | - | - | - | - | - | - |
| 長　崎　市 | - | - | - | - | - | - | - | - | - | - | - | - |
| 佐　世　保　市 | - | - | - | - | - | - | - | - | - | - | - | - |
| 大　分　市 | - | - | - | - | - | - | - | - | - | - | - | - |
| 宮　崎　市 | - | - | - | - | - | - | - | - | - | - | - | - |
| 鹿　児　島　市 | - | - | - | - | - | - | - | - | - | - | - | - |
| 那　覇　市 | - | - | - | - | - | - | - | - | - | - | - | - |
| その他政令市(再掲) | | | | | | | | | | | | |
| 小　樽　市 | - | - | - | - | - | - | - | - | - | - | - | - |
| 町　田　市 | 28 | - | - | 28 | - | - | - | - | 28 | - | - | 28 |
| 藤　沢　市 | 812 | - | - | 812 | 812 | - | - | 812 | - | - | - | - |
| 茅 ヶ 崎 市 | - | - | - | - | - | - | - | - | - | - | - | - |
| 四　日　市　市 | - | - | - | - | - | - | - | - | - | - | - | - |
| 大　牟　田　市 | - | - | - | - | - | - | - | - | - | - | - | - |

# 委託した被指導延人員，都道府県－指定都市・特別区－中核市－その他政令市、個別－集団・対象区分別

平成29年度

| (再掲) 医療機関等へ委託 | | | | | | | | | | | |
|---|---|---|---|---|---|---|---|---|---|---|---|
| 総数 | | | | 個別 | | | | 集団 | | | |
| 総数 | 妊産婦 | 20歳未満（妊産婦・乳幼児を除く。） | 20歳以上（妊産婦を除く。） | 総数 | 妊産婦 | 20歳未満（妊産婦・乳幼児を除く。） | 20歳以上（妊産婦を除く。） | 総数 | 妊産婦 | 20歳未満（妊産婦・乳幼児を除く。） | 20歳以上（妊産婦を除く。） |
| － | － | － | － | － | － | － | － | － | － | － | － |
| － | － | － | － | － | － | － | － | － | － | － | － |
| － | － | － | － | － | － | － | － | － | － | － | － |
| － | － | － | － | － | － | － | － | － | － | － | － |
| － | － | － | － | － | － | － | － | － | － | － | － |
| － | － | － | － | － | － | － | － | － | － | － | － |
| － | － | － | － | － | － | － | － | － | － | － | － |
| － | － | － | － | － | － | － | － | － | － | － | － |
| － | － | － | － | － | － | － | － | － | － | － | － |
| － | － | － | － | － | － | － | － | － | － | － | － |
| － | － | － | － | － | － | － | － | － | － | － | － |
| － | － | － | － | － | － | － | － | － | － | － | － |
| － | － | － | － | － | － | － | － | － | － | － | － |
| － | － | － | － | － | － | － | － | － | － | － | － |
| － | － | － | － | － | － | － | － | － | － | － | － |
| － | － | － | － | － | － | － | － | － | － | － | － |
| － | － | － | － | － | － | － | － | － | － | － | － |
| － | － | － | － | － | － | － | － | － | － | － | － |
| － | － | － | － | － | － | － | － | － | － | － | － |
| － | － | － | － | － | － | － | － | － | － | － | － |
| － | － | － | － | － | － | － | － | － | － | － | － |
| － | － | － | － | － | － | － | － | － | － | － | － |
| － | － | － | － | － | － | － | － | － | － | － | － |
| － | － | － | － | － | － | － | － | － | － | － | － |
| － | － | － | － | － | － | － | － | － | － | － | － |
| － | － | － | － | － | － | － | － | － | － | － | － |
| － | － | － | － | － | － | － | － | － | － | － | － |
| － | － | － | － | － | － | － | － | － | － | － | － |
| － | － | － | － | － | － | － | － | － | － | － | － |
| － | － | － | － | － | － | － | － | － | － | － | － |
| － | － | － | － | － | － | － | － | － | － | － | － |
| － | － | － | － | － | － | － | － | － | － | － | － |
| － | － | － | － | － | － | － | － | － | － | － | － |
| － | － | － | － | － | － | － | － | － | － | － | － |
| － | － | － | － | － | － | － | － | － | － | － | － |
| － | － | － | － | － | － | － | － | － | － | － | － |
| － | － | － | － | － | － | － | － | － | － | － | － |
| － | － | － | － | － | － | － | － | － | － | － | － |
| － | － | － | － | － | － | － | － | － | － | － | － |
| － | － | － | － | － | － | － | － | － | － | － | － |
| － | － | － | － | － | － | － | － | － | － | － | － |
| － | － | － | － | － | － | － | － | － | － | － | － |
| － | － | － | － | － | － | － | － | － | － | － | － |
| － | － | － | － | － | － | － | － | － | － | － | － |
| － | － | － | － | － | － | － | － | － | － | － | － |
| － | － | － | － | － | － | － | － | － | － | － | － |
| － | － | － | － | － | － | － | － | － | － | － | － |
| － | － | － | － | － | － | － | － | － | － | － | － |
| － | － | － | － | － | － | － | － | － | － | － | － |
| － | － | － | － | － | － | － | － | － | － | － | － |
| － | － | － | － | － | － | － | － | － | － | － | － |
| － | － | － | － | － | － | － | － | － | － | － | － |
| － | － | － | － | － | － | － | － | － | － | － | － |
| － | － | － | － | － | － | － | － | － | － | － | － |

# 第20表（2－1）市区町村が実施した休養指導の被指導延人員・医療機関等へ

| | 総数 | | | | | | | | | | | |
|---|---|---|---|---|---|---|---|---|---|---|---|---|
| | 総数 | | | | 個別 | | | | 集団 | | | |
| | 総数 | 妊産婦 | 20歳未満（妊産婦・乳幼児を除く。） | 20歳以上（妊産婦を除く。） | 総数 | 妊産婦 | 20歳未満（妊産婦・乳幼児を除く。） | 20歳以上（妊産婦を除く。） | 総数 | 妊産婦 | 20歳未満（妊産婦・乳幼児を除く。） | 20歳以上（妊産婦を除く。） |
| **全国** | 107 982 | 53 968 | 6 133 | 47 881 | 54 887 | 38 821 | 322 | 15 744 | 53 095 | 15 147 | 5 811 | 32 137 |
| 北海道 | 4 935 | 2 326 | 13 | 2 596 | 3 494 | 2 145 | - | 1 349 | 1 441 | 181 | 13 | 1 247 |
| 青森 | 1 861 | 1 570 | - | 291 | 1 640 | 1 475 | - | 165 | 221 | 95 | - | 126 |
| 岩手 | 1 149 | 638 | - | 511 | 578 | 573 | - | 5 | 571 | 65 | - | 506 |
| 宮城 | 2 179 | 999 | 64 | 1 116 | 1 218 | 333 | - | 885 | 961 | 666 | 64 | 231 |
| 秋田 | 849 | 484 | 158 | 207 | 327 | 310 | - | 17 | 522 | 174 | 158 | 190 |
| 山形 | 944 | 651 | - | 293 | 648 | 484 | - | 164 | 296 | 167 | - | 129 |
| 福島 | 2 401 | 1 839 | 74 | 488 | 1 842 | 1 761 | 47 | 34 | 559 | 78 | 27 | 454 |
| 茨城 | 2 272 | 1 443 | 1 | 828 | 1 539 | 1 005 | 1 | 533 | 733 | 438 | - | 295 |
| 栃木 | 4 619 | 4 043 | 6 | 570 | 3 988 | 3 882 | 6 | 100 | 631 | 161 | - | 470 |
| 群馬 | 1 828 | 1 156 | 13 | 659 | 1 341 | 1 094 | - | 247 | 487 | 62 | 13 | 412 |
| 埼玉 | 1 849 | 1 428 | - | 421 | 578 | 577 | - | 1 | 1 271 | 851 | - | 420 |
| 千葉 | 460 | 342 | 1 | 117 | 338 | 335 | 1 | 2 | 122 | 7 | - | 115 |
| 東京 | 16 469 | 6 492 | 1 350 | 8 627 | 7 443 | 3 737 | 2 | 3 704 | 9 026 | 2 755 | 1 348 | 4 923 |
| 神奈川 | 10 024 | 5 189 | 26 | 4 809 | 4 503 | 3 921 | 25 | 557 | 5 521 | 1 268 | 1 | 4 252 |
| 新潟 | 839 | 739 | - | 100 | 616 | 616 | - | - | 223 | 123 | - | 100 |
| 富山 | 864 | 828 | - | 36 | 723 | 723 | - | - | 141 | 105 | - | 36 |
| 石川 | 5 222 | 5 165 | - | 57 | 5 099 | 5 047 | - | 52 | 123 | 118 | - | 5 |
| 福井 | 114 | 113 | - | 1 | 114 | 113 | - | 1 | - | - | - | - |
| 山梨 | 1 812 | 1 176 | 178 | 458 | 956 | 621 | - | 335 | 856 | 555 | 178 | 123 |
| 長野 | 1 220 | 790 | 20 | 410 | 990 | 640 | 20 | 330 | 230 | 150 | - | 80 |
| 岐阜 | 1 343 | 1 205 | - | 138 | 576 | 576 | - | - | 767 | 629 | - | 138 |
| 静岡 | 1 363 | 621 | 364 | 378 | 80 | 21 | - | 59 | 1 283 | 600 | 364 | 319 |
| 愛知 | 3 657 | 493 | 2 556 | 608 | - | - | - | - | 3 657 | 493 | 2 556 | 608 |
| 三重 | 1 100 | 607 | 98 | 395 | 270 | 109 | - | 161 | 830 | 498 | 98 | 234 |
| 滋賀 | 604 | 566 | - | 38 | 374 | 374 | - | - | 230 | 192 | - | 38 |
| 京都 | 234 | 162 | - | 72 | 128 | 86 | - | 42 | 106 | 76 | - | 30 |
| 大阪 | 2 582 | 1 432 | - | 1 150 | 531 | 290 | - | 241 | 2 051 | 1 142 | - | 909 |
| 兵庫 | 4 660 | 840 | 598 | 3 222 | 1 197 | 454 | - | 743 | 3 463 | 386 | 598 | 2 479 |
| 奈良 | 1 256 | 1 030 | 144 | 82 | 533 | 451 | - | 82 | 723 | 579 | 144 | - |
| 和歌山 | 120 | 57 | - | 63 | 1 | - | - | 1 | 119 | 57 | - | 62 |
| 鳥取 | 421 | 324 | - | 97 | 399 | 315 | - | 84 | 22 | 9 | - | 13 |
| 島根 | 86 | 34 | 1 | 51 | 48 | 27 | - | 21 | 38 | 7 | 1 | 30 |
| 岡山 | 9 933 | 116 | - | 9 817 | 570 | 116 | - | 454 | 9 363 | - | - | 9 363 |
| 広島 | 11 | 6 | - | 5 | 11 | 6 | - | 5 | - | - | - | - |
| 山口 | 487 | 72 | 231 | 184 | 72 | 70 | - | 2 | 415 | 2 | 231 | 182 |
| 徳島 | 299 | 264 | - | 35 | 234 | 224 | - | 10 | 65 | 40 | - | 25 |
| 香川 | 547 | 430 | 14 | 103 | 324 | 319 | - | 5 | 223 | 111 | 14 | 98 |
| 愛媛 | 1 817 | 35 | 54 | 1 728 | 951 | 32 | 54 | 865 | 866 | 3 | - | 863 |
| 高知 | 1 218 | 148 | 146 | 924 | 1 183 | 113 | 146 | 924 | 35 | 35 | - | - |
| 福岡 | 1 647 | 1 418 | - | 229 | 701 | 701 | - | - | 946 | 717 | - | 229 |
| 佐賀 | 410 | 408 | - | 2 | 319 | 319 | - | - | 91 | 89 | - | 2 |
| 長崎 | - | - | - | - | - | - | - | - | - | - | - | - |
| 熊本 | 2 979 | 2 063 | 15 | 901 | 1 650 | 1 443 | 15 | 192 | 1 329 | 620 | - | 709 |
| 大分 | 1 204 | 616 | 5 | 583 | 616 | 515 | 5 | 96 | 588 | 101 | - | 487 |
| 宮崎 | 278 | 278 | - | - | 111 | 111 | - | - | 167 | 167 | - | - |
| 鹿児島 | 7 608 | 3 256 | 3 | 4 349 | 5 956 | 2 681 | - | 3 275 | 1 652 | 575 | 3 | 1 074 |
| 沖縄 | 208 | 76 | - | 132 | 77 | 76 | - | 1 | 131 | - | - | 131 |
| 指定都市・特別区(再掲) | | | | | | | | | | | | |
| 東京都区部 | 14 702 | 5 476 | 1 349 | 7 877 | 6 333 | 3 120 | 1 | 3 212 | 8 369 | 2 356 | 1 348 | 4 665 |
| 札幌市 | - | - | - | - | - | - | - | - | - | - | - | - |
| 仙台市 | - | - | - | - | - | - | - | - | - | - | - | - |
| さいたま市 | 1 | - | - | 1 | 1 | - | - | 1 | - | - | - | - |
| 千葉市 | - | - | - | - | - | - | - | - | - | - | - | - |
| 横浜市 | 3 713 | 174 | 10 | 3 529 | 429 | - | 10 | 419 | 3 284 | 174 | - | 3 110 |
| 川崎市 | 421 | - | 3 | 418 | 43 | - | 3 | 40 | 378 | - | - | 378 |
| 相模原市 | - | - | - | - | - | - | - | - | - | - | - | - |
| 新潟市 | - | - | - | - | - | - | - | - | - | - | - | - |
| 静岡市 | - | - | - | - | - | - | - | - | - | - | - | - |
| 浜松市 | 8 | - | - | 8 | 8 | - | - | 8 | - | - | - | - |
| 名古屋市 | - | - | - | - | - | - | - | - | - | - | - | - |
| 京都市 | 10 | - | - | 10 | 10 | - | - | 10 | - | - | - | - |
| 大阪市 | 430 | 420 | - | 10 | 300 | 290 | - | 10 | 130 | 130 | - | - |
| 堺市 | - | - | - | - | - | - | - | - | - | - | - | - |
| 神戸市 | - | - | - | - | - | - | - | - | - | - | - | - |
| 岡山市 | - | - | - | - | - | - | - | - | - | - | - | - |
| 広島市 | 4 | - | - | 4 | 4 | - | - | 4 | - | - | - | - |
| 北九州市 | 597 | 597 | - | - | 57 | 57 | - | - | 540 | 540 | - | - |
| 福岡市 | 11 | 11 | - | - | 11 | 11 | - | - | - | - | - | - |
| 熊本市 | 15 | - | - | 15 | - | - | - | - | 15 | - | - | 15 |

# 委託した被指導延人員，都道府県－指定都市・特別区－中核市－その他政令市、個別－集団・対象区分別

平成29年度

| （再掲）医療機関等へ委託 | | | | | | | | | | | |
|---|---|---|---|---|---|---|---|---|---|---|---|
| 総数 | | | | 個別 | | | | 集団 | | | |
| 総数 | 妊産婦 | 20歳未満（妊産婦・乳幼児を除く。） | 20歳以上（妊産婦を除く。） | 総数 | 妊産婦 | 20歳未満（妊産婦・乳幼児を除く。） | 20歳以上（妊産婦を除く。） | 総数 | 妊産婦 | 20歳未満（妊産婦・乳幼児を除く。） | 20歳以上（妊産婦を除く。） |
| 3 447 | 2 159 | - | 1 288 | 2 647 | 2 159 | - | 488 | 800 | - | - | 800 |
| 4 | - | - | 4 | 4 | - | - | 4 | - | - | - | - |
| - | - | - | - | - | - | - | - | - | - | - | - |
| - | - | - | - | - | - | - | - | - | - | - | - |
| - | - | - | - | - | - | - | - | - | - | - | - |
| - | - | - | - | - | - | - | - | - | - | - | - |
| 133 | - | - | 133 | 133 | - | - | 133 | - | - | - | - |
| - | - | - | - | - | - | - | - | - | - | - | - |
| - | - | - | - | - | - | - | - | - | - | - | - |
| - | - | - | - | - | - | - | - | - | - | - | - |
| - | - | - | - | - | - | - | - | - | - | - | - |
| - | - | - | - | - | - | - | - | - | - | - | - |
| - | - | - | - | - | - | - | - | - | - | - | - |
| - | - | - | - | - | - | - | - | - | - | - | - |
| 1 947 | 1 947 | - | - | 1 947 | 1 947 | - | - | - | - | - | - |
| - | - | - | - | - | - | - | - | - | - | - | - |
| - | - | - | - | - | - | - | - | - | - | - | - |
| - | - | - | - | - | - | - | - | - | - | - | - |
| - | - | - | - | - | - | - | - | - | - | - | - |
| - | - | - | - | - | - | - | - | - | - | - | - |
| - | - | - | - | - | - | - | - | - | - | - | - |
| - | - | - | - | - | - | - | - | - | - | - | - |
| - | - | - | - | - | - | - | - | - | - | - | - |
| - | - | - | - | - | - | - | - | - | - | - | - |
| - | - | - | - | - | - | - | - | - | - | - | - |
| - | - | - | - | - | - | - | - | - | - | - | - |
| - | - | - | - | - | - | - | - | - | - | - | - |
| - | - | - | - | - | - | - | - | - | - | - | - |
| 83 | - | - | 83 | - | - | - | - | 83 | - | - | 83 |
| 128 | 128 | - | - | 128 | 128 | - | - | - | - | - | - |
| - | - | - | - | - | - | - | - | - | - | - | - |
| - | - | - | - | - | - | - | - | - | - | - | - |
| - | - | - | - | - | - | - | - | - | - | - | - |
| 1 068 | - | - | 1 068 | 351 | - | - | 351 | 717 | - | - | 717 |
| - | - | - | - | - | - | - | - | - | - | - | - |
| - | - | - | - | - | - | - | - | - | - | - | - |
| - | - | - | - | - | - | - | - | - | - | - | - |
| - | - | - | - | - | - | - | - | - | - | - | - |
| - | - | - | - | - | - | - | - | - | - | - | - |
| - | - | - | - | - | - | - | - | - | - | - | - |
| - | - | - | - | - | - | - | - | - | - | - | - |
| - | - | - | - | - | - | - | - | - | - | - | - |
| - | - | - | - | - | - | - | - | - | - | - | - |
| 84 | 84 | - | - | 84 | 84 | - | - | - | - | - | - |
| - | - | - | - | - | - | - | - | - | - | - | - |
| - | - | - | - | - | - | - | - | - | - | - | - |
| - | - | - | - | - | - | - | - | - | - | - | - |
| - | - | - | - | - | - | - | - | - | - | - | - |
| - | - | - | - | - | - | - | - | - | - | - | - |
| - | - | - | - | - | - | - | - | - | - | - | - |
| - | - | - | - | - | - | - | - | - | - | - | - |
| - | - | - | - | - | - | - | - | - | - | - | - |
| - | - | - | - | - | - | - | - | - | - | - | - |
| - | - | - | - | - | - | - | - | - | - | - | - |
| - | - | - | - | - | - | - | - | - | - | - | - |
| - | - | - | - | - | - | - | - | - | - | - | - |
| - | - | - | - | - | - | - | - | - | - | - | - |
| - | - | - | - | - | - | - | - | - | - | - | - |
| - | - | - | - | - | - | - | - | - | - | - | - |
| - | - | - | - | - | - | - | - | - | - | - | - |
| - | - | - | - | - | - | - | - | - | - | - | - |
| - | - | - | - | - | - | - | - | - | - | - | - |
| - | - | - | - | - | - | - | - | - | - | - | - |
| - | - | - | - | - | - | - | - | - | - | - | - |
| - | - | - | - | - | - | - | - | - | - | - | - |
| - | - | - | - | - | - | - | - | - | - | - | - |
| - | - | - | - | - | - | - | - | - | - | - | - |
| - | - | - | - | - | - | - | - | - | - | - | - |
| - | - | - | - | - | - | - | - | - | - | - | - |

# 第20表（2−2）市区町村が実施した休養指導の被指導延人員・医療機関等へ

| | 総 | | | | | 数 | | | | | | |
| | 総 | 数 | | | 個 | | 別 | | 集 | | 団 | |
| | 総　数 | 妊産婦 | 20歳未満（妊産婦・乳幼児を除く。） | 20歳以上（妊産婦を除く。） | 総　数 | 妊産婦 | 20歳未満（妊産婦・乳幼児を除く。） | 20歳以上（妊産婦を除く。） | 総　数 | 妊産婦 | 20歳未満（妊産婦・乳幼児を除く。） | 20歳以上（妊産婦を除く。） |
|---|---|---|---|---|---|---|---|---|---|---|---|---|
| 中核市(再掲) | | | | | | | | | | | | |
| 旭川市 | – | – | – | – | – | – | – | – | – | – | – | – |
| 函館市 | – | – | – | – | – | – | – | – | – | – | – | – |
| 青森市 | – | – | – | – | – | – | – | – | – | – | – | – |
| 八戸市 | – | – | – | – | – | – | – | – | – | – | – | – |
| 盛岡市 | – | – | – | – | – | – | – | – | – | – | – | – |
| 秋田市 | – | – | – | – | – | – | – | – | – | – | – | – |
| 郡山市 | – | – | – | – | – | – | – | – | – | – | – | – |
| いわき市 | 354 | – | 27 | 327 | – | – | – | – | 354 | – | 27 | 327 |
| 宇都宮市 | 1 624 | 1 510 | 4 | 110 | 1 532 | 1 510 | 4 | 18 | 92 | – | – | 92 |
| 前橋市 | 318 | – | 13 | 305 | – | – | – | – | 318 | – | 13 | 305 |
| 高崎市 | – | – | – | – | – | – | – | – | – | – | – | – |
| 川越市 | – | – | – | – | – | – | – | – | – | – | – | – |
| 越谷市 | – | – | – | – | – | – | – | – | – | – | – | – |
| 船橋市 | – | – | – | – | – | – | – | – | – | – | – | – |
| 柏市 | – | – | – | – | – | – | – | – | – | – | – | – |
| 八王子市 | – | – | – | – | – | – | – | – | – | – | – | – |
| 横須賀市 | 6 | – | 1 | 5 | 1 | – | – | 1 | 5 | – | 1 | 4 |
| 富山市 | – | – | – | – | – | – | – | – | – | – | – | – |
| 金沢市 | 5 029 | 4 977 | – | 52 | 5 029 | 4 977 | – | 52 | – | – | – | – |
| 長野市 | – | – | – | – | – | – | – | – | – | – | – | – |
| 岐阜市 | – | – | – | – | – | – | – | – | – | – | – | – |
| 豊橋市 | – | – | – | – | – | – | – | – | – | – | – | – |
| 豊田市 | 707 | 370 | – | 337 | – | – | – | – | 707 | 370 | – | 337 |
| 岡崎市 | – | – | – | – | – | – | – | – | – | – | – | – |
| 大津市 | – | – | – | – | – | – | – | – | – | – | – | – |
| 高槻市 | – | – | – | – | – | – | – | – | – | – | – | – |
| 東大阪市 | 1 093 | 1 012 | – | 81 | – | – | – | – | 1 093 | 1 012 | – | 81 |
| 豊中市 | – | – | – | – | – | – | – | – | – | – | – | – |
| 枚方市 | – | – | – | – | – | – | – | – | – | – | – | – |
| 姫路市 | – | – | – | – | – | – | – | – | – | – | – | – |
| 西宮市 | – | – | – | – | – | – | – | – | – | – | – | – |
| 尼崎市 | – | – | – | – | – | – | – | – | – | – | – | – |
| 奈良市 | – | – | – | – | – | – | – | – | – | – | – | – |
| 和歌山市 | – | – | – | – | – | – | – | – | – | – | – | – |
| 倉敷市 | 9 468 | – | – | 9 468 | 351 | – | – | 351 | 9 117 | – | – | 9 117 |
| 福山市 | – | – | – | – | – | – | – | – | – | – | – | – |
| 呉市 | 7 | 6 | – | 1 | 7 | 6 | – | 1 | – | – | – | – |
| 下関市 | 365 | – | 183 | 182 | – | – | – | – | 365 | – | 183 | 182 |
| 高松市 | 320 | 217 | – | 103 | 222 | 217 | – | 5 | 98 | – | – | 98 |
| 松山市 | – | – | – | – | – | – | – | – | – | – | – | – |
| 高知市 | – | – | – | – | – | – | – | – | – | – | – | – |
| 久留米市 | – | – | – | – | – | – | – | – | – | – | – | – |
| 長崎市 | – | – | – | – | – | – | – | – | – | – | – | – |
| 佐世保市 | – | – | – | – | – | – | – | – | – | – | – | – |
| 大分市 | – | – | – | – | – | – | – | – | – | – | – | – |
| 宮崎市 | – | – | – | – | – | – | – | – | – | – | – | – |
| 鹿児島市 | 2 531 | – | – | 2 531 | 2 329 | – | – | 2 329 | 202 | – | – | 202 |
| 那覇市 | – | – | – | – | – | – | – | – | – | – | – | – |
| その他政令市(再掲) | | | | | | | | | | | | |
| 小樽市 | – | – | – | – | – | – | – | – | – | – | – | – |
| 町田市 | – | – | – | – | – | – | – | – | – | – | – | – |
| 藤沢市 | 105 | – | – | 105 | 52 | – | – | 52 | 53 | – | – | 53 |
| 茅ヶ崎市 | – | – | – | – | – | – | – | – | – | – | – | – |
| 四日市市 | 382 | 362 | – | 20 | 45 | 25 | – | 20 | 337 | 337 | – | – |
| 大牟田市 | – | – | – | – | – | – | – | – | – | – | – | – |

# 委託した被指導延人員，都道府県－指定都市・特別区－中核市－その他政令市、個別－集団・対象区分別

平成29年度

| (再掲) 医療機関等へ委託 | | | | | | | | | | | |
|---|---|---|---|---|---|---|---|---|---|---|---|
| 総数 | | | | 個別 | | | | 集団 | | | |
| 総数 | 妊産婦 | 20歳未満(妊産婦・乳幼児を除く。) | 20歳以上(妊産婦を除く。) | 総数 | 妊産婦 | 20歳未満(妊産婦・乳幼児を除く。) | 20歳以上(妊産婦を除く。) | 総数 | 妊産婦 | 20歳未満(妊産婦・乳幼児を除く。) | 20歳以上(妊産婦を除く。) |
| - | - | - | - | - | - | - | - | - | - | - | - |
| - | - | - | - | - | - | - | - | - | - | - | - |
| - | - | - | - | - | - | - | - | - | - | - | - |
| - | - | - | - | - | - | - | - | - | - | - | - |
| - | - | - | - | - | - | - | - | - | - | - | - |
| - | - | - | - | - | - | - | - | - | - | - | - |
| - | - | - | - | - | - | - | - | - | - | - | - |
| - | - | - | - | - | - | - | - | - | - | - | - |
| - | - | - | - | - | - | - | - | - | - | - | - |
| - | - | - | - | - | - | - | - | - | - | - | - |
| - | - | - | - | - | - | - | - | - | - | - | - |
| - | - | - | - | - | - | - | - | - | - | - | - |
| - | - | - | - | - | - | - | - | - | - | - | - |
| - | - | - | - | - | - | - | - | - | - | - | - |
| - | - | - | - | - | - | - | - | - | - | - | - |
| - | - | - | - | - | - | - | - | - | - | - | - |
| - | - | - | - | - | - | - | - | - | - | - | - |
| - | - | - | - | - | - | - | - | - | - | - | - |
| - | - | - | - | - | - | - | - | - | - | - | - |
| - | - | - | - | - | - | - | - | - | - | - | - |
| - | - | - | - | - | - | - | - | - | - | - | - |
| - | - | - | - | - | - | - | - | - | - | - | - |
| - | - | - | - | - | - | - | - | - | - | - | - |
| - | - | - | - | - | - | - | - | - | - | - | - |
| - | - | - | - | - | - | - | - | - | - | - | - |
| - | - | - | - | - | - | - | - | - | - | - | - |
| - | - | - | - | - | - | - | - | - | - | - | - |
| - | - | - | - | - | - | - | - | - | - | - | - |
| - | - | - | - | - | - | - | - | - | - | - | - |
| - | - | - | - | - | - | - | - | - | - | - | - |
| - | - | - | - | - | - | - | - | - | - | - | - |
| - | - | - | - | - | - | - | - | - | - | - | - |
| - | - | - | - | - | - | - | - | - | - | - | - |
| - | - | - | - | - | - | - | - | - | - | - | - |
| 1 068 | - | - | 1 068 | 351 | - | - | 351 | 717 | - | - | 717 |
| - | - | - | - | - | - | - | - | - | - | - | - |
| - | - | - | - | - | - | - | - | - | - | - | - |
| - | - | - | - | - | - | - | - | - | - | - | - |
| - | - | - | - | - | - | - | - | - | - | - | - |
| - | - | - | - | - | - | - | - | - | - | - | - |
| - | - | - | - | - | - | - | - | - | - | - | - |
| - | - | - | - | - | - | - | - | - | - | - | - |
| - | - | - | - | - | - | - | - | - | - | - | - |
| - | - | - | - | - | - | - | - | - | - | - | - |
| - | - | - | - | - | - | - | - | - | - | - | - |
| - | - | - | - | - | - | - | - | - | - | - | - |
| - | - | - | - | - | - | - | - | - | - | - | - |
| - | - | - | - | - | - | - | - | - | - | - | - |
| - | - | - | - | - | - | - | - | - | - | - | - |
| - | - | - | - | - | - | - | - | - | - | - | - |
| - | - | - | - | - | - | - | - | - | - | - | - |
| - | - | - | - | - | - | - | - | - | - | - | - |
| - | - | - | - | - | - | - | - | - | - | - | - |

## 第21表（2－1） 市区町村が実施した禁煙指導の被指導延人員・医療機関等へ委託

| | 総数 | | | | 個別 | | | | 集団 | | | |
|---|---|---|---|---|---|---|---|---|---|---|---|---|
| | 総数 | 妊産婦 | 20歳未満（妊産婦・乳幼児を除く。） | 20歳以上（妊産婦を除く。） | 総数 | 妊産婦 | 20歳未満（妊産婦・乳幼児を除く。） | 20歳以上（妊産婦を除く。） | 総数 | 妊産婦 | 20歳未満（妊産婦・乳幼児を除く。） | 20歳以上（妊産婦を除く。） |
| 全国 | 296 857 | 126 570 | 59 148 | 111 139 | 124 469 | 81 429 | 880 | 42 160 | 172 388 | 45 141 | 58 268 | 68 979 |
| 北海道 | 7 158 | 3 079 | 1 288 | 2 791 | 3 984 | 2 074 | － | 1 910 | 3 174 | 1 005 | 1 288 | 881 |
| 青森 | 9 094 | 1 796 | 4 291 | 3 007 | 2 179 | 1 689 | － | 490 | 6 915 | 107 | 4 291 | 2 517 |
| 岩手 | 3 040 | 2 801 | － | 239 | 2 649 | 2 467 | － | 182 | 391 | 334 | － | 57 |
| 宮城 | 7 962 | 3 611 | 2 040 | 2 311 | 2 766 | 1 835 | － | 931 | 5 196 | 1 776 | 2 040 | 1 380 |
| 秋田 | 971 | 643 | 143 | 185 | 649 | 474 | － | 175 | 322 | 169 | 143 | 10 |
| 山形 | 9 923 | 3 661 | 894 | 5 368 | 4 007 | 3 173 | － | 834 | 5 916 | 488 | 894 | 4 534 |
| 福島 | 4 368 | 2 183 | 1 552 | 633 | 2 561 | 2 105 | 47 | 409 | 1 807 | 78 | 1 505 | 224 |
| 茨城 | 16 380 | 2 509 | 2 091 | 11 780 | 3 240 | 1 872 | － | 1 368 | 13 140 | 637 | 2 091 | 10 412 |
| 栃木 | 7 406 | 3 026 | 2 991 | 1 389 | 3 133 | 2 782 | 13 | 338 | 4 273 | 244 | 2 978 | 1 051 |
| 群馬 | 6 334 | 5 084 | 504 | 746 | 4 720 | 4 639 | － | 81 | 1 614 | 445 | 504 | 665 |
| 埼玉 | 7 572 | 2 952 | 3 126 | 1 494 | 767 | 712 | － | 55 | 6 805 | 2 240 | 3 126 | 1 439 |
| 千葉 | 3 594 | 2 335 | 287 | 972 | 923 | 696 | － | 227 | 2 671 | 1 639 | 287 | 745 |
| 東京 | 39 681 | 14 229 | 2 875 | 22 577 | 18 904 | 5 827 | 3 | 13 074 | 20 777 | 8 402 | 2 872 | 9 503 |
| 神奈川 | 29 761 | 7 600 | 6 334 | 15 827 | 7 431 | 4 446 | 209 | 2 776 | 22 330 | 3 154 | 6 125 | 13 051 |
| 新潟 | 4 196 | 1 459 | 2 227 | 510 | 1 077 | 722 | － | 355 | 3 119 | 737 | 2 227 | 155 |
| 富山 | 1 547 | 957 | － | 590 | 260 | 260 | － | － | 1 287 | 697 | － | 590 |
| 石川 | 1 721 | 870 | － | 851 | 1 241 | 546 | － | 695 | 480 | 324 | － | 156 |
| 福井 | 3 380 | 3 261 | － | 119 | 3 372 | 3 261 | － | 111 | 8 | － | － | 8 |
| 山梨 | 2 237 | 1 665 | 305 | 267 | 1 455 | 1 269 | － | 186 | 782 | 396 | 305 | 81 |
| 長野 | 890 | 335 | － | 555 | 589 | 165 | － | 424 | 301 | 170 | － | 131 |
| 岐阜 | 4 444 | 2 853 | 393 | 1 198 | 1 857 | 1 192 | － | 665 | 2 587 | 1 661 | 393 | 533 |
| 静岡 | 23 836 | 9 285 | 8 773 | 5 778 | 10 907 | 7 435 | 22 | 3 450 | 12 929 | 1 850 | 8 751 | 2 328 |
| 愛知 | 11 111 | 7 901 | 2 479 | 731 | 3 921 | 3 749 | － | 172 | 7 190 | 4 152 | 2 479 | 559 |
| 三重 | 5 044 | 3 377 | 583 | 1 084 | 2 754 | 2 558 | － | 196 | 2 290 | 819 | 583 | 888 |
| 滋賀 | 3 257 | 1 302 | 1 281 | 674 | 1 609 | 1 073 | 60 | 476 | 1 648 | 229 | 1 221 | 198 |
| 京都 | 3 392 | 841 | 2 424 | 127 | 875 | 791 | － | 84 | 2 517 | 50 | 2 424 | 43 |
| 大阪 | 19 598 | 5 429 | 1 000 | 13 169 | 10 594 | 3 913 | － | 6 681 | 9 004 | 1 516 | 1 000 | 6 488 |
| 兵庫 | 8 281 | 3 834 | 2 237 | 2 210 | 3 373 | 2 293 | － | 1 080 | 4 908 | 1 541 | 2 237 | 1 130 |
| 奈良 | 2 701 | 1 802 | 272 | 627 | 1 571 | 1 214 | － | 357 | 1 130 | 588 | 272 | 270 |
| 和歌山 | 3 364 | 170 | 673 | 2 521 | 419 | 5 | 50 | 364 | 2 945 | 165 | 623 | 2 157 |
| 鳥取 | 1 274 | 936 | 140 | 198 | 1 048 | 898 | － | 150 | 226 | 38 | 140 | 48 |
| 島根 | 621 | 244 | 66 | 311 | 416 | 237 | 32 | 147 | 205 | 7 | 34 | 164 |
| 岡山 | 5 171 | 694 | 143 | 4 334 | 1 001 | 659 | 50 | 292 | 4 170 | 35 | 93 | 4 042 |
| 広島 | 9 894 | 3 517 | 5 533 | 844 | 3 518 | 2 781 | 14 | 723 | 6 376 | 736 | 5 519 | 121 |
| 山口 | 2 273 | 1 828 | 206 | 239 | 1 773 | 1 606 | 159 | 8 | 500 | 222 | 47 | 231 |
| 徳島 | 1 598 | 1 245 | 318 | 35 | 1 114 | 1 104 | － | 10 | 484 | 141 | 318 | 25 |
| 香川 | 875 | 345 | 344 | 186 | 196 | 146 | － | 50 | 679 | 199 | 344 | 136 |
| 愛媛 | 3 768 | 2 414 | 54 | 1 300 | 3 479 | 2 280 | 54 | 1 145 | 289 | 134 | － | 155 |
| 高知 | 489 | 108 | 237 | 144 | 368 | 108 | 146 | 114 | 121 | － | 91 | 30 |
| 福岡 | 2 440 | 2 031 | 76 | 333 | 721 | 483 | 4 | 234 | 1 719 | 1 548 | 72 | 99 |
| 佐賀 | 1 110 | 871 | － | 239 | 1 019 | 782 | － | 237 | 91 | 89 | － | 2 |
| 長崎 | 88 | 27 | 1 | 60 | 46 | 27 | 1 | 18 | 42 | － | － | 42 |
| 熊本 | 3 157 | 2 261 | － | 896 | 1 582 | 1 408 | － | 174 | 1 575 | 853 | － | 722 |
| 大分 | 1 622 | 570 | 808 | 244 | 570 | 501 | 2 | 67 | 1 052 | 69 | 806 | 177 |
| 宮崎 | 542 | 500 | 18 | 24 | 333 | 333 | － | － | 209 | 167 | 18 | 24 |
| 鹿児島 | 8 985 | 7 967 | 112 | 906 | 2 872 | 2 677 | － | 195 | 6 113 | 5 290 | 112 | 711 |
| 沖縄 | 707 | 162 | 29 | 516 | 626 | 162 | 14 | 450 | 81 | － | 15 | 66 |
| 指定都市・特別区（再掲） | | | | | | | | | | | | |
| 東京都区部 | 27 093 | 9 617 | 976 | 16 500 | 14 642 | 3 500 | 3 | 11 139 | 12 451 | 6 117 | 973 | 5 361 |
| 札幌市 | － | － | － | － | － | － | － | － | － | － | － | － |
| 仙台市 | 2 101 | 644 | 1 404 | 53 | 13 | － | － | 13 | 2 088 | 644 | 1 404 | 40 |
| さいたま市 | 11 | － | － | 11 | 11 | － | － | 11 | － | － | － | － |
| 千葉市 | 896 | 723 | － | 173 | － | － | － | － | 896 | 723 | － | 173 |
| 横浜市 | 14 136 | 1 485 | 1 049 | 11 602 | 638 | － | － | 638 | 13 498 | 1 485 | 1 049 | 10 964 |
| 川崎市 | 2 624 | 9 | 2 600 | 15 | 24 | 9 | － | 15 | 2 600 | － | 2 600 | － |
| 相模原市 | － | － | － | － | － | － | － | － | － | － | － | － |
| 新潟市 | 450 | － | 450 | － | － | － | － | － | 450 | － | 450 | － |
| 静岡市 | 9 020 | 109 | 8 228 | 683 | 121 | 109 | 5 | 7 | 8 899 | － | 8 223 | 676 |
| 浜松市 | 3 998 | 1 009 | 17 | 2 972 | 2 234 | 126 | 17 | 2 091 | 1 764 | 883 | － | 881 |
| 名古屋市 | － | － | － | － | － | － | － | － | － | － | － | － |
| 京都市 | 12 | － | － | 12 | 11 | － | － | 11 | 1 | － | － | 1 |
| 大阪市 | 1 931 | 770 | 382 | 779 | 1 530 | 757 | － | 773 | 401 | 13 | 382 | 6 |
| 堺市 | － | － | － | － | － | － | － | － | － | － | － | － |
| 神戸市 | － | － | － | － | － | － | － | － | － | － | － | － |
| 岡山市 | 8 | － | － | 8 | － | － | － | － | 8 | － | － | 8 |
| 広島市 | 3 639 | － | 3 441 | 198 | 77 | － | － | 77 | 3 562 | － | 3 441 | 121 |
| 北九州市 | 342 | 342 | － | － | 49 | 49 | － | － | 293 | 293 | － | － |
| 福岡市 | 62 | 30 | － | 32 | 40 | 30 | － | 10 | 22 | － | － | 22 |
| 熊本市 | 21 | － | － | 21 | 2 | － | － | 2 | 19 | － | － | 19 |

## した被指導延人員，都道府県－指定都市・特別区－中核市－その他政令市、個別－集団・対象区分別

平成29年度

| (再掲) 医療機関等へ委託 | | | | | | | | | | | |
|---|---|---|---|---|---|---|---|---|---|---|---|
| 総数 | | | | 個別 | | | | 集団 | | | |
| 総数 | 妊産婦 | 20歳未満（妊産婦・乳幼児を除く。） | 20歳以上（妊産婦を除く。） | 総数 | 妊産婦 | 20歳未満（妊産婦・乳幼児を除く。） | 20歳以上（妊産婦を除く。） | 総数 | 妊産婦 | 20歳未満（妊産婦・乳幼児を除く。） | 20歳以上（妊産婦を除く。） |
| **3 350** | **2 842** | **-** | **508** | **3 091** | **2 830** | **-** | **261** | **259** | **12** | **-** | **247** |
| 8 | - | - | 8 | 8 | - | - | 8 | - | - | - | - |
| - | - | - | - | - | - | - | - | - | - | - | - |
| - | - | - | - | - | - | - | - | - | - | - | - |
| - | - | - | - | - | - | - | - | - | - | - | - |
| - | - | - | - | - | - | - | - | - | - | - | - |
| 297 | - | - | 297 | 167 | - | - | 167 | 130 | - | - | 130 |
| - | - | - | - | - | - | - | - | - | - | - | - |
| - | - | - | - | - | - | - | - | - | - | - | - |
| - | - | - | - | - | - | - | - | - | - | - | - |
| - | - | - | - | - | - | - | - | - | - | - | - |
| - | - | - | - | - | - | - | - | - | - | - | - |
| - | - | - | - | - | - | - | - | - | - | - | - |
| - | - | - | - | - | - | - | - | - | - | - | - |
| 1 947 | 1 947 | - | - | 1 947 | 1 947 | - | - | - | - | - | - |
| - | - | - | - | - | - | - | - | - | - | - | - |
| - | - | - | - | - | - | - | - | - | - | - | - |
| - | - | - | - | - | - | - | - | - | - | - | - |
| - | - | - | - | - | - | - | - | - | - | - | - |
| - | - | - | - | - | - | - | - | - | - | - | - |
| - | - | - | - | - | - | - | - | - | - | - | - |
| - | - | - | - | - | - | - | - | - | - | - | - |
| - | - | - | - | - | - | - | - | - | - | - | - |
| - | - | - | - | - | - | - | - | - | - | - | - |
| - | - | - | - | - | - | - | - | - | - | - | - |
| - | - | - | - | - | - | - | - | - | - | - | - |
| - | - | - | - | - | - | - | - | - | - | - | - |
| - | - | - | - | - | - | - | - | - | - | - | - |
| 95 | - | - | 95 | - | - | - | - | 95 | - | - | 95 |
| - | - | - | - | - | - | - | - | - | - | - | - |
| - | - | - | - | - | - | - | - | - | - | - | - |
| - | - | - | - | - | - | - | - | - | - | - | - |
| - | - | - | - | - | - | - | - | - | - | - | - |
| - | - | - | - | - | - | - | - | - | - | - | - |
| 12 | 12 | - | - | - | - | - | - | 12 | 12 | - | - |
| - | - | - | - | - | - | - | - | - | - | - | - |
| - | - | - | - | - | - | - | - | - | - | - | - |
| - | - | - | - | - | - | - | - | - | - | - | - |
| 883 | 883 | - | - | 883 | 883 | - | - | - | - | - | - |
| - | - | - | - | - | - | - | - | - | - | - | - |
| 108 | - | - | 108 | 86 | - | - | 86 | 22 | - | - | 22 |
| - | - | - | - | - | - | - | - | - | - | - | - |
| - | - | - | - | - | - | - | - | - | - | - | - |
| - | - | - | - | - | - | - | - | - | - | - | - |
| - | - | - | - | - | - | - | - | - | - | - | - |
| - | - | - | - | - | - | - | - | - | - | - | - |
| - | - | - | - | - | - | - | - | - | - | - | - |
| - | - | - | - | - | - | - | - | - | - | - | - |
| - | - | - | - | - | - | - | - | - | - | - | - |
| - | - | - | - | - | - | - | - | - | - | - | - |
| - | - | - | - | - | - | - | - | - | - | - | - |
| - | - | - | - | - | - | - | - | - | - | - | - |
| - | - | - | - | - | - | - | - | - | - | - | - |
| - | - | - | - | - | - | - | - | - | - | - | - |
| - | - | - | - | - | - | - | - | - | - | - | - |
| - | - | - | - | - | - | - | - | - | - | - | - |
| - | - | - | - | - | - | - | - | - | - | - | - |
| - | - | - | - | - | - | - | - | - | - | - | - |
| - | - | - | - | - | - | - | - | - | - | - | - |
| - | - | - | - | - | - | - | - | - | - | - | - |
| - | - | - | - | - | - | - | - | - | - | - | - |
| - | - | - | - | - | - | - | - | - | - | - | - |
| - | - | - | - | - | - | - | - | - | - | - | - |
| - | - | - | - | - | - | - | - | - | - | - | - |
| - | - | - | - | - | - | - | - | - | - | - | - |
| - | - | - | - | - | - | - | - | - | - | - | - |
| - | - | - | - | - | - | - | - | - | - | - | - |
| - | - | - | - | - | - | - | - | - | - | - | - |
| - | - | - | - | - | - | - | - | - | - | - | - |
| 32 | - | - | 32 | 10 | - | - | 10 | 22 | - | - | 22 |
| - | - | - | - | - | - | - | - | - | - | - | - |

# 第21表（2－2）市区町村が実施した禁煙指導の被指導延人員・医療機関等へ委託

| | 総数 | | | | | | | | | | | |
|---|---|---|---|---|---|---|---|---|---|---|---|---|
| | 総数 | | | | 個別 | | | | 集団 | | | |
| | 総数 | 妊産婦 | 20歳未満（妊産婦・乳幼児を除く。） | 20歳以上（妊産婦を除く。） | 総数 | 妊産婦 | 20歳未満（妊産婦・乳幼児を除く。） | 20歳以上（妊産婦を除く。） | 総数 | 妊産婦 | 20歳未満（妊産婦・乳幼児を除く。） | 20歳以上（妊産婦を除く。） |
| 中核市(再掲) | | | | | | | | | | | | |
| 旭川市 | - | - | - | - | - | - | - | - | - | - | - | - |
| 函館市 | 247 | - | - | 247 | 180 | - | - | 180 | 67 | - | - | 67 |
| 青森市 | 5 061 | 44 | 2 394 | 2 623 | 406 | - | - | 406 | 4 655 | 44 | 2 394 | 2 217 |
| 八戸市 | - | - | - | - | - | - | - | - | - | - | - | - |
| 盛岡市 | - | - | - | - | - | - | - | - | - | - | - | - |
| 秋田市 | - | - | - | - | - | - | - | - | - | - | - | - |
| 郡山市 | - | - | - | - | - | - | - | - | - | - | - | - |
| いわき市 | 424 | - | 411 | 13 | 6 | - | - | 6 | 418 | - | 411 | 7 |
| 宇都宮市 | 173 | 173 | - | - | 173 | 173 | - | - | - | - | - | - |
| 前橋市 | 694 | - | 391 | 303 | 66 | - | - | 66 | 628 | - | 391 | 237 |
| 高崎市 | 69 | 69 | - | - | 69 | 69 | - | - | - | - | - | - |
| 川越市 | 246 | 124 | - | 122 | - | - | - | - | 246 | 124 | - | 122 |
| 越谷市 | 439 | 415 | - | 24 | 18 | - | - | 18 | 421 | 415 | - | 6 |
| 船橋市 | - | - | - | - | - | - | - | - | - | - | - | - |
| 柏市 | - | - | - | - | - | - | - | - | - | - | - | - |
| 八王子市 | 416 | - | - | 416 | - | - | - | - | 416 | - | - | 416 |
| 横須賀市 | 371 | - | 322 | 49 | 14 | - | - | 14 | 357 | - | 322 | 35 |
| 富山市 | 1 193 | 603 | - | 590 | - | - | - | - | 1 193 | 603 | - | 590 |
| 金沢市 | 440 | 99 | - | 341 | 440 | 99 | - | 341 | - | - | - | - |
| 長野市 | - | - | - | - | - | - | - | - | - | - | - | - |
| 岐阜市 | - | - | - | - | - | - | - | - | - | - | - | - |
| 豊橋市 | 28 | - | - | 28 | 28 | - | - | 28 | - | - | - | - |
| 豊田市 | 707 | 370 | - | 337 | - | - | - | - | 707 | 370 | - | 337 |
| 岡崎市 | - | - | - | - | - | - | - | - | - | - | - | - |
| 大津市 | 185 | - | 185 | - | - | - | - | - | 185 | - | 185 | - |
| 高槻市 | 900 | 660 | - | 240 | 73 | - | - | 73 | 827 | 660 | - | 167 |
| 東大阪市 | 1 292 | - | 129 | 1 163 | - | - | - | - | 1 292 | - | 129 | 1 163 |
| 豊中市 | - | - | - | - | - | - | - | - | - | - | - | - |
| 枚方市 | 886 | - | - | 886 | 828 | - | - | 828 | 58 | - | - | 58 |
| 姫路市 | - | - | - | - | - | - | - | - | - | - | - | - |
| 西宮市 | 1 375 | 1 157 | 180 | 38 | 80 | 42 | - | 38 | 1 295 | 1 115 | 180 | - |
| 尼崎市 | 199 | 199 | - | - | 199 | 199 | - | - | - | - | - | - |
| 奈良市 | 182 | 62 | - | 120 | 62 | 62 | - | - | 120 | - | - | 120 |
| 和歌山市 | 2 233 | 158 | - | 2 075 | - | - | - | - | 2 233 | 158 | - | 2 075 |
| 倉敷市 | 4 009 | 72 | - | 3 937 | 72 | 72 | - | - | 3 937 | - | - | 3 937 |
| 福山市 | 4 087 | 1 762 | 2 078 | 247 | 1 859 | 1 612 | - | 247 | 2 228 | 150 | 2 078 | - |
| 呉市 | 405 | 405 | - | - | 405 | 405 | - | - | - | - | - | - |
| 下関市 | 250 | - | 159 | 91 | 159 | - | 159 | - | 91 | - | - | 91 |
| 高松市 | 109 | 7 | - | 102 | 7 | 7 | - | - | 102 | - | - | 102 |
| 松山市 | - | - | - | - | - | - | - | - | - | - | - | - |
| 高知市 | 1 | - | - | 1 | 1 | - | - | 1 | - | - | - | - |
| 久留米市 | 926 | 811 | 76 | 39 | 24 | - | 4 | 20 | 902 | 811 | 72 | 19 |
| 長崎市 | - | - | - | - | - | - | - | - | - | - | - | - |
| 佐世保市 | - | - | - | - | - | - | - | - | - | - | - | - |
| 大分市 | 643 | 93 | 550 | - | 93 | 93 | - | - | 550 | - | 550 | - |
| 宮崎市 | - | - | - | - | - | - | - | - | - | - | - | - |
| 鹿児島市 | 5 921 | 5 316 | 11 | 594 | 151 | 140 | - | 11 | 5 770 | 5 176 | 11 | 583 |
| 那覇市 | - | - | - | - | - | - | - | - | - | - | - | - |
| その他政令市(再掲) | | | | | | | | | | | | |
| 小樽市 | - | - | - | - | - | - | - | - | - | - | - | - |
| 町田市 | - | - | - | - | - | - | - | - | - | - | - | - |
| 藤沢市 | 4 621 | 443 | 2 155 | 2 023 | 240 | - | 1 | 239 | 4 381 | 443 | 2 154 | 1 784 |
| 茅ヶ崎市 | 173 | - | - | 173 | 173 | - | - | 173 | - | - | - | - |
| 四日市市 | 695 | 362 | - | 333 | 45 | 25 | - | 20 | 650 | 337 | - | 313 |
| 大牟田市 | - | - | - | - | - | - | - | - | - | - | - | - |

## した被指導延人員，都道府県－指定都市・特別区－中核市－その他政令市、個別－集団・対象区分別

平成29年度

| （再掲）医療機関等へ委託 | | | | | | | | | | | |
|---|---|---|---|---|---|---|---|---|---|---|---|
| 総数 | | | | 個別 | | | | 集団 | | | |
| 総数 | 妊産婦 | 20歳未満（妊産婦・乳幼児を除く。） | 20歳以上（妊産婦を除く。） | 総数 | 妊産婦 | 20歳未満（妊産婦・乳幼児を除く。） | 20歳以上（妊産婦を除く。） | 総数 | 妊産婦 | 20歳未満（妊産婦・乳幼児を除く。） | 20歳以上（妊産婦を除く。） |
| － | － | － | － | － | － | － | － | － | － | － | － |
| － | － | － | － | － | － | － | － | － | － | － | － |
| － | － | － | － | － | － | － | － | － | － | － | － |
| － | － | － | － | － | － | － | － | － | － | － | － |
| － | － | － | － | － | － | － | － | － | － | － | － |
| － | － | － | － | － | － | － | － | － | － | － | － |
| － | － | － | － | － | － | － | － | － | － | － | － |
| － | － | － | － | － | － | － | － | － | － | － | － |
| － | － | － | － | － | － | － | － | － | － | － | － |
| － | － | － | － | － | － | － | － | － | － | － | － |
| － | － | － | － | － | － | － | － | － | － | － | － |
| － | － | － | － | － | － | － | － | － | － | － | － |
| － | － | － | － | － | － | － | － | － | － | － | － |
| － | － | － | － | － | － | － | － | － | － | － | － |
| － | － | － | － | － | － | － | － | － | － | － | － |
| － | － | － | － | － | － | － | － | － | － | － | － |
| － | － | － | － | － | － | － | － | － | － | － | － |
| － | － | － | － | － | － | － | － | － | － | － | － |
| － | － | － | － | － | － | － | － | － | － | － | － |
| － | － | － | － | － | － | － | － | － | － | － | － |
| － | － | － | － | － | － | － | － | － | － | － | － |
| － | － | － | － | － | － | － | － | － | － | － | － |
| － | － | － | － | － | － | － | － | － | － | － | － |
| － | － | － | － | － | － | － | － | － | － | － | － |
| － | － | － | － | － | － | － | － | － | － | － | － |
| － | － | － | － | － | － | － | － | － | － | － | － |
| － | － | － | － | － | － | － | － | － | － | － | － |
| － | － | － | － | － | － | － | － | － | － | － | － |
| － | － | － | － | － | － | － | － | － | － | － | － |
| － | － | － | － | － | － | － | － | － | － | － | － |
| － | － | － | － | － | － | － | － | － | － | － | － |
| － | － | － | － | － | － | － | － | － | － | － | － |
| － | － | － | － | － | － | － | － | － | － | － | － |
| － | － | － | － | － | － | － | － | － | － | － | － |
| － | － | － | － | － | － | － | － | － | － | － | － |
| 12 | 12 | － | － | － | － | － | － | 12 | 12 | － | － |
| － | － | － | － | － | － | － | － | － | － | － | － |
| － | － | － | － | － | － | － | － | － | － | － | － |
| － | － | － | － | － | － | － | － | － | － | － | － |
| － | － | － | － | － | － | － | － | － | － | － | － |
| － | － | － | － | － | － | － | － | － | － | － | － |
| － | － | － | － | － | － | － | － | － | － | － | － |
| － | － | － | － | － | － | － | － | － | － | － | － |
| － | － | － | － | － | － | － | － | － | － | － | － |
| － | － | － | － | － | － | － | － | － | － | － | － |
| － | － | － | － | － | － | － | － | － | － | － | － |
| － | － | － | － | － | － | － | － | － | － | － | － |
| － | － | － | － | － | － | － | － | － | － | － | － |
| － | － | － | － | － | － | － | － | － | － | － | － |
| － | － | － | － | － | － | － | － | － | － | － | － |
| － | － | － | － | － | － | － | － | － | － | － | － |
| － | － | － | － | － | － | － | － | － | － | － | － |
| － | － | － | － | － | － | － | － | － | － | － | － |
| － | － | － | － | － | － | － | － | － | － | － | － |

## 第22表（4－1）　市区町村が実施したその他の栄養・運動等指導の被指導延人員・医療機関

| | 総 | | | | | | |
|---|---|---|---|---|---|---|---|
| | 総　　　　数 | | | | | 個 | |
| | 総　　数 | 妊　産　婦 | 乳　幼　児 | 20 歳 未 満（妊産婦・乳幼児を除く。） | 20 歳 以 上（妊産婦を除く。） | 総　　数 | 妊　産　婦 |
| 全　　　　　国 | 484 467 | 68 918 | 69 536 | 21 762 | 324 251 | 283 948 | 54 006 |
| 北　海　道 | 18 031 | 1 148 | 2 465 | 1 001 | 13 417 | 9 402 | 857 |
| 青　　　森 | 21 057 | 921 | 582 | 621 | 18 933 | 13 324 | 816 |
| 岩　　　手 | 10 158 | 325 | 534 | 228 | 9 071 | 2 108 | 283 |
| 宮　　　城 | 6 666 | 2 022 | 458 | 159 | 4 027 | 2 834 | 1 839 |
| 秋　　　田 | 4 445 | 527 | 609 | 446 | 2 863 | 921 | 318 |
| 山　　　形 | 5 561 | 258 | 1 237 | 230 | 3 836 | 2 980 | 258 |
| 福　　　島 | 48 233 | 28 312 | 16 335 | 1 302 | 2 284 | 37 541 | 28 223 |
| 茨　　　城 | 8 739 | 1 299 | 1 514 | 1 083 | 4 843 | 2 003 | 326 |
| 栃　　　木 | 29 159 | 5 764 | 10 991 | 753 | 11 651 | 25 455 | 5 764 |
| 群　　　馬 | 24 302 | 5 931 | 5 405 | 2 180 | 10 786 | 15 083 | 5 185 |
| 埼　　　玉 | 16 165 | 283 | 533 | 155 | 15 194 | 5 557 | 147 |
| 千　　　葉 | 11 548 | 1 079 | 258 | 516 | 9 695 | 4 564 | 1 028 |
| 東　　　京 | 7 096 | 1 100 | 2 475 | 478 | 3 043 | 3 530 | 26 |
| 神　奈　川 | 19 242 | 4 222 | 189 | 225 | 14 606 | 10 607 | - |
| 新　　　潟 | 9 941 | 34 | 1 410 | 773 | 7 724 | 6 951 | 3 |
| 富　　　山 | 2 541 | 383 | 1 241 | 83 | 834 | 1 485 | 144 |
| 石　　　川 | 4 952 | 190 | 746 | 4 | 4 012 | 4 513 | 177 |
| 福　　　井 | 3 264 | - | 31 | | 3 233 | 1 683 | - |
| 山　　　梨 | 6 405 | 687 | 226 | 180 | 5 312 | 3 513 | 104 |
| 長　　　野 | 6 639 | 245 | 203 | 1 897 | 4 294 | 2 574 | 57 |
| 岐　　　阜 | 5 407 | 529 | 28 | 70 | 4 780 | 4 248 | 161 |
| 静　　　岡 | 6 452 | 7 | 48 | 110 | 6 287 | 3 148 | 7 |
| 愛　　　知 | 13 543 | 1 757 | 2 979 | 1 550 | 7 257 | 3 509 | 155 |
| 三　　　重 | 13 080 | 808 | 137 | 462 | 11 673 | 5 713 | 471 |
| 滋　　　賀 | 4 996 | 971 | 1 119 | 200 | 2 706 | 4 471 | 971 |
| 京　　　都 | 5 401 | 23 | 104 | 21 | 5 253 | 5 139 | 23 |
| 大　　　阪 | 24 976 | 158 | 5 238 | 4 | 19 576 | 11 080 | 158 |
| 兵　　　庫 | 14 757 | 1 063 | 1 974 | 366 | 11 354 | 7 829 | 977 |
| 奈　　　良 | 3 894 | 170 | 561 | 819 | 2 344 | 1 956 | 89 |
| 和　歌　山 | 9 316 | 34 | 1 068 | 791 | 7 423 | 8 195 | - |
| 鳥　　　取 | 8 194 | 1 324 | - | | 6 870 | 5 369 | 1 311 |
| 島　　　根 | 4 469 | 128 | 733 | 1 447 | 2 161 | 1 257 | - |
| 岡　　　山 | 35 | 35 | - | | - | - | - |
| 広　　　島 | 2 728 | 3 | 40 | 159 | 2 526 | 2 511 | 3 |
| 山　　　口 | 7 991 | 126 | 863 | 2 259 | 4 743 | 3 782 | 87 |
| 徳　　　島 | 1 733 | 1 | | 116 | 1 616 | 1 110 | 1 |
| 香　　　川 | 8 814 | 1 187 | 1 258 | 337 | 6 032 | 4 981 | 1 034 |
| 愛　　　媛 | 5 380 | - | 258 | 18 | 5 104 | 3 239 | - |
| 高　　　知 | 4 450 | 29 | 26 | 26 | 4 369 | 536 | 18 |
| 福　　　岡 | 11 331 | 1 747 | 286 | 103 | 9 195 | 6 060 | 234 |
| 佐　　　賀 | 15 581 | 92 | 279 | 21 | 15 189 | 12 958 | 92 |
| 長　　　崎 | 8 963 | 38 | 1 | 221 | 8 703 | 8 893 | 38 |
| 熊　　　本 | 11 946 | 640 | 3 096 | 74 | 8 136 | 6 093 | 59 |
| 大　　　分 | 11 076 | 547 | 497 | 66 | 9 966 | 2 936 | 440 |
| 宮　　　崎 | 3 596 | 895 | - | 176 | 2 525 | 3 366 | 895 |
| 鹿　児　島 | 7 723 | 1 734 | 1 451 | 21 | 4 517 | 5 758 | 1 197 |
| 沖　　　縄 | 4 491 | 142 | 50 | 11 | 4 288 | 3 183 | 30 |
| 指定都市・特別区（再掲）東　京　都　区　部 | 2 545 | 799 | - | - | 1 746 | 690 | - |
| 札　幌　市 | 1 823 | - | - | - | 1 823 | 124 | - |
| 仙　台　市 | 2 502 | - | - | - | 2 502 | 104 | - |
| さ　い　た　ま　市 | 655 | - | - | 140 | 515 | 270 | - |
| 千　葉　市 | - | - | - | - | - | - | - |
| 横　浜　市 | 10 636 | 3 283 | - | - | 7 353 | 5 547 | - |
| 川　崎　市 | 176 | - | - | 176 | - | - | - |
| 相　模　原　市 | | | | | | | |
| 新　潟　市 | 392 | - | - | - | 392 | - | - |
| 静　岡　市 | | | | | | | |
| 浜　松　市 | 356 | 7 | 21 | 9 | 319 | 356 | 7 |
| 名　古　屋　市 | | | | | | | |
| 京　都　市 | 23 | - | - | - | 23 | 23 | - |
| 大　阪　市 | - | | | | | | |
| 堺　　　市 | - | | | | | | |
| 神　戸　市 | - | | | | | | |
| 岡　山　市 | - | | | | | | |
| 広　島　市 | - | | | | | | |
| 北　九　州　市 | 1 505 | 1 505 | - | - | - | 170 | 170 |
| 福　岡　市 | 151 | - | - | - | 151 | 109 | - |
| 熊　本　市 | 30 | - | - | - | 30 | 30 | - |

## 等へ委託した被指導延人員，都道府県－指定都市・特別区－中核市－その他政令市、個別－集団・対象区分別

平成29年度

| 数 | | | | | | | |
|---|---|---|---|---|---|---|---|
| 別 | | | 集 | | 団 | | |
| 乳幼児 | 20歳未満（妊産婦・乳幼児を除く。） | 20歳以上（妊産婦を除く。） | 総数 | 妊産婦 | 乳幼児 | 20歳未満（妊産婦・乳幼児を除く。） | 20歳以上（妊産婦を除く。） |
| **44 107** | **2 920** | **182 915** | **200 519** | **14 912** | **25 429** | **18 842** | **141 336** |
| 1 797 | 69 | 6 679 | 8 629 | 291 | 668 | 932 | 6 738 |
| 173 | 131 | 12 204 | 7 733 | 105 | 409 | 490 | 6 729 |
| 382 | 16 | 1 427 | 8 050 | 42 | 152 | 212 | 7 644 |
| 278 | 1 | 716 | 3 832 | 183 | 180 | 158 | 3 311 |
| 231 | － | 372 | 3 524 | 209 | 378 | 446 | 2 491 |
| 1 224 | 110 | 1 388 | 2 581 | － | 13 | 120 | 2 448 |
| 7 381 | 370 | 1 567 | 10 692 | 89 | 8 954 | 932 | 717 |
| 596 | 3 | 1 078 | 6 736 | 973 | 918 | 1 080 | 3 765 |
| 10 991 | 753 | 7 947 | 3 704 | － | － | － | 3 704 |
| 5 118 | 193 | 4 587 | 9 219 | 746 | 287 | 1 987 | 6 199 |
| 496 | 85 | 4 829 | 10 608 | 136 | 37 | 70 | 10 365 |
| 4 | 255 | 3 277 | 6 984 | 51 | 254 | 261 | 6 418 |
| 2 367 | 3 | 1 134 | 3 566 | 1 074 | 108 | 475 | 1 909 |
| 189 | 49 | 10 369 | 8 635 | 4 222 | － | 176 | 4 237 |
| 1 100 | 146 | 5 702 | 2 990 | 31 | 310 | 627 | 2 022 |
| 507 | － | 834 | 1 056 | 239 | 734 | 83 | － |
| 693 | 4 | 3 639 | 439 | 13 | 53 | － | 373 |
| － | － | 1 683 | 1 581 | － | 31 | － | 1 550 |
| 53 | － | 3 356 | 2 892 | 583 | 173 | 180 | 1 956 |
| 61 | 2 | 2 454 | 4 065 | 188 | 142 | 1 895 | 1 840 |
| － | － | 4 087 | 1 159 | 368 | 28 | 70 | 693 |
| 21 | 9 | 3 111 | 3 304 | － | 27 | 101 | 3 176 |
| 1 | 27 | 3 326 | 10 034 | 1 602 | 2 978 | 1 523 | 3 931 |
| 137 | 186 | 4 919 | 7 367 | 337 | － | 276 | 6 754 |
| 929 | 62 | 2 509 | 525 | － | 190 | 138 | 197 |
| 104 | 21 | 4 991 | 262 | － | － | － | 262 |
| 2 116 | 1 | 8 805 | 13 896 | － | 3 122 | 3 | 10 771 |
| 535 | 1 | 6 316 | 6 928 | 86 | 1 439 | 365 | 5 038 |
| 179 | 62 | 1 626 | 1 938 | 81 | 382 | 757 | 718 |
| 1 068 | 35 | 7 092 | 1 121 | 34 | － | 756 | 331 |
| － | － | 4 058 | 2 825 | 13 | － | － | 2 812 |
| － | 5 | 1 252 | 3 212 | 128 | 733 | 1 442 | 909 |
| － | － | － | 35 | 35 | － | － | － |
| 7 | 4 | 2 497 | 217 | － | 33 | 155 | 29 |
| 620 | 1 | 3 074 | 4 209 | 39 | 243 | 2 258 | 1 669 |
| － | 31 | 1 078 | 623 | － | － | 85 | 538 |
| 1 008 | 68 | 2 871 | 3 833 | 153 | 250 | 269 | 3 161 |
| － | － | 3 239 | 2 141 | － | 258 | 18 | 1 865 |
| 23 | － | 495 | 3 914 | 11 | 3 | 26 | 3 874 |
| 17 | 3 | 5 806 | 5 271 | 1 513 | 269 | 100 | 3 389 |
| 279 | 21 | 12 566 | 2 623 | － | － | － | 2 623 |
| 1 | 181 | 8 673 | 70 | － | － | 40 | 30 |
| 2 035 | － | 3 999 | 5 853 | 581 | 1 061 | 74 | 4 137 |
| 318 | 1 | 2 177 | 8 140 | 107 | 179 | 65 | 7 789 |
| － | － | 2 471 | 230 | － | － | 176 | 54 |
| 1 054 | － | 3 507 | 1 965 | 537 | 397 | 21 | 1 010 |
| 14 | 11 | 3 128 | 1 308 | 112 | 36 | － | 1 160 |
| － | － | 690 | 1 855 | 799 | － | － | 1 056 |
| － | － | 124 | 1 699 | － | － | － | 1 699 |
| － | － | 104 | 2 398 | － | － | － | 2 398 |
| － | 70 | 200 | 385 | － | － | 70 | 315 |
| － | － | － | － | － | － | － | － |
| － | － | 5 547 | 5 089 | 3 283 | － | － | 1 806 |
| － | － | － | 176 | － | － | 176 | － |
| － | － | － | － | － | － | － | － |
| － | － | － | 392 | － | － | － | 392 |
| － | － | － | － | － | － | － | － |
| 21 | 9 | 319 | － | － | － | － | － |
| － | － | － | － | － | － | － | － |
| － | － | 23 | － | － | － | － | － |
| － | － | － | － | － | － | － | － |
| － | － | － | － | － | － | － | － |
| － | － | － | － | － | － | － | － |
| － | － | － | － | － | － | － | － |
| － | － | － | － | － | － | － | － |
| － | － | － | 1 335 | 1 335 | － | － | － |
| － | － | 109 | 42 | － | － | － | 42 |
| － | － | 30 | － | － | － | － | － |

# 第22表（4－2）市区町村が実施したその他の栄養・運動等指導の被指導延人員・医療機関

| | 総 | | | | | | |
|---|---|---|---|---|---|---|---|
| | 総数 | | | | | 個 | |
| | 総数 | 妊産婦 | 乳幼児 | 20歳未満（妊産婦・乳幼児を除く。） | 20歳以上（妊産婦を除く。） | 総数 | 妊産婦 |
| 中核市(再掲) | | | | | | | |
| 旭川市 | - | - | - | - | - | - | - |
| 函館市 | 341 | - | - | - | 341 | 341 | - |
| 青森市 | - | - | - | - | - | - | - |
| 八戸市 | - | - | - | - | - | - | - |
| 盛岡市 | - | - | - | - | - | - | - |
| 秋田市 | - | - | - | - | - | - | - |
| 郡山市 | - | - | - | - | - | - | - |
| いわき市 | 858 | - | 19 | 222 | 617 | 858 | - |
| 宇都宮市 | 18 860 | 5 709 | 10 343 | 741 | 2 067 | 17 626 | 5 709 |
| 前橋市 | 8 485 | 2 | 11 | 2 166 | 6 306 | 1 534 | 2 |
| 高崎市 | - | - | - | - | - | - | - |
| 川越市 | - | - | - | - | - | - | - |
| 越谷市 | 2 000 | - | 37 | - | 1 963 | 518 | - |
| 船橋市 | - | - | - | - | - | - | - |
| 柏市 | - | - | - | - | - | - | - |
| 八王子市 | 117 | - | - | - | 117 | - | - |
| 横須賀市 | 84 | - | - | - | 84 | 20 | - |
| 富山市 | - | - | - | - | - | - | - |
| 金沢市 | 3 351 | 104 | 455 | - | 2 792 | 3 351 | 104 |
| 長野市 | - | - | - | - | - | - | - |
| 岐阜市 | 11 | - | - | - | 11 | 11 | - |
| 豊橋市 | 63 | - | - | - | 63 | 63 | - |
| 豊田市 | 745 | 371 | 372 | - | 2 | - | - |
| 岡崎市 | - | - | - | - | - | - | - |
| 大津市 | - | - | - | - | - | - | - |
| 高槻市 | - | - | - | - | - | - | - |
| 東大阪市 | 33 | - | 17 | - | 16 | - | - |
| 豊中市 | - | - | - | - | - | - | - |
| 枚方市 | 789 | - | - | - | 789 | 789 | - |
| 姫路市 | - | - | - | - | - | - | - |
| 西宮市 | - | - | - | - | - | - | - |
| 尼崎市 | - | - | - | - | - | - | - |
| 奈良市 | 1 824 | - | - | 613 | 1 211 | 940 | - |
| 和歌山市 | 1 393 | - | - | - | 1 393 | 1 393 | - |
| 倉敷市 | - | - | - | - | - | - | - |
| 福山市 | 92 | - | - | - | 92 | 92 | - |
| 呉市 | 45 | 3 | 40 | - | 2 | 12 | 3 |
| 下関市 | 304 | - | - | 1 | 303 | 304 | - |
| 高松市 | 1 750 | 862 | 841 | 3 | 44 | 1 730 | 862 |
| 松山市 | - | - | - | - | - | - | - |
| 高知市 | - | - | - | - | - | - | - |
| 久留米市 | 276 | - | - | - | 276 | 276 | - |
| 長崎市 | - | - | - | - | - | - | - |
| 佐世保市 | - | - | - | - | - | - | - |
| 大分市 | - | - | - | - | - | - | - |
| 宮崎市 | 149 | - | - | 149 | - | - | - |
| 鹿児島市 | 3 004 | 1 179 | 1 054 | 11 | 760 | 2 233 | 1 179 |
| 那覇市 | - | - | - | - | - | - | - |
| その他政令市(再掲) | | | | | | | |
| 小樽市 | - | - | - | - | - | - | - |
| 町田市 | 3 | - | - | - | 3 | 3 | - |
| 藤沢市 | 2 332 | - | - | 43 | 2 289 | 2 301 | - |
| 茅ヶ崎市 | 158 | - | - | - | 158 | - | - |
| 四日市市 | 357 | 357 | - | - | - | 20 | 20 |
| 大牟田市 | - | - | - | - | - | - | - |

## 等へ委託した被指導延人員，都道府県－指定都市・特別区－中核市－その他政令市、個別－集団・対象区分別

平成29年度

| 数 | | | | | | | |
|---|---|---|---|---|---|---|---|
| 別 | | | 集 | | 団 | | |
| 乳幼児 | 20歳未満（妊産婦・乳幼児を除く。） | 20歳以上（妊産婦を除く。） | 総数 | 妊産婦 | 乳幼児 | 20歳未満（妊産婦・乳幼児を除く。） | 20歳以上（妊産婦を除く。） |
| - | - | - | - | - | - | - | - |
| - | - | 341 | - | - | - | - | - |
| - | - | - | - | - | - | - | - |
| - | - | - | - | - | - | - | - |
| - | - | - | - | - | - | - | - |
| | | | | | | | |
| - | - | - | - | - | - | - | - |
| - | - | - | - | - | - | - | - |
| 19 | 222 | 617 | - | - | - | - | - |
| 10 343 | 741 | 833 | 1 234 | - | - | - | 1 234 |
| 11 | 191 | 1 330 | 6 951 | - | - | 1 975 | 4 976 |
| | | | | | | | |
| - | - | - | - | - | - | - | - |
| - | - | - | - | - | - | - | - |
| - | - | 518 | 1 482 | - | 37 | - | 1 445 |
| - | - | - | - | - | - | - | - |
| - | - | - | - | - | - | - | - |
| | | | | | | | |
| - | - | - | 117 | - | - | - | 117 |
| - | - | 20 | 64 | - | - | - | 64 |
| - | - | - | - | - | - | - | - |
| 455 | - | 2 792 | - | - | - | - | - |
| - | - | - | - | - | - | - | - |
| | | | | | | | |
| - | - | 11 | - | - | - | - | - |
| - | - | 63 | - | - | - | - | - |
| - | - | - | 745 | 371 | 372 | - | 2 |
| - | - | - | - | - | - | - | - |
| - | - | - | - | - | - | - | - |
| | | | | | | | |
| - | - | - | - | - | - | - | - |
| - | - | - | 33 | - | 17 | - | 16 |
| - | - | - | - | - | - | - | - |
| - | - | 789 | - | - | - | - | - |
| - | - | - | - | - | - | - | - |
| | | | | | | | |
| - | - | - | - | - | - | - | - |
| - | - | - | - | - | - | - | - |
| - | - | 940 | 884 | - | - | 613 | 271 |
| - | - | 1 393 | - | - | - | - | - |
| - | - | - | - | - | - | - | - |
| | | | | | | | |
| - | - | 92 | - | - | - | - | - |
| 7 | - | 2 | 33 | - | 33 | - | - |
| - | 1 | 303 | - | - | - | - | - |
| 821 | 3 | 44 | 20 | - | 20 | - | - |
| - | - | - | - | - | - | - | - |
| | | | | | | | |
| - | - | - | - | - | - | - | - |
| - | - | 276 | - | - | - | - | - |
| - | - | - | - | - | - | - | - |
| - | - | - | - | - | - | - | - |
| - | - | - | - | - | - | - | - |
| | | | | | | | |
| - | - | - | 149 | - | - | 149 | - |
| 1 054 | - | - | 771 | - | - | 11 | 760 |
| - | - | - | - | - | - | - | - |
| | | | | | | | |
| - | - | - | - | - | - | - | - |
| - | - | 3 | - | - | - | - | - |
| - | 43 | 2 258 | 31 | - | - | - | 31 |
| - | - | - | 158 | - | - | - | 158 |
| - | - | - | 337 | 337 | - | - | - |
| | | | | | | | |
| - | - | - | - | - | - | - | - |

# 第22表（4－3）市区町村が実施したその他の栄養・運動等指導の被指導延人員・医療機関

| | （再掲） | | | | | | |
|---|---|---|---|---|---|---|---|
| | 総数 | | | | | 個 | |
| | 総数 | 妊産婦 | 乳幼児 | 20歳未満（妊産婦・乳幼児を除く。） | 20歳以上（妊産婦を除く。） | 総数 | 妊産婦 |
| **全国** | **32 746** | **28 791** | **2 482** | **－** | **1 473** | **32 347** | **28 791** |
| 北海道 | － | － | － | － | － | － | － |
| 青森 | － | － | － | － | － | － | － |
| 岩手 | － | － | － | － | － | － | － |
| 宮城 | 1 879 | 1 640 | 239 | － | － | 1 879 | 1 640 |
| 秋田 | － | － | － | － | － | － | － |
| 山形 | 1 110 | － | － | － | 1 110 | 838 | － |
| 福島 | 29 374 | 27 131 | 2 243 | － | － | 29 374 | 27 131 |
| 茨城 | － | － | － | － | － | － | － |
| 栃木 | － | － | － | － | － | － | － |
| 群馬 | － | － | － | － | － | － | － |
| 埼玉 | － | － | － | － | － | － | － |
| 千葉 | － | － | － | － | － | － | － |
| 東京 | － | － | － | － | － | － | － |
| 神奈川 | － | － | － | － | － | － | － |
| 新潟 | － | － | － | － | － | － | － |
| 富山 | － | － | － | － | － | － | － |
| 石川 | － | － | － | － | － | － | － |
| 福井 | － | － | － | － | － | － | － |
| 山梨 | － | － | － | － | － | － | － |
| 長野 | － | － | － | － | － | － | － |
| 岐阜 | － | － | － | － | － | － | － |
| 静岡 | － | － | － | － | － | － | － |
| 愛知 | 70 | － | － | － | 70 | 70 | － |
| 三重 | 20 | 20 | － | － | － | 20 | 20 |
| 滋賀 | － | － | － | － | － | － | － |
| 京都 | － | － | － | － | － | － | － |
| 大阪 | － | － | － | － | － | － | － |
| 兵庫 | － | － | － | － | － | － | － |
| 奈良 | － | － | － | － | － | － | － |
| 和歌山 | － | － | － | － | － | － | － |
| 鳥取 | － | － | － | － | － | － | － |
| 島根 | － | － | － | － | － | － | － |
| 岡山 | － | － | － | － | － | － | － |
| 広島 | － | － | － | － | － | － | － |
| 山口 | － | － | － | － | － | － | － |
| 徳島 | － | － | － | － | － | － | － |
| 香川 | － | － | － | － | － | － | － |
| 愛媛 | 57 | － | － | － | 57 | 57 | － |
| 高知 | － | － | － | － | － | － | － |
| 福岡 | 236 | － | － | － | 236 | 109 | － |
| 佐賀 | － | － | － | － | － | － | － |
| 長崎 | － | － | － | － | － | － | － |
| 熊本 | － | － | － | － | － | － | － |
| 大分 | － | － | － | － | － | － | － |
| 宮崎 | － | － | － | － | － | － | － |
| 鹿児島 | － | － | － | － | － | － | － |
| 沖縄 | － | － | － | － | － | － | － |
| 指定都市・特別区（再掲） | | | | | | | |
| 東京都区部 | － | － | － | － | － | － | － |
| 札幌市 | － | － | － | － | － | － | － |
| 仙台市 | － | － | － | － | － | － | － |
| さいたま市 | － | － | － | － | － | － | － |
| 千葉市 | － | － | － | － | － | － | － |
| 横浜市 | － | － | － | － | － | － | － |
| 川崎市 | － | － | － | － | － | － | － |
| 相模原市 | － | － | － | － | － | － | － |
| 新潟市 | － | － | － | － | － | － | － |
| 静岡市 | － | － | － | － | － | － | － |
| 浜松市 | － | － | － | － | － | － | － |
| 名古屋市 | － | － | － | － | － | － | － |
| 京都市 | － | － | － | － | － | － | － |
| 大阪市 | － | － | － | － | － | － | － |
| 堺市 | － | － | － | － | － | － | － |
| 神戸市 | － | － | － | － | － | － | － |
| 岡山市 | － | － | － | － | － | － | － |
| 広島市 | － | － | － | － | － | － | － |
| 北九州市 | － | － | － | － | － | － | － |
| 福岡市 | 109 | － | － | － | 109 | 109 | － |
| 熊本市 | － | － | － | － | － | － | － |

# 等へ委託した被指導延人員，都道府県－指定都市・特別区－中核市－その他政令市、個別－集団・対象区分別

平成29年度

| 医療機関等へ委託 | | | | | | | |
|---|---|---|---|---|---|---|---|
| 別 | | | 集団 | | | | |
| 乳幼児 | 20歳未満（妊産婦・乳幼児を除く。） | 20歳以上（妊産婦を除く。） | 総数 | 妊産婦 | 乳幼児 | 20歳未満（妊産婦・乳幼児を除く。） | 20歳以上（妊産婦を除く。） |
| **2 482** | **-** | **1 074** | **399** | **-** | **-** | **-** | **399** |
| | | | | | | | |
| - | - | - | - | - | - | - | - |
| - | - | - | - | - | - | - | - |
| - | - | - | - | - | - | - | - |
| 239 | - | - | - | - | - | - | - |
| - | - | - | - | - | - | - | - |
| | | | | | | | |
| - | - | 838 | 272 | - | - | - | 272 |
| 2 243 | - | - | - | - | - | - | - |
| - | - | - | - | - | - | - | - |
| - | - | - | - | - | - | - | - |
| - | - | - | - | - | - | - | - |
| | | | | | | | |
| - | - | - | - | - | - | - | - |
| - | - | - | - | - | - | - | - |
| - | - | - | - | - | - | - | - |
| - | - | - | - | - | - | - | - |
| - | - | - | - | - | - | - | - |
| | | | | | | | |
| - | - | - | - | - | - | - | - |
| - | - | - | - | - | - | - | - |
| - | - | - | - | - | - | - | - |
| - | - | - | - | - | - | - | - |
| - | - | - | - | - | - | - | - |
| | | | | | | | |
| - | - | - | - | - | - | - | - |
| - | - | - | - | - | - | - | - |
| - | - | 70 | - | - | - | - | - |
| - | - | - | - | - | - | - | - |
| - | - | - | - | - | - | - | - |
| | | | | | | | |
| - | - | - | - | - | - | - | - |
| - | - | - | - | - | - | - | - |
| - | - | - | - | - | - | - | - |
| - | - | - | - | - | - | - | - |
| - | - | - | - | - | - | - | - |
| | | | | | | | |
| - | - | - | - | - | - | - | - |
| - | - | - | - | - | - | - | - |
| - | - | - | - | - | - | - | - |
| - | - | - | - | - | - | - | - |
| - | - | - | - | - | - | - | - |
| | | | | | | | |
| - | - | - | - | - | - | - | - |
| - | - | - | - | - | - | - | - |
| - | - | 57 | - | - | - | - | - |
| - | - | - | - | - | - | - | - |
| - | - | 109 | 127 | - | - | - | 127 |
| | | | | | | | |
| - | - | - | - | - | - | - | - |
| - | - | - | - | - | - | - | - |
| - | - | - | - | - | - | - | - |
| - | - | - | - | - | - | - | - |
| - | - | - | - | - | - | - | - |
| | | | | | | | |
| - | - | - | - | - | - | - | - |
| - | - | - | - | - | - | - | - |
| | | | | | | | |
| - | - | - | - | - | - | - | - |
| | | | | | | | |
| - | - | - | - | - | - | - | - |
| - | - | - | - | - | - | - | - |
| - | - | - | - | - | - | - | - |
| - | - | - | - | - | - | - | - |
| - | - | - | - | - | - | - | - |
| | | | | | | | |
| - | - | - | - | - | - | - | - |
| - | - | - | - | - | - | - | - |
| - | - | - | - | - | - | - | - |
| - | - | - | - | - | - | - | - |
| - | - | - | - | - | - | - | - |
| | | | | | | | |
| - | - | - | - | - | - | - | - |
| - | - | - | - | - | - | - | - |
| - | - | - | - | - | - | - | - |
| - | - | - | - | - | - | - | - |
| - | - | - | - | - | - | - | - |
| | | | | | | | |
| - | - | - | - | - | - | - | - |
| - | - | - | - | - | - | - | - |
| - | - | - | - | - | - | - | - |
| - | - | 109 | - | - | - | - | - |
| - | - | - | - | - | - | - | - |

# 第22表（4－4）市区町村が実施したその他の栄養・運動等指導の被指導延人員・医療機関

| | （再掲） | | | | | | |
|---|---|---|---|---|---|---|---|
| | 総数 | | | | | 個 | |
| | 総数 | 妊産婦 | 乳幼児 | 20歳未満（妊産婦・乳幼児を除く。） | 20歳以上（妊産婦を除く。） | 総数 | 妊産婦 |
| 中核市(再掲) | | | | | | | |
| 旭川市 | - | - | - | - | - | - | - |
| 函館市 | - | - | - | - | - | - | - |
| 青森市 | - | - | - | - | - | - | - |
| 八戸市 | - | - | - | - | - | - | - |
| 盛岡市 | - | - | - | - | - | - | - |
| 秋田市 | - | - | - | - | - | - | - |
| 郡山市 | - | - | - | - | - | - | - |
| いわき市 | - | - | - | - | - | - | - |
| 宇都宮市 | - | - | - | - | - | - | - |
| 前橋市 | - | - | - | - | - | - | - |
| 高崎市 | - | - | - | - | - | - | - |
| 川越市 | - | - | - | - | - | - | - |
| 越谷市 | - | - | - | - | - | - | - |
| 船橋市 | - | - | - | - | - | - | - |
| 柏市 | - | - | - | - | - | - | - |
| 八王子市 | - | - | - | - | - | - | - |
| 横須賀市 | - | - | - | - | - | - | - |
| 富山市 | - | - | - | - | - | - | - |
| 金沢市 | - | - | - | - | - | - | - |
| 長野市 | - | - | - | - | - | - | - |
| 岐阜市 | - | - | - | - | - | - | - |
| 豊橋市 | - | - | - | - | - | - | - |
| 豊田市 | - | - | - | - | - | - | - |
| 岡崎市 | - | - | - | - | - | - | - |
| 大津市 | - | - | - | - | - | - | - |
| 高槻市 | - | - | - | - | - | - | - |
| 東大阪市 | - | - | - | - | - | - | - |
| 豊中市 | - | - | - | - | - | - | - |
| 枚方市 | - | - | - | - | - | - | - |
| 姫路市 | - | - | - | - | - | - | - |
| 西宮市 | - | - | - | - | - | - | - |
| 尼崎市 | - | - | - | - | - | - | - |
| 奈良市 | - | - | - | - | - | - | - |
| 和歌山市 | - | - | - | - | - | - | - |
| 倉敷市 | - | - | - | - | - | - | - |
| 福山市 | - | - | - | - | - | - | - |
| 呉市 | - | - | - | - | - | - | - |
| 下関市 | - | - | - | - | - | - | - |
| 高松市 | - | - | - | - | - | - | - |
| 松山市 | - | - | - | - | - | - | - |
| 高知市 | - | - | - | - | - | - | - |
| 久留米市 | - | - | - | - | - | - | - |
| 長崎市 | - | - | - | - | - | - | - |
| 佐世保市 | - | - | - | - | - | - | - |
| 大分市 | - | - | - | - | - | - | - |
| 宮崎市 | - | - | - | - | - | - | - |
| 鹿児島市 | - | - | - | - | - | - | - |
| 那覇市 | - | - | - | - | - | - | - |
| その他政令市(再掲) | | | | | | | |
| 小樽市 | - | - | - | - | - | - | - |
| 町田市 | - | - | - | - | - | - | - |
| 藤沢市 | - | - | - | - | - | - | - |
| 茅ヶ崎市 | - | - | - | - | - | - | - |
| 四日市市 | 20 | 20 | - | - | - | 20 | 20 |
| 大牟田市 | - | - | - | - | - | - | - |

## 等へ委託した被指導延人員，都道府県－指定都市・特別区－中核市－その他政令市、個別－集団・対象区分別

平成29年度

| 医療機関等へ委託 | | | | | | | |
|---|---|---|---|---|---|---|---|
| 別 | | | 集団 | | | | |
| 乳幼児 | 20歳未満（妊産婦・乳幼児を除く。） | 20歳以上（妊産婦を除く。） | 総数 | 妊産婦 | 乳幼児 | 20歳未満（妊産婦・乳幼児を除く。） | 20歳以上（妊産婦を除く。） |
| − | − | − | − | − | − | − | − |
| − | − | − | − | − | − | − | − |
| − | − | − | − | − | − | − | − |
| − | − | − | − | − | − | − | − |
| − | − | − | − | − | − | − | − |
| − | − | − | − | − | − | − | − |
| − | − | − | − | − | − | − | − |
| − | − | − | − | − | − | − | − |
| − | − | − | − | − | − | − | − |
| − | − | − | − | − | − | − | − |
| − | − | − | − | − | − | − | − |
| − | − | − | − | − | − | − | − |
| − | − | − | − | − | − | − | − |
| − | − | − | − | − | − | − | − |
| − | − | − | − | − | − | − | − |
| − | − | − | − | − | − | − | − |
| − | − | − | − | − | − | − | − |
| − | − | − | − | − | − | − | − |
| − | − | − | − | − | − | − | − |
| − | − | − | − | − | − | − | − |
| − | − | − | − | − | − | − | − |
| − | − | − | − | − | − | − | − |
| − | − | − | − | − | − | − | − |
| − | − | − | − | − | − | − | − |
| − | − | − | − | − | − | − | − |
| − | − | − | − | − | − | − | − |
| − | − | − | − | − | − | − | − |
| − | − | − | − | − | − | − | − |
| − | − | − | − | − | − | − | − |
| − | − | − | − | − | − | − | − |
| − | − | − | − | − | − | − | − |
| − | − | − | − | − | − | − | − |
| − | − | − | − | − | − | − | − |
| − | − | − | − | − | − | − | − |
| − | − | − | − | − | − | − | − |
| − | − | − | − | − | − | − | − |
| − | − | − | − | − | − | − | − |
| − | − | − | − | − | − | − | − |
| − | − | − | − | − | − | − | − |
| − | − | − | − | − | − | − | − |
| − | − | − | − | − | − | − | − |
| − | − | − | − | − | − | − | − |
| − | − | − | − | − | − | − | − |
| − | − | − | − | − | − | − | − |
| − | − | − | − | − | − | − | − |
| − | − | − | − | − | − | − | − |
| − | − | − | − | − | − | − | − |
| − | − | − | − | − | − | − | − |
| − | − | − | − | − | − | − | − |
| − | − | − | − | − | − | − | − |
| − | − | − | − | − | − | − | − |
| − | − | − | − | − | − | − | − |
| − | − | − | − | − | − | − | − |
| − | − | − | − | − | − | − | − |

## 第23表（2－1） 市区町村が実施した精神保健福祉相談等の被指導

| | 相談、デイ・ケア、訪問指導 実人員 | （再掲） 実人員 | 延人員 | 相 談（再掲） ひきこもり | 自殺関連 | （再掲） 自死遺族 | 犯罪被害 | 災害 | （再掲）デイ・ケア 実人員 | 延人員 | （再掲） ひきこもり | （再掲） 実人員 | 延人員 |
|---|---|---|---|---|---|---|---|---|---|---|---|---|---|
| 全　　国 | 375 783 | 285 697 | 750 843 | 24 793 | 13 884 | 1 302 | 462 | 1 332 | 6 645 | 79 864 | 4 063 | 115 043 | 282 747 |
| 北　海　道 | 8 858 | 6 003 | 14 573 | 382 | 286 | 51 | 5 | 1 | 143 | 1 344 | 64 | 3 491 | 8 271 |
| 青　　森 | 4 181 | 1 594 | 3 263 | 68 | 45 | 5 | － | 48 | 59 | 410 | － | 2 817 | 4 370 |
| 岩　　手 | 4 574 | 3 065 | 10 450 | 183 | 258 | 32 | － | 24 | 283 | 2 340 | 1 | 2 053 | 4 990 |
| 宮　　城 | 8 359 | 4 979 | 13 593 | 631 | 149 | 29 | 4 | 153 | 137 | 3 840 | － | 4 250 | 13 093 |
| 秋　　田 | 2 846 | 1 107 | 2 955 | 134 | 92 | 7 | － | － | 19 | 109 | 68 | 1 986 | 2 802 |
| 山　　形 | 2 613 | 1 938 | 2 950 | 313 | 93 | 3 | 11 | － | 25 | 55 | 1 | 804 | 1 547 |
| 福　　島 | 4 374 | 2 212 | 4 889 | 250 | 106 | 4 | 1 | 19 | 324 | 1 647 | 74 | 2 379 | 5 460 |
| 茨　　城 | 2 483 | 1 590 | 4 113 | 165 | 52 | 2 | 2 | － | 207 | 3 045 | 8 | 896 | 2 588 |
| 栃　　木 | 2 271 | 1 272 | 2 345 | 81 | 24 | 3 | 8 | － | － | － | － | 1 136 | 2 070 |
| 群　　馬 | 3 644 | 2 988 | 5 466 | 227 | 160 | 16 | 14 | － | 44 | 882 | 25 | 813 | 1 885 |
| 埼　　玉 | 14 575 | 11 999 | 23 962 | 2 438 | 660 | 92 | 31 | 2 | 200 | 2 552 | 75 | 4 330 | 10 436 |
| 千　　葉 | 11 339 | 9 051 | 22 043 | 508 | 176 | 14 | 2 | 6 | 134 | 1 009 | 17 | 3 556 | 8 292 |
| 東　　京 | 71 382 | 52 843 | 146 124 | 3 293 | 864 | 117 | 129 | 19 | 1 059 | 23 234 | 2 742 | 21 699 | 49 249 |
| 神　奈　川 | 32 382 | 24 972 | 120 813 | 2 811 | 5 424 | 428 | 97 | 34 | 1 482 | 11 994 | 277 | 6 659 | 16 225 |
| 新　　潟 | 14 963 | 10 977 | 16 642 | 371 | 268 | 3 | 7 | 7 | 94 | 1 202 | － | 4 803 | 11 073 |
| 富　　山 | 956 | 486 | 594 | 34 | 28 | 5 | 1 | 1 | － | － | － | 506 | 670 |
| 石　　川 | 1 755 | 1 416 | 2 154 | 109 | 45 | 3 | 3 | － | － | － | － | 946 | 1 939 |
| 福　　井 | 2 169 | 2 044 | 3 108 | 42 | 15 | 1 | － | － | － | － | － | 185 | 542 |
| 山　　梨 | 2 684 | 2 073 | 4 495 | 92 | 18 | － | 2 | － | 131 | 4 143 | － | 915 | 2 292 |
| 長　　野 | 10 287 | 7 637 | 16 587 | 787 | 241 | 31 | 9 | 15 | 251 | 2 366 | 295 | 4 179 | 11 320 |
| 岐　　阜 | 2 258 | 1 371 | 3 146 | 62 | 38 | 2 | 6 | － | 49 | 267 | － | 957 | 2 032 |
| 静　　岡 | 5 450 | 4 474 | 13 529 | 1 577 | 105 | 61 | 13 | － | 23 | 214 | 72 | 1 216 | 3 483 |
| 愛　　知 | 18 135 | 15 152 | 40 039 | 717 | 361 | 27 | 7 | － | 14 | 75 | 2 | 4 351 | 11 408 |
| 三　　重 | 1 796 | 1 139 | 3 283 | 107 | 120 | 2 | － | 4 | 55 | 352 | － | 779 | 2 686 |
| 滋　　賀 | 3 239 | 2 411 | 6 982 | 438 | 696 | 24 | 2 | 1 | － | － | － | 1 534 | 3 702 |
| 京　　都 | 5 907 | 3 908 | 7 649 | 565 | 441 | 41 | 18 | － | 146 | 4 213 | － | 2 210 | 4 120 |
| 大　　阪 | 15 291 | 12 398 | 45 529 | 4 088 | 1 522 | 140 | 8 | － | 82 | 166 | － | 4 563 | 13 697 |
| 兵　　庫 | 13 078 | 10 435 | 27 290 | 639 | 163 | 6 | 5 | 1 | 197 | 1 847 | 52 | 3 018 | 7 539 |
| 奈　　良 | 1 395 | 1 107 | 3 655 | 61 | 145 | 1 | － | － | － | － | － | 604 | 2 519 |
| 和　歌　山 | 3 594 | 2 095 | 11 642 | 447 | 14 | － | － | － | 35 | 185 | 14 | 2 018 | 10 251 |
| 鳥　　取 | 1 985 | 1 228 | 3 887 | 188 | 26 | 5 | － | 5 | 99 | 617 | 35 | 958 | 2 651 |
| 島　　根 | 2 371 | 1 474 | 3 755 | 158 | 37 | 2 | 7 | － | 110 | 470 | － | 1 275 | 2 906 |
| 岡　　山 | 9 202 | 7 180 | 14 261 | 524 | 170 | 33 | 2 | 2 | 17 | 97 | 1 | 2 851 | 7 282 |
| 広　　島 | 16 346 | 14 720 | 23 461 | 296 | 71 | 3 | 16 | 3 | 179 | 3 993 | 173 | 3 082 | 7 046 |
| 山　　口 | 4 000 | 2 745 | 5 263 | 152 | 18 | 5 | － | － | 11 | 173 | － | 1 775 | 4 062 |
| 徳　　島 | 1 000 | 755 | 2 033 | 28 | 4 | － | － | － | 21 | 305 | 1 | 316 | 823 |
| 香　　川 | 1 545 | 940 | 2 016 | 73 | 31 | － | － | － | 130 | 1 545 | － | 600 | 2 226 |
| 愛　　媛 | 2 774 | 1 331 | 3 994 | 122 | 76 | 3 | 3 | 2 | 434 | 2 031 | 1 | 1 520 | 3 437 |
| 高　　知 | 1 840 | 1 125 | 4 217 | 309 | 34 | 8 | － | － | 108 | 1 124 | 34 | 1 240 | 4 268 |
| 福　　岡 | 29 540 | 28 502 | 64 911 | 489 | 317 | 68 | － | 13 | 13 | 240 | 27 | 1 758 | 4 156 |
| 佐　　賀 | 1 887 | 1 096 | 1 775 | 20 | 11 | － | － | 1 | 20 | 126 | － | 835 | 1 334 |
| 長　　崎 | 4 559 | 2 219 | 4 580 | 133 | 46 | 4 | － | － | 24 | 127 | － | 2 440 | 4 421 |
| 熊　　本 | 3 602 | 2 648 | 4 097 | 78 | 22 | 1 | 8 | 821 | 28 | 48 | 1 | 1 559 | 3 000 |
| 大　　分 | 3 262 | 2 221 | 4 067 | 177 | 65 | 7 | － | 150 | 21 | 109 | 1 | 1 235 | 3 973 |
| 宮　　崎 | 5 628 | 5 203 | 7 263 | 88 | 144 | 5 | 2 | － | 43 | 282 | 1 | 1 321 | 2 354 |
| 鹿　児　島 | 3 625 | 2 720 | 4 166 | 162 | 56 | 4 | 33 | － | 111 | 801 | 1 | 1 121 | 3 398 |
| 沖　　縄 | 5 779 | 4 854 | 13 234 | 176 | 147 | 4 | 6 | － | 83 | 285 | － | 1 504 | 4 859 |
| 指定都市・特別区（再掲） | | | | | | | | | | | | | |
| 東京都区部 | 53 461 | 38 782 | 102 180 | 1 877 | 500 | 69 | 125 | 7 | 916 | 22 099 | 2 512 | 16 670 | 37 320 |
| 札　幌　市 | 2 587 | 1 811 | 3 324 | 38 | 70 | 1 | － | － | 5 | 50 | 30 | 841 | 1 615 |
| 仙　台　市 | 2 630 | 1 627 | 4 478 | 280 | 15 | － | 1 | 99 | 60 | 2 024 | － | 1 260 | 4 607 |
| さいたま市 | 4 512 | 3 497 | 7 173 | 1 829 | 244 | 71 | 17 | 2 | 16 | 247 | － | 1 977 | 3 769 |
| 千　葉　市 | 3 088 | 2 846 | 4 302 | 116 | 25 | 1 | 2 | 2 | － | － | － | 806 | 806 |
| 横　浜　市 | 17 342 | 13 313 | 80 863 | 755 | 329 | 324 | 78 | 17 | 1 258 | 9 167 | － | 3 059 | 7 192 |
| 川　崎　市 | 5 021 | 3 500 | 18 353 | 1 352 | 292 | 27 | 9 | － | 132 | 1 255 | 170 | 1 389 | 3 695 |
| 相　模　原　市 | 2 299 | 1 744 | 2 795 | 13 | 37 | － | － | － | － | － | － | 555 | 1 193 |
| 新　潟　市 | 7 007 | 6 217 | 6 404 | 75 | 44 | － | 1 | － | － | － | － | 790 | 1 897 |
| 静　岡　市 | 953 | 772 | 960 | 3 | 1 | － | － | － | － | － | － | 181 | 301 |
| 浜　松　市 | 342 | 342 | 2 209 | 1 351 | 47 | 47 | 11 | － | － | － | － | 15 | 32 |
| 名　古　屋　市 | 8 146 | 7 317 | 15 059 | 87 | 24 | 14 | 3 | － | － | － | － | 1 785 | 4 022 |
| 京　都　市 | 5 025 | 3 337 | 5 934 | 235 | 420 | 41 | 18 | － | 146 | 4 213 | － | 1 766 | 3 210 |
| 大　阪　市 | 7 978 | 5 868 | 21 476 | 580 | 351 | 6 | 4 | － | － | － | － | 2 110 | 5 365 |
| 堺　　市 | 3 128 | 2 796 | 8 876 | 3 104 | 76 | 62 | 3 | － | － | － | － | 1 240 | 4 974 |
| 神　戸　市 | 5 882 | 5 188 | 18 057 | 213 | 36 | － | 2 | － | － | － | － | 694 | 1 084 |
| 岡　山　市 | 4 619 | 4 083 | 4 097 | 7 | 9 | 6 | － | － | － | － | － | 536 | 1 511 |
| 広　島　市 | 11 667 | 11 667 | 16 356 | 101 | 14 | 2 | 10 | 3 | 61 | 3 144 | 167 | 776 | 1 195 |
| 北　九　州　市 | 3 073 | 2 727 | 6 214 | 124 | 107 | 33 | － | － | 10 | 49 | 27 | 608 | 1 426 |
| 福　岡　市 | 19 781 | 19 560 | 45 308 | 215 | 45 | 1 | － | 3 | － | － | － | 336 | 658 |
| 熊　本　市 | 1 265 | 919 | 1 474 | 18 | 9 | 1 | 2 | 2 | － | － | － | 418 | 913 |

## 実人員－延人員，都道府県－指定都市・特別区－中核市－その他政令市、相談等の種類別

平成29年度

| 訪問指導 (再掲) ひきこもり | 訪問指導 (再掲) 自殺関連 | 訪問指導 (再掲) (再掲)自死遺族 | 訪問指導 (再掲) 犯罪被害 | 訪問指導 (再掲) 災害 | 電話相談等延人員 電話による相談延人員 | 電話相談等延人員 (再掲) ひきこもり | 電話相談等延人員 (再掲) 自殺関連 | 電話相談等延人員 (再掲) (再掲)自死遺族 | 電話相談等延人員 (再掲) 犯罪被害 | 電話相談等延人員 (再掲) 災害 | 電話相談等延人員 メールによる相談延人員 | 電話相談等延人員 (再掲) ひきこもり | 電話相談等延人員 (再掲) 自殺関連 | 電話相談等延人員 (再掲) (再掲)自死遺族 | 電話相談等延人員 (再掲) 犯罪被害 | 電話相談等延人員 (再掲) 災害 |
|---|---|---|---|---|---|---|---|---|---|---|---|---|---|---|---|---|
| 12 779 | 5 236 | 556 | 198 | 2 641 | 1 181 759 | 22 298 | 28 489 | 1 693 | 838 | 1 137 | 14 977 | 1 419 | 854 | 152 | 9 | 66 |
| 296 | 64 | 9 | 2 | 16 | 34 769 | 326 | 531 | 42 | 57 | 3 | 432 | 36 | 11 | 1 | − | − |
| 92 | 65 | 21 | − | 4 | 4 379 | 52 | 255 | 22 | − | − | 53 | 13 | 15 | − | − | − |
| 253 | 256 | 32 | 1 | 73 | 13 390 | 177 | 310 | 42 | 3 | 48 | 241 | 1 | 2 | − | − | − |
| 446 | 244 | 31 | 3 | 1 215 | 39 391 | 885 | 1 659 | 12 | 8 | 386 | 743 | 7 | 34 | 1 | − | 63 |
| 122 | 26 | 15 | − | 387 | 5 591 | 88 | 134 | 2 | 1 | 6 | 264 | 73 | 2 | − | − | − |
| 135 | 47 | 5 | 10 | − | 4 002 | 212 | 60 | 1 | 3 | − | 2 | − | − | − | − | − |
| 246 | 68 | 2 | 1 | 21 | 10 479 | 314 | 169 | 10 | 7 | 1 | 262 | 201 | 7 | − | − | − |
| 123 | 30 | − | − | 17 | 7 886 | 183 | 110 | 10 | − | − | 90 | 7 | − | − | − | − |
| 152 | 29 | 12 | 2 | − | 7 888 | 108 | 68 | 5 | 3 | − | 422 | − | − | − | − | − |
| 170 | 57 | − | 14 | 2 | 10 826 | 385 | 240 | 33 | 12 | − | 48 | − | 1 | − | − | − |
| 770 | 409 | 50 | 16 | − | 56 047 | 2 640 | 2 694 | 42 | 9 | 1 | 645 | 221 | 163 | 61 | 1 | − |
| 242 | 99 | 2 | 4 | − | 36 911 | 563 | 286 | 7 | 6 | 9 | 652 | 9 | − | − | − | − |
| 1 288 | 534 | 54 | 20 | 154 | 247 550 | 2 789 | 2 028 | 166 | 88 | 33 | 4 320 | 69 | 10 | 5 | − | − |
| 1 638 | 345 | 9 | 10 | 2 | 137 258 | 2 710 | 5 688 | 453 | 98 | 19 | 896 | 85 | 55 | 2 | 3 | − |
| 324 | 295 | 25 | 4 | 40 | 18 301 | 202 | 544 | 10 | 9 | 24 | 403 | 1 | 1 | − | − | − |
| 34 | 47 | 7 | 6 | 10 | 4 918 | 157 | 633 | 150 | − | 5 | 144 | − | 62 | 54 | − | − |
| 25 | 45 | 1 | 3 | − | 6 324 | 167 | 285 | 4 | − | − | 86 | − | 77 | − | − | − |
| 53 | 14 | − | − | − | 2 627 | 121 | 39 | 1 | − | − | 8 | − | − | − | − | − |
| 116 | 22 | − | − | − | 3 473 | 45 | 22 | 2 | 1 | − | 31 | 2 | − | − | − | − |
| 612 | 205 | 45 | 4 | 7 | 23 824 | 1 077 | 1 331 | 34 | 5 | − | 308 | 13 | 12 | − | − | − |
| 100 | 27 | − | − | − | 7 864 | 50 | 43 | − | − | − | 468 | − | 1 | − | − | − |
| 253 | 67 | 15 | − | − | 17 853 | 305 | 386 | 8 | 1 | − | 145 | 1 | 27 | − | − | − |
| 230 | 98 | 11 | 7 | 1 | 57 692 | 691 | 623 | 61 | 438 | 3 | 58 | 3 | 3 | 1 | 1 | − |
| 101 | 86 | − | 1 | 2 | 8 820 | 179 | 285 | 7 | 2 | 4 | 228 | − | 3 | − | − | − |
| 352 | 330 | 66 | 18 | − | 14 002 | 483 | 1 583 | 42 | 7 | − | 337 | 11 | 68 | − | − | − |
| 130 | 13 | 3 | − | 4 | 19 431 | 428 | 926 | 94 | 1 | 1 | 18 | 2 | − | − | − | − |
| 797 | 396 | 38 | 1 | − | 69 532 | 2 700 | 1 898 | 106 | 6 | 5 | 980 | 573 | 286 | 27 | 4 | − |
| 386 | 230 | 5 | − | 2 | 36 465 | 635 | 582 | 11 | 2 | 2 | 42 | − | 1 | − | − | − |
| 72 | 56 | − | − | − | 5 550 | 66 | 156 | − | − | − | 25 | 1 | − | − | − | − |
| 209 | 12 | − | − | − | 15 826 | 272 | 68 | 3 | − | − | 302 | 23 | − | − | − | − |
| 268 | 20 | 6 | 1 | 5 | 7 116 | 466 | 39 | 6 | 2 | 40 | 73 | 8 | − | − | − | − |
| 191 | 47 | − | 1 | − | 6 894 | 130 | 80 | − | 1 | 2 | 48 | 1 | 1 | − | − | − |
| 460 | 98 | 18 | 2 | 8 | 18 062 | 371 | 223 | 20 | 10 | 1 | 303 | 17 | 9 | − | − | − |
| 364 | 85 | 1 | 6 | 1 | 35 490 | 297 | 168 | 17 | 8 | 4 | 32 | − | − | − | − | − |
| 90 | 19 | − | − | − | 12 006 | 193 | 17 | − | 1 | − | 211 | 17 | − | − | − | − |
| 28 | 9 | 1 | − | 1 | 3 635 | 17 | 21 | 1 | − | − | 2 | − | − | − | − | − |
| 115 | 20 | 15 | − | − | 8 012 | 61 | 20 | 14 | − | − | 6 | − | − | − | − | − |
| 174 | 100 | 22 | 21 | 1 | 9 628 | 146 | 369 | 49 | − | − | 28 | − | − | − | − | − |
| 281 | 26 | 6 | − | − | 8 692 | 132 | 75 | 4 | − | − | 20 | 6 | − | − | − | − |
| 103 | 98 | 2 | 5 | 49 | 79 268 | 340 | 2 477 | 184 | 10 | 77 | 263 | 3 | − | − | − | 2 |
| 27 | 11 | − | − | 89 | 3 194 | 20 | 10 | − | − | − | 1 | − | − | − | − | − |
| 249 | 100 | 14 | − | − | 9 701 | 222 | 159 | 10 | 1 | − | 10 | − | − | − | − | − |
| 116 | 96 | 6 | 3 | 380 | 6 803 | 60 | 63 | 1 | 2 | 461 | 28 | − | − | − | − | 1 |
| 111 | 42 | 2 | − | 150 | 11 362 | 202 | 332 | 3 | − | 2 | 205 | 3 | − | − | − | − |
| 86 | 68 | 3 | − | − | 7 022 | 166 | 154 | − | 1 | − | 115 | − | − | − | − | − |
| 154 | 82 | 1 | 26 | − | 11 224 | 140 | 188 | 3 | 11 | − | 81 | 6 | − | − | − | − |
| 195 | 99 | 1 | 6 | − | 14 781 | 325 | 458 | 1 | 24 | − | 898 | 6 | 3 | − | − | − |
| 832 | 484 | 38 | 20 | 136 | 184 954 | 1 938 | 1 754 | 131 | 75 | 29 | 1 893 | 67 | − | − | − | − |
| 12 | 5 | − | − | − | 16 196 | 85 | 211 | 12 | 11 | 3 | 169 | − | 9 | − | − | − |
| 93 | 5 | − | − | 533 | 18 519 | 295 | 1 078 | 1 | 2 | 33 | 5 | − | − | − | − | 4 |
| 461 | 295 | 29 | 6 | − | 19 131 | 1 843 | 2 010 | 10 | − | − | 451 | 216 | 159 | 61 | 1 | − |
| − | 7 | − | − | − | 6 019 | 128 | 48 | − | 5 | 8 | 10 | − | − | − | − | − |
| 130 | 23 | 1 | − | − | 72 315 | 557 | 551 | 378 | 77 | 9 | 399 | 4 | − | − | − | − |
| 1 271 | 47 | 2 | 10 | − | 23 429 | 1 245 | 413 | 8 | 15 | − | 289 | 25 | 2 | 1 | 3 | − |
| 12 | 9 | − | − | − | 5 321 | 29 | 93 | 6 | − | − | 35 | − | 6 | − | − | − |
| 39 | 23 | − | − | − | 5 111 | 53 | 40 | − | 1 | − | 61 | − | − | − | − | − |
| 3 | − | − | − | − | 3 099 | 2 | 1 | − | − | − | − | − | − | − | − | − |
| 28 | − | − | − | − | 3 058 | 34 | 116 | − | 1 | − | 34 | − | − | − | − | − |
| 31 | 5 | 2 | 7 | − | 31 989 | 158 | 166 | 47 | 433 | 3 | 18 | 1 | 1 | 1 | − | − |
| 68 | 7 | − | − | − | 17 194 | 130 | 889 | 94 | 1 | − | − | − | − | − | − | − |
| 219 | 158 | 3 | 1 | − | 28 927 | 495 | 1 065 | 22 | 5 | 4 | 23 | − | − | − | − | − |
| 344 | 32 | 8 | − | − | 30 235 | 1 989 | 64 | 46 | − | − | 712 | 570 | 286 | 27 | 4 | − |
| 34 | 1 | − | − | − | 12 255 | 112 | 268 | − | 1 | − | 3 | − | − | − | − | − |
| 64 | − | − | − | − | 6 304 | 17 | 40 | 10 | 2 | − | − | − | − | − | − | − |
| 52 | 2 | − | 2 | − | 22 138 | 95 | 43 | 8 | 5 | 3 | 17 | − | − | − | − | − |
| 21 | 47 | 2 | 2 | − | 17 424 | 128 | 560 | 13 | 2 | − | 5 | 3 | − | − | − | − |
| − | − | − | − | − | 51 639 | 119 | 1 754 | 144 | 6 | 5 | 36 | − | − | − | − | − |
| 30 | 28 | 5 | 1 | 12 | 4 105 | 27 | 33 | 1 | − | 4 | 20 | − | − | − | − | − |

# 第23表（２－２）市区町村が実施した精神保健福祉相談等の被指導

| | 相談、デイ・ケア、訪問指導実人員 | 相談 | | （再掲） | | | | | （再掲）デイ・ケア | | | （再掲） | |
|---|---|---|---|---|---|---|---|---|---|---|---|---|---|
| | | 実人員 | 延人員 | ひきこもり | 自殺関連 | （再掲）自死遺族 | 犯罪被害 | 災害 | 実人員 | 延人員 | （再掲）ひきこもり | 実人員 | 延人員 |
| 中核市(再掲) | | | | | | | | | | | | | |
| 旭川市 | 251 | 181 | 388 | 18 | 8 | 7 | – | – | – | – | – | 84 | 183 |
| 函館市 | 1 180 | 891 | 993 | 10 | 6 | – | 2 | – | – | – | – | 289 | 417 |
| 青森市 | 141 | 120 | 162 | 11 | 10 | – | – | – | – | – | – | 50 | 160 |
| 八戸市 | 2 257 | 189 | 333 | 13 | 3 | – | – | – | – | – | – | 2 068 | 2 184 |
| 盛岡市 | 191 | 101 | 220 | 34 | 5 | – | – | – | – | – | – | 114 | 245 |
| 秋田市 | 141 | 118 | 203 | 3 | 4 | – | – | – | – | – | – | 23 | 44 |
| 郡山市 | 232 | 189 | 294 | 9 | 1 | – | – | – | – | – | – | 43 | 61 |
| いわき市 | 1 118 | 629 | 1 033 | 42 | 6 | – | – | – | 11 | 160 | – | 478 | 991 |
| 宇都宮市 | 453 | 269 | 552 | 8 | 9 | 1 | – | – | – | – | – | 184 | 431 |
| 前橋市 | 459 | 332 | 436 | 65 | 10 | 2 | – | – | – | – | – | 127 | 285 |
| 高崎市 | 641 | 588 | 877 | 71 | 7 | – | – | – | – | – | – | 53 | 118 |
| 川越市 | 369 | 369 | 909 | 104 | 5 | 1 | – | – | 12 | 313 | 24 | 157 | 1 416 |
| 越谷市 | 3 971 | 3 966 | 4 156 | 120 | 155 | 5 | 4 | – | – | – | – | 324 | 344 |
| 船橋市 | 441 | 240 | 390 | 21 | 11 | – | – | 3 | 13 | 162 | – | 188 | 668 |
| 柏市 | 1 170 | 832 | 2 078 | 34 | 8 | – | – | – | – | – | – | 480 | 1 443 |
| 八王子市 | 1 746 | 1 079 | 2 040 | 353 | 35 | 2 | – | – | 8 | 203 | 61 | 659 | 1 388 |
| 横須賀市 | 455 | 203 | 346 | 61 | 3 | – | – | – | 56 | 1 265 | 102 | 196 | 461 |
| 富山市 | 616 | 225 | 239 | 24 | 26 | 5 | 1 | – | – | – | – | 414 | 443 |
| 金沢市 | 405 | 266 | 464 | 77 | 22 | 2 | 1 | – | – | – | – | 188 | 566 |
| 長野市 | 1 263 | 719 | 1 395 | 85 | 57 | 1 | 2 | – | – | – | – | 694 | 1 473 |
| 岐阜市 | 717 | 402 | 611 | 5 | 1 | – | 2 | – | – | – | – | 315 | 613 |
| 豊橋市 | 1 036 | 463 | 756 | 30 | 14 | 1 | 1 | – | – | – | – | 573 | 2 027 |
| 豊田市 | 1 092 | 691 | 1 479 | 11 | 4 | – | 1 | – | – | – | – | 401 | 1 047 |
| 岡崎市 | 607 | 496 | 1 214 | 39 | 11 | 11 | 2 | – | – | – | – | 111 | 600 |
| 大津市 | 919 | 487 | 1 130 | 27 | 452 | – | – | – | – | – | – | 432 | 651 |
| 高槻市 | 330 | 284 | 701 | 60 | 149 | 4 | – | – | – | – | – | 97 | 281 |
| 東大阪市 | 947 | 947 | 5 929 | 66 | 119 | – | – | – | – | – | – | 223 | 678 |
| 豊中市 | 596 | 596 | 3 068 | 145 | 197 | 24 | – | – | – | – | – | 165 | 441 |
| 枚方市 | 486 | 484 | 2 549 | 110 | 557 | 26 | 1 | – | – | – | – | 202 | 797 |
| 姫路市 | 859 | 415 | 679 | 45 | 19 | – | – | – | – | – | – | 444 | 1 829 |
| 西宮市 | 604 | 335 | 574 | 121 | 5 | 3 | – | 1 | – | – | – | 269 | 966 |
| 尼崎市 | 827 | 627 | 2 212 | 45 | 35 | – | – | – | 102 | 1 088 | 8 | 557 | 1 420 |
| 奈良市 | 189 | 115 | 148 | 7 | 4 | – | – | – | – | – | – | 92 | 370 |
| 和歌山市 | 949 | 403 | 1 407 | 24 | 6 | – | – | – | – | – | – | 546 | 1 102 |
| 倉敷市 | 1 703 | 1 244 | 4 853 | 223 | 77 | 3 | – | 2 | – | – | – | 459 | 1 144 |
| 福山市 | 494 | 267 | 432 | 32 | 13 | – | – | – | – | – | – | 227 | 584 |
| 呉市 | 384 | 195 | 338 | 21 | 11 | 1 | – | – | 14 | 188 | – | 203 | 652 |
| 下関市 | 336 | 254 | 535 | 59 | 5 | 5 | – | – | – | – | – | 160 | 468 |
| 高松市 | 450 | 204 | 517 | 44 | 19 | – | – | – | 21 | 451 | – | 225 | 857 |
| 松山市 | 332 | 195 | 276 | 15 | 25 | 1 | – | – | 12 | 147 | – | 176 | 273 |
| 高知市 | 260 | 153 | 267 | 10 | 1 | – | – | – | – | – | – | 131 | 425 |
| 久留米市 | 1 478 | 1 451 | 6 413 | 50 | 100 | 26 | – | 2 | – | – | – | 94 | 342 |
| 長崎市 | 604 | 368 | 599 | 32 | 15 | 3 | – | – | – | – | – | 236 | 594 |
| 佐世保市 | 2 743 | 950 | 1 800 | 52 | 12 | 1 | – | – | 20 | 123 | – | 1 773 | 2 781 |
| 大分市 | 522 | 286 | 487 | 87 | 24 | – | – | – | – | – | – | 236 | 942 |
| 宮崎市 | 403 | 232 | 706 | 23 | 15 | – | 1 | – | – | – | – | 171 | 585 |
| 鹿児島市 | 2 113 | 1 690 | 2 143 | 36 | 20 | – | 1 | – | 52 | 408 | – | 371 | 890 |
| 那覇市 | 283 | 254 | 449 | 19 | 19 | 1 | – | – | – | – | – | 54 | 120 |
| その他政令市(再掲) | | | | | | | | | | | | | |
| 小樽市 | 138 | 83 | 112 | 13 | 2 | – | – | – | 10 | 60 | 31 | 45 | 69 |
| 町田市 | 2 208 | 1 826 | 11 134 | 810 | 74 | 8 | – | – | 14 | 264 | 169 | 629 | 1 845 |
| 藤沢市 | 1 133 | 1 133 | 6 316 | 410 | 4 605 | 51 | 10 | – | – | – | – | 84 | 324 |
| 茅ヶ崎市 | 678 | 625 | 2 014 | 70 | 23 | 6 | – | – | – | – | – | 100 | 289 |
| 四日市市 | 277 | 236 | 531 | 39 | 25 | 1 | – | – | – | – | – | 85 | 338 |
| 大牟田市 | 243 | 194 | 367 | 6 | 4 | – | – | – | – | – | – | 106 | 267 |

# 実人員－延人員，都道府県－指定都市・特別区－中核市－その他政令市、相談等の種類別

平成29年度

| 訪問指導 | | | | | 電話相談等延人員 | | | | | | | | | | | |
|---|---|---|---|---|---|---|---|---|---|---|---|---|---|---|---|---|
| （再掲） | | | | | 電話による相談延人員 | （再掲） | | | | | メールによる相談延人員 | （再掲） | | | | |
| ひきこもり | 自殺関連 | （再掲）自死遺族 | 犯罪被害 | 災害 | | ひきこもり | 自殺関連 | （再掲）自死遺族 | 犯罪被害 | 災害 | | ひきこもり | 自殺関連 | （再掲）自死遺族 | 犯罪被害 | 災害 |
| 18 | 1 | 1 | - | 15 | 2 118 | 26 | 24 | 12 | 1 | - | - | - | - | - | - | - |
| 14 | 3 | - | - | - | 3 160 | 24 | 105 | - | 22 | - | 44 | - | 2 | 1 | - | - |
| 21 | 25 | - | - | - | 479 | 6 | 189 | - | - | - | - | - | - | - | - | - |
| 5 | - | - | - | - | 276 | 2 | 7 | - | - | - | - | - | - | - | - | - |
| 6 | 16 | - | - | - | 2 475 | 27 | 17 | 2 | - | - | - | - | - | - | - | - |
| - | 1 | - | - | - | 1 911 | 6 | 52 | - | - | - | 1 | - | - | - | - | - |
| 1 | - | - | - | - | 2 052 | 17 | 21 | 1 | - | - | 3 | - | - | - | - | - |
| 36 | 10 | - | - | - | 2 093 | 49 | 54 | 2 | 2 | - | 9 | - | - | - | - | - |
| 15 | 17 | 9 | - | - | 3 939 | 40 | 24 | 5 | - | - | 152 | - | - | - | - | - |
| 34 | 2 | - | - | - | 2 475 | 205 | 43 | 8 | 4 | - | 4 | - | 1 | - | - | - |
| 12 | 3 | - | - | - | 2 339 | 104 | 52 | - | - | - | 28 | - | - | - | - | - |
| 32 | 3 | - | - | - | 6 594 | 194 | 30 | - | - | - | 15 | - | 3 | - | - | - |
| 11 | 9 | - | - | - | 2 833 | 56 | 96 | 4 | 2 | - | - | - | - | - | - | - |
| - | 13 | - | - | - | 2 772 | 23 | 27 | - | 1 | - | 1 | - | - | - | - | - |
| 13 | 4 | 1 | - | - | 10 213 | 83 | 31 | 1 | - | 1 | 54 | 3 | - | - | - | - |
| 92 | 5 | - | - | - | 8 145 | 352 | 37 | 2 | 7 | - | - | - | - | - | - | - |
| 33 | 58 | - | - | - | 5 787 | 266 | 310 | - | - | - | 58 | 35 | 4 | - | - | - |
| 23 | 44 | 7 | 6 | - | 4 211 | 153 | 632 | 150 | - | - | 126 | - | 62 | 54 | - | - |
| 13 | 35 | - | - | - | 3 416 | 137 | 253 | 3 | - | - | 7 | - | - | - | - | - |
| 118 | 35 | 5 | - | - | 3 641 | 135 | 152 | 4 | 1 | - | - | - | - | - | - | - |
| 5 | 9 | - | - | - | 2 868 | 4 | 7 | - | - | - | 19 | - | - | - | - | - |
| 37 | 24 | - | - | - | 5 681 | 92 | 134 | 2 | 4 | - | - | - | - | - | - | - |
| 16 | 3 | - | - | 1 | 3 444 | 21 | 26 | 1 | - | - | - | - | - | - | - | - |
| 44 | 11 | 8 | - | - | 699 | 15 | 28 | 11 | 1 | - | 5 | - | - | - | 1 | - |
| 33 | 84 | - | - | - | 4 444 | 160 | 1 049 | - | - | - | 220 | 11 | 68 | - | - | - |
| 15 | 36 | 1 | - | - | 2 883 | 113 | 425 | 12 | - | - | 15 | 1 | - | - | - | - |
| 51 | 6 | - | - | - | 557 | 8 | 7 | 1 | - | - | 16 | 1 | - | - | - | - |
| 32 | 19 | - | - | - | 1 807 | 29 | 26 | 1 | 1 | 1 | 52 | - | - | - | - | - |
| 68 | 81 | 1 | - | - | 1 375 | 21 | 14 | - | - | - | 1 | - | - | - | - | - |
| 53 | 38 | - | - | - | 2 314 | 46 | 54 | - | - | - | 4 | - | - | - | - | - |
| 29 | 8 | - | - | - | 7 576 | 153 | 92 | - | - | 2 | - | - | - | - | - | - |
| 37 | 26 | - | - | 2 | 4 711 | 67 | 11 | - | - | - | - | - | - | - | - | - |
| 4 | - | - | - | - | 293 | 11 | 15 | - | - | - | - | - | - | - | - | - |
| 53 | 3 | - | - | - | 9 466 | 63 | 47 | 3 | - | - | - | - | - | - | - | - |
| 44 | 17 | - | - | - | 3 619 | 101 | 35 | 2 | - | 1 | 13 | 10 | - | - | - | - |
| 15 | 10 | - | 1 | - | 2 116 | 28 | 22 | - | - | - | 1 | - | - | - | - | - |
| 76 | 8 | - | - | 1 | 932 | 28 | 30 | 9 | - | 1 | - | - | - | - | - | - |
| 17 | 1 | - | - | - | 2 905 | 68 | 1 | - | - | - | 119 | 15 | - | - | - | - |
| 78 | 15 | 15 | - | - | 3 841 | 49 | 16 | 11 | - | - | - | - | - | - | - | - |
| 5 | 11 | 2 | - | - | 4 012 | 51 | 118 | 6 | - | - | 9 | - | - | - | - | - |
| 1 | 1 | - | - | - | 3 037 | 28 | 48 | - | - | - | 6 | 1 | - | - | - | - |
| 16 | 3 | - | - | - | 4 780 | 31 | 78 | 25 | - | 2 | 54 | - | - | - | - | 2 |
| 6 | 10 | - | - | - | 4 026 | 57 | 75 | 10 | - | - | - | - | - | - | - | - |
| 152 | 57 | - | - | - | 4 167 | 87 | 57 | - | - | - | - | - | - | - | - | - |
| 31 | 17 | - | - | - | 5 035 | 136 | 257 | 3 | - | 1 | - | - | - | - | - | - |
| 37 | 17 | 1 | - | - | 3 944 | 131 | 62 | - | 1 | - | - | - | - | - | - | - |
| 24 | 48 | - | - | - | 8 842 | 74 | 166 | 2 | 4 | - | - | - | - | - | - | - |
| 27 | 7 | - | 4 | - | 2 948 | 161 | 273 | - | 21 | - | 2 | - | - | - | - | - |
| 8 | 3 | - | - | - | 384 | 24 | 12 | - | 8 | - | - | - | - | - | - | - |
| 215 | 14 | 3 | - | - | 5 577 | 255 | 21 | - | 2 | - | 44 | 2 | - | - | - | - |
| 53 | 167 | 1 | - | - | 5 410 | 338 | 4 088 | 50 | 6 | - | 30 | 1 | 23 | 1 | - | - |
| 10 | 1 | 1 | - | - | 1 777 | 56 | 22 | 4 | - | - | 2 | - | - | - | - | - |
| 22 | 19 | - | - | - | 1 868 | 100 | 95 | 2 | - | - | 1 | - | - | - | - | - |
| 1 | 10 | - | - | - | 1 205 | 11 | 35 | - | - | - | - | - | - | - | - | - |

# 第24表　市区町村が実施した精神保健福祉相談等の新規被指導

| | 新　規　者　の　受　付　経　路 | | |
|---|---|---|---|
| | 総　　　　　　数 | 医　療　機　関 | そ　の　他 |
| 全　　　　　　　国 | 162 402 | 14 888 | 147 514 |
| 北　海　　　道 | 3 296 | 124 | 3 172 |
| 青　　　　　森 | 1 073 | 101 | 972 |
| 岩　　　　　手 | 3 089 | 165 | 2 924 |
| 宮　　　　　城 | 3 154 | 131 | 3 023 |
| 秋　　　　　田 | 1 626 | 17 | 1 609 |
| 山　　　　　形 | 1 686 | 61 | 1 625 |
| 福　　　　　島 | 2 068 | 90 | 1 978 |
| 茨　　　　　城 | 1 154 | 162 | 992 |
| 栃　　　　　木 | 1 188 | 96 | 1 092 |
| 群　　　　　馬 | 2 376 | 512 | 1 864 |
| 埼　　　　　玉 | 5 985 | 488 | 5 497 |
| 千　　　　　葉 | 7 499 | 838 | 6 661 |
| 東　　　　　京 | 30 155 | 3 502 | 26 653 |
| 神　奈　　川 | 18 194 | 1 847 | 16 347 |
| 新　　　　　潟 | 3 917 | 639 | 3 278 |
| 富　　　　　山 | 393 | 84 | 309 |
| 石　　　　　川 | 1 163 | 54 | 1 109 |
| 福　　　　　井 | 645 | 161 | 484 |
| 山　　　　　梨 | 1 168 | 146 | 1 022 |
| 長　　　　　野 | 5 633 | 905 | 4 728 |
| 岐　　　　　阜 | 1 327 | 16 | 1 311 |
| 静　　　　　岡 | 3 242 | 219 | 3 023 |
| 愛　　　　　知 | 10 894 | 516 | 10 378 |
| 三　　　　　重 | 913 | 38 | 875 |
| 滋　　　　　賀 | 2 433 | 159 | 2 274 |
| 京　　　　　都 | 2 083 | 200 | 1 883 |
| 大　　　　　阪 | 6 325 | 960 | 5 365 |
| 兵　　　　　庫 | 3 873 | 223 | 3 650 |
| 奈　　　　　良 | 1 019 | 87 | 932 |
| 和　歌　　山 | 1 197 | 95 | 1 102 |
| 鳥　　　　　取 | 807 | 33 | 774 |
| 島　　　　　根 | 1 052 | 165 | 887 |
| 岡　　　　　山 | 1 582 | 298 | 1 284 |
| 広　　　　　島 | 4 565 | 248 | 4 317 |
| 山　　　　　口 | 1 911 | 355 | 1 556 |
| 徳　　　　　島 | 150 | 10 | 140 |
| 香　　　　　川 | 828 | 66 | 762 |
| 愛　　　　　媛 | 601 | 56 | 545 |
| 高　　　　　知 | 387 | 27 | 360 |
| 福　　　　　岡 | 7 017 | 347 | 6 670 |
| 佐　　　　　賀 | 1 475 | 63 | 1 412 |
| 長　　　　　崎 | 1 474 | 81 | 1 393 |
| 熊　　　　　本 | 2 218 | 137 | 2 081 |
| 大　　　　　分 | 1 260 | 103 | 1 157 |
| 宮　　　　　崎 | 3 577 | 82 | 3 495 |
| 鹿　児　　島 | 2 946 | 62 | 2 884 |
| 沖　　　　　縄 | 1 784 | 119 | 1 665 |
| 指定都市・特別区（再掲）<br>　東京都区部 | 18 076 | 2 557 | 15 519 |
| 札　幌　　市 | 511 | 14 | 497 |
| 仙　台　　市 | 440 | 43 | 397 |
| さ　い　た　ま　市 | 2 010 | 264 | 1 746 |
| 千　葉　　市 | 2 235 | 57 | 2 178 |
| 横　浜　　市 | 6 624 | 382 | 6 242 |
| 川　崎　　市 | 3 219 | 185 | 3 034 |
| 相　模　原　市 | 2 299 | 262 | 2 037 |
| 新　潟　　市 | 1 625 | 539 | 1 086 |
| 静　岡　　市 | 953 | 39 | 914 |
| 浜　松　　市 | 135 | 16 | 119 |
| 名　古　屋　市 | 2 818 | 229 | 2 589 |
| 京　都　　市 | 1 591 | 152 | 1 439 |
| 大　阪　　市 | 2 672 | 105 | 2 567 |
| 堺　　　　　市 | 1 298 | 631 | 667 |
| 神　戸　　市 | 54 | 34 | 20 |
| 岡　山　　市 | 211 | 14 | 197 |
| 広　島　　市 | 2 638 | 155 | 2 483 |
| 北　九　州　市 | 1 294 | 104 | 1 190 |
| 福　岡　　市 | 3 243 | 152 | 3 091 |
| 熊　本　　市 | 543 | 14 | 529 |

# 実人員，都道府県－指定都市・特別区－中核市－その他政令市、新規者の受付経路別

平成29年度

| | 新規者の受付経路 | | |
|---|---|---|---|
| | 総数 | 医療機関 | その他 |
| 中核市(再掲) | | | |
| 旭川市 | 154 | 1 | 153 |
| 函館市 | 406 | 3 | 403 |
| 青森市 | 100 | 9 | 91 |
| 八戸市 | 90 | 9 | 81 |
| 盛岡市 | 55 | 1 | 54 |
| 秋田市 | 7 | 1 | 6 |
| 郡山市 | 153 | 15 | 138 |
| いわき市 | 686 | 16 | 670 |
| 宇都宮市 | 229 | 28 | 201 |
| 前橋市 | 140 | 2 | 138 |
| 高崎市 | 481 | 17 | 464 |
| 川越市 | 129 | 9 | 120 |
| 越谷市 | 979 | 42 | 937 |
| 船橋市 | 199 | 37 | 162 |
| 柏市 | 354 | 211 | 143 |
| 八王子市 | 1 299 | 107 | 1 192 |
| 横須賀市 | 455 | 65 | 390 |
| 富山市 | 204 | 81 | 123 |
| 金沢市 | 175 | 14 | 161 |
| 長野市 | 303 | 34 | 269 |
| 岐阜市 | 717 | - | 717 |
| 豊橋市 | 103 | 8 | 95 |
| 豊田市 | 1 092 | 1 | 1 091 |
| 岡崎市 | 267 | 17 | 250 |
| 大津市 | 913 | 38 | 875 |
| 高槻市 | 330 | 26 | 304 |
| 東大阪市 | 402 | 34 | 368 |
| 豊中市 | 294 | 26 | 268 |
| 枚方市 | 365 | 52 | 313 |
| 姫路市 | 372 | 53 | 319 |
| 西宮市 | 399 | 53 | 346 |
| 尼崎市 | 158 | 38 | 120 |
| 奈良市 | 189 | 8 | 181 |
| 和歌山市 | 142 | 16 | 126 |
| 倉敷市 | 212 | 25 | 187 |
| 福山市 | 494 | 19 | 475 |
| 呉市 | 164 | 3 | 161 |
| 下関市 | 79 | 11 | 68 |
| 高松市 | 450 | 30 | 420 |
| 松山市 | 171 | 11 | 160 |
| 高知市 | 71 | - | 71 |
| 久留米市 | 1 368 | 21 | 1 347 |
| 長崎市 | 74 | 15 | 59 |
| 佐世保市 | 963 | 59 | 904 |
| 大分市 | 210 | - | 210 |
| 宮崎市 | 309 | 34 | 275 |
| 鹿児島市 | 2 113 | 42 | 2 071 |
| 那覇市 | 155 | 4 | 151 |
| その他政令市(再掲) | | | |
| 小樽市 | 68 | 1 | 67 |
| 町田市 | 2 208 | 15 | 2 193 |
| 藤沢市 | 1 133 | 108 | 1 025 |
| 茅ヶ崎市 | 678 | 27 | 651 |
| 四日市市 | 68 | - | 68 |
| 大牟田市 | 136 | 19 | 117 |

# 第25表　市区町村が実施した精神保健福祉相談の被指導

| | 実人員 | 延人員 総数 | 延人員 老人精神保健 | 延人員 社会復帰 | 延人員 アルコール | 延人員 薬物 | 延人員 ギャンブル | 延人員 思春期 | 延人員 心の健康づくり | 延人員 摂食障害 | 延人員 てんかん | 延人員 その他 |
|---|---|---|---|---|---|---|---|---|---|---|---|---|
| 全国 | 285 697 | 750 843 | 37 778 | 231 274 | 24 578 | 4 327 | 1 994 | 16 086 | 122 137 | 2 166 | 3 498 | 307 005 |
| 北海道 | 6 003 | 14 573 | 1 462 | 3 060 | 554 | 40 | 80 | 442 | 2 707 | 30 | 129 | 6 069 |
| 青森 | 1 594 | 3 263 | 241 | 567 | 114 | 31 | 7 | 66 | 966 | 9 | 18 | 1 244 |
| 岩手 | 3 065 | 10 450 | 582 | 5 978 | 263 | 16 | 33 | 54 | 1 912 | 19 | 21 | 1 572 |
| 宮城 | 4 979 | 13 593 | 647 | 4 586 | 611 | 29 | 26 | 383 | 2 787 | 61 | 71 | 4 392 |
| 秋田 | 1 107 | 2 955 | 384 | 142 | 125 | - | 2 | 82 | 791 | 1 | 4 | 1 424 |
| 山形 | 1 938 | 2 950 | 483 | 265 | 142 | 19 | 15 | 125 | 562 | 4 | 17 | 1 318 |
| 福島 | 2 212 | 4 889 | 287 | 1 837 | 203 | 18 | 15 | 162 | 1 185 | 18 | 14 | 1 150 |
| 茨城 | 1 590 | 4 113 | 213 | 370 | 91 | 12 | 3 | 136 | 816 | 8 | 4 | 2 460 |
| 栃木 | 1 272 | 2 345 | 358 | 570 | 46 | 4 | 5 | 79 | 582 | 4 | 9 | 688 |
| 群馬 | 2 988 | 5 466 | 828 | 1 310 | 31 | 23 | 8 | 331 | 1 390 | 43 | 19 | 1 483 |
| 埼玉 | 11 999 | 23 962 | 633 | 2 755 | 667 | 116 | 96 | 2 292 | 7 156 | 77 | 72 | 10 098 |
| 千葉 | 9 051 | 22 043 | 873 | 4 149 | 508 | 100 | 45 | 477 | 2 709 | 45 | 122 | 13 015 |
| 東京 | 52 843 | 146 124 | 3 126 | 28 455 | 4 239 | 870 | 296 | 4 534 | 15 309 | 782 | 848 | 87 665 |
| 神奈川 | 24 972 | 120 813 | 2 764 | 41 345 | 2 519 | 602 | 229 | 653 | 15 365 | 201 | 849 | 56 286 |
| 新潟 | 10 977 | 16 642 | 1 869 | 5 831 | 607 | 48 | 8 | 129 | 2 031 | 43 | 28 | 6 048 |
| 富山 | 486 | 594 | 59 | 166 | 13 | 18 | 2 | 12 | 231 | 1 | - | 92 |
| 石川 | 1 416 | 2 154 | 352 | 568 | 36 | 1 | 5 | 6 | 271 | 2 | 2 | 911 |
| 福井 | 2 044 | 3 108 | 112 | 2 281 | 33 | 10 | 5 | 44 | 288 | 8 | 4 | 323 |
| 山梨 | 2 073 | 4 495 | 1 196 | 685 | 242 | 9 | 8 | 81 | 1 164 | 5 | 16 | 1 089 |
| 長野 | 7 637 | 16 587 | 4 403 | 4 413 | 466 | 9 | 36 | 545 | 3 042 | 66 | 58 | 3 549 |
| 岐阜 | 1 371 | 3 146 | 294 | 698 | 112 | 1 | 3 | 47 | 845 | 6 | 7 | 1 133 |
| 静岡 | 4 474 | 13 529 | 536 | 2 924 | 422 | 73 | 315 | 1 543 | 1 112 | 65 | 52 | 6 487 |
| 愛知 | 15 152 | 40 039 | 1 118 | 12 865 | 268 | 75 | 57 | 513 | 5 795 | 47 | 63 | 19 238 |
| 三重 | 1 139 | 3 283 | 154 | 577 | 49 | 11 | 14 | 92 | 1 081 | 10 | 21 | 1 274 |
| 滋賀 | 2 411 | 6 982 | 1 087 | 926 | 209 | 12 | 17 | 77 | 1 717 | 18 | 7 | 2 912 |
| 京都 | 3 908 | 7 649 | 370 | 2 313 | 231 | 102 | 31 | 123 | 1 456 | 57 | 38 | 2 928 |
| 大阪 | 12 398 | 45 529 | 2 017 | 8 139 | 5 905 | 1 382 | 194 | 662 | 8 209 | 195 | 184 | 18 642 |
| 兵庫 | 10 435 | 27 290 | 920 | 15 043 | 470 | 67 | 31 | 126 | 3 905 | 31 | 105 | 6 592 |
| 奈良 | 1 107 | 3 655 | 195 | 804 | 60 | 13 | 3 | 279 | 658 | 20 | 46 | 1 577 |
| 和歌山 | 2 095 | 11 642 | 338 | 7 010 | 95 | 21 | 34 | 56 | 1 714 | 44 | 53 | 2 277 |
| 鳥取 | 1 228 | 3 887 | 396 | 777 | 143 | 2 | 2 | 31 | 1 309 | 4 | 20 | 1 203 |
| 島根 | 1 474 | 3 755 | 269 | 828 | 524 | 9 | 20 | 147 | 988 | 26 | 25 | 919 |
| 岡山 | 7 180 | 14 261 | 752 | 2 232 | 492 | 75 | 35 | 264 | 4 093 | 24 | 33 | 6 261 |
| 広島 | 14 720 | 23 461 | 1 817 | 8 710 | 846 | 9 | 37 | 212 | 4 670 | 14 | 40 | 7 106 |
| 山口 | 2 745 | 5 263 | 1 662 | 453 | 144 | 15 | 4 | 165 | 1 313 | 14 | 44 | 1 449 |
| 徳島 | 755 | 2 033 | 178 | 172 | 44 | 53 | - | 9 | 374 | 2 | 8 | 1 193 |
| 香川 | 940 | 2 016 | 144 | 957 | 58 | 2 | - | 11 | 691 | 22 | 6 | 125 |
| 愛媛 | 1 331 | 3 994 | 248 | 1 799 | 88 | 4 | 35 | 100 | 924 | 3 | 11 | 782 |
| 高知 | 1 125 | 4 217 | 490 | 433 | 156 | 14 | 22 | 39 | 564 | 13 | 21 | 2 465 |
| 福岡 | 28 502 | 64 911 | 522 | 49 296 | 741 | 344 | 112 | 242 | 6 911 | 63 | 142 | 6 538 |
| 佐賀 | 1 096 | 1 775 | 351 | 305 | 39 | 1 | - | 14 | 237 | 3 | 5 | 820 |
| 長崎 | 2 219 | 4 580 | 465 | 1 145 | 166 | 30 | 35 | 56 | 986 | 8 | 26 | 1 663 |
| 熊本 | 2 648 | 4 097 | 602 | 455 | 201 | 18 | 7 | 57 | 1 533 | 4 | 12 | 1 208 |
| 大分 | 2 221 | 4 067 | 345 | 996 | 132 | 3 | 7 | 45 | 882 | 17 | 96 | 1 544 |
| 宮崎 | 5 203 | 7 263 | 981 | 205 | 593 | 2 | 13 | 364 | 3 030 | 18 | 34 | 2 023 |
| 鹿児島 | 2 720 | 4 166 | 284 | 484 | 108 | 8 | 36 | 137 | 851 | 5 | 8 | 2 245 |
| 沖縄 | 4 854 | 13 234 | 371 | 1 395 | 772 | 6 | 6 | 42 | 5 025 | 6 | 86 | 5 525 |
| 指定都市・特別区(再掲) | | | | | | | | | | | | |
| 東京都区部 | 38 782 | 102 180 | 2 061 | 15 745 | 3 650 | 745 | 249 | 2 925 | 11 228 | 633 | 630 | 64 314 |
| 札幌市 | 1 811 | 3 324 | 72 | 938 | 69 | 17 | 17 | 53 | 47 | 4 | 22 | 2 085 |
| 仙台市 | 1 627 | 4 478 | 87 | 586 | 158 | 11 | 4 | 226 | 1 234 | 12 | 30 | 2 130 |
| さいたま市 | 3 497 | 7 173 | 64 | 497 | 190 | 28 | 71 | 1 996 | 1 647 | 30 | 18 | 2 632 |
| 千葉市 | 2 846 | 4 302 | 222 | 1 302 | 159 | 43 | 21 | 221 | 502 | 4 | - | 1 828 |
| 横浜市 | 13 313 | 80 863 | 1 225 | 29 697 | 1 563 | 306 | 181 | 326 | 10 188 | 116 | 442 | 36 819 |
| 川崎市 | 3 500 | 18 353 | 284 | 3 236 | 524 | 206 | 36 | 51 | 2 243 | 31 | 300 | 11 442 |
| 相模原市 | 1 744 | 2 795 | 45 | 1 265 | 40 | 9 | 2 | 20 | 930 | 3 | 4 | 477 |
| 新潟市 | 6 217 | 6 404 | 721 | 1 255 | 195 | 35 | - | 15 | 408 | - | - | 3 775 |
| 静岡市 | 772 | 960 | 13 | 45 | 11 | 3 | 3 | 3 | 127 | 4 | 2 | 749 |
| 浜松市 | 342 | 2 209 | - | - | 249 | 41 | 276 | 1 363 | 50 | 39 | - | 191 |
| 名古屋市 | 7 317 | 15 059 | 668 | 11 297 | 196 | 55 | 42 | 318 | 1 378 | 28 | 57 | 1 020 |
| 京都市 | 3 337 | 5 934 | 293 | 1 947 | 189 | 99 | 30 | 115 | 836 | 51 | 38 | 2 336 |
| 大阪市 | 5 868 | 21 476 | 783 | 2 689 | 4 898 | 771 | 107 | 295 | 2 850 | 113 | 98 | 8 872 |
| 堺市 | 2 796 | 8 876 | 155 | 1 811 | 250 | 309 | 15 | 27 | 2 736 | 5 | 14 | 3 554 |
| 神戸市 | 5 188 | 18 057 | 441 | 12 866 | 184 | 44 | 11 | 37 | 1 092 | 9 | 51 | 3 322 |
| 岡山市 | 4 083 | 4 097 | 16 | 330 | 12 | - | - | 94 | 1 299 | - | - | 2 346 |
| 広島市 | 11 667 | 16 356 | 142 | 7 968 | 123 | 7 | 15 | 67 | 3 056 | 7 | 5 | 4 966 |
| 北九州市 | 2 727 | 6 214 | 210 | 2 932 | 252 | 75 | 44 | 51 | 608 | 6 | 47 | 1 989 |
| 福岡市 | 19 560 | 45 308 | 34 | 42 795 | 216 | 100 | 21 | 30 | 554 | 1 | 2 | 1 555 |
| 熊本市 | 919 | 1 474 | 227 | 240 | 27 | 3 | 1 | 10 | 406 | 1 | 3 | 556 |

# 実人員－延人員，都道府県－指定都市・特別区－中核市－その他政令市、相談内容別

平成29年度

| | 実人員 | 延人員 | | | | | | | | | | |
|---|---|---|---|---|---|---|---|---|---|---|---|---|
| | | 総数 | 老人精神保健 | 社会復帰 | アルコール | 薬物 | ギャンブル | 思春期 | 心の健康づくり | 摂食障害 | てんかん | その他 |
| 中核市(再掲) | | | | | | | | | | | | |
| 旭川市 | 181 | 388 | 26 | 6 | 22 | 7 | 10 | 5 | 100 | － | 1 | 211 |
| 函館市 | 891 | 993 | 152 | 456 | 13 | 2 | － | 1 | 39 | 1 | 5 | 324 |
| 青森市 | 120 | 162 | 26 | 4 | 11 | － | － | 8 | 29 | 5 | 1 | 78 |
| 八戸市 | 189 | 333 | 11 | 18 | 17 | 3 | 4 | 5 | 52 | 1 | － | 222 |
| 盛岡市 | 101 | 220 | 1 | 34 | 12 | － | 1 | － | 50 | 3 | － | 119 |
| 秋田市 | 118 | 203 | 3 | 2 | 6 | － | － | 1 | 27 | － | － | 164 |
| 郡山市 | 189 | 294 | 11 | 96 | 7 | － | 3 | 8 | 99 | 1 | － | 69 |
| いわき市 | 629 | 1 033 | 24 | 519 | 10 | 2 | － | 12 | 206 | － | － | 260 |
| 宇都宮市 | 269 | 552 | 21 | 307 | 25 | 2 | 1 | 12 | 122 | － | － | 62 |
| 前橋市 | 332 | 436 | 17 | 102 | 1 | 1 | － | 11 | 88 | 1 | 1 | 214 |
| 高崎市 | 588 | 877 | 6 | 68 | 7 | － | 4 | 258 | 39 | 1 | 1 | 493 |
| 川越市 | 369 | 909 | 9 | 230 | 40 | 15 | 1 | 30 | 67 | 1 | 1 | 515 |
| 越谷市 | 3 966 | 4 156 | 96 | 63 | 208 | 21 | 7 | 116 | 958 | 4 | 14 | 2 669 |
| 船橋市 | 240 | 390 | 4 | 18 | 15 | 3 | 1 | 9 | 55 | 1 | 5 | 279 |
| 柏市 | 832 | 2 078 | 46 | 496 | 140 | 24 | 8 | 19 | 460 | － | － | 885 |
| 八王子市 | 1 079 | 2 040 | 21 | 531 | 50 | 16 | 13 | 154 | 370 | 23 | 4 | 858 |
| 横須賀市 | 203 | 346 | 13 | 37 | 8 | 5 | － | 7 | 232 | 2 | － | 42 |
| 富山市 | 225 | 239 | 10 | 72 | 7 | 1 | － | 10 | 91 | 1 | － | 47 |
| 金沢市 | 266 | 464 | 19 | 231 | 11 | 1 | － | 3 | 191 | 1 | － | 7 |
| 長野市 | 719 | 1 395 | 69 | 787 | 81 | 1 | 3 | 11 | 345 | 18 | 5 | 75 |
| 岐阜市 | 402 | 611 | 14 | 280 | 2 | － | － | 5 | 140 | － | 2 | 168 |
| 豊橋市 | 463 | 756 | 1 | 14 | 16 | 2 | 1 | 46 | 215 | 2 | 1 | 458 |
| 豊田市 | 691 | 1 479 | 3 | 144 | 10 | 13 | － | 4 | 516 | 2 | － | 787 |
| 岡崎市 | 496 | 1 214 | 5 | 54 | 16 | 5 | 7 | 3 | 80 | 7 | 5 | 1 032 |
| 大津市 | 487 | 1 130 | 2 | 6 | 17 | 8 | － | 31 | 812 | － | 1 | 253 |
| 高槻市 | 284 | 701 | 31 | 8 | 14 | 6 | 2 | 30 | 114 | 9 | － | 487 |
| 東大阪市 | 947 | 5 929 | 139 | 2 875 | 287 | 154 | 19 | 41 | 121 | 33 | 67 | 2 193 |
| 豊中市 | 596 | 3 068 | 140 | 283 | 159 | 107 | 10 | 198 | 399 | 1 | 4 | 1 767 |
| 枚方市 | 484 | 2 549 | 143 | 127 | 270 | 24 | 41 | 37 | 737 | 29 | － | 1 141 |
| 姫路市 | 415 | 679 | 25 | 14 | 45 | － | 4 | 21 | 565 | 4 | － | 1 |
| 西宮市 | 335 | 574 | 48 | 73 | 22 | － | 6 | － | 51 | － | 3 | 371 |
| 尼崎市 | 627 | 2 212 | 165 | 1 265 | 97 | 7 | 7 | 35 | 230 | 4 | 33 | 369 |
| 奈良市 | 115 | 148 | 5 | 77 | 16 | 2 | － | 1 | 4 | － | － | 43 |
| 和歌山市 | 403 | 1 407 | 10 | 1 304 | 1 | 1 | － | 5 | 32 | － | 3 | 51 |
| 倉敷市 | 1 244 | 4 853 | 127 | 1 117 | 173 | 18 | 3 | 80 | 1 961 | 7 | － | 1 367 |
| 福山市 | 267 | 432 | 7 | 37 | 19 | － | 3 | 23 | 95 | 3 | 7 | 238 |
| 呉市 | 195 | 338 | 8 | 13 | 2 | － | 2 | 7 | 98 | 1 | － | 207 |
| 下関市 | 254 | 535 | 30 | 18 | 16 | 7 | 2 | 1 | 15 | － | 17 | 429 |
| 高松市 | 204 | 517 | 6 | 205 | 9 | － | － | 5 | 257 | 16 | 2 | 17 |
| 松山市 | 195 | 276 | 5 | 24 | 5 | 4 | 2 | 2 | 30 | 1 | 3 | 200 |
| 高知市 | 153 | 267 | 2 | 1 | 7 | － | 1 | 3 | 18 | － | － | 235 |
| 久留米市 | 1 451 | 6 413 | 90 | 3 126 | 84 | 36 | 38 | 92 | 2 262 | 38 | 35 | 612 |
| 長崎市 | 368 | 599 | 27 | 7 | 36 | 17 | 5 | 9 | 10 | 5 | 5 | 478 |
| 佐世保市 | 950 | 1 800 | 333 | 64 | 76 | 3 | 21 | 21 | 635 | 2 | 15 | 630 |
| 大分市 | 286 | 487 | 47 | 52 | 13 | － | 1 | 2 | 126 | － | 20 | 226 |
| 宮崎市 | 232 | 706 | 39 | 19 | 40 | 2 | 3 | 3 | 95 | 1 | 1 | 503 |
| 鹿児島市 | 1 690 | 2 143 | 57 | 211 | 22 | － | 10 | 24 | 342 | － | － | 1 477 |
| 那覇市 | 254 | 449 | 19 | 9 | 83 | 1 | 4 | 12 | 140 | 2 | 1 | 178 |
| その他政令市(再掲) | | | | | | | | | | | | |
| 小樽市 | 83 | 112 | 6 | 21 | 6 | － | 2 | 5 | 1 | － | － | 71 |
| 町田市 | 1 826 | 11 134 | 120 | 2 964 | 212 | 35 | 7 | 1 052 | 429 | 42 | － | 6 273 |
| 藤沢市 | 1 133 | 6 316 | 739 | 19 | 166 | 12 | 3 | 80 | 669 | 7 | － | 4 621 |
| 茅ヶ崎市 | 625 | 2 014 | 93 | － | 39 | 3 | 4 | 24 | 3 | 5 | 5 | 1 838 |
| 四日市市 | 236 | 531 | 2 | － | 37 | － | － | 65 | － | － | 1 | 426 |
| 大牟田市 | 194 | 367 | 31 | 126 | 20 | 1 | － | 5 | 59 | － | 12 | 113 |

# 第26表　市区町村が実施した精神保健福祉訪問指導の被指導

| | 実人員 | 延人員 | | | | | | | | | | |
|---|---|---|---|---|---|---|---|---|---|---|---|---|
| | | 総数 | 老人精神保健 | 社会復帰 | アルコール | 薬物 | ギャンブル | 思春期 | 心の健康づくり | 摂食障害 | てんかん | その他 |
| **全国** | **115 043** | **282 747** | **28 312** | **65 429** | **12 440** | **1 442** | **404** | **4 118** | **51 056** | **919** | **1 558** | **117 069** |
| 北海道 | 3 491 | 8 271 | 1 925 | 1 677 | 366 | 25 | 12 | 167 | 910 | 9 | 71 | 3 109 |
| 青森 | 2 817 | 4 370 | 238 | 402 | 217 | 19 | 1 | 41 | 2 529 | - | 11 | 912 |
| 岩手 | 2 053 | 4 990 | 377 | 1 760 | 288 | 8 | 10 | 24 | 1 208 | 11 | 12 | 1 292 |
| 宮城 | 4 250 | 13 093 | 658 | 4 833 | 1 227 | 54 | 35 | 89 | 2 454 | 55 | 46 | 3 642 |
| 秋田 | 1 986 | 2 802 | 851 | 89 | 105 | 4 | 1 | 1 | 920 | - | - | 831 |
| 山形 | 804 | 1 547 | 455 | 250 | 94 | 3 | 1 | 12 | 295 | 6 | 3 | 428 |
| 福島 | 2 379 | 5 460 | 844 | 1 356 | 326 | 7 | 2 | 104 | 1 186 | 5 | 26 | 1 604 |
| 茨城 | 896 | 2 588 | 200 | 317 | 94 | 65 | 4 | 39 | 604 | 4 | 11 | 1 250 |
| 栃木 | 1 136 | 2 070 | 497 | 495 | 82 | 4 | - | 47 | 294 | 2 | 8 | 641 |
| 群馬 | 813 | 1 885 | 204 | 597 | 37 | 15 | 4 | 23 | 354 | 14 | 19 | 618 |
| 埼玉 | 4 330 | 10 436 | 282 | 1 613 | 359 | 86 | 13 | 216 | 1 692 | 23 | 20 | 6 132 |
| 千葉 | 3 556 | 8 292 | 557 | 986 | 221 | 23 | 6 | 122 | 1 006 | 2 | 66 | 5 303 |
| 東京 | 21 699 | 49 249 | 1 691 | 5 514 | 1 276 | 269 | 102 | 1 108 | 6 883 | 315 | 396 | 31 695 |
| 神奈川 | 6 659 | 16 225 | 521 | 6 435 | 339 | 63 | 20 | 84 | 2 531 | 51 | 83 | 6 098 |
| 新潟 | 4 803 | 11 073 | 1 271 | 4 001 | 678 | 24 | 4 | 75 | 1 469 | 13 | 28 | 3 510 |
| 富山 | 506 | 670 | 35 | 273 | 13 | 10 | - | 6 | 152 | 3 | 11 | 167 |
| 石川 | 946 | 1 939 | 344 | 674 | 40 | 11 | - | - | 66 | - | 9 | 795 |
| 福井 | 185 | 542 | 106 | 226 | 18 | 5 | - | 32 | 60 | 5 | 6 | 84 |
| 山梨 | 915 | 2 292 | 561 | 506 | 144 | 4 | 1 | 5 | 454 | 4 | 3 | 610 |
| 長野 | 4 179 | 11 320 | 1 735 | 3 592 | 455 | 17 | 21 | 312 | 2 429 | 35 | 56 | 2 668 |
| 岐阜 | 957 | 2 032 | 205 | 409 | 113 | 2 | 1 | 36 | 389 | 9 | 10 | 858 |
| 静岡 | 1 216 | 3 483 | 752 | 449 | 155 | 3 | 26 | 113 | 439 | 27 | 10 | 1 509 |
| 愛知 | 4 351 | 11 408 | 290 | 1 906 | 174 | 49 | 10 | 92 | 2 306 | 19 | 88 | 6 474 |
| 三重 | 779 | 2 686 | 74 | 1 105 | 39 | 3 | - | 50 | 745 | 3 | 18 | 649 |
| 滋賀 | 1 534 | 3 702 | 581 | 372 | 214 | 14 | 4 | 27 | 972 | 1 | 10 | 1 507 |
| 京都 | 2 210 | 4 120 | 226 | 1 380 | 121 | 25 | 2 | 11 | 615 | 15 | 18 | 1 707 |
| 大阪 | 4 563 | 13 697 | 1 005 | 2 131 | 942 | 277 | 22 | 196 | 3 591 | 63 | 63 | 5 407 |
| 兵庫 | 3 018 | 7 539 | 661 | 2 314 | 398 | 26 | 5 | 100 | 2 739 | 7 | 44 | 1 245 |
| 奈良 | 604 | 2 519 | 464 | 764 | 115 | 73 | 24 | 44 | 260 | 6 | 41 | 728 |
| 和歌山 | 2 018 | 10 251 | 292 | 7 145 | 146 | 36 | 6 | 45 | 1 116 | 38 | 54 | 1 373 |
| 鳥取 | 958 | 2 651 | 272 | 445 | 178 | - | 3 | 7 | 956 | 16 | 16 | 758 |
| 島根 | 1 275 | 2 906 | 232 | 903 | 282 | 12 | 3 | 66 | 439 | 10 | 16 | 943 |
| 岡山 | 2 851 | 7 282 | 782 | 659 | 443 | 25 | 5 | 76 | 1 219 | 34 | 17 | 4 022 |
| 広島 | 3 082 | 7 046 | 2 123 | 1 016 | 347 | 17 | 7 | 106 | 1 093 | 21 | 24 | 2 292 |
| 山口 | 1 775 | 4 062 | 1 923 | 358 | 109 | 6 | - | 37 | 428 | 7 | 19 | 1 175 |
| 徳島 | 316 | 823 | 56 | 235 | 55 | 11 | - | 10 | 207 | 4 | 4 | 241 |
| 香川 | 600 | 2 226 | 124 | 1 139 | 60 | 1 | 2 | 6 | 756 | 4 | 8 | 126 |
| 愛媛 | 1 520 | 3 437 | 397 | 1 386 | 189 | 4 | 16 | 19 | 528 | 10 | 16 | 872 |
| 高知 | 1 240 | 4 268 | 279 | 754 | 165 | 15 | 7 | 15 | 579 | 8 | 19 | 2 427 |
| 福岡 | 1 758 | 4 156 | 273 | 1 366 | 219 | 58 | 3 | 58 | 616 | 12 | 26 | 1 525 |
| 佐賀 | 835 | 1 334 | 341 | 41 | 11 | 1 | 1 | 3 | 216 | - | - | 720 |
| 長崎 | 2 440 | 4 421 | 907 | 177 | 180 | 21 | 3 | 13 | 450 | 10 | 52 | 2 608 |
| 熊本 | 1 559 | 3 000 | 702 | 373 | 233 | 14 | 3 | 38 | 989 | 1 | 14 | 633 |
| 大分 | 1 235 | 3 973 | 249 | 1 676 | 202 | 12 | 5 | 18 | 412 | 8 | 23 | 1 368 |
| 宮崎 | 1 321 | 2 354 | 512 | 142 | 393 | 6 | 4 | 263 | 248 | 6 | 16 | 764 |
| 鹿児島 | 1 121 | 3 398 | 801 | 538 | 191 | 7 | 3 | 132 | 516 | 13 | 8 | 1 189 |
| 沖縄 | 1 504 | 4 859 | 437 | 650 | 387 | 8 | 2 | 30 | 736 | 10 | 39 | 2 560 |
| 指定都市・特別区(再掲) | | | | | | | | | | | | |
| 東京都区部 | 16 670 | 37 320 | 1 044 | 3 018 | 1 005 | 242 | 63 | 821 | 5 234 | 269 | 334 | 25 290 |
| 札幌市 | 841 | 1 615 | 39 | 451 | 28 | 6 | 1 | 1 | 1 | - | 18 | 1 070 |
| 仙台市 | 1 260 | 4 607 | 236 | 1 115 | 142 | 17 | 2 | 10 | 715 | 12 | 9 | 2 349 |
| さいたま市 | 1 977 | 3 769 | 71 | 314 | 105 | 7 | 3 | 147 | 475 | 5 | 5 | 2 637 |
| 千葉市 | 806 | 806 | 29 | 40 | 10 | - | - | 2 | - | - | - | 725 |
| 横浜市 | 3 059 | 7 192 | 135 | 2 888 | 113 | 27 | 19 | 55 | 1 371 | 38 | 48 | 2 498 |
| 川崎市 | 1 389 | 3 695 | 59 | 761 | 97 | 17 | 1 | 4 | 240 | 9 | 25 | 2 482 |
| 相模原市 | 555 | 1 193 | 20 | 595 | 15 | 5 | - | 2 | 251 | - | - | 305 |
| 新潟市 | 790 | 1 897 | 171 | 441 | 88 | 16 | - | 11 | 76 | - | - | 1 094 |
| 静岡市 | 181 | 301 | 1 | 11 | 3 | 1 | - | 1 | 29 | 1 | - | 254 |
| 浜松市 | 15 | 32 | - | - | 2 | - | - | 28 | - | 1 | - | 1 |
| 名古屋市 | 1 785 | 4 022 | 168 | 1 431 | 94 | 39 | 8 | 79 | 1 038 | 12 | 83 | 1 070 |
| 京都市 | 1 766 | 3 210 | 137 | 1 087 | 68 | 25 | 2 | 11 | 437 | 15 | 16 | 1 412 |
| 大阪市 | 2 110 | 5 365 | 453 | 240 | 431 | 107 | 6 | 82 | 616 | 47 | 38 | 3 345 |
| 堺市 | 1 240 | 4 974 | 104 | 1 467 | 322 | 124 | 8 | 15 | 2 341 | 1 | 12 | 580 |
| 神戸市 | 694 | 1 084 | 49 | 694 | 17 | 4 | - | 3 | 43 | 2 | 20 | 252 |
| 岡山市 | 536 | 1 511 | 7 | 11 | 24 | 7 | - | 1 | 429 | - | - | 1 032 |
| 広島市 | 776 | 1 195 | 26 | 573 | 24 | 5 | - | 24 | 267 | 9 | 6 | 261 |
| 北九州市 | 608 | 1 426 | 93 | 376 | 91 | 25 | 2 | 11 | 211 | 2 | 9 | 606 |
| 福岡市 | 336 | 658 | 35 | 515 | 23 | 8 | - | - | - | - | - | 77 |
| 熊本市 | 418 | 913 | 221 | 155 | 35 | - | 2 | 21 | 396 | - | 4 | 79 |

# 実人員－延人員，都道府県－指定都市・特別区－中核市－その他政令市、指導内容別

平成29年度

| | 実人員 | 延人員 総数 | 老人精神保健 | 社会復帰 | アルコール | 薬物 | ギャンブル | 思春期 | 心の健康づくり | 摂食障害 | てんかん | その他 |
|---|---|---|---|---|---|---|---|---|---|---|---|---|
| 中核市(再掲) | | | | | | | | | | | | |
| 旭川市 | 84 | 183 | 12 | － | 12 | 11 | － | － | 49 | － | － | 99 |
| 函館市 | 289 | 417 | 41 | 189 | 7 | 1 | － | 1 | 13 | － | － | 165 |
| 青森市 | 50 | 160 | 27 | 2 | 5 | － | － | 22 | 1 | － | － | 103 |
| 八戸市 | 2 068 | 2 184 | 11 | 3 | 7 | － | － | － | 2 112 | － | － | 51 |
| 盛岡市 | 114 | 245 | 8 | 49 | 11 | － | 1 | － | 27 | － | － | 149 |
| 秋田市 | 23 | 44 | － | － | 1 | 3 | － | 1 | 2 | － | － | 37 |
| 郡山市 | 43 | 61 | 5 | 32 | － | － | － | － | 13 | － | 1 | 10 |
| いわき市 | 478 | 991 | 59 | 507 | 15 | 4 | 2 | － | 218 | － | － | 186 |
| 宇都宮市 | 184 | 431 | 16 | 278 | 16 | 2 | － | 6 | 69 | － | － | 44 |
| 前橋市 | 127 | 285 | 34 | 22 | 8 | － | － | 1 | 53 | 1 | 1 | 165 |
| 高崎市 | 53 | 118 | 2 | 13 | 2 | － | － | － | 13 | － | 1 | 87 |
| 川越市 | 157 | 1 416 | 22 | 338 | 42 | 21 | － | 17 | 31 | － | － | 945 |
| 越谷市 | 324 | 344 | 18 | 2 | 22 | 1 | － | 7 | 90 | － | 1 | 203 |
| 船橋市 | 188 | 668 | 1 | 30 | 8 | 5 | － | － | 32 | － | － | 592 |
| 柏市 | 480 | 1 443 | 50 | 238 | 51 | 6 | 2 | 26 | 259 | － | － | 811 |
| 八王子市 | 659 | 1 388 | 40 | 301 | 37 | 3 | 1 | 27 | 217 | 9 | 7 | 746 |
| 横須賀市 | 196 | 461 | 25 | 33 | 14 | 2 | － | 15 | 297 | － | － | 75 |
| 富山市 | 414 | 443 | 15 | 193 | 11 | 2 | － | 4 | 114 | 3 | 9 | 92 |
| 金沢市 | 188 | 566 | 36 | 457 | 4 | 11 | － | － | 42 | － | － | 16 |
| 長野市 | 694 | 1 473 | 123 | 867 | 74 | 9 | 3 | 4 | 348 | 4 | 3 | 38 |
| 岐阜市 | 315 | 613 | 17 | 211 | 21 | － | － | 1 | 142 | 9 | 5 | 207 |
| 豊橋市 | 573 | 2 027 | 8 | 73 | 37 | 8 | － | 9 | 239 | 2 | 3 | 1 648 |
| 豊田市 | 401 | 1 047 | 16 | 155 | 23 | 1 | 2 | － | 372 | 1 | － | 477 |
| 岡崎市 | 111 | 600 | 4 | 62 | 14 | 1 | － | － | 28 | 3 | 1 | 487 |
| 大津市 | 432 | 651 | 1 | 1 | 26 | 2 | － | 17 | 308 | － | － | 296 |
| 高槻市 | 97 | 281 | 14 | 20 | 20 | 7 | － | 3 | 37 | 1 | － | 179 |
| 東大阪市 | 223 | 678 | 44 | 234 | 37 | 13 | 1 | 6 | 9 | 7 | 9 | 318 |
| 豊中市 | 165 | 441 | 31 | 41 | 11 | 10 | － | 29 | 41 | － | － | 278 |
| 枚方市 | 202 | 797 | 42 | 82 | 57 | 8 | 1 | 2 | 140 | 5 | － | 460 |
| 姫路市 | 444 | 1 829 | 121 | 71 | 89 | 8 | － | 19 | 1 517 | － | － | 4 |
| 西宮市 | 269 | 966 | 80 | 402 | 32 | 5 | 1 | 6 | 124 | 3 | 1 | 312 |
| 尼崎市 | 557 | 1 420 | 168 | 556 | 94 | 8 | 4 | 20 | 220 | － | 22 | 328 |
| 奈良市 | 92 | 370 | 1 | 246 | 53 | 21 | － | 1 | 2 | － | － | 46 |
| 和歌山市 | 546 | 1 102 | 9 | 848 | 22 | 1 | － | 6 | 22 | － | 9 | 185 |
| 倉敷市 | 459 | 1 144 | 25 | 243 | 71 | 4 | － | 28 | 356 | － | － | 417 |
| 福山市 | 227 | 584 | 32 | 28 | 27 | 2 | 3 | 4 | 98 | 3 | 6 | 381 |
| 呉市 | 203 | 652 | 13 | 43 | 13 | － | 2 | 10 | 158 | 1 | － | 412 |
| 下関市 | 160 | 468 | 40 | 14 | 17 | 3 | － | － | 4 | － | 7 | 383 |
| 高松市 | 225 | 857 | 22 | 381 | 27 | 1 | 2 | 6 | 377 | － | － | 41 |
| 松山市 | 176 | 273 | 11 | 33 | 1 | － | － | － | 3 | 2 | 4 | 219 |
| 高知市 | 131 | 425 | 27 | － | 5 | － | － | 1 | 18 | － | － | 374 |
| 久留米市 | 94 | 342 | 2 | 148 | 14 | 4 | － | － | 162 | － | － | 12 |
| 長崎市 | 236 | 594 | 56 | － | 39 | 18 | － | 1 | － | 7 | － | 473 |
| 佐世保市 | 1 773 | 2 781 | 744 | 71 | 84 | 3 | 1 | 10 | 236 | 3 | 41 | 1 588 |
| 大分市 | 236 | 942 | 65 | 3 | 99 | － | － | 8 | 121 | － | 9 | 637 |
| 宮崎市 | 171 | 585 | 39 | 25 | 80 | 6 | 2 | 10 | 88 | － | 6 | 329 |
| 鹿児島市 | 371 | 890 | 72 | 14 | 5 | 2 | － | 107 | 111 | － | － | 579 |
| 那覇市 | 54 | 120 | 16 | 3 | 9 | 6 | 2 | － | 26 | 3 | － | 55 |
| その他政令市(再掲) | | | | | | | | | | | | |
| 小樽市 | 45 | 69 | 4 | 6 | 12 | － | － | － | － | － | － | 47 |
| 町田市 | 629 | 1 845 | 23 | 604 | 66 | 13 | － | 147 | 85 | 11 | － | 896 |
| 藤沢市 | 84 | 324 | 58 | 4 | 15 | － | － | 1 | 40 | － | － | 206 |
| 茅ヶ崎市 | 100 | 289 | 28 | － | 5 | － | － | － | － | － | － | 256 |
| 四日市市 | 85 | 338 | － | － | 20 | － | － | 16 | － | － | 1 | 301 |
| 大牟田市 | 106 | 267 | 35 | 63 | 13 | 1 | － | 5 | 26 | － | － | 124 |

# 第27表（2－1）市区町村が実施した精神保健福祉電話相談等の

| | 電話による相談延人員 | | | | | | | | | | |
|---|---|---|---|---|---|---|---|---|---|---|---|
| | 総数 | 老人精神保健 | 社会復帰 | アルコール | 薬物 | ギャンブル | 思春期 | 心の健康づくり | 摂食障害 | てんかん | その他 |
| **全国** | **1 181 759** | **50 558** | **288 064** | **30 226** | **6 213** | **2 250** | **15 836** | **219 844** | **3 491** | **4 550** | **560 727** |
| 北海道 | 34 769 | 1 897 | 4 934 | 1 259 | 92 | 81 | 503 | 3 568 | 49 | 157 | 22 229 |
| 青森 | 4 379 | 225 | 780 | 182 | 11 | 3 | 34 | 1 181 | 10 | 4 | 1 949 |
| 岩手 | 13 390 | 433 | 5 298 | 334 | 13 | 10 | 34 | 1 596 | 19 | 10 | 5 643 |
| 宮城 | 39 391 | 971 | 13 012 | 1 627 | 81 | 68 | 405 | 8 874 | 167 | 167 | 14 019 |
| 秋田 | 5 591 | 507 | 84 | 211 | 27 | 3 | 71 | 1 164 | 1 | 10 | 3 513 |
| 山形 | 4 002 | 365 | 419 | 75 | 13 | 28 | 65 | 509 | 3 | 12 | 2 513 |
| 福島 | 10 479 | 532 | 2 794 | 302 | 54 | 12 | 236 | 3 655 | 5 | 20 | 2 869 |
| 茨城 | 7 886 | 319 | 831 | 245 | 19 | 2 | 383 | 1 605 | 10 | 9 | 4 463 |
| 栃木 | 7 888 | 494 | 3 143 | 88 | 9 | 2 | 141 | 1 419 | 11 | 24 | 2 557 |
| 群馬 | 10 826 | 1 124 | 2 003 | 179 | 39 | 12 | 395 | 1 858 | 26 | 20 | 5 170 |
| 埼玉 | 56 047 | 1 392 | 5 773 | 1 381 | 293 | 140 | 2 379 | 12 252 | 183 | 148 | 32 106 |
| 千葉 | 36 911 | 1 937 | 4 977 | 1 063 | 109 | 42 | 550 | 5 382 | 40 | 172 | 22 639 |
| 東京 | 247 550 | 4 057 | 31 696 | 5 451 | 1 261 | 453 | 4 438 | 26 759 | 1 041 | 1 295 | 171 099 |
| 神奈川 | 137 258 | 3 694 | 49 253 | 2 978 | 627 | 245 | 955 | 20 767 | 264 | 637 | 57 838 |
| 新潟 | 18 301 | 1 994 | 7 033 | 701 | 63 | 5 | 121 | 2 010 | 8 | 26 | 6 340 |
| 富山 | 4 918 | 172 | 1 649 | 80 | 42 | 2 | 88 | 1 373 | 4 | 42 | 1 466 |
| 石川 | 6 324 | 631 | 2 786 | 113 | 36 | － | 20 | 736 | 1 | 3 | 1 998 |
| 福井 | 2 627 | 196 | 1 209 | 36 | 10 | － | 26 | 900 | 11 | 7 | 232 |
| 山梨 | 3 473 | 796 | 474 | 173 | 8 | 4 | 32 | 996 | － | 7 | 983 |
| 長野 | 23 824 | 3 628 | 6 005 | 659 | 17 | 29 | 344 | 7 094 | 66 | 127 | 5 855 |
| 岐阜 | 7 864 | 544 | 1 207 | 66 | 33 | 1 | 40 | 3 444 | 15 | 13 | 2 501 |
| 静岡 | 17 853 | 1 248 | 2 141 | 240 | 26 | 150 | 194 | 4 252 | 54 | 56 | 9 492 |
| 愛知 | 57 692 | 2 090 | 21 776 | 721 | 268 | 94 | 593 | 9 878 | 71 | 235 | 21 966 |
| 三重 | 8 820 | 421 | 1 454 | 254 | 15 | 11 | 297 | 2 524 | 52 | 15 | 3 777 |
| 滋賀 | 14 002 | 603 | 1 065 | 425 | 29 | 28 | 153 | 5 456 | 18 | 10 | 6 215 |
| 京都 | 19 431 | 583 | 4 697 | 326 | 131 | 60 | 114 | 4 503 | 119 | 54 | 8 844 |
| 大阪 | 69 532 | 2 702 | 10 113 | 3 804 | 1 785 | 206 | 715 | 23 438 | 226 | 284 | 26 259 |
| 兵庫 | 36 465 | 1 674 | 11 309 | 978 | 63 | 34 | 238 | 9 518 | 56 | 89 | 12 506 |
| 奈良 | 5 550 | 379 | 2 035 | 97 | 15 | 5 | 97 | 1 042 | 14 | 36 | 1 830 |
| 和歌山 | 15 826 | 238 | 10 510 | 150 | 73 | 28 | 49 | 1 700 | 33 | 46 | 2 999 |
| 鳥取 | 7 116 | 383 | 1 185 | 355 | 4 | 7 | 23 | 2 626 | 28 | 13 | 2 492 |
| 島根 | 6 894 | 411 | 2 436 | 332 | 22 | 25 | 49 | 1 194 | 64 | 24 | 2 337 |
| 岡山 | 18 062 | 956 | 1 587 | 423 | 178 | 40 | 360 | 5 571 | 403 | 17 | 8 527 |
| 広島 | 35 490 | 2 113 | 10 902 | 559 | 25 | 69 | 262 | 8 167 | 40 | 25 | 13 328 |
| 山口 | 12 006 | 3 970 | 668 | 242 | 13 | 6 | 111 | 2 330 | 13 | 18 | 4 635 |
| 徳島 | 3 635 | 32 | 367 | 35 | 25 | 12 | 29 | 1 074 | 19 | 1 | 2 041 |
| 香川 | 8 012 | 188 | 4 518 | 100 | 5 | 1 | 24 | 2 764 | 9 | 13 | 390 |
| 愛媛 | 9 628 | 369 | 3 033 | 160 | 3 | 13 | 47 | 2 385 | 58 | 19 | 3 541 |
| 高知 | 8 692 | 335 | 483 | 210 | 42 | 12 | 50 | 1 078 | 14 | 9 | 6 459 |
| 福岡 | 79 268 | 924 | 46 436 | 902 | 419 | 198 | 323 | 9 110 | 99 | 155 | 20 702 |
| 佐賀 | 3 194 | 629 | 131 | 21 | 2 | 2 | 9 | 1 706 | － | 4 | 690 |
| 長崎 | 9 701 | 789 | 475 | 270 | 107 | 23 | 118 | 1 581 | 97 | 32 | 6 209 |
| 熊本 | 6 803 | 1 034 | 890 | 266 | 30 | 11 | 63 | 1 855 | 5 | 17 | 2 632 |
| 大分 | 11 362 | 697 | 2 242 | 210 | 17 | 12 | 128 | 2 469 | 32 | 435 | 5 120 |
| 宮崎 | 7 022 | 887 | 474 | 809 | 18 | 16 | 308 | 803 | 9 | 14 | 3 684 |
| 鹿児島 | 11 224 | 512 | 672 | 200 | 8 | 30 | 168 | 966 | － | 3 | 8 665 |
| 沖縄 | 14 781 | 483 | 1 105 | 934 | 33 | 15 | 54 | 4 712 | 24 | 16 | 7 405 |
| 指定都市・特別区(再掲) | | | | | | | | | | | |
| 東京都区部 | 184 954 | 3 019 | 18 170 | 4 754 | 1 121 | 380 | 3 317 | 18 681 | 882 | 1 076 | 133 554 |
| 札幌市 | 16 196 | 445 | 2 707 | 379 | 56 | 57 | 239 | 839 | 23 | 110 | 11 341 |
| 仙台市 | 18 519 | 184 | 912 | 359 | 16 | 29 | 146 | 6 634 | 31 | 19 | 10 189 |
| さいたま市 | 19 131 | 394 | 374 | 410 | 84 | 92 | 1 809 | 3 654 | 27 | 10 | 12 277 |
| 千葉市 | 6 019 | 316 | 1 735 | 77 | 17 | 5 | 62 | 1 010 | － | － | 2 797 |
| 横浜市 | 72 315 | 1 092 | 23 588 | 1 303 | 296 | 175 | 346 | 8 895 | 122 | 366 | 36 132 |
| 川崎市 | 23 429 | 461 | 7 231 | 763 | 249 | 50 | 225 | 2 107 | 72 | 178 | 12 093 |
| 相模原市 | 5 321 | 121 | 1 337 | 70 | 14 | 6 | 29 | 2 440 | 12 | 6 | 1 286 |
| 新潟市 | 5 111 | 571 | 969 | 163 | 35 | － | 7 | 342 | － | － | 3 024 |
| 静岡市 | 3 099 | 26 | 126 | 44 | 7 | 4 | 7 | 476 | 12 | 8 | 2 389 |
| 浜松市 | 3 058 | 39 | 61 | 30 | 5 | 111 | 46 | 2 252 | 9 | 3 | 502 |
| 名古屋市 | 31 989 | 1 097 | 20 666 | 469 | 214 | 83 | 395 | 4 824 | 52 | 218 | 3 971 |
| 京都市 | 17 194 | 457 | 4 410 | 273 | 129 | 59 | 111 | 3 674 | 81 | 54 | 7 946 |
| 大阪市 | 28 927 | 1 281 | 809 | 2 238 | 872 | 131 | 275 | 5 152 | 138 | 222 | 17 809 |
| 堺市 | 30 235 | 788 | 8 648 | 1 287 | 851 | 42 | 93 | 13 409 | 33 | 53 | 5 031 |
| 神戸市 | 12 255 | 333 | 6 938 | 160 | 26 | 9 | 82 | 2 191 | 8 | 36 | 2 472 |
| 岡山市 | 6 304 | 35 | 161 | 83 | 136 | － | 215 | 2 398 | － | － | 3 276 |
| 広島市 | 22 138 | 193 | 9 796 | 130 | 25 | 59 | 147 | 3 953 | 13 | 2 | 7 820 |
| 北九州市 | 17 424 | 477 | 5 394 | 450 | 171 | 59 | 87 | 1 758 | 38 | 84 | 8 906 |
| 福岡市 | 51 639 | 79 | 37 954 | 239 | 95 | 107 | 73 | 4 709 | 13 | 6 | 8 364 |
| 熊本市 | 4 105 | 673 | 669 | 122 | 16 | 8 | 38 | 1 081 | 5 | 11 | 1 482 |

# 被指導延人員，都道府県－指定都市・特別区－中核市－その他政令市、相談内容別

平成29年度

| メールによる相談延人員 | | | | | | | | | | |
|---|---|---|---|---|---|---|---|---|---|---|
| 総数 | 老人精神保健 | 社会復帰 | アルコール | 薬物 | ギャンブル | 思春期 | 心の健康づくり | 摂食障害 | てんかん | その他 |
| 14 977 | 391 | 2 817 | 295 | 37 | 19 | 522 | 3 218 | 86 | 42 | 7 550 |
| 432 | 18 | 52 | 8 | 1 | 5 | 36 | 54 | 6 | – | 252 |
| 53 | – | 13 | – | – | – | 1 | 38 | – | – | 1 |
| 241 | 39 | 148 | – | – | – | – | 42 | – | – | 12 |
| 743 | 11 | 192 | 32 | – | – | – | 499 | 1 | 2 | 6 |
| 264 | – | 2 | – | – | – | – | 197 | – | – | 65 |
| 2 | – | 1 | – | – | – | 1 | – | – | – | – |
| 262 | – | 17 | – | – | – | 6 | 192 | 5 | – | 42 |
| 90 | – | 11 | – | – | – | 15 | – | – | 4 | 60 |
| 422 | 6 | 154 | – | – | – | – | 250 | – | – | 12 |
| 48 | 11 | 5 | 2 | – | – | – | 12 | 1 | – | 17 |
| 645 | 4 | 105 | 36 | 1 | 1 | 82 | 195 | – | – | 221 |
| 652 | 12 | 113 | 5 | – | 1 | 44 | 8 | 5 | 4 | 460 |
| 4 320 | 92 | 551 | 67 | 5 | 3 | 218 | 312 | 19 | 3 | 3 050 |
| 896 | 7 | 338 | 34 | 11 | 8 | 3 | 144 | 2 | – | 349 |
| 403 | 27 | 219 | 30 | – | – | 22 | 58 | – | – | 47 |
| 144 | – | 2 | – | – | – | – | 95 | – | – | 47 |
| 86 | 2 | 5 | – | – | – | – | 1 | – | – | 78 |
| 8 | 3 | 5 | – | – | – | – | – | – | – | – |
| 31 | – | 1 | – | – | – | – | – | – | – | 30 |
| 308 | 47 | 62 | 10 | – | – | 34 | 25 | 2 | 1 | 127 |
| 468 | – | 9 | – | – | – | – | 3 | – | – | 456 |
| 145 | 9 | 1 | – | – | – | 4 | 103 | 1 | – | 27 |
| 58 | 1 | 9 | – | – | – | 6 | 14 | – | – | 28 |
| 228 | – | 145 | 1 | – | – | 2 | 73 | – | – | 7 |
| 337 | 26 | – | 2 | – | – | 5 | 214 | – | 2 | 88 |
| 18 | 11 | 2 | 5 | – | – | – | – | – | – | – |
| 980 | 9 | 48 | 10 | 2 | – | 10 | 107 | – | – | 794 |
| 42 | – | 3 | – | – | – | – | 21 | – | – | 18 |
| 25 | – | 9 | – | – | – | – | 2 | – | – | 14 |
| 302 | – | 180 | – | – | – | – | 84 | 21 | 10 | 7 |
| 73 | – | 28 | – | – | – | 1 | 34 | – | – | 10 |
| 48 | 10 | – | 8 | – | – | 10 | 2 | 10 | – | 8 |
| 303 | 21 | 1 | 11 | – | – | 7 | 61 | 12 | – | 190 |
| 32 | – | 10 | – | – | – | – | 4 | – | – | 18 |
| 211 | – | – | – | – | – | – | 35 | – | – | 176 |
| 2 | – | – | – | – | – | – | – | – | – | 2 |
| 6 | – | 6 | – | – | – | – | – | – | – | – |
| 28 | 3 | 4 | – | – | – | 3 | 6 | – | – | 12 |
| 20 | – | – | 1 | – | – | – | 8 | – | – | 11 |
| 263 | 2 | 73 | 17 | 17 | 1 | 1 | 80 | 1 | 9 | 62 |
| 1 | – | – | – | – | – | – | 1 | – | – | – |
| 10 | – | – | – | – | – | – | – | – | – | 10 |
| 28 | 3 | 8 | 1 | – | – | – | 8 | – | – | 8 |
| 205 | 10 | 133 | 3 | – | – | 7 | 23 | – | – | 29 |
| 115 | 5 | 31 | – | – | – | 4 | 36 | – | 7 | 32 |
| 81 | 2 | 14 | – | – | – | – | 4 | – | – | 61 |
| 898 | – | 107 | 12 | – | – | – | 173 | – | – | 606 |
| 1 893 | 56 | 344 | 59 | 3 | 3 | 174 | 199 | 2 | 3 | 1 050 |
| 169 | 9 | – | 1 | 1 | – | – | – | – | – | 158 |
| 5 | – | 1 | – | – | – | – | 3 | – | – | 1 |
| 451 | 1 | 94 | 31 | 1 | 1 | 76 | 135 | – | – | 112 |
| 10 | 2 | 1 | – | – | 1 | – | 3 | – | – | 3 |
| 399 | 3 | 103 | – | 2 | – | – | 58 | – | – | 233 |
| 289 | – | 188 | 32 | 8 | 8 | 1 | 1 | 1 | – | 50 |
| 35 | – | 6 | 2 | – | – | 2 | 11 | – | – | 14 |
| 61 | 19 | 18 | – | – | – | – | 3 | – | – | 21 |
| – | – | – | – | – | – | – | – | – | – | – |
| 34 | 7 | 1 | – | – | – | – | 10 | – | – | 16 |
| 18 | 1 | 4 | – | – | – | 3 | 5 | – | – | 5 |
| – | – | – | – | – | – | – | – | – | – | – |
| 23 | 1 | 3 | 1 | – | – | – | 2 | – | – | 16 |
| 712 | 5 | 43 | 1 | 2 | – | 6 | 97 | – | – | 558 |
| 3 | – | – | – | – | – | – | – | – | – | 3 |
| – | – | – | – | – | – | – | – | – | – | – |
| 17 | – | 7 | – | – | – | – | 1 | – | – | 9 |
| 5 | 1 | – | – | – | – | – | 3 | – | – | 1 |
| 36 | – | 2 | 1 | 16 | – | – | – | – | 8 | 9 |
| 20 | 2 | 8 | – | – | – | – | 7 | – | – | 3 |

# 第27表（2－2） 市区町村が実施した精神保健福祉電話相談等の

| | 電話による相談延人員 | | | | | | | | | | |
|---|---|---|---|---|---|---|---|---|---|---|---|
| | 総数 | 老人精神保健 | 社会復帰 | アルコール | 薬物 | ギャンブル | 思春期 | 心の健康づくり | 摂食障害 | てんかん | その他 |
| 中核市(再掲) | | | | | | | | | | | |
| 旭川市 | 2 118 | 98 | 10 | 63 | 18 | 13 | 23 | 320 | 1 | 1 | 1 571 |
| 函館市 | 3 160 | 209 | 586 | 40 | 3 | 1 | － | 121 | － | 25 | 2 175 |
| 青森市 | 479 | 24 | 1 | 12 | 1 | － | 5 | 167 | 3 | 1 | 265 |
| 八戸市 | 276 | 8 | 8 | 12 | － | 1 | 17 | 67 | 5 | － | 158 |
| 盛岡市 | 2 475 | 16 | 219 | 25 | 3 | 3 | 5 | 117 | 3 | － | 2 084 |
| 秋田市 | 1 911 | 35 | 3 | 36 | 27 | － | 23 | 190 | － | － | 1 597 |
| 郡山市 | 2 052 | 35 | 347 | 45 | 2 | 7 | 32 | 1 148 | － | 4 | 432 |
| いわき市 | 2 093 | 77 | 757 | 53 | 15 | 3 | 14 | 405 | － | － | 769 |
| 宇都宮市 | 3 939 | 61 | 2 383 | 44 | 5 | 1 | 65 | 923 | 9 | － | 448 |
| 前橋市 | 2 475 | 167 | 667 | 95 | 9 | 1 | 35 | 303 | 3 | 5 | 1 190 |
| 高崎市 | 2 339 | 62 | 186 | 40 | 10 | 7 | 309 | 186 | 3 | 2 | 1 534 |
| 川越市 | 6 594 | 113 | 1 081 | 243 | 104 | 9 | 154 | 295 | 3 | 3 | 4 589 |
| 越谷市 | 2 833 | 59 | 30 | 146 | 14 | 4 | 82 | 654 | 4 | 12 | 1 828 |
| 船橋市 | 2 772 | 44 | 74 | 85 | 19 | 7 | 29 | 521 | 8 | 9 | 1 976 |
| 柏市 | 10 213 | 328 | 980 | 627 | 41 | 7 | 239 | 1 108 | 2 | － | 6 881 |
| 八王子市 | 8 145 | 240 | 1 265 | 173 | 35 | 3 | 264 | 1 877 | 25 | 25 | 4 238 |
| 横須賀市 | 5 787 | 201 | 122 | 151 | 36 | 3 | 121 | 3 868 | 6 | － | 1 279 |
| 富山市 | 4 211 | 133 | 1 589 | 72 | 19 | － | 85 | 1 212 | 4 | 41 | 1 056 |
| 金沢市 | 3 416 | 145 | 2 434 | 69 | 36 | － | 16 | 634 | 1 | － | 81 |
| 長野市 | 3 641 | 57 | 1 572 | 232 | 5 | 7 | 18 | 1 652 | 21 | 32 | 45 |
| 岐阜市 | 2 868 | 85 | 504 | 32 | － | 1 | 17 | 1 264 | 1 | 9 | 955 |
| 豊橋市 | 5 681 | 36 | 180 | 175 | 30 | 4 | 65 | 779 | 2 | 7 | 4 403 |
| 豊田市 | 3 444 | 9 | 260 | 47 | 19 | － | 7 | 812 | 2 | － | 2 288 |
| 岡崎市 | 699 | 5 | 27 | 9 | 4 | － | － | 71 | 6 | 10 | 567 |
| 大津市 | 4 444 | 18 | 305 | 140 | 11 | 2 | 91 | 3 550 | － | 7 | 320 |
| 高槻市 | 2 883 | 88 | 23 | 105 | 27 | 11 | 105 | 1 350 | 22 | 2 | 1 150 |
| 東大阪市 | 557 | 42 | 92 | 34 | 6 | 5 | 15 | 46 | 1 | 1 | 315 |
| 豊中市 | 1 807 | 48 | 15 | 64 | 12 | 15 | 41 | 1 037 | 5 | 2 | 568 |
| 枚方市 | 1 375 | 51 | 10 | 38 | 1 | 2 | 23 | 1 024 | 7 | － | 219 |
| 姫路市 | 2 314 | 77 | 9 | 82 | 3 | 5 | 26 | 1 856 | 5 | － | 251 |
| 西宮市 | 7 576 | 350 | 1 077 | 284 | 13 | 9 | 14 | 1 341 | 13 | 4 | 4 471 |
| 尼崎市 | 4 711 | 341 | 1 945 | 177 | 17 | 10 | 53 | 385 | 2 | 24 | 1 757 |
| 奈良市 | 293 | 9 | 91 | 24 | 6 | 1 | 4 | 17 | － | － | 141 |
| 和歌山市 | 9 466 | 75 | 8 129 | 57 | 32 | － | 1 | 77 | 6 | － | 1 089 |
| 倉敷市 | 3 619 | 91 | 745 | 126 | 17 | 3 | 49 | 1 588 | 6 | － | 994 |
| 福山市 | 2 116 | 35 | 134 | 55 | － | 7 | 26 | 274 | 7 | 14 | 1 564 |
| 呉市 | 932 | 19 | 90 | 9 | － | 2 | 10 | 185 | 7 | － | 610 |
| 下関市 | 2 905 | 73 | 42 | 59 | 12 | 6 | 3 | 79 | 1 | 15 | 2 615 |
| 高松市 | 3 841 | 34 | 1 788 | 43 | 3 | 1 | 8 | 1 739 | 3 | － | 222 |
| 松山市 | 4 012 | 46 | 379 | 43 | 3 | － | 5 | 1 266 | 6 | 13 | 2 251 |
| 高知市 | 3 037 | 41 | 3 | 56 | 8 | 3 | 17 | 160 | 1 | － | 2 748 |
| 久留米市 | 4 780 | 66 | 2 372 | 63 | 24 | 25 | 63 | 1 694 | 27 | 24 | 422 |
| 長崎市 | 4 026 | 168 | 9 | 130 | 103 | 8 | 72 | 9 | 58 | 7 | 3 462 |
| 佐世保市 | 4 167 | 554 | 142 | 86 | 1 | 14 | 44 | 1 254 | 39 | 25 | 2 008 |
| 大分市 | 5 035 | 417 | 4 | 100 | 7 | 5 | 79 | 898 | － | 72 | 3 453 |
| 宮崎市 | 3 944 | 207 | 332 | 379 | 18 | 12 | 32 | 419 | 3 | 2 | 2 540 |
| 鹿児島市 | 8 842 | 295 | 572 | 93 | 1 | 25 | 128 | 539 | － | 3 | 7 186 |
| 那覇市 | 2 948 | 129 | 142 | 360 | 26 | 13 | 40 | 714 | 22 | 1 | 1 501 |
| その他政令市(再掲) | | | | | | | | | | | |
| 小樽市 | 384 | 31 | 21 | 46 | 3 | － | 7 | 2 | 1 | 1 | 272 |
| 町田市 | 5 577 | 32 | 2 282 | 66 | 15 | 5 | 338 | 207 | 16 | － | 2 616 |
| 藤沢市 | 5 410 | 592 | 11 | 150 | 10 | 2 | 72 | 568 | 6 | － | 3 999 |
| 茅ヶ崎市 | 1 777 | 180 | － | 34 | 3 | 3 | 21 | 2 | 4 | 4 | 1 526 |
| 四日市市 | 1 868 | 5 | 1 | 163 | 3 | 3 | 215 | － | 1 | 5 | 1 472 |
| 大牟田市 | 1 205 | 137 | 287 | 83 | 1 | － | 16 | 64 | － | － | 617 |

# 被指導延人員，都道府県－指定都市・特別区－中核市－その他政令市、相談内容別

平成29年度

| メールによる相談延人員 | | | | | | | | | | |
|---|---|---|---|---|---|---|---|---|---|---|
| 総数 | 老人精神保健 | 社会復帰 | アルコール | 薬物 | ギャンブル | 思春期 | 心の健康づくり | 摂食障害 | てんかん | その他 |
| – | – | – | – | – | – | – | – | – | – | – |
| 44 | 7 | 25 | 2 | – | – | – | 4 | 4 | – | 2 |
| – | – | – | – | – | – | – | – | – | – | – |
| – | – | – | – | – | – | – | – | – | – | – |
| – | – | – | – | – | – | – | – | – | – | – |
| 1 | – | – | – | – | – | – | 1 | – | – | – |
| 3 | – | – | – | – | – | – | – | – | – | 3 |
| 9 | – | – | – | – | – | – | – | – | – | 9 |
| 152 | – | 152 | – | – | – | – | – | – | – | – |
| 4 | – | 2 | – | – | – | – | – | – | – | 2 |
| 28 | 1 | 3 | 2 | – | – | – | 12 | 1 | – | 9 |
| 15 | – | 1 | 3 | – | – | – | 1 | – | – | 10 |
| – | – | – | – | – | – | – | – | – | – | – |
| 1 | – | – | – | – | – | – | – | – | – | 1 |
| 54 | 2 | 6 | 5 | – | – | 1 | – | – | – | 40 |
| – | – | – | – | – | – | – | – | – | – | – |
| 58 | 1 | 1 | – | 1 | – | – | 50 | – | – | 5 |
| 126 | – | 2 | – | – | – | – | 92 | – | – | 32 |
| 7 | – | 5 | – | – | – | – | 1 | – | – | 1 |
| – | – | – | – | – | – | – | – | – | – | – |
| 19 | – | 4 | – | – | – | – | – | – | – | 15 |
| – | – | – | – | – | – | – | – | – | – | – |
| – | – | – | – | – | – | – | – | – | – | – |
| 5 | – | – | – | – | – | – | – | – | – | 5 |
| 220 | – | – | 2 | – | – | 5 | 212 | – | 1 | – |
| 15 | 3 | – | 2 | – | – | – | – | – | – | 10 |
| 16 | – | 2 | 1 | – | – | 1 | 7 | – | – | 5 |
| 52 | – | – | 5 | – | – | 3 | – | – | – | 44 |
| 1 | – | – | – | – | – | – | 1 | – | – | – |
| 4 | – | – | – | – | – | – | 4 | – | – | – |
| – | – | – | – | – | – | – | – | – | – | – |
| – | – | – | – | – | – | – | – | – | – | – |
| – | – | – | – | – | – | – | – | – | – | – |
| – | – | – | – | – | – | – | – | – | – | – |
| 13 | – | 1 | – | – | – | 2 | 8 | – | – | 2 |
| 1 | – | – | – | – | – | – | 1 | – | – | – |
| – | – | – | – | – | – | – | – | – | – | – |
| 119 | – | – | – | – | – | – | – | – | – | 119 |
| – | – | – | – | – | – | – | – | – | – | – |
| 9 | – | – | – | – | – | 3 | – | – | – | 6 |
| 6 | – | – | 1 | – | – | – | 3 | – | – | 2 |
| 54 | 1 | 27 | 1 | 1 | 1 | 1 | 17 | 1 | 1 | 3 |
| – | – | – | – | – | – | – | – | – | – | – |
| – | – | – | – | – | – | – | – | – | – | – |
| – | – | – | – | – | – | – | – | – | – | – |
| – | – | – | – | – | – | – | – | – | – | – |
| – | – | – | – | – | – | – | – | – | – | – |
| 2 | – | – | – | – | – | – | 2 | – | – | – |
| – | – | – | – | – | – | – | – | – | – | – |
| 44 | – | 1 | – | 2 | – | 5 | 1 | – | – | 35 |
| 30 | 1 | – | – | – | – | – | 7 | – | – | 22 |
| 2 | – | – | – | – | – | – | – | – | – | 2 |
| 1 | – | – | 1 | – | – | – | – | – | – | – |
| – | – | – | – | – | – | – | – | – | – | – |

# 第28表　市区町村が実施した精神保健福祉普及啓発のための教室等の

| | 精神障害者（家族）に対する教室等 | | (再掲)うつ病に関する教室等 | | 地域住民と精神障害者との地域交流会 | |
|---|---|---|---|---|---|---|
| | 開催回数 | 参加延人員 | 開催回数 | 参加延人員 | 開催回数 | 参加延人員 |
| 全　　　国 | 7 683 | 85 680 | 654 | 19 859 | 4 094 | 67 826 |
| 北　海　道 | 235 | 6 516 | 56 | 4 981 | 74 | 1 267 |
| 青　　森 | 101 | 946 | 9 | 352 | 25 | 553 |
| 岩　　手 | 210 | 3 193 | 49 | 1 719 | 52 | 1 621 |
| 宮　　城 | 327 | 3 132 | 12 | 311 | 47 | 2 181 |
| 秋　　田 | 64 | 451 | 10 | 205 | 27 | 492 |
| 山　　形 | 27 | 703 | 23 | 478 | 9 | 13 |
| 福　　島 | 33 | 525 | 9 | 86 | 27 | 439 |
| 茨　　城 | 21 | 574 | 4 | 93 | 11 | 269 |
| 栃　　木 | 12 | 288 | 4 | 121 | 12 | 213 |
| 群　　馬 | 90 | 736 | 3 | 6 | 49 | 288 |
| 埼　　玉 | 443 | 4 320 | 74 | 962 | 138 | 4 424 |
| 千　　葉 | 104 | 2 025 | 4 | 172 | 38 | 1 801 |
| 東　　京 | 747 | 8 153 | 56 | 1 244 | 89 | 4 499 |
| 神　奈　川 | 1 203 | 13 154 | 16 | 476 | 57 | 4 246 |
| 新　　潟 | 107 | 1 303 | 25 | 642 | 26 | 1 928 |
| 富　　山 | 47 | 587 | 9 | 197 | 2 399 | 3 138 |
| 石　　川 | 15 | 190 | － | － | 2 | 52 |
| 福　　井 | 18 | 107 | － | － | 1 | 20 |
| 山　　梨 | 11 | 83 | － | － | 38 | 927 |
| 長　　野 | 278 | 1 997 | 41 | 414 | 18 | 179 |
| 岐　　阜 | 5 | 61 | － | － | 44 | 150 |
| 静　　岡 | 90 | 1 315 | 15 | 456 | 12 | 252 |
| 愛　　知 | 573 | 4 773 | 12 | 457 | 32 | 2 868 |
| 三　　重 | 71 | 555 | 16 | 420 | 10 | 1 086 |
| 滋　　賀 | 30 | 426 | 7 | 142 | 1 | 17 |
| 京　　都 | 225 | 1 541 | 10 | 84 | 47 | 5 535 |
| 大　　阪 | 506 | 3 551 | 19 | 280 | 37 | 2 642 |
| 兵　　庫 | 169 | 2 711 | 20 | 887 | 27 | 188 |
| 奈　　良 | 26 | 166 | － | － | 39 | 608 |
| 和　歌　山 | 62 | 1 005 | 1 | 63 | 3 | 412 |
| 鳥　　取 | 102 | 1 051 | 6 | 184 | 31 | 1 466 |
| 島　　根 | 67 | 535 | 4 | 28 | 7 | 245 |
| 岡　　山 | 367 | 2 456 | 8 | 372 | 50 | 1 596 |
| 広　　島 | 424 | 3 740 | 11 | 595 | 122 | 2 381 |
| 山　　口 | 57 | 826 | － | － | 13 | 445 |
| 徳　　島 | 41 | 524 | 6 | 172 | 82 | 1 116 |
| 香　　川 | 44 | 430 | 4 | 37 | 6 | 99 |
| 愛　　媛 | 106 | 1 935 | 12 | 922 | 39 | 1 524 |
| 高　　知 | 131 | 879 | 3 | 26 | 241 | 8 503 |
| 福　　岡 | 205 | 2 872 | 28 | 627 | 61 | 4 143 |
| 佐　　賀 | 9 | 100 | 3 | 90 | － | － |
| 長　　崎 | 47 | 779 | 4 | 490 | 6 | 730 |
| 熊　　本 | 20 | 403 | 2 | 37 | 7 | 108 |
| 大　　分 | 32 | 2 067 | 3 | 50 | 8 | 537 |
| 宮　　崎 | 57 | 1 169 | 15 | 822 | 14 | 495 |
| 鹿　児　島 | 65 | 573 | － | － | 11 | 2 048 |
| 沖　　縄 | 59 | 254 | 41 | 159 | 5 | 82 |
| 指定都市・特別区(再掲) | | | | | | |
| 東 京 都 区 部 | 686 | 6 595 | 41 | 891 | 67 | 2 611 |
| 札　幌　市 | 27 | 547 | 26 | 529 | － | － |
| 仙　台　市 | 184 | 1 891 | － | － | 27 | 1 586 |
| さいたま市 | 136 | 1 298 | 3 | 25 | － | － |
| 千　葉　市 | 4 | 621 | － | － | 1 | 1 330 |
| 横　浜　市 | 963 | 10 539 | － | － | 14 | 241 |
| 川　崎　市 | 75 | 643 | 2 | 6 | 10 | 1 100 |
| 相模原市 | 22 | 181 | 4 | 45 | 2 | 423 |
| 新　潟　市 | － | － | － | － | 2 | 105 |
| 静　岡　市 | － | － | － | － | － | － |
| 浜　松　市 | 40 | 388 | 10 | 77 | 1 | 34 |
| 名古屋市 | 160 | 1 759 | 5 | 51 | 2 | 2 231 |
| 京　都　市 | 120 | 928 | 10 | 84 | 47 | 5 535 |
| 大　阪　市 | 324 | 2 113 | 15 | 111 | 3 | 295 |
| 堺　　市 | 35 | 443 | － | － | 26 | 1 300 |
| 神　戸　市 | 13 | 645 | 3 | 285 | － | － |
| 岡　山　市 | 10 | 103 | － | － | 5 | 138 |
| 広　島　市 | 82 | 911 | 10 | 553 | 18 | 1 123 |
| 北九州市 | 75 | 611 | 8 | 76 | 26 | 1 536 |
| 福　岡　市 | 125 | 1 986 | 17 | 422 | 18 | 2 520 |
| 熊　本　市 | 10 | 202 | | | | |

## 開催回数・参加延人員，都道府県－指定都市・特別区－中核市－その他政令市、開催内容別

平成29年度

| | 精神障害者（家族）に対する教室等 | | （再掲）うつ病に関する教室等 | | 地域住民と精神障害者との地域交流会 | |
|---|---|---|---|---|---|---|
| | 開催回数 | 参加延人員 | 開催回数 | 参加延人員 | 開催回数 | 参加延人員 |
| 中核市(再掲) | | | | | | |
| 旭川市 | 1 | 28 | － | － | － | － |
| 函館市 | 16 | 345 | － | － | 2 | 197 |
| 青森市 | － | － | － | － | － | － |
| 八戸市 | － | － | － | － | － | － |
| 盛岡市 | 12 | 219 | 2 | 91 | － | － |
| 秋田市 | － | － | － | － | － | － |
| 郡山市 | 15 | 183 | 5 | 17 | － | － |
| いわき市 | 4 | 91 | － | － | － | － |
| 宇都宮市 | 3 | 51 | － | － | － | － |
| 前橋市 | － | － | － | － | － | － |
| 高崎市 | 54 | 396 | － | － | － | － |
| 川越市 | 10 | 174 | 2 | 24 | － | － |
| 越谷市 | 3 | 66 | － | － | － | － |
| 船橋市 | 12 | 343 | 1 | 86 | 1 | 232 |
| 柏市 | 12 | 110 | － | － | － | － |
| 八王子市 | 9 | 305 | 5 | 129 | 1 | 838 |
| 横須賀市 | 6 | 53 | － | － | － | － |
| 富山市 | 6 | 87 | 4 | 54 | 2 396 | 2 680 |
| 金沢市 | 1 | 17 | － | － | － | － |
| 長野市 | 18 | 190 | 3 | 50 | － | － |
| 岐阜市 | － | － | － | － | － | － |
| 豊橋市 | 3 | 62 | 3 | 62 | － | － |
| 豊田市 | 237 | 1 453 | 1 | 163 | 4 | 189 |
| 岡崎市 | 25 | 288 | － | － | － | － |
| 大津市 | 9 | 179 | － | － | － | － |
| 高槻市 | 29 | 145 | － | － | － | － |
| 東大阪市 | － | － | － | － | － | － |
| 豊中市 | 18 | 50 | － | － | － | － |
| 枚方市 | 38 | 300 | － | － | － | － |
| 姫路市 | 22 | 134 | － | － | － | － |
| 西宮市 | 35 | 597 | 11 | 321 | 1 | 15 |
| 尼崎市 | 50 | 348 | － | － | － | － |
| 奈良市 | 5 | 77 | － | － | － | － |
| 和歌山市 | 23 | 261 | － | － | 3 | 412 |
| 倉敷市 | 5 | 32 | 1 | 26 | 9 | 690 |
| 福山市 | 6 | 75 | － | － | － | － |
| 呉市 | 5 | 108 | － | － | － | － |
| 下関市 | 5 | 53 | － | － | － | － |
| 高松市 | 32 | 336 | 4 | 37 | － | － |
| 松山市 | 8 | 213 | － | － | 3 | 390 |
| 高知市 | － | － | － | － | － | － |
| 久留米市 | － | － | － | － | － | － |
| 長崎市 | 34 | 226 | － | － | － | － |
| 佐世保市 | 2 | 35 | － | － | 2 | 500 |
| 大分市 | 1 | 10 | － | － | － | － |
| 宮崎市 | 8 | 178 | 4 | 104 | － | － |
| 鹿児島市 | 13 | 151 | － | － | 8 | 1 963 |
| 那覇市 | 1 | 26 | － | － | － | － |
| その他政令市(再掲) | | | | | | |
| 小樽市 | 6 | 62 | － | － | － | － |
| 町田市 | － | － | － | － | － | － |
| 藤沢市 | 47 | 692 | 7 | 402 | － | － |
| 茅ヶ崎市 | 10 | 96 | － | － | － | － |
| 四日市市 | － | － | － | － | 1 | 59 |
| 大牟田市 | － | － | － | － | － | － |

# 第29表　市区町村が実施した難病相談等の被指導実人員－

| | 相談、機能訓練、訪問指導実人員 | (再掲) 相談 | | (再掲) 機能訓練 | | (再掲) 訪問指導 | | 電話相談延人員 |
|---|---|---|---|---|---|---|---|---|
| | | 実人員 | 延人員 | 実人員 | 延人員 | 実人員 | 延人員 | |
| **全国** | **214 017** | **205 579** | **261 392** | **565** | **2 665** | **10 014** | **20 917** | **120 113** |
| 北海道 | 3 954 | 3 707 | 4 090 | 30 | 184 | 418 | 994 | 813 |
| 青森 | 408 | 314 | 339 | - | - | 101 | 218 | 235 |
| 岩手 | 544 | 462 | 492 | 3 | 3 | 105 | 185 | 157 |
| 宮城 | 433 | 291 | 453 | - | - | 203 | 502 | 580 |
| 秋田 | 387 | 379 | 1 219 | - | - | 10 | 19 | 2 444 |
| 山形 | 37 | 24 | 50 | - | - | 19 | 34 | 12 |
| 福島 | 5 389 | 5 354 | 5 625 | 4 | 37 | 92 | 167 | 2 349 |
| 茨城 | 40 | 31 | 53 | - | - | 11 | 28 | 52 |
| 栃木 | 371 | 326 | 660 | 5 | 5 | 130 | 356 | 346 |
| 群馬 | 5 010 | 4 958 | 5 168 | - | - | 102 | 347 | 1 251 |
| 埼玉 | 13 710 | 13 674 | 22 525 | 14 | 160 | 92 | 215 | 5 058 |
| 千葉 | 3 927 | 3 625 | 4 745 | - | - | 391 | 631 | 3 564 |
| 東京 | 17 368 | 16 399 | 21 183 | 274 | 1 311 | 1 157 | 3 425 | 7 580 |
| 神奈川 | 30 540 | 29 411 | 38 920 | 3 | 40 | 1 203 | 1 710 | 11 518 |
| 新潟 | 8 057 | 7 632 | 12 644 | 17 | 132 | 423 | 747 | 2 789 |
| 富山 | 2 981 | 2 976 | 2 976 | 2 | 39 | 53 | 116 | - |
| 石川 | 86 | 76 | 84 | - | - | 14 | 15 | 9 |
| 福井 | 57 | 56 | 73 | - | - | 3 | 14 | 20 |
| 山梨 | 95 | 66 | 223 | 1 | 10 | 58 | 150 | 128 |
| 長野 | 1 119 | 973 | 1 709 | 8 | 10 | 205 | 416 | 1 282 |
| 岐阜 | 4 189 | 4 138 | 4 246 | - | - | 54 | 115 | 366 |
| 静岡 | 4 307 | 4 167 | 4 668 | - | - | 162 | 223 | 4 945 |
| 愛知 | 4 675 | 3 287 | 3 509 | - | - | 1 478 | 2 010 | 1 934 |
| 三重 | 68 | 67 | 72 | - | - | 12 | 19 | 21 |
| 滋賀 | 2 801 | 2 761 | 3 842 | - | - | 56 | 120 | 394 |
| 京都 | 3 117 | 2 944 | 3 345 | - | - | 195 | 396 | 1 360 |
| 大阪 | 15 417 | 13 718 | 14 297 | 76 | 234 | 1 734 | 4 448 | 14 022 |
| 兵庫 | 7 476 | 7 205 | 8 179 | 42 | 138 | 344 | 561 | 4 066 |
| 奈良 | 581 | 539 | 557 | 3 | 37 | 43 | 164 | 1 753 |
| 和歌山 | 3 700 | 3 690 | 4 802 | - | - | 75 | 94 | 1 023 |
| 鳥取 | 18 | 13 | 21 | - | - | 6 | 9 | 19 |
| 島根 | 72 | 66 | 126 | - | - | 26 | 52 | 57 |
| 岡山 | 14 313 | 14 205 | 15 492 | 1 | 11 | 127 | 355 | 5 069 |
| 広島 | 12 698 | 12 668 | 13 493 | - | - | 84 | 248 | 5 046 |
| 山口 | 799 | 763 | 883 | 1 | 1 | 43 | 107 | 818 |
| 徳島 | 48 | 42 | 66 | - | - | 10 | 15 | 31 |
| 香川 | 114 | 39 | 77 | 1 | 10 | 85 | 271 | 395 |
| 愛媛 | 127 | 47 | 54 | 2 | 4 | 81 | 126 | 2 721 |
| 高知 | 398 | 352 | 854 | 1 | 24 | 85 | 184 | 1 340 |
| 福岡 | 28 267 | 28 231 | 39 967 | 2 | 7 | 41 | 71 | 15 021 |
| 佐賀 | 19 | 16 | 26 | - | - | 4 | 5 | 4 |
| 長崎 | 1 128 | 1 008 | 1 232 | 69 | 164 | 147 | 357 | 1 061 |
| 熊本 | 879 | 867 | 954 | - | - | 18 | 30 | 2 632 |
| 大分 | 801 | 665 | 730 | - | - | 139 | 278 | 239 |
| 宮崎 | 5 237 | 5 152 | 6 162 | - | - | 97 | 214 | 3 149 |
| 鹿児島 | 7 173 | 7 134 | 8 974 | 1 | 11 | 48 | 77 | 10 695 |
| 沖縄 | 1 082 | 1 061 | 1 533 | 5 | 93 | 30 | 79 | 1 745 |
| 指定都市・特別区(再掲) | | | | | | | | |
| 東京都区部 | 14 147 | 13 443 | 16 292 | 235 | 1 272 | 912 | 2 723 | 6 487 |
| 札幌市 | 3 294 | 3 231 | 3 241 | - | - | 170 | 242 | 233 |
| 仙台市 | 341 | 229 | 311 | - | - | 146 | 241 | 345 |
| さいたま市 | 7 474 | 7 474 | 14 968 | - | - | 27 | 50 | 2 815 |
| 千葉市 | 3 197 | 3 166 | 4 169 | - | - | 57 | 81 | 2 157 |
| 横浜市 | 18 387 | 17 626 | 20 402 | - | - | 761 | 884 | 2 842 |
| 川崎市 | 3 462 | 3 458 | 3 484 | - | - | 9 | 16 | 561 |
| 相模原市 | 3 498 | 3 177 | 6 062 | - | - | 321 | 460 | 1 823 |
| 新潟市 | 7 908 | 7 568 | 12 418 | - | - | 340 | 542 | 2 575 |
| 静岡市 | 2 623 | 2 505 | 2 696 | - | - | 118 | 147 | 2 044 |
| 浜松市 | 1 643 | 1 627 | 1 897 | - | - | 34 | 64 | 2 843 |
| 名古屋市 | 3 661 | 2 382 | 2 525 | - | - | 1 279 | 1 526 | 1 289 |
| 京都市 | 3 066 | 2 920 | 3 306 | - | - | 160 | 280 | 1 263 |
| 大阪市 | 5 864 | 5 242 | 5 333 | - | - | 622 | 912 | 1 510 |
| 堺市 | 1 329 | 1 123 | 1 156 | - | - | 206 | 660 | 1 291 |
| 神戸市 | 6 318 | 6 314 | 7 189 | - | - | 46 | 55 | 623 |
| 岡山市 | 12 540 | 12 493 | 13 632 | - | - | 47 | 149 | 4 833 |
| 広島市 | 10 723 | 10 715 | 10 850 | - | - | 11 | 17 | 3 257 |
| 北九州市 | 14 310 | 14 298 | 14 740 | - | - | 12 | 13 | 8 059 |
| 福岡市 | 12 661 | 12 659 | 23 931 | - | - | 6 | 15 | 4 602 |
| 熊本市 | 826 | 823 | 899 | - | - | 3 | 3 | 2 600 |

# 延人員，都道府県－指定都市・特別区－中核市－その他政令市、相談等の種類別

平成29年度

| | 相談、機能訓練、訪問指導実人員 | （再掲）相談 実人員 | （再掲）相談 延人員 | （再掲）機能訓練 実人員 | （再掲）機能訓練 延人員 | （再掲）訪問指導 実人員 | （再掲）訪問指導 延人員 | 電話相談延人員 |
|---|---|---|---|---|---|---|---|---|
| 中核市(再掲) | | | | | | | | |
| 旭川市 | 78 | 74 | 74 | - | - | 4 | 10 | 3 |
| 函館市 | 120 | 64 | 66 | - | - | 56 | 142 | 232 |
| 青森市 | 179 | 134 | 144 | - | - | 45 | 117 | 137 |
| 八戸市 | 169 | 140 | 140 | - | - | 29 | 48 | 63 |
| 盛岡市 | 4 | 4 | 6 | - | - | 4 | 12 | 24 |
| 秋田市 | 355 | 349 | 349 | - | - | 6 | 9 | 2 436 |
| 郡山市 | 2 798 | 2 795 | 2 996 | - | - | 16 | 16 | 1 625 |
| いわき市 | 2 504 | 2 504 | 2 504 | - | - | 27 | 43 | 638 |
| 宇都宮市 | 328 | 306 | 615 | 5 | 5 | 96 | 289 | 328 |
| 前橋市 | 2 902 | 2 902 | 3 105 | - | - | 46 | 95 | 1 168 |
| 高崎市 | 2 091 | 2 040 | 2 040 | - | - | 51 | 243 | 50 |
| 川越市 | 2 796 | 2 796 | 4 032 | - | - | 17 | 60 | 1 571 |
| 越谷市 | 3 373 | 3 350 | 3 373 | - | - | 29 | 79 | 635 |
| 船橋市 | 305 | 63 | 77 | - | - | 273 | 447 | 859 |
| 柏市 | 383 | 363 | 387 | - | - | 43 | 63 | 477 |
| 八王子市 | 182 | 39 | 912 | 34 | 34 | 109 | 348 | 299 |
| 横須賀市 | 192 | 173 | 3 890 | - | - | 19 | 62 | 3 717 |
| 富山市 | 2 976 | 2 976 | 2 976 | - | - | 49 | 111 | - |
| 金沢市 | 77 | 67 | 69 | - | - | 12 | 13 | 6 |
| 長野市 | 880 | 776 | 1 282 | - | - | 104 | 134 | 988 |
| 岐阜市 | 4 164 | 4 118 | 4 223 | - | - | 46 | 103 | 350 |
| 豊橋市 | 543 | 514 | 570 | - | - | 92 | 270 | 606 |
| 豊田市 | 73 | 73 | 91 | - | - | 24 | 35 | 19 |
| 岡崎市 | 388 | 315 | 315 | - | - | 73 | 141 | 11 |
| 大津市 | 2 765 | 2 728 | 3 693 | - | - | 37 | 65 | 351 |
| 高槻市 | 1 073 | 740 | 740 | 52 | 169 | 281 | 1 387 | 6 740 |
| 東大阪市 | 4 375 | 4 152 | 4 302 | - | - | 258 | 660 | 906 |
| 豊中市 | 1 510 | 1 329 | 1 599 | 16 | 16 | 165 | 423 | 2 124 |
| 枚方市 | 1 235 | 1 106 | 1 106 | - | - | 192 | 381 | 1 442 |
| 姫路市 | 360 | 194 | 203 | 18 | 18 | 154 | 193 | 239 |
| 西宮市 | 446 | 406 | 443 | 18 | 25 | 51 | 130 | 2 568 |
| 尼崎市 | 256 | 245 | 266 | - | - | 20 | 38 | 567 |
| 奈良市 | 566 | 528 | 538 | - | - | 38 | 149 | 1 736 |
| 和歌山市 | 3 657 | 3 657 | 4 739 | - | - | 57 | 73 | 1 013 |
| 倉敷市 | 1 708 | 1 655 | 1 731 | - | - | 53 | 143 | 202 |
| 福山市 | 4 | 4 | 4 | - | - | - | - | 14 |
| 呉市 | 1 813 | 1 813 | 2 411 | - | - | 5 | 23 | 1 527 |
| 下関市 | 757 | 728 | 793 | - | - | 29 | 58 | 709 |
| 高松市 | 82 | 9 | 10 | - | - | 73 | 254 | 364 |
| 松山市 | 76 | 13 | 14 | - | - | 63 | 88 | 2 709 |
| 高知市 | 310 | 289 | 394 | - | - | 32 | 75 | 1 265 |
| 久留米市 | 787 | 770 | 770 | - | - | 17 | 21 | 2 011 |
| 長崎市 | 610 | 571 | 575 | 62 | 119 | 41 | 56 | 894 |
| 佐世保市 | 437 | 367 | 572 | 7 | 45 | 94 | 251 | 138 |
| 大分市 | 552 | 416 | 476 | - | - | 136 | 270 | 227 |
| 宮崎市 | 5 211 | 5 127 | 5 988 | - | - | 84 | 164 | 3 074 |
| 鹿児島市 | 7 090 | 7 059 | 8 824 | - | - | 31 | 32 | 10 595 |
| 那覇市 | 1 010 | 994 | 1 363 | - | - | 16 | 34 | 1 723 |
| その他政令市(再掲) | | | | | | | | |
| 小樽市 | 47 | 44 | 48 | - | - | 3 | 5 | 47 |
| 町田市 | 99 | 10 | 22 | 4 | 4 | 89 | 268 | 312 |
| 藤沢市 | 4 758 | 4 758 | 4 758 | 3 | 40 | 56 | 175 | 2 480 |
| 茅ヶ崎市 | 217 | 199 | 248 | - | - | 20 | 70 | 70 |
| 四日市市 | 60 | 60 | 60 | - | - | 9 | 13 | 12 |
| 大牟田市 | 460 | 460 | 460 | - | - | - | - | 100 |

# 第30表 市区町村が実施した難病相談等の新規被指導特定疾患医療受給者証所持者数，都道府県－

| | 新規者の受付経路 | | | 医療受給者証所持者（指定難病患者） | 特定疾患医療受給者証所持者 |
|---|---|---|---|---|---|
| | 総数 | 医療機関 | その他 | | |
| **全国** | **58 392** | **35 781** | **22 611** | **149 824** | **2 716** |
| 北海道 | 3 501 | 5 | 3 496 | 235 | 17 |
| 青森 | 309 | 5 | 304 | 275 | – |
| 岩手 | 337 | 5 | 332 | 4 | – |
| 宮城 | 118 | 12 | 106 | 324 | – |
| 秋田 | 375 | 333 | 42 | 349 | 3 |
| 山形 | 22 | 1 | 21 | – | – |
| 福島 | 667 | 630 | 37 | 4 426 | 5 |
| 茨城 | 30 | 6 | 24 | – | – |
| 栃木 | 193 | 111 | 82 | 322 | 1 |
| 群馬 | 3 315 | 3 303 | 12 | 4 839 | 1 |
| 埼玉 | 7 911 | 7 848 | 63 | 13 047 | 10 |
| 千葉 | 2 170 | 419 | 1 751 | 2 386 | – |
| 東京 | 3 328 | 2 073 | 1 255 | 9 302 | 797 |
| 神奈川 | 9 216 | 7 127 | 2 089 | 19 126 | 1 000 |
| 新潟 | 977 | 930 | 47 | 7 868 | 19 |
| 富山 | 416 | – | 416 | 2 948 | 28 |
| 石川 | 82 | 2 | 80 | 71 | 4 |
| 福井 | 55 | 3 | 52 | – | – |
| 山梨 | 55 | 7 | 48 | – | – |
| 長野 | 963 | 96 | 867 | 877 | 3 |
| 岐阜 | 456 | 1 | 455 | 2 397 | 3 |
| 静岡 | 1 069 | 988 | 81 | 4 119 | 212 |
| 愛知 | 1 097 | 988 | 109 | 4 233 | 3 |
| 三重 | 22 | 3 | 19 | 57 | 2 |
| 滋賀 | 2 781 | 10 | 2 771 | 2 759 | 6 |
| 京都 | 1 966 | 57 | 1 909 | 1 805 | 463 |
| 大阪 | 4 184 | 3 423 | 761 | 11 566 | 8 |
| 兵庫 | 908 | 533 | 375 | 4 805 | 21 |
| 奈良 | 141 | 1 | 140 | 560 | 6 |
| 和歌山 | 498 | 481 | 17 | 2 937 | 1 |
| 鳥取 | 10 | 1 | 9 | – | – |
| 島根 | 32 | 9 | 23 | – | – |
| 岡山 | 1 468 | 1 390 | 78 | 7 288 | 32 |
| 広島 | 1 085 | 1 005 | 80 | 8 374 | 26 |
| 山口 | 348 | 321 | 27 | 739 | – |
| 徳島 | 35 | – | 35 | – | – |
| 香川 | 54 | 6 | 48 | – | – |
| 愛媛 | 109 | 3 | 106 | 64 | – |
| 高知 | 313 | 253 | 60 | 15 | – |
| 福岡 | 3 753 | 1 909 | 1 844 | 21 310 | 35 |
| 佐賀 | 9 | 1 | 8 | – | – |
| 長崎 | 591 | 76 | 515 | 345 | – |
| 熊本 | 866 | 1 | 865 | 821 | – |
| 大分 | 677 | 439 | 238 | 541 | 1 |
| 宮崎 | 537 | 521 | 16 | 2 933 | 4 |
| 鹿児島 | 827 | 33 | 794 | 4 868 | 5 |
| 沖縄 | 516 | 412 | 104 | 889 | – |
| 指定都市・特別区(再掲) | | | | | |
| 東京都区部 | 2 600 | 1 951 | 649 | 9 302 | 698 |
| 札幌市 | 3 191 | – | 3 191 | 50 | 17 |
| 仙台市 | 91 | 8 | 83 | 324 | – |
| さいたま市 | 7 474 | 7 474 | – | 7 468 | 6 |
| 千葉市 | 1 718 | 2 | 1 716 | 2 078 | – |
| 横浜市 | 3 673 | 3 308 | 365 | 11 239 | 966 |
| 川崎市 | 21 | 4 | 17 | 1 222 | 25 |
| 相模原市 | 508 | – | 508 | 1 540 | 6 |
| 新潟市 | 929 | 929 | – | 7 868 | 19 |
| 静岡市 | 623 | 623 | – | 2 623 | 65 |
| 浜松市 | 419 | 365 | 54 | 1 496 | 147 |
| 名古屋市 | 779 | 718 | 61 | 3 351 | – |
| 京都市 | 1 934 | 53 | 1 881 | 1 805 | 463 |
| 大阪市 | 1 509 | 1 475 | 34 | 4 225 | 7 |
| 堺市 | 806 | 751 | 55 | 1 009 | – |
| 神戸市 | 230 | 217 | 13 | 3 889 | 21 |
| 岡山市 | 934 | 887 | 47 | 5 677 | 32 |
| 広島市 | 1 011 | 984 | 27 | 6 620 | 15 |
| 北九州市 | 1 418 | – | 1 418 | 11 080 | 11 |
| 福岡市 | 1 725 | 1 571 | 154 | 9 578 | 24 |
| 熊本市 | 826 | – | 826 | 821 | – |

# 実人員・医療受給者証所持者（指定難病患者）数・
## 指定都市・特別区－中核市－その他政令市、新規者の受付経路別

平成29年度

| | 新規者の受付経路 | | | 医療受給者証所持者（指定難病患者） | 特定疾患医療受給者証所持者 |
|---|---|---|---|---|---|
| | 総数 | 医療機関 | その他 | | |
| 中核市(再掲) | | | | | |
| 旭川市 | 78 | - | 78 | 78 | - |
| 函館市 | 52 | - | 52 | 62 | - |
| 青森市 | 104 | 3 | 101 | 135 | - |
| 八戸市 | 169 | - | 169 | 140 | - |
| 盛岡市 | - | - | - | 4 | - |
| 秋田市 | 349 | 333 | 16 | 349 | 3 |
| 郡山市 | 340 | 340 | - | 2 260 | 3 |
| いわき市 | 287 | 287 | - | 2 166 | 2 |
| 宇都宮市 | 164 | 105 | 59 | 322 | 1 |
| 前橋市 | 2 902 | 2 902 | - | 2 901 | 1 |
| 高崎市 | 398 | 398 | - | 1 938 | - |
| 川越市 | 369 | 363 | 6 | 2 232 | 4 |
| 越谷市 | 22 | 4 | 18 | 3 347 | - |
| 船橋市 | 67 | 67 | - | 284 | - |
| 柏市 | 366 | 348 | 18 | 24 | - |
| 八王子市 | 54 | 4 | 50 | - | - |
| 横須賀市 | 22 | 22 | - | 151 | 3 |
| 富山市 | 413 | - | 413 | 2 948 | 28 |
| 金沢市 | 73 | 2 | 71 | 71 | 4 |
| 長野市 | 880 | 88 | 792 | 877 | 3 |
| 岐阜市 | 435 | - | 435 | 2 397 | 3 |
| 豊橋市 | 30 | 12 | 18 | 537 | 2 |
| 豊田市 | 30 | 19 | 11 | 73 | - |
| 岡崎市 | 255 | 238 | 17 | 272 | 1 |
| 大津市 | 2 765 | 3 | 2 762 | 2 759 | 6 |
| 高槻市 | 486 | 486 | - | 1 072 | 1 |
| 東大阪市 | 667 | 34 | 633 | 3 570 | - |
| 豊中市 | 504 | 500 | 4 | 1 505 | - |
| 枚方市 | 185 | 176 | 9 | 185 | - |
| 姫路市 | 226 | 20 | 206 | 226 | - |
| 西宮市 | 264 | 200 | 64 | 440 | - |
| 尼崎市 | 123 | 90 | 33 | 250 | - |
| 奈良市 | 129 | - | 129 | 560 | 6 |
| 和歌山市 | 477 | 477 | - | 2 937 | 1 |
| 倉敷市 | 502 | 502 | - | 1 611 | - |
| 福山市 | 3 | - | 3 | 1 | - |
| 呉市 | - | - | - | 1 753 | 11 |
| 下関市 | 320 | 320 | - | 739 | - |
| 高松市 | 38 | 4 | 34 | - | - |
| 松山市 | 76 | - | 76 | 64 | - |
| 高知市 | 286 | 252 | 34 | 15 | - |
| 久留米市 | 335 | 335 | - | 452 | - |
| 長崎市 | 330 | - | 330 | 62 | - |
| 佐世保市 | 194 | 76 | 118 | 283 | - |
| 大分市 | 433 | 432 | 1 | 541 | 1 |
| 宮崎市 | 521 | 521 | - | 2 933 | 4 |
| 鹿児島市 | 772 | 18 | 754 | 4 868 | 5 |
| 那覇市 | 455 | 407 | 48 | 889 | - |
| その他政令市(再掲) | | | | | |
| 小樽市 | 47 | - | 47 | 45 | - |
| 町田市 | 99 | 99 | - | - | 99 |
| 藤沢市 | 4 758 | 3 787 | 971 | 4 758 | - |
| 茅ヶ崎市 | 217 | - | 217 | 216 | - |
| 四日市市 | 16 | - | 16 | 57 | 2 |
| 大牟田市 | 260 | - | 260 | 200 | - |

# 第31表　市区町村が実施した難病相談の被指導実人員－

| | 実人員 | 延人員 | | | | | | | | | |
|---|---|---|---|---|---|---|---|---|---|---|---|
| | | 総数 | 申請等の相談 | 医療 | 家庭看護 | 福祉制度 | 就労 | 就学 | 食事・栄養 | 歯科 | その他 |
| 全国 | 205 579 | 261 392 | 214 332 | 15 235 | 8 920 | 8 245 | 1 338 | 123 | 766 | 141 | 12 292 |
| 北海道 | 3 707 | 4 090 | 2 150 | 1 223 | 240 | 315 | 14 | 1 | 38 | 6 | 103 |
| 青森 | 314 | 339 | 143 | 61 | 25 | 40 | 11 | 1 | 5 | – | 53 |
| 岩手 | 462 | 492 | 430 | 9 | 2 | 18 | 3 | – | 3 | 1 | 26 |
| 宮城 | 291 | 453 | 150 | 46 | 54 | 75 | 17 | 1 | 6 | – | 104 |
| 秋田 | 379 | 1 219 | 351 | 7 | 1 | 2 | – | – | – | – | 858 |
| 山形 | 24 | 50 | 10 | 5 | 7 | 8 | 1 | 3 | 8 | – | 8 |
| 福島 | 5 354 | 5 625 | 5 493 | 41 | 12 | 35 | 2 | – | 9 | – | 33 |
| 茨城 | 31 | 53 | 19 | 6 | 12 | 14 | – | 1 | – | – | 1 |
| 栃木 | 326 | 660 | 138 | 221 | 89 | 163 | 11 | 3 | 20 | 1 | 14 |
| 群馬 | 4 958 | 5 168 | 5 026 | 34 | 37 | 47 | 7 | – | – | – | 17 |
| 埼玉 | 13 674 | 22 525 | 22 181 | 80 | 80 | 80 | 10 | 1 | 8 | 3 | 82 |
| 千葉 | 3 625 | 4 745 | 2 555 | 927 | 588 | 283 | 46 | 1 | 24 | 6 | 315 |
| 東京 | 16 399 | 21 183 | 16 618 | 1 329 | 1 032 | 1 306 | 58 | 14 | 42 | 17 | 767 |
| 神奈川 | 29 411 | 38 920 | 27 724 | 2 923 | 3 085 | 1 956 | 101 | 7 | 115 | 20 | 2 989 |
| 新潟 | 7 632 | 12 644 | 11 006 | 619 | 322 | 310 | 16 | 4 | 7 | 2 | 358 |
| 富山 | 2 976 | 2 976 | 2 976 | – | – | – | – | – | – | – | – |
| 石川 | 76 | 84 | 9 | 16 | 2 | 3 | 4 | – | 1 | – | 49 |
| 福井 | 56 | 73 | 53 | – | 6 | 4 | – | – | – | – | 10 |
| 山梨 | 66 | 223 | 24 | 32 | 22 | 58 | 3 | 1 | 12 | 1 | 70 |
| 長野 | 973 | 1 709 | 711 | 337 | 367 | 108 | 25 | 3 | 42 | 11 | 105 |
| 岐阜 | 4 138 | 4 246 | 4 119 | 26 | 52 | 21 | 3 | – | 3 | – | 22 |
| 静岡 | 4 167 | 4 668 | 3 602 | 443 | 193 | 234 | 13 | – | 15 | – | 168 |
| 愛知 | 3 287 | 3 509 | 977 | 369 | 1 019 | 259 | 109 | 8 | 72 | 13 | 683 |
| 三重 | 67 | 72 | 46 | 2 | 1 | 1 | – | – | – | 2 | 20 |
| 滋賀 | 2 761 | 3 842 | 2 597 | 143 | 169 | 276 | 9 | 1 | 47 | 1 | 599 |
| 京都 | 2 944 | 3 345 | 2 972 | 86 | 45 | 107 | 9 | 1 | 2 | – | 123 |
| 大阪 | 13 718 | 14 297 | 9 893 | 2 713 | 432 | 401 | 108 | 7 | 79 | 9 | 655 |
| 兵庫 | 7 205 | 8 179 | 6 507 | 554 | 216 | 330 | 24 | 9 | 17 | 8 | 514 |
| 奈良 | 539 | 557 | 507 | 10 | 10 | 9 | – | – | – | – | 21 |
| 和歌山 | 3 690 | 4 802 | 4 748 | 13 | 6 | 24 | 4 | – | 2 | – | 5 |
| 鳥取 | 13 | 21 | 7 | 3 | 4 | 4 | – | – | 1 | 1 | 1 |
| 島根 | 66 | 126 | 20 | 32 | 14 | 19 | 17 | 2 | 6 | – | 16 |
| 岡山 | 14 205 | 15 492 | 14 130 | 247 | 286 | 443 | 74 | 4 | 51 | 1 | 256 |
| 広島 | 12 668 | 13 493 | 13 071 | 87 | 23 | 126 | 20 | 5 | 14 | – | 147 |
| 山口 | 763 | 883 | 579 | 127 | 69 | 44 | 10 | 2 | 12 | – | 40 |
| 徳島 | 42 | 66 | 40 | 11 | 2 | 6 | – | 1 | 2 | – | 4 |
| 香川 | 39 | 77 | 9 | 13 | 4 | 30 | 2 | – | 2 | – | 17 |
| 愛媛 | 47 | 54 | 36 | 4 | – | 1 | – | – | 2 | – | 11 |
| 高知 | 352 | 854 | 124 | 92 | 2 | 255 | 24 | 21 | 7 | 5 | 324 |
| 福岡 | 28 231 | 39 967 | 37 147 | 1 097 | 111 | 324 | 291 | 8 | 27 | 4 | 958 |
| 佐賀 | 16 | 26 | 3 | 13 | 1 | 4 | 2 | – | 1 | – | 2 |
| 長崎 | 1 008 | 1 232 | 428 | 369 | 98 | 188 | 12 | – | 21 | 3 | 113 |
| 熊本 | 867 | 954 | 836 | 31 | – | 31 | 7 | 2 | 3 | – | 44 |
| 大分 | 665 | 730 | 244 | 365 | 57 | 20 | 14 | – | 4 | – | 26 |
| 宮崎 | 5 152 | 6 162 | 5 131 | 85 | 11 | 76 | 17 | – | 2 | 4 | 836 |
| 鹿児島 | 7 134 | 8 974 | 7 722 | 333 | 88 | 154 | 43 | 7 | 27 | 20 | 580 |
| 沖縄 | 1 061 | 1 533 | 1 070 | 51 | 24 | 33 | 197 | 4 | 7 | 2 | 145 |
| 指定都市・特別区(再掲) | | | | | | | | | | | |
| 東京都区部 | 13 443 | 16 292 | 13 170 | 1 082 | 702 | 756 | 27 | 13 | 41 | 12 | 489 |
| 札幌市 | 3 231 | 3 241 | 1 717 | 1 113 | 139 | 230 | 2 | – | 29 | – | 11 |
| 仙台市 | 229 | 311 | 137 | 29 | 37 | 38 | 15 | – | 4 | – | 51 |
| さいたま市 | 7 474 | 14 968 | 14 948 | 2 | 3 | 4 | 3 | – | 1 | – | 7 |
| 千葉市 | 3 166 | 4 169 | 2 250 | 882 | 535 | 195 | 29 | – | 17 | 4 | 257 |
| 横浜市 | 17 626 | 20 402 | 16 720 | 862 | 688 | 976 | 83 | 7 | 82 | 10 | 974 |
| 川崎市 | 3 458 | 3 484 | 3 404 | 22 | 26 | 8 | 1 | – | 1 | – | 22 |
| 相模原市 | 3 177 | 6 062 | 3 859 | 57 | 39 | 198 | 4 | – | 8 | 1 | 1 896 |
| 新潟市 | 7 568 | 12 418 | 10 982 | 588 | 320 | 270 | 4 | 4 | 2 | – | 248 |
| 静岡市 | 2 505 | 2 696 | 2 203 | 274 | 11 | 43 | 10 | – | – | – | 155 |
| 浜松市 | 1 627 | 1 897 | 1 374 | 154 | 178 | 176 | – | – | 13 | – | 2 |
| 名古屋市 | 2 382 | 2 525 | 933 | 295 | 651 | 159 | 77 | 8 | 35 | 6 | 361 |
| 京都市 | 2 920 | 3 306 | 2 961 | 79 | 41 | 100 | 9 | 1 | 2 | – | 113 |
| 大阪市 | 5 242 | 5 333 | 4 775 | 203 | 44 | 41 | 13 | – | 9 | – | 248 |
| 堺市 | 1 123 | 1 156 | 590 | 97 | 190 | 116 | 62 | 5 | 26 | 3 | 67 |
| 神戸市 | 6 314 | 7 189 | 6 166 | 330 | 135 | 193 | 12 | 3 | – | – | 350 |
| 岡山市 | 12 493 | 13 632 | 13 073 | 108 | 39 | 301 | 36 | 3 | – | – | 72 |
| 広島市 | 10 715 | 10 850 | 10 617 | 65 | 11 | 106 | 18 | – | 8 | – | 25 |
| 北九州市 | 14 298 | 14 740 | 12 498 | 906 | 59 | 205 | 267 | – | 24 | – | 781 |
| 福岡市 | 12 659 | 23 931 | 23 477 | 161 | 42 | 73 | 21 | 3 | 2 | 4 | 148 |
| 熊本市 | 823 | 899 | 807 | 24 | – | 26 | 5 | – | – | – | 37 |

# 延人員，都道府県－指定都市・特別区－中核市－その他政令市、相談内容別

平成29年度

| | 実人員 | 延人員 総数 | 申請等の相談 | 医療 | 家庭看護 | 福祉制度 | 就労 | 就学 | 食事・栄養 | 歯科 | その他 |
|---|---|---|---|---|---|---|---|---|---|---|---|
| 中核市(再掲) | | | | | | | | | | | |
| 旭川市 | 74 | 74 | 25 | 19 | 30 | – | – | – | – | – | – |
| 函館市 | 64 | 66 | 52 | – | – | 13 | 1 | – | – | – | – |
| 青森市 | 134 | 144 | 48 | 41 | 13 | 16 | 4 | 1 | 2 | – | 19 |
| 八戸市 | 140 | 140 | 78 | 16 | 11 | 14 | 4 | – | 1 | – | 16 |
| 盛岡市 | 4 | 6 | 1 | – | – | 1 | – | – | – | – | 4 |
| 秋田市 | 349 | 349 | 349 | – | – | – | – | – | – | – | – |
| 郡山市 | 2 795 | 2 996 | 2 968 | 11 | 5 | 11 | 1 | – | – | – | – |
| いわき市 | 2 504 | 2 504 | 2 490 | 2 | 1 | 8 | – | – | – | – | 3 |
| 宇都宮市 | 306 | 615 | 127 | 212 | 88 | 154 | 10 | 1 | 17 | 1 | 5 |
| 前橋市 | 2 902 | 3 105 | 3 001 | 18 | 34 | 33 | 4 | – | – | – | 15 |
| 高崎市 | 2 040 | 2 040 | 2 016 | 15 | 1 | 7 | 1 | – | – | – | – |
| 川越市 | 2 796 | 4 032 | 3 880 | 46 | 52 | 44 | – | – | 1 | – | 9 |
| 越谷市 | 3 350 | 3 373 | 3 322 | 6 | 17 | 14 | 3 | – | 5 | 3 | 3 |
| 船橋市 | 63 | 77 | 3 | 23 | 4 | 12 | 4 | 1 | 1 | – | 29 |
| 柏市 | 363 | 387 | 289 | 16 | 38 | 25 | 11 | – | 2 | – | 6 |
| 八王子市 | 39 | 912 | 74 | 153 | 301 | 153 | 8 | 1 | 1 | 1 | 220 |
| 横須賀市 | 173 | 3 890 | 38 | 1 915 | 1 278 | 639 | – | – | 13 | 7 | – |
| 富山市 | 2 976 | 2 976 | 2 976 | – | – | – | – | – | – | – | – |
| 金沢市 | 67 | 69 | 3 | 14 | 1 | 2 | – | – | – | – | 49 |
| 長野市 | 776 | 1 282 | 620 | 257 | 309 | 38 | 6 | 2 | 21 | – | 29 |
| 岐阜市 | 4 118 | 4 223 | 4 110 | 23 | 51 | 18 | 3 | – | 3 | – | 15 |
| 豊橋市 | 514 | 570 | 34 | 54 | 83 | 78 | 24 | – | 32 | 6 | 259 |
| 豊田市 | 73 | 91 | 1 | 9 | 12 | 10 | – | – | 2 | – | 57 |
| 岡崎市 | 315 | 315 | 8 | 11 | 272 | 11 | 8 | – | 1 | – | 4 |
| 大津市 | 2 728 | 3 693 | 2 595 | 117 | 169 | 217 | 8 | – | 47 | 1 | 539 |
| 高槻市 | 740 | 740 | 493 | 61 | 63 | 18 | 5 | 1 | 18 | 2 | 79 |
| 東大阪市 | 4 152 | 4 302 | 3 969 | 72 | 108 | 68 | 10 | 1 | 10 | – | 64 |
| 豊中市 | 1 329 | 1 599 | 6 | 1 280 | 9 | 136 | 18 | – | 15 | 4 | 131 |
| 枚方市 | 1 106 | 1 106 | 53 | 999 | 13 | 13 | – | – | 1 | – | 27 |
| 姫路市 | 194 | 203 | 153 | 17 | 12 | 6 | 2 | – | – | – | 13 |
| 西宮市 | 406 | 443 | – | 167 | 43 | 102 | 9 | – | 7 | 1 | 114 |
| 尼崎市 | 245 | 266 | 183 | 33 | 18 | 9 | 1 | 1 | 2 | – | 19 |
| 奈良市 | 528 | 538 | 507 | 9 | 1 | 7 | – | – | – | – | 14 |
| 和歌山市 | 3 657 | 4 739 | 4 739 | – | – | – | – | – | – | – | – |
| 倉敷市 | 1 655 | 1 731 | 1 022 | 121 | 244 | 119 | 33 | 1 | 36 | 1 | 154 |
| 福山市 | 4 | 4 | – | – | 1 | 3 | – | – | – | – | – |
| 呉市 | 1 813 | 2 411 | 2 406 | – | – | – | – | – | – | – | 5 |
| 下関市 | 728 | 793 | 556 | 119 | 66 | 14 | 8 | 2 | 2 | – | 26 |
| 高松市 | 9 | 10 | 3 | 3 | 1 | 2 | 1 | – | – | – | – |
| 松山市 | 13 | 14 | 14 | – | – | – | – | – | – | – | – |
| 高知市 | 289 | 394 | 105 | 34 | – | 17 | 1 | – | – | – | 237 |
| 久留米市 | 770 | 770 | 708 | 22 | 4 | 30 | 1 | 1 | – | – | 4 |
| 長崎市 | 571 | 575 | 28 | 290 | 35 | 148 | – | – | 6 | – | 68 |
| 佐世保市 | 367 | 572 | 333 | 71 | 59 | 38 | 9 | – | 15 | 3 | 44 |
| 大分市 | 416 | 476 | 5 | 360 | 54 | 16 | 14 | – | 1 | – | 26 |
| 宮崎市 | 5 127 | 5 988 | 5 127 | 61 | – | 10 | – | – | – | – | 790 |
| 鹿児島市 | 7 059 | 8 824 | 7 657 | 304 | 83 | 122 | 38 | 2 | 26 | 20 | 572 |
| 那覇市 | 994 | 1 363 | 1 057 | 40 | 16 | 24 | 194 | 2 | 3 | – | 27 |
| その他政令市(再掲) | | | | | | | | | | | |
| 小樽市 | 44 | 48 | 1 | – | 33 | – | – | – | – | – | 14 |
| 町田市 | 10 | 22 | 10 | 8 | – | 4 | – | – | – | – | – |
| 藤沢市 | 4 758 | 4 758 | 3 546 | 42 | 999 | 107 | 9 | – | 9 | 2 | 44 |
| 茅ヶ崎市 | 199 | 248 | 157 | 8 | 32 | 2 | 4 | – | 2 | – | 43 |
| 四日市市 | 60 | 60 | 45 | 1 | 1 | 1 | – | – | – | – | 12 |
| 大牟田市 | 460 | 460 | 448 | – | – | – | – | – | – | – | 12 |

# 第32表　市区町村が実施した難病患者及び家族に対する学習会の

| | 開催回数 | 参加延人員 |
|---|---|---|
| **全国** | **997** | **19 062** |
| 北海道 | 34 | 556 |
| 青森 | 5 | 123 |
| 岩手 | 7 | 198 |
| 宮城 | 29 | 1 349 |
| 秋田 | 3 | 47 |
| 山形 | – | – |
| 福島 | 7 | 110 |
| 茨城 | – | – |
| 栃木 | 25 | 449 |
| 群馬 | 13 | 455 |
| 埼玉 | 30 | 469 |
| 千葉 | 11 | 682 |
| 東京 | 124 | 2 395 |
| 神奈川 | 239 | 3 453 |
| 新潟 | 5 | 33 |
| 富山 | 3 | 17 |
| 石川 | 1 | 47 |
| 福井 | – | – |
| 山梨 | – | – |
| 長野 | 35 | 468 |
| 岐阜 | 4 | 109 |
| 静岡 | 7 | 74 |
| 愛知 | 107 | 1 642 |
| 三重 | – | – |
| 滋賀 | 3 | 198 |
| 京都 | 1 | 4 |
| 大阪 | 66 | 1 472 |
| 兵庫 | 19 | 1 537 |
| 奈良 | 6 | 16 |
| 和歌山 | 1 | 67 |
| 鳥取 | – | – |
| 島根 | 3 | 65 |
| 岡山 | 45 | 604 |
| 広島 | 21 | 410 |
| 山口 | 5 | 130 |
| 徳島 | – | – |
| 香川 | 6 | 86 |
| 愛媛 | 7 | 162 |
| 高知 | 1 | 13 |
| 福岡 | 20 | 724 |
| 佐賀 | – | – |
| 長崎 | 72 | 258 |
| 熊本 | 11 | 236 |
| 大分 | 2 | 129 |
| 宮崎 | 10 | 66 |
| 鹿児島 | 7 | 178 |
| 沖縄 | 2 | 31 |
| 指定都市・特別区(再掲) | | |
| 東京都区部 | 99 | 1 968 |
| 札幌市 | 14 | 219 |
| 仙台市 | 29 | 1 349 |
| さいたま市 | 22 | 179 |
| 千葉市 | 3 | 234 |
| 横浜市 | 189 | 2 817 |
| 川崎市 | 1 | 7 |
| 相模原市 | 15 | 158 |
| 新潟市 | 4 | 21 |
| 静岡市 | 3 | 29 |
| 浜松市 | 4 | 45 |
| 名古屋市 | 83 | 939 |
| 京都市 | – | – |
| 大阪市 | 14 | 503 |
| 堺市 | 17 | 300 |
| 神戸市 | 8 | 913 |
| 岡山市 | 18 | 296 |
| 広島市 | 6 | 248 |
| 北九州市 | – | – |
| 福岡市 | 14 | 578 |
| 熊本市 | 10 | 221 |

## 開催回数・参加延人員，都道府県－指定都市・特別区－中核市－その他政令市別

平成29年度

| | 開催回数 | 参加延人員 |
|---|---|---|
| 中核市(再掲) | | |
| 旭川市 | - | - |
| 函館市 | 5 | 248 |
| 青森市 | 3 | 75 |
| 八戸市 | 1 | 44 |
| 盛岡市 | 3 | 110 |
| 秋田市 | 3 | 47 |
| 郡山市 | 4 | 77 |
| いわき市 | 3 | 33 |
| 宇都宮市 | 25 | 449 |
| 前橋市 | 6 | 312 |
| 高崎市 | 7 | 143 |
| 川越市 | 2 | 137 |
| 越谷市 | 2 | 129 |
| 船橋市 | 3 | 174 |
| 柏市 | 2 | 178 |
| 八王子市 | 23 | 373 |
| 横須賀市 | 16 | 206 |
| 富山市 | 3 | 17 |
| 金沢市 | 1 | 47 |
| 長野市 | 30 | 447 |
| 岐阜市 | 4 | 109 |
| 豊橋市 | 12 | 247 |
| 豊田市 | 8 | 347 |
| 岡崎市 | 4 | 109 |
| 大津市 | 3 | 198 |
| 高槻市 | 18 | 294 |
| 東大阪市 | 4 | 139 |
| 豊中市 | 7 | 87 |
| 枚方市 | 2 | 124 |
| 姫路市 | 2 | 85 |
| 西宮市 | 9 | 539 |
| 尼崎市 | - | - |
| 奈良市 | 2 | 12 |
| 和歌山市 | 1 | 67 |
| 倉敷市 | 7 | 171 |
| 福山市 | 2 | 31 |
| 呉市 | 1 | 8 |
| 下関市 | 5 | 130 |
| 高松市 | 3 | 68 |
| 松山市 | 6 | 160 |
| 高知市 | 1 | 13 |
| 久留米市 | 6 | 146 |
| 長崎市 | 62 | 119 |
| 佐世保市 | 9 | 137 |
| 大分市 | 2 | 129 |
| 宮崎市 | 10 | 66 |
| 鹿児島市 | 3 | 120 |
| 那覇市 | 2 | 31 |
| その他政令市(再掲) | | |
| 小樽市 | - | - |
| 町田市 | 1 | 11 |
| 藤沢市 | 15 | 184 |
| 茅ヶ崎市 | 3 | 81 |
| 四日市市 | - | - |
| 大牟田市 | - | - |

# 第33表（4－1）市区町村が実施した衛生教育の開催回数・

| | 開催 | | | | | | | | | |
|---|---|---|---|---|---|---|---|---|---|---|
| | 総数 | 感染症 | (再掲) 結核 | (再掲) エイズ | 精神 | 難病 | 母子 | 思春期・未婚女性学級 | 婚前・新婚学級 | 両(母)親学級 |
| **全国** | **367 622** | **6 807** | **2 414** | **1 210** | **12 235** | **623** | **116 970** | **6 465** | **182** | **21 919** |
| 北海道 | 13 600 | 126 | 13 | 37 | 300 | 61 | 4 973 | 575 | 5 | 1 198 |
| 青森 | 4 734 | 148 | 17 | 15 | 234 | 3 | 1 051 | 273 | - | 102 |
| 岩手 | 7 191 | 68 | 7 | 6 | 547 | 4 | 1 351 | 153 | - | 229 |
| 宮城 | 6 950 | 52 | 18 | 10 | 494 | 5 | 1 884 | 89 | 2 | 370 |
| 秋田 | 5 708 | 134 | 13 | 2 | 367 | 1 | 1 171 | 38 | - | 84 |
| 山形 | 5 890 | 24 | 5 | - | 199 | - | 1 092 | 49 | - | 173 |
| 福島 | 7 500 | 80 | 37 | 17 | 198 | 9 | 1 820 | 295 | - | 149 |
| 茨城 | 11 313 | 14 | - | - | 118 | - | 3 853 | 330 | - | 584 |
| 栃木 | 6 069 | 34 | 1 | 18 | 94 | 3 | 2 027 | 369 | - | 193 |
| 群馬 | 6 006 | 70 | 24 | 5 | 123 | 4 | 2 448 | 46 | - | 429 |
| 埼玉 | 8 809 | 51 | 6 | 18 | 253 | 39 | 4 169 | 37 | - | 1 131 |
| 千葉 | 13 254 | 45 | 17 | 9 | 142 | 14 | 4 182 | 115 | 39 | 1 008 |
| 東京 | 30 934 | 562 | 167 | 161 | 1 390 | 133 | 11 669 | 59 | 48 | 3 273 |
| 神奈川 | 22 702 | 479 | 205 | 61 | 1 401 | 103 | 7 230 | 228 | 3 | 1 803 |
| 新潟 | 9 798 | 37 | 2 | 27 | 259 | 3 | 1 917 | 132 | - | 260 |
| 富山 | 3 244 | 49 | - | 47 | 58 | - | 755 | 28 | - | 121 |
| 石川 | 1 857 | 37 | 10 | 5 | 38 | - | 860 | 39 | 1 | 165 |
| 福井 | 2 110 | 52 | 12 | - | 44 | - | 628 | 39 | - | 42 |
| 山梨 | 4 605 | 39 | 12 | - | 68 | - | 1 789 | 64 | 24 | 366 |
| 長野 | 12 776 | 318 | 85 | 107 | 354 | 9 | 2 665 | 71 | 3 | 564 |
| 岐阜 | 7 433 | 239 | 63 | - | 146 | - | 3 026 | 98 | - | 542 |
| 静岡 | 10 476 | 95 | 4 | 22 | 206 | 3 | 4 327 | 216 | - | 581 |
| 愛知 | 26 835 | 855 | 247 | 146 | 265 | 52 | 7 517 | 751 | 23 | 1 535 |
| 三重 | 5 505 | 132 | 35 | 5 | 113 | 1 | 1 666 | 91 | - | 221 |
| 滋賀 | 3 268 | 28 | 5 | 3 | 47 | 3 | 1 177 | 14 | - | 138 |
| 京都 | 4 517 | 137 | 73 | 26 | 229 | 3 | 1 783 | 45 | - | 391 |
| 大阪 | 18 782 | 806 | 505 | 64 | 382 | 29 | 9 235 | 263 | - | 1 328 |
| 兵庫 | 15 663 | 287 | 44 | 97 | 489 | 62 | 4 783 | 341 | - | 593 |
| 奈良 | 3 382 | 14 | 2 | 5 | 77 | 3 | 1 456 | 52 | - | 285 |
| 和歌山 | 3 377 | 21 | 2 | 11 | 33 | 1 | 1 723 | 253 | - | 208 |
| 鳥取 | 1 452 | 3 | - | - | 144 | - | 588 | 55 | - | 52 |
| 島根 | 3 228 | 26 | 9 | 7 | 73 | 2 | 606 | 41 | - | 85 |
| 岡山 | 5 927 | 623 | 180 | 99 | 458 | 7 | 1 852 | 126 | - | 119 |
| 広島 | 7 238 | 141 | 74 | 27 | 569 | 1 | 1 757 | 71 | - | 256 |
| 山口 | 4 712 | 25 | 2 | 2 | 276 | 2 | 1 151 | 85 | - | 152 |
| 徳島 | 1 309 | 4 | - | 2 | 31 | - | 769 | 26 | - | 149 |
| 香川 | 6 162 | 40 | 17 | 3 | 175 | 3 | 1 478 | 22 | 19 | 142 |
| 愛媛 | 4 697 | 43 | 2 | 3 | 223 | 1 | 761 | 66 | - | 135 |
| 高知 | 2 194 | 35 | 8 | 7 | 46 | 3 | 442 | 83 | - | 76 |
| 福岡 | 14 374 | 423 | 363 | 14 | 310 | 40 | 4 478 | 214 | 5 | 1 425 |
| 佐賀 | 2 665 | 21 | 7 | - | 325 | - | 1 140 | 24 | - | 112 |
| 長崎 | 3 976 | 39 | 11 | 8 | 154 | 9 | 1 076 | 44 | - | 171 |
| 熊本 | 6 700 | 32 | 2 | 19 | 20 | - | 1 892 | 109 | - | 276 |
| 大分 | 4 480 | 31 | 11 | 1 | 103 | - | 844 | 54 | - | 67 |
| 宮崎 | 2 922 | 44 | 10 | 11 | 89 | - | 812 | 57 | - | 193 |
| 鹿児島 | 9 697 | 239 | 83 | 83 | 540 | 7 | 2 382 | 125 | 9 | 273 |
| 沖縄 | 1 601 | 5 | 4 | - | 31 | - | 715 | 110 | 1 | 170 |
| 指定都市・特別区(再掲) | | | | | | | | | | |
| 東京都区部 | 22 594 | 532 | 160 | 154 | 1 197 | 127 | 9 318 | 45 | 48 | 2 441 |
| 札幌市 | 1 813 | 18 | 2 | 11 | 18 | 31 | 884 | 3 | - | 331 |
| 仙台市 | 2 153 | 37 | 14 | 10 | 207 | 5 | 807 | 16 | - | 161 |
| さいたま市 | 1 307 | 2 | 2 | - | 13 | 7 | 1 180 | 1 | - | 192 |
| 千葉市 | 409 | 7 | 4 | 2 | 40 | - | 63 | - | - | 57 |
| 横浜市 | 10 405 | 165 | 127 | 3 | 999 | 63 | 3 382 | 126 | - | 854 |
| 川崎市 | 1 586 | 144 | 45 | 13 | 54 | - | 393 | 22 | - | 154 |
| 相模原市 | 1 353 | 40 | 6 | 28 | 134 | 5 | 250 | 13 | 2 | 38 |
| 新潟市 | 2 370 | 35 | 2 | 26 | 16 | 3 | 630 | 64 | - | 95 |
| 静岡市 | 3 505 | 21 | 2 | 18 | - | 3 | 2 308 | 30 | - | 126 |
| 浜松市 | 691 | 10 | - | 3 | 125 | - | 246 | 80 | - | 49 |
| 名古屋市 | 11 723 | 717 | 222 | 126 | 105 | 46 | 3 148 | 282 | - | 552 |
| 京都市 | 1 679 | 85 | 21 | 26 | 192 | 2 | 455 | 41 | - | 133 |
| 大阪市 | 6 117 | 653 | 461 | 38 | 117 | - | 3 647 | 58 | - | 653 |
| 堺市 | 2 052 | 10 | 3 | 7 | 94 | 6 | 937 | 136 | - | 51 |
| 神戸市 | 3 411 | 226 | 28 | 86 | 86 | - | 1 790 | 93 | - | - |
| 岡山市 | 1 713 | 257 | 33 | 81 | 67 | 2 | 814 | 78 | - | - |
| 広島市 | 1 271 | 53 | 15 | 17 | 130 | - | 399 | 21 | - | 49 |
| 北九州市 | 1 760 | 16 | 4 | - | 48 | 21 | 802 | 105 | - | 112 |
| 福岡市 | 4 863 | 378 | 353 | 10 | 193 | 16 | 1 333 | 4 | - | 190 |
| 熊本市 | 3 198 | 28 | 2 | 15 | - | - | 968 | 52 | - | 11 |

# 参加延人員，都道府県－指定都市・特別区－中核市－その他政令市、教育内容別

平成29年度

| 回数 | | | | | | | | | (再掲) | |
|---|---|---|---|---|---|---|---|---|---|---|
| 育児学級 | その他 | 成人・老人 | 栄養・健康増進 | 歯科 | 医事・薬事 | 食品 | 環境 | その他 | 地区組織活動 | 健康危機管理 |
| **52 726** | **35 678** | **92 646** | **72 709** | **43 347** | **1 600** | **9 787** | **1 882** | **9 016** | **52 164** | **1 904** |
| 1 929 | 1 266 | 3 514 | 2 868 | 1 062 | 105 | 253 | 50 | 288 | 1 095 | 25 |
| 354 | 322 | 1 198 | 1 410 | 416 | 6 | 75 | 4 | 189 | 718 | － |
| 483 | 486 | 2 459 | 1 995 | 553 | 3 | 2 | － | 209 | 1 053 | 3 |
| 727 | 696 | 1 660 | 1 567 | 603 | 4 | 155 | 299 | 227 | 1 080 | 24 |
| 438 | 611 | 2 298 | 1 162 | 465 | 2 | 25 | － | 83 | 511 | 16 |
| 437 | 433 | 2 384 | 1 605 | 444 | 9 | 17 | 3 | 113 | 1 186 | － |
| 616 | 760 | 2 894 | 1 448 | 793 | 66 | 55 | 2 | 135 | 1 058 | 23 |
| 1 889 | 1 050 | 2 704 | 1 476 | 3 045 | 23 | － | － | 80 | 650 | 5 |
| 874 | 591 | 1 335 | 2 005 | 387 | － | 100 | － | 84 | 490 | － |
| 1 202 | 771 | 1 079 | 1 844 | 314 | 21 | 69 | 4 | 30 | 1 250 | － |
| 1 988 | 1 013 | 1 588 | 1 372 | 533 | 85 | 99 | 11 | 609 | 1 133 | 62 |
| 1 105 | 1 915 | 2 265 | 1 991 | 4 230 | 27 | 156 | 24 | 178 | 1 143 | 2 |
| 4 574 | 3 715 | 4 417 | 3 606 | 6 629 | 99 | 1 362 | 324 | 743 | 5 621 | 124 |
| 4 430 | 766 | 6 575 | 3 403 | 1 695 | 46 | 1 274 | 76 | 420 | 5 581 | 39 |
| 828 | 697 | 3 671 | 2 111 | 1 099 | 18 | 179 | 55 | 449 | 1 811 | 3 |
| 484 | 122 | 1 149 | 710 | 360 | 13 | 56 | － | 94 | 169 | 13 |
| 404 | 251 | 219 | 447 | 164 | － | 66 | 4 | 22 | 245 | － |
| 432 | 115 | 205 | 632 | 462 | － | － | － | 87 | 468 | － |
| 607 | 728 | 1 012 | 994 | 265 | 2 | 2 | 1 | 433 | 1 114 | 1 |
| 1 230 | 797 | 4 383 | 2 967 | 1 696 | 43 | 60 | 8 | 273 | 2 014 | 5 |
| 1 158 | 1 228 | 1 463 | 1 420 | 998 | － | 111 | 2 | 28 | 698 | 4 |
| 1 185 | 2 345 | 2 589 | 1 029 | 1 806 | 50 | 181 | 30 | 160 | 928 | 184 |
| 3 575 | 1 633 | 7 174 | 4 784 | 4 493 | 139 | 811 | 511 | 234 | 3 905 | 381 |
| 1 204 | 150 | 635 | 1 290 | 338 | 49 | 53 | 8 | 1 220 | 1 293 | 23 |
| 953 | 72 | 1 063 | 214 | 385 | 6 | 199 | 6 | 140 | 72 | 193 |
| 647 | 700 | 1 387 | 734 | 200 | － | 16 | － | 28 | 398 | 63 |
| 4 999 | 2 645 | 2 759 | 2 282 | 1 183 | 463 | 1 262 | 144 | 237 | 1 750 | 116 |
| 1 567 | 2 282 | 4 791 | 3 292 | 1 470 | 33 | 281 | 15 | 160 | 1 756 | 251 |
| 670 | 449 | 425 | 948 | 351 | 1 | 19 | － | 88 | 456 | 56 |
| 793 | 469 | 639 | 641 | 201 | 3 | 60 | 7 | 48 | 164 | 1 |
| 347 | 134 | 241 | 316 | 94 | － | 3 | － | 63 | 143 | 7 |
| 375 | 105 | 1 292 | 631 | 168 | 3 | 2 | 2 | 423 | 341 | － |
| 724 | 883 | 636 | 1 662 | 375 | 9 | 103 | 43 | 159 | 1 141 | 57 |
| 1 123 | 307 | 1 673 | 2 173 | 376 | 7 | 301 | 18 | 222 | 687 | 12 |
| 538 | 376 | 1 429 | 1 379 | 305 | 21 | 33 | 7 | 84 | 866 | － |
| 248 | 346 | 174 | 256 | 48 | 15 | － | － | 12 | 137 | 3 |
| 610 | 685 | 1 553 | 2 544 | 154 | 11 | 34 | 1 | 169 | 646 | 26 |
| 355 | 205 | 2 311 | 924 | 182 | 86 | 106 | 22 | 38 | 462 | 11 |
| 216 | 67 | 560 | 505 | 393 | 6 | 115 | 3 | 86 | 97 | 7 |
| 2 254 | 580 | 4 745 | 2 490 | 667 | 44 | 776 | 82 | 319 | 3 337 | 14 |
| 588 | 416 | 378 | 514 | 265 | － | 7 | 2 | 13 | 390 | － |
| 503 | 358 | 754 | 1 130 | 567 | 13 | 120 | 12 | 102 | 781 | 12 |
| 1 096 | 411 | 1 060 | 1 352 | 1 346 | 60 | 873 | 23 | 42 | 1 301 | 2 |
| 631 | 92 | 1 729 | 1 429 | 149 | 2 | 60 | 1 | 132 | 1 320 | 3 |
| 454 | 108 | 738 | 726 | 396 | 2 | 82 | － | 33 | 194 | 2 |
| 576 | 1 399 | 3 236 | 1 902 | 1 211 | 5 | 84 | 78 | 13 | 346 | 131 |
| 306 | 128 | 203 | 529 | 11 | － | 90 | － | 17 | 165 | － |
| 3 582 | 3 202 | 2 224 | 2 340 | 4 532 | 87 | 1 264 | 312 | 661 | 4 348 | 102 |
| 391 | 159 | 241 | 264 | 107 | 99 | 130 | 21 | － | 12 | 21 |
| 359 | 271 | 452 | 11 | 9 | － | 154 | 285 | 186 | 276 | 24 |
| 974 | 13 | 14 | 12 | 2 | － | 57 | 5 | 15 | 5 | 57 |
| 6 | － | 91 | 40 | 3 | － | 87 | 19 | 59 | 193 | － |
| 2 402 | － | 3 589 | 746 | 442 | 4 | 918 | 27 | 70 | 3 830 | 15 |
| 185 | 32 | 51 | 414 | 347 | 24 | 129 | 30 | － | 294 | 18 |
| 197 | － | 92 | 623 | 94 | 7 | 101 | 7 | － | 38 | － |
| 462 | 9 | 979 | 416 | 44 | 15 | 177 | 55 | － | 264 | － |
| 220 | 1 932 | 136 | 88 | 690 | 37 | 138 | 18 | 66 | 194 | 142 |
| 114 | 3 | 52 | － | 208 | 3 | 37 | 10 | － | － | 1 |
| 2 032 | 282 | 3 444 | 1 218 | 1 698 | 65 | 601 | 493 | 188 | 3 082 | 336 |
| 195 | 86 | 455 | 398 | 72 | － | 16 | － | 4 | 212 | 63 |
| 2 131 | 805 | 22 | 107 | － | 298 | 1 085 | 116 | 72 | － | 83 |
| 750 | － | 326 | 376 | 230 | 18 | 47 | 8 | － | 376 | － |
| 98 | 1 599 | 304 | 270 | 601 | 20 | 103 | 7 | 4 | 67 | 243 |
| 119 | 617 | － | 389 | 132 | － | 48 | 4 | － | 248 | － |
| 313 | 16 | 322 | 55 | 21 | 3 | 144 | 10 | 134 | 25 | － |
| 545 | 40 | 7 | 474 | 218 | 20 | 123 | 14 | 17 | 11 | 9 |
| 924 | 215 | 1 521 | 459 | 118 | 5 | 576 | 68 | 196 | 1 193 | － |
| 605 | 300 | 425 | 372 | 472 | 60 | 869 | 3 | 1 | 1 037 | 1 |

# 第33表（4－2）市区町村が実施した衛生教育の開催回数・

| | 総　　数 | 感染症 | (再掲) 結核 | エイズ | 精神 | 難病 | 母子 | 思春期・未婚女性学級 | 婚前・新婚学級 | 両（母）親学級 |
|---|---|---|---|---|---|---|---|---|---|---|
| 中核市(再掲) | | | | | | | | | | |
| 旭　川　市 | 165 | 18 | － | 16 | 31 | 4 | 65 | 44 | － | － |
| 函　館　市 | 279 | 17 | － | 5 | 16 | 2 | 54 | 29 | － | 6 |
| 青　森　市 | 528 | 19 | 2 | 13 | 11 | － | 228 | 44 | － | 20 |
| 八　戸　市 | 479 | 6 | 1 | 1 | 22 | 3 | 173 | 31 | － | 12 |
| 盛　岡　市 | 529 | 17 | 1 | 2 | 40 | 3 | 66 | 8 | － | 16 |
| 秋　田　市 | 710 | 27 | 2 | 2 | 21 | 1 | 77 | － | － | 6 |
| 郡　山　市 | 228 | 15 | 5 | 7 | － | － | 127 | 95 | － | 20 |
| い　わ　き　市 | 631 | 45 | 32 | 8 | 26 | 4 | 291 | 11 | － | 24 |
| 宇　都　宮　市 | 515 | 31 | 1 | 18 | 48 | 3 | 219 | 46 | － | 34 |
| 前　橋　市 | 1 181 | 10 | 1 | － | 28 | 3 | 572 | 4 | － | 39 |
| 高　崎　市 | 608 | 29 | 11 | 2 | 13 | 1 | 526 | － | － | 84 |
| 川　越　市 | 636 | 33 | － | 16 | 8 | 31 | 80 | － | － | 11 |
| 越　谷　市 | 422 | 11 | 3 | － | － | 1 | 47 | 3 | － | 40 |
| 船　橋　市 | 891 | 17 | 8 | 4 | 12 | 5 | 350 | 7 | － | 138 |
| 柏　　　市 | 573 | 10 | 4 | 3 | 23 | 8 | 66 | － | － | 38 |
| 八　王　子　市 | 1 222 | 11 | 3 | 4 | 9 | 4 | 127 | － | － | 53 |
| 横　須　賀　市 | 1 220 | 9 | 2 | 3 | 33 | 26 | 714 | － | － | 167 |
| 富　山　市 | 1 395 | 47 | － | 47 | 38 | － | 284 | － | － | 24 |
| 金　沢　市 | 499 | 35 | 10 | 3 | 23 | － | 264 | － | － | 20 |
| 長　野　市 | 264 | 48 | 1 | 24 | 70 | 1 | － | － | － | － |
| 岐　阜　市 | 1 342 | 162 | 63 | － | 90 | － | 575 | － | － | 12 |
| 豊　橋　市 | 329 | 18 | 11 | 7 | 17 | 3 | 139 | 30 | 23 | 10 |
| 豊　田　市 | 2 083 | 9 | 3 | － | 43 | … | 616 | 98 | － | 12 |
| 岡　崎　市 | 521 | 38 | 9 | 13 | 37 | 3 | 28 | 11 | － | 12 |
| 大　津　市 | 1 016 | 23 | 5 | 3 | 13 | 3 | 267 | 3 | － | 28 |
| 高　槻　市 | 273 | 12 | 4 | 3 | 16 | 1 | 67 | － | － | 31 |
| 東　大　阪　市 | 990 | 9 | 4 | － | 7 | － | 409 | 11 | － | 33 |
| 豊　中　市 | 489 | 30 | 13 | 5 | 55 | 5 | 163 | 10 | － | 30 |
| 枚　方　市 | 485 | 21 | 8 | 11 | 64 | 17 | 165 | － | － | 27 |
| 姫　路　市 | 1 974 | 22 | 2 | 7 | 27 | 3 | 188 | 85 | － | － |
| 西　宮　市 | 496 | 7 | － | 3 | 62 | 47 | 231 | 8 | － | 38 |
| 尼　崎　市 | 994 | 13 | 2 | 1 | 55 | － | 489 | 1 | － | 204 |
| 奈　良　市 | 252 | 8 | 2 | 4 | 4 | 3 | 107 | － | － | 24 |
| 和　歌　山　市 | 424 | 20 | 2 | 11 | 16 | 1 | 229 | － | － | 46 |
| 倉　敷　市 | 1 091 | 317 | 124 | 18 | 285 | 5 | 187 | － | － | 8 |
| 福　山　市 | 245 | 13 | 3 | 7 | 21 | － | 47 | 4 | － | 12 |
| 呉　　　市 | 655 | 69 | 56 | 1 | 231 | 1 | 81 | 11 | － | 28 |
| 下　関　市 | 751 | 11 | 1 | 2 | 24 | 2 | 118 | － | － | 22 |
| 高　松　市 | 1 029 | 31 | 15 | 3 | 145 | 3 | 363 | 3 | 19 | 30 |
| 松　山　市 | 1 056 | 8 | 2 | 3 | 5 | 1 | 77 | 8 | － | 17 |
| 高　知　市 | 227 | 8 | 8 | 7 | 11 | 3 | 35 | 4 | － | 12 |
| 久　留　米　市 | 268 | 16 | 6 | 2 | 48 | 3 | 131 | － | － | 31 |
| 長　崎　市 | 693 | 18 | 2 | 4 | 34 | － | 316 | － | － | 13 |
| 佐　世　保　市 | 550 | 18 | 9 | 4 | 49 | 9 | 52 | － | － | 52 |
| 大　分　市 | 859 | 15 | 11 | 1 | 17 | － | 446 | 42 | － | － |
| 宮　崎　市 | 436 | 22 | 6 | 11 | 8 | － | 196 | 31 | － | 15 |
| 鹿　児　島　市 | 3 835 | 144 | 71 | 1 | 480 | 7 | 795 | － | － | 18 |
| 那　覇　市 | 139 | 5 | 4 | － | 16 | － | 33 | 31 | － | － |
| その他政令市(再掲) | | | | | | | | | | |
| 小　樽　市 | 168 | 21 | 10 | 2 | 5 | － | 46 | 24 | － | 12 |
| 町　田　市 | 414 | 12 | 4 | 3 | 5 | 2 | 121 | － | － | 48 |
| 藤　沢　市 | 730 | 102 | 23 | 5 | 21 | 9 | 355 | 8 | － | 60 |
| 茅　ヶ　崎　市 | 441 | 17 | 2 | 9 | 19 | － | 179 | 8 | － | 56 |
| 四　日　市　市 | 426 | 72 | 12 | 5 | 16 | 1 | 61 | 2 | － | 17 |
| 大　牟　田　市 | 176 | － | － | － | 6 | － | 32 | － | － | 6 |

# 参加延人員，都道府県－指定都市・特別区－中核市－その他政令市、教育内容別

平成29年度

| 回数 | | | | | | | | | (再掲) | |
|---|---|---|---|---|---|---|---|---|---|---|
| 育児学級 | その他 | 成人・老人 | 栄養・健康増進 | 歯科 | 医事・薬事 | 食品 | 環境 | その他 | 地区組織活動 | 健康危機管理 |
| － | 21 | － | － | － | 2 | 39 | 4 | 2 | － | － |
| 3 | 16 | 45 | 91 | － | － | 54 | － | － | 3 | － |
| 114 | 50 | 123 | 80 | 10 | 1 | 33 | 2 | 21 | 14 | － |
| － | 130 | 207 | 27 | 5 | － | 34 | 2 | － | 97 | － |
| 11 | 31 | 351 | 37 | 14 | 1 | － | － | － | 98 | － |
| 53 | 18 | 188 | 255 | 135 | － | 6 | － | － | 28 | － |
| 12 | － | － | － | 46 | 40 | － | － | － | － | － |
| 73 | 183 | 94 | 47 | 39 | 17 | 55 | 2 | 11 | － | － |
| 36 | 103 | － | 70 | 20 | － | 100 | － | 24 | － | － |
| 178 | 351 | － | 514 | － | 2 | 48 | 1 | 3 | 517 | － |
| 358 | 84 | － | － | － | 17 | 20 | 2 | － | － | － |
| 46 | 23 | 239 | 32 | 107 | － | 23 | 4 | 79 | － | － |
| － | 4 | 297 | 45 | 2 | 2 | 16 | 1 | － | 74 | － |
| 127 | 78 | － | 9 | 425 | 25 | 42 | 3 | 3 | － | 2 |
| － | 28 | 19 | － | 420 | 2 | 23 | 2 | － | － | － |
| 74 | － | 853 | 10 | 146 | 2 | 52 | 8 | － | 755 | － |
| 455 | 92 | 41 | 44 | 272 | 4 | 50 | 1 | 26 | 9 | － |
| 260 | － | 686 | 234 | 32 | 4 | 54 | － | 16 | － | － |
| 146 | 98 | 34 | 58 | 16 | － | 65 | 4 | － | 12 | － |
| － | － | 41 | 3 | － | 36 | 58 | 7 | － | － | － |
| － | 563 | － | 92 | 309 | － | 109 | 2 | 3 | 18 | 4 |
| － | 76 | － | 9 | 53 | 17 | 69 | 4 | － | 17 | 18 |
| 315 | 191 | 906 | 254 | 186 | 30 | 35 | 4 | － | 9 | － |
| － | 5 | － | 239 | 44 | 22 | 105 | 5 | － | 7 | 3 |
| 236 | － | 389 | 29 | 21 | 6 | 188 | 5 | 72 | － | 193 |
| 33 | 3 | － | 4 | 120 | 10 | 38 | 5 | － | － | － |
| 345 | 20 | 134 | 316 | － | 79 | 33 | 3 | － | 135 | 1 |
| 123 | － | 60 | 23 | 80 | 30 | 35 | 8 | － | － | － |
| 138 | － | 64 | 121 | － | 9 | 22 | 2 | － | 102 | 5 |
| 35 | 68 | 810 | 783 | 11 | 2 | 124 | 4 | － | 104 | － |
| 111 | 74 | 20 | 78 | 16 | 9 | 23 | 2 | 1 | 27 | － |
| 243 | 41 | 11 | 171 | 223 | － | 30 | 2 | － | 187 | － |
| 79 | 4 | 8 | 22 | 83 | － | 17 | － | － | 8 | － |
| 120 | 63 | 55 | 2 | 59 | 2 | 40 | － | － | 38 | － |
| 109 | 70 | － | 134 | 30 | － | 39 | 37 | 57 | － | 57 |
| － | 31 | 8 | 31 | 21 | － | 99 | 5 | － | － | － |
| 42 | － | 140 | 49 | 26 | － | 55 | 3 | － | 307 | 12 |
| 96 | － | 38 | 432 | 43 | 10 | 33 | 5 | 35 | 311 | － |
| 311 | － | 239 | － | 90 | 9 | 33 | 1 | 115 | 13 | 19 |
| 26 | 26 | 608 | 152 | 12 | 84 | 106 | 3 | － | 90 | － |
| 16 | 3 | 14 | 22 | 18 | 2 | 111 | 3 | － | 18 | － |
| 59 | 41 | 5 | 31 | － | 2 | 32 | － | － | 31 | － |
| 166 | 137 | － | 211 | 22 | 11 | 54 | 7 | 20 | 139 | － |
| － | － | 207 | 81 | 64 | 2 | 63 | 5 | － | 81 | 12 |
| 404 | － | 133 | 192 | － | － | 56 | － | － | 130 | － |
| 143 | 7 | 31 | － | 97 | 2 | 78 | － | 2 | － | － |
| 36 | 741 | 1 365 | 601 | 357 | － | 84 | 2 | － | 78 | 131 |
| 1 | 1 | 8 | 3 | － | － | 74 | － | － | － | － |
| 5 | 5 | 7 | 26 | 44 | 2 | 17 | － | － | － | － |
| 70 | 3 | － | 20 | 204 | 2 | 44 | 4 | － | 4 | － |
| 48 | 239 | 3 | 97 | 81 | － | 54 | 8 | － | 119 | － |
| 101 | 14 | 121 | 36 | 21 | 7 | 21 | 3 | 17 | 6 | － |
| 30 | 12 | 69 | 14 | 90 | 48 | 49 | 6 | － | － | － |
| 25 | 1 | － | － | 99 | 1 | 38 | － | － | － | 1 |

# 第33表（4－3）市区町村が実施した衛生教育の開催回数・

| | 参加 | | | | | | | | | |
|---|---|---|---|---|---|---|---|---|---|---|
| | 総数 | 感染症 | （再掲）結核 | （再掲）エイズ | 精神 | 難病 | 母子 | 思春期・未婚女性学級 | 婚前・新婚学級 | 両（母）親学級 |
| **全国** | **9 359 180** | **311 794** | **74 169** | **150 347** | **353 378** | **15 612** | **2 517 299** | **461 972** | **3 318** | **374 449** |
| 北海道 | 340 825 | 6 119 | 721 | 3 307 | 11 337 | 672 | 100 476 | 31 792 | 26 | 17 223 |
| 青森 | 141 133 | 3 553 | 191 | 2 162 | 5 956 | 144 | 37 353 | 17 609 | - | 2 026 |
| 岩手 | 116 868 | 2 516 | 162 | 569 | 12 954 | 121 | 22 035 | 7 490 | - | 2 831 |
| 宮城 | 189 104 | 2 950 | 1 532 | 936 | 10 892 | 242 | 41 116 | 5 093 | 60 | 4 605 |
| 秋田 | 102 838 | 2 635 | 824 | 11 | 9 213 | 7 | 22 530 | 2 435 | - | 1 368 |
| 山形 | 142 918 | 385 | 81 | - | 7 832 | - | 18 700 | 2 445 | - | 2 702 |
| 福島 | 156 279 | 2 653 | 1 008 | 901 | 4 529 | 256 | 38 400 | 13 679 | - | 2 786 |
| 茨城 | 226 870 | 316 | - | - | 4 425 | - | 94 550 | 26 608 | - | 8 678 |
| 栃木 | 169 434 | 3 707 | 35 | 2 921 | 5 975 | 69 | 60 763 | 24 477 | - | 3 762 |
| 群馬 | 143 299 | 2 718 | 339 | 595 | 7 849 | 188 | 47 378 | 3 254 | - | 7 399 |
| 埼玉 | 240 624 | 3 490 | 152 | 2 228 | 7 048 | 617 | 95 704 | 3 543 | - | 22 264 |
| 千葉 | 451 752 | 4 511 | 1 212 | 1 767 | 6 234 | 511 | 86 816 | 9 586 | 433 | 25 505 |
| 東京 | 815 375 | 28 592 | 3 871 | 19 581 | 23 400 | 2 650 | 263 212 | 3 385 | 818 | 85 504 |
| 神奈川 | 655 343 | 24 616 | 3 451 | 12 985 | 30 703 | 1 964 | 177 287 | 21 133 | 28 | 37 646 |
| 新潟 | 246 984 | 5 982 | 373 | 5 457 | 8 080 | 177 | 38 974 | 11 347 | - | 4 063 |
| 富山 | 97 921 | 5 248 | - | 5 000 | 2 528 | - | 14 984 | 1 652 | - | 2 894 |
| 石川 | 49 444 | 3 956 | 126 | 2 674 | 1 702 | - | 17 378 | 1 380 | 18 | 2 458 |
| 福井 | 46 775 | 1 305 | 302 | - | 990 | - | 11 251 | 3 524 | - | 567 |
| 山梨 | 88 988 | 2 924 | 62 | - | 1 508 | - | 24 541 | 4 738 | 67 | 4 259 |
| 長野 | 244 071 | 20 050 | 1 946 | 15 922 | 9 453 | 122 | 33 184 | 3 918 | 118 | 6 164 |
| 岐阜 | 169 446 | 4 699 | 1 394 | - | 4 091 | - | 46 217 | 4 356 | - | 6 458 |
| 静岡 | 249 784 | 2 178 | 144 | 581 | 8 057 | 42 | 73 062 | 20 574 | - | 11 910 |
| 愛知 | 782 790 | 24 833 | 5 363 | 5 788 | 8 770 | 1 065 | 195 834 | 61 685 | 1 254 | 25 370 |
| 三重 | 139 012 | 4 377 | 1 061 | 812 | 5 632 | 140 | 35 717 | 6 522 | - | 3 092 |
| 滋賀 | 74 207 | 1 546 | 200 | 711 | 2 093 | 176 | 18 267 | 1 271 | - | 1 653 |
| 京都 | 120 842 | 6 699 | 1 276 | 3 156 | 6 909 | 156 | 34 153 | 4 731 | - | 5 522 |
| 大阪 | 535 344 | 38 876 | 22 406 | 8 152 | 12 605 | 888 | 209 778 | 28 343 | - | 22 917 |
| 兵庫 | 458 540 | 18 518 | 2 757 | 14 331 | 15 295 | 1 556 | 129 805 | 32 689 | - | 6 772 |
| 奈良 | 69 014 | 846 | 73 | 588 | 1 829 | 193 | 21 080 | 2 768 | - | 3 517 |
| 和歌山 | 61 021 | 1 276 | 81 | 895 | 812 | 67 | 24 667 | 4 447 | - | 1 698 |
| 鳥取 | 32 833 | 35 | - | - | 5 038 | - | 11 644 | 1 797 | - | 634 |
| 島根 | 62 962 | 977 | 88 | 694 | 1 686 | 53 | 11 493 | 2 491 | - | 933 |
| 岡山 | 192 016 | 31 688 | 6 746 | 15 053 | 16 674 | 182 | 62 270 | 17 169 | - | 1 200 |
| 広島 | 191 701 | 9 904 | 1 912 | 6 624 | 17 009 | 8 | 30 796 | 3 427 | - | 5 644 |
| 山口 | 123 595 | 1 124 | 50 | 430 | 8 413 | 33 | 28 074 | 5 435 | - | 2 760 |
| 徳島 | 27 790 | 232 | - | 182 | 938 | - | 16 569 | 1 186 | - | 1 206 |
| 香川 | 187 768 | 1 534 | 527 | 325 | 12 011 | 81 | 28 929 | 914 | 432 | 2 518 |
| 愛媛 | 101 663 | 3 264 | 455 | 1 281 | 5 020 | 86 | 19 362 | 4 979 | - | 2 157 |
| 高知 | 54 510 | 1 113 | 827 | 827 | 1 019 | 146 | 6 548 | 2 012 | - | 826 |
| 福岡 | 298 784 | 11 828 | 8 549 | 1 868 | 10 070 | 1 957 | 79 565 | 13 628 | 6 | 10 902 |
| 佐賀 | 67 286 | 207 | 43 | - | 3 980 | - | 24 400 | 1 244 | - | 1 364 |
| 長崎 | 95 798 | 2 506 | 923 | 1 589 | 5 146 | 279 | 19 055 | 1 984 | - | 2 447 |
| 熊本 | 149 398 | 4 163 | 45 | 3 439 | 1 016 | - | 39 689 | 7 802 | - | 2 150 |
| 大分 | 95 183 | 1 202 | 475 | 11 | 6 159 | - | 18 744 | 3 409 | - | 935 |
| 宮崎 | 65 497 | 1 565 | 318 | 556 | 1 889 | - | 16 793 | 5 430 | - | 1 126 |
| 鹿児島 | 243 394 | 8 268 | 1 973 | 5 438 | 17 544 | 764 | 45 562 | 7 510 | 46 | 2 117 |
| 沖縄 | 42 157 | 110 | 95 | - | 1 065 | - | 22 594 | 15 081 | 12 | 1 917 |
| 指定都市・特別区(再掲) | | | | | | | | | | |
| 東京都区部 | 624 866 | 26 761 | 3 450 | 19 031 | 19 264 | 2 370 | 215 589 | 2 067 | 818 | 68 414 |
| 札幌市 | 111 003 | 1 932 | 325 | 974 | 947 | 528 | 26 146 | 124 | - | 8 707 |
| 仙台市 | 70 983 | 2 529 | 1 447 | 936 | 3 682 | 242 | 20 360 | 1 545 | - | 2 960 |
| さいたま市 | 51 131 | 72 | 72 | - | 471 | 172 | 36 150 | 159 | - | 5 087 |
| 千葉市 | 20 116 | 930 | 160 | 467 | 952 | - | 3 214 | - | - | 3 004 |
| 横浜市 | 300 213 | 3 805 | 2 236 | 517 | 19 667 | 990 | 102 846 | 9 939 | - | 19 224 |
| 川崎市 | 53 041 | 7 552 | 626 | 3 599 | 1 025 | - | 13 751 | 3 104 | - | 6 095 |
| 相模原市 | 33 321 | 5 586 | 267 | 5 038 | 2 488 | 294 | 6 995 | 1 886 | 24 | 1 757 |
| 新潟市 | 70 380 | 5 805 | 373 | 5 307 | 616 | 177 | 16 918 | 8 002 | - | 1 618 |
| 静岡市 | 55 021 | 665 | 91 | 514 | - | 42 | 16 087 | 1 009 | - | 2 829 |
| 浜松市 | 34 274 | 359 | - | 52 | 5 148 | - | 16 790 | 11 051 | - | 1 975 |
| 名古屋市 | 298 023 | 17 369 | 4 318 | 2 819 | 1 434 | 702 | 75 517 | 26 985 | - | 7 337 |
| 京都市 | 70 219 | 6 031 | 608 | 3 156 | 5 906 | 152 | 15 897 | 4 613 | - | 2 100 |
| 大阪市 | 174 256 | 30 666 | 20 004 | 4 610 | 2 396 | - | 77 426 | 6 341 | - | 9 108 |
| 堺市 | 49 163 | 1 254 | 213 | 1 041 | 2 514 | 115 | 24 270 | 14 157 | - | 2 511 |
| 神戸市 | 140 828 | 15 575 | 2 406 | 13 169 | 2 671 | - | 60 376 | 11 794 | - | - |
| 岡山市 | 79 533 | 17 971 | 1 086 | 14 240 | 2 077 | 38 | 40 629 | 13 788 | - | - |
| 広島市 | 48 783 | 4 969 | 428 | 3 924 | 2 966 | - | 9 512 | 894 | - | 2 491 |
| 北九州市 | 40 255 | 498 | 123 | - | 1 968 | 1 162 | 15 513 | 6 745 | - | 2 035 |
| 福岡市 | 122 427 | 10 078 | 8 241 | 1 210 | 4 850 | 710 | 29 796 | 1 049 | - | 2 309 |
| 熊本市 | 81 116 | 3 924 | 45 | 3 200 | - | - | 26 430 | 3 889 | - | 95 |

## 参加延人員，都道府県－指定都市・特別区－中核市－その他政令市、教育内容別

平成29年度

| 延 | | | 人 | | | 員 | | | （再 | 掲） |
|---|---|---|---|---|---|---|---|---|---|---|
| 育児学級 | その他 | 成人・老人 | 栄養・健康増進 | 歯科 | 医事・薬事 | 食品 | 環境 | その他 | 地区組織活動 | 健康危機管理 |
| 926 729 | 750 831 | 2 087 108 | 1 862 668 | 1 345 820 | 123 427 | 403 765 | 67 476 | 270 833 | 1 041 825 | 79 254 |
| 29 143 | 22 292 | 72 462 | 101 288 | 21 561 | 6 491 | 10 064 | 2 709 | 7 646 | 15 247 | 1 303 |
| 5 803 | 11 915 | 42 189 | 38 277 | 4 694 | 202 | 3 205 | 270 | 5 290 | 16 048 | － |
| 4 864 | 6 850 | 33 694 | 33 232 | 9 549 | 29 | 24 | － | 2 714 | 19 117 | 51 |
| 15 340 | 16 018 | 35 056 | 45 729 | 18 467 | 75 | 5 022 | 15 047 | 14 508 | 24 988 | 1 082 |
| 6 634 | 12 093 | 29 430 | 25 813 | 10 749 | 148 | 620 | － | 1 693 | 8 020 | 303 |
| 7 221 | 6 332 | 58 385 | 41 937 | 10 303 | 328 | 219 | 25 | 4 804 | 24 011 | － |
| 8 924 | 13 011 | 50 663 | 23 952 | 25 345 | 3 128 | 2 353 | 183 | 4 817 | 12 006 | 229 |
| 32 246 | 27 018 | 68 503 | 42 098 | 13 299 | 756 | － | － | 2 923 | 15 907 | 288 |
| 16 508 | 16 016 | 41 974 | 35 593 | 10 934 | － | 5 507 | － | 4 912 | 10 086 | － |
| 19 085 | 17 640 | 21 923 | 42 609 | 11 418 | 4 561 | 3 600 | 413 | 642 | 23 733 | － |
| 48 937 | 20 960 | 47 201 | 40 612 | 19 744 | 2 788 | 5 543 | 538 | 17 339 | 22 456 | 4 174 |
| 17 209 | 34 083 | 90 990 | 58 126 | 185 969 | 1 846 | 7 874 | 1 399 | 7 476 | 31 805 | 10 |
| 101 159 | 72 346 | 124 749 | 93 325 | 180 270 | 3 568 | 58 611 | 10 718 | 26 280 | 119 025 | 3 069 |
| 105 051 | 13 429 | 159 137 | 100 481 | 71 681 | 8 652 | 60 892 | 2 536 | 17 394 | 119 358 | 3 119 |
| 11 502 | 12 062 | 64 943 | 51 999 | 51 126 | 3 097 | 8 403 | 3 074 | 11 129 | 36 812 | 67 |
| 6 884 | 3 554 | 30 395 | 26 044 | 12 871 | 530 | 2 461 | － | 2 860 | 4 476 | 435 |
| 8 471 | 5 051 | 6 736 | 10 588 | 4 218 | － | 4 500 | 229 | 137 | 4 861 | － |
| 4 476 | 2 684 | 3 999 | 13 133 | 13 142 | － | － | － | 2 955 | 10 515 | － |
| 8 643 | 6 834 | 18 637 | 26 783 | 6 666 | 65 | 8 | 6 | 7 850 | 24 666 | 150 |
| 12 068 | 10 916 | 62 110 | 59 824 | 42 879 | 5 746 | 2 675 | 273 | 7 755 | 34 972 | 69 |
| 13 307 | 22 096 | 34 648 | 27 242 | 43 113 | － | 8 277 | 57 | 1 102 | 17 279 | 38 |
| 29 357 | 11 221 | 57 144 | 25 061 | 62 560 | 2 500 | 8 806 | 1 615 | 8 759 | 22 402 | 7 996 |
| 61 430 | 46 095 | 166 117 | 133 415 | 174 450 | 14 405 | 31 871 | 10 414 | 21 616 | 88 629 | 14 289 |
| 18 602 | 7 501 | 12 064 | 31 245 | 12 722 | 5 426 | 2 216 | 559 | 28 914 | 19 411 | 674 |
| 14 026 | 1 317 | 24 461 | 4 256 | 12 114 | 94 | 7 932 | 456 | 2 812 | 1 809 | 8 048 |
| 12 261 | 11 639 | 31 942 | 31 501 | 8 249 | － | 293 | － | 940 | 9 980 | 4 715 |
| 67 535 | 90 983 | 86 644 | 58 292 | 34 004 | 38 381 | 42 582 | 7 144 | 6 150 | 36 481 | 1 623 |
| 33 096 | 57 248 | 121 837 | 88 986 | 56 432 | 5 161 | 16 204 | 614 | 4 132 | 28 504 | 13 372 |
| 9 818 | 4 977 | 9 324 | 24 084 | 9 306 | 14 | 1 012 | － | 1 326 | 9 128 | 851 |
| 10 991 | 7 531 | 11 491 | 13 324 | 6 740 | 231 | 1 636 | 50 | 727 | 3 069 | 9 |
| 6 173 | 3 040 | 5 042 | 6 489 | 2 836 | － | 80 | － | 1 669 | 1 919 | 127 |
| 5 961 | 2 108 | 21 242 | 14 129 | 4 127 | 72 | 23 | 213 | 8 947 | 5 392 | － |
| 12 028 | 31 873 | 14 583 | 39 438 | 12 545 | 315 | 5 570 | 2 857 | 5 894 | 25 730 | 2 163 |
| 17 543 | 4 182 | 40 283 | 67 094 | 7 592 | 245 | 13 815 | 893 | 4 062 | 24 124 | 382 |
| 10 873 | 9 006 | 29 631 | 39 357 | 11 034 | 1 121 | 1 096 | 145 | 3 567 | 22 062 | － |
| 3 453 | 10 724 | 3 174 | 5 102 | 1 435 | 112 | － | － | 228 | 2 707 | 34 |
| 9 533 | 15 532 | 40 472 | 87 707 | 8 620 | 2 936 | 1 622 | 90 | 3 766 | 14 771 | 4 175 |
| 6 700 | 5 526 | 41 500 | 18 878 | 3 500 | 3 135 | 5 069 | 809 | 1 040 | 12 806 | 419 |
| 2 673 | 1 037 | 9 555 | 12 772 | 16 080 | 262 | 5 754 | 274 | 987 | 2 023 | 743 |
| 42 434 | 12 595 | 79 281 | 53 792 | 13 777 | 3 826 | 37 484 | 2 132 | 5 072 | 40 323 | 535 |
| 9 318 | 12 474 | 14 146 | 12 752 | 11 138 | － | 135 | 48 | 480 | 8 607 | － |
| 8 640 | 5 984 | 17 129 | 26 636 | 14 540 | 923 | 7 700 | 389 | 1 495 | 13 098 | 1 696 |
| 19 554 | 10 183 | 22 540 | 27 856 | 41 445 | 1 944 | 9 247 | 320 | 1 178 | 18 594 | 21 |
| 12 367 | 2 033 | 34 680 | 26 101 | 2 854 | 33 | 3 318 | 28 | 2 064 | 22 527 | 77 |
| 7 688 | 2 549 | 16 472 | 13 335 | 10 774 | 99 | 2 652 | － | 1 918 | 2 099 | 452 |
| 7 465 | 28 424 | 75 436 | 51 931 | 38 644 | 182 | 3 595 | 949 | 519 | 7 390 | 2 466 |
| 3 735 | 1 849 | 3 094 | 10 450 | 304 | － | 4 195 | － | 345 | 2 852 | － |
| 81 855 | 62 435 | 68 379 | 63 597 | 139 204 | 2 878 | 53 824 | 9 916 | 23 084 | 94 688 | 2 740 |
| 12 777 | 4 538 | 10 111 | 57 089 | 1 512 | 6 319 | 5 282 | 1 137 | － | 901 | 1 137 |
| 9 284 | 6 571 | 8 576 | 538 | 1 892 | － | 4 998 | 14 477 | 13 689 | 6 770 | 1 082 |
| 28 843 | 2 061 | 5 752 | 652 | 104 | － | 3 393 | 347 | 4 018 | 286 | 3 393 |
| 210 | － | 1 196 | 2 505 | 2 359 | － | 3 980 | 832 | 4 148 | 10 208 | － |
| 73 683 | － | 70 674 | 34 737 | 17 701 | 117 | 41 925 | 841 | 6 910 | 77 119 | 2 183 |
| 3 810 | 742 | 2 358 | 9 633 | 5 699 | 5 800 | 6 273 | 950 | － | 6 292 | 900 |
| 3 328 | － | 1 094 | 9 020 | 1 463 | 607 | 5 439 | 335 | － | 746 | － |
| 7 103 | 195 | 20 843 | 10 731 | 867 | 2 992 | 8 357 | 3 074 | － | 6 608 | － |
| 9 367 | 2 882 | 2 398 | 1 608 | 22 215 | 1 168 | 6 613 | 981 | 3 244 | 3 384 | 6 978 |
| 3 609 | 155 | 1 378 | － | 7 061 | 912 | 2 038 | 588 | － | － | 112 |
| 31 715 | 9 480 | 83 870 | 21 017 | 45 501 | 3 818 | 21 068 | 9 381 | 18 346 | 67 780 | 11 879 |
| 5 310 | 3 874 | 15 260 | 24 162 | 1 965 | － | 293 | － | 553 | 7 141 | 4 715 |
| 21 216 | 40 761 | 754 | 4 536 | － | 18 064 | 33 324 | 5 250 | 1 840 | － | 698 |
| 7 602 | － | 7 204 | 4 312 | 4 323 | 1 352 | 2 991 | 828 | － | 4 312 | － |
| 5 078 | 43 504 | 10 848 | 10 761 | 30 196 | 2 570 | 7 514 | 240 | 77 | 1 784 | 13 271 |
| 4 739 | 22 102 | － | 10 848 | 4 274 | － | 3 259 | 437 | － | 4 729 | － |
| 5 888 | 239 | 14 131 | 6 558 | 497 | 188 | 6 911 | 519 | 2 532 | 285 | － |
| 5 231 | 1 502 | 257 | 6 505 | 4 237 | 1 556 | 5 954 | 1 020 | 1 585 | 1 051 | 291 |
| 23 661 | 2 777 | 30 279 | 14 807 | 1 902 | 294 | 26 789 | 1 112 | 1 810 | 12 884 | － |
| 14 590 | 7 856 | 9 372 | 10 290 | 19 650 | 1 944 | 9 183 | 123 | 200 | 12 970 | 4 |

# 第33表（4－4） 市区町村が実施した衛生教育の開催回数・

| | 参 | | | | | | 加 | | | |
|---|---|---|---|---|---|---|---|---|---|---|
| | 総数 | 感染症 | （再掲）結核 | （再掲）エイズ | 精神 | 難病 | 母子 | 思春期・未婚女性学級 | 婚前・新婚学級 | 両（母）親学級 |
| 中核市(再掲) | | | | | | | | | | |
| 旭川市 | 9 023 | 1 586 | - | 1 395 | 1 086 | 55 | 4 359 | 3 696 | - | - |
| 函館市 | 13 237 | 843 | - | 645 | 351 | 33 | 3 114 | 2 485 | - | 274 |
| 青森市 | 25 225 | 2 208 | 87 | 2 009 | 184 | - | 15 296 | 7 067 | - | 639 |
| 八戸市 | 17 246 | 299 | 10 | 31 | 1 029 | 144 | 6 787 | 2 396 | - | 542 |
| 盛岡市 | 10 525 | 1 231 | 51 | 148 | 2 040 | 110 | 1 542 | 198 | - | 860 |
| 秋田市 | 15 888 | 616 | 66 | 11 | 845 | 7 | 1 692 | - | - | 181 |
| 郡山市 | 10 090 | 489 | 127 | 241 | - | - | 5 139 | 3 564 | - | 901 |
| いわき市 | 17 392 | 1 600 | 881 | 574 | 710 | 161 | 5 744 | 597 | - | 774 |
| 宇都宮市 | 27 076 | 3 630 | 35 | 2 921 | 2 743 | 69 | 9 857 | 4 494 | - | 1 598 |
| 前橋市 | 37 706 | 379 | 46 | - | 4 813 | 111 | 17 227 | 618 | - | 1 477 |
| 高崎市 | 14 721 | 1 267 | 149 | 231 | 1 384 | 77 | 7 263 | - | - | 1 817 |
| 川越市 | 17 546 | 2 823 | - | 2 095 | 595 | 398 | 1 480 | - | - | 264 |
| 越谷市 | 11 994 | 422 | 73 | - | - | 47 | 1 771 | 433 | - | 1 274 |
| 船橋市 | 51 768 | 1 750 | 331 | 1 181 | 343 | 153 | 9 942 | 850 | - | 3 807 |
| 柏市 | 38 410 | 1 714 | 715 | 119 | 919 | 291 | 2 091 | - | - | 1 274 |
| 八王子市 | 24 604 | 1 116 | 60 | 459 | 305 | 169 | 2 639 | - | - | 1 170 |
| 横須賀市 | 46 107 | 912 | 73 | 535 | 1 344 | 491 | 6 971 | - | - | 499 |
| 富山市 | 47 925 | 5 000 | - | 5 000 | 1 836 | - | 4 998 | - | - | 1 193 |
| 金沢市 | 22 856 | 3 772 | 126 | 2 490 | 514 | - | 9 362 | - | - | 931 |
| 長野市 | 16 074 | 4 248 | 83 | 3 496 | 2 559 | 107 | - | - | - | - |
| 岐阜市 | 37 386 | 3 999 | 1 394 | - | 2 498 | - | 10 388 | - | - | 233 |
| 豊橋市 | 22 200 | 1 330 | 530 | 800 | 820 | 226 | 6 740 | 1 473 | 1 254 | 146 |
| 豊田市 | 61 554 | 472 | 284 | - | 897 | … | 23 463 | 5 577 | - | 991 |
| 岡崎市 | 30 276 | 3 491 | 204 | 2 169 | 1 918 | 137 | 3 725 | 2 460 | - | 1 053 |
| 大津市 | 25 181 | 1 387 | 200 | 711 | 500 | 176 | 5 171 | 711 | - | 483 |
| 高槻市 | 18 201 | 879 | 306 | 243 | 555 | 62 | 1 488 | - | - | 892 |
| 東大阪市 | 35 912 | 1 395 | 1 200 | - | 276 | - | 7 782 | 1 494 | - | 290 |
| 豊中市 | 23 337 | 1 533 | 404 | 741 | 4 033 | 354 | 6 241 | 1 725 | - | 1 400 |
| 枚方市 | 14 864 | 1 764 | 93 | 1 517 | 2 088 | 357 | 4 622 | - | - | 841 |
| 姫路市 | 54 741 | 1 457 | 92 | 479 | 1 691 | 152 | 13 236 | 10 856 | - | - |
| 西宮市 | 16 085 | 727 | - | 630 | 2 546 | 1 392 | 4 664 | 681 | - | 1 467 |
| 尼崎市 | 29 143 | 425 | 148 | 53 | 399 | - | 13 750 | 60 | - | 964 |
| 奈良市 | 7 134 | 624 | 73 | 528 | 197 | 193 | 2 268 | - | - | 634 |
| 和歌山市 | 10 478 | 1 251 | 81 | 895 | 394 | 67 | 2 302 | - | - | 287 |
| 倉敷市 | 40 162 | 12 194 | 4 599 | 813 | 11 470 | 144 | 5 749 | - | - | 449 |
| 福山市 | 10 454 | 2 217 | 113 | 1 899 | 1 180 | - | 1 501 | 555 | - | 497 |
| 呉市 | 21 717 | 1 850 | 1 371 | 97 | 7 066 | 8 | 1 629 | 477 | - | 605 |
| 下関市 | 23 532 | 577 | 20 | 430 | 784 | 33 | 1 791 | - | - | 694 |
| 高松市 | 37 550 | 1 372 | 493 | 325 | 10 827 | 81 | 6 087 | 68 | 432 | 965 |
| 松山市 | 29 669 | 2 307 | 455 | 1 281 | 132 | 86 | 3 833 | 997 | - | 961 |
| 高知市 | 10 031 | 847 | 827 | 827 | 390 | 146 | 745 | 122 | - | 333 |
| 久留米市 | 13 914 | 836 | 185 | 516 | 2 365 | 85 | 4 373 | - | - | 849 |
| 長崎市 | 20 472 | 959 | 600 | 695 | 1 304 | - | 8 205 | - | - | 442 |
| 佐世保市 | 18 366 | 1 449 | 323 | 894 | 1 605 | 279 | 1 102 | - | - | 1 102 |
| 大分市 | 29 196 | 796 | 475 | 11 | 3 281 | - | 12 212 | 2 274 | - | - |
| 宮崎市 | 16 288 | 1 076 | 248 | 556 | 178 | - | 7 055 | 4 292 | - | 75 |
| 鹿児島市 | 92 949 | 3 195 | 1 863 | 485 | 13 122 | 764 | 20 579 | - | - | 407 |
| 那覇市 | 10 693 | 110 | 95 | - | 509 | - | 5 910 | 5 891 | - | - |
| その他政令市(再掲) | | | | | | | | | | |
| 小樽市 | 5 982 | 682 | 356 | 197 | 162 | - | 2 062 | 1 715 | - | 151 |
| 町田市 | 17 693 | 635 | 361 | 91 | 156 | 111 | 4 185 | - | - | 1 284 |
| 藤沢市 | 22 662 | 4 698 | 233 | 1 273 | 1 572 | 189 | 7 846 | 1 363 | - | 1 605 |
| 茅ヶ崎市 | 16 529 | 2 039 | 16 | 2 023 | 513 | - | 4 863 | 830 | - | 983 |
| 四日市市 | 17 995 | 3 248 | 569 | 812 | 1 119 | 140 | 2 115 | 23 | - | 664 |
| 大牟田市 | 3 954 | - | - | - | 43 | - | 719 | - | - | 119 |

# 参加延人員，都道府県－指定都市・特別区－中核市－その他政令市、教育内容別

平成29年度

| 延 | | 人 | | | 員 | | | | (再 掲) | |
| --- | --- | --- | --- | --- | --- | --- | --- | --- | --- | --- |
| 育児学級 | その他 | 成人・老人 | 栄養・健康増進 | 歯科 | 医事・薬事 | 食品 | 環境 | その他 | 地区組織活動 | 健康危機管理 |
| - | 663 | - | - | - | 68 | 1 639 | 169 | 61 | - | - |
| 43 | 312 | 1 558 | 5 021 | - | - | 2 317 | - | - | 143 | - |
| 3 805 | 3 785 | 2 624 | 1 290 | 132 | 10 | 1 386 | 103 | 1 992 | 275 | - |
| - | 3 849 | 6 070 | 880 | 120 | - | 1 750 | 167 | - | 2 477 | - |
| 58 | 426 | 4 998 | 429 | 164 | 11 | - | - | - | 1 209 | - |
| 1 020 | 491 | 3 057 | 5 536 | 3 785 | - | 350 | - | - | 493 | - |
| 674 | - | - | - | 2 068 | 2 394 | - | - | - | - | - |
| 1 126 | 3 247 | 3 805 | 1 679 | 687 | 311 | 2 353 | 183 | 159 | - | - |
| 810 | 2 955 | - | 1 859 | 628 | - | 5 507 | - | 2 783 | - | - |
| 5 300 | 9 832 | - | 11 497 | - | 950 | 2 605 | 100 | 24 | 11 521 | - |
| 4 944 | 502 | - | - | - | 3 558 | 972 | 200 | - | - | - |
| 1 131 | 85 | 4 684 | 2 978 | 1 894 | - | 1 182 | 113 | 1 399 | - | - |
| - | 64 | 7 698 | 1 017 | 52 | 55 | 881 | 51 | - | 1 158 | - |
| 2 849 | 2 436 | - | 289 | 34 719 | 1 796 | 2 335 | 356 | 85 | - | 10 |
| - | 817 | 6 084 | - | 25 571 | 50 | 1 479 | 211 | - | - | - |
| 1 469 | - | 13 852 | 760 | 2 478 | 118 | 2 516 | 651 | - | 11 386 | - |
| 5 749 | 723 | 1 323 | 2 139 | 27 455 | 644 | 3 453 | 20 | 1 355 | 242 | - |
| 3 805 | - | 21 150 | 9 761 | 1 489 | 153 | 2 447 | - | 1 091 | - | - |
| 5 103 | 3 328 | 2 294 | 1 840 | 355 | - | 4 490 | 229 | - | 215 | - |
| - | - | 515 | 296 | - | 5 452 | 2 661 | 236 | - | - | - |
| - | 10 155 | - | 1 310 | 10 751 | - | 8 233 | 57 | 150 | 255 | 38 |
| - | 3 867 | - | 144 | 4 699 | 4 975 | 2 975 | 291 | - | 283 | 1 330 |
| 13 066 | 3 829 | 14 183 | 7 406 | 8 770 | 2 633 | 3 463 | 267 | - | 480 | - |
| - | 212 | - | 10 743 | 2 734 | 2 774 | 4 352 | 402 | - | 407 | 174 |
| 3 977 | - | 8 364 | 537 | 505 | 94 | 7 607 | 441 | 399 | - | 8 048 |
| 326 | 270 | - | 3 195 | 5 863 | 4 126 | 1 862 | 171 | - | - | - |
| 4 845 | 1 153 | 8 525 | 8 138 | - | 7 229 | 2 277 | 290 | - | 1 214 | 107 |
| 3 116 | - | 1 379 | 456 | 1 451 | 6 368 | 1 038 | 484 | - | - | - |
| 3 781 | - | 1 555 | 3 046 | - | 284 | 1 063 | 85 | - | 2 640 | 122 |
| 225 | 2 155 | 18 074 | 13 017 | 543 | 147 | 6 244 | 180 | - | 2 198 | - |
| 2 140 | 376 | 551 | 1 923 | 565 | 2 376 | 1 248 | 83 | 10 | 943 | - |
| 10 072 | 2 654 | 228 | 3 711 | 9 333 | - | 1 186 | 111 | - | 3 541 | - |
| 1 526 | 108 | 109 | 484 | 2 277 | - | 982 | - | - | 113 | - |
| 1 373 | 642 | 952 | 21 | 3 797 | 225 | 1 469 | - | - | 964 | - |
| 1 231 | 4 069 | - | 2 603 | 1 636 | - | 1 872 | 2 331 | 2 163 | - | 2 163 |
| - | 449 | 278 | 300 | 201 | - | 4 515 | 262 | - | - | - |
| 547 | - | 4 835 | 3 168 | 760 | - | 2 289 | 112 | - | 12 429 | 382 |
| 1 097 | - | 807 | 13 619 | 2 408 | 882 | 1 096 | 136 | 1 399 | 10 946 | - |
| 4 622 | - | 8 624 | - | 5 185 | 2 840 | 1 599 | 90 | 845 | 386 | 3 189 |
| 489 | 1 386 | 9 040 | 5 478 | 394 | 3 108 | 5 069 | 222 | - | 4 197 | - |
| 201 | 89 | 657 | 549 | 604 | 121 | 5 698 | 274 | - | 429 | - |
| 899 | 2 625 | 491 | 675 | - | 1 478 | 3 611 | - | - | 675 | - |
| 5 439 | 2 324 | - | 5 199 | 356 | 707 | 3 262 | 229 | 251 | 2 373 | - |
| - | - | 4 157 | 3 258 | 1 755 | 216 | 4 385 | 160 | - | 1 647 | 1 696 |
| 9 938 | - | 3 975 | 5 710 | - | - | 3 222 | - | - | 2 840 | - |
| 2 516 | 172 | 974 | - | 4 176 | 99 | 2 638 | - | 92 | - | - |
| 1 123 | 19 049 | 25 962 | 14 511 | 11 127 | - | 3 595 | 94 | - | 1 861 | 2 466 |
| 7 | 12 | 202 | 36 | - | - | 3 926 | - | - | - | - |
| 57 | 139 | 535 | 496 | 1 259 | 89 | 697 | - | - | - | - |
| 2 728 | 173 | - | 2 406 | 7 570 | 216 | 2 263 | 151 | - | 180 | - |
| 1 105 | 3 773 | 246 | 2 112 | 2 990 | - | 2 757 | 252 | - | 2 264 | - |
| 2 794 | 256 | 3 855 | 777 | 544 | 1 484 | 1 027 | 138 | 1 289 | 80 | - |
| 843 | 585 | 1 567 | 333 | 2 424 | 4 356 | 2 168 | 525 | - | - | - |
| 586 | 14 | - | - | 2 194 | 44 | 954 | - | - | - | 44 |

# 第34－１表（２－１）市区町村が実施した定期の

| | 沈降精製百日せきジフテリア破傷風混合ワクチン（ＤＰＴ） | | | | 沈降ジフテリア破傷風混合トキソイド（ＤＴ） | | | |
|---|---|---|---|---|---|---|---|---|
| | 第１期 | | | | 第１期 | | | 第２期 |
| | 初回接種 | | | 追加接種 | 初回接種 | | 追加接種 | |
| | 第１回 | 第２回 | 第３回 | | 第１回 | 第２回 | | |
| 0　歳 | 33 | 33 | 33 | － | 5 | 1 | － | ・ |
| 1　歳 | 1 | － | 10 | 34 | 7 | 5 | 7 | ・ |
| 2　歳 | 4 | － | － | 3 | 2 | － | 3 | ・ |
| 3　歳 | 1 | 1 | 1 | 3 | － | 2 | 3 | ・ |
| 4　歳 | － | － | － | － | － | － | 4 | ・ |
| 5　歳 | 4 | 4 | 4 | 10 | － | － | 5 | ・ |
| 6　歳 | 103 | 103 | 107 | 123 | － | 2 | 5 | ・ |
| 7　歳 | 80 | 81 | 82 | 86 | － | － | 1 | ・ |
| 8　歳 | ・ | ・ | ・ | ・ | ・ | ・ | ・ | ・ |
| 9　歳 | ・ | ・ | ・ | ・ | ・ | ・ | ・ | ・ |
| 10　歳 | ・ | ・ | ・ | ・ | ・ | ・ | ・ | ・ |
| 11　歳 | ・ | ・ | ・ | ・ | ・ | ・ | ・ | 417 317 |
| 12　歳 | ・ | ・ | ・ | ・ | ・ | ・ | ・ | 399 732 |
| 13　歳 | ・ | ・ | ・ | ・ | ・ | ・ | ・ | ・ |
| 14　歳 | ・ | ・ | ・ | ・ | ・ | ・ | ・ | ・ |
| 15　歳 | ・ | ・ | ・ | ・ | ・ | ・ | ・ | ・ |
| 16　歳 | ・ | ・ | ・ | ・ | ・ | ・ | ・ | ・ |
| 17　歳 | ・ | ・ | ・ | ・ | ・ | ・ | ・ | ・ |
| 18　歳 | ・ | ・ | ・ | ・ | ・ | ・ | ・ | ・ |
| 19　歳 | ・ | ・ | ・ | ・ | ・ | ・ | ・ | ・ |
| 計 | 226 | 222 | 237 | 259 | 14 | 10 | 28 | 817 049 |
| （再掲）個別 | 226 | 222 | 237 | 259 | 14 | 10 | 28 | 799 237 |
| （再掲）集団 | － | － | － | － | － | － | － | 17 708 |

注：１）「不活化ポリオワクチン（ＩＰＶ）」は、平成24年９月１日より定期接種に使用するワクチンが生ワクチン（ＯＰＶ）から不活化ワクチン（ＩＰＶ）に変わり、接種回数が変更された。
２）ジフテリア、百日せき、急性灰白髄炎及び破傷風について同時に行う第１期の予防接種は、沈降精製百日せきジフテリア破傷風不活化ポリオ混合ワクチンを使用する。当ワクチンは、平成24年11月１日より定期接種での使用が開始された。
３）水痘ワクチンの１歳には、誕生日前日に接種した０歳を含む。

# 予防接種の接種者数Ⅰ，対象疾病・年齢、個別－集団別

平成29年度

| 不活化ポリオワクチン（ＩＰＶ）[1) ] | | | | 沈降精製百日せきジフテリア破傷風不活化ポリオ混合ワクチン（ＤＰＴ－ＩＰＶ）[2)] | | | |
|---|---|---|---|---|---|---|---|
| 初回接種 | | | 追加接種 | 第1期 | | | 追加接種 |
| | | | | 初回接種 | | | |
| 第１回 | 第２回 | 第３回 | | 第１回 | 第２回 | 第３回 | |
| 38 | 42 | 60 | 3 | 931 179 | 927 325 | 915 151 | 4 109 |
| 10 | 13 | 22 | 119 | 13 563 | 19 824 | 30 411 | 806 931 |
| 10 | 8 | 10 | 243 | 1 142 | 2 003 | 3 663 | 118 002 |
| 9 | 9 | 23 | 218 | 756 | 1 209 | 2 185 | 31 894 |
| 17 | 33 | 61 | 658 | 498 | 789 | 1 336 | 11 248 |
| 302 | 817 | 1 494 | 8 243 | 633 | 773 | 1 234 | 8 097 |
| 935 | 3 300 | 5 908 | 17 199 | 891 | 1 073 | 1 764 | 9 936 |
| 190 | 700 | 1 299 | 5 657 | 175 | 200 | 368 | 2 557 |
| ・ | ・ | ・ | ・ | ・ | ・ | ・ | ・ |
| ・ | ・ | ・ | ・ | ・ | ・ | ・ | ・ |
| ・ | ・ | ・ | ・ | ・ | ・ | ・ | ・ |
| ・ | ・ | ・ | ・ | ・ | ・ | ・ | ・ |
| ・ | ・ | ・ | ・ | ・ | ・ | ・ | ・ |
| ・ | ・ | ・ | ・ | ・ | ・ | ・ | ・ |
| ・ | ・ | ・ | ・ | ・ | ・ | ・ | ・ |
| ・ | ・ | ・ | ・ | ・ | ・ | ・ | ・ |
| ・ | ・ | ・ | ・ | ・ | ・ | ・ | ・ |
| ・ | ・ | ・ | ・ | ・ | ・ | ・ | ・ |
| ・ | ・ | ・ | ・ | ・ | ・ | ・ | ・ |
| ・ | ・ | ・ | ・ | ・ | ・ | ・ | ・ |
| 1 511 | 4 922 | 8 877 | 32 340 | 948 837 | 953 196 | 956 112 | 992 774 |
| 1 504 | 4 908 | 8 853 | 32 312 | 945 789 | 950 016 | 952 798 | 989 152 |
| 7 | 14 | 24 | 28 | 3 001 | 3 137 | 3 269 | 3 564 |

# 第34－１表（２－２） 市区町村が実施した定期の

| | 日本脳炎ワクチン | | | | ヒブワクチン | | | | 小児 |
|---|---|---|---|---|---|---|---|---|---|
| | 第１期 | | | 第２期 | 第１回 | 第２回 | 第３回 | 第４回 | 第１回 |
| | 初回接種 | | 追加接種 | | | | | | |
| | 第１回 | 第２回 | | | | | | | |
| 0　歳 | 47 010 | 41 128 | 38 | ・ | 941 328 | 935 496 | 927 184 | 27 581 | 941 064 |
| 1　歳 | 34 269 | 33 823 | 21 801 | ・ | 8 957 | 8 299 | 12 253 | 890 735 | 9 327 |
| 2　歳 | 21 118 | 19 895 | 26 379 | ・ | 1 015 | 436 | 841 | 31 754 | 1 194 |
| 3　歳 | 785 175 | 715 420 | 32 191 | ・ | 765 | 251 | 444 | 10 815 | 968 |
| 4　歳 | 85 667 | 113 118 | 475 096 | ・ | 806 | 178 | 310 | 4 897 | 971 |
| 5　歳 | 50 318 | 60 219 | 214 040 | ・ | ・ | ・ | ・ | ・ | ・ |
| 6　歳 | 49 229 | 60 791 | 128 518 | ・ | ・ | ・ | ・ | ・ | ・ |
| 7　歳 | 6 154 | 9 011 | 50 912 | ・ | ・ | ・ | ・ | ・ | ・ |
| 8　歳 | 326 | 310 | 985 | ・ | ・ | ・ | ・ | ・ | ・ |
| 9　歳 | 22 367 | 21 954 | 30 655 | 340 429 | ・ | ・ | ・ | ・ | ・ |
| 10　歳 | 10 446 | 11 020 | 19 874 | 148 880 | ・ | ・ | ・ | ・ | ・ |
| 11　歳 | 13 608 | 13 283 | 20 748 | 112 008 | ・ | ・ | ・ | ・ | ・ |
| 12　歳 | 19 574 | 18 616 | 30 053 | 124 460 | ・ | ・ | ・ | ・ | ・ |
| 13　歳 | 5 880 | 7 545 | 13 372 | 32 400 | ・ | ・ | ・ | ・ | ・ |
| 14　歳 | 5 788 | 5 983 | 9 886 | 30 183 | ・ | ・ | ・ | ・ | ・ |
| 15　歳 | 6 296 | 6 418 | 9 893 | 38 128 | ・ | ・ | ・ | ・ | ・ |
| 16　歳 | 3 645 | 3 795 | 5 937 | 14 770 | ・ | ・ | ・ | ・ | ・ |
| 17　歳 | 9 009 | 8 617 | 9 729 | 39 646 | ・ | ・ | ・ | ・ | ・ |
| 18　歳 | 10 302 | 10 700 | 16 251 | 67 676 | ・ | ・ | ・ | ・ | ・ |
| 19　歳 | 3 246 | 3 663 | 11 365 | 53 510 | ・ | ・ | ・ | ・ | ・ |
| 計 | 1 189 427 | 1 165 309 | 1 127 723 | 1 002 090 | 952 871 | 944 660 | 941 032 | 965 782 | 953 524 |
| （再掲）個別 | 1 181 978 | 1 157 939 | 1 120 120 | 993 880 | 951 669 | 943 498 | 939 835 | 964 399 | 952 324 |
| （再掲）集団 | 7 398 | 7 311 | 7 559 | 8 091 | 1 137 | 1 101 | 1 138 | 1 322 | 1 134 |

注：１）「不活化ポリオワクチン（ＩＰＶ）」は、平成24年９月１日より定期接種に使用するワクチンが生ワクチン（ＯＰＶ）から不活化ワクチン（ＩＰＶ）に変わり、接種回数が変更された。

２）ジフテリア、百日せき、急性灰白髄炎及び破傷風について同時に行う第１期の予防接種は、沈降精製百日せきジフテリア破傷風不活化ポリオ混合ワクチンを使用する。当ワクチンは、平成24年11月１日より定期接種での使用が開始された。

３）水痘ワクチンの１歳には、誕生日前日に接種した０歳を含む。

# 予防接種の接種者数 I，対象疾病・年齢、個別－集団別

平成29年度

| 用肺炎球菌ワクチン | | | 子宮頸がん予防ワクチン | | | 水痘ワクチン[3)] | | B型肝炎ワクチン | | |
|---|---|---|---|---|---|---|---|---|---|---|
| 第２回 | 第３回 | 第４回 | 第１回 | 第２回 | 第３回 | 第１回 | 第２回 | 第１回 | 第２回 | 第３回 |
| 935 551 | 926 474 | · | · | · | · | · | · | 944 509 | 938 825 | 960 948 |
| 10 293 | 15 480 | 920 577 | · | · | · | 933 323 | 654 494 | · | · | · |
| 702 | 895 | 28 035 | · | · | · | 40 435 | 225 020 | · | · | · |
| 336 | 534 | 9 964 | · | · | · | · | · | · | · | · |
| 251 | 336 | 4 618 | · | · | · | · | · | · | · | · |
| · | · | · | · | · | · | · | · | · | · | · |
| · | · | · | · | · | · | · | · | · | · | · |
| · | · | · | · | · | · | · | · | · | · | · |
| · | · | · | · | · | · | · | · | · | · | · |
| · | · | · | · | · | · | · | · | · | · | · |
| · | · | · | · | · | · | · | · | · | · | · |
| · | · | · | 67 | 38 | 5 | · | · | · | · | · |
| · | · | · | 365 | 241 | 113 | · | · | · | · | · |
| · | · | · | 557 | 460 | 338 | · | · | · | · | · |
| · | · | · | 592 | 463 | 332 | · | · | · | · | · |
| · | · | · | 1 083 | 772 | 450 | · | · | · | · | · |
| · | · | · | 683 | 692 | 609 | · | · | · | · | · |
| · | · | · | · | · | · | · | · | · | · | · |
| · | · | · | · | · | · | · | · | · | · | · |
| · | · | · | · | · | · | · | · | · | · | · |
| 947 133 | 943 719 | 963 194 | 3 347 | 2 666 | 1 847 | 973 758 | 879 514 | 944 509 | 938 825 | 960 948 |
| 945 958 | 942 516 | 961 823 | 3 338 | 2 655 | 1 836 | 972 019 | 877 508 | 943 449 | 937 810 | 959 684 |
| 1 114 | 1 141 | 1 318 | 9 | 11 | 11 | 1 672 | 1 915 | 994 | 951 | 1 197 |

# 第34－２表　市区町村が実施した定期の予防接種の

| | 麻しん風しん混合ワクチン[1) 2)] | | 麻しんワクチン[1) 2)] | |
|---|---|---|---|---|
| | 第１期 | 第２期 | 第１期 | 第２期 |
| ５月未満 | ・ | ・ | ・ | ・ |
| ５月以上１歳未満 | ・ | ・ | ・ | ・ |
| １歳 | 961 201 | ・ | 107 | ・ |
| ５歳 | ・ | 562 500 | ・ | 29 |
| ６歳 | ・ | 427 198 | ・ | 62 |
| 計 | 961 201 | 989 698 | 107 | 91 |
| （再掲）個別 | 959 328 | 985 234 | 106 | 83 |
| （再掲）集団 | 1 832 | 4 385 | 1 | 8 |

注：年齢別については、計数不詳の市区町村があるため、計と年齢別の計が一致しない場合がある。
　１）「麻しん風しん混合ワクチン」、「麻しんワクチン」、「風しんワクチン」の第１期の１歳には、誕生日前日に接種した０歳を含む。
　２）「麻しん風しん混合ワクチン」、「麻しんワクチン」、「風しんワクチン」の第２期の５歳には、誕生日前日に接種した４歳を含む。
　３）「ＢＣＧワクチン」は、平成24年度までは生後６月に至るまでの間に行われ、特別の事情等によりやむを得ない場合は１歳に至るまでの間に行われていたが、平成25年度より定期接種の対象者が「原則６月未満」から「生後１歳に至るまでの間にある者」に拡大した。

# 接種者数Ⅱ，対象疾病・年齢、個別－集団別

平成29年度

| 風しんワクチン[1) 2)] | | BCGワクチン[3)] |
|---|---|---|
| 第1期 | 第2期 | |
| ・ | ・ | 69 591 |
| ・ | ・ | 877 261 |
| 75 | ・ | ・ |
| ・ | 18 | ・ |
| ・ | 23 | ・ |
| 75 | 41 | 946 852 |
| 75 | 33 | 764 908 |
| … | 8 | 181 904 |

# 第35表（８－１）市区町村が実施した定期の予防接種の

| | 沈降精製百日せきジフテリア破傷風混合ワクチン（ＤＰＴ） | | | | | | | |
|---|---|---|---|---|---|---|---|---|
| | 第１期 | | | | | | | |
| | 初回接種 | | | | | | 追加接種 | |
| | 第１回 | | 第２回 | | 第３回 | | | |
| | 個別 | 集団 | 個別 | 集団 | 個別 | 集団 | 個別 | 集団 |
| **全国** | **226** | **-** | **222** | **-** | **237** | **-** | **259** | **-** |
| 北海道 | 17 | - | 19 | - | 17 | - | 18 | - |
| 青森 | 4 | - | - | - | - | - | - | - |
| 岩手 | - | - | - | - | - | - | - | - |
| 宮城 | - | - | - | - | - | - | - | - |
| 秋田 | - | - | - | - | - | - | - | - |
| 山形 | - | - | - | - | 1 | - | - | - |
| 福島 | 7 | - | 6 | - | 6 | - | 14 | - |
| 茨城 | - | - | - | - | 1 | - | - | - |
| 栃木 | - | - | - | - | - | - | - | - |
| 群馬 | - | - | - | - | - | - | - | - |
| 埼玉 | - | - | - | - | - | - | - | - |
| 千葉 | 1 | - | 1 | - | 1 | - | 1 | - |
| 東京 | - | - | - | - | 1 | - | 2 | - |
| 神奈川 | 1 | - | - | - | - | - | - | - |
| 新潟 | - | - | - | - | - | - | 1 | - |
| 富山 | - | - | - | - | - | - | - | - |
| 石川 | - | - | - | - | - | - | 1 | - |
| 福井 | - | - | - | - | - | - | - | - |
| 山梨 | - | - | - | - | - | - | - | - |
| 長野 | 188 | - | 187 | - | 187 | - | 185 | - |
| 岐阜 | - | - | - | - | - | - | - | - |
| 静岡 | 1 | - | 1 | - | - | - | 1 | - |
| 愛知 | - | - | 1 | - | 1 | - | 3 | - |
| 三重 | - | - | - | - | - | - | - | - |
| 滋賀 | - | - | - | - | - | - | 1 | - |
| 京都 | - | - | - | - | - | - | - | - |
| 大阪 | 1 | - | - | - | 1 | - | 1 | - |
| 兵庫 | - | - | 1 | - | 1 | - | 4 | - |
| 奈良 | 2 | - | 2 | - | 2 | - | 5 | - |
| 和歌山 | - | - | - | - | 1 | - | 5 | - |
| 鳥取 | 1 | - | 1 | - | 1 | - | - | - |
| 島根 | - | - | - | - | - | - | - | - |
| 岡山 | 1 | - | 1 | - | 1 | - | - | - |
| 広島 | - | - | - | - | 10 | - | - | - |
| 山口 | - | - | - | - | - | - | - | - |
| 徳島 | - | - | - | - | - | - | 1 | - |
| 香川 | - | - | - | - | - | - | - | - |
| 愛媛 | - | - | - | - | - | - | - | - |
| 高知 | - | - | - | - | - | - | 2 | - |
| 福岡 | 1 | - | - | - | 1 | - | 2 | - |
| 佐賀 | - | - | - | - | - | - | 1 | - |
| 長崎 | - | - | 1 | - | 3 | - | 2 | - |
| 熊本 | - | - | - | - | - | - | - | - |
| 大分 | - | - | - | - | - | - | - | - |
| 宮崎 | - | - | - | - | - | - | - | - |
| 鹿児島 | - | - | - | - | - | - | 3 | - |
| 沖縄 | 1 | - | 1 | - | 1 | - | 6 | - |
| 指定都市・特別区(再掲) | | | | | | | | |
| 東京都区部 | - | - | - | - | 1 | - | 2 | - |
| 札幌市 | - | - | - | - | - | - | - | - |
| 仙台市 | - | - | - | - | - | - | - | - |
| さいたま市 | - | - | - | - | - | - | - | - |
| 千葉市 | - | - | - | - | - | - | - | - |
| 横浜市 | 1 | - | - | - | - | - | - | - |
| 川崎市 | - | - | - | - | - | - | - | - |
| 相模原市 | - | - | - | - | - | - | - | - |
| 新潟市 | - | - | - | - | - | - | - | - |
| 静岡市 | - | - | - | - | - | - | - | - |
| 浜松市 | - | - | - | - | - | - | - | - |
| 名古屋市 | - | - | - | - | - | - | - | - |
| 京都市 | - | - | - | - | - | - | - | - |
| 大阪市 | - | - | - | - | - | - | - | - |
| 堺市 | - | - | - | - | - | - | - | - |
| 神戸市 | - | - | - | - | - | - | - | - |
| 岡山市 | - | - | - | - | - | - | - | - |
| 広島市 | - | - | - | - | - | - | - | - |
| 北九州市 | - | - | - | - | - | - | - | - |
| 福岡市 | - | - | - | - | - | - | - | - |
| 熊本市 | - | - | - | - | - | - | - | - |

# 接種者数，都道府県－指定都市・特別区－中核市－その他政令市、対象疾病別

平成29年度

| 沈降ジフテリア破傷風混合トキソイド（ＤＴ） | | | | | | | |
| 第 1 期 | | | | | | 第 2 期 | |
| 初 回 接 種 | | | | 追 加 接 種 | | | |
| 第 1 回 | | 第 2 回 | | | | | |
| 個 別 | 集 団 | 個 別 | 集 団 | 個 別 | 集 団 | 個 別 | 集 団 |
|---|---|---|---|---|---|---|---|
| 14 | - | 10 | - | 28 | - | 799 237 | 17 708 |
| 6 | - | - | - | 1 | - | 32 769 | 1 805 |
| - | - | - | - | - | - | 7 760 | 500 |
| - | - | - | - | - | - | 8 371 | 249 |
| - | - | - | - | - | - | 14 559 | - |
| - | - | - | - | - | - | 6 603 | 18 |
| - | - | - | - | - | - | 7 936 | - |
| - | - | - | - | - | - | 12 962 | 121 |
| - | - | - | - | - | - | 20 256 | - |
| - | - | - | - | - | - | 14 768 | 365 |
| - | - | - | - | - | - | 12 991 | 1 283 |
| 2 | - | 1 | - | - | - | 47 001 | 1 312 |
| - | - | - | - | - | - | 41 139 | 1 300 |
| - | - | - | - | 2 | - | 66 340 | 198 |
| - | - | 2 | - | 4 | - | 56 926 | - |
| 1 | - | - | - | 1 | - | 15 128 | 383 |
| - | - | - | - | - | - | 7 455 | - |
| - | - | - | - | - | - | 8 279 | - |
| - | - | - | - | - | - | 5 684 | - |
| 1 | - | 1 | - | 2 | - | 5 724 | 1 |
| - | - | 1 | - | 1 | - | 10 048 | 6 072 |
| - | - | - | - | - | - | 14 554 | 120 |
| 1 | - | 1 | - | 1 | - | 25 039 | 977 |
| - | - | - | - | - | - | 53 292 | 28 |
| - | - | - | - | - | - | 12 934 | - |
| - | - | 1 | - | 6 | - | 11 643 | - |
| 1 | - | 1 | - | - | - | 14 224 | 13 |
| 1 | - | - | - | 4 | - | 49 695 | - |
| 1 | - | 1 | - | 3 | - | 35 700 | - |
| - | - | - | - | - | - | 8 547 | 228 |
| - | - | 1 | - | - | - | 5 721 | 429 |
| - | - | - | - | - | - | 3 808 | - |
| - | - | - | - | - | - | 4 560 | 176 |
| - | - | - | - | - | - | 11 146 | - |
| - | - | - | - | 1 | - | 19 340 | - |
| - | - | - | - | - | - | 8 715 | - |
| - | - | - | - | - | - | 4 257 | - |
| - | - | - | - | 1 | - | 6 790 | 15 |
| - | - | - | - | - | - | 8 668 | - |
| - | - | - | - | - | - | 4 030 | - |
| - | - | - | - | - | - | 33 105 | 6 |
| - | - | - | - | - | - | 6 121 | 67 |
| - | - | - | - | - | - | 8 306 | 756 |
| - | - | - | - | - | - | 12 618 | 279 |
| - | - | - | - | - | - | 6 325 | 13 |
| - | - | - | - | - | - | 6 335 | 146 |
| - | - | - | - | - | - | 10 742 | 148 |
| - | - | - | - | 1 | - | 10 323 | 700 |
| - | - | - | - | 1 | - | 41 178 | - |
| - | - | - | - | - | - | 11 914 | - |
| - | - | - | - | - | - | 6 161 | - |
| 1 | - | 1 | - | - | - | 8 038 | - |
| - | - | - | - | - | - | 7 557 | - |
| - | - | 1 | - | 4 | - | 23 440 | - |
| - | - | - | - | - | - | 9 429 | - |
| - | - | - | - | - | - | 3 803 | - |
| - | - | - | - | 1 | - | 5 151 | - |
| - | - | - | - | - | - | 4 129 | - |
| 1 | - | 1 | - | 1 | - | 6 121 | - |
| - | - | - | - | - | - | 12 800 | - |
| - | - | - | - | - | - | 6 415 | - |
| 1 | - | - | - | 1 | - | 10 271 | - |
| - | - | - | - | - | - | 6 294 | - |
| - | - | - | - | - | - | 9 726 | - |
| - | - | - | - | - | - | 4 332 | - |
| - | - | - | - | - | - | 9 017 | - |
| - | - | - | - | - | - | 6 251 | - |
| - | - | - | - | - | - | 9 607 | - |
| - | - | - | - | - | - | 5 282 | - |

# 第35表（８－２）市区町村が実施した定期の予防接種の

| | 沈降精製百日せきジフテリア破傷風混合ワクチン（ＤＰＴ） | | | | | | | |
|---|---|---|---|---|---|---|---|---|
| | 第１期 | | | | | | | |
| | 初回接種 | | | | | | 追加接種 | |
| | 第１回 | | 第２回 | | 第３回 | | | |
| | 個別 | 集団 | 個別 | 集団 | 個別 | 集団 | 個別 | 集団 |
| 中核市(再掲) | | | | | | | | |
| 旭川市 | - | - | - | - | - | - | - | - |
| 函館市 | - | - | - | - | - | - | - | - |
| 青森市 | - | - | - | - | - | - | - | - |
| 八戸市 | - | - | - | - | - | - | - | - |
| 盛岡市 | - | - | - | - | - | - | - | - |
| 秋田市 | - | - | - | - | - | - | - | - |
| 郡山市 | - | - | - | - | - | - | - | - |
| いわき市 | - | - | - | - | - | - | - | - |
| 宇都宮市 | - | - | - | - | - | - | - | - |
| 前橋市 | - | - | - | - | - | - | - | - |
| 高崎市 | - | - | - | - | - | - | - | - |
| 川越市 | - | - | - | - | - | - | - | - |
| 越谷市 | - | - | - | - | - | - | - | - |
| 船橋市 | - | - | - | - | - | - | - | - |
| 柏市 | - | - | - | - | - | - | - | - |
| 八王子市 | - | - | - | - | - | - | - | - |
| 横須賀市 | - | - | - | - | - | - | - | - |
| 富山市 | - | - | - | - | - | - | - | - |
| 金沢市 | - | - | - | - | - | - | - | - |
| 長野市 | - | - | - | - | - | - | - | - |
| 岐阜市 | - | - | - | - | - | - | - | - |
| 豊橋市 | - | - | - | - | - | - | - | - |
| 豊田市 | - | - | - | - | - | - | - | - |
| 岡崎市 | - | - | - | - | - | - | - | - |
| 大津市 | - | - | - | - | - | - | - | - |
| 高槻市 | - | - | - | - | - | - | - | - |
| 東大阪市 | - | - | - | - | - | - | - | - |
| 豊中市 | - | - | - | - | - | - | - | - |
| 枚方市 | - | - | - | - | - | - | - | - |
| 姫路市 | - | - | - | - | - | - | - | - |
| 西宮市 | - | - | - | - | - | - | - | - |
| 尼崎市 | - | - | 1 | - | 1 | - | 4 | - |
| 奈良市 | - | - | - | - | - | - | - | - |
| 和歌山市 | - | - | - | - | - | - | - | - |
| 倉敷市 | - | - | - | - | - | - | - | - |
| 福山市 | - | - | - | - | - | - | - | - |
| 呉市 | - | - | - | - | - | - | - | - |
| 下関市 | - | - | - | - | - | - | - | - |
| 高松市 | - | - | - | - | - | - | - | - |
| 松山市 | - | - | - | - | - | - | - | - |
| 高知市 | - | - | - | - | - | - | - | - |
| 久留米市 | - | - | - | - | - | - | - | - |
| 長崎市 | - | - | - | - | - | - | - | - |
| 佐世保市 | - | - | - | - | - | - | - | - |
| 大分市 | - | - | - | - | - | - | - | - |
| 宮崎市 | - | - | - | - | - | - | - | - |
| 鹿児島市 | - | - | - | - | - | - | - | - |
| 那覇市 | - | - | - | - | - | - | - | - |
| その他政令市(再掲) | | | | | | | | |
| 小樽市 | - | - | - | - | - | - | - | - |
| 町田市 | - | - | - | - | - | - | - | - |
| 藤沢市 | - | - | - | - | - | - | - | - |
| 茅ヶ崎市 | - | - | - | - | - | - | - | - |
| 四日市市 | - | - | - | - | - | - | - | - |
| 大牟田市 | - | - | - | - | - | - | - | - |

注：１）「不活化ポリオワクチン（ＩＰＶ）」は、平成24年９月１日より定期接種に使用するワクチンが生ワクチン（ＯＰＶ）から不活化ワクチン（ＩＰＶ）に変わり、接種回数が変更された。
　　２）ジフテリア、百日せき、急性灰白髄炎及び破傷風について同時に行う第１期の予防接種は、沈降精製百日せきジフテリア破傷風不活化ポリオ混合ワクチンを使用する。当ワクチンは、平成24年11月１日より定期接種での使用が開始された。

## 接種者数，都道府県－指定都市・特別区－中核市－その他政令市、対象疾病別

平成29年度

| 沈降ジフテリア破傷風混合トキソイド（ＤＴ） | | | | | | | |
|---|---|---|---|---|---|---|---|
| 第1期 | | | | | | 第2期 | |
| 初回接種 | | | | 追加接種 | | | |
| 第1回 | | 第2回 | | | | | |
| 個別 | 集団 | 個別 | 集団 | 個別 | 集団 | 個別 | 集団 |
| - | - | - | - | - | - | 2 136 | - |
| - | - | - | - | - | - | 1 564 | - |
| - | - | - | - | - | - | 1 666 | - |
| - | - | - | - | - | - | 1 541 | - |
| - | - | - | - | - | - | 2 136 | - |
| - | - | - | - | - | - | 2 207 | - |
| - | - | - | - | - | - | 2 241 | - |
| - | - | - | - | - | - | 1 783 | - |
| - | - | - | - | - | - | 4 383 | - |
| - | - | - | - | - | - | 2 460 | - |
| - | - | - | - | - | - | 2 846 | - |
| - | - | - | - | - | - | 2 401 | - |
| - | - | - | - | - | - | 2 524 | - |
| - | - | - | - | - | - | 4 201 | - |
| - | - | - | - | - | - | 2 529 | - |
| - | - | - | - | - | - | 3 642 | - |
| - | - | - | - | - | - | 2 167 | - |
| - | - | - | - | - | - | 2 657 | - |
| - | - | - | - | - | - | 3 283 | - |
| - | - | - | - | - | - | 2 910 | - |
| - | - | - | - | - | - | 2 382 | - |
| - | - | - | - | - | - | 2 811 | - |
| - | - | - | - | - | - | 3 210 | - |
| - | - | - | - | - | - | 3 049 | - |
| - | - | - | - | - | - | 2 844 | - |
| - | - | - | - | - | - | 2 191 | - |
| - | - | - | - | - | - | 2 503 | - |
| - | - | - | - | - | - | 2 696 | - |
| - | - | - | - | - | - | 2 990 | - |
| - | - | - | - | - | - | 3 201 | - |
| - | - | - | - | - | - | 3 572 | - |
| - | - | - | - | - | - | 1 960 | - |
| - | - | - | - | - | - | 2 150 | - |
| - | - | - | - | - | - | 2 195 | - |
| - | - | - | - | - | - | 2 436 | - |
| - | - | - | - | - | - | 2 651 | - |
| - | - | - | - | - | - | 1 412 | - |
| - | - | - | - | - | - | 1 384 | - |
| - | - | - | - | - | - | 3 079 | - |
| - | - | - | - | - | - | 3 094 | - |
| - | - | - | - | - | - | 2 136 | - |
| - | - | - | - | - | - | 2 776 | - |
| - | - | - | - | - | - | 2 759 | - |
| - | - | - | - | - | - | 1 385 | 7 |
| - | - | - | - | - | - | 2 260 | - |
| - | - | - | - | - | - | 2 654 | - |
| - | - | - | - | - | - | 3 469 | - |
| - | - | - | - | - | - | 2 081 | - |
| - | - | - | - | - | - | 641 | - |
| - | - | - | - | - | - | 2 847 | - |
| - | - | - | - | - | - | 2 876 | - |
| - | - | - | - | - | - | 1 661 | - |
| - | - | - | - | - | - | 2 215 | - |
| - | - | - | - | - | - | 636 | - |

# 第35表（8－3）市区町村が実施した定期の予防接種の

| | 不活化ポリオワクチン（ＩＰＶ）[1] | | | | | | | |
| | 初　回　接　種 | | | | | | 追　加　接　種 | |
| | 第　1　回 | | 第　2　回 | | 第　3　回 | | | |
| | 個　別 | 集　団 | 個　別 | 集　団 | 個　別 | 集　団 | 個　別 | 集　団 |
|---|---|---|---|---|---|---|---|---|
| 全　　国 | 1 504 | 7 | 4 908 | 14 | 8 853 | 24 | 32 312 | 28 |
| 北海道 | 46 | 1 | 180 | 1 | 366 | 4 | 1 692 | 5 |
| 青森 | 20 | － | 62 | － | 98 | － | 348 | － |
| 岩手 | 10 | － | 45 | 1 | 86 | 1 | 267 | 2 |
| 宮城 | 10 | － | 55 | － | 110 | － | 391 | － |
| 秋田 | 14 | － | 29 | － | 39 | － | 168 | － |
| 山形 | 9 | － | 19 | － | 56 | － | 176 | － |
| 福島 | 44 | － | 116 | － | 163 | － | 663 | － |
| 茨城 | 63 | － | 162 | － | 286 | － | 869 | － |
| 栃木 | 35 | － | 102 | － | 168 | － | 593 | － |
| 群馬 | 21 | － | 86 | － | 158 | － | 520 | 1 |
| 埼玉 | 65 | － | 245 | － | 443 | － | 1 886 | － |
| 千葉 | 81 | － | 283 | － | 489 | 1 | 1 893 | 2 |
| 東京 | 146 | － | 412 | － | 738 | － | 3 448 | － |
| 神奈川 | 80 | － | 292 | － | 568 | － | 2 335 | － |
| 新潟 | 11 | － | 44 | － | 80 | － | 376 | － |
| 富山 | 4 | － | 11 | － | 19 | － | 119 | － |
| 石川 | 10 | － | 40 | － | 75 | － | 204 | － |
| 福井 | 3 | － | 20 | － | 28 | － | 104 | － |
| 山梨 | 9 | － | 32 | － | 59 | － | 208 | － |
| 長野 | 62 | － | 143 | － | 167 | 4 | 410 | 2 |
| 岐阜 | 22 | 1 | 52 | 2 | 91 | 3 | 417 | 7 |
| 静岡 | 25 | － | 74 | － | 123 | － | 574 | － |
| 愛知 | 105 | － | 241 | － | 391 | － | 1 505 | － |
| 三重 | 11 | － | 22 | － | 43 | － | 147 | － |
| 滋賀 | 9 | － | 25 | － | 53 | － | 309 | － |
| 京都 | 33 | － | 96 | － | 155 | － | 671 | － |
| 大阪 | 116 | － | 481 | 1 | 775 | 1 | 2 891 | － |
| 兵庫 | 65 | － | 193 | － | 323 | － | 1 238 | － |
| 奈良 | 15 | － | 58 | － | 108 | － | 369 | － |
| 和歌山 | 7 | － | 29 | － | 47 | － | 203 | － |
| 鳥取 | 3 | － | 23 | 1 | 41 | － | 100 | － |
| 島根 | 4 | － | 25 | － | 40 | － | 173 | － |
| 岡山 | 20 | － | 91 | － | 159 | － | 412 | － |
| 広島 | 28 | － | 77 | － | 165 | － | 539 | － |
| 山口 | 6 | － | 35 | － | 92 | － | 264 | － |
| 徳島 | 16 | － | 38 | － | 53 | － | 161 | － |
| 香川 | 10 | － | 38 | － | 79 | － | 291 | － |
| 愛媛 | 14 | － | 33 | － | 84 | － | 289 | － |
| 高知 | 5 | － | 35 | － | 101 | － | 242 | － |
| 福岡 | 53 | － | 207 | － | 440 | － | 1 409 | － |
| 佐賀 | 14 | － | 50 | － | 89 | － | 260 | － |
| 長崎 | 11 | － | 36 | － | 67 | － | 237 | － |
| 熊本 | 42 | － | 153 | － | 323 | － | 945 | － |
| 大分 | 5 | － | 24 | － | 66 | － | 269 | － |
| 宮崎 | 18 | － | 101 | － | 181 | － | 502 | － |
| 鹿児島 | 22 | － | 100 | － | 203 | － | 553 | － |
| 沖縄 | 82 | 5 | 193 | 8 | 365 | 10 | 672 | 9 |
| 指定都市・特別区（再掲） | | | | | | | | |
| 東京都区部 | 97 | | 265 | | 484 | | 2 200 | |
| 札幌市 | 12 | － | 76 | － | 143 | － | 708 | － |
| 仙台市 | － | － | 9 | － | 30 | － | 159 | － |
| さいたま市 | 7 | － | 31 | － | 63 | － | 292 | － |
| 千葉市 | 7 | － | 29 | － | 73 | － | 310 | － |
| 横浜市 | 34 | － | 121 | － | 220 | － | 940 | － |
| 川崎市 | 4 | － | 26 | － | 63 | － | 269 | － |
| 相模原市 | 15 | － | 42 | － | 82 | － | 287 | － |
| 新潟市 | 4 | － | 24 | － | 40 | － | 180 | － |
| 静岡市 | 1 | － | 5 | － | 21 | － | 91 | － |
| 浜松市 | 3 | － | 10 | － | 18 | － | 116 | － |
| 名古屋市 | 23 | － | 79 | － | 143 | － | 459 | － |
| 京都市 | 20 | － | 54 | － | 90 | － | 369 | － |
| 大阪市 | 28 | － | 106 | － | 205 | － | 803 | － |
| 堺市 | 19 | － | 102 | － | 60 | － | 275 | － |
| 神戸市 | 20 | － | 35 | － | 74 | － | 347 | － |
| 岡山市 | 13 | － | 37 | － | 64 | － | 181 | － |
| 広島市 | 7 | － | 19 | － | 42 | － | 157 | － |
| 北九州市 | 12 | － | 33 | － | 66 | － | 168 | － |
| 福岡市 | 6 | － | 39 | － | 116 | － | 429 | － |
| 熊本市 | 15 | － | 70 | － | 141 | － | 479 | － |

# 接種者数，都道府県－指定都市・特別区－中核市－その他政令市、対象疾病別

平成29年度

| 沈降精製百日せきジフテリア破傷風不活化ポリオ混合ワクチン（DPT－IPV）[2] | | | | | | | |
|---|---|---|---|---|---|---|---|
| 第1期 | | | | | | 追加接種 | |
| 初回接種 | | | | | | | |
| 第1回 | | 第2回 | | 第3回 | | | |
| 個別 | 集団 | 個別 | 集団 | 個別 | 集団 | 個別 | 集団 |
| **945 789** | **3 001** | **950 016** | **3 137** | **952 798** | **3 269** | **989 152** | **3 564** |
| 33 177 | 424 | 33 363 | 432 | 33 376 | 462 | 34 872 | 536 |
| 7 953 | 117 | 8 014 | 123 | 8 003 | 121 | 8 297 | 103 |
| 8 210 | 20 | 8 134 | 53 | 8 205 | 73 | 8 689 | 75 |
| 16 468 | － | 16 524 | － | 16 660 | － | 17 630 | － |
| 5 393 | － | 5 427 | － | 5 441 | － | 5 775 | － |
| 7 258 | － | 7 206 | － | 7 211 | － | 7 682 | － |
| 13 252 | － | 13 419 | － | 13 415 | － | 13 620 | － |
| 20 858 | － | 20 826 | － | 20 902 | － | 21 433 | － |
| 14 346 | － | 14 375 | － | 14 482 | － | 15 064 | － |
| 13 583 | 210 | 13 614 | 227 | 13 562 | 225 | 14 046 | 291 |
| 54 542 | － | 54 407 | 1 | 54 734 | 1 | 56 848 | － |
| 44 816 | 168 | 45 020 | 175 | 45 357 | 192 | 47 190 | 283 |
| 108 007 | 56 | 108 475 | 64 | 108 778 | 75 | 110 819 | 84 |
| 68 517 | － | 68 840 | － | 69 266 | － | 72 721 | － |
| 14 973 | － | 14 992 | － | 15 143 | － | 16 103 | － |
| 7 219 | － | 7 216 | － | 7 140 | － | 7 409 | － |
| 8 676 | － | 8 703 | － | 8 657 | － | 9 041 | － |
| 5 881 | － | 5 913 | － | 5 931 | － | 5 999 | － |
| 5 739 | 1 | 5 719 | － | 5 756 | 1 | 5 881 | － |
| 13 273 | 1 544 | 13 343 | 1 553 | 13 472 | 1 570 | 13 606 | 1 541 |
| 14 265 | 11 | 14 303 | 15 | 14 329 | 13 | 15 373 | 25 |
| 26 780 | － | 26 936 | － | 27 086 | － | 28 406 | － |
| 62 047 | 19 | 63 913 | 20 | 63 956 | 19 | 65 915 | 16 |
| 13 020 | － | 13 055 | － | 13 098 | － | 14 086 | － |
| 11 698 | 1 | 11 756 | 1 | 11 889 | － | 12 572 | － |
| 18 458 | 8 | 18 617 | 9 | 18 682 | 11 | 19 606 | 11 |
| 66 731 | 1 | 67 052 | － | 67 203 | － | 68 693 | － |
| 41 781 | － | 41 988 | － | 42 110 | － | 43 567 | － |
| 8 897 | 60 | 8 948 | 63 | 9 014 | 64 | 9 654 | 67 |
| 6 413 | 3 | 6 445 | 5 | 6 509 | 7 | 6 786 | 14 |
| 4 311 | － | 4 298 | － | 4 305 | － | 4 509 | － |
| 5 051 | 64 | 5 075 | 70 | 5 031 | 109 | 5 533 | 118 |
| 14 816 | － | 14 843 | － | 14 832 | － | 15 643 | － |
| 22 117 | － | 22 195 | － | 22 260 | － | 22 741 | － |
| 9 491 | － | 9 479 | － | 9 536 | － | 10 104 | － |
| 5 096 | － | 5 088 | － | 5 132 | － | 5 379 | － |
| 7 329 | 17 | 7 386 | 16 | 7 434 | 22 | 7 586 | 11 |
| 9 508 | － | 9 586 | － | 9 524 | － | 9 945 | － |
| 4 764 | － | 4 723 | － | 4 682 | － | 4 828 | － |
| 43 279 | － | 42 962 | － | 42 749 | － | 44 924 | － |
| 6 644 | － | 6 650 | － | 6 596 | － | 6 849 | 1 |
| 10 396 | 39 | 10 390 | 63 | 10 459 | 58 | 10 519 | 99 |
| 14 444 | 36 | 14 430 | 33 | 14 506 | 29 | 15 135 | 29 |
| 8 581 | 3 | 8 583 | 3 | 8 599 | 3 | 9 072 | 1 |
| 8 659 | 66 | 8 696 | 54 | 8 745 | 62 | 9 139 | 89 |
| 13 093 | 3 | 13 193 | 5 | 13 170 | 4 | 13 638 | 4 |
| 15 979 | 130 | 15 896 | 152 | 15 871 | 148 | 16 225 | 166 |
| 77 388 | － | 77 450 | － | 77 606 | － | 77 990 | － |
| 13 458 | － | 13 644 | － | 13 599 | － | 14 043 | － |
| 8 364 | － | 8 381 | － | 8 390 | － | 8 722 | － |
| 10 693 | － | 10 671 | － | 10 696 | － | 11 026 | － |
| 6 808 | － | 6 780 | － | 6 803 | － | 7 245 | － |
| 28 148 | － | 28 222 | － | 28 323 | － | 29 408 | － |
| 13 544 | － | 13 703 | － | 13 892 | － | 14 174 | － |
| 5 073 | － | 5 099 | － | 5 093 | － | 5 324 | － |
| 5 703 | － | 5 757 | － | 5 735 | － | 5 957 | － |
| 4 952 | － | 5 004 | － | 5 023 | － | 5 380 | － |
| 6 319 | － | 6 369 | － | 6 413 | － | 6 649 | － |
| 17 710 | － | 19 487 | － | 19 397 | － | 19 600 | － |
| 10 293 | － | 10 356 | － | 10 435 | － | 10 724 | － |
| 21 622 | － | 21 641 | － | 21 523 | － | 21 295 | － |
| 6 341 | － | 6 450 | － | 6 512 | － | 6 821 | － |
| 11 415 | － | 11 350 | － | 11 378 | － | 11 695 | － |
| 6 084 | － | 6 058 | － | 6 026 | － | 6 207 | － |
| 10 070 | － | 10 142 | － | 10 165 | － | 10 404 | － |
| 7 403 | － | 7 364 | － | 7 314 | － | 7 628 | － |
| 14 282 | － | 14 089 | － | 13 968 | － | 14 345 | － |
| 6 574 | － | 6 495 | － | 6 552 | － | 6 717 | － |

# 第35表（８－４）市区町村が実施した定期の予防接種の

| | 不活化ポリオワクチン（ＩＰＶ）[1] | | | | | | | |
|---|---|---|---|---|---|---|---|---|
| | 初回接種 | | | | | | 追加接種 | |
| | 第１回 | | 第２回 | | 第３回 | | | |
| | 個別 | 集団 | 個別 | 集団 | 個別 | 集団 | 個別 | 集団 |
| 中核市(再掲) | | | | | | | | |
| 旭川市 | 1 | - | 14 | - | 25 | - | 126 | - |
| 函館市 | - | - | 13 | - | 22 | - | 76 | - |
| 青森市 | 6 | - | 17 | - | 32 | - | 77 | - |
| 八戸市 | 7 | - | 16 | - | 19 | - | 62 | - |
| 盛岡市 | 1 | - | 15 | - | 33 | - | 88 | - |
| 秋田市 | 2 | - | 8 | - | 12 | - | 65 | - |
| 郡山市 | 8 | - | 25 | - | 21 | - | 107 | - |
| いわき市 | 9 | - | 20 | - | 28 | - | 84 | - |
| 宇都宮市 | 17 | - | 43 | - | 63 | - | 211 | - |
| 前橋市 | 2 | - | 14 | - | 31 | - | 101 | - |
| 高崎市 | - | - | 6 | - | 25 | - | 83 | - |
| 川越市 | 4 | - | 18 | - | 29 | - | 158 | - |
| 越谷市 | 4 | - | 10 | - | 19 | - | 84 | - |
| 船橋市 | 5 | - | 13 | - | 30 | - | 131 | - |
| 柏市 | 7 | - | 16 | - | 30 | - | 92 | - |
| 八王子市 | 4 | - | 22 | - | 41 | - | 170 | - |
| 横須賀市 | 3 | - | 11 | - | 24 | - | 76 | - |
| 富山市 | 3 | - | 6 | - | - | - | 32 | - |
| 金沢市 | 2 | - | 14 | - | 24 | - | 86 | - |
| 長野市 | 3 | - | 8 | - | 14 | - | 78 | - |
| 岐阜市 | 5 | - | 14 | - | 18 | - | 129 | - |
| 豊橋市 | 9 | - | 15 | - | 27 | - | 77 | - |
| 豊田市 | 17 | - | 21 | - | 20 | - | 107 | - |
| 岡崎市 | 11 | - | 17 | - | 19 | - | 83 | - |
| 大津市 | 1 | - | 8 | - | 20 | - | 68 | - |
| 高槻市 | 6 | - | 16 | - | 26 | - | 76 | - |
| 東大阪市 | 3 | - | 11 | - | 29 | - | 98 | - |
| 豊中市 | 4 | - | 21 | - | 51 | - | 200 | - |
| 枚方市 | 14 | - | 28 | - | 57 | - | 161 | - |
| 姫路市 | 7 | - | 26 | - | 54 | - | 149 | - |
| 西宮市 | 3 | - | 23 | - | 30 | - | 83 | - |
| 尼崎市 | 6 | - | 22 | - | 45 | - | 121 | - |
| 奈良市 | 7 | - | 23 | - | 38 | - | 126 | - |
| 和歌山市 | 4 | - | 13 | - | 19 | - | 96 | - |
| 倉敷市 | 3 | - | 32 | - | 51 | - | 107 | - |
| 福山市 | 5 | - | 22 | - | 60 | - | 174 | - |
| 呉市 | 1 | - | 6 | - | 14 | - | 37 | - |
| 下関市 | 2 | - | 9 | - | 23 | - | 57 | - |
| 高松市 | 7 | - | 21 | - | 46 | - | 185 | - |
| 松山市 | 4 | - | 12 | - | 33 | - | 111 | - |
| 高知市 | 2 | - | 22 | - | 77 | - | 167 | - |
| 久留米市 | 3 | - | 14 | - | 23 | - | 72 | - |
| 長崎市 | 1 | - | 8 | - | 11 | - | 47 | - |
| 佐世保市 | 2 | - | 9 | - | 21 | - | 62 | - |
| 大分市 | 3 | - | 15 | - | 34 | - | 130 | - |
| 宮崎市 | 3 | - | 36 | - | 59 | - | 178 | - |
| 鹿児島市 | 7 | - | 35 | - | 89 | - | 228 | - |
| 那覇市 | 27 | - | 59 | - | 76 | - | 109 | - |
| その他政令市(再掲) | | | | | | | | |
| 小樽市 | 1 | - | 1 | - | 7 | - | 37 | - |
| 町田市 | 8 | - | 17 | - | 32 | - | 167 | - |
| 藤沢市 | 8 | - | 17 | - | 33 | - | 199 | - |
| 茅ヶ崎市 | 1 | - | 7 | - | 21 | - | 79 | - |
| 四日市市 | 11 | - | 8 | - | 16 | - | 50 | - |
| 大牟田市 | 2 | - | 3 | - | 6 | - | 28 | - |

注：１）「不活化ポリオワクチン（ＩＰＶ）」は、平成24年９月１日より定期接種に使用するワクチンが生ワクチン（ＯＰＶ）から不活化ワクチン（ＩＰＶ）に変わり、接種回数が変更された。
　　２）ジフテリア、百日せき、急性灰白髄炎及び破傷風について同時に行う第１期の予防接種は、沈降精製百日せきジフテリア破傷風不活化ポリオ混合ワクチンを使用する。当ワクチンは、平成24年11月１日より定期接種での使用が開始された。

# 接種者数，都道府県－指定都市・特別区－中核市－その他政令市、対象疾病別

平成29年度

| 沈降精製百日せきジフテリア破傷風不活化ポリオ混合ワクチン（ＤＰＴ－ＩＰＶ）[2] | | | | | | | |
|---|---|---|---|---|---|---|---|
| 第1期 | | | | | | | |
| 初回接種 | | | | | | 追加接種 | |
| 第1回 | | 第2回 | | 第3回 | | | |
| 個別 | 集団 | 個別 | 集団 | 個別 | 集団 | 個別 | 集団 |
| 2 200 | - | 2 166 | - | 2 200 | - | 2 270 | - |
| 1 416 | - | 1 411 | - | 1 388 | - | 1 506 | - |
| 1 827 | - | 1 839 | - | 1 802 | - | 1 904 | - |
| 1 582 | - | 1 601 | - | 1 633 | - | 1 606 | - |
| 2 243 | - | 2 214 | - | 2 210 | - | 2 409 | - |
| 1 965 | - | 1 978 | - | 2 002 | - | 2 090 | - |
| 2 606 | - | 2 642 | - | 2 668 | - | 2 619 | - |
| 2 328 | - | 2 352 | - | 2 314 | - | 2 226 | - |
| 4 485 | - | 4 478 | - | 4 517 | - | 4 767 | - |
| 2 362 | - | 2 416 | - | 2 409 | - | 2 495 | - |
| 3 003 | - | 2 964 | - | 2 958 | - | 2 904 | - |
| 2 705 | - | 2 668 | - | 2 716 | - | 2 725 | - |
| 2 748 | - | 2 757 | - | 2 760 | - | 2 741 | - |
| 4 932 | - | 4 962 | - | 5 054 | - | 5 245 | - |
| 3 275 | - | 3 294 | - | 3 326 | - | 3 416 | - |
| 3 385 | - | 3 473 | - | 3 427 | - | 3 788 | - |
| 2 405 | - | 2 433 | - | 2 455 | - | 2 600 | - |
| 3 112 | - | 3 107 | - | 3 049 | - | 3 112 | - |
| 3 755 | - | 3 757 | - | 3 722 | - | 3 792 | - |
| 2 675 | - | 2 688 | - | 2 697 | - | 2 713 | - |
| 2 954 | - | 2 980 | - | 2 981 | - | 3 125 | - |
| 2 979 | - | 2 947 | - | 2 947 | - | 3 183 | - |
| 3 735 | - | 3 724 | - | 3 770 | - | 3 786 | - |
| 3 589 | - | 3 574 | - | 3 581 | - | 3 687 | - |
| 2 724 | - | 2 769 | - | 2 812 | - | 2 953 | - |
| 2 617 | - | 2 634 | - | 2 622 | - | 2 819 | - |
| 3 345 | - | 3 359 | - | 3 389 | - | 3 389 | - |
| 3 508 | - | 3 499 | - | 3 468 | - | 3 637 | - |
| 2 774 | - | 2 795 | - | 2 804 | - | 3 024 | - |
| 4 364 | - | 4 366 | - | 4 334 | - | 4 550 | - |
| 4 101 | - | 4 087 | - | 4 087 | - | 4 260 | - |
| 3 642 | - | 3 716 | - | 3 687 | - | 3 566 | - |
| 2 288 | - | 2 283 | - | 2 322 | - | 2 476 | - |
| 2 713 | - | 2 727 | - | 2 720 | - | 2 814 | - |
| 4 235 | - | 4 245 | - | 4 252 | - | 4 421 | - |
| 3 967 | - | 4 021 | - | 3 989 | - | 3 909 | - |
| 1 407 | - | 1 390 | - | 1 401 | - | 1 469 | - |
| 1 645 | - | 1 636 | - | 1 658 | - | 1 827 | - |
| 3 566 | - | 3 583 | - | 3 624 | - | 3 561 | - |
| 4 033 | - | 3 998 | - | 3 956 | - | 4 107 | - |
| 2 541 | - | 2 541 | - | 2 512 | - | 2 527 | - |
| 2 746 | - | 2 716 | - | 2 702 | - | 2 826 | - |
| 3 097 | - | 3 099 | - | 3 113 | - | 3 025 | - |
| 1 978 | 4 | 1 998 | 4 | 2 008 | 4 | 2 088 | 4 |
| 4 112 | - | 4 094 | - | 4 134 | - | 4 345 | - |
| 3 511 | - | 3 514 | - | 3 573 | - | 3 651 | - |
| 5 185 | - | 5 262 | - | 5 286 | - | 5 190 | - |
| 3 081 | - | 3 048 | - | 3 030 | - | 3 163 | - |
| 534 | - | 530 | - | 523 | - | 528 | - |
| 2 763 | - | 2 733 | - | 2 746 | - | 3 058 | - |
| 3 405 | - | 3 324 | - | 3 353 | - | 3 600 | - |
| 1 775 | - | 1 776 | - | 1 793 | - | 2 062 | - |
| 2 453 | - | 2 427 | - | 2 423 | - | 2 579 | - |
| 763 | - | 775 | - | 760 | - | 779 | - |

# 第35表（8－5）市区町村が実施した定期の予防接種の

| | 日　本　脳　炎　ワ　ク　チ　ン | | | | | | | |
| | 第　　　　　　1　　　　　　期 | | | | | | 第　　　2　　　期 | |
| | 初　　回　　接　　種 | | | | 追　加　接　種 | | | |
| | 第　1　回 | | 第　2　回 | | | | | |
| | 個　別 | 集　団 | 個　別 | 集　団 | 個　別 | 集　団 | 個　別 | 集　団 |
|---|---:|---:|---:|---:|---:|---:|---:|---:|
| 全　　　　国 | 1 181 978 | 7 398 | 1 157 939 | 7 311 | 1 120 120 | 7 559 | 993 880 | 8 091 |
| 北　海　道 | 103 224 | 1 155 | 97 794 | 1 131 | 88 903 | 929 | 17 481 | 243 |
| 青　　森 | 9 434 | 394 | 9 126 | 441 | 9 491 | 768 | 9 144 | 598 |
| 岩　　手 | 9 292 | 323 | 9 152 | 328 | 9 602 | 360 | 12 120 | 56 |
| 宮　　城 | 24 864 | – | 24 292 | – | 24 401 | – | 22 602 | – |
| 秋　　田 | 6 700 | – | 6 584 | – | 7 143 | – | 8 939 | – |
| 山　　形 | 9 046 | – | 9 008 | – | 9 544 | – | 12 278 | – |
| 福　　島 | 15 528 | 12 | 15 072 | 8 | 14 575 | 18 | 15 905 | 27 |
| 茨　　城 | 24 494 | – | 23 932 | – | 23 725 | – | 21 596 | – |
| 栃　　木 | 16 068 | 31 | 15 563 | 25 | 15 713 | 32 | 19 155 | 146 |
| 群　　馬 | 14 766 | 690 | 14 370 | 673 | 13 949 | 618 | 16 560 | 1 019 |
| 埼　　玉 | 63 825 | – | 62 054 | – | 57 737 | – | 58 497 | – |
| 千　　葉 | 63 766 | 655 | 63 118 | 637 | 61 745 | 892 | 46 950 | 971 |
| 東　　京 | 115 513 | 84 | 112 848 | 51 | 105 008 | 136 | 88 659 | 282 |
| 神　奈　川 | 77 328 | – | 76 277 | – | 73 891 | – | 71 403 | – |
| 新　　潟 | 17 193 | – | 16 946 | – | 16 991 | – | 19 392 | 64 |
| 富　　山 | 8 257 | – | 8 014 | – | 8 175 | – | 9 783 | – |
| 石　　川 | 10 058 | – | 10 029 | – | 10 997 | – | 11 579 | – |
| 福　　井 | 6 492 | – | 6 420 | – | 6 810 | – | 8 488 | – |
| 山　　梨 | 6 611 | – | 6 547 | – | 6 564 | – | 8 070 | – |
| 長　　野 | 16 103 | 2 212 | 16 124 | 2 186 | 15 860 | 2 287 | 20 197 | 1 864 |
| 岐　　阜 | 17 109 | 172 | 17 029 | 175 | 16 815 | 45 | 18 555 | 41 |
| 静　　岡 | 32 479 | 322 | 32 815 | 313 | 34 851 | 290 | 31 401 | 238 |
| 愛　　知 | 68 592 | 178 | 68 274 | 191 | 67 234 | 224 | 72 353 | 653 |
| 三　　重 | 16 105 | – | 16 080 | – | 14 927 | – | 15 970 | – |
| 滋　　賀 | 14 410 | – | 14 349 | – | 14 269 | – | 15 604 | – |
| 京　　都 | 21 964 | 7 | 21 505 | 9 | 20 784 | 11 | 18 951 | – |
| 大　　阪 | 75 351 | – | 73 768 | – | 68 038 | – | 54 750 | – |
| 兵　　庫 | 49 875 | – | 49 144 | – | 48 393 | – | 45 404 | – |
| 奈　　良 | 10 594 | 111 | 10 355 | 113 | 10 449 | 119 | 11 232 | 326 |
| 和　歌　山 | 7 944 | 125 | 7 836 | 115 | 7 382 | 121 | 8 608 | 217 |
| 鳥　　取 | 6 140 | – | 6 013 | – | 5 236 | – | 4 195 | – |
| 島　　根 | 5 986 | 141 | 5 855 | 145 | 6 145 | 142 | 7 385 | 397 |
| 岡　　山 | 18 613 | – | 17 874 | – | 17 362 | – | 14 525 | – |
| 広　　島 | 26 740 | – | 26 474 | – | 26 897 | – | 25 670 | – |
| 山　　口 | 14 231 | – | 14 739 | – | 14 300 | – | 11 288 | – |
| 徳　　島 | 6 720 | – | 6 667 | – | 6 091 | – | 6 144 | – |
| 香　　川 | 8 065 | 16 | 8 078 | 13 | 7 208 | 12 | 7 645 | 18 |
| 愛　　媛 | 11 098 | – | 11 149 | – | 12 107 | – | 12 474 | – |
| 高　　知 | 4 888 | – | 4 583 | – | 4 211 | – | 3 793 | – |
| 福　　岡 | 53 120 | – | 51 023 | – | 47 397 | – | 36 806 | – |
| 佐　　賀 | 8 244 | – | 8 124 | – | 7 475 | – | 8 453 | – |
| 長　　崎 | 13 449 | 274 | 13 326 | 256 | 13 132 | 108 | 8 891 | 217 |
| 熊　　本 | 19 541 | 148 | 18 865 | 149 | 19 339 | 159 | 13 210 | 163 |
| 大　　分 | 9 706 | 12 | 9 641 | 29 | 9 689 | 6 | 7 346 | 13 |
| 宮　　崎 | 10 529 | 105 | 10 250 | 100 | 10 215 | 98 | 7 916 | 177 |
| 鹿　児　島 | 14 593 | 36 | 14 253 | 33 | 13 889 | 22 | 14 310 | 63 |
| 沖　　縄 | 17 330 | 195 | 16 600 | 190 | 15 461 | 162 | 12 203 | 298 |
| 指定都市・特別区（再掲） | | | | | | | | |
| 東京都区部 | 79 925 | – | 78 210 | – | 70 596 | – | 55 320 | |
| 札　幌　市 | 38 735 | – | 36 484 | – | 34 491 | – | 5 107 | |
| 仙　台　市 | 14 901 | – | 14 537 | – | 14 410 | – | 12 211 | |
| さいたま市 | 11 976 | – | 11 846 | – | 10 578 | – | 10 734 | |
| 千　葉　市 | 9 879 | – | 9 856 | – | 10 872 | – | 8 278 | |
| 横　浜　市 | 31 913 | – | 31 618 | – | 29 953 | – | 28 061 | |
| 川　崎　市 | 13 935 | – | 13 557 | – | 13 255 | – | 14 874 | |
| 相模原市 | 5 827 | – | 5 810 | – | 5 827 | – | 5 775 | |
| 新　潟　市 | 6 418 | – | 6 330 | – | 6 007 | – | 5 344 | |
| 静　岡　市 | 6 553 | – | 6 708 | – | 6 980 | – | 5 534 | |
| 浜　松　市 | 7 541 | – | 7 515 | – | 9 607 | – | 5 539 | |
| 名古屋市 | 20 613 | – | 20 540 | – | 20 123 | – | 19 546 | |
| 京　都　市 | 11 680 | – | 11 493 | – | 10 938 | – | 9 338 | |
| 大　阪　市 | 20 053 | – | 19 726 | – | 16 002 | – | 10 733 | |
| 堺　　市 | 7 896 | – | 7 578 | – | 7 548 | – | 7 556 | |
| 神　戸　市 | 13 719 | – | 13 422 | – | 12 766 | – | 12 690 | |
| 岡　山　市 | 7 502 | – | 6 929 | – | 6 484 | – | 5 917 | |
| 広　島　市 | 11 647 | – | 11 588 | – | 11 582 | – | 12 365 | |
| 北九州市 | 8 533 | – | 8 081 | – | 7 547 | – | 6 085 | |
| 福　岡　市 | 17 954 | – | 17 515 | – | 15 421 | – | 12 105 | |
| 熊　本　市 | 9 692 | – | 9 478 | – | 9 772 | – | 5 148 | |

# 接種者数，都道府県－指定都市・特別区－中核市－その他政令市、対象疾病別

平成29年度

| ヒ　ブ　ワ　ク　チ　ン | | | | | | | |
|---|---|---|---|---|---|---|---|
| 第1回 | | 第2回 | | 第3回 | | 第4回 | |
| 個別 | 集団 | 個別 | 集団 | 個別 | 集団 | 個別 | 集団 |
| **951 669** | **1 137** | **943 498** | **1 101** | **939 835** | **1 138** | **964 399** | **1 322** |
| 33 440 | 293 | 33 189 | 286 | 32 992 | 275 | 33 680 | 306 |
| 7 960 | 46 | 7 948 | 43 | 7 943 | 39 | 8 328 | 40 |
| 8 059 | 24 | 8 154 | 22 | 8 091 | 52 | 8 472 | 43 |
| 16 588 | - | 16 585 | - | 16 508 | - | 17 154 | - |
| 5 360 | - | 5 373 | - | 5 410 | - | 5 678 | - |
| 7 206 | - | 7 198 | - | 7 176 | - | 7 409 | - |
| 13 231 | - | 13 152 | - | 13 133 | - | 13 345 | - |
| 20 825 | - | 20 624 | - | 20 439 | - | 20 907 | - |
| 14 363 | - | 14 247 | - | 14 110 | - | 14 694 | - |
| 13 707 | 27 | 13 669 | 24 | 13 589 | 25 | 13 791 | 29 |
| 54 817 | - | 53 970 | - | 53 691 | - | 55 905 | - |
| 44 863 | 33 | 44 623 | 35 | 44 668 | 42 | 46 519 | 53 |
| 108 699 | 53 | 108 143 | 57 | 107 854 | 64 | 109 168 | 81 |
| 68 090 | - | 68 141 | - | 68 221 | - | 70 779 | - |
| 14 903 | - | 14 870 | - | 14 916 | - | 15 684 | - |
| 7 244 | - | 7 155 | - | 7 115 | - | 7 335 | - |
| 8 996 | - | 8 645 | - | 8 505 | - | 8 451 | - |
| 5 874 | - | 5 814 | - | 5 868 | - | 6 019 | - |
| 5 697 | - | 5 718 | - | 5 651 | - | 5 731 | - |
| 14 542 | 168 | 14 434 | 155 | 14 427 | 155 | 14 945 | 168 |
| 14 224 | 10 | 14 142 | 11 | 14 113 | 13 | 15 085 | 28 |
| 26 813 | 156 | 26 562 | 151 | 26 466 | 144 | 26 904 | 181 |
| 64 654 | - | 63 490 | - | 63 303 | - | 64 628 | - |
| 12 976 | - | 12 954 | - | 12 899 | - | 13 668 | - |
| 11 594 | - | 11 630 | - | 11 734 | - | 12 130 | - |
| 18 338 | 8 | 18 267 | 8 | 18 285 | 10 | 18 674 | 10 |
| 66 677 | - | 66 165 | - | 65 976 | - | 67 202 | - |
| 41 772 | - | 41 602 | - | 41 431 | - | 42 720 | - |
| 8 874 | 17 | 8 813 | 18 | 8 893 | 19 | 9 362 | 14 |
| 6 429 | - | 6 374 | - | 6 368 | - | 6 584 | 1 |
| 4 333 | - | 4 270 | - | 4 161 | - | 4 302 | - |
| 5 050 | 62 | 5 042 | 62 | 5 039 | 73 | 5 227 | 129 |
| 15 077 | - | 14 747 | - | 14 644 | - | 14 752 | - |
| 22 193 | - | 22 015 | - | 22 025 | - | 22 039 | - |
| 9 587 | - | 9 475 | - | 9 428 | - | 9 548 | - |
| 5 140 | - | 5 058 | - | 5 065 | - | 5 167 | - |
| 7 396 | 4 | 7 317 | 6 | 7 278 | 4 | 7 431 | 9 |
| 9 505 | - | 9 468 | - | 9 449 | - | 9 911 | - |
| 4 811 | - | 4 675 | - | 4 661 | - | 4 675 | - |
| 43 652 | - | 42 864 | - | 42 431 | - | 42 656 | 1 |
| 6 730 | - | 6 655 | - | 6 561 | - | 6 678 | - |
| 10 582 | 15 | 10 399 | 16 | 10 334 | 14 | 10 104 | 16 |
| 14 566 | 7 | 14 322 | 7 | 14 126 | 5 | 14 591 | 5 |
| 8 576 | 3 | 8 508 | 3 | 8 395 | 3 | 8 630 | 1 |
| 8 682 | 45 | 8 550 | 40 | 8 457 | 36 | 8 740 | 46 |
| 13 068 | 3 | 12 932 | 4 | 12 809 | 5 | 13 385 | 2 |
| 15 906 | 163 | 15 550 | 153 | 15 197 | 160 | 15 612 | 159 |
| 77 954 | - | 77 680 | - | 77 356 | - | 77 330 | - |
| 13 649 | - | 13 502 | - | 13 440 | - | 13 372 | - |
| 8 421 | - | 8 481 | - | 8 468 | - | 8 626 | - |
| 10 648 | - | 10 666 | - | 10 555 | - | 10 973 | - |
| 6 809 | - | 6 745 | - | 6 691 | - | 7 174 | - |
| 27 895 | - | 28 060 | - | 28 024 | - | 29 070 | - |
| 13 425 | - | 13 533 | - | 13 677 | - | 13 940 | - |
| 5 091 | - | 5 027 | - | 5 009 | - | 5 182 | - |
| 5 699 | - | 5 693 | - | 5 709 | - | 5 830 | - |
| 5 217 | - | 4 957 | - | 4 898 | - | 4 752 | - |
| 6 337 | - | 6 342 | - | 6 285 | - | 6 481 | - |
| 19 408 | - | 19 375 | - | 19 279 | - | 19 140 | - |
| 10 276 | - | 10 225 | - | 10 195 | - | 10 385 | - |
| 21 627 | - | 21 458 | - | 21 234 | - | 20 995 | - |
| 6 359 | - | 6 344 | - | 6 350 | - | 6 631 | - |
| 11 369 | - | 11 322 | - | 11 161 | - | 11 672 | - |
| 6 067 | - | 6 016 | - | 5 984 | - | 6 009 | - |
| 10 033 | - | 10 041 | - | 10 101 | - | 10 248 | - |
| 7 363 | - | 7 324 | - | 7 326 | - | 7 481 | - |
| 14 372 | - | 14 165 | - | 13 966 | - | 13 811 | - |
| 6 663 | - | 6 559 | - | 6 432 | - | 6 584 | - |

# 第35表（8－6）市区町村が実施した定期の予防接種の

| | 日本脳炎ワクチン | | | | | | | |
|---|---|---|---|---|---|---|---|---|
| | 第1期 | | | | | | 第2期 | |
| | 初回接種 | | | | 追加接種 | | | |
| | 第1回 | | 第2回 | | | | | |
| | 個別 | 集団 | 個別 | 集団 | 個別 | 集団 | 個別 | 集団 |
| 中核市(再掲) | | | | | | | | |
| 旭川市 | 7 562 | - | 7 117 | - | 6 365 | - | 1 265 | - |
| 函館市 | 4 504 | - | 4 383 | - | 4 743 | - | 1 717 | - |
| 青森市 | 2 139 | - | 2 038 | - | 2 057 | - | 1 822 | - |
| 八戸市 | 1 866 | - | 1 792 | - | 2 003 | - | 1 501 | - |
| 盛岡市 | 2 559 | - | 2 527 | - | 2 535 | - | 2 653 | - |
| 秋田市 | 2 450 | - | 2 368 | - | 2 757 | - | 3 163 | - |
| 郡山市 | 2 946 | - | 2 873 | - | 2 627 | - | 2 768 | - |
| いわき市 | 2 348 | - | 2 253 | - | 1 969 | - | 1 827 | - |
| 宇都宮市 | 4 776 | - | 4 435 | - | 4 323 | - | 5 571 | - |
| 前橋市 | 2 753 | - | 2 737 | - | 2 755 | - | 2 844 | - |
| 高崎市 | 2 995 | - | 2 924 | - | 2 718 | - | 3 888 | - |
| 川越市 | 3 116 | - | 3 063 | - | 3 000 | - | 2 862 | - |
| 越谷市 | 3 033 | - | 2 921 | - | 2 592 | - | 2 416 | - |
| 船橋市 | 7 271 | - | 7 293 | - | 7 650 | - | 3 503 | - |
| 柏市 | 5 396 | - | 5 415 | - | 5 264 | - | 3 074 | - |
| 八王子市 | 4 278 | - | 4 274 | - | 4 558 | - | 5 075 | - |
| 横須賀市 | 2 847 | - | 2 827 | - | 2 786 | - | 2 736 | - |
| 富山市 | 3 313 | - | 3 198 | - | 3 233 | - | 3 955 | - |
| 金沢市 | 4 243 | - | 4 237 | - | 4 914 | - | 3 941 | - |
| 長野市 | 3 073 | - | 3 036 | - | 3 028 | - | 3 695 | - |
| 岐阜市 | 3 489 | - | 3 497 | - | 3 406 | - | 3 176 | - |
| 豊橋市 | 3 286 | - | 3 275 | - | 3 266 | - | 3 958 | - |
| 豊田市 | 3 748 | - | 3 713 | - | 3 561 | - | 3 932 | - |
| 岡崎市 | 3 689 | - | 3 680 | - | 3 469 | - | 3 805 | - |
| 大津市 | 3 155 | - | 3 080 | - | 2 859 | - | 3 135 | - |
| 高槻市 | 3 447 | - | 3 356 | - | 3 189 | - | 1 943 | - |
| 東大阪市 | 3 511 | - | 3 474 | - | 3 278 | - | 2 075 | - |
| 豊中市 | 4 440 | - | 4 402 | - | 3 820 | - | 2 476 | - |
| 枚方市 | 3 737 | - | 3 753 | - | 3 760 | - | 3 942 | - |
| 姫路市 | 5 073 | - | 4 979 | - | 4 607 | - | 3 562 | - |
| 西宮市 | 5 188 | - | 5 155 | - | 5 059 | - | 4 768 | - |
| 尼崎市 | 3 762 | - | 3 624 | - | 3 415 | - | 2 600 | - |
| 奈良市 | 2 682 | - | 2 606 | - | 2 505 | - | 2 671 | - |
| 和歌山市 | 3 372 | - | 3 268 | - | 2 886 | - | 2 472 | - |
| 倉敷市 | 4 763 | - | 4 614 | - | 4 332 | - | 3 402 | - |
| 福山市 | 4 711 | - | 4 548 | - | 4 334 | - | 3 332 | - |
| 呉市 | 1 707 | - | 1 717 | - | 1 763 | - | 1 769 | - |
| 下関市 | 1 964 | - | 2 010 | - | 1 806 | - | 1 635 | - |
| 高松市 | 3 837 | - | 3 855 | - | 3 182 | - | 3 142 | - |
| 松山市 | 4 459 | - | 4 456 | - | 4 595 | - | 5 043 | - |
| 高知市 | 2 491 | - | 2 305 | - | 2 045 | - | 1 493 | - |
| 久留米市 | 2 956 | - | 2 902 | - | 2 760 | - | 2 406 | - |
| 長崎市 | 3 782 | - | 3 620 | - | 3 761 | - | 2 955 | - |
| 佐世保市 | 2 723 | 8 | 2 714 | 8 | 2 344 | 8 | 1 609 | 11 |
| 大分市 | 4 424 | - | 4 419 | - | 4 226 | - | 2 647 | - |
| 宮崎市 | 4 032 | - | 3 944 | - | 4 017 | - | 3 492 | - |
| 鹿児島市 | 5 580 | - | 5 504 | - | 5 222 | - | 3 851 | - |
| 那覇市 | 3 688 | - | 3 519 | - | 3 004 | - | 2 002 | - |
| その他政令市(再掲) | | | | | | | | |
| 小樽市 | 1 421 | - | 1 278 | - | 1 093 | - | 245 | - |
| 町田市 | 3 157 | - | 2 982 | - | 3 060 | - | 2 613 | - |
| 藤沢市 | 3 888 | - | 3 811 | - | 3 792 | - | 2 929 | - |
| 茅ヶ崎市 | 2 249 | - | 2 259 | - | 2 074 | - | 1 910 | - |
| 四日市市 | 2 742 | - | 2 776 | - | 2 754 | - | 3 249 | - |
| 大牟田市 | 860 | - | 816 | - | 810 | - | 388 | - |

注：1）「不活化ポリオワクチン（ＩＰＶ）」は、平成24年９月１日より定期接種に使用するワクチンが生ワクチン（ＯＰＶ）から不活化ワクチン（ＩＰＶ）に変わり、接種回数が変更された。
　　2）ジフテリア、百日せき、急性灰白髄炎及び破傷風について同時に行う第１期の予防接種は、沈降精製百日せきジフテリア破傷風不活化ポリオ混合ワクチンを使用する。当ワクチンは、平成24年11月１日より定期接種での使用が開始された。

## 接種者数，都道府県－指定都市・特別区－中核市－その他政令市、対象疾病別

平成29年度

| ヒブワクチン | | | | | | | |
|---|---|---|---|---|---|---|---|
| 第1回 | | 第2回 | | 第3回 | | 第4回 | |
| 個別 | 集団 | 個別 | 集団 | 個別 | 集団 | 個別 | 集団 |
| 2 195 | - | 2 188 | - | 2 152 | - | 2 137 | - |
| 1 403 | - | 1 392 | - | 1 380 | - | 1 406 | - |
| 1 818 | - | 1 809 | - | 1 778 | - | 1 821 | - |
| 1 562 | - | 1 590 | - | 1 589 | - | 1 740 | - |
| 2 230 | - | 2 234 | - | 2 197 | - | 2 309 | - |
| 1 970 | - | 1 958 | - | 1 978 | - | 2 039 | - |
| 2 634 | - | 2 609 | - | 2 601 | - | 2 566 | - |
| 2 357 | - | 2 308 | - | 2 283 | - | 2 199 | - |
| 4 429 | - | 4 462 | - | 4 422 | - | 4 604 | - |
| 2 360 | - | 2 381 | - | 2 401 | - | 2 484 | - |
| 2 987 | - | 2 978 | - | 2 941 | - | 2 909 | - |
| 2 658 | - | 2 669 | - | 2 641 | - | 2 660 | - |
| 2 754 | - | 2 719 | - | 2 713 | - | 2 806 | - |
| 4 896 | - | 4 903 | - | 4 938 | - | 5 154 | - |
| 3 228 | - | 3 252 | - | 3 235 | - | 3 318 | - |
| 3 373 | - | 3 352 | - | 3 369 | - | 3 541 | - |
| 2 401 | - | 2 375 | - | 2 405 | - | 2 443 | - |
| 3 102 | - | 3 085 | - | 3 025 | - | 3 215 | - |
| 4 107 | - | 3 762 | - | 3 649 | - | 3 493 | - |
| 2 664 | - | 2 672 | - | 2 682 | - | 2 742 | - |
| 2 924 | - | 2 948 | - | 2 968 | - | 3 183 | - |
| 2 987 | - | 2 965 | - | 2 938 | - | 3 156 | - |
| 3 788 | - | 3 759 | - | 3 725 | - | 3 763 | - |
| 3 583 | - | 3 583 | - | 3 572 | - | 3 598 | - |
| 2 691 | - | 2 735 | - | 2 743 | - | 2 783 | - |
| 2 630 | - | 2 609 | - | 2 596 | - | 2 695 | - |
| 3 324 | - | 3 297 | - | 3 285 | - | 3 297 | - |
| 3 507 | - | 3 481 | - | 3 464 | - | 3 537 | - |
| 2 734 | - | 2 768 | - | 2 742 | - | 2 922 | - |
| 4 366 | - | 4 374 | - | 4 361 | - | 4 266 | - |
| 4 048 | - | 4 078 | - | 4 045 | - | 4 220 | - |
| 3 833 | - | 3 685 | - | 3 668 | - | 3 378 | - |
| 2 219 | - | 2 239 | - | 2 260 | - | 2 330 | - |
| 2 722 | - | 2 692 | - | 2 683 | - | 2 739 | - |
| 4 505 | - | 4 262 | - | 4 183 | - | 3 964 | - |
| 3 967 | - | 3 956 | - | 3 958 | - | 3 761 | - |
| 1 425 | - | 1 393 | - | 1 368 | - | 1 426 | - |
| 1 623 | - | 1 643 | - | 1 637 | - | 1 703 | - |
| 3 574 | - | 3 550 | - | 3 518 | - | 3 511 | - |
| 4 030 | - | 4 003 | - | 3 981 | - | 4 151 | - |
| 2 604 | - | 2 518 | - | 2 509 | - | 2 469 | - |
| 2 771 | - | 2 716 | - | 2 686 | - | 2 702 | - |
| 3 091 | - | 3 063 | - | 3 081 | - | 2 993 | - |
| 2 151 | 4 | 2 005 | 4 | 1 960 | 4 | 1 742 | 6 |
| 4 139 | - | 4 106 | - | 4 028 | - | 4 200 | - |
| 3 487 | - | 3 475 | - | 3 442 | - | 3 500 | - |
| 5 179 | - | 5 162 | - | 5 129 | - | 5 318 | - |
| 3 120 | - | 3 017 | - | 2 933 | - | 3 015 | - |
| 539 | - | 535 | - | 525 | - | 491 | - |
| 2 756 | - | 2 749 | - | 2 715 | - | 2 867 | - |
| 3 369 | - | 3 326 | - | 3 314 | - | 3 652 | - |
| 1 759 | - | 1 757 | - | 1 755 | - | 1 830 | - |
| 2 480 | - | 2 431 | - | 2 415 | - | 2 493 | - |
| 848 | - | 771 | - | 739 | - | 674 | - |

# 第35表（8−7）　市区町村が実施した定期の予防接種の

| | 小児用肺炎球菌ワクチン | | | | | | | | 子宮頸がん予防 | | | |
| | 第 1 回 | | 第 2 回 | | 第 3 回 | | 第 4 回 | | 第 1 回 | | 第 2 回 | |
| | 個 別 | 集 団 | 個 別 | 集 団 | 個 別 | 集 団 | 個 別 | 集 団 | 個 別 | 集 団 | 個 別 | 集 団 |
|---|---|---|---|---|---|---|---|---|---|---|---|---|
| 全　　国 | 952 324 | 1 134 | 945 958 | 1 114 | 942 516 | 1 141 | 961 823 | 1 318 | 3 338 | 9 | 2 655 | 11 |
| 北　海　道 | 33 561 | 289 | 33 346 | 284 | 33 192 | 276 | 33 656 | 297 | 84 | 6 | 61 | 8 |
| 青　森 | 7 964 | 46 | 7 991 | 44 | 7 966 | 40 | 8 353 | 40 | 18 | – | 11 | – |
| 岩　手 | 8 059 | 22 | 8 123 | 24 | 8 123 | 51 | 8 337 | 41 | 25 | – | 22 | – |
| 宮　城 | 16 628 | – | 16 453 | – | 16 500 | – | 17 049 | – | 19 | – | 17 | – |
| 秋　田 | 5 378 | – | 5 379 | – | 5 434 | – | 5 690 | – | 11 | – | 12 | – |
| 山　形 | 7 213 | – | 7 211 | – | 7 126 | – | 7 397 | – | 16 | – | 15 | – |
| 福　島 | 13 244 | – | 13 188 | – | 13 171 | – | 13 317 | – | 17 | – | 18 | – |
| 茨　城 | 20 800 | – | 20 718 | – | 20 555 | – | 20 935 | – | 42 | – | 32 | – |
| 栃　木 | 14 361 | – | 14 287 | – | 14 177 | – | 14 850 | – | 37 | – | 34 | – |
| 群　馬 | 13 746 | 27 | 13 695 | 25 | 13 635 | 25 | 13 728 | 28 | 32 | – | 25 | – |
| 埼　玉 | 54 991 | – | 54 155 | – | 53 913 | – | 55 740 | – | 181 | – | 139 | – |
| 千　葉 | 44 995 | 36 | 44 791 | 38 | 44 844 | 45 | 46 407 | 56 | 165 | – | 148 | – |
| 東　京 | 109 092 | 53 | 108 591 | 57 | 107 987 | 64 | 107 906 | 82 | 397 | – | 289 | – |
| 神　奈　川 | 67 956 | – | 68 102 | – | 68 171 | – | 70 293 | – | 231 | – | 192 | – |
| 新　潟 | 14 911 | – | 14 896 | – | 14 927 | – | 15 736 | – | 34 | – | 33 | – |
| 富　山 | 7 241 | – | 7 160 | – | 7 115 | – | 7 319 | – | 37 | – | 31 | – |
| 石　川 | 9 002 | – | 8 649 | – | 8 535 | – | 8 409 | – | 22 | – | 16 | – |
| 福　井 | 5 900 | – | 5 855 | – | 5 905 | – | 6 002 | – | 17 | – | 13 | – |
| 山　梨 | 5 708 | – | 5 722 | – | 5 665 | – | 5 757 | – | 13 | – | 9 | – |
| 長　野 | 14 545 | 175 | 14 463 | 164 | 14 426 | 155 | 14 921 | 169 | 27 | – | 21 | – |
| 岐　阜 | 14 245 | 10 | 14 185 | 11 | 14 160 | 13 | 14 964 | 30 | 25 | – | 20 | – |
| 静　岡 | 26 871 | 157 | 26 646 | 151 | 26 527 | 144 | 26 971 | 183 | 127 | – | 106 | – |
| 愛　知 | 63 982 | – | 63 756 | – | 63 547 | – | 64 409 | – | 201 | – | 162 | – |
| 三　重 | 12 987 | – | 12 956 | – | 12 912 | – | 13 514 | – | 42 | – | 30 | – |
| 滋　賀 | 11 594 | – | 11 633 | – | 11 723 | – | 12 086 | – | 55 | – | 42 | – |
| 京　都 | 18 379 | 8 | 18 336 | 9 | 18 329 | 7 | 18 685 | 10 | 112 | – | 87 | – |
| 大　阪 | 66 751 | – | 66 360 | – | 66 178 | – | 67 285 | – | 329 | – | 247 | – |
| 兵　庫 | 41 816 | – | 41 659 | – | 41 538 | – | 42 678 | – | 222 | – | 165 | – |
| 奈　良 | 8 872 | 17 | 8 828 | 18 | 8 904 | 19 | 9 376 | 11 | 21 | – | 16 | – |
| 和　歌　山 | 6 428 | – | 6 376 | – | 6 384 | – | 6 577 | – | 20 | – | 15 | – |
| 鳥　取 | 4 339 | – | 4 286 | – | 4 186 | – | 4 263 | – | 45 | – | 42 | – |
| 島　根 | 5 061 | 62 | 5 046 | 62 | 5 055 | 74 | 5 189 | 128 | 50 | 2 | 45 | 2 |
| 岡　山 | 15 126 | – | 14 797 | – | 14 711 | – | 14 797 | – | 73 | – | 56 | – |
| 広　島 | 22 215 | – | 22 047 | – | 22 022 | – | 22 054 | – | 126 | – | 105 | – |
| 山　口 | 9 587 | – | 9 479 | – | 9 459 | – | 9 579 | – | 44 | – | 33 | – |
| 徳　島 | 5 141 | – | 5 060 | – | 5 071 | – | 5 179 | – | 13 | – | 10 | – |
| 香　川 | 7 401 | 4 | 7 333 | 6 | 7 312 | 4 | 7 413 | 9 | 26 | – | 23 | – |
| 愛　媛 | 9 456 | – | 9 436 | – | 9 429 | – | 10 035 | – | 27 | – | 21 | – |
| 高　知 | 4 820 | – | 4 689 | – | 4 645 | – | 4 672 | – | 21 | – | 15 | – |
| 福　岡 | 43 783 | – | 43 042 | – | 42 625 | – | 42 613 | – | 116 | – | 96 | – |
| 佐　賀 | 6 723 | – | 6 671 | – | 6 582 | – | 6 637 | – | 14 | – | 12 | – |
| 長　崎 | 10 564 | 15 | 10 414 | 16 | 10 372 | 14 | 10 204 | 16 | 44 | – | 34 | – |
| 熊　本 | 14 584 | 7 | 14 400 | 7 | 14 214 | 5 | 14 530 | 5 | 62 | – | 46 | – |
| 大　分 | 8 611 | 3 | 8 555 | 3 | 8 425 | 3 | 8 702 | 1 | 33 | – | 30 | – |
| 宮　崎 | 8 692 | 45 | 8 578 | 40 | 8 563 | 37 | 8 601 | 48 | 30 | – | 26 | – |
| 鹿　児　島 | 13 075 | 3 | 12 983 | 4 | 12 855 | 5 | 13 362 | 2 | 25 | – | 25 | – |
| 沖　縄 | 15 926 | 155 | 15 632 | 151 | 15 421 | 160 | 15 646 | 162 | 10 | 1 | 8 | 1 |
| **指定都市・特別区（再掲）** | | | | | | | | | | | | |
| 東京都区部 | 78 258 | – | 77 840 | – | 77 384 | – | 76 617 | – | 302 | – | 225 | – |
| 札　幌　市 | 13 750 | – | 13 592 | – | 13 560 | – | 13 370 | – | 39 | – | 25 | – |
| 仙　台　市 | 8 457 | – | 8 363 | – | 8 464 | – | 8 531 | – | 11 | – | 10 | – |
| さいたま市 | 10 674 | – | 10 689 | – | 10 600 | – | 10 899 | – | 41 | – | 33 | – |
| 千　葉　市 | 6 840 | – | 6 762 | – | 6 721 | – | 7 123 | – | 55 | – | 51 | – |
| 横　浜　市 | 27 709 | – | 27 906 | – | 27 861 | – | 28 559 | – | 102 | – | 83 | – |
| 川　崎　市 | 13 464 | – | 13 561 | – | 13 705 | – | 13 952 | – | 34 | – | 26 | – |
| 相　模　原　市 | 5 086 | – | 5 050 | – | 5 030 | – | 5 206 | – | 6 | – | 5 | – |
| 新　潟　市 | 5 696 | – | 5 692 | – | 5 705 | – | 5 889 | – | 20 | – | 17 | – |
| 静　岡　市 | 5 214 | – | 4 971 | – | 4 907 | – | 4 730 | – | 52 | – | 39 | – |
| 浜　松　市 | 6 362 | – | 6 376 | – | 6 304 | – | 6 496 | – | 35 | – | 27 | – |
| 名　古　屋　市 | 19 478 | – | 19 447 | – | 19 298 | – | 19 222 | – | 81 | – | 63 | – |
| 京　都　市 | 10 309 | – | 10 266 | – | 10 225 | – | 10 360 | – | 74 | – | 60 | – |
| 大　阪　市 | 21 641 | – | 21 514 | – | 21 284 | – | 21 099 | – | 72 | – | 51 | – |
| 堺　市 | 6 369 | – | 6 353 | – | 6 364 | – | 6 597 | – | 58 | – | 42 | – |
| 神　戸　市 | 11 403 | – | 11 335 | – | 11 213 | – | 11 607 | – | 61 | – | 44 | – |
| 岡　山　市 | 6 099 | – | 6 036 | – | 6 018 | – | 6 061 | – | 26 | – | 19 | – |
| 広　島　市 | 10 036 | – | 10 052 | – | 10 112 | – | 10 316 | – | 52 | – | 50 | – |
| 北　九　州　市 | 7 374 | – | 7 338 | – | 7 342 | – | 7 464 | – | 30 | – | 21 | – |
| 福　岡　市 | 14 458 | – | 14 242 | – | 14 060 | – | 13 823 | – | 50 | – | 39 | – |
| 熊　本　市 | 6 678 | – | 6 580 | – | 6 480 | – | 6 571 | – | 50 | – | 34 | – |

# 接種者数，都道府県－指定都市・特別区－中核市－その他政令市、対象疾病別

平成29年度

| ワクチン | | 水痘ワクチン | | | | B型肝炎ワクチン | | | | | |
|---|---|---|---|---|---|---|---|---|---|---|---|
| 第3回 | | 第1回 | | 第2回 | | 第1回 | | 第2回 | | 第3回 | |
| 個別 | 集団 | 個別 | 集団 | 個別 | 集団 | 個別 | 集団 | 個別 | 集団 | 個別 | 集団 |
| **1 836** | **11** | **972 019** | **1 672** | **877 508** | **1 915** | **943 449** | **994** | **937 810** | **951** | **959 684** | **1 197** |
| 38 | 8 | 43 287 | 252 | 21 050 | 298 | 33 403 | 287 | 33 212 | 286 | 34 007 | 286 |
| 7 | - | 8 326 | 27 | 7 553 | 30 | 7 959 | 40 | 7 951 | 40 | 8 120 | 44 |
| 20 | - | 8 147 | - | 7 636 | - | 8 041 | 22 | 8 191 | 20 | 8 336 | 65 |
| 11 | - | 17 273 | - | 16 334 | - | 16 519 | - | 16 559 | - | 16 951 | - |
| 14 | - | 5 630 | - | 5 102 | - | 5 405 | - | 5 397 | - | 5 563 | - |
| 11 | - | 7 408 | - | 7 067 | - | 7 194 | - | 7 202 | - | 7 435 | - |
| 11 | - | 13 575 | - | 11 576 | - | 13 154 | - | 13 115 | - | 13 393 | - |
| 23 | - | 20 912 | - | 18 921 | - | 20 633 | - | 20 464 | - | 20 856 | - |
| 34 | - | 14 529 | 43 | 13 304 | 39 | 14 204 | - | 14 144 | - | 14 837 | - |
| 19 | - | 13 809 | 132 | 12 574 | 176 | 13 647 | 26 | 13 628 | 18 | 13 908 | 22 |
| 101 | - | 55 546 | - | 51 239 | - | 54 340 | - | 53 809 | - | 54 527 | - |
| 84 | - | 45 917 | 262 | 42 348 | 348 | 44 446 | 32 | 44 359 | 42 | 45 252 | 66 |
| 190 | - | 109 040 | 76 | 101 028 | 72 | 106 853 | 54 | 106 553 | 60 | 109 133 | 77 |
| 127 | - | 70 231 | - | 66 647 | - | 67 125 | - | 67 250 | - | 69 276 | - |
| 24 | - | 15 611 | - | 14 571 | - | 14 832 | - | 14 834 | - | 15 681 | - |
| 26 | - | 7 271 | - | 6 681 | - | 7 189 | - | 7 145 | - | 7 384 | - |
| 10 | - | 8 723 | - | 7 995 | - | 8 663 | - | 8 588 | - | 8 848 | - |
| 9 | - | 5 961 | - | 5 334 | - | 5 863 | - | 5 822 | - | 6 147 | - |
| 9 | - | 5 787 | - | 5 466 | - | 5 678 | - | 5 697 | - | 5 786 | - |
| 17 | - | 14 708 | 148 | 13 858 | 163 | 14 209 | 171 | 14 133 | 152 | 14 501 | 215 |
| 16 | - | 15 013 | 18 | 14 262 | 29 | 14 159 | 7 | 14 173 | 7 | 14 573 | 8 |
| 70 | - | 27 519 | 221 | 26 370 | 212 | 28 170 | - | 26 697 | - | 26 545 | - |
| 98 | - | 64 681 | 19 | 61 370 | 15 | 63 323 | - | 63 194 | - | 65 254 | - |
| 18 | - | 13 378 | - | 12 951 | - | 12 955 | - | 13 038 | - | 13 969 | - |
| 27 | - | 12 245 | - | 11 648 | - | 11 601 | - | 11 649 | - | 12 045 | - |
| 63 | - | 18 967 | 9 | 17 046 | 6 | 18 234 | 7 | 18 006 | 9 | 18 278 | 11 |
| 176 | - | 66 799 | - | 60 289 | - | 66 099 | - | 65 713 | - | 67 195 | - |
| 119 | - | 42 559 | - | 39 187 | - | 41 362 | - | 41 392 | - | 43 282 | - |
| 10 | - | 9 242 | 22 | 8 694 | 41 | 8 864 | 16 | 8 824 | 17 | 9 280 | 20 |
| 10 | - | 6 524 | 17 | 6 305 | 20 | 6 419 | 3 | 6 380 | 2 | 6 782 | 4 |
| 34 | - | 4 232 | - | 3 844 | - | 4 245 | - | 4 243 | - | 4 224 | - |
| 30 | 2 | 5 095 | 104 | 4 614 | 115 | 4 951 | 57 | 4 944 | 58 | 5 012 | 110 |
| 43 | - | 15 178 | - | 13 401 | - | 14 775 | - | 14 627 | - | 14 984 | - |
| 67 | - | 22 286 | - | 20 591 | - | 22 050 | - | 21 899 | - | 22 573 | - |
| 26 | - | 9 602 | - | 9 236 | - | 9 497 | - | 9 452 | - | 9 738 | - |
| 4 | - | 5 151 | - | 4 838 | - | 5 139 | - | 5 094 | - | 5 121 | 1 |
| 23 | - | 7 442 | 12 | 6 988 | 12 | 7 310 | 18 | 7 259 | 17 | 7 480 | 20 |
| 13 | - | 9 790 | - | 8 977 | - | 9 498 | - | 9 525 | - | 9 990 | - |
| 16 | - | 4 694 | - | 3 832 | - | 4 876 | - | 4 691 | - | 4 594 | - |
| 66 | - | 42 669 | - | 38 856 | - | 43 218 | - | 42 788 | - | 43 772 | - |
| 11 | - | 6 665 | - | 5 932 | 1 | 6 729 | - | 6 574 | - | 6 557 | - |
| 24 | - | 10 325 | 19 | 8 965 | 18 | 10 303 | 20 | 10 250 | 16 | 10 245 | 17 |
| 33 | - | 14 310 | 45 | 12 557 | 64 | 14 504 | 7 | 14 351 | 6 | 14 468 | 3 |
| 15 | - | 8 619 | 2 | 7 698 | 17 | 8 646 | 4 | 8 612 | 3 | 8 831 | 3 |
| 15 | - | 8 579 | 83 | 7 681 | 81 | 8 640 | 53 | 8 566 | 43 | 8 426 | 56 |
| 18 | - | 13 157 | 3 | 11 793 | 3 | 12 922 | 3 | 12 683 | 4 | 12 441 | 3 |
| 6 | 1 | 15 607 | 158 | 13 299 | 155 | 15 603 | 167 | 15 133 | 151 | 14 084 | 166 |
| 149 | - | 77 222 | - | 71 035 | - | 76 400 | - | 76 166 | - | 77 211 | - |
| 14 | - | 23 189 | - | 2 583 | - | 13 720 | - | 13 458 | - | 13 667 | - |
| 7 | - | 8 646 | - | 8 334 | - | 8 444 | - | 8 486 | - | 8 634 | - |
| 20 | - | 10 705 | - | 10 034 | - | 10 632 | - | 10 637 | - | 10 952 | - |
| 23 | - | 7 014 | - | 6 746 | - | 6 757 | - | 6 702 | - | 6 606 | - |
| 52 | - | 28 678 | - | 27 670 | - | 27 748 | - | 28 011 | - | 29 189 | - |
| 18 | - | 13 890 | - | 12 932 | - | 13 355 | - | 13 505 | - | 14 379 | - |
| 3 | - | 5 148 | - | 4 782 | - | 5 074 | - | 5 040 | - | 5 299 | - |
| 14 | - | 5 781 | - | 5 570 | - | 5 697 | - | 5 703 | - | 6 031 | - |
| 25 | - | 5 024 | - | 4 961 | - | 4 929 | - | 4 955 | - | 4 864 | - |
| 19 | - | 6 582 | - | 6 197 | - | 6 366 | - | 6 328 | - | 6 703 | - |
| 30 | - | 19 441 | - | 17 877 | - | 19 294 | - | 19 356 | - | 19 979 | - |
| 46 | - | 10 472 | - | 9 207 | - | 10 306 | - | 10 119 | - | 10 387 | - |
| 37 | - | 20 845 | - | 18 477 | - | 21 430 | - | 21 268 | - | 20 835 | - |
| 27 | - | 6 607 | - | 6 084 | - | 6 343 | - | 6 311 | - | 6 621 | - |
| 22 | - | 11 455 | - | 10 305 | - | 11 337 | - | 11 232 | - | 11 864 | - |
| 15 | - | 5 992 | - | 5 491 | - | 6 091 | - | 6 037 | - | 6 080 | - |
| 31 | - | 10 269 | - | 9 748 | - | 10 158 | - | 10 112 | - | 10 663 | - |
| 12 | - | 7 480 | - | 6 806 | - | 7 338 | - | 7 301 | - | 7 637 | - |
| 28 | - | 13 722 | - | 12 401 | - | 14 315 | - | 14 139 | - | 14 274 | - |
| 25 | - | 6 499 | - | 5 573 | - | 6 641 | - | 6 554 | - | 6 822 | - |

# 第35表（８－８）市区町村が実施した定期の予防接種の

| | 小児用肺炎球菌ワクチン | | | | | | | | 子宮頸がん予防 | | | |
|---|---|---|---|---|---|---|---|---|---|---|---|---|
| | 第１回 | | 第２回 | | 第３回 | | 第４回 | | 第１回 | | 第２回 | |
| | 個別 | 集団 | 個別 | 集団 | 個別 | 集団 | 個別 | 集団 | 個別 | 集団 | 個別 | 集団 |
| 中核市(再掲) | | | | | | | | | | | | |
| 旭川市 | 2 200 | - | 2 192 | - | 2 163 | - | 2 135 | - | 5 | - | 4 | - |
| 函館市 | 1 403 | - | 1 395 | - | 1 382 | - | 1 404 | - | 2 | - | 1 | - |
| 青森市 | 1 820 | - | 1 812 | - | 1 786 | - | 1 805 | - | 2 | - | 2 | - |
| 八戸市 | 1 561 | - | 1 591 | - | 1 595 | - | 1 745 | - | 4 | - | 2 | - |
| 盛岡市 | 2 230 | - | 2 236 | - | 2 206 | - | 2 244 | - | 3 | - | 2 | - |
| 秋田市 | 1 974 | - | 1 962 | - | 1 986 | - | 2 037 | - | 6 | - | 9 | - |
| 郡山市 | 2 636 | - | 2 615 | - | 2 611 | - | 2 570 | - | 6 | - | 6 | - |
| いわき市 | 2 360 | - | 2 314 | - | 2 286 | - | 2 208 | - | 3 | - | 2 | - |
| 宇都宮市 | 4 428 | - | 4 473 | - | 4 455 | - | 4 622 | - | 9 | - | 7 | - |
| 前橋市 | 2 365 | - | 2 383 | - | 2 405 | - | 2 479 | - | 3 | - | 4 | - |
| 高崎市 | 2 991 | - | 2 977 | - | 2 947 | - | 2 863 | - | 11 | - | 7 | - |
| 川越市 | 2 657 | - | 2 666 | - | 2 641 | - | 2 673 | - | 9 | - | 11 | - |
| 越谷市 | 2 752 | - | 2 726 | - | 2 713 | - | 2 798 | - | 2 | - | 2 | - |
| 船橋市 | 4 933 | - | 4 942 | - | 4 971 | - | 5 126 | - | 13 | - | 10 | - |
| 柏市 | 3 238 | - | 3 268 | - | 3 236 | - | 3 338 | - | 13 | - | 11 | - |
| 八王子市 | 3 389 | - | 3 366 | - | 3 387 | - | 3 557 | - | 6 | - | 7 | - |
| 横須賀市 | 2 397 | - | 2 387 | - | 2 415 | - | 2 464 | - | 10 | - | 10 | - |
| 富山市 | 3 106 | - | 3 094 | - | 3 034 | - | 3 206 | - | 25 | - | 22 | - |
| 金沢市 | 4 110 | - | 3 769 | - | 3 668 | - | 3 472 | - | 9 | - | 7 | - |
| 長野市 | 2 667 | - | 2 684 | - | 2 676 | - | 2 748 | - | 13 | - | 11 | - |
| 岐阜市 | 2 933 | - | 2 957 | - | 2 978 | - | 3 162 | - | 6 | - | 3 | - |
| 豊橋市 | 2 990 | - | 2 976 | - | 2 943 | - | 3 111 | - | 3 | - | 3 | - |
| 豊田市 | 3 800 | - | 3 774 | - | 3 750 | - | 3 760 | - | 11 | - | 14 | - |
| 岡崎市 | 3 592 | - | 3 594 | - | 3 569 | - | 3 585 | - | 16 | - | 16 | - |
| 大津市 | 2 695 | - | 2 734 | - | 2 743 | - | 2 798 | - | 16 | - | 8 | - |
| 高槻市 | 2 638 | - | 2 614 | - | 2 606 | - | 2 692 | - | 6 | - | 4 | - |
| 東大阪市 | 3 329 | - | 3 299 | - | 3 298 | - | 3 315 | - | 4 | - | 6 | - |
| 豊中市 | 3 515 | - | 3 487 | - | 3 479 | - | 3 537 | - | 24 | - | 16 | - |
| 枚方市 | 2 735 | - | 2 774 | - | 2 746 | - | 2 947 | - | 26 | - | 18 | - |
| 姫路市 | 4 374 | - | 4 383 | - | 4 369 | - | 4 262 | - | 48 | - | 37 | - |
| 西宮市 | 4 048 | - | 4 079 | - | 4 056 | - | 4 227 | - | 15 | - | 10 | - |
| 尼崎市 | 3 820 | - | 3 698 | - | 3 658 | - | 3 376 | - | 8 | - | 5 | - |
| 奈良市 | 2 216 | - | 2 239 | - | 2 258 | - | 2 323 | - | 7 | - | 6 | - |
| 和歌山市 | 2 719 | - | 2 692 | - | 2 688 | - | 2 734 | - | 12 | - | 9 | - |
| 倉敷市 | 4 508 | - | 4 271 | - | 4 199 | - | 3 988 | - | 25 | - | 18 | - |
| 福山市 | 3 977 | - | 3 970 | - | 3 970 | - | 3 783 | - | 22 | - | 14 | - |
| 呉市 | 1 431 | - | 1 398 | - | 1 374 | - | 1 408 | - | 2 | - | 1 | - |
| 下関市 | 1 624 | - | 1 640 | - | 1 641 | - | 1 733 | - | 1 | - | 1 | - |
| 高松市 | 3 574 | - | 3 558 | - | 3 528 | - | 3 517 | - | 8 | - | 5 | - |
| 松山市 | 4 029 | - | 4 013 | - | 3 991 | - | 4 126 | - | 12 | - | 10 | - |
| 高知市 | 2 600 | - | 2 532 | - | 2 494 | - | 2 470 | - | 17 | - | 13 | - |
| 久留米市 | 2 764 | - | 2 724 | - | 2 690 | - | 2 694 | - | 5 | - | 4 | - |
| 長崎市 | 3 090 | - | 3 068 | - | 3 100 | - | 2 995 | - | 19 | - | 15 | - |
| 佐世保市 | 2 155 | 4 | 2 000 | 4 | 1 962 | 4 | 1 795 | 6 | - | - | - | - |
| 大分市 | 4 143 | - | 4 106 | - | 4 040 | - | 4 216 | - | 12 | - | 11 | - |
| 宮崎市 | 3 489 | - | 3 474 | - | 3 468 | - | 3 409 | - | 15 | - | 10 | - |
| 鹿児島市 | 5 185 | - | 5 166 | - | 5 138 | - | 5 330 | - | 12 | - | 13 | - |
| 那覇市 | 3 122 | - | 3 030 | - | 2 964 | - | 3 019 | - | 3 | - | 2 | - |
| その他政令市(再掲) | | | | | | | | | | | | |
| 小樽市 | 540 | - | 535 | - | 529 | - | 490 | - | 1 | - | 1 | - |
| 町田市 | 2 764 | - | 2 973 | - | 2 709 | - | 2 647 | - | 18 | - | 14 | - |
| 藤沢市 | 3 378 | - | 3 341 | - | 3 339 | - | 3 634 | - | 27 | - | 19 | - |
| 茅ヶ崎市 | 1 770 | - | 1 766 | - | 1 755 | - | 1 847 | - | 9 | - | 9 | - |
| 四日市市 | 2 478 | - | 2 435 | - | 2 422 | - | 2 485 | - | 7 | - | 5 | - |
| 大牟田市 | 847 | - | 779 | - | 738 | - | 684 | - | - | - | - | - |

注：１）「不活化ポリオワクチン（ＩＰＶ）」は、平成24年９月１日より定期接種に使用するワクチンが生ワクチン（ＯＰＶ）から不活化ワクチン（ＩＰＶ）に変わり、接種回数が変更された。
　　２）ジフテリア、百日せき、急性灰白髄炎及び破傷風について同時に行う第１期の予防接種は、沈降精製百日せきジフテリア破傷風不活化ポリオ混合ワクチンを使用する。当ワクチンは、平成24年11月１日より定期接種での使用が開始された。

# 接種者数，都道府県－指定都市・特別区－中核市－その他政令市、対象疾病別

平成29年度

| ワクチン | | 水痘ワクチン | | | | B型肝炎ワクチン | | | | | |
|---|---|---|---|---|---|---|---|---|---|---|---|
| 第3回 | | 第1回 | | 第2回 | | 第1回 | | 第2回 | | 第3回 | |
| 個別 | 集団 | 個別 | 集団 | 個別 | 集団 | 個別 | 集団 | 個別 | 集団 | 個別 | 集団 |
| 1 | - | 2 116 | - | 1 952 | - | 2 181 | - | 2 196 | - | 2 237 | - |
| 1 | - | 1 373 | - | 1 392 | - | 1 425 | - | 1 435 | - | 1 441 | - |
| 1 | - | 1 780 | - | 1 663 | - | 1 828 | - | 1 804 | - | 1 712 | - |
| 1 | - | 1 739 | - | 1 594 | - | 1 579 | - | 1 608 | - | 1 764 | - |
| 2 | - | 2 205 | - | 2 153 | - | 2 227 | - | 2 239 | - | 2 275 | - |
| 12 | - | 2 033 | - | 1 880 | - | 1 991 | - | 1 976 | - | 2 086 | - |
| 3 | - | 2 598 | - | 2 397 | - | 2 612 | - | 2 594 | - | 2 738 | - |
| 2 | - | 2 490 | - | 1 791 | - | 2 297 | - | 2 282 | - | 2 316 | - |
| 8 | - | 4 560 | - | 4 140 | - | 4 433 | - | 4 456 | - | 4 767 | - |
| 2 | - | 2 446 | - | 2 247 | - | 2 342 | - | 2 356 | - | 2 413 | - |
| 6 | - | 2 931 | - | 2 663 | - | 2 984 | - | 2 987 | - | 3 034 | - |
| 11 | - | 2 667 | - | 2 386 | - | 2 636 | - | 2 650 | - | 2 575 | - |
| 1 | - | 2 769 | - | 2 523 | - | 2 747 | - | 2 724 | - | 2 804 | - |
| 6 | - | 4 988 | - | 4 782 | - | 4 865 | - | 4 906 | - | 5 238 | - |
| 5 | - | 3 301 | - | 2 963 | - | 3 211 | - | 3 236 | - | 3 354 | - |
| 5 | - | 3 556 | - | 3 565 | - | 3 374 | - | 3 362 | - | 3 387 | - |
| 5 | - | 2 499 | - | 2 342 | - | 2 402 | - | 2 371 | - | 2 333 | - |
| 20 | - | 3 164 | - | 2 927 | - | 3 058 | - | 3 062 | - | 3 188 | - |
| 4 | - | 3 782 | - | 3 418 | - | 3 810 | - | 3 717 | - | 3 878 | - |
| 7 | - | 2 673 | - | 2 596 | - | 2 663 | - | 2 672 | - | 2 744 | - |
| 2 | - | 3 194 | - | 3 111 | - | 2 916 | - | 2 949 | - | 3 035 | - |
| 3 | - | 3 151 | - | 3 165 | - | 2 968 | - | 2 947 | - | 2 951 | - |
| 15 | - | 3 712 | - | 3 673 | - | 3 710 | - | 3 660 | - | 3 866 | - |
| 10 | - | 3 555 | - | 3 624 | - | 3 579 | - | 3 585 | - | 3 632 | - |
| 7 | - | 2 774 | - | 2 705 | - | 2 704 | - | 2 752 | - | 2 821 | - |
| 6 | - | 2 625 | - | 2 391 | - | 2 618 | - | 2 600 | - | 2 668 | - |
| 3 | - | 3 234 | - | 2 949 | - | 3 307 | - | 3 295 | - | 3 387 | - |
| 12 | - | 3 555 | - | 3 320 | - | 3 506 | - | 3 473 | - | 3 515 | - |
| 14 | - | 2 886 | - | 2 730 | - | 2 722 | - | 2 759 | - | 2 907 | - |
| 32 | - | 4 315 | - | 4 156 | - | 4 335 | - | 4 335 | - | 4 412 | - |
| 7 | - | 4 237 | - | 3 803 | - | 4 051 | - | 4 096 | - | 4 339 | - |
| 4 | - | 3 507 | - | 3 060 | - | 3 590 | - | 3 638 | - | 3 688 | - |
| 4 | - | 2 305 | - | 2 245 | - | 2 212 | - | 2 231 | - | 2 368 | - |
| 6 | - | 2 709 | - | 2 590 | - | 2 716 | - | 2 703 | - | 2 881 | - |
| 15 | - | 4 361 | - | 3 778 | - | 4 219 | - | 4 173 | - | 4 392 | - |
| 12 | - | 3 749 | - | 3 381 | - | 3 926 | - | 3 929 | - | 3 992 | - |
| 1 | - | 1 455 | - | 1 315 | - | 1 411 | - | 1 403 | - | 1 475 | - |
| 1 | - | 1 715 | - | 1 671 | - | 1 625 | - | 1 645 | - | 1 733 | - |
| 8 | - | 3 571 | - | 3 318 | - | 3 563 | - | 3 555 | - | 3 664 | - |
| 4 | - | 4 073 | - | 3 774 | - | 4 016 | - | 4 012 | - | 4 133 | - |
| 11 | - | 2 474 | - | 1 989 | - | 2 619 | - | 2 522 | - | 2 518 | - |
| 2 | - | 2 687 | - | 2 474 | - | 2 760 | - | 2 705 | - | 2 733 | - |
| 8 | - | 2 957 | - | 2 656 | - | 3 088 | - | 3 077 | - | 3 141 | - |
| - | - | 1 953 | 6 | 1 642 | 7 | 1 961 | 4 | 1 949 | 4 | 2 016 | 6 |
| 6 | - | 4 196 | - | 3 864 | - | 4 146 | - | 4 109 | - | 4 389 | - |
| 8 | - | 3 497 | - | 3 229 | - | 3 506 | - | 3 496 | - | 3 527 | - |
| 10 | - | 5 324 | - | 4 456 | - | 5 229 | - | 5 222 | - | 5 437 | - |
| 1 | - | 3 013 | - | 2 472 | - | 3 113 | - | 2 986 | - | 2 702 | - |
| 1 | - | 488 | - | 465 | - | 539 | - | 530 | - | 493 | - |
| 8 | - | 2 871 | - | 2 863 | - | 2 752 | - | 2 750 | - | 2 815 | - |
| 13 | - | 3 559 | - | 3 405 | - | 3 362 | - | 3 330 | - | 3 452 | - |
| 6 | - | 1 859 | - | 1 793 | - | 1 784 | - | 1 797 | - | 1 902 | - |
| 2 | - | 2 451 | - | 2 386 | - | 2 459 | - | 2 454 | - | 2 653 | - |
| 1 | - | 725 | - | 698 | - | 757 | - | 738 | - | 759 | - |

# 第36表（4－1）市区町村が実施した定期の予防接種の接種者数・

| | 接種 | | | | | | | |
|---|---|---|---|---|---|---|---|---|
| | 麻しん風しん混合ワクチン | | | | 麻しんワクチン | | | |
| | 第1期 | | 第2期 | | 第1期 | | 第2期 | |
| | 個別 | 集団 | 個別 | 集団 | 個別 | 集団 | 個別 | 集団 |
| **全国** | **959 328** | **1 832** | **985 234** | **4 385** | **106** | **1** | **83** | **8** |
| 北海道 | 34 144 | 284 | 36 022 | 453 | 1 | – | 2 | – |
| 青森 | 8 377 | 109 | 8 900 | 153 | 1 | – | – | – |
| 岩手 | 8 212 | – | 8 961 | 13 | – | – | 1 | – |
| 宮城 | 15 668 | – | 17 355 | – | – | – | – | – |
| 秋田 | 5 571 | – | 6 401 | – | – | – | – | – |
| 山形 | 7 493 | – | 8 161 | – | – | – | – | – |
| 福島 | 13 292 | – | 13 388 | 26 | 1 | – | – | – |
| 茨城 | 21 120 | – | 22 488 | – | – | – | 2 | – |
| 栃木 | 14 615 | – | 15 155 | – | 3 | – | 1 | – |
| 群馬 | 13 581 | 116 | 14 772 | 554 | 1 | – | 1 | – |
| 埼玉 | 54 972 | – | 57 090 | – | 31 | – | 20 | – |
| 千葉 | 45 680 | 320 | 47 578 | 634 | 1 | – | 2 | – |
| 東京 | 107 615 | 75 | 95 732 | 80 | 11 | – | 5 | – |
| 神奈川 | 69 811 | – | 70 175 | – | 3 | – | 9 | – |
| 新潟 | 15 561 | – | 17 006 | – | – | – | – | – |
| 富山 | 7 257 | – | 7 601 | – | – | – | – | – |
| 石川 | 8 710 | – | 9 327 | – | 2 | – | 1 | – |
| 福井 | 5 930 | – | 6 514 | – | – | – | 5 | – |
| 山梨 | 5 715 | 1 | 5 905 | – | 1 | – | 1 | – |
| 長野 | 14 324 | 194 | 15 812 | 400 | … | … | 1 | … |
| 岐阜 | 14 917 | 16 | 16 376 | 39 | 1 | – | 2 | 8 |
| 静岡 | 27 311 | 217 | 29 087 | 354 | 2 | – | – | – |
| 愛知 | 64 465 | 19 | 64 684 | 45 | 4 | – | 2 | – |
| 三重 | 13 299 | – | 14 711 | – | – | – | – | – |
| 滋賀 | 12 187 | – | 12 893 | – | 2 | – | 5 | – |
| 京都 | 18 812 | 12 | 19 466 | 12 | 2 | – | – | – |
| 大阪 | 67 462 | – | 67 878 | – | 9 | – | 8 | – |
| 兵庫 | 42 585 | – | 44 987 | – | 3 | – | 2 | – |
| 奈良 | 9 647 | 32 | 10 193 | 166 | 3 | – | 2 | – |
| 和歌山 | 6 524 | 15 | 7 042 | 123 | – | – | – | – |
| 鳥取 | 4 271 | – | 4 682 | – | – | 1 | – | – |
| 島根 | 5 251 | 104 | 5 363 | 136 | – | – | – | – |
| 岡山 | 15 266 | – | 15 866 | – | 17 | – | 2 | – |
| 広島 | 22 115 | – | 23 820 | – | – | – | – | – |
| 山口 | 9 722 | – | 10 524 | – | – | – | – | – |
| 徳島 | 5 194 | – | 5 458 | – | – | – | – | – |
| 香川 | 7 441 | 18 | 7 935 | 13 | 1 | – | 2 | – |
| 愛媛 | 9 759 | – | 10 693 | – | – | – | – | – |
| 高知 | 4 665 | – | 4 940 | – | – | – | – | – |
| 福岡 | 43 010 | – | 43 386 | 11 | 2 | – | 3 | – |
| 佐賀 | 6 659 | – | 7 249 | 57 | – | – | – | – |
| 長崎 | 10 331 | 20 | 10 952 | 25 | – | – | – | – |
| 熊本 | 14 588 | 40 | 15 363 | 197 | 1 | – | – | – |
| 大分 | 8 650 | 2 | 9 163 | 9 | 1 | – | 2 | – |
| 宮崎 | 8 591 | 79 | 9 539 | 121 | – | – | 2 | – |
| 鹿児島 | 13 187 | 3 | 14 030 | 6 | – | – | – | – |
| 沖縄 | 15 771 | 156 | 14 611 | 758 | 2 | – | – | – |
| 指定都市・特別区（再掲） | | | | | | | | |
| 東京都区部 | 75 849 | – | 63 445 | – | 3 | – | 2 | – |
| 札幌市 | 13 992 | – | 13 201 | – | 1 | – | – | – |
| 仙台市 | 7 186 | – | 8 076 | – | – | – | – | – |
| さいたま市 | 10 768 | – | 11 516 | – | – | – | 1 | – |
| 千葉市 | 6 933 | – | 7 580 | – | – | – | 2 | – |
| 横浜市 | 28 591 | – | 28 292 | – | 1 | – | 1 | – |
| 川崎市 | 13 880 | – | 12 221 | – | – | – | – | – |
| 相模原市 | 5 139 | – | 5 375 | – | – | – | – | – |
| 新潟市 | 5 845 | – | 6 341 | – | – | – | – | – |
| 静岡市 | 5 027 | – | 5 097 | – | 1 | – | – | – |
| 浜松市 | 6 525 | – | 6 795 | – | 1 | – | – | – |
| 名古屋市 | 19 346 | – | 17 840 | – | 2 | – | 2 | – |
| 京都市 | 10 410 | – | 10 094 | – | 2 | – | – | – |
| 大阪市 | 21 113 | – | 18 959 | – | 7 | – | 8 | – |
| 堺市 | 6 627 | – | 6 856 | – | – | – | – | – |
| 神戸市 | 11 458 | – | 11 914 | – | 1 | – | – | – |
| 岡山市 | 6 088 | – | 6 100 | – | 17 | – | 1 | – |
| 広島市 | 10 286 | – | 10 620 | – | – | – | – | – |
| 北九州市 | 7 570 | – | 7 713 | – | – | – | – | – |
| 福岡市 | 13 808 | – | 12 707 | – | – | – | – | – |
| 熊本市 | 6 705 | – | 6 716 | – | – | – | – | – |

## 対象者数，都道府県－指定都市・特別区－中核市－その他政令市、対象疾病別

平成29年度

| 者 | | | | | | 数 | | |
|---|---|---|---|---|---|---|---|---|
| 風しんワクチン | | | | BCGワクチン[1] | | インフルエンザワクチン | | |
| 第1期 | | 第2期 | | | | 総数 | 60歳以上65歳未満 | 65歳以上 |
| 個別 | 集団 | 個別 | 集団 | 個別 | 集団 | | | |
| **75** | **…** | **33** | **8** | **764 908** | **181 904** | **16 978 015** | **27 908** | **16 950 107** |
| 2 | － | 1 | － | 11 903 | 21 831 | 735 016 | 1 628 | 733 388 |
| 1 | － | － | － | 7 557 | 431 | 216 685 | 357 | 216 328 |
| － | － | － | － | 7 329 | 874 | 225 190 | 417 | 224 773 |
| － | － | － | － | 4 955 | 11 843 | 322 094 | 568 | 321 526 |
| － | － | － | － | 5 397 | － | 171 740 | 229 | 171 511 |
| － | － | － | － | 7 137 | － | 181 733 | 282 | 181 451 |
| － | － | － | － | 13 238 | － | 316 916 | 618 | 316 298 |
| 1 | － | 1 | － | 20 284 | 346 | 409 456 | 790 | 408 666 |
| 1 | － | － | － | 14 335 | 11 | 284 036 | 595 | 283 441 |
| 4 | － | － | － | 12 921 | 773 | 310 941 | 490 | 310 451 |
| 6 | － | － | － | 49 794 | 4 480 | 776 387 | 1 396 | 774 991 |
| 2 | － | － | － | 37 125 | 7 717 | 803 971 | 1 090 | 802 881 |
| 8 | － | 6 | － | 94 769 | 13 037 | 1 182 455 | 1 660 | 1 180 795 |
| 6 | － | 1 | － | 64 049 | 4 485 | 884 595 | 1 238 | 883 357 |
| － | － | － | － | 15 060 | － | 395 241 | 561 | 394 680 |
| － | － | － | － | 7 125 | － | 192 610 | 252 | 192 358 |
| 1 | － | 2 | － | 8 562 | 28 | 193 047 | 334 | 192 713 |
| － | － | － | － | 5 944 | － | 124 011 | 82 | 123 929 |
| 2 | － | 1 | － | 5 674 | 1 | 132 060 | 254 | 131 806 |
| 1 | … | … | … | 12 458 | 1 892 | 367 385 | 543 | 366 842 |
| － | － | 2 | 8 | 11 410 | 2 820 | 300 621 | 613 | 300 008 |
| － | － | － | － | 23 280 | 3 415 | 530 074 | 981 | 529 093 |
| 5 | － | 1 | － | 30 227 | 33 971 | 947 408 | 1 366 | 946 042 |
| 1 | － | － | － | 12 959 | － | 266 187 | 445 | 265 742 |
| 1 | － | 1 | － | 11 777 | 3 | 181 855 | 234 | 181 621 |
| － | － | － | － | 7 728 | 10 988 | 353 867 | 569 | 353 298 |
| 10 | － | 6 | － | 25 357 | 41 255 | 1 044 460 | 1 469 | 1 042 991 |
| 4 | － | 2 | － | 27 572 | 14 799 | 743 002 | 1 204 | 741 798 |
| － | － | 2 | － | 8 438 | 70 | 192 194 | 266 | 191 928 |
| － | － | － | － | 6 449 | 6 | 163 848 | 152 | 163 696 |
| － | － | － | － | 2 829 | 1 483 | 128 729 | 157 | 128 572 |
| － | － | － | － | 3 276 | 1 832 | 129 369 | 160 | 129 209 |
| 15 | － | 2 | － | 14 677 | － | 285 599 | 409 | 285 190 |
| 1 | － | 1 | － | 22 032 | － | 434 067 | 583 | 433 484 |
| － | － | － | － | 9 479 | － | 255 312 | 332 | 254 980 |
| － | － | － | － | 5 104 | － | 111 688 | 205 | 111 483 |
| － | － | 1 | － | 7 299 | 18 | 162 446 | 219 | 162 227 |
| － | － | － | － | 9 462 | 1 | 247 866 | 357 | 247 509 |
| 1 | － | － | － | 4 547 | － | 126 247 | 210 | 126 037 |
| － | － | － | － | 42 321 | － | 675 651 | 1 001 | 674 650 |
| － | － | － | － | 5 925 | 612 | 133 574 | 286 | 133 288 |
| 2 | － | － | － | 9 164 | 1 233 | 238 050 | 456 | 237 594 |
| － | － | 1 | － | 14 092 | 152 | 260 564 | 586 | 259 978 |
| － | － | 1 | － | 8 349 | 3 | 198 242 | 408 | 197 834 |
| － | － | 1 | － | 8 569 | 73 | 191 463 | 459 | 191 004 |
| － | － | － | － | 12 254 | 638 | 291 584 | 679 | 290 905 |
| － | － | － | － | 14 716 | 783 | 158 479 | 718 | 157 761 |
| 5 | － | 2 | － | 76 614 | 176 | 810 581 | 1 126 | 809 455 |
| 1 | － | － | － | 34 | 13 517 | 225 191 | 576 | 224 615 |
| － | － | － | － | － | 8 542 | 124 784 | 265 | 124 519 |
| 1 | － | － | － | 10 612 | － | 115 915 | 235 | 115 680 |
| － | － | － | － | 93 | 6 503 | 109 135 | 164 | 108 971 |
| 1 | － | － | － | 28 019 | － | 351 891 | 365 | 351 526 |
| － | － | － | － | 13 761 | － | 108 506 | 187 | 108 319 |
| － | － | － | － | 5 025 | － | 71 023 | 157 | 70 866 |
| － | － | － | － | 5 743 | － | 122 277 | 206 | 122 071 |
| － | － | － | － | 4 893 | － | 102 247 | 182 | 102 065 |
| － | － | － | － | 6 321 | － | 118 002 | 237 | 117 765 |
| 3 | － | 1 | － | － | 19 846 | 273 711 | 401 | 273 310 |
| － | － | － | － | 4 355 | 6 209 | 188 813 | 409 | 188 404 |
| 7 | － | 6 | － | － | 21 403 | 308 162 | 566 | 307 596 |
| － | － | － | － | 5 | 6 412 | 105 333 | 105 | 105 228 |
| － | － | － | － | 71 | 11 733 | 201 304 | 295 | 201 009 |
| 15 | － | 1 | － | 5 978 | － | 87 290 | 137 | 87 153 |
| － | － | － | － | 10 175 | － | 154 787 | 260 | 154 527 |
| － | － | － | － | 7 241 | － | 140 389 | 251 | 140 138 |
| － | － | － | － | 13 865 | － | 152 707 | － | 152 707 |
| － | － | － | － | 6 468 | － | 82 136 | 179 | 81 957 |

# 第36表（４－２）市区町村が実施した定期の予防接種の接種者数・

| | 接 | | | | 種 | | | |
|---|---|---|---|---|---|---|---|---|
| | 麻しん風しん混合ワクチン | | | | 麻しんワクチン | | | |
| | 第1期 | | 第2期 | | 第1期 | | 第2期 | |
| | 個別 | 集団 | 個別 | 集団 | 個別 | 集団 | 個別 | 集団 |
| 中核市(再掲) | | | | | | | | |
| 旭川市 | 2 130 | - | 2 349 | - | - | - | - | - |
| 函館市 | 1 373 | - | 1 656 | - | - | - | - | - |
| 青森市 | 1 856 | - | 1 985 | - | - | - | - | - |
| 八戸市 | 1 735 | - | 1 852 | - | - | - | - | - |
| 盛岡市 | 2 219 | - | 2 297 | - | - | - | 1 | - |
| 秋田市 | 2 020 | - | 2 239 | - | - | - | - | - |
| 郡山市 | 2 553 | - | 2 469 | - | - | - | - | - |
| いわき市 | 2 327 | - | 2 321 | - | - | - | - | - |
| 宇都宮市 | 4 580 | - | 4 412 | - | - | - | - | - |
| 前橋市 | 2 447 | - | 2 633 | - | - | - | - | - |
| 高崎市 | 2 862 | - | 3 030 | - | - | - | - | - |
| 川越市 | 2 657 | - | 2 812 | - | - | - | - | - |
| 越谷市 | 2 795 | - | 2 667 | - | - | - | - | - |
| 船橋市 | 5 013 | - | 5 282 | - | - | - | - | - |
| 柏市 | 3 313 | - | 3 327 | - | - | - | - | - |
| 八王子市 | 3 517 | - | 4 049 | - | - | - | - | - |
| 横須賀市 | 2 430 | - | 2 731 | - | - | - | - | - |
| 富山市 | 3 187 | - | 3 105 | - | - | - | - | - |
| 金沢市 | 3 796 | - | 3 843 | - | - | - | - | - |
| 長野市 | 2 686 | - | 2 977 | - | - | - | - | - |
| 岐阜市 | 3 205 | - | 3 138 | - | 1 | - | - | - |
| 豊橋市 | 3 134 | - | 3 356 | - | - | - | - | - |
| 豊田市 | 3 706 | - | 3 687 | - | - | - | - | - |
| 岡崎市 | 3 592 | - | 3 750 | - | - | - | - | - |
| 大津市 | 2 772 | - | 3 039 | - | 1 | - | 2 | - |
| 高槻市 | 2 626 | - | 2 802 | - | - | - | - | - |
| 東大阪市 | 3 376 | - | 3 559 | - | - | - | - | - |
| 豊中市 | 3 580 | - | 3 548 | - | - | - | - | - |
| 枚方市 | 2 921 | - | 3 253 | - | - | - | - | - |
| 姫路市 | 4 264 | - | 4 669 | - | - | - | - | - |
| 西宮市 | 4 222 | - | 4 195 | - | - | - | - | - |
| 尼崎市 | 3 499 | - | 3 277 | - | 1 | - | - | - |
| 奈良市 | 2 487 | - | 2 569 | - | - | - | - | - |
| 和歌山市 | 2 730 | - | 2 863 | - | - | - | - | - |
| 倉敷市 | 4 400 | - | 4 506 | - | - | - | 1 | - |
| 福山市 | 3 740 | - | 4 272 | - | - | - | - | - |
| 呉市 | 1 448 | - | 1 623 | - | - | - | - | - |
| 下関市 | 1 843 | - | 1 907 | - | - | - | - | - |
| 高松市 | 3 556 | - | 3 793 | - | - | - | - | - |
| 松山市 | 4 069 | - | 4 288 | - | - | - | - | - |
| 高知市 | 2 488 | - | 2 534 | - | - | - | - | - |
| 久留米市 | 2 695 | - | 2 715 | - | - | - | - | - |
| 長崎市 | 2 978 | - | 3 073 | - | - | - | - | - |
| 佐世保市 | 1 941 | 7 | 2 123 | 7 | - | - | - | - |
| 大分市 | 4 161 | - | 4 146 | - | - | - | 1 | - |
| 宮崎市 | 3 519 | - | 3 667 | - | - | - | 1 | - |
| 鹿児島市 | 5 259 | - | 5 251 | - | - | - | - | - |
| 那覇市 | 3 030 | - | 3 006 | - | - | - | - | - |
| その他政令市(再掲) | | | | | | | | |
| 小樽市 | 494 | - | 670 | - | - | - | - | - |
| 町田市 | 2 856 | - | 3 373 | - | - | - | - | - |
| 藤沢市 | 3 518 | - | 3 629 | - | - | - | - | - |
| 茅ヶ崎市 | 1 859 | - | 2 024 | - | - | - | - | - |
| 四日市市 | 2 464 | - | 2 561 | - | - | - | - | - |
| 大牟田市 | 732 | - | 780 | - | - | - | - | - |

注：1）「ＢＣＧワクチン」は、平成24年度までは生後６月に至るまでの間に行われ、特別の事情等によりやむを得ない場合は１歳に至るまでの間に行われていたが、平成25年度より定期接種の対象者が「原則６月未満」から「生後１歳に至るまでの間にある者」に拡大した。

# 対象者数，都道府県－指定都市・特別区－中核市－その他政令市、対象疾病別

平成29年度

| 者 | | | | | 数 | | | |
|---|---|---|---|---|---|---|---|---|
| 風しんワクチン | | | | BCGワクチン[1] | | インフルエンザワクチン | | |
| 第1期 | | 第2期 | | | | 総数 | 60歳以上65歳未満 | 65歳以上 |
| 個別 | 集団 | 個別 | 集団 | 個別 | 集団 | | | |
| － | － | － | － | 2 157 | － | 51 898 | 149 | 51 749 |
| － | － | － | － | － | 1 398 | 44 052 | 90 | 43 962 |
| － | － | － | － | 1 786 | － | 40 677 | 52 | 40 625 |
| － | － | － | － | 1 617 | － | 38 007 | 71 | 37 936 |
| － | － | － | － | 2 172 | － | 39 340 | 76 | 39 264 |
| － | － | － | － | 2 010 | － | 43 099 | 91 | 43 008 |
| － | － | － | － | 2 628 | － | 43 612 | 96 | 43 516 |
| － | － | － | － | 2 286 | － | 54 710 | 161 | 54 549 |
| － | － | － | － | 4 485 | － | 65 680 | 50 | 65 630 |
| － | － | － | － | 2 372 | － | 56 106 | 64 | 56 042 |
| － | － | － | － | 2 955 | － | 53 264 | 89 | 53 175 |
| 1 | － | － | － | 2 686 | － | 34 543 | 76 | 34 467 |
| － | － | － | － | 2 751 | － | 31 541 | 53 | 31 488 |
| － | － | － | － | 5 033 | － | 82 149 | 98 | 82 051 |
| － | － | － | － | 3 250 | － | 41 822 | 61 | 41 761 |
| － | － | － | － | 3 460 | － | 50 434 | 58 | 50 376 |
| － | － | － | － | 5 | 2 389 | 52 853 | 123 | 52 730 |
| － | － | － | － | 3 059 | － | 72 336 | 115 | 72 221 |
| － | － | － | － | 3 701 | － | 67 530 | 135 | 67 395 |
| － | － | － | － | 2 646 | － | 60 600 | 108 | 60 492 |
| － | － | － | － | 2 950 | － | 57 410 | 68 | 57 342 |
| － | － | － | － | 2 947 | － | 55 542 | 103 | 55 439 |
| － | － | － | － | 3 694 | － | 54 122 | 68 | 54 054 |
| － | － | － | － | 3 578 | － | 53 326 | 98 | 53 228 |
| 1 | － | － | － | 2 794 | － | 41 223 | 42 | 41 181 |
| 3 | － | － | － | 2 321 | 175 | 43 690 | 62 | 43 628 |
| － | － | － | － | － | 3 372 | 58 385 | 67 | 58 318 |
| － | － | － | － | 3 410 | － | 45 305 | 48 | 45 257 |
| － | － | － | － | 2 784 | － | 47 092 | 77 | 47 015 |
| － | － | － | － | 4 328 | － | 67 598 | 122 | 67 476 |
| － | － | － | － | 4 059 | － | 48 320 | 84 | 48 236 |
| 4 | － | － | － | 1 027 | 2 733 | 55 896 | 110 | 55 786 |
| － | － | － | － | 2 322 | － | 47 430 | 41 | 47 389 |
| － | － | － | － | 2 686 | － | 56 967 | － | 56 967 |
| － | － | － | － | 4 210 | － | 70 259 | 101 | 70 158 |
| － | － | 1 | － | 3 809 | － | 67 382 | 135 | 67 247 |
| － | － | － | － | 1 393 | － | 42 332 | － | 42 332 |
| － | － | － | － | 1 626 | － | 50 858 | 90 | 50 768 |
| － | － | － | － | 3 574 | － | 61 135 | 106 | 61 029 |
| － | － | － | － | 3 954 | － | 74 450 | 127 | 74 323 |
| － | － | － | － | 2 478 | － | 46 701 | 98 | 46 603 |
| － | － | － | － | 2 678 | － | 39 890 | 78 | 39 812 |
| － | － | － | － | 3 052 | － | 71 059 | 148 | 70 911 |
| 1 | － | － | － | 869 | 1 111 | 43 014 | 94 | 42 920 |
| － | － | 1 | － | 4 059 | － | 63 951 | 131 | 63 820 |
| － | － | － | － | 3 548 | － | 61 948 | 123 | 61 825 |
| － | － | － | － | 5 160 | － | 83 783 | 228 | 83 555 |
| － | － | － | － | 2 946 | － | 37 819 | 133 | 37 686 |
| － | － | － | － | 501 | － | 20 818 | 38 | 20 780 |
| － | － | － | － | 2 776 | － | 38 436 | 43 | 38 393 |
| 1 | － | － | － | 3 329 | － | 43 334 | 29 | 43 305 |
| － | － | － | － | 1 771 | － | 24 283 | 27 | 24 256 |
| － | － | － | － | 2 402 | － | 38 954 | 93 | 38 861 |
| － | － | － | － | 738 | － | 21 486 | 42 | 21 444 |

# 第36表（4－3） 市区町村が実施した定期の予防接種の接種者数・

| | 接種 | | | | |
|---|---|---|---|---|---|
| | 成人用肺炎 | | | | |
| | 総数 | 60歳以上 65歳未満 | 65歳相当 | 70歳相当 | 75歳相当 |
| **全国** | **2 827 741** | **8 660** | **702 223** | **866 233** | **548 987** |
| 北海道 | 91 117 | 135 | 22 675 | 25 110 | 17 401 |
| 青森 | 39 475 | 26 | 9 919 | 10 847 | 7 535 |
| 岩手 | 32 106 | 35 | 9 805 | 10 350 | 5 646 |
| 宮城 | 38 993 | 27 | 14 876 | 13 517 | 6 077 |
| 秋田 | 32 862 | 17 | 7 705 | 8 668 | 5 556 |
| 山形 | 32 102 | 26 | 8 616 | 9 333 | 5 858 |
| 福島 | 48 610 | 46 | 18 139 | 18 959 | 5 785 |
| 茨城 | 50 981 | 49 | 17 191 | 14 733 | 8 582 |
| 栃木 | 44 402 | 31 | 13 974 | 14 468 | 7 458 |
| 群馬 | 61 721 | 15 | 15 226 | 19 001 | 12 106 |
| 埼玉 | 172 703 | 329 | 44 036 | 57 827 | 36 805 |
| 千葉 | 112 283 | 62 | 37 336 | 35 367 | 21 588 |
| 東京 | 196 405 | 180 | 53 300 | 60 732 | 36 797 |
| 神奈川 | 101 649 | 5 871 | 25 466 | 30 406 | 20 050 |
| 新潟 | 70 489 | 28 | 16 453 | 19 748 | 13 023 |
| 富山 | 37 586 | 33 | 7 678 | 11 053 | 7 008 |
| 石川 | 37 812 | 77 | 7 791 | 12 112 | 7 801 |
| 福井 | 21 578 | 10 | 4 474 | 5 839 | 4 177 |
| 山梨 | 21 641 | 40 | 5 195 | 6 309 | 4 088 |
| 長野 | 65 437 | 106 | 14 503 | 18 872 | 13 104 |
| 岐阜 | 49 374 | 19 | 12 305 | 14 935 | 9 467 |
| 静岡 | 98 053 | 27 | 23 503 | 30 208 | 19 532 |
| 愛知 | 132 977 | 456 | 36 178 | 44 357 | 27 515 |
| 三重 | 44 333 | 18 | 11 540 | 13 676 | 8 382 |
| 滋賀 | 38 402 | 13 | 9 584 | 12 086 | 8 040 |
| 京都 | 73 603 | 70 | 13 940 | 23 010 | 15 351 |
| 大阪 | 181 323 | 61 | 38 259 | 57 914 | 39 477 |
| 兵庫 | 136 460 | 59 | 29 561 | 41 979 | 28 220 |
| 奈良 | 37 934 | 11 | 8 379 | 12 424 | 7 845 |
| 和歌山 | 28 044 | 25 | 5 662 | 8 284 | 5 746 |
| 鳥取 | 18 563 | 30 | 4 063 | 5 237 | 3 347 |
| 島根 | 23 410 | 11 | 4 785 | 6 735 | 4 277 |
| 岡山 | 45 651 | 47 | 10 104 | 15 438 | 10 081 |
| 広島 | 77 909 | 7 | 16 671 | 23 587 | 16 952 |
| 山口 | 46 924 | 8 | 10 282 | 13 693 | 9 637 |
| 徳島 | 22 502 | 3 | 5 194 | 7 046 | 4 208 |
| 香川 | 31 604 | 19 | 6 799 | 9 830 | 6 136 |
| 愛媛 | 42 726 | 14 | 8 395 | 11 891 | 7 831 |
| 高知 | 22 586 | 6 | 5 138 | 7 203 | 3 280 |
| 福岡 | 115 769 | 184 | 27 554 | 33 424 | 22 501 |
| 佐賀 | 23 452 | 7 | 5 836 | 6 530 | 4 303 |
| 長崎 | 35 917 | 25 | 8 274 | 10 092 | 6 656 |
| 熊本 | 53 217 | 66 | 12 102 | 14 247 | 9 389 |
| 大分 | 36 039 | 8 | 8 231 | 10 502 | 6 943 |
| 宮崎 | 31 422 | 16 | 7 724 | 9 448 | 5 607 |
| 鹿児島 | 45 980 | 214 | 10 417 | 11 778 | 7 541 |
| 沖縄 | 23 615 | 93 | 7 385 | 7 428 | 4 278 |
| 指定都市・特別区（再掲） | | | | | |
| 東京都区部 | 121 575 | 173 | 33 493 | 37 181 | 22 127 |
| 札幌市 | 22 | 22 | … | … | … |
| 仙台市 | 13 175 | 2 | 5 466 | 4 797 | 1 952 |
| さいたま市 | 25 861 | 27 | 5 984 | 8 438 | 5 501 |
| 千葉市 | 18 594 | 14 | 4 968 | 7 498 | 4 946 |
| 横浜市 | … | … | … | … | … |
| 川崎市 | 24 031 | 5 852 | 7 335 | 4 897 | 3 211 |
| 相模原市 | 14 933 | 6 | 3 671 | 4 951 | 3 282 |
| 新潟市 | 26 210 | - | 5 669 | 7 230 | 4 985 |
| 静岡市 | 16 487 | 3 | 3 559 | 5 227 | 3 410 |
| 浜松市 | 22 739 | 3 | 4 875 | 6 353 | 4 732 |
| 名古屋市 | 10 440 | 376 | 4 412 | 3 019 | 1 391 |
| 京都市 | 37 902 | 57 | 6 666 | 11 691 | 7 917 |
| 大阪市 | 51 417 | 27 | 10 137 | 15 177 | 10 664 |
| 堺市 | 5 205 | 6 | 1 184 | 1 809 | 1 085 |
| 神戸市 | 37 141 | 8 | 7 443 | 11 460 | 7 652 |
| 岡山市 | 14 338 | 2 | 3 415 | 5 031 | 3 472 |
| 広島市 | 26 504 | - | 5 780 | 8 479 | 6 255 |
| 北九州市 | 25 157 | 5 | 5 291 | 6 943 | 5 170 |
| 福岡市 | 25 651 | 2 | 6 149 | 7 623 | 5 078 |
| 熊本市 | 16 997 | 4 | 3 688 | 4 779 | 3 138 |

# 対象者数，都道府県－指定都市・特別区－中核市－その他政令市、対象疾病別

平成29年度

| 者 数 | | | | | 対 象 者 数 | |
|---|---|---|---|---|---|---|
| 球 菌 ワ ク チ ン | | | | | インフルエンザワクチン | 成人用肺炎球菌ワクチン |
| 80 歳 相 当 | 85 歳 相 当 | 90 歳 相 当 | 95 歳 相 当 | 100 歳 相 当 | 60 歳 以 上 65 歳 未 満 | 60 歳 以 上 65 歳 未 満 |
| 354 924 | 210 155 | 98 546 | 32 283 | 5 730 | 50 209 | 38 809 |
| 12 582 | 7 781 | 3 993 | 1 222 | 218 | 2 093 | 1 736 |
| 5 556 | 3 445 | 1 601 | 474 | 72 | 686 | 502 |
| 2 888 | 1 934 | 1 063 | 324 | 61 | 631 | 454 |
| 2 368 | 1 248 | 660 | 187 | 33 | 871 | 753 |
| 4 907 | 3 502 | 1 869 | 542 | 96 | 506 | 437 |
| 3 943 | 2 544 | 1 302 | 419 | 61 | 608 | 526 |
| 2 610 | 1 763 | 934 | 326 | 48 | 1 165 | 1 003 |
| 5 352 | 3 005 | 1 526 | 463 | 80 | 1 422 | 1 177 |
| 4 412 | 2 452 | 1 175 | 377 | 55 | 1 523 | 1 352 |
| 7 615 | 4 542 | 2 276 | 761 | 179 | 514 | 183 |
| 20 123 | 8 981 | 3 404 | 1 028 | 170 | 3 226 | 3 117 |
| 10 048 | 4 945 | 2 195 | 640 | 102 | 1 225 | 591 |
| 23 367 | 13 759 | 5 994 | 1 926 | 350 | 3 972 | 3 003 |
| 11 668 | 5 451 | 2 068 | 575 | 94 | 1 219 | 1 148 |
| 10 001 | 6 592 | 3 313 | 1 129 | 202 | 1 143 | 972 |
| 5 140 | 3 858 | 1 972 | 699 | 145 | 438 | 195 |
| 4 453 | 3 100 | 1 729 | 608 | 141 | 553 | 351 |
| 3 196 | 2 269 | 1 139 | 396 | 78 | 526 | 144 |
| 2 779 | 1 774 | 1 001 | 386 | 69 | 318 | 570 |
| 8 643 | 5 871 | 3 122 | 1 035 | 181 | 890 | 786 |
| 6 359 | 3 811 | 1 870 | 535 | 73 | 575 | 399 |
| 12 645 | 7 376 | 3 518 | 1 067 | 177 | 1 299 | 1 000 |
| 13 432 | 6 966 | 2 986 | 954 | 133 | 2 518 | 2 169 |
| 5 421 | 3 232 | 1 518 | 466 | 80 | 751 | 608 |
| 4 516 | 2 491 | 1 224 | 372 | 76 | 221 | 110 |
| 10 848 | 6 345 | 2 863 | 1 003 | 173 | 557 | 522 |
| 26 046 | 13 258 | 4 749 | 1 362 | 197 | 2 683 | 2 616 |
| 19 101 | 11 136 | 4 700 | 1 441 | 263 | 1 823 | 1 559 |
| 4 987 | 2 658 | 1 187 | 374 | 69 | 474 | 449 |
| 3 951 | 2 663 | 1 223 | 427 | 63 | 379 | 277 |
| 2 655 | 1 782 | 1 031 | 357 | 61 | 277 | 212 |
| 3 440 | 2 380 | 1 253 | 463 | 66 | 252 | 183 |
| 5 094 | 2 920 | 1 399 | 471 | 97 | 308 | 126 |
| 10 531 | 5 897 | 2 984 | 1 052 | 228 | 414 | 369 |
| 6 688 | 4 001 | 1 886 | 626 | 103 | 790 | 762 |
| 2 871 | 1 968 | 901 | 268 | 43 | 439 | 379 |
| 4 183 | 2 705 | 1 392 | 463 | 77 | 449 | 339 |
| 6 691 | 4 584 | 2 347 | 817 | 156 | 946 | 936 |
| 3 060 | 2 235 | 1 128 | 460 | 76 | 3 791 | 1 172 |
| 16 154 | 9 609 | 4 432 | 1 622 | 289 | 2 076 | 1 273 |
| 3 175 | 2 117 | 1 060 | 343 | 81 | 475 | 344 |
| 5 230 | 3 346 | 1 629 | 567 | 98 | 767 | 595 |
| 8 101 | 5 605 | 2 681 | 875 | 151 | 1 262 | 1 054 |
| 5 094 | 3 229 | 1 460 | 483 | 89 | 488 | 395 |
| 4 182 | 2 673 | 1 247 | 447 | 78 | 581 | 514 |
| 6 624 | 5 119 | 2 897 | 1 166 | 224 | 1 050 | 697 |
| 2 194 | 1 233 | 645 | 285 | 74 | 1 035 | 750 |
| 14 118 | 8 799 | 4 107 | 1 341 | 236 | 3 009 | 2 197 |
| ... | ... | ... | ... | ... | ... | ... |
| 574 | 237 | 110 | 27 | 10 | 469 | 469 |
| 3 417 | 1 604 | 673 | 190 | 27 | ... | ... |
| 775 | 254 | 115 | 20 | 4 | ... | ... |
| ... | ... | ... | ... | ... | ... | ... |
| 1 796 | 692 | 207 | 41 | – | ... | ... |
| 1 841 | 781 | 288 | 99 | 14 | 310 | 310 |
| 3 947 | 2 514 | 1 311 | 461 | 93 | 397 | 397 |
| 2 258 | 1 260 | 572 | 167 | 31 | 182 | 3 |
| 3 359 | 2 112 | 970 | 292 | 43 | ... | ... |
| 755 | 343 | 121 | 20 | 3 | 1 015 | 1 015 |
| 5 878 | 3 547 | 1 539 | 530 | 77 | ... | ... |
| 8 201 | 4 747 | 1 854 | 532 | 78 | ... | ... |
| 677 | 314 | 104 | 22 | 4 | ... | ... |
| 5 393 | 3 314 | 1 365 | 424 | 82 | 625 | 625 |
| 1 263 | 736 | 310 | 96 | 13 | ... | ... |
| 3 282 | 1 577 | 781 | 282 | 68 | ... | ... |
| 3 828 | 2 381 | 1 057 | 418 | 64 | 850 | 170 |
| 3 495 | 2 070 | 885 | 300 | 49 | – | 2 |
| 2 568 | 1 739 | 782 | 258 | 41 | 456 | 456 |

# 第36表（４－４）市区町村が実施した定期の予防接種の接種者数・

| | 接種 | | | | |
|---|---|---|---|---|---|
| | 成人用肺炎 | | | | |
| | 総数 | 60歳以上65歳未満 | 65歳相当 | 70歳相当 | 75歳相当 |
| 中核市(再掲) | | | | | |
| 旭川市 | 11 092 | - | 2 599 | 2 943 | 2 213 |
| 函館市 | 7 619 | - | 1 640 | 2 103 | 1 323 |
| 青森市 | 8 775 | 2 | 2 035 | 2 529 | 1 632 |
| 八戸市 | 7 324 | 1 | 1 962 | 2 004 | 1 530 |
| 盛岡市 | 7 432 | - | 2 210 | 2 555 | 1 552 |
| 秋田市 | 9 987 | 14 | 2 375 | 2 793 | 1 756 |
| 郡山市 | 6 891 | - | 2 589 | 2 978 | 855 |
| いわき市 | 9 372 | 13 | 3 406 | 3 712 | 1 146 |
| 宇都宮市 | 11 935 | 6 | 3 352 | 4 157 | 2 191 |
| 前橋市 | 10 834 | 1 | 2 589 | 3 078 | 2 076 |
| 高崎市 | 11 258 | - | 2 768 | 3 647 | 2 339 |
| 川越市 | 10 457 | 2 | 2 649 | 3 553 | 2 477 |
| 越谷市 | 8 624 | 1 | 1 941 | 2 843 | 1 967 |
| 船橋市 | 3 576 | 1 | 2 840 | 392 | 194 |
| 柏市 | 11 866 | - | 2 862 | 4 041 | 2 476 |
| 八王子市 | 10 696 | - | 3 039 | 3 457 | 2 062 |
| 横須賀市 | 14 361 | - | 2 985 | 4 299 | 3 111 |
| 富山市 | 13 605 | 11 | 2 798 | 3 921 | 2 556 |
| 金沢市 | 13 415 | 39 | 2 941 | 4 480 | 2 927 |
| 長野市 | 13 978 | 7 | 2 936 | 3 961 | 2 719 |
| 岐阜市 | 2 295 | - | 1 621 | 296 | 176 |
| 豊橋市 | 10 236 | 14 | 2 345 | 3 127 | 2 182 |
| 豊田市 | 9 477 | 6 | 2 636 | 3 275 | 2 150 |
| 岡崎市 | 8 593 | 17 | 2 539 | 2 740 | 1 743 |
| 大津市 | 10 543 | - | 2 654 | 3 501 | 2 156 |
| 高槻市 | 10 243 | 1 | 1 887 | 3 279 | 2 501 |
| 東大阪市 | 11 860 | - | 2 270 | 3 747 | 2 670 |
| 豊中市 | 10 076 | - | 1 965 | 3 183 | 2 222 |
| 枚方市 | 11 099 | 5 | 2 476 | 3 754 | 2 602 |
| 姫路市 | 12 997 | - | 2 649 | 4 012 | 2 803 |
| 西宮市 | 10 505 | 24 | 2 313 | 3 301 | 2 055 |
| 尼崎市 | 11 277 | 13 | 2 353 | 3 420 | 2 416 |
| 奈良市 | 7 601 | - | 1 583 | 2 487 | 1 695 |
| 和歌山市 | 9 984 | 10 | 1 920 | 2 934 | 2 210 |
| 倉敷市 | 12 604 | 1 | 2 954 | 4 299 | 2 504 |
| 福山市 | 13 728 | 3 | 3 051 | 4 105 | 2 824 |
| 呉市 | 8 020 | 1 | 1 485 | 2 460 | 1 808 |
| 下関市 | 7 055 | 1 | 1 386 | 2 021 | 1 460 |
| 高松市 | 11 486 | 3 | 2 364 | 3 629 | 2 171 |
| 松山市 | 11 532 | 2 | 2 359 | 3 378 | 2 275 |
| 高知市 | 10 593 | 1 | 2 414 | 3 467 | 1 429 |
| 久留米市 | 7 124 | 2 | 1 604 | 1 963 | 1 367 |
| 長崎市 | 14 691 | 15 | 3 469 | 4 049 | 2 615 |
| 佐世保市 | 6 448 | 3 | 1 403 | 1 855 | 1 236 |
| 大分市 | 13 726 | - | 3 486 | 4 093 | 2 590 |
| 宮崎市 | 10 047 | 1 | 2 691 | 3 178 | 1 769 |
| 鹿児島市 | 14 712 | 171 | 3 335 | 3 628 | 2 364 |
| 那覇市 | 6 061 | 27 | 1 857 | 1 929 | 1 241 |
| その他政令市(再掲) | | | | | |
| 小樽市 | 4 044 | - | 865 | 1 181 | 787 |
| 町田市 | 7 057 | - | 1 816 | 2 385 | 1 454 |
| 藤沢市 | 2 517 | - | 744 | 910 | 511 |
| 茅ヶ崎市 | 1 066 | - | 417 | 341 | 177 |
| 四日市市 | 7 206 | 8 | 1 811 | 2 390 | 1 411 |
| 大牟田市 | 3 776 | - | 785 | 1 042 | 686 |

注：1）「ＢＣＧワクチン」は、平成24年度までは生後６月に至るまでの間に行われ、特別の事情等によりやむを得ない場合は１歳に至るまでの間に行われていたが、平成25年度より定期接種の対象者が「原則６月未満」から「生後１歳に至るまでの間にある者」に拡大した。

# 対象者数，都道府県－指定都市・特別区－中核市－その他政令市、対象疾病別

平成29年度

| 者 | | 数 | | | 対象者数 | |
|---|---|---|---|---|---|---|
| 球菌ワクチン | | | | | インフルエンザワクチン | 成人用肺炎球菌ワクチン |
| 80歳相当 | 85歳相当 | 90歳相当 | 95歳相当 | 100歳相当 | 60歳以上65歳未満 | 60歳以上65歳未満 |
| 1 646 | 1 034 | 462 | 167 | 28 | 236 | 236 |
| 1 041 | 698 | 698 | 93 | 23 | 204 | 204 |
| 1 261 | 796 | 385 | 116 | 19 | 174 | 174 |
| 988 | 521 | 236 | 73 | 9 | … | … |
| 547 | 353 | 163 | 45 | 7 | 148 | 148 |
| 1 422 | 930 | 508 | 159 | 30 | 195 | 195 |
| 217 | 161 | 65 | 22 | 4 | 199 | 199 |
| 545 | 330 | 174 | 43 | 3 | 250 | 255 |
| 1 239 | 628 | 272 | 81 | 9 | 500 | 500 |
| 1 493 | 922 | 504 | 135 | 36 | 64 | 1 |
| 1 299 | 758 | 319 | 109 | 19 | 89 | － |
| 1 092 | 475 | 148 | 50 | 11 | … | … |
| 1 232 | 448 | 142 | 42 | 8 | 149 | 149 |
| 102 | 38 | 8 | 1 | － | 202 | 33 |
| 1 453 | 691 | 236 | 93 | 14 | … | － |
| 1 177 | 570 | 268 | 101 | 22 | 130 | 130 |
| 2 105 | 1 188 | 489 | 159 | 25 | 273 | 273 |
| 1 922 | 1 384 | 704 | 250 | 59 | 173 | 25 |
| 1 339 | 932 | 516 | 203 | 38 | 190 | 129 |
| 2 043 | 1 315 | 733 | 222 | 42 | 178 | 178 |
| 98 | 73 | 22 | 8 | 1 | … | － |
| 1 336 | 756 | 357 | 108 | 11 | 163 | 119 |
| 771 | 379 | 188 | 62 | 10 | 143 | 88 |
| 759 | 459 | 237 | 85 | 14 | 135 | 35 |
| 1 186 | 641 | 297 | 88 | 20 | … | － |
| 1 579 | 691 | 247 | 50 | 8 | 156 | 156 |
| 1 834 | 928 | 308 | 89 | 14 | 400 | 400 |
| 1 545 | 828 | 242 | 77 | 14 | 500 | 500 |
| 1 395 | 568 | 221 | 70 | 8 | 190 | 190 |
| 1 890 | 1 072 | 426 | 127 | 18 | … | … |
| 1 474 | 882 | 352 | 93 | 11 | 125 | 125 |
| 1 695 | 899 | 355 | 105 | 21 | 112 | 112 |
| 1 080 | 525 | 183 | 42 | 6 | 151 | 151 |
| 1 516 | 894 | 376 | 102 | 22 | 88 | 88 |
| 1 443 | 818 | 403 | 154 | 28 | 101 | 1 |
| 1 923 | 1 097 | 533 | 157 | 35 | … | … |
| 1 218 | 638 | 303 | 96 | 11 | － | 1 |
| 1 130 | 690 | 267 | 87 | 13 | 233 | 233 |
| 1 583 | 1 036 | 511 | 162 | 27 | 221 | 173 |
| 1 730 | 1 059 | 540 | 164 | 25 | 371 | 371 |
| 1 452 | 1 079 | 524 | 199 | 28 | 182 | 182 |
| 1 119 | 662 | 296 | 94 | 17 | 78 | 2 |
| 2 220 | 1 392 | 655 | 237 | 39 | 148 | 15 |
| 898 | 599 | 324 | 109 | 21 | 160 | 160 |
| 1 862 | 1 018 | 509 | 138 | 30 | … | － |
| 1 238 | 747 | 304 | 104 | 15 | … | … |
| 2 039 | 1 668 | 996 | 415 | 96 | 407 | 407 |
| 573 | 246 | 128 | 47 | 13 | 223 | 218 |
| 598 | 342 | 178 | 84 | 9 | 91 | 91 |
| 849 | 369 | 138 | 42 | 4 | … | … |
| 241 | 75 | 27 | 7 | 2 | … | － |
| 93 | 28 | 8 | 2 | － | … | － |
| 788 | 488 | 222 | 78 | 10 | 129 | 83 |
| 577 | 376 | 209 | 86 | 15 | … | － |

## 第37表　政令市及び特別区が実施した結核予防の被相談電話延人員－来所延人員・被訪問指導実人員－延人員，指定都市・特別区－中核市－その他政令市、相談の種類別

平成29年度

| | 相　談 | | 訪　　問 | | 指　　導 | |
|---|---|---|---|---|---|---|
| | 電話－延人員 | 来所－延人員 | 実　人　員 | （再掲）DOTS | 延　人　員 | （再掲）DOTS |
| 政　令　市 | 167 623 | 47 324 | 16 675 | 9 510 | 49 256 | 34 798 |
| 指定都市・特別区（再掲） | | | | | | |
| 東京都区部 | 41 669 | 12 666 | 2 535 | 1 570 | 6 089 | 4 150 |
| 札　幌　市 | 375 | 29 | 287 | 25 | 923 | 493 |
| 仙　台　市 | 2 215 | 207 | 364 | 275 | 1 488 | 1 194 |
| さ い た ま 市 | 5 897 | 113 | 293 | 125 | 828 | 775 |
| 千　葉　市 | 6 050 | 81 | 432 | 261 | 1 168 | 997 |
| 横　浜　市 | 13 617 | 4 180 | 654 | 504 | 2 011 | 1 484 |
| 川　崎　市 | 12 441 | 3 454 | 360 | 320 | 1 792 | 1 578 |
| 相　模　原　市 | 2 923 | 146 | 47 | 34 | 163 | 136 |
| 新　潟　市 | 936 | 33 | 202 | 42 | 313 | 87 |
| 静　岡　市 | 868 | 131 | 141 | 116 | 492 | 443 |
| 浜　松　市 | 461 | 69 | 151 | 120 | 537 | 479 |
| 名　古　屋　市 | 5 172 | 993 | 1 085 | 643 | 3 673 | 2 782 |
| 京　都　市 | 2 458 | 496 | 434 | 245 | 1 300 | 1 094 |
| 大　阪　市 | 9 999 | 11 085 | 2 566 | 644 | 5 156 | 2 409 |
| 堺　市 | 1 165 | 210 | 294 | 139 | 1 326 | 943 |
| 神　戸　市 | 3 384 | 1 390 | 477 | 274 | 1 847 | 1 271 |
| 岡　山　市 | 1 513 | 250 | 121 | 94 | 254 | 148 |
| 広　島　市 | 2 284 | 181 | 349 | 198 | 542 | 333 |
| 北　九　州　市 | 2 560 | 124 | 257 | 31 | 653 | 302 |
| 福　岡　市 | 4 859 | 3 593 | 531 | 302 | 1 275 | 860 |
| 熊　本　市 | 560 | 14 | 79 | 78 | 149 | 147 |
| 中　核　市（再掲） | | | | | | |
| 旭　川　市 | 186 | 2 | 32 | 32 | 55 | 55 |
| 函　館　市 | 331 | 29 | 58 | 20 | 188 | 135 |
| 青　森　市 | 524 | 31 | 58 | 47 | 170 | 127 |
| 八　戸　市 | 176 | 15 | 32 | 32 | 223 | 201 |
| 盛　岡　市 | 243 | - | 47 | 42 | 145 | 144 |
| 秋　田　市 | 886 | 11 | 36 | 36 | 160 | 89 |
| 郡　山　市 | 71 | 62 | 31 | 13 | 148 | 125 |
| い　わ　き　市 | 41 | 8 | 56 | 56 | 108 | 108 |
| 宇　都　宮　市 | 1 004 | 150 | 83 | 37 | 341 | 232 |
| 前　橋　市 | 172 | 61 | 106 | 55 | 381 | 283 |
| 高　崎　市 | 1 269 | 58 | 78 | 66 | 352 | 341 |
| 川　越　市 | 1 739 | 32 | 67 | 18 | 225 | 109 |
| 越　谷　市 | 1 245 | 137 | 47 | 43 | 283 | 258 |
| 船　橋　市 | 656 | 186 | 67 | 52 | 175 | 130 |
| 柏　市 | 1 242 | 520 | 72 | 56 | 221 | 205 |
| 八　王　子　市 | 5 237 | 529 | 192 | 186 | 385 | 202 |
| 横　須　賀　市 | 1 980 | 164 | 99 | 71 | 658 | 233 |
| 富　山　市 | 314 | 436 | 90 | 21 | 130 | 36 |
| 金　沢　市 | 1 176 | 382 | 130 | 60 | 386 | 207 |
| 長　野　市 | 113 | 23 | 43 | 19 | 165 | 122 |
| 岐　阜　市 | 894 | 215 | 135 | 90 | 461 | 378 |
| 豊　橋　市 | 1 223 | 98 | 112 | 80 | 305 | 222 |
| 豊　田　市 | 475 | 47 | 62 | 62 | 379 | 321 |
| 岡　崎　市 | 221 | 107 | 77 | 68 | 387 | 337 |
| 大　津　市 | 241 | 28 | 53 | 8 | 76 | 34 |
| 高　槻　市 | 51 | 125 | 73 | 45 | 216 | 188 |
| 東　大　阪　市 | 591 | 270 | 78 | 68 | 416 | 397 |
| 豊　中　市 | 1 396 | 204 | 143 | 110 | 779 | 502 |
| 枚　方　市 | 686 | 169 | 130 | 33 | 513 | 124 |
| 姫　路　市 | 772 | 487 | 152 | 143 | 691 | 670 |
| 西　宮　市 | 932 | 230 | 130 | 68 | 616 | 443 |
| 尼　崎　市 | 3 003 | 537 | 109 | 36 | 396 | 130 |
| 奈　良　市 | 1 120 | 38 | 130 | 91 | 520 | 307 |
| 和　歌　山　市 | 728 | 33 | 109 | 80 | 326 | 281 |
| 倉　敷　市 | 703 | 88 | 86 | 72 | 313 | 278 |
| 福　山　市 | 6 | 1 | 100 | 60 | 486 | 394 |
| 呉　市 | 325 | 46 | 86 | 78 | 134 | 118 |
| 下　関　市 | 197 | 7 | 33 | 10 | 60 | 36 |
| 高　松　市 | 561 | 15 | 166 | 154 | 290 | 246 |
| 松　山　市 | 916 | 77 | 67 | 39 | 120 | 80 |
| 高　知　市 | 373 | 133 | 83 | 24 | 191 | 85 |
| 久　留　米　市 | 249 | 39 | 162 | 96 | 300 | 255 |
| 長　崎　市 | 885 | 20 | 198 | 180 | 322 | 258 |
| 佐　世　保　市 | 756 | 6 | 47 | 33 | 302 | 260 |
| 大　分　市 | 1 634 | 325 | 147 | 102 | 716 | 581 |
| 宮　崎　市 | 290 | 72 | 89 | 89 | 408 | 282 |
| 鹿　児　島　市 | 4 730 | 184 | 340 | 229 | 906 | 690 |
| 那　覇　市 | 355 | 188 | 127 | 126 | 456 | 450 |
| その他政令市（再掲） | | | | | | |
| 小　樽　市 | 183 | 45 | 50 | 41 | 188 | 159 |
| 町　田　市 | 1 025 | 199 | 132 | 52 | 295 | 175 |
| 藤　沢　市 | 1 276 | 658 | 59 | 45 | 176 | 162 |
| 茅　ヶ　崎　市 | 396 | 153 | 50 | 38 | 149 | 114 |
| 四　日　市　市 | 331 | 71 | 44 | 33 | 262 | 204 |
| 大　牟　田　市 | 88 | 128 | 33 | 25 | 223 | 190 |

## 第38表　市の環境衛生監視員等による調査及び監視指導

| | 飲　　　　　　　　　　　料 | |
|---|---:|---:|
| | 総　　　　　　　数 | 専　用　水　道 |
| 全　　　　　国 | 6 509 | 957 |
| 北　海　道 | 127 | 5 |
| 青　　　森 | 53 | 21 |
| 岩　　　手 | 183 | 7 |
| 宮　　　城 | 4 | 1 |
| 秋　　　田 | 20 | 2 |
| 山　　　形 | 190 | 33 |
| 福　　　島 | 38 | 19 |
| 茨　　　城 | 1 | 1 |
| 栃　　　木 | 299 | 36 |
| 群　　　馬 | 408 | 154 |
| 埼　　　玉 | 127 | 11 |
| 千　　　葉 | 761 | 295 |
| 東　　　京 | – | – |
| 神　奈　川 | 70 | 49 |
| 新　　　潟 | 203 | – |
| 富　　　山 | – | – |
| 石　　　川 | – | – |
| 福　　　井 | – | – |
| 山　　　梨 | 8 | 8 |
| 長　　　野 | 29 | 4 |
| 岐　　　阜 | 28 | 26 |
| 静　　　岡 | 250 | 45 |
| 愛　　　知 | ... | ... |
| 三　　　重 | 15 | – |
| 滋　　　賀 | 11 | 11 |
| 京　　　都 | – | – |
| 大　　　阪 | 1 749 | 73 |
| 兵　　　庫 | 16 | 11 |
| 奈　　　良 | 14 | – |
| 和　歌　山 | 1 | 1 |
| 鳥　　　取 | 1 | – |
| 島　　　根 | 340 | 22 |
| 岡　　　山 | 93 | 2 |
| 広　　　島 | 151 | 26 |
| 山　　　口 | 8 | 8 |
| 徳　　　島 | 20 | 7 |
| 香　　　川 | 102 | 5 |
| 愛　　　媛 | 3 | 2 |
| 高　　　知 | 78 | 5 |
| 福　　　岡 | 176 | 14 |
| 佐　　　賀 | 489 | 34 |
| 長　　　崎 | 25 | 6 |
| 熊　　　本 | 208 | 1 |
| 大　　　分 | 1 | 1 |
| 宮　　　崎 | 205 | 10 |
| 鹿　児　島 | 3 | – |
| 沖　　　縄 | 1 | 1 |

注：専用水道及び簡易専用水道に係る権限は都道府県から市へ委譲されているため、本表は市分（保健所設置市を除く）のみ集計している。保健所設置市分は保健所として集計している。

## の被指導延施設数，都道府県、施設の種類別

平成29年度

| 水施設 | | |
|---|---|---|
| 簡易専用水道 | その他の水道 | 井戸等 |
| 3 420 | 1 624 | 508 |
| 71 | 51 | - |
| 32 | - | - |
| 176 | - | - |
| 2 | 1 | - |
| 18 | - | - |
| 157 | - | - |
| 4 | - | 15 |
| - | - | - |
| 191 | 53 | 19 |
| 166 | 88 | - |
| 116 | - | - |
| 263 | 184 | 19 |
| - | - | - |
| 1 | 20 | - |
| 105 | 98 | - |
| - | - | - |
| - | - | - |
| - | - | - |
| - | - | - |
| 25 | - | - |
| 2 | - | - |
| 193 | 11 | 1 |
| … | … | … |
| 15 | - | - |
| - | - | - |
| - | - | - |
| 881 | 784 | 11 |
| 2 | 3 | - |
| 14 | - | - |
| - | - | - |
| - | 1 | - |
| 318 | - | - |
| 91 | … | … |
| 74 | 50 | 1 |
| - | - | - |
| - | - | 13 |
| 93 | 4 | - |
| 1 | - | - |
| 64 | 9 | - |
| 160 | 2 | - |
| 22 | 7 | 426 |
| 19 | - | - |
| 76 | 131 | - |
| - | - | - |
| 65 | 127 | 3 |
| 3 | - | - |
| - | - | - |

# 第39表（6－1）市区町村が実施した試験検査件数，

| | 総　数 | 細　菌　学　的　検　査 | | | | | |
| --- | --- | --- | --- | --- | --- | --- | --- |
| | | 総　数 | 赤　痢 | コレラ | チフス | 結　核 | その他 |
| **全　　　　国** | 2 114 416 | 1 046 651 | 336 064 | 210 | 264 341 | 1 118 | 444 918 |
| 北　海　道 | 81 654 | 11 098 | 3 767 | 22 | 3 589 | － | 3 720 |
| 青　　森 | 1 376 | 170 | 4 | － | － | － | 166 |
| 岩　　手 | 3 751 | 148 | 4 | 3 | － | － | 141 |
| 宮　　城 | 25 210 | 63 | － | － | － | － | 63 |
| 秋　　田 | 1 932 | 39 | － | － | － | － | 39 |
| 山　　形 | 1 712 | － | － | － | － | － | － |
| 福　　島 | 35 858 | 5 609 | 1 852 | － | 1 852 | － | 1 905 |
| 茨　　城 | 18 995 | － | － | － | － | － | － |
| 栃　　木 | 12 099 | 26 | 3 | － | － | － | 23 |
| 群　　馬 | 16 751 | 4 790 | 1 549 | … | 1 542 | 1 | 1 698 |
| 埼　　玉 | 28 373 | 190 | － | － | 7 | － | 183 |
| 千　　葉 | 63 826 | 17 338 | 3 766 | 1 | 3 606 | 5 | 9 960 |
| 東　　京 | 884 999 | 742 034 | 200 092 | 4 | 201 431 | 313 | 340 194 |
| 神　奈　川 | 38 585 | 11 216 | 3 237 | － | 356 | 562 | 7 061 |
| 新　　潟 | 10 139 | － | － | － | － | － | － |
| 富　　山 | 50 553 | 41 720 | 10 451 | － | 10 451 | － | 20 818 |
| 石　　川 | 10 034 | 311 | 107 | … | 73 | … | 131 |
| 福　　井 | 1 321 | － | － | － | － | － | － |
| 山　　梨 | 475 | － | － | － | － | － | － |
| 長　　野 | 14 596 | 5 712 | 1 872 | － | 1 859 | － | 1 981 |
| 岐　　阜 | 21 205 | － | － | － | － | － | － |
| 静　　岡 | 24 573 | 321 | － | － | 11 | 42 | 268 |
| 愛　　知 | 152 063 | 59 845 | 21 446 | 2 | 21 428 | 8 | 16 961 |
| 三　　重 | 5 094 | 21 | － | － | － | － | 21 |
| 滋　　賀 | 1 665 | 20 | － | － | － | － | 20 |
| 京　　都 | 29 834 | 7 077 | 7 077 | － | － | － | － |
| 大　　阪 | 69 209 | 2 180 | 637 | 8 | 647 | 72 | 816 |
| 兵　　庫 | 27 347 | 7 621 | 2 090 | － | 2 073 | － | 3 458 |
| 奈　　良 | 10 858 | 14 | － | － | － | － | 14 |
| 和　歌　山 | 2 803 | － | － | － | － | － | － |
| 鳥　　取 | 46 186 | － | － | － | － | － | － |
| 島　　根 | 36 | － | － | － | － | － | － |
| 岡　　山 | 23 317 | 212 | 47 | － | 3 | － | 162 |
| 広　　島 | 4 758 | 203 | 8 | － | － | － | 195 |
| 山　　口 | 12 079 | 889 | 388 | － | － | － | 501 |
| 徳　　島 | 4 868 | － | － | － | － | － | － |
| 香　　川 | 11 407 | 1 349 | 326 | 167 | 213 | － | 643 |
| 愛　　媛 | 8 101 | 3 037 | 293 | － | 590 | － | 2 154 |
| 高　　知 | 2 624 | 6 | － | － | － | － | 6 |
| 福　　岡 | 117 271 | 60 524 | 56 185 | － | 2 298 | 80 | 1 961 |
| 佐　　賀 | 5 752 | － | － | － | － | － | － |
| 長　　崎 | 25 142 | 16 140 | 5 362 | － | 5 362 | 23 | 5 393 |
| 熊　　本 | 8 084 | 20 | 4 | 2 | － | － | 14 |
| 大　　分 | 34 347 | 26 812 | 6 950 | 1 | 6 950 | － | 12 911 |
| 宮　　崎 | 2 495 | 25 | － | － | － | － | 25 |
| 鹿　児　島 | 30 969 | 17 612 | 8 547 | － | － | － | 9 065 |
| 沖　　縄 | 130 090 | 2 259 | － | － | － | 12 | 2 247 |
| 指定都市・特別区（再掲）<br>東　京　都　区　部 | 877 471 | 742 034 | 200 092 | 4 | 201 431 | 313 | 340 194 |
| 札　幌　市 | 18 786 | － | － | － | － | － | － |
| 仙　台　市 | 21 070 | 63 | － | － | － | － | 63 |
| さいたま市 | － | － | － | － | － | － | － |
| 千　葉　市 | 12 283 | 395 | 70 | 1 | 60 | － | 264 |
| 横　浜　市 | 5 533 | 288 | 7 | － | － | 1 | 280 |
| 川　崎　市 | 1 165 | － | － | － | － | － | － |
| 相模原市 | 3 717 | 325 | － | － | － | 269 | 56 |
| 新　潟　市 | 4 275 | － | － | － | － | － | － |
| 静　岡　市 | 2 248 | 238 | － | － | 5 | 42 | 191 |
| 浜　松　市 | 16 353 | 83 | － | － | 6 | － | 77 |
| 名古屋市 | 37 299 | 45 | 5 | － | － | － | 40 |
| 京　都　市 | 22 985 | 6 597 | 6 597 | － | － | － | － |
| 大　阪　市 | 41 108 | 62 | － | － | － | 62 | － |
| 堺　　市 | 164 | － | － | － | － | － | － |
| 神　戸　市 | 224 | 42 | 14 | － | － | － | 28 |
| 岡　山　市 | 7 860 | 187 | 47 | － | － | － | 140 |
| 広　島　市 | 86 | － | － | － | － | － | － |
| 北九州市 | 57 948 | 53 872 | 53 872 | － | － | － | － |
| 福　岡　市 | 48 386 | 2 933 | 816 | － | 802 | 80 | 1 235 |
| 熊　本　市 | 6 223 | 20 | 4 | 2 | － | － | 14 |

# 都道府県－指定都市・特別区－中核市－その他政令市、検査の種類別

平成29年度

| 総数 | 食品衛生関係検査<br>食中毒<br>微生物学的検査 | 食品衛生関係検査<br>食中毒<br>理化学的検査 | 食品衛生関係検査<br>食中毒<br>その他 | 食品衛生関係検査<br>食品等検査<br>微生物学的検査 | 食品衛生関係検査<br>食品等検査<br>理化学的検査 | 食品衛生関係検査<br>食品等検査<br>その他 |
|---|---|---|---|---|---|---|
| **101 335** | **12 090** | **87** | **2 160** | **50 001** | **18 829** | **18 168** |
| 2 717 | 435 | - | 204 | 1 084 | 904 | 90 |
| 180 | 96 | - | - | 49 | 35 | - |
| 174 | 10 | - | 25 | 129 | 10 | - |
| 3 836 | 448 | - | - | 2 341 | 761 | 286 |
| 519 | 132 | - | - | 267 | 120 | - |
| - | - | - | - | - | - | - |
| 1 306 | 387 | 2 | - | 721 | 196 | - |
| 45 | - | - | - | 45 | - | - |
| 1 892 | 126 | 5 | 110 | 1 159 | 492 | - |
| 884 | 116 | … | 33 | 499 | 231 | 5 |
| 963 | 215 | 8 | 152 | 328 | 260 | - |
| 2 739 | 678 | 23 | 553 | 959 | 457 | 69 |
| 27 656 | 102 | - | 15 | 15 874 | 2 144 | 9 521 |
| 2 560 | 437 | 16 | 1 | 912 | 1 135 | 59 |
| 4 253 | - | - | - | 4 049 | 204 | - |
| 82 | 82 | - | - | - | - | - |
| 1 463 | 84 | … | 70 | 765 | 325 | 219 |
| - | - | - | - | - | - | - |
| - | - | - | - | - | - | - |
| 563 | 145 | - | - | 263 | 155 | - |
| 83 | 79 | - | - | - | 4 | - |
| 2 550 | 222 | - | - | 1 270 | 1 012 | 46 |
| 12 331 | 2 333 | 3 | 86 | 2 259 | 806 | 6 844 |
| 338 | 48 | - | 29 | 261 | - | - |
| 485 | 188 | - | 57 | 105 | 101 | 34 |
| - | - | - | - | - | - | - |
| 8 714 | 374 | - | 108 | 4 579 | 3 440 | 213 |
| 1 905 | 74 | - | 69 | 1 245 | 440 | 77 |
| 338 | 54 | - | 18 | 203 | 56 | 7 |
| - | - | - | - | - | - | - |
| - | - | - | - | - | - | - |
| - | - | - | - | - | - | - |
| 2 231 | 72 | - | 62 | 1 391 | 691 | 15 |
| 1 850 | 117 | 15 | 18 | 1 031 | 659 | 10 |
| 994 | 129 | 10 | - | 696 | 159 | - |
| - | - | - | - | - | - | - |
| 775 | 84 | - | - | 566 | 125 | - |
| 1 008 | 344 | - | 132 | 325 | 207 | - |
| 791 | 145 | - | 69 | 504 | 42 | 31 |
| 5 764 | 844 | 1 | 14 | 2 176 | 2 263 | 466 |
| - | - | - | - | - | - | - |
| 2 214 | 249 | - | 62 | 1 336 | 543 | 24 |
| 1 279 | 124 | 3 | - | 771 | 381 | - |
| 656 | 26 | 1 | 40 | 479 | 95 | 15 |
| 781 | 92 | - | 162 | 299 | 187 | 41 |
| 1 409 | 67 | - | 67 | 1 010 | 178 | 87 |
| 3 007 | 2 932 | - | 4 | 51 | 11 | 9 |
| 26 393 | 102 | - | 15 | 14 611 | 2 144 | 9 521 |
| 619 | - | - | - | 273 | 346 | - |
| 3 487 | 99 | - | - | 2 341 | 761 | 286 |
| - | - | - | - | - | - | - |
| 1 946 | 355 | 23 | 553 | 586 | 360 | 69 |
| 1 012 | 133 | 16 | - | 85 | 727 | 51 |
| - | - | - | - | - | - | - |
| 952 | 150 | - | 1 | 565 | 236 | - |
| 4 253 | - | - | - | 4 049 | 204 | - |
| 1 890 | - | - | - | 1 096 | 794 | - |
| 660 | 222 | - | - | 174 | 218 | 46 |
| 8 854 | 2 007 | - | - | 118 | - | 6 729 |
| - | - | - | - | - | - | - |
| 7 711 | 300 | - | - | 3 980 | 3 351 | 80 |
| 164 | - | - | - | 31 | - | 133 |
| 55 | - | - | - | 55 | - | - |
| 976 | 35 | - | 28 | 574 | 324 | 15 |
| - | - | - | - | - | - | - |
| 2 737 | 114 | 1 | - | 621 | 1 537 | 464 |
| 2 490 | 648 | - | 8 | 1 210 | 622 | 2 |
| 1 279 | 124 | 3 | - | 771 | 381 | - |

# 第39表（6－2）市区町村が実施した試験検査件数，

| | 総数 | 細菌学的検査 | | | | | |
| | | 総数 | 赤痢 | コレラ | チフス | 結核 | その他 |
|---|---|---|---|---|---|---|---|
| **中核市(再掲)** | | | | | | | |
| 旭川市 | 3 909 | 1 818 | 641 | 22 | 463 | - | 692 |
| 函館市 | 6 448 | 5 853 | 2 039 | - | 2 039 | - | 1 775 |
| 青森市 | 350 | 170 | 4 | - | - | - | 166 |
| 八戸市 | 74 | - | - | - | - | - | - |
| 盛岡市 | 950 | 148 | 4 | 3 | - | - | 141 |
| 秋田市 | 858 | 39 | - | - | - | - | 39 |
| 郡山市 | 9 988 | 3 167 | 1 050 | - | 1 050 | - | 1 067 |
| いわき市 | 5 298 | 2 406 | 802 | - | 802 | - | 802 |
| 宇都宮市 | 9 094 | 26 | 3 | - | - | - | 23 |
| 前橋市 | 6 050 | 4 742 | 1 536 | - | 1 536 | - | 1 670 |
| 高崎市 | 1 194 | 48 | 13 | - | 6 | 1 | 28 |
| 川越市 | 3 425 | 72 | - | - | - | - | 72 |
| 越谷市 | 1 161 | 118 | - | - | 7 | - | 111 |
| 船橋市 | 13 250 | 10 065 | 2 097 | - | 2 085 | 4 | 5 879 |
| 柏市 | 13 043 | 6 476 | 1 465 | - | 1 461 | 1 | 3 549 |
| 八王子市 | 3 547 | - | - | - | - | - | - |
| 横須賀市 | 6 357 | 340 | 10 | - | 6 | 292 | 32 |
| 富山市 | 50 080 | 41 720 | 10 451 | - | 10 451 | - | 20 818 |
| 金沢市 | 7 494 | 311 | 107 | - | 73 | - | 131 |
| 長野市 | 11 757 | 5 646 | 1 839 | - | 1 859 | - | 1 948 |
| 岐阜市 | 17 601 | - | - | - | - | - | - |
| 豊橋市 | 29 724 | 21 444 | 6 187 | 2 | 6 187 | 1 | 9 067 |
| 豊田市 | 26 507 | 24 579 | 9 986 | - | 9 985 | - | 4 608 |
| 岡崎市 | 17 118 | 13 777 | 5 268 | - | 5 256 | 7 | 3 246 |
| 大津市 | 1 098 | 20 | - | - | - | - | 20 |
| 高槻市 | 2 357 | 960 | 291 | 1 | 304 | 10 | 354 |
| 東大阪市 | 121 | - | - | - | - | - | - |
| 豊中市 | 976 | 112 | 7 | 7 | 7 | - | 91 |
| 枚方市 | 4 414 | 1 046 | 339 | - | 336 | - | 371 |
| 姫路市 | 413 | - | - | - | - | - | - |
| 西宮市 | 10 302 | 7 554 | 2 076 | - | 2 073 | - | 3 405 |
| 尼崎市 | 10 925 | 25 | - | - | - | - | 25 |
| 奈良市 | 2 990 | 14 | - | - | - | - | 14 |
| 和歌山市 | 2 329 | - | - | - | - | - | - |
| 倉敷市 | 12 805 | 25 | - | - | 3 | - | 22 |
| 福山市 | 1 820 | 200 | 5 | - | - | - | 195 |
| 呉市 | 753 | 3 | 3 | - | - | - | - |
| 下関市 | 3 382 | 889 | 388 | - | - | - | 501 |
| 高松市 | 2 420 | 1 349 | 326 | 167 | 213 | - | 643 |
| 松山市 | 5 141 | 2 671 | 171 | - | 590 | - | 1 910 |
| 高知市 | 930 | 6 | - | - | - | - | 6 |
| 久留米市 | 3 235 | 28 | 1 | - | - | - | 27 |
| 長崎市 | 16 279 | 13 962 | 4 636 | - | 4 636 | 23 | 4 667 |
| 佐世保市 | 8 642 | 2 178 | 726 | - | 726 | - | 726 |
| 大分市 | 34 203 | 26 812 | 6 950 | 1 | 6 950 | - | 12 911 |
| 宮崎市 | 1 372 | 25 | - | - | - | - | 25 |
| 鹿児島市 | 30 155 | 17 612 | 8 547 | - | - | - | 9 065 |
| 那覇市 | 4 635 | 23 | - | - | - | 12 | 11 |
| **その他政令市(再掲)** | | | | | | | |
| 小樽市 | 4 912 | 3 367 | 1 067 | - | 1 067 | - | 1 233 |
| 町田市 | 2 490 | - | - | - | - | - | - |
| 藤沢市 | 11 442 | 10 263 | 3 220 | - | 350 | - | 6 693 |
| 茅ヶ崎市 | - | - | - | - | - | - | - |
| 四日市市 | 1 558 | 21 | - | - | - | - | 21 |
| 大牟田市 | 4 355 | 3 691 | 1 496 | - | 1 496 | - | 699 |

## 都道府県－指定都市・特別区－中核市－その他政令市、検査の種類別

平成29年度

| 食品衛生関係検査 | | | | | | |
|---|---|---|---|---|---|---|
| 総数 | 食中毒 | | | 食品等検査 | | |
| | 微生物学的検査 | 理化学的検査 | その他 | 微生物学的検査 | 理化学的検査 | その他 |
| 624 | 50 | － | 146 | 204 | 164 | 60 |
| 593 | － | － | － | 325 | 268 | － |
| 180 | 96 | － | － | 49 | 35 | － |
| － | － | － | － | － | － | － |
| 174 | 10 | － | 25 | 129 | 10 | － |
| 519 | 132 | － | － | 267 | 120 | － |
| 685 | 215 | 2 | － | 369 | 99 | － |
| 621 | 172 | － | － | 352 | 97 | － |
| 1 892 | 126 | 5 | 110 | 1 159 | 492 | － |
| 442 | 54 | － | 13 | 239 | 131 | 5 |
| 442 | 62 | － | 20 | 260 | 100 | － |
| 704 | 173 | 8 | 119 | 265 | 139 | － |
| 259 | 42 | － | 33 | 63 | 121 | － |
| 377 | 85 | － | － | 233 | 59 | － |
| 416 | 238 | － | － | 140 | 38 | － |
| 7 | － | － | － | 7 | － | － |
| － | － | － | － | － | － | － |
| 82 | 82 | － | － | － | － | － |
| 1 463 | 84 | － | 70 | 765 | 325 | 219 |
| 563 | 145 | － | － | 263 | 155 | － |
| 4 | － | － | － | － | 4 | － |
| 1 815 | 26 | － | 27 | 1 271 | 376 | 115 |
| 504 | 207 | 3 | － | 186 | 108 | － |
| 1 158 | 93 | － | 59 | 684 | 322 | － |
| 485 | 188 | － | 57 | 105 | 101 | 34 |
| 346 | 20 | － | － | 262 | 64 | － |
| 121 | － | － | － | 121 | － | － |
| 137 | 26 | － | 22 | 83 | 6 | － |
| 235 | 28 | － | 86 | 102 | 19 | － |
| 413 | － | － | － | 251 | 162 | － |
| 1 318 | 68 | － | 69 | 828 | 276 | 77 |
| 119 | 6 | － | － | 111 | 2 | － |
| 338 | 54 | － | 18 | 203 | 56 | 7 |
| － | － | － | － | － | － | － |
| 1 255 | 37 | － | 34 | 817 | 367 | － |
| 1 194 | 50 | － | 18 | 609 | 507 | 10 |
| 656 | 67 | 15 | － | 422 | 152 | － |
| 994 | 129 | 10 | － | 696 | 159 | － |
| 775 | 84 | － | － | 566 | 125 | － |
| 1 008 | 344 | － | 132 | 325 | 207 | － |
| 791 | 145 | － | 69 | 504 | 42 | 31 |
| 309 | 43 | － | 6 | 195 | 65 | － |
| 1 351 | 168 | － | － | 743 | 439 | 1 |
| 863 | 81 | － | 62 | 593 | 104 | 23 |
| 656 | 26 | 1 | 40 | 479 | 95 | 15 |
| 781 | 92 | － | 162 | 299 | 187 | 41 |
| 1 409 | 67 | － | 67 | 1 010 | 178 | 87 |
| 217 | 154 | － | － | 51 | 11 | 1 |
| 545 | 49 | － | 58 | 282 | 126 | 30 |
| 1 256 | － | － | － | 1 256 | － | － |
| 596 | 154 | － | － | 262 | 172 | 8 |
| － | － | － | － | － | － | － |
| 338 | 48 | － | 29 | 261 | － | － |
| 228 | 39 | － | － | 150 | 39 | － |

# 第39表（６－３） 市区町村が実施した試験検査件数，

| | 臨床学 | | | | | | | | |
|---|---|---|---|---|---|---|---|---|---|
| | 総数 | 血液一般検査 | 血清等検査 | | | 生化学検査 | | 尿検査 | |
| | | | HBs抗原、抗体検査 | 梅毒血清検査 | その他 | 生化学検査 | 先天性代謝異常検査 | 尿一般等 | 神経芽細胞腫 |
| **全国** | **684 473** | **47 529** | **14 607** | **20 321** | **57 230** | **38 033** | **16 438** | **267 350** | **528** |
| 北海道 | 40 754 | 3 066 | 208 | 282 | 1 018 | 2 959 | 16 438 | 8 370 | 503 |
| 青森 | 184 | 19 | - | - | 74 | - | - | 19 | - |
| 岩手 | 361 | - | - | - | 244 | - | - | 117 | - |
| 宮城 | 2 127 | - | - | - | 17 | - | - | 382 | - |
| 秋田 | 1 269 | 154 | - | - | 195 | 154 | - | - | - |
| 山形 | 1 699 | - | 71 | 36 | - | - | - | 953 | - |
| 福島 | 8 061 | 1 321 | 200 | 271 | 248 | - | - | 2 788 | 25 |
| 茨城 | 12 018 | 1 118 | 43 | 41 | - | 89 | - | 8 706 | - |
| 栃木 | 2 039 | - | - | 586 | 1 056 | - | - | 238 | - |
| 群馬 | 7 572 | 345 | 434 | 373 | 850 | 227 | … | 1 998 | … |
| 埼玉 | 19 775 | 475 | 1 194 | 486 | 1 877 | 659 | - | 10 619 | - |
| 千葉 | 23 191 | - | 557 | 1 101 | 2 971 | - | - | 16 504 | - |
| 東京 | 86 958 | 5 591 | 1 042 | 1 692 | 5 565 | 7 922 | - | 27 303 | - |
| 神奈川 | 19 816 | 509 | 345 | 538 | 1 844 | 435 | - | 788 | - |
| 新潟 | 3 988 | 2 440 | - | - | - | - | - | 1 368 | - |
| 富山 | 4 183 | - | - | 96 | 603 | - | - | 3 264 | - |
| 石川 | 7 344 | … | … | … | 684 | … | … | 4 747 | … |
| 福井 | 467 | - | - | - | - | - | - | 467 | - |
| 山梨 | 59 | - | - | - | - | - | - | 59 | - |
| 長野 | 4 480 | - | - | 448 | 1 093 | - | - | 1 955 | - |
| 岐阜 | 18 077 | 42 | 3 | - | - | - | - | 4 787 | - |
| 静岡 | 5 369 | - | 667 | 677 | 1 918 | - | - | 978 | - |
| 愛知 | 66 437 | 3 277 | 2 165 | 3 350 | 4 553 | 93 | - | 26 606 | - |
| 三重 | 3 371 | 128 | 605 | 611 | 403 | 44 | - | 965 | - |
| 滋賀 | 567 | - | - | - | - | - | - | 567 | - |
| 京都 | 19 584 | 160 | - | - | - | - | - | 11 444 | - |
| 大阪 | 54 798 | 854 | 538 | 177 | 6 013 | 854 | - | 30 329 | - |
| 兵庫 | 11 748 | 22 | 240 | 109 | 600 | - | - | 7 761 | - |
| 奈良 | 8 125 | 12 | 620 | - | 119 | - | - | 1 428 | - |
| 和歌山 | 2 687 | - | - | - | - | - | - | 2 687 | - |
| 鳥取 | 46 049 | 4 036 | - | - | - | 10 773 | - | 12 556 | - |
| 島根 | 36 | - | - | - | - | - | - | 36 | - |
| 岡山 | 1 356 | 155 | - | 430 | 573 | - | - | 198 | - |
| 広島 | - | - | - | - | - | - | - | - | - |
| 山口 | 1 459 | - | - | - | - | - | - | 806 | - |
| 徳島 | 4 868 | - | - | - | - | - | - | 4 868 | - |
| 香川 | 8 225 | - | - | - | - | - | - | 1 046 | - |
| 愛媛 | 337 | - | - | - | 306 | - | - | - | - |
| 高知 | 796 | … | … | … | … | … | … | 796 | … |
| 福岡 | 43 697 | - | 255 | 2 604 | 5 160 | - | - | 15 530 | - |
| 佐賀 | 5 588 | 170 | - | - | - | 1 617 | - | 3 801 | - |
| 長崎 | 2 554 | - | - | - | 535 | - | - | 1 995 | - |
| 熊本 | 3 278 | - | - | - | 2 391 | - | - | 679 | - |
| 大分 | 6 752 | - | 357 | 307 | 1 633 | - | - | 3 971 | - |
| 宮崎 | 1 648 | 238 | - | 253 | 265 | 35 | - | 820 | - |
| 鹿児島 | 10 506 | 226 | 850 | 664 | 1 901 | 642 | - | 6 212 | - |
| 沖縄 | 110 216 | 23 171 | 4 213 | 5 189 | 12 521 | 11 530 | - | 35 839 | - |
| 指定都市・特別区（再掲） | | | | | | | | | |
| 東京都区部 | 82 879 | 5 025 | 1 042 | 1 692 | 5 565 | 7 352 | - | 25 276 | - |
| 札幌市 | 18 167 | - | - | - | - | 896 | 16 438 | 330 | 503 |
| 仙台市 | 107 | - | - | - | 17 | - | - | - | - |
| さいたま市 | - | - | - | - | - | - | - | - | - |
| 千葉市 | 8 262 | - | - | - | 658 | - | - | 7 604 | - |
| 横浜市 | 2 717 | - | - | 43 | 152 | - | - | - | - |
| 川崎市 | 1 165 | - | - | - | 368 | - | - | 29 | - |
| 相模原市 | 1 606 | - | - | 454 | 939 | - | - | - | - |
| 新潟市 | - | - | - | - | - | - | - | - | - |
| 静岡市 | - | - | - | - | - | - | - | - | - |
| 浜松市 | 3 262 | - | 667 | 677 | 1 918 | - | - | - | - |
| 名古屋市 | 18 098 | - | - | 2 196 | 1 888 | - | - | 12 295 | - |
| 京都市 | 16 388 | - | - | - | - | - | - | 9 101 | - |
| 大阪市 | 31 854 | - | 491 | 154 | 3 893 | - | - | 17 625 | - |
| 堺市 | - | - | - | - | - | - | - | - | - |
| 神戸市 | - | - | - | - | - | - | - | - | - |
| 岡山市 | 861 | - | - | 430 | 431 | - | - | - | - |
| 広島市 | - | - | - | - | - | - | - | - | - |
| 北九州市 | 192 | - | - | - | 192 | - | - | - | - |
| 福岡市 | 39 750 | - | 255 | 2 274 | 4 272 | - | - | 12 801 | - |
| 熊本市 | 2 599 | - | - | - | 2 391 | - | - | - | - |

## 都道府県－指定都市・特別区－中核市－その他政令市、検査の種類別

平成29年度

| 的 | | | 検 | | 査 | | | |
|---|---|---|---|---|---|---|---|---|
| 糞便検査 | | | 生理学的検査 | | 胸部X線検査 | | | その他 |
| 潜血反応 | 寄生虫卵 | その他 | 心電図 | 眼底 | 間接撮影 | 直接撮影 | 断層撮影 | |
| **24 541** | **2 745** | **1 951** | **12 934** | **5 165** | **15 788** | **68 392** | **209** | **90 712** |
| 386 | 87 | 316 | 1 228 | 930 | 768 | – | 53 | 4 142 |
| – | – | – | – | – | – | – | – | 72 |
| – | – | – | – | – | – | – | – | – |
| – | – | 108 | – | – | – | 1 510 | 92 | 18 |
| – | – | – | – | – | – | – | – | 766 |
| – | – | – | – | – | 313 | 243 | – | 83 |
| 30 | … | 246 | 569 | 569 | 1 288 | 32 | – | 474 |
| – | – | – | 1 916 | – | 87 | 18 | – | – |
| – | – | 126 | – | – | – | – | – | 33 |
| … | 144 | … | … | … | 1 814 | … | … | 1 387 |
| – | – | 27 | 4 | 4 | – | 2 306 | – | 2 124 |
| – | – | 4 | – | – | – | 859 | – | 1 195 |
| 13 592 | 189 | 255 | 702 | – | – | 9 283 | – | 13 822 |
| – | 1 | 21 | – | – | 3 376 | 8 233 | – | 3 726 |
| – | – | – | – | – | – | – | – | 180 |
| – | 3 | 118 | – | – | – | 99 | – | – |
| … | … | … | … | … | … | 170 | … | 1 743 |
| – | – | – | – | – | – | – | – | – |
| – | – | – | – | – | – | – | – | – |
| 142 | – | – | 252 | 252 | – | – | – | 338 |
| – | – | – | 88 | 109 | – | 23 | – | 13 025 |
| – | – | – | – | – | – | – | – | 1 129 |
| 7 733 | 1 139 | – | 1 144 | – | – | 10 918 | – | 5 459 |
| 50 | – | – | – | – | – | 38 | – | 527 |
| – | – | – | – | – | – | – | – | – |
| – | – | 25 | – | – | – | 7 287 | – | 668 |
| – | 9 | 114 | 812 | 35 | 1 716 | 12 020 | – | 1 327 |
| – | – | – | 2 703 | 200 | – | 113 | – | – |
| 2 561 | – | 19 | – | – | – | 2 036 | – | 1 330 |
| – | – | – | – | – | – | – | – | – |
| – | – | – | 3 507 | 3 066 | 243 | 437 | 64 | 11 367 |
| – | – | – | – | – | – | – | – | – |
| – | – | – | – | – | – | – | – | – |
| – | – | – | – | – | – | – | – | – |
| – | – | – | – | – | – | – | – | 653 |
| – | – | – | – | – | – | – | – | – |
| – | 54 | – | – | – | 3 562 | 1 005 | – | 2 558 |
| – | – | – | – | – | – | 31 | – | – |
| … | … | … | … | … | … | … | … | … |
| – | 3 | 513 | – | – | 2 588 | 11 100 | – | 5 944 |
| – | – | – | – | – | – | – | – | – |
| – | – | – | – | – | – | – | – | 24 |
| – | – | – | – | – | – | 208 | – | – |
| – | – | 31 | – | – | – | 181 | – | 272 |
| – | – | 28 | 9 | – | – | – | – | – |
| – | 11 | – | – | – | – | – | – | – |
| 47 | 1 105 | – | – | – | 33 | 242 | – | 16 326 |
| 13 592 | 189 | 255 | 604 | – | – | 8 465 | – | 13 822 |
| – | – | – | – | – | – | – | – | – |
| – | – | 72 | – | – | – | – | – | 18 |
| – | – | – | – | – | – | – | – | – |
| – | – | – | – | – | – | – | – | – |
| – | – | – | – | – | 538 | 1 918 | – | 66 |
| – | – | – | – | – | – | 768 | – | – |
| – | – | 20 | – | – | – | – | – | 193 |
| – | – | – | – | – | – | – | – | – |
| – | – | – | – | – | – | – | – | – |
| – | – | – | – | – | – | – | – | – |
| – | – | – | – | – | – | 168 | – | 1 551 |
| – | – | – | – | – | – | 7 287 | – | – |
| – | – | – | – | – | – | 9 691 | – | – |
| – | – | – | – | – | – | – | – | – |
| – | – | – | – | – | – | – | – | – |
| – | – | – | – | – | – | – | – | – |
| – | – | – | – | – | – | – | – | – |
| – | – | – | – | – | – | – | – | – |
| – | 3 | 513 | – | – | 2 588 | 11 100 | – | 5 944 |
| – | – | – | – | – | – | 208 | – | – |

# 第39表（6－4）市区町村が実施した試験検査件数，

| | 臨 | | | | | 床 | | | 学 |
|---|---|---|---|---|---|---|---|---|---|
| | | | 血清等検査 | | | 生化学検査 | | 尿検査 | |
| | 総数 | 血液一般検査 | HBs抗原、抗体検査 | 梅毒血清検査 | その他 | 生化学検査 | 先天性代謝異常検査 | 尿一般等 | 神経芽細胞腫 |
| 中核市(再掲) | | | | | | | | | |
| 旭川市 | 295 | - | - | 94 | 187 | - | - | - | - |
| 函館市 | - | - | - | - | - | - | - | - | - |
| 青森市 | - | - | - | - | - | - | - | - | - |
| 八戸市 | 74 | - | - | - | 74 | - | - | - | - |
| 盛岡市 | 244 | - | - | - | 244 | - | - | - | - |
| 秋田市 | 195 | - | - | - | 195 | - | - | - | - |
| 郡山市 | - | - | - | - | - | - | - | - | - |
| いわき市 | 408 | - | - | 203 | 205 | - | - | - | - |
| 宇都宮市 | 1 801 | - | - | 586 | 1 056 | - | - | - | - |
| 前橋市 | 856 | - | 201 | 208 | 447 | - | - | - | - |
| 高崎市 | 694 | - | 156 | 150 | 388 | - | - | - | - |
| 川越市 | 2 380 | - | 283 | 292 | 961 | - | - | - | - |
| 越谷市 | 744 | - | 192 | 194 | 197 | - | - | - | - |
| 船橋市 | 2 727 | - | - | 541 | 1 542 | - | - | 26 | - |
| 柏市 | 5 621 | - | 557 | 560 | 771 | - | - | 3 488 | - |
| 八王子市 | 2 420 | 566 | - | - | - | 570 | - | 584 | - |
| 横須賀市 | 6 017 | - | 314 | - | - | - | - | - | - |
| 富山市 | 3 710 | - | - | 96 | 603 | - | - | 2 791 | - |
| 金沢市 | 4 828 | - | - | - | 684 | - | - | 2 231 | - |
| 長野市 | 2 439 | - | - | 448 | 1 093 | - | - | 560 | - |
| 岐阜市 | 15 977 | - | - | - | - | - | - | 3 046 | - |
| 豊橋市 | 5 853 | - | 304 | 582 | 1 686 | - | - | 2 795 | - |
| 豊田市 | 1 323 | - | - | 333 | 979 | - | - | - | - |
| 岡崎市 | 1 046 | 645 | - | - | - | - | - | - | - |
| 大津市 | - | - | - | - | - | - | - | - | - |
| 高槻市 | 298 | - | - | - | - | - | - | - | - |
| 東大阪市 | - | - | - | - | - | - | - | - | - |
| 豊中市 | 725 | - | - | 23 | 267 | - | - | - | - |
| 枚方市 | 2 883 | - | 47 | - | - | - | - | 2 601 | - |
| 姫路市 | - | - | - | - | - | - | - | - | - |
| 西宮市 | 1 126 | - | 230 | 109 | 584 | - | - | 90 | - |
| 尼崎市 | 10 124 | - | - | - | 16 | - | - | 7 205 | - |
| 奈良市 | 257 | - | 119 | - | 119 | - | - | - | - |
| 和歌山市 | 2 329 | - | - | - | - | - | - | 2 329 | - |
| 倉敷市 | 142 | - | - | - | 142 | - | - | - | - |
| 福山市 | - | - | - | - | - | - | - | - | - |
| 呉市 | - | - | - | - | - | - | - | - | - |
| 下関市 | 506 | - | - | - | - | - | - | 341 | - |
| 高松市 | 54 | - | - | - | - | - | - | - | - |
| 松山市 | 337 | - | - | - | 306 | - | - | - | - |
| 高知市 | … | … | … | … | … | … | … | … | … |
| 久留米市 | 842 | - | - | 255 | 587 | - | - | - | - |
| 長崎市 | 396 | - | - | - | 372 | - | - | - | - |
| 佐世保市 | 2 158 | - | - | - | 163 | - | - | 1 995 | - |
| 大分市 | 6 608 | - | 357 | 307 | 1 633 | - | - | 3 827 | - |
| 宮崎市 | 525 | - | - | 253 | 265 | - | - | - | - |
| 鹿児島市 | 9 692 | 119 | 850 | 664 | 1 901 | 642 | - | 5 505 | - |
| 那覇市 | 4 395 | - | 162 | 1 148 | 1 191 | 444 | - | 992 | - |
| その他政令市(再掲) | | | | | | | | | |
| 小樽市 | - | - | - | - | - | - | - | - | - |
| 町田市 | 216 | - | - | - | - | - | - | - | - |
| 藤沢市 | 458 | - | 31 | 41 | 385 | - | - | - | - |
| 茅ヶ崎市 | - | - | - | - | - | - | - | - | - |
| 四日市市 | 1 199 | - | 395 | 401 | 403 | - | - | - | - |
| 大牟田市 | 184 | - | - | 75 | 109 | - | - | - | - |

## 都道府県－指定都市・特別区－中核市－その他政令市、検査の種類別

平成29年度

| 的 | | | 検 | | 査 | | | |
|---|---|---|---|---|---|---|---|---|
| 糞便検査 | | | 生理学的検査 | | 胸部X線検査 | | | その他 |
| 潜血反応 | 寄生虫卵 | その他 | 心電図 | 眼底 | 間接撮影 | 直接撮影 | 断層撮影 | |
| – | 14 | – | – | – | – | – | – | – |
| – | – | – | – | – | – | – | – | – |
| – | – | – | – | – | – | – | – | – |
| – | – | – | – | – | – | – | – | – |
| – | – | – | – | – | – | – | – | – |
| – | – | – | – | – | – | – | – | – |
| – | – | – | – | – | – | – | – | – |
| – | – | – | – | – | – | – | – | – |
| – | – | 126 | – | – | – | – | – | 33 |
| – | – | – | – | – | – | – | – | – |
| – | – | – | – | – | – | – | – | – |
| – | – | – | – | – | – | – | – | 844 |
| – | – | 26 | – | – | – | – | – | 135 |
| – | – | 4 | – | – | – | 614 | – | – |
| – | – | – | – | – | – | 245 | – | – |
| – | – | – | 98 | – | – | 602 | – | – |
| – | – | – | – | – | – | 5 547 | – | 156 |
| – | 3 | 118 | – | – | – | 99 | – | – |
| – | – | – | – | – | – | 170 | – | 1 743 |
| – | – | – | – | – | – | – | – | 338 |
| – | – | – | – | – | – | 16 | – | 12 915 |
| – | 39 | – | – | – | – | 447 | – | – |
| – | 11 | – | – | – | – | – | – | – |
| – | 2 | – | – | – | – | 399 | – | – |
| – | – | – | – | – | – | – | – | – |
| – | 4 | – | – | – | – | 291 | – | 3 |
| – | – | – | – | – | – | – | – | – |
| – | – | 114 | – | – | – | 321 | – | – |
| – | 5 | – | – | – | – | 230 | – | – |
| – | – | – | – | – | – | – | – | – |
| – | – | – | – | – | – | 113 | – | – |
| – | – | – | 2 703 | 200 | – | – | – | – |
| – | – | 19 | – | – | – | – | – | – |
| – | – | – | – | – | – | – | – | – |
| – | – | – | – | – | – | – | – | – |
| – | – | – | – | – | – | – | – | – |
| – | – | – | – | – | – | – | – | – |
| – | – | – | – | – | – | – | – | 165 |
| – | 54 | – | – | – | – | – | – | – |
| – | – | – | – | – | – | 31 | – | – |
| … | … | … | … | … | … | … | … | … |
| – | – | – | – | – | – | – | – | – |
| – | – | – | – | – | – | – | – | 24 |
| – | – | – | – | – | – | – | – | – |
| – | – | 31 | – | – | – | 181 | – | 272 |
| – | – | 7 | – | – | – | – | – | – |
| – | 11 | – | – | – | – | – | – | – |
| – | – | – | – | – | – | 225 | – | 233 |
| – | – | – | – | – | – | – | – | – |
| – | – | – | – | – | – | 216 | – | – |
| – | 1 | – | – | – | – | – | – | – |
| – | – | – | – | – | – | – | – | – |
| – | – | – | – | – | – | – | – | – |
| – | – | – | – | – | – | – | – | – |

# 第39表（6－5）市区町村が実施した試験検査件数,

| | 総数 | 水質検査 | | | | | | |
|---|---|---|---|---|---|---|---|---|
| | | 水道原水 | | | 飲用水 | | 利用水等(プール水等を含む。) | |
| | | 細菌学的検査 | 理化学的検査 | 生物学的検査 | 細菌学的検査 | 理化学的検査 | 細菌学的検査 | 理化学的検査 |
| **全国** | **113 568** | **4 936** | **4 813** | **1 136** | **13 358** | **44 101** | **16 449** | **28 775** |
| 北海道 | 20 930 | 1 032 | 1 323 | 140 | 1 578 | 6 326 | 335 | 10 196 |
| 青森 | 834 | 156 | 156 | 18 | 221 | 221 | 31 | 31 |
| 岩手 | 2 012 | 520 | 184 | – | 655 | 644 | – | 9 |
| 宮城 | 1 008 | 33 | 33 | 13 | 237 | 651 | 28 | 13 |
| 秋田 | 22 | – | – | – | – | – | 11 | 11 |
| 山形 | – | – | – | – | – | – | – | – |
| 福島 | 2 176 | 252 | 65 | 162 | 716 | 748 | 153 | 80 |
| 茨城 | 64 | – | – | – | 20 | 20 | 12 | 12 |
| 栃木 | 313 | 3 | 3 | – | – | 52 | 139 | 116 |
| 群馬 | 833 | 9 | 154 | – | 107 | 141 | 211 | 211 |
| 埼玉 | 2 669 | 372 | 123 | – | 232 | 239 | 928 | 775 |
| 千葉 | 5 141 | 158 | 64 | – | 845 | 3 655 | 174 | 245 |
| 東京 | 14 385 | 12 | – | 12 | 353 | 1 057 | 6 312 | 6 639 |
| 神奈川 | 1 994 | – | – | – | 98 | 819 | 192 | 885 |
| 新潟 | 740 | – | – | – | – | – | 16 | 724 |
| 富山 | 845 | – | – | – | 342 | 416 | 82 | 5 |
| 石川 | 98 | … | … | … | … | … | 57 | 41 |
| 福井 | 246 | 33 | 9 | 90 | 108 | – | 3 | 3 |
| 山梨 | 33 | 4 | 2 | 1 | 13 | 13 | – | – |
| 長野 | 183 | 1 | 1 | 1 | 44 | 24 | 56 | 56 |
| 岐阜 | 1 441 | 13 | 13 | 13 | 516 | 576 | 155 | 155 |
| 静岡 | 1 866 | 288 | 95 | 100 | 576 | 589 | 124 | 94 |
| 愛知 | 9 218 | – | – | – | 559 | 3 108 | 2 614 | 2 937 |
| 三重 | 48 | 12 | 12 | – | 12 | 12 | – | – |
| 滋賀 | 16 | – | – | – | – | – | 9 | 7 |
| 京都 | 2 506 | 306 | 462 | 87 | 604 | 869 | 1 | 177 |
| 大阪 | 2 090 | 33 | 175 | – | 227 | 416 | 670 | 569 |
| 兵庫 | 1 663 | 102 | 174 | – | 284 | 369 | 456 | 278 |
| 奈良 | 320 | – | – | – | 98 | 98 | 68 | 56 |
| 和歌山 | – | – | – | – | – | – | – | – |
| 鳥取 | – | – | – | – | – | – | – | – |
| 島根 | – | – | – | – | – | – | – | – |
| 岡山 | 4 593 | 651 | 578 | 168 | 844 | 914 | 940 | 498 |
| 広島 | 794 | 120 | 120 | 120 | 154 | 179 | 43 | 58 |
| 山口 | 7 683 | 226 | 279 | 71 | 82 | 6 750 | 160 | 115 |
| 徳島 | – | – | – | – | – | – | – | – |
| 香川 | 980 | 12 | 192 | – | 349 | 353 | 34 | 40 |
| 愛媛 | 2 108 | 153 | 30 | – | 850 | 873 | 126 | 76 |
| 高知 | 934 | 216 | 41 | 16 | 302 | 305 | 27 | 27 |
| 福岡 | 4 722 | 28 | 64 | 18 | 716 | 1 449 | 1 164 | 1 283 |
| 佐賀 | 22 | – | 4 | 1 | 1 | 12 | 4 | – |
| 長崎 | 2 529 | 66 | 3 | 17 | 456 | 475 | 779 | 733 |
| 熊本 | 1 386 | 77 | 65 | 52 | 547 | 311 | 56 | 278 |
| 大分 | 117 | – | – | – | – | 54 | 9 | 54 |
| 宮崎 | – | – | – | – | – | – | – | – |
| 鹿児島 | 589 | – | – | – | 189 | 189 | 112 | 99 |
| 沖縄 | 13 417 | 48 | 389 | 36 | 423 | 11 174 | 158 | 1 189 |
| 指定都市・特別区(再掲) | | | | | | | | |
| 東京都区部 | 13 629 | – | – | – | 341 | 853 | 6 312 | 6 123 |
| 札幌市 | – | – | – | – | – | – | – | – |
| 仙台市 | 83 | 5 | 1 | – | 31 | 31 | 15 | – |
| さいたま市 | – | – | – | – | – | – | – | – |
| 千葉市 | 954 | 98 | 4 | – | 385 | 400 | 54 | 13 |
| 横浜市 | 1 493 | – | – | – | – | 733 | 17 | 743 |
| 川崎市 | – | – | – | – | – | – | – | – |
| 相模原市 | 423 | – | – | – | 98 | 86 | 138 | 101 |
| 新潟市 | – | – | – | – | – | – | – | – |
| 静岡市 | – | – | – | – | – | – | – | – |
| 浜松市 | 218 | – | – | – | – | – | 124 | 94 |
| 名古屋市 | 7 501 | – | – | – | 57 | 2 601 | 2 265 | 2 578 |
| 京都市 | – | – | – | – | – | – | – | – |
| 大阪市 | 819 | 5 | – | – | 14 | 15 | 420 | 365 |
| 堺市 | – | – | – | – | – | – | – | – |
| 神戸市 | 119 | – | – | – | 32 | 33 | 54 | – |
| 岡山市 | 1 376 | – | – | – | – | – | 909 | 467 |
| 広島市 | 23 | – | – | – | – | – | – | 23 |
| 北九州市 | 942 | – | – | – | – | 87 | 463 | 392 |
| 福岡市 | 3 046 | – | – | – | 391 | 1 257 | 598 | 800 |
| 熊本市 | 385 | – | – | – | 26 | 25 | 56 | 278 |

都道府県－指定都市・特別区－中核市－その他政令市、検査の種類別

平成29年度

| 廃棄物関係検査 | 環境・公害関係検査 | | | | | | | その他 |
|---|---|---|---|---|---|---|---|---|
| | 総数 | 大気検査 | 水質検査 | 騒音・振動 | 悪臭検査 | 土壌・底質検査 | その他 | |
| 2 190 | 124 013 | 85 670 | 28 106 | 7 963 | 373 | 228 | 1 673 | 42 186 |
| 241 | 5 801 | 2 914 | 610 | 2 013 | 8 | 1 | 255 | 113 |
| – | 8 | 4 | 4 | – | – | – | – | – |
| – | 833 | 47 | 241 | 81 | – | – | 464 | 223 |
| 415 | 15 305 | 7 926 | 6 233 | 1 116 | 15 | – | 15 | 2 456 |
| 32 | 16 | – | 16 | – | – | – | – | 35 |
| 2 | 11 | – | 3 | – | 3 | 1 | 4 | – |
| – | 3 521 | 2 990 | 480 | 34 | 1 | – | 16 | 15 185 |
| – | 3 034 | 2 980 | 44 | 9 | – | 1 | – | 3 834 |
| 24 | 5 869 | 3 370 | 1 334 | 1 116 | 8 | 41 | – | 1 936 |
| 30 | 1 687 | 1 013 | 572 | 99 | … | 3 | … | 955 |
| 330 | 4 351 | 3 153 | 1 016 | 129 | 10 | 19 | 24 | 95 |
| 122 | 14 317 | 13 146 | 904 | 182 | 7 | 25 | 53 | 978 |
| – | 3 309 | 2 331 | 354 | 172 | – | – | 452 | 10 657 |
| – | 2 501 | 1 890 | 558 | 41 | – | – | 12 | 498 |
| 139 | 997 | 10 | 859 | 108 | 10 | 10 | – | 22 |
| 32 | 3 691 | 3 285 | 312 | – | – | – | 94 | – |
| 84 | 733 | 92 | 623 | … | 18 | … | … | 1 |
| – | 608 | 368 | 219 | 6 | 11 | 1 | 3 | – |
| – | 383 | – | 350 | 32 | 1 | – | – | – |
| 78 | 3 305 | 2 379 | 876 | 25 | 14 | 8 | 3 | 275 |
| 15 | 1 541 | 197 | 921 | 388 | 24 | 6 | 5 | 48 |
| 131 | 14 083 | 12 583 | 1 301 | 47 | 14 | – | 138 | 253 |
| – | 2 862 | 1 078 | 1 098 | 550 | 96 | 32 | 8 | 1 370 |
| – | 38 | – | 25 | 10 | 3 | – | – | 1 278 |
| – | 528 | 1 | 527 | – | – | – | – | 49 |
| – | 667 | 437 | 151 | 62 | – | 17 | – | – |
| – | 660 | 76 | 541 | 39 | 4 | – | – | 767 |
| – | 4 350 | 3 491 | 624 | 197 | 34 | 4 | – | 60 |
| – | 2 061 | 1 762 | 287 | 4 | 2 | 6 | – | – |
| 7 | 109 | 6 | 98 | – | – | – | 5 | – |
| – | 137 | 66 | 9 | 24 | 38 | – | – | – |
| 9 | 14 844 | 13 530 | 1 185 | 100 | 7 | 22 | – | 72 |
| 83 | 1 745 | 1 133 | 588 | 20 | 2 | 2 | – | 83 |
| – | 1 050 | 262 | 620 | 163 | 5 | – | – | 4 |
| 12 | 24 | 12 | 12 | – | – | – | – | 42 |
| – | 1 611 | 1 096 | 489 | 20 | 1 | 1 | 4 | – |
| … | 16 | … | 15 | 1 | … | … | … | 81 |
| – | 2 273 | 1 520 | 625 | 18 | – | 9 | 101 | 291 |
| 25 | 117 | – | 100 | 3 | – | 14 | – | – |
| 334 | 1 293 | 51 | 1 182 | 48 | 12 | – | – | 78 |
| 45 | 1 639 | 232 | 1 386 | 4 | – | – | 17 | 437 |
| – | – | – | – | – | – | – | – | 10 |
| – | 41 | – | 41 | – | – | – | – | – |
| – | 853 | 219 | 629 | – | – | 5 | – | – |
| – | 1 191 | 20 | 44 | 1 102 | 25 | – | – | – |
| – | 3 128 | 2 331 | 354 | 172 | – | – | 271 | 9 408 |
| – | – | – | – | – | – | – | – | – |
| 415 | 14 462 | 7 926 | 6 057 | 464 | – | – | 15 | 2 453 |
| – | 25 | – | 25 | – | – | – | – | 701 |
| – | 23 | 23 | – | – | – | – | – | – |
| – | 19 | – | 19 | – | – | – | – | 392 |
| – | – | – | – | – | – | – | – | 22 |
| – | 120 | 96 | – | – | – | – | 24 | – |
| 44 | 11 833 | 10 888 | 911 | 10 | – | – | 24 | 253 |
| – | 1 638 | 316 | 789 | 497 | 4 | 25 | 7 | 1 163 |
| – | – | – | – | – | – | – | – | 662 |
| – | – | – | – | – | – | – | – | 8 |
| – | 4 418 | 4 380 | – | 38 | – | – | – | 42 |
| – | – | – | – | – | – | – | – | 63 |
| – | – | – | – | – | – | – | – | 205 |
| – | 101 | – | – | – | – | – | 101 | 66 |
| 45 | 1 458 | 172 | 1 269 | – | – | – | 17 | 437 |

# 第39表（6－6） 市区町村が実施した試験検査件数，

| | 総数 | 水質検査 | | | | | | |
|---|---|---|---|---|---|---|---|---|
| | | 水道原水 | | | 飲用水 | | 利用水等（プール水等を含む。） | |
| | | 細菌学的検査 | 理化学的検査 | 生物学的検査 | 細菌学的検査 | 理化学的検査 | 細菌学的検査 | 理化学的検査 |
| 中核市(再掲) | | | | | | | | |
| 旭川市 | 950 | 14 | - | - | 377 | 378 | 102 | 79 |
| 函館市 | 2 | - | - | - | - | - | 2 | - |
| 青森市 | - | - | - | - | - | - | - | - |
| 八戸市 | - | - | - | - | - | - | - | - |
| 盛岡市 | 161 | - | - | - | 85 | 76 | - | - |
| 秋田市 | 22 | - | - | - | - | - | 11 | 11 |
| 郡山市 | 401 | 40 | 4 | - | 143 | 137 | 67 | 10 |
| いわき市 | 623 | - | 1 | - | 239 | 237 | 80 | 66 |
| 宇都宮市 | 307 | - | - | - | - | 52 | 139 | 116 |
| 前橋市 | - | - | - | - | - | - | - | - |
| 高崎市 | - | - | - | - | - | - | - | - |
| 川越市 | 269 | - | - | - | 92 | 95 | 59 | 23 |
| 越谷市 | 22 | - | - | - | 11 | 11 | - | - |
| 船橋市 | 33 | - | - | - | - | - | 21 | 12 |
| 柏市 | 530 | - | - | - | 233 | 232 | 38 | 27 |
| 八王子市 | 429 | - | - | - | - | 142 | - | 287 |
| 横須賀市 | - | - | - | - | - | - | - | - |
| 富山市 | 845 | - | - | - | 342 | 416 | 82 | 5 |
| 金沢市 | 74 | - | - | - | - | - | 45 | 29 |
| 長野市 | 124 | - | - | - | 6 | 6 | 56 | 56 |
| 岐阜市 | 1 070 | - | - | - | 386 | 446 | 119 | 119 |
| 豊橋市 | 586 | - | - | - | 155 | 162 | 152 | 117 |
| 豊田市 | 101 | - | - | - | 32 | 30 | 23 | 16 |
| 岡崎市 | 956 | - | - | - | 315 | 315 | 137 | 189 |
| 大津市 | 16 | - | - | - | - | - | 9 | 7 |
| 高槻市 | 495 | 23 | - | - | 41 | 41 | 236 | 154 |
| 東大阪市 | - | - | - | - | - | - | - | - |
| 豊中市 | 2 | - | - | - | - | - | 2 | - |
| 枚方市 | 198 | - | - | - | - | 136 | 12 | 50 |
| 姫路市 | - | - | - | - | - | - | - | - |
| 西宮市 | 294 | - | - | - | - | - | 151 | 143 |
| 尼崎市 | 480 | - | - | - | 43 | 51 | 251 | 135 |
| 奈良市 | 320 | - | - | - | 98 | 98 | 68 | 56 |
| 和歌山市 | - | - | - | - | - | - | - | - |
| 倉敷市 | 1 133 | 351 | 254 | 92 | 196 | 178 | 31 | 31 |
| 福山市 | 4 | - | - | - | - | - | 4 | - |
| 呉市 | 94 | - | - | - | 10 | 10 | 39 | 35 |
| 下関市 | 457 | - | - | - | 71 | 111 | 160 | 115 |
| 高松市 | 200 | - | - | - | 85 | 89 | 13 | 13 |
| 松山市 | 1 125 | - | - | - | 468 | 487 | 110 | 60 |
| 高知市 | 52 | … | … | … | … | … | 26 | 26 |
| 久留米市 | 132 | - | - | - | - | - | 66 | 66 |
| 長崎市 | 520 | - | - | - | 46 | 45 | 260 | 169 |
| 佐世保市 | 1 788 | 11 | - | - | 337 | 357 | 519 | 564 |
| 大分市 | 117 | - | - | - | - | 54 | 9 | 54 |
| 宮崎市 | - | - | - | - | - | - | - | - |
| 鹿児島市 | 589 | - | - | - | 189 | 189 | 112 | 99 |
| 那覇市 | - | - | - | - | - | - | - | - |
| その他政令市(再掲) | | | | | | | | |
| 小樽市 | 335 | - | - | - | 75 | 92 | 81 | 87 |
| 町田市 | 279 | - | - | - | - | 50 | - | 229 |
| 藤沢市 | 78 | - | - | - | - | - | 37 | 41 |
| 茅ヶ崎市 | - | - | - | - | - | - | - | - |
| 四日市市 | - | - | - | - | - | - | - | - |
| 大牟田市 | 36 | - | - | - | - | - | 24 | 12 |

## 都道府県－指定都市・特別区－中核市－その他政令市、検査の種類別

平成29年度

| 廃棄物関係検査 | 環境・公害関係検査 | | | | | | | その他 |
|---|---|---|---|---|---|---|---|---|
| | 総数 | 大気検査 | 水質検査 | 騒音・振動 | 悪臭検査 | 土壌・底質検査 | その他 | |
| - | 222 | - | - | - | - | - | 222 | - |
| - | - | - | - | - | - | - | - | - |
| - | - | - | - | - | - | - | - | - |
| - | - | - | - | - | - | - | - | - |
| - | - | - | - | - | - | - | - | 223 |
| 32 | 16 | - | 16 | - | - | - | - | 35 |
| - | 3 433 | 2 990 | 393 | 34 | - | - | 16 | 2 302 |
| - | 23 | - | 23 | - | - | - | - | 1 217 |
| - | 5 042 | 3 370 | 574 | 1 089 | - | 9 | - | 26 |
| - | - | - | - | - | - | - | - | 10 |
| - | - | - | - | - | - | - | - | 10 |
| - | - | - | - | - | - | - | - | - |
| - | - | - | - | - | - | - | - | 18 |
| - | - | - | - | - | - | - | - | 48 |
| - | - | - | - | - | - | - | - | - |
| - | 181 | - | - | - | - | - | 181 | 510 |
| - | - | - | - | - | - | - | - | - |
| 32 | 3 691 | 3 285 | 312 | - | - | - | 94 | - |
| 84 | 733 | 92 | 623 | - | 18 | - | - | 1 |
| 23 | 2 772 | 2 190 | 571 | - | 5 | 3 | 3 | 190 |
| 15 | 535 | 12 | 513 | - | 7 | 3 | - | - |
| - | - | - | - | - | - | - | - | 26 |
| - | - | - | - | - | - | - | - | - |
| - | - | - | - | - | - | - | - | 181 |
| - | 528 | 1 | 527 | - | - | - | - | 49 |
| - | 205 | 38 | 167 | - | - | - | - | 53 |
| - | - | - | - | - | - | - | - | - |
| - | - | - | - | - | - | - | - | - |
| - | - | - | - | - | - | - | - | 52 |
| - | - | - | - | - | - | - | - | - |
| - | - | - | - | - | - | - | - | 10 |
| - | 135 | - | 124 | 11 | - | - | - | 42 |
| - | 2 061 | 1 762 | 287 | 4 | 2 | 6 | - | - |
| - | - | - | - | - | - | - | - | - |
| 9 | 10 211 | 9 145 | 1 000 | 37 | 7 | 22 | - | 30 |
| 66 | 336 | 56 | 280 | - | - | - | - | 20 |
| - | - | - | - | - | - | - | - | - |
| - | 532 | 52 | 467 | 10 | 3 | - | - | 4 |
| - | - | - | - | - | - | - | - | 42 |
| - | - | - | - | - | - | - | - | - |
| … | … | … | … | … | … | … | … | 81 |
| - | 1 904 | 1 496 | 381 | 18 | - | 9 | - | 20 |
| - | - | - | - | - | - | - | - | 50 |
| 334 | 1 293 | 51 | 1 182 | 48 | 12 | - | - | 28 |
| - | - | - | - | - | - | - | - | 10 |
| - | 41 | - | 41 | - | - | - | - | - |
| - | 853 | 219 | 629 | - | - | 5 | - | - |
| - | - | - | - | - | - | - | - | - |
| - | 552 | 158 | 369 | - | - | - | 25 | 113 |
| - | - | - | - | - | - | - | - | 739 |
| - | 12 | - | - | - | - | - | 12 | 35 |
| - | - | - | - | - | - | - | - | - |
| - | - | - | - | - | - | - | - | - |
| - | 216 | 24 | 192 | - | - | - | - | - |

# 第40表　市区町村における連絡調整会議の開催

| | | 開 催 回 数 | 参 加 機 関<br>・ 団 体 数<br>（ 延 件 数 ） | （ 再 　 掲 ）<br>福 祉 関 係 機 関 | 総 　 　 数 |
|---|---|---|---|---|---|
| 市区町村主催 | 母子保健に関する会議 | 34 382 | 140 843 | 41 433 | ・ |
| | 健康増進に関する会議 | 19 519 | 88 466 | 9 000 | ・ |
| | 障害者福祉調整会議（精神等含む。） | 15 497 | 90 978 | 48 594 | ・ |
| | 地域・職域連携推進協議会 | 643 | 3 951 | 1 598 | ・ |
| | その他 | 34 573 | 173 905 | 57 778 | ・ |
| 参加 | 都道府県主催の会議への参加 | 12 122 | ・ | ・ | 17 632 |
| | 保健所主催の会議への参加 | 19 196 | ・ | ・ | 28 657 |
| | その他関係機関・団体主催の会議への参加 | 57 983 | ・ | ・ | 94 072 |
| | （再掲）介護保険関連の会議 | 9 049 | ・ | ・ | 13 730 |

## 回数・参加機関団体数, 会議の種類、議事内容別

平成29年度

| 議事内容（延件数） | | | | |
|---|---|---|---|---|
| 基本的実施方針に関する事項 | 実施体制の確保に関する事項 | サービス提供の指針に関する事項 | 事業評価に関する事項 | その他 |
| ・ | ・ | ・ | ・ | ・ |
| ・ | ・ | ・ | ・ | ・ |
| ・ | ・ | ・ | ・ | ・ |
| ・ | ・ | ・ | ・ | ・ |
| ・ | ・ | ・ | ・ | ・ |
| 7 509 | 3 560 | 2 547 | 1 669 | 2 347 |
| 10 129 | 6 037 | 4 337 | 3 191 | 4 963 |
| 23 014 | 13 409 | 17 387 | 7 270 | 32 992 |
| 3 345 | 2 003 | 3 981 | 1 428 | 2 973 |

# 第41表（２－１）市区町村における調査及び研究数，

| | 総数 | 全般 | | | 対人 | | | | | |
|---|---|---|---|---|---|---|---|---|---|---|
| | | （再掲）健康危機管理 | 地域診断 | 情報システム | 総数 | 母子保健 | 健康増進 | 歯科保健 | 感染症 | （再掲）結核 |
| **全国** | **2 058** | **21** | **336** | **19** | **1 453** | **374** | **476** | **97** | **94** | **33** |
| 北海道 | 98 | − | 5 | − | 76 | 7 | 22 | 7 | 2 | 1 |
| 青森 | 48 | − | 4 | 1 | 43 | 14 | 14 | 6 | − | − |
| 岩手 | 30 | − | 4 | 1 | 25 | 4 | 13 | 3 | 1 | − |
| 宮城 | 82 | − | 14 | 1 | 50 | 7 | 14 | 3 | 11 | 3 |
| 秋田 | 20 | − | 1 | − | 16 | 3 | 9 | 2 | − | − |
| 山形 | 9 | − | 4 | − | 5 | 1 | 4 | − | − | − |
| 福島 | 40 | − | 7 | 1 | 32 | 12 | 9 | 2 | − | − |
| 茨城 | 10 | − | 2 | − | 8 | 3 | 4 | − | − | − |
| 栃木 | 23 | − | 4 | − | 12 | 4 | 3 | 2 | − | − |
| 群馬 | 57 | − | 2 | 1 | 54 | 7 | 11 | 5 | − | − |
| 埼玉 | 56 | 1 | 14 | − | 38 | 8 | 14 | 2 | − | − |
| 千葉 | 74 | − | 3 | − | 64 | 17 | 24 | 7 | 5 | 4 |
| 東京 | 74 | 3 | 15 | − | 47 | 16 | 7 | 5 | 11 | 5 |
| 神奈川 | 120 | 1 | 15 | − | 95 | 16 | 34 | 6 | 3 | 1 |
| 新潟 | 28 | − | 1 | − | 17 | 2 | 5 | − | − | − |
| 富山 | 54 | − | 32 | − | 22 | 12 | 5 | 4 | − | − |
| 石川 | 13 | − | − | − | 13 | 3 | 2 | − | 3 | 1 |
| 福井 | 15 | − | 3 | − | 12 | 4 | 6 | − | − | − |
| 山梨 | 84 | − | 28 | 4 | 52 | 14 | 17 | 4 | 1 | − |
| 長野 | 46 | − | 17 | − | 29 | 3 | 20 | 1 | − | − |
| 岐阜 | 32 | − | 5 | − | 26 | 6 | 12 | 2 | − | − |
| 静岡 | 80 | 1 | 18 | − | 55 | 12 | 28 | 5 | 2 | − |
| 愛知 | 119 | 9 | 4 | − | 56 | 22 | 19 | 3 | 6 | − |
| 三重 | 54 | − | 7 | 5 | 42 | 26 | 4 | 3 | − | − |
| 滋賀 | 55 | − | 21 | 1 | 32 | 9 | 10 | − | 1 | 1 |
| 京都 | 33 | − | 8 | − | 22 | 12 | 6 | − | − | − |
| 大阪 | 127 | − | 4 | − | 108 | 41 | 23 | 1 | 12 | 9 |
| 兵庫 | 42 | − | 5 | − | 28 | 6 | 10 | 3 | 4 | 1 |
| 奈良 | 47 | − | 6 | − | 40 | 20 | 13 | 2 | − | − |
| 和歌山 | 54 | 3 | 10 | 1 | 40 | 5 | 17 | 1 | 3 | 1 |
| 鳥取 | 39 | − | 9 | − | 30 | 6 | 17 | 1 | 1 | − |
| 島根 | 13 | − | 5 | 1 | 7 | 3 | 2 | − | − | − |
| 岡山 | 47 | − | 11 | − | 28 | 6 | 6 | 1 | 2 | 1 |
| 広島 | 86 | − | 7 | 2 | 41 | 3 | 13 | 6 | 3 | 1 |
| 山口 | 19 | − | 4 | − | 15 | 3 | 10 | − | − | − |
| 徳島 | 9 | − | 2 | − | 7 | 2 | 4 | − | − | − |
| 香川 | 9 | − | − | − | 5 | 2 | 2 | − | − | − |
| 愛媛 | 24 | 2 | 4 | − | 18 | 5 | 8 | − | − | − |
| 高知 | 19 | − | − | − | 19 | 4 | 6 | 4 | 1 | 1 |
| 福岡 | 44 | − | 4 | − | 34 | 6 | 4 | − | 21 | 2 |
| 佐賀 | 9 | 1 | 4 | − | 5 | 2 | 1 | 1 | − | − |
| 長崎 | 9 | − | − | − | 7 | 2 | 1 | 1 | − | − |
| 熊本 | 19 | − | 3 | − | 13 | − | 2 | 1 | 1 | 1 |
| 大分 | 37 | − | 9 | − | 27 | 6 | 9 | − | − | − |
| 宮崎 | 6 | − | − | − | 6 | 2 | 2 | 2 | − | − |
| 鹿児島 | 39 | − | 9 | − | 30 | 6 | 10 | 1 | − | − |
| 沖縄 | 6 | − | 2 | − | 2 | − | − | − | − | − |
| 指定都市・特別区（再掲） | | | | | | | | | | |
| 東京都区部 | 51 | 3 | 14 | − | 28 | 9 | 4 | 2 | 11 | 5 |
| 札幌市 | 20 | − | − | − | 12 | 3 | − | 2 | 2 | 1 |
| 仙台市 | 43 | − | 1 | − | 25 | 2 | 1 | − | 11 | 3 |
| さいたま市 | 8 | 1 | 1 | − | 6 | 4 | 1 | − | − | − |
| 千葉市 | 11 | − | − | − | 7 | 3 | 4 | − | − | − |
| 横浜市 | 22 | − | 8 | − | 12 | 3 | 2 | − | − | − |
| 川崎市 | 3 | − | − | − | 1 | − | − | − | − | − |
| 相模原市 | 8 | − | − | − | 6 | − | − | − | 1 | 1 |
| 新潟市 | 16 | − | − | − | 6 | 1 | 2 | − | − | − |
| 静岡市 | 8 | 1 | − | − | 7 | 1 | 2 | 3 | − | − |
| 浜松市 | 11 | − | − | − | 5 | − | − | − | 2 | − |
| 名古屋市 | 57 | − | 2 | − | 21 | 11 | 3 | 1 | 2 | − |
| 京都市 | 17 | − | 4 | − | 10 | 4 | 3 | − | − | − |
| 大阪市 | 24 | − | − | − | 13 | 3 | 1 | − | 7 | 5 |
| 堺市 | 43 | − | − | − | 43 | 21 | 6 | − | 3 | 2 |
| 神戸市 | 9 | − | − | − | − | − | − | − | − | − |
| 岡山市 | 6 | − | − | − | 2 | − | − | − | − | − |
| 広島市 | 43 | − | 3 | − | 11 | − | 1 | − | 2 | 1 |
| 北九州市 | 4 | − | − | − | 1 | − | 1 | − | − | − |
| 福岡市 | 26 | − | − | − | 23 | − | 2 | − | 21 | 2 |
| 熊本市 | 4 | − | − | − | 1 | − | − | − | − | − |

# 都道府県－指定都市・特別区－中核市－その他政令市、調査及び研究内容別

平成29年度

| 保 | | | | 健 | 対 | 物 | 保 | 健 | |
|---|---|---|---|---|---|---|---|---|---|
| （再　掲）エ　イ　ズ | 精神保健福　祉 | 難　病 | 介護保険 | そ の 他 | 総　数 | 医事・薬事 | 食品衛生 | 環境衛生 | そ の 他 |
| 6 | 197 | 25 | 101 | 89 | 250 | 3 | 173 | 57 | 17 |
| － | 23 | － | 13 | 2 | 17 | 1 | 8 | 8 | － |
| － | 5 | 2 | 1 | 1 | － | － | － | － | － |
| － | 3 | － | － | 1 | － | － | － | － | － |
| － | 6 | － | － | 9 | 17 | － | 12 | 5 | － |
| － | 1 | － | － | 1 | 3 | － | 3 | － | － |
| － | － | － | － | － | － | － | － | － | － |
| － | 3 | － | 1 | 5 | － | － | － | － | － |
| － | － | － | － | 1 | － | － | － | － | － |
| － | － | － | 2 | 1 | 7 | － | 7 | － | － |
| － | 29 | － | 1 | 1 | － | － | － | － | － |
| － | 10 | － | 2 | 2 | 4 | － | 4 | － | － |
| － | 4 | 2 | 1 | 4 | 7 | － | 5 | 2 | － |
| 3 | 6 | 1 | 1 | － | 12 | － | 4 | 7 | 1 |
| － | 14 | － | 18 | 4 | 10 | － | － | 7 | 3 |
| － | 3 | 3 | 3 | 1 | 10 | － | 8 | 2 | － |
| － | － | － | 1 | － | － | － | － | － | － |
| － | 3 | － | 1 | 1 | － | － | － | － | － |
| － | 1 | － | 1 | － | － | － | － | － | － |
| － | － | － | 11 | 5 | － | － | － | － | － |
| － | 2 | － | － | 3 | － | － | － | － | － |
| － | 5 | － | － | 1 | 1 | － | 1 | － | － |
| － | 4 | 1 | 1 | 2 | 7 | － | 3 | 4 | － |
| － | 3 | 2 | － | 1 | 59 | 1 | 49 | 8 | 1 |
| － | 1 | － | 2 | 6 | － | － | － | － | － |
| － | 2 | － | 4 | 6 | 1 | － | 1 | － | － |
| － | 1 | 1 | 1 | 1 | 3 | － | 3 | － | － |
| 2 | 18 | 8 | 4 | 1 | 15 | － | 9 | 4 | 2 |
| － | 1 | 2 | 2 | － | 9 | － | 1 | 2 | 6 |
| － | 4 | － | 1 | － | 1 | － | 1 | － | － |
| 1 | 3 | 1 | 5 | 5 | 3 | － | － | － | 3 |
| － | 2 | － | 2 | 1 | － | － | － | － | － |
| － | － | － | － | 2 | － | － | － | － | － |
| － | 6 | 1 | 2 | 4 | 8 | － | 5 | 2 | 1 |
| － | 12 | － | 4 | － | 36 | － | 31 | 5 | － |
| － | 1 | － | 1 | － | － | － | － | － | － |
| － | － | － | 1 | － | － | － | － | － | － |
| － | － | － | 1 | － | 4 | － | 4 | － | － |
| － | 2 | 1 | － | 2 | 2 | 1 | 1 | － | － |
| － | 1 | － | 1 | 2 | － | － | － | － | － |
| － | － | － | 2 | 1 | 6 | － | 5 | 1 | － |
| － | － | － | － | 1 | － | － | － | － | － |
| － | 1 | － | － | 2 | 2 | － | 2 | － | － |
| － | 3 | － | 5 | 1 | 3 | － | 3 | － | － |
| － | 11 | － | 1 | － | 1 | － | 1 | － | － |
| － | － | － | － | － | － | － | － | － | － |
| － | 2 | － | 3 | 8 | － | － | － | － | － |
| － | 1 | － | 1 | － | 2 | － | 2 | － | － |
| 3 | 2 | － | － | － | 9 | － | 4 | 4 | 1 |
| － | 4 | － | *1 | － | 8 | 1 | 7 | － | － |
| － | 5 | － | － | 6 | 17 | － | 12 | 5 | － |
| － | － | － | － | 1 | 1 | － | 1 | － | － |
| － | － | － | － | － | 4 | － | 4 | － | － |
| － | 6 | － | 1 | － | 2 | － | － | 2 | － |
| － | 1 | － | － | － | 2 | － | － | 2 | － |
| － | 5 | － | － | － | 2 | － | － | 2 | － |
| － | － | 3 | － | － | 10 | － | 8 | 2 | － |
| － | － | 1 | － | － | 1 | － | 1 | － | － |
| － | 3 | － | － | － | 6 | － | 2 | 4 | － |
| － | 1 | 2 | － | 1 | 34 | － | 28 | 5 | 1 |
| － | 1 | 1 | － | 1 | 3 | － | 3 | － | － |
| 2 | － | 1 | － | 1 | 11 | － | 9 | 2 | － |
| － | 13 | － | － | － | － | － | － | － | － |
| － | － | － | － | － | 9 | － | 1 | 2 | 6 |
| － | 2 | － | － | － | 4 | － | 2 | 2 | － |
| － | 8 | － | － | － | 29 | － | 28 | 1 | － |
| － | － | － | － | － | 3 | － | 2 | 1 | － |
| － | － | － | － | － | 3 | － | 3 | － | － |
| － | － | － | 1 | － | 3 | － | 3 | － | － |

# 第41表(２－２) 市区町村における調査及び研究数,

| | 総数 | 全般 (再掲) 健康危機管理 | 全般 地域診断 | 全般 情報システム | 対人 総数 | 対人 母子保健 | 対人 健康増進 | 対人 歯科保健 | 対人 感染症 | 対人 (再掲) 結核 |
|---|---|---|---|---|---|---|---|---|---|---|
| 中核市(再掲) | | | | | | | | | | |
| 旭川市 | 4 | – | – | – | 2 | – | 1 | 1 | – | – |
| 函館市 | 1 | – | – | – | 1 | – | 1 | – | – | – |
| 青森市 | – | – | – | – | – | – | – | – | – | – |
| 八戸市 | 2 | – | – | – | 2 | – | – | – | – | – |
| 盛岡市 | 2 | – | – | – | 2 | 1 | 1 | – | – | – |
| 秋田市 | 4 | – | – | – | 1 | – | 1 | – | – | – |
| 郡山市 | – | – | – | – | – | – | – | – | – | – |
| いわき市 | 11 | – | – | – | 11 | 6 | 1 | – | – | – |
| 宇都宮市 | 7 | – | – | – | – | – | – | – | – | – |
| 前橋市 | – | – | – | – | – | – | – | – | – | – |
| 高崎市 | 2 | – | – | 1 | 1 | 1 | – | – | – | – |
| 川越市 | 8 | – | – | – | 8 | – | – | – | – | – |
| 越谷市 | 5 | – | – | – | 2 | 1 | 1 | – | – | – |
| 船橋市 | 13 | – | – | – | 10 | 4 | – | 1 | 3 | 3 |
| 柏市 | 9 | – | – | – | 9 | 2 | 3 | – | 1 | 1 |
| 八王子市 | 9 | – | – | – | 8 | 6 | – | – | – | – |
| 横須賀市 | 3 | – | – | – | 2 | – | 1 | 1 | – | – |
| 富山市 | 1 | – | – | – | 1 | 1 | – | – | – | – |
| 金沢市 | 10 | – | – | – | 10 | 3 | 1 | – | 3 | 1 |
| 長野市 | 3 | – | – | – | 3 | – | 3 | – | – | – |
| 岐阜市 | 3 | – | – | – | 2 | 1 | 1 | – | – | – |
| 豊橋市 | 13 | – | – | – | – | – | – | – | – | – |
| 豊田市 | 11 | 9 | – | – | 5 | 1 | 1 | – | 3 | – |
| 岡崎市 | 10 | – | – | – | 4 | – | 1 | 1 | – | – |
| 大津市 | 4 | – | – | – | 3 | – | 2 | – | 1 | 1 |
| 高槻市 | 1 | – | – | – | 1 | – | 1 | – | – | – |
| 東大阪市 | 14 | – | – | – | 12 | 3 | 8 | – | 1 | 1 |
| 豊中市 | 7 | – | 1 | – | 5 | – | – | – | 1 | 1 |
| 枚方市 | 10 | – | – | – | 10 | – | 1 | 1 | – | – |
| 姫路市 | 5 | – | – | – | 5 | 1 | 3 | – | 1 | – |
| 西宮市 | 3 | – | – | – | 3 | – | 1 | – | – | – |
| 尼崎市 | – | – | – | – | – | – | – | – | – | – |
| 奈良市 | 4 | – | – | – | 3 | 1 | 1 | – | – | – |
| 和歌山市 | 5 | – | – | – | 5 | 1 | 2 | – | 1 | – |
| 倉敷市 | 12 | – | – | – | 8 | 1 | – | – | 2 | 1 |
| 福山市 | 12 | – | – | 2 | 4 | – | – | 4 | – | – |
| 呉市 | 2 | – | – | – | 1 | – | 1 | – | – | – |
| 下関市 | 1 | – | – | – | 1 | – | 1 | – | – | – |
| 高松市 | 4 | – | – | – | – | – | – | – | – | – |
| 松山市 | 3 | – | – | – | 1 | – | – | – | – | – |
| 高知市 | 2 | – | – | – | 2 | – | – | 1 | 1 | 1 |
| 久留米市 | 3 | – | – | – | 3 | 3 | – | – | – | – |
| 長崎市 | 2 | – | – | – | 1 | – | – | – | – | – |
| 佐世保市 | 1 | – | – | – | – | – | – | – | – | – |
| 大分市 | 4 | – | – | – | 3 | 1 | 1 | – | – | – |
| 宮崎市 | – | – | – | – | – | – | – | – | – | – |
| 鹿児島市 | 13 | – | 1 | – | 12 | 3 | 7 | – | – | – |
| 那覇市 | 3 | – | – | – | 1 | – | – | – | – | – |
| その他政令市(再掲) | | | | | | | | | | |
| 小樽市 | – | – | – | – | – | – | – | – | – | – |
| 町田市 | 5 | – | – | – | 3 | – | 1 | – | – | – |
| 藤沢市 | 4 | – | – | – | 4 | 1 | 3 | – | – | – |
| 茅ヶ崎市 | 3 | – | – | – | 3 | 1 | 1 | – | – | – |
| 四日市市 | 10 | – | 5 | 5 | – | – | – | – | – | – |
| 大牟田市 | – | – | – | – | – | – | – | – | – | – |

## 都道府県－指定都市・特別区－中核市－その他政令市、調査及び研究内容別

平成29年度

| 保 | 健 | | | | 対物保健 | | | | |
|---|---|---|---|---|---|---|---|---|---|
| （再掲）エイズ | 精神保健福祉 | 難病 | 介護保険 | その他 | 総数 | 医事・薬事 | 食品衛生 | 環境衛生 | その他 |
| - | - | - | - | - | 2 | - | 1 | 1 | - |
| - | - | - | - | - | - | - | - | - | - |
| - | - | - | - | - | - | - | - | - | - |
| - | - | 2 | - | - | - | - | - | - | - |
| - | - | - | - | - | - | - | - | - | - |
| | | | | | | | | | |
| - | - | - | - | - | 3 | - | 3 | - | - |
| - | - | - | - | - | - | - | - | - | - |
| - | 2 | - | - | 2 | - | - | - | - | - |
| - | - | - | - | - | 7 | - | 7 | - | - |
| - | - | - | - | - | - | - | - | - | - |
| | | | | | | | | | |
| - | - | - | - | - | - | - | - | - | - |
| - | 8 | - | - | - | - | - | - | - | - |
| - | - | - | - | - | 3 | - | 3 | - | - |
| - | - | 2 | - | - | 3 | - | 1 | 2 | - |
| - | 2 | - | - | 1 | - | - | - | - | - |
| | | | | | | | | | |
| - | 1 | 1 | - | - | 1 | - | - | 1 | - |
| - | - | - | - | - | 1 | - | - | 1 | - |
| - | - | - | - | - | - | - | - | - | - |
| - | 3 | - | - | - | - | - | - | - | - |
| - | - | - | - | - | - | - | - | - | - |
| | | | | | | | | | |
| - | - | - | - | - | 1 | - | 1 | - | - |
| - | - | - | - | - | 13 | 1 | 12 | - | - |
| - | - | - | - | - | 6 | - | 6 | - | - |
| - | 2 | - | - | - | 6 | - | 3 | 3 | - |
| - | - | - | - | - | 1 | - | 1 | - | - |
| | | | | | | | | | |
| - | - | - | - | - | - | - | - | - | - |
| - | - | - | - | - | 2 | - | - | - | 2 |
| - | 3 | 1 | - | - | 1 | - | - | 1 | - |
| - | 2 | 6 | - | - | - | - | - | - | - |
| - | - | - | - | - | - | - | - | - | - |
| | | | | | | | | | |
| - | - | 2 | - | - | - | - | - | - | - |
| - | - | - | - | - | - | - | - | - | - |
| - | 1 | - | - | - | 1 | - | 1 | - | - |
| 1 | 1 | - | - | - | - | - | - | - | - |
| - | 1 | 1 | - | 3 | 4 | - | 3 | - | 1 |
| | | | | | | | | | |
| - | - | - | - | - | 6 | - | 2 | 4 | - |
| - | - | - | - | - | 1 | - | 1 | - | - |
| - | - | - | - | - | - | - | - | - | - |
| - | - | - | - | - | 4 | - | 4 | - | - |
| - | - | 1 | - | - | 2 | 1 | 1 | - | - |
| | | | | | | | | | |
| - | - | - | - | - | - | - | - | - | - |
| - | - | - | - | - | - | - | - | - | - |
| - | 1 | - | - | - | 1 | - | 1 | - | - |
| - | - | - | - | - | 1 | - | 1 | - | - |
| - | 1 | - | - | - | 1 | - | 1 | - | - |
| | | | | | | | | | |
| - | - | - | - | - | - | - | - | - | - |
| - | 1 | - | - | 1 | - | - | - | - | - |
| - | 1 | - | - | - | 2 | - | 2 | - | - |
| | | | | | | | | | |
| - | - | - | - | - | - | - | - | - | - |
| - | 2 | - | - | - | 2 | - | - | 2 | - |
| - | - | - | - | - | - | - | - | - | - |
| - | - | - | 1 | - | - | - | - | - | - |
| - | - | - | - | - | - | - | - | - | - |
| | | | | | | | | | |
| - | - | - | - | - | - | - | - | - | - |

# 第42表(3－1) 市区町村の常勤職員数,

| | 総数 | 医師 | 歯科医師 | 獣医師 | 薬剤師 | 保健師 | (再掲) 派遣 | 交流 | 助産師 | 看護師 |
|---|---|---|---|---|---|---|---|---|---|---|
| **全国** | **41 333** | **477** | **82** | **1 178** | **1 369** | **22 334** | **65** | **20** | **140** | **707** |
| 北海道 | 2 295 | 22 | 6 | 40 | 21 | 1 293 | – | – | 12 | 25 |
| 青森 | 527 | 2 | – | 10 | 8 | 354 | 1 | 1 | 1 | 12 |
| 岩手 | 558 | 3 | 1 | 5 | 4 | 344 | 3 | – | 2 | 11 |
| 宮城 | 909 | 6 | 4 | 10 | 8 | 534 | 10 | – | 3 | 12 |
| 秋田 | 434 | 3 | 1 | 18 | 3 | 256 | – | – | – | 6 |
| 山形 | 405 | 8 | 1 | 1 | 9 | 285 | 1 | – | 1 | 33 |
| 福島 | 780 | 5 | – | 23 | 13 | 501 | 11 | – | 1 | 15 |
| 茨城 | 751 | 1 | 2 | – | – | 494 | 1 | 3 | 2 | 23 |
| 栃木 | 553 | 1 | – | 9 | 18 | 358 | 1 | – | 6 | 12 |
| 群馬 | 681 | 3 | – | 11 | 27 | 418 | – | – | 4 | 5 |
| 埼玉 | 1 631 | 13 | – | 89 | 57 | 932 | 3 | 1 | 2 | 16 |
| 千葉 | 1 758 | 13 | – | 68 | 65 | 896 | – | – | 2 | 56 |
| 東京 | 4 215 | 88 | 8 | 37 | 145 | 1 466 | – | – | 2 | 49 |
| 神奈川 | 2 897 | 55 | 13 | 126 | 150 | 969 | 4 | 1 | 21 | 10 |
| 新潟 | 903 | 10 | 2 | 18 | 12 | 587 | – | – | 3 | 35 |
| 富山 | 356 | 3 | 1 | 6 | 13 | 238 | 2 | 2 | 2 | 8 |
| 石川 | 348 | 4 | – | 19 | 18 | 224 | – | – | – | – |
| 福井 | 218 | – | – | – | – | 139 | – | – | 1 | 7 |
| 山梨 | 318 | 2 | 1 | – | – | 248 | – | 1 | 1 | 14 |
| 長野 | 907 | 5 | 2 | 9 | 6 | 641 | 2 | 1 | 2 | 13 |
| 岐阜 | 673 | 2 | 1 | 24 | 26 | 454 | 1 | – | 3 | 12 |
| 静岡 | 1 015 | 4 | 4 | 33 | 62 | 657 | – | 1 | 1 | 13 |
| 愛知 | 2 322 | 39 | 14 | 104 | 87 | 1 031 | 2 | 1 | 5 | 31 |
| 三重 | 477 | 2 | – | 4 | 6 | 338 | 1 | – | 3 | 9 |
| 滋賀 | 477 | 1 | 1 | 4 | 13 | 312 | – | 1 | 5 | 8 |
| 京都 | 841 | 12 | 1 | 25 | 100 | 565 | – | – | – | 6 |
| 大阪 | 2 575 | 51 | 4 | 165 | 229 | 1 056 | 6 | – | – | 31 |
| 兵庫 | 1 588 | 19 | 1 | 80 | 26 | 787 | – | – | 8 | 19 |
| 奈良 | 451 | 10 | 1 | 6 | 9 | 299 | 2 | – | 3 | 28 |
| 和歌山 | 371 | 3 | – | 8 | 10 | 279 | 2 | – | – | 8 |
| 鳥取 | 215 | 1 | 1 | – | – | 145 | – | 1 | 1 | 5 |
| 島根 | 282 | – | – | – | – | 229 | – | – | – | 5 |
| 岡山 | 829 | 7 | 1 | 31 | 19 | 465 | 1 | – | 7 | 17 |
| 広島 | 826 | 17 | 1 | 27 | 34 | 505 | 1 | – | 2 | 3 |
| 山口 | 447 | 2 | – | – | 3 | 297 | – | – | 2 | 4 |
| 徳島 | 206 | – | – | – | – | 170 | – | – | 1 | 4 |
| 香川 | 319 | 2 | – | 13 | 14 | 202 | 2 | – | – | 6 |
| 愛媛 | 511 | 2 | – | 6 | 10 | 306 | – | 1 | 1 | 10 |
| 高知 | 351 | 3 | 1 | 13 | 10 | 221 | 2 | 1 | 1 | 10 |
| 福岡 | 1 631 | 28 | 3 | 76 | 62 | 779 | 1 | – | 24 | 25 |
| 佐賀 | 272 | – | – | – | – | 205 | 2 | – | – | 12 |
| 長崎 | 499 | 7 | 1 | 8 | 23 | 243 | – | 1 | 1 | 12 |
| 熊本 | 783 | 6 | 2 | 9 | 19 | 434 | 3 | 2 | 1 | 20 |
| 大分 | 404 | 3 | – | 7 | 9 | 289 | – | – | 1 | 13 |
| 宮崎 | 399 | 1 | – | 7 | 8 | 239 | – | 1 | – | 4 |
| 鹿児島 | 652 | 5 | 1 | 27 | 9 | 365 | – | – | 2 | 19 |
| 沖縄 | 473 | 3 | 2 | 2 | 4 | 285 | – | – | – | 11 |
| 指定都市・特別区(再掲) | | | | | | | | | | |
| 東京都区部 | 3 373 | 74 | 6 | 23 | 131 | 1 037 | – | – | – | 21 |
| 札幌市 | 625 | 12 | 2 | 1 | 10 | 199 | – | – | – | 10 |
| 仙台市 | 331 | 6 | 3 | 10 | 8 | 144 | – | – | 1 | 6 |
| さいたま市 | 422 | 8 | – | 60 | 31 | 158 | – | – | – | 2 |
| 千葉市 | 308 | 4 | – | 35 | 38 | 109 | – | – | – | 1 |
| 横浜市 | 1 733 | 29 | 4 | – | 34 | 406 | – | 1 | 14 | 2 |
| 川崎市 | 369 | 15 | 3 | 80 | 62 | 140 | – | – | 4 | 1 |
| 相模原市 | 152 | 5 | 2 | 21 | 27 | 39 | – | – | – | – |
| 新潟市 | 261 | 5 | 1 | 18 | 12 | 141 | – | – | – | 12 |
| 静岡市 | 154 | 2 | 2 | 11 | 22 | 92 | – | – | – | – |
| 浜松市 | 299 | 2 | 2 | 22 | 40 | 138 | – | – | – | 2 |
| 名古屋市 | 1 062 | 27 | 5 | 44 | 56 | 228 | – | – | 1 | 11 |
| 京都市 | 462 | 12 | 1 | 25 | 100 | 276 | – | – | – | 3 |
| 大阪市 | 1 073 | 31 | – | 107 | 132 | 287 | – | – | – | 1 |
| 堺市 | 320 | 10 | 2 | 15 | 27 | 116 | – | – | – | 1 |
| 神戸市 | 478 | 10 | 1 | 39 | 13 | 162 | – | – | – | – |
| 岡山市 | 308 | 5 | 1 | 24 | 10 | 131 | – | – | 6 | 9 |
| 広島市 | 280 | 13 | 1 | 7 | 18 | 148 | – | – | – | – |
| 北九州市 | 500 | 9 | 2 | 14 | 30 | 149 | – | – | 2 | 8 |
| 福岡市 | 402 | 14 | 1 | 52 | 17 | 164 | – | – | 8 | 3 |
| 熊本市 | 339 | 6 | 2 | 9 | 19 | 101 | – | – | 1 | 19 |

# 都道府県－指定都市・特別区－中核市－その他政令市、職種別

平成29年度末現在

| 准看護師 | 理学療法士 | 作業療法士 | 歯科衛生士 | 診療放射線技師 | 診療エックス線技師 | 臨床検査技師 | 衛生検査技師 | 管理栄養士 | 栄養士 | その他 |
|---|---|---|---|---|---|---|---|---|---|---|
| **92** | **122** | **79** | **599** | **227** | **2** | **203** | **38** | **2 773** | **378** | **10 533** |
| 10 | 2 | 4 | 34 | 1 | － | 14 | － | 181 | 34 | 596 |
| － | － | － | 3 | － | － | 2 | － | 30 | 11 | 94 |
| 3 | － | － | 7 | － | － | － | － | 53 | 15 | 110 |
| － | 1 | － | 24 | 4 | － | 4 | － | 116 | 10 | 173 |
| 4 | 1 | － | 3 | 1 | － | － | － | 35 | 13 | 90 |
| 3 | 1 | － | 3 | 1 | － | 1 | － | 26 | 5 | 27 |
| 3 | － | 2 | 5 | 3 | － | 6 | － | 42 | 20 | 141 |
| 2 | 6 | 7 | 8 | － | － | － | － | 63 | 11 | 132 |
| － | 2 | 3 | 2 | － | － | － | － | 41 | 2 | 99 |
| 3 | 2 | 4 | 5 | 1 | － | 7 | － | 63 | 7 | 121 |
| 2 | 3 | 2 | 23 | 5 | － | 4 | － | 107 | 3 | 373 |
| 5 | 8 | 4 | 80 | 8 | － | 15 | 1 | 130 | 15 | 392 |
| 1 | 13 | 6 | 109 | 36 | 1 | 33 | 35 | 186 | 13 | 1 987 |
| 2 | 1 | － | 32 | 32 | － | 7 | － | 115 | 7 | 1 357 |
| 4 | 5 | 6 | 11 | 2 | － | 1 | － | 67 | 12 | 128 |
| － | 4 | － | － | 3 | － | 5 | － | 44 | 5 | 24 |
| － | － | 1 | 1 | 3 | － | 4 | － | 39 | 9 | 26 |
| 1 | 1 | － | 3 | － | － | － | － | 24 | 2 | 40 |
| 3 | 1 | － | 1 | － | － | － | － | 31 | 9 | 7 |
| 2 | 4 | 1 | 17 | 1 | － | 3 | － | 108 | 12 | 81 |
| － | 3 | － | 18 | 3 | － | 2 | 1 | 53 | 9 | 62 |
| － | 3 | 1 | 18 | － | － | － | － | 74 | 11 | 134 |
| 2 | 1 | 1 | 63 | 15 | － | 18 | － | 102 | 2 | 807 |
| 2 | 3 | － | 5 | － | － | 5 | － | 32 | 9 | 59 |
| － | 2 | － | 5 | 1 | － | － | － | 25 | 5 | 95 |
| 1 | 6 | 5 | 8 | 14 | － | － | － | 43 | 3 | 52 |
| 1 | 15 | 4 | 20 | 35 | － | 13 | － | 98 | 16 | 837 |
| 1 | 5 | 1 | 20 | 13 | － | 11 | － | 98 | 14 | 485 |
| 3 | 2 | － | 5 | 1 | － | － | － | 23 | 3 | 58 |
| － | 2 | － | 4 | 3 | － | － | － | 11 | 3 | 40 |
| 1 | － | － | 4 | － | － | － | － | 27 | 2 | 28 |
| 1 | － | 1 | 1 | － | － | － | － | 20 | 6 | 19 |
| 1 | 2 | 3 | 8 | 2 | － | 4 | － | 68 | 11 | 183 |
| － | － | 5 | 4 | 3 | － | 3 | 1 | 37 | 6 | 178 |
| － | 1 | 4 | 3 | 2 | － | 4 | － | 32 | － | 93 |
| 1 | － | － | － | － | － | － | － | 23 | 1 | 6 |
| 1 | 2 | － | 2 | 1 | － | 1 | － | 22 | 2 | 51 |
| 3 | 6 | 1 | 5 | 2 | － | 3 | － | 41 | 8 | 107 |
| 1 | 2 | － | 6 | － | － | － | － | 23 | 2 | 58 |
| 1 | 5 | 8 | 1 | 18 | － | 7 | － | 112 | 7 | 475 |
| 4 | － | － | － | － | － | － | － | 26 | 3 | 22 |
| 3 | 3 | 2 | 4 | 4 | 1 | 7 | － | 44 | 9 | 127 |
| 5 | 1 | 3 | 8 | 2 | － | 9 | － | 68 | 12 | 184 |
| － | － | － | 1 | － | － | 2 | － | 38 | 4 | 37 |
| 2 | 2 | － | － | 3 | － | 2 | － | 45 | 5 | 81 |
| 9 | 1 | － | 14 | 3 | － | 4 | － | 45 | 4 | 144 |
| 1 | － | － | 1 | 1 | － | 2 | － | 42 | 6 | 113 |
| － | 9 | 6 | 89 | 34 | 1 | 32 | 35 | 135 | 12 | 1 728 |
| － | － | 1 | 8 | － | － | 2 | － | 21 | 6 | 353 |
| － | 1 | － | 12 | 4 | － | 4 | － | 19 | － | 113 |
| － | － | － | 12 | 1 | － | － | － | 14 | － | 136 |
| 1 | － | － | 7 | 1 | － | 8 | 1 | 15 | － | 88 |
| － | － | － | 9 | 15 | － | － | － | 38 | 2 | 1 180 |
| － | － | － | 8 | 5 | － | － | － | 16 | － | 35 |
| － | － | － | 2 | 2 | － | 3 | － | 7 | － | 44 |
| 3 | 2 | 4 | 3 | 1 | － | 1 | － | 13 | － | 45 |
| － | 1 | 1 | 6 | － | － | － | － | 6 | － | 11 |
| － | － | － | 8 | － | － | － | － | 14 | 2 | 69 |
| － | － | － | 19 | 12 | － | 12 | － | 41 | － | 606 |
| － | 1 | 1 | 7 | 14 | － | － | － | 22 | － | － |
| － | － | － | － | 26 | － | 7 | － | 24 | 13 | 445 |
| － | 1 | 1 | 8 | 1 | － | － | － | 15 | － | 123 |
| － | － | － | 6 | 2 | － | 3 | － | 11 | 4 | 227 |
| － | － | － | 4 | 1 | － | 2 | － | 13 | － | 102 |
| － | － | 2 | 2 | 2 | － | 3 | 1 | 9 | 2 | 72 |
| － | 4 | 8 | － | 9 | － | 5 | － | 20 | 1 | 239 |
| － | － | － | － | 5 | － | － | － | 10 | － | 128 |
| － | 1 | 3 | 7 | 2 | － | 9 | － | 21 | 1 | 138 |

# 第42表(3－2) 市区町村の常勤職員数,

| | 総数 | 医師 | 歯科医師 | 獣医師 | 薬剤師 | 保健師 | (再掲) 派遣 | (再掲) 交流 | 助産師 | 看護師 |
|---|---|---|---|---|---|---|---|---|---|---|
| 中核市(再掲) | | | | | | | | | | |
| 旭川市 | 129 | 3 | 1 | 28 | 7 | 41 | - | - | - | - |
| 函館市 | 115 | 1 | - | 11 | 3 | 40 | - | - | - | 1 |
| 青森市 | 72 | 1 | - | 3 | 3 | 38 | - | - | - | - |
| 八戸市 | 81 | 1 | - | 7 | 5 | 36 | - | 1 | - | - |
| 盛岡市 | 91 | 1 | - | 5 | 4 | 37 | - | - | - | 2 |
| 秋田市 | 119 | 1 | - | 18 | 3 | 39 | - | - | - | 1 |
| 郡山市 | 111 | 1 | - | 18 | 6 | 34 | - | - | - | 1 |
| いわき市 | 116 | 1 | - | 5 | 7 | 58 | - | - | - | 2 |
| 宇都宮市 | 124 | 1 | - | 9 | 18 | 58 | - | - | - | 4 |
| 前橋市 | 162 | 1 | - | 6 | 12 | 63 | - | - | - | - |
| 高崎市 | 129 | 1 | - | 5 | 15 | 67 | - | - | 1 | 2 |
| 川越市 | 106 | 2 | - | 7 | 14 | 43 | - | - | - | 1 |
| 越谷市 | 98 | 1 | - | 22 | 12 | 34 | 2 | - | - | - |
| 船橋市 | 193 | 3 | - | 18 | 18 | 77 | - | - | - | - |
| 柏市 | 133 | 2 | - | 15 | 9 | 58 | - | - | - | 1 |
| 八王子市 | 161 | 3 | - | 6 | 8 | 68 | - | - | - | 1 |
| 横須賀市 | 85 | 3 | 1 | 11 | 13 | 15 | - | - | - | 4 |
| 富山市 | 174 | 3 | 1 | 6 | 13 | 98 | - | - | 1 | 4 |
| 金沢市 | 124 | 4 | - | 19 | 18 | 53 | - | - | - | - |
| 長野市 | 133 | 1 | - | 9 | 6 | 64 | - | - | - | - |
| 岐阜市 | 182 | 1 | 1 | 24 | 26 | 75 | - | - | - | - |
| 豊橋市 | 131 | 2 | - | 24 | 14 | 56 | - | 1 | 1 | 1 |
| 豊田市 | 121 | 2 | - | 22 | 7 | 65 | - | - | - | - |
| 岡崎市 | 136 | 1 | - | 14 | 10 | 45 | - | - | - | 2 |
| 大津市 | 115 | 1 | - | 4 | 13 | 54 | - | - | - | 1 |
| 高槻市 | 122 | 1 | - | 11 | 12 | 52 | - | - | - | - |
| 東大阪市 | 172 | 4 | 1 | 15 | 25 | 57 | - | - | - | 1 |
| 豊中市 | 95 | 2 | - | 9 | 13 | 37 | - | - | - | 3 |
| 枚方市 | 126 | 2 | 1 | 6 | 15 | 58 | - | - | - | 1 |
| 姫路市 | 168 | 3 | - | 22 | - | 61 | - | - | - | 1 |
| 西宮市 | 147 | 1 | - | 17 | 13 | 62 | - | - | - | 2 |
| 尼崎市 | 166 | 4 | - | 2 | - | 64 | - | - | - | 2 |
| 奈良市 | 107 | 3 | - | 6 | 9 | 42 | - | - | - | 3 |
| 和歌山市 | 112 | 2 | - | 8 | 10 | 50 | - | - | - | 1 |
| 倉敷市 | 160 | 2 | - | 7 | 9 | 81 | - | - | - | - |
| 福山市 | 176 | 3 | - | 19 | 16 | 83 | - | - | - | 1 |
| 呉市 | 87 | 1 | - | 1 | - | 39 | - | - | - | - |
| 下関市 | 124 | 1 | - | - | 3 | 57 | - | - | 1 | 1 |
| 高松市 | 128 | 2 | - | 13 | 14 | 63 | - | - | - | 1 |
| 松山市 | 155 | 2 | - | 6 | 10 | 49 | - | - | - | 2 |
| 高知市 | 97 | 2 | 1 | 13 | 10 | 40 | - | - | - | 2 |
| 久留米市 | 101 | 2 | - | 8 | 9 | 48 | - | - | 1 | - |
| 長崎市 | 89 | 1 | 1 | 1 | 12 | 23 | - | - | - | 1 |
| 佐世保市 | 138 | 5 | - | 7 | 11 | 41 | - | - | - | 1 |
| 大分市 | 127 | 3 | - | 7 | 9 | 76 | - | - | - | - |
| 宮崎市 | 136 | 1 | - | 7 | 8 | 52 | - | 1 | - | 1 |
| 鹿児島市 | 203 | 5 | 1 | 27 | 9 | 72 | - | - | 1 | 3 |
| 那覇市 | 95 | 3 | 1 | 2 | 4 | 41 | - | - | - | - |
| その他政令市(再掲) | | | | | | | | | | |
| 小樽市 | 67 | 1 | 1 | - | - | 16 | - | - | - | - |
| 町田市 | 108 | 3 | - | 8 | 5 | 39 | - | - | - | - |
| 藤沢市 | 106 | 2 | 1 | 8 | 8 | 40 | - | - | - | - |
| 茅ヶ崎市 | 77 | 1 | - | 6 | 6 | 40 | 4 | - | - | - |
| 四日市市 | 81 | 1 | - | 4 | 6 | 32 | - | - | 1 | 1 |
| 大牟田市 | 64 | 1 | - | 2 | 6 | 11 | - | - | - | 2 |

## 都道府県－指定都市・特別区－中核市－その他政令市、職種別

平成29年度末現在

| 准看護師 | 理学療法士 | 作業療法士 | 歯科衛生士 | 診療放射線技師 | 診療エックス線技師 | 臨床検査技師 | 衛生検査技師 | 管理栄養士 | 栄養士 | その他 |
|---|---|---|---|---|---|---|---|---|---|---|
| - | - | - | 2 | - | - | 5 | - | 5 | - | 37 |
| - | - | - | - | - | - | 1 | - | 3 | - | 55 |
| - | - | - | - | - | - | 2 | - | 3 | - | 22 |
| - | - | - | - | - | - | - | - | 3 | - | 29 |
| - | - | - | 1 | - | - | - | - | 5 | - | 36 |
| - | - | - | 2 | 1 | - | - | - | 7 | 1 | 46 |
| - | - | - | 3 | 3 | - | 3 | - | 4 | - | 38 |
| - | - | - | 1 | - | - | 3 | - | 4 | - | 35 |
| - | 2 | 3 | 2 | - | - | - | - | 3 | - | 24 |
| - | 2 | 4 | 2 | - | - | 3 | - | 11 | - | 58 |
| - | - | - | - | - | - | 2 | - | 8 | 2 | 26 |
| - | - | - | 1 | 3 | - | 3 | - | 3 | - | 29 |
| - | 1 | 1 | - | - | - | - | - | 3 | - | 24 |
| - | 1 | 1 | 7 | 2 | - | 3 | - | 14 | - | 49 |
| - | 3 | 2 | 3 | 2 | - | 4 | - | 6 | - | 28 |
| - | - | - | 2 | - | - | - | - | 9 | - | 64 |
| 1 | - | - | 7 | 9 | - | 1 | - | 3 | - | 17 |
| - | 1 | - | - | 3 | - | 5 | - | 24 | 4 | 11 |
| - | - | 1 | 1 | 3 | - | 4 | - | 5 | - | 16 |
| - | 1 | - | 2 | 1 | - | 3 | - | 7 | - | 39 |
| - | - | - | 3 | 3 | - | 2 | 1 | 5 | - | 41 |
| - | - | - | 2 | 1 | - | 2 | - | 4 | - | 24 |
| - | - | - | 2 | - | - | - | - | 3 | - | 20 |
| - | - | - | 2 | 2 | - | 4 | - | 3 | - | 53 |
| - | 1 | - | 1 | 1 | - | - | - | 3 | - | 36 |
| - | - | - | - | 1 | - | 1 | - | 6 | - | 38 |
| - | 1 | - | - | 3 | - | 2 | - | 7 | - | 56 |
| - | - | - | 2 | 1 | - | 2 | - | 2 | - | 24 |
| - | 2 | 1 | 1 | 3 | - | 1 | - | 5 | - | 30 |
| - | 1 | - | 2 | 3 | - | 5 | - | 5 | - | 65 |
| - | - | - | 2 | 2 | - | 2 | - | 10 | - | 36 |
| - | 1 | - | 2 | 2 | - | 1 | - | 7 | - | 81 |
| - | 1 | - | 3 | 1 | - | - | - | 4 | - | 35 |
| - | - | - | 3 | 3 | - | - | - | 4 | - | 31 |
| - | - | - | 3 | 1 | - | 2 | - | 8 | - | 47 |
| - | - | 2 | - | - | - | - | - | 8 | - | 44 |
| - | - | - | 1 | 1 | - | - | - | 5 | - | 39 |
| - | - | - | 1 | 2 | - | 4 | - | 7 | - | 47 |
| - | - | - | 1 | 1 | - | 1 | - | 6 | - | 26 |
| - | 4 | - | 3 | 2 | - | 3 | - | 3 | 1 | 70 |
| - | - | - | 2 | - | - | - | - | 4 | - | 23 |
| - | - | - | - | 2 | - | - | - | 4 | - | 27 |
| - | 1 | - | 2 | - | - | 3 | - | 4 | - | 40 |
| - | 1 | 1 | 2 | 3 | - | 4 | - | 4 | - | 58 |
| - | - | - | - | - | - | 2 | - | 9 | - | 21 |
| - | 2 | - | - | 3 | - | 2 | - | 6 | - | 54 |
| - | - | - | 3 | 3 | - | 4 | - | 7 | - | 68 |
| - | - | - | - | 1 | - | 2 | - | 3 | - | 38 |
| 1 | - | - | 1 | - | - | 5 | - | 2 | - | 40 |
| - | - | - | 4 | - | - | - | - | 6 | - | 43 |
| - | - | - | 3 | 1 | - | 3 | - | 6 | - | 34 |
| - | - | - | - | - | - | - | - | 4 | 1 | 19 |
| - | 2 | - | 1 | - | - | 5 | - | 4 | - | 24 |
| - | - | - | 1 | 2 | - | 2 | - | 4 | - | 33 |

# 第42表（3－3）市区町村の常勤職員数，

| | （再掲） | | | | | |
|---|---|---|---|---|---|---|
| | 精神保健福祉士 | 精神保健福祉相談員 | 栄養指導員 | 食品衛生監視員 | 環境衛生監視員 | 医療監視員 |
| 全国 | 518 | 546 | 483 | 2 796 | 2 110 | 2 541 |
| 北海道 | 17 | 47 | 16 | 134 | 80 | 79 |
| 青森 | 9 | 7 | 3 | 19 | 17 | 25 |
| 岩手 | – | – | 5 | 16 | 25 | 39 |
| 宮城 | 6 | 8 | 6 | 48 | 30 | 27 |
| 秋田 | – | – | 7 | 28 | 5 | 21 |
| 山形 | 1 | – | – | – | – | – |
| 福島 | – | 7 | 8 | 37 | 33 | 45 |
| 茨城 | 10 | 1 | – | – | – | – |
| 栃木 | 3 | 2 | 3 | 17 | 19 | 9 |
| 群馬 | 4 | – | 2 | 55 | 22 | 63 |
| 埼玉 | 57 | 22 | 13 | 84 | 60 | 172 |
| 千葉 | 10 | 40 | 15 | 90 | 51 | 151 |
| 東京 | 28 | 62 | 61 | 401 | 266 | 154 |
| 神奈川 | 82 | 84 | 95 | 377 | 281 | 309 |
| 新潟 | 15 | 7 | 11 | 33 | 15 | 29 |
| 富山 | 2 | 3 | 12 | 26 | 29 | 85 |
| 石川 | 3 | 4 | – | 25 | 25 | 29 |
| 福井 | 6 | – | – | – | – | – |
| 山梨 | 6 | – | – | – | – | – |
| 長野 | 6 | – | – | 11 | 16 | 32 |
| 岐阜 | 2 | 5 | 5 | 26 | 10 | 14 |
| 静岡 | 21 | 10 | 4 | 54 | 40 | 65 |
| 愛知 | 19 | 23 | 45 | 188 | 178 | 143 |
| 三重 | 3 | – | 2 | 15 | 14 | 16 |
| 滋賀 | 3 | – | 1 | 21 | 24 | 46 |
| 京都 | 8 | 30 | 23 | 123 | 122 | 99 |
| 大阪 | 40 | 53 | 64 | 295 | 250 | 216 |
| 兵庫 | 23 | 23 | 12 | 169 | 154 | 118 |
| 奈良 | 3 | 3 | 3 | 13 | 17 | 14 |
| 和歌山 | 7 | 2 | 2 | 17 | 10 | 28 |
| 鳥取 | 1 | – | – | – | – | – |
| 島根 | 15 | – | – | 1 | – | – |
| 岡山 | 18 | – | 12 | 35 | 26 | 52 |
| 広島 | 49 | 57 | 16 | 79 | 37 | 63 |
| 山口 | 6 | 6 | 2 | 10 | 7 | 27 |
| 徳島 | – | – | – | – | – | – |
| 香川 | 3 | 1 | 7 | 31 | 31 | – |
| 愛媛 | 3 | – | 5 | 10 | 14 | 26 |
| 高知 | 1 | – | – | 22 | 18 | 16 |
| 福岡 | 15 | 26 | 15 | 171 | 60 | 151 |
| 佐賀 | – | – | – | – | – | – |
| 長崎 | 7 | – | – | 32 | 31 | 82 |
| 熊本 | 1 | – | 6 | 22 | 14 | 19 |
| 大分 | 3 | – | – | 16 | 19 | 31 |
| 宮崎 | – | – | – | 14 | 27 | 10 |
| 鹿児島 | – | 5 | 2 | 18 | 20 | 23 |
| 沖縄 | 2 | 8 | – | 13 | 13 | 13 |
| 指定都市・特別区（再掲） | | | | | | |
| 東京都区部 | 24 | 60 | 50 | 371 | 246 | 138 |
| 札幌市 | 12 | 43 | 6 | 74 | 23 | 29 |
| 仙台市 | 2 | 8 | 6 | 48 | 30 | 27 |
| さいたま市 | 32 | – | 3 | 42 | 28 | 80 |
| 千葉市 | 1 | 40 | 9 | 56 | 24 | 41 |
| 横浜市 | 47 | 75 | 66 | 202 | 134 | 194 |
| 川崎市 | 6 | 2 | 16 | 103 | 79 | 73 |
| 相模原市 | 18 | – | 11 | 35 | 34 | 22 |
| 新潟市 | 6 | 7 | 11 | 33 | 15 | 29 |
| 静岡市 | 8 | – | 2 | 19 | 9 | 41 |
| 浜松市 | 6 | 10 | 2 | 35 | 31 | 24 |
| 名古屋市 | 12 | 23 | 34 | 104 | 110 | 44 |
| 京都市 | – | 29 | 23 | 123 | 122 | 99 |
| 大阪市 | – | 35 | 36 | 203 | 164 | 79 |
| 堺市 | 25 | 3 | 15 | 21 | 24 | 15 |
| 神戸市 | 11 | 15 | 1 | 119 | 118 | 1 |
| 岡山市 | 15 | – | 12 | 16 | 6 | 22 |
| 広島市 | 8 | 35 | 5 | 41 | 16 | 15 |
| 北九州市 | 2 | 20 | – | 60 | 13 | 39 |
| 福岡市 | 7 | 6 | 9 | 99 | 36 | 82 |
| 熊本市 | – | – | 6 | 22 | 14 | 19 |

## 都道府県－指定都市・特別区－中核市－その他政令市、職種別

平成29年度末現在

| | （再掲） | | | | | |
|---|---|---|---|---|---|---|
| | 精神保健福祉士 | 精神保健福祉相談員 | 栄養指導員 | 食品衛生監視員 | 環境衛生監視員 | 医療監視員 |
| 中核市(再掲) | | | | | | |
| 旭川市 | – | – | 5 | 31 | 29 | 14 |
| 函館市 | 1 | 1 | 3 | 12 | 16 | 7 |
| 青森市 | 7 | 7 | – | 12 | 7 | 8 |
| 八戸市 | 1 | – | 3 | 7 | 10 | 17 |
| 盛岡市 | – | – | 5 | 16 | 25 | 39 |
| 秋田市 | – | – | 7 | 28 | 5 | 21 |
| 郡山市 | – | 7 | 4 | 25 | 14 | 21 |
| いわき市 | – | – | 4 | 12 | 19 | 24 |
| 宇都宮市 | 2 | 2 | 3 | 17 | 19 | 9 |
| 前橋市 | 4 | – | 2 | 19 | 11 | 24 |
| 高崎市 | – | – | – | 36 | 11 | 39 |
| 川越市 | 3 | 16 | 5 | 15 | 15 | 46 |
| 越谷市 | 3 | 6 | 5 | 27 | 17 | 46 |
| 船橋市 | 2 | – | 6 | 23 | 23 | 40 |
| 柏市 | 4 | – | – | 11 | 4 | 70 |
| 八王子市 | – | – | 5 | 10 | 10 | 8 |
| 横須賀市 | – | 6 | – | 22 | 22 | 13 |
| 富山市 | 2 | 3 | 12 | 26 | 29 | 85 |
| 金沢市 | 2 | 4 | – | 25 | 25 | 29 |
| 長野市 | – | – | – | 11 | 16 | 32 |
| 岐阜市 | – | 5 | 5 | 26 | 10 | 14 |
| 豊橋市 | – | – | 6 | 41 | 31 | 35 |
| 豊田市 | 1 | – | 3 | 24 | 13 | 28 |
| 岡崎市 | 4 | – | 2 | 19 | 24 | 36 |
| 大津市 | – | – | – | 21 | 24 | 46 |
| 高槻市 | 1 | 14 | 3 | 24 | 24 | 8 |
| 東大阪市 | 9 | 1 | 7 | 16 | 9 | 5 |
| 豊中市 | 3 | – | 1 | 10 | 6 | 55 |
| 枚方市 | 2 | – | 2 | 21 | 23 | 54 |
| 姫路市 | 6 | – | – | 14 | 4 | 42 |
| 西宮市 | – | – | 3 | 10 | 8 | 39 |
| 尼崎市 | 3 | 8 | 8 | 26 | 24 | 36 |
| 奈良市 | – | 3 | 3 | 13 | 17 | 14 |
| 和歌山市 | 7 | 2 | 2 | 17 | 10 | 28 |
| 倉敷市 | 2 | – | – | 19 | 20 | 30 |
| 福山市 | 7 | 1 | 6 | 28 | 17 | 40 |
| 呉市 | 7 | 15 | 5 | 10 | 4 | 8 |
| 下関市 | 6 | 6 | 2 | 10 | 7 | 27 |
| 高松市 | 2 | 1 | 7 | 31 | 31 | – |
| 松山市 | 1 | – | 5 | 10 | 14 | 26 |
| 高知市 | 1 | – | – | 22 | 18 | 16 |
| 久留米市 | 1 | – | 4 | 5 | 5 | 23 |
| 長崎市 | 2 | – | – | 15 | 11 | 24 |
| 佐世保市 | – | – | – | 17 | 20 | 58 |
| 大分市 | – | – | – | 16 | 19 | 31 |
| 宮崎市 | – | – | – | 14 | 27 | 10 |
| 鹿児島市 | – | 5 | 2 | 18 | 20 | 23 |
| 那覇市 | – | 8 | – | 13 | 13 | 13 |
| その他政令市(再掲) | | | | | | |
| 小樽市 | – | 1 | 2 | 17 | 12 | 29 |
| 町田市 | – | – | 6 | 20 | 10 | 8 |
| 藤沢市 | 1 | – | – | 8 | 6 | – |
| 茅ヶ崎市 | 3 | – | 2 | 7 | 6 | 7 |
| 四日市市 | – | – | 2 | 15 | 14 | 16 |
| 大牟田市 | – | – | 2 | 7 | 6 | 7 |

# 第43表（３－１）市区町村で年度中に活動した非常勤職員延数，

| | 総数 | 医師 | 歯科医師 | 獣医師 | 薬剤師 | 保健師 | 助産師 | 看護師 |
|---|---|---|---|---|---|---|---|---|
| **全国** | **1 933 578** | **43 627** | **24 321** | **7 114** | **3 328** | **344 457** | **126 779** | **318 479** |
| 北海道 | 96 304 | 2 079 | 526 | 1 407 | 20 | 22 222 | 3 023 | 11 620 |
| 青森 | 28 347 | 381 | 175 | 183 | 9 | 3 368 | 1 675 | 7 277 |
| 岩手 | 34 997 | 225 | 177 | - | - | 7 499 | 2 005 | 8 181 |
| 宮城 | 52 549 | 471 | 225 | - | 1 | 8 517 | 4 098 | 9 292 |
| 秋田 | 13 921 | 154 | 119 | 2 | - | 2 016 | 567 | 792 |
| 山形 | 11 784 | 256 | 192 | - | 2 | 2 513 | 1 240 | 2 125 |
| 福島 | 35 375 | 246 | 140 | 1 | - | 3 882 | 887 | 7 037 |
| 茨城 | 44 313 | 1 007 | 952 | - | - | 8 246 | 2 776 | 6 724 |
| 栃木 | 28 498 | 1 226 | 753 | - | 11 | 4 375 | 1 805 | 6 428 |
| 群馬 | 35 188 | 831 | 386 | - | 165 | 6 027 | 890 | 7 229 |
| 埼玉 | 77 775 | 1 786 | 964 | 295 | 7 | 11 798 | 7 247 | 12 324 |
| 千葉 | 107 306 | 2 336 | 1 080 | 280 | 2 | 18 280 | 7 771 | 19 784 |
| 東京 | 203 673 | 7 202 | 4 105 | 1 | 195 | 29 399 | 10 774 | 27 553 |
| 神奈川 | 72 465 | 3 301 | 1 914 | 198 | - | 14 879 | 8 618 | 9 827 |
| 新潟 | 62 868 | 785 | 956 | - | 161 | 6 281 | 4 262 | 10 670 |
| 富山 | 12 464 | 135 | 82 | - | 1 | 1 615 | 1 109 | 3 443 |
| 石川 | 10 797 | 375 | 105 | 180 | 211 | 2 900 | 524 | 1 752 |
| 福井 | 5 687 | 41 | 28 | - | - | 2 050 | 326 | 1 326 |
| 山梨 | 9 399 | 470 | 297 | - | 43 | 2 788 | 1 056 | 866 |
| 長野 | 37 185 | 526 | 322 | - | - | 9 692 | 1 545 | 5 953 |
| 岐阜 | 32 003 | 463 | 256 | 500 | 219 | 7 240 | 1 128 | 3 932 |
| 静岡 | 66 058 | 870 | 1 042 | 736 | - | 10 626 | 4 333 | 9 178 |
| 愛知 | 107 080 | 1 386 | 720 | 406 | 2 | 19 789 | 6 355 | 13 612 |
| 三重 | 14 531 | 62 | 159 | 229 | - | 3 125 | 1 083 | 2 352 |
| 滋賀 | 30 085 | 779 | 385 | - | 27 | 5 753 | 2 395 | 3 243 |
| 京都 | 31 985 | 1 662 | 766 | 1 | - | 6 714 | 4 505 | 6 227 |
| 大阪 | 78 548 | 4 836 | 2 244 | - | 161 | 10 040 | 10 593 | 10 130 |
| 兵庫 | 68 900 | 1 272 | 575 | 867 | 3 | 14 352 | 3 739 | 11 241 |
| 奈良 | 20 507 | 579 | 357 | 196 | 3 | 3 330 | 2 429 | 3 628 |
| 和歌山 | 17 911 | 617 | 224 | - | 210 | 2 338 | 1 080 | 3 014 |
| 鳥取 | 8 721 | 231 | 67 | - | 1 | 2 357 | 555 | 2 308 |
| 島根 | 15 663 | 479 | 224 | - | 8 | 3 046 | 1 897 | 2 575 |
| 岡山 | 18 430 | 812 | 392 | - | - | 3 194 | 550 | 3 889 |
| 広島 | 39 034 | 611 | 263 | 333 | 3 | 10 859 | 1 618 | 4 447 |
| 山口 | 22 495 | 80 | 80 | - | 3 | 6 071 | 2 220 | 3 879 |
| 徳島 | 11 687 | 322 | 195 | - | 2 | 1 843 | 920 | 1 837 |
| 香川 | 22 736 | 154 | 86 | 286 | - | 5 636 | 1 540 | 4 743 |
| 愛媛 | 18 501 | 296 | 146 | 355 | - | 1 873 | 155 | 4 106 |
| 高知 | 11 257 | 254 | 59 | 276 | - | 1 383 | 645 | 755 |
| 福岡 | 70 087 | 994 | 342 | 129 | 1 628 | 14 039 | 7 652 | 10 198 |
| 佐賀 | 15 932 | 204 | 147 | - | 51 | 2 159 | 362 | 3 519 |
| 長崎 | 29 348 | 661 | 379 | - | 1 | 6 118 | 1 398 | 3 589 |
| 熊本 | 55 629 | 958 | 771 | - | 164 | 5 046 | 833 | 13 378 |
| 大分 | 18 415 | 211 | 232 | 211 | - | 3 398 | 662 | 4 934 |
| 宮崎 | 26 979 | 251 | 94 | - | - | 5 017 | 1 154 | 7 553 |
| 鹿児島 | 56 963 | 708 | 558 | 40 | 14 | 11 671 | 3 995 | 11 915 |
| 沖縄 | 43 198 | 42 | 60 | 2 | - | 9 093 | 785 | 8 094 |
| 指定都市・特別区(再掲) | | | | | | | | |
| 東京都区部 | 120 262 | 5 820 | 2 864 | - | - | 12 229 | 6 078 | 18 723 |
| 札幌市 | 31 623 | 968 | 103 | - | - | 4 229 | 442 | 5 232 |
| 仙台市 | 33 341 | 230 | 36 | - | - | 4 520 | 1 892 | 6 458 |
| さいたま市 | 9 611 | - | 72 | - | - | 664 | 1 092 | 272 |
| 千葉市 | 19 418 | 307 | - | - | - | 3 452 | 1 777 | 3 498 |
| 横浜市 | 21 566 | 2 471 | 1 132 | - | - | 4 723 | 2 541 | 4 580 |
| 川崎市 | 7 045 | - | - | - | - | 746 | 835 | 1 927 |
| 相模原市 | 4 313 | 225 | - | 198 | - | 255 | - | 53 |
| 新潟市 | 23 735 | 244 | 427 | - | 160 | 1 804 | 1 257 | 3 125 |
| 静岡市 | 12 350 | 303 | 218 | 259 | - | 1 581 | 1 774 | 1 792 |
| 浜松市 | 21 418 | 367 | 590 | 477 | - | 3 341 | 601 | 829 |
| 名古屋市 | 31 934 | 579 | 155 | 1 | 1 | 2 129 | 2 355 | 1 696 |
| 京都市 | 10 003 | 861 | 418 | - | - | 882 | 3 688 | 2 873 |
| 大阪市 | 2 331 | 723 | 395 | - | - | - | 144 | 56 |
| 堺市 | 6 187 | 1 465 | 491 | - | 13 | - | 1 567 | 1 544 |
| 神戸市 | 15 920 | 146 | 23 | - | 1 | 4 035 | 1 693 | 1 901 |
| 岡山市 | 3 501 | 502 | 191 | - | - | 563 | 221 | 1 048 |
| 広島市 | 18 338 | 253 | 101 | - | - | 4 887 | 696 | 2 098 |
| 北九州市 | 240 | - | - | - | - | - | - | - |
| 福岡市 | 20 754 | 114 | - | - | 1 628 | 3 838 | 3 078 | 1 363 |
| 熊本市 | 18 277 | 327 | 479 | - | 164 | 1 277 | - | 2 940 |

# 都道府県－指定都市・特別区－中核市－その他政令市、職種別

平成29年度

| 准看護師 | 理学療法士 | 作業療法士 | 歯科衛生士 | 診療放射線技師 | 診療エックス線技師 | 臨床検査技師 | 衛生検査技師 | 管理栄養士 | 栄養士 | その他 |
|---:|---:|---:|---:|---:|---:|---:|---:|---:|---:|---:|
| 30 984 | 2 185 | 3 127 | 140 236 | 3 157 | 198 | 8 587 | 1 801 | 148 517 | 51 016 | 675 665 |
| 960 | 46 | 18 | 4 491 | 1 | – | 46 | 5 | 6 543 | 4 124 | 39 173 |
| 812 | 26 | 2 | 515 | – | – | 37 | – | 1 411 | 1 013 | 11 463 |
| 1 864 | 134 | 232 | 1 791 | 70 | – | 78 | – | 1 692 | 1 021 | 10 028 |
| 243 | 5 | 29 | 2 398 | – | – | – | – | 4 824 | 2 713 | 19 733 |
| 64 | 3 | – | 619 | – | – | 230 | – | 730 | 742 | 7 883 |
| 9 | 8 | 3 | 843 | 9 | – | 3 | – | 485 | 903 | 3 193 |
| 968 | 9 | 16 | 2 456 | 376 | 7 | 435 | – | 1 545 | 1 677 | 15 693 |
| 606 | 328 | 54 | 3 785 | 1 | – | 31 | – | 5 658 | 1 770 | 12 375 |
| 644 | 16 | 310 | 2 069 | 20 | – | 166 | – | 1 590 | 571 | 8 514 |
| 727 | 96 | 72 | 4 152 | 161 | – | 292 | 3 | 3 560 | 459 | 10 138 |
| 414 | 150 | 305 | 3 740 | 101 | – | 38 | – | 4 423 | 1 816 | 32 367 |
| 1 895 | 33 | 11 | 10 005 | – | – | 139 | 151 | 6 465 | 1 532 | 37 542 |
| 148 | 118 | 190 | 21 820 | 1 486 | 186 | 2 413 | 1 642 | 12 610 | 3 684 | 80 147 |
| 856 | 244 | 6 | 7 861 | 239 | – | 631 | – | 6 629 | 1 962 | 15 300 |
| 1 190 | 33 | 30 | 4 843 | – | – | 66 | – | 2 680 | 3 473 | 27 438 |
| 435 | 5 | 24 | 1 203 | – | – | 28 | – | 295 | 290 | 3 799 |
| 146 | 1 | – | 299 | 198 | – | 180 | – | 1 733 | 213 | 1 980 |
| 1 | – | 2 | 258 | – | – | – | – | 615 | 38 | 1 002 |
| 42 | 17 | 11 | 847 | – | 1 | 1 | – | 706 | 125 | 2 129 |
| 191 | 81 | 202 | 4 759 | 8 | – | 259 | – | 4 679 | 1 261 | 7 707 |
| 701 | 27 | 15 | 3 621 | 7 | – | 225 | – | 2 406 | 1 296 | 9 967 |
| 210 | – | 23 | 8 512 | – | 1 | 2 | – | 6 384 | 1 813 | 22 328 |
| 723 | 46 | 15 | 6 064 | 8 | 3 | 206 | – | 4 010 | 514 | 53 221 |
| 378 | 5 | 9 | 713 | – | – | 44 | – | 1 082 | 172 | 5 118 |
| 54 | – | 4 | 2 324 | 9 | – | 24 | – | 2 849 | 554 | 11 685 |
| 682 | 180 | 106 | 1 582 | – | – | – | – | 3 002 | 258 | 6 300 |
| 219 | 73 | 70 | 6 059 | 233 | – | 126 | – | 4 766 | 309 | 28 689 |
| 320 | 140 | 75 | 6 859 | – | – | 460 | ... | 3 347 | 1 748 | 23 902 |
| 227 | 22 | 7 | 1 832 | 23 | – | 4 | – | 1 667 | 450 | 5 753 |
| 617 | 47 | 7 | 783 | – | – | 16 | – | 1 626 | 780 | 6 552 |
| 38 | 7 | – | 635 | – | – | 21 | – | 985 | 11 | 1 505 |
| 435 | 1 | – | 1 523 | – | – | 7 | – | 910 | 658 | 3 900 |
| 14 | 56 | 45 | 1 106 | – | – | 109 | – | 1 239 | 937 | 6 087 |
| 535 | 5 | 173 | 1 777 | – | – | – | – | 2 104 | 1 801 | 14 505 |
| 109 | – | – | 246 | – | – | 4 | – | 2 052 | 588 | 7 163 |
| 332 | 5 | 18 | 702 | – | – | – | – | 3 328 | 26 | 2 157 |
| 30 | 6 | – | 465 | – | – | 164 | – | 1 532 | 39 | 8 055 |
| 370 | 25 | 1 | 746 | – | – | 1 | – | 1 323 | 700 | 8 404 |
| 211 | 1 | 1 | 858 | – | – | 244 | – | 945 | 974 | 4 651 |
| 3 366 | 5 | 490 | 1 679 | 61 | – | 162 | – | 7 473 | 634 | 21 235 |
| 1 175 | – | – | 957 | – | – | 5 | – | 1 820 | 420 | 5 113 |
| 819 | 8 | 39 | 1 729 | 146 | – | 7 | – | 5 104 | 773 | 8 577 |
| 3 219 | 7 | 392 | 4 166 | – | – | 976 | – | 6 024 | 2 526 | 17 169 |
| 40 | 3 | 1 | 1 077 | – | – | 219 | – | 2 328 | 889 | 4 210 |
| 781 | – | 14 | 735 | – | – | 29 | – | 1 473 | 825 | 9 053 |
| 2 682 | 129 | 79 | 4 571 | – | – | 451 | – | 2 508 | 1 165 | 16 477 |
| 482 | 34 | 26 | 161 | – | – | 8 | – | 7 357 | 769 | 16 285 |
| – | 64 | 161 | 10 545 | 1 073 | 186 | 2 234 | 1 642 | 7 392 | 2 471 | 48 780 |
| 1 | – | – | 440 | – | – | – | – | 1 935 | 263 | 18 010 |
| – | – | – | 339 | – | – | – | – | 2 920 | 577 | 16 369 |
| – | – | – | 167 | – | – | – | – | 125 | 55 | 7 164 |
| – | – | – | 1 478 | – | – | 86 | – | 1 934 | – | 6 886 |
| 550 | – | – | 3 630 | – | – | – | – | 734 | 470 | 735 |
| 245 | – | – | 652 | 200 | – | 538 | – | 413 | 418 | 1 071 |
| – | – | – | 110 | – | – | – | – | 42 | 54 | 3 376 |
| 285 | 3 | – | 2 402 | – | – | 55 | – | 473 | 583 | 12 917 |
| – | – | – | 2 289 | – | – | – | – | 1 336 | 158 | 2 640 |
| – | – | – | 3 205 | – | – | – | – | 1 405 | 63 | 10 540 |
| – | – | 1 | 207 | 6 | – | – | – | 335 | 117 | 24 352 |
| – | – | 4 | 532 | – | – | – | – | 90 | 77 | 578 |
| 6 | 10 | – | 238 | – | – | – | – | – | – | 759 |
| – | 4 | – | 436 | – | – | 65 | – | 12 | – | 590 |
| – | – | – | 3 397 | – | – | 80 | – | 1 016 | 86 | 3 542 |
| 6 | 6 | – | 307 | – | – | 73 | – | – | 218 | 366 |
| – | – | – | 106 | – | – | – | – | 117 | 71 | 10 009 |
| – | – | – | – | – | – | – | – | 178 | 62 | – |
| – | 1 | – | 266 | 1 | – | – | – | 803 | 112 | 9 550 |
| 99 | – | 392 | 1 186 | – | – | 958 | – | 768 | 164 | 9 523 |

# 第43表(3-2) 市区町村で年度中に活動した非常勤職員延数,

| | 総　数 | 医　師 | 歯科医師 | 獣医師 | 薬剤師 | 保健師 | 助産師 | 看護師 |
|---|---|---|---|---|---|---|---|---|
| 中核市(再掲) | | | | | | | | |
| 旭　川　市 | 11 182 | 83 | 19 | 874 | 20 | 3 469 | - | 295 |
| 函　館　市 | 7 240 | 143 | - | 533 | - | 526 | - | 511 |
| 青　森　市 | 6 079 | 12 | 28 | - | 1 | 487 | 406 | 1 174 |
| 八　戸　市 | 6 396 | - | - | 183 | - | - | - | 3 117 |
| 盛　岡　市 | 4 810 | - | - | - | - | 1 973 | 378 | 675 |
| 秋　田　市 | 1 670 | - | - | 2 | - | 579 | 212 | - |
| 郡　山　市 | 4 551 | - | - | - | - | 148 | - | 1 013 |
| い　わ　き　市 | 8 687 | - | - | - | - | 780 | - | 2 080 |
| 宇　都　宮　市 | 7 950 | 233 | - | - | - | 767 | - | 1 938 |
| 前　橋　市 | 6 787 | 7 | - | - | 163 | 968 | - | 446 |
| 高　崎　市 | 1 875 | 63 | - | - | - | 674 | 45 | 641 |
| 川　越　市 | 3 756 | 208 | 77 | - | - | 501 | 263 | 1 210 |
| 越　谷　市 | 2 851 | - | - | 295 | - | 93 | - | 388 |
| 船　橋　市 | 14 916 | 21 | 131 | - | 2 | 2 837 | 954 | 2 448 |
| 柏　市 | 5 132 | - | - | 280 | - | 1 051 | 246 | 540 |
| 八　王　子　市 | 14 734 | 147 | 159 | - | - | 4 966 | 177 | 571 |
| 横　須　賀　市 | 1 707 | 14 | 65 | - | - | 243 | - | - |
| 富　山　市 | 1 783 | - | - | - | 1 | - | - | 1 023 |
| 金　沢　市 | 4 681 | 306 | 67 | 180 | 210 | 1 493 | - | 398 |
| 長　野　市 | 4 443 | - | - | - | - | 705 | - | 939 |
| 岐　阜　市 | 4 474 | 14 | - | 500 | 219 | 546 | - | - |
| 豊　橋　市 | 7 588 | 33 | 2 | - | - | 1 100 | 605 | 682 |
| 豊　田　市 | 3 965 | - | - | - | - | 1 083 | 36 | 758 |
| 岡　崎　市 | 8 134 | 3 | - | 405 | - | 1 013 | 647 | 1 869 |
| 大　津　市 | 8 031 | 250 | 3 | - | - | 1 609 | 506 | 1 329 |
| 高　槻　市 | 4 222 | - | - | - | - | 1 524 | 539 | 360 |
| 東　大　阪　市 | 51 | - | - | - | - | - | - | - |
| 豊　中　市 | 10 377 | 151 | 93 | - | - | 1 230 | 1 461 | 503 |
| 枚　方　市 | 7 986 | 140 | 105 | - | - | 823 | - | 537 |
| 姫　路　市 | 9 510 | - | - | 634 | - | 561 | 433 | 3 245 |
| 西　宮　市 | 5 333 | - | - | 233 | - | 900 | - | 225 |
| 尼　崎　市 | 8 696 | 129 | - | - | - | 2 031 | - | 825 |
| 奈　良　市 | 5 348 | - | - | 196 | - | 959 | 617 | 1 314 |
| 和　歌　山　市 | 6 267 | 36 | - | - | 206 | 200 | 324 | 843 |
| 倉　敷　市 | 4 825 | 108 | 88 | - | - | 68 | - | 985 |
| 福　山　市 | 2 098 | 249 | 109 | 331 | - | 28 | 4 | 85 |
| 呉　市 | 317 | 39 | 5 | 2 | - | - | - | 113 |
| 下　関　市 | 7 000 | 56 | 59 | - | - | 1 175 | 396 | 1 124 |
| 高　松　市 | 11 805 | - | - | 286 | - | 2 543 | 535 | 2 628 |
| 松　山　市 | 6 792 | - | - | 355 | - | 563 | - | 1 373 |
| 高　知　市 | 3 273 | 16 | - | 276 | - | 553 | - | 176 |
| 久　留　米　市 | 6 424 | - | - | 128 | - | 2 169 | 220 | 557 |
| 長　崎　市 | 5 971 | 443 | 243 | - | - | 1 439 | - | 592 |
| 佐　世　保　市 | 5 511 | 36 | - | - | - | 264 | 504 | 776 |
| 大　分　市 | 7 851 | 35 | 168 | 211 | - | 1 072 | - | 2 220 |
| 宮　崎　市 | 14 351 | - | - | - | - | 3 318 | 536 | 3 927 |
| 鹿　児　島　市 | 14 836 | 37 | - | 40 | - | 2 978 | 1 537 | 3 216 |
| 那　覇　市 | 3 677 | - | - | - | - | 1 308 | - | 182 |
| その他政令市(再掲) | | | | | | | | |
| 小　樽　市 | 1 027 | - | - | - | - | 219 | - | 98 |
| 町　田　市 | 9 202 | - | - | - | 192 | 2 702 | 219 | 1 028 |
| 藤　沢　市 | 6 990 | 79 | 97 | - | - | 1 207 | 675 | 779 |
| 茅　ヶ　崎　市 | 2 159 | - | 175 | - | - | 483 | 117 | 114 |
| 四　日　市　市 | 2 470 | - | 92 | 229 | - | 202 | - | 264 |
| 大　牟　田　市 | 2 467 | - | - | - | - | - | 9 | 326 |

## 都道府県－指定都市・特別区－中核市－その他政令市、職種別

平成29年度

| 准看護師 | 理学療法士 | 作業療法士 | 歯科衛生士 | 診療放射線技師 | 診療エックス線技師 | 臨床検査技師 | 衛生検査技師 | 管理栄養士 | 栄養士 | その他 |
|---|---|---|---|---|---|---|---|---|---|---|
| - | - | - | 74 | - | - | 27 | - | 349 | 566 | 5 406 |
| - | - | - | - | - | - | - | - | 177 | - | 5 350 |
| - | - | - | 65 | - | - | 27 | - | 461 | 81 | 3 337 |
| - | - | - | - | - | - | - | - | - | 181 | 2 915 |
| - | - | 189 | - | - | - | - | - | - | - | 1 595 |
| - | - | - | 8 | - | - | 168 | - | - | 178 | 523 |
| - | - | - | 148 | - | - | 211 | - | - | 526 | 2 505 |
| - | - | - | 260 | 239 | - | 224 | - | 130 | 110 | 4 864 |
| - | - | 174 | 404 | 20 | - | 3 | - | 648 | - | 3 763 |
| - | - | - | 483 | 159 | - | 146 | - | 640 | - | 3 775 |
| - | - | - | - | - | - | - | - | 191 | 48 | 213 |
| - | - | - | 142 | 101 | - | - | - | 53 | 15 | 1 186 |
| - | - | - | 79 | - | - | - | - | 61 | 117 | 1 818 |
| - | - | - | 777 | - | - | - | 151 | 400 | 52 | 7 143 |
| - | - | - | 547 | - | - | - | - | 156 | 161 | 2 151 |
| 10 | 6 | - | 591 | 227 | - | 63 | - | 720 | 58 | 7 039 |
| - | - | - | 684 | - | - | 5 | - | 5 | - | 691 |
| - | - | - | 184 | - | - | 1 | - | 75 | 105 | 394 |
| - | - | - | 163 | 198 | - | 180 | - | 583 | 60 | 843 |
| - | - | - | 269 | - | - | 235 | - | - | - | 2 295 |
| - | - | - | 385 | - | - | - | - | - | - | 2 810 |
| - | - | - | 155 | 2 | - | 188 | - | 76 | 44 | 4 701 |
| - | - | - | - | - | - | 12 | - | 63 | - | 2 013 |
| - | - | - | 64 | - | - | - | - | 446 | 206 | 3 481 |
| - | - | - | 405 | - | - | 13 | - | 172 | 288 | 3 456 |
| - | - | - | - | - | - | - | - | 476 | - | 1 323 |
| - | - | - | - | - | - | - | - | - | - | 51 |
| - | - | 6 | 520 | - | - | - | - | - | 119 | 6 294 |
| 57 | - | - | 604 | - | - | - | - | 361 | - | 5 359 |
| - | - | - | 181 | - | - | 158 | - | 41 | 459 | 3 798 |
| 180 | - | - | - | - | - | 180 | - | 360 | - | 3 255 |
| - | - | - | 547 | - | - | - | - | 222 | - | 4 942 |
| 14 | - | - | 36 | - | - | - | - | 621 | 96 | 1 495 |
| - | - | - | 138 | - | - | - | - | 210 | - | 4 310 |
| - | - | 3 | 335 | - | - | 33 | - | 203 | 338 | 2 664 |
| 8 | 4 | 2 | 184 | - | - | - | - | 1 | 199 | 894 |
| - | - | - | 3 | - | - | - | - | - | 6 | 149 |
| - | - | - | - | - | - | - | - | 594 | 314 | 3 282 |
| - | - | - | 159 | - | - | 164 | - | 536 | - | 4 954 |
| - | - | - | 101 | - | - | - | - | 249 | 186 | 3 965 |
| - | - | - | 176 | - | - | 244 | - | - | - | 1 832 |
| - | - | - | 97 | - | - | - | - | 76 | - | 3 177 |
| 155 | - | - | 510 | 146 | - | - | - | 393 | 23 | 2 027 |
| 209 | - | 12 | 187 | - | - | - | - | 633 | - | 2 890 |
| - | - | - | 702 | - | - | 211 | - | 178 | 729 | 2 325 |
| 108 | - | - | 399 | - | - | - | - | 435 | - | 5 628 |
| - | - | - | 893 | - | - | 390 | - | 555 | 122 | 5 068 |
| - | - | - | - | - | - | - | - | 338 | - | 1 849 |
| 70 | - | - | 334 | - | - | - | - | - | 306 | - |
| 83 | - | - | 1 377 | 186 | - | - | - | 208 | 450 | 2 757 |
| - | - | - | 496 | 20 | - | - | - | 502 | - | 3 135 |
| - | - | - | 333 | 2 | - | - | - | 208 | 15 | 712 |
| 36 | - | - | - | - | - | - | - | 162 | - | 1 485 |
| - | - | - | 124 | - | - | - | - | 22 | 8 | 1 978 |

# 第43表(3－3) 市区町村で年度中に活動した非常勤職員延数，

| | (再掲) | | | |
|---|---|---|---|---|
| | 精神保健福祉士 | 食品衛生監視員 | 環境衛生監視員 | 医療監視員 |
| **全国** | **17 060** | **7 334** | **6 007** | **4 805** |
| 北海道 | 3 | 88 | 89 | － |
| 青森 | 18 | 149 | 190 | － |
| 岩手 | － | － | － | － |
| 宮城 | 340 | 329 | － | 182 |
| 秋田 | － | 2 | － | － |
| 山形 | 44 | － | － | － |
| 福島 | 70 | － | － | － |
| 茨城 | 295 | － | － | － |
| 栃木 | 349 | 1 | － | － |
| 群馬 | － | 282 | － | － |
| 埼玉 | 423 | 49 | － | － |
| 千葉 | 3 761 | － | － | 151 |
| 東京 | 2 389 | 1 806 | 1 210 | 1 377 |
| 神奈川 | 1 260 | 351 | 333 | 378 |
| 新潟 | 399 | 588 | 348 | 28 |
| 富山 | 31 | － | － | － |
| 石川 | 12 | 210 | 210 | 3 |
| 福井 | 1 | － | － | － |
| 山梨 | － | － | － | － |
| 長野 | 26 | － | － | － |
| 岐阜 | 16 | － | － | － |
| 静岡 | 95 | 434 | 175 | － |
| 愛知 | 378 | 200 | 201 | 558 |
| 三重 | 161 | 229 | 229 | － |
| 滋賀 | 148 | － | － | － |
| 京都 | 24 | － | － | － |
| 大阪 | 455 | 1 | － | 1 |
| 兵庫 | 270 | 736 | － | － |
| 奈良 | 275 | 1 | － | － |
| 和歌山 | 447 | － | － | － |
| 鳥取 | 190 | － | － | － |
| 島根 | 3 | － | － | － |
| 岡山 | 585 | 406 | － | 183 |
| 広島 | 43 | － | － | － |
| 山口 | － | 396 | － | － |
| 徳島 | 7 | － | － | － |
| 香川 | 457 | 392 | － | － |
| 愛媛 | 477 | － | － | － |
| 高知 | 2 | － | － | － |
| 福岡 | 2 227 | 283 | 276 | 1 446 |
| 佐賀 | － | － | － | － |
| 長崎 | － | 179 | 169 | 327 |
| 熊本 | 3 | 1 | 1 760 | － |
| 大分 | － | 220 | 816 | － |
| 宮崎 | － | － | － | 170 |
| 鹿児島 | 593 | 1 | 1 | 1 |
| 沖縄 | 783 | － | － | － |
| 指定都市・特別区(再掲) | | | | |
| 東京都区部 | 1 814 | 1 626 | 1 023 | 626 |
| 札幌市 | － | － | － | － |
| 仙台市 | 293 | 329 | － | 182 |
| さいたま市 | － | － | － | － |
| 千葉市 | 2 123 | － | － | － |
| 横浜市 | 294 | － | － | － |
| 川崎市 | － | － | － | 378 |
| 相模原市 | － | 198 | 198 | － |
| 新潟市 | 183 | 588 | 348 | 28 |
| 静岡市 | 1 | 259 | － | － |
| 浜松市 | 87 | 175 | 175 | － |
| 名古屋市 | 189 | － | 1 | － |
| 京都市 | － | － | － | － |
| 大阪市 | － | － | － | － |
| 堺市 | － | 1 | － | 1 |
| 神戸市 | － | － | － | － |
| 岡山市 | － | － | － | － |
| 広島市 | － | － | － | － |
| 北九州市 | － | － | － | － |
| 福岡市 | 1 921 | 155 | 148 | 1 446 |
| 熊本市 | 1 | 1 | 1 760 | － |

## 都道府県－指定都市・特別区－中核市－その他政令市、職種別

平成29年度

| | （再掲） | | | |
|---|---|---|---|---|
| | 精神保健福祉士 | 食品衛生監視員 | 環境衛生監視員 | 医療監視員 |
| 中核市(再掲) | | | | |
| 旭川市 | － | － | － | － |
| 函館市 | － | 88 | 89 | － |
| 青森市 | 1 | － | 190 | － |
| 八戸市 | － | 148 | － | － |
| 盛岡市 | － | － | － | － |
| 秋田市 | － | 2 | － | － |
| 郡山市 | － | － | － | － |
| いわき市 | 19 | － | － | － |
| 宇都宮市 | 326 | 1 | － | － |
| 前橋市 | － | 282 | － | － |
| 高崎市 | － | － | － | － |
| 川越市 | － | － | － | － |
| 越谷市 | － | 49 | － | － |
| 船橋市 | 1 638 | － | － | 151 |
| 柏市 | － | － | － | － |
| 八王子市 | 215 | － | 187 | 367 |
| 横須賀市 | 333 | － | － | － |
| 富山市 | － | － | － | － |
| 金沢市 | － | 210 | 210 | 3 |
| 長野市 | － | － | － | － |
| 岐阜市 | － | － | － | － |
| 豊橋市 | － | － | － | 558 |
| 豊田市 | － | － | － | － |
| 岡崎市 | － | 200 | 200 | － |
| 大津市 | － | － | － | － |
| 高槻市 | － | － | － | － |
| 東大阪市 | － | － | － | － |
| 豊中市 | 315 | － | － | － |
| 枚方市 | 140 | － | － | － |
| 姫路市 | 115 | 308 | － | － |
| 西宮市 | 150 | － | － | － |
| 尼崎市 | － | 428 | － | － |
| 奈良市 | － | － | － | － |
| 和歌山市 | 447 | － | － | － |
| 倉敷市 | 585 | 406 | － | 183 |
| 福山市 | － | － | － | － |
| 呉市 | － | － | － | － |
| 下関市 | － | 396 | － | － |
| 高松市 | 457 | 392 | － | － |
| 松山市 | 465 | － | － | － |
| 高知市 | － | － | － | － |
| 久留米市 | － | 128 | 128 | － |
| 長崎市 | － | 179 | 169 | 327 |
| 佐世保市 | － | － | － | － |
| 大分市 | － | 220 | 816 | － |
| 宮崎市 | － | － | － | 170 |
| 鹿児島市 | 488 | 1 | 1 | 1 |
| 那覇市 | － | － | － | － |
| その他政令市(再掲) | | | | |
| 小樽市 | － | － | － | － |
| 町田市 | － | 180 | － | 384 |
| 藤沢市 | 411 | 153 | 135 | － |
| 茅ヶ崎市 | － | － | － | － |
| 四日市市 | 161 | 229 | 229 | － |
| 大牟田市 | － | － | － | － |

## 参考 人口10万対比率に用いた人口

(単位：人)

| | 総　数 | 政令市・特別区 | 政令市・特別区以外 |
|---|---|---|---|
| 全　　国 | 127 707 259 | 57 418 359 | 70 288 900 |
| 北 海 道 | 5 339 539 | 2 674 026 | 2 665 513 |
| 青　　森 | 1 308 707 | 519 935 | 788 772 |
| 岩　　手 | 1 264 329 | 291 859 | 972 470 |
| 宮　　城 | 2 312 080 | 1 060 545 | 1 251 535 |
| 秋　　田 | 1 015 057 | 312 374 | 702 683 |
| 山　　形 | 1 106 984 | ・ | 1 106 984 |
| 福　　島 | 1 919 680 | 652 773 | 1 266 907 |
| 茨　　城 | 2 951 087 | ・ | 2 951 087 |
| 栃　　木 | 1 985 738 | 522 938 | 1 462 800 |
| 群　　馬 | 1 990 584 | 712 769 | 1 277 815 |
| 埼　　玉 | 7 363 011 | 1 985 311 | 5 377 700 |
| 千　　葉 | 6 298 992 | 2 019 782 | 4 279 210 |
| 東　　京 | 13 637 346 | 10 388 517 | 3 248 829 |
| 神 奈 川 | 9 171 274 | 7 026 284 | 2 144 990 |
| 新　　潟 | 2 281 291 | 796 773 | 1 484 518 |
| 富　　山 | 1 069 512 | 418 045 | 651 467 |
| 石　　川 | 1 150 398 | 454 416 | 695 982 |
| 福　　井 | 790 758 | ・ | 790 758 |
| 山　　梨 | 838 823 | ・ | 838 823 |
| 長　　野 | 2 114 140 | 380 459 | 1 733 681 |
| 岐　　阜 | 2 054 349 | 411 554 | 1 642 795 |
| 静　　岡 | 3 743 015 | 1 513 300 | 2 229 715 |
| 愛　　知 | 7 551 840 | 3 477 736 | 4 074 104 |
| 三　　重 | 1 834 269 | 312 134 | 1 522 135 |
| 滋　　賀 | 1 419 635 | 342 460 | 1 077 175 |
| 京　　都 | 2 563 152 | 1 415 775 | 1 147 377 |
| 大　　阪 | 8 856 444 | 5 198 519 | 3 657 925 |
| 兵　　庫 | 5 589 708 | 3 029 392 | 2 560 316 |
| 奈　　良 | 1 371 700 | 358 896 | 1 012 804 |
| 和 歌 山 | 975 074 | 371 042 | 604 032 |
| 鳥　　取 | 570 824 | ・ | 570 824 |
| 島　　根 | 691 225 | ・ | 691 225 |
| 岡　　山 | 1 920 619 | 1 193 089 | 727 530 |
| 広　　島 | 2 848 846 | 1 894 078 | 954 768 |
| 山　　口 | 1 396 197 | 266 429 | 1 129 768 |
| 徳　　島 | 757 377 | ・ | 757 377 |
| 香　　川 | 993 205 | 429 189 | 564 016 |
| 愛　　媛 | 1 394 339 | 514 877 | 879 462 |
| 高　　知 | 725 289 | 332 276 | 393 013 |
| 福　　岡 | 5 130 773 | 2 913 103 | 2 217 670 |
| 佐　　賀 | 833 272 | ・ | 833 272 |
| 長　　崎 | 1 379 003 | 681 017 | 697 986 |
| 熊　　本 | 1 789 184 | 734 317 | 1 054 867 |
| 大　　分 | 1 169 158 | 479 557 | 689 601 |
| 宮　　崎 | 1 112 008 | 404 017 | 707 991 |
| 鹿 児 島 | 1 655 888 | 605 506 | 1 050 382 |
| 沖　　縄 | 1 471 536 | 323 290 | 1 148 246 |

資料：総務省発表「住民基本台帳に基づく人口、人口動態及び世帯数（平成30年1月1日現在）」

# Ⅳ 用 語 の 解 説

**地域保健編**

「妊婦」
　妊娠中の女性をいう。

「産婦」
　分娩後１年以内の女性をいう。

「乳児」
　満１歳未満の者をいう。

「幼児」
　満１歳から小学校就学の始期に達するまでの者をいう。

「新生児」
　生後28日未満の乳児をいう。

「未熟児」
　身体の発育が未熟のまま出生した乳児であって、正常児が出生時に有する諸機能を得るに至るまでのものをいう。

「デイ・ケア」
　医学的な管理のもとに行う、作業指導、レクリエーション活動、創作活動、生活指導等をいう。

「ひきこもり」
　本報告では、仕事や学校に行かず、かつ家族以外の人との交流をほとんどせずに、６か月以上続けて自宅にひきこもっている状態にある７歳から49歳までの者をいう。

「衛生教育」
　本報告では、地域保健に関する思想の普及及び地域住民の健康の保持及び増進を目的として、一般住民の集団又は特定集団に対して行うものをいう。

「沈降精製百日せきジフテリア破傷風混合ワクチン（ＤＰＴ）」
　第１期の初回接種は、生後３月に達した時から生後12月に達するまでの期間を標準的な接種期間として20日以上、標準的には20日から56日までの間隔をおいて３回、追加接種については初回接種終了後６月以上、標準的には12月から18月までの間隔をおいて１回行われる。

「沈降ジフテリア破傷風混合トキソイド（ＤＴ）」
　第１期の初回接種は、生後３月に達した時から生後12月に達するまでの期間を標準的な接種期間として20日以上、標準的には20日から56日までの間隔をおいて２回、追加接種については初回接種終了後６月以上、標準的には12月から18月までの間隔をおいて１回行われ、第２期は、11歳に達した時から12歳に達するまでの期間を標準的な接種期間として１回行われる。

「不活化ポリオワクチン（ＩＰＶ）」
　初回接種は、生後３月に達した時から生後12月に達するまでの期間を標準的な接種期間として、20日以上の間隔をおいて３回、追加接種については初回接種終了後６月以上、標準的には12月から18月までの間隔をおいて１回行われる。

「沈降精製百日せきジフテリア破傷風不活化ポリオ混合ワクチン（ＤＰＴ－ＩＰＶ）」
　第１期の初回接種は、生後３月に達した時から生後12月に達するまでの期間を標準的な接種期間として20日以上、標準的には20日から56日までの間隔をおいて３回、追加接種については初回接種終了後６月以上、標準的には12月から18月までの間隔をおいて１回行われる。

「日本脳炎ワクチン」

第１期の初回接種は、３歳に達した時から４歳に達するまでの期間を標準的な接種期間として６日以上、標準的には６日から28日までの間隔をおいて２回、追加接種については初回接種終了後６月以上、標準的にはおおむね１年を経過した時期に、４歳に達した時から５歳に達するまでの期間を標準的な接種期間として１回行われる。

第２期は、９歳に達した時から10歳に達するまでの期間を標準的な接種期間として１回行われる。

平成17年５月30日から平成22年３月31日までの積極的な勧奨の差し控えにより第１期、第２期の接種が行われていない可能性がある者については特例対象者として予防接種が行われている。

平成29年度に18歳となる者（平成11年４月２日から平成12年４月１日までに生まれた者）については、第２期の接種が十分に行われていないことから、平成29年度に積極的な勧奨が行われた。

「ヒブワクチン」

標準的には、初回接種開始時に生後２月から生後７月に至るまでの間にある者について、初回接種は27日以上、標準的には27日から56日までの間隔をおいて３回、追加接種については初回接種終了後７月以上、標準的には７月から13月までの間隔をおいて１回行われる。

「小児用肺炎球菌ワクチン」

標準的には、初回接種開始時に生後２月から生後７月に至るまでの間にある者について、生後12月までに27日以上の間隔をおいて３回、追加接種については生後12月から生後15月に至るまでの間を標準的な接種期間として、初回接種終了後60日以上の間隔をおいた後であって、生後12月に至った日以降において１回行われる。

「子宮頸がん予防ワクチン」（女性のみ対象）

組換え沈降２価ヒトパピローマウイルス様粒子ワクチンを使用する場合には、13歳となる日の属する年度の初日から当該年度の末日までの間を標準的な接種期間とし、標準的な接種方法として、１月の間隔をおいて２回行った後、１回目の接種から６月の間隔をおいて１回行われる。

組換え沈降４価ヒトパピローマウイルス様粒子ワクチンを使用する場合には、13歳となる日の属する年度の初日から当該年度の末日までの間を標準的な接種期間とし、標準的な接種方法として、２月の間隔をおいて２回行った後、１回目の接種から６月の間隔をおいて１回行われる。

なお、平成25 年６月から積極的な勧奨が一時的に差し控えられている。

「水痘ワクチン」

生後12月から生後36月に至るまでの間にある者に対し、生後12月から生後15月に達するまでの期間を１回目の接種の標準的な接種期間として、３月以上、標準的には６月から12月までの間隔をおいて２回行われる。

なお、平成26年10月から定期接種化された。

「Ｂ型肝炎ワクチン」

生後２月に至った時から生後９月に至るまでの期間を標準的な接種期間として、27日以上の間隔をおいて２回、第１回目の注射から139日以上の間隔をおいて１回行われる。

なお、平成28年10月から定期接種化された。

「麻しん・風しんワクチン」

第１期は、生後12月から生後24月に至るまでの間にある者に対し１回、第２期は５歳以上７歳未満の者であって、小学校就学の始期に達する日の１年前の日から当該始期に達する日の前日までの間にあるもの（小学校就学前の１年間にある者）に対し行われる。

「ＢＣＧワクチン」

生後５月に達した時から生後８月に達するまでの期間を標準的な接種期間として１回行われる。

「インフルエンザワクチン」

65歳以上の者及び60歳以上65歳未満の者に１回行われる。60歳以上65歳未満の者については、心臓、じん臓又は呼吸器の機能等に障害を有する者を対象とする。

「成人用肺炎球菌ワクチン」

65歳以上の者及び60歳以上65歳未満の者に１回行われる。60歳以上65歳未満の者については、心臓、じん臓又は呼吸器の機能等に障害を有する者を対象とする。

なお、平成26年10月から定期接種化された。

平成31年３月31日までの間は、70歳、75歳、80歳、85歳、90歳、95歳又は100歳となる日の属する年度の初日から当該年度の末日までの間にある者も定期接種の対象となる。

# Ⅴ 報 告 表 の 様 式

## 【都道府県が設置する保健所の報告表】

# 地域保健・健康増進事業報告

| 種別 | 1 | 都道府県が設置する保健所 |
|---|---|---|

| 保健所符号 | | | | 表番号 |
|---|---|---|---|---|
| | | | | 01000 |

政府統計

統計法に基づく国の一般統計調査です。
調査票情報の秘密の保護に万全を期します。

都道府県名　　　　保健所名

平成 29 年度分

1　健康診断

| | 結核 | | 精神 | 療育 | 生活習慣病 | | |
|---|---|---|---|---|---|---|---|
| | 定期 (1) | 接触者健診 (2) | (3) | (4) | 悪性新生物 (5) | 循環器疾患 (6) | その他 (7) |
| 受診延人員 (01) | | | | | | | |

| | 母子 | | | | 一般 | その他 | 計 | (再掲) 事業所からの受託 |
|---|---|---|---|---|---|---|---|---|
| | 妊婦 (8) | 産婦 (9) | 乳児 (療育を除く。) (10) | 幼児 (療育を除く。) (11) | (12) | (13) | (14) | (15) |
| 受診延人員 (01) | | | | | | | | |


# 地域保健・健康増進事業報告


| 種別 | 1 | 都道府県が設置する保健所 |
|---|---|---|

| 保健所符号 | | | | 表番号 |
|---|---|---|---|---|
| | | | | 02300 |

政府統計

統計法に基づく国の一般統計調査です。
調査票情報の秘密の保護に万全を期します。

都道府県名　　　　保健所名

平成 29 年度分

2 (3)　母子保健（保健指導）

| | 妊婦 | | | 産婦 | | | 乳児 | | | 幼児 | | | その他 | | | 電話相談 |
|---|---|---|---|---|---|---|---|---|---|---|---|---|---|---|---|---|
| | 実人員 (1) | (再掲) 健診の事後指導 (2) | 延人員 (3) | 実人員 (4) | (再掲) 健診の事後指導 (5) | 延人員 (6) | 実人員 (7) | (再掲) 健診の事後指導 (8) | 延人員 (9) | 実人員 (10) | (再掲) 健診の事後指導 (11) | 延人員 (12) | 実人員 (13) | (再掲) 健診の事後指導 (14) | 延人員 (15) | 延人員 (16) |
| 個別 (01) | | | | | | | | | | | | | | | | |

# 地 域 保 健 ・ 健 康 増 進 事 業 報 告

| 種別 | 1 | 都道府県が設置する保健所 |
|---|---|---|

| 保 健 所 符 号 | 表番号 |
|---|---|
|  |  |  | 0 2 4 0 0 |

2（4） 母子保健（訪問指導）

都道府県名　　　　　　　　保健所名

平成　29　年度分

| | 妊　　婦 | | 産　　婦 | | 新 生 児<br>（未熟児を除く。） | | 未 熟 児 | | 乳　児<br>（新生児・未熟児を除く。） | | 幼　児 | | そ の 他 | |
|---|---|---|---|---|---|---|---|---|---|---|---|---|---|---|
| | 実 人 員<br>(1) | 延 人 員<br>(2) | 実 人 員<br>(3) | 延 人 員<br>(4) | 実 人 員<br>(5) | 延 人 員<br>(6) | 実 人 員<br>(7) | 延 人 員<br>(8) | 実 人 員<br>(9) | 延 人 員<br>(10) | 実 人 員<br>(11) | 延 人 員<br>(12) | 実 人 員<br>(13) | 延 人 員<br>(14) |
| 実　施　数 (01) | | | | | | | | | | | | | | |
| （再掲）　　(02)<br>医療機関等へ委託 | | | | | | | | | | | | | | |


# 地 域 保 健 ・ 健 康 増 進 事 業 報 告

| 種別 | 1 | 都道府県が設置する保健所 |
|---|---|---|

| 保 健 所 符 号 | 表番号 |
|---|---|
|  |  |  | 0 2 6 0 0 |

2（6） 母子保健（療育指導－長期療養児－相談等）

都道府県名　　　　　　　　保健所名

平成　29　年度分

| | 相談、機能訓練、訪問指導 | | | | | （再掲）　　　　相　　　　談 | | | | | | | | | |
|---|---|---|---|---|---|---|---|---|---|---|---|---|---|---|---|
| | 実人員 | （再掲）<br>新 規 者 の 受 付 経 路 | | | （再掲）<br>医療受給者<br>証 所 持 者 | 実人員 | 延　　　　人　　　　員 | | | | | | | | |
| | | 市町村 | 医療機関 | その他 | | | 申請等<br>の相談 | 医　療 | 家 庭<br>看 護 | 福 祉<br>制 度 | 就 学 | 食事・<br>栄 養 | 歯 科 | その他 | 計 |
| | (1) | (2) | (3) | (4) | (5) | (6) | (7) | (8) | (9) | (10) | (11) | (12) | (13) | (14) | (15) |
| 人　員 (01) | | | | | | | | | | | | | | | |

| | （再掲）　機能訓練 | | （再掲）　訪問指導 | | 電話相談 |
|---|---|---|---|---|---|
| | 実人員 | 延人員 | 実人員 | 延人員 | 延 人 員 |
| | (16) | (17) | (18) | (19) | (20) |
| 人　員 (01) | | | | | |

621

# 地 域 保 健 ・ 健 康 増 進 事 業 報 告

政府統計
統計法に基づく国の一般統計調査です。
調査票情報の秘密の保護に万全を期します。

| 種別 | 1 | 都道府県が設置する保健所 |

| 保 健 所 符 号 | 表番号 |
|---|---|
| | 0 3 0 0 0 |

3 歯科保健

都道府県名　　　　　保健所名

平成 29 年度分

| | | 健診・保健指導延人員（訪問によるものを除く。） | | | | 訪 問 に よ る 健 診 ・ 保 健 指 導 人 員 | | | | |
|---|---|---|---|---|---|---|---|---|---|---|
| | | 妊産婦 | 乳幼児 | その他 | 計 | 実人員 | （再掲）身体障害者（児）知的障害者（児）精神障害者 | 延人員 | （再掲）身体障害者（児）知的障害者（児）精神障害者 |
| | | (1) | (2) | (3) | (4) | (5) | (6) | (7) | (8) |
| 個別 | 実 施 数 (01) | | | | | | | | |
| | （再掲）医療機関等へ委託 (02) | | | | | | | | |
| 集団 | 実 施 数 (03) | | | | | | | | |
| | （再掲）医療機関等へ委託 (04) | | | | | | | | |

| | 予防処置・治療延人員（訪問によるものを除く。） | | | | | 訪 問 に よ る 予 防 処 置 ・ 治 療 人 員 | | | | |
|---|---|---|---|---|---|---|---|---|---|---|
| | 予 防 処 置 | | | | 治療 | 実人員 | （再掲）身体障害者（児）知的障害者（児）精神障害者 | 延人員 | （再掲）身体障害者（児）知的障害者（児）精神障害者 |
| | 妊産婦 | 乳幼児 | その他 | 計 | | | | | |
| | (9) | (10) | (11) | (12) | (13) | (14) | (15) | (16) | (17) |
| 実 施 数 (05) | | | | | | | | | |
| （再掲）医療機関等へ委託 (06) | | | | | | | | | |

---

# 地 域 保 健 ・ 健 康 増 進 事 業 報 告

政府統計
統計法に基づく国の一般統計調査です。
調査票情報の秘密の保護に万全を期します。

| 種別 | 1 | 都道府県が設置する保健所 |

| 保 健 所 符 号 | 表番号 |
|---|---|
| | 0 4 1 0 0 |

4 (1)　健康増進（栄養・運動等指導）

都道府県名　　　　　保健所名

平成 29 年度分

| | | 個 別 指 導 延 人 員 | | | | | | | | 集 団 指 導 延 人 員 | | | | | | |
|---|---|---|---|---|---|---|---|---|---|---|---|---|---|---|---|---|
| | | 栄養指導 | （再掲）病態別栄養指導 | （再掲）訪問による栄養指導 | 運動指導 | （再掲）病態別運動指導 | 休養指導 | 禁煙指導 | その他 | 栄養指導 | （再掲）病態別栄養指導 | 運動指導 | （再掲）病態別運動指導 | 休養指導 | 禁煙指導 | その他 |
| | | (1) | (2) | (3) | (4) | (5) | (6) | (7) | (8) | (9) | (10) | (11) | (12) | (13) | (14) | (15) |
| 実施数 | 妊 産 婦 (01) | | | | | | | | | | | | | | | |
| | 乳 幼 児 (02) | | | | | | | | | | | | | | | |
| | 20 歳 未 満 (03)（妊産婦・乳幼児を除く。） | | | | | | | | | | | | | | | |
| | 20 歳 以 上 (04)（妊産婦を除く。） | | | | | | | | | | | | | | | |
| （再掲）医療機関等へ委託 | 妊 産 婦 (05) | | | | | | | | | | | | | | | |
| | 乳 幼 児 (06) | | | | | | | | | | | | | | | |
| | 20 歳 未 満 (07)（妊産婦・乳幼児を除く。） | | | | | | | | | | | | | | | |
| | 20 歳 以 上 (08)（妊産婦を除く。） | | | | | | | | | | | | | | | |

# 地 域 保 健 ・ 健 康 増 進 事 業 報 告

| 種別 | 1 | 都道府県が設置する保健所 |
|---|---|---|

| 保健所符号 | | | | 表番号 |
|---|---|---|---|---|
| | | | | 04200 |

政府統計
統計法に基づく国の一般統計調査です。
調査票情報の秘密の保護に万全を期します。

都道府県名　　保健所名

平成 29 年度分

4 (2) 健康増進（給食施設等指導）

| | 特定給食施設 | | その他の給食施設 | 計 |
|---|---|---|---|---|
| | 1回100食以上又は<br>1日250食以上<br>(1) | 1回300食以上又は<br>1日750食以上<br>(2) | (3) | (4) |
| 栄養管理指導延施設数 (01) | | | | |
| 喫食者への栄養・運動指導<br>（延人員） (02) | | | | |

# 地 域 保 健 ・ 健 康 増 進 事 業 報 告

| 種別 | 1 | 都道府県が設置する保健所 |
|---|---|---|

| 保健所符号 | | | | 表番号 |
|---|---|---|---|---|
| | | | | 05100 |

政府統計
統計法に基づく国の一般統計調査です。
調査票情報の秘密の保護に万全を期します。

都道府県名　　保健所名

平成 29 年度分

5 (1) 精神保健福祉（相談等）

| | 相談、デイ・ケア、訪問指導 | | | |
|---|---|---|---|---|
| | | （(1)の再掲）新規者の受付経路 | | |
| | 実人員<br>(1) | 市町村<br>(2) | 医療機関<br>(3) | その他<br>(4) |
| 人員 (01) | | | | |

| | （再掲）相談 | | | | | | | | | | | | | | | | |
|---|---|---|---|---|---|---|---|---|---|---|---|---|---|---|---|---|---|
| | | 延人員 | | | | | | | | | | | | | | | |
| | | | | | | | | | | | | | (12) の再掲 | | | | |
| | 実人員<br>(1) | 老人精神保健<br>(2) | 社会復帰<br>(3) | アルコール<br>(4) | 薬物<br>(5) | ギャンブル<br>(6) | 思春期<br>(7) | 心の健康づくり<br>(8) | 摂食障害<br>(9) | てんかん<br>(10) | その他<br>(11) | 計<br>(12) | ひきこもり<br>(13) | 自殺関連<br>(14) | 自死遺族<br>(15) | 犯罪被害<br>(16) | 災害<br>(17) |
| 人員 (02) | | | | | | | | | | | | | | | | | |

| | （再掲）デイ・ケア | | |
|---|---|---|---|
| | 実人員<br>(1) | 延人員<br>(2) | ひきこもり<br>(2)の再掲<br>(3) |
| 人員 (03) | | | |

| | （再掲）訪問指導 | | | | | | | | | | | | | | | | |
|---|---|---|---|---|---|---|---|---|---|---|---|---|---|---|---|---|---|
| | | 延人員 | | | | | | | | | | | | | | | |
| | | | | | | | | | | | | | (12) の再掲 | | | | |
| | 実人員<br>(1) | 老人精神保健<br>(2) | 社会復帰<br>(3) | アルコール<br>(4) | 薬物<br>(5) | ギャンブル<br>(6) | 思春期<br>(7) | 心の健康づくり<br>(8) | 摂食障害<br>(9) | てんかん<br>(10) | その他<br>(11) | 計<br>(12) | ひきこもり<br>(13) | 自殺関連<br>(14) | 自死遺族<br>(15) | 犯罪被害<br>(16) | 災害<br>(17) |
| 人員 (04) | | | | | | | | | | | | | | | | | |

| | 電話相談等延人員 | | | | | | | | | | | | | | | |
|---|---|---|---|---|---|---|---|---|---|---|---|---|---|---|---|---|
| | | | | | | | | | | | | (11) の再掲 | | | | |
| | 老人精神保健<br>(1) | 社会復帰<br>(2) | アルコール<br>(3) | 薬物<br>(4) | ギャンブル<br>(5) | 思春期<br>(6) | 心の健康づくり<br>(7) | 摂食障害<br>(8) | てんかん<br>(9) | その他<br>(10) | 計<br>(11) | ひきこもり<br>(12) | 自殺関連<br>(13) | 自死遺族<br>(14) | 犯罪被害<br>(15) | 災害<br>(16) |
| 電話による相談 (05) | | | | | | | | | | | | | | | | |
| 電子ﾒｰﾙによる相談 (06) | | | | | | | | | | | | | | | | |

| | 普及啓発 | | |
|---|---|---|---|
| | 精神障害者（家族）に対する教室等<br>(1) | うつ病に関する教室等<br>(1)の再掲<br>(2) | 地域住民と精神障害者との地域交流会<br>(3) |
| 開催回数 (07) | | | |
| 延人員 (08) | | | |

# 地域保健・健康増進事業報告

政府統計
統計法に基づく国の一般統計調査です。
調査票情報の秘密の保護に万全を期します。

| 種別 | 1 | 都道府県が設置する保健所 |
|---|---|---|

| 保健所符号 | | | | 表番号 |
|---|---|---|---|---|
| | | | | 05200 |

都道府県名　　　　保健所名

5 (2)　精神保健福祉（組織育成）

平成 29 年度分

| | 患者会 (1) | 家族会 (2) | 依存症の自助団体・回復施設 (3) | 職親会 (4) | その他 (5) | 計 (6) |
|---|---|---|---|---|---|---|
| 支援件数 (01) | | | | | | |

# 地域保健・健康増進事業報告

政府統計
統計法に基づく国の一般統計調査です。
調査票情報の秘密の保護に万全を期します。

| 種別 | 1 | 都道府県が設置する保健所 |
|---|---|---|

| 保健所符号 | | | | 表番号 |
|---|---|---|---|---|
| | | | | 06000 |

都道府県名　　　　保健所名

6　難病

平成 29 年度分

| | 相談、機能訓練、訪問指導 | | | | | | (再掲) 相談 | | | | | | | | | | |
|---|---|---|---|---|---|---|---|---|---|---|---|---|---|---|---|---|---|
| | | (再掲) 新規者の受付経路 | | | (再掲) | (再掲) | | 延人員 | | | | | | | | | |
| | 実人員 (1) | 市町村 (2) | 医療機関 (3) | その他 (4) | 医療受給者証所持者（指定難病患者） (5) | 特定疾患医療受給者証所持者 (6) | 実人員 (7) | 申請等の相談 (8) | 医療 (9) | 家庭看護 (10) | 福祉制度 (11) | 就労 (12) | 就学 (13) | 食事・栄養 (14) | 歯科 (15) | その他 (16) | 計 (17) |
| 人員 (01) | | | | | | | | | | | | | | | | | |

| | (再掲) 機能訓練 | | (再掲) 訪問指導 | | 電話相談延人員 |
|---|---|---|---|---|---|
| | 実人員 (18) | 延人員 (19) | 実人員 (20) | 延人員 (21) | (22) |
| 人員 (01) | | | | | |

| 患者・家族に対する学習会 | |
|---|---|
| 開催回数 (23) | 延人員 (24) |
| | |

# 地域保健・健康増進事業報告

| 種別 | 1 | 都道府県が設置する保健所 |
|---|---|---|

| 保健所符号 | 表番号 |
|---|---|
| | 07000 |

7　エイズ

都道府県名　　　　保健所名

平成 29 年度分

| 相談件数 | | | 訪問指導 | | HIV抗体検査のための採血件数 | | 陽性件数 |
|---|---|---|---|---|---|---|---|
| 電話 | 来所 | (再掲)医療社会事業員が関与した件数 | 実人員 | 延人員 | スクリーニング検査 | 確認検査 | |
| (1) | (2) | (3) | (4) | (5) | (6) | (7) | (8) |
| | | | | | | | |

# 地域保健・健康増進事業報告

| 種別 | 1 | 都道府県が設置する保健所 |
|---|---|---|

| 保健所符号 | 表番号 |
|---|---|
| | 08000 |

8　衛生教育

都道府県名　　　　保健所名

平成 29 年度分

| | 感染症 | (再掲) | | 精神 | 難病 | 母子 | | | | | | 成人・老人 | 栄養・健康増進 | 歯科 | 医事・薬事 | 食品 | 環境 | その他 | 計 | (再掲) | |
|---|---|---|---|---|---|---|---|---|---|---|---|---|---|---|---|---|---|---|---|---|---|
| | | 結核 | エイズ | | | 思春期・未婚女性学級 | 婚前・新婚学級 | 両(母)親学級 | 育児学級 | その他 | 計 | | | | | | | | | 地区組織活動 | 健康危機管理 |
| | (1) | (2) | (3) | (4) | (5) | (6) | (7) | (8) | (9) | (10) | (11) | (12) | (13) | (14) | (15) | (16) | (17) | (18) | (19) | (20) | (21) |
| 回数 (01) | | | | | | | | | | | | | | | | | | | | | |
| 延人員 (02) | | | | | | | | | | | | | | | | | | | | | |

# 地域保健・健康増進事業報告

| 種別 | 1 | 都道府県が設置する保健所 |
|---|---|---|

| 保健所符号 | | | | 表番号 |
|---|---|---|---|---|
| | | | | 10100 |

10(1)　結核予防（健康診断の実施状況）

都道府県名　　　　　　保健所名

平成　29　年度分

| | | 定期 | | | | | | 接触者健診 | | | 計 |
|---|---|---|---|---|---|---|---|---|---|---|---|
| | | 事業者 | 学校長 | 施設の長 | | 市町村長又は特別区の区長 | | 実施件数 | 患者家族 | その他 | |
| | | | | 刑事施設 | 社会福祉施設 | 65歳以上 | その他 | | | | |
| | | (1) | (2) | (3) | (4) | (5) | (6) | (7) | (8) | (9) | (10) |
| ツベルクリン反応検査 | 被注射者数 (01) | | | | | | | | | | |
| | 被判定者数 (02) | | | | | | | | | | |
| | 陰性者数 (03) | | | | | | | | | | |
| | 陽性者数 (04) | | | | | | | | | | |
| 集団健康診断実施件数 (05) | | | | | | | | | | | |
| 健康診断受診者数 (06) | | | | | | | | | | | |
| 間接撮影者数 (07) | | | | | | | | | | | |
| 直接撮影者数 (08) | | | | | | | | | | | |
| 喀痰検査者数 (09) | | | | | | | | | | | |
| IGRA検査者数 (10) | | | | | | | | | | | |
| 被発見者数 | 結核患者 (11) | | | | | | | | | | |
| | 潜在性結核感染者 (12) | | | | | | | | | | |
| | 結核発病のおそれがあると診断された者 (13) | | | | | | | | | | |

政府統計

統計法に基づく国の一般統計調査です。
調査票情報の秘密の保護に万全を期します。

# 地域保健・健康増進事業報告

| 種別 | 1 | 都道府県が設置する保健所 |
|---|---|---|

| 保健所符号 | | | | 表番号 |
|---|---|---|---|---|
| | | | | 10200 |

10(2)　結核予防（相談等）

都道府県名　　　　　　保健所名

平成　29　年度分

| | 相談 | | 訪問指導 | | | |
|---|---|---|---|---|---|---|
| | 電話 | 来所 | | | | |
| | 延人員 | 延人員 | 実人員 | （再掲）DOTS | 延人員 | （再掲）DOTS |
| | (1) | (2) | (3) | (4) | (5) | (6) |
| 人員 | | | | | | |

政府統計

統計法に基づく国の一般統計調査です。
調査票情報の秘密の保護に万全を期します。

# 地域保健・健康増進事業報告

政府統計
統計法に基づく国の一般統計調査です。
調査票情報の秘密の保護に万全を期します。

| 種別 | 1 | 都道府県が設置する保健所 |
|---|---|---|

| 保健所符号 | 表番号 |
|---|---|
|  | 11000 |

11 生活衛生

都道府県名　　　　　　　保健所名

平成　29　年度分

| | 営　業　関　係　施　設 | | | | | | |
|---|---|---|---|---|---|---|---|
| | 旅　館　等 | 興　行　場 | 公衆浴場 | 理　容　所 | 美　容　所 | クリーニング所 | 無店舗取次店 |
| | (1) | (2) | (3) | (4) | (5) | (6) | (7) |
| 調査・監視指導延施設数 | | | | | | | |

| | 飲　料　水　施　設 | | | | | | |
|---|---|---|---|---|---|---|---|
| | 水道事業（簡易水道事業を除く。） | 簡易水道事業 | 水道用水供給事業 | 専用水道 | 簡易専用水道 | その他の水道 | 井　戸　等 |
| | (8) | (9) | (10) | (11) | (12) | (13) | (14) |
| 調査・監視指導延施設数 | | | | | | | |

| | そ　の　他　の　施　設 | | | | | | | |
|---|---|---|---|---|---|---|---|---|
| | 化製場（準ずる施設を含む。） | 畜舎・家きん舎 | 火　葬　場 | 墓地・納骨堂 | 特定建築物 | 一般プール | その他 | 計 |
| | (15) | (16) | (17) | (18) | (19) | (20) | (21) | (22) |
| 調査・監視指導延施設数 | | | | | | | | |

---

# 地　域　保　健・健　康　増　進　事　業　報　告

政府統計
統計法に基づく国の一般統計調査です。
調査票情報の秘密の保護に万全を期します。

| 種別 | 1 | 都道府県が設置する保健所 |
|---|---|---|

| 保健所符号 | 表番号 |
|---|---|
|  | 12000 |

12 試験検査

都道府県名　　　　　　　保健所名

平成　29　年度分

| | | | 依頼等による試験検査 | | | | 依頼等によらないもの |
|---|---|---|---|---|---|---|---|
| | | | 住民 | 市町村 | 市町村以外の行政機関 | その他（医療機関、学校等） | |
| | | | (1) | (2) | (3) | (4) | (5) |
| 細菌学的検査 | 赤　痢 | (01) | | | | | |
| | コレラ | (02) | | | | | |
| | チフス | (03) | | | | | |
| | 結　核 | (04) | | | | | |
| | その他 | (05) | | | | | |
| 食品衛生関係検査 | 食中毒 微生物学的検査 | (06) | | | | | |
| | 食中毒 理化学的検査 | (07) | | | | | |
| | 食中毒 その他 | (08) | | | | | |
| | 食品等検査 微生物学的検査 | (09) | | | | | |
| | 食品等検査 理化学的検査 | (10) | | | | | |
| | 食品等検査 その他 | (11) | | | | | |
| 臨床学的検査 | 血液一般検査 | (12) | | | | | |
| | 血清等検査 HBs抗原、抗体検査 | (13) | | | | | |
| | 血清等検査 梅毒血清検査 | (14) | | | | | |
| | 血清等検査 その他 | (15) | | | | | |
| | 生化学検査 生化学検査 | (16) | | | | | |
| | 生化学検査 先天性代謝異常検査 | (17) | | | | | |
| | 尿検査 尿一般等 | (18) | | | | | |
| | 尿検査 神経芽細胞腫 | (19) | | | | | |
| | 糞便検査 潜血反応 | (20) | | | | | |
| | 糞便検査 寄生虫卵 | (21) | | | | | |
| | 糞便検査 その他 | (22) | | | | | |

| | | | 依頼等による試験検査 | | | | 依頼等によらないもの |
|---|---|---|---|---|---|---|---|
| | | | 住民 | 市町村 | 市町村以外の行政機関 | その他（医療機関、学校等） | |
| | | | (1) | (2) | (3) | (4) | (5) |
| 臨床学的検査 | 生理学的検査 心電図 | (23) | | | | | |
| | 生理学的検査 眼底 | (24) | | | | | |
| | 胸部X線検査 間接撮影 | (25) | | | | | |
| | 胸部X線検査 直接撮影 | (26) | | | | | |
| | 胸部X線検査 断層撮影 | (27) | | | | | |
| | その他 | (28) | | | | | |
| 水質検査 | 水道原水 細菌学的検査 | (29) | | | | | |
| | 水道原水 理化学的検査 | (30) | | | | | |
| | 水道原水 生物学的検査 | (31) | | | | | |
| | 飲用水 細菌学的検査 | (32) | | | | | |
| | 飲用水 理化学的検査 | (33) | | | | | |
| | 利用水等（プール水等を含） 細菌学的検査 | (34) | | | | | |
| | 利用水等（プール水等を含） 理化学的検査 | (35) | | | | | |
| 廃棄物関係検査 | | (36) | | | | | |
| 環境・公害関係検査 | 大気検査 | (37) | | | | | |
| | 水質検査（公共用水域、工場等排水、浄化槽放流水等） | (38) | | | | | |
| | 騒音・振動 | (39) | | | | | |
| | 悪臭検査 | (40) | | | | | |
| | 土壌・底質検査 | (41) | | | | | |
| | その他 | (42) | | | | | |
| その他 | | (43) | | | | | |

# 地域保健・健康増進事業報告

| 種別 | 1 | 都道府県が設置する保健所 |
|---|---|---|

政府統計

統計法に基づく国の一般統計調査です。
調査票情報の秘密の保護に万全を期します。

| 保健所符号 | | | | 表番号 |
|---|---|---|---|---|
| | | | | 13100 |

都道府県名　　保健所名

13(1)　連絡調整に関する会議

平成 29 年度分

| | | 開催回数 (1) | 参加機関・団体数 ※ (2) | （再掲）福祉関係機関 (3) | 議事内容（延件数） 基本的実施方針に関する事項 (4) | 実施体制の確保に関する事項 (5) | サービス提供の指針に関する事項 (6) | 事業評価に関する事項 (7) | その他 (8) | 計 (9) |
|---|---|---|---|---|---|---|---|---|---|---|
| 保健所主催 | 保健所運営協議会 (01) | | | | | | | | | |
| | 保健所保健事業連絡協議会 (02) | | | | | | | | | |
| | 母子保健推進協議会 (03) | | | | | | | | | |
| | 保健所保健福祉サービス調整推進会議 (04) | | | | | | | | | |
| | 地域保健医療協議会等 (05) | | | | | | | | | |
| | 地域・職域連携推進協議会 (06) | | | | | | | | | |
| | 健康危機管理関連会議等 (07) | | | | | | | | | |
| | 難病対策地域協議会 (08) | | | | | | | | | |
| | その他 (09) | | | | | | | | | |
| 参加 | 都道府県主催の会議への参加 (10) | | | | | | | | | |
| | 市町村主催の会議への参加 (11) | | | | | | | | | |
| | その他関係機関・団体主催の会議への参加 (12) | | | | | | | | | |
| | （再掲）介護保険関連の会議 (13) | | | | | | | | | |

※「参加機関・団体数(2)」は延件数である。


# 地域保健・健康増進事業報告

| 種別 | 1 | 都道府県が設置する保健所 |
|---|---|---|

政府統計

統計法に基づく国の一般統計調査です。
調査票情報の秘密の保護に万全を期します。


| 保健所符号 | | | | 表番号 |
|---|---|---|---|---|
| | | | | 13200 |

都道府県名　　保健所名

13(2)　研修等（市町村の職員に対する研修・指導）

平成 29 年度分

| | 保健計画の策定・地域診断 (1) | 母子保健 (2) | 健康増進 (3) | 介護予防・生活支援 (4) | 歯科保健 (5) | 感染症 (6) | （再掲）結核 (7) | （再掲）エイズ (8) |
|---|---|---|---|---|---|---|---|---|
| 実施回数 (01) | | | | | | | | |
| 参加延人員 (02) | | | | | | | | |

| | 精神保健福祉 (9) | （再掲）ヘルパー養成 (10) | 難病 (11) | 介護保険 (12) | 健康危機管理 (13) | その他 (14) | 計 (15) |
|---|---|---|---|---|---|---|---|
| 実施回数 (01) | | | | | | | |
| 参加延人員 (02) | | | | | | | |

# 地 域 保 健 ・ 健 康 増 進 事 業 報 告

| 種別 | 1 | 都道府県が設置する保健所 |
|---|---|---|

| 保健所符号 | | | | 表番号 |
|---|---|---|---|---|
| | | | | 13300 |

政府統計

統計法に基づく国の一般統計調査です。
調査票情報の秘密の保護に万全を期します。

都道府県名　　　　　　保健所名

平成 29 年度分

13(3) 調査・研究

| | 全般 | | 対人保健 | | | | | | | | | |
|---|---|---|---|---|---|---|---|---|---|---|---|---|
| | | | | | | | (再掲) | | | | | |
| | 地域診断 (1) | 情報システム (2) | 母子保健 (3) | 健康増進 (4) | 歯科保健 (5) | 感染症 (6) | 結核 (7) | エイズ (8) | 精神保健福祉 (9) | 難病 (10) | 介護保険 (11) | その他 (12) |
| 件数 (01) | | | | | | | | | | | | |

| | 対物保健 | | | | 計 | (再掲) |
|---|---|---|---|---|---|---|
| | 医事・薬事 (13) | 食品衛生 (14) | 環境衛生 (15) | その他 (16) | (17) | 健康危機管理 (18) |
| 件数 (01) | | | | | | |

# 地 域 保 健 ・ 健 康 増 進 事 業 報 告

| 種別 | 1 | 都道府県が設置する保健所 |
|---|---|---|

| 保健所符号 | | | | 表番号 |
|---|---|---|---|---|
| | | | | 14100 |

政府統計

統計法に基づく国の一般統計調査です。
調査票情報の秘密の保護に万全を期します。

都道府県名　　　　　　保健所名

平成 29 年度分（年度末現在）

14(1) 職員設置状況

| 職種 | | 常勤（実人員）(年度末現在) (1) | 非常勤（延人員）(年度活動分) (2) |
|---|---|---|---|
| 医師 (01) | | | |
| 歯科医師 (02) | | | |
| 獣医師 (03) | | | |
| 薬剤師 (04) | | | |
| 保健師 (05) | | | |
| (再掲) | 市町村駐在 (06) | | |
| | 交流 (07) | | |
| 助産師 (08) | | | |
| 看護師 (09) | | | |
| 准看護師 (10) | | | |
| 理学療法士 (11) | | | |
| 作業療法士 (12) | | | |
| 歯科衛生士 (13) | | | |
| 診療放射線技師 (14) | | | |

| 職種 | | 常勤（実人員）(年度末現在) (1) | 非常勤（延人員）(年度活動分) (2) |
|---|---|---|---|
| 診療エックス線技師 (15) | | | |
| 臨床検査技師 (16) | | | |
| 衛生検査技師 (17) | | | |
| 管理栄養士 (18) | | | |
| 栄養士 (19) | | | |
| その他 (20) | | | |
| (再掲) 医療社会事業員 (21) | | | |
| 計 (22) | | | |
| (再掲) | 精神保健福祉士 (23) | | |
| | 精神保健福祉相談員 (24) | | |
| | 栄養指導員 (25) | | |
| | 食品衛生監視員 (26) | | |
| | 環境衛生監視員 (27) | | |
| | 医療監視員 (28) | | |

# 地 域 保 健 ・ 健 康 増 進 事 業 報 告

政府統計

統計法に基づく国の一般統計調査です。
調査票情報の秘密の保護に万全を期します。

| 種別 | 1 | 都道府県が設置する保健所 |
|---|---|---|

| 保 健 所 符 号 | 表番号 |
|---|---|
| | 14200 |

14(2)　市町村への援助状況

都道府県名　　　　　保健所名

平成　29　年度分

| | 延　人　員　（年度援助分） | | | | | | | | | |
|---|---|---|---|---|---|---|---|---|---|---|
| | 母子保健 (1) | 健康増進 (2) | 介護予防・生活支援 (3) | 歯科保健 (4) | 感染症 (5) | 介護保険 (6) | 健康危機管理 (7) | 精神保健福祉 (8) | その他 (9) | 計 (10) |
| 医　　　　　　　　師　(01) | | | | | | | | | | |
| 歯　科　医　師　(02) | | | | | | | | | | |
| 保　　　健　　　師　(03) | | | | | | | | | | |
| 助　　　産　　　師　(04) | | | | | | | | | | |
| 看 護 師（准看護師を含む。）(05) | | | | | | | | | | |
| 理　学　療　法　士　(06) | | | | | | | | | | |
| 作　業　療　法　士　(07) | | | | | | | | | | |
| 歯　科　衛　生　士　(08) | | | | | | | | | | |
| 管　理　栄　養　士　(09) | | | | | | | | | | |
| 栄　　　養　　　士　(10) | | | | | | | | | | |
| そ　　　の　　　他　(11) | | | | | | | | | | |
| （再掲）医 療 社 会 事 業 員 (12) | | | | | | | | | | |
| 計　(13) | | | | | | | | | | |

630

【政令市（特別区）以外の市町村の報告表】

# 地域保健・健康増進事業報告

| 種別 | 2 | 政令市（特別区）以外の市町村 |
|---|---|---|

| 市区町村符号 | 表番号 |
|---|---|
| | 01000 |

政府統計
統計法に基づく国の一般統計調査です。
調査票情報の秘密の保護に万全を期します。

都道府県名　　　　　市区町村名

平成 29 年度分

1　健康診断

| | 結核 | 生活習慣病 | | | | | | その他 | 計 |
|---|---|---|---|---|---|---|---|---|---|
| | | 悪性新生物 | （再掲）肝臓がん | （再掲）前立腺がん | 循環器疾患 | その他 | （再掲）骨粗鬆症 | | |
| | (1) | (2) | (3) | (4) | (5) | (6) | (7) | (8) | (9) |
| 受診延人員 (01) | | | | | | | | | |
| （再掲）医療機関等へ委託 (02) | | | | | | | | | |

# 地域保健・健康増進事業報告

| 種別 | 2 | 政令市（特別区）以外の市町村 |
|---|---|---|

| 市区町村符号 | 表番号 |
|---|---|
| | 02100 |

政府統計
統計法に基づく国の一般統計調査です。
調査票情報の秘密の保護に万全を期します。

都道府県名　　　　　市区町村名

平成 29 年度分

2 (1)　母子保健（妊娠の届出）

| | 妊娠週（月）数 | | | | | |
|---|---|---|---|---|---|---|
| | 満 11 週以内（第 3 月以内） | 満 12 週～19 週（第 4 月～第 5 月） | 満 20 週～27 週（第 6 月～第 7 月） | 満28週～分娩まで（第 8 月～分娩まで） | 分娩後 | 不詳 |
| | (1) | (2) | (3) | (4) | (5) | (6) |
| 妊娠の届出をした者の数 (01) | | | | | | |

# 地 域 保 健 ・ 健 康 増 進 事 業 報 告

| 種別 | 2 | 政令市（特別区）以外の市町村 |
|---|---|---|

| 市区町村符号 | | | | | 表番号 |
|---|---|---|---|---|---|
| | | | | | 02200 |

政府統計

統計法に基づく国の一般統計調査です。
調査票情報の秘密の保護に万全を期します。

都道府県名　　　　市区町村名

平成 29 年度分

2 (2)　母子保健（健康診査）

| | 妊婦 一般健康診査 受診実人員 (1) | 妊婦 一般健康診査 受診延人員 (2) | 妊婦 精密健康診査受診実人員 (3) | 産婦 一般健康診査 受診実人員 (4) | 産婦 一般健康診査 受診延人員 (5) | 産婦 精密健康診査受診実人員 (6) | 妊婦B型肝炎検査実人員 B型肝炎検査 (7) | 妊婦B型肝炎検査実人員 事後指導 妊婦 (8) | 妊婦B型肝炎検査実人員 事後指導 乳児 (9) |
|---|---|---|---|---|---|---|---|---|---|
| 実施数 (01) | | | | | | | | | |
| （再掲）医療機関等へ委託 (02) | | | | | | | | | |

| | | | 一般健康診査 対象人員 (1) | 一般健康診査 受診実人員 (2) | 一般健康診査 受診延人員 (3) | 一般健康診査 受診結果 異常なし (4) | 受診結果 既医療 (5) | 受診結果 要経過観察 (6) | 受診結果 要治療 (7) | 受診結果 （再掲）要治療 精神面 (8) | 受診結果 （再掲）要治療 身体面 (9) | 受診結果 要精密 (10) | 精密健康診査 受診実人員 (11) | 精密健康診査 受診結果 異常なし (12) | 受診結果 要経過観察 (13) | 受診結果 要治療 (14) | 受診結果 （再掲）要治療 精神面 (15) | 受診結果 （再掲）要治療 身体面 (16) |
|---|---|---|---|---|---|---|---|---|---|---|---|---|---|---|---|---|---|---|
| 乳児 | 1～2か月 | 実施数 (03) | | | | | | | | | | | | | | | | |
| | | （再掲）医療機関等へ委託 (04) | | | | | | | | | | | | | | | | |
| | 3～5か月 | 実施数 (05) | | | | | | | | | | | | | | | | |
| | | （再掲）医療機関等へ委託 (06) | | | | | | | | | | | | | | | | |
| | 6～8か月 | 実施数 (07) | | | | | | | | | | | | | | | | |
| | | （再掲）医療機関等へ委託 (08) | | | | | | | | | | | | | | | | |
| | 9～12か月 | 実施数 (09) | | | | | | | | | | | | | | | | |
| | | （再掲）医療機関等へ委託 (10) | | | | | | | | | | | | | | | | |
| 幼児 | 1歳6か月 | 実施数 (11) | | | | | | | | | | | | | | | | |
| | | （再掲）医療機関等へ委託 (12) | | | | | | | | | | | | | | | | |
| | 3歳 | 実施数 (13) | | | | | | | | | | | | | | | | |
| | | （再掲）医療機関等へ委託 (14) | | | | | | | | | | | | | | | | |
| | 4～6歳 | 実施数 (15) | | | | | | | | | | | | | | | | |
| | | （再掲）医療機関等へ委託 (16) | | | | | | | | | | | | | | | | |
| | その他 | 実施数 (17) | | | | | | | | | | | | | | | | |
| | | （再掲）医療機関等へ委託 (18) | | | | | | | | | | | | | | | | |


# 地 域 保 健 ・ 健 康 増 進 事 業 報 告


| 種別 | 2 | 政令市（特別区）以外の市町村 |
|---|---|---|

| 市区町村符号 | | | | | 表番号 |
|---|---|---|---|---|---|
| | | | | | 02300 |

政府統計

統計法に基づく国の一般統計調査です。
調査票情報の秘密の保護に万全を期します。

都道府県名　　　　市区町村名

平成 29 年度分

2 (3)　母子保健（保健指導）

| | 妊婦 実人員 (1) | 妊婦 （再掲）健診の事後指導 (2) | 妊婦 延人員 (3) | 産婦 実人員 (4) | 産婦 （再掲）健診の事後指導 (5) | 産婦 延人員 (6) | 乳児 実人員 (7) | 乳児 （再掲）健診の事後指導 (8) | 乳児 延人員 (9) | 幼児 実人員 (10) | 幼児 （再掲）健診の事後指導 (11) | 幼児 延人員 (12) | その他 実人員 (13) | その他 （再掲）健診の事後指導 (14) | その他 延人員 (15) | 電話相談 延人員 (16) |
|---|---|---|---|---|---|---|---|---|---|---|---|---|---|---|---|---|
| 個別 (01) | | | | | | | | | | | | | | | | |

# 地域保健・健康増進事業報告

| 種別 | 2 | 政令市（特別区）以外の市町村 |
|---|---|---|

政府統計

統計法に基づく国の一般統計調査です。
調査票情報の秘密の保護に万全を期します。

| 市区町村符号 | | | | | 表番号 |
|---|---|---|---|---|---|
| | | | | | 02400 |

都道府県名　　　　市区町村名

平成 29 年度分

2 (4)　母子保健（訪問指導）

| | 妊婦 | | 産婦 | | 新生児（未熟児を除く。） | | 未熟児 | | 乳児（新生児・未熟児を除く。） | | 幼児 | | その他 | |
|---|---|---|---|---|---|---|---|---|---|---|---|---|---|---|
| | 実人員 (1) | 延人員 (2) | 実人員 (3) | 延人員 (4) | 実人員 (5) | 延人員 (6) | 実人員 (7) | 延人員 (8) | 実人員 (9) | 延人員 (10) | 実人員 (11) | 延人員 (12) | 実人員 (13) | 延人員 (14) |
| 実施数 (01) | | | | | | | | | | | | | | |
| （再掲） (02) 医療機関等へ委託 | | | | | | | | | | | | | | |
| （再掲） (03) 乳児家庭全戸訪問事業を併せて実施 | | | | | | | | | | | | | | |


# 地域保健・健康増進事業報告

| 種別 | 2 | 政令市（特別区）以外の市町村 |
|---|---|---|

政府統計

統計法に基づく国の一般統計調査です。
調査票情報の秘密の保護に万全を期します。


| 市区町村符号 | | | | | 表番号 |
|---|---|---|---|---|---|
| | | | | | 03000 |

都道府県名　　　　市区町村名

平成 29 年度分

3　歯科保健

| | | 健診・保健指導延人員（訪問によるものを除く。） | | | | | 訪問による健診・保健指導人員 | | | |
|---|---|---|---|---|---|---|---|---|---|---|
| | | 妊産婦 (1) | 乳幼児 (2) | その他 (3) | （再掲）歯周疾患検診 (4) | 計 (5) | 実人員 (6) | （再掲）身体障害者(児) 知的障害者(児) 精神障害者 (7) | 延人員 (8) | （再掲）身体障害者(児) 知的障害者(児) 精神障害者 (9) |
| 個別 | 実施数 (01) | | | | | | | | | |
| 個別 | （再掲）医療機関等へ委託 (02) | | | | | | | | | |
| 集団 | 実施数 (03) | | | | | | | | | |
| 集団 | （再掲）医療機関等へ委託 (04) | | | | | | | | | |

| | 予防処置・治療延人員（訪問によるものを除く。） | | | | | 訪問による予防処置・治療人員 | | | |
|---|---|---|---|---|---|---|---|---|---|
| | 予防処置 | | | | | | | | |
| | 妊産婦 (10) | 乳幼児 (11) | その他 (12) | 計 (13) | 治療 (14) | 実人員 (15) | （再掲）身体障害者(児) 知的障害者(児) 精神障害者 (16) | 延人員 (17) | （再掲）身体障害者(児) 知的障害者(児) 精神障害者 (18) |
| 実施数 (05) | | | | | | | | | |
| （再掲）医療機関等へ委託 (06) | | | | | | | | | |

| | | 対象人員 (19) | 受診実人員 (20) | むし歯の総本数 (21) | 受診結果 | | | |
|---|---|---|---|---|---|---|---|---|
| | | | | | むし歯のある人員 (22) | 軟組織異常のある人員 (23) | 咬合異常のある人員 (24) | その他の異常のある人員 (25) |
| 1歳6か月児 | 実施数 (07) | | | | | | | |
| 1歳6か月児 | （再掲）医療機関等へ委託 (08) | | | | | | | |
| 3歳児 | 実施数 (09) | | | | | | | |
| 3歳児 | （再掲）医療機関等へ委託 (10) | | | | | | | |

# 地 域 保 健 ・ 健 康 増 進 事 業 報 告

種別 2 政令市（特別区）以外の市町村

| 市区町村符号 | 表番号 |
|---|---|
| | 04100 |

政府統計

統計法に基づく国の一般統計調査です。
調査票情報の秘密の保護に万全を期します。

都道府県名　　　　　　　　市区町村名

4（1）　健康増進（栄養・運動等指導）

平成 29 年度分

| | | 個 別 指 導 延 人 員 | | | | | | | | 集 団 指 導 延 人 員 | | | | | | |
|---|---|---|---|---|---|---|---|---|---|---|---|---|---|---|---|---|
| | | 栄養指導 (1) | （再掲）病態別栄養指導 (2) | （再掲）訪問による栄養指導 (3) | 運動指導 (4) | （再掲）病態別運動指導 (5) | 休養指導 (6) | 禁煙指導 (7) | その他 (8) | 栄養指導 (9) | （再掲）病態別栄養指導 (10) | 運動指導 (11) | （再掲）病態別運動指導 (12) | 休養指導 (13) | 禁煙指導 (14) | その他 (15) |
| 実施数 | 妊産婦 (01) | | | | | | | | | | | | | | | |
| | 乳幼児 (02) | | | | | | | | | | | | | | | |
| | 20歳未満（妊産婦・乳幼児を除く。）(03) | | | | | | | | | | | | | | | |
| | 20歳以上（妊産婦を除く。）(04) | | | | | | | | | | | | | | | |
| （再掲）医療機関等へ委託 | 妊産婦 (05) | | | | | | | | | | | | | | | |
| | 乳幼児 (06) | | | | | | | | | | | | | | | |
| | 20歳未満（妊産婦・乳幼児を除く。）(07) | | | | | | | | | | | | | | | |
| | 20歳以上（妊産婦を除く。）(08) | | | | | | | | | | | | | | | |

---

種別 2 政令市（特別区）以外の市町村

# 地 域 保 健 ・ 健 康 増 進 事 業 報 告

| 市区町村符号 | 表番号 |
|---|---|
| | 05100 |

政府統計

都道府県名　　　市区町村名

5（1）　精神保健福祉（相談等）

平成 29 年度分

**相談、デイ・ケア、訪問指導**

| | 実人員 (1) | （(2)の再掲）新規者の受付経路 | |
|---|---|---|---|
| | | 医療機関 (2) | その他 (3) |
| 人員 (01) | | | |

**（再掲）相談　延人員**

| | 実人員 (1) | 老人精神保健 (2) | 社会復帰 (3) | アルコール (4) | 薬物 (5) | ギャンブル (6) | 思春期 (7) | 心の健康づくり (8) | 摂食障害 (9) | てんかん (10) | その他 (11) | 計 (12) | (12) の再掲 | | | |
|---|---|---|---|---|---|---|---|---|---|---|---|---|---|---|---|---|
| | | | | | | | | | | | | | ひきこもり (13) | 自殺関連／自死遺族 (14)(15) | 犯罪被害 (16) | 災害 (17) |
| 人員 (02) | | | | | | | | | | | | | | | | |

**（再掲）デイ・ケア**

| | 実人員 (1) | 延人員 (2) | ひきこもり (2)の再掲 (3) |
|---|---|---|---|
| 人員 (03) | | | |

**（再掲）訪問指導　延人員**

| | 実人員 (1) | 老人精神保健 (2) | 社会復帰 (3) | アルコール (4) | 薬物 (5) | ギャンブル (6) | 思春期 (7) | 心の健康づくり (8) | 摂食障害 (9) | てんかん (10) | その他 (11) | 計 (12) | (12) の再掲 | | | |
|---|---|---|---|---|---|---|---|---|---|---|---|---|---|---|---|---|
| | | | | | | | | | | | | | ひきこもり (13) | 自殺関連／自死遺族 (14)(15) | 犯罪被害 (16) | 災害 (17) |
| 人員 (04) | | | | | | | | | | | | | | | | |

**電話相談等延人員**

| | 老人精神保健 (2) | 社会復帰 (3) | アルコール (4) | 薬物 (5) | ギャンブル (6) | 思春期 (7) | 心の健康づくり (8) | 摂食障害 (9) | てんかん (10) | その他 (11) | 計 (12) | (11) の再掲 | | | |
|---|---|---|---|---|---|---|---|---|---|---|---|---|---|---|---|
| | | | | | | | | | | | | ひきこもり (13) | 自殺関連／自死遺族 (14)(15) | 犯罪被害 (16) | 災害 (16) |
| 電話による相談 (05) | | | | | | | | | | | | | | | |
| 電子メールによる相談 (06) | | | | | | | | | | | | | | | |

**普及啓発**

| | 精神障害者（家族）に対する教室等 (1) | うつ病に関する教室等 (1)の再掲 (2) | 地域住民と精神障害者との地域交流会 (3) |
|---|---|---|---|
| 開催回数 (07) | | | |
| 延人員 (08) | | | |

# 地 域 保 健 ・ 健 康 増 進 事 業 報 告

種別 2 政令市（特別区）以外の市町村

| 市 区 町 村 符 号 | | | | | 表番号 |
|---|---|---|---|---|---|
| | | | | | 0 6 0 0 0 |

政府統計

統計法に基づく国の一般統計調査です。
調査票情報の秘密の保護に万全を期します。

都道府県名　　　　　　　　市区町村名

6　難病

平成 29 年度分

| | 相談、機能訓練、訪問指導 | | | （再掲） 相 談 | | | | | | | | | | |
|---|---|---|---|---|---|---|---|---|---|---|---|---|---|---|
| | 実人員 | （再掲）新規者の受付経路 | | 実人員 | 延 人 員 | | | | | | | | | |
| | | 医療機関 | その他 | | 申請等の相談 | 医 療 | 家庭看護 | 福祉制度 | 就 労 | 就 学 | 食事・栄養 | 歯 科 | その他 | 計 |
| | (1) | (2) | (3) | (4) | (5) | (6) | (7) | (8) | (9) | (10) | (11) | (12) | (13) | (14) |
| 人 員 (01) | | | | | | | | | | | | | | |

| | （再掲）機能訓練 | | （再掲）訪問指導 | | 電話相談延人員 | | 患者・家族に対する学習会 | |
|---|---|---|---|---|---|---|---|---|
| | 実人員 | 延人員 | 実人員 | 延人員 | | | 開催回数 | 延 人 員 |
| | (15) | (16) | (17) | (18) | (19) | | (20) | (21) |
| 人 員 (01) | | | | | | | | |

# 地 域 保 健 ・ 健 康 増 進 事 業 報 告

種別 2 政令市（特別区）以外の市町村

| 市 区 町 村 符 号 | | | | | 表番号 |
|---|---|---|---|---|---|
| | | | | | 0 8 0 0 0 |

政府統計

統計法に基づく国の一般統計調査です。
調査票情報の秘密の保護に万全を期します。

都道府県名　　　　　　　　市区町村名

8　衛生教育

平成 29 年度分

| | 感染症 | | | 精神 | 難病 | 母　　子 | | | | | | 成人・老人 | 栄 養・健康増進 | 歯 科 | 医事・薬事 | 食品 | 環境 | その他 | 計 | | |
|---|---|---|---|---|---|---|---|---|---|---|---|---|---|---|---|---|---|---|---|---|---|
| | | （再掲） | | | | 思春期・未婚女性学級 | 婚 前・新婚学級 | 両（母）親学級 | 育 児学 級 | その他 | 計 | | | | | | | | | （再掲） | |
| | | 結 核 | エイズ | | | | | | | | | | | | | | | | | 地区組織活動 | 健康危機管理 |
| | (1) | (2) | (3) | (4) | (5) | (6) | (7) | (8) | (9) | (10) | (11) | (12) | (13) | (14) | (15) | (16) | (17) | (18) | (19) | (20) | (21) |
| 回 数 (01) | | | | | | | | | | | | | | | | | | | | | |
| 延人員 (02) | | | | | | | | | | | | | | | | | | | | | |

| 種別 | 2 | 政令市（特別区）以外の市町村 |
|---|---|---|

| 市区町村符号 | | | | | 表番号 |
|---|---|---|---|---|---|
| | | | | | 09000 |

# 地域保健・健康増進事業報告

統計法に基づく国の一般統計調査です。
調査票情報の秘密の保護に万全を期します。

9　予防接種

都道府県名　　　　市区町村名

平成 29 年度分

| A 類 疾 病 | | 沈降精製百日せきジフテリア破傷風混合ワクチン（DPT） | | | | 沈降ジフテリア破傷風混合トキソイド（DT） | | | | 不活化ポリオワクチン（IPV） | | | | 沈降精製百日せきジフテリア破傷風不活化ポリオ混合ワクチン（DPT-IPV） | | | | 日本脳炎ワクチン | | | |
|---|---|---|---|---|---|---|---|---|---|---|---|---|---|---|---|---|---|---|---|---|---|
| | | 第 1 期 | | | | 第 1 期 | | | 第2期 | 初回接種 | | | 追加接種 | 第 1 期 | | | | 第1期 | | | 第2期 |
| | | 初回接種 | | | 追加接種 | 初回接種 | | 追加接種 | | 第1回 | 第2回 | 第3回 | | 初回接種 | | | 追加接種 | 初回接種 | | 追加接種 | |
| | | 第1回 (1) | 第2回 (2) | 第3回 (3) | (4) | 第1回 (5) | 第2回 (6) | (7) | (8) | (9) | (10) | (11) | (12) | 第1回 (13) | 第2回 (14) | 第3回 (15) | (16) | 第1回 (17) | 第2回 (18) | (19) | (20) |
| 接種者数 | 0 歳 (01) | | | | | | | | | | | | | | | | | | | | |
| | 1 歳 (02) | | | | | | | | | | | | | | | | | | | | |
| | 2 歳 (03) | | | | | | | | | | | | | | | | | | | | |
| | 3 歳 (04) | | | | | | | | | | | | | | | | | | | | |
| | 4 歳 (05) | | | | | | | | | | | | | | | | | | | | |
| | 5 歳 (06) | | | | | | | | | | | | | | | | | | | | |
| | 6 歳 (07) | | | | | | | | | | | | | | | | | | | | |
| | 7 歳 (08) | | | | | | | | | | | | | | | | | | | | |
| | 8 歳 (09) | | | | | | | | | | | | | | | | | | | | |
| | 9 歳 (10) | | | | | | | | | | | | | | | | | | | | |
| | 10 歳 (11) | | | | | | | | | | | | | | | | | | | | |
| | 11 歳 (12) | | | | | | | | | | | | | | | | | | | | |
| | 12 歳 (13) | | | | | | | | | | | | | | | | | | | | |
| | 13 歳 (14) | | | | | | | | | | | | | | | | | | | | |
| | 14 歳 (15) | | | | | | | | | | | | | | | | | | | | |
| | 15 歳 (16) | | | | | | | | | | | | | | | | | | | | |
| | 16 歳 (17) | | | | | | | | | | | | | | | | | | | | |
| | 17 歳 (18) | | | | | | | | | | | | | | | | | | | | |
| | 18 歳 (19) | | | | | | | | | | | | | | | | | | | | |
| | 19 歳 (20) | | | | | | | | | | | | | | | | | | | | |
| | 計 (21) | | | | | | | | | | | | | | | | | | | | |
| | （再掲）個別 (22) | | | | | | | | | | | | | | | | | | | | |
| | （再掲）集団 (23) | | | | | | | | | | | | | | | | | | | | |

| A 類 疾 病 | | ヒブワクチン | | | | 小児用肺炎球菌ワクチン | | | | 子宮頸がん予防ワクチン | | | 水痘ワクチン | | B型肝炎ワクチン | | |
|---|---|---|---|---|---|---|---|---|---|---|---|---|---|---|---|---|---|
| | | 第1回 (1) | 第2回 (2) | 第3回 (3) | 第4回 (4) | 第1回 (5) | 第2回 (6) | 第3回 (7) | 第4回 (8) | 第1回 (9) | 第2回 (10) | 第3回 (11) | 第1回 (12) | 第2回 (13) | 第1回 (14) | 第2回 (15) | 第3回 (16) |
| 接種者数 | 0 歳 (24) | | | | | | | | | | | | | | | | |
| | 1 歳 (25) | | | | | | | | | | | | | | | | |
| | 2 歳 (26) | | | | | | | | | | | | | | | | |
| | 3 歳 (27) | | | | | | | | | | | | | | | | |
| | 4 歳 (28) | | | | | | | | | | | | | | | | |
| | 5 歳 (29) | | | | | | | | | | | | | | | | |
| | 6 歳 (30) | | | | | | | | | | | | | | | | |
| | 7 歳 (31) | | | | | | | | | | | | | | | | |
| | 8 歳 (32) | | | | | | | | | | | | | | | | |
| | 9 歳 (33) | | | | | | | | | | | | | | | | |
| | 10 歳 (34) | | | | | | | | | | | | | | | | |
| | 11 歳 (35) | | | | | | | | | | | | | | | | |
| | 12 歳 (36) | | | | | | | | | | | | | | | | |
| | 13 歳 (37) | | | | | | | | | | | | | | | | |
| | 14 歳 (38) | | | | | | | | | | | | | | | | |
| | 15 歳 (39) | | | | | | | | | | | | | | | | |
| | 16 歳 (40) | | | | | | | | | | | | | | | | |
| | 計 (41) | | | | | | | | | | | | | | | | |
| | （再掲）個別 (42) | | | | | | | | | | | | | | | | |
| | （再掲）集団 (43) | | | | | | | | | | | | | | | | |

| A 類 疾 病 | | 麻しん風しん混合ワクチン | | 麻しんワクチン | | 風しんワクチン | |
|---|---|---|---|---|---|---|---|
| | | 第1期 (1) | 第2期 (2) | 第1期 (3) | 第2期 (4) | 第1期 (5) | 第2期 (6) |
| 接種者数 | 1 歳 (44) | | | | | | |
| | 5 歳 (45) | | | | | | |
| | 6 歳 (46) | | | | | | |
| | 計 (47) | | | | | | |
| | （再掲）個別 (48) | | | | | | |
| | （再掲）集団 (49) | | | | | | |

| A 類 疾 病 | BCGワクチン | | 計 |
|---|---|---|---|
| | 5月未満 (1) | 5月以上1歳未満 (2) | (3) |
| 接種者数 (50) | | | |
| （再掲）個別 (51) | | | |
| （再掲）集団 (52) | | | |

| B 類 疾 病 | インフルエンザワクチン | | | 成人用肺炎球菌ワクチン | | | | | | | | | |
|---|---|---|---|---|---|---|---|---|---|---|---|---|---|
| | 60歳以上65歳未満 (1) | 65歳以上 (2) | 計 (3) | 60歳以上65歳未満 (4) | 65歳相当 (5) | 70歳相当 (6) | 75歳相当 (7) | 80歳相当 (8) | 85歳相当 (9) | 90歳相当 (10) | 95歳相当 (11) | 100歳相当 (12) | 計 (13) |
| 接種者数 (53) | | | | | | | | | | | | | |
| 対象者数 (54) | | | | | | | | | | | | | |

# 地域保健・健康増進事業報告

| 種別 | 2 | 政令市（特別区）以外の市町村 |
|---|---|---|

| 市区町村符号 | 表番号 |
|---|---|
| | 11000 |

政府統計
統計法に基づく国の一般統計調査です。
調査票情報の秘密の保護に万全を期します。

都道府県名　　市区町村名
平成 29 年度分

11 生活衛生

| | 飲料水施設 | | | |
|---|---|---|---|---|
| | 専用水道<br>(1) | 簡易専用水道<br>(2) | その他の水道<br>(3) | 井戸等<br>(4) |
| 調査・監視指導延施設数 | | | | |

※市のみ記入すること。町村は記入不要。


| 種別 | 2 | 政令市（特別区）以外の市町村 |
|---|---|---|

# 地域保健・健康増進事業報告


| 市区町村符号 | 表番号 |
|---|---|
| | 12000 |


政府統計
統計法に基づく国の一般統計調査です。
調査票情報の秘密の保護に万全を期します。


都道府県名　　市区町村名
平成 29 年度分

12 試験検査

| | | | | 依頼等による試験検査 | | | | 依頼等によらないもの<br>(5) |
|---|---|---|---|---|---|---|---|---|
| | | | | 住民<br>(1) | 市町村<br>(2) | 市町村以外の行政機関<br>(3) | その他（医療機関、学校等）<br>(4) | |
| 細菌学的検査 | | 赤痢 | (01) | | ＼ | | | |
| | | コレラ | (02) | | ＼ | | | |
| | | チフス | (03) | | ＼ | | | |
| | | 結核 | (04) | | ＼ | | | |
| | | その他 | (05) | | ＼ | | | |
| 食品衛生関係検査 | 食中毒 | 微生物学的検査 | (06) | | ＼ | | | |
| | | 理化学的検査 | (07) | | ＼ | | | |
| | | その他 | (08) | | ＼ | | | |
| | 食品等検査 | 微生物学的検査 | (09) | | ＼ | | | |
| | | 理化学的検査 | (10) | | ＼ | | | |
| | | その他 | (11) | | ＼ | | | |
| 臨床学的検査 | | 血液一般検査 | (12) | | ＼ | | | |
| | 血清等検査 | HBs抗原、抗体検査 | (13) | | ＼ | | | |
| | | 梅毒血清検査 | (14) | | ＼ | | | |
| | | その他 | (15) | | ＼ | | | |
| | 生化学検査 | 生化学検査 | (16) | | ＼ | | | |
| | | 先天性代謝異常検査 | (17) | | ＼ | | | |
| | 尿検査 | 尿一般等 | (18) | | ＼ | | | |
| | | 神経芽細胞腫 | (19) | | ＼ | | | |
| | 糞便検査 | 潜血反応 | (20) | | ＼ | | | |
| | | 寄生虫卵 | (21) | | ＼ | | | |
| | | その他 | (22) | | ＼ | | | |

| | | | | 依頼等による試験検査 | | | | 依頼等によらないもの<br>(5) |
|---|---|---|---|---|---|---|---|---|
| | | | | 住民<br>(1) | 市町村<br>(2) | 市町村以外の行政機関<br>(3) | その他（医療機関、学校等）<br>(4) | |
| 臨床学的検査 | 生理学的検査 | 心電図 | (23) | | ＼ | | | |
| | | 眼底 | (24) | | ＼ | | | |
| | 胸部X線検査 | 間接撮影 | (25) | | ＼ | | | |
| | | 直接撮影 | (26) | | ＼ | | | |
| | | 断層撮影 | (27) | | ＼ | | | |
| | その他 | | (28) | | ＼ | | | |
| 水質検査 | 水道原水 | 細菌学的検査 | (29) | | ＼ | | | |
| | | 理化学的検査 | (30) | | ＼ | | | |
| | | 生物学的検査 | (31) | | ＼ | | | |
| | 飲用水 | 細菌学的検査 | (32) | | ＼ | | | |
| | | 理化学的検査 | (33) | | ＼ | | | |
| | 利用水等（プール水等を含 | 細菌学的検査 | (34) | | ＼ | | | |
| | | 理化学的検査 | (35) | | ＼ | | | |
| 廃棄物関係検査 | | | (36) | | ＼ | | | |
| 環境・公害関係検査 | 大気検査 | | (37) | | ＼ | | | |
| | 水質検査（公共用水域、工場等排水、浄化槽放流水等） | | (38) | | ＼ | | | |
| | 騒音・振動 | | (39) | | ＼ | | | |
| | 悪臭検査 | | (40) | | ＼ | | | |
| | 土壌・底質検査 | | (41) | | ＼ | | | |
| | その他 | | (42) | | ＼ | | | |
| その他 | | | (43) | | ＼ | | | |

# 地 域 保 健 ・ 健 康 増 進 事 業 報 告

政府統計

統計法に基づく国の一般統計調査です。
調査票情報の秘密の保護に万全を期します。

| 種別 | 2 | 政令市（特別区）以外の市町村 |

| 市 区 町 村 符 号 | 表番号 |
|---|---|
|  | 13100 |

都道府県名　　　　　　市区町村名

13(1)　連絡調整に関する会議

平成　29　年度分

| | | 開催回数 (1) | 参加機関・団体数 ※ (2) | （再掲）福祉関係機関 (3) | 議 事 内 容 （延件数） | | | | | |
|---|---|---|---|---|---|---|---|---|---|---|
| | | | | | 基本的実施方針に関する事項 (4) | 実施体制の確保に関する事項 (5) | サービス提供の指針に関する事項 (6) | 事業評価に関する事項 (7) | その他 (8) | 計 (9) |
| 市町村主催 | 母子保健に関する会議 (01) | | | | | | | | | |
| | 健康増進に関する会議 (02) | | | | | | | | | |
| | 障害者福祉調整会議（精神等含む。）(03) | | | | | | | | | |
| | そ の 他 (04) | | | | | | | | | |
| 参加 | 都道府県主催の会議への参加 (05) | | | | | | | | | |
| | 保健所主催の会議への参加 (06) | | | | | | | | | |
| | その他関係機関・団体主催の会議への参加 (07) | | | | | | | | | |
| | （再掲）介護保険関連の会議 (08) | | | | | | | | | |

※「参加機関・団体数(2)」は延件数である。

---

# 地 域 保 健 ・ 健 康 増 進 事 業 報 告

政府統計

統計法に基づく国の一般統計調査です。
調査票情報の秘密の保護に万全を期します。

| 種別 | 2 | 政令市（特別区）以外の市町村 |

| 市 区 町 村 符 号 | 表番号 |
|---|---|
|  | 13300 |

都道府県名　　　　　　市区町村名

13(3)　調査・研究

平成　29　年度分

| | 全 般 | | 対 人 保 健 | | | | | | | | | |
|---|---|---|---|---|---|---|---|---|---|---|---|---|
| | 地域診断 (1) | 情報システム (2) | 母子保健 (3) | 健康増進 (4) | 歯科保健 (5) | 感染症 (6) | （再掲）結核 (7) | エイズ (8) | 精神保健福祉 (9) | 難病 (10) | 介護保険 (11) | その他 (12) |
| 件　数 (01) | | | | | | | | | | | | |

| | 対 物 保 健 | | | | 計 | |
|---|---|---|---|---|---|---|
| | 医事・薬事 (13) | 食品衛生 (14) | 環境衛生 (15) | その他 (16) | (17) | （再掲）健康危機管理 (18) |
| 件　数 (01) | | | | | | |

638

# 地域保健・健康増進事業報告

政府統計
統計法に基づく国の一般統計調査です。
調査票情報の秘密の保護に万全を期します。

| 種別 | 2 | 政令市（特別区）以外の市町村 |
|---|---|---|

| 市区町村符号 | | | | | 表番号 |
|---|---|---|---|---|---|
| | | | | | 14100 |

都道府県名　　市区町村名

平成 29 年度分（年度末現在）

14(1) 職員設置状況

| 職種 | | 常勤（実人員）（年度末現在）(1) | 非常勤（延人員）（年度活動分）(2) |
|---|---|---|---|
| 医師 | (01) | | |
| 歯科医師 | (02) | | |
| 獣医師 | (03) | | |
| 薬剤師 | (04) | | |
| 保健師 | (05) | | |
| （再掲）派遣 | (06) | | |
| （再掲）交流 | (07) | | |
| 助産師 | (08) | | |
| 看護師 | (09) | | |
| 准看護師 | (10) | | |
| 理学療法士 | (11) | | |
| 作業療法士 | (12) | | |
| 歯科衛生士 | (13) | | |
| 診療放射線技師 | (14) | | |
| 診療エックス線技師 | (15) | | |
| 臨床検査技師 | (16) | | |
| 衛生検査技師 | (17) | | |
| 管理栄養士 | (18) | | |
| 栄養士 | (19) | | |
| その他 | (20) | | |
| 計 | (21) | | |
| （再掲）精神保健福祉士 | (22) | | |
| （再掲）精神保健福祉相談員 | (23) | | |
| （再掲）栄養指導員 | (24) | | |
| （再掲）食品衛生監視員 | (25) | | |
| （再掲）環境衛生監視員 | (26) | | |
| （再掲）医療監視員 | (27) | | |

## 【政令市（特別区）の報告表】

# 地域保健・健康増進事業報告

政府統計

統計法に基づく国の一般統計調査です。
調査票情報の秘密の保護に万全を期します。

| 種別 | 3 | 政令市（特別区） |
|---|---|---|

| 市区町村符号 | 保健所符号 | 表番号 |
|---|---|---|
| | | 01000 |

政令市（特別区）名

平成 29 年度

1　健康診断

| | | 結核 定期 (1) | 結核 接触者健診 (2) | 精神 (3) | 療育 (4) | 生活習慣病 悪性新生物 (5) | 生活習慣病 (再掲) 肝臓がん (6) | 生活習慣病 (再掲) 前立腺がん (7) | 生活習慣病 循環器疾患 (8) | 生活習慣病 その他 (9) | 生活習慣病 (再掲) 骨粗鬆症 (10) |
|---|---|---|---|---|---|---|---|---|---|---|---|
| 政令市特別区 | 受診延人員 (01) | | | | | | | | | | |
| | (再掲) 医療機関等へ委託 (02) | | | | | | | | | | |
| (再掲) 保健所 | 受診延人員 (03) | | | | | | | | | | |

| | | 一般 (11) | その他 (12) | 計 (13) | (再掲) 事業所からの受託 (14) |
|---|---|---|---|---|---|
| 政令市特別区 | 受診延人員 (01) | | | | |
| | (再掲) 医療機関等へ委託 (02) | | | | |
| (再掲) 保健所 | 受診延人員 (03) | | | | |

# 地域保健・健康増進事業報告

政府統計

統計法に基づく国の一般統計調査です。
調査票情報の秘密の保護に万全を期します。

| 種別 | 3 | 政令市（特別区） |
|---|---|---|

| 市区町村符号 | 表番号 |
|---|---|
| | 02100 |

政令市（特別区）名

平成 29 年度分

2 (1)　母子保健（妊娠の届出）

| | 妊娠週（月）数 満11週以内（第3月以内） (1) | 満12週～19週（第4月～第5月） (2) | 満20週～27週（第6月～第7月） (3) | 満28週～分娩まで（第8月～分娩まで） (4) | 分娩後 (5) | 不詳 (6) |
|---|---|---|---|---|---|---|
| 妊娠の届出をした者の数 (01) | | | | | | |

# 地域保健・健康増進事業報告

| 種別 | 3 | 政令市（特別区） |
|---|---|---|

| 市区町村符号 | 保健所符号 | 表番号 |
|---|---|---|
| | | 02200 |

政府統計
統計法に基づく国の一般統計調査です。
調査票情報の秘密の保護に万全を期します。

政令市（特別区）名

平成 29 年度分

2 (2) 母子保健（健康診査）

| | | 妊婦 | | | 産婦 | | | 妊婦Ｂ型肝炎検査実人員 | | |
|---|---|---|---|---|---|---|---|---|---|---|
| | | 一般健康診査 | | 精密健康診査受診実人員 | 一般健康診査 | | 精密健康診査受診実人員 | Ｂ型肝炎検査 | 事後指導 | |
| | | 受診実人員 | 受診延人員 | | 受診実人員 | 受診延人員 | | | 妊婦 | 乳児 |
| | | (1) | (2) | (3) | (4) | (5) | (6) | (7) | (8) | (9) |
| 政令市特別区 | 実施数 (01) | | | | | | | | | |
| | （再掲）医療機関等へ委託 (02) | | | | | | | | | |
| （再掲）保健所 | 実施数 (03) | | | | | | | | | |
| | （再掲）医療機関等へ委託 (04) | | | | | | | | | |

| | | | | 一般健康診査 | | | | | | | | | | 精密健康診査 | | | | | |
|---|---|---|---|---|---|---|---|---|---|---|---|---|---|---|---|---|---|---|---|
| | | | | | | | 受診結果 | | | | | | | | 受診結果 | | | | |
| | | | | 対象人員 | 受診実人員 | 受診延人員 | 異常なし | 既医療 | 要経過観察 | 要治療 | （再掲）要治療 | | 要精密 | 受診実人員 | 異常なし | 要経過観察 | 要治療 | （再掲）要治療 | |
| | | | | | | | | | | | 精神面 | 身体面 | | | | | | 精神面 | 身体面 |
| | | | | (1) | (2) | (3) | (4) | (5) | (6) | (7) | (8) | (9) | (10) | (11) | (12) | (13) | (14) | (15) | (16) |
| 政令市・特別区 | 乳児 | 1～2か月 | 実施数 (05) | | | | | | | | | | | | | | | | |
| | | | （再掲）医療機関等へ委託 (06) | | | | | | | | | | | | | | | | |
| | | 3～5か月 | 実施数 (07) | | | | | | | | | | | | | | | | |
| | | | （再掲）医療機関等へ委託 (08) | | | | | | | | | | | | | | | | |
| | | 6～8か月 | 実施数 (09) | | | | | | | | | | | | | | | | |
| | | | （再掲）医療機関等へ委託 (10) | | | | | | | | | | | | | | | | |
| | | 9～12か月 | 実施数 (11) | | | | | | | | | | | | | | | | |
| | | | （再掲）医療機関等へ委託 (12) | | | | | | | | | | | | | | | | |
| | 幼児 | 1歳6か月 | 実施数 (13) | | | | | | | | | | | | | | | | |
| | | | （再掲）医療機関等へ委託 (14) | | | | | | | | | | | | | | | | |
| | | 3歳 | 実施数 (15) | | | | | | | | | | | | | | | | |
| | | | （再掲）医療機関等へ委託 (16) | | | | | | | | | | | | | | | | |
| | | 4～6歳 | 実施数 (17) | | | | | | | | | | | | | | | | |
| | | | （再掲）医療機関等へ委託 (18) | | | | | | | | | | | | | | | | |
| | | その他 | 実施数 (19) | | | | | | | | | | | | | | | | |
| | | | （再掲）医療機関等へ委託 (20) | | | | | | | | | | | | | | | | |
| （再掲）保健所 | 乳児 | 1～2か月 | 実施数 (21) | | | | | | | | | | | | | | | | |
| | | | （再掲）医療機関等へ委託 (22) | | | | | | | | | | | | | | | | |
| | | 3～5か月 | 実施数 (23) | | | | | | | | | | | | | | | | |
| | | | （再掲）医療機関等へ委託 (24) | | | | | | | | | | | | | | | | |
| | | 6～8か月 | 実施数 (25) | | | | | | | | | | | | | | | | |
| | | | （再掲）医療機関等へ委託 (26) | | | | | | | | | | | | | | | | |
| | | 9～12か月 | 実施数 (27) | | | | | | | | | | | | | | | | |
| | | | （再掲）医療機関等へ委託 (28) | | | | | | | | | | | | | | | | |
| | 幼児 | 1歳6か月 | 実施数 (29) | | | | | | | | | | | | | | | | |
| | | | （再掲）医療機関等へ委託 (30) | | | | | | | | | | | | | | | | |
| | | 3歳 | 実施数 (31) | | | | | | | | | | | | | | | | |
| | | | （再掲）医療機関等へ委託 (32) | | | | | | | | | | | | | | | | |
| | | 4～6歳 | 実施数 (33) | | | | | | | | | | | | | | | | |
| | | | （再掲）医療機関等へ委託 (34) | | | | | | | | | | | | | | | | |
| | | その他 | 実施数 (35) | | | | | | | | | | | | | | | | |
| | | | （再掲）医療機関等へ委託 (36) | | | | | | | | | | | | | | | | |

# 地 域 保 健 ・ 健 康 増 進 事 業 報 告

**政府統計**
統計法に基づく国の一般統計調査です。
調査票情報の秘密の保護に万全を期します。

| 種別 | 3 | 政令市（特別区） |
|---|---|---|

| 市 区 町 村 符 号 | 保 健 所 符 号 | 表番号 |
|---|---|---|
|  |  | 0 2 3 0 0 |

政令市（特別区）名 ＿＿＿＿＿＿＿＿＿＿

2 (3) 母子保健（保健指導）　　　　　　　　　　　　　平成　29　年度分

| | | 妊　　　婦 | | | 産　　　婦 | | | 乳　　　児 | | | 幼　　　児 | | | そ　の　他 | | | 電話相談 |
|---|---|---|---|---|---|---|---|---|---|---|---|---|---|---|---|---|---|
| | | 実 人 員 | (再掲)健診の事後指導 | 延 人 員 | 実 人 員 | (再掲)健診の事後指導 | 延 人 員 | 実 人 員 | (再掲)健診の事後指導 | 延 人 員 | 実 人 員 | (再掲)健診の事後指導 | 延 人 員 | 実 人 員 | (再掲)健診の事後指導 | 延 人 員 | 延 人 員 |
| | | (1) | (2) | (3) | (4) | (5) | (6) | (7) | (8) | (9) | (10) | (11) | (12) | (13) | (14) | (15) | (16) |
| 政令市特別区 | 個別 (01) | | | | | | | | | | | | | | | | |
| (再掲)保健所 | 個別 (02) | | | | | | | | | | | | | | | | |


# 地 域 保 健 ・ 健 康 増 進 事 業 報 告

**政府統計**
統計法に基づく国の一般統計調査です。
調査票情報の秘密の保護に万全を期します。

| 種別 | 3 | 政令市（特別区） |
|---|---|---|

| 市 区 町 村 符 号 | 保 健 所 符 号 | 表番号 |
|---|---|---|
|  |  | 0 2 4 0 0 |

政令市（特別区）名 ＿＿＿＿＿＿＿＿＿＿

2 (4) 母子保健（訪問指導）　　　　　　　　　　　　　平成　29　年度分

| | | 妊　　婦 | | 産　　婦 | | 新　生　児（未熟児を除く。） | | 未　熟　児 | | 乳　　児（新生児・未熟児を除く。） | | 幼　　児 | | そ　の　他 | |
|---|---|---|---|---|---|---|---|---|---|---|---|---|---|---|---|
| | | 実人員 | 延人員 | 実人員 | 延人員 | 実人員 | 延人員 | 実人員 | 延人員 | 実人員 | 延人員 | 実人員 | 延人員 | 実人員 | 延人員 |
| | | (1) | (2) | (3) | (4) | (5) | (6) | (7) | (8) | (9) | (10) | (11) | (12) | (13) | (14) |
| 政令市特別区 | 実 施 数 (01) | | | | | | | | | | | | | | |
| | (再掲) (02) 医療機関等へ委託 | | | | | | | | | | | | | | |
| | (再掲) (03) 乳児家庭全戸訪問事業を併せて実施 | | | | | | | | | | | | | | |
| (再掲)保健所 | 実 施 数 (04) | | | | | | | | | | | | | | |
| | (再掲) (05) 医療機関等へ委託 | | | | | | | | | | | | | | |
| | (再掲) (06) 乳児家庭全戸訪問事業を併せて実施 | | | | | | | | | | | | | | |

# 地域保健・健康増進事業報告

政府統計
統計法に基づく国の一般統計調査です。
調査票情報の秘密の保護に万全を期します。

| 種別 | 3 | 政令市（特別区） |
|---|---|---|

| 市区町村符号 | 保健所符号 | 表番号 |
|---|---|---|
| | | 02600 |

政令市（特別区）名

2 (6)　母子保健（療育指導－長期療養児－相談等）

平成 29 年度分

| | | 相談、機能訓練、訪問指導 | | | | （再掲）相談 | | | | | | | | | |
|---|---|---|---|---|---|---|---|---|---|---|---|---|---|---|---|
| | | | （再掲）新規者の受付経路 | | | | 延人員 | | | | | | | | |
| | | 実人員 | 医療機関 | その他 | （再掲）医療受給者証所持者 | 実人員 | 申請等の相談 | 医療 | 家庭看護 | 福祉制度 | 就学 | 食事・栄養 | 歯科 | その他 | 計 |
| | | (1) | (2) | (3) | (4) | (5) | (6) | (7) | (8) | (9) | (10) | (11) | (12) | (13) | (14) |
| 政令市・特別区 | 人員 (01) | | | | | | | | | | | | | | |
| （再掲）保健所 | 人員 (02) | | | | | | | | | | | | | | |

| | | （再掲）機能訓練 | | （再掲）訪問指導 | | 電話相談 |
|---|---|---|---|---|---|---|
| | | 実人員 | 延人員 | 実人員 | 延人員 | 延人員 |
| | | (15) | (16) | (17) | (18) | (19) |
| 政令市・特別区 | 人員 (01) | | | | | |
| （再掲）保健所 | 人員 (02) | | | | | |

# 地 域 保 健 ・ 健 康 増 進 事 業 報 告

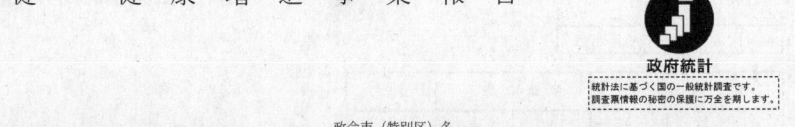

政府統計

統計法に基づく国の一般統計調査です。
調査票情報の秘密の保護に万全を期します。

| 種別 | 3 | 政令市（特別区） |

| 市 区 町 村 符 号 | 保 健 所 符 号 | 表番号 |
|---|---|---|
| | | 03000 |

政令市（特別区）名 _____

3 歯科保健

平成 29 年度分

| | | | | 健診・保健指導延人員（訪問によるものを除く。） | | | | | 訪問による健診・保健指導人員 | | | |
|---|---|---|---|---|---|---|---|---|---|---|---|---|
| | | | | 妊産婦 | 乳幼児 | その他 | （再掲）歯周疾患検診 | 計 | 実人員 | （再掲）身体障害者（児）知的障害者（児）精神障害者 | 延人員 | （再掲）身体障害者（児）知的障害者（児）精神障害者 |
| | | | | (1) | (2) | (3) | (4) | (5) | (6) | (7) | (8) | (9) |
| 政令市特別区 | 個別 | 実 施 数 | (01) | | | | | | | | | |
| | | （再掲）医療機関等へ委託 | (02) | | | | | | | | | |
| | 集団 | 実 施 数 | (03) | | | | | | | | | |
| | | （再掲）医療機関等へ委託 | (04) | | | | | | | | | |
| （再掲）保健所 | 個別 | 実 施 数 | (05) | | | | | | | | | |
| | | （再掲）医療機関等へ委託 | (06) | | | | | | | | | |
| | 集団 | 実 施 数 | (07) | | | | | | | | | |
| | | （再掲）医療機関等へ委託 | (08) | | | | | | | | | |

| | | | 予防処置・治療延人員（訪問によるものを除く。） | | | | | 訪問による予防処置・治療人員 | | | |
|---|---|---|---|---|---|---|---|---|---|---|---|
| | | | 予　防　処　置 | | | | 治療 | 実人員 | （再掲）身体障害者（児）知的障害者（児）精神障害者 | 延人員 | （再掲）身体障害者（児）知的障害者（児）精神障害者 |
| | | | 妊産婦 | 乳幼児 | その他 | 計 | | | | | |
| | | | (10) | (11) | (12) | (13) | (14) | (15) | (16) | (17) | (18) |
| 政令市特別区 | 実 施 数 | (09) | | | | | | | | | |
| | （再掲）医療機関等へ委託 | (10) | | | | | | | | | |
| （再掲）保健所 | 実 施 数 | (11) | | | | | | | | | |
| | （再掲）医療機関等へ委託 | (12) | | | | | | | | | |

| | | | | 対象人員 | 受診実人員 | むし歯の総本数 | 受　診　結　果 | | | |
|---|---|---|---|---|---|---|---|---|---|---|
| | | | | | | | むし歯のある人員 | 軟組織異常のある人員 | 咬合異常のある人員 | その他の異常のある人員 |
| | | | | (19) | (20) | (21) | (22) | (23) | (24) | (25) |
| 政令市特別区 | 1歳6か月児 | 実 施 数 | (13) | | | | | | | |
| | | （再掲）医療機関等へ委託 | (14) | | | | | | | | |
| | 3歳児 | 実 施 数 | (15) | | | | | | | |
| | | （再掲）医療機関等へ委託 | (16) | | | | | | | | |
| （再掲）保健所 | 1歳6か月児 | 実 施 数 | (17) | | | | | | | |
| | | （再掲）医療機関等へ委託 | (18) | | | | | | | | |
| | 3歳児 | 実 施 数 | (19) | | | | | | | |
| | | （再掲）医療機関等へ委託 | (20) | | | | | | | | |

| 種別 | 3 | 政令市（特別区） |
|---|---|---|

# 地域保健・健康増進事業報告

政府統計

統計法に基づく国の一般統計調査です。
調査票情報の秘密の保護に万全を期します。

| 市区町村符号 | | | | | 保健所符号 | | | | 表番号 |
|---|---|---|---|---|---|---|---|---|---|
| | | | | | | | | | 04100 |

政令市（特別区）名

4 (1)　健康増進（栄養・運動等指導）

平成 29 年度分

| | | | 個別指導延人員 | | | | | | | | 集団指導延人員 | | | | | | |
|---|---|---|---|---|---|---|---|---|---|---|---|---|---|---|---|---|---|
| | | | 栄養指導 (1) | （再掲）病態別栄養指導 (2) | （再掲）訪問による栄養指導 (3) | 運動指導 (4) | （再掲）病態別運動指導 (5) | 休養指導 (6) | 禁煙指導 (7) | その他 (8) | 栄養指導 (9) | （再掲）病態別栄養指導 (10) | 運動指導 (11) | （再掲）病態別運動指導 (12) | 休養指導 (13) | 禁煙指導 (14) | その他 (15) |
| 政令市特別区 | 実施数 | 妊産婦 (01) | | | | | | | | | | | | | | | |
| | | 乳幼児 (02) | | | | | | | | | | | | | | | |
| | | 20歳未満（妊産婦・乳幼児を除く。）(03) | | | | | | | | | | | | | | | |
| | | 20歳以上（妊産婦を除く。）(04) | | | | | | | | | | | | | | | |
| | （再掲）医療機関等へ委託 | 妊産婦 (05) | | | | | | | | | | | | | | | |
| | | 乳幼児 (06) | | | | | | | | | | | | | | | |
| | | 20歳未満（妊産婦・乳幼児を除く。）(07) | | | | | | | | | | | | | | | |
| | | 20歳以上（妊産婦を除く。）(08) | | | | | | | | | | | | | | | |
| （再掲）保健所 | 実施数 | 妊産婦 (09) | | | | | | | | | | | | | | | |
| | | 乳幼児 (10) | | | | | | | | | | | | | | | |
| | | 20歳未満（妊産婦・乳幼児を除く。）(11) | | | | | | | | | | | | | | | |
| | | 20歳以上（妊産婦を除く。）(12) | | | | | | | | | | | | | | | |
| | （再掲）医療機関等へ委託 | 妊産婦 (13) | | | | | | | | | | | | | | | |
| | | 乳幼児 (14) | | | | | | | | | | | | | | | |
| | | 20歳未満（妊産婦・乳幼児を除く。）(15) | | | | | | | | | | | | | | | |
| | | 20歳以上（妊産婦を除く。）(16) | | | | | | | | | | | | | | | |


# 地域保健・健康増進事業報告

| 種別 | 3 | 政令市（特別区） |
|---|---|---|


政府統計

統計法に基づく国の一般統計調査です。
調査票情報の秘密の保護に万全を期します。


| 市区町村符号 | | | | | 保健所符号 | | | | 表番号 |
|---|---|---|---|---|---|---|---|---|---|
| | | | | | | | | | 04200 |


政令市（特別区）名


4 (2)　健康増進（給食施設等指導）


平成 29 年度分


| 保健所 | 特定給食施設 | | その他の給食施設 | 計 |
|---|---|---|---|---|
| | 1回100食以上又は1日250食以上 (1) | 1回300食以上又は1日750食以上 (2) | (3) | (4) |
| 栄養管理指導延施設数 (01) | | | | |
| 喫食者への栄養・運動指導（延人員）(02) | | | | |

| 種別 | 3 | 政令市（特別区） |
|---|---|---|

# 地域保健・健康増進事業報告

政府統計
統計法に基づく国の一般統計調査です。調査票情報の秘密の保護に万全を期します。

| 市区町村符号 | 保健所符号 | 表番号 |
|---|---|---|
| | | 05100 |

政令市（特別区）名

平成 29 年度分

5 (1)　精神保健福祉（相談等）

| | | 相談、デイ・ケア、訪問指導 実人員 (1) | ((1)の再掲)新規者の受付経路 医療機関 (2) | ((1)の再掲)新規者の受付経路 その他 (3) |
|---|---|---|---|---|
| 政令市・特別区 | 人員(01) | | | |
| (再掲)保健所 | 人員(02) | | | |

| | | (再掲) 相談 実人員 (1) | 延人員 老人精神保健 (2) | 社会復帰 (3) | アルコール (4) | 薬物 (5) | ギャンブル (6) | 思春期 (7) | 心の健康づくり (8) | 摂食障害 (9) | てんかん (10) | その他 (11) | 計 (12) | (12)の再掲 ひきこもり (13) | 自殺関連 (14) | 自殺関連 自死遺族 (15) | 犯罪被害 (16) | 災害 (17) |
|---|---|---|---|---|---|---|---|---|---|---|---|---|---|---|---|---|---|---|
| 政令市・特別区 | 人員(03) | | | | | | | | | | | | | | | | | |
| (再掲)保健所 | 人員(04) | | | | | | | | | | | | | | | | | |

| | | (再掲) デイ・ケア 実人員 (1) | 延人員 (2) | ひきこもり (2)の再掲 (3) |
|---|---|---|---|---|
| 政令市・特別区 | 人員(05) | | | |
| (再掲)保健所 | 人員(06) | | | |

| | | (再掲) 訪問指導 実人員 (1) | 延人員 老人精神保健 (2) | 社会復帰 (3) | アルコール (4) | 薬物 (5) | ギャンブル (6) | 思春期 (7) | 心の健康づくり (8) | 摂食障害 (9) | てんかん (10) | その他 (11) | 計 (12) | (12)の再掲 ひきこもり (13) | 自殺関連 (14) | 自殺関連 自死遺族 (15) | 犯罪被害 (16) | 災害 (17) |
|---|---|---|---|---|---|---|---|---|---|---|---|---|---|---|---|---|---|---|
| 政令市・特別区 | 人員(07) | | | | | | | | | | | | | | | | | |
| (再掲)保健所 | 人員(08) | | | | | | | | | | | | | | | | | |

| | | 電話相談等延人員 老人精神保健 (1) | 社会復帰 (2) | アルコール (3) | 薬物 (4) | ギャンブル (5) | 思春期 (6) | 心の健康づくり (7) | 摂食障害 (8) | てんかん (9) | その他 (10) | 計 (11) | (11)の再掲 ひきこもり (12) | 自殺関連 (13) | 自殺関連 自死遺族 (14) | 犯罪被害 (15) | 災害 (16) |
|---|---|---|---|---|---|---|---|---|---|---|---|---|---|---|---|---|---|
| 政令市 特別区 | 電話による相談 (09) | | | | | | | | | | | | | | | | |
| | 電子メールによる相談 (10) | | | | | | | | | | | | | | | | |
| (再掲) 保健所 | 電話による相談 (11) | | | | | | | | | | | | | | | | |
| | 電子メールによる相談 (12) | | | | | | | | | | | | | | | | |

| | | 普及啓発 精神障害者(家族)に対する教室等 (1) | うつ病に関する教室等 (1)の再掲 (2) | 地域住民と精神障害者との地域交流会 (3) |
|---|---|---|---|---|
| 政令市 特別区 | 開催回数 (13) | | | |
| | 延人員 (14) | | | |
| (再掲) 保健所 | 開催回数 (15) | | | |
| | 延人員 (16) | | | |

# 地域保健・健康増進事業報告

| 種別 | 3 | 政令市（特別区） |
|---|---|---|

政府統計
統計法に基づく国の一般統計調査です。調査票情報の秘密の保護に万全を期します。

| 市区町村符号 | 保健所符号 | 表番号 |
|---|---|---|
| | | 05200 |

政令市（特別区）名

平成 29 年度分

5 (2)　精神保健福祉（組織育成）

| 保健所 | 患者会 (1) | 家族会 (2) | 依存症の自助団体・回復施設 (3) | 職親会 (4) | その他 (5) | 計 (6) |
|---|---|---|---|---|---|---|
| 支援件数 (01) | | | | | | |

# 地 域 保 健 ・ 健 康 増 進 事 業 報 告

政府統計
統計法に基づく国の一般統計調査です。
調査票情報の秘密の保護に万全を期します。

| 種別 | 3 | 政令市（特別区） |
|---|---|---|

| 市 区 町 村 符 号 | 保 健 所 符 号 | 表番号 |
|---|---|---|
| | | 06000 |

政令市（特別区）名 _____

6　難病

平成　29　年度分

| | 相談、機能訓練、訪問指導 | | | | | （再掲）　相　　　談 | | | | | | | | | | |
|---|---|---|---|---|---|---|---|---|---|---|---|---|---|---|---|---|
| | 実人員 | （再掲）新規者の受付経路 | | （再掲）医療受給者証所持者（指定難病患者） | （再掲）特定疾患医療受給者証所持者 | 実人員 | 延　　人　　員 | | | | | | | | | |
| | | 医療機関 | その他 | | | | 申請等の相談 | 医療 | 家庭看護 | 福祉制度 | 就労 | 就学 | 食事・栄養 | 歯科 | その他 | 計 |
| | (1) | (2) | (3) | (4) | (5) | (6) | (7) | (8) | (9) | (10) | (11) | (12) | (13) | (14) | (15) | (16) |
| 政令市・特別区　人員 (01) | | | | | | | | | | | | | | | | |
| （再掲）保健所　人員 (02) | | | | | | | | | | | | | | | | |

| | （再掲）機能訓練 | | （再掲）訪問指導 | | 電話相談延人員 | | 患者・家族に対する学習会 | |
|---|---|---|---|---|---|---|---|---|
| | 実人員 | 延人員 | 実人員 | 延人員 | | | 開催回数 | 延人員 |
| | (17) | (18) | (19) | (20) | (21) | | (22) | (23) |
| 政令市・特別区　人員 (01) | | | | | | 政令市・特別区 (03) | | |
| （再掲）保健所　人員 (02) | | | | | | （再掲）保健所 (04) | | |

---

# 地 域 保 健 ・ 健 康 増 進 事 業 報 告

政府統計
統計法に基づく国の一般統計調査です。
調査票情報の秘密の保護に万全を期します。

| 種別 | 3 | 政令市（特別区） |
|---|---|---|

| 市 区 町 村 符 号 | 保 健 所 符 号 | 表番号 |
|---|---|---|
| | | 07000 |

政令市（特別区）名 _____

7　エイズ

平成　29　年度分

| 保健所 | 相　　談　　件　　数 | | | 訪　問　指　導 | | HIV抗体検査のための採血件数 | | 陽　性　件　数 |
|---|---|---|---|---|---|---|---|---|
| | 電話 | 来所 | （再掲）医療社会事業員が関与した件数 | 実人員 | 延人員 | スクリーニング検査 | 確認検査 | |
| | (1) | (2) | (3) | (4) | (5) | (6) | (7) | (8) |
| | | | | | | | | |

---

# 地 域 保 健 ・ 健 康 増 進 事 業 報 告

政府統計
統計法に基づく国の一般統計調査です。
調査票情報の秘密の保護に万全を期します。

| 種別 | 3 | 政令市（特別区） |
|---|---|---|

| 市 区 町 村 符 号 | 保 健 所 符 号 | 表番号 |
|---|---|---|
| | | 08000 |

政令市（特別区）名 _____

8　衛生教育

平成　29　年度分

| | | 感染症 | | | 精神 | 難病 | 母　　　子 | | | | | | 成人・老人 | 栄養・健康増進 | 歯科 | 医事・薬事 | 食品 | 環境 | その他 | 計 | （再掲） | |
|---|---|---|---|---|---|---|---|---|---|---|---|---|---|---|---|---|---|---|---|---|---|---|
| | | | （再掲） | | | | 思春期・未婚女性学級 | 婚前・新婚学級 | 両（母）親学級 | 育児学級 | その他 | 計 | | | | | | | | | 地区組織活動 | 健康危機管理 |
| | | | 結核 | エイズ | | | | | | | | | | | | | | | | | | |
| | | (1) | (2) | (3) | (4) | (5) | (6) | (7) | (8) | (9) | (10) | (11) | (12) | (13) | (14) | (15) | (16) | (17) | (18) | (19) | (20) | (21) |
| 政令市特別区 | 回　数 (01) | | | | | | | | | | | | | | | | | | | | | |
| | 延人員 (02) | | | | | | | | | | | | | | | | | | | | | |
| （再掲）保健所 | 回　数 (03) | | | | | | | | | | | | | | | | | | | | | |
| | 延人員 (04) | | | | | | | | | | | | | | | | | | | | | |

| 種別 | 3 | 政令市（特別区） |
|---|---|---|

| 市区町村符号 | 表番号 |
|---|---|
| | 09000 |

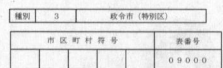

# 地域保健・健康増進事業報告

9　予防接種

政令市（特別区）名

平成　29　年度

| A 類 疾 病 | | 沈降精製百日せきジフテリア破傷風混合ワクチン（DPT） | | | | 沈降ジフテリア破傷風混合トキソイド（DT） | | | | 不活化ポリオワクチン（IPV） | | | | 沈降精製百日せきジフテリア破傷風不活化ポリオ混合ワクチン（DPT-IPV） | | | | 日本脳炎ワクチン | | | |
|---|---|---|---|---|---|---|---|---|---|---|---|---|---|---|---|---|---|---|---|---|---|
| | | 第　1　期 | | | | 第　1　期 | | | 第2期 | 初回接種 | | | 追加接種 | 第　1　期 | | | | 第1期 | | | 第2期 |
| | | 初回接種 | | | 追加接種 | 初回接種 | | 追加接種 | | | | | | 初回接種 | | | 追加接種 | 初回接種 | | 追加接種 | |
| | | 第1回 (1) | 第2回 (2) | 第3回 (3) | (4) | 第1回 (5) | 第2回 (6) | (7) | (8) | 第1回 (9) | 第2回 (10) | 第3回 (11) | (12) | 第1回 (13) | 第2回 (14) | 第3回 (15) | (16) | 第1回 (17) | 第2回 (18) | (19) | (20) |
| 接種者数 | 0 歳 (01) | | | | | | | | | | | | | | | | | | | | |
| | 1 歳 (02) | | | | | | | | | | | | | | | | | | | | |
| | 2 歳 (03) | | | | | | | | | | | | | | | | | | | | |
| | 3 歳 (04) | | | | | | | | | | | | | | | | | | | | |
| | 4 歳 (05) | | | | | | | | | | | | | | | | | | | | |
| | 5 歳 (06) | | | | | | | | | | | | | | | | | | | | |
| | 6 歳 (07) | | | | | | | | | | | | | | | | | | | | |
| | 7 歳 (08) | | | | | | | | | | | | | | | | | | | | |
| | 8 歳 (09) | | | | | | | | | | | | | | | | | | | | |
| | 9 歳 (10) | | | | | | | | | | | | | | | | | | | | |
| | 10 歳 (11) | | | | | | | | | | | | | | | | | | | | |
| | 11 歳 (12) | | | | | | | | | | | | | | | | | | | | |
| | 12 歳 (13) | | | | | | | | | | | | | | | | | | | | |
| | 13 歳 (14) | | | | | | | | | | | | | | | | | | | | |
| | 14 歳 (15) | | | | | | | | | | | | | | | | | | | | |
| | 15 歳 (16) | | | | | | | | | | | | | | | | | | | | |
| | 16 歳 (17) | | | | | | | | | | | | | | | | | | | | |
| | 17 歳 (18) | | | | | | | | | | | | | | | | | | | | |
| | 18 歳 (19) | | | | | | | | | | | | | | | | | | | | |
| | 19 歳 (20) | | | | | | | | | | | | | | | | | | | | |
| | 計 (21) | | | | | | | | | | | | | | | | | | | | |
| | （再掲）個別 (22) | | | | | | | | | | | | | | | | | | | | |
| | （再掲）集団 (23) | | | | | | | | | | | | | | | | | | | | |

| A 類 疾 病 | | ヒブワクチン | | | | 小児用肺炎球菌ワクチン | | | | 子宮頸がん予防ワクチン | | | 水痘ワクチン | | B型肝炎ワクチン | | |
|---|---|---|---|---|---|---|---|---|---|---|---|---|---|---|---|---|---|
| | | 第1回 (1) | 第2回 (2) | 第3回 (3) | 第4回 (4) | 第1回 (5) | 第2回 (6) | 第3回 (7) | 第4回 (8) | 第1回 (9) | 第2回 (10) | 第3回 (11) | 第1回 (12) | 第2回 (13) | 第1回 (14) | 第2回 (15) | 第3回 (16) |
| 接種者数 | 0 歳 (24) | | | | | | | | | | | | | | | | |
| | 1 歳 (25) | | | | | | | | | | | | | | | | |
| | 2 歳 (26) | | | | | | | | | | | | | | | | |
| | 3 歳 (27) | | | | | | | | | | | | | | | | |
| | 4 歳 (28) | | | | | | | | | | | | | | | | |
| | 5 歳 (29) | | | | | | | | | | | | | | | | |
| | 6 歳 (30) | | | | | | | | | | | | | | | | |
| | 7 歳 (31) | | | | | | | | | | | | | | | | |
| | 8 歳 (32) | | | | | | | | | | | | | | | | |
| | 9 歳 (33) | | | | | | | | | | | | | | | | |
| | 10 歳 (34) | | | | | | | | | | | | | | | | |
| | 11 歳 (35) | | | | | | | | | | | | | | | | |
| | 12 歳 (36) | | | | | | | | | | | | | | | | |
| | 13 歳 (37) | | | | | | | | | | | | | | | | |
| | 14 歳 (38) | | | | | | | | | | | | | | | | |
| | 15 歳 (39) | | | | | | | | | | | | | | | | |
| | 16 歳 (40) | | | | | | | | | | | | | | | | |
| | 計 (41) | | | | | | | | | | | | | | | | |
| | （再掲）個別 (42) | | | | | | | | | | | | | | | | |
| | （再掲）集団 (43) | | | | | | | | | | | | | | | | |

| A 類 疾 病 | | 麻しん風しん混合ワクチン | | 麻しんワクチン | | 風しんワクチン | |
|---|---|---|---|---|---|---|---|
| | | 第1期 (1) | 第2期 (2) | 第1期 (3) | 第2期 (4) | 第1期 (5) | 第2期 (6) |
| 接種者数 | 1 歳 (44) | | | | | | |
| | 5 歳 (45) | | | | | | |
| | 6 歳 (46) | | | | | | |
| | 計 (47) | | | | | | |
| | （再掲）個別 (48) | | | | | | |
| | （再掲）集団 (49) | | | | | | |

| A 類 疾 病 | BCGワクチン | | 計 |
|---|---|---|---|
| | 5月未満 (1) | 5月以上1歳未満 (2) | (3) |
| 接種者数 (50) | | | |
| （再掲）個別 (51) | | | |
| （再掲）集団 (52) | | | |

| B 類 疾 病 | インフルエンザワクチン | | | 成人用肺炎球菌ワクチン | | | | | | | | | |
|---|---|---|---|---|---|---|---|---|---|---|---|---|---|
| | 60歳以上65歳未満 (1) | 65歳以上 (2) | 計 (3) | 60歳以上65歳未満 (4) | 65歳相当 (5) | 70歳相当 (6) | 75歳相当 (7) | 80歳相当 (8) | 85歳相当 (9) | 90歳相当 (10) | 95歳相当 (11) | 100歳相当 (12) | 計 (13) |
| 接種者数 (53) | | | | | | | | | | | | | |
| 対象者数 (54) | | | | | | | | | | | | | |

# 地域保健・健康増進事業報告

政府統計

統計法に基づく国の一般統計調査です。
調査票情報の秘密の保護に万全を期します。

| 種別 | 3 | 政令市（特別区） |
|---|---|---|

| 市区町村符号 | | | | | 保健所符号 | | | | 表番号 |
|---|---|---|---|---|---|---|---|---|---|
| | | | | | | | | | 10100 |

政令市（特別区）名

10(1)　結核予防（健康診断及び予防接種の実施状況）

平成 29 年度分

| | | 定期 | | | | | | 接触者健診 | | | 計 |
|---|---|---|---|---|---|---|---|---|---|---|---|
| | | | | 施設の長 | | 市町村長又は特別区の区長 | | | | | |
| | | 事業者 | 学校長 | 刑事施設 | 社会福祉施設 | 65歳以上 | その他 | 実施件数 | 患者家族 | その他 | |
| | | (1) | (2) | (3) | (4) | (5) | (6) | (7) | (8) | (9) | (10) |
| ツベルクリン反応検査 | 被注射者数 (01) | | | | | | | | | | |
| | 被判定者数 (02) | | | | | | | | | | |
| | 陰性者数 (03) | | | | | | | | | | |
| | 陽性者数 (04) | | | | | | | | | | |
| 集団健康診断実施件数 (05) | | | | | | | | | | | |
| 健康診断受診者数 (06) | | | | | | | | | | | |
| 間接撮影者数 (07) | | | | | | | | | | | |
| 直接撮影者数 (08) | | | | | | | | | | | |
| 喀痰検査者数 (09) | | | | | | | | | | | |
| IGRA検査者数 (10) | | | | | | | | | | | |
| 被発見者数 | 結核患者 (11) | | | | | | | | | | |
| | 潜在性結核感染者 (12) | | | | | | | | | | |
| | 結核発病のおそれがあると診断された者 (13) | | | | | | | | | | |


# 地域保健・健康増進事業報告

政府統計

統計法に基づく国の一般統計調査です。
調査票情報の秘密の保護に万全を期します。


| 種別 | 3 | 政令市（特別区） |
|---|---|---|

| 市区町村符号 | | | | | 保健所符号 | | | | 表番号 |
|---|---|---|---|---|---|---|---|---|---|
| | | | | | | | | | 10200 |

政令市（特別区）名

10(2)　結核予防（相談等）

平成 29 年度分

| | | 相談 | | 訪問指導 | | | |
|---|---|---|---|---|---|---|---|
| | | 電話 | 来所 | | | | |
| | | 延人員 | 延人員 | 実人員 | （再掲）DOTS | 延人員 | （再掲）DOTS |
| | | (1) | (2) | (3) | (4) | (5) | (6) |
| 政令市・特別区 | 人員 (01) | | | | | | |
| （再掲）保健所 | 人員 (02) | | | | | | |

# 地域保健・健康増進事業報告

| 種別 | 3 | 政令市（特別区） |
|---|---|---|

| 市区町村符号 | 保健所符号 | 表番号 |
|---|---|---|
| | | 11000 |

11　生活衛生

政令市（特別区）名

平成 29 年度分

| 保健所 | 営業関係施設 | | | | | | |
|---|---|---|---|---|---|---|---|
| | 旅館等 (1) | 興行場 (2) | 公衆浴場 (3) | 理容所 (4) | 美容所 (5) | クリーニング所 (6) | 無店舗取次店 (7) |
| 調査・監視指導延施設数 | | | | | | | |

| | 飲料水施設 | | | | | | |
|---|---|---|---|---|---|---|---|
| | 水道事業（簡易水道事業を除く。） (8) | 簡易水道事業 (9) | 水道用水供給事業 (10) | 専用水道 (11) | 簡易専用水道 (12) | その他の水道 (13) | 井戸等 (14) |
| 調査・監視指導延施設数 | | | | | | | |

| | その他の施設 | | | | | | その他 | 計 |
|---|---|---|---|---|---|---|---|---|
| | 化製場（準ずる施設を含む。） (15) | 畜舎・家きん舎 (16) | 火葬場 (17) | 墓地・納骨堂 (18) | 特定建築物 (19) | 一般プール (20) | (21) | (22) |
| 調査・監視指導延施設数 | | | | | | | | |

| 種別 | 3 | 政令市（特別区） |
|---|---|---|

# 地域保健・健康増進事業報告

政府統計

統計法に基づく国の一般統計調査です。調査票情報の秘密の保護に万全を期します。

| 市区町村符号 | 保健所符号 | 表番号 |
|---|---|---|
| | | 12000 |

政令市（特別区）名

平成 29 年度分

## 12 試験検査

| 政令市・特別区 | 項目 | | 依頼等による試験検査 住民 (1) | 市町村 (2) | 市町村以外の行政機関 (3) | その他（医療機関、学校等） (4) | 依頼等によらないもの (5) |
|---|---|---|---|---|---|---|---|
| 細菌学的検査 | 赤痢 | (01) | | | | | |
| 細菌学的検査 | コレラ | (02) | | | | | |
| 細菌学的検査 | チフス | (03) | | | | | |
| 細菌学的検査 | 結核 | (04) | | | | | |
| 細菌学的検査 | その他 | (05) | | | | | |
| 食品衛生関係検査 食中毒 | 微生物学的検査 | (06) | | | | | |
| 食品衛生関係検査 食中毒 | 理化学的検査 | (07) | | | | | |
| 食品衛生関係検査 食中毒 | その他 | (08) | | | | | |
| 食品衛生関係検査 食品等検査 | 微生物学的検査 | (09) | | | | | |
| 食品衛生関係検査 食品等検査 | 理化学的検査 | (10) | | | | | |
| 食品衛生関係検査 食品等検査 | その他 | (11) | | | | | |
| 臨床学的検査 | 血液一般検査 | (12) | | | | | |
| 臨床学的検査 血清等検査 | HBs抗原、抗体検査 | (13) | | | | | |
| 臨床学的検査 血清等検査 | 梅毒血清検査 | (14) | | | | | |
| 臨床学的検査 血清等検査 | その他 | (15) | | | | | |
| 臨床学的検査 生化学検査 | 生化学検査 | (16) | | | | | |
| 臨床学的検査 生化学検査 | 先天性代謝異常検査 | (17) | | | | | |
| 臨床学的検査 尿検査 | 尿一般等 | (18) | | | | | |
| 臨床学的検査 尿検査 | 神経芽細胞腫 | (19) | | | | | |
| 臨床学的検査 糞便検査 | 潜血反応 | (20) | | | | | |
| 臨床学的検査 糞便検査 | 寄生虫卵 | (21) | | | | | |
| 臨床学的検査 糞便検査 | その他 | (22) | | | | | |

| 政令市・特別区 | 項目 | | 依頼等による試験検査 住民 (1) | 市町村 (2) | 市町村以外の行政機関 (3) | その他（医療機関、学校等） (4) | 依頼等によらないもの (5) |
|---|---|---|---|---|---|---|---|
| 臨床学的検査 生理学的検査 | 心電図 | (23) | | | | | |
| 臨床学的検査 生理学的検査 | 眼底 | (24) | | | | | |
| 臨床学的検査 胸部X線検査 | 間接撮影 | (25) | | | | | |
| 臨床学的検査 胸部X線検査 | 直接撮影 | (26) | | | | | |
| 臨床学的検査 胸部X線検査 | 断層撮影 | (27) | | | | | |
| 臨床学的検査 | その他 | (28) | | | | | |
| 水質検査 水道原水 | 細菌学的検査 | (29) | | | | | |
| 水質検査 水道原水 | 理化学的検査 | (30) | | | | | |
| 水質検査 水道原水 | 生物学的検査 | (31) | | | | | |
| 水質検査 飲用水 | 細菌学的検査 | (32) | | | | | |
| 水質検査 飲用水 | 理化学的検査 | (33) | | | | | |
| 水質検査 利用水等（プール水等を含む。） | 細菌学的検査 | (34) | | | | | |
| 水質検査 利用水等（プール水等を含む。） | 理化学的検査 | (35) | | | | | |
| | 廃棄物関係検査 | (36) | | | | | |
| 環境・公害関係検査 | 大気検査 | (37) | | | | | |
| 環境・公害関係検査 | 水質検査（公共用水域、工場等排水、浄化槽放流水等） | (38) | | | | | |
| 環境・公害関係検査 | 騒音・振動 | (39) | | | | | |
| 環境・公害関係検査 | 悪臭検査 | (40) | | | | | |
| 環境・公害関係検査 | 土壌・底質検査 | (41) | | | | | |
| 環境・公害関係検査 | その他 | (42) | | | | | |
| | その他 | (43) | | | | | |

| （再掲）保健所 | 項目 | | 依頼等による試験検査 住民 (1) | 市町村 (2) | 市町村以外の行政機関 (3) | その他（医療機関、学校等） (4) | 依頼等によらないもの (5) |
|---|---|---|---|---|---|---|---|
| 細菌学的検査 | 赤痢 | (01) | | | | | |
| 細菌学的検査 | コレラ | (02) | | | | | |
| 細菌学的検査 | チフス | (03) | | | | | |
| 細菌学的検査 | 結核 | (04) | | | | | |
| 細菌学的検査 | その他 | (05) | | | | | |
| 食品衛生関係検査 食中毒 | 微生物学的検査 | (06) | | | | | |
| 食品衛生関係検査 食中毒 | 理化学的検査 | (07) | | | | | |
| 食品衛生関係検査 食中毒 | その他 | (08) | | | | | |
| 食品衛生関係検査 食品等検査 | 微生物学的検査 | (09) | | | | | |
| 食品衛生関係検査 食品等検査 | 理化学的検査 | (10) | | | | | |
| 食品衛生関係検査 食品等検査 | その他 | (11) | | | | | |
| 臨床学的検査 | 血液一般検査 | (12) | | | | | |
| 臨床学的検査 血清等検査 | HBs抗原、抗体検査 | (13) | | | | | |
| 臨床学的検査 血清等検査 | 梅毒血清検査 | (14) | | | | | |
| 臨床学的検査 血清等検査 | その他 | (15) | | | | | |
| 臨床学的検査 生化学検査 | 生化学検査 | (16) | | | | | |
| 臨床学的検査 生化学検査 | 先天性代謝異常検査 | (17) | | | | | |
| 臨床学的検査 尿検査 | 尿一般等 | (18) | | | | | |
| 臨床学的検査 尿検査 | 神経芽細胞腫 | (19) | | | | | |
| 臨床学的検査 糞便検査 | 潜血反応 | (20) | | | | | |
| 臨床学的検査 糞便検査 | 寄生虫卵 | (21) | | | | | |
| 臨床学的検査 糞便検査 | その他 | (22) | | | | | |

| （再掲）保健所 | 項目 | | 依頼等による試験検査 住民 (1) | 市町村 (2) | 市町村以外の行政機関 (3) | その他（医療機関、学校等） (4) | 依頼等によらないもの (5) |
|---|---|---|---|---|---|---|---|
| 臨床学的検査 生理学的検査 | 心電図 | (23) | | | | | |
| 臨床学的検査 生理学的検査 | 眼底 | (24) | | | | | |
| 臨床学的検査 胸部X線検査 | 間接撮影 | (25) | | | | | |
| 臨床学的検査 胸部X線検査 | 直接撮影 | (26) | | | | | |
| 臨床学的検査 胸部X線検査 | 断層撮影 | (27) | | | | | |
| 臨床学的検査 | その他 | (28) | | | | | |
| 水質検査 水道原水 | 細菌学的検査 | (29) | | | | | |
| 水質検査 水道原水 | 理化学的検査 | (30) | | | | | |
| 水質検査 水道原水 | 生物学的検査 | (31) | | | | | |
| 水質検査 飲用水 | 細菌学的検査 | (32) | | | | | |
| 水質検査 飲用水 | 理化学的検査 | (33) | | | | | |
| 水質検査 利用水等（プール水等を含む。） | 細菌学的検査 | (34) | | | | | |
| 水質検査 利用水等（プール水等を含む。） | 理化学的検査 | (35) | | | | | |
| | 廃棄物関係検査 | (36) | | | | | |
| 環境・公害関係検査 | 大気検査 | (37) | | | | | |
| 環境・公害関係検査 | 水質検査（公共用水域、工場等排水、浄化槽放流水等） | (38) | | | | | |
| 環境・公害関係検査 | 騒音・振動 | (39) | | | | | |
| 環境・公害関係検査 | 悪臭検査 | (40) | | | | | |
| 環境・公害関係検査 | 土壌・底質検査 | (41) | | | | | |
| 環境・公害関係検査 | その他 | (42) | | | | | |
| | その他 | (43) | | | | | |

| 種別 | 3 | 政令市（特別区） |
|---|---|---|

# 地域保健・健康増進事業報告

政府統計
統計法に基づく国の一般統計調査です。
調査票情報の秘密の保護に万全を期します。

| 市区町村符号 | 保健所符号 | 表番号 |
|---|---|---|
| | | 13100 |

政令市（特別区）名

13(1)　連絡調整に関する会議

平成 29 年度分

| | | | 開催回数 (1) | 参加機関・団体数 ※ (2) | （再掲）福祉関係機関 (3) | 議事内容（延件数） 基本的実施方針に関する事項 (4) | 実施体制の確保に関する事項 (5) | サービス提供の指針に関する事項 (6) | 事業評価に関する事項 (7) | その他 (8) | 計 (9) |
|---|---|---|---|---|---|---|---|---|---|---|---|
| 政令市・特別区 | 政令市特別区主催 | 母子保健に関する会議 (01) | | | | | | | | | |
| | | 健康増進に関する会議 (02) | | | | | | | | | |
| | | 障害者福祉調整会議（精神等を含む。） (03) | | | | | | | | | |
| | | 地域・職域連携推進協議会 (04) | | | | | | | | | |
| | | その他 (05) | | | | | | | | | |
| | 参加 | 都道府県主催の会議への参加 (06) | | | | | | | | | |
| | | 保健所主催の会議への参加 (07) | | | | | | | | | |
| | | その他関係機関・団体主催の会議への参加 (08) | | | | | | | | | |
| | | （再掲）介護保険関連の会議 (09) | | | | | | | | | |
| 保健所 | 保健所主催 | 保健所運営協議会 (01) | | | | | | | | | |
| | | 保健所保健事業連絡協議会 (02) | | | | | | | | | |
| | | 母子保健推進協議会 (03) | | | | | | | | | |
| | | 保健所保健福祉サービス調整推進会議 (04) | | | | | | | | | |
| | | 地域保健医療協議会等 (05) | | | | | | | | | |
| | | 地域・職域連携推進協議会 (06) | | | | | | | | | |
| | | 健康危機管理関連会議等 (07) | | | | | | | | | |
| | | 難病対策地域協議会 (08) | | | | | | | | | |
| | | その他 (09) | | | | | | | | | |
| | 参加 | 都道府県主催の会議への参加 (10) | | | | | | | | | |
| | | 市町村主催の会議への参加 (11) | | | | | | | | | |
| | | その他関係機関・団体主催の会議への参加 (12) | | | | | | | | | |
| | | （再掲）介護保険関連の会議 (13) | | | | | | | | | |

※「参加機関・団体数(2)」は延件数である。

# 地域保健・健康増進事業報告

| 種別 | 3 | 政令市（特別区） |
|---|---|---|

政府統計
統計法に基づく国の一般統計調査です。
調査票情報の秘密の保護に万全を期します。

| 市区町村符号 | 保健所符号 | 表番号 |
|---|---|---|
| | | 13300 |

政令市（特別区）名

13(3)　調査・研究

平成 29 年度分

| | | 全般 地域診断 (1) | 全般 情報システム (2) | 対人保健 母子保健 (3) | 健康増進 (4) | 歯科保健 (5) | 感染症 (6) | （再掲）結核 (7) | （再掲）エイズ (8) | 精神保健福祉 (9) | 難病 (10) | 介護保険 (11) | その他 (12) |
|---|---|---|---|---|---|---|---|---|---|---|---|---|---|
| 政令市・特別区 | 件数 (01) | | | | | | | | | | | | |
| （再掲）保健所 | 件数 (02) | | | | | | | | | | | | |

| | | 対物保健 医事・薬事 (13) | 食品衛生 (14) | 環境衛生 (15) | その他 (16) | 計 (17) | （再掲）健康危機管理 (18) |
|---|---|---|---|---|---|---|---|
| 政令市・特別区 | 件数 (01) | | | | | | |
| （再掲）保健所 | 件数 (02) | | | | | | |

# 地域保健・健康増進事業報告

政府統計
統計法に基づく国の一般統計調査です。
調査票情報の秘密の保護に万全を期します。

| 種別 | 3 | 政令市（特別区） |
|---|---|---|

| 市区町村符号 | 保健所符号 | 表番号 |
|---|---|---|
| | | 14100 |

政令市（特別区）名

14(1) 職員設置状況

平成 29 年度分（年度末現在）

| | 職種 | | 常勤（実人員）（年度末現在）(1) | 非常勤（延人員）（年度活動分）(2) |
|---|---|---|---|---|
| 政令市・特別区 | 医師 | (01) | | |
| | 歯科医師 | (02) | | |
| | 獣医師 | (03) | | |
| | 薬剤師 | (04) | | |
| | 保健師 | (05) | | |
| | （再掲）派遣 | (06) | | |
| | （再掲）交流 | (07) | | |
| | 助産師 | (08) | | |
| | 看護師 | (09) | | |
| | 准看護師 | (10) | | |
| | 理学療法士 | (11) | | |
| | 作業療法士 | (12) | | |
| | 歯科衛生士 | (13) | | |
| | 診療放射線技師 | (14) | | |
| | 診療エックス線技師 | (15) | | |
| | 臨床検査技師 | (16) | | |
| | 衛生検査技師 | (17) | | |
| | 管理栄養士 | (18) | | |
| | 栄養士 | (19) | | |
| | その他 | (20) | | |
| | 計 | (21) | | |
| | （再掲）精神保健福祉士 | (22) | | |
| | （再掲）精神保健福祉相談員 | (23) | | |
| | （再掲）栄養指導員 | (24) | | |
| | （再掲）食品衛生監視員 | (25) | | |
| | （再掲）環境衛生監視員 | (26) | | |
| | （再掲）医療監視員 | (27) | | |

| | 職種 | | 常勤（実人員）（年度末現在）(1) | 非常勤（延人員）（年度活動分）(2) |
|---|---|---|---|---|
| （再掲）保健所 | 医師 | (01) | | |
| | 歯科医師 | (02) | | |
| | 獣医師 | (03) | | |
| | 薬剤師 | (04) | | |
| | 保健師 | (05) | | |
| | （再掲）市町村駐在 | (06) | | |
| | （再掲）交流 | (07) | | |
| | 助産師 | (08) | | |
| | 看護師 | (09) | | |
| | 准看護師 | (10) | | |
| | 理学療法士 | (11) | | |
| | 作業療法士 | (12) | | |
| | 歯科衛生士 | (13) | | |
| | 診療放射線技師 | (14) | | |
| | 診療エックス線技師 | (15) | | |
| | 臨床検査技師 | (16) | | |
| | 衛生検査技師 | (17) | | |
| | 管理栄養士 | (18) | | |
| | 栄養士 | (19) | | |
| | その他 | (20) | | |
| | （再掲）医療社会事業員 | (21) | | |
| | 計 | (22) | | |
| | （再掲）精神保健福祉士 | (23) | | |
| | （再掲）精神保健福祉相談員 | (24) | | |
| | （再掲）栄養指導員 | (25) | | |
| | （再掲）食品衛生監視員 | (26) | | |
| | （再掲）環境衛生監視員 | (27) | | |
| | （再掲）医療監視員 | (28) | | |

# 平成27年度地域保健・健康増進事業報告 正誤表

地域保健編　第２章　保健所編

第２表　政令市及び特別区の設置する保健所が実施した妊産婦及び乳幼児の健康診査受診実人員－延人員・医療機関等へ委託した受診実人員－延人員，指定都市・特別区－中核市－その他政令市、健康診査の種類、対象区分別

**正**

| | … | 妊婦Ｂ型肝炎検査実人員 | | | (再掲)医療機関等へ委託 | | |
|---|---|---|---|---|---|---|---|
| | | Ｂ型肝炎 | 事後指導 | | Ｂ型肝炎 | 事後指導 | |
| | | 検査 | 妊　婦 | 乳　児 | 検査 | 妊　婦 | 乳　児 |
| 政令市 | | 180 471 | 60 | - | 180 455 | 55 | - |
| 指定都市・特別区（再掲） | | | | | | | |
| 東京都区部 | | 39 041 | - | - | 39 041 | - | - |
| 札幌市 | | - | - | - | - | - | - |
| 仙台市 | | 9 341 | - | - | 9 341 | - | - |
| さいたま市 | | - | - | - | - | - | - |
| 千葉市 | | - | - | - | - | - | - |
| 横浜市 | | - | - | - | - | - | - |
| 川崎市 | | - | - | - | - | - | - |
| 相模原市 | | 5 045 | - | - | 5 045 | - | - |
| 新潟市 | | 6 046 | - | - | 6 046 | - | - |
| 静岡市 | | - | - | - | - | - | - |
| 浜松市 | | - | - | - | - | - | - |
| 名古屋市 | | 20 870 | - | - | 20 870 | - | - |
| 京都市 | | - | - | - | - | - | - |
| 大阪市 | | - | - | - | - | - | - |
| 堺市 | | - | - | - | - | - | - |
| 神戸市 | | - | - | - | - | - | - |
| 岡山市 | | 6 629 | - | - | 6 629 | - | - |
| 広島市 | | - | - | - | - | - | - |
| 北九州市 | | - | - | - | - | - | - |
| 福岡市 | | - | - | - | - | - | - |
| 熊本市 | | - | - | - | - | - | - |
| 中核市（再掲） | | | | | | | |
| 旭川市 | | - | - | - | - | - | - |
| 函館市 | | - | - | - | - | - | - |
| 青森市 | | 1 952 | - | - | 1 952 | - | - |
| 盛岡市 | | 2 384 | - | - | 2 384 | - | - |
| 秋田市 | | - | - | - | - | - | - |
| 郡山市 | | - | - | - | - | - | - |
| いわき市 | | - | - | - | - | - | - |
| 宇都宮市 | | - | - | - | - | - | - |
| 前橋市 | | - | - | - | - | - | - |
| 高崎市 | | - | - | - | - | - | - |
| 川越市 | | 2 728 | - | - | 2 728 | - | - |
| 越谷市 | | - | - | - | - | - | - |
| 船橋市 | | 5 424 | - | - | 5 424 | - | - |
| 柏市 | | 3 455 | - | - | 3 455 | - | - |
| 八王子市 | | - | - | - | - | - | - |
| 横須賀市 | | - | - | - | - | - | - |
| 富山市 | | 3 244 | - | - | 3 244 | - | - |
| 金沢市 | | - | - | - | - | - | - |
| 長野市 | | 3 049 | - | - | 3 033 | - | - |
| 岐阜市 | | - | - | - | - | - | - |
| 豊橋市 | | 3 318 | 8 | - | 3 318 | 8 | - |
| 豊田市 | | - | - | - | - | - | - |
| 岡崎市 | | 3 759 | - | - | 3 759 | - | - |
| 大津市 | | 2 858 | - | - | 2 858 | - | - |
| 高槻市 | | - | - | - | - | - | - |
| 東大阪市 | | 3 437 | - | - | 3 437 | - | - |
| 豊中市 | | 3 025 | 6 | - | 3 025 | 6 | - |
| 枚方市 | | 2 873 | - | - | 2 873 | - | - |
| 姫路市 | | - | - | - | - | - | - |
| 西宮市 | | - | - | - | - | - | - |
| 尼崎市 | | 3 474 | 14 | - | 3 474 | 14 | - |
| 奈良市 | | - | - | - | - | - | - |
| 和歌山市 | | 2 903 | - | - | 2 903 | - | - |
| 倉敷市 | | 4 446 | - | - | 4 446 | - | - |
| 福山市 | | 4 126 | - | - | 4 126 | - | - |
| 下関市 | | - | - | - | - | - | - |
| 高松市 | | 3 014 | 5 | - | 3 014 | 5 | - |
| 松山市 | | 4 367 | 4 | - | 4 367 | 4 | - |
| 高知市 | | 2 684 | - | - | 2 684 | - | - |
| 久留米市 | | 2 926 | - | - | 2 926 | - | - |
| 長崎市 | | - | - | - | - | - | - |
| 大分市 | | 4 373 | - | - | 4 373 | - | - |
| 宮崎市 | | 3 589 | 5 | - | 3 589 | - | - |
| 鹿児島市 | | 5 659 | 18 | - | 5 659 | 18 | - |
| 那覇市 | | 3 400 | - | - | 3 400 | - | - |
| その他政令市（再掲） | | | | | | | |
| 小樽市 | | 556 | - | - | 556 | - | - |
| 町田市 | | - | - | - | - | - | - |
| 藤沢市 | | - | - | - | - | - | - |
| 四日市市 | | 2 645 | - | - | 2 645 | - | - |
| 呉市 | | 1 609 | - | - | 1 609 | - | - |
| 大牟田市 | | - | - | - | - | - | - |
| 佐世保市 | | 2 222 | - | - | 2 222 | - | - |

**誤**

| | … | 妊婦Ｂ型肝炎検査実人員 | | | (再掲)医療機関等へ委託 | | |
|---|---|---|---|---|---|---|---|
| | | Ｂ型肝炎 | 事後指導 | | Ｂ型肝炎 | 事後指導 | |
| | | 検査 | 妊　婦 | 乳　児 | 検査 | 妊　婦 | 乳　児 |
| 政令市 | | 174 756 | 47 | - | 169 383 | 43 | - |
| 指定都市・特別区（再掲） | | | | | | | |
| 東京都区部 | | 39 041 | - | - | 33 949 | - | - |
| 札幌市 | | - | - | - | - | - | - |
| 仙台市 | | 9 341 | - | - | 9 341 | - | - |
| さいたま市 | | - | - | - | - | - | - |
| 千葉市 | | - | - | - | - | - | - |
| 横浜市 | | - | - | - | - | - | - |
| 川崎市 | | - | - | - | - | - | - |
| 相模原市 | | 5 045 | - | - | 5 045 | - | - |
| 新潟市 | | 6 032 | - | - | 5 767 | - | - |
| 静岡市 | | - | - | - | - | - | - |
| 浜松市 | | - | - | - | - | - | - |
| 名古屋市 | | 20 870 | - | - | 20 870 | - | - |
| 京都市 | | - | - | - | - | - | - |
| 大阪市 | | - | - | - | - | - | - |
| 堺市 | | - | - | - | - | - | - |
| 神戸市 | | - | - | - | - | - | - |
| 岡山市 | | 6 629 | 1 | - | 6 629 | 1 | - |
| 広島市 | | - | - | - | - | - | - |
| 北九州市 | | - | - | - | - | - | - |
| 福岡市 | | - | - | - | - | - | - |
| 熊本市 | | - | - | - | - | - | - |
| 中核市（再掲） | | | | | | | |
| 旭川市 | | - | - | - | - | - | - |
| 函館市 | | - | - | - | - | - | - |
| 青森市 | | 1 952 | - | - | 1 952 | - | - |
| 盛岡市 | | 2 384 | - | - | 2 384 | - | - |
| 秋田市 | | - | - | - | - | - | - |
| 郡山市 | | - | - | - | - | - | - |
| いわき市 | | - | - | - | - | - | - |
| 宇都宮市 | | - | - | - | - | - | - |
| 前橋市 | | - | - | - | - | - | - |
| 高崎市 | | - | - | - | - | - | - |
| 川越市 | | 2 728 | - | - | 2 728 | - | - |
| 越谷市 | | - | - | - | - | - | - |
| 船橋市 | | 5 424 | - | - | 5 424 | - | - |
| 柏市 | | 3 455 | - | - | 3 455 | - | - |
| 八王子市 | | - | - | - | - | - | - |
| 横須賀市 | | - | - | - | - | - | - |
| 富山市 | | 3 244 | - | - | 3 244 | - | - |
| 金沢市 | | - | - | - | - | - | - |
| 長野市 | | 3 049 | - | - | 3 033 | - | - |
| 岐阜市 | | - | - | - | - | - | - |
| 豊橋市 | | 3 318 | 8 | - | 3 318 | 8 | - |
| 豊田市 | | - | - | - | - | - | - |
| 岡崎市 | | 3 759 | - | - | 3 759 | - | - |
| 大津市 | | 2 858 | - | - | 2 858 | - | - |
| 高槻市 | | - | - | - | - | - | - |
| 東大阪市 | | 3 437 | - | - | 3 437 | - | - |
| 豊中市 | | 3 025 | 6 | - | 3 025 | 6 | - |
| 枚方市 | | 2 873 | - | - | 2 873 | - | - |
| 姫路市 | | - | - | - | - | - | - |
| 西宮市 | | - | - | - | - | - | - |
| 尼崎市 | | - | - | - | - | - | - |
| 奈良市 | | - | - | - | - | - | - |
| 和歌山市 | | 2 903 | - | - | 2 903 | - | - |
| 倉敷市 | | 4 446 | - | - | 4 446 | - | - |
| 福山市 | | 4 126 | - | - | 4 126 | - | - |
| 下関市 | | - | - | - | - | - | - |
| 高松市 | | 3 014 | 5 | - | 3 014 | 5 | - |
| 松山市 | | 4 367 | 4 | - | 4 367 | - | - |
| 高知市 | | 2 684 | - | - | 2 684 | - | - |
| 久留米市 | | 2 926 | - | - | 2 926 | - | - |
| 長崎市 | | - | - | - | - | - | - |
| 大分市 | | 4 373 | - | - | 4 373 | - | - |
| 宮崎市 | | 3 584 | 5 | - | 3 584 | 5 | - |
| 鹿児島市 | | 5 659 | 18 | - | 5 659 | 18 | - |
| 那覇市 | | 3 400 | - | - | 3 400 | - | - |
| その他政令市（再掲） | | | | | | | |
| 小樽市 | | 556 | - | - | 556 | - | - |
| 町田市 | | - | - | - | - | - | - |
| 藤沢市 | | - | - | - | - | - | - |
| 四日市市 | | 2 645 | - | - | 2 645 | - | - |
| 呉市 | | 1 609 | - | - | 1 609 | - | - |
| 大牟田市 | | - | - | - | - | - | - |
| 佐世保市 | | - | - | - | - | - | - |

第３表　市区町村が実施した妊産婦及び乳幼児の健康診査受診実人員ー延人員・医療機関等へ委託した受診実人員ー延人員，都道府県ー指定都市・特別区ー中核市ーその他政令市、対象区分別

**正**

| | … | 妊婦Ｂ型肝炎検査実人員 | | | (再掲)医療機関等へ委託 | | |
|---|---|---|---|---|---|---|---|
| | | Ｂ型肝炎 | 事後指導 | | Ｂ型肝炎 | 事後指導 | |
| | | 検査 | 妊　婦 | 乳　児 | 検査 | 妊　婦 | 乳　児 |
| 全国 | | 835 189 | 276 | 55 | 831 518 | 234 | 33 |
| 北海道 | | 33 475 | 11 | - | 32 831 | 10 | - |
| 青森 | | 8 657 | 9 | 4 | 8 650 | 9 | - |
| 岩手 | | 8 401 | - | - | 8 401 | - | - |
| 宮城 | | 18 118 | - | - | 18 118 | - | - |
| 秋田 | | 5 699 | 1 | 1 | 5 699 | 1 | 1 |
| 山形 | | 7 713 | 2 | 2 | 7 708 | - | - |
| 福島 | | 13 647 | 3 | 2 | 13 540 | 3 | 2 |
| 茨城 | | 21 750 | 7 | 1 | 21 750 | 7 | 1 |
| 栃木 | | 15 026 | - | - | 15 021 | - | - |
| 群馬 | | 14 326 | 4 | 2 | 14 295 | 2 | - |
| 埼玉 | | 56 731 | 18 | - | 55 757 | 17 | - |
| 千葉 | | 42 757 | - | - | 42 756 | - | - |
| 東京 | | 80 234 | 3 | - | 80 200 | 3 | - |
| 神奈川 | | 14 613 | - | - | 13 613 | - | - |
| 新潟 | | 16 060 | 2 | - | 16 060 | 2 | - |
| 富山 | | 7 430 | 4 | 1 | 7 430 | 4 | 1 |
| 石川 | | 8 946 | 13 | 6 | 8 946 | 9 | 3 |
| 福井 | | 6 189 | 3 | - | 6 189 | 3 | - |
| 山梨 | | 2 481 | 1 | - | 2 481 | 1 | - |
| 長野 | | 14 857 | - | - | 14 679 | - | - |
| 岐阜 | | 15 167 | 12 | - | 15 166 | - | - |
| 静岡 | | 27 719 | - | - | 27 719 | - | - |
| 愛知 | | 68 551 | 15 | 1 | 68 551 | 15 | 1 |
| 三重 | | 13 012 | 1 | - | 12 960 | 1 | - |
| 滋賀 | | 12 167 | 1 | - | 12 167 | 1 | - |
| 京都 | | 20 107 | 1 | - | 20 085 | 1 | - |
| 大阪 | | 70 699 | 39 | 9 | 70 302 | 37 | 5 |
| 兵庫 | | 4 862 | 14 | - | 4 862 | 14 | - |
| 奈良 | | 1 435 | - | - | 1 435 | - | - |
| 和歌山 | | 6 809 | 2 | 1 | 6 792 | 2 | 1 |
| 鳥取 | | 4 474 | 6 | - | 4 474 | 6 | - |
| 島根 | | 5 378 | - | - | 5 376 | - | - |
| 岡山 | | 15 899 | 1 | - | 15 886 | 1 | - |
| 広島 | | 23 524 | 13 | - | 23 524 | 7 | - |
| 山口 | | 10 068 | 13 | 4 | 10 068 | 13 | 4 |
| 徳島 | | 5 407 | 1 | 1 | 5 407 | 1 | 1 |
| 香川 | | 6 711 | 6 | - | 6 711 | 6 | - |
| 愛媛 | | 9 979 | 13 | 1 | 9 979 | 13 | 1 |
| 高知 | | 4 882 | - | - | 4 880 | - | - |
| 福岡 | | 30 571 | - | - | 30 569 | - | - |
| 佐賀 | | 6 903 | 14 | 13 | 6 903 | 11 | 10 |
| 長崎 | | 11 005 | - | - | 11 005 | - | - |
| 熊本 | | 15 383 | 6 | - | 15 383 | 6 | - |
| 大分 | | 9 091 | 1 | - | 8 992 | 1 | - |
| 宮崎 | | 9 083 | 10 | 2 | 9 083 | 3 | - |
| 鹿児島 | | 13 946 | 22 | 1 | 13 946 | 22 | 1 |
| 沖縄 | | 15 247 | 4 | 3 | 15 169 | 2 | 1 |
| 指定都市・特別区（再掲） | | | | | | | |
| 東京都区部 | | 57 403 | 1 | - | 57 403 | 1 | - |
| 札幌市 | | 14 602 | - | - | 14 602 | - | - |
| 仙台市 | | 9 341 | - | - | 9 341 | - | - |
| さいたま市 | | 10 823 | - | - | 10 768 | - | - |
| 千葉市 | | 7 470 | - | - | 7 470 | - | - |
| 横浜市 | | - | - | - | - | - | - |
| 川崎市 | | - | - | - | - | - | - |
| 相模原市 | | 5 045 | - | - | 5 045 | - | - |
| 新潟市 | | 6 046 | - | - | 6 046 | - | - |
| 静岡市 | | 5 228 | - | - | 5 228 | - | - |
| 浜松市 | | 6 919 | - | - | 6 919 | - | - |
| 名古屋市 | | 20 870 | - | - | 20 870 | - | - |
| 京都市 | | 11 781 | - | - | 11 781 | - | - |
| 大阪市 | | 24 274 | 2 | 4 | 24 274 | - | - |
| 堺市 | | 6 994 | 6 | - | 6 994 | 6 | - |
| 神戸市 | | - | - | - | - | - | - |
| 岡山市 | | 6 629 | - | - | 6 629 | - | - |
| 広島市 | | 10 844 | - | - | 10 844 | - | - |
| 北九州市 | | 7 939 | - | - | 7 939 | - | - |
| 福岡市 | | - | - | - | - | - | - |
| 熊本市 | | 7 230 | - | - | 7 230 | - | - |

**誤**

| | … | 妊婦Ｂ型肝炎検査実人員 | | | (再掲)医療機関等へ委託 | | |
|---|---|---|---|---|---|---|---|
| | | Ｂ型肝炎 | 事後指導 | | Ｂ型肝炎 | 事後指導 | |
| | | 検査 | 妊　婦 | 乳　児 | 検査 | 妊　婦 | 乳　児 |
| 全国 | | 817 280 | 15 657 | 43 | 805 077 | 15 430 | 32 |
| 北海道 | | 31 366 | 318 | - | 30 825 | 318 | - |
| 青森 | | 8 657 | 40 | 2 | 8 650 | 40 | - |
| 岩手 | | 8 305 | 76 | 1 | 8 305 | 76 | 1 |
| 宮城 | | 17 557 | 75 | - | 17 557 | - | - |
| 秋田 | | 5 699 | 14 | 1 | 5 426 | 14 | 1 |
| 山形 | | 7 372 | 41 | 1 | 7 261 | 41 | 1 |
| 福島 | | 13 640 | 96 | 2 | 13 525 | 96 | 2 |
| 茨城 | | 21 685 | 2 296 | - | 21 685 | 2 296 | - |
| 栃木 | | 15 030 | 252 | - | 15 025 | 252 | - |
| 群馬 | | 14 335 | 2 | - | 14 302 | 2 | - |
| 埼玉 | | 56 030 | 2 944 | - | 54 089 | 2 895 | - |
| 千葉 | | 42 178 | 326 | - | 42 178 | 326 | - |
| 東京 | | 75 232 | 160 | - | 70 124 | 160 | - |
| 神奈川 | | 28 925 | 184 | - | 27 925 | 122 | - |
| 新潟 | | 16 228 | 27 | - | 15 963 | 27 | - |
| 富山 | | 7 397 | 4 | 1 | 7 397 | 4 | 1 |
| 石川 | | 8 939 | 110 | 3 | 8 939 | 110 | 3 |
| 福井 | | 5 543 | 553 | - | 5 543 | 553 | - |
| 山梨 | | 2 121 | 18 | - | 1 748 | 18 | - |
| 長野 | | 13 159 | 1 507 | 1 | 12 878 | 1 507 | 1 |
| 岐阜 | | 15 059 | 17 | - | 13 703 | - | - |
| 静岡 | | 27 591 | 1 122 | - | 27 591 | 1 122 | - |
| 愛知 | | 68 442 | 15 | - | 68 442 | 15 | - |
| 三重 | | 12 985 | 86 | - | 12 933 | 86 | - |
| 滋賀 | | 12 296 | 895 | - | 12 296 | 895 | - |
| 京都 | | 7 742 | 166 | - | 7 720 | 166 | - |
| 大阪 | | 68 070 | 34 | 9 | 67 673 | 32 | 5 |
| 兵庫 | | 1 170 | - | - | 1 170 | - | - |
| 奈良 | | 1 393 | - | - | 1 393 | - | - |
| 和歌山 | | 6 890 | 1 | - | 6 890 | 1 | - |
| 鳥取 | | 4 474 | 13 | - | 4 474 | 13 | - |
| 島根 | | 5 370 | 2 | - | 5 368 | - | - |
| 岡山 | | 15 859 | 7 | - | 15 844 | 2 | - |
| 広島 | | 23 505 | 135 | - | 23 505 | 129 | - |
| 山口 | | 10 074 | 181 | 4 | 10 074 | 181 | 4 |
| 徳島 | | 5 353 | 1 | 1 | 5 353 | 1 | 1 |
| 香川 | | 6 652 | 39 | - | 6 652 | 39 | - |
| 愛媛 | | 9 983 | 792 | - | 9 983 | 788 | - |
| 高知 | | 4 715 | - | - | 4 713 | - | - |
| 福岡 | | 29 740 | 1 247 | - | 29 738 | 1 247 | - |
| 佐賀 | | 6 901 | 14 | 13 | 6 901 | 11 | 10 |
| 長崎 | | 10 931 | 54 | - | 10 806 | 54 | - |
| 熊本 | | 15 371 | 1 024 | - | 15 371 | 1 024 | - |
| 大分 | | 9 136 | 216 | - | 9 037 | 216 | - |
| 宮崎 | | 9 079 | 147 | - | 9 079 | 147 | - |
| 鹿児島 | | 13 933 | 128 | 1 | 13 933 | 128 | 1 |
| 沖縄 | | 15 168 | 278 | 3 | 15 090 | 276 | 1 |
| 指定都市・特別区（再掲） | | | | | | | |
| 東京都区部 | | 54 235 | 1 | - | 49 143 | 1 | - |
| 札幌市 | | 14 602 | - | - | 14 602 | - | - |
| 仙台市 | | 9 341 | - | - | 9 341 | - | - |
| さいたま市 | | 10 823 | - | - | 10 768 | - | - |
| 千葉市 | | 7 425 | - | - | 7 425 | - | - |
| 横浜市 | | - | - | - | - | - | - |
| 川崎市 | | 16 108 | - | - | 16 108 | - | - |
| 相模原市 | | 5 045 | - | - | 5 045 | - | - |
| 新潟市 | | 6 032 | - | - | 5 767 | - | - |
| 静岡市 | | 5 228 | - | - | 5 228 | - | - |
| 浜松市 | | 6 919 | - | - | 6 919 | - | - |
| 名古屋市 | | 20 870 | - | - | 20 870 | - | - |
| 京都市 | | - | - | - | - | - | - |
| 大阪市 | | 24 274 | 2 | 4 | 24 274 | - | - |
| 堺市 | | 6 994 | - | - | 6 994 | - | - |
| 神戸市 | | - | - | - | - | - | - |
| 岡山市 | | 6 629 | 1 | - | 6 629 | 1 | - |
| 広島市 | | 10 844 | - | - | 10 844 | - | - |
| 北九州市 | | 7 939 | - | - | 7 939 | - | - |
| 福岡市 | | - | - | - | - | - | - |
| 熊本市 | | 7 230 | - | - | 7 230 | - | - |

**正**

| | … | 妊婦Ｂ型肝炎検査実人員 | | | (再掲)医療機関等へ委託 | | |
|---|---|---|---|---|---|---|---|
| | | Ｂ型肝炎 | 事後指導 | | Ｂ型肝炎 | 事後指導 | |
| | | 検査 | 妊婦 | 乳児 | 検査 | 妊婦 | 乳児 |
| 中核市（再掲） | | | | | | | |
| 旭川市 | | 2 321 | 9 | - | 2 321 | 9 | - |
| 函館市 | | 1 617 | - | - | 1 617 | - | - |
| 青森市 | | 1 952 | - | - | 1 952 | - | - |
| 盛岡市 | | 2 384 | - | - | 2 384 | - | - |
| 秋田市 | | 2 110 | - | - | 2 110 | - | - |
| 郡山市 | | 2 699 | - | - | 2 699 | - | - |
| いわき市 | | 2 371 | - | - | 2 371 | - | - |
| 宇都宮市 | | 4 814 | - | - | 4 814 | - | - |
| 前橋市 | | 2 525 | - | - | 2 525 | - | - |
| 高崎市 | | 3 036 | 2 | - | 3 036 | 2 | - |
| 川越市 | | 2 728 | - | - | 2 728 | - | - |
| 越谷市 | | 2 900 | - | - | 2 900 | - | - |
| 船橋市 | | 5 424 | - | - | 5 424 | - | - |
| 柏市 | | 3 455 | - | - | 3 455 | - | - |
| 八王子市 | | 3 585 | 1 | - | 3 585 | 1 | - |
| 横須賀市 | | 2 713 | - | - | 2 679 | - | - |
| 富山市 | | 3 244 | - | - | 3 244 | - | - |
| 金沢市 | | 3 945 | 4 | 3 | 3 945 | - | - |
| 長野市 | | 3 049 | - | - | 3 033 | - | - |
| 岐阜市 | | 3 330 | 12 | - | 3 330 | - | - |
| 豊橋市 | | 3 318 | 8 | - | 3 318 | 8 | - |
| 豊田市 | | 3 925 | - | - | 3 925 | - | - |
| 岡崎市 | | 3 759 | - | - | 3 759 | - | - |
| 大津市 | | 2 858 | - | - | 2 858 | - | - |
| 高槻市 | | 2 721 | - | - | 2 721 | - | - |
| 東大阪市 | | 3 437 | - | - | 3 437 | - | - |
| 豊中市 | | 3 025 | 6 | - | 3 025 | 6 | - |
| 枚方市 | | 2 873 | - | - | 2 873 | - | - |
| 姫路市 | | - | - | - | - | - | - |
| 西宮市 | | - | - | - | - | - | - |
| 尼崎市 | | 3 474 | 14 | - | 3 474 | 14 | - |
| 奈良市 | | - | - | - | - | - | - |
| 和歌山市 | | 2 903 | - | - | 2 903 | - | - |
| 倉敷市 | | 4 446 | - | - | 4 446 | - | - |
| 福山市 | | 4 126 | - | - | 4 126 | - | - |
| 下関市 | | 1 805 | 4 | 4 | 1 805 | 4 | 4 |
| 高松市 | | 3 014 | 5 | - | 3 014 | 5 | - |
| 松山市 | | 4 367 | 4 | - | 4 367 | 4 | - |
| 高知市 | | 2 684 | - | - | 2 684 | - | - |
| 久留米市 | | 2 926 | - | - | 2 926 | - | - |
| 長崎市 | | 3 195 | - | - | 3 195 | - | - |
| 大分市 | | 4 373 | - | - | 4 373 | - | - |
| 宮崎市 | | 3 589 | 5 | - | 3 589 | - | - |
| 鹿児島市 | | 5 659 | 18 | - | 5 659 | 18 | - |
| 那覇市 | | 3 400 | - | - | 3 400 | - | - |
| その他政令市（再掲） | | | | | | | |
| 小樽市 | | 556 | - | - | 556 | - | - |
| 町田市 | | - | - | - | - | - | - |
| 藤沢市 | | - | - | - | - | - | - |
| 四日市市 | | 2 645 | - | - | 2 645 | - | - |
| 呉市 | | 1 609 | - | - | 1 609 | - | - |
| 大牟田市 | | 774 | - | - | 774 | - | - |
| 佐世保市 | | 2 222 | - | - | 2 222 | - | - |

**誤**

| | … | 妊婦Ｂ型肝炎検査実人員 | | | (再掲)医療機関等へ委託 | | |
|---|---|---|---|---|---|---|---|
| | | Ｂ型肝炎 | 事後指導 | | Ｂ型肝炎 | 事後指導 | |
| | | 検査 | 妊婦 | 乳児 | 検査 | 妊婦 | 乳児 |
| 中核市（再掲） | | | | | | | |
| 旭川市 | | 2 321 | 9 | - | 2 321 | 9 | - |
| 函館市 | | 1 617 | - | - | 1 617 | - | - |
| 青森市 | | 1 952 | - | - | 1 952 | - | - |
| 盛岡市 | | 2 384 | - | - | 2 384 | - | - |
| 秋田市 | | 2 110 | - | - | 2 110 | - | - |
| 郡山市 | | 2 699 | - | - | 2 699 | - | - |
| いわき市 | | 2 371 | - | - | 2 371 | - | - |
| 宇都宮市 | | 4 814 | - | - | 4 814 | - | - |
| 前橋市 | | 2 525 | - | - | 2 525 | - | - |
| 高崎市 | | 3 036 | 2 | - | 3 036 | 2 | - |
| 川越市 | | 2 728 | - | - | 2 728 | - | - |
| 越谷市 | | 2 900 | - | - | 2 900 | - | - |
| 船橋市 | | 5 424 | - | - | 5 424 | - | - |
| 柏市 | | 3 455 | - | - | 3 455 | - | - |
| 八王子市 | | 3 585 | 1 | - | 3 585 | 1 | - |
| 横須賀市 | | 2 713 | - | - | 2 679 | - | - |
| 富山市 | | 3 244 | - | - | 3 244 | - | - |
| 金沢市 | | 3 945 | - | - | 3 945 | - | - |
| 長野市 | | 3 049 | - | - | 3 033 | - | - |
| 岐阜市 | | 3 330 | 12 | - | 3 330 | - | - |
| 豊橋市 | | 3 318 | 8 | - | 3 318 | 8 | - |
| 豊田市 | | 3 925 | - | - | 3 925 | - | - |
| 岡崎市 | | 3 759 | - | - | 3 759 | - | - |
| 大津市 | | 2 858 | - | - | 2 858 | - | - |
| 高槻市 | | 2 721 | - | - | 2 721 | - | - |
| 東大阪市 | | 3 437 | - | - | 3 437 | - | - |
| 豊中市 | | 3 025 | 6 | - | 3 025 | 6 | - |
| 枚方市 | | 2 873 | - | - | 2 873 | - | - |
| 姫路市 | | - | - | - | - | - | - |
| 西宮市 | | - | - | - | - | - | - |
| 尼崎市 | | - | - | - | - | - | - |
| 奈良市 | | - | - | - | - | - | - |
| 和歌山市 | | 2 903 | - | - | 2 903 | - | - |
| 倉敷市 | | 4 446 | - | - | 4 446 | - | - |
| 福山市 | | 4 126 | - | - | 4 126 | - | - |
| 下関市 | | 1 805 | 4 | 4 | 1 805 | 4 | 4 |
| 高松市 | | 3 014 | 5 | - | 3 014 | 5 | - |
| 松山市 | | 4 367 | 4 | - | 4 367 | - | - |
| 高知市 | | 2 684 | - | - | 2 684 | - | - |
| 久留米市 | | 2 926 | - | - | 2 926 | - | - |
| 長崎市 | | 3 195 | - | - | 3 195 | - | - |
| 大分市 | | 4 373 | - | - | 4 373 | - | - |
| 宮崎市 | | 3 584 | 5 | - | 3 584 | 5 | - |
| 鹿児島市 | | 5 659 | 18 | - | 5 659 | 18 | - |
| 那覇市 | | 3 400 | - | - | 3 400 | - | - |
| その他政令市（再掲） | | | | | | | |
| 小樽市 | | 556 | - | - | 556 | - | - |
| 町田市 | | - | - | - | - | - | - |
| 藤沢市 | | - | - | - | - | - | - |
| 四日市市 | | 2 645 | - | - | 2 645 | - | - |
| 呉市 | | 1 609 | - | - | 1 609 | - | - |
| 大牟田市 | | 774 | - | - | 774 | - | - |
| 佐世保市 | | 2 148 | - | - | 2 148 | - | - |

# 平成28年度地域保健・健康増進事業報告　正誤表

地域保健編　第2章　保健所編
第2表　政令市及び特別区の設置する保健所が実施した妊産婦及び乳幼児の健康診査受診実人員－延人員・医療機関等へ委託した受診実人員－延人員，指定都市・特別区－中核市－その他政令市、健康診査の種類、対象区分別

**正**

| | … | 妊婦Ｂ型肝炎検査実人員 | | | (再掲)医療機関等へ委託 | | |
| --- | --- | --- | --- | --- | --- | --- | --- |
| | | Ｂ型肝炎検査 | 事後指導 妊婦 | 乳児 | Ｂ型肝炎検査 | 事後指導 妊婦 | 乳児 |
| 政令市 | | 177 804 | 49 | 4 | 177 794 | 39 | 2 |
| 指定都市・特別区（再掲） | | | | | | | |
| 東京都区部 | | 39 282 | - | - | 39 282 | - | - |
| 札幌市 | | - | - | - | - | - | - |
| 仙台市 | | 9 036 | - | - | 9 036 | - | - |
| さいたま市 | | - | - | - | - | - | - |
| 千葉市 | | - | - | - | - | - | - |
| 横浜市 | | - | - | - | - | - | - |
| 川崎市 | | - | - | - | - | - | - |
| 相模原市 | | 4 744 | - | - | 4 744 | - | - |
| 新潟市 | | 5 966 | - | - | 5 966 | - | - |
| 静岡市 | | - | - | - | - | - | - |
| 浜松市 | | - | - | - | - | - | - |
| 名古屋市 | | 20 374 | - | - | 20 374 | - | - |
| 京都市 | | - | - | - | - | - | - |
| 大阪市 | | - | - | - | - | - | - |
| 堺市 | | - | - | - | - | - | - |
| 神戸市 | | - | - | - | - | - | - |
| 岡山市 | | 6 499 | - | - | 6 499 | - | - |
| 広島市 | | - | - | - | - | - | - |
| 北九州市 | | - | - | - | - | - | - |
| 福岡市 | | - | - | - | - | - | - |
| 熊本市 | | - | - | - | - | - | - |
| 中核市（再掲） | | | | | | | |
| 旭川市 | | - | - | - | - | - | - |
| 函館市 | | - | - | - | - | - | - |
| 青森市 | | 1 834 | - | - | 1 834 | - | - |
| 八戸市 | | 433 | 1 | 2 | 431 | 1 | - |
| 盛岡市 | | 2 324 | - | - | 2 324 | - | - |
| 秋田市 | | - | - | - | - | - | - |
| 郡山市 | | - | - | - | - | - | - |
| いわき市 | | - | - | - | - | - | - |
| 宇都宮市 | | - | - | - | - | - | - |
| 前橋市 | | - | - | - | - | - | - |
| 高崎市 | | - | - | - | - | - | - |
| 川越市 | | 2 707 | - | - | 2 707 | - | - |
| 越谷市 | | - | - | - | - | - | - |
| 船橋市 | | 5 148 | - | - | 5 148 | - | - |
| 柏市 | | 3 506 | - | - | 3 506 | - | - |
| 八王子市 | | - | - | - | - | - | - |
| 横須賀市 | | - | - | - | - | - | - |
| 富山市 | | 3 155 | - | - | 3 155 | - | - |
| 金沢市 | | - | - | - | - | - | - |
| 長野市 | | 2 952 | - | - | 2 944 | - | - |
| 岐阜市 | | - | - | - | - | - | - |
| 豊橋市 | | 3 064 | 11 | - | 3 064 | 11 | - |
| 豊田市 | | - | - | - | - | - | - |
| 岡崎市 | | 3 643 | - | - | 3 643 | - | - |
| 大津市 | | 2 834 | - | - | 2 834 | - | - |
| 高槻市 | | - | - | - | - | - | - |
| 東大阪市 | | 3 732 | - | - | 3 732 | - | - |
| 豊中市 | | 3 258 | 7 | - | 3 258 | 7 | - |
| 枚方市 | | 2 816 | - | - | 2 816 | - | - |
| 姫路市 | | - | - | - | - | - | - |
| 西宮市 | | - | - | - | - | - | - |
| 尼崎市 | | 3 447 | 13 | - | 3 447 | 13 | - |
| 奈良市 | | - | - | - | - | - | - |
| 和歌山市 | | 2 777 | - | - | 2 777 | - | - |
| 倉敷市 | | 4 403 | - | - | 4 403 | - | - |
| 福山市 | | 4 076 | - | - | 4 076 | - | - |
| 呉市 | | 1 422 | - | - | 1 422 | - | - |
| 下関市 | | - | - | - | - | - | - |
| 高松市 | | 3 368 | - | - | 3 368 | - | - |
| 松山市 | | 4 068 | - | 2 | 4 068 | - | 2 |
| 高知市 | | 2 615 | - | - | 2 615 | - | - |
| 久留米市 | | 2 789 | - | - | 2 789 | - | - |
| 長崎市 | | - | - | - | - | - | - |
| 佐世保市 | | 2 081 | - | - | 2 081 | - | - |
| 大分市 | | 4 225 | - | - | 4 225 | - | - |
| 宮崎市 | | 3 574 | 10 | - | 3 574 | - | - |
| 鹿児島市 | | 5 465 | 7 | - | 5 465 | 7 | - |
| 那覇市 | | 3 205 | - | - | 3 205 | - | - |
| その他政令市（再掲） | | | | | | | |
| 小樽市 | | 525 | - | - | 525 | - | - |
| 町田市 | | - | - | - | - | - | - |
| 藤沢市 | | - | - | - | - | - | - |
| 四日市市 | | 2 457 | - | - | 2 457 | - | - |
| 大牟田市 | | - | - | - | - | - | - |

**誤**

| | … | 妊婦Ｂ型肝炎検査実人員 | | | (再掲)医療機関等へ委託 | | |
| --- | --- | --- | --- | --- | --- | --- | --- |
| | | Ｂ型肝炎検査 | 事後指導 妊婦 | 乳児 | Ｂ型肝炎検査 | 事後指導 妊婦 | 乳児 |
| 政令市 | | 174 423 | 28 | - | 174 413 | 28 | - |
| 指定都市・特別区（再掲） | | | | | | | |
| 東京都区部 | | 39 282 | - | - | 39 282 | - | - |
| 札幌市 | | - | - | - | - | - | - |
| 仙台市 | | 9 036 | - | - | 9 036 | - | - |
| さいたま市 | | - | - | - | - | - | - |
| 千葉市 | | - | - | - | - | - | - |
| 横浜市 | | - | - | - | - | - | - |
| 川崎市 | | - | - | - | - | - | - |
| 相模原市 | | 4 744 | - | - | 4 744 | - | - |
| 新潟市 | | 6 063 | - | - | 6 063 | - | - |
| 静岡市 | | - | - | - | - | - | - |
| 浜松市 | | - | - | - | - | - | - |
| 名古屋市 | | 20 374 | - | - | 20 374 | - | - |
| 京都市 | | - | - | - | - | - | - |
| 大阪市 | | - | - | - | - | - | - |
| 堺市 | | - | - | - | - | - | - |
| 神戸市 | | - | - | - | - | - | - |
| 岡山市 | | 6 499 | - | - | 6 499 | - | - |
| 広島市 | | - | - | - | - | - | - |
| 北九州市 | | - | - | - | - | - | - |
| 福岡市 | | - | - | - | - | - | - |
| 熊本市 | | - | - | - | - | - | - |
| 中核市（再掲） | | | | | | | |
| 旭川市 | | - | - | - | - | - | - |
| 函館市 | | - | - | - | - | - | - |
| 青森市 | | 1 834 | - | - | 1 834 | - | - |
| 八戸市 | | 433 | - | - | 431 | - | - |
| 盛岡市 | | 2 324 | - | - | 2 324 | - | - |
| 秋田市 | | - | - | - | - | - | - |
| 郡山市 | | - | - | - | - | - | - |
| いわき市 | | - | - | - | - | - | - |
| 宇都宮市 | | - | - | - | - | - | - |
| 前橋市 | | - | - | - | - | - | - |
| 高崎市 | | - | - | - | - | - | - |
| 川越市 | | 2 707 | - | - | 2 707 | - | - |
| 越谷市 | | - | - | - | - | - | - |
| 船橋市 | | 5 148 | - | - | 5 148 | - | - |
| 柏市 | | 3 506 | - | - | 3 506 | - | - |
| 八王子市 | | - | - | - | - | - | - |
| 横須賀市 | | - | - | - | - | - | - |
| 富山市 | | 3 155 | - | - | 3 155 | - | - |
| 金沢市 | | - | - | - | - | - | - |
| 長野市 | | 2 952 | - | - | 2 944 | - | - |
| 岐阜市 | | - | - | - | - | - | - |
| 豊橋市 | | 3 064 | 2 | - | 3 064 | 2 | - |
| 豊田市 | | - | - | - | - | - | - |
| 岡崎市 | | 3 643 | - | - | 3 643 | - | - |
| 大津市 | | 2 834 | - | - | 2 834 | - | - |
| 高槻市 | | - | - | - | - | - | - |
| 東大阪市 | | 3 732 | - | - | 3 732 | - | - |
| 豊中市 | | 3 258 | 7 | - | 3 258 | 7 | - |
| 枚方市 | | 2 816 | - | - | 2 816 | - | - |
| 姫路市 | | - | - | - | - | - | - |
| 西宮市 | | - | - | - | - | - | - |
| 尼崎市 | | - | - | - | - | - | - |
| 奈良市 | | - | - | - | - | - | - |
| 和歌山市 | | 2 777 | - | - | 2 777 | - | - |
| 倉敷市 | | 4 403 | - | - | 4 403 | - | - |
| 福山市 | | 4 076 | - | - | 4 076 | - | - |
| 呉市 | | 1 422 | - | - | 1 422 | - | - |
| 下関市 | | - | - | - | - | - | - |
| 高松市 | | 3 368 | - | - | 3 368 | - | - |
| 松山市 | | 4 068 | 2 | - | 4 068 | 2 | - |
| 高知市 | | 2 615 | - | - | 2 615 | - | - |
| 久留米市 | | 2 789 | - | - | 2 789 | - | - |
| 長崎市 | | - | - | - | - | - | - |
| 佐世保市 | | 2 049 | - | - | 2 049 | - | - |
| 大分市 | | 4 225 | - | - | 4 225 | - | - |
| 宮崎市 | | 3 575 | 10 | - | 3 575 | 10 | - |
| 鹿児島市 | | 5 465 | 7 | - | 5 465 | 7 | - |
| 那覇市 | | 3 205 | - | - | 3 205 | - | - |
| その他政令市（再掲） | | | | | | | |
| 小樽市 | | 525 | - | - | 525 | - | - |
| 町田市 | | - | - | - | - | - | - |
| 藤沢市 | | - | - | - | - | - | - |
| 四日市市 | | 2 457 | - | - | 2 457 | - | - |
| 大牟田市 | | - | - | - | - | - | - |

第３表　市区町村が実施した妊産婦及び乳幼児の健康診査受診実人員ー延人員・医療機関等へ委託した受診実人員ー延人員，都道府県ー指定都市・特別区ー中核市ーその他政令市、対象区分別

**正**

| | … | 妊婦Ｂ型肝炎検査実人員 | | | (再掲)医療機関等へ委託 | | |
|---|---|---|---|---|---|---|---|
| | | Ｂ型肝炎 | 事後指導 | | Ｂ型肝炎 | 事後指導 | |
| | | 検査 | 妊　婦 | 乳　児 | 検査 | 妊　婦 | 乳　児 |
| 全　国 | | 810 910 | 268 | 67 | 807 237 | 224 | 42 |
| 北海道 | | 32 297 | 13 | 2 | 31 716 | 11 | 1 |
| 青　森 | | 8 145 | 5 | 4 | 8 138 | 5 | - |
| 岩　手 | | 8 341 | 1 | 1 | 8 341 | 1 | 1 |
| 宮　城 | | 17 223 | - | - | 17 223 | - | - |
| 秋　田 | | 5 496 | - | - | 5 496 | - | - |
| 山　形 | | 7 254 | - | - | 7 247 | - | - |
| 福　島 | | 13 324 | 8 | 6 | 13 324 | 8 | 6 |
| 茨　城 | | 20 832 | 9 | - | 20 832 | 6 | - |
| 栃　木 | | 14 561 | - | - | 14 558 | - | - |
| 群　馬 | | 13 832 | 2 | 2 | 13 805 | - | - |
| 埼　玉 | | 55 071 | 10 | - | 54 098 | 10 | - |
| 千　葉 | | 41 227 | - | - | 41 226 | - | - |
| 東　京 | | 79 667 | 1 | - | 79 653 | 1 | - |
| 神奈川 | | 14 080 | - | - | 13 045 | - | - |
| 新　潟 | | 15 328 | 3 | - | 15 328 | 3 | - |
| 富　山 | | 7 227 | 5 | 3 | 7 227 | 5 | 3 |
| 石　川 | | 8 858 | 7 | 7 | 8 858 | 5 | - |
| 福　井 | | 6 081 | 1 | - | 6 081 | 1 | - |
| 山　梨 | | 2 478 | - | - | 2 478 | - | - |
| 長　野 | | 14 320 | 1 | - | 14 152 | 1 | - |
| 岐　阜 | | 14 235 | 9 | - | 14 235 | 9 | - |
| 静　岡 | | 26 224 | 9 | - | 25 818 | 9 | - |
| 愛　知 | | 67 366 | 15 | 1 | 67 366 | 15 | 1 |
| 三　重 | | 13 160 | 4 | - | 13 160 | 4 | - |
| 滋　賀 | | 11 837 | 7 | - | 11 837 | 7 | - |
| 京　都 | | 18 878 | 1 | 2 | 18 850 | 1 | - |
| 大　阪 | | 69 193 | 32 | 6 | 68 847 | 28 | 3 |
| 兵　庫 | | 4 839 | 13 | - | 4 839 | 13 | - |
| 奈　良 | | 1 685 | - | - | 1 685 | - | - |
| 和歌山 | | 6 523 | 3 | 1 | 6 519 | 3 | 1 |
| 鳥　取 | | 4 124 | 12 | - | 4 124 | 12 | - |
| 島　根 | | 5 245 | - | - | 5 245 | - | - |
| 岡　山 | | 15 274 | 3 | 1 | 15 272 | 2 | 1 |
| 広　島 | | 22 688 | 18 | - | 22 688 | 6 | - |
| 山　口 | | 9 485 | 12 | 3 | 9 485 | 12 | 3 |
| 徳　島 | | 5 307 | 2 | - | 5 307 | 1 | - |
| 香　川 | | 7 143 | - | - | 7 143 | - | - |
| 愛　媛 | | 9 611 | 8 | 6 | 9 611 | 8 | 5 |
| 高　知 | | 4 812 | - | - | 4 812 | - | - |
| 福　岡 | | 28 722 | - | - | 28 722 | - | - |
| 佐　賀 | | 6 626 | 12 | 13 | 6 626 | 9 | 12 |
| 長　崎 | | 10 594 | - | - | 10 594 | - | - |
| 熊　本 | | 14 775 | 11 | 3 | 14 775 | 10 | 3 |
| 大　分 | | 8 726 | 1 | - | 8 726 | 1 | - |
| 宮　崎 | | 8 870 | 12 | - | 8 870 | 2 | - |
| 鹿児島 | | 13 381 | 11 | 1 | 13 381 | 11 | - |
| 沖　縄 | | 15 945 | 7 | 5 | 15 874 | 4 | 2 |
| 指定都市・特別区（再掲） | | | | | | | |
| 東京都区部 | | 57 308 | - | - | 57 308 | - | - |
| 札幌市 | | 13 950 | - | - | 13 950 | - | - |
| 仙台市 | | 9 036 | - | - | 9 036 | - | - |
| さいたま市 | | 10 672 | - | - | 10 617 | - | - |
| 千葉市 | | 6 978 | - | - | 6 978 | - | - |
| 横浜市 | | - | - | - | - | - | - |
| 川崎市 | | - | - | - | - | - | - |
| 相模原市 | | 4 744 | - | - | 4 744 | - | - |
| 新潟市 | | 5 966 | - | - | 5 966 | - | - |
| 静岡市 | | 5 117 | - | - | 5 117 | - | - |
| 浜松市 | | 6 482 | - | - | 6 482 | - | - |
| 名古屋市 | | 20 374 | - | - | 20 374 | - | - |
| 京都市 | | 11 194 | - | - | 11 194 | - | - |
| 大阪市 | | 23 718 | 2 | 3 | 23 718 | - | - |
| 堺市 | | 6 664 | 2 | - | 6 664 | 2 | - |
| 神戸市 | | - | - | - | - | - | - |
| 岡山市 | | 6 499 | - | - | 6 499 | - | - |
| 広島市 | | 10 493 | - | - | 10 493 | - | - |
| 北九州市 | | 7 596 | - | - | 7 596 | - | - |
| 福岡市 | | - | - | - | - | - | - |
| 熊本市 | | 6 864 | - | - | 6 864 | - | - |

**誤**

| | … | 妊婦Ｂ型肝炎検査実人員 | | | (再掲)医療機関等へ委託 | | |
|---|---|---|---|---|---|---|---|
| | | Ｂ型肝炎 | 事後指導 | | Ｂ型肝炎 | 事後指導 | |
| | | 検査 | 妊　婦 | 乳　児 | 検査 | 妊　婦 | 乳　児 |
| 全　国 | | 778 594 | 12 028 | 46 | 773 528 | 11 867 | 31 |
| 北海道 | | 30 335 | 267 | 1 | 29 873 | 265 | - |
| 青　森 | | 8 147 | 1 131 | - | 8 140 | 1 131 | - |
| 岩　手 | | 8 254 | 50 | - | 8 254 | 50 | - |
| 宮　城 | | 16 766 | - | - | 16 766 | - | - |
| 秋　田 | | 5 496 | 25 | - | 5 496 | 25 | - |
| 山　形 | | 7 126 | 42 | - | 7 064 | 41 | - |
| 福　島 | | 13 357 | 71 | 6 | 13 357 | 71 | 6 |
| 茨　城 | | 20 809 | 1 672 | - | 20 809 | 1 669 | - |
| 栃　木 | | 14 544 | 151 | - | 14 541 | 151 | - |
| 群　馬 | | 13 912 | - | - | 13 885 | - | - |
| 埼　玉 | | 54 444 | 1 839 | - | 52 762 | 1 789 | - |
| 千　葉 | | 41 101 | 328 | - | 41 101 | 328 | - |
| 東　京 | | 74 827 | 192 | - | 74 814 | 192 | - |
| 神奈川 | | 11 690 | 164 | - | 11 672 | 82 | - |
| 新　潟 | | 15 420 | 16 | - | 15 420 | 16 | - |
| 富　山 | | 7 236 | 1 | - | 7 236 | 1 | - |
| 石　川 | | 8 856 | 119 | 4 | 8 856 | 119 | - |
| 福　井 | | 5 470 | 545 | - | 5 470 | 545 | - |
| 山　梨 | | 2 176 | 17 | - | 1 265 | 17 | - |
| 長　野 | | 12 763 | 359 | - | 12 575 | 359 | - |
| 岐　阜 | | 14 126 | 9 | - | 14 126 | 9 | - |
| 静　岡 | | 26 227 | 448 | - | 25 821 | 448 | - |
| 愛　知 | | 67 330 | 5 | - | 67 330 | 5 | - |
| 三　重 | | 12 978 | 106 | - | 12 978 | 106 | - |
| 滋　賀 | | 11 802 | 726 | - | 11 802 | 726 | - |
| 京　都 | | 7 118 | 169 | 2 | 7 090 | 169 | - |
| 大　阪 | | 66 585 | 32 | 7 | 66 239 | 28 | 3 |
| 兵　庫 | | 1 228 | - | - | 1 228 | - | - |
| 奈　良 | | 1 593 | - | - | 1 593 | - | - |
| 和歌山 | | 6 512 | - | - | 6 512 | - | - |
| 鳥　取 | | 4 123 | 12 | - | 4 123 | 12 | - |
| 島　根 | | 5 245 | 176 | - | 5 245 | 176 | - |
| 岡　山 | | 15 208 | 92 | 1 | 15 207 | 91 | 1 |
| 広　島 | | 22 687 | 13 | - | 22 655 | 1 | - |
| 山　口 | | 9 484 | 12 | 3 | 9 484 | 12 | 3 |
| 徳　島 | | 5 338 | 2 | - | 5 338 | 1 | - |
| 香　川 | | 7 142 | 55 | - | 7 140 | 55 | - |
| 愛　媛 | | 9 611 | 802 | - | 9 611 | 802 | - |
| 高　知 | | 4 705 | 4 | - | 4 693 | 4 | - |
| 福　岡 | | 27 991 | 1 220 | - | 27 991 | 1 220 | - |
| 佐　賀 | | 6 626 | 10 | 13 | 6 626 | 9 | 12 |
| 長　崎 | | 10 562 | - | - | 10 562 | - | - |
| 熊　本 | | 14 763 | 85 | 1 | 14 763 | 84 | 1 |
| 大　分 | | 8 717 | 176 | - | 8 717 | 176 | - |
| 宮　崎 | | 8 877 | 505 | 2 | 8 877 | 505 | - |
| 鹿児島 | | 13 380 | 65 | 1 | 12 585 | 62 | - |
| 沖　縄 | | 15 907 | 315 | 5 | 15 836 | 315 | 5 |
| 指定都市・特別区（再掲） | | | | | | | |
| 東京都区部 | | 54 192 | - | - | 54 192 | - | - |
| 札幌市 | | 13 950 | - | - | 13 950 | - | - |
| 仙台市 | | 9 036 | - | - | 9 036 | - | - |
| さいたま市 | | 10 672 | - | - | 10 617 | - | - |
| 千葉市 | | 6 978 | - | - | 6 978 | - | - |
| 横浜市 | | - | - | - | - | - | - |
| 川崎市 | | … | … | … | … | … | … |
| 相模原市 | | 4 744 | - | - | 4 744 | - | - |
| 新潟市 | | 6 063 | - | - | 6 063 | - | - |
| 静岡市 | | 5 117 | - | - | 5 117 | - | - |
| 浜松市 | | 6 482 | - | - | 6 482 | - | - |
| 名古屋市 | | 20 374 | - | - | 20 374 | - | - |
| 京都市 | | - | - | - | - | - | - |
| 大阪市 | | 23 718 | 2 | 4 | 23 718 | - | - |
| 堺市 | | 6 662 | 2 | - | 6 662 | 2 | - |
| 神戸市 | | - | - | - | - | - | - |
| 岡山市 | | 6 499 | - | - | 6 499 | - | - |
| 広島市 | | 10 493 | - | - | 10 493 | - | - |
| 北九州市 | | 7 596 | - | - | 7 596 | - | - |
| 福岡市 | | - | - | - | - | - | - |
| 熊本市 | | 6 864 | - | - | 6 864 | - | - |

**正**

| | … | 妊婦Ｂ型肝炎検査実人員 | | | (再掲)医療機関等へ委託 | | |
|---|---|---|---|---|---|---|---|
| | | Ｂ型肝炎 | 事後指導 | | Ｂ型肝炎 | 事後指導 | |
| | | 検査 | 妊　婦 | 乳　児 | 検査 | 妊　婦 | 乳　児 |
| 中核市（再掲） | | | | | | | |
| 旭川市 | | 2 238 | 9 | - | 2 238 | 9 | - |
| 函館市 | | 1 487 | - | - | 1 487 | - | - |
| 青森市 | | 1 834 | - | - | 1 834 | - | - |
| 八戸市 | | 1 699 | 2 | 4 | 1 692 | 2 | - |
| 盛岡市 | | 2 324 | - | - | 2 324 | - | - |
| 秋田市 | | 2 053 | - | - | 2 053 | - | - |
| 郡山市 | | 2 728 | - | - | 2 728 | - | - |
| いわき市 | | 2 300 | - | - | 2 300 | - | - |
| 宇都宮市 | | 4 561 | - | - | 4 561 | - | - |
| 前橋市 | | 2 397 | - | - | 2 397 | - | - |
| 高崎市 | | 3 053 | - | - | 3 053 | - | - |
| 川越市 | | 2 707 | - | - | 2 707 | - | - |
| 越谷市 | | 2 802 | - | - | 2 802 | - | - |
| 船橋市 | | 5 148 | - | - | 5 148 | - | - |
| 柏市 | | 3 506 | - | - | 3 506 | - | - |
| 八王子市 | | 3 479 | 1 | - | 3 479 | 1 | - |
| 横須賀市 | | 2 476 | - | - | 2 458 | - | - |
| 富山市 | | 3 155 | - | - | 3 155 | - | - |
| 金沢市 | | 3 904 | 2 | 3 | 3 904 | - | - |
| 長野市 | | 2 952 | - | - | 2 944 | - | - |
| 岐阜市 | | 2 828 | 9 | - | 2 828 | 9 | - |
| 豊橋市 | | 3 064 | 11 | - | 3 064 | 11 | - |
| 豊田市 | | 3 984 | - | - | 3 984 | - | - |
| 岡崎市 | | 3 643 | - | - | 3 643 | - | - |
| 大津市 | | 2 834 | - | - | 2 834 | - | - |
| 高槻市 | | 2 581 | 1 | - | 2 581 | 1 | - |
| 東大阪市 | | 3 732 | - | - | 3 732 | - | - |
| 豊中市 | | 3 258 | 7 | - | 3 258 | 7 | - |
| 枚方市 | | 2 816 | - | - | 2 816 | - | - |
| 姫路市 | | - | - | - | - | - | - |
| 西宮市 | | - | - | - | - | - | - |
| 尼崎市 | | 3 447 | 13 | - | 3 447 | 13 | - |
| 奈良市 | | - | - | - | - | - | - |
| 和歌山市 | | 2 777 | - | - | 2 777 | - | - |
| 倉敷市 | | 4 403 | - | - | 4 403 | - | - |
| 福山市 | | 4 076 | - | - | 4 076 | - | - |
| 呉市 | | 1 422 | - | - | 1 422 | - | - |
| 下関市 | | 1 675 | 3 | 3 | 1 675 | 3 | 3 |
| 高松市 | | 3 368 | - | - | 3 368 | - | - |
| 松山市 | | 4 068 | - | 2 | 4 068 | - | 2 |
| 高知市 | | 2 615 | - | - | 2 615 | - | - |
| 久留米市 | | 2 789 | - | - | 2 789 | - | - |
| 長崎市 | | 3 225 | - | - | 3 225 | - | - |
| 佐世保市 | | 2 081 | - | - | 2 081 | - | - |
| 大分市 | | 4 225 | - | - | 4 225 | - | - |
| 宮崎市 | | 3 574 | 10 | - | 3 574 | - | - |
| 鹿児島市 | | 5 465 | 7 | - | 5 465 | 7 | - |
| 那覇市 | | 3 205 | - | - | 3 205 | - | - |
| その他政令市（再掲） | | | | | | | |
| 小樽市 | | 525 | - | - | 525 | - | - |
| 町田市 | | - | - | - | - | - | - |
| 藤沢市 | | - | - | - | - | - | - |
| 四日市市 | | 2 457 | - | - | 2 457 | - | - |
| 大牟田市 | | 791 | - | - | 791 | - | - |

**誤**

| | … | 妊婦Ｂ型肝炎検査実人員 | | | (再掲)医療機関等へ委託 | | |
|---|---|---|---|---|---|---|---|
| | | Ｂ型肝炎 | 事後指導 | | Ｂ型肝炎 | 事後指導 | |
| | | 検査 | 妊　婦 | 乳　児 | 検査 | 妊　婦 | 乳　児 |
| 中核市（再掲） | | | | | | | |
| 旭川市 | | 2 238 | 9 | - | 2 238 | 9 | - |
| 函館市 | | 1 487 | - | - | 1 487 | - | - |
| 青森市 | | 1 834 | - | - | 1 834 | - | - |
| 八戸市 | | 1 699 | - | - | 1 692 | - | - |
| 盛岡市 | | 2 324 | - | - | 2 324 | - | - |
| 秋田市 | | 2 053 | - | - | 2 053 | - | - |
| 郡山市 | | 2 728 | - | - | 2 728 | - | - |
| いわき市 | | 2 300 | - | - | 2 300 | - | - |
| 宇都宮市 | | 4 561 | - | - | 4 561 | - | - |
| 前橋市 | | 2 397 | - | - | 2 397 | - | - |
| 高崎市 | | 3 053 | - | - | 3 053 | - | - |
| 川越市 | | 2 707 | - | - | 2 707 | - | - |
| 越谷市 | | 2 802 | - | - | 2 802 | - | - |
| 船橋市 | | 5 148 | - | - | 5 148 | - | - |
| 柏市 | | 3 506 | - | - | 3 506 | - | - |
| 八王子市 | | 3 479 | 1 | - | 3 479 | 1 | - |
| 横須賀市 | | 2 476 | - | - | 2 458 | - | - |
| 富山市 | | 3 155 | - | - | 3 155 | - | - |
| 金沢市 | | 3 904 | - | - | 3 904 | - | - |
| 長野市 | | 2 952 | - | - | 2 944 | - | - |
| 岐阜市 | | 2 828 | 9 | - | 2 828 | 9 | - |
| 豊橋市 | | 3 064 | 2 | - | 3 064 | 2 | - |
| 豊田市 | | 3 984 | - | - | 3 984 | - | - |
| 岡崎市 | | 3 643 | - | - | 3 643 | - | - |
| 大津市 | | 2 834 | - | - | 2 834 | - | - |
| 高槻市 | | 2 581 | - | - | 2 581 | - | - |
| 東大阪市 | | 3 732 | - | - | 3 732 | - | - |
| 豊中市 | | 3 258 | 7 | - | 3 258 | 7 | - |
| 枚方市 | | 2 816 | - | - | 2 816 | - | - |
| 姫路市 | | - | - | - | - | - | - |
| 西宮市 | | - | - | - | - | - | - |
| 尼崎市 | | - | - | - | - | - | - |
| 奈良市 | | - | - | - | - | - | - |
| 和歌山市 | | 2 777 | - | - | 2 777 | - | - |
| 倉敷市 | | 4 403 | - | - | 4 403 | - | - |
| 福山市 | | 4 076 | - | - | 4 076 | - | - |
| 呉市 | | 1 422 | - | - | 1 422 | - | - |
| 下関市 | | 1 675 | 3 | 3 | 1 675 | 3 | 3 |
| 高松市 | | 3 368 | - | - | 3 368 | - | - |
| 松山市 | | 4 068 | 2 | - | 4 068 | 2 | - |
| 高知市 | | 2 615 | - | - | 2 615 | - | - |
| 久留米市 | | 2 789 | - | - | 2 789 | - | - |
| 長崎市 | | 3 225 | - | - | 3 225 | - | - |
| 佐世保市 | | 2 049 | - | - | 2 049 | - | - |
| 大分市 | | 4 225 | - | - | 4 225 | - | - |
| 宮崎市 | | 3 575 | 10 | - | 3 575 | 10 | - |
| 鹿児島市 | | 5 465 | 7 | - | 5 465 | 7 | - |
| 那覇市 | | 3 205 | - | - | 3 205 | - | - |
| その他政令市（再掲） | | | | | | | |
| 小樽市 | | 525 | - | - | 525 | - | - |
| 町田市 | | - | - | - | - | - | - |
| 藤沢市 | | - | - | - | - | - | - |
| 四日市市 | | 2 457 | - | - | 2 457 | - | - |
| 大牟田市 | | 791 | - | - | 791 | - | - |

令和２年１月10日　　発行

定価は表紙に表示してあります

平成29年度
地域保健・健康増進事業報告
（地域保健編）

編　集　厚生労働省政策統括官（統計・情報政策、政策評価担当）
発　行　一般財団法人　厚生労働統計協会
郵便番号 103-0001
東京都中央区日本橋小伝馬町４－９
小伝馬町新日本橋ビルディング３Ｆ
電　話　03－5623－4123（代表）
印　刷　統計プリント株式会社